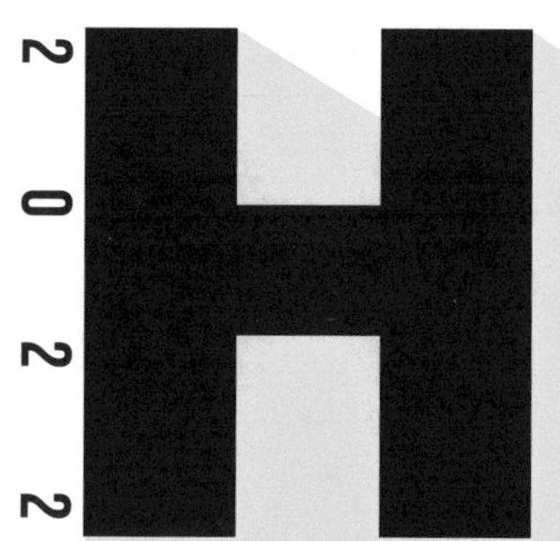

2022

# 고2 국어 학력평가 기출문제집

## 5개년

총 20회 ( 2017~2021 시행 )

최다 회분 수록

11월 전국연합학력평가 반영

# 이 책은 이렇게 활용하세요!

## 1 최신 5개년 학력평가 기출문제 20회

학력평가 기출문제 최신 20회차를 연도별 시험지 형식 그대로 제공하여 실전처럼 문제를 풀며 실전 감각을 익히도록 하였습니다. 실제 시험지 비율을 유지하되, 사이즈를 축소하여 교재의 휴대가 용이하도록 하였습니다.

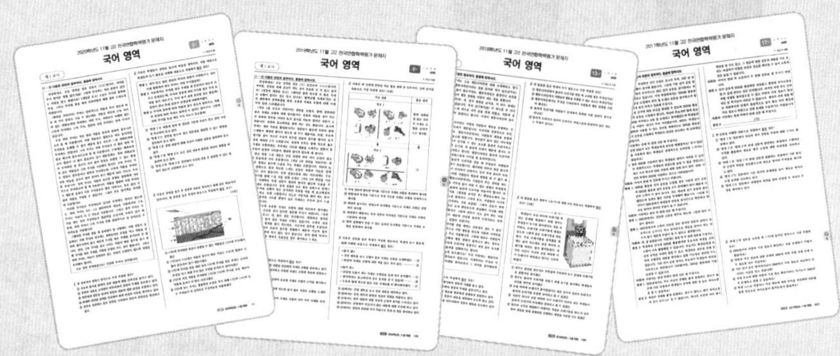

★실전 연습용 OMR 카드는 문제 책 뒷부분(P.328~)에 있습니다.
★실전처럼 80분 안에 문제를 풀고, OMR 카드에 정답을 기입하세요.
★학습 PLAN에서 틀린 문항 수를 체크하여 자신의 약점 영역을 파악할 수 있습니다.

## 2 선지 판단의 기준이 되는 해설

정답과 오답에 대한 핵심적인 근거를 제시하여 자신의 실력과 사고 과정을 점검하고 보완할 부분을 파악할 수 있도록 하였습니다. 상세한 해설을 통해 선지를 판단하는 기준을 세울 수 있습니다.
빠른 정답 찾기와 1~9등급을 구분하는 등급컷 정보를 수록하여, 채점 후에 자신의 수준을 객관적으로 확인하며 이후 학습 계획에 참고하도록 하였습니다.

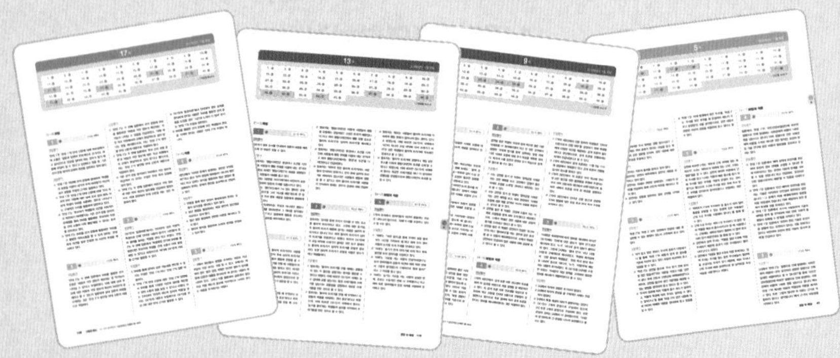

★각 문제마다 표기된 정답률을 통해 주의 깊게 보아야 할 문제를 파악할 수 있습니다.
★빠른 정답 찾기와 등급컷은 해설 책 앞부분(P.2~P.3)에 수록되어 있습니다.
★등급컷과 정답률은 관련 자료를 다각도로 분석하여 작성한 것이나, 변동이 있을 수 있습니다.

## 오답률 BEST 5

학력평가 기출 모의고사의 각 회차별로 오답률이 가장 높았던 5개의 문제를 따로 분석하여 반드시 체크하고 넘어가야 할 내용을 담았습니다. 문제의 의도와 함정을 피하는 방법, 꼭 확인하고 넘어가야 할 정보 등을 친절히 설명하여 학생들이 실제 수능에서 실수를 줄일 수 있도록 하였습니다.

오답률 Best 1

①번을 선택한 학생들이 16%, ②번을 선택한 학생들이 34%로 높은 편이었어. 문법 개념이 익숙하지 않은 학생들은 '문장 성분'과 '품사'를 혼동하기 쉬운데, 그 중에서도 품사의 '동사, 형용사'와 문장 성분의 '서술어', 그리고 겹문장에서 '서술절'은 많은 학생들이 어렵게 생각하는 부분이야. 문법 개념은 한번 정리해두고 꾸준히 문제를 풀면 오래 기억할 수 있으니까 한번은 제대로 공부하는 것을 추천해. 서술절 개념에서 주의해야 할 건은 안은문장 내부에서 서술절이 전체 문장의 서술어 역할을 하고 그래서 주어와 서술절이 주어-서술어의 관계를 맺는다는 거야. 그래서 '나는 키가 크다'에서 주어 '나는'은 서술어인 서술절 '키가 크다'와 호응하고 서술절 내부의 주어 '키가'는 서술절 내부의 서술어 '크다'와 호응하는 거지.

<보기>의 예문 ㄱ(나는 키가 크다.)은 해설에서 설명한 대로 주어 '나는'과 '키가', 서술어 '크다'로 이루어져 있고, 예문 ㄷ(그녀는 시인이자 선생님이다.)은 주어 '그녀는'과 서술어 '시인이자', '선생님이다'로 구성되어 있어. 그래서 ①번 ㄱ과 ㄷ을 구성하는 문장 성분은 주어와 서술어로 동일했던 거야. 한편 예문 ㄱ에서 주어 '나는'과 서술어 '키가 크다', 서술

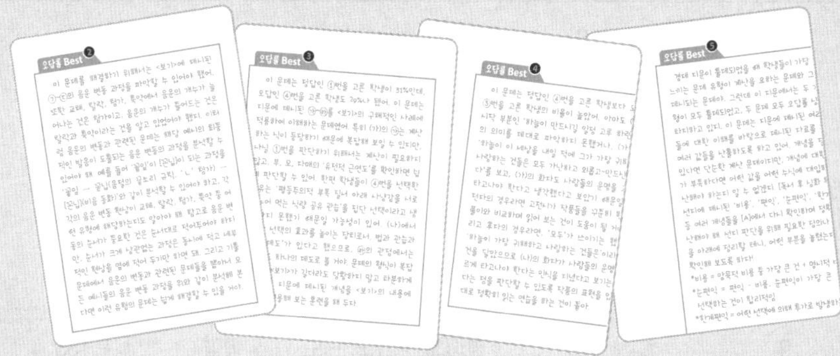

## 전국연합 학력평가란?

일정 기간 동안의 학습을 통하여 얻은 결과 및 효과를 측정하는 시험으로, 이를 통해 학생들이 교육과정의 수준에 맞춰 올바르게 학습하고 있는지 평가합니다. 고등학교 1·2학년 대상의 학력평가는 1년에 총 4번(3월, 6월, 9월, 11월) 실시됩니다.
국어 시험 시간은 80분으로, 정해진 시간 안에 45개의 문제를 풀고, OMR 카드에 정답을 기입해야 합니다. 국어 시험 평가 영역은 화법, 작문, 문법(언어), 문학, 독서로 구성됩니다.

현재 고3 수능, 모의평가의 평가 영역인 '언어와 매체' 중 매체는 고등학교 1·2학년 학력평가에 포함되지 않습니다.

## 수능을 대비하기 위한 학력평가 활용 전략

고등학교 1·2학년 학습자들은 고3 평가원 기출 문제(6월 모의평가, 9월 모의평가, 수능)를 분석하기 전에, 각 학년에 맞는 학력평가를 풀어보며 수능에서 원하는 사고방식을 익히고, 기본 지식을 쌓아야 합니다. 정해진 시간 내에 45개의 문제를 풀고, 채점·풀이하는 과정에서 영역별 접근법을 익히고, 기본 지식을 쌓을 수 있습니다.

하루 1회차씩

# 20일 완성 학습 PLAN & 목차

스스로 계획하는

## ______일 완성 학습 PLAN

| DAY | 학습일 | 학습 회차/문항 번호 | 학습한 페이지 |
|---|---|---|---|
| 예시 | 1월 2일 | 1회 2021학년도 11월 학평/1~22번 | 문제 P.7 ~ P.14 |
| 1 | 월 일 | | 문제 P. ~ P. |
| 2 | 월 일 | | 문제 P. ~ P. |
| 3 | 월 일 | | 문제 P. ~ P. |
| 4 | 월 일 | | 문제 P. ~ P. |
| 5 | 월 일 | | 문제 P. ~ P. |
| 6 | 월 일 | | 문제 P. ~ P. |
| 7 | 월 일 | | 문제 P. ~ P. |
| 8 | 월 일 | | 문제 P. ~ P. |
| 9 | 월 일 | | 문제 P. ~ P. |
| 10 | 월 일 | | 문제 P. ~ P. |
| 11 | 월 일 | | 문제 P. ~ P. |
| 12 | 월 일 | | 문제 P. ~ P. |
| 13 | 월 일 | | 문제 P. ~ P. |
| 14 | 월 일 | | 문제 P. ~ P. |
| 15 | 월 일 | | 문제 P. ~ P. |
| 16 | 월 일 | | 문제 P. ~ P. |
| 17 | 월 일 | | 문제 P. ~ P. |
| 18 | 월 일 | | 문제 P. ~ P. |
| 19 | 월 일 | | 문제 P. ~ P. |
| 20 | 월 일 | | 문제 P. ~ P. |
| 21 | 월 일 | | 문제 P. ~ P. |
| 22 | 월 일 | | 문제 P. ~ P. |
| 23 | 월 일 | | 문제 P. ~ P. |
| 24 | 월 일 | | 문제 P. ~ P. |
| 25 | 월 일 | | 문제 P. ~ P. |
| 26 | 월 일 | | 문제 P. ~ P. |
| 27 | 월 일 | | 문제 P. ~ P. |
| 28 | 월 일 | | 문제 P. ~ P. |
| 29 | 월 일 | | 문제 P. ~ P. |
| 30 | 월 일 | | 문제 P. ~ P. |
| 31 | 월 일 | | 문제 P. ~ P. |
| 32 | 월 일 | | 문제 P. ~ P. |
| 33 | 월 일 | | 문제 P. ~ P. |
| 34 | 월 일 | | 문제 P. ~ P. |
| 35 | 월 일 | | 문제 P. ~ P. |
| 36 | 월 일 | | 문제 P. ~ P. |
| 37 | 월 일 | | 문제 P. ~ P. |
| 38 | 월 일 | | 문제 P. ~ P. |
| 39 | 월 일 | | 문제 P. ~ P. |
| 40 | 월 일 | | 문제 P. ~ P. |

★자신의 학습 속도를 고려하여 스스로 학습 계획을 수립해 보세요. 단, 한 번 학습을 할 때에는 20문항 이상을 푸는 것을 권장합니다.

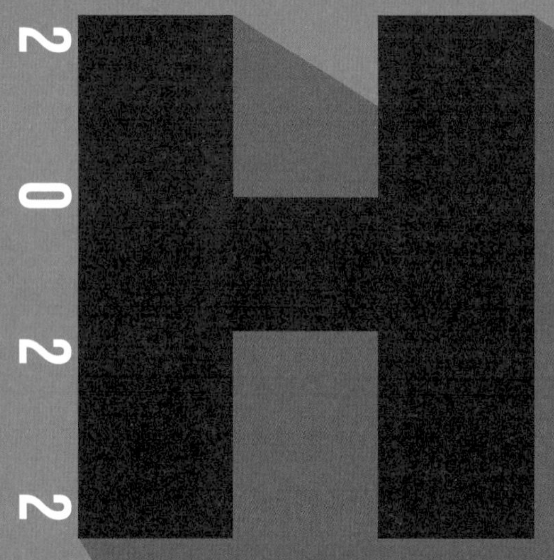
2022
H

# 2021학년도 11월 고2 전국연합학력평가 문제지

# 국어 영역

1회 소요시간 /80분

제 1 교시

➡ 해설 P.4



[1 ~ 3] 다음은 학생의 발표이다. 물음에 답하시오.

조선의 수도가 한양이라는 것은 대부분 알고 계시겠지만 한양도성에 대해서 관심이 있는 분들은 드물 것이라고 생각합니다. 먼저 여기를 봐주세요. (동영상 제시) 영상 속 장소가 바로 한양도성인데요. 많은 사람들이 살고 있는 도시에 이처럼 옛 성벽의 형태가 유지되고 있는 경우를 다른 나라에서는 찾아보기 힘듭니다. 그래서 저는 '한양도성에 남겨진 우리 역사의 흔적'이라는 주제로 발표를 준비했습니다.

(사진 제시) 이 사진은 실제 한양도성 성벽의 한 구간을 촬영한 것인데요. 이처럼 성돌의 모양이 다양하게 나타나는 이유가 무엇인지 궁금하지 않으신가요? 이것은 성벽을 쌓은 시대가 다르기 때문입니다. 가장 아래층은 조선 건국 초 태조 때에 쌓은 것입니다. 짧은 기간에 극심한 추위 속에서 공사가 진행되다 보니 다듬지 않은 자연석을 그대로 활용하여 축성 방법이 거칠었지요. 그 후 홍수 등으로 성벽이 많이 유실되었는데 세종 때에 이를 보수하였습니다. (화면을 가리키며) 바로 이 부분입니다. 비교적 잘 다듬은 돌을 크기별로 쌓았습니다. 그리고 맨 위쪽에 보이는 정사각형으로 다듬어진 돌들은 숙종 때에 쌓은 것입니다. 이때에는 전쟁 이후 무너진 성벽을 본격적으로 보수했습니다.

그리고 성벽을 자세히 들여다보면 각자성석을 찾을 수 있습니다. 각자성석에 대해서는 처음 들어보실 텐데요. (사진을 확대하여 제시) 이렇게 글자가 새겨져 있는 성돌을 각자성석이라고 합니다. 그렇다면 각자성석에는 어떤 내용이 새겨져 있을까요? (청중의 반응을 확인한 후) 각자성석에는 도성의 축성과 관련된 정보가 기록되어 있습니다. (사진 제시) 태조 때에는 이처럼 축성 구간을 구분하는 정도만 표시하였습니다. 그러다 세종 때에 가면 이렇게 고을 이름도 밝히고 숙종 때에 이르러서는 여기 보이는 것처럼 책임자의 이름까지 밝히게 됩니다. 이를 보면 시대가 흘러감에 따라 도성의 관리를 더욱 철저히 했다는 것을 알 수 있습니다.

이러한 한양도성이 일제강점기와 전쟁을 겪으면서 상당 부분 훼손되는 아픔을 겪기도 하였습니다. (사진 제시) 오랜 복원 노력으로 옛 모습에 가깝게 정비되었지만 지금 보시는 사진처럼 아직도 훼손된 성벽이 남아 있습니다. 선조들의 축성 기술과 역사를 확인할 수 있는 한양도성이 온전한 모습을 지켜갈 수 있도록 관심을 가지시면 좋겠습니다. 제 발표를 들어주셔서 감사합니다.

*1.* 발표자의 말하기 방식에 대한 설명으로 가장 적절한 것은?

① 자료의 출처를 밝혀 발표 내용의 신뢰성을 높이고 있다.
② 전문가의 말을 인용하여 정보의 객관성을 확보하고 있다.
③ 발표 내용과 관련된 질문을 하여 청중의 주의를 환기하고 있다.
④ 청중의 이해도를 점검하며 발표를 마무리하여 주제를 강조하고 있다.
⑤ 청중의 요청에 따라 발표 내용에 대한 정보를 추가하여 청중의 이해를 돕고 있다.

*2.* 다음은 학생이 발표를 하기 위해 작성한 발표 계획서의 일부이다. 발표 내용에 반영되지 <u>않은</u> 것은?

**발표 계획서**

| | 발표 상황 분석 | | 매체 활용 계획 | |
|---|---|---|---|---|
| 청중 분석 | 주제에 대한 관심이 부족할 것임. | → | 흥미를 유발하기 위해 옛 성벽의 형태를 유지하고 있는 한양도성의 모습을 담은 동영상 자료를 활용해야지. | …① |
| 청중 분석 | 성벽을 이루고 있는 성돌의 모양이 다양한 이유를 궁금해할 것임. | → | 거듭된 보수로 인해 성벽의 한 구간에 다양한 모양의 성돌이 나타남을 알려 주기 위해 사진 자료를 제시하며 시기별 성벽의 특징을 언급해야지. | …② |
| 청중 분석 | 각자성석에 대해서 사전에 들어 본 적이 없을 것임. | → | 각자성석이 무엇인지 알려 주기 위해 사진 자료를 확대하여 성돌에 글자가 새겨진 것을 보여 줘야지. | …③ |
| 제재 분석 | 각자성석에 여러 가지 정보가 담겨 있음. | → | 한양도성의 축성에 대한 기록이 담긴 각자성석의 사진 자료를 시대별로 차례차례 설명해야지. | …④ |
| 제재 분석 | 한양도성 성벽 중 일부 훼손된 구간이 있음. | → | 훼손된 성벽을 사진 자료로 제시하며 오늘날 한양도성을 복원하기 위한 방안을 제시해야지. | …⑤ |

*3.* 다음은 위 발표를 들은 두 학생의 메모이다. '학생 1'과 '학생 2'의 메모를 분석한 것으로 적절하지 <u>않은</u> 것은?

| 학생 1 | 학생 2 |
|---|---|
| ㅇ당시 도성의 관리에 심혈을 기울였다는 것을 각자성석을 통해 알 수 있다는 점이 매우 흥미로웠어.<br>ㅇ다른 나라에는 도시에 옛 성벽의 형태가 잘 유지되고 있지 않다고 하는데 실제 사례가 없어서 이해하기 어려웠어.<br>ㅇ한양도성이 옛 모습에 가깝게 정비되었다고 했는데 현대에는 어떤 기술로 복원하였을까. | ㅇ지난번 한양도성에 갔을 때도 각자성석에 대한 지식을 알고 갔으면 좋았을 텐데.<br>ㅇ조선 건국 초기 한양도성을 축성하는 과정 중에 겪었던 어려움에는 어떤 것들이 더 있었을까.<br>ㅇ태조, 세종, 숙종 때 외에 다른 시기의 축성에 대한 언급이 없어서 조선시대의 전반적인 축성 기술에 대해 알기 어려웠어. |

① '학생 1'은 발표에서 새롭게 알게 된 정보를 긍정적으로 생각하고 있군.
② '학생 2'는 발표 내용을 자신의 경험과 관련지어 생각하고 있군.
③ '학생 1'과 '학생 2'는 모두, 발표에서 제시된 정보가 부족하다고 생각하고 있군.
④ '학생 1'과 '학생 2'는 모두, 발표에서 들은 내용과 관련된 궁금한 점을 드러내고 있군.
⑤ '학생 1'과 '학생 2'는 모두, 발표에서 제시된 자료를 언급하면서 기존 지식을 수정하고 있군.

**[4 ~ 7] (가)는 토론의 일부이고, (나)는 청중으로 참여한 학생이 '토론 후 과제'에 따라 쓴 초고이다. 물음에 답하시오.**

(가)

**사회자**: 이번 시간에는 '서책 교과서를 디지털 교과서로 교체하는 것이 바람직하다.'라는 논제로 토론을 진행하겠습니다. 찬성 측이 먼저 입론해 주신 후 반대 측에서 반대 신문해 주십시오.

**찬성 1**: 저희는 서책 교과서를 디지털 교과서로 교체하는 것이 바람직하다고 생각합니다. 디지털 교과서는 여러 권의 교과서에 담긴 정보를 하나의 디지털 기기에 넣어 활용하는 방식으로 이용됩니다. 따라서 서책 교과서보다 휴대가 간편하고, 교과서에 연동된 멀티미디어 자료나 인터넷 자료를 활용하여 손쉽게 심화 학습을 할 수 있어 편리합니다. 또 서책을 만드는 데 필요한 종이나 인쇄와 관련된 비용을 아낄 수 있어 경제적입니다. 그리고 종이 생산을 위한 벌목으로 숲이 황폐해지는 것을 막아 환경을 보호할 수 있습니다.

[A]

**반대 2**: 서책 교과서를 디지털 교과서로 교체하면 환경을 보호할 수 있다는 말씀은 서책 교과서 사용이 환경을 파괴한다는 의미입니까?

**찬성 1**: 네, 맞습니다.

[B]

**반대 2**: 독일과 미국의 환경 단체 자료에 따르면 디지털 교과서를 보기 위해 사용하는 디지털 기기는 제작부터 사용까지 평균 130kg의 이산화탄소를 배출하고 서책은 4kg을 배출한다고 합니다. 그래도 디지털 교과서가 서책 교과서보다 환경을 보호한다고 생각하십니까?

**찬성 1**: 디지털 기기의 이산화탄소 배출량을 서책의 이산화탄소 배출량과 단순 비교하면 디지털 기기가 환경에 훨씬 유해해 보입니다. 그러나 서책과 달리 디지털 기기는 고정된 양의 이산화탄소를 배출하기 때문에 기기를 오래 사용할수록 환경 보호에 도움이 된다고 할 수 있습니다.

**사회자**: 이번에는 반대 측에서 입론해 주신 후 찬성 측에서 반대 신문해 주십시오.

**반대 1**: 저희는 서책 교과서를 디지털 교과서로 교체하는 것은 바람직하지 않다고 생각합니다. 디지털 교과서는 인터넷이나 전기 등 디지털 교과서 활용에 필요한 여건이 갖추어지지 않으면 오히려 학습에 불편을 줄 수 있습니다. 또 서책 교과서와 달리 콘텐츠 제작에 많은 예산이 투입되고, 디지털 교과서 사용 여건을 조성하고 유지하는 데에도 많은 예산이 들기 때문에 경제적이지 않습니다. 그리고 디지털 기기는 서책에 비해 많은 이산화탄소를 배출하고, 더구나 폐기 시 독성 화학 물질을 배출하여 환경에 더 유해합니다.

[C]

**찬성 1**: 미국, 캐나다 등 여러 나라에서는 디지털 교과서로 교체하며 4차 산업혁명 시대에 맞는 교육 환경을 조성하고 있습니다. 우리 사회도 장기적인 관점에서 시대가 요구하는 교육을 하는 것이 훨씬 경제적이라고 생각하지 않으십니까?

**반대 1**: 저도 장기적인 관점에서 시대가 요구하는 교육을 해야 한다는 것에는 동의합니다. 하지만 서책 교과서를 사용하면서 필요에 따라 다양한 자료를 선택하여 활용할 수 있게 교육한다면 4차 산업혁명 시대에 필요한 정보처리 역량을 키울 수 있습니다. 그런 의미에서 디지털 교과서보다 서책 교과서를 이용하는 것이 더 경제적이라고 할 수 있습니다.

**토론 후 과제**: 디지털 교과서 도입과 관련한 사회적 현안에 대해 비평하는 글 쓰기

**(나) 학생의 초고**

요즘 세대들을 두고 '디지털 네이티브'라고 일컫는다. 이들은 태어나서부터 디지털 환경에서 성장하였기 때문에 인쇄 매체보다는 디지털 기기를 통해 정보를 습득하는 것에 더 익숙하다. 그러므로 이들에게 맞는 새로운 교육적 방법을 찾아야 한다는 점에서 서책 교과서를 디지털 교과서로 교체하는 것에 대한 논의는 반드시 필요하다.

디지털 교과서는 여러 권의 교과서에 담긴 정보를 하나의 디지털 기기에 넣어 활용함으로써 학습자의 다양한 학습 활동을 지원할 수 있다. 교과서에 연동된 자료를 활용한 심화 학습뿐만 아니라 온라인 커뮤니티와의 연계를 통해 다른 학습자와의 협력 학습이 가능하다. 또한 학습자가 스스로 자신의 학습을 관리할 수 있어 개별화 학습에 유리하다. 이러한 점에서 서책 교과서는 디지털 교과서로 교체하는 것이 바람직하다.

하지만 여전히 디지털 교과서 도입에 대해 우려하는 사람들이 있다. 이들은 디지털 교과서 도입에 드는 막대한 비용을 고려했을 때, 서책 교과서보다 디지털 교과서를 사용하는 것이 더 큰 교육적 효과를 얻을 수 있는지 의문을 제기한다. 서책 교과서가 4차 산업혁명 시대에 필요한 정보처리 역량 및 비판적, 창의적 사고력을 키우는 데 더 효과적이라고 보는 것이다.

이러한 디지털 교과서 도입에 따른 우려를 인식하고 이를 보완하는 노력이 필요하다. 학생들의 다양한 사고력을 키울 수 있는 양질의 콘텐츠 개발이 뒷받침되면 성공적으로 디지털 교과서를 도입할 수 있을 것이라 생각한다. (　　　㉠　　　)

**4.** (가)의 입론을 쟁점별로 정리한 내용으로 적절하지 <u>않은</u> 것은?

**[쟁점 1] 디지털 교과서는 편리한가?**

▶ 찬성 1: 디지털 교과서가 휴대하기 쉽고, 연동된 멀티미디어 자료나 인터넷 자료를 활용해 심화 학습이 용이함을 밝히고 있다.
▶ 반대 1: 디지털 교과서 활용에 필요한 여건들을 제시하며 그러한 여건이 충족되지 않을 경우 학습에 제약이 있을 수 있음을 밝히고 있다. …… ①

**[쟁점 2] 디지털 교과서는 경제적인가?**

▶ 찬성 1: 서책 교과서 제작에 들어가는 비용을 절감할 수 있다는 것을 근거로 들어 디지털 교과서가 경제적이라는 자신의 주장을 강조하고 있다. …… ②
▶ 반대 1: 디지털 교과서가 경제적이지 않다는 것을 서책 교과서와 비교하며 강조하고 있다. …… ③

**[쟁점 3] 디지털 교과서는 환경을 보호하는가?**

▶ 찬성 1: 디지털 교과서는 종이를 사용하지 않아, 나무를 베는 일이 줄어들어 환경 보호의 효과가 있음을 밝히고 있다. …… ④
▶ 반대 1: 디지털 교과서를 사용할 때 이산화탄소가 배출되는 원리를 설명하여 디지털 교과서가 환경에 유해함을 밝히고 있다. …… ⑤

5. [A] ~ [C]에 대한 설명으로 가장 적절한 것은?

① [A]의 반대 2는 진술 내용에 이의를 제기하며 실현 가능한 방안을 추가하고 있다.
② [B]의 반대 2는 상대측이 제시한 자료에 대해 의문을 제기하며 수치의 명확성을 확인하고 있다.
③ [B]의 찬성 1은 상대측의 발언 내용이 공정하지 못함을 지적하며 자신의 주장이 타당함을 강조하고 있다.
④ [C]의 찬성 1은 다른 나라들의 현황을 예로 들며 자신의 논지를 강화하기 위해 질문하고 있다.
⑤ [C]의 반대 1은 상대측의 의견에 일부 동조하며 사실 관계를 확인할 수 있는 자료를 추가로 요구하고 있다.

6. (가)를 바탕으로 (나)를 쓰기 위해 세운 글쓰기 계획 중, (나)에 반영되지 않은 것은? [3점]

① 토론의 논제와 관련된 사회적 배경을 떠올리며 변화된 사회상을 제시해야겠어.
② 토론에서 언급되지 않은, 디지털 환경에 익숙한 세대를 지칭하는 용어를 제시해야겠어.
③ 토론에서 언급된, 디지털 교과서로 키울 수 있는 정보처리 역량에 대한 구체적 예를 추가로 제시해야겠어.
④ 토론에서 언급된, 디지털 교과서를 도입하여 사용자가 얻게 되는 교육적 효과를 확장하여 제시해야겠어.
⑤ 토론에서 언급되지 않은, 디지털 교과서의 성공적 도입을 위한 양질의 콘텐츠 개발이 필요함을 제시해야겠어.

7. 다음은 초고를 읽은 선생님의 조언이다. 이를 반영하여 ㉠을 작성한 내용으로 가장 적절한 것은?

> "디지털 교과서 도입의 기대 효과를 비유적 표현을 활용하여 제시하면서 글을 마무리하면 어떨까요?"

① 철저히 준비하여 디지털 교과서를 도입해야 변화하는 시대에 적합한 인재를 양성할 수 있다.
② 서책 교과서만이 옳다는 생각에서 벗어나 거스를 수 없는 물결인 디지털 교과서 도입에 모든 역량을 모아야 한다.
③ 디지털 교과서의 도입은 동전의 양면과 같다는 것을 기억하며 이를 보완하기 위한 노력을 게을리하지 말아야 한다.
④ 디지털 교과서의 성공적인 도입은 4차 산업혁명 시대를 이끌어 갈 인재 양성의 길을 찾아가는 디지털 나침반이 될 것이다.
⑤ 디지털 교과서를 도입하면 디지털 기기 활용에 익숙한 학생들이 능동적으로 학습에 참여할 수 있는 교육 환경이 조성될 수 있다.

**[8 ~ 10] (가)는 작문 상황이고, (나)는 (가)에 따라 쓴 학생의 초고이다. 물음에 답하시오.**

(가) 작문 상황

- 글의 목적: 아이스 팩으로 인해 발생하는 환경 문제에 대한 관심 촉구
- 글의 주제: 아이스 팩의 폐기 과정에서 일어나는 환경 오염 문제와 이에 대한 해결 방안
- 예상 독자: 우리 학교 학생들

(나) 학생의 초고

최근 신선 식품을 집으로 배송받는 문화가 확산됨에 따라 식품의 변질을 막기 위해 사용되는 아이스 팩의 생산량도 급증하고 있다. 아이스 팩은 일반적으로 미세 플라스틱의 일종인 고흡수성 수지를 활용하여 만들어지는데, 한번 사용된 후 버려지는 경우가 많아 폐기 과정에서 환경을 오염시킨다.

먼저 아이스 팩을 소각할 경우, 고흡수성 수지의 특성상 불완전 연소로 인해 그을음과 일산화탄소가 발생하여 대기를 오염시킨다. 또한 땅에 매립하여 폐기하더라도 토양을 오염시킬 수 있다. 마지막으로 싱크대나 변기에 내용물을 버릴 경우 하천과 바다를 오염시키는 것은 물론, 먹이 사슬을 거쳐 인간이 이를 다시 섭취하게 되는 문제가 발생한다.

아이스 팩의 폐기 과정에서 발생하는 이러한 환경 오염 문제를 해결하기 위해서는 정부, 기업, 가정의 노력이 필요하다. 우선 정부는 아이스 팩의 전국적인 수거 체계를 구축해야 한다. 수거한 아이스 팩을 필요로 하는 곳에 다시 공급하여 재사용률을 높인다면 각종 환경 오염 문제를 줄일 수 있을 것이다. 다음으로 기업은 제품 배송 시 사용하는 아이스 팩을 친환경 소재의 아이스 팩으로 대체하여 사용하도록 노력해야 한다. 친환경 아이스 팩은 주재료로 물, 전분, 소금 등을 활용하여 환경에 미치는 영향이 상대적으로 적기 때문이다. 마지막으로 가정에서는 더 이상 사용하지 않는 아이스 팩은 수거함에 배출하여 재사용에 적극 동참해야 한다. 이는 일회성으로 사용되고 버려지는 아이스 팩의 양을 줄인다는 측면에서 자원 순환의 효과를 거둘 수 있다.

[A] 우리 생활에 많은 편의를 주고 있음은 분명하다. 하지만 아이스 팩 없이는 신선 식품이 생산되기 힘들다. 그러므로 문제 해결을 위해 정부, 기업, 가정의 협력이 필요하다.

8. (가)를 바탕으로 세운 글쓰기 계획 중 (나)에 활용된 것은?

① 글의 목적을 분명히 하기 위해 환경 문제에 대한 상반된 견해를 비교하여 제시해야겠어.
② 글의 목적을 강조하기 위해 아이스 팩이 일으키는 환경 오염 문제를 유형별로 분류하여 제시해야겠어.
③ 글의 주제를 부각하기 위해 아이스 팩 수거 체계의 운영 현황을 제시해야겠어.
④ 예상 독자의 실천을 촉구하기 위해 친환경 아이스 팩의 구매 방법에 대하여 제시해야겠어.
⑤ 예상 독자의 흥미를 유발하기 위해 우리 학교 학생을 대상으로 한 설문 조사 결과를 제시해야겠어.

*9.* 다음은 학생이 (나)를 보완하기 위해 추가로 수집한 자료이다. 자료의 활용 방안으로 적절하지 <u>않은</u> 것은? [3점]

[자료 1] 통계 자료

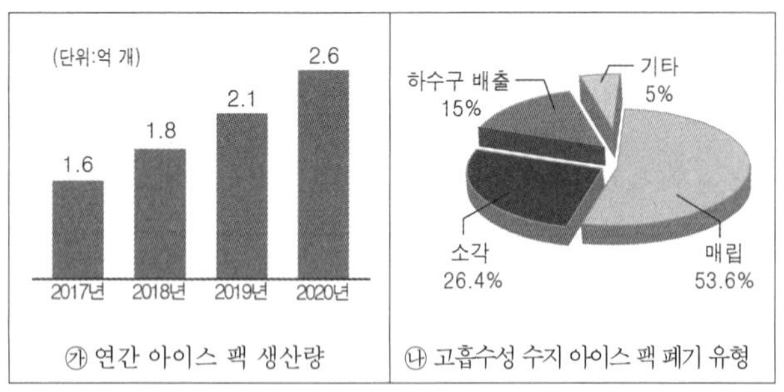


㉮ 연간 아이스 팩 생산량 ㉯ 고흡수성 수지 아이스 팩 폐기 유형

[자료 2] 신문 기사

아이스 팩에 사용되는 고흡수성 수지는, 미세 플라스틱의 일종이기 때문에 땅에 묻었을 때 자연 분해되는 데만 무려 500년 이상 걸린다. 이런 문제를 해결하고자 친환경 아이스 팩을 사용하는 기업도 있다. 업체 관계자에 따르면 친환경 아이스 팩 사용은 친환경 마케팅의 일환으로, 기업의 사회적 책임을 보여 준다는 점에서 고객 만족도를 향상시켜 매출 증대로 이어지는 효과가 나타나고 있다고 한다.

[자료 3] 환경 단체 인터뷰

"아이스 팩을 버릴 경우 현재 분리배출 규정에 따르면, 아이스 팩은 일반 쓰레기로 분류되기 때문에 종량제 봉투에 버리는 것이 바람직합니다. 하지만 다 쓴 아이스 팩을 버리지 않고 가정 내에서 재활용하는 방법도 있습니다. 바로 토양 보수제로 활용하는 방법인데요. 화분에 물을 충분히 준 뒤에 아이스 팩의 내용물을 올려 두면 고흡수성 수지가 수분의 증발을 막으면서 물을 공급해 오랫동안 물을 주지 않아도 화분이 촉촉한 상태로 유지됩니다."

① [자료 1-㉮]를 활용하여 최근 아이스 팩의 생산량이 급증하고 있다는 내용을 뒷받침하는 근거로 제시해야겠어.
② [자료 2]를 활용하여 친환경 아이스 팩으로의 대체가 기업에 이익이 된다는 것을 기업의 노력을 강조하는 내용으로 사용해야겠어.
③ [자료 3]을 활용하여 아이스 팩을 이용한 생활용품을 만들 수도 있다는 것을 가정에서의 해결 방안으로 추가해야겠어.
④ [자료 1-㉯]와 [자료 2]를 활용하여 고흡수성 수지 아이스 팩을 매립하여 폐기하는 경우가 있다는 것과 미세 플라스틱이 자연 분해되는 데 소요되는 기간을 제시하며 대기 오염 문제의 심각성을 강조해야겠어.
⑤ [자료 1-㉯]와 [자료 3]을 활용하여 아이스 팩을 버리는 방법을 잘못 알고 있던 사람들을 위해 올바른 분리수거 규정을 홍보해야 한다는 내용을 정부에서의 해결 방안으로 추가해야겠어.

*10.* <보기>는 [A]를 고쳐 쓴 글이다. [A]를 고쳐 쓰기 위해 친구들이 조언한 내용 중 <보기>에 반영되지 <u>않은</u> 것은?

〈보 기〉

아이스 팩이 우리 생활에 많은 편의를 주고 있음은 분명하다. 하지만 이를 폐기하는 과정에서 발생하는 문제점을 해결하지 않는다면 환경에 심각한 악영향을 끼칠 것이다. 그러므로 문제 해결을 위해 정부, 기업, 가정이 함께 손에 손을 잡고 협력할 필요가 있다.

① 서술어와의 호응을 고려하여 생략된 주어를 밝혔으면 좋겠어.
② 글의 전체적인 흐름과 어울리지 않는 문장은 삭제했으면 좋겠어.
③ 설득력을 높이기 위해 제재가 가지고 있는 장점을 추가했으면 좋겠어.
④ 관용적 표현을 활용하여 각 주체들의 협력을 강조하는 방식으로 글을 마무리했으면 좋겠어.
⑤ 문제 상황에 대한 가정과 예상되는 결과를 추가로 언급하여 상황의 심각성을 부각했으면 좋겠어.

[11 ~ 12] 다음 글을 읽고 물음에 답하시오.

부사어는 문장 구성에 부속적인 성분으로 주로 용언을 꾸며 주는 말이다. 부사어는 수식 범위에 따라서 성분 부사어와 문장 부사어로 나눌 수 있다. 성분 부사어는 문장의 특정한 성분을 수식하는 부사어이다. 이때 문장의 특정한 성분이란 서술어나 관형어, 부사어 등을 일컫는다. 문장 부사어는 문장 전체를 수식하는 부사어인데 이들 중 일부는 특정 표현과 호응 관계를 이루기도 한다. 부사어 중에는 문장과 문장을 이어 주는 기능을 하는 접속 부사어도 있는데, 일반적으로 문장 부사어에 포함된다.

부사어는 수의적 성분이지만 간혹 서술어가 필수적으로 요구하는 성분이 되기도 한다. '동생이 귀엽게 군다.'와 '민들레는 씀바귀와 비슷하다.'에서 '귀엽게'와 '씀바귀와'가 없으면 각각의 문장은 불완전한 문장이 된다.

부사어는 주로 세 가지 방식으로 형성된다. 첫 번째는 부사가 그대로 부사어가 되는 것이다. 두 번째는 용언의 어간에 부사형 어미가 붙어 부사어가 되는 것이다. 세 번째는 체언에 부사격 조사가 붙어 부사어가 되는 것이다. 이때 부사격 조사는 종류가 매우 다양하며, 같은 형태의 부사격 조사라고 해도 문맥에 따라 다양한 의미로 사용되기도 한다. '바람에 꽃이 지다.'에서 '에'는 '원인'을 의미하지만, '오후에 운동을 한다.'에서 '에'는 '시간'을 의미하는 것이 이와 같은 예이다.

[A] 중세 국어의 부사격 조사는 현대 국어와 유사한 방식으로 나타나는 경우가 많았지만, 일부 부사격 조사에서는 현대 국어와 다른 양상을 보이기도 한다. 그중 대표적인 것으로는 '애/에/예, 익/의', 'ᄋᆞ로/으로', '라와', '이' 등이 있다. 첫 번째로 '장소'의 의미를 나타내는 부사격 조사인 '애/에/예'는 결합한 체언의 끝음절 모음이 양성 모음이면 '애', 음성 모음이면 '에', 'ㅣ'나 반모음 'ㅣ'이면 '예'가 쓰였는데, 특정 체언들 뒤에서는 '익/의'로 쓰이기도 했다. 두 번째로 'ᄋᆞ로/으로'는 '출발점'의 의미를 나타내는 부사격 조사로 쓰였는데, 현대 국어에서는 '으로'가 '출발점'을 나타내는 의미로 쓰이지 않는다. 세 번째로 '비교'의 의미를 가지고 있는 부사격 조사인 '라와'는 현대 국어에는 나타나지 않으며, 마찬가지로 '비교'의 의미를 가지고 있는 부사격 조사인 '이'는 현대 국어에서는 사용되지 않는다.

*11.* 윗글을 바탕으로 <보기>를 이해한 내용으로 적절하지 <u>않은</u> 것은?

〈 보 기 〉

**엄마:** 민수야, ㉠ <u>아침에</u> ㉡ <u>친구와</u> 싸웠다며?
**민수:** 엄마, ㉢ <u>설마</u> 제가 잘못했다고 생각하시는 거예요?
**엄마:** 아니야. ㉣ <u>결코</u> 그렇지 않아. 민수가 무엇 ㉤ <u>때문에</u> 그랬는지 알고 싶어서 그래.
**민수:** 죄송해요. 제가 오해했어요. ㉥ <u>그런데</u> 생각해보니 제가 친구를 너무 ㉦ <u>편하게</u> 대했던 것 같아요.

① ㉠과 ㉤은 같은 형태의 부사격 조사가 서로 다른 의미로 사용되었군.
② ㉡과 ㉢은 서술어가 필수적으로 요구하는 성분이겠군.
③ ㉣은 문장 전체를 수식하며 특정 표현과 호응 관계를 이루고 있군.
④ ㉥은 문장과 문장을 이어 주는 기능을 하고 있군.
⑤ ㉦은 용언의 어간에 부사형 어미가 붙어 특정한 성분을 꾸며 주고 있군.

*12.* [A]를 참고할 때, <보기>의 ⓐ ~ ⓔ에 들어갈 내용으로 적절하지 <u>않은</u> 것은? [3점]

〈 보 기 〉

**[탐구 주제]**
ㅇ중세 국어의 부사격 조사에 대해 탐구해 보자.

**[탐구 자료]**

| 예 | | 성분 분석 | | 탐구 결과 |
|---|---|---|---|---|
| 내히 이러 <u>바ᄅᆞ래</u> 가ᄂᆞ니<br>(내가 이루어져 바다에 가느니) | → | 바ᄅᆞᆯ+애 | → | ⓐ |
| 뎌 <u>지븨</u> 가려 ᄒᆞ시니<br>(저 집에 가려 하시니) | → | 집+의 | → | ⓑ |
| 貪欲앳 브리 이 <u>블라와</u> 더으니라<br>(탐욕의 불은 이 불보다 더한 것이다) | → | 블+라와 | → | ⓒ |
| 거부븨 <u>터리</u> ᄀᆞᆮ고<br>(거북의 털과 같고) | → | 털+이 | → | ⓓ |
| 이에셔 사던 <u>저그로</u> 오ᄂᆞᆳ날 ᄀᆞ장<br>(여기에서 살던 때로부터 오늘날까지) | → | 적+으로 | → | ⓔ |

① ⓐ: '애'는 선행 체언의 끝음절 모음이 양성 모음이기 때문에 사용된 것이겠군.
② ⓑ: '의'는 특정 체언 뒤에 붙어 장소를 나타내는 부사격 조사로 사용된 것이겠군.
③ ⓒ: '라와'는 현대 국어에서 쓰이지 않는 부사격 조사가 비교의 의미로 사용된 것이겠군.
④ ⓓ: '이'는 현대 국어와 달리 'ㅣ'모음 뒤에서 부사격 조사로 사용된 것이겠군.
⑤ ⓔ: '으로'는 현대 국어에서의 의미와 달리 출발점의 의미로 사용된 것이겠군.

*13.* <보기>에 따라 탐구한 내용으로 적절한 것은?

〈 보 기 〉

직접 구성 요소란 어떤 말을 둘로 나누었을 때 나누어진 두 구성 요소 각각을 일컫는다. '먹이통'과 같이 세 개의 구성 요소로 이루어진 단어의 직접 구성 요소 분석은 아래의 그림과 같이 두 단계를 통해 이루어진다. 첫 번째 단계에서는 어근 '먹이'와 어근 '통'으로 나눌 수 있고, 두 번째 단계에서는 '먹이'를 어근 '먹-'과 접사 '-이'로 나눌 수 있다. 이를 통해 복잡하게 이루어진 단어의 짜임을 보다 쉽게 이해할 수 있다.

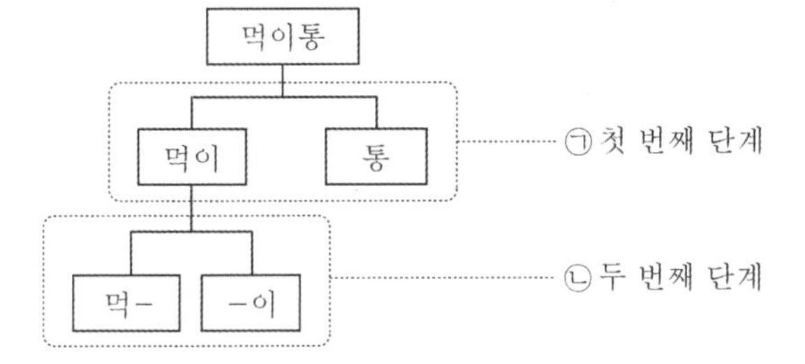


① '울음보'는 ㉠에서 어근과 접사로 분석되고, ㉡에서 어근과 접사로 분석된다.
② '헛웃음'은 ㉠에서 어근과 어근으로 분석되고, ㉡에서 어근과 접사로 분석된다.
③ '손목뼈'는 ㉠에서 어근과 접사로 분석되고, ㉡에서 어근과 어근으로 분석된다.
④ '얼음길'은 ㉠에서 어근과 접사로 분석되고, ㉡에서 어근과 어근으로 분석된다.
⑤ '물놀이'는 ㉠에서 어근과 어근으로 분석되고, ㉡에서 어근과 어근으로 분석된다.

*14.* <보기>의 ㉠ ~ ㉤을 수정하고자 할 때, 적절하지 <u>않은</u> 것은?

〈 보 기 〉

㉠ (아들이 아버지에게) 아버지, 무슨 고민이 계신가요?
㉡ (형이 동생에게) 삼촌께서 할머니를 데리고 식당으로 가셨어.
㉢ (사원이 다른 사원에게) 부장님이 이제 회의실로 온다고 하셨어.
㉣ (손녀가 할아버지에게) 언니가 할아버지한테 안경을 갖다 주라고 했어요.
㉤ (학생이 다른 학생에게) 문제를 풀다가 어려운 것이 있으면 선생님한테 물어봐.

① ㉠: '아버지'를 간접적으로 높이도록 '아버지, 무슨 고민이 있으신가요?'로 수정한다.
② ㉡: '삼촌'을 간접적으로 높이도록 '삼촌께서 할머니를 모시고 식당으로 가셨어.'로 수정한다.
③ ㉢: '부장님'을 직접적으로 높이도록 '부장님께서 이제 회의실로 오신다고 하셨어.'로 수정한다.
④ ㉣: '할아버지'를 직접적으로 높이도록 '언니가 할아버지께 안경을 갖다 드리라고 했어요.'로 수정한다.
⑤ ㉤: '선생님'을 직접적으로 높이도록 '문제를 풀다가 어려운 것이 있으면 선생님께 여쭤봐.'로 수정한다.

*15.* <보기>의 선생님의 설명을 바탕으로 ㉠ ~ ㉢에 대해 학생이 발표한 내용으로 적절한 것은?

〈 보 기 〉

**선생님:** 음운의 변동은 한 음운이 다른 음운으로 바뀌는 교체, 한 음운이 없어지는 탈락, 새로운 음운이 생기는 첨가, 두 음운이 하나의 음운으로 합쳐지는 축약으로 구분됩니다. 음운의 변동이 일어날 때 음운의 개수가 늘어나기도 하고 줄어들기도 합니다. 다음 예시에 나타난 음운의 변동에 대해 발표해 봅시다.

㉠ 꽃잎 → [꼰닙]
㉡ 맑지 → [막찌]
㉢ 막힘없다 → [마키멉따]

① ㉠과 ㉡은 첨가 현상이 일어났습니다.
② ㉠과 ㉢은 탈락 현상이 일어났습니다.
③ ㉡과 ㉢은 축약 현상이 일어났습니다.
④ ㉠과 ㉡은 음운의 개수가 늘었습니다.
⑤ ㉡과 ㉢은 음운의 개수가 줄었습니다.

**[16 ~ 19] 다음 글을 읽고 물음에 답하시오.**

터치스크린 패널은 스크린의 특정 지점을 직접 접촉하면 그 위치를 파악하여 해당 위치에 설정된 기능을 직관적으로 조작할 수 있도록 실계된 장치를 밀한다. 터치스크린 패널 중 정전용량방식의 패널은 전기가 통하는 전도성 물체를 스크린에 접촉했을 때 발생하는 정전용량*의 변화를 측정하여 접촉된 위치를 파악한다. 터치스크린 패널에 사용되는 정전용량방식에는 일반적으로 표면정전방식과 투영정전방식이 있다.

㉠ <u>표면정전방식</u>은 패널의 네 모서리에 있는 각각의 감지회로가 동시에 정전용량의 변화를 감지하여 전도성 물체의 접촉 위치를 파악하는 방식이다. 표면정전방식에서는 패널의 표면에 덮인 전도성 투명 필름이 전도성 물체의 접촉을 인식하는 센서 역할을 한다. 센서에 전도성 물체가 접촉하게 되면 물체의 전하량과 패널의 전하량의 차이에 의해 전압이 변화하고, 이로 인해 형성된 전기장은 정전용량을 변화시킨다. 네 모서리에 있는 감지회로는 정전용량의 변화된 정도를 측정하여 물체가 접촉된 위치를 파악하는 것이다. 표면정전방식은 투영정전방식에 비해 구조가 단순하고 단가가 낮다는 장점이 있다. 하지만 접촉된 위치를 대략적으로만 파악할 수 있어 정확도가 낮고 한 번에 하나의 접촉만 인식할 수 있기 때문에 여러 지점을 접촉했을 때 인식이 불가능하다는 단점이 있다.

투영정전방식은 접촉을 감지할 수 있는 센서를 패널의 일정한 구역마다 배치하여 활용하는 방식으로 ㉡ <u>자기정전방식</u>과 ㉢ <u>상호정전방식</u>으로 나눌 수 있다. 자기정전방식은 패널에 전도성 물체가 접촉하면 물체의 전하량과 패널의 전하량의 차이에 의해 전압이 변화하고, 이때 형성된 전기장에 의해 증가하는 정전용량을 측정하는 방식이라는 점에서 그 원리가 표면정전방식과 유사하다. 하지만 자기정전방식은 표면정전방식과 달리 하나의 층에 여러 개의 행과 열의 형태로 배치된 각각의 센서들을 활용한다. 센서가 특정 지점의 접촉을 인식하면 센서의 각 행과 열의 끝에 배치된 감지회로가 접촉 지점에서 일어난 정전용량의 변화를 감지하고, 이를 바탕으로 행과 열의 교차점인 접촉 위치를 정교하고 빠르게 파악할 수 있다.

반면 상호정전방식은 가로축으로 배열된 센서인 구동 라인과 세로축으로 배열된 센서인 감지 라인이 두 개의 층을 이루고 있다. 패널에 전도성 물체와의 접촉이 없을 때 구동 라인에서는 전압에 의해 전기장이 형성되며, 이 전기장은 모두 감지 라인으로 들어가 일정한 크기의 전기장을 유지하여 구동 라인과 감지 라인 사이에 상호 정전용량을 형성한다. 하지만 패널에 전도성 물체가 접촉하게 되면 일정한 크기를 유지하던 전기장의 일부가 접촉된 물체로 흡수된다. 전기장이 물체에 흡수되면 구동 라인과 감지 라인 사이에 형성된 상호 정전용량이 감소하며 전기장의 크기 역시 줄어든다. 이때 접촉이 정확하게 일어날수록 해당 지점에 전기장이 더 많이 줄어들게 된다. 결국 패널에는 접촉 전과는 다른 전기장의 흐름이 나타나 상호 정전용량이 변화하고 구동 라인과 감지 라인의 교차점인 터치좌표쌍이 인식된다. 이때 터치좌표쌍은 구동 라인과 감지 라인이 개별적으로 인식된 교차점이기에 하나의 패널에서는 여러 개의 터치좌표쌍이 만들어질 수 있다.

이후 터치좌표쌍의 정보를 터치 컨트롤러가 디지털 신호로 변환해 이미지로 처리하여 중앙처리장치(CPU)에 전달함으로써 해당 터치스크린 패널은 전도성 물체의 접촉 여부 및 접촉한 위치를 최종적으로 판단하게 된다. 이러한 상호정전방식은 구동 라인과 감지 라인의 교차점을 개별적으로 인식하는 과정을 거치기에 측정 시간이 많이 소요되지만, Ⓐ <u>두 지점을 접촉하는 멀티 터치가 가능</u>하여 최근 스마트폰이나 태블릿과 같은 기기에 많이 활용되는 추세이다.

* 정전용량: 물체가 지니고 있는 전하의 용량. 여기서 전하는 물체가 가지고 있는 전기적 성질을 의미함.

*16.* 윗글의 내용과 일치하지 <u>않는</u> 것은?

① 터치스크린 패널은 직접적인 접촉을 통한 직관적 조작이 가능하다.
② 자기정전방식은 접촉점에 해당하는 행과 열의 교차점을 터치 지점으로 인식한다.
③ 표면정전방식을 실현하기 위해서는 스크린에 전도성이 없는 투명 필름을 입혀야 한다.
④ 상호정전방식에서는 수집된 행과 열의 정보가 터치 컨트롤러에서 이미지로 처리된다.
⑤ 투영정전방식은 표면정전방식보다 구조가 복잡하지만 더욱 정교한 좌표 인식이 가능하다.

*17.* ㉠ ~ ㉢에 대해 이해한 내용으로 적절하지 않은 것은?

① ㉠ ~ ㉢은 모두 전도성 물체의 접촉에 따른 정전용량의 변화를 측정한다.
② ㉠ ~ ㉢은 모두 패널에 있는 센서를 이용하여 접촉 부분의 위치를 알아내는 방식이다.
③ ㉠과 달리 ㉡은 하나의 접촉점을 인식하기 위해 두 개 이상의 감지회로를 활용하는 방식이다.
④ ㉡과 달리 ㉢은 센서층이 두 개의 층을 이루고 있다.
⑤ ㉢과 달리 ㉡은 접촉 부분에서 증가하는 정전용량을 감지하는 방식이다.

*18.* 윗글을 읽고 <보기>를 이해한 반응으로 적절하지 않은 것은? [3점]

〈보 기〉

다음은 터치스크린 패널의 작동 원리를 이해하기 위해 설정된 자료이다. <자료 1>은 터치스크린 패널의 한 종류를 도식화한 것이고, <자료 2>는 <자료 1>의 ⓐ~ⓒ 지점에 형성된 전기장의 크기를 나타낸 그래프이다.

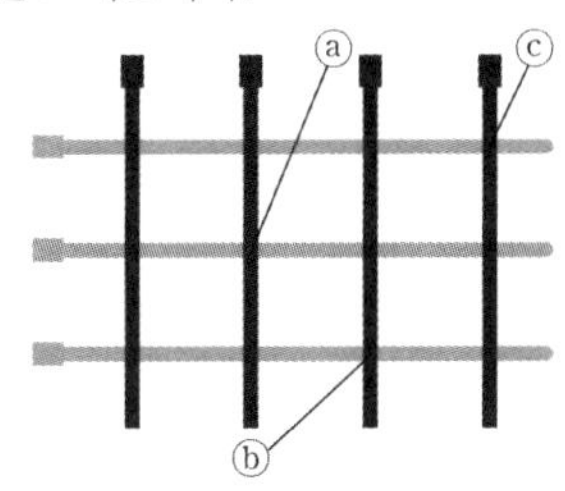


■ 감지 라인 ■ 구동 라인

<자료 1>

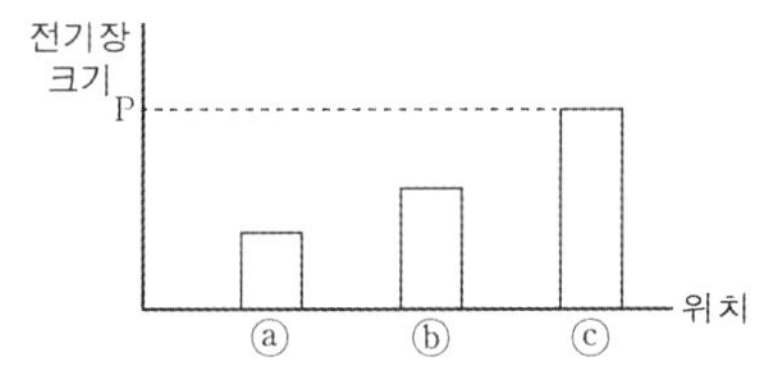


* 단, P는 전도성 물체의 접촉이 없는 상태의 전기장 크기이다.

<자료 2>

① ⓐ에서 접촉된 물체가 흡수한 전기장의 크기는 ⓑ에서 접촉된 물체가 흡수한 전기장의 크기보다 크겠군.
② 전기장의 크기로 보아 ⓑ보다 ⓐ에서 더 정확한 접촉이 이루어진 것으로 볼 수 있겠군.
③ ⓒ에서는 구동 라인에서 발생한 전기장의 크기와 감지 라인으로 들어가는 전기장의 크기가 일치하겠군.
④ ⓒ와 달리 ⓑ에서는 감지 라인으로 들어가야 할 전기장의 일부가 접촉된 물체로 흘러들어 갔겠군.
⑤ ⓐ와 ⓒ에서는 구동 라인과 감지 라인 사이에서 형성된 상호 정전용량이 감소했겠군.

*19.* Ⓐ에 대한 이유를 추론한 것으로 가장 적절한 것은?

① 교차점의 위치를 빠르게 측정할 수 있기 때문이다.
② 중앙처리장치가 행과 열의 정보를 분할하기 때문이다.
③ 센서의 행과 열 끝에 감지회로가 배치되어있기 때문이다.
④ 구동 라인과 감지 라인의 교차점이 개별적으로 인식되기 때문이다.
⑤ 하나의 패널에서 한 개의 터치좌표쌍만 만들어질 수 있기 때문이다.

[20 ~ 22] 다음 글을 읽고 물음에 답하시오.

(가)

태양이 돌아온 기념으로
집집마다
카렌다아를 한 장씩 뜯는 시간이면
검누른 소리 항구의 하늘을 빈틈없이 흘렀다

머언 해로를 이겨낸 기선(汽船)이
항구와의 인연을 사수하려는 **검은 기선**이
뒤를 이어 **입항**했었고
**상륙하는** 얼골들은
바늘 끝으로 쏙 찔렀자
솟아나올 한 방울 붉은 피도 없을 것 같은
얼골 얼골 **희머얼건 얼골**뿐

부두의 **인부꾼들**은
흙을 씹고 자라난 듯 꺼머틔틔했고
**시금트레한 눈초리**는
**푸른 하늘을 쳐다본 적이 없는 것 같**앴다
그 가운데서 나는 너무나 어린
어린 노동자였고-

물 위를 도롬도롬 헤어 다니던 마음
**흩어졌다**도 다시 **작대기처럼 꼿꼿해**지던 **마음**
나는 **날마다 바다의 꿈을 꾸**었다
나를 **믿고**저 했었다
**여러 해 지난 오늘 마음**은 **항구로 돌아간다**
부두로 돌아간다 **그날의 나진***이여

– 이용악, 「항구」 –

* 나진: 함경북도 북부 동쪽 해안에 있는 항구 도시.

(나)

옥수숫대는
땅바닥에서 서너 마디까지
뿌리를 내딛는다
땅에 닿지 못할 **헛발일지라도**
길게 발가락을 **들이민다**

허방으로 내딛는 저 곁뿌리처럼
마디마다 **맨발의 근성**을 **키우는 것이다**
목 울대까지 울컥울컥
부젓가락 같은 뿌리를 내미는 것이다

옥수수밭 두둑의
저 버드나무는, 또한
제 흠집에서 뿌리를 내려 제 **흠집**에 **박는다**
상처의 지붕에서 상처의 주춧돌로
**스스로** 기둥을 **세운다**

**생이란,**
자신의 상처에서 자신의 버팀목을
**꺼내는 것이라고**
버드나무와 옥수수
푸른 이파리들 눈을 맞춘다

– 이정록, 「희망의 거처」 –

20. (가)와 (나)의 공통점으로 가장 적절한 것은?
① 반어적 표현을 통해 현실을 우회적으로 제시하고 있다.
② 의문형 진술을 반복적으로 사용해 문제의식을 드러내고 있다.
③ 영탄적 어조를 사용하여 화자의 의지적 태도를 부각하고 있다.
④ 점층적 시상 전개를 통해 화자의 고조된 감정을 강조하고 있다.
⑤ 직유적 표현으로 대상의 외양에 드러나는 특성을 나타내고 있다.

21. <보기>를 바탕으로 (가)를 감상한 내용으로 적절하지 않은 것은? [3점]

<보 기>
(가)는 화자의 과거 회상 속 항구의 모습을 감각적으로 형상화하고 있다. 이 작품에서 항구는 부두의 인부들과 어린 노동자인 화자가 고달픈 삶을 이어가는 공간이다. 한편으로는 육지와 바다를 연결하는 곳으로, 새로운 세계로 나아가기 위한 출발점이라는 의미를 갖기도 한다. 이런 항구에서 다른 노동자들이 이상을 잃은 채 살아가는 것과 달리 화자는 방황하는 마음을 다잡아 삶의 의지를 다지고 미래의 희망을 꿈꾸게 된다. 그리고 화자에게 이러한 과거 자신의 모습은 그리움의 대상이 되고 있다.

① '검은 기선'이 '입항'하고 '희머얼건 얼골'이 '상륙하는' 것은, 화자의 시선에서 바라본 항구의 모습을 감각적으로 형상화한 것이겠군.
② '푸른 하늘을 쳐다본 적이 없는 것 같'은 '인부꾼들'은, 이상을 잃어버린 모습으로 표현되어 고달픈 생활 현장으로서의 항구를 보여주는 것이겠군.
③ '날마다 바다의 꿈을 꾸'며 자신을 '믿고'자 했던 화자의 모습은, '시금트레한 눈초리'와 대비되며 새로운 미래에 대한 화자의 희망적 태도를 나타내는 것이겠군.
④ '마음'이 '흩어졌다'가도 '작대기처럼 꼿꼿해'졌다는 것은, 방황하는 마음을 다잡으려 하다가도 바다로 가로막힌 공간에서 좌절하곤 했던 화자의 모습을 드러낸 것이겠군.
⑤ '여러 해 지난 오늘' '마음'이 '항구로 돌아간다'는 것은, 화자가 '그날의 나진'에서 자신이 가졌던 마음에 대해 느끼는 그리움을 표현한 것이겠군.

22. (나)를 이해한 내용으로 적절하지 않은 것은?
① '들이민다'는 '헛발일지라도'와 연결되어 실패를 두려워하지 않고 시도하는 의지를 드러내고 있다.
② '키우는 것이다'는 '맨발의 근성'과 연결되어 옥수숫대가 다른 존재와의 교감을 통해 성장하게 됨을 드러내고 있다.
③ '박는다'는 '흠집'과 연결되어 버드나무가 고통을 인내하는 모습을 드러내고 있다.
④ '세운다'는 '스스로'와 연결되어 버드나무가 자신의 힘으로 상처를 극복하는 모습을 드러내고 있다.
⑤ '꺼내는 것이라고'는 '생이란'과 연결되어 자연의 모습으로부터 생에 대한 깨달음을 유추하고 있음을 드러내고 있다.

[23 ~ 27] 다음 글을 읽고 물음에 답하시오.

유엔해양법협약은 해양의 이용을 둘러싸고 ⓐ발생하는 국가 간의 상반된 이익을 절충하고 갈등을 해결하는 규범의 역할을 담당하고 있다.

유엔해양법협약에 따르면 해양을 둘러싸고 해당 협약에 대한 해석이나 적용에 관해 국가 간 분쟁이 발생하였을 때, 분쟁 당사국들은 우선 의무적으로 분쟁 해결에 관하여 신속히 의견을 ⓑ교환해야 하고 교섭이나 조정 절차 등 국가 간 합의에 의한 평화적 수단을 통해 분쟁 해결을 위해 노력해야 한다. 이러한 평화적 분쟁 해결 수단을 거쳐야 할 의무를 당사국에 부과하는 이유는 국제법의 특성상, 분쟁 해결의 원리가 기본적으로 각 국가의 동의를 바탕으로 적용되기 때문이다. 그런데 만약 이러한 방법으로도 분쟁이 해결되지 못할 경우에는 구속력 있는 결정을 수반하는 절차에 들어가게 되는데 이를 강제절차라고 한다.

강제절차란 분쟁 당사국들이 국제적인 분쟁 해결 기구를 통해 분쟁을 해결하는 절차이다. 이때 당사국들은 자국의 이익이나 분쟁 내용 등을 고려해 분쟁 해결 기구를 선택할 수 있는데, 선택 가능한 기구에는 중재재판소, 국제해양법재판소 등 유엔해양법협약에 의해 설립된 분쟁 해결 기구들이 있다. 이 중 중재재판소는 필요할 때마다 분쟁 당사국 간의 합의를 통해 구성되고, 국제해양법재판소는 상설 기구로 재판관 임명이나 재판소 조직 등이 사전에 결정되어 있다. 만약 분쟁 당사국들이 분쟁 해결 기구를 선택하지 않았거나 양국이 동일한 선택을 하지 않은 경우에는 별도의 합의를 하지 않는 한, 사건이 중재재판소에 회부된다.

본안 소송을 담당하는 재판소가 분쟁에 대한 최종 판결을 내리기 위해서는 먼저 본안 소송 관할권의 존재 여부를 판단하여 확정하는 심리* 절차를 거쳐야 한다. 여기서 관할권이란 회부된 사건을 재판소가 다룰 수 있는 권한을 의미하는데, 이후 본안 소송의 관할권이 확정된 사안에 대해 해당 재판소는 재판 과정을 거쳐 분쟁에 대한 최종 판결을 내리게 된다.

그런데 재판의 최종 판결이 내려지기까지 일정 시간이 ⓒ소요되기 때문에, 해당 재판소는 분쟁 당사국의 요청이 있으면 필요한 경우 잠정조치를 명령할 수 있다. 이때 잠정조치란 긴급한 상황에서 분쟁 당사국의 이익을 보호하거나 해양 환경의 중대한 피해를 방지할 목적으로 내려지는 구속력 있는 임시 조치이다. 잠정조치는 효력이 임시적이므로 본안 소송의 최종 판결이 내려지면 효력이 종료된다.

분쟁 당사국이 소송을 제기하여 재판소에 사건이 회부되면 소송 절차가 개시되고, 그 이후 분쟁 당사국들은 언제든지 잠정조치를 요청할 수 있다. 일반적으로 잠정조치는 사건이 회부된 재판소에서 ⓓ담당하지만, 본안 소송의 재판소와 잠정조치를 명령하는 재판소가 다른 경우도 있다. 본안 소송과 마찬가지로 잠정조치도 관할권을 필요로 한다.

예를 들어 유엔해양법협약에 의한 중재재판소에 사건이 회부되었지만, 사안이 긴급하여 재판소 구성을 기다릴 수 없는 경우에 국제해양법재판소가 잠정조치를 담당할 수 있다. 이때 본안 소송을 담당하는 중재재판소의 관할권이 확정되지 않았더라도, 잠정조치가 요청된 국제해양법재판소에서 ㉠본안 소송의 관할권을 심리한 결과, 중재재판소가 관할권을 갖게 될 가능성이 예측되어야 국제해양법재판소는 ㉡잠정조치의 관할권을 가질 수 있다. 기본적으로 잠정조치에 대한 관할권은 본안 소송

을 담당하는 재판소가 관할권을 갖게 될 가능성이 큰 경우에 인정되기 때문이다. 결국 사건이 회부된 중재재판소의 본안 소송의 관할권 존재 가능성이 예측되고, 분쟁 해결이 긴급하여 잠정조치의 필요성이 인정되면, 분쟁 당사국의 이익을 보호하거나 해양 환경의 중대한 피해를 ⓔ 방지하기 위해 국제해양법재판소가 잠정조치 재판을 통해 잠정조치를 명령할 수 있는 것이다.

* 심리: 사실 관계 및 법률관계를 명확히 하기 위하여 증거나 방법 따위를 심사하는 것.

23. 윗글에서 알 수 있는 내용으로 적절하지 않은 것은?

① 잠정조치 재판에서 내려진 결정은 구속력이 없는 임시 조치이다.
② 분쟁 당사국들은 자국의 이익을 고려하여 분쟁 해결 기구를 선택할 수 있다.
③ 유엔해양법협약에 따른 분쟁 해결 원리는 각 국가의 동의를 바탕으로 적용된다.
④ 국제해양법재판소는 유엔해양법협약에 의해 설립된 국제적인 분쟁 해결 기구이다.
⑤ 유엔해양법협약은 분쟁 당사국들에게 분쟁 해결에 대한 신속한 의견 교환 의무를 부과하고 있다.

24. <보기>는 '유엔해양법협약에 대한 모의재판' 수업에 사용된 사례이다. 윗글을 참고할 때 <보기>에 대한 반응으로 적절하지 않은 것은? [3점]

〈보 기〉

유엔해양법협약에 가입된 A국과 B국 간에 해양을 둘러싼 분쟁이 발생하였다. A국은 B국의 공장 건설로 인하여 자국의 인근 바다에 해양 오염 물질이 유출될 것을 우려하여, B국과 교섭을 시도하였으나 B국은 이에 응하지 않았다. 추후 A국은 국제해양법재판소를, B국은 중재재판소를 통한 재판을 원하였으나 합의를 이루지 못했다. 이후 절차에 따라 양국이 제기한 소송은 재판에 회부되었다. A국은 판결이 내려지기까지 오랜 시일이 걸릴 것을 염려하여 잠정조치를 바로 요청하였다. 이를 받아들여 재판소는 잠정조치를 명령하였다.

① A국이 잠정조치를 요청할 수 있었던 것은 B국과의 사건이 재판에 회부되었기 때문이겠군.
② A국이 요청한 결과 잠정조치 명령이 내려졌으므로 B국과의 본안 소송 재판은 종결되겠군.
③ A국이 B국에게 교섭을 시도한 것은 분쟁 당사국들에게 평화적 해결 수단을 거쳐야 할 의무가 있기 때문이겠군.
④ A국과 B국은 동일한 분쟁 해결 기구를 선택하지 않았으므로 두 국가 간 분쟁은 중재재판소를 통해 해결되겠군.
⑤ A국이 재판에 사건이 회부된 후 바로 잠정조치를 요청한 것은 B국으로 인한 자국의 해양 오염을 시급히 막기 위함이겠군.

25. 다음은 윗글에 제시된 분쟁 해결 절차를 도식화한 것이다. 이를 이해한 것으로 적절하지 않은 것은?

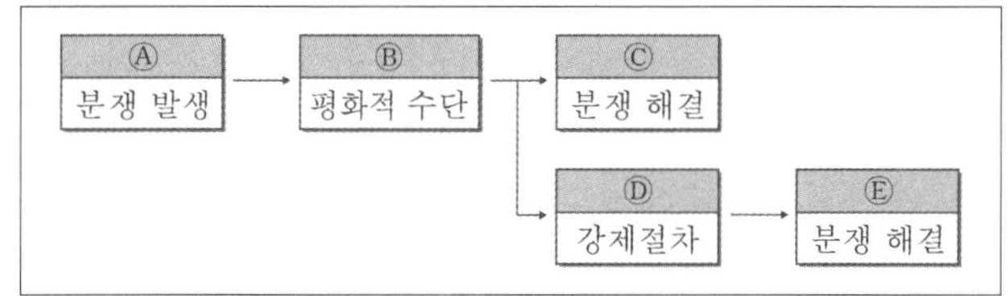


① Ⓐ는 유엔해양법협약의 해석과 적용에 대하여 국가 간 다툼이 있다는 것을 의미한다.
② Ⓓ를 진행하는 모든 분쟁 해결 기구는 분쟁이 발생하기 전에 재판소가 구성되어 있다.
③ Ⓑ를 통해 Ⓒ로 가는 과정은 분쟁 당사국 간 합의에 따라 진행된 것이다.
④ Ⓓ를 통해 Ⓔ로 가는 과정은 국제적 분쟁 해결 기구의 구속력 있는 결정을 통해 이루어진 것이다.
⑤ Ⓓ를 통해 Ⓔ로 가는 과정에서 잠정조치 명령이 내려졌다면 그 효력은 최종 판결 전까지만 유효하다.

26. ㉠, ㉡에 대한 이해로 가장 적절한 것은?

① ㉠의 존재 가능성이 예측되어야 ㉡은 인정된다.
② ㉠에 대한 판단에 앞서 ㉡의 존재 여부를 판단한다.
③ ㉡이 확정되지 않으면 ㉠은 인정되지 않는다.
④ 본안 소송의 최종 판결 이후 ㉠이 확정된다.
⑤ 본안 소송의 개시 시점은 ㉡의 인정 시점과 일치한다.

27. 문맥상 ⓐ ~ ⓔ와 바꿔 쓰기에 적절하지 않은 것은?

① ⓐ: 생겨나는
② ⓑ: 주고받아야
③ ⓒ: 좁아지기
④ ⓓ: 맡지만
⑤ ⓔ: 막기

[28 ~ 33] 다음 글을 읽고 물음에 답하시오.

(가)

소쉬르의 언어학은 언어에 대한 전통적인 견해에 대해서 의문을 제기하고 이를 뒤집는다. 소쉬르 이전의 사람들은 일반적으로 언어가 현실 세계의 대상을 지칭한다고 생각했다. 반면 소쉬르는 언어가 현실 세계를 있는 그대로 묘사하는 것이 아니라는 것을 언어의 기호 체계를 통해 설명하며, 오히려 사람들이 그들의 언어 체계에 맞춰 현실 세계를 새롭게 인식한다고 주장한다.

소쉬르에 따르면 언어는 기호 체계로, 현실 세계를 묘사하는 것이 아니라 근본적으로 자의적인 체계이다. 기호란 어떠한 뜻을 나타내기 위해 쓰이는 표지를 이르는데, 기표와 기의로 이루어진다. 기표는 귀로 들을 수 있는 소리로써 의미를 전달하는 외적 형식을 ㉠ 이르며, 기의는 말에 있어서 소리로 표시되는 의미를 이른다. 예컨대 언어의 소리 측면을 지칭하는 '산[san]'이라는 기표에, 그 소리가 지칭하는 의미를 나타내는 '평지보다 높이 솟아 있는 땅의 부분'이라는 기의가 대응하는 것이다. 소쉬르에 따르면 기표와 기의의 관계는 필연적이지 않고 자의적이며, 단지 그 기호를 사용하는 사람들의 사회적 약속일 뿐이다. 이는 '평지보다 높이 솟아 있는 땅의 부분'이라는 기의가, 한국어에서는 '산[san]', 중국어에서는 '山[shān]', 영어에서는 'mountain[máuntən]' 등의 다른 기표로 나타나는 것에서 확인할 수 있다. 즉 언어는 자의적인 성격을 지닐 뿐이며 현실 세계를 묘사하는 것이 아니라는 것이다.

더불어 소쉬르는 사람들이 언어 체계에 맞춰 현실 세계를 새롭게 인식한다는 것을 설명하기 위해 '랑그'와 '파롤'이라는 개념을 제시한다. [랑그]란 언어가 갖는 추상적인 체계이고, [파롤]은 랑그에 바탕을 ㉡ 두고 개인이 실현하는 구체적인 발화이다. 소쉬르는 어떤 사람이 어떠한 발화를 하더라도 그 발화의 표현 방식이나 범위는 사실상 그가 사용하는 언어 체계인 랑그에 의해서 지배되거나 제약받는다고 주장한다. 예를 들어 한국어에서는 빨강 계통의 색을 '빨갛다', '시뻘겋다', '새빨갛다', '불긋불긋하다' 등 다채롭게 표현할 수 있다. 하지만 영어에서는 한국어만큼 빨강 계통의 색을 다채롭게 표현할 수 있는 단어가 많지 않다. 따라서 소쉬르는 영어를 사용하는 사람들이 실제로는 다양하게 존재하는 빨강 계통의 색을 그들이 사용하는 랑그에 맞게 인식한다고 본다. 이는 결국 랑그의 차이에 따라 사람들이 현실 세계를 인식하는 방식이 달라진다는 것을 의미하는 것이다.

일반적으로 사람들은 어휘를 선택하고 그것을 언어 체계에 맞추어 발화하는 주체가 자신이라고 생각한다. 하지만 소쉬르는 발화의 진정한 주체는 발화자가 아닌 랑그라는 사실을 전제하고 있다. 결국 소쉬르의 언어학은 언어가 현실 세계를 수동적으로 재현하는 수단이 아니며, 오히려 언어가 현실 세계를 구성한다는 생각을 함축하고 있는 것이다.

(나)

비트겐슈타인에게 언어는 삶의 다양한 맥락에 ㉢ 따라 서로 다르게 혹은 유사한 모습으로 존재한다. 이에 따라 비트겐슈타인은 언어를 이해하는 것은 그것이 어떻게 사용될 수 있는지를 이해하는 것이라는 '의미사용이론'을 제시한다. 비트겐슈타인은 언어를 배우는 것이, 일상 활동들의 맥락 속에서 언어를 어떻게 사용하고 또한 타인의 언어에 어떻게 반응해야 하는지를 배우는 것이라고 말한다. 가령 '빨강'이라는 단어의 의미를 배우는 것은 사전에 실려 있는 추상적 개념을 배우는 것이 아니라, 실제 미술 시간에 눈앞에 있는 빨간 사과를 그려 보라는 교사의 말에 물감 중 필요한 빨간색을 ㉣ 골라 사용할 수 있게 되는 일이다.

비트겐슈타인은 이런 의미사용이론을 설명하기 위해 언어를 게임에 비유하여 설명한다. 예컨대 땅따먹기와 같은 게임의 규칙은 절대 불변의 법칙이 아니라 땅따먹기라는 게임을 원활하게 진행하기 위해서 만들어진 것이며, 이런 게임의 규칙은 그것에 참가한 사람들이 게임을 수행할 수 있도록 만드는 형식에 불과하다. 이렇게 언어를 게임에 빗대어 설명한다는 것은 곧 언어가 그것을 사용하는 사람들의 구체적인 활동과 관련해서만 의미가 있다는 것을 보여준다.

비트겐슈타인은 언어가 사람들의 삶과 엉켜 있으면서 사람들의 삶을 반영한다는 것을 언어의 모호성을 통해서 설명하기도 한다. '크다'나 '작다'와 같은 표현들은 사람에 따라 의미가 다르게 사용되기 때문에 듣는 사람에게 모호하다는 느낌을 줄 수 있다. 하지만 이와 같은 표현이 없다면, 정확한 크기를 알 수 없는 경우에 대해서는 언급 자체를 할 수가 없게 된다. 더욱이 사람들은 간혹 의도적으로 모호한 표현을 사용하기도 한다. 따라서 비트겐슈타인은 언어에 존재하는 많은 불명확성이 오히려 단점이 아닌 장점이 될 수도 있으며, 높은 수준의 명확성이 오히려 융통성의 여지를 없앨 수도 있다고 말한다.

전통적으로 어떤 개념을 형성하는 일은, 수많은 종류의 나무로부터 공통 요소를 추출하여 '나무'라는 개념을 형성하는 것처럼 서로 다른 개별적이고 구체적인 대상으로부터 공통 요소를 추출하는 과정을 통해 이루어졌다. 하지만 비트겐슈타인은 개념을 사용할 때 그것의 적용 사례들에 어떤 공통 요소가 반드시 있어야 한다는 강박 관념을 버려야 한다고 강조한다. 이는 결국 언어가 그것을 사용하는 사람들의 삶과 ㉤ 맞물려 있어 삶의 양식이 다양한 만큼 언어 역시 다양하기 때문이다. 따라서 비트겐슈타인에게 있어 언어란 현실 세계를 재현하는 것이 아니라, 언어를 사용하는 사람들의 소통에 의해서 만들어지는 것이라고 할 수 있다.

*28.* (가)와 (나)의 서술상의 공통점으로 가장 적절한 것은?

① 언어에 대한 특정한 이론을 관련 사례를 들어 소개하고 있다.
② 언어에 대한 상반된 주장을 제시하여 절충 방안을 모색하고 있다.
③ 언어에 대한 관점들이 통합되어 가는 역사적 과정을 부각하고 있다.
④ 언어에 대한 이론들을 시대순으로 나열하여 공통적인 특성을 도출하고 있다.
⑤ 언어에 대한 다양한 이론을 소개하며 각 이론이 지닌 의의와 한계를 설명하고 있다.

*29.* [랑그], [파롤]에 대한 이해로 가장 적절한 것은?

① 랑그는 현실 세계를 재현하는 수단이다.
② 파롤은 언어의 추상적 체계를 지칭한다.
③ 랑그는 개인이 실현하는 구체적인 발화이다.
④ 파롤의 표현 방식은 랑그에 의해서 제약을 받는다.
⑤ 랑그는 파롤을 바탕으로 발화자가 주체임을 드러낸다.

*30.* 다음은 온라인 수업 게시판의 일부이다. 윗글을 바탕으로 학생들이 과제를 수행했다고 할 때, ㉮ ~ ㉰에 들어갈 말로 가장 적절한 것은?

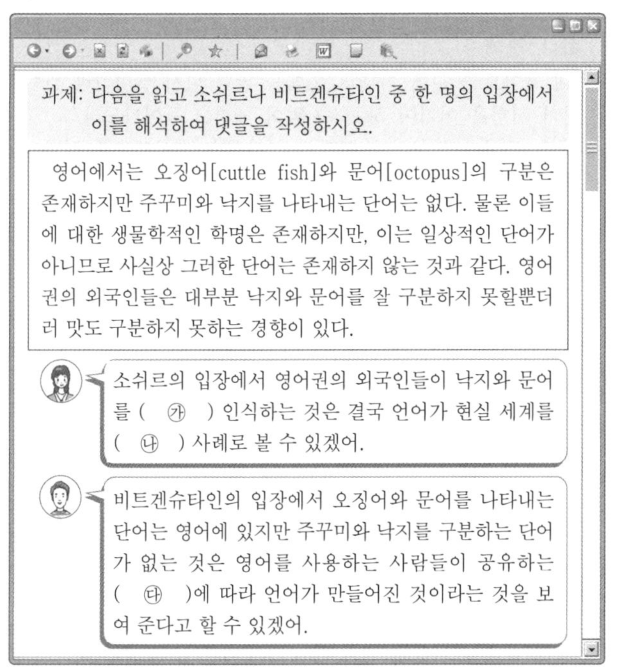

과제: 다음을 읽고 소쉬르나 비트겐슈타인 중 한 명의 입장에서 이를 해석하여 댓글을 작성하시오.

영어에서는 오징어[cuttle fish]와 문어[octopus]의 구분은 존재하지만 주꾸미와 낙지를 나타내는 단어는 없다. 물론 이들에 대한 생물학적인 학명은 존재하지만, 이는 일상적인 단어가 아니므로 사실상 그러한 단어는 존재하지 않는 것과 같다. 영어권의 외국인들은 대부분 낙지와 문어를 잘 구분하지 못할뿐더러 맛도 구분하지 못하는 경향이 있다.

소쉬르의 입장에서 영어권의 외국인들이 낙지와 문어를 ( ㉮ ) 인식하는 것은 결국 언어가 현실 세계를 ( ㉯ ) 사례로 볼 수 있겠어.

비트겐슈타인의 입장에서 오징어와 문어를 나타내는 단어는 영어에 있지만 주꾸미와 낙지를 구분하는 단어가 없는 것은 영어를 사용하는 사람들이 공유하는 ( ㉰ )에 따라 언어가 만들어진 것이라는 것을 보여 준다고 할 수 있겠어.

| | ㉮ | ㉯ | ㉰ |
|---|---|---|---|
| ① | 다르게 | 구성한다는 | 삶의 양식 |
| ② | 다르게 | 묘사한다는 | 높은 수준의 명확성 |
| ③ | 비슷하게 | 구성한다는 | 삶의 양식 |
| ④ | 비슷하게 | 구성한다는 | 높은 수준의 명확성 |
| ⑤ | 비슷하게 | 묘사한다는 | 삶의 양식 |

※ <보기>는 윗글을 읽은 학생의 독서 활동 과정이다. 31번과 32번 물음에 답하시오.

〈보 기〉

| | |
|---|---|
| 읽기 전 | 기존에 가지고 있던 '언어'에 대한 자신의 생각을 말해 보기 |
| ↓ | |
| 읽기 중 | (가), (나)를 읽고 글의 내용에 대한 이해를 점검하는 질문에 응답하기 |
| ↓ | |
| 읽기 후 | (가), (나)와는 다른 관점을 지닌 글을 찾아서 공통점과 차이점을 설명하기 |

*31.* 다음은 '읽기 중' 단계에서 학생이 수행한 활동지의 일부이다. 학생의 응답으로 적절하지 <u>않은</u> 것은?

| 질문 | 학생의 응답 | | |
|---|---|---|---|
| | 예 | 아니요 | |
| 소쉬르는 언어가 현실 세계의 대상을 지칭하는 것이라고 주장하고 있나요? | | √ | ········ ① |
| 비트겐슈타인은 언어에 존재하는 많은 불명확성에 대해 긍정하고 있나요? | √ | | ········ ② |
| 소쉬르와 비트겐슈타인은 모두, 언어에 대한 전통적인 입장을 고수하고 있나요? | | √ | ········ ③ |
| 소쉬르는 비트겐슈타인과 달리, 언어가 사람들의 약속에 의해 형성된다는 것을 비판하고 있나요? | √ | | ········ ④ |
| 비트겐슈타인은 소쉬르와 달리, 언어가 사용하는 사람들의 맥락에 따라 다르게 사용될 수도 있다는 것을 부정하고 있나요? | | √ | ········ ⑤ |

*32.* 다음은 '읽기 후' 단계에서 학생이 찾은 다른 학자들의 견해이다. 윗글을 바탕으로 주제 통합적 읽기를 수행한 학생의 이해로 적절하지 <u>않은</u> 것은? [3점]

ⓐ 말소리와 지시물 간에는 직접적인 관계가 없으며 개념이 말소리와 직접적으로 연결된다. 지시물은 개념을 통해 말소리와 간접적으로 연결되어 언어는 일정한 의미를 형성하게 된다.
ⓑ 언어란 현실 세계를 재현하기 위한 수단이며 언어의 의미는 곧 언어가 구체적으로 지시하는 대상이다. 세계가 먼저 있고 그 세계를 재현하기 위해서 언어가 존재하는 것이다.
ⓒ 언어에서 사물의 이름은 임의적으로 붙여진 것이 아니다. 사물은 자연의 일부로서 자연을 닮고 서로 유사함을 나누어 가지며, 사물의 이름은 이런 자연의 법칙에 따라 지어진 것이다.

① 개념이 말소리와 직접적으로 연결된다는 ⓐ의 입장과 유사하게, 소쉬르는 언어가 기표와 기의의 대응을 통해 이루어진다고 주장하고 있다.
② 언어는 일정한 의미를 형성하게 된다는 ⓐ의 입장과 달리, 비트겐슈타인은 언어가 사람들의 소통에 의해서 만들어진다고 주장하고 있다.
③ 언어란 현실 세계를 재현하기 위한 수단이라는 ⓑ의 입장과 달리, 소쉬르는 언어가 자의적인 성격을 지닐 뿐이며 현실 세계를 재현하는 것이 아니라고 주장하고 있다.
④ 세계가 먼저 있고 그 세계를 재현하기 위해서 언어가 존재한다는 ⓑ의 입장과 유사하게, 비트겐슈타인은 언어가 먼저 있고 절대 불변의 법칙에 따라 세계가 존재한다고 주장하고 있다.
⑤ 언어에서 사물의 이름은 임의적으로 붙여진 것이 아니라는 ⓒ의 입장과 달리, 소쉬르는 기표와 기의의 관계가 필연적이지 않다고 주장하고 있다.

*33.* 문맥상 ㉠~㉤의 단어와 가장 가까운 의미로 쓰인 것은?

① ㉠: 그녀는 약속 장소에 <u>이르며</u> 친구에게 전화를 걸었다.
② ㉡: 우리 회사는 세계 곳곳에 많은 지점을 <u>두고</u> 있다.
③ ㉢: 예전에 어머니를 <u>따라</u> 시장 구경을 갔던 기억이 났다.
④ ㉣: 탁자 위에 쌓인 여러 책들 중에 한 권을 <u>골라</u> 주었다.
⑤ ㉤: 그의 입술은 굳게 <u>맞물려</u> 떨어질 줄을 몰랐다.

[34 ~ 37] 다음 글을 읽고 물음에 답하시오.

차설, 이때 유씨 해평읍을 떠나 절강을 향해 가며 말하기를
"성인의 말씀에 참으로 흥진비래는 사람의 일상사라 하였거니와 팔자 기박(奇薄)하여 낭군을 천 리 밖에 두고 불측한 일을 당하여 목숨을 겨우 부지하였으되 슬프다, 한림은 그 어디에 가 잦아지고 내 이러한 줄 모르는고."
하며, 애연(哀然)히 울면서 가니 산천초목이 다 슬퍼하더라.
그럭저럭 절도에 다다르니 청산이 먼저 들어가 정양옥께 유씨 오심을 전하니 양옥이 놀라 칭찬하되
"여자의 몸으로 이곳 만 리 길을 헤매고 이르렀으니 남자라도 어려웠으리라."
하고는, 십 리 밖에 나와 기다렸다. 이윽고 문득 백교자 한 행차 들어오며 한림 부르며 슬피 우는 청랑한 소리는 사람 애간장을 끊는 듯하더라. 양옥이 하인에게 전갈하되
"먼 길에 평안히 왔습니까?"
하거늘 유씨 답하기를
"그간 중에도 위문하러 나오시다니 실로 미안하여이다. 한 많은 말씀은 종후에 논하외다."
하고, 통곡하니 길 가던 사람들 보고 듣으며 뉘 아니 눈물을 흘리리. 청초히 말하기를
"유씨 정절은 만고에 없을 것이라."
하더라.
유씨 관 앞에 이르자

[A] "유씨 왔나이다. 어찌 한 말씀도 없으신고. 이제 가시면 백발 노친과 기댈 곳 없는 첩은 어찌하라고 그리 무정하게 누웠는고. 첩이 삼천 리 길을 마다 않고 지척이라 달려 왔건만 반기지도 아니 하시나이까?"

하며, 통곡하다 기절하거늘 양옥이 어쩔 줄 몰라 연연히 분주하더니 이윽고 인사를 차리고는 양옥은 밖에서 울고 유씨는 안에서 통곡하니 그 구차한 정경은 차마 보지 못할 것 같았다.

**[중략 부분 줄거리]** 남편 춘매가 혼백으로 나타나 유씨에게 후생을 기약하고 떠나간다.

유씨 도리어 망극하여 통곡하며
"신체라면 붙들거니와 혼백으로 가니 무엇으로 붙들리오. 도리어 아니 만남만 같지 못하도다."
하고 머리를 풀고 관을 붙들고 울며 말하기를
"한림은 할 말 듣게만 하고 저는 한 말도 못하여 적막케 하고 가십니까?"
하며, 시신을 붙들고 그만 쓰러져 죽거늘, 정생과 하인이 망극하여 아무리 구하되 회생할 기미가 없고 더 이상 막무가내라.
"초상(初喪)의 예를 차려라."
하고, 주선하니 이때 유씨 혼백이 한림을 붙들고 구천을 급히 따라오거늘 한림이 돌아보니 유씨 오거늘 급히 위로하여 말하기를
"그대는 어찌 오는가. 바삐 가옵소서."
하니 유씨 말하기를
"내 어찌 낭군을 버리고 혼자 어디로 가며 남은 명을 보존하오리까. 낭군과 한가지로 구천에 있겠습니다."
하고 따라오거늘 한림이 할 수 없어 함께 들어가는데 염라왕이 말하기를
"춘매는 인간에게 가서 시한을 어기었다."
하고, 사신을 명하여
"급히 잡아들이라."
한데, 사신이 영을 받고 춘매를 만나 염왕의 분부를 전하여 왈
"그대를 잡아오라 하여 왔나니라."
하니, 춘매가
"내 돌아오는 길에 아내의 혼백을 만나 다시 돌아가라 만류하다가 시한을 어기어 하는 수 없이 데리고 들어가노라."
하고, 들어가니 사자가 염왕에게 사연을 고하였는데 염라대왕이 즉시 춘매와 유씨를 불러 세우고 물어 말하기를
"춘매는 제 원명(原命)*으로 잡아 왔거니와 유씨는 아직 원명이 멀었으니 어찌 들어왔는고?"
하거늘 유씨 이마를 조아려 여쭈되
"대왕께오서 사람을 생기게 하실 때에 부자유친, 부부유별, 장유유서, 붕우유신이라. 그중 부부애(夫婦愛)도 중한지라 남편 춘매를 결단코 따라왔사오니 대왕께서는 첩도 이 곳에 있게 해 주옵소서."
하니, 대왕이 유씨를 달래어 보내려 하자 유씨 또 여쭈되

[B] "대왕의 법으로 세상에 내었다가 어찌 첩에게 이런 작별을 하게 하였으며 또한 남편 춘매에게 어찌 부모 자식 간에 사랑을 이리도 일찍 저버리게 하셨습니까? 나는 새와 달리는 짐승도 다 짝이 있사오니 하물며 젊은 인생 배필 없이 어이 살며 의탁할 곳 없는 몸을 누구에게 붙여 살라고 하십니까? 여필종부는 인간의 제일 정절이니 결단코 춘매를 떠나지 못하겠습니다."

염라대왕이 말하기를
"그대 모친과 춘매 모친은 누구에게 부탁하고 왔느냐?"
하기에 유씨 대답하여 말하기를
"정이 이토록 절박하온데 첩의 청춘으로 부부 함께 있어야 봉양도 하옵고 영화도 볼 터인데 공방 독침 혼자 누워 무슨 봉양하며 무슨 참 영화 보오리까. 부부지정은 끊지 못하겠습니다."
하니, 염라대왕이 말하기를
"진실로 그러하면 다른 배필을 정하여 줄 것이니 네 여연(餘緣)*을 다 살고 돌아오라."
하시니 유씨 아득하여 얼굴색을 변하며 말하기를
"아무리 저승과 이승이 다르오나 대왕이 어찌 무류한 말씀으로 건곤재생의 여자로 너불어 희롱하십니까. 내왕께서 저러하고도 저승을 밝게 다스리는 대왕이라 하십니까?"
하며, 천연히 꾸짖거늘 염라대왕이 유씨의 백설 같은 정절과 절의에 탄복하여 말하기를
"그대의 마음을 탐지해 보고자 함이니 도리어 무색하도다."
유씨 대답하여 말하기를
"염라께서 무색하다 하시니 도로 죄를 사하옵니다."
하고, 사죄하거늘 염라대왕이 말하기를
"내 그대를 위하여 가군(家君)*과 함께 도로 내려보내니 세상에 나가 부귀영화를 누려 자손에게 전하고 한날한시에 들어오라."

– 작자 미상, 「유씨전」 –

* 원명: 본디 타고난 목숨.
* 여연: 남은 인생.
* 가군: 남편.

34. 윗글에 대한 설명으로 가장 적절한 것은?
① 시간의 역전을 통해 사건의 진상을 밝히고 있다.
② 꿈의 삽입을 통해 환상적 분위기를 조성하고 있다.
③ 인물 간의 대화를 통해 갈등 상황을 구체화하고 있다.
④ 서술자를 교체하여 사건을 새로운 국면으로 전환하고 있다.
⑤ 동시에 벌어진 사건을 병치하여 사건의 흐름을 지연시키고 있다.

35. 윗글의 내용에 대한 이해로 적절하지 않은 것은?
① 염왕은 사신에게 명하여 춘매를 잡아오게 하였다.
② 춘매는 구천으로 자신을 따라오는 유씨를 만류했다.
③ 양옥은 유씨가 온다는 소식을 듣고 유씨를 기다리고 있었다.
④ 유씨는 춘매를 죽음에 이르게 했다는 이유로 양옥을 원망했다.
⑤ 춘매는 유씨로 인하여 저승으로 돌아갈 시한을 어기게 되었다.

36. [A]와 [B]에 나타난 말하기 방식에 대한 설명으로 가장 적절한 것은?
① [A]와 [B]는 모두 상대방의 행동을 질책하며 상대방에게 사죄를 요구하고 있다.
② [A]와 [B]는 모두 자신과 타인의 불행한 처지를 들어 자신의 감정을 토로하고 있다.
③ [A]는 [B]와 달리 상대방의 약점을 공격하며 자신의 주장을 강조하고 있다.
④ [B]는 [A]와 달리 자신의 직책을 언급하며 상대방에게 협조를 요청하고 있다.
⑤ [A]는 과거의 경험을 회상하며, [B]는 미래의 상황을 가정하며 상대방을 위로하고 있다.

37. <보기>를 참고하여 윗글을 감상한 내용으로 적절하지 않은 것은? [3점]

〈 보 기 〉

「유씨전」은 여성에게 정절이 요구되던 시대를 살아가며 적극적으로 사랑을 실현하는 여인의 삶을 그린 작품이다. 비현실계에서 주어지는 시험과 현실계로 이어지는 보상은 시대가 바라던 여성으로서의 규범을 더욱 강조한다. 한편 현실 세계의 고난을 견뎌 내고, 죽음마저 불사하는 유씨의 열행에는 주체적인 여인상이 드러난다. 특히 초월적 존재 앞에서도 의지를 굽히지 않는 당당한 모습, 다른 유교적 가치에 앞서 사랑을 택하는 모습은 주목할 만하다.

① 염왕이 유씨와 춘매를 저승에서 이승으로 돌려보내려는 장면에서, 현실계로 이어지는 염왕의 보상을 확인할 수 있군.
② 염왕이 유씨에게 춘매의 원명이 다하여 잡아 왔다고 말하는 장면에서, 춘매의 능력을 알아보기 위한 염왕의 시험을 확인할 수 있군.
③ 유씨가 모친을 봉양하는 것보다 춘매와의 정이 중요하다고 말하는 장면에서, 다른 유교적 가치에 앞서 사랑을 택하는 적극적 모습을 확인할 수 있군.
④ 유씨가 불측한 일을 당하고도 먼 길을 거쳐서 춘매의 관 앞에 당도한 장면에서, 남편에 대한 사랑으로 현실 세계의 고난을 견뎌 내는 모습을 확인할 수 있군.
⑤ 유씨가 다른 배필을 정하여 준다는 염왕을 책망하는 장면에서, 초월적 존재 앞에서도 당당하게 자신의 의지를 굽히지 않는 주체적인 여인의 모습을 확인할 수 있군.

[38 ~ 41] 다음 글을 읽고 물음에 답하시오.

**[앞부분의 줄거리]** 나는 방송국 기자였던 남편의 갑작스러운 해직 통고를 듣고 생활에 불안감을 느낀다. 매사 능동적이고 자존심이 강했던 남편은 철저히 관계없는 사람처럼 두 번의 역사적인 밤에 현장에 있지 못했다.

그 두 번의 돌연한 '역사적인 밤'을 겪고 난 다음 그는 자신의 직업에 대한 어떤 모멸감을 느꼈다. 아니다. 말이 틀렸다. 자신의 생업에 대한 주저, 회의, 나아가서 모멸은 취재 현장에서마다 맞닥뜨리곤 했던 터이라 ㉠ <u>이번에는 자신의 능력 자체 곧 기자로서 마땅히 갖추고 있어야 할 본분을 불신하게 되었다</u>. 자신에게는 그것이 없는 것처럼 여겨졌다. 그러나 동료들은 더 유들유들해진 것 같았고, 더 고분고분해진 듯했다. 다들 **사태를 훤히 알고 있으면서도 눈만 껌벅거리**고 있었고, 공연히 전화질이나 해댔고, 어디선가 날아올 전화를 기다리고 있었고, '다 그런 거지 뭐'라는 **유행가 가사만을 읊조리는** 냉소주의자들로 자족하기에 분주했다. 그것은 엄연한 직무 방기였다. 그래도 줄기차게 화면은 만들어지고 있었는데, 그런 기계적인 일련의 직무 수행을 문득문득 되돌아보면 한편으로 우습기도 하고, ㉡ <u>다른 한편으로 "이 시덥잖은 것들아, 사기를 치려면 석 달 열흘쯤은 감쪽같이 속아 넘어갈 만한 사기를 치라"고 고함을 지르고 싶었다</u>.

그의 주위에는 점점 두터운 벽이, 묵언의 벽이 둘러싸이고 있었다. 심지어 **그를 따르**는 한 후배 기자까지도 "이선배, 오늘 저녁 부서 회식에 참석할 거요? 나까지 **안 찍히려**면 **적당한 핑계**를 하나 만들어 놔야지"라고 했다. 그는 자신의 생업에는 패배감을, 직장 안에서의 위상에는 무력감을 느꼈다. 괴물의 화면을 만드는 **괴물의 집단**이었다.

그의 결론은 이랬다.

먹물들은 위기가 닥치면 다 비겁해진다. 그리고 처자식 걱정부터 먼저 한다. 도대체 '이놈의 동네에서는' **기자로서의 사명감**이 없어진 지 오래다. 사명감을 언제부터인가 원천적으로 봉쇄 내지는 마비시켰기 때문에 그런 직업관이 있어야 하는 건지, 있기나 했는지조차 모르고 있다. 따라서 다들 **기계**고, **로봇**일 뿐이다. 과격하게 말하면 모든 먹물들은 태업할 권리조차 있는지 어떤지도 모르는 까막눈이다. 그것도 총 앞에서만 와들와들 떠는 과민성 체질의 까막눈이다. ㉢ <u>그러니 이미 먹물도 뭣도 아니다.</u>

그는 자신의 입지가 점점 비좁아지고 있음을 매일같이 느끼고 있었다. 그는 될 대로 되라는 식으로 자신을 아무렇게나 내던져 버렸다. 이상하게도 생활에의 불안감 따위는 까마득히 사라졌다.

[A] 나는 그의 실직을 누구에게도 알리지 않을 작정이었다. 이웃 사람들, 예컨대 아래채 셋방 가족, 구멍가게 주인, 쌀가게 주인, 연탄 가게 주인 등에게는 말을 하지 않으면 될 것이었고, 일가친지, 그와 나의 친구들에게는 내가 먼저 전화를 걸지 않으면 될 터였다. 그쪽에서 전화를 걸어 오더라도 그의 근황을 얼버무릴 심산이었다. 실없이 복직에 기대를 걸고 있었기 때문이 아니었다. 그 실직 소식에 껴묻어 올 건성의 걱정을 들어 내기가 고역일 듯싶었고, 그 걱정은 결국 나를 초라하게 만들 것이었다. 도와주지도 않을 동정을 하라 말라 할 수는 없겠지만, 그런 동정은 무조건 받기 싫었다.

(중략)

㉣ <u>나는, 우리가 이제 지나온 날을 더듬어 보며 앞으로 살날을 헤아려 보는 어떤 관조기에 들었다고 생각했다.</u>

조금 쓸쓸해져서 나는 그에게로 다가갔고, 그가 봄기운이 무색해지는 말을 슬쩍 흘렸다.

"노인네보다 먼저 죽으면 안 되는데 말이야."

"㉤ 원, 중병 걸린 사람 같은 소릴 하고 있네, 싱싱한 사람이. 안 죽어요. 죽긴 누가 죽어요?"

"금붕어 밥 줬어?"

그의 얼굴이 너무 진지해서 나는 툭 터져 나오는 웃음을 내버려 두었다.

"무슨 쓸데없는 생각을 그렇게 많이 해요? 안 죽어요, 당신이 먹이 안 줘도 금붕어는 죽지 않아요."

"돈키호테가 이런 거 저런 거를 많이 아는데⋯⋯ 그 친구가 지금 외국에 나가 있지. 외국 나가 있는 친구들은 소심증, 우울증 같은 것도 모를 거야. 생존경쟁과는 담을 쌓고 붕붕 떠다닐 테니까 말이야. 내가 너무 **정신없이 바쁘게 살**았나 봐. 속이 허해졌고 **진기가 다 빠**져 버렸어."

"이제 나이도 있고 하니 봄을 타는 걸 거예요. 최근에 삼촌은 한번 만났어요?"

"며칠 전에 회사로 찾아와서 점심 같이 했지. 결혼한다대. 심신 무력증 같은 병도 있나?"

그가 엉뚱한 말을 불쑥 내놓았다.

"서울에서는 집만 지니고 있으면 살지?"

"살다마다요. 집 없는 사람도 다 사는데."

"일 년쯤 어디 낯선 데 가서 고생이나 실컷 했으면 좀 살 것 같애. 어젯밤에는 밤새 그 생각만 주물럭거렸어."

"하세요. 누가 말려요. 탄광 같은 데 가서 숨도 제대로 못 쉬고 한번 살다 오세요. 다들 너무 편하니 [나사]가 풀린 거예요. 해직 기자 중에는 옳은 직장을 못 구해 전전긍긍하는 사람도 있다면서요? 그런 이들을 생각해서라도 열심히 살아야잖아요."

"**교과서 같은 소립** 하고 있네. 그 친구들은 [악]이 살아 있을 테니 이런 무력감 같은 것도 모를 거야."

"당신은 악이 없어졌어요."

"언제는 내가 악이 있었나? 난 착한 사람이야. 악이 없다고 사람도 아닌가. 사람이 악만으로 어떻게 살아. 무쇠처럼 살았어. 정말 한심 천만이라는 생각이 들어⋯⋯."

"궤변 늘어놓지 마시고 나사를 좀 조여 보세요. 당신은 지금 너무 편하고 걱정이 없어서 이런저런 잡걱정이 많은 거예요."

"내가 편하다고? 웃기고 있네. 돈번다고, 남의 돈 벌어 준다고 쓸개까지 빼놓고 별지랄을 다 떠는데도? 나처럼 눈알 똑바로 박힌 놈이 다섯만 있어도 당장 내 사업 벌이겠네. 마누라를 전당포에 잡혀서라도. 어느 놈이 **무슨 욕을 하**고 지랄을 떨어도 **열심히 살아** 봐야지."

[B] 그는 지쳐 있었다. 일에 치여 잠시 멀미를 내고 있을 뿐이었다. 책임감이 강하고, 남의 사정을 쉴 새 없이 곁눈질하며, 속물들이 꾸려 가는 이 세상과 보조를 맞춰 가는 사람이 갑자기 만사에 흥미를 잃어버린 것이었다. 그 증세는 또 다른 일종의 무력감 내지는 허탈감이었고, 삶에의 회의였다. **각성의 계기**가 될지도 모르므로 그에게는 차라리 **축복**이었다. 나는 그를 이해할 수 있었고, 이해했기 때문에 갱년기라기보다는 관조기에 접어든 그의 뒤숭숭한 삶이 당연하다고 생각했다. 그리고 그가 세상살이와 인간관계에 좀 더 분별력이 있어지리라고 믿었다.

– 김원우, 「아득한 나날」 –

*38.* [A]와 [B]의 서술상 특징에 대한 설명으로 가장 적절한 것은?

① [A]에서는 내적 독백을 통해 서술자의 판단을, [B]에서는 풍자적 서술을 통해 서술 대상의 행위를 비판하고 있다.
② [A]에서는 예상되는 행위의 나열을 통해 서술자의 심리를, [B]에서는 특정 인물의 관점에서 서술 대상에 대한 주관적 판단을 제시하고 있다.
③ [A]에서는 시간의 흐름에 따라 변화되는 서술자의 생각을, [B]에서는 공간적 배경에 대한 묘사를 통해 서술 대상이 처한 상황을 드러내고 있다.
④ [A]에서는 반복되는 사건을 제시하여 서술자와 주변 인물 간의 관계를, [B]에서는 인물 간의 대화를 중심으로 서술 대상과의 갈등을 나타내고 있다.
⑤ [A]에서는 과거와 현재 사건의 대비를 통해 서술자가 세상을 바라보는 관점을, [B]에서는 과거의 사건을 나열하며 서술 대상에 대한 적대적 감정을 강조하고 있다.

*39.* ㉠ ~ ㉤에 대한 설명으로 적절하지 않은 것은?

① ㉠: 취재 현장에서 기자로서 당연히 해야 할 일을 하지 못한 것에 대한 그의 모멸감이 내재되어 있다.
② ㉡: 의식 없이 반복적으로 주어진 일을 수행하는 것에 대한 그의 분노를 엿볼 수 있다.
③ ㉢: 부당한 무력 앞에서 정당한 권리를 내세우지 못하는 것에 대한 그의 멸시가 드러나 있다.
④ ㉣: 남편과 자신이 지나온 삶을 되돌아보며 앞으로의 삶을 생각하는 시기로 접어드는 것에 대한 나의 쓸쓸함을 엿볼 수 있다.
⑤ ㉤: 갑작스럽고도 엉뚱하게 제시된 남편의 진지한 말에 대한 나의 의심이 내재되어 있다.

*40.* [나사], [악]을 중심으로 윗글을 이해한 내용으로 적절하지 않은 것은?

① 남편은 아내가 '나사'가 풀려서 이런저런 잡걱정이 많아진 것이라고 여기고 있다.
② '악'과 관련지어 편한 삶을 바라보는 관점은 남편과 아내가 서로 차이를 보이고 있다.
③ 아내는 고생을 실컷 해보고 싶다는 남편을 현재 삶이 너무 편해 '나사'가 풀린 것으로 이해하고 있다.
④ 아내는 남편이 궤변을 늘어놓고 있다고 여기며 '악'이 없어졌으니 '나사'를 다시 조여 보라고 말하고 있다.
⑤ 직장을 못 구했지만 '악'이 살아 있을 것이라고 여겨지는 친구들과 달리 남편은 자신의 삶에 대해 무력감을 느끼고 있다.

*41.* <보기>를 참고하여 윗글을 감상한 내용으로 적절하지 않은 것은? [3점]

<보 기>

이 작품은 현실적 삶을 살아가는 중산층 인물들의 모습을 사실적으로 드러내고 있다. 특히 삶에 매몰된 채, 속물적 사고로 인해 신의를 저버리거나 현실 세계의 문제를 외면하며 살아가는 인물들의 부도덕함을 반성적으로 폭로하고 있다. 또한 원칙과 상식이 통하는 사회에 대한 갈망과 함께 평범한 삶의 의미를 찾아 일상을 회복하는 과정을 보여주고 있다.

① '사태를 훤히 알고 있으면서도 눈만 껌벅거리'며 '유행가 가사만을 읊조리는' 동료들의 모습에서 현실 세계의 문제를 외면하며 살아가는 인물들의 부도덕함을 알 수 있겠군.
② '그를 따'랐지만 '안 찍히려'고 '적당한 핑계'를 만들어 그를 피하려는 후배 기자의 모습에서 삶에 매몰되어 속물적 사고로 인해 신의를 저버리는 중산층의 일면을 확인할 수 있겠군.
③ '기계'와 '로봇'처럼 살아가는 '괴물의 집단'이 '기자로서의 사명감'을 잊었다고 여기는 그의 모습에서 현실적 삶을 반성적으로 인식하고 있는 모습을 확인할 수 있겠군.
④ '정신없이 바쁘게 살'며 '진기가 다 빠'졌다는 그의 상태를 '각성의 계기'이며 '축복'이라고 여기는 나의 모습에서 평범한 일상의 회복에 대한 기대를 알 수 있겠군.
⑤ 나의 말을 '교과서 같은 소'리라고 여기며 남들이 '무슨 욕을 하'더라도 '열심히 살아'가겠다는 그의 모습에서 원칙과 상식이 통하는 사회를 부정하는 태도를 알 수 있겠군.

[42 ~ 45] 다음 글을 읽고 물음에 답하시오.

(가)

늙고 병들고 게으른 이 성품이
세정(世情)도 모르고 인사(人事)에 우활*하여
㉠ 공명부귀(功名富貴)도 구하기에 재주 없어
㉡ 빈천기한(貧賤飢寒)을 일생(一生)에 겪어 있어
낙천지명(樂天知命)*을 예 잠깐 들었더니
산수(山水)에 벽*이 있어 우연(偶然)히 들어오니
득상(得喪)도 모르거든 **영욕(榮辱)을 어이 알며**
시비(是非)를 못 듣거니 **출척(黜陟)*을 어이 알까**
(중략)
이끼 낀 바위에 **기대어 앉아 보며**
그늘진 송근(松根)을 **베고도 누워 보며**
한담(閑談)을 못다 그쳐 산일(山日)이 빗겨시니
심승(尋僧)을 언제 할고 채약(採藥)이 저물거다
그도 번거로워 떨치고 걸어 올라
두 눈을 치켜뜨고 만 리를 돌아보니
외로운 따오기는 오며 가며 다니거든
**망망속물(茫茫俗物)*은 안중(眼中)에 티끌**이로다
부귀공명 잊었거니 어조(魚鳥)나 날 대하랴
㉢ 낚시터에 내려 앉아 백구(白鷗)를 벗을 삼고
㉣ 술동이를 기울여 취토록 혼자 먹고
흥진(興盡)을 기약하여 석양(夕陽)을 보낸 후에
강문(江門)에 달이 올라 수천(水天)이 일색인 제
**만강풍류(滿江風流)**를 한 배 위에 **실어 오니**
표연천지(飄然天地)*에 **걸린 것이 무엇이랴**
㉤ 두어라 이렁성그러 종로(終老)*한들 어이하리

— 조우인, 「매호별곡」 —

* 우활: 사리에 어둡고 세상 물정을 잘 모름.
* 낙천지명: 하늘의 뜻에 순응하여 자기 처지에 만족함을 가리킴.
* 벽: 무엇을 치우치게 즐기는 굳어진 성질이나 버릇.
* 출척: 나아가고 물러나는 것. '출'은 좌천시키거나 내쫓는 것이고, '척'은 승진시키거나 등용하는 것.
* 망망속물: 아득한 속세.
* 표연천지: 아득한 천지.
* 종로: 늙어 죽다.

(나)

㉥ 내가 기국원(杞菊園)을 가꾼 지 10여 년에 이름난 풀과 아름다운 나무들을 대략 갖추었다. 우거져 거칠고 어지럽게 섞여 있는 범상한 나무들은 일체 기국원에서 물리친 지가 오래 되었다. 그런데 바로 원(園)의 동쪽 평탄한 곳 아래에 한 나무가 살고 있었는데, 그 뿌리는 굽어 서리서리 얽히고, 그 가지는 무성하고 더부룩하니 빽빽한데, 베어내도 다시 무성해지고, 호미로 매어도 없어지지 않더니 몇 년 되지 않아 무성해졌다. 가서 살펴보니 대개 일컫는 참죽나무와 비슷했는데, '가죽나무'라고 부르는 것이었다. 나는 마음속으로 기뻐하고 또 느낀 바가 있어 ㉦ 원(園)을 가꾸는 하인에게 자르지 말라고 하고, 흙을 북돋워 주고 그 가운데를 성기게 하고 곁으로 널려 퍼지게 했더니, 울창해지고 무성해졌으며 짙게 그늘을 이루었다. 마침내 그 밑에 대를 쌓았는데, 거닐기에는 충분하지 않고 어루만지며 즐기자니 어루만지기에도 부족하나, 시를 낮게 읊조렸다. 늘상 나는 거기에서 머무르며 그곳에 있지 않은 날이 거의 없었다.

ⓐ 객이 있어 지나가다가 웃으면서 말하기를,

"내가 당신이 기거하는 곳을 보았는데, 동산의 이름은 기국(杞菊)으로 짓고, 집은 '오동(梧)'으로 이름 짓고, 마을은 '소나무(松)'로 이름 지었다. 대나무가 가리고 있으며 매화가 있어 향기가 나고, 또 그다음으로 작은 길을 복숭아와 오얏나무로 채웠으니, 온갖 향기를 간직하고 있는 곳이다. 저 가죽나무라는 것은 악목(惡木)이다. 처음에는 싫어하는 사람들의 도끼에 베어짐도 부족한데, 도리어 사랑하고 길러 영화와 꾸밈을 받게 하고, 더불어 뭇 향기로운 나무들과 나란히 있게 하였다. 이것은 어리석고 못난 사람이 외람되이 군자들이 모인 대열에 나란히 한 것과 같으니, 이것은 군자가 부끄럽게 여기는 바가 됨을 돌아보지 않는 것이 큰 것 아닌가. 주부자(朱夫子)*가 말하기를, '한 그릇 속에 향내와 악취가 섞이면 향기의 깨끗함을 구하기는 어렵다.'고 했으니, ㉧ 그대는 어찌 더러움과 고상함을 섞음에서 취하고자 하는가?"

라고 하니 ⓑ 나 또한 응답하여 말하기를,

"그렇다! 그대의 말이 참으로 옳다. …(중략)… 또 대저 가죽나무의 삶은 또한 우연이 아닌 것은 처음에는 나의 어리석음을 스스로 헤아리지 못하고 망령되이 당세에서 쓰임에 뜻이 있어, ㉨ 문득 얕은 재주와 기능(技能)으로 벼슬아치의 뜨락에서 구하고자 시도하기를 여러 해였다. 그러나 퇴락한 물건은 팔리지 않고, 어긋나 맞지 않으니, 소용이 없음을 확실하게 알아 게으름을 피우며 쉬고 있었다. 이때에 이르러 가죽나무가 홀연 내 정원에서 자라나니, 이것이 곧 내가 가죽나무에서 구하는 것이 아닌가. 가죽나무는 거의 나의 삶을 위한 것

이고, 이것에 또 내가 느낀 바가 깊었다. 또한 물건은 재목이 되기도 하고 재앙이 되기도 하는 것이다. 소나무와 잣나무는 재목이 되니 대들보라는 것은 그것을 벤 것이고, 의(椅)나무와 오동나무는 재목이 되니 거문고라는 것은 그것에서 취한 것이다. 오직 가죽나무만은 재목이 못 됨으로 쓰임이 없고, 쓰임이 없으므로 자재(自在)하여 비와 이슬을 배불리 먹고 바람과 서리를 실컷 먹으며 이에 하늘이 준 수명을 다한다. 나 역시 다행히 세상에 쓰임이 없으므로 내 분수에 편안히 내 천성을 다한다. 벼슬도 나를 얽어맬 수 없고 형벌도 나에게 더해질 수 없다. ㉢ <u>한가롭고 여유 있게 놀다가 늙어서 또한 숲과 풀 사이에 죽을 것이니</u>, 이것이 쓰여짐 없는 것의 귀한 바이고 물건과 내가 같이 즐기는 것이다. 그대는 이것을 원망하니 또한 다르지 않는가."

라고 했더니, 객은 고개를 끄덕끄덕 하면서 가버렸다.

– 어유봉, 「양저설(養樗說)」 –

* 주부자: 남송의 대유학자 주희(朱熹)를 높여 부른 말.

*42.* ㉠ ~ ㉢에 대한 이해로 적절하지 <u>않은</u> 것은?

① ㉠에는 자신의 능력에 대한 인식이, ◎에는 타인의 행동에 대한 인식이 나타난다.

② ㉡에는 가난한 삶의 모습이, ㉧에는 벼슬을 구하고자 했던 삶의 모습이 나타난다.

③ ㉢에는 자연과 조화를 이루려는 태도가, ㉥에는 자연물을 가꾸며 살아가는 태도가 나타난다.

④ ㉣에는 자연에서 즐기는 흥취가, ㉦에는 자연물을 아끼는 마음이 나타난다.

⑤ ㉤에는 현재의 삶이 지속되기를 바라는 심정이, ㉢에는 현재의 삶에서 벗어나고 싶은 심정이 나타난다.

*43.* <보기>를 바탕으로 (가)를 감상한 내용으로 적절하지 <u>않은</u> 것은? [3점]

〈보 기〉

「매호별곡」은 자연을 벗하며 한가로이 살아가는 모습을 노래한 사대부 가사이다. 화자는 자신이 이익이나 공명과 같은 세상사에 밝지 않다고 생각하며 분수를 지키는 삶을 살고자 자연에 은거하고 있다. 속세를 떠나 마음껏 자연을 누리며 풍류를 즐기는 화자의 모습, 자연 속에서 바라본 속세에 대한 화자의 인식 등이 다양한 표현 방법을 통해 생생하게 드러나고 있다.

① 세상 물정에 어두운 스스로에 대한 인식을, '영욕을 어이 알며'와 '출척을 어이 알까'와 같은 반복과 변주를 통해 드러냈군.

② 속세를 떠나 한가롭게 살아가는 모습을, '기대어 앉아 보며'와 '베고도 누워 보며'와 같은 행동 묘사를 통해 드러냈군.

③ 속세가 자연에서 멀지 않은 곳에 있다는 인식을, '망망속물'을 '안중에 티끌'에 비유하여 드러냈군.

④ 자연 속에서 운치 있게 즐기는 상황을, '만강풍류'를 '실어 오니'와 같은 추상적 관념의 구체화를 통해 드러냈군.

⑤ 거침없이 자연을 누리는 상황을, '걸린 것이 무엇이랴'라는 설의적 표현으로 드러냈군.

*44.* ⓐ와 ⓑ에 대한 설명으로 가장 적절한 것은?

① ⓐ는 ⓑ의 의견에 끝내 동의하지 않고 항의한다.

② ⓐ는 ⓑ에게 역사적 인물의 말을 인용하여 자신의 의견을 강조한다.

③ ⓑ는 ⓐ에게 자신의 기구한 사연을 말하며 도움을 요청한다.

④ ⓑ는 ⓐ의 주장에 명분이 없음을 지적하고 불쾌함을 나타낸다.

⑤ ⓑ는 ⓐ에게 대상을 보는 자신의 관점을 설명하고 상황의 급박함을 드러낸다.

*45.* (가)의 [산수]와 (나)의 [정원]에 대한 설명으로 가장 적절한 것은?

① '산수'는 지향하는 삶의 모습이 실현된 공간이고, '정원'은 지향해야 할 삶의 모습을 깨닫게 된 공간이다.

② '산수'는 궁핍한 생활을 해결하고자 노력하는 공간이고, '정원'은 궁핍한 생활에 대해 한탄하는 공간이다.

③ '산수'는 현실에서의 고뇌가 이어지는 괴로운 공간이고, '정원'은 현실과 이상의 조화가 실현된 평화로운 공간이다.

④ '산수'는 자연 속에서도 현실로의 복귀를 염원하는 공간이고, '정원'은 자연 속에서도 현실에 대한 미련을 표출하는 공간이다.

⑤ '산수'는 세속적 삶에서의 불만을 해소하려는 의지가 드러난 공간이고, '정원'은 세속적 가치를 추구하려는 의지가 드러난 공간이다.

**※ 확인 사항**

답안지의 해당란에 필요한 내용을 정확히 기입(표기)했는지 확인하시오.

# 국어 영역

2회 소요 시간 /80분

제 1 교시

➡ 해설 P.14

[1~3] 다음은 학생의 발표이다. 물음에 답하시오.

여러분, 달걀 껍데기에 있는 번호를 보신 적 있으신가요? (청중의 반응을 살피고) 네, 눈여겨보지 않으면 잘 모를 것 같은데요, 대한민국 국민이라면 누구나 주민등록번호를 가지고 있듯이 우리나라에서 생산된 달걀이라면 모두 난각 코드를 가지고 있습니다.

난각 코드는 달걀 껍데기에 표시된 숫자와 알파벳 조합을 말합니다. (㉠ 자료를 제시하며) 난각 코드에는 달걀에 대한 정보들이 들어 있는데요, 먼저 가장 앞에 나오는 이 네 자리의 숫자는 닭의 산란 일자입니다. 신선한 달걀을 사기 위해서는 이 산란 일자를 꼭 확인해야겠죠? 다음으로 알파벳과 숫자로 이루어진 다섯 자리의 생산자 고유 번호가 있습니다. 이 고유 번호가 있으면 식품안전나라 홈페이지에서 달걀을 생산한 농장 이름과 소재지 등의 정보를 찾아볼 수가 있습니다. 마지막 한 자리의 숫자는 닭의 사육 환경 번호입니다.

(㉡ 자료를 제시하며) 사육 환경 1번은 방사, 2번은 평사입니다. 방사는 방목장에 닭을 풀어 놓고 키우는 것이고, 평사는 축사 내 개방형 케이지를 포함하여 평평한 바닥에서 키우는 것을 의미합니다. 1번과 2번 사육 환경에서 생산한 달걀을 '동물 복지 인증 달걀'이라고 합니다. (㉢ 자료를 제시하며) 3번과 4번은 케이지에 가두어 사육하는 환경을 말하는데, 4번은 기존 케이지, 3번은 개선 케이지입니다. 기존 케이지의 닭 한 마리당 사육 면적은 $0.05m^2$로 이는 (A4 용지를 보여 주며) A4 용지 한 장보다도 좁은 공간입니다. 사육 면적에 차이가 있기는 하지만 개선 케이지도 좁기는 마찬가지입니다. 이런 환경에서 사육되는 닭들은 질병에 취약하고, 스트레스 호르몬 성분이 다량 함유되어 있는 달걀을 낳는다는 연구 결과도 있습니다. 우리나라에서 생산되는 달걀의 95%가 사육 환경 3, 4번 달걀이라고 하는데요, 이처럼 닭들의 열악한 사육 환경은 개선되어야 한다고 생각합니다.

오늘은 난각 코드에 대해 알아보았습니다. (목소리를 크게 하며) 앞으로 달걀을 살 때 난각 코드를 확인하여 신선하고 질 좋은 달걀을 구입하시기 바랍니다. 이상으로 발표를 마치겠습니다.

1. 위 발표에 대한 설명으로 적절하지 않은 것은?

① 발표 내용과 관련된 질문을 하여 청중의 반응을 확인하고 있다.
② 준언어적 표현을 사용하여 청중에게 바라는 바를 강조하고 있다.
③ 발표 대상을 친숙한 소재에 빗대어 표현하여 청중의 흥미를 유발하고 있다.
④ 발표 내용과 관련된 통계의 출처를 제시하여 청중에게 신뢰감을 주고 있다.
⑤ 구체적인 수치를 가늠할 수 있는 대상을 보여 주며 청중의 이해를 돕고 있다.

2. 다음은 발표자가 제시한 자료이다. 발표자의 자료 활용에 대한 설명으로 적절하지 않은 것은?

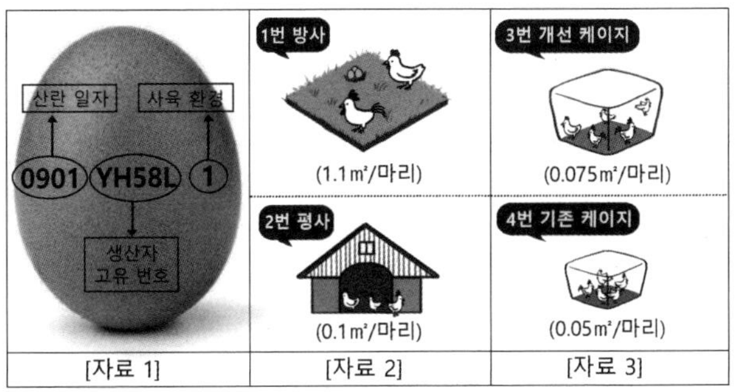


[자료 1] [자료 2] [자료 3]

① 난각 코드를 구성하고 있는 요소를 보여 주기 위해 ㉠에 [자료 1]을 사용하였다.
② 달걀 껍데기에 난각 코드가 표시되어 있음을 보여 주기 위해 ㉠에 [자료 1]을 사용하였다.
③ 식품안전나라 홈페이지에 나오는 농장의 정보를 보여 주기 위해 ㉡에 [자료 1]을 사용하였다.
④ 동물 복지 인증 달걀이 생산되는 사육 환경을 보여 주기 위해 ㉡에 [자료 2]를 사용하였다.
⑤ 기존 케이지와 개선 케이지의 닭 한 마리당 사육 면적을 보여 주기 위해 ㉢에 [자료 3]을 사용하였다.

3. 학생의 발표를 바탕으로 할 때, [A]에 들어갈 청중의 질문으로 가장 적절한 것은? [3점]

<보 기>

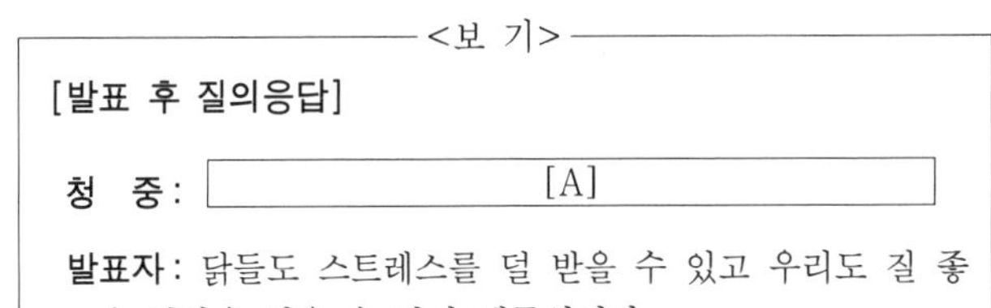

[발표 후 질의응답]

청 중: [A]

발표자: 닭들도 스트레스를 덜 받을 수 있고 우리도 질 좋은 달걀을 먹을 수 있기 때문입니다.

① 닭들의 사육 환경이 개선되어야 한다고 하셨는데, 그 이유는 무엇인가요?
② 달걀을 살 때 산란 일자를 확인하자고 하셨는데, 그 이유는 무엇인가요?
③ 좁은 공간에서 사육되는 닭들은 질병에 취약하다고 하셨는데, 그 이유는 무엇인가요?
④ 우리나라에서 생산된 달걀은 모두 난각 코드를 가지고 있다고 하셨는데, 그 이유는 무엇인가요?
⑤ 우리나라에서 생산되는 달걀의 95%가 사육 환경 3, 4번 달걀이라고 하셨는데, 그 이유는 무엇인가요?

[4~7] (가)는 학생회 블로그에 올라온 '공지 사항'이고, (나)는 이를 바탕으로 교실에서 동아리 학생들이 나눈 대화이며, (다)는 학생들이 작성한 건의문이다. 물음에 답하시오.

(가)

Blog

학생회 공지 사항

제17대 학생회 2021. 8. 16. 공개

학생 참여 예산제로 시행할 학교 사업 선정을 위해 우리 학교에서 개선해야 할 점을 건의해 주시면 학생들의 공감 정도를 바탕으로 학생회에서 선정하도록 하겠습니다.

#학생자치 #고등학교

공감 94 | 댓글 52

(나)

**학생 1**: 어제 학생회 블로그에 올라온 공지 사항 봤어?

**학생 2**: 응. 학생 참여 예산제로 운영할 사업에 대해 건의를 받는다고 하더라.

**학생 3**: 나도 봤어. 그런데 학생 참여 예산제가 뭐야? [A]

**학생 1**: 학생 참여 예산제는 학생회가 주체가 되어 학생들이 제안한 아이디어를 실현하고자 스스로 기획하고 예산을 집행하는 제도야.

**학생 3**: 아, 우리가 스스로 학교 사업을 제안하는 거네. 우리 제안이 실현되면 엄청 뿌듯하겠다. 한번 참여해 보자.

**학생 2**: 좋아. 그리고 우리 제안이 실현되지 않더라도 학교 사업에 대해 고민해 보는 것만으로도 의미 있을 것 같아. 너희는 우리 학교의 어떤 점이 개선되었으면 좋겠어?

**학생 1**: 나는 정수기 옆에 종이컵을 놔 줬으면 좋겠어. 매번 컵을 들고 다니기가 너무 불편해.

**학생 3**: 편하긴 할 텐데 쓰레기도 너무 많이 생기고 환경 호르몬 때문에 건강에도 안 좋을 것 같아. [B]

**학생 2**: 조금 귀찮고 불편해도 개인 컵을 사용하는 것이 좋지 않을까? 그리고 우리 동아리의 성격을 살려서 학교 공간에 대해 건의하면 더 의미가 있을 것 같아.

**학생 1**: (고개를 끄덕이며) 그렇네. 어디를 개선하면 좋을까?

**학생 3**: 지난번에 학교 공간에 대해 설문 조사 했잖아. 그때 면학실 개선에 대한 의견이 많았었어. 나도 삼면이 꽉 막힌 1인용 책상으로만 되어 있어서 답답하게 느껴지더라고.

**학생 2**: 맞아. 평소에 인터넷 강의도 듣고 검색도 해야 하는데 와이파이가 없어서 불편했거든.

**학생 3**: 그래. 그래서 나는 요즘 돈 내고 카페에 간다니까.

**학생 1**: 나도 가끔 모둠 과제 할 때 카페에 가는데 은근히 비용이 많이 들더라고.

**학생 2**: 하긴 '카공족'이라는 신조어까지 생긴 거 보면 요즘 카페에서 공부하는 사람들이 많나 봐. 그런데 카페에서 공부하는 것이 실제로 효과가 있을까?

**학생 3**: 텔레비전에서 어느 과학자가 카페는 사적 공간과 공적 공간의 경계여서 집중력이 올라가는 효과를 누릴 수 있다는 '커피하우스 이펙트' 이론을 소개한 걸 본 적 있어.

**학생 2**: (손뼉을 치며) 아, 그런 이론이 있구나. 그럼 우리 면학실을 카페처럼 개선해 달라고 건의해 보자.

**학생 1**: 좋아. 그럼 지금까지 나온 면학실의 문제점은 다양한 형태의 책상 구비와 와이파이 설치로 해결될 수 있겠다.

**학생 3**: 나는 운영 방식도 바뀌었으면 좋겠어. 학기 초에 신청한 학생들만 이용할 수 있고 선생님들께서 감독하시니 자유롭게 이동하지 못해서 불편해.

**학생 2**: 그런데 운영 방식 개선은 현안에서 벗어나지 않을까?

**학생 3**: 난 꼭 그렇게 생각하지 않는데……. 카페 공간으로의 변화는 운영 방식이 함께 변할 때 더 의미가 있을 것 같아.

**학생 2**: 음, 기존의 면학실 형태나 운영 방식을 원하는 학생들도 있지 않을까?

**학생 1**: 학년별로 면학실이 있으니까 한 곳만 카페처럼 만들고 나머지는 그대로 운영하면 되지. 그리고 카페 같은 따뜻한 느낌도 나면 좋겠어.

**학생 2**: 예산의 규모를 고려하여 우선순위를 정하도록 해결 방안을 제시하는 것이 좋지 않을까?

**학생 1**: 좋아. 그러면 회의 내용을 바탕으로 건의해 보자.

(다)

여러분, 안녕하세요? 저희는 공간을 연구하는 동아리 '잇다'입니다. 학생 참여 예산제 사업으로 학교의 면학실을 카페처럼 개선해 주기를 건의합니다.

'카공족'을 들어 보셨나요? '카공족'은 카페에서 공부하는 문화를 드러내는 신조어입니다. 이를 반영하듯 학교 면학실보다 카페를 이용하는 학생들이 늘고 있습니다. 하지만 고등학생에게는 부담스러운 이용 금액입니다. 그리고 저희 동아리에서 우리 학교 학생들을 대상으로 학교 공간에 대한 설문 조사를 한 결과, 면학실 개선에 대한 요구도 많았습니다.

따라서 예산을 고려하여 다음과 같은 우선순위에 따라 면학실을 개선해 주기를 바랍니다. 첫째, 모둠이나 짝 활동을 할 수 있는 다양한 형태의 책상을 구비하고 둘째, 인터넷 강의 등을 이용할 수 있도록 인터넷 환경도 갖추어 주기를 바랍니다. 셋째, 카페 같은 따뜻한 분위기가 조성되도록 조명을 설치해 주기 바랍니다.

그 외에도 주변의 ○○고등학교처럼 학생회 중심으로 이용 규칙을 마련하여 자율적으로 운영하고, 기존의 책상과 운영 방식을 선호하는 학생들을 위해서는 기존의 다른 면학실도 함께 운영하기를 제안합니다.

면학실을 개선하면 학생들의 다양성을 존중해 주는 학교 문화를 형성할 수 있으며, 집중력이 올라가므로 학생들의 학습 효과를 높일 수 있습니다.

긴 글 읽어 주셔서 감사합니다. 공감하면 하트 눌러 주세요.

2021년 9월 1일

공간 연구 동아리 '잇다'

4. (가)와 (나)를 비교하여 이해한 내용으로 가장 적절한 것은?

① (가)의 필자와 (나)의 화자는 모두 공적인 상황에 맞는 정중하고 격식 있는 표현을 사용하고 있다.

② (가)와 (나)의 의사소통 참여자들은 모두 개인적 차원의 의사소통을 통해 공동체 문제를 해결하고자 한다.

③ (가)와 (나)의 의사소통 참여자들은 모두 친밀한 관계를 바탕으로 하여 합의에 이르기 위한 대안을 조정하고 있다.

④ (가)의 필자는 (나)의 화자와 달리 의사소통 수단의 양방향적인 특징을 활용하여 상대방의 반응을 요구하고 있다.

⑤ (나)는 (가)와 달리 의사소통 참여자들이 시간과 공간을 모두 공유하는 상황이므로 언어적 표현 외에 비언어적 표현도 함께 사용하여 의사소통하고 있다.

5. [A]와 [B]를 이해한 내용으로 적절한 것은?

① [A]에서 '학생 2'는 '학생 1'의 발화 내용을 요약하며 자신의 이해 여부를 확인하고 있다.
② [A]에서 '학생 3'은 '학생 2'와 공유하고 있는 정보에서 생소한 용어에 대한 설명을 요청하고 있다.
③ [B]에서 '학생 3'은 '학생 1'의 발화에 대해 일부 동의하며 기대되는 긍정적인 결과를 구체적으로 언급하고 있다.
④ [B]에서 '학생 2'는 '학생 1'이 제시한 의견의 문제점을 지적하며 상대방에게 해결 방법을 제안하고 있다.
⑤ [A]와 [B] 모두에서 '학생 2'는 질문의 형식을 활용하여 자신의 의견에 대한 동의를 구하고 있다.

6. (나)를 바탕으로 세운 글쓰기 계획 중, (다)에 반영되지 <u>않은</u> 것은?

① (나)에서 카페라는 공간적 특성이 가지는 효과에 대해 언급한 것을 반영하여 면학실 개선의 기대 효과를 나타내야겠어.
② (나)에서 최근 '카공족'이 많아진 현상에 대해 언급한 것을 반영하여 질문을 통해 현안에 대한 관심을 유도해야겠어.
③ (나)에서 학생 참여 예산제 공모에 참여하는 의도를 반영하여 건의문을 작성하는 과정에서 얻은 긍정적인 변화를 드러내야겠어.
④ (나)에서 카페를 이용할 때 비용이 많이 든다고 언급한 것을 반영하여 학생의 경제적 부담을 면학실 개선의 이유로 제시해야겠어.
⑤ (나)에서 획일적인 형태의 책상이 불만족스럽다는 의견을 반영하여 다양한 형태의 책상을 구비해야 한다는 것을 해결 방안으로 제시해야겠어.

7. 다음은 선생님의 모둠 활동 안내이다. 이에 따라 (다)를 평가한 내용으로 적절하지 <u>않은</u> 것은?

> **선생님** : 오늘은 학생회 블로그에 올라온 건의문을 평가해 볼게요. 건의문에 제시된 해결 방안은 다음과 같은 요건을 갖추고 있어야 해요. 다음의 요건에 따라 평가해 봅시다.
>
> ㉠ 개인의 이익이 아니라 공공의 이익을 추구하는가?
> ㉡ 주장이 한쪽으로 기울지 않고 공평한가?
> ㉢ 실현할 수 있는 방안인가?
> ㉣ 주장이나 근거가 논리적으로 이치에 맞는가?

① ㉠을 고려할 때, 우리 학교 학생들을 대상으로 실시한 설문 조사 결과를 제시하고 있어.
② ㉡을 고려할 때, 기존의 면학실 형태를 선호하는 학생들의 입장을 참작하여 기존 면학실을 유지하는 방안도 함께 제시하고 있어.
③ ㉢을 고려할 때, 예산 규모에 따라 현안을 해결할 수 있도록 우선순위를 제시하고 있어.
④ ㉢을 고려할 때, 학생회 중심의 자율적인 운영이 가능하다는 것을 보여 주기 위해 다른 학교 사례를 제시하고 있어.
⑤ ㉣을 고려할 때, 따뜻한 카페 분위기를 조성해야 하는 근거로 기존의 면학실 분위기가 지닌 다양한 문제점을 제시하고 있어.

**[8~10] (가)는 작문 과제이고, (나)는 (가)를 바탕으로 쓴 학생의 글이다. 물음에 답하시오.**

> **(가) 작문 과제**
> ○ 글의 목적 : '재사용'에 대한 정보 전달
> ○ 주제 : '재사용'의 개념과 실천 방법
> ○ 예상 독자 : '재사용'이 생소한 우리 학교 학생
>
> **(나) 학생의 글**
>
> 우리는 일회용 사회에 살고 있다. 일회용품 쓰레기 문제로 인해 우리 사회는 감당하기 어려운 상황에 직면하고 있다. 이런 상황에서도 한국은 다른 나라에 비해 재사용의 비율이 낮은 편이기 때문에 우리나라에서 재사용은 선택이 아닌 필수이다. "소 잃고 외양간 고친다."라는 말의 교훈을 떠올리며 쓰레기 배출 자체를 줄일 수 있는 재사용에 대해 알아보자.
>
> 재활용은 폐품 따위를 가공하여 다시 활용하는 것이지만, 재사용은 물건이나 부품을 원형 그대로 다시 사용하는 것이라는 점에서 차이가 있다. 예를 들면 다 쓴 페트병을 가공해 건축 자재 등으로 쓰는 것은 재활용이지만, 플라스틱 용기를 세척하고 소독하여 내용물을 담아 다시 사용하는 것은 재사용이다. 가공 과정을 거치지 않고 물건을 그대로 다시 사용한다는 점에서 재사용은 그 가치를 더욱 인정받고 있다.
>
> 우리가 생활 속에서 재사용을 실천할 수 있는 방법으로는 리필 스테이션을 이용하는 것이 있다. 리필 스테이션은 화장품, 세제, 샴푸 등과 같은 제품을 다 사용한 후 그 용기를 되가져가 내용물만 담아 구매할 수 있는 공간을 말한다. 이곳

을 이용하면 용기를 재사용할 수 있으므로 쓰레기의 배출을 줄일 수 있다. 이밖에도 재사용 빨대, 재사용 배달 그릇 사용 등 우리 주변에서 재사용을 실천할 수 있는 방법을 쉽게 찾을 수 있다.

[A] 일회용품 쓰레기 문제를 해결하기 위해 필요한 재사용은 재활용과 달리 가공 과정을 거치지 않고 물건을 그대로 다시 사용한다는 점에서 가치가 있다. 리필 스테이션 등 생활 속에서 재사용을 실천할 수 있는 다양한 방법을 통해 쓰레기가 될 뻔한 자원에 새 숨을 불어넣을 수 있다.

8. (나)에 활용된 글쓰기 전략으로 적절하지 <u>않은</u> 것은?

① 제재에 대한 이해를 돕기 위해 예시를 활용한다.
② 제재의 시의성을 드러내기 위해 관용적 표현을 활용한다.
③ 제재와 관련된 내용의 전달을 위해 자신의 경험을 활용한다.
④ 제재의 가치를 알리기 위해 대상의 효용적 측면을 제시한다.
⑤ 제재에 대한 정보를 전달하기 위해 개념 간의 차이를 설명한다.

9. <보기>는 (나)의 '학생의 글'을 보완하기 위해 수집한 자료이다. 자료 활용 방안으로 적절하지 <u>않은</u> 것은? [3점]

<보 기>

ㄱ. 연구 자료

빈 병 재사용률은 국가별로 차이를 보이는데 한국은 85%에 그친다. 현재 수준에서 빈 병 재사용률을 독일 수준으로 올리면 약 15,000명의 연간 에너지 사용량에 해당하는 에너지를 절약할 수 있을 것으로 보인다.

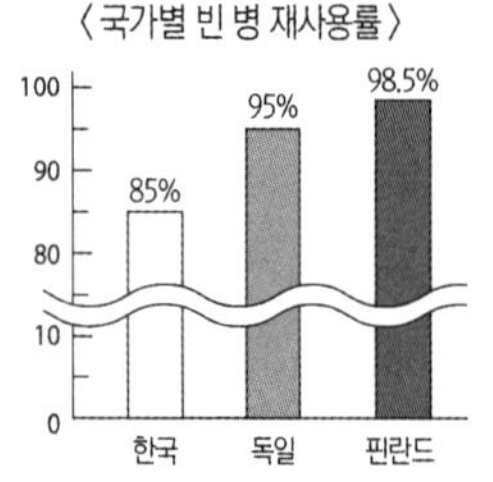


ㄴ. 전문가 인터뷰

"리필 스테이션에서 섬유 유연제를 구입하면 가격이 일반 제품에 비해 약 35% 저렴합니다. 환경부 추정치에 따르면 이러한 리필 스테이션은 9개점을 기준으로 연간 10톤의 플라스틱을 절감할 수 있습니다."

ㄷ. 신문 기사

전국의 각 시도에서는 미세 플라스틱으로 인해 폐기 시 해양 생태계 교란의 가능성이 있는 아이스 팩을 재사용하는 시스템을 구축하고 있다. 특히 ○○구에서는 지금까지 아이스 팩 10만여 개를 수거하여 전통 시장에서 재사용할 수 있도록 했으며 생활 쓰레기 54톤을 감량하는 효과를 거두었다.

① ㄱ을 활용하여, 우리나라의 낮은 재사용 비율을 언급한 (나)의 내용을 뒷받침하는 근거로 추가한다.
② ㄴ을 활용하여, 리필 스테이션의 장점을 다루고 있는 (나)의 내용에 제품 구매 비용을 절감할 수 있다는 점을 추가한다.
③ ㄷ을 활용하여, 일상 속 재사용 실천 방법을 제시한 (나)의 내용에 아이스 팩 재사용을 추가한다.
④ ㄱ과 ㄷ을 활용하여, 재사용의 가치를 언급한 (나)의 내용에 재사용은 에너지 절약과 환경 오염 예방에 효과적일 수 있다는 점을 제시한다.
⑤ ㄴ과 ㄷ을 활용하여, 쓰레기 배출을 줄일 수 있는 방법을 제시한 (나)의 내용에 재활용 시스템이 정비될수록 자원 낭비를 막을 수 있다는 점을 제시한다.

10. <보기>는 [A]의 초고이다. <보기>를 [A]로 고쳐 쓸 때 반영한 친구의 조언으로 가장 적절한 것은?

<보 기>

이와 같은 실천 방법은 우리 사회에 긍정적인 영향을 주고 있다. 빈 통을 세척하여 내용물을 채워 넣는 방법을 통해 쓰레기가 될 뻔한 자원에 새 숨을 불어넣어 일회용품 쓰레기 문제를 해결할 수 있다.

① 글의 목적이 명확하게 드러나도록 추가적인 실천 방법을 써 보는 게 어때?
② 글의 주제가 강조되도록 글의 내용을 요약하여 써 보는 게 어때?
③ 글의 주제가 선명하게 기억될 수 있도록 태도 변화의 필요성을 강조하는 게 어때?
④ 예상 독자가 해결해야 할 문제가 포함되도록 써 보는 게 어때?
⑤ 예상 독자가 이해할 수 있도록 어려운 용어를 쉽게 풀어서 써 보는 게 어때?

[11～12] 다음 글을 읽고 물음에 답하시오.

형태소는 일정한 뜻을 가진 가장 작은 단위를 말하며, 한 형태소는 다른 형태소와 결합하여 단어나 구, 문장과 같은 상위 단위를 이룬다. 이때 형태소는 항상 동일한 모습으로 나타나는 것은 아니고, 환경에 따라 형태가 달라질 수 있다. 이처럼 한 형태소가 환경에 따라 다른 모습으로 실현되는 것을 교체라고 한다. 특히 한국어는 문법적 관계를 나타내 주는 조사와 어미가 발달해 있어서 형태소끼리의 결합 과정에서 다양한 교체 현상이 나타난다.

빛 : 빛이[비치], 빛도[빋또], 빛만[빈만], 쪽빛이[쪽삐치], 쪽빛도[쪽삗또], 쪽빛만[쪽삔만]
물 : 물이[무리], 물도[물도], 물만[물만], 국물이[궁무리], 국물도[궁물도], 국물만[궁물만]

'빛'은 앞이나 뒤에 오는 형태소에 따라 6개의 서로 다른 형태로 실현된다. 이처럼 교체에 의해 달리 실현된 형태들을 이형태라고 한다. 교체가 일어난다는 것은 한 형태소가 최소한 둘 이상의 이형태를 가짐을 뜻한다. 이형태들은 나타나는 조건이나 환경이 겹치지 않는 상보적 분포를 지닌다. 한편 '물'은 앞이나 뒤에 어떠한 형태소가 오든지 항상 '[물]'로만 실현된다. 즉 교체가 일어나지 않는 것이다.

교체를 통해 이형태가 복수로 존재할 경우에는 기본형을 정해 준다. 한 형태소가 여러 가지 다양한 이형태들로 실현되면 이형태들을 대표할 수 있는 형태를 하나 설정하게 되는데, 그것이 바로 기본형이다. 교체를 하지 않는 형태소의 경우 그 자체가 기본형이 되지만 교체를 하는 형태소는 기본형을 따로 정해야만 한다.

또한 형태소의 교체는 일어나는 동기에 따라 자동적 교체와 비자동적 교체로 나눌 수 있다. ㉠자동적 교체는 교체가 일어나지 않고 그대로 실현되면 안 되기 때문에 일어나는 교체를 말한다. 음절의 종성에 두 개의 자음이 발음되는 것을 허용하지 않는 음운론적 제약이나 비음 앞에 평파열음인 'ㄱ, ㄷ, ㅂ'이 올 수 없다는 음운론적 제약 등으로 일어나는 교체가 자동적 교체이다. 예를 들면 '먹물→[멍물]'에서 '먹'이 비음으로 시작하는 형태소인 '물'과 결합할 때 '멍'으로 교체를 보이는 경우이다.

다음으로 ㉡비자동적 교체는 반드시 일어나야 할 필연적 이유가 없는 교체를 말한다. 즉 '감다→[감:따]'는 비음으로 끝나는 어간 뒤에서 '-따'로 교체되는 경우로, 이는 비음 뒤에 'ㄱ, ㄷ, ㅈ'과 같은 자음이 오지 못하기 때문에 일어난 것은 아니다. 용언의 어간 말음이 비음으로 끝나고 뒤에 어미가 올 때에만 이 같은 현상이 일어날 뿐, '단검→[단:검]'과 같이 다른 환경에서는 얼마든지 비음과 'ㄱ, ㄷ, ㅈ' 등이 결합할 수 있기 때문이다.

11. ㉠, ㉡에 해당하는 예끼리 바르게 짝지어진 것은?

| | ㉠ | ㉡ |
|---|---|---|
| ① | 믿는[민는] | 안고[안:꼬] |
| ② | 삶도[삼:도] | 김장[김장] |
| ③ | 입은[이븐] | 넘다[넘:따] |
| ④ | 밥만[밤만] | 앉는[안는] |
| ⑤ | 닭이[달기] | 삼고[삼:꼬] |

12. 윗글을 바탕으로 <보기>에 대해 이해한 내용으로 적절하지 않은 것은?

<보 기>

ⓐ 닭 : 닭이[달기], 닭도[닥또], 닭만[당만], 통닭은[통달근]
ⓑ 책 : 책이[채기], 책도[책또], 책만[챙만], 공책은[공채근]
ⓒ 밥 : 밥이[바비], 밥도[밥또], 밥만[밤만], 찬밥은[찬바븐]
ⓓ 달 : 달이[다리], 달도[달도], 달만[달만], 반달은[반:다른]
ⓔ 잎 : 잎이[이피], 잎도[입또], 잎만[임만], 솔잎은[솔리픈]

① ⓐ: '닭'의 이형태들은 상보적 분포를 보이는군.
② ⓑ: '책'은 기본형을 따로 정할 필요 없이 그 자체로 기본형이 되겠군.
③ ⓒ: '밥'이 이형태를 가지는 것으로 보아 교체가 일어났다고 볼 수 있겠군.
④ ⓓ: '달'은 앞이나 뒤에 어떠한 형태소가 오더라도 하나의 형태로만 나타나는군.
⑤ ⓔ: '잎'은 환경에 따라 다른 모습으로 나타나므로 이형태들을 대표할 수 있는 기본형을 설정하겠군.

13. <보기>의 [A]에 들어갈 말로 적절하지 않은 것은?

<보 기>

**학생** : 선생님, 피동 표현은 어떤 경우에 사용하나요?
**선생님** : 피동 표현은 행위의 주체보다 대상을 부각하고 싶을 때, 행위의 주체를 분명하게 밝히지 않고자 할 때, 행위의 주체가 중요하지 않거나 누구나 아는 사람이어서 말할 필요가 없을 때 사용해요. 또한 행위의 주체를 분명히 설정하기 어려운 경우에 사용하기도 해요. 이제 아래 자료를 보고 피동 표현에 대해 탐구해 봅시다.

㉠ ┌ 벌이 그를 쏘았다.
　 └ 그가 벌에 쏘였다.
㉡ ┌ 내가 편지를 찢었다.
　 └ 편지가 찢어졌다.
㉢ ┌ 기자가 내 이야기를 신문에 실었다.
　 └ 내 이야기가 신문에 실렸다.
㉣ ┌ 국민들이 대통령을 뽑았다.
　 └ 대통령이 뽑혔다.
㉤ ┌ *A가 추웠던 날씨를 풀었다.
　 └ 추웠던 날씨가 풀렸다.

※ '*'는 문법에 맞지 않음을 나타냄.

**학생** : [A]
**선생님** : 네, 맞아요.

① ㉠을 보니, 피동 표현을 통해 행위의 대상인 '그'를 부각할 수 있겠군요.
② ㉡을 보니, 피동 표현을 통해 '편지'를 찢은 주체를 분명하게 밝히지 않을 수 있겠군요.
③ ㉢을 보니, 행위의 주체인 '기자'가 중요하지 않을 때 피동 표현을 사용할 수 있겠군요.
④ ㉣을 보니, 행위의 주체인 '대통령'이 누구나 아는 사람일 때 피동 표현을 사용할 수 있겠군요.
⑤ ㉤을 보니, 행위의 주체를 분명히 설정하기 어려워 피동 표현을 사용했겠군요.

14. <보기>의 ㄱ~ㄹ을 탐구한 내용으로 적절하지 않은 것은? [3점]

<보 기>

ㄱ. 나는 키가 크다.
ㄴ. 나는 여름만 좋아한다.
ㄷ. 그녀는 시인이자 선생님이다.
ㄹ. 그녀가 사과를 먹고 나는 배를 먹는다.

① ㄱ과 ㄷ을 구성하는 문장 성분의 종류는 동일하군.
② ㄱ과 ㄹ은 모두 주어와 서술어의 관계가 두 번 나타나는군.
③ ㄴ과 ㄷ의 서술어의 개수는 동일하군.
④ ㄴ과 ㄹ은 모두 주어와 목적어를 포함하고 있군.
⑤ ㄷ과 ㄹ은 모두 연결 어미를 포함하고 있군.

15. <보기>의 ㉠~㉢에 들어갈 말로 바르게 짝지어진 것은?

<보 기>

중세 국어에서 과거 시제는 선어말 어미 '-더-'를 사용하여, 미래 시제는 선어말 어미 '-리-'를 사용하여 표현하였다. 하지만 현재 시제는 품사에 따라 다르게 표현했는데, 동사는 선어말 어미 '-ᄂᆞ-'를 사용하였고 형용사와 '체언+이다'는 특정한 선어말 어미를 사용하지 않았다.

○ 내 ( ㉠ )
[내가 가겠습니다.]

○ 사ᄅᆞ미 ( ㉡ )
[사람의 스승이시다.]

○ 네 이제 또 ( ㉢ )
[네가 이제 또 묻는다.]

| | ㉠ | ㉡ | ㉢ |
|---|---|---|---|
| ① | 가리이다 | 스스이시다 | 묻ᄂᆞ다 |
| ② | 가리이다 | 스스이시다 | 묻다 |
| ③ | 가리이다 | 스스이시ᄂᆞ다 | 묻ᄂᆞ다 |
| ④ | 가더이다 | 스스이시다 | 묻ᄂᆞ다 |
| ⑤ | 가더이다 | 스스이시ᄂᆞ다 | 묻다 |

[16~19] 다음 글을 읽고 물음에 답하시오.

(가)

이런ᄃᆞᆯ 어떠하며 져런ᄃᆞᆯ 어떠하랴
초야우생*이 이러타 어떠하랴
ᄒᆞᄆᆞᆯ며 **천석고황***을 고쳐 무엇하랴 <언지 제1수>

**연하**로 집을 삼고 **풍월**로 벗을 삼아
태평성대에 병으로 늘거가뇌
이즁에 ᄇᆞ라ᄂᆞᆫ 일은 **허물**이나 업고쟈 <언지 제2수>

㉠순풍*이 죽다 ᄒᆞ니 진실로 거즛말이
인성이 어지다 ᄒᆞ니 진실로 올흔말이
천하에 허다영재(許多英才)를 속여 말ᄉᆞᆷᄒᆞᆯ가 <언지 제3수>

**고인***도 날 못 보고 나도 고인 못 뵈
고인을 못 봐도 **가던 길** 앞에 잇ᄂᆡ
가던 길 앞에 잇거든 아니 가고 엇절고 <언학 제3수>

당시에 가던 길흘 몃 ᄒᆡ를 ᄇᆞ려 두고
어듸 가 다니다가 이제야 도라온고
이제야 도라오나니 다른 데 **ᄆᆞᄋᆞᆷ** 마로리 <언학 제4수>

**우부(愚夫)**도 알며 ᄒᆞ거니 그 아니 쉬운가
**성인(聖人)**도 못다 ᄒᆞ시니 그 아니 어려온가
쉽거나 어렵거나 즁에 늙ᄂᆞᆫ 줄을 몰래라 <언학 제6수>

– 이황, 「도산십이곡」 –

* 초야우생 : 시골에 묻혀 사는 자신을 낮추어 이르는 말.
* 천석고황 : 자연의 아름다운 경치를 몹시 사랑하고 즐기는 성질이나 버릇.
* 순풍 : 순박한 풍속.
* 고인 : 옛사람. 여기서는 공자, 맹자, 주자와 같은 성현을 이름.

(나)

두 평쯤이나 될까 말까 한 좁은 감방 안에서 7, 8명의 식구가, 때로는 십여 명이 넘는 인구가 똥통과 동거 생활을 하면서 뒤를 볼 때에는 그래도 뒤지*가 필요하였다.

그러므로 경찰서에서는 이 불가피한 청구에 응하기 위하여 뒤지를 공급하고 있었다. 원래 뒤지감의 종이를 따로 만들어 한 움큼씩 묶어서 파는 것이 있었지만 이 당시에는 전쟁 중의 일본이 경제적 파탄에 직면하고 있었으므로 뒤지조차 구하기 어려웠다.

그리하여 일반으로 신문지나 읽어 넘긴 잡지 같은 것을 썰어서 뒤지로 쓰고 있는 형편이었다. 감방 안에서 이러한 **뒤지**의 공급을 받으면 이것은 도서관에서 책을 대하듯이 **귀중한 읽을거리**였다. 그런데 경찰서나 형무소에서는 구속되어 있는 사람이 바깥세상의 소식을 아는 것을 지극히 꺼리고 있어서 신문지 조각 같은 것은 좀처럼 들여 주지를 않았다. 만일 우리 동지들의 가족 중에서 음식물의 차입을 할 적에 신문지로 싸개지를 삼은 것이 있으면 대개는 난로에 넣어서 태워 버리는 것이 보통이었다. 그래도 혹시 신문지가 남아 있고 그것을 뒤지로 쓰겠다고 청구하면 읽을거리가 없어지도록 잘게 썰어서 넣어 준다. 그리하여 대개는 한 장이나 두 장밖에는 더 주지 않는다.

그러면 뒤를 보기 전에 이 신문지 쪽을 한 줄 한 자도 빼놓지 않고 읽는다. 뒤지를 받고서 왜 뒤를 안 보느냐고 따지는 일도 있기 때문에 똥통 위에 올라앉아서 그것을 읽어 버리는 일도 있었다.

이러한 재료는 같은 감방에 있는 동지들도 읽어 보기를 열심으로 바라고 있기 때문에 차마 혼자만 보고 없앨 수는 없었다. 그리하여 무슨 꾀를 부리고 무슨 방법을 쓰든지 간에 신문 조각을 돌려 가며 윤독하기로 하는 것이었다. 이것을 읽되 어엿이 펼쳐 놓고 보는 것이 아니라 손바닥 안에 감추어질 만큼 접어서 간수의 눈을 피해 가며 몰래 읽어 내려가는 것이었다. 그러나 신문지 같은 것은 천재일우의 좋은 기회를 얻어야만 볼 수 있는 노릇이요, 보통 경우에는 왜정 당시 경찰계의 유일한 기관지로서 '경무휘보'란 것이 있었다. 그리하여 경찰서에는 이 묵은 잡지의 재고품이 상당히 풍부한 듯하여 **이것으로 우리들에게 뒤지를 공급하**고 있었다.

이 잡지는 주로 경찰 행정에 필요한 지식이나 참고 사항을 재료로 하여 편집한 것인데, 그중에는 혹 취미 기사도 있고 일본 사람으로서 양행한 기행문 같은 것도 있었다.

어쨌든 우리는 문초를 받는 일 외에는 열흘이 하루같이 아무것도 하는 일 없이 팔짱을 끼고 부라질을 하며 온종일 앉아 있으므로 그 무료하기란 견주어 말할 데가 없었다.

그런데 이러한 글발이 있는 종잇조각이라도 얻어 읽는 경우에는 **한결 지루한 시간이 쉽사리 지나는 것만 같**았다. 더욱이 문초를 전부 마치고 그저 구속만 되어 있는 동안은 진정 세월이 더딘 것이 지루하여 견딜 수가 없었다.

그리하여 우리는 어떻게 하든지 이 '경무휘보'의 잡지 쪽을 많이 입수하도록 갖은 노력을 다 기울이었다.

우선 뒤를 자주 보기로 하였다. 설사가 나니까 한 장만으로 부족하니 석 장 넉 장씩 달라고 하였다. 가다가는 뒤지를 얻기 위하여 헛뒤를 보는 일도 있었다. 이렇게 하여 **다 각각 얻은 뒤지를 서로 돌려 가며 보는 것**이었다.

그러나 이렇게 들여 주는 뒤지만으로는 진정 갈급질*이 나서 못 견딜 지경이었다. 그리하여 다량으로 뒤지를 입수하기에 청소꾼을 이용하는 일이 많았다. 젊은 사람이 청소하러 나가서 마치 담배를 훔쳐 들이듯이 뒤지를 걸터듬어서 감방으로 들여 주곤 하였다. 이와 같이 도둑글을 읽다가 들켜서 뒤지를 빼앗기는 일도 있었고 빰을 맞는 일도 한두 번이 아니었다. 그러나 이와 같이 봉변을 당하고도 그래도 또 잡지 쪽 읽기를 단념하지 못하였다. 이로써 미루어 보면 ㉡사람이 하고 싶어 하는 의욕은 벌을 받거나 모욕을 당하는 것만으로 깨끗이 청산하여 버리지 못하는 것이 역시 인간인가 싶었다. **이런 것도 인력으로 좌우할 수 없는 본능의 소치**인 듯하였다. 그 진정한 경지는 실지로 당하여 보지 않고서는 이해하기 어려울 것이다.

— 이희승, 「뒤지가 진적*」 —

* 뒤지 : 똥을 누고 밑을 씻어 내는 종이.
* 갈급질 : 부족하여 몹시 바라는 짓.
* 진적 : 진귀한 책.

16. (가)와 (나)를 이해한 내용으로 가장 적절한 것은?

① (가)와 (나) 모두 자신의 곁에 없는 사람을 그리워하는 심정이 나타나 있다.
② (가)와 (나) 모두 다른 사람이 처한 문제 상황을 해결해 주려는 자세가 나타나 있다.
③ (가)와 (나) 모두 주변 사물에 가졌던 부정적 인식이 긍정적으로 바뀌게 된 계기가 나타나 있다.
④ (가)에는 자신의 삶을 성찰하는 모습이, (나)에는 자신의 욕구를 충족하기 위한 모습이 나타나 있다.
⑤ (가)에는 역사적 인물에 대한 비판적 태도가, (나)에는 현실 상황에 대한 수용적 태도가 나타나 있다.

17. <보기>를 활용하여 (가)를 감상한 내용으로 적절하지 않은 것은? [3점]

<보 기>

「도산십이곡」은 <언지> 여섯 수와 <언학> 여섯 수로 이루어진 연시조로서, 창작 의도를 밝힌 발문(跋文)이 함께 전해진다. <언지>에는 자연 속에 살며 인간의 선한 본성을 회복하기를 바라는 뜻이, <언학>에는 선한 본성 회복을 위해 학문에 힘쓰겠다는 의지가 나타나 있다. 또한 발문에는 이황이 이 작품을 우리말로 지어 제자들이 노래로 부르며 향유하게 하여, 지향할 만한 삶의 방식과 바람직한 가치를 마음에 새기게 하려는 교육적 의도를 가지고 있었음이 드러나 있다.

① <언지>에 나타난 뜻을 참고할 때, '연하'와 '풍월'을 가까이하며 '허물'이 없기를 바라는 것은 자연 속에 살며 선한 본성을 회복하기를 바라는 것으로 볼 수 있겠군.
② <언학>에 나타난 의지를 참고할 때, 다른 것에 'ᄆᆞ음'을 두지 않으려는 것은 학문에 열중하겠다는 것으로 볼 수 있겠군.
③ 발문의 내용을 참고할 때, '천석고황'을 고치지 않으려는 것은 이황이 제자들에게 지향할 만한 삶의 방식이라고 말하고자 한 것으로 볼 수 있겠군.
④ 발문의 내용을 참고할 때, '고인'이 '가던 길'을 가려는 것은 제자들이 마음에 새길 만큼 바람직한 가치라고 이황이 생각한 것으로 볼 수 있겠군.
⑤ 발문의 내용을 참고할 때, '우부'와 '성인'을 구분하는 것은 제자들에게 성인을 본받아야 함을 보여 주려는 이황의 교육적 의도가 반영된 것으로 볼 수 있겠군.



18. ㉠, ㉡에 대한 설명으로 가장 적절한 것은?

① ㉠은 대조적인 어휘를 사용하여 자신의 판단을 드러내고 있다.
② ㉠은 다른 사람의 말을 인용하여 자신이 주변 사람에게 준 영향을 강조하고 있다.
③ ㉡은 우회적인 표현을 사용하여 자신의 깨달음을 드러내고 있다.
④ ㉡은 유사한 형태의 구절을 반복하여 상황이 나아지리라는 기대를 드러내고 있다.
⑤ ㉠과 ㉡은 모두 말을 건네는 방식을 사용하여 상대와의 유대를 강화하고 있다.

19. <보기>를 바탕으로 (나)를 감상한 내용으로 적절하지 않은 것은?

<보 기>

이희승은 일제 강점기에 우리말을 연구하고 보급한 조선어학회에서 활동한 지식인으로, 조선어학회가 민족주의 단체라는 이유로 검거되어 투옥 생활을 하였다. (나)에는 글을 읽는 것이 일상적이었던 사람들인 글쓴이와 조선어학회 동지들이 투옥 생활 중에도 읽을거리를 얻기 위해 노력하며 글을 읽으려는 의지를 보이는 모습이 나타나 있다. 이를 통해 글을 읽는 것을 포기하지 않으려는 글쓴이의 면모가 드러난다.

① '뒤지'를 '귀중한 읽을거리'로 대하는 것에서, 일제 강점기 투옥 생활에서 읽을거리를 접하기가 쉽지 않았던 글쓴이의 처지를 알 수 있군.
② '이것으로 우리들에게 뒤지를 공급하'는 것에서, 글쓴이와 조선어학회 동지들이 읽을거리를 얻기 위해 노력한 결과를 알 수 있군.
③ '한결 지루한 시간이 쉽사리 지나는 것만 같'다고 여기는 것에서, 글을 읽는 것이 일상적이었던 글쓴이와 조선어학회 동지들이 글을 읽을 때 느끼는 만족감을 확인할 수 있군.
④ '다 각각 얻은 뒤지를 서로 돌려 가며 보는 것'에서, 글을 읽으려는 의지를 보이는 글쓴이와 조선어학회 동지들의 모습을 엿볼 수 있군.
⑤ '이런 것도 인력으로 좌우할 수 없는 본능의 소치'라고 생각하는 것에서, 현실적 어려움이 있더라도 글을 읽는 것을 포기하지 않으려는 글쓴이의 면모를 엿볼 수 있군.

[20~25] 다음 글을 읽고 물음에 답하시오.

(가)

헌법은 국민의 기본권과 국가의 통치 조직을 규정한 최고의 기본법이다. 헌법의 특질인 '최고규범성'은 헌법이 국민적 합의에 의해 제정되었기 때문에 인정된다. 헌법의 하위에 있는 법규범들은 헌법으로부터 그 효력을 부여 받으며 존속을 보장 받으므로, 법률은 헌법에 합치되어야 하며 헌법을 위반하는 내용의 법률은 무효가 된다. 따라서 법률은 헌법에 모순되어서는 안 될 뿐만 아니라 적극적으로 헌법적 가치를 실현하여야 한다.

헌법의 최고규범성에도 불구하고 헌법은 규범 체계상 하위에 있는 법규범들과는 달리 스스로를 보장하지 않으면 안 된다. 다른 법규범들에는 상위의 법규범인 헌법이 있을 뿐만 아니라 국가 권력이라는 절대적인 강제 수단이 있어 그 효력이 보장되지만 헌법은 그렇지 못하다. 즉 헌법은 국가 권력이 그 효력을 부정하거나 침해할 수 없도록 헌법재판제도와 같은 장치를 스스로 마련하여 지니고 있다는 점에서 다른 법규범과는 상이한 특징을 갖는데, 이것이 바로 헌법의 '자기보장성'이다. 그러나 헌법재판은 일반 소송과 달리 국가 기관이 그 재판 결과를 ㉠ 따르지 않아도 이를 강제적으로 따르게 할 수 없는 한계가 있다. 헌법재판소의 결정은 국가 권력을 포함한 헌법의 적용을 받는 모든 대상들이 이를 존중하는 조건하에 실현된다. 예를 들면, 대여금 지급 소송에서 돈을 빌려 준 사람이 이기는 경우 그 사람은 법원의 도움을 얻어 돈을 빌린 사람이 가지고 있는 재산을 강제로 팔아 빌려 준 돈을 받을 수 있다. 하지만 헌법재판의 경우에는 어떠한 법률 조항에 대하여 헌법에 합치하지 아니한다며 입법자에게 개선 입법을 촉구하여도 입법부가 이를 따르지 않을 경우 헌법재판소가 입법부로 하여금 강제로 지키게 할 수 있는 수단이 따로 없다. 따라서 헌법의 최고 규범으로서의 효력은 (          ㉮          )에 좌우된다고 할 수 있다.

헌법은 서로 다른 사람들 간에 존재하는 공통의 가치를 연결 고리로 하여 국가를 창설해 낸다. 헌법은 국가 내에서 이러한 공통의 가치를 최대한 실현할 수 있도록 갈등을 해결하고, 국가 작용을 체계화하기 위하여 그것을 담당할 기관과 절차를 규정한다. 그러나 헌법은 단순히 국가 작용을 체계화하고 국가 기관을 조직하는 데 그치지 않는다. 더 나아가서 헌법은 국가 작용을 담당하는 기관이 그 권한을 남용하여 오히려 국가가 추구하는 목적인 공통의 가치를 위험에 빠뜨리지 않도록 노력하고 있다. 이러한 헌법의 '권력제한성'을 통해 헌법은 처음부터 조직적인 측면에서 권력의 악용과 남용의 가능성을 배제하고 있다.

(나)

헌법을 바라보는 여러 관점 중 헌법해석학에 커다란 영향을 미친 헌법관으로는 법실증주의적 헌법관, 결단주의적 헌법관, 통합론적 헌법관을 들 수 있다.

법실증주의적 헌법관은 헌법을 국가의 조직과 작용에 관한 근본 규범으로 보는 관점으로, 권력자의 자의적 통치를 배제하고 법규범에 의한 통치를 지향하며 등장하였다. 국가는 강제적 법질서이고, 헌법은 실정 법질서에서의 최상위 규범이며, 국민은 법질서에 복종하는 존재라는 것이 법실증주의자들의 인식이었다. **법실증주의 헌법학자**들은 존재적 요소인 도덕·자연법 등을 배제하고 당위를 헌법학의 연구 대상으로 규정함으로써, 법학의 정확성과 엄격성, 법적 안정성 확보에 기여하였다. 그러나 법실증주의는 산업화, 다원화에 따라 변화하는 사회와 그에 따라 변화된 헌법을 이론적으로 설명하기 어려웠고, 정해진 법규범을 지나치게 강조하여 실정법 만능주의라는 비판을 받았다.

결단주의적 헌법관은 헌법을 헌법제정권력의 근본적 결단으로 보는 관점으로, 주권자인 헌법제정권력자의 의지를 강조하였다. 헌법은 내용적으로 올바르기 때문에 효력을 가지는 것이 아니라, 정치적 의지의 힘을 가진 자, 곧 헌법제정권력자의 의사에 의하여 정립되었기 때문에 정당성을 가진다고 보았다. 결단주의적 헌법관은 정치세력들의 일정한 타협의 결과, 즉 정치 결단적 요소를 인정하며 헌법의 현실적 배경을 설득력 있게 정리하였다. 그러나 헌법의 규범성을 경시하고 현실적 영향력만을 강조하여 국가를 권력 투쟁의 장이 되게 하고, 독재자의 결단이 곧 국민의 의사라는 논리로 권위주의적 독재 국가의 등장에 이론적 근거를 제공하였다는 비판을 받았다.

통합론적 헌법관은 헌법을 국가 통합을 위한 법질서로 보는 관점으로, 국가를 완전한 통일체로 보지 않고 지속적인 갱신의 과정으로 보았다. **통합론적 헌법학자**들은 적대적 정치세력으로 분열된 국가를 새로운 통일체로 형성하기 위한 도구로 헌법을 인식하며, 헌법이란 공감대적인 가치를 바탕으로 국가의 통합을 실현하고 촉진하기 위한 것이라고 보았다. 통합론적 헌법관은 헌법을 완성물이 아닌 하나의 과정으로 바라보며 오늘날의 민주주의적 상황과 다원적 산업 사회의 현실을 효과적으로 설명하였다. 그러나 통합의 중요성을 지나치게 강조한 나머지 헌법의 규범성을 소홀히 하고, 통합 과정을 너무 조화롭게만 보아 갈등의 요소를 경시했다는 비판을 받았다.

헌법이란 어느 한 요소에만 환원시킬 수 없는 국가라는 현상의 기본 질서이므로, 헌법의 본질을 설명하기 위해서는 복합적인 요소들을 종합적으로 고찰하여야 한다. 따라서 헌법의 효력이나 헌법의 해석이 문제되는 경우에는 세 가지 헌법관을 함께 생각할 수 있는 자세가 필요하다.

20. 다음은 (가), (나)를 읽고 학생이 작성한 활동지의 일부이다. ⓐ~ⓒ에 대한 평가를 바르게 짝지은 것은?

| | |
|---|---|
| 공통점 | ▪ 헌법의 다양한 특성을 드러내기 위해 정보를 병렬적으로 제시하고 있다. ············ ⓐ |
| 차이점 | ▪ (가)는 (나)와 달리 헌법에 대한 서로 다른 견해를 통해 종합적인 절충안을 도출하고 있다. ····· ⓑ |
| | ▪ (나)는 (가)와 달리 헌법과 관련한 여러 입장의 긍정적 측면과 부정적 측면을 함께 밝히고 있다. ··· ⓒ |

| | ⓐ | ⓑ | ⓒ |
|---|---|---|---|
| ① | 적절 | 적절 | 적절 |
| ② | 적절 | 부적절 | 부적절 |
| ③ | 적절 | 부적절 | 적절 |
| ④ | 부적절 | 적절 | 적절 |
| ⑤ | 부적절 | 부적절 | 부적절 |

21. 자기보장성에 대한 이해로 가장 적절한 것은?

① 헌법은 국가 기관의 행위를 일반 소송을 통해 제한한다.
② 헌법은 주권자인 국민의 합의에 의해 규범성이 인정된다.
③ 헌법은 효력을 보장하기 위한 장치를 헌법 내에 마련한다.
④ 헌법은 규범 체계상 하위의 법규범에 의해 효력이 보장된다.
⑤ 헌법은 헌법에 의한 권력 남용의 가능성을 스스로 제한한다.

22. ㉮에 들어갈 내용으로 가장 적절한 것은?

① 헌법재판소의 결정 이행을 위한 강제 수단 마련
② 헌법에 의해 권한을 부여 받은 입법부의 독자성 보장
③ 최고 규범을 판단하는 기관인 헌법재판소의 법적 권위
④ 헌법의 실효성을 높이기 위한 국가 권력의 법적 제재 수단
⑤ 헌법의 내용을 실현하고자 하는 모든 구성원들의 적극적 의지

23. '통합론적 헌법학자'의 관점에서 '법실증주의 헌법학자'를 비판한 내용으로 가장 적절한 것은?

① 헌법을 통해 자의적 통치를 배제하고자 하는 것으로는 헌법의 규범성을 설명할 수 없다.
② 정해진 법규범을 지나치게 강조하는 것으로는 지속적으로 변화하는 사회와 헌법을 설명할 수 없다.
③ 존재적 요소를 헌법학의 연구 대상으로 규정하는 것으로는 다원적 산업 사회의 현실을 설명할 수 없다.
④ 국민을 법질서에 복종하는 존재로 인식하는 것으로는 헌법제정권력자로서의 국민의 의지를 설명할 수 없다.
⑤ 국가를 권력 투쟁의 장으로 보는 것으로는 분열된 국가를 새로운 통일체로 형성하는 도구로서의 헌법을 설명할 수 없다.

24. <보기>는 헌법재판소 판례의 일부이다. (가)와 (나)를 바탕으로 <보기>의 ⓐ, ⓑ에 대해 이해한 내용으로 적절하지 않은 것은? [3점]

<보 기>

**<유통산업발전법 제12조의2 위헌소원(2016헌바 등 병합)>**

- 헌법 제119조 제2항에 따르면 국가는 경제주체 간의 조화를 통한 경제의 민주화를 위하여 경제에 관한 규제와 조정을 할 수 있다. ⓐ심판대상조항은 구청장·군수·시장 등이 대형 마트에 대해 영업시간 제한 및 의무 휴업일 지정을 할 수 있도록 규정한 것인데, 이는 대형 마트와 중소 유통업의 상생 발전을 도모하기 위한 규제라 할 것이므로 입법 목적의 정당성이 인정된다. 따라서 심판대상조항은 헌법에 위배되지 아니한다.

**<근로기준법 제35조 제3호 위헌소원(2014헌바3)>**

- 헌법 제32조 제3항에 따르면 근로조건의 기준은 인간의 존엄성을 보장하도록 법률로 정하여야 한다. ⓑ심판대상조항은 해고예고제도에서 월급 근로자 중 6개월이 되지 못한 자를 적용 예외로 규정한 것인데, 돌발적 해고 시 해당 근로자의 생활이 곤란해지는 것을 막지 못하므로 근로자의 권리를 침해한다. 제도의 적용 대상 범위 등을 정하는 것은 입법자의 권한이나, 이 역시 헌법에 어긋나서는 안 된다. 따라서 심판대상조항은 헌법에 위배된다.

① 헌법의 최고규범성을 고려하면, ⓐ를 '경제주체 간의 조화'라는 헌법적 가치를 실현하기 위한 것으로 볼 수 있겠군.
② 헌법의 권력제한성을 고려하면, ⓑ와 관련된 '입법자의 권한'은 국가 공통의 가치를 실현하는 범위 내로 한정되어야 한다고 볼 수 있겠군.
③ 법실증주의적 헌법관에 따르면, ⓐ에는 '경제에 관한 규제와 조정'이라는 권력자의 통치 이념이 반영된 것으로 볼 수 있겠군.
④ 결단주의적 헌법관에 따르면, ⓑ에는 '인간의 존엄성을 보장'하여야 한다는 주권자의 의사가 반영되지 못한 것으로 볼 수 있겠군.
⑤ 통합론적 헌법관에 따르면, ⓐ에는 '경제의 민주화'라는 가치를 바탕으로 국가의 통합을 실현하려는 노력이 반영된 것으로 볼 수 있겠군.

25. 문맥상 ㉠의 단어와 가장 가까운 의미로 쓰인 것은?

① 우리는 명령을 따르며 급히 움직였다.
② 어머니를 따라 풍물 시장 구경을 갔다.
③ 나는 아버지의 음식 솜씨를 따를 수 없다.
④ 최근 개발에 따른 공해 문제가 불거지고 있다.
⑤ 의원들이 모두 의장을 따라 자리에서 일어섰다.

[26~30] 다음 글을 읽고 물음에 답하시오.

서양철학에서는 많은 철학자들이 기억을 중요한 사유로 인식하며 논의해 왔다. 플라톤은 사물의 영원하고 불변하는 본질적 원형인 이데아가 기억을 통해 인식될 수 있다고 하였다. 이데아에 대한 기억이 그것에 대한 망각보다 ⓐ 뛰어난 상태라고 이야기함으로써 둘 사이에 가치론적 이분법을 설정한 것이다. 더 나아가 하이데거는 진리가 망각이 없는 상태, 즉 기억이 지배하는 상태를 의미한다고 강조하였다. 이렇듯 전통적 서양철학에서 기억은 긍정적인 능력으로, 망각은 부정적인 능력으로 인식되어 온 것이다.

이와 같은 철학적 사유 속에서, 피히테는 '자기의식'이라는 개념을 체계적으로 확대하여 설명하는 과정에서 ㉠ 기억을 세계 경험에 대한 최고 수준의 기능으로 인식하였다. 그는 어떤 대상에 대해 '㉡ A는 A이다'라는 명제에 의거하여 주장을 할 때, '나는 나이다'가 성립해야만 한다고 생각하였다. 이는 동일성을 주장하는 '의자는 의자이다'와 같은 명제로 이해할 수 있다. 예전에 친구와 같이 앉았던 의자를 보았을 때, 우리는 이 의자가 바로 그때의 의자라고 주장할 수 있다. 즉 'A는 A이다'라는 명제는 '과거의 A가 현재의 A이다'라는 주장으로 현실화된다. 이러한 주장이 가능하기 위해서는 과거의 의자를 기억하고 있어야 한다는 것이 전제되어야 하고, 이는 과거 그 의자에 앉았던 자신을 기억하는 것과 마찬가지라는 것이었다. 따라서 그가 주장한 ㉢ 자기의식은 기억의 능력을 통해 과거의 '나'와 현재의 '나'가 같음을 의식하는 것으로 볼 수 있다. 자기의식을 망각한다면 우리는 친구를 만나도 친구인 줄 모를 것이므로, 그의 입장에서는 기억이 없다면 세계도 존재할 수 없는 것이었다.

한편, 니체는 이와 같은 사유 전통을 거부하며 기억 능력에 대해 비판하였다. 그는 기억이 부정적이고 수동적인 능력이라면, 망각은 능동적이며 창조적인 능력이라고 인식하였다. 그에게 있어 망각은 기억을 뛰어넘고자 하는 치열한 투쟁이었다. 그는 망각에 대해 긍정하기 위해 신체와 관련된 사례를 제시하였다. 새로운 음식을 먹으려면 위를 비워야 하며 음식물을 배설하지 못한다면 건강한 삶을 ⓑ 살아갈 수 없듯이, 과거의 기억들이 정신에 가득 차 있다면 무언가를 새롭게 인식하는 것은 불가능하다고 주장하였다. 그에 따르면 기억에만 집착하는 사람들은 새로운 것을 ⓒ 낯설고 불편한 것으로 여겨 변화와 차이를 긍정할 수 없기 때문에 현재를 행복하게 살아갈 수 없는 것이었다.

또한 그는 건강한 망각의 역량을 복원하기 위해서 궁극적으로 순진무구한 아이와 같은 모습이 되어야 한다고 주장하였다. 예를 들어 아이가 바닷가에 놀러가 모래성을 만들었을 때, 이것이 부서지더라도 슬퍼하기보다는 웃으면서 즐거워할 것이라고 보았다. 아이는 그 자리에 다시 새로운 모래성을 만들 수 있음을 직감하기 때문에 부서진 모래성을 기억하면서 좌절하고 우울해 할 필요가 없다는 것이었다. 이렇듯 니체에게 아이는 망각의 창조적 능력을 ⓓ 되찾은 인간을 상징하였다. 결국 그는 현재를 행복하게 살아가기 위한 능력으로써 망각을 긍정적으로 바라보았던 것이다.

그러나 니체가 인간이 가진 기억 능력 자체를 완전히 제거하자고 주장했던 것은 아니다. 철저한 망각은 현실적으로 불가능할 뿐만 아니라, 현재를 향유할 수 있도록 어느 정도 지속되는 기억이 필요했기 때문이었다. 마치 음식이 위에서 전혀 머무르지 않고 바로 배설된다면 건강한 삶을 살 수 없는 것처럼 말이다. 그럼에도 불구하고 기억이 주된 사유로 인식되던 서양철학에서 망각의 능력을 ⓔ 찾아내고자 했다는 점에서 니체의 사유를 주목할 필요가 있을 것이다.

**26.** 독서의 분야를 고려하여 윗글을 읽는다고 할 때, ㉮에 들어갈 내용으로 가장 적절한 것은?

<보 기>

_________ ㉮ _________하며 읽어야겠군.

① 인간의 사상을 탐구하고 있으므로, 글에 담긴 관점을 정확하게 파악
② 사회 현상을 다루고 있으므로, 관련된 배경지식을 적극적으로 활용
③ 삶의 문제를 분석하고 있으므로, 글에 반영된 사회적 요구를 논리적으로 평가
④ 사실과 법칙을 인과적으로 설명하고 있으므로, 용어나 개념을 명확하게 이해
⑤ 연구 성과를 실생활에 응용하고 있으므로, 사용된 자료의 신뢰성을 적절히 판단

**27.** 윗글의 내용과 일치하지 않는 것은?

① 플라톤은 가치론적 이분법을 통해 기억을 설명하였다.
② 하이데거는 기억이 지배하는 상태를 진리로 인식하였다.
③ 니체는 망각을 긍정적인 능력이라고 판단하며 서양철학의 전통적 사유를 비판하였다.
④ 니체는 음식물이 위에 가득 남아 있는 상황과 정신이 기억으로 가득 찬 상태가 유사하다고 생각하였다.
⑤ 니체는 현재를 행복하게 살아가기 위해 철저한 망각이 필요하다고 판단하였다.

**28.** ㉠~㉢에 대한 이해로 가장 적절한 것은?

① ㉠이 없어도 ㉡에 의거한 주장이 가능하다.
② ㉠이 가능해야만 ㉢도 가능하다.
③ ㉡이 성립해야만 ㉠이 성립한다.
④ ㉢은 ㉠을 위해 존재한다.
⑤ ㉢은 ㉡이 전제되어야 한다.

29. 윗글을 바탕으로 <보기>에 대해 이해한 내용으로 적절하지 않은 것은? [3점]

<보 기>

갑: 지갑이 많이 낡았네. 하나 새로 사줄까?
을: 아직은 새로 사기 싫어요. 아빠가 생일 선물로 처음 사 주신 거라서 저한테는 의미가 있고 익숙해서 좋아요.
갑: 그렇구나. 근데 지난번에는 평소와 달리 국어 시험 못 봤다고 했잖아. 이번 시험 준비는 잘 하고 있니?
을: 지난 시험은 지난 시험일 뿐이죠. 잊을 건 잊고 이번 국어 시험도 열심히 준비하고 있어요.

① 피히테는 을이 선물을 받았던 자신과 현재의 자신이 같음을 기억의 능력을 통해 의식하고 있다고 볼 것이다.
② 피히테는 을의 '지난 시험은 지난 시험이다.'라는 주장은 '시험은 시험이다'라는 명제가 현실화된 것이라고 볼 것이다.
③ 니체는 을이 지갑에 대한 과거의 기억에 집착하여 지갑을 새로 사는 것을 긍정하지 않는다고 볼 것이다.
④ 니체는 을이 국어 시험을 다시 준비하는 것을 보고 기억을 뛰어넘어 현재를 행복하게 살아갈 수 있는 사람이라고 볼 것이다.
⑤ 니체는 을이 지난 시험 결과에 대해 좌절하지 않는 것은 다음 시험에서 좋은 결과를 얻을 수 있을 것임을 직감하기 때문이라고 볼 것이다.

30. 문맥상 ⓐ~ⓔ와 바꿔 쓰기에 적절하지 않은 것은?

① ⓐ: 우월(優越)한
② ⓑ: 영위(營爲)할
③ ⓒ: 난해(難解)하고
④ ⓓ: 회복(回復)한
⑤ ⓔ: 발견(發見)하고자

[31~34] 다음 글을 읽고 물음에 답하시오.

김장우는 형이 경영하던 여행사가 산산조각으로 부서지는 것을 두 손 늘어뜨리고 지켜봐야만 하는 고통이 있었다. 형은 가지고 있던 아파트와 늙어서 행여 사랑하는 동생과 나란히 집 짓고 살 수 있을까 해서 마련했던 시골의 땅과 자동차까지 다 팔았다. 동생은 잔액이 몇 십만 원인 통장까지 모조리 형에게 내밀었다. 형은 잔액이 몇 십만 원인 통장만 받고 나머지 적금 통장 등은 동생에게 돌려주었다. 야 이놈아, 죽지 않으려면 최소한 씨앗 값은 남겨야지, 형은 이렇게 말하며 동생의 등을 툭 쳤다던가…….

㉠ 나도 만만치가 않았다. 나에겐 진모가 있었다. 진모는 재판을 기다리고 있는 중이었다. 어머니는 검찰 주변에서 흘러나오는 온갖 정보들을 검토하고 분석하느라고 아예 가게를 접었다. 어머니 같은 보호자들만 골라 전문적으로 사기를 치는 사건 브로커에게 걸려 한차례 생돈을 날린 후로 조금 기가 꺾였지만, 그래도 어머니는 아침마다 건전지를 갈아 끼운 기계 인간처럼 싱싱하게 일어나 온종일 뛰어다니다 저녁이면 파김치가 되어 돌아오는 일과를 버리지 않았다. 어머니는, 정말 어머니는 대단했다. 사건 브로커에게 걸려 돈을 뜯긴 후 어머니는 당장 서점으로 달려가 형법에 관한 책을 한 권 사 들고 왔다. 법을 알아야 법과 싸워 이길 수 있다는 어머니의 논리는 지극히 타당했다. 문제는 그 전문 서적을 어머니가 읽어낼 수 있느냐는 것뿐이었다. 그런 어머니를 위해 나는 시내의 대형 서점을 뒤져서 전직 검사나 현직 변호사 들이 법에 관해 쉽게 풀어 쓴 책을 두 권 샀다.

깊은 밤, 내 어머니는 아들을 위해서 돋보기를 쓰고 법정 이야기들을 읽었다. 몇 달 전에는 그렇게 일본어 회화 책을 읽었고 지금은 ⓐ 형법 책을 읽는 어머니. 이미 말했듯이 어머니는 궁지에 몰리는 마지막 순간에는 버릇처럼 책을 떠올리는 사람이었다. 생각해 보면, 예기치 않은 삶의 곤경에 처할 때마다 어머니가 읽었던 여러 권의 책들 중에는 형법 책 못지않은 난해하고 어려웠던 독서가 또 있었다. 정확하지는 않지만 그 책의 제목은 아마 『정신 분열증의 이해와 치료』일 것이었다. 어찌나 두꺼운지 읽다가 베개 삼아 잠들어도 좋았던 그 ⓑ 의학 책은 아버지를 위해 어머니가 선택한 책이었다. 그때도 그랬듯이 지금도 어머니는 진지하게 책을 읽었다. 아니, 그때보다 훨씬 더 진지하게 보이기도 했다. 왜냐하면 그때는 없었던 돋보기가 어머니의 독서를 한층 그럴싸하게 만들고 있었으므로. 이것이 어머니의 마지막 독서는 아닐 것이었다. 그것은 짐작할 수 있지만 미래에 내 어머니가 읽어야 할 책이 무엇인지, 세상과 맞서 싸우기 위해 또 어떤 ⓒ 난해한 분야의 책들을 골라 읽어야 하는지에 대해서 나는 아무것도 알 수가 없다. 다만 한 가지, 어머니는 결코 이모가 읽어 왔던 그 많은 소설책이나 시집을 선택해 책값을 치르지 않을 것이란 점만은 분명했다.

[중략 줄거리] 어머니는 일본인을 상대하는 식품점을 새로 열고, 불화의 원인인 아버지는 가출했다가 중풍과 치매에 걸려 돌아온다.

아버지 시중 때문에 결국 어머니는 가게에 점원 한 사람을 두었다. 얼마 되지 않는 수입에서 점원 월급까지 나가야 하니 그것 또한 어머니의 나날을 긴장으로 채워 주는 것이었다. 어머니는 **더욱 바빠졌고 나날이 생기를 더**해 갔다. 아, 어머니의 불행하고도 행복한 삶…….

아버지는 이미 오래전에 자신의 인생을 벗어던지고 덤으로 살고 있는 사람이었다. 진짜 인생은 자기 혼자 다 즐기고, 덤으로 얹혀질 인생의 시기에 비로소 가족에게 돌아온 아버지는 천진난만 그 자체였다. 생의 이면을 보아 버린 자의 그 많은 갈등과 괴로움도 단숨에 압축해 버리니 별것도 아니었다. 남은 것은 음식에의 탐욕, 그것뿐이었다. 아버지의 뇌파는 오직 먹는 것에만 싱싱하게 반응하였다. 하루에도 몇 번씩 굶어 죽는다고 엄살이었다.

"배고파라. 아이구, 배고파 죽겠어. 이것 좀 봐, 배가 납작하게 붙었잖아."

㉡ 슬픈 일몰을 이야기하고 아름다운 비밀 반쪽을 나에게 나누어 주던 아버지는 사라졌다. 나는 그것을 확인했다. 아버지 손과 내 손을 맞춰 보았지만 맞지 않았던 것이었다. 병과 늙음이 아버지의 손을 축소시켜 놓았다. 아버지의 뼈만 남은 야윈 손가락을 힘들여 펴서 손바닥을 포개 봤더니 두께는 고사하고 길이도 반 마디나 내가 컸다. 그래서 아버지는 지금도 나를 알아보지 못하고 있다. ㉢ 아마도, 우리는 영영 서로를 알아보지 못한 채 헤어질 것이다. 왜 사랑하는 우리를 멀리하고 떠돌아야만 했는지 묻지도 못한 채 나는 아버지와 헤어질 것이었다. 어쩌면 바로 그것이 **아버지가 내게 물려주고 싶었던 중요한 인생의 비밀**이었는지도 모를 일이었다.

옛날, 창과 방패를 만들어 파는 사람이 있었다. 그는 사람들에게 자랑했다. 이 창은 모든 방패를 뚫는다. 그리고 그는 또 말했다. 이 방패는 모든 창을 막아낸다. 그러자 사람들이 물었다. 그 창으로 그 방패를 찌르면 어떻게 되는가. 창과 방패를 파는 사람은 그만 입을 다물고 말았다.

이제는 나의 이야기를 해야 할 차례다. 나는 곧 결혼한다. 어머니와 이모에 이어 나도 4월의 신부가 된다. 물론 4월 1일 만우절은 아니다. 일 년 전쯤의 어느 날 아침, 불현듯 잠에서 깨어나는 순간 "내 인생에 나의 온 생애를 다 걸어야 해. 꼭 그래야만 해!"라고 부르짖었던 나의 다짐이 마침내 결혼이라는 실천의 단계에 이른 것이다.

**그 다짐에 충실했던 일 년**이었다. 살필 수 있는 만큼은 다 살폈고 생각할 수 있는 것은 다 생각했다. 그리고 결정했다. 4월의 결혼식에 내 손을 잡아 줄 남자는 그래서 나영규가 되었다. 일이 그렇게 되었으므로 '헤어진 다음날'은 나와 김장우의 노래가 되었다. 그러나 나는 헤어진 다음날들은 죽음뿐이라고 생각한 이모와는 달랐다. 나는 잘 견디었다. ㉣ 김장우는 어떠했는지 알 수 없지만.

인간에게는 행복만큼 불행도 필수적인 것이다. 할 수 있다면 늘 같은 분량의 행복과 불행을 누려야 사는 것처럼 사는 것이라고 이모는 죽음으로 내게 가르쳐 주었다. 이모의 가르침대로 하자면 나는 김장우의 손을 잡아야 옳은 것이었다. 그러나 역시 이모의 죽음이 나로 하여금 김장우의 손을 놓아 버리게 만들기도 했다. 모든 사람들에게 행복하게 보였던 이모의 삶이 스스로에겐 한없는 불행이었다면, 마찬가지로, 모든 사람들에게 불행하게 비쳤던 어머니의 삶이 이모에게는 행복이었다면, 남은 것은 어떤 종류의 불행과 행복을 택할 것인지 그것을 결정하는 문제뿐이었다. 나는 **내게 없었던 것을 선택한** 것이었다. 이전에도 없었고, 김장우와 결혼하면 앞으로도 없을 것이 분명한 그것, 그것을 나는 나영규에게서 구하기로 결심했다.

그것이 이모가 그토록이나 못 견뎌 했던 '**무덤 속 같은 평온**'이라 해도 할 수 없는 일이었다. 삶의 어떤 교훈도 내 속에서 체험된 후가 아니면 절대 마음으로 들을 수 없다. 뜨거운 줄 알면서도 뜨거운 불 앞으로 다가가는 이 모순, 이 모순 때문에 내 삶은 발전할 것이다. 나는 그렇게 믿는다. 우이독경, 사람들은 모두 소의 귀를 가졌다. 마지막으로 한 마디. ㉤ 일 년쯤 전, 내가 한 말을 수정한다. 인생은 탐구하면서 살아가는 것이 아니라, 살아가면서 탐구하는 것이다. 실수는 되풀이된다. 그것이 인생이다…….

– 양귀자, 「모순」 –

31. 윗글의 서술상 특징으로 가장 적절한 것은?

① 계절적 배경의 묘사를 통해 인물의 변화된 심리를 드러낸다.
② 독백적 진술을 통해 인물의 복잡한 내면 심리를 드러낸다.
③ 의식의 흐름 기법을 통해 인물의 무의식적 욕망을 드러낸다.
④ 의문과 추측의 진술을 통해 다른 인물에 대한 반감을 드러낸다.
⑤ 과거와 현재의 교차 서술을 통해 인물 간 갈등 양상을 드러낸다.

32. ㉠~㉤에 대한 설명으로 적절하지 않은 것은?

① ㉠: 가족으로 인해 어려움에 처한 김장우처럼 '나'도 유사한 고통이 있음을 보여 준다.
② ㉡: 과거의 순간들을 함께했던 아버지에 대해 '나'가 애틋함을 갖고 있음을 보여 준다.
③ ㉢: 아버지의 병세가 호전되지 않을 것이라는 '나'의 부정적 인식을 보여 준다.
④ ㉣: 심리적 갈등을 회피하는 '나'의 소극적 태도를 보여 준다.
⑤ ㉤: 실수를 반복할 수밖에 없는 것이 인생이라는 '나'의 깨달음을 보여 준다.

33. ⓐ~ⓒ를 중심으로 어머니의 독서를 이해한 내용으로 가장 적절한 것은?

① 당면한 문제를 해결하기 위한 적극적 행위이다.
② 특정 대상과의 차별화를 목적으로 한 행위이다.
③ 정서적 안정을 위해 감정을 정화하는 행위이다.
④ 즐거움을 얻기 위해 일상적으로 반복하는 행위이다.
⑤ 가치관의 정립을 위한 개인적 성찰이 전제된 행위이다.

34. <보기>는 '작가 노트' 중 일부이다. 이를 참고하여 윗글을 감상한 내용으로 적절하지 않은 것은? [3점]

<보 기>

인간이란 누구나 각자 해석한 만큼의 생을 살아낸다. 해석의 폭을 넓히기 위해서는 사전적 정의에 만족하지 말고 그 반대어도 함께 들여다볼 일이다. 행복과 불행, 삶과 죽음, 정신과 육체, 풍요와 빈곤. 행복의 이면에 불행이 있고, 불행의 이면에 행복이 있다. 풍요의 뒷면을 들추면 반드시 빈곤이 있고, 빈곤의 뒷면에는 우리가 찾지 못한 풍요가 숨어 있다. 세상의 일들이란 모순으로 짜여 있으며 그 모순을 이해할 때 조금 더 삶의 본질 가까이로 다가갈 수 있는 것이다.

① '더욱 바빠졌고 나날이 생기를 더'하는 어머니의 모습은 불행의 이면에 행복이 있다는 삶의 모순을 보여 주는 것이겠군.
② '아버지가 내게 물려주고 싶었던 중요한 인생의 비밀'은 삶의 본질이 모순에 있음을 드러내는 것이겠군.
③ '그 다짐에 충실했던 일 년'은 사전적 의미와 그 반대 의미까지도 탐구하여 모순된 생에 대한 이해를 확장한 시기였겠군.
④ '내게 없었던 것을 선택한' 나의 결정은 물질적 행복의 이면에 있는 불행을 거부하려는 모순을 보여 주는 것이겠군.
⑤ '무덤 속 같은 평온'은 물질적 풍요에도 불구하고 정신적 빈곤에 시달렸던 이모의 모순된 삶을 드러내는 것이겠군.

**[35~38] 다음 글을 읽고 물음에 답하시오.**

우리 주변에 존재하는 생물들 중에는 독을 가진 경우가 흔하다. 이러한 생물들은 위협적인 상대로부터 자신을 보호하거나 종족을 보존하기 위해 독을 이용한다. 특히 동물은 사냥감을 포획하기 위한 수단으로도 독을 사용한다. 이와 같은 독은 식물과 동물에 따라 다양한 특징을 보인다.

식물 독의 주성분은 대부분 알칼로이드라는 물질인데 이는 질소를 함유하는 염기성 유기화합물을 일컫는 것으로, 그 예에는 투구꽃의 '아코니틴'과 흰독말풀의 '아트로핀'이 있다. 아코니틴과 아트로핀은 모두 동물의 신경계에서 '근육에 가해진 자극이나 뇌가 내린 명령'에 관한 정보가 전달되는 것을 방해한다. 먼저 ㉠아코니틴은 신경 세포의 나트륨 이온 통로를 계속 열어두기 때문에 나트륨 이온을 세포 안으로 다량 유입시킨다. 이로 인해 이온의 농도 차에 의한 나트륨 이온의 이동이 정상적으로 일어나지 않아, 전기 신호인 활동 전위*가 신경 세포에서 일어나지 못하게 된다. 그러면 아세틸콜린이 분비되지 않아, 결국 호흡 곤란으로 이어질 수 있다. 하지만 적정량을 사용하면 진정 효과 등의 약리 작용이 있기 때문에 아코니틴을 진통제의 성분으로 이용하기도 한다.

한편 아트로핀은 부교감 신경의 시냅스에서 아세틸콜린 대신에 아세틸콜린 수용체와 결합함으로써 아세틸콜린의 작용을 방해한다. 여기서 아세틸콜린은 활동 전위에 의해 신경 세포 말단에 있는 시냅스 소포에서 분비된 후, 다른 신경 세포로 정보를 전달하는 물질이다. 아세틸콜린의 분비가 억제되거나 아세틸콜린이 아세틸콜린 수용체와 결합하지 못하면 신경의 흥분이 억제되어 근육은 이완되지만 아세틸콜린이 과잉 분비되면 그 반대 현상이 일어난다. 아트로핀은 아세틸콜린과 화학 구조가 유사하기 때문에 아세틸콜린 수용체와 결합함으로써 시냅스에서 이루어지는 정보 전달을 방해하게 된다. 이를 이용해 아트로핀은 ⓐ일부 독의 해독제로 쓰이기도 한다.

반면 동물 독은 독의 성질이 제각기 다르다. 대표적으로 뱀의 독에는 주로 단백질 계열의 50~60종의 성분이 있으며, 뱀마다 독의 작용에도 큰 차이가 있다. 코브라에게 물리면 '오피오톡신'이 시냅스에서 아세틸콜린 수용체와 결합해 근육으로의 정보 전달이 방해된다. 이와 달리 살무사에게 물리면 '크로탈로톡신'이라는 독이 혈액 내의 혈구 세포와 혈소판 등을 파괴한다. 이로 인해 근육이 괴사되고 출혈이 멈추지 않아 죽게 된다. 한편 복어는 '테트로도톡신'이라는 알칼로이드 계열의 독소를 가지고 있다. ㉡테트로도톡신은 신경 세포의 나트륨 이온 통로를 차단함으로써 나트륨 이온이 들어오지 못하게 하기 때문에 활동 전위가 일어나지 않는다. 이로 인해 아세틸콜린이 분비되지 않는다. 특히 테트로도톡신은 복어가 스스로 만들어 내는 것이 아니라, 복어가 먹이로 섭취한 플랑크톤에 의해 축적되거나 복어 체내에 기생하는 균에 의해 만들어진다는 특징이 있다.

독이 우리 몸에 유입되면 해독제를 신속하게 투여하는 것이 중요하다. 해독제로는 산과 염기의 반응을 이용한 중화제, 독소 분자를 분해하는 효소, 유입된 독과 서로 반대 작용을 하는 독을 활용할 수 있다.

* 활동 전위 : 생물체의 세포나 조직이 활동할 때 일어나는 전압 변화.

35. 윗글에서 답을 찾을 수 있는 질문에 해당하지 않는 것은?

① 아코니틴에 의해 나타나는 증상은 무엇일까?
② 복어의 독소는 무엇에 의해 만들어지는 것일까?
③ 알칼로이드가 질소를 함유하는 이유는 무엇일까?
④ 살무사에게 물리면 출혈이 멈추지 않는 이유는 무엇일까?
⑤ 오피오톡신과 크로탈로톡신의 작용에는 어떤 차이가 있을까?

36. ⓐ의 이유로 가장 적절한 것은?

① 아트로핀이 아세틸콜린을 분해하는 물질의 작용을 방해하기 때문에
② 아트로핀이 아세틸콜린을 소모하여 부교감 신경의 흥분을 유도하기 때문에
③ 아트로핀이 아세틸콜린을 분비시켜 신경계의 정보 전달을 유도하기 때문에
④ 아트로핀이 아세틸콜린의 작용을 방해해 부교감 신경의 흥분을 억제하기 때문에
⑤ 아트로핀이 아세틸콜린의 분비를 억제하고 다른 신경전달물질을 활성화하기 때문에

37. ㉠과 ㉡에 대한 설명으로 가장 적절한 것은?

① ㉠은 ㉡과 달리 나트륨 이온의 농도 차이를 일정하게 유지시킨다.
② ㉠은 ㉡과 달리 세포 안으로 나트륨 이온이 들어오지 못하도록 방해한다.
③ ㉡은 ㉠과 달리 아세틸콜린과 화학 구조가 유사하다.
④ ㉡은 ㉠과 달리 아세틸콜린의 분비에 영향을 미치지 않는다.
⑤ ㉠과 ㉡은 모두 신경 세포에서 활동 전위가 일어나지 못하게 방해한다.

38. 윗글을 바탕으로 <보기>를 이해한 내용으로 적절하지 않은 것은? [3점]

<보 기>

○ A의 잎에는 알칼로이드에 속하는 스코폴라민이 포함되어 있는데, 강한 쓴맛 때문에 동물에게 먹히지 않는다. 스코폴라민이 몸속에 들어오면 아세틸콜린 수용체와 결합하므로 멀미약의 성분으로 이용된다.
○ B는 꼬리에 있는 독침에서 분비되는 단백질 계열의 카리브도톡신을 이용한다. 카리브도톡신이 먹잇감인 곤충의 몸속에 들어가면 활동 전위가 계속 일어나도록 하기 때문에 시냅스 말단에서는 아세틸콜린이 과잉 분비된다.

① A의 스코폴라민은 시냅스에서 이루어지는 정보 전달을 방해하는 작용을 하겠군.
② B의 카리브도톡신은 신경의 흥분을 억제하므로 근육으로의 정보 전달을 방해하겠군.
③ A의 스코폴라민은 근육을 이완시키고, B의 카리브도톡신은 근육을 수축시키겠군.
④ A의 스코폴라민은 산성 물질을, B의 카리브도톡신은 단백질 분해 효소를 해독제로 활용할 수 있겠군.
⑤ A에게 스코폴라민은 자신을 보호하기 위한, B에게 카리브도톡신은 사냥감을 포획하기 위한 수단이겠군.

[39～42] 다음 글을 읽고 물음에 답하시오.

(가)

비탈진 공터 언덕 위 푸른 풀이 덮이고 그 아래 웅덩이 옆 미루나무 세 그루 **갈라진 밑동**에도 **푸른 싹**이 돋았다 때로 늙은 나무도 젊고 싶은가 보다

[A] 기다리던 것이 오지 않는다는 것은 누구나 안다 누가 누구를 사랑하고 누가 누구의 목을 껴안듯이 비틀었는가 나도 안다 돼지 목 따는 동네의 더디고 나른한 세월

[B] 때로 우리는 묻는다 **우리의 굽은 등**에 푸른 싹이 돋을까 묻고 또 묻지만 비계처럼 씹히는 달착지근한 혀, 항시 우리들 삶은 낡은 유리창에 흔들리는 **먼지 낀 풍경** 같은 것이었다

[C] 흔들리며 보채며 얼핏 잠들기도 하고 그 잠에서 깨일 땐 솟아오르고 싶었다 세차장 고무호스의 **길길이 날뛰는 물줄기**처럼 갈기갈기 찢어지며 아우성치며 울고불고 머리칼 쥐어뜯고 몸부림치면서……

그런 일은 없었다 돼지 목 따는 동네의 더디고 나른한 세월, 풀잎 아래 엎드려 숨죽이면 가슴엔 **윤기나는 석탄층***이 깊었다

– 이성복, 「다시 봄이 왔다」 –

* 석탄층 : 식물이 땅속에 층을 이루어 퇴적되면서 생긴 층.

(나)

옆구리에서 아까부터
무언가 꼼지락거리고 있었다.
내려다보니 **작은 할머니**였다.
만원 전동차에서 내리려고
혼자 ㉠헛되이 허우적거리고 있었다.
승객들은 빈틈없이 할머니를 에워싸고
높고 ㉡튼튼한 **벽**이 되어 있었다.
할머니가 아무리 중얼거리며 떠밀어도
벽은 꿈쩍도 하지 않았다.
할머니는 있는 힘을 다하였으나
태아의 발가락처럼 꿈틀거릴 뿐이었다.
전동차가 멈추고 문이 열리고 닫혔지만
벽은 ㉢조금도 흔들림이 없었다.
**할머니**가 필사적으로 **꿈틀거리**는 동안
꿈틀거릴수록 점점 작아지는 동안
승객들은 빈틈을 ㉣더 세게 조이며
더욱 ㉤견고한 벽이 되고 있었다.

– 김기택, 「벽」 –

39. (가)와 (나)의 공통점으로 가장 적절한 것은?

① 단정적 진술을 활용하여 주제 의식을 드러내고 있다.
② 도치의 방식을 활용하여 시적 의미를 부각하고 있다.
③ 점층적 표현을 활용하여 시적 분위기를 고조하고 있다.
④ 반복과 열거를 활용하여 화자의 의지를 강조하고 있다.
⑤ 색채의 상징적 의미를 활용하여 시적 상황을 드러내고 있다.

40. [A]~[C]에 대한 설명으로 적절하지 <u>않은</u> 것은?

① [A] : 변화 가능성이 없는 상황에서 오는 권태로운 삶을 드러내고 있다.
② [B] : 자신이 처해 있는 현실에 대한 회의적인 태도를 드러내고 있다.
③ [B] : 생기 있는 삶을 기대할 수 없는 비관적 현실 인식을 드러내고 있다.
④ [C] : 치열하고 역동적으로 살기 위해 과거의 삶을 반성하는 모습을 드러내고 있다.
⑤ [C] : 무기력한 삶에서 벗어나 자유롭고 활기 있는 삶을 살고자 하는 욕망을 드러내고 있다.

41. ㉠~㉤의 의미를 고려하여 (나)를 이해한 내용으로 적절하지 <u>않은</u> 것은?

① ㉠을 활용하여 혼자의 힘으로는 문제를 해결할 수 없는 할머니의 상황을 부각하고 있군.
② ㉡을 활용하여 할머니의 어려움을 심화시키는 대상을 강조하고 있군.
③ ㉢을 활용하여 할머니의 고통에 반응하지 않는 승객들의 모습을 강조하고 있군.
④ ㉣을 활용하여 속박된 상황을 벗어나려는 할머니의 모습을 부각하고 있군.
⑤ ㉤을 활용하여 할머니의 처지에 관계없이 자신의 상황을 고수하고 있는 승객들의 모습을 부각하고 있군.

42. <보기>를 바탕으로 (가)와 (나)를 감상한 내용으로 적절하지 않은 것은? [3점]

<보 기>

시는 언어를 통해 이미지를 발현하고 영화는 영상을 통해 이미지를 표출한다. 시는 시어와 행과 연으로, 영화에서는 쇼트와 쇼트의 조합을 통해 이미지를 구성해 간다. 영화 기법은 영상의 이미지를 다루는 방법으로 시의 이미지를 분석하는 데 중요한 틀을 제공한다.

먼저 촬영 기법인 클로즈업은 주관적 의도에 의해 선택된 대상을 확대하여 대상에 집중하게 하고 관련된 상황과 심리를 강조한다.

한편 편집 기법인 몽타주는 이질적인 장면이나, 시공간이 다른 장면들을 연결하여 그들 사이의 대조나 유사성에 의한 연상적 비교를 일으켜 정서적 반응을 유발한다.

① (가)의 '갈라진 밑동'에 돋은 '푸른 싹'이 클로즈업처럼 확대되어 화자가 바라는 삶의 모습이 강조되겠군.
② (가)의 '우리의 굽은 등'과 '먼지 낀 풍경'은 몽타주 기법처럼 연결되어 화자가 처한 부정적 상황에 대한 정서가 유발되겠군.
③ (가)의 '길길이 날뛰는 물줄기'와 '윤기나는 석탄층'은 몽타주 기법처럼 연결되어 현실에 맞서는 화자에 대한 정서가 유발되겠군.
④ (나)의 '작은 할머니'와 높은 '벽'은 몽타주 기법처럼 연결되어 괴로움을 느끼는 할머니에 대한 정서가 유발되겠군.
⑤ (나)의 '꿈틀거리'는 '할머니'의 모습이 클로즈업처럼 확대되어 할머니가 애쓰는 상황이 강조되겠군.

[43~45] 다음 글을 읽고 물음에 답하시오.

[앞부분의 줄거리] 불도 수행자 성진은 여덟 선녀를 희롱한 죄로 육관대사에 의해 연화봉에서 쫓겨나 꿈속에서 양소유로 환생한다.

양생이 과거가 닥쳤지만 과거에는 마음이 없어 수일 후에 또 두련사를 찾아보니 두련사가 말하되,

"한 처자가 있으니 재모를 의논하면 분명 양랑의 짝이로되 다만 가문이 너무 높아 공후의 벼슬을 여섯 대에 걸쳐 지냈고 대대로 정승을 한 집안이라. 양랑이 만일 신방 급제를 하면 이 혼사를 의논하려니와 그 전에는 부질없으니 구태여 노신을 자주 찾아와 보지 말고 과거에 힘쓸지어다."

양생이 왈,

"어떤 집 여자니이까?"

두련사가 왈,

"춘명문 안에 사는 정 사도 집이니 붉은 칠한 문이 길에 닿아 있고 위에 계극을 배설한 집이라."

양생이 심중에 섬월이 말하던 여자인 줄 알고 가만히 생각하되, '어떤 여자이기에 두 서울 사이에 이렇듯 이름을 얻었는고?' 하고 묻기를,

"정 씨 여자를 사부께서 일찍이 보신 적이 있으니이까?"

두련사가 왈,

"어찌 보지 못하였으리오. 정 소저는 하늘 사람이니 어찌 언어로 형용하리오?"

양생이 왈,

[A] "소자 감히 자랑하는 것이 아니라 이번 과거는 소자의 주머니 가운데 있는 것이나 다름이 없습니다. 다만 평생 바라는 바가 있어 처자의 얼굴을 보지 못하면 구혼을 하지 않으려 하나니 사부는 자비를 베풀어 소자로 하여금 한번 보게 하소서."

두련사가 크게 웃고 이르되,

"재상가 처자를 어찌 서로 볼 수 있으리오. 양랑이 노신의 말이 믿음직하지 않은가 의심하느냐?"

양생이 왈,

"소자가 어찌 감히 의심하리이까? 그러나 사람의 마음이 다 각각 다르니 사부의 눈이 어찌 소자와 같겠사옵니까?"

두련사가 왈,

"그렇지 않다. 봉황과 기린은 사람마다 상서로운 줄 알고 청천백일은 사람마다 그 청명함을 우러러보나니 만일 눈 없는 사람이 아니면 어찌 자도가 고운 줄을 모르리오?"

양생이 오히려 기분이 좋지 못하여 돌아왔다가 이튿날 일찍 자청관에 오니 두련사가 웃고 이르되,

"양랑이 일찍 오니 분명 까닭이 있도다."

양생이 말하되,

"정 소저를 보지 못하고는 소자 끝내 의심이 있으니 사부는 우리 모친이 정성을 다해 부탁한 것을 생각하여 계교를 베풀어 무슨 수를 써서라도 잠깐 바라보게 하소서."

(중략)

전 노파가 교자를 타려 하다가 문득 들으니 삼청전 동쪽 정당 앞에서 거문고 소리가 나는데 매우 맑았다. 이에 방황하며 차마 가지 못하고 귀를 기울여 듣자 그 소리가 더욱 묘한지라. 두련사에게 이르되,

"내 부인을 뫼셔 유명하고 잘 타는 거문고를 많이 들었으되 이 곡조는 듣지 못하였으니 대관절 어떤 사람이니이까?"

두련사 대답하되,

"수일 전에 초 땅에서 나이 젊은 여관이 서울 구경차 이곳에 와 머물며 이따금 거문고를 타되 나는 곡조를 알지 못하더니 그대가 칭찬하니 필연 잘 타는 솜씨로다."

전 노파가 말하되,

"우리 부인이 들으시면 부르실 법하니 두련사는 저 사람을 머물러 두소서."

재삼 당부하고 가더라.

두련사가 전 노파를 보내고 양생에게 이 말을 전하고 좋은 소식이 오기를 초조하게 기다리더니 다음날 정 사도 집에서 작은 교자와 시비 한 사람을 보내 거문고 타는 여자를 청하였다. 양생이 여사도의 복장으로 거문고를 안고 나서니 마고

선자와 사자연 같더라. 양생이 교자에 올라 정 사도 집에 가니 부인이 당상에 앉았으니 위의가 매우 단엄하더라.

양생이 거문고를 놓고 당 아래에서 머리를 숙이자 부인이 당으로 올라오라 하여 자리를 주고 말하되,

"어제 집안 시비가 자청관에 갔다가 신선의 풍류를 듣고 왔다 말하기에 한번 보고자 하였더니 이제 도사의 맑은 거동을 서로 대하니 돈연히 더러운 마음을 사라지게 하는도다."

양생이 자리를 피하여 대답하되,

"빈도는 본래 오초의 사람이라. 구름 같은 자취가 정처 없이 다니더니 천한 재주를 인연하여 부인을 뵐 줄은 뜻밖이니이다."

부인이 이르되,

"사부께서 타던 바는 무슨 곡조인고?"

양생이 대답하여 말하기를,

"빈도가 일찍이 남전산에서 이인을 만나 여러 가지 곡조를 전수받았지만 다 옛사람의 소리라. 오늘날 사람의 귀에는 맞지 않을까 하나이다."

부인이 시비로 하여금 양생의 거문고를 가져오라 하여 이르되,

"아주 좋은 재목이라."

양생이 말하되,

"이는 용문산 위 절벽에 있는 꺾어진 백 년 묵은 오동이라. 나무의 성질이 다 없어지고 단단하기가 금석 같으니 비록 천금이라도 바꾸지 못하리이다."

이처럼 문답하되, 소저가 나오지 않으니 양생이 다급하여 부인께 여쭙되,

[B] "빈도가 비록 옛 소리를 배웠으나 스스로 좋고 나쁨을 알지 못하더니 자청관에서 듣자오니 소저께서 매우 총명하여 곡조를 아는 것이 문희보다 나으시다 하오니 원컨대 천한 재주를 시험하여 소저의 가르치심을 바라나이다."

부인이 시비를 시켜 소저를 나오라 하니 향기로운 바람이 패옥 소리를 끌더니 소저가 나와 부인 곁에 모로 앉았다. 양생이 예하여 뵙고 눈을 바로 하여 보니 눈이 부시고 정신이 요란하여 가히 측량하지 못할 지경이었다. 앉은 자리가 소저와 거리가 먼 것을 꺼려 부인에게 청하여 말하되,

"빈도가 소저의 가르침을 들으려 하는데 당이 너무 넓어 자세히 듣지 못하실까 하나이다."

부인이 시녀를 명하여 자리를 가져오라 하니 시녀가 자리를 옮겨 부인 곁에 가까이 놓았다. 소저의 앉은 곳과 멀지 아니하되 옆자리라. 도리어 앞에서 바라볼 때만 못했다. 안타깝지만 감히 다시 청하지 못하더라.

– 김만중, 「구운몽」 –

**43.** 윗글에 대한 이해로 적절하지 <u>않은</u> 것은?

① 양생은 정 소저가 명성이 높음을 알고 있었다.
② 양생은 정 소저와 만나기 위해 과거 시험을 피하고자 하였다.
③ 부인은 교자를 보내 거문고 타는 여자를 집으로 불러 들였다.
④ 부인은 정 소저가 젊은 여관에게 가르침을 주는 것에 동의하였다.
⑤ 두련사는 부인이 전 노파의 이야기를 듣고 양생을 불러주기를 기대하였다.

**44.** [A]와 [B]에 대한 이해로 가장 적절한 것은?

① [A]와 [B]에서는 모두 상황을 가정하며 상대방을 회유하고 있다.
② [A]와 [B]에서는 모두 이상적 가치를 내세워 자신의 행동을 정당화하고 있다.
③ [A]에서는 과거 사건에 대한 정보를 제공하고, [B]에서는 앞으로 일어날 일을 예견하고 있다.
④ [A]에서는 상대방을 설득하기 위해 자신의 능력을 과시하고, [B]에서는 환심을 사기 위해 우월한 지위를 드러내고 있다.
⑤ [A]에서는 자신이 원하는 바를 직접 드러내고, [B]에서는 자신이 원하는 바를 이루기 위해 상대방의 행동을 유도하고 있다.

**45.** <보기>를 참고하여 윗글을 감상한 내용으로 적절하지 <u>않은</u> 것은? [3점]

<보 기>

「구운몽」은 문학적 형상화를 통해 소설적 재미와 진실성을 확보하였다. 속임수를 통한 긴장감의 유발, 애정의 상대를 직접 보고 싶어 하는 인간 본연의 욕망에 대한 진솔한 표현, 당대의 사회적 금기를 넘어서는 인물의 행동, 치밀하게 전개되는 욕망의 성취 과정과 욕망의 성취 과정에서 발생하는 감정의 변화 등은 독자들에게 문학적 쾌감을 주어 널리 애독되었고 후대 문학에 영향을 주었다.

① 양생이 여사도의 복장으로 정 사도 집에 들어가는 부분은 긴장감을 유발한다고 할 수 있겠군.
② 양생이 재상가의 처자인 정 소저를 만나는 부분에서 당대의 사회적 금기를 넘어서는 행동이 드러나는군.
③ 양생이 두련사의 도움을 받고 전 노파를 이용해 부인에게 초대받는 부분은 욕망의 성취 과정이라고 할 수 있겠군.
④ 양생이 부인에게 귀한 거문고를 보이며 천금이라도 바꾸지 않겠다고 하는 부분에서 인간 본연의 욕망이 드러나는군.
⑤ 양생이 정 소저와의 만남을 이루는 과정에서 다급해 하고 정신이 요란해지고 안타까워하는 감정의 변화가 드러나는군.

＊ 확인 사항

○ 답안지의 해당란에 필요한 내용을 정확히 기입(표기)했는지 확인하시오.

2021학년도 6월 고2 전국연합학력평가 문제지

# 국어 영역

3회 소요시간 /80분

제 1 교시

➡ 해설 P.24

[1 ~ 3] 다음은 수업 중 학생의 발표이다. 물음에 답하시오.

여러분! 선풍기나 에어컨이 없던 옛날에는 어떻게 더위를 식혔을까요? (대답을 듣고) 그렇죠, 부채가 있었습니다. 조상들의 여름 필수품이었던 부채에 대해 여러분은 얼마나 알고 계시나요? 저는 오늘 우리나라 부채에 관해 역사, 종류, 예술미, 현대적 계승의 순으로 발표를 해 보겠습니다.

먼저, 우리나라 부채의 역사를 살펴보겠습니다. (㉠ 자료1) 보시는 것은 기원전의 것으로 추정되는 창원 다호리 고분의 부채 자루 유물로, 가장 이른 시기의 부채 관련 유물입니다. 고려 시대에는 중국 사람들이 고려의 부채를 서로 얻고자 할 정도로 부채 만드는 기술이 크게 발달했습니다. 이는 송나라 서긍의 『선화봉사 고려도경』을 통해 확인할 수 있습니다. 이후 조선 시대에는 공조나 지방 감영에 장인을 두고 부채를 만들기도 했으며, 부채의 형태와 소재가 더 다양해졌습니다.

(㉡ 자료2) 우리나라 부채는 보시는 것처럼 크게 둥글부채와 접부채로 나뉩니다. 둥글부채는 말 그대로 둥근 형태를 띠는데, 태극 모양을 넣은 태극선이 가장 많이 알려져 있습니다. 한편, 접부채는 접었다 폈다 할 수 있는 부채인데, 대껍질로 부챗살을 만들고 종이를 붙여 만든 합죽선이 가장 널리 알려져 있습니다.

또한 우리나라의 부채에는 예술미가 담겨 있기도 합니다. (㉢ 자료3) 보시는 것은 옻칠을 하거나 자개를 붙인 화려한 옛 부채들인데, 부채 자루 등에 섬세한 문양까지 넣어 그 자체로 하나의 공예 작품이었습니다. (㉣ 자료4) 보시는 것은 추사 김정희 선생의 글과 그림을 담은 부채인데요, 난초 그림과 글씨의 조화가 빼어납니다. 이처럼 운치 있는 그림과 글을 담았기에 부채를 '가지고 다니는 미술관'이라 부르기도 합니다.

(㉤ 자료5) 지금 보시는 것은 요즘에 흔히 볼 수 있는 홍보 부채, 팬시 부채입니다. 오늘날의 부채들은 이렇게 실용성과 상업성이 강조됩니다. 한편으로는 부채의 예술성에 주목하여 부채를 전통 공예품으로 특화하여 계승하려는 시도를 계속하고 있기도 합니다.

여러분도 올여름에는 부채를 가까이해 보는 건 어떨까요? 부채를 가까이한다면 냉방병 없는 건강한 여름을 보낼 수도 있을 것입니다. 이상으로 발표를 마치겠습니다.

**1.** 위 발표자의 말하기 방식으로 적절하지 <u>않은</u> 것은?

① 자신이 경험한 구체적 사례로 청중의 이해를 돕고 있다.
② 정보의 출처를 밝혀 발표 내용의 신뢰성을 확보하고 있다.
③ 청중에게 질문을 하여 발표 내용에 관심을 유도하고 있다.
④ 발표 순서를 안내하여 청중이 내용을 예측하며 듣도록 하고 있다.
⑤ 발표 내용과 관련한 제안을 하고 그것에 부수되는 효과를 밝히고 있다.

**2.** 발표를 참고할 때, ㉠ ~ ㉤의 자료 활용에 대한 설명으로 적절하지 <u>않은</u> 것은?

① ㉠: 우리나라 부채의 역사를 설명하기 위해 가장 오래된 부채 관련 유물을 제시한다.
② ㉡: 우리나라 부채의 종류를 설명하기 위해 각각의 유형을 잘 보여 주는 부채 두 가지를 함께 제시한다.
③ ㉢: 전통 공예품으로 계승하려는 노력을 부각하기 위해 고급스러운 외장을 한 현대의 공예 부채들을 제시한다.
④ ㉣: 우리나라 부채가 지닌 예술미를 알려주기 위해 멋진 그림과 글이 들어가 있는 부채의 사례를 제시한다.
⑤ ㉤: 오늘날에도 부채가 만들어지고 있음을 보여 주기 위해 주변에서 볼 수 있는 부채들의 예를 제시한다.

**3.** 다음은 발표를 들은 후 청중이 보인 반응이다. 두 반응의 공통점으로 가장 적절한 것은? [3점]

> **학생 1 :** 우리나라에는 질 좋은 닥나무 한지와 잘 쪼개지고 질긴 대나무가 있어 견고한 부채를 만들 수 있었다는 설명을 들었던 기억이 나. 이런 이야기와 함께 지금도 전통 부채를 만드는 장인을 무형 문화재로 지정하여 대우하고 있다는 이야기도 했다면 내용이 더 풍부해졌을 것 같아.
>
> **학생 2 :** 무심코 지나쳤던 부채에 대해 자세히 설명한 발표를 듣고, 주변의 사소한 것들에도 애정 어린 시선을 보내야겠다는 생각이 들었어. 예전에는 단오에 부채를 선물하는 풍습이 있었다고 알고 있는데, 발표를 듣고 보니 부채와 관련한 풍습이 더 없는지 인터넷 자료를 통해 찾아보고 싶어졌어.

① 발표에서 추가했으면 하는 내용을 언급하고 있다.
② 발표 내용과 관련된 자신의 배경지식을 떠올리고 있다.
③ 발표를 듣고 기존에 가졌던 자신의 태도를 반성하고 있다.
④ 발표를 듣고 생긴 의문점을 해결하는 방법을 생각하고 있다.
⑤ 발표를 통해 알게 된 정보를 활용하여 기존 지식을 수정하고 있다.

[4~7] (가)는 독서반 학생들과 작가의 대화이고, (나)는 이를 바탕으로 쓴 건의문 초고이다. 물음에 답하시오.

(가)

학생 1: 안녕하세요. 작가님 책에 대해 여쭙고, 인간과 자연이 공존하는 법에 대한 조언도 구하고자 찾아뵙게 되었습니다. 우선 멸종 위기종의 이야기를 쓰시게 된 계기가 무엇인가요?

작가: ㉠ 저는 10여 년간 환경 단체에 몸담으며 멸종 위기종의 보호를 위해 힘써 왔습니다. 모든 생명은 마땅히 존중받아야 한다는 걸 말하고 싶어 멸종 위기에 처한 동식물의 이야기를 다루었습니다.

학생 2: 그렇군요. 멸종 위기종이 자신의 속마음을 이야기한다는 설정이 신선했는데, 특별한 의도가 있나요?

작가: 멸종 위기종도 우리와 동등한 존재임을 독자들이 깨닫길 바랐습니다.

학생 2: 책을 읽는 내내 멸종 위기에 처한 동물들이 가족 같아 마음이 아팠습니다. 특히 멸종 위기종인 반달가슴곰이 웅담 채취용으로 사육되었다는 이야기가 충격적이었습니다.

작가: ㉡ 인간의 욕심이 빚어낸 끔찍한 일이라 저도 무척 슬펐습니다. 아직 해결해야 할 문제가 많지만 정부에서 사육 곰 증식을 금지하여 이제는 더 이상 철창 안에서 태어나는 곰은 없습니다.

학생 2: 그나마 다행입니다. 소개하신 멸종 위기종 중에 작가님 마음에 특별히 남는 동식물이 있다면 무엇인가요?

작가: 저어새가 특히 안타깝습니다. ○○갯벌은 전 세계 2,400여 마리밖에 남지 않은 저어새가 찾는 산란지인데, 여전히 매립 사업이 진행 중입니다. 인간의 입장에서 보면 갯벌을 매립해서 건물이나 주택을 짓는 게 이득이겠지만, 갯벌은 수많은 생명들의 보금자리라는 사실을 놓쳐서는 안 됩니다.

학생 2: 인간이 결국 다른 생명들의 보금자리를 뺏고 있는 셈이군요.

작가: 그렇지요. ㉢ 하지만 '생태 통로'처럼 다른 생명들과 공존하기 위한 최소한의 장치를 마련하려는 노력도 있습니다.

학생 1: '생태 통로'에 대해 더 자세히 말씀해 주시겠어요?

작가: 종종 로드킬(roadkill) 사고를 접하게 되는데요, 로드킬은 야생동물들이 다니던 길에 도로를 만들었기 때문에 발생합니다. 그래서 야생동물이 안전하게 다닐 수 있는 길을 인공적으로 만들어 주어야 하는데, 이와 같은 것을 '생태 통로'라고 합니다.

학생 2: ㉣ 그러고 보니 얼마 전 우리 지역에서도 천연기념물인 수달이 로드킬 사고를 당했다는 뉴스를 본 적이 있어요. 생태 통로가 있다면 그런 사고를 막을 수 있겠군요. 그렇다면 자연과 공존하기 위해 저희가 할 수 있는 일은 없을까요?

작가: 자연과 인간이 공존하려는 노력은 어렵지 않습니다. 관심을 가지고 인터넷에 댓글을 하나 다는 것도 큰 도움이 됩니다. 반달가슴곰의 경우도 지속적으로 문제를 제기하고 해결책을 건의한 사람들의 열정 덕분에 정부의 정책을 끌어낼 수 있었죠.

학생 1: ㉤ 적극적으로 목소리를 내는 게 중요하다는 말씀이시죠? 인간과 자연의 공존을 위해 우리가 무엇을 할 수 있는지를 깨닫는 소중한 시간이었습니다. 좋은 말씀 감사합니다.

(나) 건의문 초고

시장님, 안녕하세요. 저희는 □□고등학교 독서반 학생들입니다. 저희는 최근 한 작가님과 대화하며 멸종 위기종도 우리와 동등한 존재라는 것과 모든 생명은 보호받아야 한다는 것을 깨달았습니다. 그래서 우리 시의 야생동물 보호와 관련하여 몇 가지 건의를 드리고자 합니다.

지난달에는 천연기념물인 수달이 ◇◇천 앞 도로에서, 지난주에는 삵이 △△터널 부근에서 로드킬 사고를 당했습니다. 통계에 따르면, 한 해 로드킬 사고의 절반이 우리 지역에서 발생한다니 문제의 심각성이 큽니다. 이러한 사고는 생태 통로가 없거나, 유도 울타리가 없어서 생태 통로가 제 기능을 다하지 못했기 때문이라고 합니다.

이에 저희는 야생동물들의 서식지와 이동 경로를 파악하여 하루빨리 이들을 위한 생태 통로를 마련해 주실 것을 건의합니다. 또한 생태 통로가 제 기능을 다할 수 있도록 유도 울타리를 새로 설치하거나 관리가 안 된 곳은 수리하여 주십시오. 특히 최근 사고가 발생한 우리 시의 ◇◇천과 △△터널 부근을 엄밀히 조사하여 대처해 주시기 바랍니다.

국립공원관리공단은 생태 통로 설치로 로드킬 사고가 꾸준히 감소했다고 발표했습니다. 우리 시도 생태 통로를 설치하여 제대로 관리한다면 도로 위에서 죽음을 맞는 야생동물의 수를 줄일 수 있을 것입니다. 또한 동물 사체를 피하려다 생기는 2차 사고도 감소할 것이며, 사고 수습 등에 소요되는 사회적 비용도 줄일 수 있습니다.

정부의 정책으로 웅담 채취용 사육 곰은 고통에서 벗어나게 되었지만, 무분별한 갯벌 개발로 저어새는 갈 곳이 없어 고통받고 있습니다. 우리 지역의 수달과 삵도 로드킬로 인해 언제 사라질지 알 수 없습니다. (　　　　[A]　　　　) 귀중한 생명들이 사라지지 않도록 우리 시의 즉각적인 대책 마련을 간곡히 부탁드립니다.

4. 대화의 흐름을 고려할 때, ㉠~㉤에 대한 이해로 적절하지 않은 것은?

① ㉠: 상대의 발언과 관련한 자신의 경험을 언급하고 있다.
② ㉡: 상대의 발언에 공감하는 정서적 반응을 보이고 있다.
③ ㉢: 상대의 발언을 유사한 사례를 들어 보충하고 있다.
④ ㉣: 상대의 발언과 관련해 알고 있는 사실을 진술하고 있다.
⑤ ㉤: 상대의 발언 의도를 정확하게 파악했는지 확인하고 있다.

5. 다음은 (가)를 진행하기 위한 독서반 학생들의 사전 회의이다. (가)에서 확인할 수 없는 것은?

> 학생 1 : 대화 진행 순서부터 정해야 하는데, ㉮ 우선 찾아뵌 목적을 말씀드리고 책을 쓰시게 된 계기를 여쭤봐야겠지?
> 학생 2 : 응. 그리고 ㉯ 이 책의 설정이 무척 신선했잖아. 그 의도도 여쭤보자.
> 학생 1 : 좋아. ㉰ 다음으로 책에 나온 멸종 위기종 중 가장 인상적이었던 동물에 대해서도 말씀을 드리자.
> 학생 2 : ㉱ 책에 미처 소개하지 못해 아쉬운 멸종 위기종이 있는지도 여쭤보고.
> 학생 1 : 그래. ㉲ 무엇보다 인간과 자연의 공존을 위해 우리가 할 수 있는 일에 대한 질문이 빠질 수 없겠지?
> 학생 2 : 그렇지. 역할 배분은 어떻게 하지? 내가 전체 진행을 맡고 구체적인 질문은 내가 할까?
> 학생 1 : 그래, 알겠어.

① ㉮ ② ㉯ ③ ㉰ ④ ㉱ ⑤ ㉲

6. (가)를 반영하여 <보기>의 내용 전개에 따라 (나)를 썼다고 할 때, 적절하지 않은 것은?

<보 기>

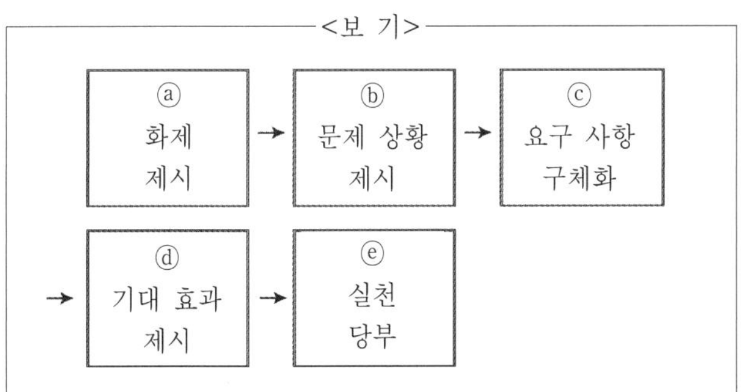


① ⓐ: (가)에서 작가가 말한 멸종 위기종에 대한 생각과 생명 보호의 당위성을 바탕으로 화제를 제시하고 있다.
② ⓑ: (가)에서 언급된 수달의 사고와 함께 우리 시의 높은 로드킬 사고율을 추가하여 문제 상황을 제시하고 있다.
③ ⓒ: (가)에서 알게 된 생태 통로에 대한 정보를 바탕으로 조사가 필요한 장소를 언급하며 생태 통로의 설치와 관리를 구체적으로 건의하고 있다.
④ ⓓ: (가)에서 작가가 말한 생태계 다양성 보존의 필요성을 바탕으로 우리 시가 진행 중인 생태계 보존 정책의 긍정적 효과를 제시하고 있다.
⑤ ⓔ: (가)에서 언급된 반달가슴곰과 저어새의 대조적인 상황을 바탕으로 문제 해결을 위한 우리 시의 적극적인 대응을 당부하고 있다.

7. <보기>는 (나)를 읽은 선생님의 조언이다. 이를 반영할 때, (나)의 [A]에 들어갈 내용으로 가장 적절한 것은?

<보 기>

> 선생님 : 건의문은 독자의 공감을 끌어내 문제 해결의 의지를 갖게 하는 게 필요해요. 이를 위해 비유적 표현과 자신의 정서를 직접 드러내는 어휘를 사용하여 독자에게 호소해 보세요.

① 도로에서 생을 마감한 수달과 삵을 떠올리면 친구를 떠나보낸 것처럼 슬픕니다.
② 수달과 삵의 서식지를 보존하지 못하고 있는 우리 인간들의 모습이 부끄럽습니다.
③ 수달과 삵의 보호에 앞장서서 우리가 그들의 안전을 지키는 등불이 되어야 합니다.
④ 수달과 삵과 같은 야생동물이 사라진 세계에서 인간도 안전하게 살 수가 없습니다.
⑤ 도로 한복판에 쓰러져 있는 수달과 삵의 모습이 자꾸만 떠올라서 가슴이 미어집니다.

**[8 ~ 10] 다음은 작문 상황에 따라 학생이 쓴 글이다. 물음에 답하시오.**

[작문 상황]

○ 진로 탐색 활동 시간에 알게 된 내용을 바탕으로 교지에 실을 글을 쓰고자 함.

[학생의 글]

평소 한 나라의 미래에 지대한 영향을 미칠 수 있는 새로운 천연자원의 발굴에 관심이 많았다. 그래서 이번 진로 탐색 활동 시간에 최근 주목받고 있는 우리나라의 천연자원을 찾아보았다.

그중 눈길을 사로잡은 것이 바로 '일라이트(illite)'이다. 일라이트라는 명칭은 1937년 미국 일리노이주에서 그림(Grim) 교수가 처음 발견하여 'ILLITE'라고 명명한 데서 비롯된 것으로, 일리노이주(Illinois)에서 발견된 광물(-lite)이란 뜻이다. 일라이트는 지표에 있는 규산염 광물의 화학적 풍화 작용의 산물로서, 주성분이 이산화규소와 산화알루미늄이며, 백운모 혹은 견운모라고 불리는 백색의 점토광물이다. 동양에서는 이미 오래전부터 '운모'라는 이름으로 불리며 이 광물의 약물적 효능에 관심이 있었던 것으로 알려져 있다.

일라이트는 최근 '신비의 광물', '미래 자원'으로 불리며 다큐멘터리로 제작되어 방영될 만큼 주목을 받고 있다. 그것은 바로 일라이트가 환경, 의료, 항균, 미용 등 여러 분야에서 다양한 효능을 지니고 있는 자원이기 때문이다. 일라이트는 혈액순환을 촉진하여 몸을 따뜻하게 하고, 세균이나 곰팡이의 서식이나 번식을 방지할 뿐 아니라 체내 중금속을 배출하는 등의 효과가 있다고 알려져 있다. 또한 피부 노화를 지연시켜 탄력 있는 피부 유지에도 도움을 준다고 한다.

지금까지 알려진 일라이트 매장 지역은 그리 많지 않다. 우리나라의 충북 영동군을 비롯해 미국, 캐나다, 중국, 호주 등의 일부 지역에서 발견되고 있다. 한국지질자원연구원의 자료에 따르면, 다른 나라의 매장량은 소량인데 충북 영동군의 매장량은 세계 최고일 뿐 아니라 불순물이 적어서 효용 가치도 매우 높다고 한다.

이러한 자원으로서의 가치를 확신한 몇몇 분들이 오랫동안 일라이트 연구에 몰두하고 있다. 그분들은 일라이트가 언젠가는 인류의 삶의 질을 개선하는 데 기여할 것이라는 신념 하나로 연구에 전념하고 있다고 한다. [A] 그분들의 열정을 보면서 불광불급(不狂不及), 즉 미치지 않으면 미칠 수 없다는 것을 깨달았다. 그리고 새로운 천연자원을 발굴하여 인류의 삶을 더욱 풍요롭게 하는 데 기여할 수 있는 사람이 되어야겠다고 다짐하였다.

8. '학생의 글'에서 활용된 글쓰기 전략으로 적절하지 않은 것은?

① 제재 선정의 동기를 밝혀 독자의 관심을 유도한다.
② 명칭에 얽힌 유래를 소개하여 제재에 대한 이해를 돕는다.
③ 전문기관의 연구 자료를 인용하여 정보의 신뢰성을 높인다.
④ 제재의 활용 분야를 제시하여 그것의 효용 가치를 드러낸다.
⑤ 다른 대상들과 비교하여 제재가 지닌 장점과 단점을 밝힌다.

9. <보기>는 '학생의 글'을 보완하기 위해 추가로 수집한 자료이다. 자료 활용 방안으로 적절하지 않은 것은? [3점]

<보 기>

ㄱ. 문헌 자료

중국 진한의 『신농본초경』과 조선의 『동의보감』 등의 고서에는 운모가 독성이 없고 성질이 편안하여 피부를 보호할 뿐 아니라, 부스럼이나 종기의 독을 제거한다고 기록되어 있다.

ㄴ. 전문가 인터뷰

"일라이트는 구리, 아연 등 중금속에 강한 흡착력을 보여 오폐수 등으로 인한 토양오염을 정화할 수 있으며, 일라이트에 함유된 리튬과 스트론튬은 뇌 질환과 골다공증 치료에 효과가 있다는 연구 결과가 발표되었습니다."

ㄷ. 신문 기사

충북 영동군은 일라이트 상용화 기술 개발을 지원하기 위해 한국세라믹기술원과 업무 협약을 체결했다. 협약에 따라 한국세라믹기술원은 일라이트 성분이 함유된 비누와 샴푸, 토양 개량제 등을 개발해 제품으로 내놓을 계획이다.

① ㄱ을 활용하여, 오래전부터 동양에서 인정받아 온 일라이트의 약물적 효능이 무엇인지를 구체화한다.
② ㄴ을 활용하여, 일라이트가 환경과 의료 분야에서 활용할 수 있는 특성을 지닌 광물이라는 점을 보강한다.
③ ㄷ을 활용하여, 일라이트에 대한 연구가 여러 가지 상품의 개발로 이어질 수 있음을 밝힌다.
④ ㄱ과 ㄴ을 활용하여, 일라이트가 지닌 자원으로서의 다양한 가치를 뒷받침하는 근거로 추가한다.
⑤ ㄴ과 ㄷ을 활용하여, 일라이트 활용 기술 개발을 위한 기관 간의 협조 체제가 구축되고 있음을 보여 주는 사례로 제시한다.

10. <보기>는 [A]의 초고이다. <보기>를 [A]로 고쳐 쓸 때 반영한 친구의 조언으로 가장 적절한 것은?

<보 기>

○○○ 대표가 그중 한 분으로, 일라이트가 인체에 유익한 것을 확신하여 여든을 바라보는 연세에도 불구하고 상용화 연구를 계속하고 있다. 최근에는 이런 분들의 연구 성과에 힘입어 지자체에서도 전폭적인 지원 방안을 마련하고 있다고 한다.

① 한자 성어를 활용하여 제재와 관련된 추가 정보를 제공했으면 좋겠어.
② 활동을 통해 느끼거나 깨달은 바를 예상 독자에게 전달했으면 좋겠어.
③ 글의 서두에 제시된 궁금증이 해소될 수 있는 내용으로 바꾸면 좋겠어.
④ 글의 중간 부분에서 소개한 주요 정보를 간략하게 요약하면서 마무리하면 좋겠어.
⑤ 제재와 관련된 연구 활동을 지원하기 위한 지자체의 구체적인 방안을 밝히면 좋겠어.

[11 ~ 12] 다음 글을 읽고 물음에 답하시오.

의문문은 일반적으로 화자가 청자에게 질문하여 대답을 요구하는 문장이다. 의문문은 상대 높임에 따라 다양한 의문형 종결 어미로 표현되며, 의문사가 함께 나타나기도 한다. 의문문의 가장 대표적인 유형이 판정 의문문과 설명 의문문이다.

판정 의문문은 화자의 질문에 대하여 긍정이나 부정의 대답을 요구하는 의문문이다. 판정 의문문이 부정문일 때는 질문하는 사람에 긍정적이면 '응/예/네'로, 부정적이면 '아니(요)'로 대답한다. 판정 의문문 중 화자가 이미 알고 있거나 믿고 있는 사실에 대하여 청자의 동의를 구하거나 확인을 할 때는 어미 '-지' 또는 '-지 않-'을 활용한다. 예를 들어, 청자가 밥을 먹은 것을 확인하기 위해, "밥은 먹었지?" 또는 "밥은 먹었지 않니?"라는 의문문을 쓸 수 있다. 한편 "너는 학교에 갔니 안 갔니?"처럼 선택을 요구하는 의문문도 가부의 답변을 요구한다는 점에서 판정 의문문에 포함한다.

설명 의문문은 주로 의문사가 사용되어 그 의문사가 가리키는 내용에 대하여 청자가 구체적으로 설명해 주기를 요구하는 의문문이다. 의문사에는 '누구, 무엇, 어디, 언제' 등의 의문 대명사, '몇, 어떤'과 같은 의문 관형사, '왜, 어찌'와 같은 의문 부사, '어떠하다, 어찌하다'와 같은 의문 용언 등이 있다. 예를 들어, "어디 가니?"의 경우, "학교 가요."와 같은 대답을 요구하면 설명 의문문이다. 의문 대명사가 포함된 의문문의 경우, 상황에 따라 판정 의문문으로 사용되기도 한다. 이때의 의문 대명사는 정해지지 아니한 사람, 물건, 방향, 장소 따위를 가리키는 부정칭 대명사로 볼 수 있다. 앞의 "어디 가니?"의 경우, "예." 또는 "아니요."의 대답을 요구하면 판정 의문문이 되며, 이때의 '어디'는 부정칭 대명사로 사용된 것이다.

한편, 중세 국어에서는 현대 국어에서와 달리 보조사를 사용해서도 의문문을 만들 수 있었다. 즉, 의문사나 '-녀', '-뇨'와 같은 종결 어미 외에도 '가'와 '고'와 같은 보조사를 이용하여 의문문을 만들었다.

11. 윗글을 바탕으로 <보기>를 탐구한 내용으로 적절하지 않은 것은?

<보 기>

○ 일찍 등교한 친구끼리 교실에서
A : 왜 이리 힘이 없어. ㉠ 아침 못 먹었어?
B : 응, ㉡ 너도 못 먹었지? 매점 가서 해결하자.

○ 함께 하교하는 친구끼리 버스 안에서
A : ㉢ 너 오늘 저녁에 무엇을 하니?
B : 아니. ㉣ 넌 무엇을 하니?

○ 친구끼리 길을 걸으면서
A : ㉤ 아까부터 왜 자꾸 웃기만 하는 거야?
B : 어제 본 영화가 자꾸 생각이 나서.

① ㉠ : 청자의 반응으로 보아 청자에게 긍정이나 부정의 대답을 요구하는 것으로 볼 수 있다.
② ㉡ : 자신이 믿고 있는 사실을 청자에게 확인하려는 것으로 볼 수 있다.
③ ㉢ : 이어지는 대답에 따르면 의문사가 가리키는 내용을 설명해 달라는 의도를 드러낸 것으로 볼 수 있다.
④ ㉣ : 청자가 긍정이나 부정의 대답을 하면 의문사를 부정칭 대명사로 사용한 것으로 볼 수 있다.
⑤ ㉤ : 청자의 반응으로 보아 화자는 의문의 초점에 대해 구체적인 설명을 요청하는 것으로 볼 수 있다.

12. 윗글을 참고하여 <보기>의 중세 국어를 이해한 내용으로 가장 적절한 것은? [3점]

<보 기>

**[탐구 과제]** 다음에 제시된 사례들을 바탕으로 중세 국어의 의문문에 대해 알아보자.

ㄱ. 이 ᄯᆞ리 너희 죵가
[현대 국어] 이 딸이 너희의 종인가?

ㄴ. 이 大施主(대시주)의 功德(공덕)이 하녀 져그녀
[현대 국어] 이 대시주의 공덕이 많으냐 적으냐?

ㄷ. 이 엇던 光名(광명)고
[현대 국어] 이것이 어떤 광명인가?

ㄹ. 太子(태자)ㅣ 이제 어듸 잇ᄂᆞ뇨
[현대 국어] 태자는 지금 어디 있느냐?

**[탐구 결과]** 'ㄱ'과 'ㄴ'은 판정 의문문에, 'ㄷ'과 'ㄹ'은 설명 의문문에 해당한다.

① 판정 의문문과 달리 설명 의문문에서는 종결 어미를 활용하였다.
② 긍정이나 부정의 대답을 요구할 때 사용하는 의문사가 따로 있었다.
③ 판정 의문문을 만들 때는 보조사와 종결 어미를 동시에 사용하였다.
④ 판정 의문문에 사용되는 보조사와 종결 어미의 형태가 설명 의문문과 달랐다.
⑤ 의문사를 포함한 의문문이 청자에게 선택을 요청하는 의문문으로 쓰이기도 했다.

13. <보기>의 ⓐ와 ⓑ에 해당하는 음운 변동이 모두 일어나는 것은?

<보 기>

'팥빵'은 ____ⓐ____ 이/가 일어나서 [판빵]으로 발음되고, '많던'은 ____ⓑ____ 이/가 일어나서 [만턴]으로 발음된다.

① 낯설고　　② 놓더라　　③ 맞는지
④ 먹히는　　⑤ 애틋한

14. ㉠ ~ ㉤에 해당하는 예로 적절하지 않은 것은?

다음은 <한글 맞춤법>의 '부록'에서 설명하고 있는 '쉼표(,)'의 대표적인 쓰임들이다.
○ 같은 자격의 어구를 열거할 때 그 사이에 쓴다. … ㉠
○ 문장의 연결 관계를 분명히 하고자 할 때 절과 절 사이에 쓴다. ……… ㉡
○ 같은 말이 되풀이되는 것을 피하기 위하여 일정한 부분을 줄여서 열거할 때 쓴다. ……… ㉢
○ 부르거나 대답하는 말 뒤에 쓴다. ……… ㉣
○ 문장 중간에 끼어든 어구의 앞뒤에 쓴다. ……… ㉤

① ㉠: 근면, 검소, 협동은 우리 겨레의 미덕이다.
② ㉡: 저 친구, 저러다가 큰일 한번 내겠어.
③ ㉢: 여름에는 바다에서, 겨울에는 산에서 휴가를 즐겼다.
④ ㉣: 네, 지금 가겠습니다.
⑤ ㉤: 나는, 솔직히 말하면, 그 말이 별로 탐탁지 않아.

15. <보기>를 참고할 때, ⓐ의 예로 적절하지 않은 것은?

<보 기>

학 생: 선생님, '잊혀진 계절'과 '잊힌 계절'의 차이점이 뭔가요?
선생님: '잊혀진'은 피동 표현을 두 번 겹쳐 쓴 ⓐ이중 피동 표현이야. 피동 접미사 '-이-', '-히-', '-리-', '-기-'와 '-아/어지다'를 같이 쓰는 경우가 많이 있어. '잊혀진'의 경우 기본형 '잊다'의 어근 '잊-'에 피동 접미사 '-히-'만 붙어도 피동의 의미를 드러낼 수 있는데, '-어지다'까지 불필요하게 붙여 쓰고 있는 거지.

① 안개에 가려진 풍경이 서서히 드러났다.
② 칠판에 쓰여진 글씨가 잘 보이지 않는다.
③ 예쁜 그릇에 담겨진 음식이 먹음직스럽다.
④ 아이는 살짝 열려진 문틈에 바짝 다가섰다.
⑤ 스크린을 통해 보여진 그 풍경은 아름다웠다.

[16 ~ 20] 다음 글을 읽고 물음에 답하시오.

데카르트로 대표되는 서양의 근대 철학은 주체 중심의 철학이었다. '나는 생각한다. 고로 존재한다.'에서 '생각하는 나'는 존재하는 모든 것의 근거인 주체가 되고, 주체 앞에 놓인 모든 것들은 주체가 지배할 수 있는 대상으로 이해되었다. 하지만 2차 세계대전, 유대인 학살과 같은 폭력의 경험은 이러한 철학 사유를 반성하는 계기가 되었다. 주체 중심의 철학이 타자에 대한 폭력을 정당화하는 근거를 제공한다고 여겼기 때문이다. 전쟁의 참상 앞에 ⓐ놓였던 철학자 ㉮레비나스는 주체성의 의미를 새롭게 정의하고 타자 중심의 철학을 제안하였다.

레비나스는 인간의 삶은 진정한 삶을 향해 나아가는 것, 곧 초월이라고 보았다. 초월은 a에서 b로의 이행이며, 그의 철학은 이러한 이행 과정에서 ㉠타자의 존재가 어떤 의미가 있는지에 대해 탐구하는 것이었다. 그는 기존의 철학에서 주체는 주위의 모든 것들을 자기와 동일한 것으로 끊임없이 환원하는 자기중심적 존재로, 이 주체는 타자를 마음대로 할 수 있는 대상으로 취급했다고 보았다. 레비나스는 이러한 주체를 동일자라는 개념으로 설명하면서 타자는 동일자의 틀 안에 들어올 수 없기에 주체가 마음대로 할 수 없는 존재라고 보았다. 이처럼 주체로 환원되지 않는 타자의 성질을 레비나스는 '타자성'이라고 하였다.

이러한 타자 개념을 바탕으로 레비나스는 주체성의 의미를 두 가지로 제시했다. 하나는 '향유'의 주체성이고, 또 하나는 '환대'의 주체성이다. 그는 전자에서 후자로 나아가야 한다고 보았다. 향유는 즐김과 누림이며, 다른 누구도 대신해 줄 수 없는 개체의 고유한 행위이다. 배고픈 사람에게 먹을 것을 줄 수는 있지만, 그를 대신해서 먹어주지는 못한다. 이와 같이 어떤 것에 의존하지 않고 홀로 무엇을 누릴 때 나로서의 모습, '자기성'이 성립한다. 이런 점에서 향유의 주체성은 자기성을 바탕으로 이루어진 주체성이다. 하지만 향유의 대상인 세계는 불확실하기에 주체의 욕구는 항상 충족되지는 않는다. 이에 주체는 주변의 존재들을 소유해 가며 자기성을 계속 확장해 나간다. 이처럼 향유의 주체성은 본질적으로 이기적이며 자기 삶에만 관심을 갖기 때문에 스스로는 초월할 수 없다.

따라서 자신만의 갇힌 세계에서 열린 세계로 초월하기 위한 계기가 요구되는데, 레비나스는 이를 '타자의 출현'이라고 보았다. 세계를 향유하던 주체 앞에 낯선 타자가 나타나 호소한다. 레비나스는 타자의 호소를 무조건적으로 받아들이고 응답할 때 기존과는 다른 참다운 주체의 모습으로 나아가게 된다고 보았다. 타자에 대한 무조건적인 수용을 '환대'라고 하며, 환대의 주체성은 타자의 문제를 자신의 문제로 받아들여 책임을 지는 주체성이다. 타자의 출현으로 인해 주체는 그동안 누려 왔던 자유와 이기성에 의문을 제기하며, 타자의 요구에 무조건적인 응답을 해야 한다는 것이다. 이러한 점에서 주체와 타자는 비상호적 관계이며, 타자를 주체보다 우월한 위치에 올려놓는다는 점에서 비대칭적 관계가 된다.

그렇다면 타자를 환대하기 위해 자기성은 완전히 포기해야 하는 것인가. 레비나스는 타자의 출현은 주체의 이기성을 제한하고 책임의 주체로 설 수 있도록 하는 것이지, 이로 인해 자기성이 상실되는 것이 아님을 분명히 한다. 타자는 주체의 존재를 침몰시키는 위협적인 존재가 아니라, 오히려 자기성에 갇힌 주체를 무한히 열린 세계로 초월할 수 있게 하는 존재라고 본 것이다.
이처럼 레비나스는 주체성의 의미를 새롭게 정립했다. 또한 그동안 주체가 마음대로 지배하고 배제할 수 있는 대상으로 인식했던 타자를 주체보다 높은 위치로 올려놓았다. 레비나스의 철학은 기존의 철학 사유로는 극복할 수 없었던 문제들을 새로운 방식으로 접근할 수 있는 인식의 틀을 제공했으며, 인간 개개인의 고유성을 존중할 수 있는 근거를 마련했다는 점에서 그 가치를 인정받고 있다.

16. 윗글에 대한 이해로 적절하지 않은 것은?

① 동일자는 주위의 모든 것들을 자기중심적으로 대한다.
② 환대는 타자의 호소를 무조건적으로 수용함을 가리킨다.
③ 향유는 다른 누구도 대신할 수 없는 개체의 고유한 행위이다.
④ 타자성은 타자를 위해 주체를 기꺼이 희생하는 성질을 의미한다.
⑤ 자기성은 어떤 것에 의존하지 않고 홀로 무엇을 누릴 때 성립한다.

17. ㉠에 대한 레비나스의 답으로 가장 적절한 것은?

① 주체의 욕구가 항상 충족된 상태가 되도록 이끈다.
② 주체의 일부분으로 환원되어 주체와의 합일을 이룬다.
③ 주체의 분열을 유도하여 자기성이 소멸되도록 만든다.
④ 주체를 진정한 삶으로 이끌어 초월을 가능하도록 한다.
⑤ 주체를 열린 세계에서 갇힌 세계로 나아갈 수 있도록 한다.

18. ⓐ와 문맥적 의미가 가장 유사한 것은?

① 새로 산 연필이 책상 위에 놓여 있다.
② 어느 하루도 마음이 놓인 날이 없었다.
③ 들판을 가로지르는 새 도로가 놓여 있었다.
④ 하루빨리 다리가 놓여야 학교에 갈 수 있다.
⑤ 꽃무늬가 놓인 장롱을 보면 할머니가 생각난다.

19. ㉮와 <보기>의 관점을 비교하여 이해한 것으로 가장 적절한 것은?

<보 기>

인간은 자기 보존을 위해 무한히 욕망을 추구하는 이기적 존재이다. 타자는 나와 투쟁의 관계에 있으며, 나의 생명과 자유를 박탈하려는 잠재적인 적이다. 이러한 위협과 죽음의 공포에서 벗어나기 위해서는 중재가 필요하다. 모든 인간이 자유에 기반한 권리를 주장하는 한 투쟁은 끝나지 않을 것이기 때문이다. 따라서 공동의 이익과 평화를 위해 인간을 엄격히 통제할 수 있는 힘을 가진 국가가 요구된다. 이러한 국가는 상호 간의 합의와 계약에 근거하여 성립한다.

① ㉮는 인간을 욕망을 추구하는 이기적 존재로 여기는 점에서 <보기>와 다르군.
② ㉮는 타자와의 중재를 위해 국가의 존재를 필요로 한다는 점에서 <보기>와 다르군.
③ <보기>는 자신을 해칠지도 모르는 잠재적인 적으로 타자를 대한다는 점에서 ㉮와 다르군.
④ ㉮와 <보기>는 합의와 계약에 근거하여 타자에 대한 의무를 강제해야 한다고 본 점에서 유사하군.
⑤ ㉮와 <보기>는 공동의 이익과 평화를 위해서라도 주체의 이익은 제한될 수 없다고 본 점에서 유사하군.

20. <보기>는 학급 토론의 한 장면이다. 윗글을 바탕으로 <보기>를 이해한 내용으로 적절하지 않은 것은? [3점]

<보 기>

**토론 주제** : 난민 신청을 한 외국인들을 받아들여야 한다.

A : 그들을 받아들여서는 안 된다. 그들의 문제는 그들이 해결해야 한다. 그들을 받아들이면 나의 이익과 자유가 제한될 수 있기 때문에 그들을 자국으로 돌려보내는 것이 당연하다.
B : 살 길을 찾아온 그들을 아무런 조건 없이 환영해야 한다. 그들은 외국인이기 이전에 인격을 가진 인간으로서 존중받아야 한다. 그들의 문제는 그들만의 문제가 아니다. 그들을 위해 내가 가진 것을 나눠 주는 것은 당연하다.

① A는 타자인 외국인들을 마음대로 할 수 있는 대상으로 바라보는 입장이군.
② A는 그동안 누려온 자신의 자유에 의문을 제기하며 새로운 주체의 모습으로 나아가고 있군.
③ B는 외국인들의 문제를 자신의 문제로 받아들여 책임지려는 태도를 보이고 있군.
④ B가 외국인들을 환영해야 한다는 것은 그들을 자신보다 더 높은 위치에 올려놓는다는 것을 의미하는군.
⑤ B는 A와 달리 자신이 가진 것을 나누려는 환대의 주체성을 지닌 존재로 볼 수 있군.

[21 ~ 25] 다음 글을 읽고 물음에 답하시오.

분쟁이 예견되거나 진행 중인 상황에서 후일 상대방이 사실을 번복하거나 그런 내용을 고지받지 못했다고 주장하는 것을 막기 위해 '내용증명'을 활용할 수 있다. 내용증명이란 누가, 언제, 누구에게, 어떤 내용의 문서를 보냈다는 사실을 우체국에서 공적으로 증명해 주는 특수한 우편 제도로, 이를 활용하면 ㉠ 향후 법적 분쟁의 소지를 줄일 수 있다.

내용증명은 개인 간 채권·채무 관계나 권리·의무를 더욱 명확하게 할 필요가 있을 때 주로 이용된다. 예를 들어 방문판매를 통해 충동적으로 구입한 화장품, 건강식품 등의 구매 계약을 철회 기간 내에 취소하고 싶을 때 사용할 수 있다. 특히 판매자와 연락이 되지 않는 등의 사유로 계약을 철회할 수 있는 기간 내에 철회가 불가능한 경우에도 사용한다.

내용증명은 다른 우편물과는 달리 우체국에 같은 내용의 문서 3부를 제출해야 한다. 이는 발신인, 수신인, 우체국 3자가 각각 동일한 내용의 문서를 소지하기 위함이다. 그 결과 발신인이 작성한 어떤 내용의 문서가 언제 누구에게 발송되었는지를 우체국장이 증명할 수 있게 되는 것이다. 그러나 이것이 문서의 내용이 맞다는 것까지 증명하는 것은 아니라는 점에 유의해야 한다. 내용증명 우편이 발송되었다는 사실은 입증하지만 문서 내용의 진위까지 입증하는 것은 아니므로 그 자체로 문제가 해결되는 것은 아니다.

그렇다면 내용증명은 어떠한 기능을 하는 것일까? 우선, 내용증명은 문서를 발송하였다는 것을 공적으로 증명하는 증거 효력을 갖는다. 만약 법적 대응 과정에서 내용증명을 제출한다면 상대방은 그와 같은 내용의 문서를 언제 받았다는 사실만큼은 문제 삼을 수 없다. 다음으로, 내용증명은 상대방에게 심리적 부담을 주어 그 내용의 이행을 실현하게 하기도 한다. 왜냐하면 내용증명을 보내는 사람이 추후 강력한 법적 대응을 이어갈 의지가 있음을 알리기 때문이다. 예를 들어 A에게 돈을 빌린 B가 채무 이행을 독촉하는 내용증명을 받으면 B는 A가 이후 법적 대응을 할 수도 있다는 심리적 부담을 느껴 자발적으로 돈을 갚을 가능성이 있다는 것이다.

또한 내용증명은 그 자체만으로는 단순히 최고*하는 것에 불과하지만, 소멸시효를 중단시키는 데 중요한 역할을 한다. 채권에는 소멸시효가 있기 때문에 제때 권리 행사를 하지 않으면 소멸시효가 만료되어 그 권리가 소멸된다. 따라서 소멸시효가 만료될 무렵까지 채무 이행이 이루어지지 않고 있다면 채권자는 소멸시효가 더 이상 진행되지 못하도록 중단시켜야 한다. 그러나 내용증명을 발송하였다고 하여 바로 소멸시효가 중단되는 것은 아니다. 내용증명을 보낸 날짜로부터 6개월 이내에 청구나 압류, 가압류, 가처분 등을 해야만 소멸시효가 중단되는 효력이 발생한다. 이러한 법적 대응을 하게 되면 해당 사안의 소멸시효가 내용증명을 보낸 시점에 중단되는 효력이 발생한다. 이렇게 소멸시효가 중단되면 그때까지 경과한 소멸시효의 기간은 무효가 되고 중단 사유가 종료된 때로부터 소멸시효가 새로이 시작된다.

[A] 내용증명을 작성할 때 정해진 양식이 있는 것은 아니지만 특정일에 특정 내용을 전달했다는 증거가 되므로 발신인, 수신인, 제목, 본문, 날짜 등이 순서대로 포함되어야 한다. 기재된 발신인 및 수신인의 주소와 이름은 반드시 봉투 겉면에 작성하는 주소, 이름과 일치하도록 해야 하고, 제목에는 손해 배상 청구 등과 같이 내용증명의 구체적 목적이 담겨야 한다. 본문에는 계약 경위와 같은 객관적 사실 관계와 요구 사항 등을 분명히 제시해야 한다. 날짜에는 발송 날짜를 쓰고 발신인의 도장을 찍거나 서명을 하도록 한다. 작성하면서 글자나 기호를 정정, 삽입 또는 삭제할 때에는 반드시 '정정', '삽입' 또는 '삭제'라는 문자 및 수정한 글자 수를 여백에 기재하고 그곳에 발송인의 도장 또는 지장을 찍거나 서명을 하여야 한다.

민법의 규정에 따라 문서의 우편 발송은 수신인에게 도달된 때로부터 효력이 발생한다. 그러나 방문판매 등의 청약 철회를 요청하는 내용증명의 경우에는 수신인의 수취 여부와 상관없이 서면을 발송한 날부터 발생한다. 내용증명으로 발송한 우편물은 3년간 우체국에서 보관한다. 발신인이나 수신인이 이를 분실할 경우 발송 우체국에 특수우편물수령증, 주민등록증 등을 제시해 본인임을 입증하면 보관 중인 내용증명의 열람을 청구할 수 있으며 필요시에는 복사를 요청할 수도 있다.

* 최고 : 다른 사람에게 일정한 행위를 할 것을 요구하는 통지를 냄.

21. 윗글에 대한 설명으로 가장 적절한 것은?

① 특정 제도의 특징과 기능을 구체적인 사례를 들어 소개하고 있다.
② 특정 제도의 형성 배경과 발달 과정을 순차적으로 서술하고 있다.
③ 특정 제도가 지닌 문제점과 한계를 다양한 측면에서 고찰하고 있다.
④ 특정 제도가 실시되었을 때 예상되는 장점과 단점을 분석하고 있다.
⑤ 특정 제도의 필요성을 언급한 뒤 그 속성을 유사한 대상에 빗대어 설명하고 있다.

22. 윗글의 내용과 일치하지 않는 것은?

① 내용증명을 받은 수신인은 심리적 부담감을 느끼고 문제 해결을 시도할 수 있다.
② 방문판매의 청약 철회를 요청하는 내용증명의 효력은 서면을 발송한 날부터 발생한다.
③ 내용증명 발송 직후 발신인이 이를 분실한 경우 발송 우체국에서 복사를 요청할 수 있다.
④ 내용증명을 위해 우체국에 같은 내용의 문서를 3부 제출하여 발신인도 그중 하나를 갖는다.
⑤ 계약을 철회할 수 있는 기간이 지난 후 발송한 내용증명도 법적 대응 과정에서 효력을 가질 수 있다.

23. [A]를 바탕으로 다음의 자료를 이해한 내용으로 적절하지 않은 것은?

**내용증명**

수신인 : □□시 □□구 □□동 □□번지
◇◇ 상사 ……… ㉮

방문판매 계약 관련 ……… ㉯

1. 귀사의 발전을 기원합니다.

2. 본인의 아들 홍○○(만 16세)가 2021년 6월 1일 귀사의 서적 시리즈 1세트를 월 15,000원씩 20개월간 납입하기로 하고 ~~곧장~~ 계약하였습니다.

삭제 홍길동인 ……… ㉰

3. 그러나 본인의 아들 홍○○은 미성년자로서, 민법상 행위무능력자가 책을 구입할 경우에는 반드시 법정대리인인 부모의 동의를 얻어야 하는데, 위 경우 법정대리인의 동의 없이 물품을 구입하였습니다. ……… ㉱

4. 이에 「방문판매 등에 관한 법률의 규정」에 따라 인도받은 서적을 반환합니다.

2021년 6월 3일
발신인 : 홍 길 동  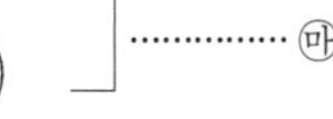 ……… ㉲

① ㉮ : 봉투 겉면에 작성하는 것과 일치하도록 발신인의 주소와 이름을 추가해야 해.
② ㉯ : 제목에 해당하는 부분이므로 발신인의 목적이 구체적으로 드러나도록 '계약 철회 요청'으로 작성하면 좋겠어.
③ ㉰ : 두 글자를 삭제하였으므로 삭제한 글자 수까지 명시하여 '2자 삭제'로 적어야 해.
④ ㉱ : 요구 사항이 분명하게 드러나도록 '따라서 이 계약의 취소를 요청합니다.'를 추가해야 해.
⑤ ㉲ : 특정일에 전달받았다는 증거가 되도록 수신인이 내용증명을 받게 될 날짜를 밝혀야 해.

24. ㉠의 이유로 가장 적절한 것은?

① 수신인에게 분쟁을 철회할 것을 요청하기 때문에
② 수신인에게 의사 표시를 할 것을 주장하기 때문에
③ 발신인이 충동적으로 계약을 맺는 것을 막아 주기 때문에
④ 발신인이 의사 표시를 했음을 객관적으로 드러내기 때문에
⑤ 발신인이 주장하는 내용의 진위를 법적으로 입증하기 때문에

25. 윗글을 바탕으로 <보기>의 상황을 이해한 내용으로 가장 적절한 것은? [3점]

<보 기>

을은 갑에게 돈을 빌려주었으며, 해당 채무 관계의 소멸시효는 3년으로 2020년 12월 31일에 만료된다. 그런데 갑은 만료일이 다가오도록 을에게 채무를 이행하지 않고 있다. 이에 을은 주변의 조언을 받아 2020년 10월 31일에 채무 이행을 요구하는 내용증명을 보내어 갑에게 도달하였음을 확인하였다.

① 을이 갑에게 내용증명을 보낸 궁극적인 목적은 소멸시효 만료를 알리기 위함이다.
② 을이 보낸 내용증명으로 인해 소멸시효 만료일인 2020년 12월 31일로부터 중단 효력이 발생한다.
③ 을이 내용증명을 소멸시효 만료 2개월 전에 보냈으므로 중단 사유 종료 후 소멸시효가 2개월 연장된다.
④ 을이 이후 법적 대응을 할 뜻이 없다면 을이 돈을 받을 수 있는 권리는 2020년 12월 31일까지만 유지된다.
⑤ 을이 2021년 6월 30일까지 가압류, 가처분 등의 조치를 하면 소멸시효는 2020년 10월 31일에 중단된 것으로 본다.

[26 ~ 29] 다음 글을 읽고 물음에 답하시오.

(가)

공명(功名)도 잊었노라 부귀(富貴)도 잊었노라
세상(世上) 번우한* 일 다 주어 잊었노라
내 몸을 내마저 잊으니 남이 아니 잊으랴 <2수>

질가마 좋이 씻고 바위 아래 샘물 길어
팥죽 달게 쑤고 저리지* 끄어 내니
세상에 이 두 맛이야 남이 알까 하노라 <5수>

어화 저 ⓐ 백구(白鷗)야 무슨 수고 하느냐
갈 숲으로 서성이며 고기 엿보기 하는구나
나같이 군마음 없이 잠만 들면 어떠리 <6수>

대 막대 너를 보니 유신(有信)하고 반갑고야
내 아이 적에 너를 타고 다니더니
이제란 창(窓)뒤에 섰다가 날 뒤 세우고 다녀라 <11수>

– 김광욱, 「율리유곡(栗里遺曲)」 –

* 번우한 : 괴로워 근심스러운.
* 저리지 : 겉절이.

(나)

한산(寒山) 어른 송계신보(宋季愼甫)가 나와는 사촌이 된다. 내가 일찍이 그 집에 가보니, 뒤로는 감악산을 등지고 앞으로는 큰 들을 임하여 초막집을 한 채 얽어 한가히 휴식하는 곳으로 삼았었다. 그 당명(堂名)이 무어냐고 물었더니, 주인이 말하기를,

"내가 '취한(就閑)*'이라 이름하려고 하는데, 미처 써 붙이지 못했다."

고 하였다. 내가 말하기를,

"한(閑)은 본디 이 당(堂)이 소유한 것이거니와, 우리 형은 나이 70세가 넘어 하얀 수염에 붉은 얼굴로 여기에서 즐기며 바깥 세상에 바랄 것이 없으니, 어찌 아무 도와주는 것 없이 **충분히 그 운취**를 누릴 수가 있겠습니까. 내가 보건대, 당 한편에 애완(愛玩)*하여 심어놓은 것들이 있으니, 바로 대[竹]와 국화[菊]와 진송(秦松)과 노송(魯松)과 동백(冬柏)이요, 게다가 빙 둘러 사방의 산에는 또 창송(蒼松)이 만여 그루나 있으니, 이 여섯 가지는 모두 세한(歲寒)의 절개가 있어 더위와 추위에도 지조를 변치 않는 것들입니다. 우리 형께서는 늙을수록 건장하여 신기(神氣)가 쇠하지 않았는데도, 사방에 다니는 것을 싫어하고 이곳에 은거하여, 여기에서 노래하고 여기에서 춤추고 여기에서 마시고 취하고 자고 먹고 하니, 이 여섯 가지를 얻어서 벗으로 삼는다면 그 **취미나 기상**이 또한 서로 가깝지 않겠습니까.

우리 형께서는 또 세상 변천과 세상 물정을 많이 겪고 보았습니다. 그런데 가만히 보면, 세상의 교우(交友) 관계가 처음에는 견고했다가 나중에는 틈이 생기어, 득세한 자에게는 열렬히 따르고 실세한 자에게는 그지없이 냉담하며, 떵떵거리는 자리에는 서로 나가고 **적막한 자리**에는 서로 기피하는 것이 **세태의 풍조**입니다. 그런데 이 여섯 가지는 이런 가운데 생장하면서도 능히 풍상(風霜)을 겪고 우로(雨露)를 머금어 이제까지 울울창창하여서 앉고 눕고 기거하고 근심하고 즐거워하는 것을 처음부터 끝까지 항상 주인과 함께하고 있으니, 차라리 저것을 버리고 이것을 취하여 세상의 걱정을 피해서 자신의 **천진(天眞)*을 온전히 지키는 것**이 낫지 않겠습니까. 이 당에는 실로 이 여섯 가지가 있고 옹(翁)께서 그 가운데에 처하시니, 어찌 'ⓑ 육우(六友)'라 이름하는 것이 좋지 않겠습니까. 그 한(閑)은 바로 여기에 있는 것입니다."

하니, 주인이 그렇게 하겠다고 승낙하고 인하여 나에게 그 기문(記文)을 써 달라고 부탁하였다.

– 윤휴, 「육우당기(六友堂記)」 –

* 취한 : 한가로움을 취함.
* 애완 : 물품 따위를 좋아하여 가까이 두고 즐김.
* 천진 : 세파에 젖지 않은 자연 그대로의 참됨.

26. (가)와 (나)의 공통점으로 가장 적절한 것은?

① 연쇄법을 사용하여 대상을 긴밀하게 연결하고 있다.
② 설의적 표현을 활용하여 주제 의식을 강조하고 있다.
③ 역설적 표현을 사용하여 사물의 의미를 부각하고 있다.
④ 원경에서 근경으로 시선을 이동하여 계절감을 드러내고 있다.
⑤ 의인화된 대상에게 말을 건네는 방식으로 정서를 드러내고 있다.

27. (가)에 대한 설명으로 적절하지 않은 것은?

① <2수> : 화자는 '공명'과 '부귀'에 거리를 두는 욕심 없는 삶을 지향하고 있다.
② <2수> : 화자는 '남'으로부터 소외된 자신의 존재에 대한 안타까움을 드러내고 있다.
③ <5수> : 화자는 '팥죽'과 '저리지'를 통해 소박한 삶에 대한 만족감을 드러내고 있다.
④ <11수> : 화자는 '유신'하다고 여기는 대상에 대한 친밀감을 표현하고 있다.
⑤ <11수> : 화자는 '대 막대'의 쓰임이 달라진 상황을 통해 세월의 흐름을 인식하고 있다.

28. ⓐ와 ⓑ를 이해한 내용으로 가장 적절한 것은?

① ⓐ는 화자가 비판적으로 바라보는, ⓑ는 글쓴이가 예찬하는 대상이다.
② ⓐ는 화자의 그리움을, ⓑ는 글쓴이의 외로움을 불러일으키는 대상이다.
③ ⓐ는 화자가 함께 어울리고 싶어 하는, ⓑ는 글쓴이가 본받고 싶어 하는 대상이다.
④ ⓐ는 화자의 처지와 대비되는, ⓑ는 글쓴이의 부정적 현실을 드러내는 대상이다.
⑤ ⓐ는 화자의 상실감을 부각하는, ⓑ는 글쓴이의 기대감을 고조시키는 대상이다.

29. <보기>를 바탕으로 (나)를 감상한 내용으로 적절하지 않은 것은? [3점]

<보 기>

이 작품에서 글쓴이는 한(閑)을 추구하는 사촌 형에게 새로운 당명을 권하며 바람직한 삶의 자세에 대한 생각을 밝히고 있다. 글쓴이는 권력의 성쇠에 따라 변하는 세상을 비판적으로 바라보고 있다. 그리고 자연과 벗하며 지조와 신의를 지켜 진정한 한(閑)의 의미를 실현하는 자세가 중요함을 강조하고 있다.

① 글쓴이는 사촌 형이 자연과 벗하며 '충분히 그 운취'를 누리기를 바라고 있군.
② 글쓴이는 사촌 형이 '취미나 기상'에 어울리는 존재와 함께할 것을 바라며 새로운 당명을 권하고 있군.
③ 글쓴이는 세상 사람들이 기피하는 '적막한 자리'라도 만족하는 것이 진정한 한(閑)에 가까워지는 길이라고 여기고 있군.
④ 글쓴이는 상황에 따라 변하는 '세태의 풍조'와 달리 변치 않는 지조와 신의 있는 삶의 중요성을 강조하고 있군.
⑤ 글쓴이는 '천진을 온전히 지키는 것'을 바람직한 삶의 자세라고 여기고 있군.

[30 ~ 33] 다음 글을 읽고 물음에 답하시오.

**[앞부분의 줄거리]** 혼자 아이를 키우며 집안일과 회사 일로 정신이 없는 '나'는 회사에서 능력을 인정받는 '홍'과 늘 활기찬 후배 '구'를 보면서 열등감을 느낀다. 부서의 인원 감축이 예고된 상황에 내몰린 '나'는 로봇 도우미 파견 업체의 도움을 받기로 한다.

이틀 후 **나와 똑같이 생겼지만 내가 아닌** '어떤 것'이 우리 집에 도착했다. 현관문 앞에 서 있는 '그것'을 보는 순간 머리끝이 쭈뼛 서고 팔에 소름이 돋았다. 사진이나 거울 속의 나를 보는 것과는 느낌이 달랐다. ㉠손님을 대하듯 어서 오세요, 들어오세요,라고 해야할지 물건을 대하듯 번쩍 들고 들어와야 할지 몰라서 나는 멍하게 서 있었다. '그것'은 주위를 민첩하게 둘러보더니 [집 안]으로 쏙 들어왔다.

업체에서 보낸 유의사항에는 싸이보그와 함께 있는 모습을 주변 사람에게 들키지 말 것, 들켰을 경우 쌍둥이라고 둘러댈 것, 특히 가족을 조심할 것…… 기계의 결함이 아닌 경우 발생하는 모든 사고에 대해 회사는 어떠한 책임도 지지 않으며…… 등의 내용이 장황하게 적혀 있었다. 개인이 모든 책임을 떠안아야 한다는 점에서 인터넷 쇼핑몰에 가입할 때 '동의함'이라고 체크해야 하는 이용 약관과 비슷했다.

아무튼 ㉡함께 있는 모습을 들키지 않기 위해서 '그것'은 내가 출근한 다음에 아이를 어린이집에 데려다주었고, 나는 아이가 잠든 걸 확인한 뒤 집에 들어갔다. '그것'은 확실히 가사 업무에 능숙했다. 집은 아이가 갖고 노는 '인형의 집' 세트처럼 깔끔해졌다. 싱크대에는 물방울 하나 남아 있지 않았고 욕실 바닥은 맨발로 들어가도 될 정도로 보송보송했다. 베란다 창문은 반짝거렸고 세탁물은 섬유유연제의 향을 풍기며 반듯하게 개켜져 있었다. 이를테면 ㉢'그것'은 최고의 청소 로봇이자 완벽한 식기세척기, 구김 방지 스팀 기능은 물론 개킴 기능까지 추가된 세탁기였다. 요리 솜씨도 뛰어나서 한식은 물론 케이크와 쿠키까지 척척 만들어냈다.

<중략>

애석하게도 조언을 구하고 도움을 청할 만한 곳은 트윈 싸이보그를 파견한 로봇 도우미의 세계뿐이었다. 담당자는 이 웹 디자인 작업을 '그것'에게 맡겨보는 게 어떻겠느냐고 제안했다. 일단 **회사에서 살아남는 게 중요하지 않**습니까? 담당자가 보낸 메일 속의 문장은 담담했다.

다음 날부터 아이를 어린이집에 데려다주는 일은 내 몫이 되었다. 집에 와서 대충 청소를 해놓고 [회사]에 들러서 '그것'과 교대했다. **웹 구축 능력도 뛰어나고 플래시를 다루는 솜씨도 수준급**이라 '그것'이 일하는 한 내가 잘릴 염려는 없어 보였다. 교대라고는 하지만 일을 한다기보다 일의 진척을 확인하는 정도라서 내가 회사에 머무는 시간은 점점 짧아졌다.

디자인 작업은 열흘 정도면 마무리될 것 같았다. 그동안은 '그것'이 회사 일을 온전히 맡기로 했다. 예상하지 못한 휴가가 생겨서 신날 줄 알았는데 묘하게 공허하고 불안했다. 여유가 생기면 화장품도 만들고 청첩장을 찍을 만큼 진지한 만남도 가질 수 있겠지, 막연한 기대를 품었지만 생각만큼 한가하지도 의욕이 생기지도 않았다. 집에 있다 보니 자연스럽게 집안일에 매여갔다. 부지런히 움직여도 욕실 바닥에는 물기가 흥건했고 싱크대 밑에서는 바퀴벌레가 기어나왔다. ㉣시간을 들여 음식을 만들어주면 아이는 맛없어, 저번에 해준 거 그거 먹고 싶어, 하면서 투정을 부렸다. 좋은 점이라고는 월차를 쓰지 않았는데도 아이와 애니메이션을 볼 수 있었다는 것뿐이었다. 나는 유배지에 와 있는 **죄인처럼 회사에 복직할 날만 기다**렸다.

가사 업무에서 벗어나고 싶어서 안달이 나 있던 터라 업체 쪽에서 보낸 '홈페이지 작업 완료'라는 메시지는 몹시 반가웠다. 나는 모처럼 미용실에 다녀왔고 답문자 대신에 바꾼 헤어스타일을 휴대폰으로 찍어서 담당자에게 보냈다. 머리는 마음에 들었고 콧노래가 절로 나왔다. 아침 내내 흥얼거리던 노래는 L그룹 쪽에서 수정 작업을 의뢰하는 바람에 뚝 끊어졌다.

"오전 중에 가능하죠?"

홍이 수정할 부분을 체크해서 가져왔다. '그것'을 불러서 교대하기에는 상황이 여의치 않았고 시간도 촉박했다. 직접 하는 수밖에 없었다.

결과물을 본 홍의 얼굴이 굳어졌다.

[A] "이거 수정한 거예요? 어떻게 수정 전보다 더 안 좋아. 오늘 왜 그래요? 자기답지 않게."

내가 고개를 숙이자 홍이 가까이 와서 목소리를 낮췄다.

"그동안 과로해서 피곤한 거 같은데 오늘은 일찍 들어가서 쉬고 내일 제대로 마무리해줘요."

그 말은 마치 교대할 시간을 줄 테니 '그것'을 데려오라는 은밀한 주문 같았다. 심각한 표정으로 모니터를 바라보고 있는데 메신저 대화창이 떴다. 구였다.

[B] 선배, 오랜만에 홍한테 깨졌네. 그동안 죽이 척척 맞아서 일하더니 웬일이야? 실수를 다 하고.

빈정거리는 구의 목소리가 들리는 듯했다. 홍에게 깨진 건 아무렇지도 않았다. 내가 속상한 건 열흘 만에 사무실에 복귀해보니 모든 게 예전 같지 않다는 것이었다. 구와 홍에 대한 험담으로 친목을 도모했던 동료들은 나를 노골적으로 피했다. 작업에서 밀려난 동료는 보이지 않았고 다른 몇 사람도 감원 대상으로 결정됐다는 소식이 들려왔다. 빈정거려주는 구가 오히려 고마울 정도였다.

그 후로 오늘 좀 이상하네,라는 말을 몇 번이나 더 들었다. ㉤'그것'이 회사생활을 어떻게 했을지는 뻔했다. '여러 가지 일을 잘하는 사람, 갑자기 정신 차리고 완벽하게 변한 사람.' 업체가 자랑하는 그대로 활약했을 것이다. 몇 년 동안 일해온 곳이고 함께 지낸 사람들인데 열흘 만에 쌓아온 세월이 다 와해된 기분이었다. 그들을 어떤 시선으로 바라보고 어떻게 행동하고 말해야 할지 혼란스러웠다. 모든 게 막막했지만 그 와중에도 한 가지만은 확실히 알 수 있었다. 그건 지금 **사무실에 있는 사람들이 원하는 게 내가 아니라**는 점이었다.

– 서유미, 「저건 사람도 아니다」 –

**30.** ㉠ ~ ㉤을 이해한 내용으로 적절하지 않은 것은?

① ㉠: '나'가 '그것'을 어떻게 대해야 할지 혼란스러워하고 있다.
② ㉡: '나'가 업체 측이 전한 유의사항을 지키려 노력하고 있다.
③ ㉢: '나'가 '그것'의 가사 업무 수행 능력을 인정하고 있다.
④ ㉣: '나'가 만든 음식이 '그것'이 만든 음식과 비교되고 있다.
⑤ ㉤: '나'가 '그것'의 업무 능력을 짐작하며 안심하고 있다.

31. [집 안]과 [회사]에 대한 이해로 가장 적절한 것은?

① 회사는 집 안과 달리 '나'와 대비되는 '그것'의 능력이 드러나는 공간이다.
② 집 안은 회사와 달리 '그것'으로 인해 '나'가 위축감을 느끼게 되는 공간이다.
③ 집 안과 회사는 모두 '그것'을 통해 '나'가 문제 해결을 시도하는 공간이다.
④ 집 안과 회사는 모두 '그것'으로 인해 '나'와 주변 사람들의 관계가 돈독해지는 공간이다.
⑤ 집 안은 '그것'이 '나'를 필요로 하는 공간이고, 회사는 '나'가 '그것'을 필요로 하는 공간이다.

32. [A]와 [B]에 대한 이해로 가장 적절한 것은?

① [A]는 실망감을 드러내며 상대방을 질책하고 있다.
② [B]는 상대방의 기분을 헤아리며 위로하고 있다.
③ [A]는 상대방을 설득하고 있고, [B]는 상대방을 비하하고 있다.
④ [A]와 [B]는 모두 수용하기 어려운 요구로 상대방을 시험하고 있다.
⑤ [A]와 [B]는 모두 자신의 속마음을 감춘 채 진위를 확인하고 있다.

33. <보기>를 참고하여 윗글을 감상한 내용으로 적절하지 않은 것은? [3점]

<보 기>

최근 소설에서는 공상과학물(SF)의 상상력을 활용하여 현대인이 처한 현실을 그리는 경향이 있다. 이 작품은 공상과학물에 자주 등장하는 로봇이 인간의 역할을 대체하게 되는 상황을 그리고 있다. 이러한 상황을 바탕으로 치열한 경쟁에 내몰린 현대인이 자신의 사회적 위치와 정체성을 고민하는 모습을 드러내고 있다.

① '나와 똑같이 생겼지만 내가 아닌' 로봇 도우미가 등장하는 것은 공상과학물의 상상력을 활용한 것이군.
② '회사에서 살아남는 게 중요하지 않'느냐는 말은 치열한 경쟁 속에서 살아가는 현대인의 처지를 보여 주는군.
③ '웹 구축 능력도 뛰어나고 플래시를 다루는 솜씨도 수준급'인 로봇은 회사에서 '나'의 역할을 대체하게 되는군.
④ '죄인처럼 회사에 복직할 날만 기다'리는 모습은 '나'의 사회적 위치가 로봇의 도움으로 회복된 것을 보여 주는군.
⑤ '사무실에 있는 사람들이 원하는 게 내가 아니라'고 생각하는 것은 로봇 때문에 '나'의 정체성이 위협받는 상황을 드러내는군.

[34 ~ 37] 다음 글을 읽고 물음에 답하시오.

[앞부분의 줄거리] 평양 감사가 된 김진희는 집안 형편이 어려워 도움을 청하러 온 오랜 친구인 이혈룡을 박대하며 죽이려 한다. 기생 옥단춘의 도움으로 생명을 구한 이혈룡은 암행어사가 되어 신분을 숨긴 채 거지 차림으로 옥단춘을 만나고 김진희의 잔치 자리에도 나타난다.

이때 당황한 나졸들이 와르르 달려와서 혈룡을 잡아서 층계 밑에 꿇려 놓으니, 김 감사가 대상에서 호통을 치니라.

"너 이놈 이혈룡이로구나. 네가 저번에 죽지 않고 또 살아서 왔느냐? 이번에는 어디 견디어 보라!"

"나도 전번에 너를 친구라고 신세를 지려고 하였으나, 나도 양반의 자식이라. 이놈 진희야, 들어보라. 머나먼 길에 너를 찾아 왔다가 영문에서 통기도 못하고 근근이 지내다가 이 연광정에서 네가 놀고 있는 것을 보고 반가워하였으나, 너는 나를 미친놈이라고 대동강의 사공을 불러서 배에 태워 물속에 던져서 죽이지 않았느냐. 내 물귀신 될 원혼이 오늘 또다시 네가 연광정에서 호유*하기에 다시 보려고 왔다."

혈룡의 귀신이 원수를 갚으러 왔다는 위협에 김 감사도 등골이 섬뜩하여 좌우 비장을 노려보며 어떻게 하랴 하고 물으니, 비장이,

"아무래도 참말 같지 않사옵니다. 죽은 원혼이 어찌 사람 모습이 되어 올 수 있습니까? 그때 데리고 갔던 사공을 불러다가 문초하여 보시는 것이 좋을까 합니다."

하고, 사공을 빨리 잡아들이라는 영을 내리니, 나졸들이 청령하고 나가서 잡아가면서 어르기를,

"야단났다, 야단났다. 너희들 사공 놈들 야단났다. 어서 빨리 들어가자."

하고, 사공들의 덜미를 잡고 연광정 밑으로 가니,

"사공 놈을 잡아왔소."

나졸들의 복명하는 소리가 산천에 진동하니라. 이 광경을 보고 있던 연회장의 옥단춘은 사공이 매에 못 이기고 사실대로 불어 대면 자기도 죄를 당할 것이고, 그보다 귀신 아닌 자기의 서방님 이생원이 능지처참될 것을 생각하고 전신이 벌벌 떨렸으니, 김 감사는 불러서 형구를 차려 놓고,

"그놈을 능지가 되도록 때려서 문초하라."

[A] 추상같은 엄명을 내리매, 형방조차 겁을 내고 뱃사공들을 치면서 얼러 대기를,
"이놈들 들어 보라. 저번에 너희들은 저기 저 양반을 영대로 물에 던져 죽였느냐? 바른대로 고하라!"

사공들은 악착같은 악형에 못 이기고 여차여차하였다고 사실대로 토설*하고 말았으니, 김 감사는 다른 형방에게,

"저 이혈룡은 목을 베어 죽여도 죄가 남을 놈인데, 아까 형방 놈은 내 앞에서 저놈을 양반이라고 불러서 존대하였으니, 그 형방 놈도 혈룡 놈과 죄가 같다!"

하고, 먼저 형방을 잡아 꿇리고 분을 이기지 못하여 책상을 치면서 호통치기를,

"전부터 내 수청도 거역한 요망스러운 기생년 옥단춘을 잡아내라!"

좌우 나졸이 일시에 달려들어 소복 단장한 채로 분결 같은 손목을 덥석 잡아서 끌어내리매, 연광정이 뒤집힐 듯이 살벌한 형장으로 일변하였으니, 평생에 이런 봉변을 만나 보지 않다가 오늘 이런 일을 당하자 수족을 벌벌 떨면서 이혈룡을 돌아보고,

"여보시오, 이것이 웬일이오? 내가 그처럼 집을 보고 있으라고 신신당부하였는데 정말로 귀신이 되려고 여기 왔소? 무슨 살매*가 들려서 죽을 곳을 찾아왔소? 내 집의 재물만으로도 호의호식 지낼 텐데 어찌하여 여기 와서 이 지경이 된단 말이오? 애고애고 우리 낭군 어찌하면 살 수 있소? 요전번에 죽을 목숨 살려 백년해로 언약하고 즐겁게 살려 하였더니, 일 년에 못 되어 이런 죽음 웬일이오? 애고애고 우리 낭군 야속하고 원통하오. 나는 지금 죽더라도 원통할 것 없건마는, 낭군님은 대장부로 생겨나서 공명 한 번 못 해보고 억울하게 황천객이 되면 얼마나 원통한 일이오. 아아, 낭군 팔자나 내 팔자나 전생의 무슨 죄로 이다지도 험악하단 말인가? 사주팔자가 이럴진대 누구를 원망하겠소. 죽어도 같이 죽고 살아도 같이 살 우리이매, 저승에서 죽어도 후세에 다시 만나 이승에서 미진한 우리 정을 백 년 다시 살아 보십시다. 임아 임아, 우리 낭군 어찌하여 살아날까? 아무리 원통해서 저승에 만나자고 빌어 봐도 지금 한 번 죽어지면 모든 것이 허사로다."

하며 통곡하는 옥단춘의 정상을 누가 아니 슬퍼하랴.

<중략>

그중에서 각 읍의 수령들은 불의의 변을 당하고 겁낸 거동 가관이다. 칼집 쥐고 오줌 싸고 안장 없는 말을 타고, 개울로 빠져들고, 말을 거꾸로 타기도 하고, 동서를 분별하지 못하여 이리저리 갈팡질팡 도망친다. 오다가 혼을 잃고 가다가 넋을 잃고 수라장으로 요란할 제, 평양 감사 김진희의 거동이 가장 볼만하니라.

김 감사는 수령들과 기생들을 거느리고 의기양양 노닐다가, 암행어사 출도 통에 혼비백산 달아날 제, 연광정 누다락의 높은 마루 밑에서 떨어져서 삼혼칠백* 간 데 없고, 두 눈에 동자부처가 벌써 떠나 멀리 가고, 청보에 똥을 싸고, 신발들메 하느라고 야단이라. 이때에 비장들이 달려들어 잡아 나꾸자, 어사또 그놈을 잡아내라고 추상같이 달려들어서 사지를 결박해서 어사또 앞으로 끌어다 엎어놓느니라.

"너희들 들어라! 남의 막하에 있어 관장이 악한 정사를 하면 바른길로 권할 것이지, 그러지 않고 악한 짓을 권하니, 무죄한 백성이 어찌 편히 살며, 양반이 어찌 도의를 지킬 수 있겠느냐!"

하는 호통을 하며, 형벌 제구를 내어놓고, 팔십 명 나졸 중에서 날랜 놈 십여 명을 골라서 형장을 잡히니라.

"너희들, 매질에 사정 두면 명령 거역으로 죽을 줄 알아라."

엄명을 받은 용맹한 나졸들이 사정없이 볼기 육십 대씩 때려서 큰칼을 씌워서 옥에 가두고, 김 감사를 마지막으로 다스리니라. 서리 나졸들이 감사의 상투를 거머잡고 끌어내면서,

"평양 감사 김진희 잡아 왔습니다."

하고, 복명하는 소리가 진동하니라.

"너, 김진희 오늘부터 파직한다."

– 작자 미상, 「옥단춘전」 –

* 호유 : 호화롭게 놂.
* 토설 : 숨겼던 사실을 처음으로 밝혀 말함.
* 살매 : 사람의 의지와 관계없이 초인적인 위력에 의해 지배된다고 생각하는 길흉화복.
* 삼혼칠백 : 사람의 혼백을 통틀어 이르는 말.

34. 윗글에 대한 설명으로 적절하지 않은 것은?

① 인물의 대화와 행동을 통하여 사건을 전개하고 있다.
② 외양 묘사를 통하여 인물의 성격 변화를 보여 주고 있다.
③ 인물의 행동을 과장하여 상황을 해학적으로 표현하고 있다.
④ 인물의 말을 통하여 지난 사건을 요약적으로 전달하고 있다.
⑤ 서술자 개입으로 인물에 대한 주관적 감정을 드러내고 있다.

35. 윗글을 이해한 내용으로 적절한 것은?

① 이혈룡은 옥단춘과의 언약을 후회하였다.
② 김 감사는 이혈룡이 찾아올 것을 짐작하였다.
③ 비장은 김 감사의 호통에 이혈룡을 모함하였다.
④ 김 감사의 호의로 옥단춘은 위기 상황에서 벗어났다.
⑤ 옥단춘은 이혈룡이 자신의 당부를 듣지 않아 낙담하였다.

36. <보기>를 참고하여 윗글을 감상한 내용으로 적절하지 않은 것은? [3점]

<보 기>

이 작품은 암행어사 모티프를 사용하여 악인을 징계하고 있다는 점에서 권선징악이라는 고전소설의 전형적인 주제 의식을 드러내고 있다. 하지만 이 작품은 천민 신분인 여성이 상당한 경제력을 지닌 인물로 그려진 점, 부도덕한 사대부와 대비되는 신의가 있는 존재로 그려진 점 등 당시의 사회 변화상을 반영한 것이 특징이다.

① 친구인 이혈룡을 대하는 김 감사의 행위에서 우정을 저버리는 부도덕한 사대부의 모습을 확인할 수 있군.
② 김 감사의 영을 거역한 죄로 뱃사공이 문초를 당하는 것은 악인을 징계하는 것에 해당한다고 할 수 있군.
③ 목숨이 위태로운 상황에서도 자신보다 이혈룡을 걱정하는 옥단춘의 모습을 통해 신의 있는 모습을 엿볼 수 있군.
④ 제 집의 재물만으로도 잘 지낼 수 있을 것이라는 옥단춘의 말을 통해 상당한 경제력을 지니고 있음을 알 수 있군.
⑤ 무죄한 백성들을 괴롭힌 죄목으로 김 감사와 그 무리를 잡아들인 것은 암행어사 모티프를 활용한 것이라고 할 수 있군.

37. [A]에 대해 이해한 내용으로 가장 적절한 것은?

① 이실직고(以實直告)할 것을 다그치고 있다.
② 결초보은(結草報恩)할 것을 권유하고 있다.
③ 상부상조(相扶相助)할 것을 당부하고 있다.
④ 각골통한(刻骨痛恨)의 심정을 드러내고 있다.
⑤ 전화위복(轉禍爲福)의 상황을 보여 주고 있다.

[38 ~ 42] 다음 글을 읽고 물음에 답하시오.

과학과 공학에서 '차원'이란 길이, 질량, 시간과 같이 일반화된 물리량의 성질을 말한다. 이러한 차원은 흔히 단위로 나타내는데 길이 단위인 미터(m), 질량 단위인 킬로그램(kg), 시간 단위인 초(s) 등이 있다. "학교까지의 거리는 100m이다."라고 말할 때, 미터(m)는 거리를 나타내는 '단위'이고, 거리는 길이 '차원'에 해당한다. 미터(m), 킬로미터(km)처럼 하나의 차원을 표시하는 단위는 여러 개일 수 있다. 차원은 대괄호를 사용해 표현하는데, 지름, 거리 등은 길이 차원이므로 [길이]로 표현한다. 면적은 길이 곱하기 길이이므로 [길이$^2$]으로 표현하는데, [길이]와 [길이$^2$]은 물리량의 성질이 다르므로 서로 다른 차원이다. 속도는 길이 나누기 시간이므로 [길이/시간]으로 차원을 표현한다. 이러한 차원을 ⓐ분석하여 단순 비교가 어려운 물리량 변수들 사이의 관계를 미루어 알아내는 방법을 '차원해석'이라 한다. 차원해석을 위해서는 차원의 동일성과 무차원화를 이해해야 한다.

물리적 수식 양변의 각 항들은 동일한 차원을 지녀야 하는데, 이를 ㉠'차원의 동일성'이라 한다. 차원의 동일성을 통해 물리량 변수들의 관계를 알 수 있다. 예를 들어 'v(속도)=s/t(거리/시간)'라는 수식에서 [속도]와 [길이/시간]은 차원이 같다. 이를 통해 속도, 거리, 시간 세 변수들의 관계가 드러난다. 위의 식에서 [길이/시간]과 같이 한 차원으로 다른 차원을 나누는 것은 가능함을 알 수 있다. 이처럼 한 차원으로 다른 차원을 곱하거나 나눌 때는 차원의 동일성이 유지된다. 차원이 같은 항을 더하거나 빼면 차원의 동일성이 유지되지만, 차원이 다른 항을 더하거나 빼면 차원의 동일성이 유지되지 않는다. 그래서 [속도]=[길이/시간]+[질량]과 같은 수식은 성립할 수 없다. 수식에서 2, π와 같은 상수들은 차원을 갖지 않아 무시한다.

다음으로 '무차원화'란 차원을 지닌 변수나 수식을 차원이 없는 상태로 만드는 작업을 말한다. 차원은 단위로 나타내므로 차원이 없다는 것은 단위가 없다는 의미이다. 간단한 무차원화 방법으로 어떤 기준이 되는 양을 놓고 이 양과 상대적인 크기를 비교하는 것이 있다. 전체 인원(N)에서의 순위(n)가 있을 때 기준이 되는 양인 전체 인원으로 순위를 나누면 무차원화되어 상대적인 크기(n/N)만 남는다. 예를 들어, 참가 선수 100명(N) 중에서 10위(n)를 했다면 n/N=0.1에 해당하고, 20명 중 10위를 했다면 n/N=0.5에 해당한다. 무차원화된 수는 0에서 1 사이의 값을 갖는데, 0.1과 0.5와 같이 차원이 없어져 상대적인 크기의 비교가 가능해진다.

[A] 무차원화는 변수들 사이의 관계를 나타낼 때에도 편리하다. 이때는 차원을 가진 두 개의 변수 x와 y의 관계 대신, 두 변수를 기준이 되는 양(A, B)으로 나누어 각각을 무차원화한 X, Y의 관계를 그래프로 나타낼 수 있다. 이때 X는 x/A, Y는 y/B 값이다.

차원의 동일성과 무차원화를 고려하며 다음과 같은 차원해석을 해볼 수 있다. 지상에서 질량 m인 물체를 위쪽을 향해 속도 v로 던졌을 때 도달하는 최대 높이를 구하려고 한다. 최대 높이(h)는 물체의 질량(m), 던지는 속도(v), 중력가속도(g)에 의해 결정될 것이라 ⓑ가정한다. h의 값은 각 변수들의 거듭제곱의 ⓒ조합으로 이루어진다고 생각할 수 있다.

[B] 이를 [h]=[$m^a v^b g^c$]로 나타낼 수 있다. 각 변수의 차원은 [h]=[길이], [m]=[질량], [v]=[길이/시간], [g]=[길이/시간$^2$]이다. 양변의 차원이 동일해야 하므로 a=0, b=2, c=−1이 되면 우변에서 [길이] 외의 차원은 없어져 좌변처럼 [길이]가 된다. 따라서 차원해석을 한 결과는 다음과 같이 ⓓ정리할 수 있다.

$$h = C(v^2 / g)$$

중력가속도(g)는 정해진 값이 있으므로, 결론적으로 이 식에서 위로 던진 물체의 최대 높이(h)는 질량과 관계가 없으며($m^0$), 속도의 제곱에 비례한다($v^2$)는 것을 알 수 있다. 이렇게 차원해석으로 실험 없이 단순히 각 변수들의 차원만 분석해도 꽤 구체적인 결과를 ⓔ도출할 수 있다. 남은 변수들과의 관계를 고려해 실험을 하면 상수값 C를 도출할 수 있는데, 과학에서 상수값 C의 수치를 아는 것보다 변수들 간의 관계를 이해하는 것이 훨씬 중요하다.

차원해석을 활용하면 변수가 많아 복잡한 과학적, 공학적 문제의 의미를 일반화하고 단순화할 수 있다. 그래서 차원이 달라서 비교할 수 없었던 변수들끼리 비교하는 것이 가능하게 될 뿐 아니라, 그것의 실험이나 작업량을 확연히 줄일 수 있다.

38. 윗글의 표제와 부제로 가장 적절한 것은?

① 무차원화의 의미와 의의
　- 차원의 동일성이 지닌 의미를 중심으로
② 무차원화의 여러 가지 방법들
　- 차원의 동일성과 변수들의 관계를 중심으로
③ 차원해석의 역사와 방법
　- 다양한 무차원화 이론을 중심으로
④ 차원해석의 이해와 의의
　- 차원의 동일성과 무차원화의 이해를 중심으로
⑤ 차원해석의 기능과 효율성
　- 단위와 차원의 분류를 중심으로

39. ㉠을 고려해 <보기>의 수식을 분석한 내용으로 적절한 것은?

<보 기>

어떤 면적 A를 구하는 식이 'A=2(B×C)+πD'라 가정한다.

① B, C, D 모두 [길이]이어야 수식이 성립한다.
② B, C, D 모두 [길이$^2$]이어야 수식이 성립한다.
③ B와 C는 [길이], D는 [길이$^2$]이어야 수식이 성립한다.
④ B와 D는 [길이], C는 [길이$^2$]이어야 수식이 성립한다.
⑤ B는 [길이$^2$], C와 D는 [길이]이어야 2와 π의 영향으로 차원이 같아져 수식이 성립한다.

40. [A]를 바탕으로 <보기>를 이해한 내용으로 적절하지 않은 것은? [3점]

<보 기>

<그림1>은 '시간(t)'과 '몸무게(m)'라는, 차원이 있는 두 변수로 나타낸 사람(㉮)과 어느 개(㉯)의 성장 곡선이다. <그림2>는 두 변수를 무차원화한 '무차원 시간(t/T)'과 '무차원 몸무게(m/M)'의 관계를 그래프로 나타낸 것이다.

(단, ㉮의 수명(T)은 80년, 성체 몸무게(M)는 68kg, ㉯의 수명(T)은 10년, 성체 몸무게(M)는 10kg이라 가정한다.)

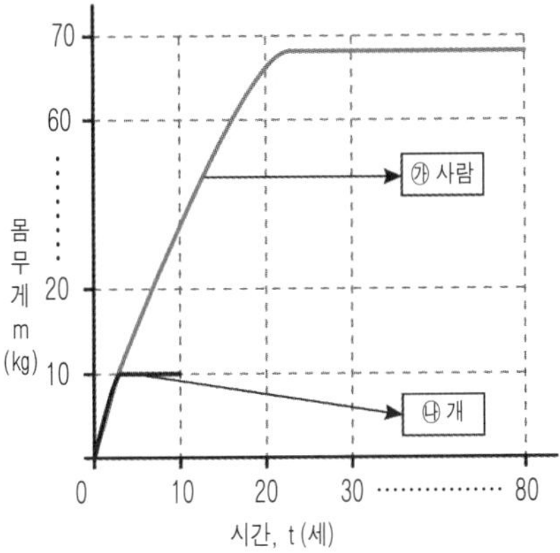


<그림 1> 차원이 있는 변수로 표시된 성장 곡선

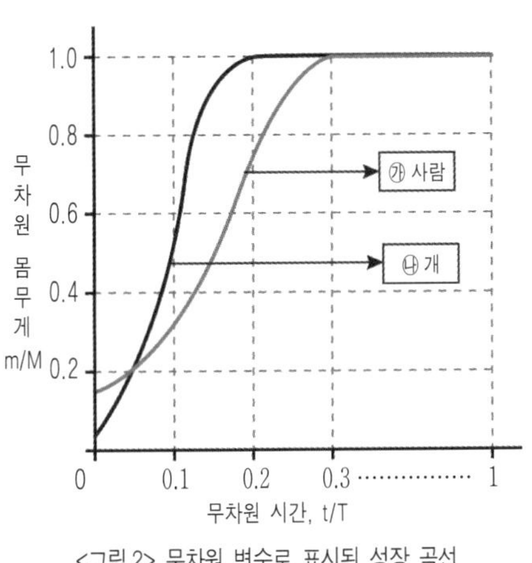


<그림 2> 무차원 변수로 표시된 성장 곡선

① <그림1>에서는 ㉮와 ㉯가 각각 시간에 따라 몸무게가 어떻게 변화하는지를 두 변수의 관계로 파악할 수 있다.
② <그림1>에서는 ㉮와 ㉯의 수명이 달라 둘의 몸무게 변화 과정에 대한 상대적인 크기를 비교하기 어렵다.
③ <그림2>에서 첫 교차 지점까지를 제외하면 ㉯보다 ㉮의 성장이 대체로 빠르다는 것을 알 수 있다.
④ <그림2>에서 ㉯가 성체 몸무게에 도달하는 시점은 ㉮가 성체 몸무게에 도달하는 시점보다 빠르다.
⑤ <그림2>는 몸무게(m)를 성체 몸무게(M)로, 시간(t)을 수명(T)으로 나누어 0에서 1 사이의 값으로 나타내었다.

41. [B]에 대한 학생의 반응으로 적절한 것은?

① 변수들의 관계보다 상수값 C를 아는 게 중요하군.
② g를 제곱하여서 양변의 차원을 동일하게 만들었군.
③ 차원해석으로 h는 v와 무관하다는 것을 알 수 있군.
④ 물체의 질량을 달리하며 실험을 반복할 필요가 없겠군.
⑤ a, b, c의 합이 1이 되면 좌변은 차원이 없는 상태가 되겠군.

42. ⓐ~ⓔ의 사전적 의미로 적절하지 않은 것은?

① ⓐ: 얽혀 있거나 복잡한 것을 풀어서 개별 요소나 성질로 나눔.
② ⓑ: 사실인지 아닌지 분명하지 않은 것을 임시로 인정함.
③ ⓒ: 여럿을 모아 한 덩어리로 짬.
④ ⓓ: 흐트러지거나 혼란스러운 상태에 있는 것을 한데 모으거나 치워서 질서 있는 상태가 되게 함.
⑤ ⓔ: 시간이나 물건의 양 따위를 헤아리거나 잼.

[43 ~ 45] 다음 글을 읽고 물음에 답하시오.

(가)

세상의 열매들은 왜 모두
둥글어야 하는가.
가시나무도 향기로운 그의 탱자만은 둥글다.

땅으로 땅으로 파고드는 뿌리는
날카롭지만
하늘로 하늘로 뻗어가는 가지는
뾰족하지만
스스로 익어 떨어질 줄 아는 열매는
모가 나지 않는다.

덥썩 / 한입에 물어 깨무는
탐스런 한 알의 능금
먹는 자의 이빨은 예리하지만
먹히는 능금은 부드럽다.

그대는 아는가,
모든 생성하는 존재는 둥글다는 것을
스스로 먹힐 줄 아는 열매는
모가 나지 않는다는 것을.

– 오세영, 「열매」 –

(나)

제 손으로 만들지 않고
한꺼번에 싸게 사서
마구 쓰다가 / 망가지면 내다 버리는
플라스틱 물건처럼 느껴질 때
나는 당장 **버스**에서 뛰어내리고 싶다
현대 아파트가 들어서며
**홍은동 사거리**에서 사라진
**털보네 대장간**을 찾아가고 싶다
풀무질로 이글거리는 불 속에
시우쇠*처럼 나를 달구고
모루* 위에서 벼리고 / 숫돌에 갈아
시퍼런 무쇠낫으로 바꾸고 싶다
땀흘리며 두들겨 하나씩 만들어낸
꼬부랑 호미가 되어
소나무 자루에서 송진을 흘리면서
대장간 벽에 걸리고 싶다
지금까지 살아온 인생이
온통 부끄러워지고
**직지사 해우소**
아득한 나락으로 떨어져내리는
똥덩이처럼 느껴질 때
나는 **가던 길**을 멈추고 문득
어딘가 걸려 있고 싶다

– 김광규, 「대장간의 유혹」 –

* 시우쇠 : 무쇠를 불에 달구어 단단하게 만든 쇠붙이.
* 모루 : 대장간에서 불린 쇠를 올려놓고 두드릴 때 받침으로 쓰는 쇳덩이.

43. (가)에 대한 설명으로 가장 적절한 것은?

① 자연물에 감정을 이입하여 시적 정서를 드러내고 있다.
② 청각적 심상을 활용하여 시적 상황을 구체화하고 있다.
③ 유사한 통사 구조의 반복으로 시적 의미를 강조하고 있다.
④ 색채어의 대비를 통해 대상에서 받은 인상을 부각하고 있다.
⑤ 계절의 흐름을 활용하여 대상의 변화 과정을 드러내고 있다.

44. (나)에 대한 이해로 적절하지 않은 것은?

① '버스'에서 뛰어내리고 싶다고 한 것을 통해 부정적 상황에서 벗어나고 싶어 하는 태도를 드러내고 있다.
② '홍은동 사거리'의 변화로 인해 사라진 공간을 찾아가고 싶은 심정을 드러내고 있다.
③ '털보네 대장간'을 통해 자신을 단련하여 탈바꿈하고 싶은 마음을 드러내고 있다.
④ '직지사 해우소'와 관련된 소재를 통해 자신의 삶에 대한 반성적 인식을 보여 주고 있다.
⑤ '가던 길'을 멈추는 행동을 통해 현실과 일시적으로 타협하려는 모습을 보여 주고 있다.

45. <보기>를 바탕으로 (가)와 (나)를 감상한 내용으로 적절하지 않은 것은? [3점]

<보 기>

(가)와 (나)는 모두 상징적 소재를 통해 바람직한 삶의 자세에 대한 깨달음을 그리고 있다. (가)는 나무의 모습을 관찰하며 원만한 삶의 태도와 자기희생적 정신을 발견하고, 이를 통해 얻은 깨달음을 확장하고 있다. (나)는 플라스틱 제품과 대장간의 농기구를 통해 무가치하고 소모품적인 존재가 아니라 자기만의 의미와 가치를 지닌 존재가 되고 싶다는 소망을 보여 주고 있다.

① (가) : 날카로운 '뿌리'와 대비되는 둥근 '열매'의 모습에서 원만한 삶의 태도를 발견할 수 있군.
② (가) : '스스로 먹힐 줄' 아는 열매에서 다른 생명을 위한 자기희생의 자세를 볼 수 있군.
③ (가) : '모든 생성하는 존재'가 둥글다는 인식은 열매의 모습에서 얻은 깨달음을 확장한 것으로 볼 수 있군.
④ (나) : '망가지면 내다 버리는' 물건은 무가치하고 소모품적인 존재를 의미한다고 볼 수 있군.
⑤ (나) : '꼬부랑 호미'가 '송진'을 흘리며 벽에 걸린 모습에서 무가치한 존재로 머물러 있음을 알 수 있군.

* 확인 사항

○ 답안지의 해당란에 필요한 내용을 정확히 기입(표기)했는지 확인하시오.

2021학년도 3월 고2 전국연합학력평가 문제지

# 국어 영역

4회 소요시간 /80분

제 1 교시

➡ 해설 P.33

**[1~3] 다음은 학생의 발표이다. 물음에 답하시오.**

여러분, '노리개'가 무엇인지 아시나요? (청중의 대답을 듣고) 네, 말씀하신 것처럼 노리개는 한복 저고리의 고름이나 치마허리 따위에 다는 우리나라 전통 장신구입니다. 저는 얼마 전에 유명 아이돌의 뮤직비디오를 보다가 화려한 모양과 색깔의 노리개가 인상적이어서, 오늘 발표 소재로 노리개를 선정했습니다.

그럼, 화면을 보면서 노리개의 형태를 살펴보겠습니다. (㉠ 자료 제시) 먼저 이 부분을 주체라고 부르는데요, 패물이나 직물 등의 다양한 소재를 사용하여 화려하게 만듭니다. 그리고 주체가 달려 있는 줄 부분을 끈목이라고 합니다. 보시다시피 주로 매듭 모양으로 장식되어 있습니다. 그리고 맨 아래 부분에 여러 가닥의 실로 되어 있는 부분을 술이라고 하는데, 움직일 때 율동감이 있어 멋스러운 느낌을 줍니다.

다음 화면을 보면 (㉡ 자료 제시) 세 줄로 된 노리개가 한데 묶여 있는데요, 이를 삼작노리개라고 합니다. 평상시에는 주로 좀 전 화면에서 본 한 줄로 된 단작노리개를 착용하고 명절이나 혼례 때에는 세 줄로 된 삼작노리개를 착용하여 좀 더 격식적인 느낌을 주었다고 합니다.

그렇다면 노리개는 주로 어떤 사람이 착용했을까요? 기록을 보면 왕족부터 백성들까지 누구나 노리개를 찼다고 합니다. 단, 노리개의 소재와 크기 등은 계층에 따라 제한을 받기도 하였습니다. 그리고 노리개라고 하면 여자들만 차는 거라고 생각할 수도 있는데요, 흥미롭게도 조선 시대에는 남자들도 노리개를 찼다고 합니다.

그럼, 노리개를 옷에 단 이유는 무엇일까요? (청중의 대답을 듣고) 네, 맞습니다. 노리개를 착용하는 가장 큰 이유는 옷에 장식을 하기 위해서입니다. 그 이외에도 노리개의 주체에 염원을 담아 착용했다고도 합니다. 예를 들어 포도 모양의 주체에는 다산에 대한 염원을, 거북 모양의 주체에는 장수에 대한 염원을 담았습니다. 여기 화면을 보면 (㉢ 자료 제시) 주체가 호랑이 발톱으로 되어 있는데요, 호랑이 발톱이 액운을 쫓아 주기를 바라는 마음이 담겨 있습니다.

최근 들어 옷의 액세서리나 열쇠고리와 같은 소품을 만들 때 노리개가 다양하게 활용되고 있습니다. 또한 여러 매체를 통해 노리개가 소개되고 있어 노리개를 찾는 외국 사람들도 늘고 있다고 합니다. 이 기회에 여러분도 노리개에 관심을 가져 보시는 것은 어떨까요? 이상으로 발표를 마치겠습니다.

*1.* 위 발표에 대한 설명으로 적절하지 <u>않은</u> 것은?

① 발표 소재를 선택한 동기를 밝히며 발표를 시작하고 있다.
② 질문을 통해 청중이 갖고 있는 배경지식을 확인하고 있다.
③ 발표 순서를 안내하여 청중이 예상하며 듣도록 하고 있다.
④ 구체적인 예를 들어 발표 내용에 대한 이해를 돕고 있다.
⑤ 발표 소재에 대한 관심을 바라며 발표를 마무리하고 있다.

*2.* 다음은 발표자가 제시한 자료이다. 발표자의 자료 활용에 대한 설명으로 적절하지 <u>않은</u> 것은? [3점]

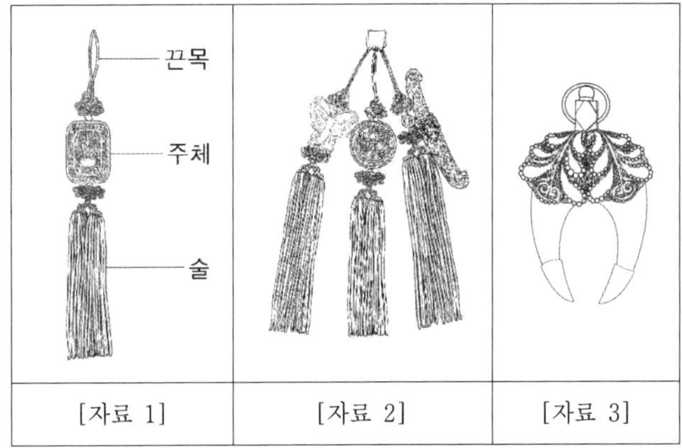


| [자료 1] | [자료 2] | [자료 3] |
|---|---|---|

① ㉠에 노리개를 구성하는 각 요소의 명칭과 특징을 보여 주기 위해 [자료 1]을 활용하였다.
② ㉡에 격식적인 느낌을 주고자 착용한 노리개를 보여 주기 위해 [자료 2]를 활용하였다.
③ ㉡에 삼작노리개가 세 줄로 된 노리개라는 것을 보여 주기 위해 [자료 2]를 활용하였다.
④ ㉢에 노리개의 주체에 염원이 담겨 있다는 것을 보여 주기 위해 [자료 3]을 활용하였다.
⑤ ㉢에 노리개의 소재와 크기에 제한이 있었다는 것을 설명하기 위해 [자료 3]을 활용하였다.

*3.* <보기>는 학생의 발표를 들은 후 청중이 보인 반응이다. '청중 1'과 '청중 2'의 공통점으로 가장 적절한 것은?

< 보 기 >

청중 1 : 발표를 들으면서 노리개가 언제부터 사용되었는지 알고 싶어졌는데, 노리개의 기원에 대한 설명이 없어 아쉬웠어. ○○○ 박물관 홈페이지를 통해 관련 정보를 찾아봐야겠어.
청중 2 : 예전에 박물관에서 노리개를 봤을 때는 구시대의 유물 정도로 생각했는데, 발표를 듣고 노리개에 대해 호기심이 생겼어. 근데 남자들이 착용한 노리개는 어떤 모양의 노리개였을까?

① 발표 내용과 관련된 궁금증을 나타내고 있다.
② 발표 내용에 관한 과거의 경험을 떠올리고 있다.
③ 발표 내용에 흥미를 갖고 긍정적으로 평가하고 있다.
④ 발표 내용과 관련하여 추가적인 활동을 계획하고 있다.
⑤ 발표 내용에서 다루지 않은 내용에 대해 추측하고 있다.

**[4~7] (가)는 교내 신문의 연재 기사문이고, (나)는 (가)의 보도 이후에 열린 회의이다. 물음에 답하시오.**

(가)

새로운 모습으로 탈바꿈하게 될 유휴 교실

우리 학교가 교육청의 '학교 공간 개선 지원 사업'의 대상 학교로 선정되어, '유휴 교실 활용 위원회' 회의를 통해 유휴 교실 활용 방안을 논의할 예정이다.

우리 학교는 학급 수 감축으로 생긴 빈 교실 두 칸의 활용도가 낮아, 이를 개선해야 한다는 요구가 계속 제기되어 왔다. 이에 우리 학교는 교육청의 학교 공간 개선 지원 사업에 신청하여 대상 학교로 선정되었다.

학교에서는 학생, 교사, 학부모 위원으로 구성된 유휴 교실 활용 위원회를 조직하여 유휴 교실 활용 방안을 논의하기로 하였다. 본 회의에 앞서 실시된 예비 모임에서는 학교 구성원들의 의견을 먼저 알아본 후에 그 결과를 바탕으로 회의를 열기로 협의하였다. 제1차 유휴 교실 활용 위원회 회의는 오는 ××일에 학생 자치실에서 열린다. 이와 관련해 김○○ 학생은 "학생들이 자유롭게 이용할 수 있는 공간이면 좋겠어요."라고 말했고, 최△△ 교사는 "학교 구성원들의 요구가 잘 충족되기를 바란다."라고 말해 회의에 대한 기대감을 드러내었다.

한편 본보에서는 앞으로 실시될 회의 결과를 연재 기사 형태로 실어 학교 구성원들에게 전달할 예정이다.

(나)

**사회자**: 제1차 유휴 교실 활용 위원회 회의를 시작하겠습니다. 회의에 앞서 배부한 참고 자료들을 보시면서 유휴 교실의 공간 활용 방안에 대해 논의하겠습니다. 학생 위원 먼저 발언해 주시기 바랍니다.

**학생 위원**: 학생 선호도 조사를 보면 학생들은 유휴 교실을 휴게실로 사용하기를 가장 원합니다. 교실은 공부를 위한 공간이다 보니, 교실에서 친구들과 이야기를 하거나 공부 이외의 활동을 자유롭게 하기 어렵습니다. 그래서 학생들이 마음 편하게 쉴 수 있는 공간으로 유휴 교실을 활용했으면 좋겠습니다.

**교사 위원**: 학생 위원의 의견에 공감합니다. 그러나 자료를 보시면 알 수 있듯이 이 사업이 교육청의 지원을 받아 이루어지므로 유휴 교실은 교육 활동을 위한 공간으로 활용되어야 합니다. 그런 점에서 단순히 휴게실로만 이용하는 것은 사업의 취지에 맞지 않습니다.

**사회자**: [A: 학생 위원은 학생들의 휴식 공간으로의 활용 방안을, 교사 위원은 교육 활동을 위한 공간으로 활용될 필요성을 말씀하셨습니다. 이에 대해 학부모 위원은 어떻게 생각하십니까?]

**학부모 위원**: 저도 유휴 교실은 교육적인 활동이 이루어지는 공간으로 구성되었으면 합니다. 학생 선호도 조사를 보면 스터디카페에 대한 선호도도 높은 편인데 유휴 교실을 스터디카페로 활용하는 방안은 어떨지요? 자료를 보니 인근의 □□ 고등학교도 유휴 교실을 스터디카페로 활용하여 학생들의 만족도가 높습니다.

**학생 위원**: 사업 취지를 살펴보면 '교육 활동에 적합한 공간'이라는 말도 있지만 '구성원 모두가 누릴 수 있는 공간'이라는 말도 있습니다. 스터디카페를 만들게 되면 공부하는 학생들만 이용하는 공간으로 제한될 우려가 있습니다. 오히려 학생 모두가 이용할 수 있는 휴게 공간으로 만드는 것이 사업 취지에도 맞습니다.

**사회자**: [B: 학생 위원과 학부모 위원이 말씀하신 휴게 공간이나 스터디카페 모두 사업의 취지에 부합한다고 볼 수 있습니다. 그러면 휴게 공간과 교육 공간의 성격을 아우를 수 있는 공간 활용 방안은 없을까요?]

**교사 위원**: 유휴 교실 두 칸을 통합하여 북카페의 형태로 공간을 구성하면 가능할 것 같습니다. 스터디카페로 꾸민 □□ 고등학교의 보고서를 보니 이곳을 독서 교육 공간으로 활용했으면 하는 의견도 있는데, 북카페로 만든다면 교과와 연계된 독서 교육 프로그램을 운영하는 공간으로 활용할 수도 있을 것 같습니다.

**학부모 위원**: 좋은 생각입니다. 그러면 북카페를 학생뿐 아니라 학부모 독서 모임 공간으로도 활용할 수 있습니다.

**학생 위원**: 북카페로 만든다면 편하게 쉬면서 책도 읽을 수 있어서 학생들도 만족할 것 같습니다. 다만 인근 학교의 사례를 보면 공간 이용에 불편함이 있다는 의견이 있으니, 우리 학교는 내부 디자인 설계 때 학생들의 의견을 반영해 주셨으면 합니다.

**사회자**: 그럼, 유휴 교실을 북카페로 활용하는 것으로 의견이 모아진 것 같습니다. 말씀하신 공간 내부 디자인 설계 방법에 대해서는 제2차 회의에서 디자인 전문가를 모시고 협의하도록 하겠습니다. 오늘 회의에 참여해 주셔서 감사합니다.

*4.* (가)를 작성하며 고려한 사항 중 글에 반영되지 않은 것은?

① 기사문의 공적인 성격을 고려하여 격식체를 사용한다.
② 기사문의 예상 독자를 고려하여 회의에 대한 학교 구성원들의 기대감을 나타낸다.
③ 기사문의 형식을 고려하여 기사 맨 앞부분인 전문에 유휴 교실 개선의 필요성을 제시한다.
④ 기사문의 기획 의도를 고려하여 회의 결과를 지속적으로 독자에게 알릴 것임을 언급한다.
⑤ 기사문의 목적을 고려하여 학교 공간 개선 지원 사업 신청 배경에 관한 정보를 전달한다.

*5.* (나)의 [A], [B]에 드러난 '사회자'의 말하기에 대한 이해로 가장 적절한 것은?

① [A]에서는 참가자의 발언 내용을 되물으며 발언의 정확한 의도를 확인하고 있다.
② [B]에서는 참가자들의 발언의 취지를 확인하며 추가적인 설명을 요구하고 있다.
③ [A]에서는 [B]에서와 달리 참가자들의 발언 내용의 적절성에 대해 평가하고 있다.
④ [B]에서는 [A]에서와 달리 참가자들의 의견이 수렴될 수 있는 방법에 대해 묻고 있다.
⑤ [A]와 [B]에서는 모두 참가자들의 발언 내용을 요약한 뒤 다음 발언자를 지목하고 있다.

6. <보기>는 회의 전에 참가자에게 배부된 자료이다. (나)에서 이를 활용한 방식에 대한 이해로 적절하지 않은 것은? [3점]

< 보 기 >

ㄱ. 유휴 교실에 대한 학생 선호도 조사

휴게실(42%), 스터디카페(37%), 매점(15%), 기타(6%)

ㄴ. 교육청 공문 내용

사업 취지 : 학교 구성원 주도의 공간 설계로 구성원 모두가 누릴 수 있는 공간을 마련하고 다양한 형태의 교육 활동에 적합한 공간을 구축하는 데에 도움을 줌.

ㄷ. 인근 학교의 공간 개선 지원 사업 보고서

1. □□ 고등학교

1) 공간 개선 결과 : 스터디카페 구축

2) 만족도 : 만족(83%), 불만족(17%)

3) 공간 개선 결과에 대한 생각

- 자유로운 분위기에서 공부할 수 있어 좋다.
- 독서 교육 공간이나 세미나 공간 등으로 활용할 수 있었으면 좋겠다.
- 학생들은 편안한 분위기의 공간을 원했는데, 의자가 너무 딱딱하고 공간 배치가 갑갑해서 불편하다.

① 학생 위원은 학생들이 바라는 공간의 성격을 제시하고자 ㄱ을 활용했겠군.

② 교사 위원은 학생 위원의 의견에서 부적절한 부분을 지적하고자 ㄴ을 활용했겠군.

③ 학생 위원은 내부 디자인과 관련하여 자신의 의견을 뒷받침하는 근거로 ㄷ을 활용했겠군.

④ 학부모 위원은 자신이 제안한 활용 방안의 타당성을 뒷받침하기 위해 ㄱ, ㄷ을 활용했겠군.

⑤ 교사 위원은 공간의 활용에 대한 학생 위원과의 인식 차이를 부각하기 위해 ㄴ, ㄷ을 활용했겠군.

7. 다음은 (나)에 대한 연재 기사문이다. 회의의 내용을 고려했을 때 ㉠ ~ ㉤ 중 적절하지 않은 것은?

㉠ 유휴 교실, 북카페로 변신

㉡ 지난 ××일 학생 자치실에서 열린 제1차 '유휴 교실 활용 위원회' 회의 결과 유휴 교실을 북카페로 만들기로 의견이 모아졌다.

이 회의에서 ㉢ 학생 위원은 유휴 교실을 휴게실로, 교사 위원은 교육 활동 공간으로, 학부모 위원은 스터디카페로 활용하자는 의견을 제시하였다. 열띤 토의 과정을 거쳐 교사 위원은 휴식과 교육의 기능을 모두 충족할 수 있는 북카페를 제안하였다. 이에 대해 ㉣ 학부모 위원은 북카페가 되면 교과 연계 독서 활동이 가능하다며 동의하였고, 학생 위원도 북카페로 만들 때 고려할 점을 건의하며 동의하였다.

오는 ◇◇일에 열릴 ㉤ 제2차 회의에서는 디자인 전문가와 함께 내부 디자인 설계 방안에 대해 논의할 예정이다.

① ㉠ ② ㉡ ③ ㉢ ④ ㉣ ⑤ ㉤

**[8 ~ 10] 다음은 탐방 동아리 블로그에 올릴 학생 글의 '초고' 이다. 물음에 답하시오.**

보배의 섬, 진도는 참 멀었다. 오후 늦게 할아버지 댁에 도착했다. 반갑게 맞잡은 할아버지의 손이 따뜻하고 묵직했다. 세발낙지 비빔밥으로 저녁을 맛나게 먹었다. 내일 둘러볼 운림산방과 소포마을, 그리고 울돌목 등에 대한 할아버지 말씀을 들으니 마음이 설렜다.

아침 일찍 할아버지와 함께 운림산방으로 향했다. 운림산방은 소치 허련의 화실이다. 소치는 스승인 추사 김정희가 세상을 떠나자 낙향하여 운림산방을 짓고 자연을 벗하여 그림을 그렸다. 운림산방 뒤로 첨찰산이 병풍처럼 둘러 서 있다. 사철 푸르른 첨찰산에 걸친 구름과, 깊은 골짜기를 흘러내린 시내와, 운림산방의 연못에서 피어 오른 안개가 어우러져 한 폭의 수묵화로 머릿속에 그려지고 있었다.

첨찰산에 깃든 쌍계사의 동백꽃을 한참 구경하다가 소포마을로 길을 재촉했다. 소포마을은 소포걸군농악, 강강술래, 남도 민요 등이 전승되는 남도 소리의 산실이다. 봄의 기척이 들려오는 들녘에는 파릇파릇한 대파를 뽑아 묶는 농부들이 보인다. 진도 아리랑 한 가락이 긴 밭두렁을 타고 들리는 듯하다.

점심을 먹고 공연 시간에 맞추어 진도향토문화회관에 도착했다. 이곳에서는 매주 토요일 오후 2시에 씻김굿, 진도 북놀이, 판소리 등의 공연이 진행된다. 무대와 객석이 하나가 되는 신명 나는 공연이었다. 공연이 끝날 때 모두 어우러져 북소리 장단에 맞춰 어깨춤을 췄다. 그 여운이 아직도 가슴 가득하다.

진도대교가 놓여 있는 울돌목의 진면목을 보기 위해 해 질 무렵 전망대에 올랐다. 울돌목, 명량(鳴梁)! 좁은 길목을 빠져나가는 물살이 거세고 빨라 마치 물이 울음을 우는 것 같다고 해서 이름 붙여진 곳. 진도대교 밑으로 흐르는 바닷물이 물보라를 일으키며 들끓고 있었다. 정유재란 때 이순신 장군이 해류의 흐름을 이용하여 10여 척의 배로 133척의 왜선을 물리쳤다는 명량해전. 수업 시간에 배운 그 역사의 현장에 내가 서 있다. 영화 '명량'을 보며 선생님은 영웅의 지략과 민초들의 헌신을 역설하셨다. 영화의 한 장면이 눈앞에 펼쳐진다. 왜선들을 마주하고 홀로 선 대장선의 깃발이 펄럭이고 북소리가 들린다.

8. 윗글의 글쓰기 계획 중에서 '초고'에 반영되지 않은 것은?

◦ 글쓰기 계획 : 여정에 따라 내용을 전개함.

1. 운림산방
   - 운림산방의 내력에 대한 정보 ········· ㉠
   - 운림산방 주변 경관과 이에 대한 감상
2. 소포마을
   - 소포마을에 전승되는 전통 문화
   - 소포마을의 들녘에 봄이 오는 모습 ········· ㉡
3. 진도향토문화회관
   - 공연 시간과 내용에 대한 안내 ········· ㉢
   - 공연을 감상하고 난 뒤의 느낌
4. 울돌목
   - 울돌목 지명의 유래와 이에 얽힌 전설 ········· ㉣
   - 울돌목에서 떠올린 역사적 사실과 수업 내용 ········· ㉤

① ㉠ ② ㉡ ③ ㉢ ④ ㉣ ⑤ ㉤

4 회

*9.* 윗글을 블로그에 싣기 위한 매체 언어의 활용 방안으로 적절하지 않은 것은?

① 1문단에서 탐방 지역의 약도를 시각 자료로 제시하여 여정을 한눈에 볼 수 있도록 한다.
② 2문단에서 운림산방과 첨찰산의 사진을 시각 자료로 제시하여 장소에 대한 독자의 이해를 돕는다.
③ 3문단에서 진도 아리랑을 청각 자료로 제시하여 독자가 직접 진도 아리랑을 들어 볼 수 있는 기회를 제공한다.
④ 4문단에서 진도향토문화회관의 공연 정보를 하이퍼링크로 제시하여 독자가 정보를 탐색할 수 있도록 안내한다.
⑤ 5문단에서 씻김굿의 한 장면을 영상 자료로 제시하며 영웅의 지략과 민초들의 헌신을 실감나게 전달한다.

*10.* <보기>의 '선생님'의 조언에 맞게 글에 추가할 내용을 구성한 것으로 가장 적절한 것은?

< 보 기 >

선생님 : 여정이 마무리되는 시간적 배경을 드러내며 글을 끝맺으면 어떨까? 그리고 글의 전체적인 분위기를 고려하여 색채어와 비유적 표현을 넣었으면 좋겠구나.

① 내 마음에서도 북소리가 들리는 듯하다. 저 멀리 파아란 하늘 아래 도란거리는 섬들이 평화롭다.
② 울돌목을 흐른 바닷물이 금빛 비늘을 퍼덕인다. 섬들 너머로 번지는 붉은 노을에 집으로 향하는 발길이 물든다.
③ 내일은 진도항과 남도진성을 둘러보고, 석양이 아름답기로 유명한 세방낙조에서 이번 여정을 갈무리해야겠다.
④ 흰 물거품이 일렁이는 울돌목 옆에 장군의 웅장한 동상이 서 있다. 그 기상을 가슴에 품고 용장산성으로 향한다.
⑤ 장군의 용맹과 지략이 나라를 구했음을 나는 깨달았다. 다도해의 섬들이 어깨를 토닥이며 조용히 저물고 있었다.

**[11 ~ 12] 다음 글을 읽고 물음에 답하시오.**

명사는 자립성의 유무에 따라 자립 명사와 의존 명사로 나눌 수 있다. 가령 '새 물건이 있다.'에서 '물건'은 관형어인 '새'가 없이 단독으로 쓰일 수 있기 때문에 자립 명사이다. 이와 달리 '헌 것이 있다.'에서 '것'은 관형어인 '헌'이 생략되면 '것이 있다.'와 같이 문법에 맞지 않는 문장이 되므로 의존 명사이다. 이처럼 의존 명사는 관형어의 수식 없이 단독으로 쓰일 수 없으며 조사와 결합한다는 특징이 있다.

의존 명사는 특정한 형태의 관형어를 요구하는 선행어 제약과, 특정 서술어나 격 조사와만 결합하는 후행어 제약이 있다. 다음 예문에서 (ㄱ)은 선행어 제약을, (ㄴ)은 후행어 제약을 보여 준다.

(ㄱ) 여기 (온 / *오는 / *올 / *오던) 지가 오래되었다.
(ㄴ) 나는 공부를 할 수가 있다.
그는 좋아서 어쩔 줄을 몰랐다.
일어난 김에 일을 마무리하자.
우리는 네게 그저 고마울 따름이다.

(ㄱ)에서 '지'를 수식하는 관형어는 관형사형 어미 '-(으)ㄴ'과만 결합하므로 선행어가 제약된다. (ㄴ)에서 '수'는 주격 조사 '가'와, '줄'은 목적격 조사 '을'과, '김'은 부사격 조사 '에'와, '따름'은 서술격 조사 '이다'와만 결합하므로 후행어가 제약된다. 이와 달리 '것'은 결합할 수 있는 격 조사의 제약이 없이 두루 사용된다. 의존 명사가 선행어 제약이나 후행어 제약이 있는지를 판단할 때는 의존 명사가 쓰일 수 있는 다양한 예를 고려해야 한다.

[A] 한편 의존 명사 중에는 '만큼'과 같이 동일한 형태가 조사로도 쓰이는 경우가 있는데, 이처럼 하나의 형태가 여러 개의 품사로 쓰이는 것을 품사 통용이라 한다. 예를 들어 '먹을 만큼 먹었다.'의 '만큼'은 관형어 '먹을'의 수식을 받는 의존 명사이지만, '너만큼 나도 할 수 있다.'의 '만큼'은 체언 '너' 뒤에 붙는 조사이다. 이때 의존 명사는 앞말과 띄어 쓰고, 조사는 앞말과 붙여 써야 한다.

*11.* [A]를 참고할 때, 밑줄 친 단어의 띄어쓰기가 옳은지 판단한 결과로 적절하지 않은 것은?

| | 예 문 | 판단 결과 |
|---|---|---|
| ① | 노력한 만큼 대가를 얻는다. | × |
| ② | 나도 형 만큼 운동을 잘 할 수 있다. | × |
| ③ | 그 사실을 몰랐던 만큼 충격도 컸다. | ○ |
| ④ | 시간이 멈추기를 바랄 만큼 즐거웠다. | ○ |
| ⑤ | 그곳은 내 고향만큼 아름답지는 않다. | ○ |

*12.* 윗글을 바탕으로 <보기>의 밑줄 친 단어를 이해한 내용으로 적절한 것은?

< 보 기 >

ㄱ. 우리는 어찌할 바를 모르겠다.
ㄴ. 그들은 칭찬을 받을 만도 하다.
ㄷ. 그를 만난 것은 해 질 무렵이다.
ㄹ. 동생이 그런 일을 할 리가 없다.
ㅁ. 포수는 호랑이를 산 채로 잡았다.

① ㄱ의 '바'는 목적격 조사와만 결합할 수 있으므로 후행어 제약이 있군.
② ㄴ의 '만'은 관형사형 어미 '-(으)ㄹ'만 올 수 있으므로 선행어 제약이 있군.
③ ㄷ의 '무렵'은 서술격 조사 '이다'와만 결합할 수 있으므로 후행어 제약이 있군.
④ ㄹ의 '리'는 격 조사의 제약이 없이 두루 결합할 수 있으므로 후행어 제약이 없군.
⑤ ㅁ의 '채'는 '-(으)ㄴ' 외에 다른 관형사형 어미도 올 수 있으므로 선행어 제약이 없군.

13. 한글 맞춤법과 중세 국어 자료를 함께 참고하여 탐구한 결과로 적절하지 않은 것은? [3점]

| 한글 맞춤법 | 【제31항】 두 말이 어울릴 적에 'ㅎ' 소리가 덧나는 것은 소리대로 적는다.<br>◦ 수캐(○) / 수개(×) ◦ 살코기(○) / 살고기(×) |
|---|---|
| 관련 자료 | 중세 국어에서는 '슗', '암ㅎ[雌]', '수ㅎ[雄]', '안ㅎ[内]', '나라ㅎ' 등의 'ㅎ 종성 체언'이 있었다. 'ㅎ 종성 체언'은 단독형으로 쓰일 때에는 'ㅎ'이 나타나지 않지만, 아래와 같은 경우 'ㅎ'이 나타나기도 하였다.<br>['ㅎ'이 나타나는 경우 / 예]<br>모음으로 시작하는 말과 결합하는 경우 'ㅎ'을 이어 적음. / 하늘ㅎ + 이 → 하늘히(하늘이)<br>자음 'ㄱ, ㄷ, ㅂ'으로 시작하는 말과 결합하는 경우 'ㅋ, ㅌ, ㅍ'이 됨. / 고ㅎ + 기리 → 고키리(코끼리)<br>현대 국어에서는 몇 개의 복합어에서만 'ㅎ' 종성 체언의 흔적이 남아 있는데, '수캐', '살코기', '암평아리' 등이 그에 해당한다. |

① '안팎'은 'ㅎ 종성 체언'인 '안ㅎ'에 '밖'이 결합한 흔적이 남아 있는 경우이겠군.
② '수캐'는 'ㅎ'이 'ㄱ'과 어울려 'ㅋ'으로 되는 거센소리되기가 이루어진 것이겠군.
③ '살코기'의 '살'은 중세 국어에서 단독으로 쓰일 경우 '슗'의 형태로 사용되었겠군.
④ '나라'는 중세 국어에서 조사 '이'와 결합하는 경우 '나라히'의 형태로 사용되었겠군.
⑤ '암평아리'는 중세 국어에서 'ㅎ 종성 체언' '암ㅎ'에 '병아리'가 결합한 흔적일 수 있겠군.

14. <보기>의 '선생님'의 질문에 대한 답으로 적절한 것은?

< 보 기 >

**선생님** : 서술어의 자릿수란 서술어가 필요로 하는 성분의 개수를 의미합니다. 그런데 다의어의 경우 의미에 따라 서술어의 자릿수가 달라질 수 있습니다. 가령 '밝다'의 경우, '달이 밝다.'에서는 한 자리 서술어, '그는 지리에 밝다.'에서는 두 자리 서술어입니다. 그럼, 학습지에 제시된 다의어 '가다'와 '생각하다'의 의미와 예문을 보고, ㉠ ~ ㉤ 중에서 두 자리 서술어로 쓰인 경우를 모두 골라 볼까요?

**가다**
1. 한 곳에서 다른 곳으로 장소를 이동하다.
¶ 친구가 내일 서울로 간다. ………… ㉠
2. 금, 줄, 주름살, 흠집 따위가 생기다.
¶ 바지에 구김이 너무 간다. ………… ㉡
3. 기계 따위가 제대로 작동하다.
¶ 낡은 괘종시계가 잘 간다. ………… ㉢

**생각하다**
1. 사물을 헤아리고 판단하다.
¶ 학생이 진로를 생각한다. ………… ㉣
2. 어떤 일에 대한 의견이나 느낌을 가지다.
¶ 우리가 투표를 의무로 생각한다. ………… ㉤

① ㉠, ㉣ ② ㉡, ㉢ ③ ㉠, ㉡, ㉣
④ ㉠, ㉢, ㉤ ⑤ ㉡, ㉢, ㉤

15. <보기>의 ㉠이 일어나는 사례로 적절한 것은?

< 보 기 >

음운 변동에는 ㉠ <u>교체</u>, 탈락, 첨가 등이 있는데, 용언의 활용에서 단모음과 단모음이 만날 때에도 이러한 현상이 일어날 수 있다. 이러한 모음의 음운 변동을 이해하기 위해서는 아래의 모음 종류를 참고할 필요가 있다.

◦ 단모음 : ㅏ, ㅐ, ㅓ, ㅔ, ㅗ, ㅚ, ㅜ, ㅟ, ㅡ, ㅣ
◦ 반모음 : ǐ, ㅗ̆/ㅜ̆
◦ 이중 모음(반모음 + 단모음) : ㅑ, ㅕ, ㅛ, ㅠ, ㅘ, ㅝ…

예를 들어 '오- + -아'가 [와]로 되는 음운 변동을 설명하면,

| | (변동 전) | (변동 후) |
|---|---|---|
| 오- + -아 → [와] | ㅗ + ㅏ | ㅘ |

와 같이 교체되는 것을 알 수 있다.

| | 사 례 | 변동 전 | 변동 후 |
|---|---|---|---|
| ① | 뛰- + -어 → [뛰여] | ㅟ + ㅓ | ㅟ + ㅕ |
| ② | 살피- + -어 → [살펴] | ㅣ + ㅓ | ㅕ |
| ③ | 치르- + -어 → [치러] | ㅡ + ㅓ | ㅓ |
| ④ | 끼- + -어 → [끼여] | ㅣ + ㅓ | ㅣ + ㅕ |
| ⑤ | 자- + -아서 → [자서] | ㅏ + ㅏ | ㅏ |

[16 ~ 18] 다음 글을 읽고 물음에 답하시오.

숙주 : 저 선생님! 제가 신숙주라는 인물과 비유되는 것마저 저로서는 불쾌합니다.
학자 : 신숙주와는 같은 신씨이며 본까지 같은 자네로서는 혈통을 거슬러 올라가 자네의 먼 할아버지 입장이 한번 되어 보게. 지금 같은 말이 나오나.
숙주 : 제가 그 사람의 입장에 서더라도 친구들을 배반하진 않을 겁니다.
학자 : 좋아 그럼 자넨 자네의 의지로써 신숙주의 입장을 타개해 보게. 결국 자넨 자신보다는 그분을 존경하게 될 걸세.
숙주 : 전 그렇잖을 자신이 있습니다.
학자 : 그래? 그럼 한번 해보세.
세조 : ㉠ 저…… 선생님.
학자 : 응? 뭔가?
세조 : 저 좀 다른 얘기입니다만 저희가 그 옛날 사람들의 입장으로 돌아가 본다는 건 이해하겠습니다만 저흰 옛날 의상 같은 것의 준비가 전혀 없잖습니까? ㉡ 그러구 저흰 궁중어 같은 건 서툴러놔서…….
학자 : ㉢ 하하하…… 알겠네. 하지만, 여보게 의상에 대한 고증이나 궁중어 따위라면 저속한 야담잡지에도 아주 상세하게 나와 있네. 우리가 목적하는 바는 그따위 옷이나 말 같은 것이 아니잖나? 물론 지금과 그때는 제도나 풍습의 차이 같은 것이 있겠지만 그것도 우리가 연구해 보려는 것에 부작용을 일으킬 정도로 대단한 게 아니잖을까? 그런 걱정은 말고, 자! 세조 역은 자네가 맡도록 하게. 때는 세조가 즉위한 지 일 년 후로 하지. 자넨 저 위로 올라가게. 옳지, 옛날에 산과 들을 뛰어 돌아다니며 주색을 즐기던 자네는 아니, 수양은 왕이 됐네. 표정이 좀 더 침울했으면 좋겠네.
세조 : 잘 안 되는데요. (일동 웃음)
학자 : 잘 해 보게. 옳지 정말 배우 같은데? 저, 정군 불이 좀 밝잖아?
정찬손 : (손으로 스위치를 끄는 시늉을 한다.)
(조명 조금 어두워진다.)
학자 : 됐어.
세조 : 저, 자신이 없는데요. (일동 웃음)
학자 : 그렇지 감정을 돋우는 덴 음악이란 게 있지. 자네들은 날 따라오게. 옆에서, 그렇게 웃으면 방해가 될 테니.
(세조와 숙주를 제외한 사람들 퇴장한다.)
성삼문 : 저 선생님 우리 어떤 정해진 얘기 줄거리 같은 것이 없잖아요?
학자 : 허허 이거 봐요 성군. 뚜렷한 줄거리가 있다면 아예 토론을 계속할 필요도 없잖아? 우린 그저 성실하게 각 인물들의 입장을 더듬으면 되는 거야.
성삼문 : ㉣ 그래두 어떤 질서 같은…….
학자 : 허허 이것 보게. 자네의 발은 자네가 명령한 질서를 잃어버린 채로도 이렇게 길을 잘 가고 있잖아? 자넨 여기까지 오는 동안 나와 얘기하느라고 발에 신경을 쓸 틈이 없었을 테니 말야. 여하튼 군이 그 질서라는 것이 거슬리면 교통 순경한테 가서 물어보게.
(전원 퇴장한다. 성삼문 고개를 갸우뚱 한다. 시계 소리 한 시를 친다. 이어서 음악이 엷게 흐른다.)

숙주 : 전하 이젠 돌아가 볼 때가 된 것 같습니다.
세조 : (서류를 들썩이며) 피곤한가?

[중간 부분의 내용] 그날 밤 조선의 왕 세조는 성삼문을 비롯한 사육신이 역모를 꾀한다는 것을 듣고 이들을 처형한다.

[A]

윤씨 : 형장엔 무엇 때문에 가셨어요?
숙주 : 그들과 함께 죽는 것보다는 그들의 죽음을 보는 것이 내게는 더 큰 시련이기 때문이야. 나는 나를 시험했어. 그들의 증오까지 받아들였어.
윤씨 : 그것으로 당신의 자존심이 구원받을 수 있나요?
숙주 : 자존심이라구? 당신은 아직도 사리를 그릇 깨닫고 있어.
윤씨 : 그들은 폭군에 저항했어요. 그분들은 옳은 일을 위해 죽었어요.
숙주 : 어리석은 죽음이야. 그들의 죽음이 백성과 자신에게 감상적인 동정을 불러일으켰을 따름이지. 그들은 자기 자신을 위해서 죽었어.
윤씨 : 당신이 하신 일은 자기 자신을 위한 일이 아니었던가요?
숙주 : 그들이 죽은 건 명예 때문이야. 그들은 단 한 가지 일밖에는 몰라. 충성이란 어리석은 이름을 지킨다는 것이 그들에게 명예심을 불러일으켰어. 그들은 죽었어. 그런데도 결국 올바른 일을 위해 죽은 게 아니라, 나이 어린 아이에 대한 충성을 바치기 위해서 죽은 거야.
윤씨 : 당신은 수양대군의 폭정을 정당하다고 주장하시는군요.
숙주 : 어느 의미에서는 옳지. 그는 야심가지만 이 나라를 유지할 수 있는 유일한 인물이야. 지배자는 정에 의해 결정되지 않고 의에 의해서 결정되어야 해. 그래서 나는 정과 인연을 끊었어.
윤씨 : 배반이죠. 비겁한 배반이야요. 모두들 당신이 생명을 유지하기 위해서 대군께 지조를 굽혔다고 떠들어요. 그러한 오명은 영원히 벗을 수 없어요.
숙주 : 난 그들을 설복시키는 데 실패했을 따름이야. ㉤ 상왕을 복위시키는 것은 무사와 안녕만을 바라는 늙은이들의 고집에 지나지 않는다구…… 결국 그들은 전하의 악명과 함께 영원히 그 충성심으로 떠받쳐지겠지. 백성들이란 그런 죽음을 좋아하니까.
윤씨 : 철면피예요. 당신이 그런 말씀을 하다니. 결국 당신은 그들과 인연을 끊음으로써 부귀와 영달을 얻었군요. 그것도 부정하실 생각이세요?
숙주 : 부정할 수 없는 것은 마음의 불안이야. 아직 내 머릿속엔 형장에서 사지를 늘이고 피를 흘리는 친구들의 모습이 선하게 떠올라. 그 모습은 아마 영영 내 머릿속에서 지울 수 없을 거야.
윤씨 : 그리고 영원히 신씨 일가의 오명도 벗을 길이 없겠죠.

– 신명순, 「전하」 –

16. ㉠ ~ ㉤에 대한 연출가의 지시로 가장 적절한 것은?

① ㉠ : 학자를 설득할 수 있다는 자신감이 넘치는 어투로 연기해 주세요.
② ㉡ : 연기를 할 만한 무대 공간이 협소한 것을 걱정하는 어투로 연기해 주세요.
③ ㉢ : 걱정할 것이 없다는 듯이 웃어넘기는 어투로 연기해 주세요.
④ ㉣ : 다양한 연기 경험이 부족하다는 것을 걱정하는 어투로 연기해 주세요.
⑤ ㉤ : 상대방의 판단에 대해 의구심을 가지고 불안해 하는 어투로 연기해 주세요.

17. [A]에서 '윤씨'와 '숙주' 간의 쟁점으로 적절하지 않은 것은?

① 사육신은 정의를 위해 죽었는가?
② 세조의 폭정은 정당화될 수 있는가?
③ 신숙주의 행동은 비겁한 배반이었는가?
④ 신숙주의 배반은 자신을 위한 일이었는가?
⑤ 백성들은 사육신을 충신으로 평가할 것인가?

18. <보기>의 ⓐ, ⓑ를 중심으로 윗글을 감상한 내용으로 적절하지 않은 것은? [3점]

< 보 기 >

「전하」는 아래의 도식과 같이 ⓐ틀극 속에 ⓑ내부극이 삽입되는 형태인 극중극의 구조를 보인다.

이 극에서 관객들은 관객과 배우 사이에 미리 정해 놓은 암묵적 약속인 컨벤션에 따라 극의 상황을 실제 상황인 것처럼 받아들이게 된다. 이러한 극중극의 구조에서는, 틀극의 배우들이 각각 역할을 분담하여 내부극의 배우나 관객이 되게 함으로써 과거의 역사적 사실이 현대적으로 재해석될 수 있음을 보여 주고 있다.

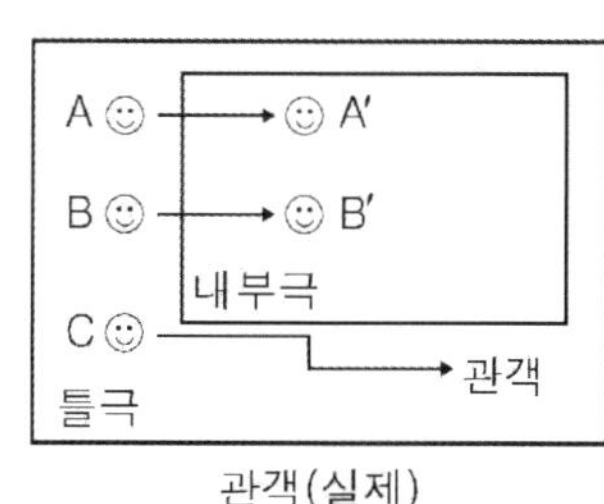


① 시계소리, 음악 등의 효과음을 기점으로 ⓐ에서 ⓑ로 전환되는군.
② ⓐ에서 '학자'가 ⓑ에서의 줄거리를 한정하지 않았기 때문에 ⓑ에서의 등장인물들이 자율적으로 연기할 수 있었겠군.
③ 옛날 의상을 입지 않아도, 관객들은 컨벤션에 따라 ⓑ의 배경이 조선 시대임을 암묵적으로 동의할 수 있었겠군.
④ ⓐ에서 '학자'가 신숙주에 비판적인 인물에게 ⓑ에서 '숙주' 역할을 맡긴 것은 인물의 인식 변화를 의도한 것이었겠군.
⑤ 한 명의 배우가 ⓐ에서 두 개의 배역을 담당함으로써 실제 관객들이 역사적 사실을 현대적 시각에서 재해석할 수 있겠군.

**[19 ~ 23] 다음 글을 읽고 물음에 답하시오.**

인간은 각자 정해진 운명이 있고, 초월적인 힘에 밀려 자신의 의지나 노력으로도 그것을 바꿀 수 없는 삶이 있다고 믿는 가치관을 ⓐ운명론적 세계관이라고 한다. 시에서 화자는 각기 다양한 시적 상황에 처하며, 처한 상황에 따라 저마다 다른 생각과 행동을 보여 준다. 이는 개인의 고유한 삶의 가치관과 관련이 있는데, 그중에서도 특히 화자가 운명론적 세계관에 따라 자신의 생각을 내면화하고 그에 따라 행동하는 모습을 보이는 작품을 종종 발견할 수 있다. 아래의 두 작품에는 운명론적 세계관이 나타나 있지만, 각각의 화자가 현재 자신의 삶을 운명으로 받아들이는 태도에는 미묘한 차이가 있다.

(가)

㉠오늘 저녁 이 좁다란 방의 흰 바람벽에
어쩐지 쓸쓸한 것만이 오고 간다
이 흰 바람벽에
희미한 십오촉(十五燭) 전등이 지치운 불빛을 내어던지고 [A]
때글은 다 낡은 무명샤쯔가 어두운 그림자를 쉬이고
그리고 또 달디단 따끈한 감주나 한잔 먹고 싶다고 생각하는 내 가지가지 외로운 생각이 헤매인다
그런데 이것은 또 어인 일인가
이 흰 바람벽에
내 가난한 늙은 어머니가 있다
내 가난한 늙은 어머니가 [B]
이렇게 시퍼러둥둥하니 추운 날인데 차디찬 물에 손은 담그고 무이며 배추를 씻고 있다
또 내 사랑하는 사람이 있다
내 사랑하는 어여쁜 사람이
어늬 먼 앞대 조용한 개포가의 나즈막한 집에서 [C]
그의 지아비와 마조 앉어 대구국을 끓여놓고 저녁을 먹는다
벌써 어린것도 생겨서 옆에 끼고 저녁을 먹는다
그런데 또 이즈막하야 어늬 사이엔가
이 흰 바람벽엔
내 쓸쓸한 얼굴을 쳐다보며
이러한 글자들이 지나간다
— 나는 이 세상에서 가난하고 외롭고 높고 쓸쓸하니 살어가도록 태어났다 [D]
그리고 이 세상을 살아가는데
내 가슴은 너무도 많이 뜨거운 것으로 호젓한 것으로 사랑으로 슬픔으로 가득 찬다
그리고 이번에는 나를 위로하는 듯이 나를 울력*하는 듯이
눈질을 하며 주먹질을 하며 이런 글자들이 지나간다
— 하늘이 이 세상을 내일 적에 그가 가장 귀해하고 사랑하는 것들은 모두 가난하고 외롭고 높고 쓸쓸하니 그리고 언제나 넘치는 사랑과 슬픔 속에 살도록 만드신 것이다 [E]
초생달과 바구지꽃과 짝새와 당나귀가 그러하듯이
그리고 또 '프랑시쓰 쨈'과 '도연명(陶淵明)'과 '라이넬 마리아 릴케'가 그러하듯이

— 백석, 「흰 바람벽이 있어」 —

* 울력 : 힘으로 몰아붙임.

(나)

하늘이 만드시길 일정 고루 하련마는
어찌된 인생이 이토록 괴로운고
삼순구식(三旬九食)을 얻거나 못 얻거나
십년에 갓 한번 쓰거나 못 쓰거나
안표누공(顔瓢屢空)*인들 나같이 비었으며
원헌간난(原憲艱難)인들 나같이 심했을까
㉡봄날이 더디 흘러 뻐꾸기가 보채거늘
동편 이웃에 따비 얻고 서편 이웃에 호미 얻고
집 안에 들어가 씨앗을 마련하니
올벼씨 한 말은 반 넘어 쥐 먹었고
기장 피 조 팥은 서너 되 심었거늘
한아한 식구 이리하여 어이 살리
이봐 아이들아 아무려나 힘써 일하라
**죽 쑨 물 상전 먹고 건더기 건져 종을 주니**
눈 위에 바늘 젓고 코로 휘파람 분다
올벼는 한 발 뜯고 조 팥은 다 묵히니
싸리피 바랑이는 나기도 싫지 않던가
나라빚과 이자는 무엇으로 장만하며
부역과 세금은 어찌하여 차려낼꼬
이리저리 생각해도 견딜 가능성이 전혀 없다
장초(萇楚)의 무지(無知)를 부러워하나 어찌하리
(중략)
**세시 절기 명절 제사는 무엇으로 해 올리며**
친척들과 손님들은 어이하야 접대할꼬
이 얼굴 지녀 있어 어려운 일 많고 많다
**이 원수 궁귀(窮鬼)*를 어이하야 여의려뇨**
술에 음식 갖추고 이름 불러 전송(餞送)하여
좋은 날 좋은 때에 사방(四方)으로 가라 하니
추추분분(啾啾憤憤)하야 화를 내어 이른 말이
어려서 지금까지 희로우락(喜怒憂樂)을 너와 함께 하여
죽거나 살거나 여윌 줄이 없었거늘
어디 가 뉘 말 듣고 가라 하여 이르느뇨
타이르듯 꾸짖는 듯 온 가지로 공혁(恐嚇)*커늘
돌이켜 생각하니 네 말도 다 옳도다
**무정한 세상은 다 나를 버리거늘**
네 혼자 신의 있어 나를 아니 버리거든
억지로 피하여 잔꾀로 여읠려냐
하늘이 만든 이 내 궁(窮)을 설마한들 어이하리
**빈천(貧賤)도 내 분(分)이어니 설워 무엇하리**

– 정훈, 「탄궁가(嘆窮歌)」 –

* 안표누공 : 공자의 제자인 안회의 가난함.
* 궁귀 : 가난 귀신.
* 공혁 : 을러대며 꾸짖음.

19. (가)와 (나)의 공통점으로 가장 적절한 것은?

① 수미상관의 기법을 활용하여 리듬감을 조성하고 있다.
② 특정 공간의 대비를 통해 역동적 분위기를 형성하고 있다.
③ 명령적 어조를 사용하여 화자의 강한 의지를 표출하고 있다.
④ 유사한 문장 구조의 반복을 통해 시적 상황을 부각하고 있다.
⑤ 촉각적 심상을 사용하여 사물의 정적인 모습을 강조하고 있다.

20. (가)의 [A] ~ [E]에 대한 설명으로 적절하지 않은 것은?

① [A]에서는 외부의 사물을 응시하던 화자의 시선이 내면으로 이어지고 있다.
② [B], [C]에서는 [A]의 '흰 바람벽'을 보는 상황이 이어지면서, 떠오르는 생각들이 제시되고 있다.
③ [B], [C]에 나타난 소외된 사람들에 대한 연민이 [D]에서 자기 연민으로 전환되고 있다.
④ [D]에서 지나가는 글자들에 내재된 자기 긍정의 정서가 [E]에서 강화되고 있다.
⑤ [E]에서는 [D]에 나타난 애상적 정서에 침잠하지 않으려는 심리적 태도가 드러나 있다.

21. <보기>를 바탕으로 (나)를 이해한 내용으로 적절하지 않은 것은?

< 보 기 >

「탄궁가」는 경제적으로 몰락한 사대부가 자신이 처한 궁핍한 현실에 대해 한탄하는 가사이다. 이 작품에는 가난으로 인해 사대부로서의 도리를 지키지 못하는 형편과 극심한 궁핍으로 인해 사대부임에도 불구하고 종에 대한 권위를 내세울 수 없는 상황이 드러나 있다. 이와 함께 경제적인 무능력으로 인해 가난에서 벗어나지 못하고 이를 수용할 수밖에 없는 처지 등이 잘 나타나 있다.

① '죽 쑨 물 상전 먹고 건더기 건져 종을 주니'에서 농사일로 종의 눈치를 보는 몰락한 사대부의 처지를 엿볼 수 있군.
② '세시 절기 명절 제사는 무엇으로 해 올리며'에서 사대부로서의 도리를 다하지 못하는 현실에 대한 한탄을 엿볼 수 있군.
③ '이 원수 궁귀를 어이하야 여의려뇨'에서 가난한 상황을 미리 대비하지 못한 무능함에서 오는 자괴감을 엿볼 수 있군.
④ '무정한 세상은 다 나를 버리거늘'에서 힘겨운 경제적 상황을 타개해 나갈 수 없는 비관적 현실을 엿볼 수 있군.
⑤ '빈천도 내 분이어니 설워 무엇하리'에서 궁핍한 현실을 체념적으로 수용하는 태도를 엿볼 수 있군.

22. ㉠과 ㉡에 대한 설명으로 가장 적절한 것은?

① ㉠은 화자의 내적 성찰이 이루어지는 시간이고, ㉡은 화자의 절망감이 심화되는 시간이다.
② ㉠은 화자가 과거의 고통을 상기하는 시간이고, ㉡은 화자가 행복했던 경험을 떠올리는 시간이다.
③ ㉠은 화자가 시간의 단절감을 경험하는 시간이고, ㉡은 화자가 계절의 순환 질서를 받아들이는 시간이다.
④ ㉠은 화자가 고향에 대한 추억을 떠올리는 시간이고, ㉡은 화자가 고향 사람들의 인정을 느끼는 시간이다.
⑤ ㉠은 화자가 가족에 대해 애틋함을 느끼는 시간이고, ㉡은 화자가 가족에 대해 상실감을 느끼는 시간이다.

23. ⓐ의 관점에서 (가), (나)를 감상한 내용으로 적절하지 않은 것은? [3점]

① (가)와 (나)의 화자는 모두 운명을 결정짓는 초월적인 존재가 있다고 전제하고 있다.
② (가)의 화자는 (나)의 화자와 달리 외로움도 자신이 받아들이는 운명의 대상으로 여기고 있다.
③ (나)의 화자는 (가)의 화자와 달리 사람들의 운명은 고르게 타고나야 한다고 인식하고 있다.
④ (가)는 이상과 현실의 괴리감이, (나)는 과거와 현재의 괴리감이 화자가 운명을 인식하는 계기가 되고 있다.
⑤ (가)의 화자는 타인과의 동질감에서 운명적인 삶에 대한 위안을, (나)의 화자는 타인과의 비교에서 절망을 느끼고 있다.

**[24 ~ 27] 다음 글을 읽고 물음에 답하시오.**

고층 건물을 건설하는 현장을 보면 우뚝 솟아 있는 타워 크레인이 사람들의 시선을 끈다. 타워 크레인은 수십 톤에 ⓐ달하는 중량물을 들어 올리는 건설 기계 장비이다. 그렇다면 타워 크레인은 어떻게 수십 톤의 무거운 건설 자재를 들어 올릴 수 있는 것일까?

타워 크레인은 <그림>과 같이 기초부, 마스트, 텔레스코핑 케이지, 운전실, 지브, 트롤리, 후크 블록 등으로 구성된다. 기초부는 타워 크레인을 지지하는 부분이고, 마스트는 타워 크레인을 지지하는 기둥이다. 텔레스코핑 케이지는 타워 크레인의 높이를 조절하는 장치로, 유압 장치를 통해 운전실을 들어 올린 후 마스트와 운전실 사이의 빈 공간에 단위 마스트를 끼워 넣어 높이를 조절한다.

운전실은 타워 크레인을 ⓑ제어하는 곳으로, 하단에는 중량물을 수평으로 이동시키는 선회 장치가 있고, 상단의 타워 헤드에는 지브의 인장력을 보강하면서 평형 유지를 돕는 타이바가 ⓒ연결되어 있다. 지브는 카운터 지브와 메인 지브로 구성되는데, 카운터 지브는 길이가 짧으며 일정한 무게의 콘크리트 평형추가 고정되어 있는 부분이고, 메인 지브는 길이가 길고 중량물을 들어 올리는 역할을 하는 부분이다. 트롤리는 메인 지브의 레일을 통해 중량물을 수평으로 이동시키는 역할을 한다.

카운터 지브와 메인 지브의 길이가 다름에도 불구하고 지브가 한쪽으로 기울어지지 않고 평형을 이룰 수 있는 것은 무엇 때문일까? 그것은 바로 지레의 원리로 설명할 수 있다. 지레에는 작용점, 받침점, 힘점이 있는데, 작용점에 가하는 힘을 F, 작용점에서 받침점까지의 거리를 D, 힘점에 작용하는 힘을 f, 힘점에서 받침점까지의 거리를 d라고 할 때, FD = fd이면 지레는 어느 한쪽으로 기울어지지 않고 평형을 이루게 된다. 마찬가지로 타워 크레인의 평형추는 작용점, 운전실 지점은 받침점, 트롤리는 힘점에 해당하는데, 타워 크레인은 두 지브의 길이가 다르기 때문에 길이가 짧은 카운터 지브에 무거운 평형추를 설치하여 길이가 긴 메인 지브와 평형을 이루도록 한다. 그런데 타워 크레인은 메인 지브에 있는 트롤리의 위치에 따라 들어 올릴 수 있는 중량물의 무게가 달라진다. 메인 지브의 바깥쪽에서 들어 올린 중량물을 메인 지브 안쪽으로 이동시키는 것은 자유롭지만, ㉠반대로 메인 지브의 안쪽에서 들어 올린 중량물을 메인 지브 바깥쪽으로 이동시키지 못할 수도 있다.

[A] 타워 크레인이 수십 톤에 달하는 무거운 건축 자재를 들어 올릴 수 있는 것은 중량물을 매다는 후크 블록에 움직도르래를 사용하기 때문이다. 후크 블록의 움직도르래는 와이어로프를 통해 권상 장치와 연결되어 있다. 권상 장치는 그 안에 있는 전동기의 회전 방향에 따라 와이어로프를 원통 모양의 드럼에 감거나 풀어 중량물을 들어 올리거나 내린다. 도르래를 사용할 때의 역학 관계는 '일의 양(W) = 줄을 당긴 힘(F) × 감아올린 줄의 길이(S)'로 나타낼 수 있다. 동일한 무게의 물체를 들어 올린 높이가 같다면 권상 장치가 물체를 들어 올리기 위해 한 일의 양이 같다. 그런데 고정도르래만 사용할 때와 비교해, 움직도르래 1개를 사용하여 지상에서 같은 높이로 물체를 들어 올리면, 일의 양은 같지만 도르래 양쪽으로 물체의 무게가 반씩 ⓓ분산되기 때문에 물체를 들어 올리는 힘의 크기는 1/2로 줄어들게 되고, 감아올린 줄의 길이는 2배로 길어진다. 이러한 움직도르래를 타워 크레인에서 추가적으로 사용할 때마다 동일한 무게의 중량물을 같은 높이로 들어 올릴 때 권상 장치가 사용하는 힘의 크기가 더 ⓔ감소하지만, 권상 장치가 감아올리는 와이어로프의 길이는 더 길어지게 된다. 하지만 여러 개의 움직도르래를 사용하게 되면 여러 가닥의 와이어로프가 바람에 의해 꼬여 손상되는 일이 발생할 수 있기 때문에 사용할 수 있는 움직도르래의 개수가 제한된다.

24. 윗글을 통해 알 수 있는 내용이 아닌 것은?

① 타이바는 길이가 다른 두 개의 지브가 한쪽으로 기울어지지 않도록 돕는 역할을 한다.
② 타워 크레인으로 들어 올린 중량물의 수평 이동은 트롤리와 선회 장치에 의해 이루어진다.
③ 후크 블록에 여러 개의 움직도르래가 사용되면 와이어로프가 꼬여 손상될 가능성이 높아진다.
④ 타워 크레인이 중량물을 들어 올릴 때와 내릴 때에 권상 장치에 있는 전동기의 회전 방향은 반대가 된다.
⑤ 타워 크레인의 높이를 높이기 위해서는 텔레스코핑 케이지의 유압 장치를 이용해 마스트를 들어 올려야 한다.

25. ㉠의 이유로 가장 적절한 것은?

① 평형추와 운전실 사이의 거리와 평형추의 무게가 고정되어 있기 때문에
② 평형추와 운전실 사이의 거리에 비해 트롤리와 운전실 사이의 거리가 가까워지기 때문에
③ 트롤리와 운전실 사이의 거리가 멀어질수록 힘점과 받침점 사이의 거리가 가까워지기 때문에
④ 카운터 지브에 설치된 평형추의 무게와 권상 장치에 있는 중량물의 무게의 비가 달라지기 때문에
⑤ 트롤리가 메인 지브의 바깥쪽으로 이동할수록 평형추가 있는 카운터 지브 쪽으로 타워 크레인이 기울어지기 때문에

*26.* [A]를 바탕으로 <보기 1>을 이해한 내용을 <보기 2>와 같이 정리할 때, (ㄱ), (ㄴ)에 들어갈 말로 적절한 것은? [3점]

<보기 1>

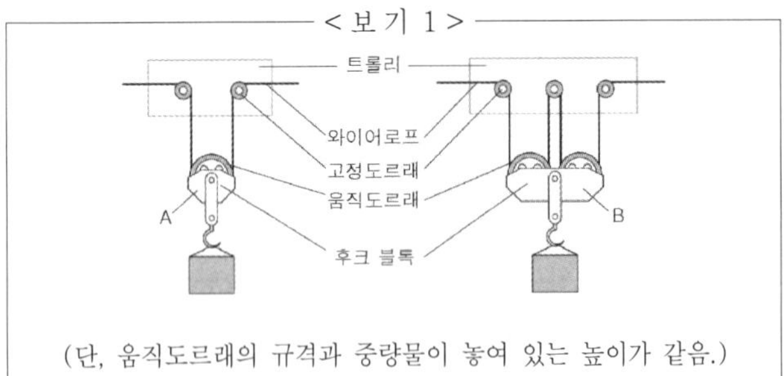


(단, 움직도르래의 규격과 중량물이 놓여 있는 높이가 같음.)

<보기 2>

A, B를 이용해 같은 무게의 중량물을 각각 들어 올릴 때, 권상 장치가 감아올린 와이어로프의 길이가 같다면 권상 장치가 중량물을 들어 올릴 때 사용한 힘의 크기는 ( ㄱ ), 들어 올린 중량물의 높이는 ( ㄴ ).

| | (ㄱ) | (ㄴ) |
|---|---|---|
| ① | A가 B보다 크고 | A가 B보다 높다 |
| ② | A가 B보다 크고 | A가 B보다 낮다 |
| ③ | A가 B보다 작고 | A가 B보다 높다 |
| ④ | A가 B보다 작고 | A가 B보다 낮다 |
| ⑤ | A와 B가 같고 | A와 B가 같다 |

*27.* 문맥에 맞게 ⓐ ~ ⓔ를 바꿔 쓴 것으로 적절하지 <u>않은</u> 것은?

① ⓐ : 이르는
② ⓑ : 받치는
③ ⓒ : 이어져
④ ⓓ : 나뉘기
⑤ ⓔ : 줄지만

**[28 ~ 31] 다음 글을 읽고 물음에 답하시오.**

천자 가만히 북문을 열고 도망하실새, 길은 없고 다만 산이 가리우니 어찌 행하리오. 적장 강공 형제 천자를 좇아오며 무수히 무찌르니, 최두와 왕건 두 사람이 천자를 호위하며 닫더니, 적병이 급함을 보고 칼을 들고 내달아 싸우더니, 일합이 못 하여 강공은 최두를 베고, 강녕은 왕건을 베니, 송 진영에 남은 군사 싸울 마음 없는지라. 강공이 칼을 춤추며 외쳐 왈,

"송 천자는 죽기를 두리거든 빨리 나와 내 칼을 받으라."

하고 점점 가까와 오니, 천자가 황황망조하여 앙천통곡 왈,

"송조 백여 년 기업이 짐에게 이르러 망할 줄 알리오."

하시고 어찌할 줄 모르시며, 찼던 **인검을 빼어서 자결코자 하**시더니, 천만의외에 한 소년 장수가 나는 듯이 내달아 천자를 구하고 적병을 엄살하니, **아지 못하겠어라. 이 어떤 사람인고.**

㉠ <u>선설</u>*, 유실부가 모친 슬하를 떠나 말을 타고 연무대를 찾아 천자가 친히 출정하시는 군중에 참여코자 하였더니, 천자가 그 나이 어림을 꺼리사 무용지인(無用之人)으로 내치심을 보고 물러나매, 그 향할 바를 아지 못하고 말을 이끌고 초조히 다니며 부친 소식을 탐지하더니, 한 주점을 찾아 밥을 사 먹으며 쉬더니, 문득 백발노인이 갈건야복으로 청려장을 끌고 지나다가, 유생을 보고 급히 들어와 문 왈,

"그대 아니 유실부인다?"

유생이 그 노인의 늠름한 거동을 보고 일어 공경 대 왈,

"과연 그렇도소이다."

노인 왈,

"내 그대에게 가르칠 말이 있으니, 나와 한가지로 집에 감이 어떠하뇨?"

(중략)

수 권 서책을 내어 놓고 보라 하니, 유생이 일견에 신통한 술법임을 알고 인하여 배우니, **불과 수년지내(數年之內)에 능히 재주를 통**한지라. 노인이 기뻐 실부에게 일러 왈,

[A] "그대 이제 천지조화지리를 알았으니, 세상에 나아가 천자의 위태함을 구하고, 꽃다운 이름을 후세에 전하라."

유생이 이미 도적이 군사를 일으켜 천자가 출정하심을 짐작하였으나, 위태하심을 구하란 말을 듣고 크게 놀라 문 왈,

"대인 이런 산중에 은거하시며 어찌 세상일 알으시니이까?"

노인이 미소 왈,

"내 자연 알 일이 있기로 알거니와, 사람이 때를 잃음이 불관(不關)하니, 이별이 심히 서운하나 어찌 면하리오."

하고 행장을 차려 주며 떠남을 재촉하니, 생이 마지못하여 절하며 왈,

"대인의 은혜로 배운 일이 많사올 뿐 아니라 천륜(天倫) 같은 정의(情義)를 졸연히 이별하오니, 어느 날 다시 만남을 아지 못하리로소이다."

노인이 더욱 기특히 여겨 왈,

"일후 나를 찾고자 하거든, 백학산 백학도사를 찾으라."

하고, 한가지로 산에 내려 작별하고 문득 간 데 없는지라. 유생이 신기히 여겨 백학산을 바라보고 무수히 감사드려 절하며, 길을 찾아 말을 타고 황성(皇城)으로 향하더니 날이 저물매 저녁을 사 먹고 밤이 깊도록 잠을 이루지 못하더니, 홀연 일위 선관(仙官)이 앞에 나와 절하고 왈,

[B] "소제(小弟)는 동해 용왕의 둘째 아들이옵더니, 부왕의 명을 받자와 형장께 당부할 말이 있기로 왔삽거니와, '지금 천하가 요란하여 명일 신시(申時)에 천자의 위태함을 구할 자는 당금(當今) 유실부라.' 하시기로 왔사오니, 부디 때를 잃지 말고 아름다운 이름을 후세에 전하소서."

하거늘, 유생이 이 말을 듣고 무슨 말을 묻고자 하다가 홀연 벽력(霹靂) 같은 말소리에 놀라 깨달으니 꿈이라. 유생이 급히 일어나 마음을 진정치 못하고 날이 새기를 기다려, 다시 말을 타고 채를 치니 순식간에 오백여 리를 행한지라. 바로 황성으로 향하더니, 문득 공중에서 외쳐 왈,

"장군은 황성으로 가지 말고 남평관 북문 밖으로 가라."

하거늘, 유생이 비로소 신령이 지시함을 짐작하고 말을 달려 남평관을 찾아가니, 관중에 적병이 웅거하고 산하에 호통 소리 진동하거늘, 생이 분기를 이기지 못하여 갑주를 떨치고 칼을 춤추며 십만 적병을 풀 베듯 하여 무인지경(無人之境)같이 하여 들어가니, 적장 강공과 강녕이 천자를 에워싸고 무수히 꾸짖고 욕하며 항복하라 재촉하거늘, 유생이 분기 대발하여 쟁룡검을 두르고 짓쳐 들어가니, 장졸의 머리 무수히 떨어지는지라.

강공과 강녕이 비록 용맹하나 불의지변(不義之變)을 만나매 미처 손을 놀리지 못하여, 쟁룡검이 이르는 곳에 강공과 강녕의 머리 칼빛을 좇아 떨어지는지라. 호로왕이 몹시 놀라 남은 군사를 이끌고 십 리를 물러 제장을 불러 왈,

"아까 강공 형제 벤 장수는 천신(天神)이 아니면, 이는 반드시 신장(神將)이로다."

하고 양장의 죽음을 슬퍼하더라.

**유생이 적장의 머리를 칼끝에 꿰어 들고 바로 천자 앞에 나아가** 복지(伏地) 주 왈,

"신은 당초 연무대에서 말 달리던 유실부옵더니, 황실의 위태하심을 듣삽고 혈기지분(血氣之忿)으로 **당돌히 전장에 참여하**여 다행히 적군을 물리치오나, 천명(天命)을 어기었사오니 군법으로 시행하소서."

차시*, 천자가 적진에 싸여 거의 잡히기에 이르매, 하늘을 우러러 통곡하고 자결코자 하시더니, 난데없는 소년 장수가 나는 듯이 들어와 일합에 적장을 베고, 좌충우돌하여 화망을 벗겨 줌을 보시고 천심을 진정하사 좌우에게 물어 가라사대,

"저 어떤 장수인고? 필경 천신이 도우심이로다."

하시고 신기히 여기시더니, 오래지 아니하여 그 소년 장수가 적장의 머리를 가지고 엎드리며, 성명이 유실부라 하여 죄를 청함을 보시고, 천심이 기쁘사 친히 내려 그 손목을 잡으시고 타루(墮淚) 왈,

"저 즈음에 짐이 경의 용맹 있음을 짐작하였으나 그 소년을 아껴 감히 쓰지 못하였더니, 이제 경이 짐의 어리석음을 생각지 아니하고 짐의 급함을 구하여 송 왕실을 회복하고 사직(社稷)을 안보케 되니, 그 공을 갚을 바를 아지 못하거니와, 경의 부친은 이름이 무엇이뇨?"

생이 머리를 조아리며 왈,

"신의 아비는 한림학사 유태사요, 조부는 호부상서 유방이로소이다."

— 작자 미상, 「월왕전」 —

* 선설 : 앞의 이야기를 하자면.
* 차시 : 이때.

*28.* 윗글을 이해한 내용으로 가장 적절한 것은?

① 천자는 북문을 나와 유실부가 있는 곳으로 몸을 피했다.
② 최두와 왕건의 충성에 송나라 군사들은 전의를 불태웠다.
③ 연무대를 나온 유실부는 주점에서 부친을 간절히 기다렸다.
④ 유실부는 술법을 배우려고 백발노인을 찾아 산천을 헤맸다.
⑤ 유실부는 명을 어기고 출정한 점에 대해 천자께 죄를 청했다.

*29.* ㉠의 서사적 기능으로 가장 적절한 것은?

① 유실부의 활약을 소개해 천자의 위태로운 상황을 부각한다.
② 유실부의 행적을 서술해 최두를 만나게 된 내막을 부각한다.
③ 유실부의 고난을 드러내 천자가 조력자가 된 사연을 부각한다.
④ 유실부의 정체를 밝혀 영웅적 활약상을 펼친 배경을 제시한다.
⑤ 유실부의 가계를 언급해 고귀한 혈통을 지닌 내력을 제시한다.

*30.* <보기>를 바탕으로 윗글을 감상한 내용으로 적절하지 않은 것은? [3점]

< 보 기 >

「월왕전」은 유교적 충효 사상을 주제로 한 군담소설로서 19세기 무렵 민간에서 판각한 방각본 소설이다. 상업성을 추구했던 대개의 방각본 소설처럼 이 작품도 주로 오락적 목적의 독서를 즐겨 하는 독자층을 겨냥한 다양한 소설적 기법을 구사하고 있다. 전기적(傳奇的) 요소의 활용은 물론, 극단적 상황 설정, 이야기의 흐름을 끊는 단절 기법, 속도감 있는 사건 전개를 위한 압축적인 사건 서술이 잘 나타나 있다.

① 천자가 쫓기다 '인검을 빼어서 자결코자 하'는 데서 극단적 상황을 통해 긴박감을 조성하고 있군.
② '아지 못하겠어라. 이 어떤 사람인고.'에서 단절 기법을 통해 소년 장수에 대한 독자의 궁금증을 유발하고 있군.
③ '불과 수년지내에 능히 재주를 통'했다는 데서 유실부가 신통한 술법을 갖춘 과정을 압축적으로 제시하고 있군.
④ '유생이 적장의 머리를 칼끝에 꿰어 들고 바로 천자 앞에 나아가'는 데서 전기적 요소가 드러나고 있군.
⑤ 위태로운 황실의 상황을 듣고 '당돌히 전장에 참여하'여 적장을 물리치는 데서 유교적 충의 사상이 나타나 있군.

*31.* [A], [B]에 대한 설명으로 적절하지 않은 것은?

① [A]는 [B]와 달리 현실 상황에서 이루어지고 있다.
② [B]는 [A]와 달리 행동의 시의성을 강조하고 있다.
③ [A]는 상대의 능력을, [B]는 권위자의 명령을 근거로 한 발화이다.
④ [A]는 수행할 임무를, [B]는 임무 수행의 구체적인 방법을 서술하고 있다.
⑤ [A]와 [B]는 모두 상대의 명망이 높아질 것에 대한 기대를 나타내고 있다.

[32 ~ 36] 다음 글을 읽고 물음에 답하시오.

미의 본질에 대한 최초의 연구는 고대 그리스 피타고라스학파에 의해서 이루어졌는데, 이들은 미가 물질적인 대상의 형식적인 구조 속에 표현되는 객관적인 법칙이라고 생각하였다. 피타고라스는 수를 이 세상의 근원으로 보았기 때문에 아름다움은 그 대상을 구성하는 여러 요소들 간의 수적인 비례에 의한 것이라는 균제 이론을 내세웠다. 피타고라스의 철학은 그 후 플라톤, 아리스토텔레스 등 서양 철학사를 주도한 이들에게 수용되어 균제 이론은 서양 미학의 하나의 전통이 되었다.

플로티노스는 몇 가지 이유를 들어 미의 본질은 균제로 대표되는 수적 비례에 있는 것이 아니라고 주장한다. 균제 이론은 부분과 부분, 또는 부분과 전체의 관계 속에서 아름다움을 찾는 것이다. 플로티노스는 균제를 이루고 있는 대상이라 하더라도 아름답지 않은 경우가 있을 수 있으며, 균제를 이루지 않는 단순한 색이나 소리도 아름다울 수 있음을 내세운다. 또한 그는 품위 있는 행동이나 훌륭한 법률과 같은 것들도 아름다울 수 있는데, 그러한 비물질적인 특질에 어떻게 균제를 적용할 수 있는지 반문한다.

미의 본질에 대한 전통적인 견해를 부정한 플로티노스는 균제를 대체할 수 있는 미의 본질을 정신에서 찾았다. 플라톤은 이 세계를 이데아계와 현상계로 나누고, 현상계는 이데아계를 본떠서 생겨난 것이라고 생각했는데, 플로티노스도 플라톤과 마찬가지로 세상을 이데아계인 예지계와 감각세계인 현상계로 구분했다. 그러나 두 세계가 근본적으로 단절되어 있다고 본 플라톤과는 달리 플로티노스는 '유출(流出)'과 '테오리아(theōria)'의 개념을 통해 이 둘이 연결되어 있다고 주장했다. 플로티노스에 의하면 세상의 근원인 '일자(一者)'는 가장 완전하고 충만한 원천으로 마치 광원(光源)과도 같아서 만물은 일자의 빛이 흘러넘침, 즉 유출에 의해 순차적으로 생성된다. 일자로부터 가장 먼저 나온 것은 절대적이며 초개별적인 '정신'이고, 정신으로부터 우주 영혼과 개별 영혼들이 산출된다. 일자, 정신, 영혼 이 세 가지 존재자들이 비물질적인 예지계를 구성한다. 이를 뒤이어 감각적 존재자들의 현상계가 출현하는데, 먼저 영혼으로부터 실재하는 감각 대상들의 세계인 자연이 유출되며, 다시 자연으로부터 가장 낮은 단계의 존재자들인 아무런 형상이 없는 질료*들이 유출된다.

ⓐ 일자에서 ⓑ 정신, ⓒ 영혼, ⓓ 자연, ⓔ 질료로의 유출은 존재의 완전성 정도에 따라 순차적으로 이루어지는 것으로 자기 동일성의 타자적 발현이라 할 수 있다. 따라서 유출로 연결된 존재 간에는 어떤 동일성이 유지되어 있으며, 위계질서를 가진다. 이처럼 예지계와 현상계는 분리되어 있는 것처럼 보이나 질적으로는 서로 연결되어 있다는 것이 플로티노스의 주장이다. 이런 생각에 의거하여 미(美)는 마치 빛이 그 광원에서 멀어질수록 밝기가 약해지듯이, 일자에서 질료로 내려갈수록 점차 추(醜)에 가까워지게 된다.

미에 대한 플로티노스의 이런 생각으로 인해 그는 예술의 가치에 대해 플라톤과 다른 입장을 취했다. 플라톤은 예술이 이데아계를 모방한 현상계를 다시 모방하는 것에 불과하다고 폄하했다. 하지만 아름다움이 실질적으로 정신에서 비롯된 것으로 보고 질적이고 정신적인 미의 중요성을 높이 평가한 플로티노스에게 예술은 모방의 모방이 아니라 정신의 아름다움과 진리를 물질화하는 것이 된다. 플로티노스에게 있어 미의 형상은 본래 정신에 있는 것이지만 예술가의 영혼에도 정신의 속성인 미의 형상이 내재해 있다. 이때 영혼 안에 있는 미의 형상을 질료에 실현시키는 것이 바로 예술이다. 그러므로 예술이란 ㉠ 귀납적 표상으로 형성되는 관념상을 그리는 행위가 아니라 선험적 관념상, 즉 ㉡ 연역적 표상을 현상계의 감각적인 것으로 유출시키는 행위인 것이다. 예술가는 이렇게 질료에 미의 형상을 부여함으로써 자연이 부족하게 가지고 있는 것을 보완한다. 그런 의미에서 플로티노스는 플라톤처럼 예술을 예지계와 현상계 다음에 위치시키지 않는다. 그에게 있어 예술은 예지계와 현상계 중간에 있는 것이다.

플로티노스는 예술을 우리 영혼이 현상계에서 일자로 올라가기 위해 딛고 서야 할 디딤돌이라고 보았다. 영혼은 근원인 일자의 속성을 지니고 있지만 동일한 근원이 다른 모습으로 나타났기에 근원에서 벗어난 것이기도 하다. 그래서 우리 인간은 자신의 영혼이 일자와 동일한 것을 공유한다는 것을 잊고 물질세계의 감각적인 것에 매몰되어 있다. 우리의 영혼이 일자와 합일해야 한다고 본 플로티노스는 영혼이 내면을 관조함으로써 자신의 근원인 일자를 상기할 수 있으며, 일자로 돌아갈 수 있다고 했다. 이렇게 일자로부터의 유출로 생성된 각 단계의 존재들이 거꾸로 예지계의 일자에게로 회귀하는 상승 운동이 '테오리아'이다. 테오리아를 위해서는 자신의 영혼에 정신의 미가 존재하고 있다는 사실부터 깨달아야 하는데, 이것을 깨닫게 해 주는 것이 바로 감각적인 미이다. 플로티노스가 예술을 중시하는 것은 예술이 미적 경험을 환기하여 테오리아를 일으키는 강력한 추동력을 갖고 있기 때문이다.

이처럼 예술가의 내면, 나아가 그 원형인 정신세계의 아름다움을 담은 예술의 가치를 높이 평가한 플로티노스의 미 이론은 인간의 영혼과 초월적인 존재의 신성함을 표현하려 했던 중세의 비잔틴 예술을 탄생하게 했다. 또한 가시적인 외부 세계의 재현을 부정하고 현실 세계에서 벗어난 예술을 이해할 수 있는 단초를 제공하였다는 점에서 그의 미 이론은 낭만주의와 현대 추상 회화의 근본을 마련하였다는 평가를 받는다.

* 질료 : 물체의 생성과 변화의 바탕이 되는 재료.

**32.** 윗글에서 언급된 내용이 아닌 것은?

① 미에 대한 피타고라스학파의 인식
② 플로티노스가 분류한 예술의 유형
③ 균제 이론에 대한 플로티노스의 시각
④ 플라톤과 플로티노스 예술관의 차이
⑤ 플로티노스의 미 이론이 지니는 의의

**33.** ⓐ ~ ⓔ에 대한 플로티노스의 생각으로 적절하지 않은 것은?

① ⓐ의 속성은 위계적 차등에 따라 ⓑ, ⓒ, ⓓ, ⓔ로 전해진다.
② ⓐ에 가까운 정도를 기준으로 하여 미, 추를 판단할 수 있다.
③ ⓐ ~ ⓔ는 동일성을 함유하면서 질적으로 서로 연결되어 있다.
④ 유출은 ⓐ에서 ⓔ로, 테오리아는 ⓔ에서 ⓐ로 향하는 방향성을 갖는다.
⑤ ⓐ, ⓑ, ⓒ의 예지계와 ⓓ, ⓔ의 현상계는 정신에 의해 상호 보완적 관계를 유지한다.

34. 윗글의 '피타고라스', '플라톤', '플로티노스'가 <보기>에 대해 보일 수 있는 반응으로 적절하지 않은 것은?

< 보 기 >

기원전 1 ~ 2세기 경에 만들어진 것으로 알려진 「밀로의 비너스」 석상은 양팔이 잘려 있는 모습으로 발견되었는데, 이데아계에 존재하는 비너스 여신의 모습을 키가 머리 길이의 8배를 이루는 황금비율로 형상화하였다.

① 피타고라스는 비너스 석상이 황금비율이라는 수적 비례를 지켰기에 미의 본질을 구현했다고 평가했겠군.
② 플라톤은 이데아계와 현상계는 단절되었기 때문에 이데아계의 여신을 비너스 석상과 동일시할 수 없다고 보았겠군.
③ 플라톤은 비너스 석상은 이데아계를 직접 모방한 것으로 인간에게 이데아계를 지향하게 하는 작품이라고 인정했겠군.
④ 플로티노스는 비너스 석상이 감상자로 하여금 일자로 회귀하는 테오리아를 일으킨다는 점에서 높게 평가했겠군.
⑤ 플로티노스는 돌을 질료로 하여 예술가가 자신의 영혼에 내재된 미를 비너스 석상으로 형상화한 것으로 인식했겠군.

35. 윗글의 '플로티노스'와 <보기>의 '칸딘스키'의 공통된 예술관으로 가장 적절한 것은?

< 보 기 >

칸딘스키의 추상은 세잔, 입체파, 몬드리안 식의 그것과는 다르다. 그의 추상은 사물의 단계적 단순화로 시작하여 종국에 그 본원적 모습을 밝히는 것이 아니라 직관적인 방법으로 정신이나 초월적인 것을 구현해 내기 위한 것이었다. 그에게 있어 예술은 형이상학적 관념을 구현하는 것으로 예술가는 그것의 발견자 내지 전달자이다.

① 정신의 아름다움과 진리를 질료를 통해 물질화할 수 없다고 본 점
② 예술이 바람직한 삶의 자세에 대한 형이상학적 깨달음을 줄 수 있다고 본 점
③ 객관적인 법칙이 형식적인 구조 속에 표현될 때 미적 가치가 구현될 수 있다고 본 점
④ 초월적인 존재의 미적 가치를 드러내기 위해서는 감각적 미를 탈피해야 한다고 본 점
⑤ 예술의 본질이 현실 세계에서 감각적으로 지각되지 않는 관념을 표현하는 데 있다고 본 점

36. 다음은 윗글의 ㉠, ㉡과 관련한 독서 활동 과정이다. 과제 해결 단계의 (A), (B)에 들어갈 말로 적절한 것은? [3점]

|  |  |
| --- | --- |
| 과제 설정 | • 글의 맥락을 고려할 때 ㉠, ㉡의 의미는 무엇일까? |
| 자료 조사 | • 백과사전에서 '귀납', '연역', '표상'의 의미 찾기<br><귀납><br>- 개개의 현상으로부터 보편적 원리를 도출하는 것<br><연역><br>- 보편적 원리로부터 개개의 현상을 이끌어내는 것<br><표상><br>- 마음이나 의식에 나타나는 것 |
| 의미 구성 | • 조사 내용을 바탕으로 의미 구성해 보기<br>ㄱ. 현상계의 경험에서 도출한 보편적 미를 형상화하는 행위<br>ㄴ. 일자에서 비롯된 미의 형상을 발견해 질료에 담는 행위<br>ㄷ. 질료의 형식적 구조에서 비물질적 특성을 도출하는 행위<br>ㄹ. 영혼이 내면을 관조하여 자연에 존재하는 미를 발견하는 행위 |
| 과제 해결 | • 구성 내용 중 적절한 것을 골라 과제 해결하기<br>→ ㉠은 ( A )이고, ㉡은 ( B )이다. |

| | (A) | (B) |
| --- | --- | --- |
| ① | ㄱ | ㄴ |
| ② | ㄱ | ㄷ |
| ③ | ㄴ | ㄷ |
| ④ | ㄴ | ㄹ |
| ⑤ | ㄷ | ㄹ |

**[37 ~ 42] 다음 글을 읽고 물음에 답하시오.**

(가)
다윈은 같은 종에 속하는 개체들이 생존 경쟁에서 살아남아 번식하면 그 형질 중 일부가 자손에게 전달돼 진화가 일어난다는 '자연 선택설'을 주장하였다. 그런데 개체가 다른 개체들과의 생존 경쟁에서 이기기 위해서는 이기적인 행동을 할 수밖에 없지만, 자연계에서는 동물들의 이타적 행동이 자주 ⓐ관찰된다. 이에 진화론을 옹호하는 학자들은 동물의 이타적 행동을 설명하는 이론을 제시하였다.
해밀턴은 개체들의 이타적 행동은 자신과 같은 유전자를 공유하는 친족들의 생존과 번식에 도움을 줌으로써 자신의 유전자를 후세에 많이 전달하기 위한 행동이라는 ㉮혈연 선택 가설을 제시하였다. ㉠해밀턴의 법칙에 의하면, 'r×b−c>0'을 만족할 때 개체의 이타적 유전자가 진화한다. 이때 'r'은 유전적 근연도로 이타적 행위자와 이의 수혜자가 유전자를 공유할 확률을, 'b'는 이타적 행위의 수혜자가 얻는 이득을, 'c'는 이타적 행위자가 ⓑ감수하는 손실을 의미한다. 부나 모가 자식과 같은 유전자를 공유할 확률은 50%이고, 형제자매 간에 같은

유전자를 공유할 확률도 50%이다. r은 2촌인 형제자매를 기준으로 1촌이 늘어날 때마다 반씩 준다. 가령, 행위자가 세 명의 형제를 구하고 죽는다면 '0.5×3-1>0'이므로 행위자의 유전자는 그의 형제들을 통해 다음 세대로 퍼지게 된다. 이러한 해밀턴의 이론은 유전자의 개념으로 동물의 이타적 행동을 설명한 것으로, 이타적 행동의 진화에 얽힌 수수께끼를 푸는 중요한 열쇠로 평가된다.

도킨스는 ㉯『이기적 유전자』에서 동물의 이타적인 행동은 유전자가 다른 유전자와의 생존 경쟁에서 살아남아 더 많은 자신의 복제본을 퍼뜨리기 위한 행동이라고 설명하였다. 그에 따르면 유전자란 다음 세대에 다른 DNA 서열로 대체될 수 있는 DNA 단편으로, 염색체상에서 임의의 어떤 DNA 단편은 그와 동일한 위치나 순서에 있는 다른 유전자들과 경쟁 관계에 있다. 그는 다윈과 같은 기존의 진화론자와 달리 생존 경쟁의 주체를 유전자로 보고 개체는 단지 그러한 유전자를 다음 세대로 전달하는 운반체에 불과하다고 보았다. 그러므로 이타적으로 보이는 개체의 행동은 겉보기에만 그럴 뿐, 실은 유전자가 다른 DNA와의 생존 경쟁에서 이기기 위한 이기적인 행동인 셈이다. 이러한 도킨스의 이론은 유전자의 이기성으로 동물의 여러 행동을 설명하여 과학계에 큰 반향을 불러일으켰으나, 개체를 단순히 유전자의 생존을 돕는 수동적 존재로 보았다는 점에서 비판을 받기도 하였다.

(나)

경제학적 관점에서 이타적 행동이란 자신의 손해를 감수하면서 타인에게 이익을 주는 행동이기 때문에 이기적 사람들과 이타적 사람들이 공존할 경우 이타적 사람들은 자연히 ⓒ도태될 수밖에 없다. 그럼에도 불구하고 우리 주변에는 여전히 이타적 행동을 하는 사람들이 존재한다. 이에 대해 최근 진화적 게임 이론에서는 '반복-상호성 가설'과 '집단 선택 가설'을 통해 사람들이 이타적 행동을 하는 이유 및 이타적 인간이 진화하는 이유에 대해 설명하고 있다.

㉰반복-상호성 가설에서는 자신이 이기적으로 행동할 경우 상대방도 이기적인 행동으로 보복할 수 있기 때문에 이를 피하기 위해 이타적 행동을 한다고 주장하는데, 이를 게임 이론 중 하나인 [TFT 전략]으로 설명한다. TFT 전략이란 상대방이 협조할지 배신할지 모르고 선택이 매회 동시에 일어나는 상황에서 처음에는 무조건 상대방에게 협조하고 그다음부터는 상대방이 바로 전에 사용한 방법을 모방하는 전략이다. 즉 상대방이 이타적으로 행동하면 자신도 이타적으로, 상대방이 이기적으로 행동하면 자신도 이기적으로 행동하는 것이다. 이러한 행동이 반복되면 점점 상대방의 배신 횟수는 줄고 협조 횟수는 늘어 서로에게 이득이 되는 결과를 얻게 된다. 반복-상호성 가설은 혈연관계가 아닌 사람들 사이의 이타적 행동을 설명하는 데 ⓓ유용하지만 반복적이지 않은 상황에서 나타나는 이타적 행동을 설명하는 데는 한계가 있다.

㉱집단 선택 가설에서는 이타적 구성원이 많은 집단이 그렇지 않은 집단과의 생존 경쟁에 유리하기 때문에 이타적 인간이 진화한다고 설명한다. 개인 간의 생존 경쟁에서 우월한 개인이 생존하는 개인 선택에서는 이기적 인간이 살아남는 데 유리하지만, 집단 간의 생존 경쟁에서 우월한 집단이 생존하는 집단 선택에서는 이타적 구성원이 많은 집단일수록 식량을 구하거나 다른 집단과의 분쟁에 효과적으로 ⓔ대응할 수 있기 때문에 생존할 확률이 높다. 따라서 집단 선택에 의해 이타적인 구성원이 많은 집단이 생존하게 되면 자연히 이를 구성하는 이타적 인간도 진화하게 된다. 실제로 인류는 혹독한 빙하기를 거쳐 살아남은 존재라는 점에서 집단 선택 가설은 설득력을 얻는다. 하지만 이타적인 구성원이 많은 집단이라 하더라도 그 안에는 이기적인 구성원도 함께 존재하기 마련이다. 그러므로 집단 선택에 의해서 이타적인 구성원이 진화하기 위해서는 ㉡집단 선택이 일어나는 속도가 개인 선택이 일어나는 속도를 압도해야 한다. 그러나 사회생물학에서는 집단 선택의 속도가 현저하게 느리다는 점을 들어 집단 선택 가설은 논리적으로만 가능할 뿐이라고 비판하고 있다. 이에 대해 최근 집단 선택 가설에서는 개인 선택이 일어나는 속도를 늦추고 집단 선택의 효과를 높이는 장치로서 법과 관습과 같은 제도에 주목하면서, 집단 선택의 유효성을 높일 수 있는 방안에 대해서도 연구를 진행하고 있다.

37. (가)와 (나)의 서술상의 공통점으로 가장 적절한 것은?

① 이타적 행동을 설명하는 대립된 이론을 절충하고 있다.
② 이타적 행동을 정의한 후 구체적 유형을 분류하고 있다.
③ 이타적 행동에 관한 이론들을 통시적으로 고찰하고 있다.
④ 이타적 행동을 설명하는 이론의 발전 방향을 전망하고 있다.
⑤ 이타적 행동에 관한 이론과 그에 대한 평가를 제시하고 있다.

38. ㉠을 이해한 내용으로 적절하지 않은 것은?

① 유전적 근연도에 초점을 맞춰 이타적 행위를 설명하고 있다.
② 개체의 이기적 행동에 숨겨진 이타적 동기에 대해 설명하고 있다.
③ 이타적 행위자와 그의 수혜자가 삼촌 관계일 경우 r은 0.25가 된다.
④ 이타적 행위자와 수혜자가 부모 자식이나 형제자매 관계일 경우 r은 같다.
⑤ 이타적 행위자와 그의 수혜자가 혈연관계일 때, b와 c가 같으면 이타적 유전자가 진화하지 않는다.

39. (나)의 [TFT 전략]을 참고할 때 <보기>의 질문에 대한 답으로 적절한 것은?

<보 기>

다음은 A와 B의 협조 여부에 따른 보수(편익과 비용의 합)를 행렬로 나타낸 것이다. A와 B가 상대방의 선택을 모르고 선택이 동시에 이루어지는 상황에서 A만 'TFT 전략'을 사용한다고 가정하자. B가 첫 회에만 비협조 전략을 사용한다면, B가 두 번째 회까지 얻게 되는 보수의 합은 얼마인가?

| | | B | |
|---|---|---|---|
| | 전략 | 협조 | 비협조 |
| A | 협조 | (1, 1) | (-1, 2) |
| | 비협조 | (2, -1) | (0, 0) |

<(2, -1)은 A가 비협조 전략, B가 협조 전략을 사용할 때, A의 보수가 2, B의 보수가 -1임을 나타냄.>

① 0 ② 1 ③ 2 ④ 3 ⑤ 4

*40.* ㉡의 이유를 추론한 내용으로 가장 적절한 것은?

① 집단 선택의 속도가 개인 선택의 속도보다 느릴 경우, 이타적 구성원의 수가 천천히 증가하기 때문에
② 개인 선택으로 이타적인 구성원이 먼저 소멸한 후, 집단 선택에 의해 이기적인 구성원이 소멸하기 때문에
③ 집단 선택이 천천히 일어날 경우 집단 간의 생존 경쟁이 발생하지 않아 집단 선택이 일어나지 않기 때문에
④ 개인 선택으로 이타적인 구성원이 먼저 소멸하면, 이타적 구성원을 진화하게 하는 집단 선택이 발생할 수 없기 때문에
⑤ 개인 선택의 속도가 집단 선택의 속도보다 빠를 경우, 이타적인 구성원이 많은 집단이 개인 선택에 불리해지기 때문에

*41.* ㉮ ~ ㉱를 바탕으로 <보기>를 이해한 내용으로 적절하지 <u>않은</u> 것은? [3점]

< 보 기 >

ㄱ. 개미의 경우, 수정란(2n)은 암컷이 되고, 미수정란(n)은 수컷이 된다. 여왕개미가 낳은 암컷들은 부와는 1, 모와는 0.5, 자매와는 0.75의 유전적 근연도를 갖는다. 암컷 중 여왕개미가 되지 못한 일개미들은 직접 번식을 하지 않고 여왕개미가 낳은 수많은 자신의 자매들을 돌보며 목숨을 걸고 개미 군락을 지키는 역할을 한다.

ㄴ. 현재 지구상에는 390여 개의 부족이 수렵과 채취에 의존해 살아가고 있다. 이러한 부족은 대체로 몇 개의 서로 다른 친족들로 구성되어 있으며, 평등주의적 부족 질서 아래 사냥감을 서로 나누어 먹는 식량 공유 관습을 가지고 있다. 이는 개인의 사냥 성공률이 낮은 상황에서 효과적인 생존 방식이라 할 수 있다.

① ㄱ : ㉮에서는 일개미가 자식을 낳지 않고 자매들을 돌보는 것을 부보다 모의 유전자를 후세에 더 많이 전달하기 위한 전략으로 보겠군.
② ㄱ : ㉯에서는 일개미가 목숨을 걸고 개미 군락을 지키는 것을 다른 DNA와의 생존 경쟁에서 이기기 위한 유전자의 이기적인 행동으로 보겠군.
③ ㄴ : ㉰에서는 자신이 식량을 나눠 주지 않으면 사냥에 실패했을 때 자신도 얻어먹지 못할 수 있기 때문에 식량 공유 관습이 생긴 것으로 보겠군.
④ ㄴ : ㉱에서는 식량 공유 관습을 이기적인 구성원도 식량을 공유하게 함으로써 이타적 구성원이 사회에서 사라지지 않도록 하는 제도로 보겠군.
⑤ ㄴ : ㉮에서는 혈연관계가 없는 구성원과의 식량 공유를 설명할 수 없지만, ㉱에서는 협업을 통해 집단의 생존 확률을 높이는 행동으로 보겠군.

*42.* 밑줄 친 단어가 ⓐ ~ ⓔ와 동음이의어인 것은?

① ⓐ : 그는 형의 모습을 유심히 <u>관찰</u>하였다.
② ⓑ : 이 사전은 여러 전문가가 <u>감수</u>하였다.
③ ⓒ : 그 기업은 경쟁사에 밀려 <u>도태</u>되었다.
④ ⓓ : 이것은 장소를 검색하는 데 <u>유용</u>하다.
⑤ ⓔ : 우리는 적극적으로 상황에 <u>대응</u>하였다.

**[43 ~ 45] 다음 글을 읽고 물음에 답하시오.**

"아파트에 이사 오더니 대접이 달라지네. 웬 밤참이야. 근데 이것 자몽 아냐?"

"글쎄, 오늘 은행에 갔다가 잡지를 봤더니 티타임에 곁들이는 간식이 **화보**로 나와 있더라구요. 하마터면 창피당할 뻔했지 뭐예요. 티타임이면 난 그냥 차만 마시는 줄 알았거든요. 그래서 좀 사왔는데 우리 식구들도 좀 맛을 봐야겠기에……."

"그런데 왜 하필 자몽이야?"

"귤이나 사과는 흔해서 잘 안 쓰나 봐요. 화보에 없더라구요. 말로만 듣던 키위가 가게에 가득 쌓여 있었지만 생긴 모양이 고약해서 썩 손이 안 가지더라구요. 바나나는 낱개로는 안 파는지 몸통이 그대로 있잖아요. 그러니 얼마나 비싸겠어요. 딸기도 포도도 있었지만 그것도 너무 비싸서 들었다가 슬쩍 놓았어요. 그래도 자몽이 값이 만만하고 또 먹음직스러워 보여서요."

"한동안 농약이 검출되었다고 텔레비전에서 왕왕거렸는데 당신은 듣지도 보지도 못했단 말야?"

"그래도 **이쪽 동네에서 산 걸요.**"

"내 참, **저쪽 동네**에서 사면 농약이 있고 이쪽 동네에서 사면 농약이 없는 거야?"

아내의 얼굴이 확 붉어졌다. 그래도 두 아이는 순식간에 접시를 비웠다.

밤참이 제공되기 시작한 것은 바로 [그날]부터였다. 다음날이라도 티타임이 이루어졌다면 부질없는 밤참 습관은 생기지 않았을 것이다. 티타임이 쉽사리 이루어지지 않았으므로 아내는 밤마다 조금씩 식구들에게 티타임에 멋지게 곁들였을 간식을 제공했다. 밤참은 같은 내용이 사나흘쯤 나오다가 바뀌었다. 영 먹을 것 같아 보이지 않는 키위도 나왔고, 맛대가리 없이 크기만 한 멜론, 입 안에 넣으면 슬슬 녹는 질 좋은 카스텔라, 부드럽게 씹히는 전병…… 두 아이가 손도 대지 않은 화과자는 하루에 두 개씩 내가 먹어 치웠고, 슈크림은 들척지근해서 나 대신 아이들이 반겼다. 습관처럼 고약한 것이 있을까. 처음엔 그렇지 않았었는데 점점 밤참 시간을 기다리게 된 것이다. 아내에게 내색은 하지 않았지만 그 시간이 되면 은근히 오늘은 무엇을 내줄 것인지 궁금해 하기도 했다. 두 아이는 아내와 체면을 차릴 사이가 아니어서 그런지 드러내 놓고 밤참을 독촉했다.

"이젠 망년회를 가느라고 다들 좀 바쁜가 봐요. 이 동네 사람들은 아마 호텔 같은 데에서 망년회를 하나 봐요. 상가에서 엿들은 건데 여자들 입에서 서울 시내 호텔 이름은 거의 다 나오는 것 같았어요."

그런데도 아내는 티타임을 포기하지 않고 날마다 밤참 시간을 식구들에게 베풀었다. 그런데 [어느 날], 아내가 밤참을 제공하며 폭탄선언을 했다. 당분간 밤참은 없을 거예요. 그렇게 말하는 아내의 표정이 보기 드물게 밝았다. 오늘 내가 머리를 좀 굴렸거든요. 글쎄, 무작정 티타임을 기다리다가는 가계부가 엉망이 되겠더라구요. 허긴 그동안 무리를 했어요. 이쪽으로 이사 오니까 생각보다 훨씬 생활비가 많이 들어가는데다가 엉뚱한 지출을 했으니 당연하지요. 그래서 아까 아침나절에 **13호 여자**가 나가는 소리를 토끼 귀를 해 가지고 기다리다가 쓰레기를 버리는 척하면서 마주치러 나갔지요. 아유, 내 꾀가 맞아떨어졌어요. 우연히 마주친 척 깜짝 놀라면서 반가워했더니 그 여자가 냉큼 티타임을 꺼내더라구요. 그래서 나도 **망년회가 밀**

**려 있**어 도무지 시간을 낼 것 같지 않아 걱정하던 참이라고 내숭을 떨었지요. 망년회도 안 나간다면 시시하게 볼 것 아네요. 어쨌든 당분간 맘 편히 쉴 수 있겠어요. 적어도 올해는 말예요…… 당분간 밤참이 제공되지 않을 것이라는 사실에 서운하기는 했지만 왠지 나도 아내처럼 개운해지는 기분이 들었다.

**[중간 부분의 내용]** 얼마 후 '나'는 티타임을 갖자고 술에 취해 복도에서 난동을 부리고, 며칠 뒤 아내는 급작스레 티타임을 갖게 된다.

"어쨌든 기어이 티타임을 갖기는 했군."

아내가 다분히 자조적인 웃음을 내비쳤다. 그리고 말했다. 아뇨, 라고. 그렇다면 우르르 몰려와 아내를 막다른 골목에 몰아붙이고 물 한 모금도 안 마시고 다시 우르르 되돌아갔다는 말인가. 아내가 기운 없는 목소리로 말했다.

"그날 밤 일은 아무도 꺼내지 않았어요. 하지만 그날 밤 일을 모르진 않을 거라구요. 앞 동에서도 인터폰을 두드렸다는데 바로 옆에서 모를 리가 없죠. 모두 시치미를 떼고 있는 게 분명했다구요. 아무튼 들어들 오더니 집 구경 좀 하자면서 한바탕 집 안 구석구석을 돌아보더라구요. 하지만 그다지 볼 게 없는지 금방 시들해져서 저기 거실에서 서 있었거든요. 근데 누가 커튼 색깔이 괜찮다고 말했어요. 어찌나 반갑던지 나도 모르게 식탁보도 같은 걸로 했다고 자랑했지요. 그래서 모두 식탁보를 구경하려고 이쪽으로 왔는데…… 맙소사, 우리 애들이 여기 식탁에서 점심으로 떡을 먹고 있더라구요. 미처 애들을 방으로 밀어 넣지 못했던 거죠. 애들이 그때 피자 같은 걸 먹고 있었다면 얼마나 좋았겠어요. 당신은 아마 그때 기분을 이해하지 못할 거예요."

그러나 나는 아내의 그 기분을 충분히 이해할 수 있었다. 억울하고 부끄럽고 쓸쓸하고 참담했을 그 기분을…….

"그런데 어떻게 된 줄 아세요? 글쎄, 13호 여자가 떡 접시를 보더니 환호성을 지르는 거예요. 나한테 먹어도 되느냐고 묻지도 않고 덥석 떡을 집더라니깐요. 그것도 손으로 말예요. 그러면서 하는 말이 떡은 이렇게 손으로 먹어야 제맛이 난다나요. 그리고 티타임은 그만두고 떡 잔치나 하자고 하질 않겠어요. 그래서 정신없이 냉동실 안에서 떡을 꺼내 찜통에 쪄 냈죠. 동치미를 몇 그릇이나 해치웠게요. 얼마나 신이 나던지……."

그렇다면 아내는 신나게 종잘거려야 한다. 그러나 이상하게도 아내는 너무나 쓸쓸하고 우울한 표정을 짓고 있었고, 목소리도 힘없이 늘어져 있었다. 한바탕 맛있게 떡을 먹고 나서야 본색을 드러냈다는 것인가. 잠자코 떡 접시를 만지작거리기만 하던 아내가 갑자기 나를 빤히 쳐다보더니 말했다.

"여보, 그런데 나는 왜 이쪽 사람들도 **손으로 떡을 집어 먹**을 수 있다는 생각을 못 했지요?"

아내의 표정이 너무 슬펐기 때문일까. 공연히 콧잔등이 근질근질거리면서 눈시울이 뜨거워졌다.

— 이선, 「티타임을 위하여」 —

*43.* 윗글에 대한 설명으로 가장 적절한 것은?

① 중심인물로부터 전해 들은 사건의 전말이 제시되고 있다.
② 특정 인물의 성격과 관련된 외양의 특징이 묘사되고 있다.
③ 과거와 현재가 반복적으로 교차되며 사건이 전개되고 있다.
④ 인물 간 대립된 행동이 갖는 의미가 상세히 설명되고 있다.
⑤ 새로운 인물의 등장으로 조성된 갈등 상황이 부각되고 있다.

*44.* <보기>의 ㉠~㉤에 일어난 사건에 대해 '나'가 했을 법한 생각으로 적절하지 않은 것은?

< 보 기 >

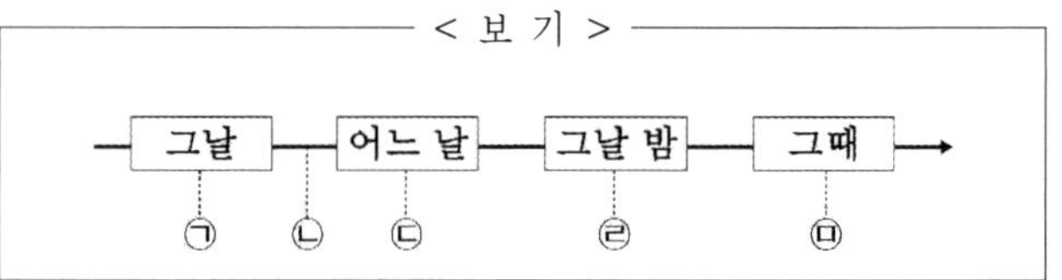


① ㉠: '농약 문제로 시끄러웠는데 왜 굳이 자몽을 사 왔는지 이해가 안 되는군.'
② ㉡: '오늘도 어김없이 밤참이 제공된 것을 보니 티타임을 갖지 못한 것이겠군.'
③ ㉢: '밤참이 제공되지 않아 서운했지만, 아내의 무거운 마음을 생각하니 안타까웠어.'
④ ㉣: '나의 실수 때문에, 이웃들을 만났을 때 아내가 난감한 상황에 처할 수도 있겠어.'
⑤ ㉤: '아이들이 먹는 게 피자 같은 음식이 아니어서 부끄러웠을 아내의 마음이 느껴져.'

*45.* <보기>를 바탕으로 윗글을 감상한 내용으로 적절하지 않은 것은? [3점]

< 보 기 >

르네 지라르는 주체가 매개자를 모방함으로써 '간접화된 욕망'이 발생한다고 보았다. 「티타임을 위하여」의 '아내' 역시 아파트 주민들을 매개로 중산층의 삶으로 편입되고자 하는 간접화된 욕망을 지닌다. 아내는 공간을 이분법적으로 구분하고 아파트 주민들을 닮고 싶어 하면서도 그들에게 경쟁 심리를 느끼기도 한다. 그러나 결국 아내의 간접화된 욕망의 대상이 허상임이 밝혀진다.

① '화보'는 아내로 하여금 매개자의 삶에 대한 모방 심리를 자각하게 하여 티타임을 갖겠다고 결심하게 하는 소재이겠군.
② '이쪽 동네에서 산 걸요'라는 말에서 '이쪽 동네'와 '저쪽 동네'를 구분 짓는 이분법적 사고를 엿볼 수 있겠군.
③ 아내가 '13호 여자'의 동태를 살피는 것은 중산층으로의 편입 기회인 티타임을 언제할지 몰라 답답했기 때문이겠군.
④ 아내가 '망년회가 밀려 있'다고 거짓말을 한 것은 욕망의 매개자인 아파트 주민들에 대한 경쟁 심리 때문이겠군.
⑤ '13호 여자'가 '손으로 떡을 집어 먹'은 것은 아내의 간접화된 욕망의 대상이 허상이었음을 보여 주는 것이겠군.

*** 확인 사항**

**○ 답안지의 해당란에 필요한 내용을 정확히 기입(표기) 했는지 확인하시오.**

2020학년도 11월 고2 전국연합학력평가 문제지

# 국어 영역

5회 소요시간 /80분

제 1 교시

➡ 해설 P.43

**[1 ~ 3] 다음은 강연의 일부이다. 물음에 답하시오.**

안녕하세요. 오늘 강연을 맡은 간호사 ○○○입니다. 여러분 주사 맞아본 경험 있으시죠? 그런데 주사에도 여러 종류가 있다는 사실을 알고 계셨나요? (대답을 듣고) 오늘은 주사의 종류와 특징, 그리고 주사를 맞을 때의 유의사항에 대해 알려 드리도록 하겠습니다.

(화면을 가리키며) 주사는 일반적으로 약물의 투여 경로에 따라 세 가지 종류로 나눌 수 있는데요. 약물을 피부와 근육 사이에 있는 피하조직에 투여하는 피하 주사, 피하조직 아래에 있는 근육에 투여하는 근육 주사, 혈관에 직접 투여하는 정맥 주사가 있습니다.

우선 피하 주사는 적은 양의 약물을 몸속에 천천히 흡수시키고자 할 때 사용합니다. 어떤 약물들은 혈관으로 바로 들어가면 부작용을 초래할 수 있기 때문에 흡수 속도가 느린 피하조직에 투여하는 것입니다. 근육 주사는 피하 주사보다 더 많은 양의 약물을 빠르게 흡수시키고자 할 때 사용합니다. 근육에는 피하조직보다 혈관이 더 많이 분포되어 있기 때문인데요. 특히 피하조직에 투여하면 잘 흡수가 되지 않아 통증을 유발할 수 있는 항생제 같은 약물들은 근육 주사를 사용해야 합니다. 근육 주사는 주로 엉덩이 윗부분이나 팔뚝에 주사하는데, 근육에 약물을 투여하려면 바늘을 깊숙이 찔러 넣어야 하기 때문에 90도 각도로 주사를 놓습니다. 정맥 주사는 약물의 농도와 용량을 일정하게 지속적으로 투여하고자 할 때 사용합니다. 약물을 혈관에 직접 투여하기 때문에 효과가 다른 주사들보다 빨리 나타나고, 통증 없이 다량의 약물을 주입할 수 있습니다. 그래서 주로 링거액을 투여할 때 사용합니다.

이러한 주사들은 주삿바늘의 길이와 모양에도 차이가 있는데요. 피하 주사는 0.9 ~ 1.6 센티미터의 바늘을 사용하지만 근육 주사는 이보다 더 긴 바늘을 사용합니다. 그리고 정맥 주사는 주사를 맞는 동안 주삿바늘이 혈관벽을 손상시킬 우려가 있기 때문에, 피하 주사나 근육 주사에 비해 상대적으로 덜 날카로운 주삿바늘을 사용합니다.

그렇다면 주사를 맞을 때 유의해야 할 사항에는 어떤 것들이 있을까요? 피하 주사의 경우에는 피하조직의 손상을 막고 약물을 천천히 흡수시켜야 하기 때문에 주사를 맞은 부위를 문지르면 안 됩니다. 반면, 근육 주사를 맞고 나서는 약물의 빠른 흡수를 돕기 위해 주사를 맞은 부위를 가볍게 문질러 주는 것이 좋습니다. 그리고 정맥 주사는 바늘이 삽입되어 있는 부위가 오염되지 않도록 청결을 유지해야 합니다.

오늘 강연 유익하셨나요? 경청해 주셔서 감사합니다.

*1.* 위 강연자의 말하기 방식으로 가장 적절한 것은?

① 자료의 출처를 밝히며 강연 내용에 대한 신뢰성을 높이고 있다.
② 강연의 내용을 요약하며 마무리하여 강연의 주제를 강조하고 있다.
③ 청중에게 질문을 던지며 강연의 내용에 대한 관심을 유발하고 있다.
④ 화제와 관련된 실태를 언급하며 화제 선정의 이유를 제시하고 있다.
⑤ 청중을 칭찬하는 말로 강연을 시작하여 청중과 친밀감을 형성하고 있다.

*2.* 다음은 학생들이 강연을 들으며 떠올린 생각이다. 이를 바탕으로 학생들의 듣기 활동을 이해한 내용으로 적절하지 <u>않은</u> 것은?

> **학생 1:** 내가 알고 있던 것보다 주사의 종류가 다양하구나. 내가 어제 병원에서 맞은 주사는 어떤 주사였을까?
> **학생 2:** 지금까지는 주사를 맞은 부위를 왜 문질러야 하는지 모르고 문질렀는데, 주사의 종류에 따라 주사를 맞은 후의 유의할 점이 다르구나. 주사 맞기 전에 유의할 점은 없을까? 강연이 끝난 후에 간호사 선생님께 여쭤봐야겠어.
> **학생 3:** 주사의 종류에 따라 약물의 흡수 속도가 달라지고, 약물의 특성에 따라 주사도 달라질 수 있다는 말이구나. 그런데 피하 주사를 놓을 때도 주사 각도가 중요할까?

① '학생 1'은 새롭게 알게 된 정보를 기존에 자신이 알고 있던 사실과 비교하며 듣고 있다.
② '학생 2'는 강연을 들으며 생긴 의문점을 해결할 수 있는 방법을 생각하며 듣고 있다.
③ '학생 3'은 강연 내용에 대해 자신이 이해한 내용을 정리하며 듣고 있다.
④ '학생 1'과 '학생 2'는 모두 강연 내용과 관련된 자신의 경험을 떠올리며 듣고 있다.
⑤ '학생 2'와 '학생 3'은 강연에서 언급된 내용 중 실천할 수 있는 방법이 있는지 고민하며 듣고 있다.

*3.* 다음은 강연을 들은 후 강연의 내용을 확인하기 위해 만든 학습지의 일부이다. 위 강연을 들은 학생의 반응으로 적절하지 <u>않은</u> 것은? [3점]

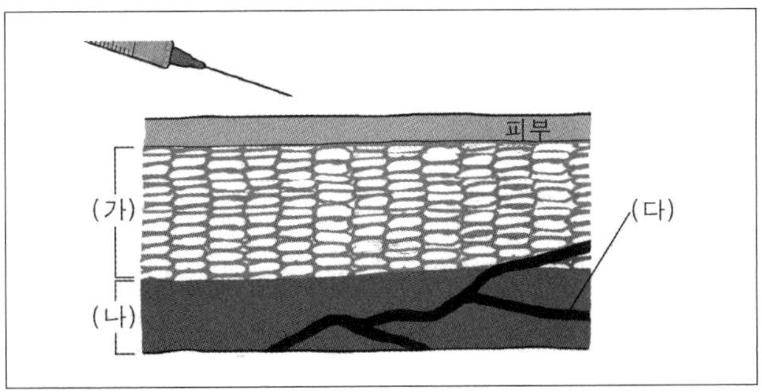


① (가)에 투여하면 통증이 유발될 수 있는 약물들은 (나)에 주사해야겠군.
② (가)보다 (나)에서 약물의 흡수가 빠른 이유는 (나)에 혈관이 더 많이 분포되어 있기 때문이겠군.
③ (가)에 주사를 맞을 때와 달리 (나)에 주사를 맞은 후에는 조직의 손상을 막기 위해 주사 맞은 부위를 문지르지 말아야겠군.
④ (다)에 직접 약물을 투여하면 (가)와 (나)에 주사를 놓을 때보다 약물의 효과가 더 빨리 나타나겠군.
⑤ (다)에 놓는 주사는 혈관벽의 손상을 막기 위해 (가)와 (나)에 놓는 주사보다 덜 날카로운 주삿바늘을 사용하겠군.

[4 ~ 7] (가)는 학생들이 실시한 토론의 일부이고, (나)는 (가)에 청중으로 참여한 학생이 작성한 초고이다. 물음에 답하시오.

(가)

**사회자:** 오늘은 '질병 치료를 목적으로 하는 인간 배아의 유전자 편집 기술은 허용해야 한다.'라는 논제로 토론을 진행하겠습니다. 찬성 측이 먼저 입론해 주신 후 반대 측에서 반대 신문을 해 주십시오.

**찬성 1:** 저희는 질병 치료를 목적으로 하는 인간 배아의 유전자 편집 기술은 허용해야 한다고 생각합니다. 첫째, 유전자로 인한 질병으로부터 해방될 것입니다. 배아 상태의 유전자를 편집하여 유전자 정보 전체를 교정할 수 있다면 현재 이루어지고 있는 유전자 치료의 한계를 극복할 수 있을 것입니다. 둘째, 질병으로 인한 사회경제적 비용을 감소시켜 사회 전체의 이익을 증진할 수 있습니다. 국민건강보험공단에 따르면 질병으로 인해 발생하는 사회경제적 비용이 140조 원을 넘는다고 합니다. 유전자 편집 기술을 사용하여 질병 발생 확률을 줄인다면 이와 같은 비용을 다른 분야에 투자할 수 있을 것입니다. 셋째, 이 기술은 생명 과학 연구를 더욱 발전시키는 토대가 될 것입니다. 인간 배아를 대상으로 하는 유전자 편집 기술이 허용되면 관련 분야에 대한 투자가 활발해질 것이고, 이 기술과 관련된 연구는 보다 활성화될 것입니다.

[A]
**반대 2:** 질병으로 인해 발생하는 사회경제적 비용이 140조 원을 넘는다고 하셨는데요, 모두 유전자와 관련된 질병으로 인해 발생한 비용이라고 할 수 있나요? 그렇지 않다면 이 자료는 근거로 적합하지 않다고 생각합니다.

**찬성 1:** 저희가 조사한 바로는, 공단의 발표 자료에 포함된 대다수의 질병이 유전자와 관련된 것들이었습니다.

**사회자:** 이번에는 반대 측에서 입론해 주신 후 찬성 측에서 반대 신문을 해 주십시오.

**반대 1:** 저희는 인간 배아의 유전자를 편집하는 기술은 허용해서는 안 된다고 생각합니다. 첫째, 인간 배아의 유전자를 편집하는 기술은 아직까지 안전성이 확인되지 않았습니다. 따라서 예상치 못한 유전자 변형의 문제가 발생할 수 있을 뿐만 아니라, 그 문제가 미래 세대에게까지 영향을 미칠 위험성이 있습니다. 둘째, 사회적 불평등이 심화될 수 있습니다. 왜냐하면 이 기술을 사용하는 데는 많은 비용이 들 것으로 예상되기 때문에 소수의 사람들만이 기술의 혜택을 받게 될 것입니다. 셋째, 인간은 그 자체로 존엄한 가치를 인정받고 소중한 생명으로 여겨져야 합니다. 그런데 유전자 편집 기술은 유전자 중 결함이 있는 유전자가 있다는 것을 전제하고, 인간을 있는 그대로 인정하지 않는다는 윤리적 문제에서 자유로울 수 없습니다.

[B]
**찬성 2:** 유전자 편집 기술의 혜택을 소수만이 누릴 수 있다고 하셨는데요, 기술이 발전하여 비용을 낮출 수 있다면 그 혜택이 많은 사람들에게 돌아갈 수 있지 않을까요?

**반대 1:** 비용이 낮아질 때까지 얼마의 시간이 걸릴지 알 수 없습니다. 그사이 사회적 불평등이 심화되는 것을 막을 수 없을 것입니다.

(나)

유전병을 앓는 소년을 주인공으로 하는 소설을 본 적이 있다. 죽음을 의연히 받아들이는 주인공의 모습이 인상 깊었지만 동시에 안타까웠다. 혹시 인간 배아의 유전자 편집 기술을 이용하여 유전병에 걸리는 것을 막을 수 있었다면 어땠을까?

나는 유전자 편집 기술이 소년의 병을 고쳐줄 수 있는 획기적인 기술이라고 생각했다. 그래서 처음에는 이 기술을 허용하는 것을 비판하는 입장에 대해 동의하기 어려웠다. 베르누이 법칙을 이용해 비행기를 만들어 ㉠<u>먼 원거리</u>를 이동할 수 있게 된 것처럼 유전자 편집 기술을 잘 활용하면 유전병 치료의 한계를 극복할 수 있다고 생각했기 때문이다.

하지만 토론이 끝나고 난 후 나는 생각이 복잡해졌다. 유전자 편집 기술은 아직 인간 배아에 적용하기에는 안전성이 확인되지 않았다는 사실을 알게 되었기 때문이다. 또한 유전자 편집 기술이 불러일으킬 결과들에 대한 반대 측의 의견을 ㉡<u>곰곰히</u> 생각해 보니 과학의 발전이 항상 긍정적인 것은 아닐 수 있다는 생각을 하게 되었다. ㉢<u>그래서 나는 과학의 발전에 뒤처지지 않기 위해 과학 소설을 많이 읽기로 했다.</u>

생명 과학은 하루가 다르게 발전하고 있다. 하지만 우리의 가치와 생각이 그 뒤를 좇기만 한다면 우리는 과학 기술이 어디를 향하는지 알지 못한 채 끌려만 ㉣<u>가게 될 것이다.</u> ㉤그러나 우리는 무조건 과학 기술을 찬양하는 것이 아니라 과학이 나아가야 하는 방향을 감시하고 비판해야 할 의무도 함께 가져야 할 것 같다.

**4.** (가)의 '입론'을 이해한 내용으로 적절하지 <u>않은</u> 것은?

① '찬성 1'은 유전자 치료가 지닌 한계를 극복할 수 있음을 언급하며, 유전자로 인한 질병으로부터 벗어날 수 있음을 내세우고 있다.
② '찬성 1'은 질병으로 인한 사회경제적 비용을 수치로 제시하며, 유전자 편집 기술 연구에 많은 비용이 필요함을 강조하고 있다.
③ '반대 1'은 유전자 편집 기술의 안전성이 확보되지 않았음을 제시하며, 예상치 못한 문제가 초래될 수 있음을 우려하고 있다.
④ '반대 1'은 기술의 혜택을 받을 수 있는 대상이 제한적임을 언급하며, 예상되는 사회적 문제를 지적하고 있다.
⑤ '반대 1'은 유전자 편집 기술이 전제하고 있는 유전자에 대한 관점을 비판하며, 해당 기술의 비윤리성을 드러내고 있다.

**5.** [A], [B]에 대한 설명으로 가장 적절한 것은?

① [A]의 '반대 2'는 상대측이 제시한 자료의 적절성에 의문을 제기하며 근거의 타당성을 지적하고 있다.
② [A]의 '찬성 1'은 상대측의 이의 제기를 일부 인정하며 자신의 의견과 절충하고 있다.
③ [B]의 '찬성 2'는 새로운 정보를 통해 향후 전망을 제시하며 예상되는 문제점을 비판하고 있다.
④ [B]의 '반대 1'은 상대측의 진술 내용에 이의를 제기하며 적합한 사례 제시를 통한 반론을 요청하고 있다.
⑤ [A]의 '반대 2'와 [B]의 '찬성 2'는 모두 상대측의 주장을 재진술하며 실현 가능한 방안을 추가하고 있다.

6. 다음은 (가)를 바탕으로 (나)를 쓰기 위해 작성한 메모이다. (나)에 반영되지 않은 것은?

[1문단]
○ 나의 과거의 경험과 토론의 내용을 연결지어 나의 생각을 제시해야겠어. ………… ①
[2문단]
○ 유전자 편집 기술을 허용하는 것을 찬성하는 입장에 대해 동의할 수 없었던 이유를 제시해야겠어. ………… ②
○ 유전자 편집 기술을 활용해야 할 필요성을 유추할 수 있는 사례를 들어 설명해야겠어. ………… ③
[3문단]
○ 토론에서 새롭게 알게 된 사실을 언급하며 변화된 생각을 서술해야겠어. ………… ④
[4문단]
○ 우리가 경계해야 할 태도를 제시하며 글을 마무리해야겠어. ………… ⑤

7. ㉠ ~ ㉤을 고쳐쓰기 위한 의견으로 적절하지 않은 것은?
① ㉠: 의미의 중복을 피하기 위해 '먼 거리'로 고쳐야겠어.
② ㉡: 맞춤법에 어긋나므로 '곰곰이'로 고쳐야겠어.
③ ㉢: 글 전체의 통일성을 고려하여 삭제해야겠어.
④ ㉣: 문장 성분 간의 호응을 고려하여 '가고 있다'로 고쳐야겠어.
⑤ ㉤: 접속어의 사용이 부적절하므로 '그러므로'로 바꿔야겠어.

[8 ~ 10] (가)는 학교 신문에 글을 쓰기 위해 학생이 작성한 메모이고, (나)는 이에 따라 작성한 학생의 글이다. 물음에 답하시오.

(가) 학생의 메모

○ 글의 목적: 물티슈의 무분별한 사용으로 인해 발생하는 문제점을 알리고, 이에 대한 해결 방법 제안하기
○ 주제: 무분별한 물티슈 사용에 대한 문제를 인식하고 올바르게 사용하자.
○ 예상 독자: 우리 학교 학생들

(나) 학생의 글

사용하기 편리하고 휴대성이 좋다는 이유로 물티슈의 사용량은 해마다 늘어가고 있다. 그런데 이러한 이유로 최근 물티슈가 무분별하게 사용되고 있고, 그로 인해 문제가 발생하고 있다.

이렇게 무분별하게 사용되는 물티슈로 인해 발생하는 문제점과 그 원인은 다양하다. 우선 물티슈의 과다한 사용은 환경오염을 유발할 수 있다. 이는 물티슈가 일반적인 휴지와 달리 플라스틱이 함유된 합성섬유이기 때문이고, 이를 모르고 사용하는 경우가 많기 때문이다. 둘째, 물티슈의 잘못된 사용은 인체에 부작용을 일으킬 수도 있다. 물티슈에는 방부제 등과 같은 화학적 약액이 첨가되어 있음에도 물티슈 제품에 사용상 유의점이 확인하기 쉽게 표기되어 있지 않거나 이러한 정보를 학생들이 주의 깊게 확인하지 않고 사용하기 때문이다. 셋째, 불필요한 사회적 비용이 과다하게 발생할 수 있다. 물티슈를 사용한 후 제대로 분리배출 하지 않고 변기나 하수구 등에 버리는 학생들이 많기 때문이다.

이를 해결하기 위해 다양한 노력이 필요하다. 먼저 학교에서는 플라스틱이 함유된 물티슈를 무분별하게 사용하면 환경을 오염시킬 수 있다는 사실을 교육해야 한다. 다음으로, 물티슈 제조 회사에서는 제품 사용에 대한 안내 사항이나 주의 문구를 사용자가 알아보기 쉽게 표기해야 한다. 또한 학생들은 물티슈의 용법을 정확하게 확인하고, 물티슈를 용도에 맞게 사용해야 한다. 마지막으로 학생회에서는 물티슈를 사용한 뒤에는 일반 쓰레기로 분류하여 변기나 하수구가 아닌 휴지통에 버릴 수 있도록 학생들의 인식을 개선할 수 있는 캠페인을 지속적으로 실시하여야 한다.

[A]

8. (가)를 바탕으로 (나)를 쓰기 위해 세운 글쓰기 계획 중 (나)에 반영된 것으로 가장 적절한 것은?
① 주제를 부각하기 위해 물티슈 사용에 대한 상반된 주장을 비교하여 제시한다.
② 글의 목적을 구체화하기 위해 문제를 해결할 수 있는 방법을 주체별로 제시한다.
③ 예상 독자의 관심을 반영하기 위해 학생들의 물티슈 구매 방법에 대하여 제시한다.
④ 예상 독자의 이해를 돕기 위해 물티슈의 종류에 따라 다르게 발생하는 문제 상황을 제시한다.
⑤ 글의 목적에 제시된 문제의 심각성을 강조하기 위해 물티슈의 잘못된 사용으로 고통받는 피해자의 사례를 제시한다.

5 회

*9.* 다음은 (나)를 보완하기 위해 추가로 수집한 자료이다. 자료의 활용 방안으로 적절하지 않은 것은? [3점]

[자료 1] 통계 자료

㉮ 국내 연간 물티슈 시장 규모

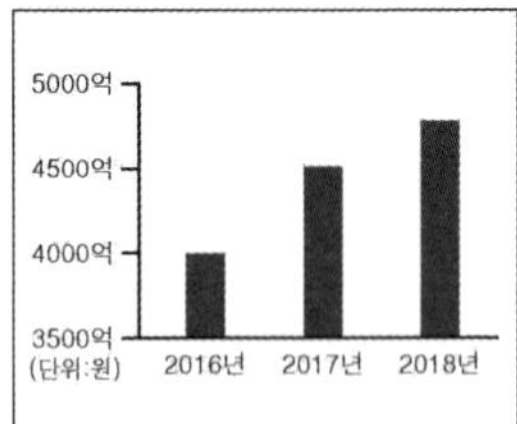


㉯ 학교 학생 대상 설문 조사 결과

| 물티슈에 플라스틱이 함유되어 있다는 사실을 알고 있는가? | |
|---|---|
| 모른다 | 82% |
| 안다 | 14% |
| 기타 | 4% |

[자료 2] 신문 기사

변기에 버려진 물티슈는 물에 녹지 않고 하수관로에 유입됨으로써 하수의 흐름을 방해해 하수처리시설 운영비가 매년 예산 범위를 크게 넘어서고 있다. 또한 하수처리장에서 정화된 물은 하천이나 바다로 방류되는데, 올바르게 분리배출되지 않은 물티슈는 잘게 부서진 미세 플라스틱이 되어 환경오염의 원인이 된다.

[자료 3] 전문가 인터뷰

"한국소비자원에 접수된 물티슈 관련 민원을 분석한 결과, 피부에 부작용이 나타난 사례가 많았습니다. 물티슈에는 성분 표시는 되어 있지만 해당 성분의 비율 및 허용 기준치 등은 정확히 표기되어 있지 않아 소비자들이 물티슈를 무분별하게 사용할 경우 위험에 노출될 수 있습니다. 이에 정부는 물티슈의 성분 비율 등에 대한 구체적이고 정확한 표기 의무를 법제화할 필요가 있습니다."

① [자료 1-㉮]를 활용하여, 물티슈의 사용량이 지속적으로 증가하고 있다는 것을 뒷받침하는 근거로 사용해야겠군.
② [자료 2]를 활용하여, 사용한 물티슈를 제대로 분리배출하지 않아 과다하게 발생하는 사회적 비용의 심각성을 강조해야겠군.
③ [자료 3]을 활용하여, 물티슈의 안전한 사용을 위하여 정부가 물티슈의 성분 비율 등에 대한 정확한 표기를 법제화해야 한다는 것을 해결 방안으로 추가해야겠군.
④ [자료 1-㉮]와 [자료 3]을 활용하여, 물티슈 시장의 확대에 따라 물티슈에 포함되는 화학적 약액의 종류가 늘어나는 실태를 보여주며 물티슈의 무분별한 사용으로 인한 위험에 노출될 수 있음을 강조해야겠군.
⑤ [자료 1-㉯]와 [자료 2]를 활용하여, 물티슈가 플라스틱을 함유하고 있다는 사실을 모르는 학생이 많고 플라스틱은 환경오염을 유발할 수 있다는 점을 보여주며 학교에서의 교육이 필요하다는 주장에 대한 근거로 사용해야겠군.

*10.* <조건>에 따라 (나)의 [A]에 들어갈 내용을 작성한다고 할 때, 가장 적절한 것은?

〈조 건〉
ㅇ 비유적 표현을 활용하여 글에서 제시한 문제점을 드러내고, 글의 주제를 강조할 것.

① 우리 모두는 환경의 파수꾼이다. 물티슈의 올바른 사용 방법을 적극적으로 홍보하자.
② 물티슈는 우리에게 편리함이라는 선물을 준다. 그 소중함을 잊지 말고 물티슈를 올바르게 사용하자.
③ 물티슈를 잘못 사용하면 인체에 부작용을 일으킬 수 있다. 따라서 물티슈를 용도에 맞게 사용할 필요가 있다.
④ 물티슈의 무분별한 사용은 개인과 사회, 나아가 환경까지 병들게 한다. 그러므로 물티슈에 대해 제대로 알고 올바르게 사용하자.
⑤ 플라스틱이 함유된 물티슈는 환경을 오염시킨다. 사용한 물티슈는 올바르게 처리하여 불필요하게 발생하는 사회적 비용을 줄이자.

**[11 ~ 12] 다음 글을 읽고 물음에 답하시오.**

국어에서는 시간을 언어적으로 표현한 것을 시간 표현이라고 한다. 시간 표현에는 시제와 동작상이 있는데, 시제는 말하는 시점인 발화시를 기준으로 어떤 동작이나 상태가 일어난 시점인 사건시와의 관계를 과거, 현재, 미래와 같은 시간으로 나타내는 문법 요소이다.

동작상은 시간의 흐름 속에서 동작이 일어나는 양상을 표현하는 문법 요소이다. 일반적으로 동작상은 '-고 있다', '-아/어 있다' 등과 같이 보조적 연결 어미와 보조 용언의 결합으로 실현된다. 또한 '-(으)면서', '-고서' 등과 같은 연결 어미를 통해서 실현되기도 한다. 동작상은 어떤 사건이 특정 시간의 흐름 속에서 계속 이어지고 있음을 나타내는 진행상과, 어떤 사건이 끝났거나 끝난 후의 결과가 지속되고 있음을 나타내는 완료상으로 구분할 수 있다.

그런데 '그가 넥타이를 매고 있다.'라는 문장에서처럼 진행상을 나타내는 대표적인 표현이 완료상으로도 해석되는 경우가 있다. 이 문장은 그가 넥타이를 매는 중이라는 진행상으로 해석할 수도 있지만, 넥타이를 맨 채로 있다는 완료상으로 해석할 수도 있다. 이와 같이 신체에 무언가를 접촉하는 행위 중 어느 정도 시간의 폭을 요구하는 동사에, '-고 있다'가 쓰이면 중의적인 의미를 가지게 된다.

중세 국어에서도 '-아/어 잇다' 등과 같이 보조적 연결 어미와 보조 용언의 결합이나, '-(으)며셔', '-고셔' 등과 같은 연결 어미를 통해 동작상이 실현되었음을 확인할 수 있다. 한편 중세 국어의 '-아/어 잇다'는 현대 국어의 '-아/어 있다'와 달리 진행상을 실현할 때와 완료상을 실현할 때 모두 사용되었다. 그리고 어간과 결합하는 보조적 연결 어미 '-아'는 'ᄒᆞ-' 뒤에서 '-야'의 형태로 바뀌어 나타났다.

*11.* 윗글을 바탕으로 <보기>를 탐구한 내용으로 적절하지 않은 것은? [3점]

〈 보 기 〉

ㄱ. 동생이 책을 읽고 있다.
ㄴ. 꽃이 아름답게 피어 있다.
ㄷ. 나는 노래를 부르면서 걸었다.
ㄹ. 그는 빨간 티셔츠를 입고 있다.
ㅁ. 나는 밥을 먹고서 집을 나섰다.

① ㄱ은 사건시와 발화시가 일치하는 시제가 나타나며, '-고 있다'를 통해 사건이 계속 이어지고 있음을 표현하고 있다.
② ㄴ은 어떤 사건이 끝난 후의 결과가 지속되고 있음을 나타내는 완료상이 실현되어 있다.
③ ㄷ은 연결 어미를 통해 시간의 흐름 속에서 사건이 완료되었음을 표현하고 있다.
④ ㄹ은 진행상으로 해석할 수도 있지만, 완료상으로도 해석할 수 있다.
⑤ ㅁ은 사건시가 발화시보다 앞서는 시제가 나타나며, '-고서'를 통해 사건이 끝났음을 나타내는 동작상을 표현하고 있다.

*12.* 윗글을 참고하여 <보기>를 이해한 내용으로 적절하지 않은 것은?

〈 보 기 〉

**[중세 국어 자료]**

ㄱ. 고ᄌᆞ기 안자 잇거늘
[현대어] 꼿꼿하게 앉아 있거늘

ㄴ. 서늘ᄒᆞᆫ ᄃᆡ 쉬며셔 자더니
[현대어] 서늘한 곳에서 쉬면서 잤는데

ㄷ. 누늘 長常(장상) ᄡᅡᆯ아 잇더라
[현대어] 눈을 항상 쳐다보고 있었다.

ㄹ. ᄢᅵ 무든 옷 닙고 시름ᄒᆞ야 잇더니
[현대어] 때 묻은 옷을 입고 걱정하고 있더니

ㅁ. 문 닫고셔 오직 닐오ᄃᆡ
[현대어] 문을 닫고서 오직 이르되

① ㄱ에는 '-아 잇다'가 활용된 형태로 완료상이 표현되어 있음을 확인할 수 있겠군.
② ㄴ에는 연결 어미가 사용되어 동작상이 표현되어 있음을 확인할 수 있겠군.
③ ㄷ에는 '-아 잇다'의 활용된 형태가 현대 국어의 '-아 있다'와 달리 진행의 의미로 표현되어 있음을 확인할 수 있겠군.
④ ㄷ과 ㄹ을 비교해 보니 보조적 연결 어미 '-아'가 'ᄒᆞ-' 뒤에서는 '-야'의 형태로 나타나 있음을 확인할 수 있겠군.
⑤ ㄹ과 ㅁ에서는 보조적 연결 어미와 보조 용언이 결합된 형태로 동작상이 표현되어 있음을 확인할 수 있겠군.

*13.* 다음은 수업 장면의 일부이다. ㉠과 ㉡에 해당하는 예로 적절한 것은?

**선생님:** 음운의 변동에는 인접한 두 음운 중 어느 한쪽이 다른 쪽 음운의 영향을 받아 이와 비슷하거나 같은 소리로 바뀌는 현상이 있습니다. 이때 바뀌게 되는 음운을 'A', 바뀌어 나타난 음운을 'B', 영향을 준 음운을 'C'라고 생각해 본다면 다음과 같이 도식화해 볼 수 있습니다.

| | 도식 | 설명 |
|---|---|---|
| ㉠ | A → B/__C | A가 C의 영향을 받아 C 앞에서 B로 바뀌는 경우 |
| ㉡ | A → B/C__ | A가 C의 영향을 받아 C 뒤에서 B로 바뀌는 경우 |

| | ㉠ | ㉡ |
|---|---|---|
| ① | 겹눈 | 맨입 |
| ② | 실내 | 국물 |
| ③ | 작년 | 칼날 |
| ④ | 백마 | 잡히다 |
| ⑤ | 끓이다 | 물놀이 |

*14.* <보기>를 이해한 내용으로 적절하지 않은 것은?

〈 보 기 〉

| 피동문 | 사동문 |
|---|---|
| ㄱ. 아기가 엄마에게 안겼다. | ㄴ. 이모가 엄마에게 아기를 안겼다. |
| ㄷ. 하늘이 건물 사이로 보였다. | ㄹ. 선생님이 학생들에게 사진첩을 보였다. |

① ㄱ을 능동문으로 바꾸면, 바뀐 문장의 서술어가 필요로 하는 문장 성분의 개수는 2개이다.
② ㄴ을 주동문으로 바꾸면, 바뀐 문장의 서술어가 필요로 하는 문장 성분의 개수는 2개이다.
③ ㄱ과 ㄷ은 서술어가 필요로 하는 문장 성분의 개수가 서로 같다.
④ ㄴ과 ㄹ을 각각 주동문으로 바꾸면, 바뀐 문장의 서술어가 필요로 하는 문장 성분의 개수는 서로 같다.
⑤ ㄷ과 ㄹ은 서술어가 필요로 하는 문장 성분의 개수가 서로 다르다.

15. <보기>는 문법 수업의 일부이다. 탐구 과제를 수행한 결과로 적절하지 않은 것은?

〈보 기〉

선생님 : 문장에서 체언을 수식하는 관형어로 쓰이는 절을 관형절이라고 합니다. 오늘은 관형절을 안은 문장의 두 유형에 대해 배워 봅시다.

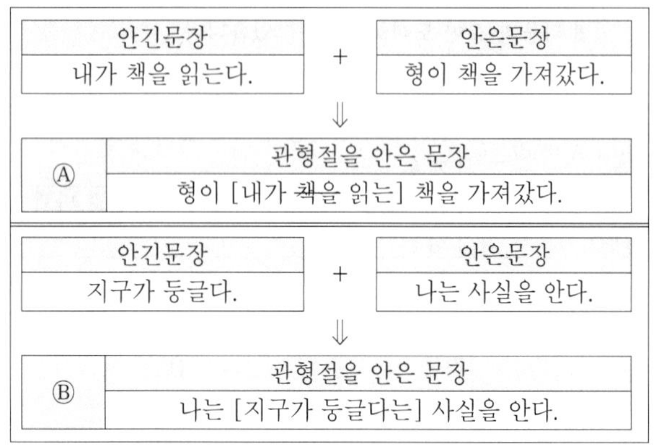


위에서 보듯이, Ⓐ의 유형처럼 안은문장과 공통된 체언이 생략된 관형절을 안은 문장이 있고, Ⓑ의 유형처럼 생략된 성분 없이 문장의 필수 성분을 완전하게 갖춘 관형절을 안은 문장이 있습니다.

[탐구 과제]

ㅇ 다음의 관형절을 안은 문장들을 탐구해 보자.

ㄱ. 그가 지은 시는 감동적이었다.
ㄴ. 나는 벽에 걸려 있던 사진을 떠올렸다.
ㄷ. 나는 그가 한국에 돌아왔다는 소문을 들었다.
ㄹ. 그 사람이 나를 속일 가능성은 매우 낮다.
ㅁ. 나는 수건으로 이마에 흐르는 땀을 닦았다.

① ㄱ은 안긴문장의 체언을 생략하여 관형절을 만들었다는 점에서 Ⓐ와 같은 유형이다.
② ㄴ은 안긴문장과 안은문장의 공통된 체언이 생략되지 않고 관형절이 만들어졌다는 점에서 Ⓑ와 같은 유형이다.
③ ㄷ은 '그가 한국에 돌아왔다.'라는 안긴문장이 생략된 성분 없이 관형어로 쓰이고 있다는 점에서 Ⓑ와 같은 유형이다.
④ ㄹ은 관형절이 문장의 필수 성분을 모두 갖추고 있다는 점에서 Ⓑ와 같은 유형이다.
⑤ ㅁ은 안긴문장과 안은문장의 공통된 체언인 '땀'이 관형절에서 생략되어 있다는 점에서 Ⓐ와 같은 유형이다.

**[16 ~ 19] 다음 글을 읽고 물음에 답하시오.**

언어철학에서 특정 인물이나 사물 등을 나타내는 '고유 이름'은 언어와 대상의 관계를 밝히는 데 중요한 역할을 하는 언어 표현이다. 그래서 고유 이름이 의미하는 바가 무엇인지에 대한 논의는 언어철학자들의 중요한 관심사였다. 그중 의미지칭이론에 따르면 고유 이름이 의미하는 바는 그 표현이 지칭하는 것, 즉 지시체 자체이다. 이들에 따르면 '금성'이라는 고유 이름이 의미하는 바는 금성 자체인 것이다. 하지만 프레게는 이러한 의미지칭이론의 입장을 그대로 받아들일 경우 발생하는 문제를 지적하며, 이를 해결하기 위해 지시체와 '뜻'을 구분하여 고유 이름이 의미하는 바를 새롭게 설명하는 이론을 제시한다.

먼저 프레게는 고유 이름이 의미하는 바가 지시체라는 의미지칭이론의 입장을 따를 경우에 발생하는 문제를 밝힌다. 다음의 두 문장을 보자.

1) 샛별은 샛별이다.
2) 샛별은 개밥바라기이다.

프레게에 의하면 의미지칭이론의 입장에서 1)과 2)는 완전히 동일한 의미를 지녀야 한다. 왜냐하면 의미지칭이론에 따르면 밑줄 친 '샛별'과 '개밥바라기'라는 두 고유 이름이 의미하는 바는 금성이라는 지시체로 동일하기 때문이다. 하지만 프레게는 1)은 동어의 반복이기에 정보를 제공하지 않고, 2)는 정보를 제공하기 때문에 사람들은 두 문장을 다르게 인식하게 된다고 말한다. 그리고 이러한 인식적 차이가 발생하는 이유가 고유 이름이 지시체 그 자체가 아닌 '뜻'을 의미하기 때문이라고 주장한다. 즉 프레게는 '샛별'은 아침에 뜨는 별이라는 뜻을, '개밥바라기'는 저녁에 뜨는 별이라는 뜻을 의미하며, '샛별'과 '개밥바라기'는 동일한 지시체인 금성을 서로 다른 제시 방식으로 제시한 것이라고 말한다. 프레게는 이처럼 동일한 지시체의 서로 다른 제시 방식인 '샛별'과 '개밥바라기'는 다른 뜻을 가진다고 말한다. 따라서 프레게는 고유 이름이 의미하는 바는 지시체가 아니기에 지시체와 뜻을 구분해야 하고, 뜻의 차이로 인해 1)과 2)가 인식적 차이가 있음을 설명하려고 한 것이다.

프레게는 고유 이름에 한정 기술구도 포함되어야 한다고 주장한다. 한정 기술구란 오직 하나의 대상만이 만족하는 조건을 몇 개의 단어나 이런저런 기호로 구성한 언어 표현이다. 예를 들어 프레게는 '플라톤의 가장 유명한 제자'나 '『니코마코스 윤리학』의 저자'와 같은 한정 기술구도 '아리스토텔레스'와 같은 고유 이름으로 간주한다. 그래서 프레게에 따르면 '플라톤의 가장 유명한 제자'와 '『니코마코스 윤리학』의 저자'는 고유 이름들이며, 아리스토텔레스라는 사람에 대한 서로 다른 제시 방식으로 각각은 다른 뜻을 가진다.

[A] 한편 프레게는 특정 지시체에 대해 개인이 갖고 있는 관념을 뜻과 혼동해서는 안 된다고 말한다. 관념은 지시체에서 개인이 감각적 경험을 통해 얻게 된 주관적인 내적 이미지이다. 반면 뜻은 우리가 의사소통을 통해 전달하고 이해할 수 있어야 하기에, 언어 공동체가 공유할 수 있는 객관적으로 합의된 재산인 것이다. 다시 말해 우리가 성공적으로 의사소통할 수 있는 이유는 뜻이 공적인 것이기 때문이다. 만약 뜻이 개인의 관념과 같다고 한다면 뜻은 사람마다 다르게 되고, 의사소통은 성공적으로 이루어지기 어렵게 된다. 따라서 프레게는 언어 표현의 뜻은 개인이 지시체에 대해 갖는 관념과는 다르다는 것을 분명히 한다.

결국 프레게는 지시체와 뜻을 구분함으로써 고유 이름이 의미하는 바를 명확히 하였다. 또한 이를 통해 의미지칭이론에서 설명하지 못하는 ㉠'유니콘'과 같이 지시체가 존재하지 않는 허구적인 대상의 고유 이름이 의미하는 바를 설명할 수 있게 되었다.

*16.* 윗글에 대한 설명으로 가장 적절한 것은?

① 기존의 이론을 비판한 새로운 이론을 예를 중심으로 설명하고 있다.
② 특정 학자가 주장한 이론의 변천 과정을 통시적 관점에서 분석하고 있다.
③ 상반된 이론을 제시한 후 두 이론을 절충한 새로운 이론을 소개하고 있다.
④ 특정 이론에 대한 다양한 관점을 제시하고 각 관점의 장단점을 비교하고 있다.
⑤ 특정 학자가 자신의 이론에 제기된 문제점을 수용하는 과정을 단계별로 밝히고 있다.

*17.* <보기>는 프레게의 이론을 비유적으로 설명하기 위한 예시이다. 윗글의 [A]를 참고하여 프레게의 입장에서 <보기>의 ⓐ ~ ⓒ를 설명할 수 있는 말로 적절한 것을 고른 것은?

〈 보 기 〉

우리 가족들은 천문대에 가서 ⓐ <u>밤하늘의 달</u>을 보았다. 그날 우리는 하나의 망원경을 통해 달을 보고 이야기를 나눌 수 있었다. ⓑ <u>우리 가족이 나눈 대화 속 망원경 렌즈에 맺힌 달의 형상은 모두 같았지만</u>, 그날 망원경의 렌즈를 거쳐 ⓒ <u>망막에 맺힌 달은 우리 가족에게 서로 다른 추억</u>으로 기억되고 있다.

| | ⓐ | ⓑ | ⓒ |
|---|---|---|---|
| ① | 지시체 | 관념 | 뜻 |
| ② | 내적 이미지 | 뜻 | 관념 |
| ③ | 지시체 | 뜻 | 관념 |
| ④ | 내적 이미지 | 관념 | 뜻 |
| ⑤ | 지시체 | 내적 이미지 | 뜻 |

*18.* 윗글을 읽은 학생이 프레게의 입장에서 <보기>에 대해 보일 수 있는 반응으로 적절하지 <u>않은</u> 것은? [3점]

〈 보 기 〉

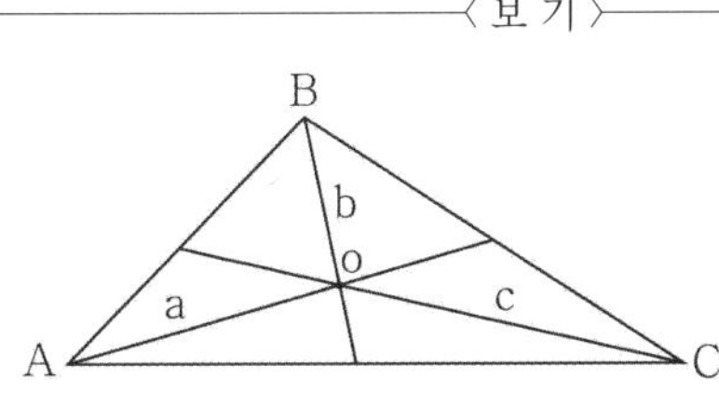


왼쪽에 있는 삼각형의 각 꼭짓점에서 그 대변의 중점으로 이어지는 선을 a, b, c라고 할 때, ㉮ <u>'a와 b의 교점'</u>과 ㉯ <u>'b와 c의 교점'</u>의 지시체는 ㉰ <u>o</u>이다. 따라서 ㉱ <u>'o는 a와 b의 교점이다.'</u>와 같은 문장으로 표현할 수 있다.

① ㉮와 ㉯는 동일한 지시체를 지칭하지만 뜻은 서로 다르다고 볼 수 있겠군.
② ㉮와 ㉯는 몇 개의 단어와 기호로 구성되어 있지만 고유 이름으로 볼 수 있겠군.
③ ㉮와 ㉯로 의사소통이 가능한 이유는 ㉰에 대한 개인의 내적 이미지가 일치하기 때문이겠군.
④ ㉰에 대한 제시 방식에는 ㉮와 ㉯뿐만 아니라 'a와 c의 교점'도 포함할 수 있겠군.
⑤ ㉱는 'o는 o이다.'라는 문장과 인식적 차이가 발생한다고 할 수 있겠군.

*19.* 윗글을 참고할 때, 의미지칭이론에서 ㉠을 설명하지 못하는 이유를 추론한 내용으로 가장 적절한 것은?

① 고유 이름은 다수의 지시체를 의미한다고 보기 때문이겠군.
② 고유 이름과 지시체는 서로 관련이 없다고 보기 때문이겠군.
③ 고유 이름이 의미하는 바를 지시체 그 자체로 보기 때문이겠군.
④ 고유 이름과 지시체가 서로 다른 정보를 제공한다고 보기 때문이겠군.
⑤ 고유 이름으로는 언어와 대상의 관계를 밝힐 수 없다고 보기 때문이겠군.

5 회

**[20 ~ 25] 다음 글을 읽고 물음에 답하시오.**

범죄인이 다른 나라로 도피하면 그 신병을 확보하기 어려워 처벌이 힘들다. 이 때문에 근대에 들어 각국은 국제법상 범죄인 인도제도를 발전시켰다. 범죄인인도제도는 해외에서 죄를 범한 범죄인이 자국 영역으로 도피해 온 경우, 그를 처벌하기를 원하는 외국의 청구에 응해 해당자를 인도하는 제도이다.

범죄인인도제도는 서로 범죄인인도를 할 것을 합의하고 그에 대한 사항을 규정하는 국가 간의 조약인 범죄인인도조약을 기초로 이루어진다. 범죄인인도가 원만히 진행되려면 상대국의 사법제도에 대한 상호 신뢰가 필요하므로, 범죄인인도조약은 주로 양자조약의 형태로 발달하였으며 범세계적인 조약은 ㉠ <u>성립</u>되지 않고 있다. 사전에 체결된 범죄인인도조약에 의해서만 상대국가에 대한 범죄인인도청구에 응할 의무가 발생하며, 어떤 국가가 범죄인인도조약을 맺지 않은 국가의 범죄인인도청구에 응해야 할 국제법상의 의무는 없다.

범죄인인도제도의 구체적인 내용은 범죄인인도조약에 따라 차이가 있지만, 전체적으로 표준화되어 있다고 할 만큼 국제적으로 공통되는 것이 많다. 우선 대부분의 범죄인인도조약은 처벌 가능한 최소 형기를 기준으로 인도대상범죄를 규정한다. 범죄인인도를 청구하는 청구국과 인도를 청구받는 피청구국 모두에서 범죄로 성립되고, 주로 해당 범죄의 형기가 징역 1년 이상에 해당하는 경우만을 인도대상으로 규정하는 방식이다. 여기에 부합하면 내국인이든 외국인이든 범죄인인도의 대상이 될 수 있다. 청구국의 범죄인인도청구가 공식적으로 외교 경로를 통해 전달되면, 피청구국은 범죄인인도청구에 응하여 실제로 범죄인을 인도할지를 결정한다. 이때 범죄인인도는 대부분 피청구국 법원의 허가를 받아야 한다.

범죄인인도조약에 의해 범죄인인도청구에 응할 의무가 있다고 해도 피청구국이 청구국에 범죄인을 반드시 인도해야 하는 것은 아니다. 범죄인인도거절 ㉡ <u>사유</u>로는 피청구국이 범죄인인도를 할 수 없는 절대적 인도거절 사유와 범죄인인도를 하지 않을 수 있는 임의적 인도거절 사유가 있다.

절대적 인도거절 사유에는 대표적으로 다음과 같은 것들이 있다. 인도청구된 범죄에 대하여 이미 피청구국에서 재판이 진행 중이거나 피청구국에서 확정 판결을 받은 경우는 중복 처벌을 피하기 위해 범죄인인도가 허용되지 않는다. 그리고 피청구국에서 공소시효가 끝난 경우에도 범죄인인도가 거절된다.

또한 정치범도 일반적으로 범죄인인도가 불허된다. 정치범이란 국가나 국가 권력을 ㉢ <u>침해</u>함으로써 성립하는 불법 행위를 저지른 사람을 말하는데, 정치범죄의 판단기준이 시대나 상황에 따라 달라질 수 있으므로 범죄인인도조약에 정치범죄의 정의가 포함되는 경우는 찾기 어렵다. 결국 어떤 행위가 정치범죄에 해당하는가의 판단은 피청구국에서 하게 된다. 대부분의 정치범죄가 일반 형사범죄로서의 성격도 함께 지니는 이른바 상대적 정치범죄인데, 일반적으로 범죄행위의 정치적 성격이 일반 형사범죄로서의 성격보다 우월할 때 그것을 정치범죄로 판단한다. 하지만 어떤 범죄는 정치적 성격이 있더라도 정치범죄로 인정될 수 없다. 예를 들어 국가원수나 그 가족의 생명·신체를 침해하는 행위는 정치범 불인도 대상에서 제외되며 이를 가해조항이라 부른다. 그리고 무고한 불특정 다수를 대상으로 하는 테러행위 등은 많은 범죄인인도조약에서 정치범죄로 인정되지 않는다고 규정하고 있다.

임의적 인도거절 사유는 범죄인인도조약에 따라 다르다. 우선 범죄인이 피청구국의 자국민일 경우 피청구국이 범죄인인도를 거절할 수 있게 하는 경우가 있다. 그런데 피청구국이 이런 자국민 불인도 조항에 따라 자국민 범죄인의 인도를 거절하고 범죄인을 처벌하지도 않으면, 결과적으로 범죄인이 처벌을 면할 수 있다. 이에 다수의 범죄인인도조약에는 피청구국이 자국민이라는 이유만으로 범죄인인도를 거절할 경우, 청구국의 요청이 있으면 피청구국은 기소 당국에 사건을 회부해야 한다는 조항을 넣기도 한다. 또 범죄인이 청구국에 인도된 뒤 비인도적인 대우를 받을 것이 ㉣ <u>예견</u>될 때는 범죄인의 인권을 보호하기 위해 범죄인인도를 거절할 수 있게 하는 경우가 있다. 같은 이유에서 사형을 폐지한 피청구국은 청구국이 대상 범죄인을 사형에 처하지 않을 것이라는 ㉤ <u>보증</u>을 하지 않을 경우 범죄인인도를 거절할 수 있게 하는 일도 많다.

범죄인이 청구국으로 인도되면 인도청구 사유가 되었던 범죄에 대해서만 처벌을 받는데, 다만 인도 후 새로 저지른 범죄나 피청구국이 처벌에 동의한 범죄 등은 인도청구 사유에 명시되지 않았어도 처벌이 가능하다. 이를 특정성의 원칙이라고 하며, 이 또한 범죄인의 인권을 보호하기 위한 장치로 볼 수 있다.

*20.* 윗글을 통해 해결할 수 있는 질문으로 적절하지 <u>않은</u> 것은?
① 범죄인인도조약의 개념은 무엇일까?
② 범죄인인도거절 사유로는 어떤 것들이 있을까?
③ 인도대상범죄를 규정하는 기준에는 무엇이 있을까?
④ 범죄인인도청구에 응할 의무는 무엇에 의해 발생하는 것일까?
⑤ 범죄인인도를 법원이 허가하면 범죄인의 신병은 언제 인도될까?

*21.* [범죄인인도제도]에 대한 설명으로 적절하지 <u>않은</u> 것은?
① 근대에 들어 발전한 국제법상의 제도이다.
② 범죄인인도조약에 따라 구체적인 내용에 차이가 있다.
③ 해외에 있는 범죄인의 신병을 확보하기 위한 제도이다.
④ 범세계적인 범죄인인도조약의 규정을 기초로 하여 운영되고 있다.
⑤ 원활하게 운영되기 위해서는 국가 간 사법제도에 대한 상호 신뢰가 필요하다.

**※ <보기>의 (가)와 (나)는 서로 범죄인인도조약을 맺고 있는 A국과 B국 사이의 가상 사례이다. 22번과 23번 물음에 답하시오.**

〈보 기〉

(가) 제3국 국민인 X는 A국에서 경제 범죄를 저질러 구속영장이 발부되자 B국으로 탈주했다. A국은 B국에 X에 대한 범죄인인도를 청구했다. B국 법원은 X의 범죄가 인도대상범죄에 해당한다고 판단한 뒤 사건을 검토하여 X의 인도를 허가하기로 결정하였다. (단, X는 A국, B국 중 어떤 나라와도 범죄인인도조약을 맺고 있지 않은 나라의 국민이다.)

(나) A국 정부에 반대하는, A국 국민 Y가 그 정부를 전복하려는 활동의 하나로 A국의 무인 공공시설물을 파손하려다 발각된 뒤 B국으로 도피했고, A국은 B국에 Y에 대한 범죄인인도를 청구했다. B국 법원은 Y의 행위가 인도대상범죄에는 해당한다고 판단한 뒤, 해당 사건의 일반 형사범죄로서의 성격과 정치범죄로서의 성격을 검토한 후 이를 바탕으로 인도를 불허한다는 결정을 내렸다.

*22.* 윗글을 바탕으로 (가)와 (나)를 이해한 것으로 적절하지 <u>않은</u> 것은? [3점]
① A국과 B국의 법률에서는 X와 Y의 행위를 모두 범죄로 규정하고 있을 것이다.
② A국과 B국 간의 범죄인인도조약에 자국민 불인도 조항이 있더라도, X와 Y는 해당 조항의 적용대상이 되지 않을 것이다.
③ Y의 행위는 X의 행위와 달리 범죄인인도조약상 B국이 범죄인인도를 허가할 수 없는 절대적 인도거절 사유에 해당할 것이다.
④ X는 Y와 달리 B국과 범죄인인도조약을 체결하지 않은 국가의 국민이지만, B국은 X, Y 모두에 대한 A국의 범죄인인도청구에 응해야 할 의무를 질 것이다.
⑤ 인도가 청구된 범죄에 대해 X와 Y가 인도청구 전에 이미 B국에서 유죄 판결을 받았다면, B국은 X와 Y의 처벌을 위해 그 신병을 모두 A국으로 인도해야 할 것이다.

*23.* 윗글을 읽은 학생이 (나)에 대해 이해한 것으로 가장 적절한 것은?
① A국 법원이 B국 법원 대신 Y의 행위가 정치범죄로 인정받을 수 있는지 여부를 결정할 수 있겠군.
② B국 법원은 Y의 행위가 일반 형사범죄로서의 성격보다 정치적 범죄로서의 성격이 더 강한 범죄라고 판단했겠군.
③ A국은 범죄인인도를 청구하면서 Y의 행위가 가해조항의 적용을 받으므로 Y의 신병을 A국에 인도해야 한다고 주장했겠군.
④ B국 법원은 대부분의 범죄인인도조약에 명시된 정치범죄에 대한 정의를 기준으로 적용하여 Y의 행위의 정치적 성격을 판단했겠군.
⑤ B국 법원은 Y의 행위가 무고한 불특정 다수를 대상으로 하는 테러 행위가 아니므로 정치범 불인도의 대상에서 제외되어야 한다고 판단했겠군.

24. <보기>는 학습 자료로 만든 범죄인인도조약의 일부이다. 윗글을 읽은 학생이 <보기>에 대해 보인 반응으로 적절하지 않은 것은?

< 보 기 >

**제4조**
피청구국은 자국민을 인도할 의무는 없으나 재량에 따라 자국민을 인도할 권한을 갖는다. 자국민인 범죄인의 인도를 국적만을 이유로 거절하는 때에는, 피청구국은 청구국의 요청이 있을 경우 기소 당국에 사건을 회부하여야 한다.

**제5조**
인도청구되는 범죄가 청구국의 법률상 사형선고가 가능한 경우에는 피청구국은 해당 범죄인의 인도를 거절할 수 있다. 단, 청구국이 사형을 선고하지 않거나, 사형선고를 할 경우에도 집행하지 않는다고 보증하는 경우에는 그러하지 않다.

**제6조**
인도되는 범죄인은 피청구국에 의해 인도가 허용된 범죄, 인도 이후에 저지른 범죄, 피청구국이 처벌에 동의하는 범죄를 제외하고는 청구국에서 처벌될 수 없다.

① 제4조에는 피청구국이 자국민 범죄인의 인도를 거절하고 범죄인을 처벌하지도 않을 경우에 대비한 규정이 포함되어 있군.
② 제5조에는 청구국의 법률상 사형선고가 가능한 경우, 피청구국이 청구국에 보증을 할 필요가 있다는 내용이 포함되어 있군.
③ 제6조의 내용으로 보아 이 조항은 특정성의 원칙과 관련된 조항이라고 볼 수 있겠군.
④ 제4조와 제5조는 모두 임의적 인도거절 사유에 해당하는 조항이라고 볼 수 있겠군.
⑤ 제5조와 제6조는 범죄인인도의 대상이 되는 범죄인의 인권을 보호하기 위한 장치로 볼 수 있겠군.

25. ㉠ ~ ㉤의 사전적 의미로 적절하지 않은 것은?
① ㉠: 기관이나 조직체 따위를 만들어 일으킴.
② ㉡: 일의 까닭.
③ ㉢: 침범하여 해를 끼침.
④ ㉣: 앞으로 일어날 일을 미리 짐작함.
⑤ ㉤: 어떤 사물이나 사람에 대하여 책임지고 틀림이 없음을 증명함.

**[26 ~ 30] 다음 글을 읽고 물음에 답하시오.**

세상에는 너무 작아서 눈으로 볼 수 없는 세계가 많다. 사람의 눈으로 볼 수 있는 가시광선 영역은 파장이 길기 때문에 단백질 분자 구조와 같은 물질의 내부 구조는 관찰할 수 없다. 그래서 미세한 물질의 내부 구조를 파악하기 위해서는 보다 짧은 파장의 빛의 영역까지 활용할 수 있어야 하는데, 이때 활용 가능한 빛이 바로 방사광이다. [방사광]이란 빛의 속도에 가깝게 빠른 속도로 운동하는 전자가 방향을 바꿀 때, 바뀐 운동 궤도 곡선의 접선 방향으로 방출되는 좁은 퍼짐의 전자기파를 가리킨다.

방사광은 적외선, 가시광선, 자외선, X선에 이르는 다양한 파장을 가진 빛으로, 실험 목적에 따라 파장을 선택하여 사용할 수 있는 파장 가변성을 ⓐ 지닌다. 그리고 방사광은 휘도가 높은 빛이다. 휘도란 빛의 집중 정도를 나타내는 것으로, 빛의 세기가 크면 클수록, 그리고 빛의 퍼짐이 작으면 작을수록 높은 휘도 값을 갖는다. 예를 들어 방사광에서 실험을 위해 선택된 X선은, 기존에 쓰던 X선보다 휘도가 수만 배 이상이라서 이를 활용하면 물질의 정보를 보다 자세하게 얻을 수 있다.

방사광은 자연에서는 별이 수명을 다해 폭발할 때 발생하기도 하지만, 이를 연구에 활용하는 것은 어려우므로 고성능 슈퍼현미경이라고도 불리는 방사광가속기를 사용해 인위적으로 만들어 사용한다. 방사광가속기는 일반적으로 크게 전자입사장치, 저장링, 빔라인 등으로 구성되어 있다. 전자입사장치는 전자를 방출시킨 뒤 빛의 속도에 가깝게 가속시켜 저장링으로 주입하는 장치로, 전자총과 선형가속기로 구성된다. 전자총은 고유한 파장을 가진 금속에 그 파장보다 짧은 파장의 빛을 가하면 전자가 방출되는 광전효과를 활용하여 지속적으로 전자를 방출시킨다. 이때 방출되는 전자는 상대적으로 속도가 느려 높은 에너지를 가지지 못하므로, 선형가속기에서는 음(−)전하를 띤 전자가 양(+)전하를 띤 양극 쪽으로 움직이려는 전기적인 힘의 원리를 활용하여 전자를 가속시킨다. 선형가속기에서 빛의 속도에 근접하게 된 전자는 이후 저장링으로 보내진다.

저장링은 휨전자석, 삽입장치, 고주파 공동장치 등으로 구성되어 있고, 일반적으로 n각형 모양으로 설계하여 n개의 직선 부분과 n개의 모서리 부분으로 이루어져 있다. 저장링의 모서리 부분에는 전자의 방향을 조절해 주는 휨전자석을 설치하여 전자가 지속적으로 궤도를 따라 회전할 수 있도록 한다. 전자는 휨전자석을 지나면서 자석 주위의 자기장의 힘을 받아 휘게 되는데, 이때 전자의 운동 궤도 곡선의 접선 방향으로 방사광이 방출된다. 저장링의 직선 부분에는 N극과 S극을 번갈아 배열한 삽입장치가 설치되어 있다. 전자는 삽입장치에서 자기장의 영향을 받아 N극과 S극의 사이에서 주기적으로 방향이 바뀌며 구불구불하게 움직이게 되는데, 방향이 주기적으로 바뀔 때마다 방사광이 방출된다. 이렇게 방출된 방사광은, 위상이 동일한 방사광과 서로 중첩되면서 진폭이 커지는 간섭 현상이 나타난다. 그래서 삽입장치에서 중첩되어 진폭이 커진 방사광은, 휨전자석에서 방출된 방사광보다 큰 에너지를 지닌 더 밝은 방사광이 된다. 이때 휨전자석과 삽입장치를 통과하며 방사광을 방출한 전자는 에너지를 잃게 되고, 고주파 공동장치는 이러한 전자에 에너지를 보충하여 전자가 계속 궤도를 돌게 한다.

마지막으로 빔라인은 실험 목적에 맞도록 방사광에서 원하는 파장을 분리시켜 실험에 이용하는 장치로, 크게 진공 자외선 빔라인과 X선 빔라인으로 나눌 수 있다. 진공 자외선 빔라인에서는 주로 기체 상태의 물질의 구조나 고체 표면에서의 물질의 구조 등에 관한 실험들이 이루어지고, X선 빔라인에서는 다른 빛보다 상대적으로 짧은 파장을 가진 X선의 특성을 이용하여 주로 물질의 내부 구조, 원자 배열 등에 대한 실험이 이루어진다. 특히 X선 빔라인들 중 하나인 ㉠ X선 현미경은 최대 15 나노미터 정도 되는 생체 조직 등과 같은 물질의 내부 구조까지도 확대하여 관찰할 수 있다. X선은 가시광선과 달리 유리 렌즈나 거울을 써서 굴절시키거나 반사시키기 어렵다. 그래서 X선 현미경은, 강력한 전자기장으로 X선을 굴절시켜 빛을 모을 수 있는 특수 금속 렌즈를 이용해 X선을 실험에 활용한다.

5 회

*26.* 윗글을 이해한 내용으로 적절하지 않은 것은?
① 실험 목적에 따라 빔라인의 종류는 달라질 수 있다.
② 휨전자석의 개수는 저장링의 모양에 따라 달라질 수 있다.
③ 빛의 집중 정도는 빛의 세기와 퍼짐에 따라 달라질 수 있다.
④ 전자는 양전하를 띤 양극 쪽으로 움직이려는 전기적인 힘이 있다.
⑤ 금속의 고유한 파장보다 긴 파장의 빛을 금속에 쏘면 전자를 방출시킬 수 있다.

*27.* 방사광에 대한 설명으로 적절하지 않은 것은?
① 실험 목적에 따라 파장을 선택해 사용할 수 있는 빛이다.
② 방사광가속기에서 연구 목적으로 가속시키는 전자기파이다.
③ 자연적으로 발생하기도 하고 인위적으로 만들 수도 있는 빛이다.
④ 휘도가 높아 물질에 대한 자세한 정보를 얻을 수 있게 하는 빛이다.
⑤ 빛의 속도에 가깝게 운동하는 전자가 방향을 바꿀 때 방출되는 전자기파이다.

*28.* <보기>는 방사광가속기의 주요 장치를 도식화한 것이다. 윗글을 바탕으로 <보기>를 이해한 내용으로 적절하지 않은 것은? [3점]

〈보 기〉

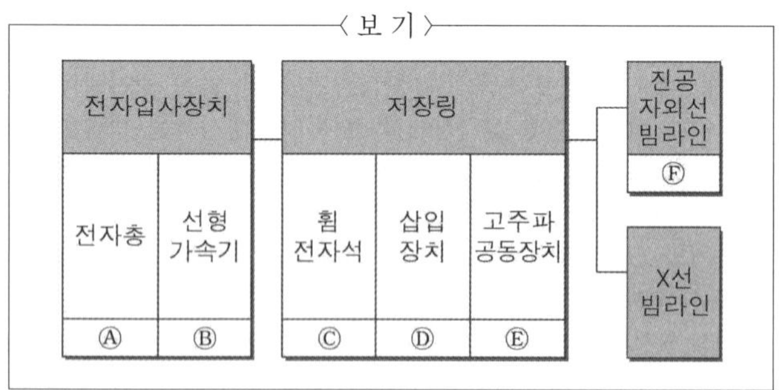


① Ⓐ에서 광전효과를 활용하여 방출시킨 전자는 Ⓑ에서 빛의 속도에 가깝게 가속되어 높은 에너지를 갖게 되겠군.
② 전자는 Ⓒ를 지나면서 자석 주위의 자기장의 힘을 받아 방향이 바뀌면서 궤도를 따라 회전할 수 있게 되겠군.
③ Ⓒ에서 방출된 방사광이 Ⓓ에서 방출된 방사광보다 밝은 이유는 Ⓓ에서 방사광이 서로 중첩되어 진폭이 더 커졌기 때문이겠군.
④ Ⓒ와 Ⓓ를 통과하며 에너지가 손실된 전자는 Ⓔ로부터 에너지를 공급받아 궤도를 계속 돌게 되겠군.
⑤ Ⓕ는 실험 목적에 맞게 방사광에서 원하는 파장을 분리시켜 실험에 이용하는 장치이겠군.

*29.* 윗글의 ㉠과 <보기>의 ㉡을 비교한 내용으로 가장 적절한 것은?

〈보 기〉

㉡ 광학 현미경은 가시광선을 굴절시켜 빛을 모을 수 있는 유리 렌즈를 이용해 물질의 표면을 확대하는 실험 장치이다. 일반적으로 광학 현미경의 렌즈 배율을 최대로 높이면 크기가 200 나노미터 정도 되는 물질까지 관찰할 수 있다.

① ㉠과 달리 ㉡은 물질의 내부 구조를 관찰할 수 있는 장치이다.
② ㉡과 달리 ㉠은 빛이 굴절하는 성질을 이용하여 실험하는 장치이다.
③ ㉡과 달리 ㉠은 유리 렌즈를 활용하여 빛을 모아 물질을 확대하는 장치이다.
④ ㉡은, ㉠에서 사용하는 빛의 영역이 아닌 인간의 눈으로 볼 수 없는 빛의 영역을 이용하는 장치이다.
⑤ ㉠은, ㉡에서 사용하는 빛보다 상대적으로 짧은 파장의 빛을 이용하여 물질을 관찰할 수 있는 장치이다.

*30.* 문맥상 ⓐ와 가장 가까운 의미로 쓰인 것은?
① 그는 딸의 사진을 품속에 지니고 다닌다.
② 그는 일을 성사시킬 책임을 지니고 있다.
③ 그는 어릴 때의 모습을 그대로 지니고 있었다.
④ 그는 유년 시절의 추억을 가슴 속에 지니고 살았다.
⑤ 그는 자신의 이론이 보편성을 지니고 있다고 주장했다.

**[31 ~ 34] 다음 글을 읽고 물음에 답하시오.**

관찰사는 아들을 불러 말했다.
"남녀의 사랑에 대해서는 아비도 아들에게 가르칠 수 없는 법이니, 나 역시 네 마음을 막을 도리가 없다. 내가 보니 자란과 네가 사랑하는 정이 깊어 헤어지기 어려울 듯하구나. 헌데 너는 아직 혼인하지 않은 터라, 지금 만일 자란을 데리고 간다면 앞으로 혼인하는 데 방해가 되지 않을까 싶다. 다만 남자가 첩 하나 두는 거야 세상에 흔한 일이니, 네가 자란을 사랑해서 도저히 잊을 수 없다면 비록 약간의 문제가 있더라도 감당해야겠지. 네 뜻에 따라 결정하는 게 좋겠으니, 숨기지 말고 네 속마음을 말해 보거라."
도령이 서슴없이 이렇게 대답했다.
[A] "아버지께선 제가 그깟 기녀 하나와 떨어진다고 해서 상사병이라도 들 거라 생각하십니까? 한때 제가 번화한 데 눈을 주긴 했지만, 지금 그 아이를 버리고 서울로 가면 헌신짝 여기듯이 할 겁니다. 그러니 제가 그 아이에게 연연하여 잊지 못하는 마음을 가질 리 있겠습니까? 아버지께서는 이 일로 더 이상 염려하지 마십시오."
관찰사 부부가 매우 기뻐하며 말했다.
"우리 아이가 진정 대장부로구나."
이별의 날이 왔다. 자란은 눈물을 쏟고 목메어 울며 도령의 얼굴을 차마 보지 못했다. 하지만 도령은 조금도 연연해하는 기색이 없었다. ㉠ 관아의 모든 사람들이 그 광경을 보며 도령의 의연한 모습에 감탄했다.
그러나 실은 도령이 자란과 오륙 년을 함께 지내며 한시도 떨어져 본 적이 없었던 까닭에 이별이라는 게 도대체 어떤 것인지 알지 못했고, 그래서 호쾌한 말을 내뱉으며 이별을 가볍게 여겼던 것이다.

관찰사는 임무를 마치고 대사헌에 임명되어 조정으로 돌아왔다. 도령은 부모를 따라 ㉡서울로 돌아온 뒤 차츰 자신이 자란을 그리워하고 있음을 깨닫게 되었다. 그렇지만 감히 내색할 수는 없는 일이었다.

감시가 다가왔다. 도령은 부친의 명을 받아 친구 몇 사람과 함께 산속에 있는 ㉢절에 들어가 시험 준비를 했다. 그러던 어느 날 밤이었다. 벗들은 모두 잠들었는데, 도령 혼자 잠 못 이루고 뒤척이다 나와 뜰 앞을 서성였다. 때는 바야흐로 한겨울이라 쌓인 눈 위로 달빛이 환했고, 깊은 산 적막한 밤에 아무런 소리도 들리지 않았다. 도령은 달을 바라보다가 문득 자란 생각이 들며 마음이 서글퍼졌다. 한 번만이라도 자란의 얼굴을 보고 싶은 욕망을 억누를 수 없어 마치 실성한 사람처럼 되었다.

마침내 도령은 한밤중에 절을 뛰쳐나와 곧장 ㉣평양으로 향했다. 털모자에 쪽빛 비단옷을 입고 가죽신을 신은 채 길을 걷노라니 10여 리도 채 못 가서 발병이 나 걸을 수가 없었다. 시골 농가를 찾아가 신고 있던 가죽신을 내주고는 짚신을 얻어 신었고, 털모자를 벗어 던지고 그 대신 해지고 테두리가 뜯어진 벙거지를 얻어 머리에 썼다. 길을 가며 밥을 빌어먹다 보니 늘 굶주릴 때가 많았고, 여관 한 귀퉁이에 빌붙어 잠을 자다 보니 밤새도록 추위에 몸이 얼었다.

**[중략 줄거리]** 평양에 도착한 도령은 자란을 만나기를 원하지만, 기녀인 자란은 이미 새로 부임한 관찰사 아들의 총애를 받고 있다. 도령은 자란을 만나기 위해 그녀가 기거하는 곳에서 눈을 쓰는 인부로 일을 하게 되고, 둘은 극적으로 재회하게 된다.

이윽고 밤이 깊어지자 두 사람은 자란의 어미가 깊이 잠든 틈을 타 보따리를 이고 지고 몰래 달아났다. 양덕과 맹산 사이의 ㉤깊은 골짜기 안으로 들어가서는 시골 촌가에 몸을 의탁했다.

처음에는 그 집 머슴살이를 했는데, 도령은 천한 일을 제대로 해내지 못했다. 하지만 자란이 베 짜기와 바느질을 잘했으므로 그 덕분에 겨우 입에 풀칠을 할 수 있었다. 그리하여 얼마 뒤에는 마을에 몇 칸짜리 초가집을 짓고 살게 되었다. 자란이 베 짜기와 바느질을 부지런히 하며 밤낮으로 쉬지 않았고, 또 지니고 온 옷가지와 패물을 팔아서 먹을 것과 입을 것을 마련하니 살림이 아주 궁핍하지는 않았다. 자란은 또 이웃과도 잘 지내며 환심을 샀기에, 사방 이웃들이 새로 이사 온 젊은 부부가 가난하게 사는 것을 안타까이 여기며 도움을 주었으므로 마침내 자리를 잡을 수 있었다.

예전에 도령이 절을 뛰쳐나왔을 때의 일이다. 절에서 함께 공부하던 도령의 친구들은 아침에 일어나 도령이 보이지 않자 깜짝 놀랐다. 친구들은 즉시 승려들과 함께 온 산을 샅샅이 뒤졌지만 끝내 도령의 종적을 찾을 수 없었다. 도령의 집에 소식이 전해지자 온 집안사람들이 소스라치게 놀랐다. 많은 하인들을 풀어 절 부근 수십 리를 며칠 동안 샅샅이 뒤져 보았지만 역시 그 자취를 찾을 수 없었다. 모두들 이렇게 말했다.

"요사한 여우에게 홀려서 죽었거나 호랑이 밥이 된 게 틀림없다."

결국 도령의 상을 치르고 빈 무덤 앞에서 제사를 지냈다.

신임 관찰사의 아들은 자란이 달아난 뒤 서윤으로 하여금 자란의 어미와 친척을 모두 가두고 자란의 행방을 쫓게 했으나, 몇 달이 지나도 종적을 알 수 없자 포기하고 말았다.

자란은 도령과 자리를 잡고 살아가던 어느 날 도령에게 이렇게 말했다.

[B] "당신은 재상 가문의 외아들이건만 한낱 기생에게 빠져 부모를 버리고 달아나 외진 산골에 숨어 살며 집에서는 살았는지 죽었는지조차 알지 못하니, 이보다 더 큰 불효는 없을 것이며 이보다 나쁜 행실은 없을 거예요. 이제 우리가 여기서 늙어 죽을 수는 없는 일이요, 그렇다고 지금 얼굴을 들고 집으로 돌아갈 수도 없는 일이어요. 당신은 앞으로 어쩌실 작정인가요?"

도령이 눈물을 줄줄 흘리며 말했다.

"나도 그게 걱정이지만, 어떡해야 좋을지 모르겠소."

자란이 말했다.

"오직 한 가지 방법이 있긴 해요. 그런대로 과거의 허물을 덮는 동시에 새로운 공을 이룰 수 있어, 위로는 부모님을 다시 모실 수 있고 아래로는 세상에 홀로 나설 수 있는 길인데, 당신이 할 수 있을지 모르겠어요."

도령이 물었다.

"대체 어떤 방법이오?"

자란이 말했다.

"오직 과거에 급제해서 이름을 떨치는 길 한 가지뿐이어요. 더 말씀 안 드려도 무슨 말인지 아시겠지요?"

도령이 몹시 기뻐하며 이렇게 말했다.

"참으로 좋은 계책이오."

－임방, 「옥소선」－

*31.* 윗글에 나타난 서술상의 특징으로 적절하지 않은 것은?

① 인물이 겪은 일들을 요약적으로 제시하고 있다.
② 인물이 처한 상황을 외양 묘사를 통해 제시하고 있다.
③ 갈등이 해소되는 과정을 전기적 요소를 통해 제시하고 있다.
④ 서술자가 개입하여 자신의 생각을 직접적으로 제시하고 있다.
⑤ 이야기의 전개 도중 그보다 이전에 일어났던 사건에 대한 추가 정보를 제시하고 있다.

*32.* <보기>는 윗글의 '도령'이 이동한 경로를 도식화한 것이다. 이를 이해한 내용으로 적절하지 않은 것은?

<보 기>

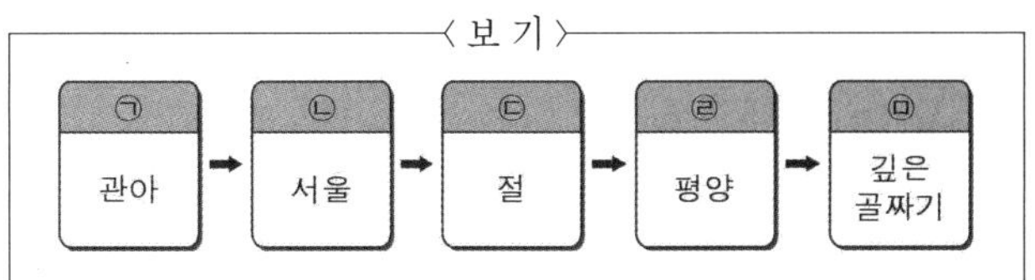


① ㉠에서 ㉡으로 이동한 이유는 부친이 ㉠에서의 임무를 마쳤기 때문이다.
② ㉡에서 ㉢으로 이동한 것은 ㉣의 인물들이 옥에 갇히는 직접적인 원인이 되었다.
③ ㉢에서 ㉣로 향한 것을 ㉢에 함께 있었던 인물들은 알지 못했다.
④ ㉢에서 ㉣로 향한 것은 과거 ㉠에서 헤어졌던 인물이 보고 싶어졌기 때문이다.
⑤ ㉣에서 ㉤으로 이동한 것은 ㉣에서 만난 인물과 함께 살기 위해서이다.

*33.* <보기>를 바탕으로 윗글을 이해한 내용으로 적절하지 않은 것은? [3점]

< 보 기 >

이 작품은 신분이 다른 남녀 간의 사랑을 다룬 애정 소설이다. 작품 속 주인공들은 사회적으로 중시되는 효나 입신양명과 같은 유교적 가치와, 신분 질서로부터 완전히 벗어나지는 못한다. 하지만 주인공들이 인간의 본질적 욕망인 사랑을 성취하는 과정에서는 이러한 구속에서 벗어나려는 모습을 보이기도 한다. 한편 사랑을 성취한 후 현실적인 문제를 해결하는 과정에서 여성 인물의 역할이 확대되었다는 것은 주목할 만하다.

① 도령과 자란이 이별하는 장면을 통해, 신분 질서의 구속에서 벗어나기 위해 개인의 의지대로 행동하는 주인공들의 모습을 확인할 수 있겠군.
② 도령이 실성한 사람처럼 되어 자란을 찾아가는 장면을 통해, 인간의 본질적 욕망을 추구하는 모습을 확인할 수 있겠군.
③ 자란과 도령이 도망한 후 안정적으로 정착해 가는 장면을 통해, 여성 인물의 역할이 확대된 모습을 확인할 수 있겠군.
④ 도령이 자란의 문제 제기에 눈물을 흘리며 동의하는 장면을 통해, 주인공들이 효를 중시하는 모습을 확인할 수 있겠군.
⑤ 자란이 과거 급제의 당위성을 강조하는 장면을 통해, 유교적 가치로부터 완전히 벗어나지 못한 모습을 확인할 수 있겠군.

*34.* [A]와 [B]에 나타난 말하기 방식에 대한 설명으로 가장 적절한 것은?
① [A]에서는 자신의 생각을 확신하며 청자를 안심시키고 있고, [B]에서는 자신들이 처한 상황을 환기하며 청자의 생각을 묻고 있다.
② [A]에서는 청자의 장점을 언급하며 청자의 성품을 칭송하고 있고, [B]에서는 청자의 잘못을 지적하며 청자의 언행을 질책하고 있다.
③ [A]에서는 청자에게 질문을 반복하며 예견되는 상황을 장담하고 있고, [B]에서는 청자에게 명령을 거듭하며 자신의 의지를 강요하고 있다.
④ [A]에서는 청자의 의견에 반박하며 자신의 무고함을 주장하고 있고, [B]에서는 청자의 의견에 동의하며 청자의 삶의 방식을 칭찬하고 있다.
⑤ [A]에서는 다른 사람의 의견을 근거로 들며 청자를 설득하고 있고, [B]에서는 청자의 신분적 위세를 두려워하며 자신의 생각을 감추고 있다.

[35 ~ 37] 다음 글을 읽고 물음에 답하시오.

(가)
**매운** 계절의 채찍에 갈겨
마침내 **북방**으로 휩쓸려 오다.

하늘도 그만 지쳐 끝난 **고원**(高原)
**서릿발** 칼날진 그 위에 서다.

어데다 무릎을 꿇어야 하나
**한 발 재겨 디딜 곳**조차 없다.

이러매 눈 감아 생각해 볼밖에
겨울은 **강철로 된 무지갠**가 보다.

－이육사, 「절정」－

(나)
생명은
추운 몸으로 온다
벌거벗고 **언 땅에 꽂혀 자라는**
초록의 **겨울보리**,
생명의 어머니도 먼 곳
추운 몸으로 왔다

**진실**도
**부서지고 불에 타면서** 온다
버려지고 피 흘리면서 온다

**겨울 나무**들을 보라
**추위의 면도날**로 **제 몸**을 **다듬**는다
**잎**은 **떨어져** 먼 날의 섭리에 **불려 가**고
**줄기**는 이렇듯이
**충전 부싯돌***임을 보라

금 가고 일그러진 걸 사랑할 줄 모르는 이는
친구가 아니다
**상한 살을 헤집고 입맞**출 줄 모르는 이는
친구가 아니다

생명은
추운 몸으로 온다
열두 대문 다 지나온 추위로
하얗게 드러눕는
함박눈 눈송이로 온다

－김남조, 「생명」－

* 부싯돌: 불씨를 일으키기 위해 사용되는 돌.

*35.* (가)와 (나)의 공통점으로 가장 적절한 것은?
① 음성상징어를 제시하여 생동감을 드러내고 있다.
② 추상적 관념을 시각화하여 주제를 드러내고 있다.
③ 동일한 문장을 반복하여 리듬감을 드러내고 있다.
④ 추측의 표현을 활용하여 시적 상황을 드러내고 있다.
⑤ 명령형 어조를 사용하여 화자의 태도를 드러내고 있다.

36. 다음은 (가)를 읽은 학생이 쓴 감상문의 일부이다. ⓐ~ⓔ 중 적절하지 않은 것은?

> 이 작품을 감상할 때, 계절의 이미지에 주목하여 읽으니 화자의 상황과 정서에 더 공감할 수 있었다. ⓐ 작품 속 계절적 상황이 '매운'이라는 감각적 이미지로 제시되어 있으니 혹독한 추위가 실감나게 느껴졌고, ⓑ 겨울을 연상시키는 '서릿발'이라는 시어에서는 겨울이 주는 시련의 의미가 더욱 분명하게 드러나는 것 같았다. ⓒ 이러한 겨울의 이미지들이 '북방'과 '고원'이라는 극한적 공간의 이미지와 맞물리면서 화자가 처한 상황이 고통스럽다는 것에 쉽게 공감할 수 있었다. 그리고 ⓓ 화자가 고난이 끝났음을 인지하고 '한 발 재겨 디딜 곳'을 찾는 모습을 보면서 부정적 현실을 이겨내려는 자세를 본받고 싶어졌다. 또한 ⓔ 겨울을 '강철로 된 무지개'의 이미지로 전환하여 현실 상황을 다르게 인식하려는 화자의 모습이 인상적이었다.

① ⓐ ② ⓑ ③ ⓒ ④ ⓓ ⑤ ⓔ

37. <보기>를 바탕으로 (나)를 감상한 것으로 적절하지 않은 것은? [3점]

> 〈보 기〉
> 이 작품은 생명의 속성을 자연물로 형상화하며 화자가 추구하는 삶의 방향을 드러내고 있다. 화자는 생명이란 고통을 동반할 수밖에 없는 것임을 보여주며 삶의 진실 또한 이와 다르지 않음을 강조한다. 또한 생성과 소멸이라는 이중적인 속성을 가진 자연물의 모습을 통해, 고통을 감내하며 또 다른 생성을 준비하는 생명의 속성을 드러낸다.

① '언 땅에 꽂혀 자라는' '겨울보리'의 모습에서 생명의 속성을 자연물로 형상화하고 있음을 확인할 수 있겠군.
② '진실'이 '부서지고 불에 타면서' 오는 모습에서 삶의 진실도 생명의 속성과 다르지 않다고 여기는 화자의 생각을 확인할 수 있겠군.
③ '제 몸'을 '추위의 면도날'로 '다듬'는 '겨울 나무'의 모습에서 고통을 감내하는 자연물의 속성을 확인할 수 있겠군.
④ '떨어져' '불려 가'는 '잎'과 '충전 부싯돌'인 '줄기'의 모습에서 소멸과 생성이라는 자연물의 이중적 속성을 확인할 수 있겠군.
⑤ '상한 살을 헤집고 입맞'추는 사람을 부정하는 모습에서 화자가 지향하는 삶의 방향을 확인할 수 있겠군.

**[38 ~ 41] 다음 글을 읽고 물음에 답하시오.**

"이봐요 박판돌 씨, 나를 알아보겠소?"

나는 검사실에서 피의자를 다루듯 목줄을 빳빳하게 세우고 괭과리 치는 소리로 퉁명스럽게 내질렀다.

"알아 뫼시고말고요……. 진작 한번 찾아뵈려고 했으나……."

박판돌이가 이렇게 입을 열며 고개를 쳐들자, 나는 다시 햇살이 묶음으로 쏟아지는 하늘을 쳐다보았다. 정말이지 마음이 떨려서 그를 정면으로 마주 보기가 싫었다. 박판돌의 시선이 찔러올 때마다 온몸을 쫙 훑어 내리는 듯한 전율에 심신 가늠할 바를 몰라했다.

"그래 돈을 많이 벌었다면서요?"

나는 하늘을 쳐다본 채 허탈하게 물었다. 이마에 땀방울이 송얼송얼 맺혔다. 박판돌이도 땡볕에 서 있기가 무더운지 손바닥으로 연신 이마의 땀을 훔쳤다.

"마님은 잘 계시나요?"

박판돌은 비굴한 목소리로 어머니의 안부를 물었다. 나는 대답을 하지 않았다. 어머니는 내가 고향에 간다는 것을 한사코 말렸었다. 자식된 도리로 개죽음 당한 아버지 뼈라도 찾아서 편히 모셔야 하지 않겠냐며, 꿈꾸듯 오랫동안 별러 온 고향에 다녀오겠다는 나를 붙들고 늘어지며,

"아야, 고향 고향 말만 들어도 오장육부가 뒤집히는 것 같다와. 너는 고향이 징허도 않냐? 지발 고향 이약 그만해라 와. 한번 죽어 흙 된 사람 이제사 뼉다귀 편하게 묻어 준들 죽은 니 아부지가 알아주것냐? 그러고 그 개만도 못헌 판돌이 놈 만나서 멀 어쩌자는 그냐. 네 아부지 판돌이 놈이 끌고 가서 쥑엤다는 것 솔매마을 사람들은 다 알고 있는 일인디, 인저 그 개만도 못헌 놈, 만나서 다리를 분지를 긋이냐, 칼로 배를 딸 긋이냐. 지난 일은 다 잊고 앞으로 살 일이나 걱정혀. 너 잘되면 그기 다 판돌이 놈헌티는 뼈아픈 복수가 되는 기여. 네가 고등 고시 합격혀서 검사가 되었다는 소식 듣고 간이 콩알만 히졌을 긋이다. 아서, 고향 갈 생각을 말으라!"

어머니는 매지매지 가슴에 맺힌 한(恨)을 되씹으며 박판돌이 놈, 박판돌이 놈 하고 이름을 부를 때마다 양미간에 가벼운 경련을 일으켰다.

그런 어머니 말에 나는 자신이 보잘것없이 되었다면 부끄러워서도 고향에 갈 생각을 하지 않았으나, 이만큼이나 되어서 무엇이 두려워 수구초심(首邱初心)으로 동경해 온 귀향을 꺾을 수 있겠느냐고 승낙을 받는 데 진땀을 뺐다. 개죽음 당한 아버지 유골이 지리산 계곡에 비바람 맞으며 나뒹굴어, 구천에 정처없이 떠돌음하는 혼백이라도 위로해 주어야 할 게 아니냐고 설득을 했다. 얼굴에 도깨비 가죽 둘러쓴 박판돌이가 제 발로 찾아와서 비대발괄 손이 발 되게 빌면 또 몰라도, 염불위괴로 조금도 자기의 죄 뉘우침 없음이 한결 괴악망측하게 생각되었던 것이다.

**[중략 줄거리]** 나는 판돌과 함께 지리산 세석평전으로 가서 아버지의 유골을 수습하고 그에게서 두 집안에 얽힌 이야기를 듣게 된다. 나는 판돌의 어머니가 나의 조부에게 농락을 당했고, 이를 들킨 나의 조부가 판돌 부자를 족보에 올려주기로 약속했다는 것을 알게 된다.

긴 이야기를 토해 낸 판돌이도, 그의 이야기를 들으면서 어둠에 묻힌 먼 하늘을 바라보기조차 부끄러워 자꾸만 고개가 무겁게 내려앉은 나도 마음이 별 없는 하늘처럼 숨 가쁘게 답답하였다.

[A] 두 사람 사이에 산상(山上)의 밤보다 더 무겁고 답답한 침묵이 늪처럼 찐득하게 괴었다.

"우리 아버지한테 당신이 박쇠 아들이라는 건 언제 밝혔소?"

나는 바윗덩어리처럼 무겁게 나를 쩌 누르고 있는 판돌이를 마치 박쇠처럼 생각하면서 우울하게 물었다.

"어디 기회가 있어야죠. 또 같이 살다 보니께 마음이 약해집디다. 사실 지는 도련님 댁 머슴이었제만, 두 어른들 도움도 많이 받고 자랐거든요. 그라고 도련님 식구들과 오래 한솥밥 묵고 살다 보니께 정도 붙고 해서…… 지난 일들을 잊어버릴까 허는 생각도 납디다. 또 어르신께서 우리 아버지를 죽이지 않었을지도 모를 일이고……."

판돌이는 잠시 말을 멎고 머리를 무겁게 떨구었다가 천천히 들어올렸다.

"6·25가 터지고 세상이 뒤집히니께, 지 마음도 세상과 함께 뒤집힙디다요. 좌우당간에 어르신헌테 한번 따져봐야겠다는 생각이 들드만요. 그래서 그 어른을 데리고 지리산으로 들어갔지요. 어르신한테 지가 오래오래 품속에 간직해 왔던, 지 조부님 종 문서허고, 도련님 조부님이 지어주셨다는 우리 부자 이름이 적힌 종이를 보이면서, 지 신분을 밝혔어요. 그러고 우리 아버지를 어디서 죽였느냐고 성질을 냈어요. 사실 그때 지는 어르신네께서 거짓말로라도 지 아버지를 절대 죽이지 않았다고 말하기를 맘속으로 얼마나 바랐는지 몰라요. 그란디…… 그란디 말입니다. 어르신께서는 지가 그렇게 바랐던 것과는 달리 우리 아버지를 세석평전에서 엽총으로 쏴 죽였다고 쉽게 고백을 허시고 말았어요. 아버지가 언젠가는 낫으로 어르신의 아버지를 찍어 죽일 것만 같았고…… 또 지 부자가 도련님 댁 족보에 오르는 것이 싫어서 멧돼지 사냥을 나와 세석평전까지 끌고 가서 쏴 죽였다고 허드만요. 어르신은 그러면서 보잘것없는 지한테 용서를 빌었어요. 지는 그런 어르신이 싫었던 거지요. 차라리 그때 나헌티 불호령을 치셨더라면 지 마음이 약해져서……."

"그래서 판돌 씨도 우리 아버지를 세석평전까지 끌고 와서……."

"어르신께서 지 아버지를 죽인 곳을 알고 있다고 해서…… 지도 어머니 유언대로 울 아버지 뼈라도 찾을까 허고……."

"그래, 찾았나요?"

나는 판돌이가 그의 아버지 유골을 찾았기를 바라면서 물었다.

"워디가요. 세석평전을 다 뒤져 봤제만 철 늦은 철쭉꽃만 휘너후러져서……. 허기, [족보]에도 못 오른 아버진데 무덤은 남겨서 뭘 하겠어요? 차라리 잘됐지요 머. 물론 저도 아직 족보가 없습니다만. 그까짓 족보 있으면 어쩌고 없으면 어쩝니까. 지 아버지는 족보에 이름 석 자 올릴 욕심으로 죽을 때꺼정 껭껭댔지만, 지는 족보 대신 돈을 갖기루 작정했지요. 족보가 없는 대신 돈이라도 몽땅 벌자 혀는 생각으로 살았어요. 그래서 돈을 좀 모았지요. 이제는 백만 원만 주고도 지가 박씨 문중에서 문벌 좋은 집안을 탈탈 골라 족보에 이름을 올릴 수 있겄습니다만……. 그까짓 족보 있으면 뭘 해요? 주민등록증 하나면 얼마든지 출세를 허는 세상인디. 지는 족보 대신에 아직도 우리 조부님 종 문서허고 도련님 조부님이 박판돌이라고 지어주신 지 부자 이름이 적힌 종이쪽지를 소중히 간직허고 있구만요. 으쩌면 족보보다는 그거이 더 귀한 것일지도 모르제요."

판돌이의 이야기를 듣고 난 나는 마지막으로 그에게 아버지를 죽인 사람은 바로 판돌이 당신이었구만요 하고 물으려다가 끝내 입을 열지 못했다.

–문순태, 「철쭉제」–

*38.* 윗글에 대한 설명으로 가장 적절한 것은?

① 대화를 통해 이전에 일어난 사건의 내용을 드러내고 있다.
② 공간적 배경에 대해 묘사하여 역사적 사건을 제시하고 있다.
③ 동시에 일어나는 두 개의 사건을 병렬적으로 구성하고 있다.
④ 장면을 빈번하게 전환하여 사건을 반복적으로 제시하고 있다.
⑤ 작품 밖 서술자가 관찰자의 입장에서 사건을 객관적으로 전달하고 있다.

*39.* [족보]에 대해 이해한 내용으로 적절하지 <u>않은</u> 것은?

① 판돌의 아버지는 족보에 이름이 올라가기를 평생 고대했다고 볼 수 있다.
② 판돌은 이전과 다른 방식으로 족보에 이름을 올릴 수 있다고 생각하고 있다.
③ '나'는 족보에 오른 판돌의 이름을 지우기 위해 고향에 돌아왔다고 볼 수 있다.
④ 판돌은 족보를 갖는 대신에 판돌 부자의 이름이 적힌 종이쪽지를 소중히 간직하고 있다.
⑤ '나'의 아버지는 판돌 부자의 이름이 족보에 올라가는 것을 원치 않았다고 볼 수 있다.

*40.* <보기>를 참고하여 윗글을 감상한 내용으로 적절하지 <u>않은</u> 것은? [3점]

〈보 기〉

이 작품의 주인공인 '나'는 가족이 겪은 비극으로 인하여 한을 품게 된다. 소통의 단절로 인하여 한을 해소할 기회를 잃게 된 '나'는 자신만의 삶의 가치를 추구한다. 이후 한을 품게 한 대상과의 재회를 통해 인식이 전환되고, 이는 한을 해소할 수 있는 계기가 된다.

① '나'의 아버지가 죽임을 당한 것은 주인공의 내면에 한이 형성되는 이유가 되었겠군.
② '나'가 고등 고시에 합격하여 검사가 된 것은 한을 품게 한 대상과의 재회를 가능하게 했겠군.
③ '나'가 오랜 시간 고향을 떠나 있었던 것은 소통의 단절로 인해 한을 해소할 기회를 얻지 못한 이유가 되겠군.
④ '나'가 박쇠의 유골을 판돌이 찾았기를 바라는 것은 한의 대상에 대한 인식이 달라졌기 때문이라고 할 수 있겠군.
⑤ '나'가 마주 보기도 싫은 판돌에게 어렵게 근황을 묻는 것은 한을 해소할 수 있는 계기를 마련하기 위해서라고 할 수 있겠군.

*41.* [A]를 다음의 시나리오로 각색한 후 이를 촬영한다고 할 때, 고려한 사항으로 적절하지 <u>않은</u> 것은?

**S#95. 지리산 세석평전(밤)**
고개를 들어 판돌을 바라보는 박 검사. 만감이 교차하는 듯한 박 검사의 얼굴.(얼굴 C.U.*)

**박 검사:** (낮고 우울한 목소리로) 우리에게 당신이 박쇠 아들이라는 건 왜 숨겼소? 우리 아버지한테 박쇠 아들이라는 건 언제 밝혔소?
**판돌:** 어디 기회가 있어야죠. 또, 같이 살다보니께 마음이 약해 집디다. …… 또 어르신께서 우리 아버지를 죽이지 않었을지도 모를 일이고…. (머리를 떨구었다가 천천히 고개를 들며) 6·25가 터지고 세상이 뒤집히니께, 지 마음도 세상과 함께 뒤집힙디다요. 좌우당간에 어르신헌테 한번 따져봐야겠다는 생각이 들드만요. 그래서….

**S#96. (과거) 지리산 세석평전(낮)**
판돌, 인동(박 검사의 아버지)의 손목을 끌고 산을 오르고 있다. 인동, 가쁜 숨을 몰아쉬며 판돌의 뒤를 따라가다 넘어진다. 그런 인동을 돌아보는 판돌.

**판돌:** (종이를 인동의 얼굴을 향해 던지며) 이게 뭔줄 아십니까요? 지 조부님 종 문서고, 여기 적힌, (흥분한 목소리로) 박쇠 아들 박판돌이가, 바로 저올시다.
**인동:** (무릎을 꿇으며) 이럴 수가…. 네가, 박쇠의… (말을 잇지 못하며 체념한 듯한 표정으로) 그래, 이제는 사실을 밝혀야 겠구만.
**판돌(E.*):** 안돼야, 제발, 제발 그 말만은….
**인동:** (눈물을 흘리며) 느그 아부지를 죽인 것은 나여. 나를 용서해라. 나가 잘못했어야. 미안허다….

* C.U.: 인물이나 물체 등 어느 특정한 부분을 크게 확대하여 잡는 기법.
* E.: 화면에 삽입된 음향.

| 구분 | 고려한 사항 |
|---|---|
| 각색 | S#95에서는 판돌이 정체를 밝히지 않은 이유를 묻는 질문을 박 검사의 대사에 추가해 박 검사의 궁금한 점이 여러 가지임을 드러내야겠어. ········· ① |
| | S#96은 과거 사건에 대해 고백하는 판돌의 말을 당시 상황을 보여주는 대화 장면으로 제시하여 현장감을 높여야겠어. ········· ② |
| | S#96에서는 판돌이 자신의 신분을 밝히면서 한 행동에 담긴 감정이 효과적으로 드러나도록 지시문을 구성해야겠어. ········· ③ |
| 연출 | S#95를 연출할 때는, 판돌을 바라보는 박 검사의 심리를 부각하기 위해 인물의 얼굴을 확대하여 표정이 분명히 드러나도록 해야겠어. ········· ④ |
| | S#96을 연출할 때는, 판돌의 목소리를 효과음으로 처리하여 인동의 말을 거짓이라고 생각하는 판돌의 속마음이 생생하게 전달되도록 해야겠어. ········· ⑤ |

**[42~45] 다음 글을 읽고 물음에 답하시오.**

고전 시가에는 둘 이상의 인물이 서로의 의견을 교환하는 대화체로 구성된 작품들이 있다. 이들 작품 속에 나타나는 대화 양상은 임진왜란을 전후로 하여 차별성을 보이는데, 아래 작품들은 그 차별성을 확인할 수 있는 사례에 해당한다.

송강 정철은 1585년 당쟁으로 조정에서 물러나 창평에서 머물며 (가)를 지었다.

(가)
뎨가ᄂᆞᆫ 뎌각시 본듯도 ᄒᆞᆫ뎌이고
**천상 백옥경(白玉京)을 엇디ᄒᆞ야 이별ᄒᆞ고**
㉠ <u>ᄒᆡ다뎌 져믄날의 눌을보라 가시ᄂᆞᆫ고</u>
어와 네여이고 이 [내 ᄉᆞ셜] 드러보오
**내얼굴 이거동이 님괴얌즉* ᄒᆞᆫ가마ᄂᆞᆫ**
엇딘디 날보시고 네로다 녀기실ᄉᆡ
나도 님을미더 군ᄠᅳ디 전혀업서
이ᄅᆡ야* 교ᄐᆡ야 어ᄌᆞ러이 ᄒᆞ돗썬디
반기시ᄂᆞᆫ ᄂᆞᆺ비치 녜와엇디 다ᄅᆞ신고
누어 ᄉᆡᆼ각ᄒᆞ고 니러안자 혜여ᄒᆞ니
내몸의 지은죄 뫼ᄀᆞ티 ᄡᅡ혀시니
하ᄂᆞᆯ히라 원망ᄒᆞ며 사ᄅᆞᆷ이라 허믈ᄒᆞ랴
**셜워 플텨혜니 조물의 타시로다**
(중략)
어와 허ᄉᆞ로다 이님이 어ᄃᆡ간고
결의 니러안자 창을열고 ᄇᆞ라보니
**어엿븐 그림재 날조ᄎᆞᆯ ᄲᅮᆫ이로다**
**ᄎᆞᆯ하리 싀여디여* 낙월이나 되야이셔**
님겨신 창안ᄒᆡ 번드시 비최리라
㉡ <u>각시님 ᄃᆞᆯ이야 ᄏᆞ니와 구ᄌᆞᆫ비나 되쇼셔</u>

-정철, 「속미인곡」-

* 괴얌즉: 사랑받음직.
* 이ᄅᆡ야: 아양이며.
* 싀여디여: 죽어져서.

(가)는 작품 전체가 두 인물의 대화로 구성되어 있다고 볼 수 있다. 이들의 대화는 서로 대등한 비중으로 이루어지지 않고, 한 인물의 사설이 작품의 대부분을 차지하며 대화를 주도한다. 반면 다른 한 인물은 질문을 통해 상대방의 사설을 이끌어내거나, 상대방의 사설에 의견을 덧붙여 첨언을 하는 등 보조적 역할만을 담당한다. 이러한 대화체의 경우, 주도적 인물의 사설은 작자의식을 드러내고, 보조적 인물의 사설은 작자의식을 강조하는 기능을 한다. 그래서 작품의 대화는 어느 정도 통합된 주제로 나타나는데, 이러한 대화체를 '닫힌 대화체'라고 한다. ⓐ <u>(가)에서 작자는 정치적 반대 세력에 의해 임금이 있는 조정을 떠난 상황에서 자신의 태도와 정서를 닫힌 대화체를 통해 드러내고 있다. 이를 통해 작자는 자신이 처한 상황에 대해 자책하고 나아가 이를 자신의 운명으로 받아들이고 있음을 확인할 수 있다. 또한 임금 곁에 머물 수 없는 상황에 대해 탄식하면서도 임금에 대한 변치 않는 충정을 드러내고 있음을 확인할 수 있다.</u>

한편 임진왜란 이후에는 이전의 대화 양상과 다른 새로운 대화체가 등장하였는데, 1661년에 임유후가 지은 (나)를 그 예로 들 수 있다.

(나)

[A]
녹양방초(綠楊芳草) 안의 **소 먹이난 아해들아**
인간영락(人間榮樂)*을 아난다 모라난다
**인생 백년이 풀끗에 이슬이라**
삼만 육천일을 다사라도 초초(草草)커든*
수단(修短)이 명(命)이어니 사생(死生)을 결(缺)할소냐
**생애는 유한(有限)하되 사일(死日)은 무궁(無窮)하다**
역려건곤(逆旅乾坤)*의 부유(蜉蝣)*가티 나왓다가
공명(功名)도 못 일우고 초목(草木)가티 썩어디면
**공산백골(空山白骨)*이 긔 아니 늣거오냐***
(중략)
입신양명(立身揚名)을 혬 밧긔 더뎌두고
**연교(煙郊) 초야(草野)*의 소치기만 하나산다**

목동(牧童)이 대답하되

[B]
어와 긔 뉘신고 우은 말삼 듯건디고
형용이 고고(枯槁)하니 초대부(楚大夫) 삼려(三閭)*신가
잔혼(殘魂)이 영락(零落)하니 유학사(柳學士) 자후(子厚)*신가
일모(日暮) 수죽(修竹)의 혼자 어득 셔 겨오셔
㉢ 내 근심 더뎌 두고 남의 분별(分別) 하시는고
(중략)
기산(箕山)*의 귀 씻기와 상류(上流)의 소 먹이기
㉣ 즐겁고 즐거오믈 너해난 모라리라
[내 노래] 한 곡조랄 불너든 드러보소
장안(長安)을 도라보니 풍진(風塵)이 아득하다
㉤ 부귀(富貴)는 부운(浮雲)이오 공명(功名)은 와각(蝸殼)*이라
이 통소 한 곡조의 행화촌(杏花村)*을 차자리라

-임유후, 「목동문답가」-

* 인간영락: 인간 생활이 영화롭고 즐거움.
* 초초커든: 갖출 것을 다 갖추지 못하여 초라하거든.
* 역려건곤: 덧없고 허무한 세상.
* 부유: 하루살이.
* 공산백골: 아무것도 이루지 못하고 죽음에 이름을 비유하는 말.
* 늣거오냐: 마음에 북받칠까.
* 연교 초야: 시골 들판.
* 삼려: 굴원, 초나라 충신이었으나 참소로 쫓겨나 비극적인 죽음을 맞이한 시인.
* 자후: 유종원, 당나라 개혁에 실패하고 지방 벼슬을 전전한 철학자.
* 기산: 요임금 때 소부와 허유가 공명을 피해 은거했다는 산.
* 와각: 알맹이가 비어 있는 달팽이 껍질.
* 행화촌: 안빈낙도의 이상향.

(나)는 (가)와 달리 '목동이 대답하되'를 중심으로 상호 대립적인 입장을 대표하는 두 인물의 의견이 [A]와 [B]로 대등하게 병치되어 있다. ⓑ [A]의 인물은 인생이 유한하여 허무한 것이라고 여긴다. 그렇기 때문에 부귀공명이나 입신양명과 같은 인간영락을 추구하는 삶이 가치 있다고 강조하며, 대화 상대의 삶의 방식에 대해 질책하고 있다. 이에 대해 [B]의 인물은 물음을 통한 상대방의 간섭에 대해 반문하고, 상대방의 삶의 방식을 조롱하며 자신의 삶의 방식을 과시하기도 한다. 또한 상대방의 의견에 반박하며 자연에 의탁하여 사는 삶의 가치를 강조하고 있다. 이처럼 (나)에 나타난 대화는 독자적 인물들 사이의 긴장을 유지시키며 서로의 주장을 대등한 비중으로 대립시킨다. 그래서 작자의식이 어느 한쪽으로 치우쳐 드러나지 않는데, 이러한 대화체를 '열린 대화체'라고 한다.

**42.** ⓐ를 바탕으로 (가)를 감상한 내용으로 적절하지 않은 것은?

① '천상 백옥경을 엇디ᄒᆞ야 이별ᄒᆞ고'에는 임금이 있는 조정을 떠난 상황이 드러나 있군.
② '내얼굴 이거동이 님괴얌즉 ᄒᆞᆫ가마ᄂᆞᆫ'에는 정치적 반대 세력에 의해 처하게 된 자신의 상황에 대한 자책이 드러나 있군.
③ '셜워 플텨혜니 조물의 타시로다'에는 자신의 상황을 운명으로 받아들이는 모습이 드러나 있군.
④ '어엿븐 그림재 날조촐 ᄲᅮᆫ이로다'에는 임금 곁에 머물 수 없는 상황에 대한 탄식이 드러나 있군.
⑤ '출하리 싀여디여 낙월이나 되야이셔'에는 임금에 대한 변치 않는 충정이 드러나 있군.

**43.** ⓑ를 참고하여 [A]를 이해한 내용으로 적절하지 않은 것은?

① '소 먹이난 아해들아'와 같은 부름의 표현을 활용하여 대화의 상대를 밝히고 있다.
② '인생 백년이 풀끗에 이슬이라'와 같은 비유적 표현을 활용하여 인생의 허무함을 형상화하고 있다.
③ '생애는 유한하되 사일은 무궁하다'와 같은 대구의 표현을 활용하여 인간영락을 추구해야 하는 이유를 제시하고 있다.
④ '공산백골이 긔 아니 늣거오냐'와 같은 물음의 표현을 활용하여 공명을 추구하지 않은 삶의 결과를 보여주고 있다.
⑤ '연교 초야의 소치기만 하나산다'와 같은 반어적 표현을 활용하여 상대방의 삶의 방식에 대한 질책을 드러내고 있다.

**44.** '닫힌 대화체'와 '열린 대화체'의 대화 양상을 중심으로 ㉠~㉤에 대해 보인 학생의 반응으로 적절하지 않은 것은? [3점]

① ㉠에서는 보조적 인물의 질문을 통해, 주도적 인물의 사설을 이끌어내는 '닫힌 대화체'의 특징을 엿볼 수 있겠군.
② ㉡에서는 보조적 인물의 첨언을 통해, 주도적 인물의 사설에 담긴 작자의식을 강조하는 '닫힌 대화체'의 특징을 엿볼 수 있겠군.
③ ㉢에서는 상대방에 대한 반문을 통해, 독자적 인물들의 대화를 단일한 주제로 통합시키는 '열린 대화체'의 특징을 엿볼 수 있겠군.
④ ㉣에서는 상대방에 대한 조롱 섞인 과시를 통해, 독자적 인물들 사이의 긴장을 유지시키는 '열린 대화체'의 특징을 엿볼 수 있겠군.
⑤ ㉤에서는 상대방에 대한 반박을 통해, 독자적 인물들의 주장을 대등하게 대립시키는 '열린 대화체'의 특징을 엿볼 수 있겠군.

**45.** (가)의 [내 ᄉᆞ셜]과 (나)의 [내 노래]에 대한 설명으로 가장 적절한 것은?

① '내 ᄉᆞ셜'을 통해 자신이 한 일에 대한 성찰을, '내 노래'를 통해 자신이 한 일에 대한 후회를 드러내고 있다.
② '내 ᄉᆞ셜'을 통해 자신의 문제를 극복하려는 의지를, '내 노래'를 통해 자신의 신세에 대한 한탄을 드러내고 있다.
③ '내 ᄉᆞ셜'을 통해 자신이 현재 느끼고 있는 흥취를, '내 노래'를 통해 자신이 과거에 느꼈던 흥취를 드러내고 있다.
④ '내 ᄉᆞ셜'을 통해 자신이 처한 상황의 변화를, '내 노래'를 통해 자신이 추구했던 삶의 방식의 변화를 드러내고 있다.
⑤ '내 ᄉᆞ셜'을 통해 자신이 현재 상황에 처한 이유를, '내 노래'를 통해 자신이 현재의 삶을 선택한 이유를 드러내고 있다.

**※ 확인 사항**
답안지의 해당란에 필요한 내용을 정확히 기입(표기)했는지 확인하시오.

2020학년도 9월 고2 전국연합학력평가 문제지

# 국어 영역

6회 소요시간 /80분

제 1 교시

➡ 해설 P.52

**[1~3] 다음은 학생의 발표이다. 물음에 답하시오.**

안녕하세요. 오늘 발표를 맡은 ○○ 모둠입니다. 여러분, '태백, 금강, 한라, 백두'는 무엇과 관련된 말일까요? 산 이름이라고 생각되시죠? 산 이름이기도 하지만 씨름의 체급을 의미하기도 합니다. (㉠ 자료를 제시하며) 오늘, 저희 모둠은 씨름에 대해 발표하려고 합니다.

우리 고유의 민속놀이인 씨름은 남북 공동으로 유네스코 인류 문화유산으로 등재되었으며, 정식 명칭은 '한국의 전통 레슬링(씨름)'입니다. 아시다시피 씨름은 (손가락 두 개를 펼쳐 보이며) 두 사람이 샅바를 맞잡고 힘과 기술을 이용해 상대를 넘어뜨려 승부를 겨루는 경기입니다. 샅바는 씨름 경기에서 허리와 다리에 둘러 묶어 손잡이로 쓰는 천으로 씨름 경기를 구성하는 아주 중요하고 특징적인 용구입니다.

아, 질문 있으시네요. (청중의 질문을 듣고) 현재는 샅바를 매고 씨름을 하는 것이 일반적이지만 처음에는 샅바 없이 하다가 허리에 띠를 매고 하는 허리씨름이 생겼어요. 그리고 나중에 두 다리 사이에 띠를 끼우고 하는 샅바씨름이 생겨났고, 이때 두 다리 사이를 뜻하는 '샅'과 길게 늘어뜨린 줄을 뜻하는 '바'가 합해져 '샅바'라는 이름도 생기게 되었습니다. 그럼, 발표를 이어 가겠습니다.

씨름은 국가무형문화재 제131호로 지정되어 있습니다. 이것은 씨름의 형태가 오늘날까지 활발히 전승되고 있다는 점, 고대부터 근대에 이르기까지 명확한 역사성이 확인된다는 점 등에서 가치를 높이 평가 받았기 때문입니다.

(㉡ 자료를 제시하며) 씨름은 김홍도의 풍속화에서도 (손가락으로 자료를 가리키며) 볼 수 있는 세시 풍속 놀이로서 한민족 특유의 공동체 문화가 바탕이 되어 발전하였습니다. 씨름은 무엇보다 체구가 작은 사람이 큰 사람을 넘어뜨리는 것에서 재미를 느낄 수 있는데, 이때 중요한 것은 기술입니다. 몇 가지만 설명하면, 먼저 손기술로는 (㉢ 자료를 제시하며) 보시는 것처럼 상대방을 당기면서 오른손으로 밀어 무릎 안쪽을 치면서 넘어뜨리는 앞무릎치기 등이 있고, 다리기술로는 상대방을 몸 쪽으로 끌어당기면서 오른쪽 다리로 상대방의 오른쪽 다리를 걸어 넘어뜨리는 밭다리걸기 등이 있습니다. 또 허리기술로는 들배지기 등이 있습니다. 이 외에도 많은 기술들이 있고, 이 기술들이 복합적으로 사용되면서 흥미진진하게 경기가 진행됩니다.

지금까지 우리의 소중한 문화유산인 씨름에 대해 말씀드렸습니다. 여러분, 이제 씨름이 좀 더 흥미롭게 느껴지시나요? (목소리를 크게 하며) 마침 내일 체육 시간에 씨름을 배운다고 하는데 열심히 참여하면서 우리 씨름에 대해 직접 이해해 보는 시간을 가지면 좋겠습니다. 이상으로 발표를 마치겠습니다.

**1.** 위 발표에 대한 설명으로 적절하지 <u>않은</u> 것은?

① 질문의 방식을 활용하여 화제에 대한 관심을 유발하고 있다.
② 준언어적 표현을 통해 청중에게 바라는 바를 강조하고 있다.
③ 발표 내용에 대한 이해도를 확인하며 추가 정보를 제공하고 있다.
④ 비언어적 표현을 활용하여 발표 내용을 효과적으로 전달하고 있다.
⑤ 화제와 관련된 용어의 의미를 설명하며 청중의 이해를 돕고 있다.

**2.** 다음은 위 발표에 사용된 매체 자료이다. 발표자의 자료 활용에 대한 설명으로 가장 적절한 것은? [3점]

[자료1] [자료2] [자료3]

① 씨름의 체급 분류 기준을 설명하기 위해 ㉠에 [자료1]을 사용하였다.
② 씨름의 경기 상황을 실감나게 보여 주기 위해 ㉠에 [자료3]을 사용하였다.
③ 씨름의 역사와 변천 과정을 설명하기 위해 ㉡에 [자료2]를 사용하였다.
④ 씨름의 다양한 기술을 구체적으로 설명하기 위해 ㉢에 [자료1]을 사용하였다.
⑤ 씨름의 기술이 사용되는 과정을 보여 주기 위해 ㉢에 [자료3]을 사용하였다.

**3.** 위 발표의 흐름을 고려할 때, 청중의 질문으로 가장 적절한 것은?

① 힘과 기술을 이용하는 씨름 경기에서 '샅바'는 어떤 기능과 역할을 하나요?
② 샅바가 씨름 경기에서 중요하다고 했는데 '샅바'라는 이름은 어떻게 변화해 왔나요?
③ 상대를 넘어뜨려 승부를 겨루는 씨름 경기에서 '샅바'를 만들게 된 이유는 무엇인가요?
④ 샅바를 맞잡아 두 사람이 승부를 겨룬다고 했는데 '샅바'라는 명칭은 어떻게 생겨난 것인가요?
⑤ 상대를 힘과 기술을 이용해 넘어뜨리는 씨름 경기에서 '샅바'가 특징적인 용구인 이유는 무엇인가요?

6 회

[4~7] (가)는 학교 신문반 회의의 일부이고, (나)는 (가)를 바탕으로 학생이 작성한 기사문의 초고이다. 물음에 답하시오.

(가)

학생 1 : 지난주에 우리 학교 미래 동아리가 주최한 스마트팜(Smart Farm) 체험 행사를 취재했는데, 오늘은 기사로 쓸 내용을 정리해 보자.

학생 2 : 스마트팜 체험 행사에 내가 다녀왔는데, 행사에 참여한 학생들이 무척 좋아하더라. 나도 스마트팜에 대해 새롭게 알게 돼서 좋았어.

학생 3 : 정말? 나도 함께 가고 싶었는데. 어떤 걸 새로 알게 됐니?

학생 2 : 나는 스마트팜이 농장 운영의 편의성을 높이는 시설이라고만 생각했거든. 그런데 내가 몰랐던 장점이 많아서 그것을 기사에서 다루었으면 좋겠어.

학생 1 : ⓐ <u>그래, 그러면 농장 운영의 편의성을 높여 준다는 장점 외에 또 어떤 걸 기사에서 다룰까?</u>

학생 2 : 친환경적이고 날씨에 영향을 받지 않는다는 점을 다루면 좋을 것 같아. 그리고 행사 내용도 소개해야겠지?

학생 3 : 그래. 이번에 취재하면서 행사를 주최한 미래 동아리 학생도 만났지?

학생 2 : 응. 이번 행사를 위해 노력을 많이 했더라. 행사 준비 과정에서 어려웠던 점을 기사에 넣어 주면 좋겠다고 했어.

학생 1 : 그래. 또 어떤 내용을 넣을까?

학생 2 : 행사를 소개하는 거니까 행사 목적을 포함한 행사의 기본 정보가 들어가야겠지. 그 내용은 내가 정리해 둘게.

학생 3 : 고마워. 그리고 행사에 참여한 학생들의 만족도가 높았다고 했잖아. 참여 학생의 반응도 함께 소개하면 어때?

학생 2 : 좋은 생각이다. 학생을 인터뷰 한 내용을 활용해 볼게.

학생 1 : ⓑ <u>제목을 놓칠 뻔했는데 표제와 부제에 대해서도 얘기해 보자.</u>

[A]
학생 2 : 표제는 어렵지 않을 것 같아. 독자의 호기심을 끌 수 있게 질문의 형식을 활용하면 되잖아.

학생 3 : 의문문을 사용하면 의도가 잘 전달되지 않을 수도 있으니까 평서문으로 진술하고 행사명이 드러나게 작성해 보자.

학생 2 : 그래. 그럼 부제는 학생 인터뷰 내용 중 일부를 활용해서 써 보는 게 어떨까?

학생 1 : ⓒ <u>좋은 생각이지만, 부제는 누가 어떤 행사를 했는지 드러나야 할 것 같은데 좀 더 얘기해 보자.</u>

학생 2 : 그럼 부제는 행사 주체와 역할이 드러나게 작성해 보자.

[B]
학생 3 : 아! 그리고 본문에는 행사 운영에 대한 결과를 드러내면 좋겠어.

학생 2 : 운영 결과라면, 참여 학생의 반응을 객관적으로 보여주는 학생 만족도 설문 조사 결과를 제시하는 건 어때?

학생 3 : 그래? 그런데 학생 만족도는 인터뷰 내용과 유사한 정보니까 다시 언급하면 정보가 중복되는 느낌을 줄 수 있을 것 같아.

학생 2 : 그럼 그 내용은 빼기로 하자. 마지막 문단에는 대구를 사용하여 행사의 의의를 드러내는 건 어때?

학생 3 : 좋아. 그리고 앞으로의 미래 동아리 활동 계획도 같이 알려 주면 좋겠어.

학생 2 : 그래. 오늘 나온 의견을 반영해서 기사문의 초고를 작성해 볼게.

(나)

**스마트팜, 농업에 과학을 입히다**

미래 동아리, 스마트팜 체험 행사 개최

미래 동아리는 지난 9월 2일 우리 학교 옥상 스마트팜 체험장에서 전교생을 대상으로 스마트팜 체험 행사인 '농업에 과학을 입히다'를 열었다. 이번 행사는 우리 학교 학생들에게 스마트팜을 소개하고, 농업 관련 진로 체험의 기회를 제공하기 위해 개최되었다.

우리 학교의 스마트팜은 정보 통신 기기를 이용하여 원격으로 관리할 수 있는 농장으로, 사람이 직접 물을 주지 않아도 된다. 또한 LED 조명을 활용하여 날씨에 영향을 받지 않고, 수경 재배 방식을 통해 토양 오염을 유발하지 않으면서 청정농산물을 재배할 수 있다.

이번 스마트팜 체험 행사는 3부로 이루어졌다. 1부에서는 이론 교육인 청년 농부 ○○○ 선생님의 '스마트팜을 알자', 2부에서는 농장 실습인 '상추와 토마토를 스마트하게 길러요', 3부에서는 농업 관련 진로에 대해 궁금한 점을 알아 보는 '청년 농부 ○○○ 선생님과 만나요'라는 시간을 가졌다. 미래 동아리는 이번 행사를 위해 한 달 전부터 본격적인 준비를 하였으며 행사 당일에는 스마트팜 실습 과정에서 어려움을 겪는 학생들에게 도움을 주었다.

체험에 참여한 △△△ 학생은 "주말에 부모님과 함께 작은 텃밭을 가꿨는데, 자주 돌보지 못해 키우던 작물이 말라 죽곤 했어요. 이번 행사에서는 싱싱한 토마토를 직접 딸 수 있어서 즐거웠어요."라고 소감을 밝혔다.

4. (가)의 흐름을 고려할 때, ⓐ~ⓒ의 공통점으로 가장 적절한 것은?

① 상대의 발언 내용을 정리하기 위한 발화이다.
② 논의가 필요한 내용을 제시하기 위한 발화이다.
③ 참여자 사이의 의견 차이를 조정하기 위한 발화이다.
④ 상대가 발언한 내용의 의도를 확인하기 위한 발화이다.
⑤ 상대의 발언 내용에 대한 구체적인 설명을 요청하기 위한 발화이다.

5. [A]와 [B]를 이해한 내용으로 가장 적절한 것은?

① [A]에서 '학생 2'는 '학생 3'의 의견을 지지하기 위한 구체적인 사례를 들고 있다.
② [A]에서 '학생 3'은 '학생 2'의 의견이 지닌 문제점을 들어 새로운 해결책을 제안하고 있다.
③ [B]에서 '학생 2'는 '학생 3'의 의견을 반영해서 자신이 제시한 의견을 보충하고 있다.
④ [B]에서 '학생 3'은 '학생 2'의 의견을 일부 수용하며 자신의 생각을 덧붙이고 있다.
⑤ [A]와 [B] 모두 '학생 3'은 '학생 2'가 제시한 의견에 대한 실현 가능성을 언급하며 대안을 제시하고 있다.

6. 다음은 (가)의 학생 2가 (나)를 쓰기 위해 작성한 메모이다. (나)에 반영되지 않은 것은?

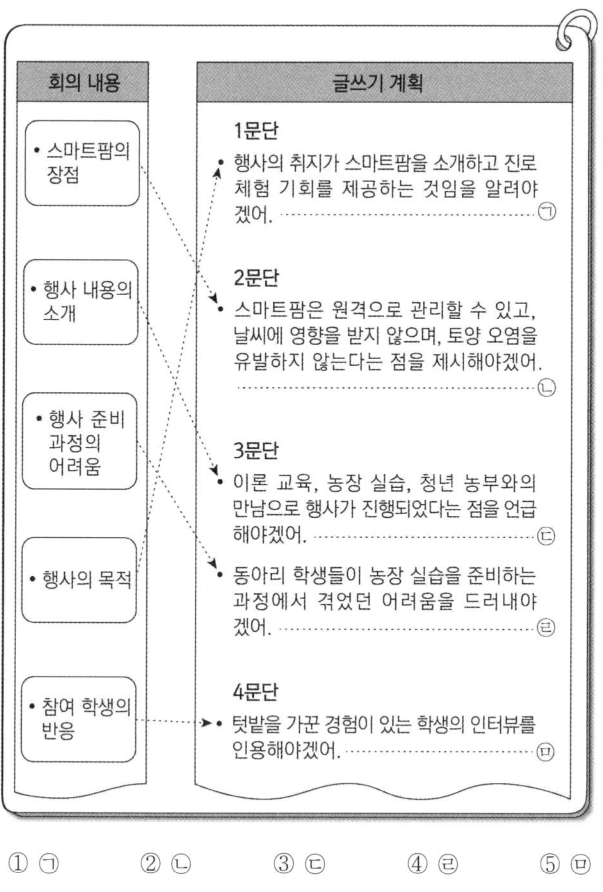


① ㉠ ② ㉡ ③ ㉢ ④ ㉣ ⑤ ㉤

7. (가)를 바탕으로 (나)의 끝 부분에 새로운 문단을 이어 쓴다고 할 때, 그 내용으로 가장 적절한 것은?

① 이번 행사에서 학생들은 '관리는 편하게, 수확은 즐겁게'라는 스마트팜의 가치를 알게 되었다. 농업에 관심을 가지고 있는 학생들에게는 의미 있는 행사였다.
② 이번 행사는 '농업의 발전 가능성과 한계'라는 두 얼굴을 인식하는 계기가 되었다. 미래 동아리는 스마트팜을 개방해 진로 탐색의 기회를 제공하겠다고 밝혔다.
③ 이번 행사에서 학생들은 체험을 통해 '오늘은 팜, 내일은 스마트팜'으로 발전하는 우리의 농업을 알게 되었다. 미래 동아리는 앞으로 진로 체험 행사를 확대하겠다고 밝혔다.
④ 이번 행사는 학생들이 스마트팜을 '어렵지 않고 친근한 농업'으로 받아들일 수 있었던 시간이었다. 미래 동아리는 수확한 농산물을 지역 주민들에게 나누어 줄 계획이라고 밝혔다.
⑤ 이번 행사는 학생들이 '내 삶을 행복하게 하는 팜, 우리 삶을 행복하게 하는 스마트팜'을 체험하는 기회가 되었다. 그리고 미래 농업 기술의 발전 가능성을 확인해 보는 시간이었다.

**[8~10] (가)는 작문 상황이고, (나)는 (가)를 바탕으로 쓴 학생의 초고이다. 물음에 답하시오.**

(가) 작문 상황
◦ 글의 목적 : 전동킥보드를 안전하게 이용하도록 설득하기
◦ 주제 : 전동킥보드를 안전하게 이용하자.
◦ 예상 독자 : 우리 학교 학생들

(나) 학생의 초고

전동킥보드는 휴대가 쉽고 다른 이동 수단에 비해 이용 방법이 간편하다는 장점이 있다. 요즘 이런 이유로 전동킥보드를 이용하는 사람들이 부쩍 증가했고 우리 학교 학생들에게도 인기가 많다. 하지만 전동킥보드 구입 시 유의점이나 운행할 때의 안전 규정에 관해 잘 알고 있지 못하기 때문에 전동킥보드를 이용하는 사람이 늘어나는 만큼 사고가 증가하고 있다. 그렇다면 전동킥보드를 안전하게 이용하기 위한 방법은 무엇일까?

첫째, 전동킥보드 제품 불량으로 인한 사고 방지를 위해 반드시 KC마크를 취득한 안전 제품을 구입해야 한다. 이를 위해 제품 안전 정보를 안내한 홈페이지에서 모델명을 검색해 KC마크 취득 여부를 확인한 후 구매하는 것이 좋다.

둘째, 전동킥보드는 현행 법규상 원동기장치자전거에 해당하기 때문에 도로교통법을 준수해야 한다. 우선 전동킥보드를 이용하기 위해서는 원동기 면허 이상의 운전면허를 소지해야 한다. 다시 말해 관련 면허를 소지할 수 없는 만 16세 미만의 청소년은 전동킥보드를 이용해서는 안 된다. 또한 전동킥보드 관련 면허 소지자라 하더라도 시속 25km 이하로 차도에서만 운행해야 한다.

셋째, 전동킥보드를 이용할 때는 안전모와 함께 무릎과 팔꿈치 등에 보호대를 착용해야 한다. 또 야간 주행을 할 때는 전조등을 달고 전후방 반사체를 부착해야 사고 위험을 줄일 수 있다.

[A] 그러나 전동킥보드를 안전하게 이용하는 방법을 숙지하는 것만큼 생활 속에서 실천하는 것도 중요하다. 전동킥보드뿐만 아니라 모든 교통수단을 이용할 때는 안전 수칙을 준수해야 한다. 이러한 점을 명심하고 전동킥보드 이용에 주의를 기울여야 한다.

8. (가)를 바탕으로 (나)를 쓰기 위해 세운 글쓰기 계획 중 (나)에 반영된 것은?

① 글의 목적을 강조하기 위해 전동킥보드를 부적절하게 이용하고 있는 구체적인 상황을 제시하였다.
② 글의 목적을 분명히 하기 위해 전동킥보드의 제품 안전 정보를 제공하는 기관의 목록을 제시하였다.
③ 글의 주제를 구체화하기 위해 전동킥보드의 안전한 이용 방법을 병렬적으로 제시하였다.
④ 글의 주제에 대한 당위성을 드러내기 위해 전동킥보드 이용에 대해 논의하고 있는 우리 학교 상황을 제시하였다.
⑤ 예상 독자의 이해를 돕기 위해 전동킥보드의 사고 원인을 사례를 중심으로 제시하였다.

6회

9. <보기>의 자료를 활용하여 (나)를 보완하기 위한 방안으로 적절하지 않은 것은? [3점]

<보 기>

ㄱ. <통계 자료>

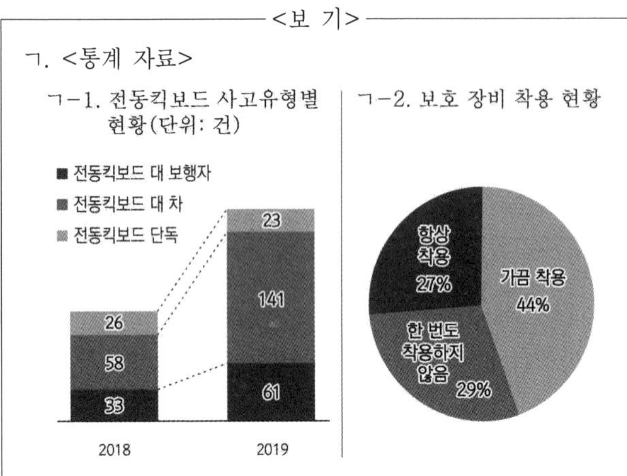


ㄴ. <화재조사관 인터뷰> "요즘 배터리 충전 중 전기적 요인에 의해 리튬 배터리 팩이 폭발하여 전동킥보드 화재가 발생하는 사례가 많은데요, 과충전 보호 장치가 있는 KC 마크 취득 제품을 구입해야 합니다. 또 취침 중에는 충전을 피하고 충전이 끝난 뒤에는 전원을 분리해야 합니다."

ㄷ. <신문 기사> 전동킥보드는 바퀴의 크기가 작고 몸을 보호해 줄 만한 차체가 없어서 사고 시 중상자 비율이 자동차 사고의 4배 이상인 것으로 나타났다. 교통공학과 ○○○ 교수는 "시속 25km 이하의 속도 제한과 보호 장비 착용은 사고에 취약한 전동킥보드에 대한 최소한의 안전장치"라고 했다.

① ㄱ-1을 활용하여 이용자가 증가하는 상황과 관련지어 전동킥보드 사고가 늘고 있는 실태를 1문단에 제시한다.
② ㄴ을 활용하여 KC마크 취득 제품을 구입해야 하는 이유로 충전 중 화재 발생을 예방할 수 있다는 내용을 2문단에 추가한다.
③ ㄷ을 활용하여 규정 속도를 지켜야 하는 이유로 전동킥보드의 구조적 특성상 사고에 취약하다는 내용을 3문단에 추가한다.
④ ㄱ-2와 ㄷ을 활용하여 전동킥보드 이용 시 보호 장비 착용의 필요성을 강조하는 근거 자료로 4문단에 제시한다.
⑤ ㄴ과 ㄷ을 활용하여 안전성이 검증된 제품이더라도 관리 소홀로 인해 사고가 발생할 수 있다는 내용을 2문단에 추가한다.

10. <보기>는 [A]를 고쳐 쓴 글이다. [A]를 고쳐 쓰기 위해 친구들이 조언한 내용 중 <보기>에 반영되지 않은 것은?

<보 기>

전동킥보드를 안전하게 이용하는 방법을 잘 아는 것만큼 생활 속에서 실천하는 것도 중요하다. 만약 이를 실천하지 않는다면 전동킥보드는 '나'뿐만 아니라 '남'의 안전도 위협하는 도구가 되기 때문이다. 이러한 점을 명심하고 전동킥보드 이용에 주의를 기울여야 한다.

① 설득의 효과를 높이기 위해 관용적 표현을 추가하는 게 어때?
② 앞 문단과의 흐름을 고려하여 연결 표현을 삭제하는 게 어때?
③ 두 번째 문장이 주제에서 벗어나니까 해당 문장을 삭제하는 게 어때?
④ 어려운 단어는 학생들의 수준을 고려하여 쉬운 단어로 교체하는 게 어때?
⑤ 첫 번째 문장의 설득력을 높이기 위해 주장을 제시한 이유를 추가하는 게 어때?

**[11~12] 다음 글을 읽고 물음에 답하시오.**

두 단어가 서로 짝을 이루어 반대되는 뜻을 나타내는 말을 반의어라고 한다. 이 중 '넓다/좁다'처럼 정도나 등급에 있어서 대립되는 단어 쌍을 등급 반의어라고 한다. 등급 반의어는 다음과 같은 특징이 있다.

첫째, 등급 반의어가 나타내는 정도나 등급은 단계적인 차이를 보이며, 이러한 차이로 인해 정도부사의 수식이나 비교 표현이 가능하다. 예를 들어 "우리 집 마당은 아주 넓다.", "우리 집 마당이 옆집 마당보다 더 넓다."라고 쓸 수 있다. 이때 '우리 집 마당'의 넓이가 얼마인가에 대해서는 사람마다 생각하는 바가 조금씩 다를 수 있다.

둘째, 등급 반의어에서는 한쪽 단어의 긍정이 다른 쪽 단어의 부정을 함의하며, 이것의 역은 성립하지 않는다. 예를 들어 '마당이 넓다'는 '마당이 좁지 않다'는 의미를 포함한다. 그러나 마당이 '좁지 않다'고 해서 반드시 '넓다'는 것은 아니다. 마당이 넓지도 않고 좁지도 않을 수 있기 때문이다.

셋째, 등급 반의어는 두 단어를 동시에 부정할 수 있다. 예를 들어 "마당이 넓지도 않고 좁지도 않다."라는 표현이 가능한데, 이것은 마당의 크기에 대해 사람들이 인식하는 '중간 정도'의 크기가 있기 때문이다. 이때 '중간 정도'에 해당하는 부분을 나타내는 별도의 말이 존재하기도 한다.

넷째, ㉠<u>등급 반의어의 대립 쌍 중 일부는 두 단어 중 하나가 언어적으로 더 일반적인 경향을 나타내는 의미로 쓰인다.</u> 예를 들어 마당의 면적에 대한 사전 지식이 없는 상태에서 마당의 '넓거나 좁은 정도'를 물을 때, "마당이 얼마나 넓니?"라고 묻는 것이 일반적이다. 마당이 좁다는 것을 전제하지 않는 한 "마당이 얼마나 좁니?"라고 묻는 것은 어색하다. 또한 넓은 정도를 나타내는 파생 명사로 '좁이'가 아니라 '넓이'가 사용된다. 이는 '넓다'가 '좁다'에 비해 어떠한 전제나 가정이 없는 의미를 나타낸다는 것을 말해 준다. 이렇게 보면 등급 반의 관계에 있는 '넓다/좁다'에서 '넓다'가 더 활발하게 쓰여 사용상의 비대칭성을 보인다고 할 수 있다.

11. 윗글을 참고하여 추론한 내용으로 적절하지 않은 것은?

① '올해는 사과의 품질이 좋다.'에서 '좋다'에는 비교 표현을 쓸 수 있겠군.
② '여행 가방이 무겁다.'에서 사람들이 생각하는 가방의 무게는 다를 수 있겠군.
③ '기차역은 여기에서 멀다.'에서 '멀다'는 정도부사의 수식을 받을 수 있겠군.
④ '영수 집은 학교에서 가깝다.'에서 '가깝다'를 부정하면 '멀다'의 의미와 동일하겠군.
⑤ '물이 뜨겁지도 차갑지도 않다.'에서 '뜨겁지도'와 '차갑지도' 사이의 중간 정도를 나타내는 말이 있겠군.

12. <보기>의 담화 상황을 고려할 때, 윗글의 ㉠에 해당하는 것만을 ⓐ~ⓕ에서 있는 대로 고른 것은? [3점]

<보 기>

진주: 여행 잘 갔다가 ⓐ 왔어? 기억에 남는 곳이 있니?
승민: 이육사의 발자취를 따라 이육사 문학관에 ⓑ 갔어. 볼 것도 많고 체험도 할 수 있어서 인상 깊었어.
진주: 나도 가 보고 싶다. 문학관이 ⓒ 커?
승민: 우리가 같이 갔던 황순원 문학관보단 ⓓ 작아. 입장할 때 줄도 섰어.
진주: 그랬구나. 줄이 ⓔ 길었어?
승민: 내 앞에 다섯 명 정도 있었어. 줄은 ⓕ 짧았는데 줄어드는 데 시간이 오래 걸렸어. 사람들이 천천히 관람하느라 그런 것 같아.

① ⓐ, ⓕ ② ⓒ, ⓔ ③ ⓓ, ⓕ
④ ⓐ, ⓒ, ⓔ ⑤ ⓑ, ⓓ, ⓕ

13. <보기>의 ㉠~㉣에 들어갈 말로 적절한 것은?

<보 기>

**선생님**: 음운 변동 중에는 한 음운이 앞이나 뒤의 음운의 영향을 받아 다른 음운으로 교체되는 현상이 있는데, 이 때 조음 방법이나 조음 위치가 변하게 됩니다. 예를 들면 '밥물[밤물]'은 'ㅂ'이 뒤의 음운 'ㅁ'의 영향으로 비음인 'ㅁ'으로 바뀌어 조음 방법이 달라졌지요. 그럼 다음 단어들에서는 어떤 변화가 일어나는지 탐구해 봅시다.

달님[달림], 공론[공논], 논리[놀리]

**학생**: ( ㉠ )은/는 한 음운이 ( ㉡ )의 음운의 영향을 받아 ( ㉢ )으로 바뀌어 ( ㉣ )이/가 바뀐 사례입니다.

| | ㉠ | ㉡ | ㉢ | ㉣ |
|---|---|---|---|---|
| ① | 달님 | 앞 | 유음 | 조음 방법 |
| ② | 달님 | 뒤 | 비음 | 조음 위치 |
| ③ | 공론 | 앞 | 비음 | 조음 위치 |
| ④ | 공론 | 뒤 | 비음 | 조음 방법 |
| ⑤ | 논리 | 뒤 | 유음 | 조음 위치 |

14. <학습 활동>을 수행한 결과로 적절한 것은?

<학습 활동>

다른 문장에 들어가 하나의 성분처럼 쓰이는 문장을 안긴문장이라고 하고, 이 문장을 포함한 문장을 안은문장이라고 한다. 안긴문장을 절이라고 하는데 그 종류로는 명사절, 관형절, 부사절, 서술절, 인용절이 있다. 예를 들어 관형절은 안은문장 안에서 절 전체가 관형어의 기능을 한다.
다음 자료에서 안긴문장의 종류와 기능을 파악해 보자.

**[자료]**
㉠ 누나가 주인임이 밝혀졌다.
㉡ 삼촌은 농담을 던짐으로써 분위기를 풀었다.
㉢ 형은 동생이 고향으로 돌아오기만 기다렸다.

① ㉠~㉢에서 안긴문장의 종류가 모두 동일하고 ㉠에서 안긴문장은 안은문장 안에서 목적어의 기능을 하는군.
② ㉠~㉢에서 안긴문장의 종류가 모두 동일하고 ㉡에서 안긴문장은 안은문장 안에서 부사어의 기능을 하는군.
③ ㉠~㉢에서 안긴문장의 종류가 모두 동일하고 ㉢에서 안긴문장은 안은문장 안에서 주어의 기능을 하는군.
④ ㉠~㉢에서 안긴문장의 종류가 모두 다르고 ㉠에서 안긴문장은 안은문장 안에서 주어의 기능을 하는군.
⑤ ㉠~㉢에서 안긴문장의 종류가 모두 다르고 ㉡에서 안긴문장은 안은문장 안에서 부사어의 기능을 하는군.

15. <보기>의 ㉠~㉢에 들어갈 말로 적절한 것은?

<보 기>

중세국어에는 용언의 어간에 붙어서 실현되는 의문형 어미와는 달리, 체언 뒤에 직접 실현되어서 의문의 뜻을 나타내면서 문장을 끝맺는 조사가 있다. 이를 '의문 보조사'라고 하는데, 의문 보조사로는 판정 의문문에 실현되는 '가/아'와 설명 의문문에 실현되는 '고/오'가 있다. 그런데 '가, 고'는 모음 또는 'ㄹ' 다음에는 '아, 오'로 쓰인다.

○ 얻논 藥(약)이 ( ㉠ )
[얻는 약이 무엇인가?]
○ 이 ᄯᆞ리 너희 ( ㉡ )
[이 딸이 너의 종인가?]
○ 엇뎨 일훔이 ( ㉢ )
[어찌 이름이 선야인가?]

| | ㉠ | ㉡ | ㉢ |
|---|---|---|---|
| ① | 므스것고 | 죵가 | 船若(선야)오 |
| ② | 므스것고 | 죵가 | 船若(선야)고 |
| ③ | 므스것고 | 죵고 | 船若(선야)오 |
| ④ | 므스것가 | 죵고 | 船若(선야)오 |
| ⑤ | 므스것가 | 죵아 | 船若(선야)고 |

6 회

[16~21] 다음 글을 읽고 물음에 답하시오.

[A] 가계, 기업, 정부는 경제 주체로서 가계는 소비, 기업은 생산, 정부는 정책 결정 시 합리적인 선택을 하기 위해 노력한다. 이때 합리적인 선택을 하려면 편익과 비용을 충분히 고려하여 편익에서 비용을 뺀 순편익이 가장 큰 대안을 선택해야 한다. 편익이란 어떤 선택을 할 때 얻는 이득으로, 기업의 판매 수입과 같은 금전적인 것이나 소비자가 상품을 소비함으로써 얻는 정신적 만족감과 같은 비금전적인 것을 말한다. 비용이란 암묵적 비용 중 가장 큰 것과 명시적 비용을 합친 것이다. 암묵적 비용은 어떤 선택으로 인해 포기한 다른 대안의 가치를, 명시적 비용은 그 선택을 할 때 화폐로 직접 지불하는 비용을 말한다.

순편익은 한계편익과 한계비용이 같을 때 가장 커지는데, 한계편익은 어떤 선택에 의해 추가로 발생하는 편익이며 한계비용은 그 선택에 의해 추가로 발생하는 비용이다. 예를 들어, 볼펜을 1개 더 살지 고민하고 있는 소비자의 한계편익은 볼펜을 1개 더 사는 데에서 추가로 얻는 만족감이며, 한계비용은 볼펜을 1개 더 사기 위해 추가로 드는 비용이다.

기업은 상품을 얼마나 생산하면 이윤을 극대화할 수 있을지 한계비용과 한계수입을 고려해 합리적인 판단을 ⓐ 내릴 수 있다. 기업 입장에서 한계비용은 상품 생산량을 한 단위 증가시키는 데 추가로 드는 비용이며, 한계수입은 상품을 한 단위 더 생산하여 판매할 때 추가로 얻는 수입이다. 완전경쟁시장에 있는 기업이라면 상품의 시장 가격 그 자체가 한계수입이 된다. 완전경쟁시장은 많은 수의 공급자와 수요자로 구성되어 있고 거래되는 상품이 동질적이므로 개별 공급자나 수요자가 시장 가격에 영향을 미칠 수 없다. 즉 기업이나 소비자는 시장에서 결정된 상품 가격을 주어진 것으로 받아들이며 이 가격이 기업의 한계수입이 된다. 상품을 사려는 사람들이 많아져 시장 수요가 증가하여 상품 가격이 오른다면, 한계수입도 그만큼 동일하게 오른다.

생산을 계속할 때 손실이 발생하는 상황이 아니라면, 기업은 한계비용과 한계수입이 일치하도록 생산량을 조절해 이윤을 극대화할 수 있다. 한계비용이 한계수입보다 큰 경우에는 상품 생산량을 한 단위 더 줄일 때 그로 인해 추가로 절약되는 비용이 줄어든 수입보다 크므로 생산량을 줄여 이윤을 증가시킬 수 있다. 이와 반대로 한계수입이 한계비용보다 큰 경우에는 생산량을 늘려 이윤을 증가시킬 수 있다.

그런데 생산을 계속할 때 이윤이 남는 것이 아니라 오히려 손실을 볼 수도 있기 때문에 어떤 상황에서 손실이 발생하는지 판단하는 것도 기업 입장에서 중요하다. 이때 고려할 수 있는 것 중 하나가 평균비용이다. 평균비용은 어떤 양의 상품을 생산하는 데 투입된 총비용을 생산량으로 나눈 것으로, 상품을 한 단위 생산하는 데 드는 평균적인 비용을 말한다. 여기에서 총비용은 고정비용과 가변비용으로 구분된다. 한계비용이 총비용 중 가변비용에만 영향을 받는 것과 달리, 평균비용은 고정비용과 가변비용에 모두 영향을 받는다. 고정비용은 생산량에 따라 변하지 않고 일정한 크기를 유지하는 비용으로, 생산량이 많든 적든 매달 똑같이 내야 하는 임대료가 그 예이다. 가변비용은 생산량에 따라 달라지는 비용으로, 각종 재료비, 상품 생산을 늘리기 위해 추가로 고용하는 직원에게 지급되는 보수 등이 그 예이다.

그렇다면 기업은 손실이 발생하는지 평균비용을 통해 어떻게 알 수 있을까? 총비용을 전부 회수하는 것이 언제라도 가능한 기업이 완전경쟁시장에 있다고 가정해 보자. 이 기업은 평균비용을 상품의 시장 가격과 비교해 보고 만약 가격이 평균비용곡선의 최저점에도 미치지 못한다면, 생산량이 얼마이든 그 가격에 상품을 판매해 보았자 손실을 피할 수 없다고 판단할 것이다. 그렇다면 투입된 총비용을 전부 회수하여 손실 발생을 막는 것이 이 기업에 합리적인 결정일 수 있다. 기업이 의도한 생산량에서의 평균비용이 시장 가격보다는 낮아야 이윤이 남는데, 어떻게 해도 손실을 피할 수 없다면 생산을 계속할 것인지 신중하게 고민해야 하는 것이다. ㉠ <u>이처럼 평균비용은 한계비용과 더불어 기업이 생산에 관한 의사결정을 내릴 때 유용하게 활용된다.</u>

합리적 선택을 중심으로 생산에 관한 기업의 의사 결정을 살펴보는 것은 경제 활동을 더 잘 이해하게 한다는 점에서 의미가 있다. 특히, 기업의 생산 활동은 소비자의 수요를 충족해 주고 고용 증가, 경제 성장 등 사회 전체에 미치는 영향이 크다는 점에서 주의 깊게 살펴볼 필요가 있을 것이다.

16. 윗글의 내용 전개 방식으로 가장 적절한 것은?

① 합리적인 선택을 할 때의 장점을 제시하며 기업의 의사 결정 과정을 평가하고 있다.
② 합리적인 선택이 지닌 한계를 제시하며 기업의 사회적 책임에 대해 서술하고 있다.
③ 경제 주체가 되기 위한 조건을 제시하며 각 경제 주체가 수행하는 역할을 비교하고 있다.
④ 합리적인 선택을 하기 위한 방법을 제시하며 생산과 관련된 기업의 의사 결정에 대해 설명하고 있다.
⑤ 기업이 생산 활동을 할 때 고려하는 요소를 제시하며 생산량을 결정할 때의 어려움을 원인에 따라 분류하고 있다.

17. 윗글에서 알 수 있는 내용으로 적절하지 <u>않은</u> 것은?

① 총비용에서 고정비용을 제외한 나머지는 모두 가변비용이다.
② 완전경쟁시장의 개별 소비자는 시장 가격을 주어진 것으로 받아들인다.
③ 생산량과 상관없이 기업이 매달 똑같이 내야 하는 임대료는 한계비용에 영향을 준다.
④ 평균비용은 총비용이 생산된 상품에 똑같이 배분되었을 때 얼마인지를 나타내는 비용이다.
⑤ 같은 편익을 주는 대안이 여러 개 있다면 비용이 가장 적게 드는 것을 선택하는 것이 합리적이다.

18. 윗글을 참고할 때, ㉠의 의미를 추론한 내용으로 가장 적절한 것은?

① 평균비용은 고정비용이 얼마인지, 한계비용은 가변비용이 얼마인지 알아볼 때 유용하다.
② 평균비용은 시장 가격이 왜 오르는지, 한계비용은 시장 가격이 왜 떨어지는지 알아볼 때 유용하다.
③ 평균비용은 생산을 멈추어야 하는 시기가 언제인지, 한계비용은 생산에 드는 암묵적 비용이 얼마인지 알아볼 때 유용하다.
④ 평균비용은 생산을 중단할 만한 상품 가격이 얼마인지, 한계비용은 이윤을 늘리기 위해 도달해야 할 생산량이 얼마인지 알아볼 때 유용하다.
⑤ 평균비용은 생산량 증가로 총비용이 얼마나 늘어나는지, 한계비용은 상품 가격 하락으로 판매 수입이 얼마나 줄어드는지 알아볼 때 유용하다.

19. 윗글의 [A]를 참고할 때, [독서 후 심화 활동]을 수행한 내용으로 적절하지 <u>않은</u> 것은?

**[독서 후 심화 활동] 글의 내용을 아래 상황에 적용해 보자.**

3,000원을 가지고 가게에 간 갑은 각각 1,000원인 ○○ 과자와 △△ 음료수를 모두 사고 싶지만, 먼저 ○○ 과자 소비량을 합리적 선택을 통해 결정하기로 했다. 과자 소비량에 따른 비용과 편익은 아래 표와 같다. 비용에는 갑이 과자 소비로 포기한 음료수 소비의 가치를 금전적으로 환산해 반영했으며, 편익은 과자 소비의 만족감을 고려해 각 소비량만큼 과자를 사기 위해 갑이 지불할 마음이 있는 최대한의 금액으로 나타냈다. 갑의 소비에 영향을 미치는 다른 조건은 모두 무시한다.

| ○○ 과자 소비량(개) | 비용(원) | 편익(원) |
|---|---|---|
| 0 | 0 | 0 |
| 1 | 2,500 | 4,000 |
| 2 | 5,500 | 7,500 |
| 3 | 9,000 | 9,500 |

① 갑이 과자 소비에서 얻는 순편익은 과자를 3개 살 때보다 1개 살 때 더 크겠군.
② 갑이 과자 소비량을 합리적으로 선택하여 과자를 샀다면 음료수 1개 값이 남겠군.
③ 갑이 과자 소비량을 0개에서 1개씩 늘릴 때마다 얻는 한계 편익은 점점 줄어들겠군.
④ 갑이 과자 소비량을 2개에서 3개로 늘리기 위해 추가로 드는 비용은 추가로 얻는 만족감보다 크겠군.
⑤ 갑이 과자를 사기 위해 포기한 음료수 소비의 금전적 가치는 과자를 구입하는 개수가 늘어날수록 점점 작아지겠군.

20. <보기>는 완전경쟁시장에 있는 어느 기업에서 생산하는 상품과 관련된 비용과 수입을 나타낸 것이다. 윗글을 바탕으로 <보기>를 이해한 내용으로 가장 적절한 것은? [3점]

<보 기>

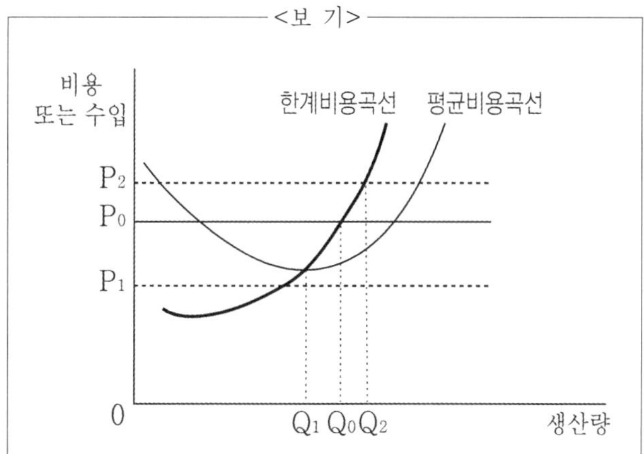


※ 현재 생산량은 $Q_0$, 상품의 시장 가격은 $P_0$임. 이 기업은 언제라도 총비용을 전부 회수할 수 있으며, 생산한 상품은 생산량이 얼마이든 모두 판매된다고 전제함.

① 생산량을 $Q_0$로 유지하면, 평균비용이 한계수입보다 작으므로 이윤이 극대화되겠군.
② 생산량을 $Q_2$로 늘리면, 한계비용이 한계수입보다 커지므로 이윤이 남지 않겠군.
③ 가격이 $P_0$로 유지되면, 생산량을 $Q_1$으로 줄여도 한계비용과 평균비용이 모두 줄어들기 때문에 이윤에는 변함이 없겠군.
④ 시장 수요의 감소로 가격이 $P_1$이 되면, 생산량을 $Q_1$으로 줄여야 평균비용이 제일 적게 들어가므로 손실을 0으로 만들 수 있겠군.
⑤ 시장 수요의 증가로 가격이 $P_2$가 되면, 한계수입이 한계비용보다 커지므로 생산량을 $Q_2$에 가깝게 늘릴수록 이윤이 증가하겠군.

21. 문맥상 의미가 ⓐ와 가장 가까운 것은?

① 동생이 기차에서 <u>내리면서</u> 나를 보았다.
② 심사위원은 그에 대해 평가를 <u>내리지</u> 않았다.
③ 그때는 이미 전국에 폭풍 주의보를 <u>내린</u> 뒤였다.
④ 선반 위에서 상자를 <u>내리려면</u> 사다리가 필요하다.
⑤ 그는 게시판의 글을 <u>내리는</u> 것이 좋겠다고 생각했다.

6 회

[22~25] 다음 글을 읽고 물음에 답하시오.

(가)

내 **유년 시절 바람**이 문풍지를 더듬던 **동지**의 밤이면 어머니는 내 머리를 당신 무릎에 뉘고 무딘 칼끝으로 시퍼런 무를 깎아주시곤 하였다. 어머니 무서워요 저 **울음 소리**, 어머니조차 무서워요. 얘야, 그것은 네 속에서 울리는 소리란다. 네가 크면 너는 이 겨울을 그리워하기 위해 더 큰 소리로 울어야 한다. 자정 지나 앞마당에 은빛 금속처럼 서리가 깔릴 때까지 어머니는 마른 손으로 **종잇장** 같은 내 배를 자꾸만 쓸어내렸다. 처마 밑 **시래기 한줌 부스러짐**으로 천천히 등을 돌리던 바람의 한숨. **사위어가는 호롱불** 주위로 **방안** 가득 풀풀 **수십 장 입김이 날리던 밤**, 그 작은 소년과 어머니는 **지금 어디서 무엇을 할까?**

- 기형도, 「바람의 집―겨울 판화 1」 -

(나)

**가을 뜨락에**
**씨앗을 받으려니**
두 손이 **송구하다**

모진 비바람에 부대끼며
머언 세월을 살아오신
반백(斑白)의 어머니, 가을 초목이여

나는
바쁘게 바쁘게
거리를 헤매고도

아무
얻은 것 없이
꺼멓게 때만 묻어 돌아왔는데

저리
알차고 여문 황금빛 생명을
당신은 마련하셨네

**가을 뜨락에**
**젊음이 역사한 씨앗을 받으려니**
**도무지**
두 손이 **염치없다.**

- 허영자, 「씨앗을 받으며」 -

22. (가)와 (나)의 공통점으로 가장 적절한 것은?

① 일상적 소재를 열거하여 화자의 심리적 변화를 보여 주고 있다.
② 과거와 현재의 대비를 통해 화자의 의지를 선명하게 표현하고 있다.
③ 영탄적 표현을 사용하여 대상에 대한 예찬적 태도를 드러내고 있다.
④ 특정 대상과의 대화를 활용하여 시적 상황을 구체적으로 묘사하고 있다.
⑤ 색채어와 비유적 표현을 통해 대상이 지닌 속성을 감각적으로 드러내고 있다.

23. 다음은 '상징어 사전'의 일부이다. 다음을 바탕으로 (가)와 (나)를 이해한 내용으로 가장 적절한 것은?

> 어머니[Mother]
>
> 어머니는 모든 생명의 근원으로서 모체, 대지, 자연을 뜻한다. 상징으로서의 어머니는 온화하고 부드러운 따뜻함뿐만 아니라 냉정하고 단호한 차가움의 속성을 지닌다. 어머니는 절대적인 모성애를 발휘하는 포용의 상징이기도 하지만, 자식의 온전한 성장과 독립을 위해서 자신으로부터의 분리를 행하는 엄격함의 상징이기도 하기 때문이다.

① (가)에서는 자신으로부터의 분리를 행하지 못하는 '어머니'의 모습을, (나)에서는 자신으로부터의 분리를 행하는 '어머니'의 모습을 볼 수 있다.
② (가)에서는 온화한 태도에서 단호한 태도로 바뀌어 가는 '어머니'의 모습을, (나)에서는 단호한 태도에서 온화한 태도로 바뀌어 가는 '어머니'의 모습을 볼 수 있다.
③ (가)에서는 성숙을 돕기 위한 존재로서 냉정하게 미래를 전망하는 '어머니'의 모습을, (나)에서는 생명의 근원으로서 너그럽게 포용하는 '어머니'의 모습을 볼 수 있다.
④ (가)와 (나)에서는 모두 세계에 대항하지 못하는 나약함을 질책하는 엄격한 '어머니'의 모습을 볼 수 있다.
⑤ (가)와 (나)에서는 모두 외부의 시련을 차단해 내며 절대적인 모성애를 발휘하는 '어머니'의 모습을 볼 수 있다.

24. (가)에 대한 감상으로 적절하지 <u>않은</u> 것은?

① '바람'의 움직임은 '울음 소리'를 일으키며 어린 시절 화자가 느꼈던 불안의 정서를 유발하는군.
② '종잇장'은 '시래기 한줌 부스러짐'과 연결되어 화자가 겪었던 팍팍한 삶의 이미지를 형성하는군.
③ '지금 어디서 무엇을 할까'에서는 판화처럼 각인된 '유년 시절'에 대한 화자의 그리움이 드러나는군.
④ '수십 장 입김이 날리던 밤'은 구체적인 시간적 배경인 '동지'와 결합되며 안온한 시적 분위기를 조성하는군.
⑤ '방안'의 '사위어가는 호롱불'은 시간의 경과를 나타내는 동시에 어린 시절 화자의 심리를 상징적으로 보여 주는군.

25. (나)에 대한 <학습 활동>을 수행한 결과로 적절하지 않은 것은? [3점]

<학습 활동>

「씨앗을 받으며」는 작품의 처음과 끝이 유사한 구조로 구성되어 있다. 첫 연과 마지막 연의 내용에서 반복 또는 변주된 부분에 주목하며 작품을 감상해 보자.

| | 반복 | 추가 | 반복 | 추가 | 변형 |
|---|---|---|---|---|---|
| 1연 | 가을 뜨락에 | – | 씨앗을 받으려니 | – | 두 손이 송구하다 |
| 6연 | 가을 뜨락에 | 젊음이 역사한 | 씨앗을 받으려니 | 도무지 | 두 손이 염치없다 |

① '가을 뜨락에'를 반복하여 화자가 자신의 삶을 탐색하는 계기가 된 계절적 상황을 강조하는군.
② '젊음이 역사한'을 추가하여 화자가 과거에 기울였던 노력의 가치를 스스로 재인식하는 모습을 부각하는군.
③ '씨앗을 받으려니'를 반복하여 화자가 현재 느끼고 있는 감정을 촉발한 소재에 주목하게 하는군.
④ '도무지'를 추가하여 화자가 처한 상황에서 보이는 정서적 반응이 심화되었음을 나타내는군.
⑤ '송구하다'를 '염치없다'로 변형하여 화자가 시적 대상을 통해 갖게 된 성찰적 태도를 강화하는군.

[26~29] 다음 글을 읽고 물음에 답하시오.

어머니와 나는 한 번도 훈이가 대통령이나 장군이나 재벌이나 판검사나 그런 게 되기를 바란 적이 없다. 정직하게 벌어먹을 수 있는 기술을 가르쳐 대기업에 붙여, 공일날 카메라 메고 야외에 나갈 만큼의 사람 사는 낙을 누릴 수 있기를 바랐을 뿐이다. 그런데 그나마도 쉽게 되어 주지를 않았다. 취직 시험도 하도 여러 번 치르니, 보러 가기도 보러 가라기도 점점 서로 미안하게 되었다. 이 년 가까이를 이렇게 지겹게 보내던 훈이가 어느 날 나에게 해외 취업의 길을 뚫을 수 있을 것 같으니 교제비로 돈을 좀 달라는 당돌한 요구를 해 왔다.

"뭐라고, 해외 취업? 그럼 외국에 나가 살겠단 말이지? 그건 안 된다."

"왜요 고모, 쩨쩨하게 돈이 아까워서? ㉠아니면 고모가 영영 할머니를 떠맡게 될까 봐 겁나서?"

훈이는 두 개의 간략한 질문을 거침없이 당당하게 했다. 마치 이 두 가지 이유 외에 딴 이유란 있을 수도 없다는 말투였다. 나는 뭣에 얻어맞은 듯이 아연했다.

글쎄 어떻게 설명할 수 있을 것인가. 그 녀석이 꼭 이 땅에서, 내 눈앞에서 잘살아 주었으면 하는 내 간절한 소망의 참뜻을, **지랄같이 무책임한 전쟁**이 만들어 놓은 고아인 저 녀석을, 온 정성을 다해 남부럽지 않게 키운 게 결코 내 어머니를 떠맡기고자 함이 아니었음을 어떻게 납득시킬 수 있담.

제가 잘되고 잘사는 것으로, 다만 그것만으로 나는 내가 겪은 더럽고 잔인한 전쟁에 대해 통쾌한 ⓐ복수를 할 수 있고 그때 받은 깊숙한 상처의 치유를 확인 받을 수 있다는 걸 어떻게 저 녀석에게 알릴 수 있을 것인가.

나는 그 녀석을 똑바로 바라보았다. ㉡그 녀석도 나를 똑바로 바라보았다. 시선이 강하게 부딪쳤으나 나는 단절감을 느꼈다. 문득 이 녀석 치다꺼리에 구역질 같은 걸 느꼈으나 가까스로 평정을 가장했다.

"해외 취업은 당분간 보류하렴. 할머니 때문이든 돈 때문이든 그건 네 마음대로 생각해도 좋다. 그리고 취직 문젠데, 너무 고지식하게 정문만 뚫으려고 했던 것 같아. 방법을 좀 바꾸어서 **뒷문으로 통하는 길**을 알아봐야겠다. 돈이 좀 들더라도……"

"흥, 돈 때문은 아니다 그 말을 하고 싶은 거죠?"

녀석이 나를 노골적으로 미워하며 대들었다. 나는 대꾸도 하지 않았다. 어머니는 곁에서 내가 늘그막에 이렇게 천덕꾸러기가 될 줄은 몰랐다면서 훌쩍였다.

**[중략 줄거리]** 고속도로 건설 현장 일꾼으로 채용된 훈이에게 '나'는 카메라 대신 작업복과 워커를 사 준다. 어느 날 '나'는 훈이를 찾아가고, 열악한 환경에서 고생하는 훈이를 보자 서울로 돌아가자고 설득한다.

"나는 더 비참해지고 싶어. 그래서 고모나 할머니가 철석같이 믿고 있는 기술이니 정직이니 근면이니 하는 것이 결국엔 어떤 보상이 되어 돌아오나를 똑똑히 확인하고 싶어. 그리고 그걸 고모나 할머니에게 보여 주고 싶어."

"그걸 우리에게 보여서 어쩌겠다는 거야? 그걸로 우리에게 ⓑ복수라도 하겠다 이 말이냐?"

나는 훈이 말에 무서움증 같은 걸 느꼈기 때문에 흥분해서 악을 쓰며 덤벼들었다.

"고모 그렇게 흥분하지 말아. 나는 다만 고모가 꾸미고, 고모가 **애써 된 이 일의 파국**을 통해서 고모와 할머니로부터, 그리고 이 나라로부터 순조롭게 놓여날 수 있기를 바라고 있을 뿐이야. 그렇지만 고모, 오해는 마. 내가 파국을 재촉하고 있다고 생각하지는 마. 나는 내 나름으로 이곳에서의 일에 최선을 다하고 있어. 그러노라면 누가 알아, 일이 고모의 당초 계획대로 잘 풀릴지. 나도 어느 만큼은 그쪽도 원하고 있어. 파국만을 원하고 있는 게 아냐."

"그래 참, 잘될 수도 있을 거야. 잘될 여지는 아직도 충분히 있고말고."

나는 별안간 잘될 가능성에 강한 집착을 느끼며 태도를 표변했다.

"㉢그렇지만 고모, 잘되게 하려고 너무 급하게 굴진 마. 뒷돈 쓰고 빌붙고 하느라 돈 없애고 자존심 상하고 하지 말란 말야. 여기 와 보니 육 개월만 기다리라는 임시직 신세로 삼사 년을 현장으로만 굴러다니는 친구가 수두룩해. 임시직에겐 봉급 조금 주고, 일요일도 없이 부려 먹고, 책임은 없고, 얼마나 좋아, ㉣회사 측으로선 훌륭한 경영합리화지."

훈이는 버스 정류장까지 나를 배웅했다. 진부까지 나가는 완행버스는 좀처럼 오지 않았다. 그동안 나는 뭔가 훈이에게 이야기해야 될 것 같은 심한 압박감을 느꼈다. 나는 내가 여기까지 오는 동안 길이 나빠 얼마나 고생을 하고 시간을 많이 잡아먹었나를 과장해서 들려주면서 고속도로가 뚫리면 서울서 강릉까지가 얼마나 가까워지고 편안해지겠느냐, 너는 이런 국토건설사업에 이바지하고 있는 걸 자랑으로 삼아야 한다고 이야기했다.

ⓜ녀석이 구역질 같은 소리로 "웃기네" 했다. 때마침 바캉스 시즌이라 자가용이 연이어 강릉으로, 월정사로 달리면서 우리에게 흙먼지를 뒤집어씌웠다. 훈이도 한몫 참여한 영동고속도로가 개통되면 더 많은 자가용과 관광버스가 그 위에서 쾌속을 즐기겠지. 훈이도 그 생각을 하면서 "웃기네" 했을 생각을 하고 나는 내가 한 말에 심한 부끄러움을 느꼈다.

드디어 버스가 오고 나는 그것을 혼자서 탔다. 나는 훈이에게 몇 번이나 돌아가라고 손짓 했으나 훈이는 시골 버스가 떠나기까지의 그 지루한 동안을 워커에 뿌리라도 내린 듯이 꼼짝 않고 서 있었다. 나는 **그게 보기 싫어 먼 딴 데를 바라보**았다. 논의 벼는 비단 폭처럼 선연하게 푸르고, 옥수수 밭은 비로드처럼 부드럽게 푸르고, 먼 오대산의 연봉의 기상은 웅장하고, 오대산에서 흘러내린 맑은 물이 도처에서 내와 개울을 이루고 있다. 아름다운 고장이다. 이 땅 어디메고 아름답지 않은 곳이 있으랴.

그러나 아직도 얼마나 뿌리내리기 힘든 고장인가.

훈이가 젖먹이일 적, 그때 그 지랄 같은 전쟁이 지나가면서 이 나라 온 땅이 불모화해 사람들의 삶이 뿌리를 송두리째 뽑아 던져지는 걸 본 나이기에, 지레 겁을 먹고 훈이를 **이 땅에 뿌리내리기 쉬운 가장 무난한 품종**으로 키우는 데까지 신경을 써 가며 키웠다. 그런데 그게 빗나가고 만 것을 나는 자인했다. 뭐가 잘못된 것일까. 나는 가슴이 답답해서 절로 한숨을 쉬었다. 그러나 후회는 아니었다. 훈이를 키우는 일을 지금부터 다시 시작할 수 있다면 이러이러하게 키우리라는 새로운 방도를 전연 알고 있지 못하니, 후회라기보다는 혼란이었다.

– 박완서, 「카메라와 워커」 –

26. 윗글에 대한 설명으로 적절하지 <u>않은</u> 것은?

① 소재의 상징적인 대비를 통해 주제 의식을 드러내고 있다.
② 대화를 통해 상황에 대한 인물 간의 시각 차이를 드러내고 있다.
③ 인물의 내면과 대조되는 배경 묘사를 통해 심리를 부각하고 있다.
④ 공간의 이동에 따라 서술자를 달리하여 사건에 입체감을 부여하고 있다.
⑤ 자기 고백적 진술을 통해 인물의 심리 상태를 구체적으로 드러내고 있다.

27. ㉠~㉤에 대한 이해로 적절하지 <u>않은</u> 것은?

① ㉠: 부양 책임을 회피하겠다는 고모에 대한 훈이의 불만을 드러낸다.
② ㉡: 해외 취업을 반대하는 고모에 대한 훈이의 반감을 드러낸다.
③ ㉢: 자신이 처해 있는 현재 상황을 쉽게 해결하기 어렵다는 훈이의 현실 인식을 드러낸다.
④ ㉣: 비정규직을 부당하게 대우하는 회사에 대한 훈이의 비판적 인식을 드러낸다.
⑤ ㉤: 국토건설사업에 이바지한다는 허울 좋은 명분에 대한 훈이의 비웃음을 드러낸다.

28. ⓐ와 ⓑ에 대한 설명으로 가장 적절한 것은?

① ⓐ는 의도적으로 계획된 행위이고, ⓑ는 우발적으로 일어난 행위이다.
② ⓐ에는 특정 인물의 오해가, ⓑ에는 특정 인물의 의지가 반영되었다.
③ ⓐ는 인물과 사회 간의 갈등에서, ⓑ는 인물과 인물 간의 갈등에서 비롯되었다.
④ ⓐ에는 특정 인물을 보호하기 위한, ⓑ에는 특정 인물을 기만하기 위한 의도가 반영되었다.
⑤ ⓐ는 특정 대상에 대한 부정적 인식에서, ⓑ는 특정 인물에 대한 긍정적 인식에서 비롯되었다.

29. <보기>를 참고하여 윗글을 감상한 내용으로 적절하지 <u>않은</u> 것은? [3점]

<보 기>

이 작품에 등장하는 연극적 자아는 속물적인 논리로 자신과 자기 주변만을 생각하는 삶의 태도를 보인다. 이러한 태도는 세상에 대한 분노를 감춘 채, 세상과의 타협을 지향하는 이중적인 삶의 방식을 취하게 함으로써 연극적 자아의 부정적 특성을 심화시킨다. 이로 인해 연극적 자아는 그 주변의 인물마저도 절망적인 상황으로 몰아간다.

① '지랄같이 무책임한 전쟁'은 연극적 자아의 내부에 존재하는 세상에 대한 분노를 유발한 원인으로 볼 수 있겠군.
② '뒷문으로 통하는 길'을 찾으려는 모습은 연극적 자아의 속물성을 보여 준다고 볼 수 있겠군.
③ '애써 된 이 일의 파국'을 통해 연극적 자아 주변에 있는 인물의 절망적인 상황을 보여 주는군.
④ '그게 보기 싫어 먼 딴 데를 바라보'는 것은 연극적 자아의 이중적인 삶의 방식을 보여 주는군.
⑤ '이 땅에 뿌리내리기 쉬운 가장 무난한 품종'에 대한 소망은 세상과의 타협을 지향하는 연극적 자아의 모습을 보여 주는군.

[30~32] 다음 글을 읽고 물음에 답하시오.

대명 가정 연간에 청주 땅에 사는 한 사람이 있으니, 성은 이요, 이름은 형도라. 일찍 등과하여 벼슬이 이부시랑에 이르니 이름이 전국에 진동하며, 일남일녀를 두었으니 여아의 이름은 현경이요, 남아의 이름은 연경이라. 현경이 비록 여자나 뜻은 남자에 지나니, 삼 세부터 글 읽기를 힘쓰니 재주와 학식이 날로 성취하여 나이 팔구 세에 읽어 보지 못한 글이 없고 통하지 않는 글이 없어 문장이 일세에 겨룰 이가 없으니, 이공 부부가 비록 그 재주를 사랑하나 너무 활달함을 염려하여 경계 왈,

"네 여자의 몸으로 **여자의 도를 닦을 것**이어늘, 남자의 일을 행함은 어찌된 일인가."

현경이 공경 대왈,

"사람이 세상에 나매 임금을 충성으로 섬기고 어버이를 효도로 섬겨 **공명을 일세에 누리**고 이름을 백세에 전하옴이 떳떳하온지라, 소녀가 비록 여자의 몸이오나 뜻은 세상의 용렬한 남자를 비웃나니, 원컨대 여복을 벗고 **남복으로 갈아입고** 부모를 모셔 아들의 도를 행코자 하나이다."

이공이 처음에는 망령되다 꾸짖다가 다시 생각하되,

'제 아직 철이 없고 사리에 어두워 이 같은 뜻을 두니, 아직 저 하고자 하는 바를 좇을 것이요, 이후에 장성하면 제 스스로 부끄럽고 창피한 마음이 있어 여자의 도를 행하리라.'

하고 금하지 아니하매, 소저가 이날부터 남복으로 갈아입고 시랑을 모셨으니, 모든 사람이 이르기를 **이형도의 자식이라 하여 그 얼굴과 풍채를 사랑**하고, 여자가 화하여 남자가 됨을 알지 못하더라.

현경이 팔 세에 이르러는 시랑의 부부가 모두 세상을 떠나니, 소저가 노복을 거느려 선산에 안장하니, 그 예절을 차리는 것은 어른도 미치지 못하고 애도함이 과도하니, 시랑의 친구들이 조문할새, 어린 상제의 저렇듯 어른스러움을 보고 모두 눈물을 흘리며 왈,

"이형도는 비록 세상을 버렸으나 팔 세 아들을 두어 상을 치르는 예절이 장성한 열 아들보다 지나니, 시랑이 죽지 않았다."

하고 칭찬함을 마지 아니하더라.

**[중략 줄거리]** 이현경은 선우의 난을 정벌하며 높은 벼슬에 오르나, 병이 든 후 태의의 진맥으로 어쩔 수 없이 여자임을 밝히게 된다.

장연이 일봉 서찰을 써 청주후의 집에 보내니, 수문자가 차사로 전하여 드린대, 이현경이 받아 보고자 하되 오히려 즐겨 뜯어보지 아니하거늘, 연경 공자가 물으니,

"형장이 어찌 즐겨하지 아니하십니까?"

이후가 답하지 않고 마지못하여 뜯어 보니 하였으되,

[A] '소제 장연은 예의를 갖춰 청주후께 글월을 올리나니 슬프다. 옛날 죽마고우로 지내며 관포지기를 맺어 한 부중에 있으며 권권한 뜻으로 백 년이라도 떠나지 아니할까 하였더니, 형이 임금께 올린 진정표를 들으니, 소제의 마음이 무너지는 것 같은지라. 하늘을 우러러 탄식하나니, 현후의 유화한 기상과 장강대해 같은 능력은 일컫기 어렵거니와 갑옷을 입고 장검을 춤추며 활을 당기고 말을 달림은 예나 지금이나 뛰어난지라. 여차한 재주로 남자가 되지 못하여 십 년 공업이 하루아침에 티끌이 되었도다. 소제의 벗을 다시 누구에게 의탁하리오. 한 번 밥을 먹으매 열 번을 헤아리건대, 이 도무지 천명이라 인력으로 미치리오. 다만 어리석은 소회 있으니, 현후가 도요* 를 읊지 아니하고 소제가 숙녀를 정하지 아니 하였으니, 전일 지기를 아껴 버리지 아니하시거든 기러기 전함을 우러러 바라나니 즐겨 허락하시리이까. 장연은 혼례를 갖추고자 하나이다. 모년 모월 모일에 호부상서 기주후 장연은 올리노라.'

하였더라.

이후가 보기를 다하매 눈썹을 찡그리고 탄식 왈,

"장생은 아름다운 사람이어늘, 어찌 구차함이 이러한고. 나의 뜻을 알지 못하는 까닭이로다."

연경 공자가 왈,

"형이 이제는 근본이 탄로되었으니 가히 홀로 늙지 못할지라. 장후를 버리고 어떤 사람을 얻으려 하십니까? 답장을 잘하여 보내시면 좋을까 하나이다."

이후가 웃으며 왈,

"내 몸이 비록 여자나 황상이 총애하시고 벼슬과 봉록이 떨어지지 아니하였으니, 규중에 잔몰한 사람이 아니라. 이 몸으로 백세를 지내며 보름마다 천자께 조회하여 천자를 뫼옵고, 때때로 음풍영월하여 종신토록 즐기다가 **사후에 묘**에 **새기기**를, '**대명 청주후 태학사** 이현경지묘'라 하리니, 어찌 장연의 아내 되기를 원하리오."

하고 붓을 들어 답장을 쓴 후, 장연의 하인에게 내어 주라 하니, 하인이 돌아와 답서를 올린대, 장후가 답장을 뜯어보니 가라사대,

[B] '촌인 이씨는 공경하여 글월을 장공께 올리나니, 천만 의외의 손수 쓴 편지를 보니 한편 두려움고 또한 황감하여 답장하기 어려우나, 옛날 동조하던 일을 생각하여 염치를 불고하고 회포를 베푸나니, 청컨대 비루한 뜻을 더럽다 아니하실까 하나이다. 당초에 뜻이 망령되어 죄를 사후에 얻고 천하에 비웃음이 되온지라. 이제 깨달으니 낯을 들어 상공을 대하기 부끄럽나이다. 높으신 천자를 보오매 땅을 파고 들고자 하되 어찌 못함을 한하옵나니, 옛날 사귐이 후하다 하나 불과 조정의 일개 서생으로 만나 면목이 있을 뿐이요, 어렸을 때부터 간혹 글월을 화답할 따름이라. 어찌 관포의 지기가 있으리오. 이제 옛날 근본을 들은 후, 일 서간으로 비로소 할 따름이니, 어찌 옛날 사귐으로 인하여 욕설을 구차히 하십니까. 제 종신토록 조정 벼슬로 후직을 지켜 욕됨이 없게 할지라. 남의 집 며느리 되기를 원치 아니하나니, 적은 소견으로 어찌 나를 비웃으리오. 모월 모일에 청주후 태학사 이현경은 올리노라.'

장연이 끝까지 읽어보고 크게 놀라며 왈,

"이 혼사가 쉬우리라 하였더니, 어찌 여차할 줄 뜻하였으리오."

하더라.

장연의 장형 장협과 차형 장흡과 모든 벗들이 일시에 놀라 가로되,

"**여자로서 저러할 줄을 누가** 능히 알았으리오."

– 작자 미상, 「이학사전」 –

* 도요: 혼인을 올리기 좋은 시절.

30. 윗글에 대한 이해로 적절하지 않은 것은?

① 현경은 여자임이 밝혀진 후에도 황제의 총애를 받고 있다.
② 연경은 편지 내용을 숨기려는 현경의 의도를 파악하고 있다.
③ 연경은 장연이 현경의 혼인 상대로 적합하다고 여기고 있다.
④ 장연은 자신의 기대에 부합하는 답장이 올 것이라고 생각했다.
⑤ 이부시랑의 벗들은 성숙한 자세로 장례를 치르는 현경의 모습을 높이 평가하였다.

31. [A]와 [B]에 대한 설명으로 가장 적절한 것은?

① [A]에는 상대가 처한 상황에 대한 자신의 해석이, [B]에는 상대가 처할 상황에 대한 타인의 추측이 언급되어 있다.
② [A]에서는 상대가 얻을 이익을 들어 상대를 종용하고 있고, [B]에서는 상대가 얻을 손해를 들어 상대를 만류하고 있다.
③ [A]에서는 자신의 권위를 내세워 입장을 고수하고 있고, [B]에서는 역사적 사실을 내세워 상대의 태도 변화를 요구하고 있다.
④ [A]에서는 상대의 처지에 공감하며 자신의 도움을 받을 것을 권유하고 있고, [B]에서는 자신의 처지에 좌절하여 상대의 의도를 왜곡하여 받아들이고 있다.
⑤ [A]에는 상대와의 인연을 부각하여 자신의 제안을 성사시키려는 의도가, [B]에는 상대와의 생각 차이를 드러내어 상대의 제안을 거절하려는 의도가 담겨 있다.

32. <보기>를 참고하여 윗글을 감상한 내용으로 적절하지 않은 것은? [3점]

<보 기>

「이학사전」은 자발적으로 남자의 삶을 선택하고 사회적 성취를 통해 자아실현을 도모하는 주인공이 등장하는 여성영웅소설이다. 주인공은 주변으로부터 당대의 보편적 성 역할에 따를 것을 권유받으나 이를 거절하며 기존의 여성상에 대한 통념에 따를 것을 거부한다. 또한 여성임이 드러난 후에도 자신의 사회적 지위를 유지하려고 하는 등 여성에게 불평등했던 당대 현실에 대한 비판적 시각을 보여 주고 있다.

① 이공이 주인공에게 '여자의 도를 닦을 것'을 말하는 것에서, 당대의 보편적 성 역할에 따를 것을 권하고 있음을 알 수 있군.
② 주인공이 '공명을 일세에 누리'는 것을 소망해 '남복으로 갈아입고'자 하는 것에서, 자아실현을 위해 자발적으로 남자의 삶을 선택했음을 알 수 있군.
③ 주인공을 '이형도의 자식이라 하여 그 얼굴과 풍채를 사랑'한 것에서, 여성에게 불평등했던 당대 현실을 알 수 있군.
④ 주인공이 '사후에 묘'에 '대명 청주후 태학사'를 '새기기'를 원하는 것에서, 자신의 사회적 지위를 유지하고자 하는 소망을 확인할 수 있군.
⑤ 장연의 벗들이 '여자로서 저러할 줄을 누가' 알았겠냐고 말하는 것에서, 당대의 여성상에 대한 통념이 드러나 있군.

[33~36] 다음 글을 읽고 물음에 답하시오.

바이러스는 체내에 들어와 문제를 일으킬 수 있어 주의해야 할 대상이다. 생명체와 달리, 바이러스는 세포가 아니기 때문에 스스로 생장이 불가능하다. 그래서 바이러스는 살아있는 숙주 세포에 기생하고, 그 안에서 증식함으로써 살아간다. 바이러스는 바깥을 둘러싸는 피막의 유무에 따라 구조가 달라진다. 피막이 있는 바이러스는 피막의 바깥에 부착 단백질이 박혀 있고 피막 안에는 캡시드라는 단백질이 있다. 캡시드 안에는 핵산이 있는데, 핵산은 DNA와 RNA 중 하나로만 구성된다. 이러한 구조를 갖는 바이러스는 숙주 세포에 어떻게 감염하는 것일까?

[A] 바이러스의 감염 가능 여부는 숙주 세포 수용체의 특성에 따라 결정된다. 바이러스는 감염이 가능한 숙주 세포와 접촉한 후 바이러스 피막의 부착 단백질을 이용해 숙주 세포 수용체에 달라붙는다. 달라붙은 부위를 통해 바이러스가 숙주 세포 내부로 침투하고, 바이러스의 핵산이 캡시드로부터 분리되어 숙주 세포 내부로 빠져나온다. 이후 핵산은 효소를 이용하여 복제된다. 핵산이 DNA일 경우 숙주 세포에 있는 효소를 그대로 이용하고, 반면 RNA일 경우 숙주 세포에 있는 효소를 이용해 자신에 맞는 효소를 합성한다. 또한 핵산은 mRNA라는 전달 물질을 통해 단백질을 합성한다. 합성된 단백질의 일부는 캡시드가 되어 복제된 핵산을 둘러싸고 다른 일부는 숙주 세포막에 부착되어 바이러스의 부착 단백질이 될 준비를 한다. 그 후 단백질이 부착된 숙주 세포막이 캡시드를 감싸 피막이 되면서 증식된 바이러스가 숙주 세포 밖으로 배출된다.

우리 몸은 주로 위의 과정을 통해 지속감염이 일어나기도 하고 위와는 다른 과정을 거쳐 급성감염이 일어나기도 한다. ㉠급성감염은 일반적으로 짧은 기간 안에 일어나는데, 바이러스는 감염된 숙주 세포를 증식 과정에서 죽이고 바이러스가 또 다른 숙주 세포에서 증식하며 질병을 일으킨다. 시간이 흐르면서 체내의 방어 체계에 의해 바이러스를 제거해 나가면 체내에는 더 이상 바이러스가 남아 있지 않게 된다. 반면 ㉡지속감염은 급성감염에 비해 상대적으로 오랜 기간 동안 바이러스가 체내에 잔류한다. 지속감염에서는 바이러스가 장기간 숙주 세포를 파괴하지 않으면서도 체내의 방어 체계를 회피하며 생존한다. 지속감염은 바이러스의 발현 양상에 따라 잠복감염과 만성감염, 지연감염으로 나뉜다.

잠복감염은 초기 감염으로 증상이 나타난 후 한동안 증상이 사라졌다가 특정 조건에서 바이러스가 재활성화되어 증상을 다시 동반한다. 이때 같은 바이러스에 의한 것임에도 첫 번째와 두 번째 질병이 다르게 발현되기도 한다. 잠복감염은 질병이 재발하기까지 바이러스가 감염성을 띠지 않고 잠복하게 되는데, 이러한 상태의 바이러스를 프로바이러스라고 부른다. 만성감염은 감염성 바이러스가 숙주로부터 계속 배출되어 항상 검출되고 다른 사람에게 옮길 수 있는 감염 상태이다. 하지만 사람에 따라서 질병이 발현되거나 되지 않기도 하며 때로는 뒤늦게 발현될 수도 있다는 특성이 있다. 지연감염은 초기 감염 후 특별한 증상이 나타나지 않다가, 장기간에 걸쳐 감염성 바이러스의 수가 점진적으로 증가하여 반드시 특정 질병을 유발하는 특성이 있다.

33. 윗글의 내용과 일치하지 않는 것은?

① 피막이 있는 바이러스는 숙주 세포막의 효소와 결합하여 숙주 세포 내부로 침투한다.
② 피막이 있는 바이러스의 핵산이 DNA라면 캡시드 안에 RNA는 존재하지 않는다.
③ 바이러스가 숙주 세포에 기생하는 이유는 세포가 아니기 때문이다.
④ 피막이 있는 바이러스의 가장 바깥에는 부착 단백질이 있다.
⑤ 피막이 있는 바이러스는 캡시드를 피막이 감싸고 있다.

34. <보기>는 특정 바이러스 감염 과정의 일부를 그림으로 나타낸 것이다. [A]를 바탕으로 <보기>를 이해한 내용으로 적절하지 않은 것은? [3점]

<보 기>

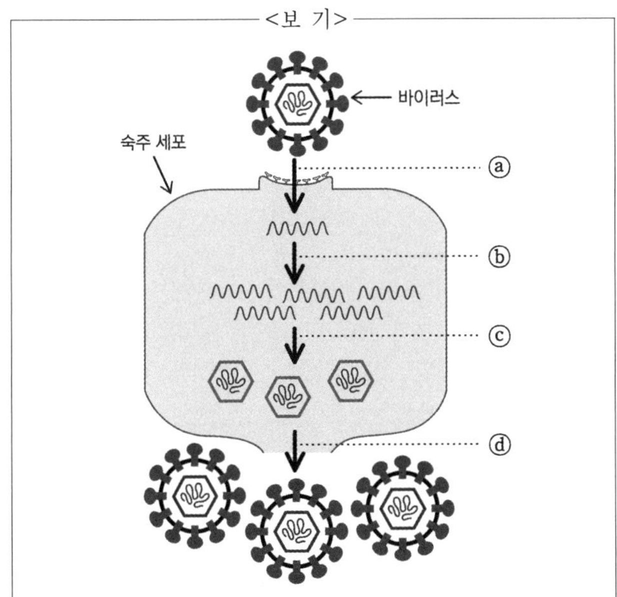


① ⓐ에서 바이러스의 핵산이 숙주 세포 내부로 빠져 나오려면, 바이러스 피막의 부착 단백질을 이용하는 과정이 필요하다.
② ⓑ에서 숙주 세포의 효소를 그대로 이용하지 않는다면, 이 바이러스의 핵산은 RNA이다.
③ ⓑ에서 캡시드가 분리되며 빠져나온 효소는 ⓒ에서 다시 캡시드를 형성하는 데 도움을 준다.
④ ⓒ에서 바이러스의 핵산을 둘러싸거나 ⓓ에서 바이러스의 부착 단백질이 되는 물질은 mRNA를 통해 합성된다.
⑤ ⓓ에서는 배출되는 바이러스의 피막이 숙주 세포의 구성 요소를 통해 만들어진다.

35. ㉠과 ㉡에 대한 설명으로 적절한 것은?

① ㉠은 ㉡과 달리 체내에서 감염성 바이러스의 수가 점진적으로 증가한다.
② ㉠은 ㉡에 비해 바이러스가 체내의 방어 체계를 오랫동안 회피한다.
③ ㉡은 ㉠과 달리 바이러스가 증식하는 과정에서 숙주 세포를 소멸시킨다.
④ ㉡은 ㉠에 비해 감염한 바이러스가 체내에 장기간 남아 있게 된다.
⑤ ㉠과 ㉡은 체내의 바이러스가 질병을 발현하는지 여부에 따라 구분된다.

36. 윗글을 참고할 때, <보기>에 대한 반응으로 적절하지 않은 것은?

<보 기>

◦ '수두-대상포진 바이러스(VZV)'에 감염되면, 처음에는 미열과 발진성 수포가 생기는 수두가 발병한다. 시간이 지나면 자연적으로 치료되나 'VZV'를 평생 갖고 살아가게 된다. 그러다가 신체의 면역력이 저하되면 피부에 통증과 수포가 생겨날 수 있는데, 이를 대상포진이라 한다.
◦ 'C형 간염 바이러스(HCV)'에 감염된 환자의 약 80%는 해당 바이러스를 보유하고도 증세가 나타나지 않아 감염 여부를 인지하지 못하다가 우연히 알게 되기도 한다. 하지만 감염 환자의 약 20%는 간에 염증이 나타나고 이에 따른 합병증이 나타나기도 한다.

① 수두를 앓다가 나은 사람은 대상포진이 발병하지 않았을 때 'VZV' 프로바이러스를 갖고 있겠군.
② 'VZV'를 가진 사람의 피부에 통증과 수포가 발생하는 것은 'VZV'가 다시 활성화되는 특정 조건이 되겠군.
③ 'HCV'에 감염된 사람은 간 염증을 앓고 있지 않더라도 타인에게 바이러스를 옮길 수 있겠군.
④ 'HCV'에 감염된 사람은 나이와 상관없이 간 염증이 나타날 수도 있고 전혀 나타나지 않을 수도 있겠군.
⑤ 'VZV'나 'HCV'에 의한 질병이 발현된 상황이라면, 모두 체내에 잔류한 바이러스가 주변 세포를 감염시키고 있겠군.

[37~41] 다음 글을 읽고 물음에 답하시오.

누구나 한번쯤은 경치 좋은 곳에 누워 아무 일도 하지 않는 자신의 삶을 꿈꿔 본 적이 있을 것이다. 이러한 상상에는 '일', 즉 '노동'에 대한 우리의 부정적 생각이 깔려 있다. 하지만 역사 속에서 인간은 노동을 통해 개인과 사회를 발전시켜 왔고, 이러한 점에서 노동은 나름의 가치를 지닌다고 볼 수 있다. 그렇다면 철학자들은 이러한 인간의 노동에 어떤 철학적 의미를 부여했을까?

로크는 노동을 ㉠소유의 권리와 관련하여 설명했다. 로크는 신이 인류의 생존을 위해 인간에게 자연을 공유물로 주면서, 동시에 인간이 신의 목적대로 자연을 이용할 수 있도록 이성도 주었다고 주장한다. 그런데 그는 신이 인간에게 공유물로 주지 않은 유일한 것이 신체이기 때문에 각자의 신체에 대해서는 본인만이 배타적 권리를 가진다고 본다. 이렇게 신체가 한 개인의 소유라면 그 신체의 활동인 노동 역시 그 개인의 소유가 되는 것이다. 그리하여 인간이 공유상태인 어떤 사물에 노동을 부여하는 것은 공유물에 배타적 소유권을 첨가하는 것이 된다. 따라서 모든 개인은 노동을 통해 소유권의 주체가 될 수 있다. 다만 로크는 모든 노동이 공유물에 대한 소유권의 근거가 되는 것은 아니라고 보았다. 로크에게 노동은 단순히 신체를 사용하는 것이 아니라 삶과 편의에 최대한 도움이 되도록 자연을 이용하는 것을 의미하기 때문이다. 이에 따라 로크는 만약 어떤 개인이 신체를 사용하여 공유물을 인류의 삶에 손해가 되도록 만든 경우, 그것은 ⓐ노동에 해당하지 않기 때문에 소유권을 인정받을 수 없다고 주장했다.

한편 헤겔은 노동을 사적 소유권의 근거를 넘어 주체와 객체가 통일되는 과정이며, 인간이 자기의식과 자기 정체성을 확보하는 계기라고 주장했다. 또한 인간은 동물과 달리 자연을 그대로 받아들이지 않고 노동을 통해 자신에게 맞게 바꾸어 필요한 물품과 적절한 생활환경을 마련하며 생명을 보전한다고 보았다. ⓑ이때 자립성을 지닌 객체는 주체의 노동에 저항하기 마련인데, 객체의 자립성은 인간의 노동에 의해 일정하게 제거되고 약화되어 주체에 알맞게 변화된다. 한편 주체는 노동 과정에서 ⓒ객체에 내재된 질서나 법칙을 일정 정도 받아들이면서 자신의 욕구나 목적을 객체 속에 실현한다. 그 결과 객체는 주체의 노동으로 사라지거나 파괴되는 것이 아니라 인간과 무관한 것에서 인간을 위한 노동 산물로 변화하는 것이다. 이렇게 하여 주체는 객체 안으로 들어가고 객체는 주체의 고유한 형식을 받아들이게 된다. 헤겔은 이처럼 노동을 통해 주체가 자신을 객체 속에 나타내는 것을 자기 대상화라 하였다. 결국 주체와 객체는 서로 분리·고립되어 있다가 노동을 통해 노동 산물 속에서 통일되어 가며, 주체는 그 속에 실현된 자기 대상화의 정도만큼 자기의식을 확보한다는 것이다. 그런데 헤겔은 노동 산물이 주체의 ㉡소유지만, 여전히 주체와 분리되어 있고, 주체를 완전히 표현하지도 못하기에 노동을 통한 주객 통일에 한계가 있다고 지적했다.

이에 비해 마르크스는 ⓓ헤겔의 노동관을 수용하면서도 노동 자체가 한계를 지닌다는 주장에는 동의하지 않았다. 마르크스는 인간은 노동을 통해 외부 대상인 자연을 가공하여 인간의 욕구와 자기실현에 알맞은 인간화된 자연으로 만든다고 보았다. 결국 그에게 노동은 객체에 인간적 형식을 부여하기 위해 자연적 소재의 형식을 부정함으로써 주체의 주관적 욕구나 목적을 대상으로 객관화하는 것이다. 그리하여 가공된 대상에는 주체의 형식이 부여되고, 주체의 욕구나 목적 등은 물질화되어 구체적 노동 산물이 된다. 그 결과 인간은 노동을 통해 만들어 낸 노동 산물에서 ⓔ자신의 능력을 확인하고 자기의식과 정체성을 확보하게 된다. 더 나아가 자신의 능력을 더욱 개발하여 자연의 구속으로부터 벗어나 자유를 획득하면서 자아를 실현하게 되는 것이다. 이러한 관점에서 그는 노동이 가장 현실적인 주객 통일의 방법이자 인간의 자아실현 과정이라 주장한 것이다. 다만 그는 노동을 통한 주객 통일의 한계가 사회적 구조의 한계에서 비롯된다고 분석하며, 노동을 통한 인간의 자아실현을 완성하기 위해서는 사회 구조를 변혁해야 한다고 역설했다.

37. 윗글에서 답을 찾을 수 있는 질문에 해당하지 않는 것은?

① 로크는 인간에게 이성을 부여한 신의 의도를 무엇이라 생각하는가?
② 헤겔은 인간이 동물과 달리 자연을 자신에게 맞게 바꾸는 목적을 무엇이라 생각하는가?
③ 헤겔은 인간이 노동을 통해 자신을 객체 속에 나타내어 얻게 되는 결과를 무엇이라 생각하는가?
④ 마르크스는 노동이 인간의 자아를 실현하는 과정이 될 수 있는 이유를 무엇이라 생각하는가?
⑤ 마르크스는 노동이 주객 통일을 완성하는 것을 방해하는 사회적 구조의 한계를 무엇이라 생각하는가?

38. ㉠과 ㉡에 대한 이해로 가장 적절한 것은?

① ㉠과 ㉡은 모두 인간을 신으로부터 자유롭게 한다.
② ㉠과 ㉡은 모두 인간의 노동을 성립 기반으로 하고 있다.
③ ㉠은 이타심의 실현을 목적으로 하는 반면, ㉡은 이기심의 실현을 목적으로 한다.
④ ㉠은 인간과 자연의 합일을 강화하는 반면, ㉡은 인간과 자연의 분리를 강화한다.
⑤ ㉠은 공유물의 존재에 의해 보장되는 반면, ㉡은 주객 통일의 완성에 의해 보장된다.

39. 윗글의 마르크스의 관점에서 <보기>를 이해한 내용으로 적절하지 않은 것은?

<보 기>

캐릭터 아티스트를 꿈꾸는 A씨는 관련 공부를 위해 미국으로 건너가 예술 학교에서 공부를 마치고 B사에 입사했다. 그런데 그곳에서 그는 유명한 몇몇 캐릭터만 반복적으로 그려야 하는 현실에 염증을 느끼고 캐릭터 아티스트로서 더 이상 성장할 수 없겠다는 생각이 들어 C사로 직장을 옮겼다. 이후 그는 다양한 종류의 캐릭터를 마음껏 변용해 그리는 동시에 여러 동물들의 모습을 관찰하여 자신만의 독창적인 캐릭터를 창작하게 되었다.

① A씨는 노동을 통해 자신의 욕구를 객체 속에 실현하려고 노력해 왔겠군.
② A씨는 노동을 통해 자신의 형식을 부여한 노동 산물을 만드는 데 관심을 가지고 있겠군.
③ A씨가 제한된 캐릭터를 그리는 노동에 염증을 느꼈던 이유는 자기의식 확보에 대한 갈증 때문이겠군.
④ A씨가 직장을 옮긴 것은 노동을 자신의 재능을 개발하고 자유를 확장하는 계기로 삼기 위한 것이겠군.
⑤ A씨가 예술 학교에서 공부한 기간은 외부 대상인 자연의 형식에 맞게 자신의 목적을 객관화시킨 시기였겠군.

40. 윗글과 <보기>에 대한 반응으로 가장 적절한 것은? [3점]

<보 기>

제레미 리프킨은 첨단 과학 기술이 생산 수단에 접목되는 상황으로 인한 노동의 종말을 예언했다. 그는 노동의 종말이 긍정적으로는 여가적 삶의 증대를, 부정적으로는 대량 실업으로 인한 정체성의 시련을 초래할 수 있다고 지적했다. 그래서 대량 실업의 피해자들을 위해 사회적 경제 부분의 일자리 공유 전략을 가동해야 한다고 주장했다. 이를 통해 그들이 삶의 이유를 찾고, 사회 구성원으로서의 자신의 가치를 입증할 기회를 제공해야 한다는 것이다.

① 윗글과 <보기> 모두 노동이 인간의 정신보다 신체에 더 큰 영향을 끼친다는 것을 인지하고 있군.
② 윗글과 <보기> 모두 인간이 자신을 긍정적으로 인식하게 하는 데 노동이 기여한다는 것을 인정하고 있군.
③ 윗글의 노동의 한계는 <보기>의 노동의 종말로 인해 나타난 결과이겠군.
④ 윗글의 노동의 기능은 <보기>의 노동의 기능과 대립하고 있군.
⑤ 윗글은 <보기>와 달리 사회 변화가 노동에 미칠 수 있는 영향을 언급하고 있군.

41. 문맥상 ⓐ ~ ⓔ와 바꿔 쓰기에 적절하지 않은 것은?

① ⓐ : 공유물에 첨가한 노동이 아니므로
② ⓑ : 자연을 인간에게 알맞게 바꿀 때
③ ⓒ : 객체가 지닌 자립성을 일부 수용하면서
④ ⓓ : 노동을 자기의식과 자기 정체성 확보의 계기로 인정하지만
⑤ ⓔ : 주체의 주관적 욕구나 목적을 객관화하는 능력을

[42~45] 다음 글을 읽고 물음에 답하시오.

(가)

세상의 버린 몸이 시골에서 늙어 가니
㉠ 바깥 일 내 모르고 하는 일 무엇인고
이 중의 우국성심(憂國誠心)은 풍년을 원하노라 <제1곡>

농인이 와 이르되 봄 왔네 밭에 가세
앞집의 쟁기 잡고 뒷집의 따비 내네
두어라 내 집부터 하랴 남하니 더욱 좋다 <제2곡>

여름날 더운 적의 단 땅이 불이로다
밭고랑 매자 하니 땀 흘러 땅에 떨어지네
어사와 입립신고(粒粒辛苦)* 어느 분이 아실까 <제3곡>

가을에 곡식 보니 좋기도 좋을시고
내 힘으로 이룬 것이 먹어도 맛이로다
㉡ 이 밖에 천사만종(千駟萬鍾)*을 부러 무엇하리오
<제4곡>

밤에는 새끼를 꼬고 저녁엔 띠풀을 베어
초가집 잡아매고 농기(農器) 좀 손 보아라
내년에 봄 온다 하거든 결의 종사* 하리라
<제5곡>

– 이휘일, 「저곡전가팔곡」 –

* 입립신고 : 낟알 하나하나에 어린 수고로움.
* 천사만종 : 많은 말이 끄는 수레, 높은 봉록.
* 결의 종사 : 그 참에 바삐 일함.

(나)

불어오는 봄바람이 봄볕을 부쳐내니
지저귀는 새소리는 노래하는 소리이니
곱디고운 수풀 꽃은 웃음을 머금었다
이곳에 앉아보고 저곳에 앉아보니
㉢ 골 안의 맑은 향기 지팡이에 묻었구나
봄빛 반짝 흩어 날고 초목이 무성하니
푸른빛은 그늘 되어 나무 아래 어리었고
하늘의 빛난 구름 골짜기에 잠겼으니
송정에서 긴 잠은 더위도 모르더라

먼 하늘은 맑디맑고 기러기는 울어 예니
양쪽 언덕 단풍 숲은 비단처럼 비치거늘
㉣일대의 강 그림자 푸른 유리 되었구나
국화를 잔에 띄워 무지개를 맞아 오니
**이 작은 즐거움**은 **세상모를 일**이로다
하늘 높이 부는 바람 고요하고 쓸쓸하여
나뭇잎 다 진 후에 산계곡이 삭막하고
섣달그믐 조화 부려 백설을 나리오니
수많은 산봉우리가 경요굴이 되었거늘
눈썹이 솟구치고 눈동자를 높이 뜨니
**끝없는 설경**은 **시**의 제재가 되었으니
세상 물정을 모르니 추위를 어이 알까
(중략)
깨끗하고 맑은 바람 실컷 쏘인 후에
대여섯 아이들과 노래하며 돌아오니
옛사람 기상에 미칠까 못 미칠까
옛일을 떠올리니 어제인 듯하다마는
깨끗한 풍채를 꿈에서나 얻어 볼까
옛사람 못 보거든 지금 사람 어이 알고
이 몸이 늦게 나니 애통함도 쓸 데 없다
산새와 산꽃을 내 **벗으로 삼**아두고
경치를 만끽하며 **생긴 대로 노는 몸**이
**공명을 생각하**며 **빈천을 설워**할까
**단사표음**이 **내 분**이니 **세월도 한가하**네
이 계곡 경치를 싫도록 거느리고
백 년 세월을 노닐다가 마치리라
㉤아이야 사립문 닫아라 세상 알까 하노라

− 정훈, 「용추유영가」 −

42. (가)와 (나)의 공통점으로 가장 적절한 것은?

① 계절적 배경을 소재로 하여 시적 분위기를 조성하고 있다.
② 초월적 공간을 동경하며 부정적 현실을 극복하고 있다.
③ 인간과 자연을 대비하여 주제 의식을 부각하고 있다.
④ 과거를 회상하며 현실의 덧없음을 환기하고 있다.
⑤ 공간의 이동에 따라 내적 갈등이 고조되고 있다.

43. (가)를 이해한 내용으로 적절하지 않은 것은?

① <제1곡>은 '세상의 버린 몸'으로 '풍년'을 바라는 마음을 통해 정치 현실에 대한 미련을 드러낸다.
② <제2곡>은 '봄'이 오니 '밭'에 나가 서로 도와가며 일하는 모습을 통해 공동체적 삶의 태도를 드러낸다.
③ <제3곡>은 더운 여름에 '땀'을 흘려가며 '밭고랑'을 매는 모습을 통해 농사일의 고단함을 보여 준다.
④ <제4곡>은 '내 힘'으로 수확한 '곡식'에 대한 만족감을 통해 노동의 가치를 보여 준다.
⑤ <제5곡>은 '농기'를 수리하며 '봄'을 준비하는 모습을 통해 자연의 순환적 질서를 따르는 농촌의 생활을 보여 준다.

44. ㉠~㉤에 대한 설명으로 적절한 것은?

① ㉠: 의문형 어미를 사용하여 과거의 삶을 자책하는 마음을 드러내고 있다.
② ㉡: 설의적 표현을 사용하여 부정적 현실에 대한 화자의 안타까움을 강조하고 있다.
③ ㉢: 시각적 심상을 사용하여 성현의 삶을 지향하는 화자의 심리를 나타내고 있다.
④ ㉣: 비유적 표현을 사용하여 역동적인 자연의 모습을 강조하고 있다.
⑤ ㉤: 명령형 어미를 사용하여 세상과 단절하려는 화자의 의지를 드러내고 있다.

45. <보기>를 바탕으로 (나)를 감상한 내용으로 적절하지 않은 것은? [3점]

<보 기>

정치·경제적으로 몰락한 향반계층에게 자연은 안빈낙도의 공간, 곧 자신의 신념을 실현할 수 있는 안식처였다. 이처럼 자연은 정신적 풍요로움을 주는 대상이었기 때문에 현실 소외에 대한 보상 공간으로서 의미가 있다고 할 수 있다.

① '이 작은 즐거움'은 '세상모를 일'이라며 자부하는 모습에는 화자에게 자연이 현실 소외에 대한 보상 공간으로서 의미가 있음이 나타나는군.
② '끝없는 설경'에서 느끼는 흥취를 '시'를 통해 표출해 내고자 하는 모습에는 자연을 정신적 풍요로움의 대상으로 여기는 화자의 인식이 나타나는군.
③ 자연을 '벗으로 삼'고 '생긴 대로 노는 몸'에는 정치·경제적으로 몰락하여 자연을 안식처로 여기며 살아가는 화자의 모습이 나타나는군.
④ '공명을 생각하'지 않고 '빈천을 설워'하지 않겠다는 모습에는 자연 속에서 자신의 신념을 지키며 살아가려는 화자의 태도가 드러나는군.
⑤ '단사표음'을 '내 분'으로 생각하니 '세월도 한가하'다고 느끼는 모습에는 삶의 단조로움을 느끼고 안빈낙도하려는 화자의 의지가 드러나는군.

* 확인 사항
○ 답안지의 해당란에 필요한 내용을 정확히 기입(표기)했는지 확인하시오.

# 국어 영역

7회 소요시간 /80분

제 1 교시

➡ 해설 P.62

**[1 ~ 3] 다음은 수업 중 학생의 발표이다. 물음에 답하시오.**

(㉠화면을 보여 주며) 여러분, 오래된 나무 제품 두 가지가 보이시죠? 왼쪽 제품은 일부가 삭아서 망가져 버렸지만, 오른쪽 제품은 광택이 나면서 옛 모습을 유지하고 있습니다. 왜 이런 차이가 생겼을까요? 무슨 방부제라도 바른 걸까요? (청중의 반응을 살펴보고) 이런 차이는 오른쪽 제품에 칠한 전통의 천연 방부제인 '옻칠' 때문에 생겼습니다. 저는 오늘 옻칠에 대해 개념, 종류, 역사, 현대적 계승 방향 등의 순서로 발표를 해 보겠습니다.

'옻칠'이란 단어는 두 가지 뜻이 있습니다. (㉡영상을 보여 주며) 첫째, 보시는 것처럼 물건에 칠하는 원료나 약재로 쓰기 위해 옻나무에서 채취하는 수액을 이르는 말입니다. 둘째, 제품에 옻나무 수액을 바르는 일을 이르는 말이기도 합니다. 옻칠은 방충, 방수와 방습 등 다양한 효과를 내기 때문에 제품을 오랫동안 사용할 수 있게 해 줍니다. 옻칠은 나무뿐 아니라 나전, 금속, 가죽 등 다양한 재료에 사용되는데, 사물에 옻칠을 해서 만든 모든 제품을 '칠기'라고 부릅니다.

옻칠은 '생칠'과 '정제칠'로 나뉩니다. 옻나무에서 수액을 얻어 불순물을 천으로 걸러 낸 것을 생칠이라고 합니다. (㉢영상을 보여 주며) 보시는 것처럼 생칠을 용도에 맞게 가공하여 그 기능을 보강하면 정제칠이 됩니다.

그렇다면 우리나라에서는 옻칠이 언제부터 사용되었을까요? (㉣사진을 보여 주며) 이 사진은 표면에 옻칠을 한 청동기 시대 유물입니다. 우리나라 옻칠의 역사를 연구한 논문들에 의하면 이 때부터 옻칠을 사용한 것으로 추정합니다. 신라 시대에는 칠전이라는 관청을 두어 옻칠을 관장했고, 고려 시대부터 나전칠기를 비롯한 다양한 옻칠 공예가 발전하며 꽃을 피웠습니다. 조선 시대에도 옻칠 공예를 중요하게 여기면서 옻나무를 국가에서 직접 생산하고 관리하며 다양한 공예품을 만들어 냈다고 합니다.

(㉤사진을 보여 주며) 사진에서처럼 현대로 오면서 옻칠은 합성 방부제, 인공 도료 등이 개발되어 예전보다 그 역할을 많이 잃었습니다. 하지만 옻칠은 전통적 아름다움을 보여 주는 친환경적인 도료라는 점, 전자파 흡수력이 뛰어나다는 점 등에서 여전히 가치를 인정받고 있습니다. 이런 장점을 살려 옻칠 공예 분야를 중심으로 옻칠을 어떻게 현대적으로 계승할 것인지 고민할 필요가 있습니다. 핸드폰 장식에 옻칠을 활용하여 주목을 받은 사례와 같이 옻칠을 적용한 디자인에 대한 연구를 확대하는 것이 그 방안이 될 수 있을 것입니다. 발표를 끝까지 들어주셔서 감사합니다.

**1.** 발표에 반영된 학생의 발표 계획으로 적절하지 않은 것은?

① 발표 앞부분에 질문을 통해 청중의 호기심을 환기해야겠어.
② 학술 자료를 활용하여 발표 내용의 신뢰성을 확보해야겠어.
③ 발표 순서를 안내하여 청중이 내용을 예측하며 듣도록 해야겠어.
④ 발표에 제시된 용어의 의미를 설명하여 청중의 이해를 도와야겠어.
⑤ 발표 내용에 대한 청중의 이해도를 확인하며 발표를 마무리해야겠어.

**2.** ㉠ ~ ㉤의 활용에 대한 설명으로 적절한 것은?

① ㉠: 옻칠 유무에 따른 차이를 부각하기 위해 옻칠을 하지 않은 제품에 옻칠을 한 후 생기는 변화를 보여 준다.
② ㉡: 옻칠의 첫 번째 개념에 대한 이해를 돕기 위해 옻나무를 심고 가꾸는 농부의 모습을 보여 준다.
③ ㉢: 두 종류의 옻칠이 어떻게 다른지 알려 주기 위해 생칠에는 없는 정제칠의 가공 과정을 보여 준다.
④ ㉣: 옻칠의 역사를 통시적으로 설명하기 위해 옻칠 사용이 확인된 시대별 유물을 함께 보여 준다.
⑤ ㉤: 옻칠 계승의 모범 사례를 제시하기 위해 새로운 옻칠 방식을 적용한 다양한 제품들을 한데 모아 보여 준다.

**3.** 다음은 학생의 발표를 들은 후 청중이 보인 반응이다. 발표를 고려하여 이를 분석한 내용으로 적절하지 않은 것은? [3점]

**청중 1**: 나도 발표자가 이야기한 것처럼 옻칠을 적용한 디자인에 대한 연구가 확대되어야 한다고 생각해. 공예품에 활용된 옻칠을 패션 디자인 등에 응용한다면 옻칠 공예 분야의 발전 가능성이 클 것 같아.

**청중 2**: 발표를 듣고 나전칠기의 칠기가 무슨 뜻인지 알게 되었어. 할머니 댁에서 오래된 나전칠기를 본 적이 있는데, 나전칠기와 같은 옻칠 공예 작품에서 옻칠을 어떻게 하는지도 보여 주었다면 더 좋았을 것 같아.

**청중 3**: 옻칠이 가진 뛰어난 전자파 흡수력이 어떤 제품에서 활용되고 있는지 궁금해. 집에 가서 인터넷으로 자료를 찾아봐야겠어. 옻칠 공예 분야가 발전하려면 옻칠을 접해 볼 수 있는 기회를 확대하는 등 대중성을 확보하는 것도 필요할 것 같아.

① '청중 1'은 발표 내용을 언급하며 발표자의 생각에 공감하고 있군.
② '청중 2'는 개인적인 경험과 결부지어 발표 내용에서 아쉬웠던 점을 밝히고 있군.
③ '청중 3'은 발표를 들으며 생긴 의문점을 해결하기 위한 방법을 생각하고 있군.
④ '청중 1'과 '청중 3'은 발표에서 소개한 분야의 발전 방향에 대한 생각을 밝히고 있군.
⑤ '청중 2'와 '청중 3'은 발표를 통해 알게 된 정보를 활용하여 기존 지식을 수정하고 있군.

**[4 ~ 7] (가)는 토론의 일부이고, (나)는 토론에 참여한 학생이 '토론 후 과제'에 따라 쓴 초고이다. 물음에 답하시오.**

(가)

**사회자**: 오늘은 '학생회장 선거를 1학기 말에 실시해야 한다.'라는 논제로 토론을 하겠습니다. 먼저 찬성 측에서 입론한 후 반대 측에서 반대 신문해 주십시오.

**찬성 1**: 저희는 학생회장 선거 시기를 2학기 말인 12월에서 1학기 말인 7월로 바꾸어야 한다고 생각합니다. 1학기 말에 학생회장을 2학년 중에서 선출하고 2학년 2학기부터 3학년 1학기까지를 임기로 하는 학생회를 구성해야 합니다. 그 이유는 다음과 같습니다. 첫째, 지금까지 학생회장들은 대입 전형이 실시되는 2학기에 입시 준비의 부담으로 인해 거의 활동을 하지 못했습니다. 2학년이 2학기부터 학생회장 임기를 시작하면 이런 부담이 덜하므로 적극적인 학생회 활동이 가능합니다. 둘째, 1학기 말은 학교에 큰 행사가 없는 여유로운 시기이므로 후보자 간 공개 토론을 실시하여 그들이 내세운 공약의 실현 가능성을 검증하는 등 새로운 선거 문화를 만들 수 있습니다. 실제 인근의 학교에서는 1학기 말에 학생회장 후보자 간 공개 토론을 진행하여 학생들에게 큰 호응을 얻었다고 합니다. 셋째, 2학기부터 2학년인 학생회장이 활동을 시작하면 3학년의 졸업으로 인한 학생회의 단절 문제를 극복하여 학생회의 연속성이 강화되는 효과도 있을 것입니다.

**반대 2**: 2학기부터 2학년 학생회장의 임기가 시작되면 학생회의 연속성이 강화될 수 있다고 하셨는데요, 그렇게 생각하는 이유를 구체적으로 말씀해 주시겠습니까? [A]

**찬성 1**: 아시다시피 지금까지의 학생회장은 항상 선배가 졸업한 후에 임기를 시작하여 믿고 의지할 데가 없었습니다. 그러나 2학기부터 임기를 시작하면 전임 3학년 학생회 임원들에게 조언을 구할 수 있습니다. 그 과정에서 자연스럽게 학생회의 연속성도 강화될 것입니다.

**사회자**: 이번에는 반대 측에서 입론한 후 찬성 측에서 반대 신문해 주십시오.

**반대 1**: 저희는 지금처럼 2학기 말에 학생회장 선거를 실시하고, 학생회장의 임기는 3학년 1학기부터 시작해야 한다고 생각합니다. 첫째, 학생회장이 3학년으로서 1학기부터 임기를 시작하면 우선 선배들을 의식하지 않아도 되므로 주체적이고 자율적으로 활동할 수 있습니다. 그런데 1학기 말에 2학년 중에서 학생회장을 선출하여 2학기부터 활동을 하면 전임 3학년 학생회장과 알력이 생길 소지가 다분합니다. 둘째, 학생회장 후보자의 범위가 축소될 우려가 있습니다. 반장이나 부반장이 학생회장을 겸임하지 못하는 상황에서, 1학기 때 학생회장의 자질이 있는 학생들이 대부분 반장이나 부반장으로 선출되면 마땅한 학생회장 후보자를 추천하기 어려울 수 있습니다. 셋째, 대학 입시가 3학년 학생회장의 적극적인 활동을 방해할 수도 있겠지만, 그것은 학생회장의 의지와 체계적인 활동 계획으로 충분히 극복할 수 있을 것입니다. 그래서 3학년 1학기부터 학생회장의 임기가 시작되어도 문제가 없다고 생각합니다.

**찬성 1**: 방금 체계적인 활동 계획으로 대학 입시의 부담을 극복할 수 있다고 하셨는데, 적극적인 학생회 활동을 위한 구체적인 방안을 제시해 줄 수 있을까요? [B]

**반대 1**: 예를 들어, 3학년 임원들이 활동하기가 힘든 2학기에는 1학기 동안 학생회 활동을 경험한 2학년 임원들이 주도적으로 학생회를 이끌면서 필요할 때마다 3학년 임원들과 상의하는 것입니다. 그러면 3학년 임원들의 입시 부담도 덜 뿐 아니라 2학년 임원들도 학생회 경험을 풍부하게 쌓을 수 있을 것입니다.

| 토론 후 과제 : 찬성 측 입장을 지지하는 글쓰기 |
|---|

(나) 학생의 초고

학생회는 학생들을 대표하는 자치 기구입니다. 따라서 학생회는 학생들의 의견을 반영하며 적극적으로 운영되어야 합니다. 특히 최근에는 사회적으로 여러 지방 자치 단체에서 학생회 활동을 조례로 제정할 만큼 그 역할이 강조되고 있습니다. 그런데 지금까지의 학생회는 소극적인 모습을 보여 왔습니다. 학생회장을 비롯한 3학년 임원들이 대학 입시 준비로 적극적으로 활동하지 못했기 때문입니다. 그래서 해마다 학생회의 자율성과 적극성을 높이겠다던 선거 공약은 공허한 메아리로만 남았습니다.

이런 문제를 개선하기 위해서는 학생회장의 임기가 2학년 2학기부터 시작될 수 있도록 2학년 1학기 말에 차기 학생회장 선거를 실시해야 합니다. 그러면 2학기부터 새로 선출된 학생회장이 차기 학생회를 이끌 수 있어서 주체적이고 적극적으로 학생회 활동을 계획하고 실행할 수 있을 것입니다.

또한 1학기 말에 학생회장 선거를 하면 큰 행사가 없는 시기에 새로운 행사가 생겨서 학생들의 학교생활에 활력을 줄 수도 있을 것입니다. 특히 그 시기는 상대적으로 여유가 있으므로 형식적인 공약 발표만이 아니라 후보자 간의 공개 토론 실시 등 색다른 선거 문화도 경험할 수 있을 것입니다. 그 결과 더욱 실효성 있는 공약을 내세우는 후보자가 뽑히는 이점도 있을 것입니다.

어떤 친구들은 2학년이 2학기부터 학생회장을 맡게 되면 아직 졸업하지 않은 전임 3학년 학생회장과의 알력으로 학생회 운영이 어려울 것이라며 걱정합니다. 그러나 그것은 지나친 걱정입니다. 오히려 선배들에게 틈틈이 조언을 구할 수 있어서 학생회 활동에 도움이 될 것입니다. 물론 선배와의 의견 차이로 가끔은 갈등이 생길 수도 있습니다. 그러나 그러한 갈등을 조율해 가는 과정 자체도 학생회의 자율성을 기르는 데 좋은 경험이 될 것입니다.

4. (가)의 '입론'을 이해한 내용으로 적절하지 않은 것은?

① '찬성 1'은 전임 학생회와의 단절을 극복하고 학생회의 연속성을 강화할 수 있음을 내세우고 있다.
② '찬성 1'은 인근 학교의 사례를 제시하여 새로운 학생회장 선거 문화를 만들어 낼 수 있음을 부각하고 있다.
③ '반대 1'은 전후 학생회장 간의 의견 차이로 선후배 사이에 갈등이 생길 수 있음을 지적하고 있다.
④ '반대 1'은 학생회장 후보자의 범위가 제한됨으로써 학생회의 권한이 축소될 수 있음을 우려하고 있다.
⑤ '반대 1'은 학생회장의 의지와 체계적인 활동 계획으로 적극적인 학생회 활동이 가능함을 강조하고 있다.

5. [A]와 [B]를 비판적으로 검토한 내용으로 가장 적절한 것은?

① [A]는 [B]와 달리 인신공격성의 발언을 함으로써 상대측을 불필요하게 자극하여 불쾌하게 만들고 있다.
② [B]는 [A]와 달리 상대측이 제시한 근거의 타당성을 섣부르게 인정하는 태도를 드러내는 잘못을 범하고 있다.
③ [A]와 [B] 모두 상대측이 언급한 쟁점의 허점을 문제 삼지 않고 새로운 쟁점을 제시하여 논점을 흐리고 있다.
④ [A]와 [B] 모두 두 가지의 질문을 동시에 함으로써 상대측이 자신에게 유리한 질문을 골라 답변하게 하고 있다.
⑤ [A]와 [B] 모두 상대측 주장의 오류를 검증하지 못하고 상대측에게 자기주장을 보충하는 추가 발언 기회를 제공하고 있다.

6. 다음은 (나)를 쓰기 위한 글쓰기 계획이다. (나)에 반영되지 않은 것은?

○ 선거 시기 변경이 새로운 선거 문화를 경험할 수 있는 계기가 될 수 있음을 언급해야겠어. ……… ㉠
○ 학생회장 선거의 시기를 바꿀 때 발생하는 문제점을 해결할 구체적인 방안도 제시해야겠어. ……… ㉡
○ 반대 측이 우려하는 바가 오히려 긍정적 효과로 이어질 수 있다며 인식의 전환을 유도해야겠어. ……… ㉢
○ 지금까지의 학생회 활동이 위축될 수밖에 없었던 상황을 논제에 찬성하는 근거로 활용해야겠어. ……… ㉣
○ 학생회가 적극적으로 운영되어야 함을 주장하기 위해 학생회의 역할이 강조되는 사회적인 배경을 제시해야겠어. ……… ㉤

① ㉠ ② ㉡ ③ ㉢ ④ ㉣ ⑤ ㉤

7. <조건>을 바탕으로 (나)의 끝부분에 한 문단을 추가한다고 할 때, 그 내용으로 가장 적절한 것은? [3점]

< 조 건 >
○ 속담이나 비유를 활용할 것.
○ 자신의 주장을 강조하며 마무리할 것.

① 손바닥 뒤집듯이 기존의 선거 방식을 바꾸는 것은 바람직하지 않습니다. 학생회장 선거의 시기 변경은 또 다른 문제를 야기할 수 있음을 명심해야 합니다.
② 현재의 학생회장 선거 시기가 지닌 여러 문제점을 제대로 인식해야 합니다. 보다 나은 학생회를 만들기 위해서 학생회장 선거 시기를 지금 당장 바꾸어야 합니다.
③ 쇠뿔도 단김에 빼야 하듯이 문제점을 인식한 이 시점이 학생회장 선거 시기를 바꿀 적절한 기회입니다. 그래서 이번 기회에 학생회장 선거 시기를 반드시 바꾸어야 합니다.
④ 백지장도 맞들면 낫듯이 우리 모두가 힘을 모으면 학생회장 선거 시기를 바꿀 수 있습니다. 그런 다음에 더 중요한 학생회 임원 구성의 문제를 해결할 방안을 강구해야 합니다.
⑤ 선거 시기의 변경으로 전후 학생회 간에 알력이 생길 수 있습니다. 따라서 학생회장 선거 시기 변경보다는 학생회의 자율성과 적극성을 높이기 위한 새로운 방안을 모색해야 합니다.

[8 ~ 10] 다음을 읽고 물음에 답하시오.

(가) 학생의 메모

[작문 상황]
○ 목적 : 비즈쿨 캠프를 소개하여 참여를 유도하고자 함.
○ 예상 독자 : 우리 학교 학생들

(나) 학생의 초고

요즘 창업에 관심이 있는 청소년들이 많다. 이런 청소년들을 위해 정부가 지원해 주는 사업이 있는데, 이를 청소년 비즈쿨 사업이라고 한다. 그런데 이 사업에 대한 학생들의 참여율은 매우 낮은 편이다. 이에 대한 정보를 제공하기 위해 학교 신문에 비즈쿨 캠프를 소개하게 되었다.

[A] 비즈쿨(Bizcool)은 '학교에서 경영을 배운다.'는 의미를 담고 있는 말이다. 비즈쿨은 중소벤처기업부에서 지원하는 창업 관련 사업인데, 초·중·고생을 대상으로 모의 창업 교육을 통해 기업가 정신을 갖춘 융합형 창의 인재를 길러서 양성하는 것을 목표로 삼고 있다.

이 캠프에 참가하는 학생들은 3일 간의 짧은 시간에 창업의 전 과정을 모의로 경험해 볼 수 있다. 캠프의 주요 내용을 소개하면 다음과 같다. 캠프 첫날에는 기업가 정신 역량 진단을 통해 진취성과 혁신성 등의 기업가적인 요소를 발견하도록 하는 교육을 받는다. 또한 팀별 아이템 구상과 가상 기업 설립에 대한 교육도 받는다. 다음날에는 회사 운영 계획 수립, 창업 아이템의 사업화 방법 등을 체험한다. 마지막 날에는 참가한 팀별로 창업 아이템과 사업 계획 발표, 모의 투자 대회를 통한 사업 실현 가능성 등에 대해 평가를 받는다. 최종 평가에서 최우수 팀으로 뽑히면 글로벌 캠프에 참가할 수 있는 기회를 얻게 된다.

비즈쿨 캠프는 청소년들이 교실 수업에서 벗어나 자신의 꿈과 끼를 발견할 수 있는 좋은 프로그램이다. 중소벤처기업부에서 운영하는 누리집인 K-스타트업을 방문하면 비즈쿨 캠프에 관한 더 자세한 정보를 얻을 수 있으므로 창업에 관심이 있는 학생들은 방문해 보기 바란다.

8. 초고를 쓰기 위해 떠올린 생각 중 (나)에 반영되지 않은 것은?

① 중심이 되는 정보를 일정별로 제시해야겠어.
② 독자에 대한 바람을 언급하며 마무리해야겠어.
③ 글을 쓰게 된 목적이나 동기를 밝혀 주어야겠어.
④ 전문가의 인터뷰를 소개하며 새로운 사실을 알려야겠어.
⑤ 독자에게 추가 정보를 얻을 수 있는 방법을 안내해야겠어.

9. <보기>의 설문 조사 결과를 활용하여 (나)를 보완하고자 한다. 자료 활용 방안으로 가장 적절한 것은?

< 보 기 >

○ 우리 학교 학생들을 대상으로 실시한 설문 조사 결과

| 순위 | 비즈쿨 사업에 참가하지 않는 이유 | 비율(%) |
|---|---|---|
| 1 | 참여하는 방법을 잘 몰라서 | 56.2 |
| 2 | 어떤 프로그램이 있는지 잘 몰라서 | 25.7 |
| 3 | 시간적 여유가 없어서 | 9.6 |
| 4 | 필요성이나 흥미를 못 느껴서 | 8.5 |
| 합계 | | 100 |

① 학교에서 창업 관련 프로그램을 운영하기가 현실적으로 어려움을 호소하는 데 활용한다.
② 비즈쿨 캠프에 참여하는 절차가 복잡하여 학생들의 관심도가 낮음을 지적하는 데 활용한다.
③ 정부 지원의 창업 관련 사업에 학생들이 참여하지 않는 이유를 구체적으로 밝히는 데 활용한다.
④ 비즈쿨 사업의 참여가 실제 창업 능력의 신장으로 이어지지 않았음을 강조하는 데 활용한다.
⑤ 비즈쿨 캠프의 프로그램이 부실하여 학생들의 흥미를 이끌어 내지 못함을 드러내는 데 활용한다.

10. 다음은 학생이 '조언'에 따라 [A]를 고쳐 쓰는 과정의 일부이다. ㉠, ㉡에 해당하는 내용을 바르게 짝지은 것은?

| 조언 | [A]에는 ( ㉠ )하고, ( ㉡ )하는 것이 좋겠어. |
|---|---|

↓

| 고친 글 | 비즈쿨(Bizcool)은 일(Business)과 학교(School)의 합성어인데, '학교에서 경영을 배운다.'는 의미를 담고 있는 말이다. 비즈쿨은 중소벤처기업부에서 지원하는 창업 관련 사업인데, 초·중·고생을 대상으로 모의 창업 교육을 통해 기업가 정신을 갖춘 융합형 창의 인재를 양성하는 것을 목표로 삼고 있다. |
|---|---|

① ㉠: 개념에 대한 설명이 부족하니 부연 설명을 추가
㉡: 의미가 중복되는 표현이 있으므로 이를 삭제
② ㉠: 필요한 조사가 생략되어 어색하므로 그것을 추가
㉡: 어법에 어긋난 단어가 있으므로 이를 바르게 수정
③ ㉠: 문단이 완결되지 않았으므로 마무리 문장을 추가
㉡: 글의 흐름에서 벗어나는 문장이 있으므로 이를 삭제
④ ㉠: 문장 성분이 생략되어 어색하므로 필요한 성분을 추가
㉡: 앞의 문단에서 다룬 내용이 중복되었으므로 이를 삭제
⑤ ㉠: 글의 맥락에 부적합한 담화 표지가 있으므로 이를 삭제
㉡: 문장 간의 연결이 긴밀하지 않으므로 연결 표현을 추가

[11 ~ 12] 다음 글을 읽고 물음에 답하시오.

국어에는 체언이나 부사, 어미 따위에 붙어 그 말과 다른 말과의 문법적 관계를 표시하거나 그 말의 뜻을 도와주는 품사가 있는데, 이를 조사라고 한다. 조사는 그 기능과 의미에 따라 격 조사, 보조사, 접속 조사로 분류한다.

격 조사는 앞에 오는 체언이 문장 안에서 일정한 자격을 가지도록 해 준다. '이/가'와 같이 문장 안에서 체언이나 체언 구실을 하는 말 뒤에 붙어 주어의 자격을 가지게 하는 주격 조사도 있고, '을/를'과 같이 목적어가 되게 하는 목적격 조사도 있다. 또 '의'와 같이 관형어가 되게 하는 관형격 조사도 있고, '이/가'와 같이 '되다', '아니다'와 함께 쓰여 보어가 되게 하는 보격 조사도 있다. 그밖에 '에', '에서', '(으)로', '와/과', '보다'처럼 체언이나 체언 구실을 하는 말 뒤에 붙어 부사어의 자격을 가지게 하는 부사격 조사와 '아/야'와 같이 독립어 가운데 부름말이 되게 하는 호격 조사 등도 격 조사에 속한다. 특히 체언에 붙어 서술어의 자격을 가지게 하는 '이다'는 서술격 조사라고 하는데, 마치 동사나 형용사처럼 활용하는 특징이 있다.

보조사는 체언, 부사, 활용 어미 따위에 붙어서 어떤 특별한 의미를 더해 주는 구실을 한다. 보조사에는 '은/는', '도', '만', '까지', '마저', '조차', '부터' 따위가 있다. '인생은 짧고 예술은 길다.'에 쓰인 '은'은 체언에 붙어서 어떤 대상이 다른 것과 대조됨을 나타내는 보조사이다. 또 '고구마는 구워도 먹고 삶아도 먹는다.'에 쓰인 '도'는 활용 어미 뒤에 붙어서 둘 이상의 대상이나 사태를 똑같이 아우름을 나타내는 보조사이다.

접속 조사는 둘 이상의 단어나 구 따위를 같은 자격으로 이어 주는 구실을 한다. 접속 조사에는 '와/과', '하고', '(이)나', '(이)랑' 등이 있다. '배하고 사과하고 감을 가져오너라.'에 쓰인 '하고'는 둘 이상의 사물을 같은 자격으로 이어 주는 접속 조사이다.

그런데 ⓐ <u>동일한 형태의 조사가 문장에서 서로 다른 기능을 하기도 한다.</u> 예를 들어 조사 '가'는 앞말이 주어임을 나타내는 격 조사로 쓰일 때도 있고, 앞말을 강조하는 뜻을 나타내는 보조사로 쓰일 때도 있다. '를'은 앞말이 목적어임을 나타내는 격 조사로 쓰일 때도 있고, 앞말을 강조하는 뜻을 나타내는 보조사로 쓰일 때도 있다. 또 '에'는 앞말이 부사어임을 나타내는 격 조사로 쓰일 때도 있고, 둘 이상의 사물을 같은 자격으로 이어 주는 접속 조사로 쓰일 때도 있다. '과'는 앞말이 부사어임을 나타내는 격 조사로 쓰일 때도 있고, 두 단어나 문장 따위를 이어 주는 접속 조사로 쓰일 때도 있다. 또 '에서'는 앞말이 부사어임을 나타내는 격 조사로 쓰일 때도 있고, 단체를 나타내는 명사 뒤에 붙어 앞말이 주어임을 나타내는 격 조사로 쓰일 때도 있다.

**11.** 윗글을 바탕으로 <보기>의 ㉠ ~ ㉤을 탐구한 내용으로 적절하지 <u>않은</u> 것은?

< 보 기 >

㉠ 그는 보통 인물<u>이</u> 아니다.
㉡ 철수야, 내일이 무슨 날<u>이니</u>?
㉢ 이번에 성적이 많이<u>도</u> 올랐구나!
㉣ 언니가 동생<u>의</u> 간식을 만들고 있다.
㉤ 백화점에 가서 구두<u>랑</u> 모자<u>랑</u> 샀어요.

① ㉠의 '이'는 체언인 '인물'에 붙어 주어의 자격을 갖게 한다.
② ㉡의 '이니'는 체언인 '날'에 붙어 서술어의 자격을 갖게 한다.
③ ㉢의 '도'는 부사인 '많이'에 붙어 특별한 의미를 더해 주는 구실을 한다.
④ ㉣의 '의'는 체언인 '동생'에 붙어 관형어의 자격을 갖게 한다.
⑤ ㉤의 '랑'은 '구두'와 '모자'를 같은 자격으로 이어주는 역할을 한다.

**12.** 밑줄 친 조사 중 ⓐ의 사례로 적절한 것은?

① 방이 깨끗하지<u>가</u> 않다. / 친구마저 미덥지<u>가</u> 못하다.
② 그녀는 장미<u>를</u> 좋아한다. / 그는 도서관에서 잡지<u>를</u> 읽었다.
③ 그는 요란한 소리<u>에</u> 잠을 깼다. / 그까짓 일<u>에</u> 너무 마음 상하지 마라.
④ 친구들<u>과</u> 어울려 늦게까지 놀았다. / 그는 다섯 살 아래의 여성<u>과</u> 결혼했다.
⑤ 너는 부산<u>에서</u> 몇 시에 출발할 예정이냐? / 우리 학교<u>에서</u> 올해도 우승을 차지했다.

**13.** <보기>의 ㉠에 들어갈 내용으로 적절한 것은? [3점]

< 보 기 >

아래의 단어들을 음운 변동 양상에 따라 둘로 분류할 때, 어떤 질문이 적절한지 알아봅시다.

놓는[논는], 닳아[다라], 막일[망닐], 칼날[칼랄]

| 질문 | ㉠ | |
|---|---|---|
| 대답 | 예 | 아니요 |
| | 놓는[논는], 칼날[칼랄] | 닳아[다라], 막일[망닐] |

① 음운 변동 전후 음운의 수가 동일한가?
② 자음과 모음의 변동이 모두 일어났는가?
③ 음운 변동의 결과가 표기에 반영되었는가?
④ 음운 변동이 앞 음절에서만 발생하였는가?
⑤ 조음 방법이 같아지는 음운 변동이 일어났는가?

14. <보기 1>을 바탕으로 <보기 2>의 높임 표현을 바르게 분석한 것은?

< 보기 1 >

우리말의 높임법은 주어가 나타내는 대상을 높이는 주체 높임, 목적어나 부사어가 나타내는 대상을 높이는 객체 높임, 청자를 높이거나 낮추는 상대 높임으로 구분할 수 있다. 이러한 높임법은 조사, 특수 어휘, 선어말 어미, 종결 어미 등에 의해 실현된다.

< 보기 2 >

영희야, 아버지께서는 할머니를 모시고 먼저 나가셨어.

| | 주체 높임 | 객체 높임 | 상대 높임 |
|---|---|---|---|
| ① | ○ | ○ | 높임 |
| ② | ○ | ○ | 낮춤 |
| ③ | ○ | × | 높임 |
| ④ | × | ○ | 낮춤 |
| ⑤ | × | × | 높임 |

15. <보기>의 중세 국어 자료에 나타난 특징을 탐구한 내용으로 적절하지 않은 것은?

< 보 기 >

[중세 국어] 불·휘**기·픈**남·ᄀᆞᆫᄇᆞᄅᆞ·매아·니**:뮐·ᄊᆡ**
[현대 국어] 뿌리가 깊은 나무는 바람에 아니 움직이므로
<용비어천가>

[중세 국어] ·첫소·리·**ᄅᆞᆯ**어·울·워**ᄡᅳᇙ·디·면**ᄀᆞᆯ·ᄫᅡ·쓰·라
[현대 국어] 첫소리를 합하여 쓸 것이면 나란히 쓰라.
<훈민정음언해>

[중세 국어] ·몸·이며**얼굴**·이며머·리털·이·며·ᄉᆞᆯ·ᄒᆞᆫ
[현대 국어] 몸과 형체와 머리털과 살은
<소학언해>

① '기·픈'은 '깊은'과 견주어 보니, 소리 나는 대로 적었음을 알 수 있군.
② ':뮐·ᄊᆡ'는 '움직이므로'에 대응하는 것을 보니, 현대 국어에서는 쓰이지 않는 단어임을 알 수 있군.
③ '·ᄅᆞᆯ'은 '를'과 견주어 보니, 현대 국어와 단어의 형태가 달랐음을 알 수 있군.
④ 'ᄡᅳᇙ·디·면'은 '쓸 것이면'에 대응하는 것을 보니, 초성에 서로 다른 두 개의 자음이 함께 사용되었음을 알 수 있군.
⑤ '얼굴'은 '형체'라는 의미였던 것을 보니, 현대 국어로 오면서 단어의 의미가 확대되었음을 알 수 있군.

[16 ~ 20] 다음 글을 읽고 물음에 답하시오.

실존주의는 현대 과학 기술 문명과 전쟁 속에서 비인간화되어 가는 현실을 고발하는 과정에서 등장한 철학 사조로, 개인으로서의 인간의 주체적 존재성을 강조한다. 사르트르(J. P. Sartre)는 실존주의를 대표하는 철학자로, 이전의 철학자들이 인간의 본질이 무엇이냐는 근원적 물음을 탐구했다면, 사르트르는 개개인의 실존을 문제 삼았다. 그의 사상은 '실존은 본질에 선행한다.'로 집약할 수 있는데, 여기서 '본질'은 어떤 존재에 관해 '그 무엇'이라고 정의될 수 있는 성질을 뜻하고, '실존'은 자기의 존재를 자각하면서 존재하는 주체적인 상태를 뜻한다.

무신론자였던 사르트르는 인간은 사물과 달리 그 본질이나 목적을 가지고 판단할 수 없다고 보았다. 예를 들어, 연필은 처음부터 '쓴다'는 목적으로 만들어진다. 무엇인가를 쓴다는 것은 연필의 본질이므로, 연필의 존재는 그 본질로부터 나온다. 즉 사물은 본질이 그 존재에 선행하는 것이다. 그러나 인간은 사물과 다르다. 사르트르는 인간이 신의 뜻에 따라 만들어진 존재라는 기존의 통념을 거부하면서, 인간은 우연히 이 세계에 내던져진 채 스스로를 만들어 가는 존재라고 보았다.

사르트르는 이 세계의 모든 존재를 '의식'의 유무를 기준으로 의식이 없는 '사물 존재'와 의식이 있는 '인간 존재'로 구분하였다. 그리고 사물 존재를 '즉자존재(Being in itself)'로, 인간 존재를 '대자존재(Being for itself)'로 각각 명명하였다. 여기서 즉자존재는 일상의 사물들처럼 자기의식이 없기 때문에, 그 자리에 계속 그것인 상태로 남아 있다. 반면에 대자존재는 자기의식을 가진 존재이다. 따라서 자기 자신을 대상화*하여 스스로를 바라볼 수도 있고, 매 순간 자유로운 선택을 통해 자신을 만들어 갈 수도 있다. 그런데 모든 것이 인간의 선택으로 결정이 된다면, 그 선택에 따른 책임도 자기 스스로 져야 한다. 그래서 사르트르는 진실한 인간이라면 책임감이라는 부담 때문에 번민하고, 그 번민의 원인이 되는 자유로부터 도피하고 싶은 욕망이 생길 수 있다고 보았다.

또한 사르트르는 인간의 자유로운 선택이 타자와 연관된다고 여겼다. 왜냐하면 내가 주체적 의식을 지니고 살아가듯이 타자도 주체적 의식을 지니고 있어서, 내가 아무리 주체성을 지닌 존재라 하더라도 나를 바라보는 다른 사람은 나를 즉자존재처럼 객체화하여 파악할 수 있기 때문이다. 그래서 사르트르는 타인의 시선으로 규정되는 인간의 모습을 일컬어 '대타존재(Being for others)'라고 명명하였다. 예를 들어, 길을 걷다가 친구의 장난스러운 표정이 떠올라 웃었다고 가정해 보자. 그런데 그런 상황을 모르는 타자는 '저 사람 참 실없는 사람이네.'라는 시선을 보낼 수 있다. 이때 타자에 의해 '실없다'라고 규정되는 존재가 대타존재인 것이다.

그런데 이런 시선은 타자만 나에게 보내는 것이 아니라 나도 타자에게 보낼 수 있다. 왜냐하면 [ ㉠ ] 그래서 사르트르는 나와 타자가 맺는 관계는 공존이 아니라 갈등과 투쟁으로 여겨서, '타자는 지옥이다.'라는 극단적인 표현까지 동원하기도 하였다. 그러나 그는 이렇게 자신이 타자의 시선에 노출되더라도 자신의 행위를 계속해 나가야 한다고 말한다. 자신의 선택에 따라 행동하며 그것을 타자가 받아들이도록 함으로써 타자를 자신의 선택 속에 끌어들일 수 있는 것이다. 그러니까 인간은 참된 자아를 찾기 위해 타자의 시선을 두려워하거나 피할 것이 아니라 이를 극복하고 계속 자신의 행

위를 선택하며 살아가야 한다.

사르트르의 실존주의는 개인이 사회적 관습에 의해 제약을 받는다는 사실을 간과하였다는 점, 나와 타자가 맺어가는 인간관계를 지나치게 비관적으로 설정하였다는 점 등에서 비판을 받기도 하였다. 하지만 그의 실존주의는 주체성을 상실한 채 획일화되어 가는 우리의 삶을 반성하게 하고, 주체적이고 개성적인 삶을 살아가도록 도움을 준다는 점에서 오늘날까지 그 가치가 높이 평가되고 있다.

* 대상화 : 자기의 주관 안에 있는 것을 객관적인 대상으로 구체화하여 밖에 있는 것처럼 다룸.

16. 윗글의 표제와 부제로 가장 적절한 것은?

① 사르트르 실존주의의 장단점
 – 인간과 사물의 차이점을 중심으로
② 사르트르 실존주의의 발생 배경
 – 현대 과학 기술 문명의 발전을 중심으로
③ 사르트르 실존주의의 변천 과정
 – 본질과 실존의 우선순위 변화를 중심으로
④ 사르트르 실존주의의 특성과 의의
 – 사물, 나, 타자에 대한 이해를 중심으로
⑤ 사르트르 실존주의의 주요 개념과 한계
 – 자유와 책임의 상호 관계를 중심으로

17. 윗글의 '사르트르'의 견해로 적절하지 않은 것은?

① 사물의 본질은 존재에서 나온다.
② 선택의 자유가 번민의 계기가 될 수 있다.
③ 모든 존재는 의식의 유무로 양분할 수 있다.
④ 인간은 대자존재이자 대타존재로 규정될 수 있다.
⑤ 개인과 개인은 갈등과 투쟁의 관계로 맺어져 있다.

18. ㉠에 들어갈 말로 가장 적절한 것은?

① 서로가 서로의 자유로운 선택을 인정하기 때문이다.
② 나와 타자가 각자의 방식으로 자신을 돌아보기 때문이다.
③ 서로가 서로를 주체성을 지닌 존재로 파악하기 때문이다.
④ 나와 타자가 서로의 시선에서 벗어나기를 원하기 때문이다.
⑤ 서로가 서로를 대상으로 삼아 객체화하려고 하기 때문이다.

19. 윗글과 <보기>를 활용하여 '사르트르'와 '키르케고르'의 입장을 비교한 내용으로 적절하지 않은 것은?

< 보 기 >

유신론적 실존주의자인 키르케고르는 인간은 스스로의 결단을 통해 자신의 삶을 결정할 수 있다고 보았다. 그는 참된 자아실현의 과정을 3단계로 나누었다. 쾌락을 추구하며 살아가는 '미적 실존'의 단계에서는 끝없는 쾌락의 추구로, 윤리 규범을 준수하며 살아가는 '윤리적 실존'의 단계에서는 자신의 불완전성으로, 결국 절망을 느끼게 된다고 보았다. 따라서 이를 극복하고 참된 자아를 찾기 위해서는 신의 명령에 따라 살아가는 '종교적 실존'의 단계를 스스로 선택해야 한다고 주장하였다.

① 키르케고르와 달리 사르트르는 신에 의존하지 않는 삶을 추구했겠군.
② 사르트르와 달리 키르케고르는 자아실현의 과정이 단계별로 진행된다고 생각했겠군.
③ 사르트르와 키르케고르는 모두 인간이 자신의 삶을 주체적으로 결정할 수 있다고 믿었겠군.
④ 사르트르와 키르케고르는 모두 참된 자아를 찾기 위해서 극복해야 할 대상이 있다고 여겼겠군.
⑤ 사르트르와 키르케고르는 모두 윤리 규범과 같은 사회적 관습을 지키는 것이 중요하다고 여겼겠군.

7회

20. 윗글을 바탕으로 <보기>를 이해한 내용으로 적절하지 않은 것은? [3점]

< 보 기 >

(학생이 선생님과 상담하는 상황)

**학 생 :** 선생님, 저는 어렸을 때부터 누가 장래 희망을 물어보면 늘 의사라고 대답하곤 했는데, 고2가 되면서 제가 정말 의사가 되고 싶은지 의문이 들었어요.
**선생님 :** 왜 그런 생각을 하게 된 거야?
**학 생 :** 의사라는 꿈이 제 꿈이 아니라 부모님의 꿈이라는 생각이 들었거든요. 저는 어렸을 때부터 '너는 의사가 될 거야.'라는 말을 들으며 자랐어요. 그래서 당연히 의사가 되어야 한다고 생각했어요.
**선생님 :** 그렇구나. 그런데 처음부터 해야 할 일이 정해진 사람은 없어. 네 꿈은 네가 고민해서 선택하는 것이 맞지 않을까?
**학 생 :** 그렇기는 하지만…… 부모님께서 반대하시면요?
**선생님 :** 어떤 선택을 하든 네가 선택한 것에 책임감 있게 행동하면, 부모님도 너의 선택을 인정해 주시지 않을까? 선생님은 네가 하고 싶은 일을 스스로 찾았으면 좋겠어.

① '학생'은 장래 희망과 관련하여 스스로를 대상화하고 있군.
② 부모님의 기대를 의식하는 '학생'은 대타존재에 해당하겠군.
③ '선생님'은 선천적으로 주어진 본질이란 없다고 생각하고 있군.
④ 학생이 의사가 되기를 바라는 '부모님'은 대자존재에 해당하겠군.
⑤ '학생'은 장래 희망과 관련된 선택에서 타자의 시선을 고려하고 있군.

[21 ~ 25] 다음 글을 읽고 물음에 답하시오.

(가)

청풍(淸風)을 좋이 여겨 창을 아니 닫았노라.
명월(明月)을 좋이 여겨 잠을 아니 들었노라.
옛사람 이 두 가지 두고 어디 혼자 갔노.

<제1수>

내라서 누구라 하여 작녹(爵祿)*을 맘에 둘꼬.
조그만 띠집을 시내 위에 이룬 바
어젯밤 손수 닫은 문을 늦도록 닫치었소.

<제2수>

상 위에 책을 놓고 아래 신을 내어라.
이봐 아해야, 날 볼 이 그 뉘고.
알게라, 어제 맞춘 므지술* 맛보러 왔나보다.

<제3수>

두고 또 두고 저 욕심 그지없다.
나는 ⓐ 내 집에 내 세간을 살펴보니
우습다 낚싯대 하나 외에 거칠 것이 전혀 없어라.

<제4수>

산아 너는 어이 한결같이 높았으며
물아 너는 어찌 날날이 흐르느냐.
처간(處間)*에 인지(仁智)한 군자는 못내 즐겨 하노니라.

<제5수>

오두미(五斗米)* 위하여 홍진(紅塵)*의 나지 마라.
바람 비 어지러워 칼 톱이 무서워라.
나중에 슬코 뉘우치나 기구하다 기로다단(岐路多端)* 하여라.

<제6수>

– 이정, 「풍계육가(楓溪六歌)」 –

* 작녹 : 벼슬과 녹봉.
* 므지술 : 의미가 불분명하나 맥락상 '묻어둔 술'로 보임.
* 처간 : 초야, 궁벽한 시골.
* 오두미 : 얼마 안 되는 봉급을 비유하는 말.
* 홍진 : 번거롭고 속된 세상을 비유적으로 이르는 말.
* 기로다단 : 갈림길의 갈래나 가닥이 많음.

(나)

ⓑ 내가 사는 집은 높이가 한 길이 못 되고, 너비는 아홉 자가 못 된다. 인사를 하려고 하면 갓이 천장에 닿고, 잠을 자려고 하면 무릎을 구부려야 한다. 한여름에 햇볕이 내리쬐면 창문이 뜨겁게 달아오른다. 그래서 둘러친 담장 밑에 박을 10여 개 심었더니, 넝쿨이 자라 집을 가려 주었다. 그러자 우거진 그늘 때문에 모기와 파리 떼들이 어두운 곳에서 서식하고, 뱀들이 서늘한 곳에 웅크리고 있었다. 어두운 밤에 자주 일어나 등촉을 들고 마당을 살펴보았다. 가만히 있으면 가려움 때문에 긁느라 지치고, 이리저리 움직이면 쏘아 대는 것이 두렵다. 이를 걱정하고 신경 쓰느라 병이 생겼으니, ㉠ 소갈증이 심해지고 가슴도 막힌 듯 답답했다. 찾아오는 손님에게 이러한 사정을 자세히 말하곤 했다.

서울에서 온 어떤 나그네가 내 말을 듣고 위로를 하였다. 그리고 자신이 예전에 몸소 겪었던 일을 말해 주었다.

"저는 어려서 집이 가난하여 장사를 했습지요. 영남 땅의 나루터, 정자, 역정(驛亭), 여관 그리고 궁벽한 고을의 작은 주막들에 이르기까지 제 발길이 닿지 않는 곳이 없었답니다. 무더운 여름철에 여행객과 나그네들이 한곳에 모이게 된답니다. 수령과 보좌 관원이 먼저 내실을 차지한 채 서늘하게 지내고, 바람 부는 곁채와 시원한 평상은 아전과 역졸(役卒)들이 차지하지요. 오직 뜨거운 구들과 뜨뜻한 침상에는 벽을 뚫고 관솔불이 비쳐 들고 대자리를 깎아 빈대를 쫓아내는 곳만이 남게 되지요. ㉡ 그곳만은 어느 누구도 다투지 않으며, 우리네 같은 사람들이 이틀 밤을 묵고 지내는 곳이랍니다.

(중략)

그런데 여관집의 노비를 보면 이와 다릅지요. 때가 잔뜩 낀 지저분한 얼굴을 하고 부지런히 소나 말처럼 분주히 오가며 일을 하지요. 지나다니는 사람들에게 빌붙어 아침저녁을 해결하니, 버려진 음식도 달게 먹는답니다. 그 사람은 취하여 배부르면 눕자마자 잠이 들지요. 우리네들이 예전에 견디지 못하는 것을 그 사람은 편안하게 여기니, 마치 쌀쌀한 날씨 속에 선선한 방에서 잠자듯 한답니다. 그의 모습을 살펴보면 옷은 다 해지고 여기저기 꿰매었지만 살결은 튼실하고, 특별한 재앙을 겪지 않고 천수를 누리고 있지요.

이것은 다른 이유 때문이 아니랍니다. 그 사람은 자기가 사는 곳을 여관으로 생각하며, ㉢ 지금의 삶을 본래 정해진 운명이라고 여깁니다. 온갖 걱정과 근심으로 자기 마음을 상하게 하는 일도 없고, 끙끙거리며 탄식하느라 기운을 허하게 하는 일도 없지요. 그래서 재앙을 특별히 겪지 않고 천수를 누릴 사람이랍니다.

또 이런 말도 있습지요. 지금 이 세상은 살아 있는 사람을 봉양하고 죽은 사람을 장사 지내는 여관 같은 곳입니다. 그리고 이 여관은 하룻밤이나 이틀을 묵고 가는 곳입니다. ㉣ 지금 그대는 이러한 여관에 몸을 기탁해 사는데다가, 다시 또 멀리 떠나와 궁벽한 골짜기에 몸을 숨기고 있습니다. 이것은 여관 중의 여관에 머물고 있는 셈이지요.

[A] 저 여관집의 노비는 일자무식한 사람입니다. 다만 그는 여관을 여관으로 여기면서, 음식도 잘 먹고 하루하루를 지내니, 추위와 더위도 그를 해치지 못하고 질병도 해를 입히지 못한답니다. 그런데 그대는 도를 지키고 운명에 순종하며, 소박하고 솔직한 태도로 행하는 분입니다. 그런데 여관 중의 여관에서 지내면서도 여관을 여관으로 생각하지 않으십니다. 자기 스스로 화를 돋우고 들볶아 원기를 손상시키니, 병이 생겨 거의 죽을 지경에 이르렀습니다. 그대가 배우기를 바라는 것은 옛날 성현의 말씀인데도, 오히려 여관집의 노비가 하는 것처럼도 하지 못하는구려."

㉤ 이에 그 말을 서술하여 벽에 적고 '포화옥*기'라 하였다.

– 이학규, 「포화옥기(匏花屋記)」 –

* 포화옥 : 박 넝쿨로 둘러싸인 집.

21. (가)와 (나)의 공통점으로 가장 적절한 것은?

① 반어적 표현을 통해 현실 비판 의식을 부각하고 있다.
② 대조적인 방식으로 추구하는 삶의 모습을 드러내고 있다.
③ 고사를 활용하여 현재의 삶에 대한 반성을 드러내고 있다.
④ 계절감을 나타낸 어휘를 통해 상황을 생생하게 드러내고 있다.
⑤ 역설적 표현을 사용하여 현재 상황을 극복하려는 의지를 나타내고 있다.

22. <보기>를 바탕으로 (가)를 감상한 내용으로 적절하지 않은 것은? [3점]

< 보 기 >

(가)는 자연 속에 은거하며 풍류를 즐기는 처사(處士)의 삶을 형상화하고 있다. 화자는 속세를 벗어나 자연을 예찬하며 자연과의 합일을 도모하는 한편, 벼슬길의 위험함을 인식하며 세속적 삶을 멀리하려는 뜻을 드러내고 있다.

① <제1수>에서 '명월'이 좋아 '잠'을 자지 않는 행위를 통해 자연 친화적인 삶의 모습을 보여 주고 있군.
② <제2수>에서 '작녹'을 마음에 두지 않고 '문'을 늦도록 닫아 두는 것은 세속적 삶을 멀리하려는 태도라 하겠군.
③ <제4수>에서 '그지없다'고 한 '욕심'은 자연과의 합일을 지속하려는 마음을 가리키겠군.
④ <제5수>에서 '산'과 '물'을 청자로 설정하여 자연물의 변함없는 모습을 예찬하고 있군.
⑤ <제6수>에서 '홍진'과 거리를 두며 '칼 톱'이 무섭다고 한 것은 벼슬길의 위험성을 인식했기 때문이겠군.

23. ⓐ와 ⓑ를 이해한 내용으로 가장 적절한 것은?

① 모두 소망과 관련되는 공간이지만, ⓐ는 좌절되는 공간, ⓑ는 성취되는 공간이다.
② 모두 이상적인 공간이지만, ⓐ는 실현 가능성이 있는 공간, ⓑ는 실현 불가능한 공간이다.
③ 모두 실제 삶의 공간이지만, ⓐ는 만족감을 느끼는 공간, ⓑ는 열악함을 느끼는 공간이다.
④ 모두 현실과 갈등하는 공간이지만, ⓐ는 갈등이 심화되는 공간, ⓑ는 갈등이 해소되는 공간이다.
⑤ 모두 회상의 공간이지만, ⓐ는 자신의 삶에 대한 회상, ⓑ는 타인의 삶에 대한 회상이 이루어지는 공간이다.

24. [A]의 말하기 방식으로 가장 적절한 것은?

① 지향하는 바와 다르게 행동하고 있음을 지적하며 상대방을 비판하고 있다.
② 자신이 처한 어려움을 구체적으로 드러내어 상대방의 감정에 호소하고 있다.
③ 상대방의 말의 허점을 논리적으로 반박하면서 자신의 지식을 과시하고 있다.
④ 상대방이 가진 능력을 인정하면서 상대방이 이루어낸 성과를 치하하고 있다.
⑤ 상대방의 말에 거짓으로 동조하는 척하면서 상대방을 안심시키려 하고 있다.

25. <보기>를 참고하여 ㉠ ~ ㉤을 이해한 내용으로 적절하지 않은 것은?

< 보 기 >

(나)는 작가인 이학규가 신유박해에 연루되어 유배되었을 때 창작된 작품이다. 이 작품은 나그네가 들려주는 이야기를 통해 작가가 깨달은 바를 드러낸 글이다. 나그네는 자신의 직접 경험, 여관집 노비를 관찰한 모습 등을 바탕으로 작가에게 교훈을 전해 준다.

① ㉠: 작가가 얻은 병의 구체적인 증상을 언급하여 유배 생활의 어려움을 드러내고 있다.
② ㉡: 나그네가 자신의 직접 경험을 바탕으로 이야기하고 있음을 알 수 있다.
③ ㉢: 여관집의 노비는 현실을 받아들이고 운명에 순응하는 삶의 태도를 보여 주고 있다.
④ ㉣: 작가의 처지가 조금씩 개선되리라는 것을 일깨우려는 나그네의 의도가 담겨 있다.
⑤ ㉤: 나그네의 이야기를 통해 얻은 교훈을 작가가 오래 간직하고자 했음을 알 수 있다.

[26 ~ 30] 다음 글을 읽고 물음에 답하시오.

인체는 끊임없이 세균과 바이러스, 기생충과 같은 외부 물질의 공격을 받는다. 이들은 주로 감염이나 질병의 원인이 되므로 인체는 이와 같은 외부 물질의 침입에 저항하고 방어하는 작용을 하게 되는데, 이를 면역 반응이라 한다. 따라서 건강하다는 것은 면역 반응이 활발하여 외부 물질들을 완벽하게 제거하는 상태를 의미하는 것으로 이해하기 쉽다.

그러나 면역 반응이 과도해지면 오히려 인체에 해를 끼치기도 한다. 최근 급증하는 알레르기나 천식, 자가면역질환은 불필요한 면역 반응으로 인해 발생한다. 면역계가 일반적으로는 해가 되지 않는 물질들인 꽃가루나 먼지뿐만 아니라 자신의 조직까지 제거해야 할 대상으로 인식하여 공격하는 것이다. 그런데 이와 같은 면역계 과민 반응으로 인한 질병들은 의료 환경이 발달한 선진국에서 점점 더 증가하는 추세이다. 그렇다면 이와 같은 면역계 과민 반응이 나타나는 이유는 무엇일까?

과학자들은 그 이유를 인체가 수백만 년 동안 진화해 온 환경에서 찾았다. 인체는 무균 지대나 청정 지대가 아니라 세균과 바이러스, 기생충 등과 함께 진화해 왔다. 즉 이들 침입자는 인체의 면역계로부터 자신을 보호하기 위해 면역 반응을 억제하도록 진화했고, 인체는 면역 반응을 억제하는 외부 물질의 침입에 대비하여 면역 반응을 일으키도록 진화했다. 그런데 현대 의학의 발달과 환경 개선으로 바이러스 등이 줄어들게 되자 면역 반응이 지나치게 된 것이다. 이를 위생가설이라고 한다. 위생가설에 따르면 바이러스에 접할 기회가 줄어든 깨끗한 환경이 오히려 질병의 원인이 된다.

위생가설은 인체가 외부 물질과의 공존 속에서 면역 반응의 균형을 찾는다는 시사점을 주었다. 모든 외부 물질들이 배척되기만 한다면 면역 반응에 제동을 걸어줄 존재가 사라지므로 균형이 깨어지는 것이다. 그렇다면 면역계는 어떻게 외부 물질과 공존할 수 있을까? 장(腸)에 존재하는 미생물을 통해 이를 설명할 수 있다. 우리 장 안에는 몸 전체의 세포 수보다 10여 배나 더 많은 장내미생물이 살고 있는데, 이는 면역계가 이들의 존재를 인정하고 받아들였기 때문이다.

면역계를 구성하는 면역세포들은 인체에 유입된 외부 물질을 인지하고 이를 제거하는 면역 반응을 일으킨다. 중추적 역할을 하는 면역세포는 수지상세포와 T세포이다. 수지상세포는 말 그대로 세포막이 나뭇가지처럼 기다랗게 뻗어 나와 있는 모양의 세포이다. 수지상세포는 인체에 침입한 외부 물질을 인지하고, 소장과 대장 주변에 분포한 림프절에서 미성숙T세포를 조력T세포와 세포독성T세포로 분화시킨다. 이 두 종류의 T세포가 몸 안에 침입한 이물질을 없애는 역할을 한다.

그런데 장내미생물은 조력T세포나 세포독성T세포의 공격을 피하기 위해 수지상세포에 영향을 미쳐 그 성격을 바꿔놓는다. 즉 수지상세포가 면역 반응을 일으키지 못하게 만드는 것이다. 이렇게 성격이 변한 수지상세포를 조절수지상세포라고 부른다. 조절수지상세포는 림프절에서 미성숙T세포를 조절T세포로 성숙시키는데, 조절T세포는 조력T세포나 세포독성T세포와는 달리 면역 반응을 억제하는 역할을 한다. 그 결과 장내미생물은 외부 물질이면서도 면역계와 공존할 수 있게 된 것이다.

장내미생물은 조절T세포를 통해 자신의 생존을 꾀하지만 그 결과 인체의 면역계는 면역 반응의 강약을 조절하게 된다. 조절T세포가 면역계 과민 반응으로 인한 질병을 치료하는 역할을 담당하게 된 것이다. 실제로 알레르기 환자의 몸에 조절T세포가 작용하면 과민 면역 반응으로 인해 발생한 염증이 억제되면서 증상이 완화된다. 이처럼 조절T세포를 만들게 하는 데 외부 물질인 장내미생물이 중요한 역할을 한다는 사실이 밝혀지면서 면역계와 공존하는 외부 물질에 대한 인식의 전환이 일어나게 되었다.

**26.** 윗글에 대한 설명으로 가장 적절한 것은?

① 면역 반응이 일어나는 과정을 분석하여 가설의 수정이 필요함을 제안하고 있다.
② 면역계 과민 반응의 원인을 설명하여 면역 반응에 대한 통념에 변화를 주고 있다.
③ 면역 반응에 대한 상반된 관점을 소개하고 각각의 관점이 지닌 한계를 설명하고 있다.
④ 면역계 과민 반응의 해결 방안을 제시하고 예상되는 반론을 반박하면서 주장을 강화하고 있다.
⑤ 면역 반응에 주도적 역할을 하는 면역세포를 생성 위치에 따라 분류한 뒤 각각의 역할을 구체화하고 있다.

**27.** 윗글을 통해 답을 확인할 수 <u>없는</u> 질문은?

① 장내미생물이 인체에서 어떻게 생존할 수 있을까?
② 인체가 바이러스를 접할 기회가 줄어든 이유는 무엇일까?
③ 면역계 과민 반응으로 인해 일어나는 질병에는 어떤 것이 있을까?
④ 위생가설에 따를 때 깨끗한 환경이 인체에 미치는 긍정적 변화는 무엇일까?
⑤ 인체가 외부 물질을 제거하지 않고 공존할 때 어떤 이익을 얻을 수 있을까?

**28.** 윗글을 이해한 내용으로 적절하지 <u>않은</u> 것은?

① 인체의 면역계는 과도한 면역 반응을 스스로 조절하는 능력이 있다.
② 인체가 건강하다는 것은 면역 반응의 강약이 조절되는 것을 의미한다.
③ 외부 물질이 인체에 유해한 경우도 있지만 유해하지 않은 경우도 있다.
④ 현대 의학의 발달과 환경 개선은 면역 반응이 지나치게 된 원인에 해당한다.
⑤ 장내미생물은 자신을 공격 대상으로 인식하지 못하도록 면역계에 영향을 미친다.

29. 윗글을 바탕으로 <보기>를 이해한 내용으로 적절하지 않은 것은?

<보 기>

다음은 윗글에서 설명한 면역계의 작용을 도식화한 것이다.

(가) (나)

장내공간
상피세포
수지상세포
미성숙T세포
T세포
조절수지상세포
미성숙T세포
T세포

① (가)의 수지상세포는 (나)의 조절수지상세포와 달리 외부 물질을 제거해야 할 대상으로 인지한다.
② (가)의 T세포는 (나)의 T세포와 달리 몸 안에 침입한 이물질을 없애는 역할을 한다.
③ (나)의 미성숙T세포는 (가)의 미성숙T세포와 달리 두 종류의 면역세포로 분화되지 않는다.
④ (나)의 T세포는 (가)의 T세포와 달리 과민 면역 반응으로 발생한 염증을 억제하는 역할을 한다.
⑤ (가)와 (나)의 작용은 모두 외부 물질의 유입을 막음으로써 인체를 보호하기 위해 일어난다.

30. <보기>를 활용하여 윗글을 보충하고자 할 때, 그 구체적 방안으로 가장 적절한 것은? [3점]

<보 기>

최근 기생충이 특정한 질병의 치료에 효과가 있는 것으로 밝혀졌다. 해당 질병을 가진 환자의 뇌 조직을 관찰한 결과, 그 질병 역시 면역계 과민 반응과 연관이 있다는 것이 알려지면서 기생충을 이용한 치료가 시도되었고, 이것이 성과를 거두고 있다.

① 외부 물질과 공존하여 면역 반응이 균형을 이루게 됨을 보여주는 사례로 활용한다.
② 외부 물질이 면역 반응을 활발하게 하는 역할을 함을 뒷받침하는 사례로 활용한다.
③ 인체가 무균 지대나 청정 지대에서 진화를 거듭해 왔음을 드러내는 사례로 활용한다.
④ 면역계가 환경의 발전에 따라 지속적으로 적응하며 변화하고 있음을 설명하는 사례로 활용한다.
⑤ 인체에 침입한 유해한 외부 물질들을 제거하는 면역계의 중요성을 설명하는 사례로 활용한다.

**[31 ~ 34] 다음 글을 읽고 물음에 답하시오.**

**[앞부분의 줄거리]** 중국 명나라 이익의 아들 대봉과 장 한림의 딸 애황은 장차 혼인을 약속한다. 이후 대봉은 죽을 위기에서 살아나 도술을 익혀 북방 흉노의 대군을 격퇴하고, 애황은 부모를 잃고 남장을 하여 살아가다가 과거에 급제하여 남방 선우의 군대를 격퇴한다. 다시 만난 대봉과 애황은 결혼하고, 공을 인정받아 초왕과 충렬왕후가 되지만 흉노의 대군과 선우의 군대가 재침입을 하게 된다.

"이 일을 어찌 하리오? 남북의 적병이 다시 일어났도다. 전일에 애황이 있었지만 지금은 깊은 규중에 들어갔으니 한쪽에는 대봉을 보내면 되겠지만 또 한쪽에는 누구로 하여금 막게 하리오? 짐이 덕이 없어 도적이 자주 일어나니 초왕 대봉이 성공하고 돌아오면 이번에는 천자의 자리를 대봉에게 전하리라."

이렇게 말하며 눈물을 흘리니, 여러 신하들이 간언을 올려 말하였다.

"천자가 눈물을 흘려 땅을 적시면 3년 동안 심한 가뭄이 든다고 합니다. 하니 과도히 슬퍼하지 마십시오. 즉시 초왕만 패초*하옵시면 왕후는 본래 충효를 겸비한 인재이니 가지 않으려 하지 않을 것입니다."

이에 황제가 즉시 패초하니 초왕이 전교를 보고 크게 놀랐으며 온 나라가 떠들썩하였다. 초왕이 즉시 태상왕에게 국사를 맡기고 용포를 벗고 월각 투구를 쓰고 용인갑을 입고 청룡도를 비스듬히 들고 오추마를 채찍질하여 그날 바로 황성에 도착하였다. 초왕이 계단 아래에 나아가 땅에 엎드리니, 황제가 초왕의 손을 잡고 양쪽에 장수를 다 보낼 수 없는 국가의 위태로움을 이야기하였다. 이에 초왕이 이렇게 말하였다.

"비록 남북의 강병이 억만이라 하더라도 폐하께서는 조금도 근심하지 마소서."

즉시 사자를 명하여 충렬왕후에게 사연을 전하였더니, 왕후가 사연을 보고 크게 놀라 화려한 옷을 벗고 갑주를 갖추어 입고 천사검을 들고 천리준총마를 타고 태상 태후 및 두 공주와 후궁에게 하직한 뒤, 천리마를 채찍질하여 황성으로 달려왔다. 황성에 도착하니 황제와 초왕이 성 밖에까지 나와 맞이하거늘 왕후가 말에서 내려 땅에 엎드려 아뢰었다.

"초왕 부부가 정성이 부족하여 외적이 자주 강성하는 게 아닌가 합니다."

황제가 그 충성스러움을 못내 칭찬하고 어떻게 적을 물리칠 것인지 방책을 물었더니 왕후가 아뢰었다.

[A] "폐하의 은덕이 오직 우리 초왕 부부에게 미쳤사온데, 불행하여 전장에서 죽은들 어찌 마다하겠습니까? 엎드려 바라건대 폐하께서는 근심하지 마옵소서."

이에 군병을 조발*하여 왕후를 대원수 대사마 대장군 겸 병마도총독 상장군에 봉하고 인끈과 절월을 주며 군중에 만약 태만한 자가 있거든 즉시 참수하라 하였다. 또 초왕은 대원수 겸 상장군을 봉하였다. 군사를 조발할 때 장 원수는 황성의 군대를 조발하고 이 원수는 초나라의 군대를 조발하여 각각 80만씩 거느리고 행군하여 대봉은 북방의 흉노를 치러 가고 애황은 남방의 선우를 치러 떠났다.

이때 애황은 잉태한 지 일곱 달이었다. 각자 말을 타고 남북으로 떠나면서 대봉이 애황의 손을 잡고 말하였다.

"원수가 잉태한 지 일곱 달이니, 복중에 품은 혈육 보전하기를 어찌 바랄 수 있으리오? ㉠ <u>부디 몸을 안보하소서. 무사히 돌아와 서로 다시 보기를 천만 바라노라.</u>"

이렇게 애틋한 정을 이기지 못하였는데, 애황이 다시 말하였다.

"원수는 첩을 걱정하지 마시고 대군을 거느리고 가 한 번 북을 쳐 도적을 깨뜨리고 빨리 돌아와 황상의 근심을 덜고 태후의 근심을 덜게 하소서."

말 위에 서로 잡았던 손을 놓고 이별한 뒤, 대봉은 북으로 향하고 애황은 남으로 향하여 행군하였다.

(중략)

원수가 백금 투구를 쓰고 흑운포를 입고 7척 천사검을 높이 들고 천리준총마를 타고 적진으로 달려들 때, 남주작과 북현무, 청룡과 백호군에게 호령하여 적진의 후군을 습격하여 무찌르게 하고 자신은 선봉장 골통을 맞아 싸웠다. 싸운 지 반 합이 채 못 되어 원수의 칼이 공중에서 번쩍 빛나더니 골통의 머리가 떨어졌다. 이어 좌충우돌하며 적진을 누비니, 오늘의 용맹이 전날의 용맹에 비해 배나 더하였다. 삼십여 합을 겨룬 끝에 무수히 많은 장수를 무찌르고 선우의 팔십만 대병을 몰아치니, 선우가 마침내 당해내지 못할 줄 알고 군사를 거느리고 달아나려 하였다. 이를 보고 장 원수가 적군을 여린 풀 베 듯하니, 군사의 주검이 산처럼 쌓였고 피가 흘러 내가 되어 겁내지 않는 이가 없었다. 적진 장졸들이 원수의 용맹을 보고 물결이 갈라지듯 흩어지자, 선우가 이를 보고 죽기를 각오하고 달아났다. 그러나 장 원수가 지르는 한 마디 고성 속에 검광이 번쩍하더니 선우의 몸이 뒤집히면서 말 아래 떨어져 죽고 말았다.

이에 장 원수가 선우의 목을 베어 함에 넣어 남만의 다섯 나라에 보내었다. 그러고는 여러 장수들에게 호령하여 남은 적진 장졸은 씨도 남기지 말고 다 죽이라 하고 백성을 진무*하였다.

이때 다섯 나라의 왕들이 선우의 목을 보고는 황금과 비단, 채단을 수레에 가득 싣고 항복의 문서를 올리며 죽여 달라고 사죄하였다. 장 원수가 다섯 나라의 왕을 잡아들여서는 그들의 죄를 낱낱이 밝힌 뒤 항서와 예단을 받았다. 이어 이렇게 말하였다.

[B] "이 뒤로 만일 반역의 마음을 둔다면 너희 다섯 나라의 인종을 모두 없앨 것이니 명심하라. 또 물러나 동지(冬至)에 조공 보냄을 지체하지 말라."

이에 모두가 살려주기를 애걸하며 선우를 탓하고 머리를 조아리며 사례하고 돌아갔다.

드디어 장 원수가 군사를 수습하여 진문관에서 군사를 위로하며 쉬게 한 뒤, 예단을 싣고 차차 나아가 황성으로 올라왔다. 하양에 이르렀을 때 원수의 몸이 피곤하여 영채(營寨)를 세우고 쉬었는데, 갑자기 복통이 심하더니 혼미한 가운데 아이를 낳으니 활달한 기남자였다. 3일 몸조리한 뒤 말을 타지 못하여 수레를 타고 행군하였다.

– 작자 미상, 「이대봉전」 –

* 패초 : 조선 시대에 임금이 신하를 부르던 일.
* 조발 : 군사로 쓸 사람을 강제로 뽑아 모음.
* 진무 : 안정시키고 어루만져 달램.

**31.** 윗글에 대한 설명으로 적절한 것은?

① 배경 묘사를 통해 인물 간의 갈등을 부각하고 있다.
② 초월적 공간을 통해 사건의 환상성을 강화하고 있다.
③ 서술자의 개입을 통해 비극적 결말을 암시하고 있다.
④ 잦은 장면 전환을 통해 사건을 속도감 있게 전개하고 있다.
⑤ 과장된 상황의 설정을 통해 해학적 분위기를 형성하고 있다.

**32.** [A]와 [B]를 이해한 내용으로 가장 적절한 것은?

① [A]에 드러난 인물의 결의가 실행되었음을 [B]에서 확인할 수 있다.
② [A]에 드러난 인물의 권위가 추락되었음을 [B]에서 확인할 수 있다.
③ [A]에서 인물이 예고한 사건이 일어나지 않았음을 [B]에서 확인할 수 있다.
④ [A]에서 시작된 인물의 내적 갈등이 해소되었음을 [B]에서 확인할 수 있다.
⑤ [A]에서 촉발된 인물들 간의 오해가 심화되고 있음을 [B]에서 확인할 수 있다.

**33.** <보기>를 참고하여 윗글을 감상한 내용으로 적절하지 <u>않은</u> 것은? [3점]

<보 기>

「이대봉전」은 개인적 가치보다 집단적 가치를 우선하며 군주에게 충성을 다하는 남녀 주인공을 통해 유교적 이념을 드러내고 있다. 남녀 주인공이 역할을 분담하여 협력하는 모습을 그린 점, 사회적 제약을 뛰어넘는 여성 영웅의 활약상을 부각한 점, 군주가 자신의 잘못을 인정하는 모습을 보인 점 등이 특징적이다.

① 이대봉이 황제의 부름에 지체 없이 응하는 모습을 통해 군주에게 충성하는 유교적 가치관을 확인할 수 있군.
② 황제가 여러 신하들의 간언에 따라 이대봉을 패초하는 모습을 통해 자신의 잘못을 인정하는 군주의 모습을 확인할 수 있군.
③ 장애황이 규중을 벗어나 전장에 대원수로 참여하여 활약하는 모습을 통해 사회적 제약을 뛰어넘는 여성 영웅의 면모를 확인할 수 있군.
④ 장애황이 잉태한 몸임에도 불구하고 전장에 선뜻 나서는 모습을 통해 개인적 가치보다 집단적 가치를 우선시하는 모습을 확인할 수 있군.
⑤ 장애황과 이대봉이 각각 남북의 적과 맞서 싸우러 떠나는 모습을 통해 남녀 주인공이 역할을 분담하여 협력하는 모습을 확인할 수 있군.

**34.** 〈보기〉의 빈칸에 들어갈 말로 가장 적절한 것은?

< 보 기 >

㉠을 보니, 무사히 돌아오라고 대봉은 애황에게 (          )하고 있군.

① 경거망동(輕擧妄動) ② 신신당부(申申當付)
③ 애걸복걸(哀乞伏乞) ④ 이실직고(以實直告)
⑤ 횡설수설(橫說竪說)

[35 ~ 37] 다음 글을 읽고 물음에 답하시오.

**[앞부분의 줄거리]** 한센병 환자(나환자)의 섬 소록도에 전직 군의관 출신 조백헌 대령이 병원장으로 부임한다. 소록도 출신으로 섬의 역사에 대해 누구보다도 잘 알고 있는 보건과장 이상욱은 조 원장의 부임 인사 이후 열린 술자리에서 조 원장과 대화를 나눈다.

상욱은 자기도 모르게 차츰 목소리가 흥분되어가고 있었다.

"그런데 내가 오늘 30년 뒤에 또 그 사람의 약속을 되풀이하고 있었다는 거구려."

원장은 이제 좀 맥이 빠진 표정이었다. 하지만 그는 원래 여유가 만만한 사내였다. 그는 바야흐로 열이 오르기 시작한 상욱을 방해하려 하진 않았다. 맥이 좀 빠진 듯하면서도 이젠 그 상욱을 향해 빙긋빙긋 장난기 어린 미소까지 지어 보이고 있었다.

㉠ 상욱은 그런 원장의 표정이나 말은 아예 상관을 않으려는 태도였다.

"그분은 무엇보다도 먼저 이 섬을 나환자의 복지로 꾸밀 것을 약속했습니다. 학대받고 쫓겨 다니며 서러운 유랑 생활을 되풀이할 것이 아니라, 오순도순 서로를 위로하며 의지하고 살아갈 그들의 고향을 만들자고 설득했습니다. 인간으로서의 최소한의 긍지와 보람을 누리자고 격려했습니다. 병사와 의료 시설을 늘리고 생활 환경과 후생 시설을 다시 꾸미자고 했습니다. 그러자면 먼저 환자들 자신부터 절망과 비탄에서 벗어나 추악한 유랑 습벽을 버리고 새로운 인간으로 다시 태어나야 한다고 충고했습니다. 그리고 스스로의 복지를 스스로 꾸며간다는 자부심과 자활 의욕이 솟아나야 한다고 촉구했습니다. 환자들은 박수를 아끼지 않았습니다."

"그는 약속을 지켰겠지."

"하지만 그는 약속을 지킨 대신 이곳에 자신의 동상을 세웠습니다."

㉡ 원장의 얼굴에서 비로소 웃음기가 사라졌다.

"당신 아무래도 좀 이상한 노이로제 증세가 있구만그래. 동상 이야긴 벌써 두 번째 듣고 있는 것 같은데, 도대체 그 동상이라는 건 뭘 말하고 싶은 거요?"

원장은 당황하고 있는 게 분명했으나 상욱의 말을 중단시키려고 하지는 않았다. 눈에 보이지 않는 두 사람의 대결이 주위를 완전히 침묵시키고 있었다.

㉢ 상욱의 어조에선 아직도 열기가 숙을 줄을 몰랐다.

"동상이 무엇을 뜻하는가는 원장님께서도 벌써 충분히 짐작을 하고 계실 줄 압니다. 그보다도 제가 벌써 두 차례씩이나 동상이라는 말을 원장님 앞에서 입에 담게 된 것은 아까 그 원장님 앞에 서 있던 사람들이 그동안에 그러한 동상을 너무도 많이 보아왔을 터이기 때문입니다. 그 사람들은 주정수 이후에도 새 원장님만 갈려 오면 번번이 또 그 원장이 새 동상을, 아니 실인즉슨 또 하나의 주정수의 동상을 보곤 했던 것입니다. 그 사람들은 오늘 낮 원장님을 뵙기 전에 벌써 열 번 이상이나 그곳에 서서 새 원장이 숨겨 가지고 온 주 원장의 동상을 보곤 했습니다. 누구든지 이곳에만 오면 주 원장의 동상을 새로 세우고 싶어 했습니다. 더러는 성공하고 더러는 실패도 했습니다. 어느 쪽이나 원장이 섬을 떠나고 나면 섬에 남는 것은 배반뿐이었습니다."

(중략)

축구 경기를 보급시키고 시합의 승리를 맛보게 함으로써 섬사람들에게 어느 정도 자신감을 갖게 한 조백헌 원장은 마침내 그의 본격적인 사업 계획을 드러내고 나섰다.

그러나 ㉣ 섬사람들의 반응은 아직도 그의 기대에는 훨씬 미치지 못했다. 조백헌 원장이 오랫동안 혼자 가슴속에 숨겨오면서 공을 들여오던 사업 계획을 실현해 내는 데는 아직도 뛰어넘어야 할 수많은 장벽들이 가로놓여 있었다. 무엇보다 그가 먼저 싸워 넘어서야 할 장벽은 5천여 소록도 주민 바로 그 사람들의 불신감이었다. 축구 시합 승리의 소식을 안겨다 줌으로써 어느 정도 활기를 되찾은 듯싶던 섬사람들은 원장의 새 사업 계획이 드러나자 다시 또 냉랭하게 굳어져 버린 것이다.

"여러분, 이제 여러분은 이 섬을 나가야 합니다. 여러분과 여러분의 후손을 위한 고향을 꾸미기엔 이 섬은 너무도 비좁습니다……"

구름처럼 섬을 뒤덮고 있던 연분홍 꽃무리가 소리 없이 자취를 감추고 난 어느 조용한 봄날 오후, 조백헌 원장은 각 마을 장로 일곱 명을 중앙리 공회당으로 불러 모아 놓고 모처럼 그의 사업 계획을 털어놓았다.

"물론 이 일은 지난날 이 섬에 있었던 어떤 다른 역사보다도 더 힘들고 긴 세월이 필요할 겁니다. 그리고 과거의 다른 어떤 역사에서보다 그 혜택이 멀고 아득한 곳에 있다고밖에 할 수 없는 일입니다. 우리가 마음속에 지니고 기도해 온 약속이 내일 당장 우리에게 이루어질 수는 없습니다. 여러분 자신은 아마 이 일을 여러분의 손으로 이룩해 내고 나서도 그 땅에서 얻은 것을 가지고 지금보다 더 배불리 먹게 될 수도 없을는지 모릅니다."

원장은 5만분의 1 지도를 벽에 걸어놓고 그가 계획하고 있는 간척 사업의 개요를 설명한 다음 장로들을 간곡히 설득하기 시작했다.

장로들 쪽에서는 반응이 없었다. 바다를 막아야 한다는 원장의 말이 떨어지면서 차갑게 굳어지기 시작한 장로들의 얼굴 표정은 계속되는 원장의 설득에도 불구하고 좀처럼 변화의 기미가 엿보이지 않았다.

㉤ 원장은 맥이 풀렸다. 지난 1년 동안 그가 섬에서 이룩해 놓은 것들이 일시에 다시 허사가 되어버리고 있는 것 같았다. 그는 지난해 8월 이 섬으로 부임해 왔을 때의 그 숨이 막힐 듯 깊고 거대한 침묵의 회중 앞에 땀을 뻘뻘 흘리고 서 있었던 바로 그 날의 그 회중 앞에 다시 선 기분이었다. 하지만 그는 이제 물러설 수가 없었다.

– 이청준, 「당신들의 천국」 –

**35.** 윗글의 서술상의 특징으로 가장 적절한 것은?

① 내적 독백을 나열하여 인물들의 심리 변화 양상을 보여 주고 있다.
② 감각적인 묘사를 통하여 시대적 상황을 상징적으로 제시하고 있다.
③ 대화와 행동을 제시하여 인물 간의 갈등 양상을 실감 나게 보여 주고 있다.
④ 과거 회상 장면을 삽입하여 인물 간의 갈등이 해소될 수 있음을 암시하고 있다.
⑤ 다른 공간에서 동시에 진행되는 사건을 병치하여 서사의 흐름을 지연시키고 있다.

7 회

36. ㉠ ~ ㉤에 대한 설명으로 적절한 것은?

① ㉠: 자신의 말을 비웃는 조 원장을 조롱하려는 상욱의 심리를 드러내고 있다.
② ㉡: 자신의 예상과 다르게 상황이 전개됨을 인지한 조 원장이 당황해하는 모습을 보여 주고 있다.
③ ㉢: 상욱은 자신의 말을 막으려는 조 원장의 의도를 파악하지 못하고 있음을 보여 주고 있다.
④ ㉣: 섬사람들은 적극적으로 호응하였으나 조 원장의 기대가 비현실적이었음을 나타내고 있다.
⑤ ㉤: 섬사람들과 신뢰가 무너져 간척 사업을 포기할 수밖에 없는 조 원장의 좌절감이 드러나 있다.

37. <보기>를 참고하여 윗글을 감상한 내용으로 적절하지 않은 것은? [3점]

< 보 기 >

이 작품은 극도의 절망 속에서 살아가는 소록도 나환자들을 새로운 삶의 길로 이끌어 내려는 인물의 이야기를 그려내고 있다. 나환자들을 패배감에서 벗어나게 한 주인공은 그들을 위한 천국을 만들기 위해 대규모의 오마도 간척 사업을 추진한다. 작가는 주인공의 의지는 긍정하지만, 지배와 피지배 사이의 역학 관계 속에서 뜻을 이루려는 주인공이 권력과 명예욕의 화신으로 돌변할지도 모를 타락 가능성을 의심하는 시선을 끝까지 놓지 않고 있다.

① 동상은 이전 원장들의 명예욕과 타락을 상징적으로 보여 주는 소재라고 하겠군.
② 조 원장의 진의를 의심하고 있다는 점에서 상욱은 작가의 시선을 대변하는 인물이라 할 수 있겠군.
③ 조 원장이 축구 경기를 보급한 것은 섬사람들을 패배감에서 벗어나게 하려는 의도와 관련이 있겠군.
④ 장로들이 침묵하는 것은 그들의 천국을 이루려면 간척 사업보다 더 큰 사업이 필요하다고 여기기 때문이겠군.
⑤ 인물들 간의 역학 관계를 중심에 놓고 생각할 때 조 원장은 지배자이고 섬사람들은 피지배자라고 볼 수 있겠군.

[38 ~ 42] 다음 글을 읽고 물음에 답하시오.

국민참여재판이란, 일반 국민이 형사재판에 배심원으로 참여하여 법정 공방을 지켜본 후 피고인의 유・무죄에 대한 판단을 ㉠ 내리고 적정한 형을 제시하면 재판부가 이를 참고하여 판결을 선고하는 제도이다. 「국민의 형사재판 참여에 관한 법률」에 규정된 범죄 중 피고인이 신청하는 경우에 한해 진행되며, 피고인이 원한다 하더라도 적절하지 않다고 판단되는 경우 법원은 국민참여재판으로 진행하지 않을 수 있다.

국민참여재판에서 배심원 선정은 매우 중요하다. 배심원을 선정하기 전 법원은 먼저 필요한 배심원의 수와 예비배심원의 수를 결정한다. 법정형이 사형, 무기징역 등에 해당하는 사건의 경우에는 9인의 배심원이, 그 외의 경우에는 7인의 배심원이 재판에 참여하게 된다. 다만 피고인이 공소* 사실의 주요 내용을 인정했을 경우에는 5인의 배심원이 참여할 수 있다. 또한 법원은 배심원의 결원 등에 대비하여 5인 이내의 예비배심원을 둘 수 있는데, 이들은 평의*와 평결*만 참여할 수 없을 뿐 배심원과 동일한 역할을 수행한다. 배심원과 예비배심원을 합한 수만큼 인원을 선정한 후, 추첨을 통해 예비배심원을 선정한다. 누가 예비배심원인지는 평의에 들어가기 직전에 공개한다.

배심원 선정을 위해 해당 지방법원은 사전에 작성한 배심원후보예정자명부 중에서 필요한 수의 '배심원후보자'를 무작위로 추출하여 그들에게 배심원선정기일을 통지한다. 통지를 받은 배심원후보자는 법률에 규정되어 있는, 배심원이 될 수 없는 사유에 해당되지 않는 한 배심원선정기일에 출석해야 하며, 정당한 사유 없이 출석하지 않을 경우 과태료가 부과된다.

선정기일에 '출석한 배심원후보자'들 중에서 필요한 배심원과 예비배심원을 합한 수만큼을 추첨한다. 이렇게 선정된 '추첨된 배심원후보자'를 대상으로 검사와 변호인은 배심원 선정을 위해 여러 가지 질문을 하게 된다. 답변을 듣고 자신들에게 불리한 결정을 할 우려가 있다고 판단되는 경우 검사와 변호인은 재판부에 배심원후보자에 대한 기피신청을 할 수 있다. 기피신청에는 기피 이유를 제시하고 기피 여부를 재판부가 판단하는 '이유부기피신청'과 기피 이유를 제시하지 않아도 재판부에서 무조건 기피신청을 받아들여야 하는 '무이유부기피신청'이 있다. 일반적으로 '이유부기피신청'을 먼저 하고, 이것이 재판부에 의해 받아들여지지 않으면 '무이유부기피신청'을 한다. 다만 '무이유부기피신청'은 '이유부기피신청'과 달리 검사와 변호인 모두에게 인원 제한이 있는데, 배심원이 9인인 경우에는 각 5인, 배심원이 7인인 경우에는 각 4인, 배심원이 5인인 경우에는 각 3인까지 가능하다. 만약 기피신청이 받아들여지면, 추첨되지 않은 배심원후보자를 대상으로 그 인원만큼 다시 추첨하여 배심원후보자를 뽑고 질문과 기피신청을 반복하여 필요한 수만큼의 배심원과 예비배심원을 확정한다.

배심원 및 예비배심원 선정이 종결되면, 이들은 재판부와 함께 증거조사를 지켜보게 된다. 증거조사가 끝나면 재판장은 사건의 쟁점과 적용할 법률, 판단 원칙 등을 설명하고, 배심원 중 누가 예비배심원인지 알려준 후 배심원들에게 평의실로 이동하여 평의를 시작하게 한다. 평의가 시작되면 배심원은 법정에서 보고 들은 증거와 진술을 바탕으로 피고인의 유・무죄를 의논하게 된다. 배심원 사이에 유・무죄에 관한 의견이 만장일치로 정해지면 그에 따라 평결서를 작성하여 재판부에 제출한다. 만약 의견이 일치되지 않으면 반드시 재판부의 의견을 듣고 다시 평의를 진행한 후 다수결로 평결서를 작성하게 된다. 그리고 평결이 유죄인 경우에는 재판부와 함께 피고인에게 부과할 적정한 형에 대해 토의한 후 양형*에 대한 최종 의견을 재판부에 알려 준다.

이후 재판장은 피고인에게 유·무죄 여부와 유죄인 경우 그 형에 대한 판결을 선고하게 된다. 배심원의 평결과 양형 의견은 재판장이 판결을 할 때 권고적 효력만을 가진다. 하지만 재판장은 판결 선고 시 피고인에게 배심원의 평결 결과를 알려 주어야 하며, 만약 배심원의 평결 결과와 다른 판결을 선고할 때에는 피고인에게 반드시 그 이유를 설명하고 판결서에도 그 이유를 기재해야 한다. 재판장이 판결 종결을 알리면 배심원의 임무 역시 모두 끝나게 된다.

* 공소 : 검사가 법원에 특정 형사 사건의 재판을 청구함.
* 평의 : 피고인의 유·무죄를 판단하기 위한 배심원의 논의 절차.
* 평결 : 유·무죄에 대한 배심원의 최종적인 판단.
* 양형 : 형벌의 정도를 정하는 일.

**38.** 윗글에 대한 설명으로 가장 적절한 것은?

① 특정 제도의 형성 배경과 발달 과정을 서술하고 있다.
② 특정 제도가 진행되는 절차와 그 특징을 제시하고 있다.
③ 특정 제도의 변화 과정을 언급한 뒤 전망을 예측하고 있다.
④ 특정 제도가 실시되었을 때의 장점과 단점을 설명하고 있다.
⑤ 특정 제도가 지닌 문제점의 원인을 다양한 측면에서 분석하고 있다.

**39.** 윗글에 대한 이해로 가장 적절한 것은?

① 예비배심원은 재판이 끝날 때까지 모든 과정을 배심원과 함께 수행한다.
② 피고인이 원하지 않아도 법원의 결정에 따라 국민참여재판이 열릴 수 있다.
③ 배심원후보자가 배심원선정기일에 출석하지 않으면 배심원으로 선정될 수 없다.
④ 국민참여재판은 일반 국민들이 배심원으로 참여하여 직접 판결까지 선고하는 제도이다.
⑤ 재판장은 배심원의 평결과 다르게 판결하더라도 판결서에 관련된 내용을 기재하지 않아도 된다.

**40.** ㉠의 문맥적 의미와 가장 가까운 것은?

① 그는 그 문제에 대한 해답을 <u>내렸다</u>.
② 선행을 한 경찰관에게 훈장을 <u>내렸다</u>.
③ 포장을 줄여서 물건의 가격을 <u>내렸다</u>.
④ 차내의 공기가 탁해서 유리문을 <u>내렸다</u>.
⑤ 기상청은 전국에 폭풍 주의보를 <u>내렸다</u>.

**41.** 윗글을 바탕으로 <보기>를 이해한 내용으로 적절하지 <u>않은</u> 것은?

< 보 기 >

다음의 표는 배심원 확정 과정을 나타낸 것으로, 배심원선정기일에 출석한 배심원후보자는 모두 40명임.

| | 추첨된 배심원 후보자 수 | 이유부 기피신청이 받아들여진 후보자 수 | 무이유부 기피신청이 받아들여진 후보자 수 | 확정된 배심원 수 |
|---|---|---|---|---|
| 1차 | 14 | 3 | 3 | 8 |
| 2차 | 6 | 2 | 1 | 3 |
| 3차 | 3 | × | × | 3 |

① 3차에 걸쳐 필요한 수만큼의 배심원과 예비배심원을 모두 확정하였군.
② 검사와 변호인 모두 자신들이 신청할 수 있는 최대 인원만큼 '무이유부기피신청'을 하지 않았군.
③ 추첨된 배심원후보자에게 제기된 기피 이유가 재판부에 의해 정당하다고 인정된 경우는 모두 9명이군.
④ 출석한 배심원후보자 중 17명은 검사와 변호인에게 배심원 선정과 관련하여 어떠한 질문도 받지 못했겠군.
⑤ 1차에 추첨된 배심원후보자 수를 볼 때 법원은 이번 재판에 9명의 배심원과 5명의 예비배심원을 두기로 결정했었군.

**42.** 윗글을 바탕으로 <보기>의 사례를 이해한 내용으로 적절하지 <u>않은</u> 것은? [3점]

< 보 기 >

6월의 어느 날 김한국 씨는 국민참여재판의 배심원으로 참석해 달라는 등기우편을 받았다. 배심원선정기일 아침 △△지방법원을 찾아간 김한국 씨는 검사·변호인과의 질의응답 후 배심원으로 선정되었다. 늦은 밤까지 증거조사가 진행되었고, 배심원 교체 없이 진행된 평의에서는 유·무죄에 대한 의견이 만장일치가 되지 않았다. 치열한 재논의 끝에 유죄와 무죄에 대해 각 2 : 5의 의견으로 평결서를 작성하였고, 재판장은 최종적으로 피고인에게 무죄를 선고하였다.

① 등기우편을 받은 것으로 보아 김한국 씨는 △△지방법원에서 사전에 작성한 배심원후보예정자명부에 포함되어 있었군.
② 평의와 평결에 참여한 것으로 보아 김한국 씨는 예비배심원이 아닌 배심원으로 선정되었군.
③ 배심원 수를 감안하면 해당 사건은 법정형으로 사형이나 무기징역을 선고할 수 있는 사건은 아니었겠군.
④ 작성된 평결서를 감안하면 평의 도중 재판부의 의견을 들어 보는 과정 없이 배심원 간에만 논의가 진행되었겠군.
⑤ 평결서와 판결을 감안하면 재판부와 배심원 간에 피고인의 양형에 대한 논의는 이루어지지 않았겠군.

[43 ~ 45] 다음 글을 읽고 물음에 답하시오.

(가)

네가 살아온 나날을 누가
어둠뿐이었다고 말하는가
몸통 군데군데 썩어
흉한 상처 거멓게 드러나고
팔다리 여기저기 잘리고 문드러져
온몸이 일그러지고 뒤틀렸지만
터진 네 살갗 들치고
바람과 노을을 동무해서
어깨와 등과 손끝에
자잘한 꽃들 노랗게 피어나는데
비록 꽃향기 온 들판을 덮거나
산을 넘고 바다를 건너지는 못해도
노란 꽃잎 풀 속에 떨어지면
옛얘기보다 더 애달픈
초저녁 풀벌레의 노랫소리가 되겠지
누가 말하는가 이 노래 듣는 이
오직 하늘과 별뿐이라고

- 신경림, 「수유나무에 대하여」 -

(나)

굳어지기 전까지 저 딱딱한 것들은 물결이었다
파도와 해일이 쉬고 있는 바닷속
지느러미 물결 사이에 끼어
㉠ 유유히 흘러다니던 무수한 갈래의 길이었다
㉡ 그물이 물결 속에서 멸치들을 떼어냈던 것이다
햇빛의 꼿꼿한 직선들 틈에 끼이자마자
부드러운 물결은 팔딱거리다 길을 잃었을 것이다
바람과 햇볕이 달라붙어 물기를 빨아들이는 동안
바다의 무늬는 뼈다귀처럼 남아
멸치의 등과 지느러미 위에서 딱딱하게 굳어갔던 것이다
㉢ 모래 더미처럼 길거리에 쌓이고
건어물집의 푸석한 공기에 풀리다가
기름에 튀겨지고 접시에 담겨졌던 것이다
지금 젓가락 끝에 깍두기처럼 딱딱하게 잡히는 이 멸치에는
두껍고 뻣뻣한 공기를 뚫고 흘러가는
바다가 있다 그 바다에는 아직도
㉣ 지느러미가 있고 지느러미를 흔드는 물결이 있다
이 작은 물결이
지금도 멸치의 몸통을 뒤틀고 있는 이 작은 무늬가
㉤ 파도를 만들고 해일을 부르고
고깃배를 부수고 그물을 찢었던 것이다

- 김기택, 「멸치」 -

43. (가)와 (나)에 대한 설명으로 가장 적절한 것은?

① (가)는 (나)와 달리 설의법을 활용하여 화자의 의도를 강조하고 있다.
② (나)는 (가)와 달리 색채어를 활용하여 화자의 정서 변화를 드러내고 있다.
③ (가)와 (나)는 모두 음성 상징어를 활용하여 생동감을 부여하고 있다.
④ (가)와 (나)는 모두 직유법을 활용하여 대상의 특성을 구체적으로 드러내고 있다.
⑤ (가)와 (나)는 모두 말을 건네는 방식을 활용하여 대상에 대한 친밀감을 드러내고 있다.

44. (가)를 감상한 내용으로 적절하지 <u>않은</u> 것은?

① '상처' 난 몸통과 '문드러'진 팔다리는 수유나무가 겪었던 고난을 짐작하게 하는군.
② '바람과 노을'은 수유나무가 '꽃'을 피우는 과정에서 함께 있었던 존재로군.
③ '어깨와 등과 손끝'에 꽃이 핀 모습은 '온몸'이 뒤틀렸던 모습과 대조적이군.
④ '산'과 '바다'는 수유나무의 '꽃향기'가 궁극적으로 도달하려는 목적지라고 하겠군.
⑤ 떨어진 수유나무의 '꽃잎'은 '풀벌레의 노랫소리'로 변하여 퍼져 나가게 되겠군.

45. <보기>를 참고하여 ㉠ ~ ㉤을 감상한 내용으로 적절하지 <u>않은</u> 것은? [3점]

< 보 기 >

(나)의 화자는 식탁에 오른 멸치 볶음을 관찰하면서 멸치가 식탁으로 오기까지의 과정을 상상하고 있다. 이 시는 '생명의 본래 모습 → 생명력의 상실 과정 → 생명력 회복의 소망'으로 시상이 전개된다.

① ㉠: 멸치가 과거에 바다에서 생명력을 지닌 자유로운 존재였음을 드러내고 있어.
② ㉡: 외부적인 힘에 의해 멸치의 생명력이 상실되는 모습이 드러나 있어.
③ ㉢: 멸치가 식탁 위에 오르기까지의 과정에서 겪었을 상황을 상상하고 있어.
④ ㉣: 눈앞의 멸치를 보며 멸치가 본래 지녔던 생명력을 떠올리고 있어.
⑤ ㉤: 멸치가 생명력을 회복하기 위해 극복해야 할 것이 무엇인지가 드러나 있어.

* 확인 사항

○ 답안지의 해당란에 필요한 내용을 정확히 기입(표기)했는지 확인하시오.

# 국어 영역

8회 소요시간 /80분

제 1 교시

➡ 해설 P.72

**[1~3] 다음은 사진반 동아리 신입생을 대상으로 하는 학생의 발표이다. 물음에 답하시오.**

지난 시간에 이어 스마트폰 카메라에서 수동 설정으로 빛의 양을 조절하는 방법에 대해 발표하겠습니다. 먼저 지난 시간에 설명한 조리개의 원리부터 복습합시다. (자료 1 제시) 조리개의 구경이 다른 (가)와 (나)가 있네요. (나)처럼 구경이 큰 조리개를 쓰면 빛의 양이 어떻게 된다고 했죠? (고개를 끄덕이며) 맞습니다. 렌즈를 통해 들어오는 빛의 양이 늘어나 더 밝은 사진을 찍을 수 있습니다. ((나)를 가리키며) 구경이 큰 조리개를 쓰면, 아래 그림처럼 뒤에 있는 배경은 흐릿해도 피사체는 선명한 사진을 찍을 수 있습니다. 이때, 초점이 맞아 보이는 범위인 심도는? '얕음'이라고 하지요. 그러면 (가)의 빈칸은? (웃으며) 이미 배워서 너무 쉽죠? 당연히 '깊음'입니다.

여러분, 친구들이랑 여행 가면 단체로 뛰는 사진, (뛰는 듯한 동작을 하고) 이른바 '점프 샷' 많이 찍으시죠? 오늘은 멋진 점프 샷을 찍기 위해 꼭 알아야 할 셔터 속도 조절에 대해 설명하겠습니다. 셔터 속도를 빠르게 하면 셔터가 열렸다 닫히는 시간이 짧아지고, 렌즈를 통해 들어오는 빛의 양이 줄어듭니다. 다른 조건이 같다면 이렇게 찍은 사진은 상대적으로 어둡게 나오겠지요. 대신 움직이는 피사체의 순간적인 이미지를 포착할 수 있습니다. (자료 2 제시) 무엇을 찍은 사진이죠? 피사체의 어떤 특징을 드러내려 했나요? (고개를 끄덕이며) 움직이는 피사체를 잘 포착했네요. 셔터 속도를 빠르게 하면 렌즈를 통해 들어오는 빛의 양이 줄어든다고 했는데, 이 사진의 경우 태양빛이 조명 역할을 하고 있어 밝기도 충분합니다.

셔터 속도를 느리게 하면 움직이는 피사체의 궤적을 담아내거나 피사체의 움직임을 흐릿하게 드러낼 수 있습니다. '움직임'의 효과를 사진에 부여하는 것이죠. 그런데 셔터 속도가 너무 느리면 빛의 노출이 과도할 수 있습니다. (자료 3 제시) 이때에는 조리개 구경을 조절하여 적당한 노출량을 찾아야 합니다. (자료 3을 가리키며) 왼쪽과 오른쪽처럼 셔터 속도에 따라 조리개의 구경을 조절하면 전체 빛의 노출량을 비슷하게 유지할 수 있습니다.

흔히 사진을 빛의 예술이라고 합니다. 여러분들이 스마트폰으로 더 멋진 사진을 찍고 싶다면, 수동 설정에서 조리개와 셔터 속도를 다양하게 조절하면서 동일한 피사체를 여러 장 찍어 보시기 바랍니다. 연습을 많이 하면 적당한 빛의 노출량을 판단하는 눈도 길러질 것입니다. 오늘 발표는 여기까지입니다. 다음 동아리 시간에 뵙겠습니다.

*1.* 위 발표에 대한 설명으로 적절하지 <u>않은</u> 것은?

① 발표 주제를 언급하며 발표를 시작하고 있다.
② 비언어적 표현을 활용하며 발표를 진행하고 있다.
③ 질문을 하고 반응을 확인하며 청중과 상호작용하고 있다.
④ 청중이 경험했을 만한 상황과 연결 지어 화제를 제시하고 있다.
⑤ 발표 내용을 요약한 후 다음 시간 내용을 예고하며 마무리하고 있다.

*2.* <보기>는 위 발표에 활용된 자료이다. 자료의 활용에 대한 설명으로 적절하지 <u>않은</u> 것은? [3점]

< 보 기 >

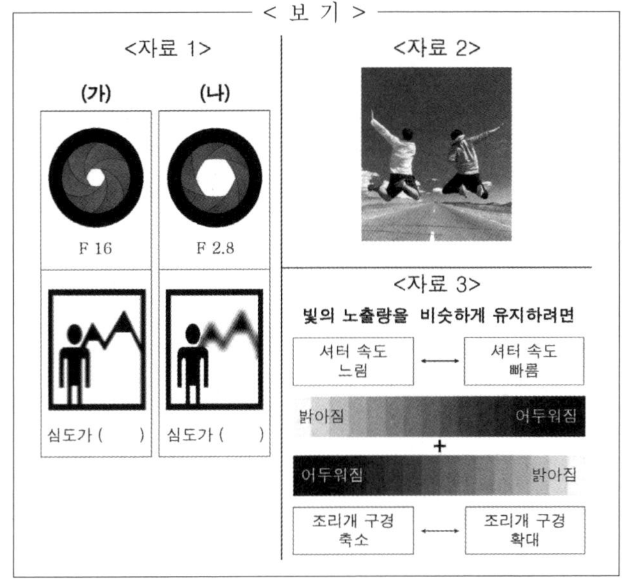


① <자료 1>은 지난 시간의 발표 내용에 대한 청중의 이해 정도를 확인하는 데 활용되었군.
② <자료 2>는 피사체의 순간적인 이미지를 담은 사진의 사례로 활용되었군.
③ <자료 3>은 빛의 노출이 과도할 때 어떻게 해결할 수 있는지를 설명하는 데 활용되었군.
④ <자료 1>은 조리개를 조절하면 달라지는 점을 설명하는 데, <자료 2>는 셔터 속도를 빠르게 했을 때의 효과를 설명하는 데 활용되었군.
⑤ <자료 2>와 <자료 3>은 조리개와 셔터 속도의 조절이 빛의 노출량 확보보다 피사체의 포착을 위한 것임을 설명하는 데 활용되었군.

*3.* 다음은 위 발표를 들은 학생의 반응이다. 이에 대한 이해로 가장 적절한 것은?

> 스마트폰 카메라의 수동 설정에서 셔터 속도를 조절해 보려고 하니, 상황에 따라 셔터 속도를 어느 정도로 설정해야 할지 잘 모르겠어. 잘 몰랐던 원리를 설명해 준 것은 좋았지만, 실제로 사진을 찍을 때 상황별로 적정한 셔터 속도가 얼마인지도 알려 주었더라면 좋았겠어.

① 발표에서 아쉬운 부분을 떠올려 비판적으로 평가하였다.
② 듣기 목적을 고려하며 발표 자료의 신뢰성을 판단하였다.
③ 발표에서 새롭게 알게 된 내용을 필요에 따라 구분하였다.
④ 자신이 이해한 내용 중 잘못된 정보는 없는지 점검하였다.
⑤ 발표의 내용 구성 방식 중 잘된 부분을 찾아서 정리하였다.

**[4 ~ 5] 다음은 교지에 실을 글을 쓰기 위한 인터뷰이다. 물음에 답하시오.**

학생 : 안녕하세요? □□고 교지편집부 기자 ◇◇◇입니다. 사전에 말씀드린 것처럼 △△△ 님의 음악 활동을 교지 특집호에 실으려고 합니다. 직접 찾아뵙고 인터뷰하게 되니 떨리네요.
가수 : 편하게 물어보세요. 선배라고 불러도 돼요.
학생 : 감사합니다. 본격적으로 질문하기 전에 하나만 여쭤 볼게요. 저희 반 ○○○ 선생님께서 선배님 2학년 때 담임 선생님이셨다던데, 참 좋은 분이시죠?
가수 : 그럼요. 그분 덕분에 제 음악적 재능도 발견하고 자신감도 키울 수 있었어요. 후배님도 ○○○ 선생님께 배우고 있다니 한결 가까워진 느낌이네요.
학생 : 저도요, 선배님. 이제 음악 활동에 관해 질문 드릴게요. 선배님께서 진행하시는 프로젝트 공연 『와!』가 최근 화제가 되고 있는데, 간단히 소개해 주세요.
가수 : 『와!』는 즉흥과 소통을 테마로 하는 길거리 공연이에요. 시간이나 장소를 공지하지 않은 상황에서 매달 한 번씩 기습적으로 길거리 공연을 하는 거예요. 그날 모인 관객들과 소통하며 공연 프로그램도 유연하게 진행하고요.
학생 : 그렇군요. 그런데 궁금한 게 있는데요. 선배님 하면 다들 떠올리는 게 '음원 대장'이잖아요. 많은 일정으로 바쁘실 텐데, 따로 길거리 공연을 시작하게 된 계기가 뭔가요?
가수 : 초기에는 관객 열 명 앞에서도 기쁘게 노래했는데 어느 순간 관객이 늘고 음원 순위가 높아져도 만족하지 못하는 자신을 발견했어요. 그래서 초심으로 돌아가고 싶어서 『와!』를 시작하게 되었죠.
학생 : 길거리 공연을 통해 초심으로 돌아갈 수 있었다는 말씀이시죠?
가수 : 네, 맞아요. 그런데 그 이상의 것을 얻고 있어요. 길거리 공연을 통해 가까운 곳에서 만나는 관객들의 반응은 제게 새로운 것을 시도할 수 있는 자극을 줘요.
학생 : 그런 점에서 특별히 기억에 남는 공연이 있나요?
가수 : 관객들과 즉흥적으로 노래를 만들어 부른 적이 있어요. 순간의 느낌을 가사에 담아 멜로디를 붙여 같이 부르는데 전율이 생기더라고요. 그럴 때 정말 행복합니다.
학생 : 저도 그 자리에 함께했다면 좋았을 것 같아요. 마지막 질문입니다. 앞으로 『와!』는 어떻게 진행될까요?
가수 : 기습 공연인 만큼 진행에 관련된 건 비밀이에요. 살짝 귀띔해 드리자면, 이번 달에는 □□고 후배들을 만나게 될지도 모르겠어요.
학생 : 엄청난 소식인데요. 귀중한 시간 내주셔서 감사드립니다.
가수 : 감사합니다.

4. 학생의 말하기 방식에 대한 설명으로 적절하지 <u>않은</u> 것은?

① 찾아온 목적을 밝히며 인터뷰를 시작하고 있다.
② 자기 경험을 언급하여 인터뷰의 중요성을 부각하고 있다.
③ 공유하는 요소를 언급하여 친밀감을 형성하고 있다.
④ 상대방의 답변 일부를 재진술하며 이해한 내용이 맞는지 확인하고 있다.
⑤ 상대의 말과 관련된 구체적인 사례가 있는지 답변을 요청하고 있다.

5. 다음은 위 인터뷰를 바탕으로 학생이 쓴 글의 도입부이다. 학생이 활용한 글쓰기 방법으로 적절하지 <u>않은</u> 것은?

> **자랑스러운 선배, 가수 △△△를 만나다**
> 즉흥과 소통의 세계로 『와!』
>
> '음원 대장', '콘서트 3초 매진', '가요대상 5관왕'. 모두 우리 학교 선배인 가수 △△△를 설명하는 말이다. 지난 2월 그의 작업실에서 진행된 인터뷰는 시종일관 화기애애했다. 최근 화제가 되고 있는 프로젝트 『와!』에 대한 이야기를 그의 말로 직접 들어보았다. 우리 학교 학생들을 위한 깜짝 놀랄 만한 선물도 있다. 두 눈을 크게 뜨고 아래 인터뷰 전문을 살펴보자.

① 인터뷰에서 알게 된 프로젝트의 계기를 언급하여 현재 음악 활동에 대한 정보를 제공한다.
② 인터뷰에서 가수가 한 말 중 일부를 글의 부제에 활용하여 프로젝트의 성격을 전달한다.
③ 인터뷰 시기와 장소를 언급하며 인터뷰 현장의 분위기를 전달한다.
④ 인물에 대한 정보를 추가하여 인터뷰 대상에 대한 이해를 돕고 있다.
⑤ 인터뷰에서 알게 된 내용을 암시하여 독자의 궁금증을 유발한다.

**[6~7] 다음은 작문 과제에 따라 학생들이 작성한 글이다. 물음에 답하시오.**

> [작문 과제]
> 일상의 경험을 바탕으로 자신을 성찰하는 글을 써 보자.

[학생의 글]

(가) 학생 1

체력을 기르기 위해 달리기를 시작했다. 처음 달리기를 했을 때는 너무 힘들었다. 마음만 앞서서 무작정 속도를 높였고 결국 목표했던 거리를 달리지도 못한 채 지쳐서 주저앉았다. 거친 숨을 내쉬면서 생각했다. 무엇이 그렇게 급했던 것일까? 생각해 보면 나는 평소에도 무언가를 할 때 급한 마음에 처음부터 모든 힘을 쏟다가 금방 지쳐서 포기하는 경우가 많았다. 공부할 때도 마찬가지였다. 현재의 내 실력과 상관없이 마음만 앞서서 무리한 계획을 세웠고 며칠 지나지 않아 그만둔 적이 많았다. 공부뿐만 아니라 어떤 일을 끝까지 마무리하기 위해서는 계획을 세우고 나에게 맞는 속도를 찾아 꾸준히 해 나가야겠다는 생각을 하였다.

(나) 학생 2

나는 어떤 일이든 혼자 힘으로 해내야 한다는 생각을 하고 있었다. 이번에 참가한 마라톤 대회의 출발선에 섰을 때도 같은 생각이었다. 달리기는 혼자서 모든 것을 감당해야 하는 외로운 싸움이라는 생각을 하며 달리기 시작하였다. 호흡이 가빠지고 다리가 무거워져서 잠시 멈춰 있을 때, 한 무리의 사람들을 만났다. 그 사람들은 힘들면 함께 달리자고 하였고, 계속 격려의 말을 나누면서 서로 발을 맞추어 달리다 보니 힘듦은 어느새 사라지고 즐거움만 남았다. 그동안 누군가를 의지하지 않고 어떤 일을 해야만 성취감을 느낄 수 있다고 생각했었는데, 서로를 의지하며 함께 했을 때 더 큰 성취감을 느낄 수 있다는 것을 깨달았다.

*6.* (가)와 (나)의 글쓰기 방식에 대한 설명으로 가장 적절한 것은?

① (가)와 (나) 모두 묻고 답하는 방식을 활용하여 글을 전개하였다.
② (가)와 (나) 모두 다양한 경험을 나열하는 방식으로 서술하였다.
③ (가)는 공간의 이동을 중심으로, (나)는 시간의 흐름을 중심으로 글을 전개하였다.
④ (가)는 깨달은 점을 글의 도입부에서 강조하였고, (나)는 깨달은 점을 정리하며 글을 마무리하였다.
⑤ (가)는 경험에서 깨달은 점을 다른 상황에 적용하여, (나)는 경험 전후의 생각을 대비하여 서술하였다.

*7.* <보기>는 (가)와 (나)를 읽은 학생들이 나눈 대화이다. ㉠~㉤에 대한 설명으로 적절하지 <u>않은</u> 것은?

< 보 기 >

A: 친구들이 쓴 글을 읽어 봤어? 소감이 어때?
B: '학생 1'과 '학생 2'가 같은 소재를 다루었지만 느낀 점은 다르다는 게 인상 깊었어.
A: 나도 그래. 그런데 '학생 1'의 글에서 ㉠<u>'학생 1'은 자신에게 맞는 속도를 찾아야 한다고 했는데 때로는 자신의 한계를 넘을 필요도 있지 않을까?</u>
B: 네 말도 맞아. 하지만 '학생 1'은 지나치게 무리해서 역효과가 나는 것을 경계하는 것이 아닐까? ㉡<u>나는 종종 내가 할 수 있는 것과 할 수 없는 것을 정리해 보곤 하는데 그런 점에서는 '학생 1'의 생각에도 일리가 있어.</u>
A: '학생 2'의 글은 어떻게 생각해?
B: 약간은 아쉬운 느낌이 있어. ㉢<u>자신의 경험과 깨달음이 더 긴밀하게 연결되려면 경험을 더 구체적으로 썼어야 하지 않을까?</u>
A: 내 생각은 조금 달라. ㉣<u>힘들어 하던 모습이 호흡이나 다리 상태를 언급한 부분에서 잘 드러나 있고, 달리는 과정도 구체적으로 표현되어 있어.</u> 이를 바탕으로 자신의 생각도 진솔하게 표현하고 있고.
B: 그렇게 생각할 수도 있겠네. ㉤<u>같은 소재를 다룬 글이 서로 다른 것처럼, 같은 글을 읽은 너와 나도 다르게 생각하고 있는 것이 흥미로워.</u> 앞으로도 어떤 글을 읽고 나면 다른 사람과 소감을 나누며 더 깊이 있는 독서를 할 수 있도록 해야겠어.

① ㉠: '학생 1'의 글에 나타난 생각에 대해 자신의 의견을 드러내고 있다.
② ㉡: 자신의 경험에 비추어 '학생 1'의 글에 대한 공감을 드러내고 있다.
③ ㉢: '학생 2'의 글에서 일부를 인용하여 아쉬운 점을 지적하고 대안을 제시하고 있다.
④ ㉣: '학생 2'의 글에 대해서 상대방과 다른 의견을 보이는 이유가 무엇인지 언급하고 있다.
⑤ ㉤: '학생 1'과 '학생 2'의 글을 읽고 서로의 생각을 나누는 것에 대해 긍정적인 시각을 드러내고 있다.

**[8 ~ 10] 다음은 구청 홈페이지 민원 게시판에 올리기 위해 학생이 작성한 건의문의 초고이다. 물음에 답하시오.**

> 안녕하세요? 저는 △△고등학교 학생 □□□입니다. 제가 이렇게 글을 쓰게 된 이유는 우리 지역 고령층 어르신들을 대상으로 하는 디지털 기기 사용 교육을 건의하기 위해서입니다.
>
> 잘 아시겠지만 인근 지역과 달리 우리 지역에는 고령층 어르신들께서 많이 사십니다. 그런데 최근 키오스크(kiosk, 무인 정보 단말기)를 이용하여 주문을 하고 스마트폰으로 은행 업무를 보거나 표를 예매하는 일이 많아지면서 어려움을 겪는 어르신들을 종종 뵙게 됩니다. 얼마 전 저희 할머니께서도 친구분들과 함께 영화를 보러 가셨다가 키오스크 사용에 어려움이 ㉠ <u>있었다고</u> 합니다.
>
> 키오스크 같은 디지털 기기는 ㉡ <u>사용자에</u> 편의를 위해 도입되었을 것입니다. ㉢ <u>저는 키오스크를 사용하기 전에 먼저 화면에 나타난 전체적인 메뉴가 어떻게 구성되어 있는지를 파악합니다.</u> 그러나 누군가는 그 편리함을 누리지 못하고 있는 상황이라면 개선이 필요한 것이 아닐까요?
>
> 이미 구청에서 주민들을 위한 여러 좋은 교육 사업을 진행하고 있는 것으로 알고 있습니다. 이에 더해 어르신들을 위한 디지털 기기 사용 교육 기회도 제공해 주셨으면 합니다. 어르신들께서 일상에서 겪는 어려움이 ㉣ <u>해결될수록</u> 실질적인 교육이 이루어지면 좋겠습니다.
>
> 앞으로 우리 사회는 초고령 사회로 접어들 것이며, 문화생활이나 여가 생활에서도 디지털 기기 활용이 더욱 늘어날 것입니다. 제 건의를 받아들여 주신다면, 우리 지역에 사시는 어르신들의 삶은 ㉤ <u>윤택합니다</u>. 이에 제 건의를 긍정적으로 검토해 주시기를 바랍니다.

*8.* 윗글을 구상하는 과정에서 학생이 떠올린 생각이다. 윗글에 반영되지 <u>않은</u> 것은?

① 인사말을 쓰고 건의 주체를 밝혀야겠어.
② 주변에서 접할 수 있는 사례를 들어야겠어.
③ 고령층이 많다는 우리 지역의 특성을 언급해야겠어.
④ 구청에서 진행 중인 교육 사업의 문제점을 밝혀야겠어.
⑤ 글의 끝부분에 사회 변화에 대한 전망을 제시해야겠어.

*9.* <보기>는 윗글을 보완하기 위해 찾은 자료이다. 자료의 활용 방안으로 가장 적절한 것은? [3점]

> < 보 기 >
>
> **(가) 정책 전문지 기고문**
>
> 리가(Riga) 장관 선언은 유럽연합의 정보통신 분야 장관들이 모여 중대한 정책적 전환을 표명한 것이다. 이 선언에서는 정보통신기술이 보건, 의료, 경제적·정치적 참여, 생산성 증가, 기회의 균등 등 개인과 사회에 영향을 미치는 필수재이자 범용 기술이라는 점을 전제하고 있다. 이는 정보통신기술을 이용하지 못하면 삶의 질이 저하될 수 있음을 강조한 것이다.
>
> **(나) 전문가 인터뷰**
>
> "사람이 나이가 들면 새로운 것을 학습하는 일이 쉽지 않습니다. 이러한 점을 감안할 때 고령층을 위한 교육은 맞춤형으로 실시해야 그 효과가 높습니다. 반복되는 질문에도 친절하게 응대해 줄 수 있는 교육 여건 마련이 중요한데, 집합 교육보다는 소그룹 혹은 일대일 교육을 해야 합니다. 또한 강의실에서 이루어지는 이론 위주의 수업보다는 현장에 나가 직접 체험하게 하는 교육이 효과적입니다."

① (가)를 활용하여 문제 해결의 필요성을 강조하고, (나)를 활용하여 해결 방안을 구체화해야겠군.
② (가)를 활용하여 해결 방안의 기대 효과를 밝히고, (나)를 활용하여 문제의 유형을 분류해야겠군.
③ (가)를 활용하여 해결 방안이 지닌 한계를 보완하고, (나)를 활용하여 문제의 실태를 보여 주어야겠군.
④ (가)를 활용하여 해결 방안들 간의 우선순위를 밝히고, (나)를 활용하여 문제의 심각성을 부각해야겠군.
⑤ (가)를 활용하여 문제의 원인을 다각적으로 분석하고, (나)를 활용하여 해결 방안의 실현 가능성을 강조해야겠군.

*10.* ㉠ ~ ㉤을 고쳐 쓰기 위한 방안으로 적절하지 <u>않은</u> 것은?

① ㉠: 높임 표현이 부적절하므로 '계셨다고'로 고쳐야겠어.
② ㉡: 조사의 사용이 부적절하므로 '사용자의'로 고쳐야겠어.
③ ㉢: 글의 흐름을 고려하여 삭제해야겠어.
④ ㉣: 어미의 사용이 부적절하므로 '해결되도록'으로 고쳐야겠어.
⑤ ㉤: 앞 절과의 관계를 고려하여 '윤택해질 것입니다'로 고쳐야겠어.

**[11 ~ 12] 다음을 읽고 물음에 답하시오.**

한 음운이 다른 음운의 속성을 닮아 가는 음운 현상을 '동화'라고 한다. 이때 동화를 일으키는 음운을 '동화음', 동화음을 닮아 가는 음운을 '피동화음'이라고 한다. 동화 현상의 하나인 구개음화는, 경구개가 아닌 위치에서 발음되는 자음이 단모음 'ㅣ'나 반모음 'ǐ' 앞에서 경구개음으로 바뀌는 음운 현상으로, 피동화음인 자음이 동화음 'ㅣ'나 반모음 'ǐ'가 경구개 부근에서 발음되는 속성을 닮아 가는 것이다.

구개음화는 피동화음의 종류에 따라 분류할 수 있는데 피동화음이 'ㄷ, ㅌ, ㄸ'인 경우는 'ㄷ-구개음화', 피동화음이 'ㄱ, ㅋ, ㄲ'인 경우는 'ㄱ-구개음화'로 부른다. 현대 국어에서 표준 발음으로 인정되는 구개음화는 'ㄷ-구개음화' 중 다음 두 가지이다. 우선 음절 끝소리가 'ㄷ, ㅌ'인 형태소가 단모음 'ㅣ'로 시작하는 조사나 접사 같은 형식 형태소와 결합하여 'ㅈ, ㅊ'으로 변하는 경우이다. 그리고 음절 끝소리가 'ㄷ'이고 뒤에 접사 '-히-'가 올 때 'ㄷ'과 'ㅎ'이 축약되어 'ㅌ'이 되고, 이것이 구개음 'ㅊ'으로 되는 경우이다.

과거에는 'ㄱ-구개음화'도 일어났다. 방언에서 '기름'이 '지름'으로 변화된 경우가 이에 해당한다. 이 사례에서 알 수 있듯이 과거에는 구개음화가 형태소 내부에서도 일어날 수 있었으며, 이는 근대 국어 시기에 활발하게 일어났다.

그런데 현대 국어에는 '마디', '견디다'와 같이 과거에 구개음화가 일어났을 법한데 그렇지 않은 단어들이 남아 있다. 이런 단어들은 'ㄷ' 뒤에 오는 모음이 원래 'ㅣ'가 아닌 다른 모음이었다는 공통점이 있다. 예를 들어 '마디'는 과거에 '마듸'였는데, 형태소 내부에서의 구개음화가 사라진 후에 'ㅢ'가 'ㅣ'로 바뀌었기 때문에 구개음화가 일어나지 않은 채로 남게 된 것이다.

[A] 과거에 일어났던 구개음화와 관련하여 잘못된 교정이 일어나기도 했다. 예를 들어 문헌상으로 '김치'의 과거 형태는 '딤치'였는데 구개음화가 일어난 이후 '짐치'로 나타난다. 그런데 언중이 구개음화가 일어난 형태를 원래 형태로 교정하고자 하는 과정에서 원래 형태를 잘못 생각하여 '김치'의 형태로 교정하게 되고 이것이 현재의 '김치'가 되었다.

*11.* 윗글을 바탕으로 현대 국어의 표준 발음에 대해 설명한 것으로 적절한 것은?

① '같이'를 [가치]로 발음하는 이유는 피동화음이 'ㄱ'인 경우이기 때문이다.
② '많지만'을 [만치만]으로 발음하는 이유는 동화음이 반모음 'ǐ'인 경우이기 때문이다.
③ '맏이'를 [마디]로 발음하지 않는 이유는 구개음화를 일으키는 동화음이 없기 때문이다.
④ '곁으로'를 [겨츠로]로 발음하지 않는 이유는 두 형태소가 결합하는 경우가 아니기 때문이다.
⑤ '끝인사'를 [끄친사]로 발음하지 않는 이유는 뒤에 결합하는 형태소가 형식 형태소가 아니기 때문이다.

*12.* [A]를 이해한 내용으로 적절하지 <u>않은</u> 것은? [3점]

① '딤치'가 '짐치'로 변하는 과정에서 일어난 구개음화는 'ㄷ-구개음화'에 해당한다.
② '딤치'가 '짐치'로 변하는 과정에서 일어난 구개음화는 형태소 내부에서 일어났다.
③ '김치'의 '치'에서 구개음화가 일어나지 않은 것은 '치'의 모음이 본래 'ㆍ|'였기 때문이다.
④ '짐치'가 '김치'로 변하는 과정에서 언중은 '짐치'를 'ㄱ-구개음화'가 일어난 형태라고 생각했다.
⑤ '김치'의 본래 형태가 '딤츼'였고 형태소 내부에서의 'ㄷ-구개음화'가 사라진 후에 'ㅢ'가 'ㅣ'로 변화했다면 구개음화는 일어나지 않았을 것이다.

*13.* <보기>에 대한 이해로 적절하지 <u>않은</u> 것은?

< 보 기 >

**-음**1 「어미」('ㄹ'을 제외한 받침 있는 용언의 어간이나 어미 '-었-', '-겠-' 뒤에 붙어) 그 말이 명사 구실을 하게 하는 어미.
ㅇ 그는 그 말을 믿었음이 분명하다.
ㅇ 나는 그의 판단이 옳음을 믿는다.

**-음**2 「접사」('ㄹ'을 제외한 받침 있는 용언의 어간 뒤에 붙어) 명사를 만드는 접미사.
ㅇ 그는 나의 믿음을 저버렸다.
ㅇ 그는 서랍에서 종이 한 묶음을 꺼냈다.

① '-음1'은 선어말 어미와 결합할 수 있군.
② '-음1'이 붙은 말은 본래의 품사를 유지하는군.
③ '-음2'가 붙은 말은 관형어의 수식을 받을 수 있군.
④ '-음1'은 '-음2'와 달리 뒤에 격조사가 올 수 있군.
⑤ '-음2'는 '-음1'과 달리 명사절을 만들 수 없군.

8 회

14. <보기>의 ㉠에 해당하는 예로 적절한 것만을 ⓐ~ⓓ에서 고른 것은?

< 보 기 >

**선생님** : 합성어 중에는 어근의 배열이 우리말의 일반적인 문장 구성 방식에 맞는 것도 있고, 그렇지 않은 것도 있어요. 일반적으로 '체언+체언', '용언의 관형사형+체언', '용언의 연결형+용언' 등의 형태는 통사적 합성어라 하고, '용언의 어간+체언', '부사+체언', '용언의 어간+용언의 어간' 등의 형태는 우리말의 일반적인 문장 구성 방식에 맞지 않으므로 ㉠ 비통사적 합성어라고 하지요. 외국어나 외래어를 대체하는 순화어에서도 통사적 합성어와 비통사적 합성어가 발견됩니다. 그럼 몇 가지 사례를 살펴볼까요?

○ 핫 플레이스 ⇨ 뜨는곳 ·············· ⓐ
○ 카메오 ⇨ 깜짝출연 ·············· ⓑ
○ 마인드맵 ⇨ 생각그물 ·············· ⓒ
○ 캐노피 ⇨ 덮지붕 ·············· ⓓ

① ⓐ, ⓑ ② ⓐ, ⓓ ③ ⓑ, ⓒ
④ ⓑ, ⓓ ⑤ ⓒ, ⓓ

15. <보기>의 주동문 ㉠~㉢을 탐구 과정에 따라 분류하고자 한다. A~C에 해당하는 사례를 바르게 짝지은 것은?

< 보 기 >

사동문은 주어가 다른 대상을 동작하게 하거나 특정한 상태에 이르도록 하는 문장을 가리킨다. 파생적 사동문은 주동문의 서술어로 쓰인 용언의 어간을 어근으로 삼아 사동 접미사가 붙어 이루어진 문장이며, 통사적 사동문은 주동문의 서술어로 쓰인 용언의 어간에 '-게 하다'가 붙어서 이루어진 문장이다.

[주동문]
㉠ 물통에 물이 가득 찼다.
㉡ 그는 한여름에 더위를 먹었다.
㉢ 아이가 방바닥에 흩어진 구슬을 모았다.

[탐구 과정]

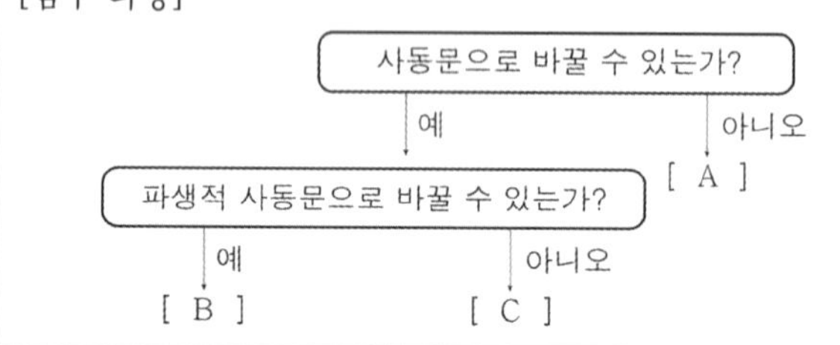


| | A | B | C |
|---|---|---|---|
| ① | ㉠ | ㉡ | ㉢ |
| ② | ㉡ | ㉠ | ㉢ |
| ③ | ㉡ | ㉢ | ㉠ |
| ④ | ㉢ | ㉠ | ㉡ |
| ⑤ | ㉢ | ㉡ | ㉠ |

[16~20] 다음을 읽고 물음에 답하시오.

도움이 필요한 할머니를 외면하고 약속 시간을 지키는 것이 옳은가, 아니면 늦더라도 할머니를 돕는 것이 옳은가? 이렇게 대립하는 가치들 중 어떤 가치를 선택해야 하는가의 문제, 즉 도덕적 갈등 문제를 바라보는 다양한 관점이 있다.

먼저 ㉠ 도덕적 원칙주의자는 합리적인 이성을 통해 찾을 수 있는 선험적인 도덕 법칙이 존재한다고 본다. 그리고 모든 인간은 이를 반드시 따라야 한다고 주장한다. 따라서 도덕적 원칙주의자는 갈등 상황이 생겼을 때 주관적 욕구나 개인이 처한 상황을 고려하지 말고 도덕 법칙에 따라 행동하라고 말한다.

도덕적 원칙주의는 인간의 합리적인 이성을 신뢰하고 이를 통해 윤리적으로 올바른 삶이란 무엇인가를 ⓐ 규명하려고 했다는 점에서 의의가 있다. 하지만 어느 사회에나 보편적으로 적용되는 선험적인 도덕 법칙이 존재한다면, 도덕적 갈등은 나타나지 않거나 나타나더라도 쉽게 해결이 돼야 하는데 실제로는 그렇지 않다는 점에서 한계가 있다.

㉡ 도덕적 자유주의자는 도덕적 원칙주의자와 달리 선험적인 도덕 법칙이 존재하지 않는다고 본다. 대신 개인들이 합의를 통해 만든 상위 원리를 바탕으로 갈등을 해결해야 한다고 주장한다. 자신의 이익만을 생각하는 편협한 입장에서 벗어나 객관적이고 공평한 지점에서 상위 원리를 만들 수 있다고 보기 때문이다. 상위 원리를 통해 법과 같은 현실적인 규범이나 지침을 만들면 사람들이 이를 ⓑ 준수함으로써 도덕적 갈등이 해결된다는 것이다. 따라서 도덕적 자유주의자는 공정한 형식적 절차를 마련하는 것을 최우선으로 삼는다.

도덕적 자유주의는 인간의 자율성을 ⓒ 보장하면서 갈등 상황을 해결할 수 있는 현실적인 방법을 만들어 냈다는 데 의의가 있다. 하지만 누구나 동의할 수 있는 상위 원리를 만들어 내는 것이 항상 가능한 것은 아니다. 또한 합의를 통해 상위 원리를 만들었다고 하더라도 구체적인 규범과 지침을 마련하는 과정에서 또 다른 갈등이 발생할 수 있다.

[가]
한편 도덕적 다원주의자는 해결 불가능한 도덕적 갈등이 있다고 주장한다. 이는 도덕적 가치의 우선순위를 판단하는 통일된 지표를 마련하는 것이 어려운 경우가 존재한다고 보기 때문이다. 가령 자유나 평등처럼 가치가 본래 지닌 내재적 속성이 상충되어 어느 하나를 추구하다 보면 다른 것을 상대적으로 덜 중시할 수밖에 없는 경우도 있으며, 어떤 조건에서는 우선시되는 가치가 다른 조건에서는 그렇지 않은 경우도 있다.

따라서 도덕적 다원주의자는 중재를 통해 타협점을 ⓓ 모색하는 방식을 제안한다. 가령 정의라는 가치가 중요하더라도 특정 갈등 상황에서 배려라는 가치가 더 중요하다면 타협을 통해 그것을 선택할 수도 있다고 말한다. 또한 타협하는 과정에서 기존의 도덕적 가치들 외에 새로운 가치를 생성할 수도 있다고 본다. 도덕적 다원주의자는 도덕적 갈등 상황에서 어떤 가치가 옳고 그른지 판단하는 것보다 갈등 당사자 간의 인간관계가 ⓔ 훼손되지 않는 것을 중시한다. 갈등 당사자들이 서로 다른 도덕적 가치를 주장한다고 하더라도 한 공동체 안에서 상호 작용하며 살아가야 하는 구성원들이라고 보기 때문이다.

도덕적 다원주의는 도덕적 갈등을 해결할 수 있는 현실적인 지침을 제공하지 않는다는 비판을 받기도 한다. 하지만 갈등 상황에서 따라야 할 단일 기준을 내세우지 않는다는 것은 상황에 따라 문제를 해결할 수 있는 풍부한 기지와 창조력을 발휘할 수 있는 기회를 제공한다고도 할 수 있다. 이러한 점에서 도덕적 다원주의는 도덕적 갈등을 바라보는 근본적인 인식을 바꾸었다는 의의가 있다.

16. 윗글의 내용 전개 방식으로 가장 적절한 것은?

① 도덕적 갈등 문제에 대한 상반된 관점을 제시하고 절충 방안을 모색하고 있다.
② 도덕적 갈등 문제에 대한 다양한 관점을 비교하면서 그 한계와 의의를 밝히고 있다.
③ 도덕적 갈등 문제에 대한 관점을 유형별로 나누면서 그 분류 기준의 문제점을 설명하고 있다.
④ 도덕적 갈등 문제에 대한 관점이 시대에 따라 달라지는 과정을 서술하고 새로운 관점이 나타날 것을 전망하고 있다.
⑤ 도덕적 갈등 문제에 대한 관점이 분화된 배경을 제시하고 관점들이 혼재하게 될 경우 나타날 문제점을 서술하고 있다.

17. ㉠과 ㉡에 대한 설명으로 적절하지 않은 것은?

① ㉠은 어느 사회에나 보편적으로 적용되는 도덕 법칙이 있다고 본다.
② ㉡은 상위 원리를 통해 현실적인 규범을 만들 수 있다고 본다.
③ ㉠은 ㉡과 달리 도덕적 가치의 우선순위를 판단할 수 있다고 본다.
④ ㉡은 ㉠과 달리 선험적인 도덕 법칙을 인정하지 않는다.
⑤ ㉠과 ㉡ 모두 도덕적 갈등 상황을 해결할 수 있다고 본다.

18. [가]의 '도덕적 다원주의자'의 관점에서 <보기>를 설명한 내용으로 가장 적절한 것은?

< 보 기 >

A는 친구 B에게 1,000만 원을 빌렸지만 형편이 어려워 B에게 돈을 갚지 못했다. 이에 B는 소송을 제기했다. ㉮ 판사 C는 A의 상황이 딱하다고 생각했으나 A가 법을 어긴 것은 잘못이라고 판단하여, A가 B에게 돈을 갚으라고 판결하였다.
한편, 판사 C의 친구 D는 C에게서 1,000만 원을 빌렸지만 형편이 어려워 C에게 돈을 갚지 못하고 있다. 이에 ㉯ C는 소송을 제기할 것을 고민했으나, 친구의 어려움을 배려하는 것이 더 중요하다고 생각해서 소송을 단념했다.

① ㉮와 ㉯에서 C가 올바른 가치 판단을 하기 위해서는 통일된 지표가 있어야 한다.
② ㉮와 ㉯에서 C가 서로 다르게 판단한 것은 조건에 따라 가치의 우선순위가 다를 수 있기 때문이다.
③ ㉮에서 C가 우선시한 가치와 ㉯에서 C가 우선시한 가치는 동일하다.
④ ㉮에서 C는 통일된 지표에 따라 판단하였고, ㉯에서 C는 조건에 따라 판단하였다.
⑤ ㉮에서는 두 가치 간의 내재적 속성이 상충되지만, ㉯에서는 두 가치 간의 내재적 속성이 상충되지 않는다.

19. 윗글을 바탕으로 <보기>에 대해 보인 반응으로 적절하지 않은 것은? [3점]

< 보 기 >

이웃에 살고 있는 갑과 을은 공공장소에 CCTV 설치를 확대해야 하는가를 두고 갈등하고 있다. 갑은 CCTV가 없는 곳에서 범죄를 당한 적이 있다며, 공공의 안전이라는 가치를 위해 CCTV 수를 늘려야 한다고 주장한다. 반면 을은 CCTV로 인해 개인정보가 노출된 적이 있다며, 사생활 보호라는 가치를 위해 CCTV 수를 늘리면 안 된다고 주장한다.

① 도덕적 원칙주의자는 CCTV 설치 확대를 둘러싼 갈등을 해결하는 데 갑이 범죄를 당한 적이 있다는 사실을 고려해서는 안 된다고 생각하겠군.
② 도덕적 자유주의자는 공정한 절차에 따른 합의에 의해 CCTV 설치 확대가 결정된다면 을은 그 결정을 따라야 한다고 생각하겠군.
③ 도덕적 자유주의자는 CCTV로 인해 개인정보가 노출된 적이 있는 을의 입장이 고려되어 한다는 점에서 갑이 양보해야 한다고 생각하겠군.
④ 도덕적 다원주의자는 갑과 을이 CCTV 설치 확대 문제를 이분법적으로 결정하기보다는 타협할 수 있는 지점을 찾아야 한다고 생각하겠군.
⑤ 도덕적 다원주의자는 갑과 을이 CCTV 설치 확대 문제를 둘러싼 갈등으로 인해 둘 사이의 관계가 나빠지지 않도록 하는 것이 중요하다고 생각하겠군.

20. ⓐ ~ ⓔ의 사전적 의미로 적절하지 않은 것은?

① ⓐ : 어떤 사실을 자세히 따져서 바로 밝힘.
② ⓑ : 전례나 규칙, 명령 따위를 그대로 좇아서 지킴.
③ ⓒ : 잘 보호하여 기름.
④ ⓓ : 일이나 사건 따위를 해결할 수 있는 방법이나 실마리를 더듬어 찾음.
⑤ ⓔ : 헐거나 깨뜨려 못 쓰게 만듦.

**[21 ~ 24] 다음을 읽고 물음에 답하시오.**

그의 결심이란 다른 것이 아니라 살림을 떠엎고 말리라는 것이었다.

살림이라야 **가진 논밭**이 없고, 몇 대짼진 몰라도 하늘에서 떨어져서는 첫 동네라는 안악굴 꼭대기에서 그중에서도 제일 외따로 떨어져 있는 오막살이를 근거로 하고 화전이나 파먹고 숯이나 구워 먹고 덫과 함정을 놓아 산짐승이나 잡아먹던 구차한 살림이었다.

그래도 자기 아버지 대에까지는 **굶지는 않**고 남에게 비럭질은 하지 않고 살아왔다. 그렇던 것이 언제 누구라 임자로 나서 팔아먹었는지 둘레가 백 리도 더 될 큰 산을 **삼정회사**에서 샀노라고 나서 가지고는 부대*를 파지 못한다, 숯을 허가 없이 굽지 못한다, 또 **경찰**에서는 멧돼지 함정이나 여우 덫은 물론이요, 꿩 창애나 옥누 같은 것도 허가 없이는 못 놓는다 하고 금하였다.

요즘 와서 안악굴 동네는 **산지기**와 **관청**에서 이르는 대로만 지키자면 봄여름에는 산나물이나 뜯어 먹고, 가을에는 머루 다래나 하고 도토리나 주워다 먹고 겨울에는 곤충류와 같이 땅속에 들어가 동면이나 할 수 있으면 상책이게 되었다.

그러나 큰 산 속 안악굴서 사는 사람들이라고 해서 이 장군이네부터도 갑자기 멧돼지나 노루와 같이 초식만을 할 수가 없고 나비나 살무사처럼 삼동 한 철을 자고만 배길 수도 없었다. 배길 수가 없어서가 아니라 하고 싶어도 재주가 없어서였다.

그래서 안악굴 사람들은 관청의 눈이 동뜬 때문인지 엄밀하게 따지려면 늘 **범죄**의 생활자들이었다.

안악굴서 멧돼지와 노루의 함정을 파놓은 것이 이 장군이 한 사람만은 아니었다. 그날 하필 사냥을 나왔던 순사부장이 빠진다는 것이 알고 보니 **여러 함정** 중에 장군이가 파놓은 함정이었다.

그래서 장군이는 찔름거리는 **순사부장의 뒤를 따라 그의 묵직한 총을 메고** 경찰서로 들어왔고 경찰서에 들어와선 처음엔 귀때기깨나 맞았으나 다음날로부터는 저희 집 관솔불이나 상사발에 대어서는 너무나 문화적인 전기등 밑에서 알미늄 벤또에나 쌀밥만 먹고 지내다가 스무 날 만에 집으로 나오는 길이었다.

**[중간 부분의 내용]** 경찰서에서 나와 집으로 돌아오던 장군이는 자신의 처지를 돌아보고 발걸음이 무거워짐을 느낀다.

철둑을 넘어서 안악굴로 올라가는 길섶에 들면 되다 만 **방앗간**이 하나 있다. 돌각담으로 담만 둘러쌓고 확*도 아직 만들지 않았고 풍채도 없다. 그러나 물 받을 자리와 물 빠질 보통*은 다 째어 놓았고, 제법 주머니방아는 못 되더라도 한참 만에 한 번씩 뒷박질하듯 하는 통방아채 하나만은 확만 파 놓으면 물을 대어 봐도 좋게 손이 떨어진 것이었다.

장군이는 가을에 들어 이것으로 쌀되나 얻어먹어 볼까 하고 여름내 보통을 낸다 돌각담을 쌓는다, **빚을 마흔 냥 가까이 내어** 가지고 방아채 재목을 사고 목수 품을 들이면서 거의 끝을 마쳐 가는데 소문이 나기를, 새 술막 장풍언네가 발동긴가 무슨 조화방안가 하는 걸 사온다고 떠들어들 대었다. 그리고 발동기는 하루 쌀을 몇 백 말도 찧으니까, 새 술막에 전에부터 있던 물방아도 세월이 없으리라 전하였다.

알고 보니 아닌 게 아니라 **장풍언네**는 아들이 **서울 가서 발동기를 사오고 풍채를 사오**고, 그리고는 미리부터 찧는 삯이 물방아보다 적다는 것, 아무리 멀어도 저희가 일꾼을 시켜 찧을 것을 가져가고 찧어서는 배달까지 해 준다는 것을 광고하였다. 이렇게 되고 보니 벼 두어 섬만 찧으려도 밤늦도록 관솔불을 켜가지고 북새를 놀게 디디기도 하려니와, **까부름* 새를 모두 곡식 임자가 가서 거들어 줘야 되는** 물방아로 찾아올 사람이 있을 것 같지 않았다. 이래서 장군이는 여름내 방아터를 잡느라고 **세월만 허비**하고, 게다가 빚까지 진 것을 **중도에 손을 떼고 내어던지**지 않을 수 없이 된 것이다.

[A]

장군이는 걸음을 멈추고 봇도랑 낸 데 물이 고인 것을 한참이나 서서 내려다보았다. 웅덩이라 바람 한 점 스치지 않는 **수면**은 **거울같이 맑고 고요**하여 내려다보는 장군이의 얼굴이 잔주름 하나 없이 비치었다.

누가 불러 보아도 듣지 못할 것처럼 **꿈꾸듯 물만 내려다보고 섰던** 장군이는 한참 만에 슬그머니 허리를 굽히었다. 그리고 손을 더듬더듬하여 커다란 몽우리돌을 하나 집었다.

그리고는 다시 허리를 펴서 물을 내려다보았다.

물속에는 잠긴 자기 얼굴을 간지르는 듯 어찌 생각하면 자기를 비웃는 듯도 한 빤작빤작하는 송사리 떼가 알른거리고 몰려다니었다.

**철버덩!**

장군이 손에 잡히었던 **몽우리돌**은 거울 같은 물을 깨뜨리고 가을 산기슭의 적막을 흔들어 놓았다. 그러나 그의 돌땅*에 맞고 **입이 광주리만큼씩 찢**어지며 올려다보는 것은 **제 얼굴의 그림자**뿐, **송사리 떼**는 **한 마리도 뜨지 않**았다.

– 이태준, 「촌뜨기」 –

* 부대 : 주로 산간 지대에서 풀과 나무를 불살라 버리고 그 자리를 파 일구어 농사를 짓는 밭.
* 확 : 방앗공이로 찧을 수 있게 돌절구 모양으로 우묵하게 판 돌.
* 보통 : 봇둑. 보를 둘러쌓은 둑.
* 까부름 : 키를 위 아래로 흔들어 곡식의 티나 검불 따위를 날리는 일.
* 돌땅 : 돌이나 망치 등으로 고기가 숨어 있을 만한 물속의 큰 돌을 세게 쳐서 그 충격으로 고기를 잡는 일. 또는 그렇게 치는 돌.

*21.* 윗글에 대한 설명으로 가장 적절한 것은?

① 인물의 과장된 반응을 통해 비극적 분위기를 반전시키고 있다.
② 인물이 떠올린 상상 속 장면을 통해 인물의 지향을 드러내고 있다.
③ 습관적 행위를 중심으로 인물을 묘사하여 인물의 개성적 성격을 강조하고 있다.
④ 사건과 관련된 인물의 의문점을 나열하여 작중 상황에 대한 독자의 비판을 유도하고 있다.
⑤ 인물과 관련된 사건의 추이를 요약적으로 서술하여 인물에 대한 독자의 이해를 돕고 있다.

22. 안악굴에 대한 이해로 적절하지 않은 것은?

① 한때는 '가진 논밭'이 없어도 '굶지는 않'았던 곳이다.
② '삼정회사'의 출현으로 생활의 변화가 일어난 곳이다.
③ '산지기'나 '관청'의 통제가 영향을 끼치고 있는 곳이다.
④ '경찰'에 저항하기 위한 '여러 함정'이 존재하는 곳이다.
⑤ 생계유지를 위한 기존의 방식이 '범죄'가 될 수 있는 곳이다.

23. <보기>를 바탕으로 윗글을 감상한 내용으로 적절하지 않은 것은? [3점]

< 보 기 >

이 작품에는 근대화 시기의 과도기적 삶의 모습이 드러나 있다. 근대화된 방식의 삶은 당대를 살아간 사람들의 성취 욕구를 자극하기도 하였으나, 이를 따라가지 못하고 좌절하는 사람도 있었다. 작품의 제목인 '촌뜨기'는, 과도기적 사회에서 제 나름의 방식으로 더 나은 삶을 위해 노력하지만 시대적 흐름을 충분히 이해하지 못한 까닭에 실패하게 되는 인물의 처지를 드러낸다.

① 장군이가 '순사부장의 뒤를 따라 그의 묵직한 총을 메고' 가는 것은 근대화된 방식에 따르려는 욕구가 자극되었기 때문이라 할 수 있군.
② 장군이가 '빚을 마흔 냥 가까이 내어'서 '방앗간'을 지은 것은 더 나은 삶을 위해 제 나름대로 노력하는 모습으로 볼 수 있군.
③ '장풍언네'가 '서울 가서 발동기를 사오고 풍채를 사오'는 것은 근대화 시기에 적응해 가는 모습으로 볼 수 있군.
④ '까부름 새를 모두 곡식 임자가 가서 거들어 줘야 되는' 방식의 '방앗간'을 차리려고 한 것은 장군이가 시대적 흐름을 충분히 이해하지 못했기 때문이라 볼 수 있군.
⑤ 장군이가 '세월만 허비'한 채 '중도에 손을 떼고 내어던지'게 된 것은 근대화된 삶의 방식을 따라가지 못하고 '촌뜨기'로 머물게 된 상황을 보여 준다고 할 수 있군.

24. <보기>를 참고하여 [A]를 이해한 내용으로 가장 적절한 것은?

< 보 기 >

문학 작품에서 '물'을 바라보는 행위는 물에 비친 상(像)을 통한 자기 인식과 관련된다. 물에 비친 상은 주체가 자신의 내면이나 자신과 관련된 사태의 본질을 스스로 깨닫도록 한다.

① '거울같이 맑고 고요'한 '수면'은 사태의 본질을 깨달은 이후의 평온함을 보여 준다고 할 수 있다.
② '꿈꾸듯 물만 내려다보고 섰던' 것은 자기 인식이 중단된 순간의 상실감을 드러냈다고 볼 수 있다.
③ '철버덩!' 하는 소리를 내며 '몽우리돌'이 떨어진 것은 자기 인식 기능이 작동하지 않는 데 대한 분노를 드러낸 것이라고 할 수 있다.
④ '입이 광주리만큼씩 찢'어져 보이는 '제 얼굴의 그림자'는 자신에 대한 부정적 인식을 드러낸다고 볼 수 있다.
⑤ '한 마리도 뜨지 않'은 '송사리 떼'는 내면에 대한 깨달음을 스스로의 힘으로 얻는 것이 불가능함을 보여 준다고 할 수 있다.

**[25 ~ 28] 다음을 읽고 물음에 답하시오.**

호왕이 또한 계책을 생각하고 대장 겸한을 불러 말하기를,
"철기 일만을 거느리고 중국 도성에 들어가 성중을 엄살하면 응당 구완병을 청할 것이니 대성을 치운 후에 명제를 사로잡아 대군을 합세하여 대성을 없애리라."
하니 겸한이 군을 거느려 장안으로 가니라.
이때 원수가 적진을 대하여 진욕을 무수히 하되 호왕이 끝내 나오지 아니하거늘 원수 천자께 아뢰되,
"호왕이 소장의 살아남을 꺼려 접전치 아니하니 대군을 합세하여 짓밟고자 하나이다."
상이 말하기를,
㉠"호왕이 무슨 비계 있는가 싶으니 잠깐 기다리라."
할 차에 원문 밖에서 기별이 왔으되 무수한 오랑캐 장안을 범하여 사직이 조모*에 있다 하거늘 상이 놀라 원수를 불러 말하기를,
"이놈이 여러 날 나지 아니하매 고이하게 여겼더니 장안을 범하였도다. 이제 호왕을 당적할 장수 없으니 이제 경이 가서 사직을 받들고 동군을 구완하여 잔명을 보존케 하라."
하시니 원수 총망* 중에 하직하고 일진 명마를 거느려 장안을 향하니라.
이때에 호장 체탐이 호왕께 고하되, 대성이 장안에 갔다 하거늘 호왕이 크게 기뻐하여 철기 삼천을 거느려 그날 밤 삼경에 명진에 다다르니 일진이 고요하여 인마 다 잠을 들었는지라 고함하며 지쳐 엄살하니 명진이 불의에 난을 만나매 제장 군졸의 머리 추풍낙엽일네라 뉘 능히 당하리요?
이때 명진 천자가 중군에서 취침하여 계시다가 합성소리 천지진동하거늘 놀라 장 밖에 나와 보니 화광이 충천한 가운데 일원 대장이 크게 외쳐 말하기를,
"명제 어디 있느냐?"
하며 달려 들어오니 본즉 이는 곧 호왕이라.
상이 대경하여 제장을 부르니 제장 군졸이 다 흩어지고 없는지라 다만 삼장*을 겨우 찾아 일지병을 거느려 북문으로 달아나더니 날이 이미 밝으며 황강 강가에 다다르니 강촌 백성이 난을 피할 길이 없는지라.
상이 삼장을 돌아보아 가라사대,
"좌우에 태산 막혀 있고 앞에 황강이 있어 건널 길이 없고 호왕의 추병은 급하였으니 그 가운데 있어 어디로 가리요? 삼장은 힘을 다하여 뒤를 막으라."
하시니 삼장과 군사가 말 머리를 돌려 호적을 대하여 마음을 둘 곳이 없더니 호왕이 달려와 삼장과 군사를 다 죽이고 명제는 함정에 든 범이라 어찌 망극지 아니하리요? 명제 하늘을 우러러 통곡하여 말하기를,
"죽기는 서럽지 아니하되 사직이 오늘날 내게 와 망할 줄 알리요. 황천에 들어간들 태종 황제께 하면목으로 뵈오리요?"
하시고 슬피 울으실 새 호왕이 황제 탄 말을 찔러 거꾸러치니 상이 땅에 떨어지거늘 호왕이 창으로 상의 가슴을 겨누며 꾸짖어 말하기를,
"죽기를 서러워하거든 항서를 써 올리라."
상이 총망 중에 대답하되,
"지필이 없으니 무엇으로 항서를 쓰리요?"
호왕이 크게 소리하여 말하기를,
"목숨을 아낄진대 용포를 떼고 손가락을 깨물라."
하니
"차마 아파 못할네라."

8회

소리 나는 줄 모르고 통곡하시니 용의 울음소리가 구천에 사무치는지라 하늘이 어찌 무심하리요?

이때 원수 장안으로 가 호왕을 찾으니 호왕은 없고 겸한이 삼군을 거느려 왔거늘 원수 분노하여 겸한을 한칼에 베고 제군에게 하령하기를,

"이제 호왕이 나를 치우고 우리 대군을 범하고자 함이니 나는 필마로 가서 대군을 급히 구완할 것이니 제군은 따라오라."

하고 달려가니 빠르기 풍우 같은지라.

대진을 향하여 오더니 홀연 공중에서 외쳐 말하기를,

"용부야, 대진으로 가지 말고 황강으로 가라. 지금 천자 강변에 꺼꾸러져 호왕의 창끝에 명이 다하게 되었으니 급히 구완하라."

하거늘 원수 황강으로 가며 분기충천하여 말하기를,

"앞에 큰 강이 가렸으니 건넬 길이 없는지라."

때는 늦어 가고 분기는 울울하여 말더러 경계하여 말하기를,

"네 비록 짐승이나 사람의 급함을 알지라. 물을 건네라."

하니 청총마 그 임자의 충성을 모르리요? 고개를 들고 청천을 우러러 한소리를 벽력같이 지르고 강을 건너뛰니 이는 대성의 충심과 청총마 그 임자 아는 정을 하늘이 감동하사 건너게 함이라.

그제야 멀리 바라보니 상이 강변에 넘어졌는지라 원수가 우레 같은 소리를 벽력같이 지르며,

"호왕은 나의 임금을 해치 말라."

하는 소리 천지진동하니 호왕이 황겁하여 미처 회마치 못하여 청총마가 호왕의 탄 말을 물고 대성의 칠성검은 호왕의 머리를 베어 말 아래에 떨어지느니라. 원수가 호왕의 머리를 창끝에 꿰어 들고 말에서 내려 강변에 다다르니 천자 기절하여 누웠거늘 원수 엎드려 아뢰기를,

"대성이 호왕을 죽이고 왔나이다."

상이 혼미 중에 대성의 말을 들으시고 용안을 잠깐 들어보니 과연 대성이 호왕의 머리를 들고 엎드렸거늘 혼미 중에 일어나 대성의 손을 잡고 꿈인가 생신가 분별치 못할네라.

원수 여쭙기를,

"소신이 이제 반적 호왕을 죽였사오니 옥체를 진정하옵소서."

상이 정신을 차려 가라사대,

"어느 사이에 호왕을 죽이고 짐의 잔명을 보전케 하였느냐? 돌아가 천하를 반분하리라."

원수 천자를 모시고 본진에 돌아오니 상이 앙천통곡하기를,

"나로 말미암아 아까운 장졸이 원혼이 되었으니 어찌 슬프지 아니하리요?"

행군하여 대연을 배설하사 장졸을 상사하시고 좌우더러 일러 말하기를,

"원수는 만고에 짝 없는 충신이라 일방 봉작*으로 그 공을 갚을 길이 없어 천하를 반분하고자 하나니 제신들은 어떠하뇨?"

대성이 엎드려 아뢰기를,

㉡"천하를 평정함이 폐하의 넓으신 덕이요 신의 공이 아니오매 천하를 반분하오면 일천지하에 두 천자 없사오니 소신으로 하여금 후세에 역명을 면케 하옵소서."

– 작자 미상, 「소대성전」 –

* 조모 : 어떤 일이 곧 결판나거나 끝장날 상황.
* 총망 : 매우 급하고 바쁘다.
* 삼장 : 세 명의 장수.
* 봉작 : 제후로 봉하고 관작을 줌.

25. 윗글에 대한 설명으로 가장 적절한 것은?

① 배경 묘사를 통해 해학적 분위기를 조성한다.
② 장면 전환을 통해 인물의 성격 변화를 드러낸다.
③ 상징적 소재를 활용하여 비극적 결말을 암시한다.
④ 서술자가 개입하여 인물이 처한 상황에 대해 논평한다.
⑤ 과거 사건과 현재 사건을 대비하여 갈등의 원인을 부각한다.

26. 윗글에 대한 이해로 적절하지 <u>않은</u> 것은?

① 호왕은 겸한이 군사를 거느리고 장안으로 가도록 지시했다.
② 천자는 장안을 범한 오랑캐를 물리치기 위해 대성을 보냈다.
③ 대성이 떠났다는 보고를 받은 호왕은 명진을 공격하였다.
④ 대성은 호왕에게 속았음을 장안에 도착하기 전에 알았다.
⑤ 본진으로 돌아온 천자는 장졸의 죽음을 안타까워하였다.

27. <보기>를 바탕으로 윗글을 감상한 내용으로 적절하지 <u>않은</u> 것은? [3점]

< 보 기 >

이 작품에서 소대성은 호국의 침략으로 위기에 처한 명나라를 지켜내는 인물로 제시된다. 탁월한 무공을 바탕으로 천상계의 조력을 받아 위기를 해결하는 과정에서 드러나는 소대성의 영웅적 능력은 지배 계층의 무능과 대비를 이룬다.

① 호국의 침략으로 군사들이 희생되고 백성이 난을 겪는 상황에서 명나라가 위기에 처했음이 드러나고 있군.
② 호왕의 공격에 적절하게 대응하지 못하는 천자의 나약한 모습은 지배 계층의 무능함을 보여 주는 것이라 할 수 있군.
③ 공중에서 들리는 소리에 분기충천하는 소대성의 모습은 천상계의 질서를 극복하고자 하는 의지를 보여 주고 있군.
④ 항서를 요구받고 쓰러져 기절한 천자와 극적으로 천자를 구출하는 소대성이 대비되면서 소대성의 영웅적 면모가 부각되고 있군.
⑤ 명을 위협하는 오랑캐를 물리치고 호왕을 제압하는 모습에서 국가적 위기를 해결하는 소대성의 탁월한 능력이 나타나 있군.

28. ㉠과 ㉡을 비교하여 설명한 내용으로 가장 적절한 것은?

① ㉠은 실행으로 인한 결과를 우려하며, ㉡은 실행을 위한 방안을 요구하며 상대의 제안을 거부하고 있다.
② ㉠은 추측에 근거하여, ㉡은 군신 간의 도리를 내세워 상대의 제안을 수용하지 않고 있다.
③ ㉠은 자신의 공을 내세우며, ㉡은 상대에게 공을 돌리며 상대의 제안에 동의하고 있다.
④ ㉠은 단점을 중심으로, ㉡은 장점을 중심으로 상대의 제안을 구체화하고 있다.
⑤ ㉠은 유보적인 태도로, ㉡은 적극적인 태도로 상대의 제안을 수용하고 있다.

[29 ~ 32] 다음을 읽고 물음에 답하시오.

(가)

푸른 담쟁이 헤치고 **독락당(獨樂堂)**을 지어 내니
그윽한 경치는 견줄 데 전혀 없네.
㉠수많은 긴 대나무 시내 따라 둘러 있고
만 권의 서책은 네 벽에 쌓였으니
왼쪽엔 안회 증삼, 오른쪽엔 자유 자하*.
서책을 벗 삼으며 시 읊기를 일삼아
한가로운 가운데 **깨우친 것을 혼자서 즐기**도다.
독락, 이 이름 뜻에 맞는 줄 그 누가 알리
사마온공 독락원이 아무리 좋다 한들
그 속의 참 즐거움 이 독락에 견줄쏘냐.
진경을 다 못 찾아 **양진암(養眞庵)**에 돌아들어
바람 쐬며 바라보니 **내 뜻도 뚜렷하다.**
퇴계 이황 자필이 참인 줄 알겠노라.
**관어대(觀魚臺)** 내려오니 펼친 듯한 반석에 자취가 보이는 듯.
손수 심은 장송은 옛 빛을 띠었으니
변함없는 경치가 그 더욱 반갑구나.
㉡상쾌하고 맑은 기운 난초 향기에 든 듯하네.
몇몇 옛 자취 보며 문득 생각하니
우뚝한 낭떠러지는 바위 병풍 절로 되어
용면의 솜씨로 그린 듯이 벌여 있고
깊고 맑은 못에 천광운영*이 어리어 잠겼으니
광풍제월*이 부는 듯 비치는 듯.
**연비어약*을 말없는 벗으로 삼아**
**독서에 골몰**하여 **성현의 일** 도모하시도다.
맑은 시내 비껴 건너 낚시터도 뚜렷하네.
㉢묻노라, 갈매기들아. 옛일을 아느냐.
엄자릉이 어느 해에 한나라로 갔단 말인가*.
이끼 낀 낚시터에 저녁연기 잠겼어라.

– 박인로, 「독락당」 –

* 안회, 증삼, 자유, 자하 : 공자의 제자들.
* 천광운영 : 하늘빛과 구름 그림자.
* 광풍제월 : 비가 갠 뒤의 맑게 부는 바람과 밝은 달.
* 연비어약 : 솔개가 날고 물고기가 뛴다는 뜻으로, 온갖 동물이 생을 즐김을 이르는 말.
* 엄자릉이 ~ 갔단 말인가 : 중국 후한의 엄광이 광무제가 내린 벼슬을 거부하고 자연에 은거하였다는 고사를 이름.

(나)

'방우산장(放牛山莊)'은 내가 거처하고 있는 이른바 '나의 집'에다 스스로 붙인 집 이름이다.

㉣집이란 물건은 고루거각이든 용슬소옥이든지* 본디 일정한 자리에 있는 것이요, 떠메고 돌아다닐 수 없는 것이매 집 이름도 특칭의 고유명사가 아닐 수 없으나 나의 방우산장은 원래 특정한 장소, 일정한 건물 하나에만 명명한 것이 아니고 보니 육척 수신 장구를 담아서 내가 그 안에 잠자고 일하며 먹고 생각하는 터전은 다 방우산장이라 부를 수밖에 없다. **산장**이라 했으니 산 속에 있어야만 붙일 수 있는 이름이로되 십리 둘레에 일점 산 없는 곳이 없고 보니 나의 방우산장은 심산에 있거나 시항에 있거나를 가리지 않고 일여한 산장이다. 이는 **내가 본디 산에서 나고 또 장차 산으로 돌아갈 자이기 때문이다.**

기르는 한 마리 소야 있든지 없든지 방우*라 부르는 것은 내 소, 남의 소를 가릴 것 없이 설핏한 저녁 햇살 아래 내가 올라타고 풀피리를 희롱할 한 마리 소만 있으면 그 소가 지금 어디에 가 있든지 내가 아랑곳 할 것이 없기 때문이다.

집은 떠다니지 못하지만 사람은 떠돌게 마련이다. **방우산장의 이름에 값할 집**은 열 손을 넘어 꼽게 된다. 어떤 때는 따뜻한 친구의 집이 내 산장이 되었고 어떤 때는 차운 여관의 일실이 내 산장이 되기도 하였다. 그나 그뿐인가. 피난 종군의 즈음에는 야숙의 담요 한 장이 내 산장이 되기도 하였다. 이러고 보면 취와*의 경우에는 저 억조 성좌를 장식한 무변한 창공이 그대로 나의 산장이 될 법도 하지 않는가. 실상은 나를 바로 나이게 하는 **내 영혼이 깃들인 곳집**, 이 나의 육신이 구극에는 나의 산장이기도 하다.

방우산장에는 아직 한 장의 현판도 없다. 불행하게도 한 장의 현판을 걸었던들 방우산장은 이미 나의 집이 아니게 되었을 것이요, 나의 형터리도 없는 집 이름은 몇 번이든 바뀌졌을지도 모른다. 그러므로 ㉤두려운 일은 곧 뒷날 내 죽은 뒤 어느 사람이 있어 나의 마음을 가장 잘 알아 주노라는 제 정성으로 방우산장이란 묘석을 내 무덤에다 세워 줄까 저어함이다.

그때는 이미 나의 방우산장은 이 지상에서는 소멸되고 저 지하의 한 이름 모를 나무뿌리에 새겨져 있을 것이다. 땅 위에 남겨 놓고 간 '영혼의 새'가 깃들이는 곳 – 그 무성한 숲의 어느 한 가지가 방우산장이 될 것이다.

– 조지훈, 「방우산장기」 –

* 고루거각이든 용슬소옥이든지 : '높고 크게 지은 집'이든 '겨우 무릎이나 움직일 수 있는 몹시 좁고 작은 집'이든지.
* 방우 : 소를 놓아줌. 불교에서는 사람의 마음을 소[牛]에 빗대어 이를 찾아[심우(尋牛)] 기르는 것[목우(牧牛)]을 수행의 관건으로 보는데, 이에 대해 '방우'가 곧 '목우'임을 내세우는 것은 불교에 근거하면서도 어디에도 구속당하지 않는 자유정신을 드러낸 것으로 볼 수 있음.
* 취와 : 술에 취하여 누움.

29. (가)에 대한 설명으로 가장 적절한 것은?

① 영탄적 어조를 사용하여 예찬적 태도를 드러내고 있다.
② 자연의 불변성에 주목하여 인간사의 한계를 부각하고 있다.
③ 현실의 모순을 언급하며 과거 회귀적 지향을 나타내고 있다.
④ 치밀한 관찰에 근거하여 다양한 삶의 모습을 제시하고 있다.
⑤ 역사적 사례를 제시하며 상황 극복의 의지를 드러내고 있다.

30. ㉠ ~ ㉤에 대한 설명으로 적절하지 않은 것은?

① ㉠ : 공간의 외부와 내부에 대한 진술을 나란히 제시하여 화자가 받은 인상을 개괄적으로 표현하고 있다.
② ㉡ : 감각적 심상과 비유를 결합하여 주변 경관을 효과적으로 표현하고 있다.
③ ㉢ : 자연물에 인격을 부여하여 질문을 던짐으로써 이어질 내용을 이끌어내고 있다.
④ ㉣ : 대조적 표현을 활용하여 대상에 대한 일반적인 생각을 드러내고 있다.
⑤ ㉤ : 가정을 통해 소망이 생전에 실현되지 못할 가능성에 대한 우려를 드러내고 있다.

8회

**※ <보기>를 참고하여 31번과 32번의 두 물음에 답하시오.**

< 보 기 >

(가)는 회재 이언적이 거처하던 독락당 및 후학 양성의 뜻을 드러낸 양진암 등을 다룬 박인로의 가사이다. 이 작품의 공간은 학문 수양의 공간과 그 주변의 자연 공간을 아우르고 있다. 화자는 이언적이 명명한 것으로 전해지는 이들 공간을 둘러보면서 그 명칭의 의미와 관련지어 자신의 소회를 드러낸다. 이처럼 공간의 명칭과 그 의미를 중심으로 사고하는 방식은 (나)에서도 중요한 기반을 이루고 있다.

*31.* (가)와 (나)를 이해한 내용으로 적절하지 않은 것은? [3점]

① (가)에서 '깨우친 것을 혼자서 즐기'는 행위는 '독락당'이라는 명칭의 의미와 연결되면서 학문을 목적으로 하는 공간의 성격을 부각하고 있다.
② (가)에서 '내 뜻도 뚜렷하다'는 진술은 '양진암'에 대한 것으로, 화자는 후학 양성에 뜻을 두었던 이언적에 대한 공감을 표현하고 있다.
③ (가)에서 '연비어약을 말없는 벗으로 삼아/독서에 골몰'한다는 표현은 '관어대'와 관련된 것으로, '성현의 일'을 이루지 못한 화자의 반성적 태도를 드러내고 있다.
④ (나)에서 '내가 본디 산에서 나고 또 장차 산으로 돌아갈 자이기 때문이다'는 '산장'이라는 명칭의 근거와 함께 '나'가 귀의하고자 하는 공간의 성격을 나타내고 있다.
⑤ (나)에서 '방우산장의 이름에 값할 집'은 궁극적으로 '내 영혼이 깃들인 곳집'과 연결되면서, 공간의 명칭이 정신적 지향의 표상임을 암시하고 있다.

*32.* '공간'과 '명칭'의 관계를 중심으로 (가)와 (나)를 설명한 내용으로 가장 적절한 것은?

① (가)에는 시간의 흐름에 따라 공간의 명칭이 변화하는 과정이 제시되고 있다.
② (나)에는 명칭이 지시하는 공간이 하나의 물리적 실체에만 국한되지 않는다는 인식이 나타나 있다.
③ (가)와 (나)의 공간은 명명 과정에서 다수의 인정을 받는 단계를 거쳐 왔다.
④ (가)와 달리 (나)에서는 공간의 외양과 명명의 근거가 긴밀하게 연결되고 있다.
⑤ (나)와 달리 (가)에서는 공간에 대한 작가의 경험이 명칭 지정의 기준으로 작용하고 있다.

**[33 ~ 37] 다음을 읽고 물음에 답하시오.**

[A] 약은 생체의 작용에 영향을 미쳐 생물학적 효과를 내기 위한 목적으로 이용하는 의약품을 말한다. 약은 생체에서 수용체와 결합하여 유익 작용 및 유해 작용을 나타내는 방식을 취하기도 한다. 이 경우 약은 생체의 리간드와 유사한 화학적 분자 구조를 가진 성분을 포함하는데, 이러한 성분으로 인해 약은 생체 내에서 리간드로 기능한다. 여기서 리간드란 수용체와 결합하여 신경 자극이나 화학 반응과 같은 생물학적 반응을 촉발할 수 있는 물질이다. 생체 내에서 수용체와 친화성이 높은 리간드가 결합하면, 리간드와 결합한 수용체의 작용에 의해 생체의 변화가 일어나기도 하고, 수용체에 의해 리간드의 구조 변화가 일어남으로써 이후의 생물학적 반응이 유도되기도 한다. 이러한 점에서 약은 특정 수용체와 결합할 수 있는 리간드를 인위적으로 생체에 증가시킴으로써 리간드와 결합한 수용체의 수가 일정 시간 동안 일정 수준 이상이 되게 하여 효과를 낸다고 할 수 있다.

대체로 약은 병원체에 작용하거나 생체에 직접 작용하는 방식으로 생물학적 효과를 낸다. 박테리아나 바이러스에 의한 질병의 치료에 활용되는 항생제나 항바이러스제 등은 전자의 방식에 해당하는 경우가 많다. 가령 박테리아에 의한 질병 치료에 사용되는 ㉠ <u>설파제</u>는, 인간과 박테리아가 모두 대사 과정에서 엽산이라는 물질을 필요로 하는데 엽산을 섭취하여 사용할 수 있는 인간과 달리 박테리아는 엽산을 스스로 만들어야만 한다는 점을 이용한다. 박테리아는 엽산을 만들기 위한 수용체를 가지고 있는데, 파라아미노벤조산(PABA)이 그 수용체와 결합하여 최종적으로 엽산이 된다. 박테리아에 감염된 환자가 설파제를 복용하면 설파제는 체내에서 화학적 변화를 거쳐 PABA와 분자 구조가 매우 유사한 설파닐아마이드가 되어 PABA가 결합할 수용체와 먼저 결합한다. 이로 인해 박테리아는 엽산을 만들지 못하고 결국 죽게 된다.

항바이러스제는, 스스로는 증식하지 못하고 다른 세포에 기생하여 DNA 복제 과정을 거치며 증식하는 바이러스의 특성을 활용하여, 바이러스에 감염된 세포의 증식을 막는 방식으로 바이러스 확산을 억제하기도 한다. ㉡ <u>뉴클레오사이드 유도체를 포함한 항바이러스제</u>가 이러한 방식의 약에 해당한다. 뉴클레오사이드 유도체는 뉴클레오타이드와 유사하지만, 뉴클레오사이드 유도체가 세포의 DNA나 RNA의 수용체와 결합하면 결과적으로 DNA 복제 과정이 이루어지지 않는다. 또한 뉴클레오사이드 유도체는 바이러스에 감염된 세포와는 쉽게 결합하지만 감염되지 않은 세포와는 잘 결합하지 않는 특성이 있다. 이 때문에 뉴클레오사이드 유도체는 바이러스에 감염된 세포들이 더 이상 증식하지 못하게 할 수 있으며, 이를 통해 바이러스 확산을 억제한다.

한편 신경작용제는 신경전달물질의 작용에 관여하는 방식으로 사람의 정신이나 행동에 영향을 주는 생물학적 효과를 내는 약이다. 하나의 뉴런에서 발생한 전기 신호는 뉴런 말단에 도달하여 신경전달물질을 분비하게 하고, 이러한 신경전달물질은 연접한 다른 뉴런에 존재하는 수용체에 화학 신호를 전달함으로써 연접한 뉴런 간에 신호를 전달하는 매개체의 역할을 한다. 우울증과 관련된 것으로 알려진 신경전달물질인 세로토닌이나 노르에피네프린은, 보통 후(後)연접 뉴런 수용체에서 기능을 다하고 전(前)연접 뉴런에 재흡수되는 과정을 거치는데, 이 과정에서 뉴런 간 연접 틈새에서 세로토닌이나 노르에피네프린의 농도가 낮아지면 우울증이 나타나는 것으로 알려져 있다. [항우울제]는 연접 틈새에서 이들 신경전달물질의 부족을 해소하는 방식으로 약효를 낸다. TCA 항우울제는 전연접 뉴런의 수용체와 결합하여 신경전달물질의 재흡수가 일어나지 않도록 하는 방식으로, SNRI 항우울제는 신경전달물질의 재흡수를 억제하거나 후연접 뉴런의 수용체와 결합하는 방식으로, 연접 틈새에서 신경전달물질의 농도가 높아진 것과 같은 효과를 낸다.

대부분의 약들은 약효가 여러 가지인 경우가 많기 때문에 두 가지 약을 함께 복용하면 이들 약의 일차적인 약효는 서로 다를지라도 이차적인 약효는 같을 수 있어, 공통되는 이차적인 약효가 한층 커질 수 있다. 이와 같이 약들이 서로 도와 약효를 높이는 효과를 상승효과라고 한다. 한편 약을 장기간 남용하게 되면 수용체의 민감도가 떨어지게 되어, 결과적으로 기존과 동일한 효과를 내기 위해서 더 많은 약을 필요로 하게 되는 내성이 생길 수 있다.

33. 윗글의 내용과 일치하지 않는 것은?

① 약을 두 종류 이상 함께 복용하면 상승효과가 나타날 수 있다.
② 약은 생체의 신경 자극이나 화학 반응을 조절하는 효과를 낼 수 있다.
③ 약은 생체에서 수용체와 결합하여 유익 작용과 유해 작용을 나타낼 수 있다.
④ 약은 생체의 리간드와 유사한 물질을 포함하여 생체의 생물학적 반응을 조절할 수 있다.
⑤ 약은 생체의 대사 작용에 관여하는 물질을 제거함으로써 병원체를 직접적으로 죽게 할 수 있다.

34. [A]를 이해한 내용으로 가장 적절한 것은?

① 생체에서 리간드에 의해 수용체의 구조에 변화가 일어나면 세포의 기능에 변화가 일어난다.
② 생체에서 생물학적 반응이 일어나면 수용체와 리간드는 동일한 화학적 분자 구조로 변화된다.
③ 약을 복용하면 리간드와 결합된 수용체의 수가 일정 시간 동안 복용 전보다 많은 정도가 유지된다.
④ 약의 효과를 높이기 위해서는 약이 생체의 리간드와 친화성이 높은 리간드를 많이 포함하고 있어야 한다.
⑤ 수용체와 동일한 화학적 분자 구조를 가진 물질을 포함한 약은 생체에서 생물학적 효과를 더 크게 일으킨다.

35. ㉠, ㉡에 대한 설명으로 적절하지 않은 것은?

① ㉠은 생체 내에서 화학적 변화를 거친 후 약효를 발휘한다.
② ㉠은 병원체가 대사 과정에서 필요로 하는 물질의 생성을 방해하여 병원체의 사멸을 유도한다.
③ ㉡은 바이러스에 감염된 세포의 DNA 복제 과정에 개입하여 바이러스의 확산을 억제한다.
④ ㉠과 ㉡ 모두 병원체와 병원체에 감염될 수 있는 생체의 차이를 활용하여 생물학적 효과를 낸다.
⑤ ㉠과 ㉡ 모두 병원체와 생체가 공통적으로 필요로 하는 물질을 사용하여 병원체의 확산을 억제한다.

36. <보기>는 [항우울제]의 작용을 이해하기 위한 그림이다. <보기>를 이해한 내용으로 적절하지 않은 것은? [3점]

< 보 기 >

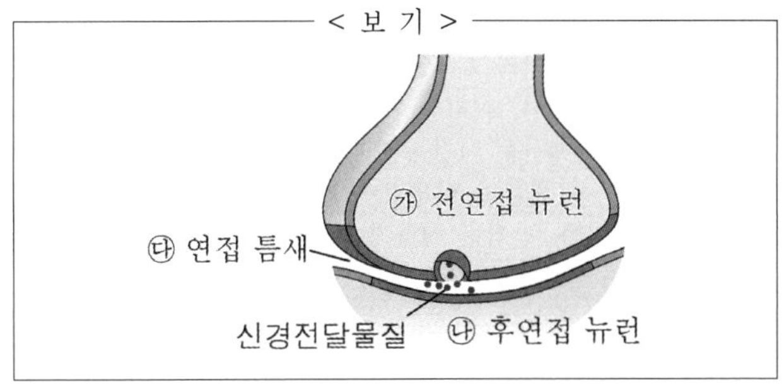


① 보통 ㉮에서 분비된 세로토닌이나 노르에피네프린은 ㉯에 작용한 후 다시 ㉮로 재흡수된다.
② SNRI 항우울제는 ㉯에 지속적으로 흡수됨으로써 ㉰에서 신경전달물질의 농도가 높아지는 효과를 낸다.
③ 우울증의 치료를 위해 ㉰에서 세로토닌이나 노르에피네프린의 농도가 높아지도록 하는 방식을 활용한다.
④ ㉰에서 신경전달물질의 농도가 높은 상태로 장기간 유지되면 수용체의 민감도가 떨어지게 된다.
⑤ 항우울제는 ㉮나 ㉯의 수용체와 결합하여 우울증이 발현되는 원인을 완화하는 효과를 낸다.

37. 윗글을 바탕으로 <보기>에 대해 보인 반응으로 적절하지 않은 것은?

< 보 기 >

생체의 리간드인 히스타민은 알레르기와 염증의 발생, 위산 분비 등에 모두 관여하는 것으로 알려져 있다. 항히스타민약으로 개발된 메피라민은 알레르기와 염증에는 효과가 있지만 위산 분비 조절에는 거의 효과가 없었다. 이에 연구자들은 히스타민과 친화성을 갖는 두 종류 이상의 수용체가 있을 것으로 가정하고, 위산 분비를 조절하는 새 항히스타민약을 개발하였다.

① 새 항히스타민약을 개발한 연구자들은 히스타민이 알레르기와 염증 발생에 관여하는 수용체 및 위산 분비에 관여하는 수용체 모두와 친화성을 갖는다고 가정했을 것이다.
② 메피라민은 위산 분비에 관여하는 수용체보다 알레르기와 염증 발생에 관여하는 수용체와 친화성이 높을 것이다.
③ 메피라민과 새 항히스타민약은 모두 히스타민과 유사한 화학적 분자 구조를 가진 성분을 포함할 것이다.
④ 메피라민과 새 항히스타민약은 모두 생체에서의 위산 분비 조절을 일차적인 약효로 가질 것이다.
⑤ 새 항히스타민약은 메피라민보다 위산 분비에 관여하는 수용체와 더 높은 친화성을 가질 것이다.

8 회

[38 ~ 42] 다음을 읽고 물음에 답하시오.

시장은 수요와 공급이 일치하지 않는 불균형이 발생할 경우 가격 변화에 의해 균형을 회복한다. 예를 들어, 시장에서 초과 공급이 발생하면 가격 하락으로 수요량이 늘고 공급량이 줄면서 균형이 회복된다. 이러한 시장의 가격 조정 기능과 관련하여 거시 경제학에서는 시간대를 단기와 장기로 구분한다. 단기는 가격 조정이 원활히 이루어지지 않아 시장 불균형이 지속되는 시간대이며, 장기는 신축적 가격 조정에 의해 시장 균형이 달성되는 시간대이다. 그런데 단기의 지속 시간, 즉 시장 불균형이 발생한 이후 다시 균형을 회복하는 데 걸리는 시간에 대해 서로 다른 입장들이 존재해 왔다.

1930년대 이전까지 경제학의 주류를 이루었던 ㉠ 고전학파는, 시장은 가격의 신축적인 조정에 의해 항상 ⓐ 균형을 달성한다고 보았다. 이른바 '보이지 않는 손'에 의한 시장의 자기 조정 능력을 신뢰하는 입장으로, 이에 따르면 단기는 존재하지 않는다. 즉 불균형이 발생할 경우 즉시 가격이 변화하여 시장은 균형을 회복한다는 것이다. 따라서 고전학파는 호황이나 불황이 나타나는 경기 변동 현상은 발생하지 않는다고 보았다.

하지만 케인즈는 고전학파의 주장과 달리 장기에는 가격이 신축적이지만 단기에는 ⓑ 경직적이라고 생각했다. 그는 오랜 경기 침체와 대규모의 실업이 발생했던 1930년대 대공황의 원인이 이러한 시장의 가격 경직성에 있다고 주장했다. 가격 경직성이 심할수록 소비나 투자 등 총수요*가 변동할 때 극심한 경기 변동 현상이 유발된다고 보았기 때문이다. 또한 노동 시장에서의 가격인 임금이 경직적인 경우 기업의 노동 수요 감소가 임금 하락으로 상쇄되는 대신 대규모 실업을 불러일으킨다고 주장했다.

이러한 케인즈의 주장은 ㉡ 케인즈학파에 의해 발전된다. 케인즈학파는 경기 변동을 시장 균형으로부터의 이탈과 회복, 즉 불균형 상태와 균형 상태가 반복되는 현상으로 보고, 총수요 변동이 유발한 불균형 상태가 가격 경직성으로 말미암아 오래 지속될 수 있다고 보았다. 따라서 이들은 정부가 재정 정책이나 통화 정책 등 경기 안정화 정책을 통해 경제의 총수요를 ⓒ 관리함으로써 경기 변동을 조절해야 한다고 주장했다. 가격 경직성의 존재에도 불구하고 정부의 '보이는 손'을 통해 시장의 균형이 회복될 수 있다고 본 것이다. 특히 1950년대 이후 컴퓨터의 발달과 통계학의 발전으로 거시 계량 모형이 개발되어 경기 예측과 정책 효과 분석에 이용됨에 따라 케인즈학파는 정책을 통해 ⓓ 경기 변동을 제거할 수 있을 것으로 기대했다.

그러나 케인즈학파는 이후 여러 비판에 직면했다. 특히 1970년대, ㉢ 새고전학파는 케인즈학파의 거시 계량 모형에 오류가 있음을 지적했다. 케인즈학파의 거시 계량 모형은 소비와 소득, 금리와 통화량 등 거시 경제 변수들 간의 상관관계를 가정한 방정식으로 구성되었는데, 이러한 방정식의 계수는 과거의 자료를 통해 통계적인 방법으로 추정되었다. 하지만 새로운 정보가 전해지면 경제 주체들은 기존에 보유하고 있던 정보에 추가된 정보를 반영하여 합리적으로 ⓔ 기대를 형성하고 이에 따라 반응을 바꾸므로, 방정식의 계수 혹은 방정식 자체가 바뀌어야 한다. 새고전학파는 케인즈학파가 거시 경제 변수 간의 관계를 임의로 가정하고 과거 자료만으로 이 관계를 추정하려 했다는 점을 비판하면서, 경제 주체의 합리적 선택에 대한 미시적 분석을 바탕으로 거시 경제 현상을 분석해야 한다고 주장했다. 이에 따라 이들은 시장 불균형이 발생한 경우 가격이 조정되는 속도는 매우 빠르다는 고전학파의 전제를 유지하면서, 경기 변동을 균형 자체가 변화하는 현상으로 분석했다. 그리고 총수요 변동이 아닌 기술 변화가 지속적인 경기 변동을 유발한다고 주장했다.

[A] 이에 대응해 케인즈학파는 경제 주체의 합리적 선택을 미시적으로 분석하는 새고전학파의 방법론을 받아들여 새케인즈학파로 발전하였다. 하지만 새케인즈학파는 경제 주체들이 합리적 선택을 한 결과로 가격 경직성이 나타난다고 설명함으로써, 경제 주체들이 합리적으로 기대를 형성하더라도 가격 경직성으로 인해 경기 변동이 발생할 수 있다고 주장했다. 그리고 이러한 가격 경직성의 근거로 '메뉴 비용 이론'과 '효율 임금 이론'을 제시했다. 메뉴 비용이란 기업이 가격을 변화시킬 때 발생하는 유·무형의 비용을 지칭한다. 메뉴 비용 이론에 따르면 기업은 제품 가격을 변화시킴으로써 얻을 수 있는 이득과 메뉴 비용을 비교하여 가격을 변화시키며, 이에 따라 제품 시장의 가격 경직성이 발생할 수 있다. 또한 효율 임금은 노동자의 생산성을 유도하는 임금을 말하는데, 효율 임금 이론은 노동자의 생산성이 임금을 결정한다는 전통적인 임금 이론과 달리 임금이 높을수록 노동자의 생산성이 높아진다고 주장했다. 기업이 노동자에게 높은 임금을 지급함으로써 노동자의 이직과 태만을 방지할 수 있기 때문이라는 것이다. 이와 같이 새케인즈학파는 케인즈학파가 임의로 가정하였던 가격 경직성의 근거를 입증하는 데 주력하면서, 총수요 관리 정책은 여전히 효과를 갖는다고 주장하였다.

* 총수요 : 한 나라의 모든 경제 주체들이 소비 또는 투자의 목적 등으로 사려고 하는 제품과 서비스의 총합.

*38.* 윗글의 내용과 일치하는 것은?

① 고전학파와 새고전학파는 경기 변동의 존재 여부에 대해 서로 다른 입장을 보였다.
② 새고전학파는 시장에 나타난 가격 경직성을 미시적 분석을 통해 해소할 수 있다고 보았다.
③ 케인즈는 노동 시장에 나타나는 임금 경직성이 극심한 고용량의 변화를 방지한다고 보았다.
④ 케인즈는 단기에는 가격이 신축적으로 변화해도 수요와 공급의 불일치를 해소할 수 없다고 보았다.
⑤ 새케인즈학파는 메뉴 비용의 존재로 인해 제품 시장에서 가격이 조정되는 속도가 빠르다고 보았다.

**39.** <보기>의 '모형'에 대한 ㉠, ㉡의 해석을 추론한 내용으로 적절하지 않은 것은?

< 보 기 >

<그림>은 총수요 변동에 따른 국민 총소득 변화를 나타낸 모형이다. $Y^*$는 장기 균형 국민 총소득 수준을, AD 곡선은 총수요를 나타낸다. 총수요가 증가하면 AD 곡선이 우측으로, 감소하면 좌측으로 평행 이동한다고 가정한다.

예를 들어, 총수요가 $AD_0$이고 물가가 $P_0$, 국민 총소득이 $Y^*$인 상태에서 총수요가 $AD_2$로 증가한 경우, 총수요 증가에 따라 물가가 $P_2$까지 상승하면 국민 총소득은 $Y^*$로 동일하지만, 물가가 $P_0$에 고정돼 있으면 국민 총소득은 $Y_2$로 증가한다. 이때 국민 총소득이 $Y^*$보다 큰 경우는 호황을, $Y^*$보다 작은 경우는 불황을 나타낸다.

(단, 총수요는 $AD_1$과 $AD_2$ 사이에서만 변동한다고 가정한다.)

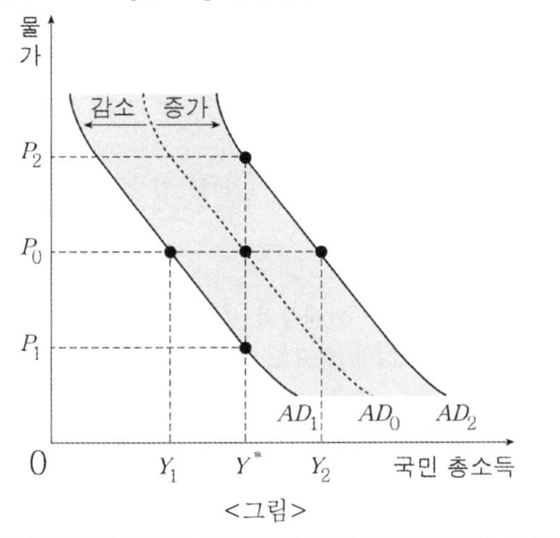


<그림>

① ㉠: 호황이나 불황은 발생하지 않으므로, AD 곡선이 이동하더라도 국민 총소득이 $Y^*$로 일정할 것이다.
② ㉠: 시장은 항상 균형 상태에 있으므로, AD 곡선이 이동하더라도 물가가 $P_0$이고 국민 총소득이 $Y^*$인 장기 균형이 항상 성립할 것이다.
③ ㉡: 단기에는 가격 경직성으로 말미암아 총수요 변동이 시장 불균형을 유발하므로, AD 곡선이 이동할 때 물가는 $P_1$과 $P_2$ 사이의 폭보다 작은 폭으로 변화하여 국민 총소득은 $Y^*$를 이탈할 것이다.
④ ㉡: 가격 경직성이 심할수록 총수요 변동에 따라 극심한 경기 변동이 유발되므로, 물가가 완전히 경직적이라면 AD 곡선이 이동할 때 물가가 $P_0$에 고정되어 국민 총소득의 변동성은 $Y_1$에서 $Y_2$까지 나타날 것이다.
⑤ ㉡: 가격 경직성이 존재하더라도 정부가 '보이는 손'을 통해 경기 변동을 제거할 수 있으므로, 경기 안정화 정책이 유효하다면 물가가 $P_0$에 고정되더라도 국민 총소득이 $Y^*$로 일정할 수 있을 것이다.

**40.** <보기>의 '경제학자 갑'의 정책 제안에 대해 ㉢이 할 수 있는 비판으로 가장 적절한 것은? [3점]

< 보 기 >

경제학자 갑은 소득과 통화량이 늘어날수록 소비가 증가할 것이라고 가정하고, 이를 반영하여 소비 예측 모형을 개발하였다. 그리고 K국의 지난 10년간의 자료를 통계적으로 분석하여 모형의 계수를 추정하였다. 모형의 분석 결과, 갑은 통화량이 증가한 경우 다음 달의 소비가 증가한다는 결론을 도출한 뒤, 통화량을 늘리는 정책을 K국 정부에 제안하였다. K국 정부는 갑의 제안을 받아들이고 2020년 4월 1일에 확장적 통화 정책을 시행하겠다고 발표하였다.

(단, 현재는 2020년 3월 12일이며, K국은 매년 12월 31일에 해당 시점의 통화량을 발표한다.)

① K국의 확장적 통화 정책이 2019년의 통화량에 대한 K국 국민들의 합리적 기대 형성에 영향을 미쳐 K국 국민들의 반응이 바뀔 수 있다는 점을 고려하지 않았다.
② K국 정부가 확장적 통화 정책을 발표한 이후 통화량에 대한 K국 국민들의 예상이 달라짐에 따라 정책 효과 분석도 달라져야 한다는 점을 고려하지 않았다.
③ 확장적 통화 정책으로 인해 K국의 통화량이 변화할 경우, 2020년 이전의 자료는 배제한 채 소비의 변화를 예측해야 한다는 점을 고려하지 않았다.
④ 2020년 4월 1일에 확장적 통화 정책을 시행함으로써 2020년 12월 30일까지는 K국 국민들의 소비가 변화하지 않을 것이라는 점을 고려하지 않았다.
⑤ K국 정부의 인위적인 통화량 조절로 유발된 총수요 변동이 불황을 불러일으킬 수 있다는 점을 고려하지 않았다.

**41.** [A]를 이해한 내용으로 가장 적절한 것은?

① 기업이 이윤 추구를 위해 제품 가격과 임금을 결정한 결과로 시장에 가격 경직성이 나타날 수 있다.
② 경제 주체들이 합리적으로 기대를 형성하는 경우에는 총수요 관리 정책이 경기 변동을 줄이는 역할을 할 수 없다.
③ 기업이 공급자로 참여하는 제품 시장과 수요자로 참여하는 노동 시장에서의 기업의 행동 차이로 인해 시장의 가격 경직성이 제거될 수 있다.
④ 메뉴 비용의 크기가 클수록 제품 가격의 변동성 역시 커진다는 것을 밝힐 수 있다면, 제품 시장에 존재하는 가격 경직성의 근거를 입증할 수 있다.
⑤ 기업이 노동 시장의 균형 임금보다 높은 임금을 노동자에게 지급함으로써 생산성을 높일 수 있다면, 노동의 초과 수요가 발생하더라도 임금이 하락할 수 있다.

**42.** ⓐ~ⓔ를 문맥상 바꿔 쓴 것으로 적절하지 않은 것은?

① ⓐ: 수요와 공급이 일치한다고
② ⓑ: 즉시 바뀌지 않는다고
③ ⓒ: 적절한 수준으로 변화시킴으로써
④ ⓓ: 시장 균형을 없앨 수
⑤ ⓔ: 미래를 예상하고

**[43 ~ 45] 다음을 읽고 물음에 답하시오.**

(가)

달은 밝고 당신이 **하도** 기루었습니다*
자던 옷을 고쳐 입고 **뜰**에 나와 퍼지르고 앉아서 **달**을 **한참** 보았습니다

달은 **차차차** 당신의 얼굴이 되더니 **넓은 이마 둥근 코 아름다운 수염**이 **역력히** 보입니다
**간 해**에는 당신의 얼굴이 달로 보이더니 **오늘 밤**에는 달이 당신의 얼굴이 됩니다

**당신의 얼굴이 달이기에** 나의 얼굴도 **달**이 되었습니다
나의 얼굴은 그믐달이 된 줄을 당신이 아십니까
아아 당신의 얼굴이 달이기에 나의 얼굴도 달이 되었습니다

– 한용운, 「달을 보며」 –

* 기루었습니다 : 그리웠습니다.

(나)

결국 남쪽 악양 방면으로 길을 꺾었다
하루 종일 해가 들었다
밥을 짓고 국 끓이며
**어쩌다 생선 한 토막**의 비린내를 구웠으나
밥상머리 맞은편
**내 뼈를 발라 살점 얹어줄 사람**의
늘 비어 있던 자리는 달라지지 않았다
**이따금 아직도** 낯선 **아랫마을 밤 개**가
컹컹거리며 그 부재의 이유를 묻기도 했다
**별**들과 산마을의 **불빛**들은
결코 나뉠 수 없는 우주의 경계로 인해
**밤마다 한 몸이 되**고는 했다
부럽기도 했다 해가 바뀔수록
검던 머리 **더욱** 희끗거리고
희끗거리며 날리는 눈발을 봐도
**점점** 무심해졌다
**겨울바람**이 처마 끝을 **풀썩** 뒤흔들다 간다
아침이 드는 창을 비워두는 것은 옛 버릇이나
무덤을 앞둔 여우들이 그러했듯이
나 또한 북쪽 그리운 창을 향해 머리를 눕히고
길고 먼 꿈길을 청한다

– 박남준, 「이사, 악양」 –

*43.* (가)와 (나)에 대한 설명으로 가장 적절한 것은?

① (가)는 동일한 종결 어미를 반복하여 운율감을 드러내고 있다.
② (나)는 설의적 표현을 활용하여 화자의 의지를 강조하고 있다.
③ (가)는 (나)와 달리 공감각적 심상을 활용하여 자연을 묘사하고 있다.
④ (나)는 (가)와 달리 말을 건네는 방식으로 청자의 공감을 유도하고 있다.
⑤ (가)와 (나) 모두 연쇄적 표현으로 역동적인 분위기를 형성하고 있다.

*44.* (가), (나)의 시어에 대한 이해로 적절하지 <u>않은</u> 것은?

① (가)에서는 '하도'와 '한참'이 연결되면서, 감정의 크기와 행위의 지속 시간이 조응하고 있다.
② (가)에서는 '차차차'와 '역력히'가 연결되면서, 외부 사물에 투영된 화자의 인식이 드러나고 있다.
③ (나)에서는 '어쩌다'와 대비되는 '늘'을 통해, 변함없는 상황이 지속되고 있음이 강조되고 있다.
④ (나)에서는 '이따금'과 '아직도'의 대비를 통해, 상황의 변화 가능성이 암시되고 있다.
⑤ (나)에서는 '더욱'과 '점점'이 연결되면서, 시간의 흐름에 따른 변화가 나타나고 있다.

*45.* <보기>를 바탕으로 (가)와 (나)를 감상한 내용으로 적절하지 <u>않은</u> 것은? [3점]

< 보 기 >

(가)와 (나)는 모두 대상의 부재에 관한 화자의 태도를 드러내고 있다. (가)의 화자는 부재하는 대상과 재회하기를 소망하여, 자연물을 매개로 대상과의 합일을 바란다. (나)의 화자는 부재하는 대상의 빈자리를 느끼며 살아가는 가운데, 자연물 간의 합일을 부러워하는 모습을 보이기도 한다.

① (가)의 화자는 '뜰'에 앉아 밝은 '달'을 보며, (나)의 화자는 밥상에 놓인 '생선 한 토막'을 보며 대상의 부재를 느끼고 있군.
② (가)에서는 '넓은 이마 둥근 코 아름다운 수염'으로, (나)에서는 '내 뼈를 발라 살점 얹어줄 사람'으로 대상이 표현되고 있군.
③ (가)의 화자는 '간 해'의 경험을 '오늘 밤'과, (나)의 화자는 '아랫마을 밤 개'가 짖던 상황과 '겨울바람'이 '풀썩'이는 현재를 대비하여 재회에 대한 확신을 드러내고 있군.
④ (가)의 화자는 '당신의 얼굴이 달이기에' 자신의 얼굴도 '달'이 된다고 표현함으로써, 자연물을 매개로 대상과 합일하고 싶은 마음을 드러내고 있군.
⑤ (나)의 화자는 '밤마다 한 몸이 되'는 '별들'과 '불빛들'을 바라보며, 자신의 처지와 달리 합일을 이루는 자연물에 대한 부러움을 드러내고 있군.

**＊ 확인 사항**
**○ 답안지의 해당란에 필요한 내용을 정확히 기입(표기) 했는지 확인하시오.**

# 국어 영역

9회 소요시간 /80분

제 1 교시

➡ 해설 P.82

**[1 ~ 3] 다음은 강연의 일부이다. 물음에 답하시오.**

안녕하세요? 오늘 강연을 맡은 ○○ 보건소의 △△△입니다. 여러분, 건강을 위해 골고루 먹는 것이 중요한 건 다 알고 있지요? (청중의 대답을 듣고) 그렇다면 함께 먹으면 더 좋은 식재료 조합이 있다는 것도 알고 있나요? '찰떡궁합 식재료'라는 강연 제목에서 짐작하셨을 텐데, 유용한 식재료 조합에 대해 이제부터 알려 드리겠습니다.

(자료 1을 손으로 가리키며) 화면을 보면서, 함께 섭취하면 좋은 식재료 조합에 대해 알아봅시다. 육류와 마늘을 같이 먹으면 육류에 풍부한 비타민 $B_1$의 흡수를 마늘의 알리신 성분이 도와줍니다. 육류와 표고버섯을 함께 먹는 것도 좋습니다. 표고버섯에는 생리 작용을 활성화시키는 성분들이 많은데 육류의 콜레스테롤이 체내에 쌓이지 않도록 해 주기 때문이죠. 또한, 우유와 딸기를 같이 먹으면 우유에 풍부한 칼슘의 흡수를 딸기의 유기산과 비타민 C가 도와줍니다. 된장과 부추도 함께 먹으면 좋은 식재료 조합인데요, 부추에는 나트륨 배출을 도와주는 칼륨이 풍부하여 된장의 나트륨이 체내에 쌓이지 않도록 해 줍니다.

방금 말씀 드린 내용은 건강 상태에 따라 식이 요법이 필요한 분들에게 더욱 유용합니다. (자료 2의 상단을 가리키며) 위쪽은 영양소 흡수에 도움을 주는 식재료 조합입니다. 비타민 $B_1$의 결핍으로 쉽게 피로를 느끼는 분들은 육류와 마늘을 함께 드시는 것이 좋습니다. 또한 골감소증을 겪는 어르신께는 우유와 딸기를 함께 드실 것을 권해 보세요. (자료 2의 하단을 가리키며) 아래쪽은 특정 성분이 체내에 쌓이지 않도록 도움을 주는 식재료 조합입니다. 동맥 경화와 같은 혈관 질환으로 콜레스테롤 수치를 낮춰야 하는 분이라면 육류를 먹을 때 표고버섯과 함께 드세요. 또한 고혈압이나 당뇨로 저염식을 해야 하는 분이라면 된장처럼 나트륨 함량이 높은 식재료는 부추와 같이 드실 것을 권합니다.

함께 먹으면 유용한 식재료 조합에 대해 지금까지 알아봤는데요, 혹시 궁금한 점이 있다면 질문해 주시기 바랍니다. (청중의 질문을 듣고) 네, 좋은 질문 감사합니다. 말씀하신 것처럼 함께 먹으면 좋지 않은 식재료 조합도 있습니다. 보통은 칼슘 섭취를 위해 멸치를 많이 먹는데요, 시금치에 풍부한 옥살산은 칼슘과 결합하여 칼슘의 흡수를 방해하기 때문에 가급적 멸치와 시금치는 함께 먹지 않는 것이 좋습니다. 만약 함께 먹어야 한다면 시금치를 데쳐서 옥살산을 일부 제거하고 드세요.

*1.* 위 강연에 대한 설명으로 적절하지 않은 것은?

① 식이 요법이 필요한 질환을 언급하며 식재료 조합을 권유하고 있다.
② 영양소의 개념을 정의하고 다양한 식재료 조합에 적용해 설명하고 있다.
③ 식재료의 성분을 언급하며 유용한 식재료 조합의 근거를 제시하고 있다.
④ 청중의 질문을 듣고 함께 먹으면 좋지 않은 식재료 조합을 소개하고 있다.
⑤ 비언어적 표현을 활용하여 식재료 조합의 여러 가지 사례를 안내하고 있다.

*2.* 다음은 위 강연에 반영된 자료 활용 계획 중 일부이다. ㉠에 들어갈 내용으로 가장 적절한 것은? [3점]

| 자료 내용 | 활용 계획 |
|---|---|
| 자료 1<br>육류 + 마늘 / 육류 + 표고버섯<br>우유 + 딸기 / 된장 + 부추 | 함께 섭취하면 좋은 각각의 식재료 조합을 순차적으로 제시함. |
| ↓ | ↓ |
| 자료 2<br>육류 + 마늘 / 우유 + 딸기<br>육류 + 표고버섯 / 된장 + 부추 | ㉠ |

① 특정 성분의 함유량 차이를 기준으로 식재료 조합을 비교하여 제시함.
② 연령대의 특성을 기준으로 추천 가능한 식재료 조합을 단계적으로 제시함.
③ 체내에 흡수되는 영양소의 유사함을 기준으로 식재료 조합을 선별하여 제시함.
④ 체내에서 배출되는 특정 성분의 차이점을 기준으로 식재료 조합을 구분하여 제시함.
⑤ 함께 섭취해서 얻을 수 있는 효과의 유사함을 기준으로 식재료 조합을 분류하여 제시함.

*3.* 다음은 강연을 들은 학생이 작성한 메모이다. 학생의 듣기 활동에 대해 이해한 내용으로 적절하지 않은 것은?

<듣기 전>
○ 강연 제목을 보니 궁합이 좋은 식재료 조합을 소개하겠군. … ⓐ
○ 예전에 식재료 조합에 대한 책을 읽은 적이 있어. …………… ⓑ

<듣기 후>
○ 건강에 도움이 되는 식재료 조합들을 알게 되어 유익했어. … ⓒ
○ 팽이버섯도 표고버섯과 같은 효과를 낼 수 있을까? ………… ⓓ
○ 우유와 함께 먹으면 좋은 다른 식재료를 더 찾아봐야겠어. … ⓔ

① ⓐ에서는 강연 제목을 보고 강연 내용을 예측하고 있다.
② ⓑ에서는 강연 제목과 관련된 자신의 경험을 떠올리고 있다.
③ ⓒ에서는 강연 내용에 대한 자신의 긍정적 평가를 드러내고 있다.
④ ⓓ에서는 강연에서 언급되지 않은 내용에 대해 궁금해 하고 있다.
⑤ ⓔ에서는 강연과 관련된 추가 학습으로 알게 된 점을 제시하고 있다.

9 회

[4 ~ 7] (가)는 학교 신문의 기사문이고, (나)는 공개 토론의 일부이다. 물음에 답하시오.

(가)

「학교 신문의 내일을 위한 공개 토론회 개최」
– 전교생 투표로 인터넷 신문으로의 전환 여부 결정하기로 –

[A] 지난 10월 24일 학생회 회의실에서 신문 동아리 학생들은 우리 학교 신문을 인터넷 신문으로 전환할지를 결정하기 위해 토론을 진행했다. 찬성 측과 반대 측으로 나뉘어 2시간이 넘는 긴 시간 동안 치열한 토론을 이어 갔지만 결론에 도달하지는 못했다.

이 토론은 우리 학교에 인터넷 신문 발간을 위한 플랫폼을 후원해 주겠다는 우리 지역 신문사의 제안에서 비롯된 것이다. 이 제안을 받아들이면 매월 말에 발행되는 종이 신문은 인터넷 신문으로 대체되는데, 이에 대해 신문 동아리 학생들은 인터넷 신문 발간을 지지하는 찬성 측과 종이 신문 발간을 고수하는 반대 측의 입장으로 갈렸다.

㉠ 인터넷 신문이 기사의 신속한 전달이라는 언론 보도의 중요한 기능을 수행할 수 있다는 쟁점에 대해, 찬성 측에서는 신속한 정보 전달이 중요한 기능임을, 반대 측에서는 무분별한 기사 게재로 인한 위험성에 대해 더 중요하게 생각해야 함을 주장하였다. 또한 ㉡ 인터넷의 다양한 시청각 요소들이 기사 내용 전달에 도움이 될 수 있다는 쟁점에 대해, 찬성 측에서는 효과적인 기사 내용 전달이 가능함을, 반대 측에서는 학생들의 문자 언어 활용 능력이 떨어질 것임을 주장하였다. 마지막으로 ㉢ 인터넷 신문을 통해 언론 보도의 책임감을 배울 수 있다는 쟁점에 대해, 찬성 측에서는 실시간 댓글로 자신이 작성한 기사의 영향력에 대해 깨닫게 됨을, 반대 측에서는 기사 게재 전에 자신의 기사가 공동체에 미칠 영향력을 고민해야 함을 주장하였다.

한편 신문 동아리 학생들은 인터넷 신문으로의 전환 여부에 대한 다양한 의견을 우리 학교 학생들에게 제공하고자 공개 토론이 필요하다고 판단하였다. 따라서 '학교 신문을 종이 신문에서 인터넷 신문으로 대체해야 한다.'라는 논제로 공개 토론을 진행하기로 결정하였다. 찬반 양측은 다양한 의견 수렴 및 자료 수집을 통해 논거를 보강하여 공개 토론에 참여하기로 하였다. 공개 토론 이후 전교생이 투표를 하여 이 결과를 바탕으로 최종 결정을 할 예정이다. 공개 토론회는 11월 5일 17시에 강당에서 개최된다.

(나)

**사회자**: '학교 신문을 종이 신문에서 인터넷 신문으로 대체해야 한다.'라는 논제로 토론을 시작하겠습니다. 앞선 토론에서 논의된 쟁점들을 중심으로 자유롭게 토론해 주시기 바랍니다.

**찬성 1**: 저는 인터넷 신문이 기사의 신속한 전달이라는 언론 보도의 중요한 기능을 수행할 수 있다는 쟁점에 대해 말씀을 드리고자 합니다. 지난 토론 이후 저희 반 학생들을 인터뷰한 결과, 신속한 정보 전달에 대한 우리 학교 학생들의 요구가 상당히 높다는 것을 알 수 있었습니다. 응답자들 중 몇몇은 종이 신문이 한 달에 한 번 발간되기 때문에 학교의 여러 사안들을 빨리 알기 어렵다는 불만이 컸습니다.

**반대 1**: ⓐ 소수의 의견이 전체의 의견을 대변한다고 생각하지는 않습니다. 지난 토론 이후 저희는 전교생을 대상으로 설문 조사를 실시하였습니다. 인터넷 신문을 반대하는 비율이 55%나 되었고, 반대하는 이유 중 52%로 가장 큰 비중을 차지한 것이 바로 무분별한 기사 게재가 우려된다는 항목이었습니다. 그러므로 정보 전달의 신속성만을 중시한다는 것은 잘못된 주장입니다. 그리고 이와 같은 설문 결과에는 이미 인터넷 매체를 통해 사회의 다양한 기사들을 접한 경험이 반영되었기 때문에 이 결과는 타당하다고 생각합니다.

**찬성 2**: ⓑ 설문 조사의 결과가 언론사의 인터넷 신문 기사에 대한 학생들의 경험의 반영이라고 주장하는 것은 지나친 비약입니다. 지난 토론에서 저희는 인터넷을 이용하면 시청각 요소를 활용한 다양한 방식을 통해 기사 내용을 더 효과적으로 전달할 수 있다고 주장하였습니다. 매체 이론 전문가 마셜 맥루언은 "미디어는 메시지이다."라는 주장을 했습니다. 이는 매체가 단순히 의미를 전달하는 수단이 아니라 매체 자체가 지니는 영향력을 강조한 말입니다. 인터넷이라는 매체의 영향력은 다양한 시청각 요소로 정보를 효과적으로 전달할 수 있다는 것입니다. 오늘날과 같이 인터넷이 확대된 매체 환경에서 반드시 고려해야 할 점이라고 생각합니다.

**반대 2**: 다양한 시청각 요소를 활용한 정보 전달 방식이 확대된다고 해도 문자 언어 활용 능력은 여전히 중요합니다. 특히 학교에서 다양한 교과를 학습하는 데 일차적으로 요구되는 능력이 바로 문자 언어 활용 능력입니다. 최근의 신문 기사 내용을 보면 청소년들이 주로 인터넷 환경에서 문자 언어를 구사하다 보니, 문자 언어의 규범을 잘 지키지 않아 문자 언어 활용 능력이 심각하게 저하되었다고 합니다. 따라서 다양한 시청각 요소를 활용하여 기사 내용을 효과적으로 전달할 수 있다는 주장은 문자 언어 활용 능력의 저하라는 심각한 문제 상황을 고려하지 못한 주장이라고 생각합니다.

**사회자**: 지금까지 논의한 쟁점 외에, 인터넷 신문을 통해 언론 보도의 책임감을 배울 수 있다는 쟁점에 대해서도 토론해 주시기 바랍니다.

**찬성 1**: 인터넷 신문을 통해 언론 보도의 책임감을 효과적으로 배울 수 있다고 생각합니다. 매체 문화와 관련된 강연에서 인터넷 댓글 문화와 언론 보도의 책임감에 대한 이야기를 들은 적이 있습니다. 인터넷 신문으로 기사를 게재하면 댓글을 통해 실시간으로 독자들의 반응을 확인할 수 있고, 기자는 그 반응들을 보면서 자신의 기사가 사람들에게 미치는 영향력을 인식할 수 있다고 합니다. 이 과정에서 기자는 자신의 글에 대한 책임감을 느껴 더욱 신중하게 기사를 쓰게 될 것입니다.

**반대 1**: 언론 보도의 책임감은 종이 신문을 통해 효과적으로 배울 수 있습니다. 인터넷 신문을 통해 독자들의 반응을 실시간으로 확인할 수 있다는 점은 인정하지만 이미 작성한 기사에 대한 반응으로 책임감을 배우겠다는 것은 수동적이고 무책임한 태도입니다. 기자는 기사를 게재하기 전에 기사 내용이 공동체에 미칠 영향력에 대해 숙고해야 합니다. '게이트 키핑'은 기자나 편집자와 같은 결정권자가 기사를 검토하고 선택하는 과정을 일컫는데 바로 이것이 기사 게재 전 이루어지는 숙고의 과정을 의미하는 것입니다. 이 과정을 충분히 거치지 않고 기사가 게재된다면 공동체에 큰 피해가 생길 수도 있습니다. 기사를 게재하기 위해 충분한 숙고의 과정이 필요한 종이 신문을 통해 언론 보도의 책임감을 내면화할 수 있다고 생각합니다.

4. 다음은 (가)를 쓰기 위해 학생이 작성한 메모이다. (가)에 반영된 내용으로 적절하지 않은 것은?

> ◦ 공개 토론을 진행하려는 목적을 언급해야겠군. ………………… ㉮
> ◦ 공개 토론이 진행될 일시와 장소를 밝혀야겠군. ………………… ㉯
> ◦ 동아리 내에서 토론을 하게 된 배경을 설명해야겠군. ……… ㉰
> ◦ 쟁점에 대한 찬성 측과 반대 측 주장을 요약해야겠군. ……… ㉱
> ◦ 투표 결과에 따라 공개 토론을 한다는 정보를 제시해야겠군. ‥ ㉲

① ㉮ ② ㉯ ③ ㉰ ④ ㉱ ⑤ ㉲

5. <보기>는 [A]의 초고이다. <보기>를 [A]와 같이 수정한 이유로 가장 적절한 것은?

> 〈 보 기 〉
> 얼마 전 우리 학교 신문을 인터넷 신문으로 전환할지를 결정하기 위해 토론이 진행되었다. 2시간이 넘는 긴 시간 동안 치열한 토론을 이어 갔지만 결론에 도달하지는 못했다.

① 기사문의 내용을 고려하여 독자의 경험을 추가하기 위해
② 기사문의 작성 원칙을 고려하여 필요한 정보를 제시하기 위해
③ 독자의 관심도를 고려하여 구체적인 사례들을 언급하기 위해
④ 독자의 이해도를 고려하여 특정 개념의 의미를 설명하기 위해
⑤ 기사문의 가독성을 고려하여 긴 문장을 나누어 표현하기 위해

6. (가)를 바탕으로 (나)에 대해 설명한 내용으로 적절하지 않은 것은?
① (나)의 '반대 1'은 무분별한 기사 게재가 우려된다는 응답이 가장 많다는 설문 조사 결과를 언급하며 ㉠에 대한 찬성 측 입장을 반박하고 있다.
② (나)의 '찬성 2'는 매체의 영향력을 강조하는 전문가의 말을 인용하여 ㉡에 대한 찬성 측 입장을 옹호하고 있다.
③ (나)의 '반대 2'는 청소년들의 문자 언어 활용 능력이 심각하게 저하되었다는 신문 기사의 내용을 통해 ㉡에 대한 찬성 측 입장을 반박하고 있다.
④ (나)의 '찬성 1'은 정보의 신속한 전달에 대한 요구가 부각되는 인터뷰 내용을 바탕으로 ㉢에 대한 찬성 측 입장을 옹호하고 있다.
⑤ (나)의 '반대 1'은 기사 게재 전의 숙고 과정을 의미하는 언론 관련 전문 용어를 통해 ㉢에 대한 반대 측 입장을 옹호하고 있다.

7. ⓐ와 ⓑ의 공통점으로 가장 적절한 것은?
① 상대방이 제시한 자료 해석 내용에 한계가 있음을 지적하고 있다.
② 상대방이 제기한 문제를 보완할 수 있는 대안을 제시하고 있다.
③ 상대방이 제기한 문제가 발생하게 된 원인을 분석하고 있다.
④ 상대방이 제시한 근거의 출처가 사실과 다름을 밝히고 있다.
⑤ 상대방이 제시한 주장의 실현 가능성을 평가하고 있다.

**[8 ~ 10] (가)는 학생의 일기이고, (나)는 (가)를 쓴 학생이 작성한 초고이다. 물음에 답하시오.**

(가)

작년에 시작한 건강지킴이 자율동아리 활동 시간에 틈틈이 운동을 한 덕분인지 요즘 들어 책가방이 점점 가볍게 느껴진다. 하지만 이런 나와 달리 요즘 체력이 저하되어 쉽게 피곤해 하거나 아픈 친구들이 많은 것 같다. 그래서 학생들의 체력 저하에 대해 관심이 생겨 관련된 책을 찾아서 읽어 보니 이 정도로 나쁠 줄이야! 동아리 친구들과 이 문제에 대해 이야기해 보았는데, 우리가 먼저 학교 운동 문화 조성에 앞장서야 한다는 데 마음이 모아졌다. 그 실천의 첫걸음으로 나는 동아리 대표로서 교장 선생님께 학교 운동 문화 조성을 위해 필요한 사항을 건의하는 글을 쓰기로 했다. 교장 선생님은 학교생활에 도움을 주시는 분이니 감사하다는 말씀으로 글을 시작해야 하지 않을까? 내일 친구들을 만나서 건의문 내용에 필요한 사항에 대해 좀 더 의논해 봐야겠다.

(나)

교장 선생님, 안녕하세요? 저는 건강지킴이라는 자율동아리의 대표 ○○○입니다. 늘 학생들을 위해 힘써 주셔서 감사합니다. 제가 이렇게 글을 쓰게 된 이유는 '학교 운동 문화 조성'을 위해 필요한 사항들을 건의하기 위해서입니다.

요즘 들어 체력 저하 때문에 쉽게 피곤해 하거나 아픈 학생들이 부쩍 늘었습니다. 그래서 청소년의 체력과 관련된 책을 읽어 보았는데 ㉠ <u>예전과 달리 우리 □□시 청소년의 체력 저하가 심각하다는 것을 알게 되었습니다.</u> ㉡ <u>우리 학교 학생들도 그런 일반적인 추세에 예외적이지 않다고 생각합니다.</u>

우리 학교 학생들의 체력 저하 원인은 다음의 두 가지라고 생각합니다. 첫째, 학생들이 체육 수업 시간을 제외하고는 학교생활을 하면서 운동을 할 수 있는 시간이 부족하다는 것입니다. 둘째, 학교 본관에는 운동을 할 수 있는 공간을 별도로 마련하기 힘든 데다, ㉢ <u>체력 단련실은 교실이 모여 있는 본관에서 너무 멀리 있어 이용이 어렵다는 것입니다.</u>

그래서 교장 선생님께 학교 운동 문화 조성을 위해 다음 두 가지 사항을 건의하고자 합니다. 첫째, ㉣ <u>방송을 통해 전교의 학생들이 자기 자리에서도 간단하게 할 수 있는 운동을 배우고 지속적으로 실천하도록, 매주 최소 이틀의 아침 조회 시간을 운동 시간으로 활용할 수 있게 해 주시기 바랍니다.</u> 둘째, ㉤ <u>학생들이 자기 자리에서 운동을 할 때 효과를 높일 수 있도록 간단한 운동 보조 기구를 구입하여 비치해 주시기 바랍니다.</u>

> [A]

8. (가)에 대한 설명으로 적절하지 않은 것은?
① (나)를 쓰게 된 계기가 드러나 있다.
② (나)를 쓰려는 목적을 제시하고 있다.
③ (나)의 예상 독자의 특징을 고려하고 있다.
④ (나)를 쓰기 위해 수집한 자료의 목록을 제시하고 있다.
⑤ (나)를 쓰기 위한 글감을 구체화하는 방법이 드러나 있다.

*9.* <보기>는 (나)를 작성한 후 수집한 자료이다. 자료를 활용하여 (나)의 ㉠ ~ ㉤을 수정·보완하고자 할 때 적절하지 않은 것은? [3점]

〈보 기〉

㉮ 통계 자료

1. □□시 청소년 체력 등급 연도별 비율

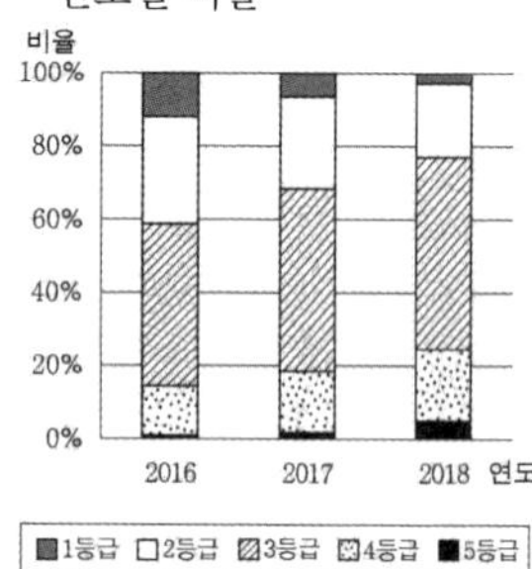


2. 우리 학교 학생 체력 등급 (근력 및 유연성) 연도별 추이

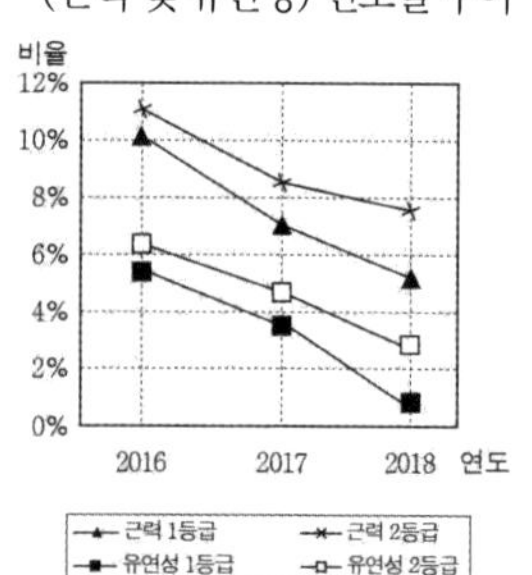


㉯ 우리 학교 학생들을 대상으로 한 설문 조사 결과

<학교 체력 단련실을 이용하지 않는 이유>

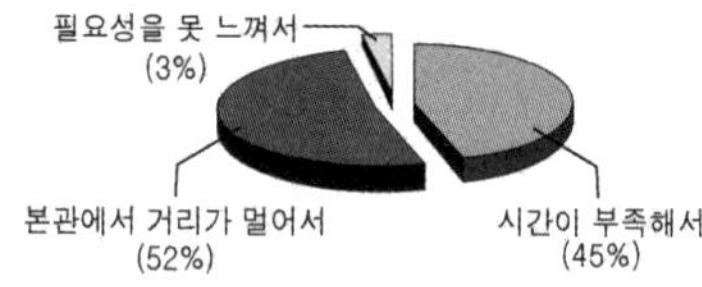


㉰ 전문가 인터뷰

학교에서 많은 시간을 보내는 요즘 학생들은 운동을 하는 데 있어 제약이 심합니다. 단시간에 고강도 운동을 할 수도 있지만 젖산 과다 분비로 근육통이 발생하거나 부상을 입을 위험이 더 큽니다. 짧은 시간에도 할 수 있는 효율적인 운동을 배우고 좁은 공간에서도 활용할 수 있는 운동 보조 기구를 사용한다면, 학생들은 제약을 극복할 수 있습니다. 특히 탄력 밴드는 근력 강화에, 밸런스 매트는 유연성 증진에 탁월한 효과를 발휘합니다.

① ㉠: ㉮-1을 활용하여 문제의 심각성을 드러내려면 우리 시 청소년들의 체력 등급 중 1, 2등급 비율이 감소하고 4, 5등급 비율이 증가하고 있다는 내용을 추가해야겠군.
② ㉡: ㉮-2를 활용하여 문제를 세부적으로 제시하려면 근력과 유연성 면에서 모두 학생들의 체력 등급 중 1, 2등급 비율이 줄어들고 있다는 내용을 추가해야겠군.
③ ㉢: ㉯를 활용하여 문제의 원인 분석에 대한 신뢰성을 강화하려면 본관에서 거리가 멀어 체력 단련실을 이용하지 않는다고 응답한 비율이 가장 높다는 내용을 추가해야겠군.
④ ㉣: ㉯와 ㉰를 활용하여 건의 내용에 설득력을 더하려면 운동을 할 시간이 부족하다는 응답의 비율이 높다는 것을 강조하고 단시간에 할 수 있는 강도 높은 운동을 배워야 한다는 내용을 추가해야겠군.
⑤ ㉤: ㉮-2와 ㉰를 활용하여 건의 내용을 구체적으로 제시하려면 우리 학교 학생들의 근력과 유연성이 저하되었다는 점을 강조하고 근력 강화에 효과적인 탄력 밴드와, 유연성 증진에 효과적인 밸런스 매트를 구입해 달라는 내용을 추가해야겠군.

*10.* [A]에 들어갈 내용을 <조건>에 따라 작성한 것으로 가장 적절한 것은?

〈조 건〉

○ 건의가 받아들여질 경우 생기는 기대 효과를 제시할 것.
○ 전달 효과를 높이기 위해 비유법을 활용할 것.

① 학생들에게 꾸준한 운동은 꼭 필요합니다. 앞으로도 운동 동아리 활동을 적극적으로 지원해 주시기 바랍니다.
② 학교 운동 문화가 조성되어 학생들의 체력이 증진된다면 학생들이 즐겁게 학교생활을 할 수 있을 것입니다. 제 건의를 꼭 받아들여 주세요.
③ 학교는 학생이라는 나무가 모인 숲과 같은 공간입니다. 숲의 나무 한 그루 한 그루를 사랑하는 마음으로 긍정적인 결정을 해 주시기를 희망합니다.
④ 제 건의가 받아들여져 학교 운동 문화가 조성된다면 학생들의 체력이 증진될 것입니다. 시들어 가는 꽃처럼 체력이 저하된 학생들이 활짝 피어날 수 있도록 도와주세요.
⑤ 교장 선생님께서 건의를 받아들여 주신다면 학교에 운동하는 문화가 조성될 것입니다. 체력이 증진되어 학생들이 건강하게 학교생활을 할 수 있게 되면 좋지 않을까요?

*11.* <보기 1>을 바탕으로 <보기 2>의 ㉠과 ㉡에 대해 설명한 내용으로 가장 적절한 것은?

〈보기 1〉

음운의 변동은 크게 네 가지로 나눌 수 있다. 어떤 음운이 다른 음운으로 바뀌는 '교체', 새로운 음운이 생기는 '첨가', 어떤 음운이 없어지는 '탈락', 두 음운이 하나의 음운으로 합쳐지는 '축약'이 그것이다.

〈보기 2〉

[학생이 작성한 학습지]

※ 빈칸에 ⓐ ~ ⓓ의 표준 발음을 채우시오.

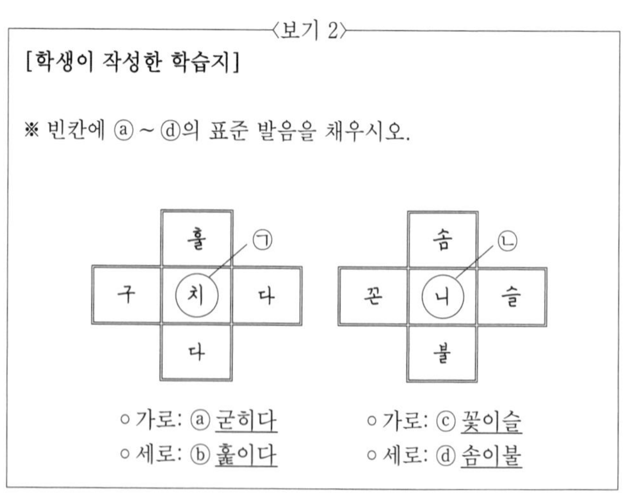


○ 가로: ⓐ 굳히다　　○ 가로: ⓒ 꽃이슬
○ 세로: ⓑ 훑이다　　○ 세로: ⓓ 솜이불

① ㉠은 ⓐ에서 '교체'가, ⓑ에서 '탈락'이 일어나 발음된 것이다.
② ㉡은 ⓒ에서 '첨가'가, ⓓ에서 '축약'이 일어나 발음된 것이다.
③ ㉠은 ⓐ와 ⓑ에서 공통적으로 '축약'이 일어나 발음된 것이다.
④ ㉡은 ⓒ와 ⓓ에서 공통적으로 '교체'가 일어나 발음된 것이다.
⑤ ㉡은 ⓒ와 ⓓ에서 공통적으로 '첨가'가 일어나 발음된 것이다.

[12 ~ 13] 다음 글을 읽고 물음에 답하시오.

문장의 주체를 서술하는 기능을 하는 용언은 홀로 쓰이는 본용언과, 홀로 쓰이지 않고 본용언 뒤에서 본용언에 특수한 의미를 더해 주는 보조 용언으로 나눌 수 있다. 예를 들어 '불이 꺼져 간다.'라는 문장이 있을 때, '꺼져'는 '불이 꺼진다.'라는 문장의 서술어로 홀로 쓰일 수 있으므로 본용언이다. 그러나 '간다'는 진행의 의미만 더해 주고 있어, '불이 간다.'라는 문장의 서술어로 홀로 쓰일 수 없으므로 보조 용언이다.

보조 용언은 다시 보조 동사와 보조 형용사로 구분될 수 있다. 일반적으로 보조 용언의 품사는 앞에 오는 본용언의 품사에 따른다. 예를 들어 보조 용언 '않다'는 앞에 오는 본용언의 품사가 동사이면 보조 동사, 형용사이면 보조 형용사로 쓰인다. 한편 보조 용언의 품사가 보조 용언의 의미에 따라 구분되는 경우도 있다. 예를 들어 보조 용언 '하다'가 앞말의 행동이나 상태에 대한 바람이라는 의미를 나타내는 경우에는 보조 동사이다. 또한 보조 용언 '보다'가 어떤 일을 경험한다는 의미를 나타내는 경우에는 보조 동사이고, 앞말이 뜻하는 행동이나 상태에 대한 걱정이라는 의미를 나타내는 경우에는 보조 형용사이다.

본용언은 주로 본용언의 어간에 보조적 연결어미가 결합되어 보조 용언과 연결된다. 예를 들어 '나는 일을 하고 나서 집에 갔다.'라는 문장은 본용언의 어간 '하-'에 보조적 연결어미 '-고'가 결합된 '하고'가 보조 용언 '나서'와 연결된 문장이다. 그리고 본용언과 보조 용언이 연결되는 경우들을 살펴보면, 보통 두 용언이 연결되는 경우가 많지만 의미의 추가를 위해 세 용언이 연결되는 경우도 있다. 여기에는 용언들이 ㉠ 본용언, 본용언, 보조 용언의 순서로 연결된 경우, ㉡ 본용언, 보조 용언, 본용언의 순서로 연결된 경우, ㉢ 본용언, 보조 용언, 보조 용언의 순서로 연결된 경우가 있다.

12. <보기>의 ⓐ ~ ⓔ를 보조 동사와 보조 형용사로 분류한 것으로 적절한 것은?

〈 보 기 〉

◦ 내일 해야 할 업무가 생각만큼 쉽지는 ⓐ 않겠다.
◦ 나는 부모님께 야단맞을까 ⓑ 봐 얘기도 못 꺼냈다.
◦ 일을 마무리했음에도 사람들은 집에 가지 ⓒ 않았다.
◦ 새로 일할 사람이 업무 처리에 항상 성실했으면 ⓓ 한다.
◦ 이런 일을 당해 ⓔ 보지 않은 사람은 내 심정을 모를 것이다.

| | 보조 동사 | 보조 형용사 |
|---|---|---|
| ① | ⓐ, ⓑ, ⓓ | ⓒ, ⓔ |
| ② | ⓐ, ⓒ | ⓑ, ⓓ, ⓔ |
| ③ | ⓐ, ⓓ, ⓔ | ⓑ, ⓒ |
| ④ | ⓑ, ⓒ | ⓐ, ⓓ, ⓔ |
| ⑤ | ⓒ, ⓓ, ⓔ | ⓐ, ⓑ |

13. 윗글의 ㉠ ~ ㉢과 관련하여 <보기>의 Ⓐ ~ Ⓔ의 밑줄 친 부분을 분석한 내용으로 적절하지 않은 것은? [3점]

〈 보 기 〉

Ⓐ 그는 순식간에 사과를 던져서 베어 버렸다.
Ⓑ 그는 식당에서 고기를 먹어 치우고 일어났다.
Ⓒ 그에게 전화를 했을 때 그가 깨어 있어 행복했다.
Ⓓ 나는 경기에 출전하지 못하고 의자에 앉아 있게 생겼다.
Ⓔ 나는 평소 밥을 좋아하는데 오늘은 갑자기 빵을 먹고 싶게 되었다.

① Ⓐ: '베어'는 어간 '베-'에 보조적 연결어미 '-어'가 결합되어 '버렸다'와 연결된 형태이고 ㉠에 해당한다.
② Ⓑ: '치우고'는 어간 '치우-'에 보조적 연결어미 '-고'가 결합되어 '일어났다'와 연결된 형태이고 ㉠에 해당한다.
③ Ⓒ: '깨어'는 어간 '깨-'에 보조적 연결어미 '-어'가 결합되어 '있어'와 연결된 형태이고 ㉡에 해당한다.
④ Ⓓ: '앉아'는 어간 '앉-'에 보조적 연결어미 '-아'가 결합되어 '있게'와 연결된 형태이고 ㉢에 해당한다.
⑤ Ⓔ: '먹고'는 어간 '먹-'에 보조적 연결어미 '-고'가 결합되어 '싶게'와 연결된 형태이고 ㉢에 해당한다.

14. <보기>는 '사전 활용하기' 수업의 한 장면이다. 학생들의 활동 결과로 적절하지 않은 것은?

〈 보 기 〉

**선생님**: 파생어란 어근에 접사가 결합하여 형성된 단어입니다. 그런데 파생어는 접사에 의해 본래 단어의 품사가 변화되는 경우와 변화되지 않는 경우로 나뉩니다. 다음은 사전에서 찾은 단어들입니다. 제시된 단어들에 접사가 결합된 파생어를 찾아보고 분석해 봅시다.

**더욱** 囝 정도나 수준 따위가 한층 심하거나 높게.
**넓다** 형 면이나 바닥 따위의 면적이 크다.
**덮다** 동 물건 따위가 드러나거나 보이지 않도록 넓은 천 따위를 얹어서 씌우다.

① '더욱이'는 '더욱'의 어근에 접사 '-이'가 결합된 파생어로 '더욱'과 품사가 다르겠군.
② '드넓다'는 '넓다'의 어근에 접사 '드-'가 결합된 파생어로 '넓다'와 품사가 같겠군.
③ '넓이'는 '넓다'의 어근에 접사 '-이'가 결합된 파생어로 '넓다'와 품사가 다르겠군.
④ '뒤덮다'는 '덮다'의 어근에 접사 '뒤-'가 결합된 파생어로 '덮다'와 품사가 같겠군.
⑤ '덮개'는 '덮다'의 어근에 접사 '-개'가 결합된 파생어로 '덮다'와 품사가 다르겠군.

9회

15. <보기>의 '교사가 제시한 과제'에 대해 학생들이 보인 반응으로 적절하지 않은 것은?

〈보 기〉

<교사가 알려 준 내용>

현대 국어와 마찬가지로 중세 국어에서도 어말 어미 앞에서 문법적인 기능을 하는 어미가 있었다. 그중 하나인 '-오-'는 현대 국어에서 쓰이지 않는 어미로 문장의 주어가 화자임을 표현하기 위해 쓰였는데, 음성 모음 뒤에서는 '-우-'로 나타났다. 또한 '-오-'는 과거 시제를 나타내는 '-더-'와 결합하면 '-다-'로, 현재 시제를 나타내는 '-ᄂᆞ-'와 결합하면 '-노-'로 나타났다.

<교사가 제시한 과제>

※ 다음 예문들을 보고 ㉠ ~ ㉢의 어미에 대해 탐구해 보자.

- 내 어저긔 다ᄉᆞᆺ 가짓 ᄭᅮ믈 ㉠ ᄭᅮ우니
  [내가 어저께 다섯 가지의 꿈을 꾸니]
- 내 이ᄅᆞᆯ 爲ᄒᆞ야 … 새로 스믈여듧 字ᄅᆞᆯ ㉡ ᄆᆡᇰᄀᆞ노니
  [내가 이를 위하여 … 새로 스물여덟 자를 만드니]
- 太子ㅣ 닐오ᄃᆡ 내 ㉢ 롱담ᄒᆞ다라
  [태자가 말하되, "내가 농담하였다."]

① ㉠의 '-우-'는 어간 'ᄭᅮ-'에 있는 음성 모음 때문에 나타난 형태이군.
② ㉡의 '-노-'는 '-ᄂᆞ-'와 '-오-'가 결합되어 나타난 형태이군.
③ ㉢의 '-다-'는 '-더-'가 어말 어미와 결합하여 나타난 형태이군.
④ ㉡과 ㉢에는 모두 문장의 시제를 나타내는 기능을 하는 어미가 사용되었군.
⑤ ㉠, ㉡, ㉢ 모두에는 주어가 화자임을 표현하기 위한 어미가 사용되었군.

[16 ~ 20] 다음 글을 읽고 물음에 답하시오.

고속도로 이용 요금을 요금소에서 납부하는 방법은 여러 가지가 있다. 그중 '전자요금징수시스템(ETC)'을 이용하면 차량이 달리는 중에 자동으로 요금 납부가 가능하기 때문에 편리하다. 그렇다면 전자요금징수시스템은 어떠한 과정과 방식으로 작동하는 것일까?

[A] 전자요금징수시스템이 작동되는 과정은 다음과 같다. 우선 차량이 요금소의 첫 번째 게이트를 통과할 때, 차량 단말기와 첫 번째 게이트에 설치된 제1기지국 간에 통신이 일어난다. 제1기지국은 차량 단말기로부터 전송받은 [요금 징수 관련 데이터]를 잃어버리지 않도록 임시 저장소에 보관하면서 거의 동시에 지역요금소 ETC 서버로 전송한다. 지역요금소 ETC 서버는 이 데이터를 분석한 후, 도로공사 요금정산센터의 서버로 전송해서 도로공사 요금정산센터의 서버가 [징수할 요금에 관한 데이터]를 찾도록 요청한다. 이렇게 찾아진 데이터는 다시 지역요금소 ETC 서버를 거쳐 두 번째 게이트에 설치된 제2기지국을 경유하여 차량 단말기로 전송된다. 이때 이 데이터가 수신되면 차량 단말기를 통해 요금이 징수되며, 그 후 요금 징수 결과가 안내표시기를 통해 운전자에게 안내된다.

이러한 과정에서 차량 단말기와 기지국 간에는 무선으로 데이터 전송이 이루어진다. 이때 통신 규약에 따라 정해진 전자요금징수시스템의 데이터 처리 방식은 시분할 방식이다. 이는 동일한 크기로 분할된 시간의 단위인 타임 슬롯을 차량 단말기에서 전송된 각각의 데이터에 할당하여 데이터를 처리하는 방식이다. 타임 슬롯은 차량이 진입하지 않아도 항상 만들어지는데, 차량이 지나가게 되면 규약으로 정해진 데이터 종류의 순서에 따라 데이터에 타임 슬롯이 할당된다. 차량 한 대가 지나가는 경우 데이터에 할당된 타임 슬롯들에 의해 하나의 집합체가 구성되는데 이를 프레임이라고 한다. 이때 타임 슬롯이 데이터에 할당되는 방식과 프레임이 구성되는 방식은 시분할 방식의 종류에 따라 동기식과 비동기식으로 ⓐ 나누어 볼 수 있다.

동기식 시분할 방식은 통신 규약에 따라 타임 슬롯을 데이터 종류 각각에 지정해 놓는다. 그리고 데이터가 전송되면 그 데이터의 종류에 지정된 타임 슬롯이 해당 데이터에 할당된다. 하지만 데이터가 전송되지 않으면 타임 슬롯은 빈 채로 남아 있게 된다. 그래서 하나의 프레임에 포함된 타임 슬롯의 개수는 차량마다 동일하다. ㉠ 결국 동기식 시분할 방식은 데이터를 처리하는 과정에서 오류가 발생할 가능성은 낮지만, 데이터에 할당되지 않은 타임 슬롯이 존재할 수 있다는 점에서 타임 슬롯이 일부 낭비된다.

비동기식 시분할 방식은 전송되는 데이터가 없는 경우 타임 슬롯을 비워 두지 않고 다음 순서에 해당하는 데이터에 타임 슬롯이 할당된다. 그래서 하나의 프레임에 포함된 타임 슬롯의 개수는 차량에 따라 다를 수 있다. 그리고 데이터의 종류에 따라 정해진 타임 슬롯이 해당 종류의 데이터에 할당되지 않기 때문에 전송되는 모든 데이터마다 그 데이터의 종류를 확인할 수 있는 주소 필드를 포함시켜 프레임이 구성된다. ㉡ 결국 비동기식 시분할 방식은 타임 슬롯이 낭비되지는 않지만, 데이터를 처리하는 과정에서 오류가 발생할 가능성이 상대적으로 높다.

최근 통신 기술의 발전과 교통 환경의 변화에 의해 새로운 장비가 도입되거나 통신 규약이 바뀌기도 하는 등 전자요금징수시스템의 변화는 계속되고 있다.

16. 윗글의 내용과 일치하지 않는 것은?

① 전자요금징수시스템을 이용하면 요금 납부를 편리하게 할 수 있다.
② 차량 단말기와 기지국 간에는 데이터 전송이 무선으로 이루어진다.
③ 시분할 방식에서 타임 슬롯은 차량이 진입하지 않아도 항상 만들어진다.
④ 타임 슬롯은 동일한 크기로 분할된 시간의 단위들에 의해 구성된 집합체이다.
⑤ 비동기식 시분할 방식은 전송되는 모든 데이터마다 주소 필드를 포함시켜 프레임이 구성된다.

*17.* 윗글의 [A]를 바탕으로 <보기>의 ㉮ ~ ㉲를 이해한 것으로 적절하지 않은 것은?

〈보 기〉

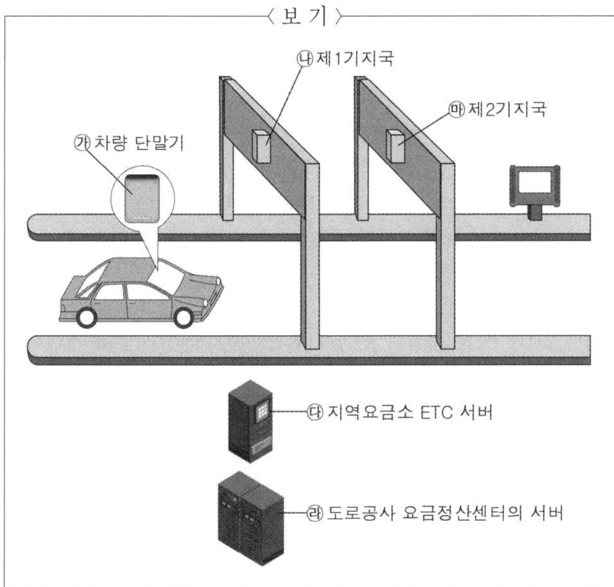


① ㉮에서 ㉯로 '요금 징수 관련 데이터'가 전송된다.
② ㉯에서 ㉰로 '요금 징수 관련 데이터'가 전송된다.
③ ㉲에서 ㉮로 '징수할 요금에 관한 데이터'가 전송된다.
④ ㉰에서 ㉱로 '요금 징수 관련 데이터'가 전송되고, ㉰에서 ㉲로 '징수할 요금에 관한 데이터'가 전송된다.
⑤ ㉱에서 ㉰로 '징수할 요금에 관한 데이터'가 전송되고, ㉱에서 ㉮로 '요금 징수 관련 데이터'가 전송된다.

*18.* 윗글을 읽은 학생이 ㉠과 ㉡에 대해 <보기>와 같이 정리했다고 할 때, Ⓐ ~ Ⓒ에 들어갈 말로 가장 적절한 것은?

〈보 기〉

( Ⓐ )은 동기식이 상대적으로 높고, 비동기식이 상대적으로 낮다. 또한 데이터 처리 과정의 효율성은 동기식이 상대적으로 ( Ⓑ ), 비동기식이 상대적으로 ( Ⓒ ).

| | Ⓐ | Ⓑ | Ⓒ |
|---|---|---|---|
| ① | 오류 발생 가능성 | 낮고 | 높다 |
| ② | 오류 발생 가능성 | 높고 | 낮다 |
| ③ | 데이터 손실 가능성 | 높고 | 낮다 |
| ④ | 데이터 처리 과정의 정확성 | 낮고 | 높다 |
| ⑤ | 데이터 처리 과정의 정확성 | 높고 | 낮다 |

*19.* <보기>는 □□ 요금소에서의 데이터 처리와 관련하여 설정된 내용이다. 윗글을 읽은 학생들이 <보기>에 대해 보인 반응으로 적절하지 않은 것은? [3점]

〈보 기〉

[상황]

□□ 요금소에 전자요금징수시스템으로만 운영하는 하나의 차로를 1번 차량과 2번 차량이 시간의 간격을 두지 않고 순서대로 지나갔다.

[데이터의 전송 유무]

| 데이터의 종류 / 차량 구분(시분할 방식) | Ⅰ-1 | Ⅰ-2 | Ⅰ-3 | Ⅰ-4 |
|---|---|---|---|---|
| 1번 차량 (동기식) | 유 | 무 | 유 | 유 |
| 2번 차량 (비동기식) | 유 | 유 | 유 | 무 |

※ 통신 규약에 따라 정해진 내용

| | |
|---|---|
| Ⅰ. 데이터 종류의 순서 | Ⅰ-1. 차량이 정상적으로 진입함<br>Ⅰ-2. 후불 카드를 사용함<br>Ⅰ-3. 차량 소유주와 카드 소지자가 일치함<br>Ⅰ-4. 요금 감면 대상임 |
| Ⅱ. 데이터의 전송 유무 | 유: 데이터 종류에 해당하는 내용과 일치함<br>무: 데이터 종류에 해당하는 내용과 불일치함 |

[타임 슬롯(TS)의 흐름]

| … | $TS_1$ | $TS_2$ | $TS_3$ | $TS_4$ | $TS_5$ | $TS_6$ | $TS_7$ | $TS_8$ | … |
|---|---|---|---|---|---|---|---|---|---|

(단, 두 차량 사이의 타임 슬롯은 존재하지 않고 1번 차량의 타임 슬롯은 $TS_1$부터 시작함.)

① $TS_2$는 비워지는 타임 슬롯으로 이는 1번 차량이 후불 카드를 사용하는 차량이 아니기 때문이겠군.
② $TS_3$과 $TS_7$은 모두 차량 소유주와 카드 소지자가 일치하는지의 여부를 확인할 수 있는 타임 슬롯이겠군.
③ $TS_4$에는 요금 감면 대상이라는 데이터가 담겨 있고, $TS_8$에는 요금 감면 대상이 아니라는 데이터가 담겨 있겠군.
④ $TS_1$을 통해서는 1번 차량이 정상적으로 진입했는지를, $TS_7$을 통해서는 2번 차량의 차량 소유주와 카드 소지자가 일치하는지를 파악할 수 있겠군.
⑤ $TS_5$에는 차량이 정상적으로 진입한 것에 대한 데이터가 담겨 있다는 것을, $TS_6$에는 후불 카드를 사용한다는 것에 대한 데이터가 담겨 있다는 것을 확인할 수 있겠군.

*20.* 밑줄 친 부분의 문맥적 의미가 ⓐ와 가장 유사한 것은?

① 사과를 세 조각으로 나누었다.
② 나는 그와 피를 나눈 형제이다.
③ 학생들을 청군과 백군으로 나누었다.
④ 두 사람이 서로 반갑게 인사를 나누었다.
⑤ 그들은 기쁨과 슬픔을 함께 나누며 산다.

9회

[21 ~ 26] 다음 글을 읽고 물음에 답하시오.

파생상품이란 기초자산의 가치 변동에 따라 가격이 결정되는 금융상품이다. 이때 기초자산은 농축산물이나 원자재 같은 실물 자산뿐만 아니라 주식이나 채권 등 가격이 매겨질 수 있는 모든 대상을 의미하는데, 기초자산의 가치 변동에 따른 파생상품의 가격 변화는 거래 당사자에게 손익을 발생시킨다.

파생상품은 기초자산에 해당하는 거래대상의 미래 가격이 불확실하기 때문에 미래의 특정 시점에서 발생할 수 있는 손실의 위험에 대비하기 위해 만들어졌다. 파생상품이 만들어지기 이전에는, 이러한 불확실성으로 인해 거래대상을 팔려는 매도자는 가격 하락에 대한, 거래대상을 사려는 매수자는 가격 상승에 대한 두려움이 클 수밖에 없었다. 그래서 거래 당사자들은 그들의 이해관계가 일치하는 경우 기초자산을 계약 체결 시점에 정해 놓은 가격과 수량으로 미래의 특정 시점, 즉 계약 만기 시점에 인수·인도하기로 약속하는 계약을 통해 미래의 위험에 대비하고자 하였다. 19세기 중반 이전까지는 ㉠ 선도라는 파생상품이 이러한 계약으로서 기능하였다. 그런데 선도는 정해진 가격으로 계약과 동시에 물품을 인수·인도하는 현물 거래와는 형태가 달랐다. 그래서 선도의 경우 거래 당사자들이 자기가 거래하고자 하는 물품의 가격, 수량, 만기 시점 등에 있어 이해관계가 일치하는 거래 상대방을 찾기가 어려웠다. 또한 계약을 체결했더라도 만기 이전에 그 계약을 임의로 파기할 위험이 높다는 불안정성이 늘 존재했다.

이런 문제점을 해결하기 위해, 경제 활동의 규모가 커지게 된 19세기 중반부터는 ㉡ 선물이라는 파생상품이 나타났다. 선물은 기초자산을 계약 체결 시점에 정해 놓은 가격과 수량으로 계약 만기 시점에 거래한다는 점에서는 선도와 동일하다. 하지만 공인된 거래소에서 거래가 이루어진다는 점에서는 차이가 있다. 거래소의 역할은 다음과 같다. 첫째, 이해관계가 일치하는 거래 당사자들이 쉽게 만날 수 있는 장을 마련해 주었다. 둘째, 거래 당사자들 사이에서 거래의 매개적 역할을 하였다. 셋째, 거래와 관련된 다양한 제도적 장치를 마련해 주었다. 이를 통해 거래 안정성이 확보되어 계약 만기 전에 이루어지는 선물 거래로 차익을 얻고자 하는 사람들의 거래가 활발하게 이루어지게 되었다. 그 결과, 선물은 미래의 위험에 대비하려는 수단이자 현재의 이익 창출을 위한 투자 수단으로 활성화되었다.

선물 거래의 안정성을 확보하기 위한 제도적 장치로는 반대거래, 증거금, 일일정산 등이 있다. 반대거래는 계약 만기 시점 이전에 거래 당사자들이 원할 경우 언제든지 선물을 거래할 수 있는 장치이다. 이를 통해 선물 거래의 당사자는 바뀌지만, 정해진 가격과 수량의 기초자산을 만기 시점에 인수·인도하는 계약 자체는 유지되므로 안정적인 거래가 가능해진다. 증거금은 계약 당사자가 해당 계약을 확실히 이행한다는 것을 보증하여 거래의 안정성을 확보하기 위한 장치인데, 대표적으로 개시증거금과 유지증거금이 있다. 개시증거금은 계약 당사자가 선물 거래를 시작하기 위해 맡겨야 하는 증거금으로, 계약 체결 시점에 정해진 기초자산의 가격에 수량을 곱한 액수의 일부이므로 상대적으로 적은 금액이다. 유지증거금은 선물 거래가 유지되기 위한 최소한의 증거금을 의미한다. 일일정산은 선물 거래가 유지되는 동안 날마다 당일의 거래 마감 시점의 가격으로 선물 거래 당사자의 손익을 계산하여 이를 증거금에서 차감 또는 가산하는 장치이다. 이를 통해, 거래 당사자들은 매일매일의 손익을 따지면서 반대거래 여부를 결정할 수 있기 때문에 거래의 안정성이 확보된다. 한편 일일정산의 결과 특정 거래자의 증거금 계좌 잔고가 유지증거금 이하로 떨어졌을 경우 거래소는 계약의 이행 가능성을 회복하기 위해 증거금 계좌 잔고가 개시증거금 이상이 되도록 증거금의 추가 납부를 요구하는데 이를 마진콜이라고 한다. 이러한 마진콜을 충족하기 전까지 마진콜을 받은 당사자의 일일정산은 불가능하다.

주식을 기초자산으로 하는 선물 거래를 통해 만기 시점과 반대거래 시점에서의 손익 계산 방법을 파악해 보면 다음과 같다. 현재 시점에서 A가 B에게 특정 기업의 주식을 미래의 특정 시점에, 정해진 수량만큼 정해진 가격으로 사겠다는 계약을 B와 체결한다. 이는 곧 A가 B에게 그 계약, 즉 선물을 산 것을 의미한다. 계약 체결 시점의 선물 가격은 계약 만기 시점에 거래하기로 정한 주식 한 주당 가격이다. 만약 이 계약이 만기 시점까지 유지된다면 A의 손익은 계약 만기 시점의 주식 가격에서 계약 체결 시점의 선물 가격을 뺀 것에 거래승수*를 곱하고, 이것에 다시 계약 수*를 곱한 금액이 된다. 이때 B의 손익은 A의 손익과 정반대가 된다. 그런데 만약 계약 만기 시점 이전에 A가 C에게 자신이 보유한 선물을 파는 반대거래가 이루어져 A와 B 사이의 선물 거래 관계가 청산되는 경우를 가정해 보자. A의 손익은 A가 B와 계약을 만기까지 유지한 경우 A의 손익 계산 방법에서, 계약 만기 시점의 주식 가격을 반대거래가 이루어진 시점의 선물 가격으로 바꾸기만 하면 된다. 이때 B의 손익은 A의 손익과 정반대가 된다. 한편 앞에서 언급한 반대거래가 발생하면 그 시점에서 A는, 선물 계약에 따른 만기 시점의 주식 거래와 관련된 B에 대한 의무를 C에게 넘기게 된다. 그러므로 선물 계약의 만기 시점이 되면 C는 계약에서 정한 대로 특정 기업의 주식을 정해진 가격과 수량으로 B에게 사게 된다.

* 거래승수: 선물 거래의 수량을 표준화하기 위해 곱해 주는 수치.
* 계약 수: 선물 거래의 표준화된 단위를 1계약이라고 할 때, 그 계약의 수량.

*21.* 윗글에서 다룬 내용이 <u>아닌</u> 것은?

① 파생상품의 전망
② 파생상품의 종류
③ 파생상품의 정의
④ 파생상품의 기능
⑤ 파생상품의 등장 배경

*22.* ㉠과 ㉡에 대한 설명으로 적절하지 <u>않은</u> 것은?

① ㉠과 ㉡은 모두 기초자산의 가치 변동에 따라 거래 당사자의 손익이 결정되는 금융상품이다.
② ㉠은 ㉡과 달리 계약을 체결하더라도 만기 이전에 그 계약을 임의적으로 파기할 위험이 높았다.
③ ㉠은 ㉡과 달리 계약 체결 시점에 정해 놓은 가격과 수량으로 미래의 특정 시점에 기초자산을 거래한다는 계약이다.
④ ㉡은 ㉠과 달리 거래의 안정성을 확보하기 위해서 반대거래, 증거금, 일일정산 등의 제도적 장치를 갖추고 있다.
⑤ ㉡은 ㉠과 달리 이해관계가 일치하는 거래 당사자들의 매개적 역할을 하는 공인된 거래소에서 거래가 이루어진다.

*23.* 윗글을 바탕으로 <보기>를 이해한 내용으로 적절하지 않은 것은?

〈보 기〉

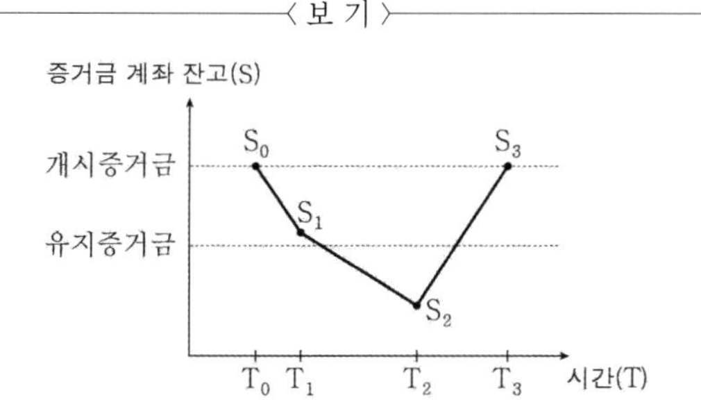


$T_0$: 20○○년 3월 3일 계약 체결 시점
$T_1$: 20○○년 3월 3일 거래 마감 시점
$T_2$: 20○○년 3월 4일 거래 마감 시점
$T_3$: 20○○년 3월 5일 거래 시작 시점

(단, $T_0$ ~ $T_3$에서는 반대거래가 이루어지지 않았으며, 증거금 계좌에서 일일정산을 제외한 인출은 없었다고 가정함.)

① $T_0$에서는 $S_0$이 개시증거금에 해당하는 금액이므로 선물 거래의 시작이 가능하다.
② $T_0$에서 $T_1$이 될 때 $S_0$이 $S_1$로 하락한 것은 일일정산에 의해 손해를 본 만큼의 금액이 증거금에서 차감되었기 때문이다.
③ $T_1$에서는 $S_1$이 유지증거금에 해당하는 금액보다 크기 때문에 선물 거래의 유지가 가능하다.
④ $T_2$에서는 유지증거금에 해당하는 금액에서 $S_2$를 뺀 만큼을 추가로 입금하라는 마진콜이 발생한다.
⑤ $T_2$의 $S_2$보다 높아진 금액인 $S_3$은 개시증거금에 해당하는 금액이므로 $T_3$에서는 일일정산이 가능해진다.

*24.* 윗글과 <보기>를 읽은 학생이 보일 수 있는 반응으로 가장 적절한 것은?

〈보 기〉

선물 거래에서 발생할 수 있는 레버리지 효과란 개시증거금만으로도 거래를 시작할 수 있어 선물 가격 변동의 몇 배에 해당하는 큰 수익을 얻게 되는 것을 의미한다. 그러나 반대로 큰 손실을 입게 될 가능성도 크다.

① 정해진 가격으로 계약 이전에 물품을 인수·인도하는 현물 거래가 이루어지면 레버리지 효과가 발생하겠군.
② 레버리지 효과가 발생하면 만기 시점 이전에 기초자산을 거래할 수 있게 되어 거래의 안정성이 확보되겠군.
③ 개시증거금은 계약 체결 시점에 정해진 기초자산의 가격과 수량을 곱한 액수의 일부이기 때문에 레버리지 효과가 발생하겠군.
④ 레버리지 효과가 발생하면 가치가 커진 기초자산의 수량이 늘어나서 개시증거금이 줄어들기 때문에 큰 수익을 얻게 되겠군.
⑤ 선물 가격은 항상 일정하게 유지되기 때문에 개시증거금으로 인한 레버리지 효과에 의해 거래 당사자의 손익은 정반대가 되겠군.

**※ 윗글과 <보기>를 바탕으로 25번과 26번 물음에 답하시오.**

〈보 기〉

[상황]

20○○년 5월 10일, 갑은 △△ 기업의 주식을 한 주당 15만 원의 가격으로 6월 8일에 을에게 사겠다는 5계약을 체결한다. 그런데 5월 30일에 갑은 보유한 선물을 병에게 파는 반대거래를 한다. 그리고 이 선물은 6월 8일까지 반대거래 없이 유지된다.

[주식 가격과 선물 가격의 변화 (단위: 만 원)]

| 가격 \ 일자 | 5월 10일 | 5월 30일 | 6월 8일 |
|---|---|---|---|
| 주식 가격 | 13 | 10 | 7 |
| 선물 가격 | 15 | 12 | 8 |

(단, 거래승수는 10주로 하고, 거래 수수료 등 거래 비용은 없다고 가정함.)

*25.* 윗글을 바탕으로 <보기>의 '상황'을 이해한 내용으로 적절하지 않은 것은? [3점]

① 5월 10일에 갑과 을의 선물 거래가 이루어질 때 갑은 을에 대해서 선물의 매수자, 을은 갑에 대해서 선물의 매도자가 된다.
② 5월 30일에 갑과 병의 반대거래가 이루어질 때 갑과 을 사이의 선물 거래 관계는 청산된다.
③ 5월 30일에 갑과 병의 반대거래가 이루어질 때 갑은 병에 대해서 선물의 매도자, 병은 갑에 대해서 선물의 매수자가 된다.
④ 6월 8일에 선물 계약에 따른 주식의 거래가 이루어질 때 갑과 을 사이의 주식 거래 관계는 청산된다.
⑤ 6월 8일에 선물 계약에 따른 주식의 거래가 이루어질 때 을은 병에 대해서 주식의 매도자, 병은 을에 대해서 주식의 매수자가 된다.

*26.* 다음은 윗글과 <보기>를 읽은 학생이 보인 반응이다. ⓐ와 ⓑ에 들어갈 내용으로 가장 적절한 것은?

갑이 5월 30일에 병과 반대거래를 하는 경우 갑의 손익은 ( ⓐ )만 원이 되는데, 만약에 반대거래를 하지 않고 선물을 만기까지 유지했다면 갑의 손익은 ( ⓑ )만 원이 되었을 것이다.

| | ⓐ | ⓑ |
|---|---|---|
| ① | −150 | −350 |
| ② | −150 | −400 |
| ③ | −30 | −80 |
| ④ | 15 | 40 |
| ⑤ | 250 | 400 |

9 회

[27 ~ 30] 다음 글을 읽고 물음에 답하시오.

공리주의는 일반적으로 어떤 행위의 옳고 그름이 공리에 따라, 즉 그 행위가 인간의 이익과 행복을 늘리는 데 결과적으로 얼마나 기여하는가에 따라 결정된다고 보는 이론이다. 이러한 공리주의는 인간이 자신과 더불어 다른 존재들의 이익과 행복을 공평하게 고려해야 한다는 것을 전제로 한다. 그리고 인간은 자신의 이익과 행복을 증진하려 하는데, 그러한 인간이 할 수 있는 행위들 중에서 인간의 최대 이익과 행복이라는 '최선의 결과'를 가져오는 행위를 옳은 행위로 본다. 공리주의는 이러한 최선의 결과를 본래적 가치로 여긴다. 이때 본래적 가치란 그 자체로서 지니는 가치를 의미하는데, 이는 다른 어떤 것을 위한 수단으로서의 가치인 도구적 가치와는 상대되는 개념이다. 그런데 최선의 결과를 무엇으로 보느냐에 따라 공리주의는 크게 쾌락주의적 공리주의, 선호 공리주의, 이상 공리주의 등으로 나누어 볼 수 있다.

㉠ 쾌락주의적 공리주의는 최선의 결과를 쾌락의 증진으로 보는 이론이다. 다시 말해 인간의 심리적 경험인 쾌락을 본래적 가치로 여기고 있는 것이다. 이 이론에 따르면 도덕적으로 옳은 행위는 자신뿐 아니라, 그 행위가 영향을 미치는 모든 인간들의 쾌락을 가장 많이 증진하는 행위이다. 그러나 쾌락주의적 공리주의는 인간이 어떤 행위를 선택할 때 쾌락만을 추구하는 것이 아니라 다른 것을 추구하기도 한다는 것을 설명하기 어렵다는 한계를 지닌다.

쾌락주의적 공리주의의 이런 한계를 극복하기 위해 등장한 이론이 ㉡ 선호 공리주의이다. 이 이론은 최선의 결과를 선호의 실현으로 본다. 여기에서 선호란 사람마다 원하는 것 혹은 실현하고자 하는 것을 말한다. 선호 공리주의에 따르면 도덕적으로 옳은 행위는 자신뿐 아니라, 그 행위가 영향을 미치는 모든 사람들 각자가 지닌 선호를 가장 많이 실현시키는 행위이다. 선호 공리주의는 쾌락뿐만 아니라 쾌락이 아닌 다른 것을 추구하기도 하는 인간의 행위가 개인의 선호를 반영한 것이고, 이런 선호의 실현이 곧 최선의 결과라고 설명함으로써 쾌락주의적 공리주의의 한계를 극복했다. 그러나 선호 공리주의는 보편적인 관점에서 볼 때 비정상적인 욕구에 기반을 둔 선호의 실현과 정상적인 욕구에 기반을 둔 선호의 실현이 동일한 비중을 갖지 않는다는 점을 설명하기 어렵다는 한계를 지닌다.

쾌락주의적 공리주의와 선호 공리주의에 대한 대안으로 등장한 것이 ㉢ 이상 공리주의이다. 이 이론은 앞의 두 이론과 마찬가지로 인간의 최대 이익과 행복을 가져오는 인간의 행위를 옳은 행위로 여긴다. 그러나 이상 공리주의는 쾌락주의적 공리주의와 달리 쾌락을 유일한 본래적 가치라고 생각하지 않는다. 이 이론은 진실, 아름다움, 정의, 평등, 자유, 생명, 배려 등의 이상들도 본래적 가치에 해당한다고 본다. 또 선호 공리주의와 달리 이상 공리주의는 이런 이상들이 인간의 선호와 무관하게 실현되어야 할 본래적 가치라고 주장한다. 결국 이 이론은 이상의 실현을 최선의 결과로 본다. 이상 공리주의에 따르면 본래적 가치에 해당하는 이상들은 인간의 이익과 행복을 구성한다. 그렇기 때문에 이상 공리주의는 인간들의 서로 다른 관심과는 무관하게 실현되어야 할 이상들을 인간이 더 많이 실현하는 것이 곧 최대의 이익과 행복이라고 본다. 그러나 ⓐ 이상 공리주의는 본래적 가치에 해당하는 이상들이 갈등하는 경우 어떤 이상의 실현이 최선의 결과일지에 대해 설명하기 어렵다는 한계를 지니고 있다.

공리주의에서 말하는 최선의 결과에 대한 논의는 지금도 계속되고 있다. 인간이 이익과 행복을 증진하려는 노력을 계속하는 한 공리주의의 담론에서 최선의 결과에 대한 논의는 계속될 것이다.

*27.* 윗글의 내용 전개 방식으로 가장 적절한 것은?

① '최선의 결과'에 대한 역사적인 사건을 제시하고 최선의 결과를 다루고 있는 세 이론의 한계를 지적하고 있다.
② '최선의 결과'를 강조하는 세 이론을 제시하고 각각의 입장을 뒷받침하는 예시들을 활용하여 구체화하고 있다.
③ '최선의 결과'에 대해 서로 다른 관점을 지닌 세 이론을 제시하고 각각의 주장과 한계를 중심으로 설명하고 있다.
④ '최선의 결과'를 중심으로 세 이론을 소개하고 이론들이 제기한 문제점이 해결된 사회적 상황을 부각하고 있다.
⑤ '최선의 결과'에 대한 문제점을 제기하는 세 이론을 소개하고 그 문제점을 보완하는 새로운 이론을 제안하고 있다.

*28.* 윗글의 내용과 일치하지 않는 것은?

① 쾌락주의적 공리주의와 선호 공리주의에 대한 대안으로 이상 공리주의가 등장하였다.
② 선호 공리주의는 쾌락을 추구하는 인간의 행위에 개인의 선호가 반영되어 있다고 본다.
③ 공리주의는 인간의 이익과 행복의 증진과는 무관하게 행위의 옳고 그름이 정해진다고 주장한다.
④ 쾌락주의적 공리주의는 인간이 쾌락이 아닌 다른 것을 추구하기도 한다는 것을 설명하기 어렵다.
⑤ 공리주의는 인간이 자신뿐 아니라 다른 존재들의 이익과 행복을 공평하게 고려해야 한다는 것을 전제로 한다.

*29.* <보기>는 ⓐ에 관해 학생들이 나눈 대화의 일부이다. ㉮에 들어갈 말로 가장 적절한 것은? [3점]

〈 보 기 〉

**학생 1**: 어떤 경우에 이상들이 갈등할까?
**학생 2**: 안전벨트 착용을 법제화하는 과정에서 자유와 생명이라는 가치가 갈등했을 거야. 그런데 사회적 차원에서의 인간 행복이라는 가치를 상위의 목적으로 설정하고 이를 실현시키기 위해 자유가 아닌 생명이라는 가치를 실현하는 것이 최선의 결과라고 생각해.
**학생 1**: 나는 이상 공리주의 관점에서, 너의 의견이 [ ㉮ ] 고 봐.

① 생명이라는 가치를 자유라는 본래적 가치의 실현을 위한 도구적 가치로 여기고 있기 때문에 부적절하다
② 사회적 차원에서의 인간 행복이라는 가치를 생명이라는 본래적 가치의 실현을 위한 도구적 가치로 여기고 있기 때문에 적절하다
③ 생명이라는 가치를 사회적 차원에서의 인간 행복이라는 본래적 가치의 실현을 위한 도구적 가치로 여기고 있기 때문에 부적절하다
④ 사회적 차원에서의 인간 행복이라는 가치를 자유라는 도구적 가치를 통해 실현하고자 하는 본래적 가치로 여기고 있기 때문에 적절하다
⑤ 자유라는 가치를 사회적 차원에서의 인간 행복이라는 도구적 가치를 통해 실현하고자 하는 본래적 가치로 여기고 있기 때문에 부적절하다

*30.* ㉠~㉢의 관점에서 <보기>에 대해 보인 반응으로 적절하지 <u>않은</u> 것은?

〈보 기〉

인문학 서적을 읽는 것을 가장 좋아하는 A는 인문학 서적을 더 많이 읽기 위해 같은 성향을 가진 친구들을 모아 동아리를 만들었다. 배려와 관련된 인문학 서적을 읽고 즐거움을 느낀 A는 동아리 첫 시간에 그 서적을 동아리 친구들과 함께 읽었다. 그 인문학 서적을 읽고 A와 동아리 친구들은 모두 큰 즐거움을 느꼈고, 동아리 내에서 서로에 대한 배려를 실현하였다.

① ㉠: A가 인문학 서적을 읽는 것에 대해 동일한 성향을 가진 친구들을 모아 동아리를 만든 행위는 쾌락이라는 심리적 경험을 증진하기 위한 것이라고 볼 수 있겠군.
② ㉠: A가 배려와 관련된 인문학 서적을 동아리 친구들과 함께 읽은 행위는 자신을 포함한 동아리 친구들의 쾌락을 증진하였으므로 동아리 내에서 도덕적으로 옳은 행위라고 볼 수 있겠군.
③ ㉡: A와 동아리 친구들이 인문학 서적을 읽은 것은 A와 동아리 친구들의 선호 실현이라는 인간의 최대 이익과 행복을 가져오는 행위라고 볼 수 있겠군.
④ ㉡: A가 배려와 관련된 인문학 서적을 동아리 친구들과 함께 읽은 행위는 자신과 더불어 동아리 친구들의 선호를 실현시켰으므로 동아리 내에서 도덕적으로 옳은 행위라고 볼 수 있겠군.
⑤ ㉢: A와 동아리 친구들이 배려와 관련된 인문학 서적을 읽고 동아리 내에서 실현한 배려라는 것은 배려에 대한 그들의 관심에 따라 실현되어야 하는 이상이라고 볼 수 있겠군.

[31 ~ 35] 다음 글을 읽고 물음에 답하시오.

(가)

**니 됴흔 수령(守令)들 너ᄒᆞᄂᆞ니* 백성(百姓)이요**
톱 됴흔 변장(邊將)들 허위ᄂᆞ니 군사(軍士)로다
**재화(財貨)로 성(城)을 ᄊᆞ니 만장(萬丈)을 뉘 너모며**
고혈(膏血)로 ᄒᆡᄌᆞ ᄑᆞ니 천척(千尺)을 뉘 건너료
기라연(綺羅筵) 금수장(錦繡帳)*의 추월춘풍(秋月春風) 수이 간다
**ᄒᆡ도 길것마ᄂᆞᆫ 병촉유(秉燭遊)* 긔 엇덜고**
주인(主人) 좀든 집의 문(門)은 어이 여럿ᄂᆞ뇨
도적(盜賊)이 엿보거든 개ᄂᆞᆫ 어이 즛쟛ᄂᆞᆫ고
대양(大洋)을 ᄇᆞ라보니 바다히 여위엿다
술이 ᄊᆡ더냐 병기(兵器)를 뉘 가디료
감사(監司)가 병사(兵使)가 목부사(牧府使) 만호(萬戶) 첨사(僉使)
산림(山林)이 ᄇᆡ화던가* 수이곰 드러갈샤
어릴샤 김수(金睟)야 뷘 성(城)을 뉘 ᄃᆡ희료
우울샤 신립(申砬)아 배수진(背水陣)은 므ᄉᆞ일고
양령(兩嶺)을 놉다ᄒᆞ랴 한강(漢江)을 깁다 ᄒᆞ랴
**인모(人謀) 불장(不臧)ᄒᆞ니* 하ᄂᆞᆯ히라 엇디ᄒᆞ료**
**하나 한 백관(百官)도 수 ᄎᆡ올 ᄲᅮᆫ이랏다**
㉠ <u>일석(一夕)</u>에 분찬(奔竄)*ᄒᆞ니 이 시름 뉘 맛들고

(중략)

**질풍(疾風)이 아니 블면 경초(勁草)*ᄅᆞᆯ 뉘 아더뇨**
도홍(桃紅) 이백(李白)ᄒᆞᆯ제* 버들조쳐 프ᄅᆞ더니
일진(一陣) 서풍(西風)에 낙엽성(落葉聲) ᄲᅮᆫ이로다
김해(金垓) 정의번(鄭宜藩) 유종개(柳宗介) 장사진(張士珍)*아
**죽ᄂᆞ니 만커니와 이 죽엄 한(恨)티 마라**
김해성이 믈허지니 진주성을 뉘 지킈료
뇌남(雷南)* 장사(壯士)ᄃᆞᆯ이 ㉡ <u>일석(一夕)</u>에 어ᄃᆡ 간고
녹빈(綠蘋)을 안듀 삼고 청수(淸水)ᄅᆞᆯ 잔의 브어
**충혼(忠魂) 의백(義魄)을 어ᄃᆡ 가 부르려는가**
**조종(祖宗) 구강(舊疆)*애 도적(盜賊)이 님재 도여***
뫼마다 죽기거니 골마다 더듬거니
**원혈(冤血)*이 흘러나려 평육(平陸)이 성강(成江)ᄒᆞ니**
건곤(乾坤)도 ᄇᆡ자올샤 피(避)ᄒᆞᆯ ᄃᆡ 전혀 업다

－ 최현, 「용사음(龍蛇吟)」 －

* 너ᄒᆞᄂᆞ니: 짓씹느니.
* 기라연 금수장: 호화로운 잔치.
* 병촉유: 밤에 촛불을 밝혀 놓고 놀이를 즐김.
* ᄇᆡ화던가: 비었던가.
* 인모 불장ᄒᆞ니: 사람으로서 할 수 있는 도리를 다하지 않으니. 여기서의 사람은 지배층을 의미한다고 볼 수 있음.
* 분찬: 달아나 숨음.
* 경초: 억센 풀. 백성을 의미함.
* 도홍 이백ᄒᆞᆯ제: 꽃이 피는 봄. 태평스런 시절을 의미함.
* 김해 정의번 유종개 장사진: 임진왜란 때의 의병장.
* 뇌남: 우리나라 최남단.
* 조종 구강: 조상의 영토.
* 님재 도여: 임자 되어.
* 원혈: 원통한 피.

(나)

목민관(牧民官)이 백성을 위해 있는 것인가, 백성이 목민관을 위해 사는 것인가? 백성은 곡식과 쌀, 삼과 생사(生絲)를 생산하여 목민관을 섬기고, 거마(車馬)와 하인을 내어 목민관을 보내고 맞이하며, 자신의 고혈(膏血)과 골수를 다 짜내어 목민관을 살찌우니, 백성은 목민관을 위해 사는 것인가? 아니다. 그렇지 않다. 목민관이 백성을 위해 있는 것이다.

㉢ <u>태초</u>의 아득한 옛날엔 백성만 있었을 뿐이니, 무슨 목민관이 있었겠는가. 백성들이 즐비하게 모여 살면서 어떤 한 사람이 이웃과 다투어 잘잘못을 가리지 못하였는데 공평한 말을 잘하는 어르신에게 가서 이 문제를 바로잡았다. 사방 이웃들이 모두 감복해서 이 어르신을 추대하여 함께 높여 이정(里正)이라고 이름하였다. 그러더니 여러 마을의 백성들이 마을에서 다투어 잘잘못을 가리지 못한 문제를 가지고 준수하고 학식이 많은 어르신에게 가서 바로잡았다. 여러 마을이 모두 감복해서 이 어르신을 추대하여 함께 높여 당정(黨正)이라 이름하였다.

여러 당(黨)의 백성들이 당에서 싸워 잘잘못을 가리지 못한 문제를 가지고 어질고 덕이 있는 어르신에게 나아가 바로잡았다. 여러 당이 모두 감복하여 주장(州長)이라 이름하였다. 그러더니 여러 주(州)의 주장이 한 사람을 추대하여 장(長)으로 삼아 국군(國君)이라 이름하고, 여러 나라의 국군이 한 사람을 추대하여 장으로 삼아 방백(方伯)이라 이름하고, 사방의 방백이 한 사람을 추대하여 우두머리로 삼고 그를 황왕(皇王)이라 이름하였다. 황왕의 근본은 이정에서 시작되었으니, 목민관은 백성을 위해 있는 것이다.

㉣ <u>이때</u>를 당해서 이정은 백성들의 바람에 따라 법을 제정하여 당정에게 올리고, 당정은 백성들의 바람에 따라 법을 제정하여 주장에게 올리고, 주장은 국군에게 올리고, 국군은 황왕에게 올렸다. 이 때문에 ⓐ <u>그 법</u>은 모두 백성들을 편하게 하는 것이었다.

그런데 후세에는 한 사람이 스스로 나서서 황제가 되어 자기

아들과 아우 및 가까이 모시는 자와 하인들을 모두 봉하여 제후로 삼고, 제후는 자기의 사인(私人)들을 뽑아 주장으로 삼고, 주장은 자기의 사인들을 뽑아 당정과 이정으로 삼았다. 이에 황제는 자기 욕심대로 법을 제정하여 제후에게 내려 주고, 제후는 자기 욕망대로 법을 제정하여 주장에게 내려 주고, 주장은 당정에게 내려 주고, 당정은 이정에게 내려 주었다. 이 때문에 ⓑ그 법은 모두 임금을 높이고 백성을 낮추며, 아랫사람의 재물을 깎아 내어 윗사람에게 보태 주는 것이 되었다. 그리하여 한결같이 백성들은 목민관을 위해 사는 것처럼 된 것이다.

㉤지금의 수령은 옛날의 제후나 마찬가지이다. 그들을 받들어 모시는 궁실과 거마, 제공되는 의복과 음식, 좌우에서 모시는 여인이나 내시, 노복들까지 임금에 맞먹는 정도이다. 그들의 권능이 사람을 기쁘게도 하고 그들의 **형벌과 위엄**이 사람을 **두렵게**도 할 수 있다. 그리하여 거만하게 스스로 높이고 태연하게 스스로 즐겨 **자신이 목민관이라는 사실을 잊**고 있다.

한 사람이 싸우다가 이 문제를 가지고 그에게 가서 바로잡아 달라고 하면 얼굴을 찡그리고 "어찌 이렇게 시끄럽게 구는가?"라고 하고, **한 사람이 굶어 죽**기라도 하면 "**제 스스로 죽은 것**일 뿐이다."라고 한다. 곡식과 쌀, 베와 비단을 생산하여 섬기지 않으면 **매질하고 곤장을 쳐서 피가 흐르는 것**을 보고 나서야 그친다. 날마다 돈을 계산하고 장부를 작성하는가 하면, **돈과 베를 거둬들여 전택(田宅)을 마련**하고 권세가나 재상에게 뇌물을 보내 훗날의 이익을 도모한다. 그러므로 "백성이 목민관을 위해 있다."라고 말하는 것이니, 어찌 바른 이치이겠는가. 목민관은 백성을 위해 있는 것이다.

– 정약용, 「원목(原牧)」 –

*31.* (가)와 (나)의 공통점으로 가장 적절한 것은?

① 대조의 방식을 사용하여 주제의 의미를 부각하고 있다.
② 활유의 방식을 사용하여 관념적 대상을 묘사하고 있다.
③ 풍자적 표현을 활용하여 주제의 양면성을 드러내고 있다.
④ 연쇄의 방식을 사용하여 상황의 심각성을 표현하고 있다.
⑤ 역설적 표현을 활용하여 세태의 혼란함을 강조하고 있다.

*32.* <보기>를 바탕으로 (가)를 감상한 내용으로 적절하지 <u>않은</u> 것은?

〈보 기〉

「용사음」은 임진왜란을 배경으로 전쟁의 참상과 의병의 모습을 보여주고 있다. 일본이 조선을 침략했을 때 백성들은 자신들을 외면한 지배층에 대해 분노하며 의병으로 참전하였다. 이 작품에서는 이러한 의병들의 충성스러운 희생이 부각됨으로써 백성들의 강인함이 형상화되었다.

① '하나 ᄒᆞᆫ 백관도 수 ᄎᆡ올 ᄲᅮᆫ이랏다'를 통해 일본에 대한 의병들의 분노를 짐작할 수 있겠군.
② '질풍이 아니 블면 경초ᄅᆞᆯ 뉘 아더뇨'를 통해 임진왜란에서 드러난 백성들의 강인함을 짐작할 수 있겠군.
③ '충혼 의백을 어듸 가 부르려는가'를 통해 의병들의 충성스러운 희생을 짐작할 수 있겠군.
④ '조종 구강애 도적이 님재 도여'를 통해 일본이 조선을 침략한 상황을 짐작할 수 있겠군.
⑤ '원혈이 흘러나려 평육이 성강ᄒᆞ니'를 통해 임진왜란에 의해 벌어진 참상을 짐작할 수 있겠군.

*33.* <보기>를 바탕으로 (가)와 (나)를 이해한 내용으로 적절하지 <u>않은</u> 것은? [3점]

〈보 기〉

조선 후기 관리들 중에는, 백성을 위해 일해야 하며 그들을 보호해야 하는 공적 책무를 망각한 경우가 많았다. 이러한 관리들은 백성을 수탈하며 탐욕스러움을 드러내거나 백성을 가혹하게 대할 뿐만 아니라, 방탕하게 향락에 빠지기도 하였다. 백성에 대한 관리로서의 본분을 다하지 않는 무책임함과 현실 문제를 해결하지 못하는 무능력함은 백성의 빈곤과 국가의 혼란을 초래했다.

① (가)의 '니 됴흔 수령들 너ᄒᆞᄂᆞ니 백성이요'와 (나)의 목민관이 백성을 '매질하고 곤장을 쳐서 피가 흐르는 것'을 본다는 것에서 백성에 대한 관리들의 가혹함을 엿볼 수 있다.
② (가)의 '재화로 성을 ᄊᆞ니 만장을 뉘 너모며'와 (나)에서 목민관이 '돈과 베를 거둬들여 전택을 마련'한다고 한 것에서 백성들을 수탈하는 관리들의 탐욕스러움을 엿볼 수 있다.
③ (가)의 '인모 불쟝ᄒᆞ니 하ᄂᆞᆯ히라 엇디ᄒᆞ료'와 (나)의 목민관이 '굶어 죽'은 '한 사람'에 대해 '제 스스로 죽은 것'이라고 말한 것에서 백성에 대한 관리들의 무책임함을 엿볼 수 있다.
④ (가)의 '히도 길것마ᄂᆞᆫ 병촉유 ᄀᆡ 엇덜고'에서는 관리들의 방탕함을, (나)의 목민관이 '자신이 목민관이라는 사실을 잊'었다는 것에서는 자신들의 본분을 망각했음을 엿볼 수 있다.
⑤ (가)의 '죽ᄂᆞ니 만커니와 이 죽엄 한티 마라'에서는 관리들이 초래한 백성의 빈곤함을, (나)의 목민관이 '형벌과 위엄'으로 백성을 '두렵게' 한다고 한 것에서는 관리들의 무능력함을 엿볼 수 있다.

*34.* ㉠ ~ ㉤에 대한 이해로 가장 적절한 것은?

① ㉠과 달리 ㉢에는 현실의 혼란스러운 상황을 피하고자 하는 행위가 드러난다.
② ㉠과 달리 ㉣에는 사회적으로 바람직한 가치를 추구하는 행위가 드러난다.
③ ㉠과 달리 ㉤에는 개인의 안위만을 고려하는 이기적인 행위가 드러난다.
④ ㉡과 달리 ㉢에는 피지배자가 지배자의 자리에 오르기 위해 투쟁하는 행위가 드러난다.
⑤ ㉡과 달리 ㉤에는 피지배자가 원하는 바를 충족시켜 문제를 해결하는 행위가 드러난다.

*35.* ⓐ와 ⓑ를 비교한 내용으로 가장 적절한 것은?

① ⓐ는 백성의 바람이 반영된 편안한 삶이라는, ⓑ는 목민관을 위한 백성의 삶이라는 결과를 낳았다.
② ⓐ는 백성의 결핍이 충족되는 삶이라는, ⓑ는 목민관이 백성의 염원을 지지하는 삶이라는 결과를 낳았다.
③ ⓐ는 백성의 번민이 거듭되는 삶이라는, ⓑ는 목민관의 요구가 영향을 미친 백성의 삶이라는 결과를 낳았다.
④ ⓐ는 백성의 의무가 강요되는 삶이라는, ⓑ는 목민관에 의해 권리가 보장되는 백성의 삶이라는 결과를 낳았다.
⑤ ⓐ는 백성의 욕망이 좌절되는 삶이라는, ⓑ는 목민관에 의해 백성의 소망이 이루어지는 삶이라는 결과를 낳았다.

[36 ~ 38] 다음 글을 읽고 물음에 답하시오.

(가)

황혼이 짙어지는 길모금에서
**하루 종일 시들은 귀**를 가만히 기울이면
땅검*의 옮겨지는 발자취 소리,

발자취 소리를 들을 수 있도록
나는 총명했던가요.

이제 어리석게도 모든 것을 깨달은 다음
**오래** 마음 깊은 속에
**괴로워하던 수많은 나**를
하나, 둘, **제고장으로 돌려보**내면
거리 모퉁이 어둠 속으로
소리 없이 사라지는 흰 그림자,

**흰 그림자들**
**연연히 사랑**하던 흰 그림자들,

내 모든 것을 돌려보낸 뒤
**허전**히 뒷골목을 돌아
**황혼처럼 물드는 내 방으로 돌아오**면

**신념이 깊은 의젓한 양(羊)처럼**
하루 종일 **시름없이 풀포기**나 뜯자.

– 윤동주, 「흰 그림자」 –

* 땅검: 땅거미

(나)

잘라놓은 ㉠ 연어의 살 속엔
나이테 무늬가 있다
연하디 연한 연어의 살결에
나무처럼 단단한 **한 시절**이 있었다는 뜻이리라
중력을 거부하고 하늘로 **솟구치던 나무**를
**눈바람**이 주저앉히려 할 때마다
**제 근육**에 새겨넣은 굴렁쇠같이 단단한 것이
나무의 나이테이듯이
한사코 아래로만 흐르려는 물길을 거슬러
㉡ 폭포수를 뛰어넘는 연어를
㉢ 사나운 물살이 저 바닥으로 내동댕이칠 때마다
열 번이고 스무 번이고 솟구쳐
여린 살 속에 쓰라린 햇살이 나이테로 쌓였으리라
켜놓은 원목의 나이테가
제가 맞은 눈바람을 **순한 향기**로 뿜어내놓듯이
그래서
연어의 살결에선 ㉣ 강물 냄새가 나는 것이다
죽은 어미연어의 나이테를 먹은 새끼연어가
폭포수를 뛰어넘어 ㉤ 몇 만 년을 두고
다시 그 강에 회귀하는 것은 다 그 때문이 아니겠는가

– 복효근, 「연어의 나이테」 –

*36.* (가)와 (나)의 표현상의 공통점으로 가장 적절한 것은?

① 동일한 시행을 반복하여 운율감을 형성하고 있다.
② 의문형 어미를 활용하여 시적 의미를 드러내고 있다.
③ 색채어를 활용하여 대상의 이미지를 구체화하고 있다.
④ 명령형 어조를 활용하여 화자의 강한 의지를 표출하고 있다.
⑤ 음성 상징어를 활용하여 대상의 모습에 생동감을 부여하고 있다.

*37.* <보기>를 바탕으로 (가)를 감상한 내용으로 적절하지 않은 것은?

〈보 기〉

'흰 그림자'는 암담한 시대 현실에서 고뇌로 지친 화자의 분신인 분열된 자아를 상징한다. 이는 공존과 애정의 대상인 동시에 내면에 갈등을 유발하는 대상이기도 하다. 화자는 지난날의 자신을 반성하고 분열된 자아를 떠나보냄으로써 갈등을 극복하는데, 이로써 번민에서 벗어나 묵묵히 자신의 삶을 지탱해 나가고자 한다.

① '하루 종일 시들은 귀', '오래' '괴로워하던' 것을 통해 시대 현실 속 고뇌로 지친 화자의 모습을 확인할 수 있겠군.
② '수많은 나'를 '제고장으로 돌려보'낸다는 것을 통해 분열된 자아를 떠나보내는 화자의 모습을 확인할 수 있겠군.
③ '흰 그림자들'을 '연연히 사랑'했었다는 것을 통해 자신의 분신에 대한 화자의 애정을 짐작할 수 있겠군.
④ '황혼처럼 물드는 내 방으로 돌아오'면서 '허전'함을 느끼는 것을 통해 내면의 갈등을 유발하는 대상과 공존할 수밖에 없는 화자의 상황을 짐작할 수 있겠군.
⑤ '신념이 깊은 의젓한 양처럼' '시름없이 풀포기'를 '뜯'겠다는 것을 통해 번민에서 벗어나 묵묵히 자신의 삶을 지탱해 나가고자 하는 화자의 모습을 짐작할 수 있겠군.

*38.* 다음은 (나)에 대한 <학습 활동> 과제이다. 이를 수행한 결과로 적절하지 않은 것은? [3점]

**<학습 활동>**

「연어의 나이테」는 생의 형식이라는 측면에 착안하여 연어와 나무 사이의 유사성을 중심으로 두 대상을 연결한 작품이다. '낯선 대상'과 '낯익은 대상'을 연결함으로써 시적 효과를 극대화하고 있는데, 두 대상이 연결되는 양상과 시적 의미를 탐구해 보자.

① ㉠과 '제 근육'은 유사한 형태의 무늬를 지녔다는 점에서 연결되어, 연어의 무늬에 나무의 나이테와 같은 단단함이 있음을 드러내고 있다.
② ㉡과 '솟구치던 나무'는 자신에게 가해지는 아래로 향하는 힘을 거부한다는 점에서 연결되어, 연어에게 나무와 같은 강인함이 있음을 드러내고 있다.
③ ㉢과 '눈바람'은 대상에게 가해지는 반복적인 시련이라는 점에서 연결되어, 연어가 나무처럼 부단히 반복되는 시련을 겪어 내는 존재임을 드러내고 있다.
④ ㉣과 '순한 향기'는 대상이 시련을 겪은 결과 지니게 된 것이라는 점에서 연결되어, 연어가 나무처럼 시련을 승화시켜 간직하는 존재임을 드러내고 있다.
⑤ ㉤과 '한 시절'은 대상이 자연의 순리를 따르고 있다는 점에서 연결되어, 강으로 회귀하는 연어가 나무처럼 생을 마감하는 존재임을 드러내고 있다.

[39 ~ 42] 다음 글을 읽고 물음에 답하시오.

[앞부분 줄거리] 권익중과 이 낭자는 혼인을 약속하였으나 조정의 세력가 옥낭목으로 인해 혼인이 좌절되고 이 낭자는 자결한다. 그 후 권익중은 권 승상의 권유로 위 낭자와 혼인하나 이 낭자를 잊지 못한다.

이 낭자는 죽어 천상에 올라가서 선녀가 되었다. 옥황상제께서 이 낭자를 보고,

"너는 인간 세상에서 배필을 만나지 못하고 원통히 죽었으니, 강남 악양루 죽림 속에 가 있으면 자연 네 배필 익중을 만날 것이다."

라 하시고, 또한 허수아비를 만들어 주시며

"이 허수아비의 이름은 우인이며, 자태와 얼굴은 익중과 같이 만들었노라."

라 하였다.

우인이 익중의 집을 찾아가니 승상과 부인이며 위 낭자가 익중인 줄 여겨 반겨하고 서촉 안부를 물으니, 우인이 대강 대답하고 진짜 익중이 오기를 기다렸다.

이때, 권생이 며칠을 돌아다니다가 집으로 돌아와 대문 안에 들어서니, 당상에 어떤 한 사람이 앉았다 일어났다 하며 화를 내는 것이었다. 익중이 이를 보고

[A] "내가 서촉으로 갈 때에 저러한 귀신이 꿈에 현몽하여 '나는 금강산에 사는 헛개비라는 귀신이다. 비 오고 바람 부는 날이면 의탁할 곳이 없다. 내가 들으니 너의 집이 부자라 하니, 모월 모일에 너의 집을 찾아가서 너를 쫓아내고 내가 있으리라.' 하면서 오늘 대낮에 들어온다 하였거늘, 저 놈이 그놈이로다."

라고 짐작하고 중문에 서서 부모를 불렀다. 승상은 부인을 붙들고 기가 막혀 묵묵히 말없이 앉아 있을 따름이라. 익중이 들어오니 난형난제(難兄難弟)되어 어느 것이 참 익중이며 어느 것이 거짓 익중인지 알기 어려웠다. 승상이

"자식이 아비만 못하다 하였으니 아비도 몰라보는구나."

라 하니, 부인이

"먼저 온 것이 참 익중이 분명하고 나중 온 것이 귀신이 분명하다."

하고는

"어젯밤에 여차여차한 꿈을 꾸었더니 과연 그대로이구나. 승상은 의심치 마소서."

하였다. 이어서 부인이 하인을 불러

"중문에 들어오는 귀신을 급히 둘러 내쫓아라."

라고 하였다.

이에 하인이 벙거지를 둘러쓰고 대문 밖에 쫓아 나가, 복숭아나무의 굵은 가지를 쓱 꺾어 손에 쥐고는 아래 종아리를 두드리며, 개떡을 이마 위에 철썩 붙이고 물밥을 등에 얹은 후, 익중이 당장의 곤욕과 매를 견디지 못할 정도로 산골 물이 콸콸 소리 내며 흘러가듯 두들겨 때렸다. 익중이 하는 수 없어 뛰쳐나와 마을 앞 수풀 속에 기대어 앉아서 생각해 보니, 이것이 꿈인가 생시인가 싶었다.

세상에 이런 허황한 일이 어디 있으리오? 이것이 다 가짜 익중 때문이나, 소진(蘇秦)과 장의(張儀)*의 구변으로도 밝힐 길이 없었다. 다시 들어가 맞아 죽기를 결단하고 한번 진위를 분별해 보리라고 여기다가 돌이켜 생각하여,

'가짜로 들어온 귀신에게 두들겨 맞은 꼴로 변명도 쓸 때 없겠거니와, 이제 천하강산 두루 돌아 구경이나 다한 후에, 강남 명월 악양루를 구경하고 동정호에 빠져 죽으리라.'

하고는 일어나 길을 나섰다.

(중략)

익중은 화려한 꽃무늬 금관 모자에 꿈틀거리는 용무늬 새겨진 허리띠를 두르고, 낭자는 칠보단장 갖춘 후 녹의홍상을 입고서 육례를 치르니, 팔선녀들이 움직이며 작위하고 온갖 악기들로 풍악을 울렸다. 예를 마친 후에 여러 선관들이 익중의 손을 잡고,

"우리는 천상의 선관으로 상제에게 명을 받아 그대에게 예를 이루게 하노라."

하고는 이내 구름을 타고 행행이 사라졌다.

익중이 공중을 향하여 무수히 사례하고 돌아와 낭자와 함께 하룻밤 동침하니, 깊은 밤에 만단정회는 이루 말할 수 없더라. 익중이 사랑함을 이기지 못하여 낭자의 목을 휼쳐 안고 희희낙락하여

[B] "바람아, 불어라. 비야, 오너라. 우리 둘이 만났으니 만고여한 풀어진다. 둘이 몸을 뭉치다 동정수에 떨어지거나 말거나 이런 사랑 또 있을까. 우리 둘이 만났으니 태산이 평지되고 하해가 육지가 되도록 살아 보세."

하며 즐거운 시간을 보냈다.

계명성이 들리자 낭자가 일어나 앉아 촛불을 밝히고 약 세 봉지를 주며 말하기를,

"상제의 명령이 계명성이 들리거든 올라오라 하셨습니다. 천상옥황께서 허수아비를 보내었으니 이 약을 가져다가 한 봉을 대문 안에 떼어 보소서. 푸른 빛 연기가 일어나며 허수아비가 없어질 것입니다. 또 오 년이 지나 이곳에 와서 오늘 밤 복중에 들어 때가 찬 아이를 데려가옵소서. 이것이 다 우리가 전생에 지은 죄악이라. 서로 만나 해로할 날이 멀었으니 어찌 하오리까?"

익중이 듣기를 다하고 크게 놀라

"오늘 낭자를 만나 죽어도 같이 죽고 살아도 같이 살자 하였더니 이것이 웬 말이오? 가지 마시오. 못 가오. 기약 없이 못 가나니, 만정의 회포 풀지 못하고 간다는 말이 웬 말이오?"

낭자가 다시 위로하여,

"낭군님은 지나치게 슬퍼하지 마시고 때를 기다리옵소서. 천명을 어이 거역하오리까?"

하며 이별주를 부어 들고 이별곡을 지었다.

– 작자 미상, 「권익중전」 –

* 소진과 장의: 전국시대의 인물로 언변과 설득력이 뛰어남.

39. 윗글의 서술 방식에 대한 설명으로 가장 적절한 것은?

① 인물 간의 대화를 통해 인물의 정서를 드러내고 있다.
② 다른 인물과의 대립을 통해 주인공의 업적을 드러내고 있다.
③ 구체적 시대 상황을 설정하여 내용의 사실성을 높이고 있다.
④ 동시에 일어난 두 사건을 교차하여 사건을 입체적으로 서술하고 있다.
⑤ 공간적 배경에 대한 묘사를 통해 앞으로 일어날 사건을 암시하고 있다.

*40.* 윗글에 대한 이해로 적절하지 않은 것은?

① 승상은 익중과 우인을 구별하는 데 어려움을 겪었다.
② 승상 부인은 자신의 꿈을 근거로 우인을 익중으로 믿었다.
③ 익중이 집으로 돌아왔을 때 익중은 화를 내는 우인을 보았다.
④ 익중은 우인의 정체를 밝히는 대신 유람 후에 죽기로 결심했다.
⑤ 위 낭자는 안부를 묻는 말에 대한 우인의 대답 때문에 우인을 반겼다.

*41.* [A]와 [B]에 대한 설명으로 가장 적절한 것은?

① [A]에서는 현실적 인물에 대한 연민을, [B]에서는 비현실적 인물에 대한 애정을 드러내고 있다.
② [A]에서는 상대방의 위세에 대한 두려움을, [B]에서는 자신의 처지에 대한 슬픔을 나타내고 있다.
③ [A]에서는 부정적 상황에 대한 인물의 추측을, [B]에서는 긍정적 상황에 대한 인물의 만족감을 드러내고 있다.
④ [A]에서는 실현 가능한 사건에 대한 인물의 믿음을, [B]에서는 실현 불가능한 사건에 대한 인물의 실망을 드러내고 있다.
⑤ [A]에서는 예상했던 사건에 대한 인물의 안도감을, [B]에서는 예상하지 못했던 사건에 대한 인물의 불안감을 드러내고 있다.

*42.* <보기>를 참고하여 윗글을 감상한 내용으로 적절하지 않은 것은? [3점]

< 보 기 >

「권익중전」에는 진짜와 가짜가 다투는 '진가쟁주(眞假爭主)'가 나타난다. 천상계의 개입으로 발생하는 진가쟁주는 권익중과 가족 간의 갈등을 유발하고 권익중이 고난을 겪게 한다. 하지만 진가쟁주는 선녀가 된 이 낭자와 권익중이 만날 수 있는 계기를 제공해 주어 그 둘은 재회하게 된다.

① 옥황상제가 자태와 얼굴이 진짜 익중과 똑같은 가짜 익중을 만든 것을 보면 진가쟁주가 천상계의 개입으로 발생한다는 것을 알 수 있겠군.
② 하인이 진짜 익중을 당장의 곤욕과 매를 견디지 못할 정도로 때리는 것을 보면 진가쟁주가 익중에게 고난을 겪게 한다는 것을 알 수 있겠군.
③ 가짜 익중에 의해 집에서 쫓겨난 진짜 익중이 이 낭자를 만나서 육례를 치르는 것을 보면 진가쟁주가 익중과 이 낭자를 재회하게 한다는 것을 알 수 있겠군.
④ 승상의 부인이 가짜 익중을 진짜 익중으로 믿어 진짜 익중을 쫓아내라는 명령을 내리는 것을 보면 진가쟁주가 익중과 가족 간의 갈등을 유발한다는 것을 알 수 있겠군.
⑤ 이 낭자가 가짜 익중을 사라지게 만드는 방법을 진짜 익중에게 알려주면서 오 년 후 가짜 익중과의 만남을 예상하는 것을 보면 진가쟁주가 만남의 계기를 제공한다는 것을 알 수 있겠군.

[43 ~ 45] 다음 글을 읽고 물음에 답하시오.

만득이가 두 살 나던 해 9월 남편은 논에서 일을 하다 말고 **전쟁터로 끌려 나갔다.** ㉠ 남편은 흙이 묻은 손으로 화물 열차에 떠밀려 들어가며 소리 지르고 있었다.

"소 잘 간수허고, 만득이 병 안 들게 혀!"

남편은 문단속 잘하고 자라는 말은 하지 않았지만 **징용을 끌려갈 때처럼** 기차는 산굽이를 돌아갔고, 그네는 그때와 마찬가지로 넋 잃은 사람처럼 언제까지나 그 자리에 서 있었다.

해 질 무렵에야 논둑에서 눈만 껌벅이고 섰는 소를 끌고 오면서 그네는 중얼거리고 있었다.

"아무나 다 죽간디? 죽고 사는 것이야 다 운수소관이여."

이장 어른의 말은 남편이 노무자로 나갔다고 했다. 이북 사람들이 쳐 내려와 싸움이 한창이라는 것이었다.

찬바람이 일기 시작하자 낯모를 객지 사람들이 몰려들기 시작했다. 피란민이라고 했다. ㉡ 동네 사람들은 싸움터에서 멀리 떨어져서 피란을 가지 않는 것만도 다행이라고 했다.

어수선한 인심, 힘쓸 남자들이 없는 농촌. 궁색한 속에 해가 바뀌고, 그네가 남편을 한 줌의 재로 맞은 것은 그해 겨울이었다. 남편은 집을 떠난 지 1년 반이 가까워 재로 변해 온 것이었다. 그네 나이 스물일곱이었다.

전쟁은 다음 해에 끝났고, 남편의 삼년상이 지나기 전에 누구의 입에선지 모르게 동네 사람들은 그네를 청산댁이라고 부르기 시작했다.

청산댁은 이를 앙다물었다. 울어서 돌아올 남편이 아니었고 전답을 두고 두 자식을 굶겨 죽일 수는 없었다.

**[중략 부분 줄거리]** 청산댁은 두 아들을 뒷바라지하며 어렵게 살아간다. 시간이 흘러, 장애가 있는 첫째 아들과 달리 둘째 아들 만득이는 군대에 간 후 월남으로 떠나게 된다.

[A]
청산댁은 며칠 남지 않은 손자 돌 채비에 일손이 바빴다. 콩나물도 통통하게 살이 오른 게 손가락 두 마디 정도 자라 있었다. 고사리며 취나물 등 산나물도 물에 담가 두었고 삶아서 두 번 물을 갈았다. 돌떡은 종류가 많을수록 좋다니까 인절미며 백설기 절편은 물론 수수떡도 하고 약과도 만들 작정이었다.

청산댁은 마루에서 수수를 고르고 있었다. 옆에 놓인 트랜지스터에서는 재방송 연속극이 흘러나오고 있었다.

"청산댁 기시요?"

"누구다요?"

청산댁은 연속극에 귀를 기울인 채 고개를 돌렸다. 반장이 낯모를 사내를 데리고 마당을 가로질러 오고 있었다.

"마침 기셨구만이라."

"워쩐 일이요. 일로 앉으씨요."

청산댁은 마루를 대충 치웠다.

"괜찮으요. 근디, 읍사무소서 나온 양반이요."

반장은 낯선 사내를 가리켰다.

"저 실례합니다. 읍사무소에서 나왔습니다."

"세금 다 냈는디 읍사무소는 무신……."

"그게 아니고요. 저 천만득이 모친이 틀림없지요?"

"야, 그런디요?"

"저 다름이 아니라……."

㉢ 사내는 서류를 넘기며 말을 주저하고 있었다.

"무신 일이다요? 아, 앉기나 허씨요."

"저 다름이 아니라…… 이걸 전하려고……."

사내는 한 발짝 다가서며 종이를 내밀었고, 반장은 굳은 얼굴로 외면을 하고 있었다.

"까막눈인디 뭔지 알겄소?"

"저 다름이 아니라…… 천만득이 전사 통지섭니다."

"……."

**남편의 얼굴**이 확 다가들었다. **만득이 얼굴이 뒤범벅이 되**었다. 남편을 한 줌의 재로 맞던 날, 싸우다 죽은 소식을 알리는 것이라는 설명을 듣고서야 정신을 잃었던 그 무시무시한 말, **전사 통지서**.

"워쩌? 전사 통지서?"

㉣ 청산댁은 벌떡 일어서는가 했더니 나무 둥치처럼 그대로 나가넘어졌다. 눈알이 허옇게 뒤집혀 있었다.

반장과 읍사무소 직원이 찬물을 끼얹고 수족을 주무르고 해서 한참 만에 정신이 들었다. 청산댁은 소스라치게 놀라며 눈을 떴다. 그리고 벌떡 일어났다. 잠시 주춤하더니 곧 읍사무소 직원에게로 달려들었다.

"내 자석으을, 내 자석으을, 안 된다니께 안 되여. 워째 내 자석을……."

청산댁은 소리소리 지르며 읍사무소 직원에게 매달렸다. 그런 청산댁의 눈에는 파란 불이 켜져 있었다.

청산댁은 이빨을 뿌드득 갈더니 직원의 양복 깃을 틀어잡은 채 또 까무러쳤다.

청산댁 손에서 풀려나온 직원은 뺑소니를 쳤다.

**다시 정신을 차린** 청산댁은 소리를 지르며 읍내로 뻗은 길을 내달리고 있었다. **맨발인 채 뛰**고 있는 청산댁의 낭자머리는 헤풀어졌고 **손에는 낫**이 들려 있었다.

청산댁은 그길로 실성을 해 버렸다는 말이 삽시간에 동네에 퍼졌다.

청산댁은 돌아오지 않았고 밤새도록 며느리의 곡소리만 어둠에 번지고 있었다.

청산댁은 사흘 후에 차에 실려 돌아왔다. 그날 청산댁은 읍사무소에서 또 까무러쳤고, 그길로 병원으로 옮겨졌던 것이다.

청산댁은 사색이 깃들어 있었다. 눈은 멍하니 허공을 더듬고 있었다.

청산댁을 보자 며느리는 다시 울음을 터뜨렸다. 청산댁은 표정 없는 얼굴로 며느리 품에서 손자를 옮겨 안았다.

"**울지 말**아라. 무신 소양이 있냐. **자석 땀새 이빨 앙물고 살어**사 쓴다. 방앳간에 가서 쌀 찧어 오니라. 나는 솔잎 뜯으로 갈란다. 니 남편은 송편을 억씨게 좋아했니라."

㉤ 청산댁의 목소리는 착 가라앉아 있었다.

그날 밤 늦도록 청산댁은 송편을 빚었다. **손자 돌잔치에 쓰려고 장만했던 쌀로 아들 장례에 쓸 송편을 온 정성을 다해 빚**고 있었다. 모레 국군묘지에서 장례식을 올리기 때문에 내일 떠나야 된다고 읍사무소에서 병원으로 알려 왔던 것이다.

"전생에 무신 악헌 죄를 짓고 나서 요리 복 쪼가리도 읎는고. 한평생 살기가 요리도 험허고 기구헐 수가 있당가. 이 새끼 땀새 죽어뿔지도 못허고……."

잠이 든 손자의 볼을 쓰다듬는 청산댁의 두 볼에 눈물이 골을 파고 흘러내리고 있었다.

\- 조정래, 「청산댁」 -

*43.* [A]의 서술상 특징에 대한 설명으로 가장 적절한 것은?

① 요약적 서술을 통해 인물의 과거 상황을 제시하고 있다.
② 사투리의 활용을 통해 상황을 사실감 있게 표현하고 있다.
③ 인물 간의 대화를 통해 인물들의 성격 변화를 드러내고 있다.
④ 회상의 기법을 사용하여 갈등 해소의 실마리를 제시하고 있다.
⑤ 인물의 반복적 행위를 제시하여 긴박한 분위기를 조성하고 있다.

*44.* ㉠ ~ ㉤에 대한 이해로 적절하지 않은 것은?

① ㉠: 갑자기 가족을 떠날 수밖에 없는 상황에서 가족에 대한 청산댁 남편의 걱정을 엿볼 수 있다.
② ㉡: 전쟁이 끝나자 객지에서 몰려든 피란민에 대한 동네 사람들의 반감을 엿볼 수 있다.
③ ㉢: 만득이의 전사 통지서를 청산댁에게 전하려는 낯선 사내의 망설이는 태도를 엿볼 수 있다.
④ ㉣: 예상치 못한 만득이의 전사 소식을 들은 청산댁의 충격을 엿볼 수 있다.
⑤ ㉤: 울고 있는 며느리에게 조언을 하는 청산댁의 차분한 태도를 엿볼 수 있다.

*45.* <보기>를 바탕으로 윗글을 감상한 내용으로 적절하지 않은 것은? [3점]

〈보 기〉

이 작품에는 역사적 질곡이 빚어낸 민족의 희생이 드러나는데, 특히 반복되는 수난을 겪는 여성 개인의 한(恨)이 부각된다. 자식에 대한 사랑과 자손을 지키려는 의지로 발현된 개인의 강인한 모성은 시대의 아픔에 대한 치유와 극복의 가능성을 보여 준다는 점에서 사회적 의미를 지니게 된다.

① 청산댁의 남편이 '징용을 끌려갈 때처럼' '전쟁터로 끌려 나갔다'는 것에서 역사적 질곡이 빚어낸 민족의 희생을 짐작할 수 있겠군.
② 청산댁이 '전사 통지서' 때문에 '남편의 얼굴'과 '만득이 얼굴이 뒤범벅이 되'는 느낌을 경험한 것에서 여성의 반복되는 수난을 짐작할 수 있겠군.
③ 청산댁이 '다시 정신을 차린' 후 '손에는 낫'을 들고 '맨발인 채 뛰'었다는 것에서 시대의 아픔을 겪은 사회를 치유하려는 개인의 의지를 짐작할 수 있겠군.
④ 청산댁이 며느리에게 '울지 말'고 '자석 땀새 이빨 앙물고 살어'야 한다고 말한 것에서 자손을 지키려는 여성의 강인한 모성을 짐작할 수 있겠군.
⑤ 청산댁이 '손자 돌잔치에 쓰려고 장만했던 쌀로 아들 장례에 쓸 송편을 온 정성을 다해 빚'었다는 것에서 자식에 대한 어머니의 사랑을 짐작할 수 있겠군.

**※ 확인 사항**

답안지의 해당란에 필요한 내용을 정확히 기입(표기)했는지 확인하시오.

# 국어 영역

10회 소요시간 /80분

제 1 교시

➡ 해설 P.92

[1~3] 다음은 학생의 발표이다. 물음에 답하시오.

안녕하세요. 지난 시간부터 '한국의 문화유산'이라는 주제로 모둠별 발표가 진행 중인데요, 오늘은 조선 시대 중요한 건축 재료인 '궁궐의 박석'에 대해 발표하려고 합니다.

여러분은 박석에 대해 잘 알고 계신가요? 생소하실 것 같은데요, (사진을 손가락으로 가리키며) 박석은 화강암을 10~15센티미터 정도의 두께로 잘라 낸 얇고 넓적한 돌입니다. 박석은 주로 임금이 다니던 길인 경복궁 근정전의 앞마당과 왕릉 진입로인 참도 등에 깔려 있습니다.

박석의 기능은 여러 가지가 있는데요, 먼저 박석이 깔린 길을 환히 보이게 합니다. 그 이유는 화강암에 유리의 주성분인 석영과 투명한 백운모가 들어 있고, 여기에 난반사의 원리까지 작용되기 때문입니다. 반짝거리는 화강암을 좀 거칠게 갈면 표면이 우툴두툴해지는데, (난반사와 정반사의 그림을 보여주며) 이 박석의 거친 표면은 빛을 각각의 방향으로 반사시키므로 박석이 깔린 공간을 환하게 비추는 것입니다. 또 이 그림에서 보듯이 한 방향으로만 반사되어 눈부심을 초래하는 정반사와 달라서 눈부심 없이 보이게도 합니다.

박석은 비가 올 때 그 기능이 더 돋보입니다. 비가 오면 수막현상 때문에 바닥이 미끄럽습니다. 그런데 (사진을 보여주며) 박석의 우툴두툴한 표면은 수막현상이 일어나는 것을 약화시켜 궁궐의 왕이나 관리들이 안전하게 걸을 수 있도록 해 줍니다.

그리고 박석은 궁궐 앞마당에서 대신들에게 말하는 임금의 목소리를 웅장하게 들리도록 해 주었습니다. (동영상을 보여주며) 화살표로 표시된 것처럼 궁궐을 둘러싼 행각의 처마에 반사된 소리가 바닥에 닿으면 박석은 그 소리를 되받아 울려 주기 때문입니다. 마치 오페라하우스의 모든 청중석에서 거의 비슷한 크기의 소리를 들을 수 있는 것과 같은 원리입니다.

여러분, 이제 그동안 눈여겨보지 못했던 '궁궐의 박석'을 통해 조상들의 슬기와 지혜를 느낄 수 있었나요? 다음 주에 현장체험학습으로 세계문화유산인 창덕궁에 가게 되는데요, 이때 '아는 만큼 보인다.'라는 말과 같이 박석에 대해 새롭게 느껴 보시기 바랍니다. 이상으로 발표를 마치겠습니다.

1. 위 발표에 대한 설명으로 가장 적절한 것은?

① 청중의 배경지식을 확인하고 그에 따라 발표 내용을 조절하고 있다.
② 발표 대상을 친숙한 소재에 빗대어 표현하며 발표를 마무리하고 있다.
③ 발표와 관련된 용어의 의미를 설명하여 내용에 대한 청중의 이해를 돕고 있다.
④ 청중의 질문에 답하는 형식으로 발표 내용에 대한 청중의 궁금증을 해소하고 있다.
⑤ 발표 내용의 순서를 앞부분에 제시하여 청중이 발표 내용을 예측하며 듣게 하고 있다.

2. 다음은 학생의 발표 계획이다. 발표에 반영되지 <u>않은</u> 것은?

| | |
|---|---|
| 처음 | ◦ 발표 주제 제시 |
| 중간 | ◦ 박석의 생김새와 쓰임<br>↳비언어적 표현을 활용하여 박석 사진에 청중의 시선을 집중시켜야겠다. ……… ㉠<br>◦ 빛을 반사하는 박석<br>↳그림을 활용하여 박석이 빛을 난반사시키는 모습을 알기 쉽게 설명해야겠다. ……… ㉡<br>◦ 수막현상이 거의 없는 박석<br>↳사진을 활용하여 박석의 효용성과 한계를 효과적으로 제시해야겠다. ……… ㉢<br>◦ 소리를 반사하는 박석<br>↳동영상을 활용하여 소리가 반사되는 과정을 실감 나게 제시해야겠다. ……… ㉣ |
| 끝 | ◦ 박석에 대한 관심 당부<br>↳인용구를 활용하여 박석에 관심을 가져 줄 것을 부탁해야겠다. ……… ㉤ |

① ㉠ ② ㉡ ③ ㉢ ④ ㉣ ⑤ ㉤

3. <보기>는 발표를 들은 후 청중이 보인 반응이다. 발표를 고려하여 청중의 반응을 분석한 것으로 적절하지 <u>않은</u> 것은? [3점]

<보 기>

**청자 1**: 나도 비 오는 날 미끄러워서 걷기 힘들었는데 그게 수막현상 때문이었구나. 비가 오면 수막현상이 생긴다고 했는데 그 이유는 뭘까? 수막현상을 자세히 설명해 주지 않아서 아쉬웠어.
**청자 2**: 박석의 다양한 기능에 대해 알게 되어서 좋았어. 다만 일제 강점기 때 창덕궁의 박석을 잔디로 바꿔 놓았던 역사적 사실도 함께 얘기했으면 더 좋았을 것 같아.
**청자 3**: 지난주에 경복궁에서 박석이 깔린 길을 걸었는데 그 길이 임금님이 다녔던 길이었구나. 박석에 담긴 우리 조상들의 지혜도 알게 되어서 유익했어.

① 청자 1은 발표 내용의 일부를 언급하며 이와 관련된 궁금증을 드러내고 있다.
② 청자 2는 배경지식을 활용하여 발표에 추가되었으면 하는 내용을 제시하고 있다.
③ 청자 3은 발표 내용을 바탕으로 발표에서 직접적으로 언급되지 않은 내용을 추론하고 있다.
④ 청자 1과 청자 3은 모두 자신의 경험을 떠올리며 발표 내용을 이해하고 있다.
⑤ 청자 2와 청자 3은 발표를 통해 이전에 몰랐던 사실을 새롭게 알게 된 것에 대해 긍정적으로 생각하고 있다.

[4~7] (가)는 문학 동아리 학생들의 회의이고, (나)는 (가)를 바탕으로 작성한 글의 초고이다. 물음에 답하시오.

(가)

학생 1 : 학교 '명사 초청의 날' 강연을 우리 동아리에서 주관하기로 한 거 알지? 어떤 분을 강연자로 모시면 좋을까?

학생 2 : 우리 동아리 선배님들 중 한 분을 모시면 어때?

학생 1 : ㉠ <u>그러면 강연자를 우리 동아리 부원들만 친근하게 느낄 것 같아.</u> 2학년 전체 학생들을 대상으로 하는 강연이라는 걸 고려해야 하지 않을까?

학생 3 : 나도 동의해. ㉡ <u>그래서 말인데, 지난번 축제에서 우리가 몇몇 시인의 작품을 전시했을 때, ○○○ 작가 시에 가장 많은 감상평이 달렸던 것 생각나지?</u> 그래서 이번에 작가 ○○○를 초청하면 어떨까?

학생 2 : 응, 기억난다. ○○○ 작가 시에 대한 학생들의 관심이 컸었잖아. 그분을 초청하자는 거 괜찮은 생각이다.

[A]

학생 1 : 다들 동의하는 거면 ○○○ 님께 강연을 부탁드리는 글을 써서 보내자.

학생 2 : 그럼 글에 들어갈 내용으로 무엇이 있을까? 행사 목적이랑 작가 이력은 들어가야 할 것 같고.

학생 3 : 행사 목적은 포함해야겠지만, 작가 이력은 행사 당일에 배부하는 강연 안내 자료에 싣는 게 더 낫지 않을까?

학생 1 : 그게 좋겠어. 그리고 행사 계획이랑 강연 뒤에 질의응답 시간이 있을 거라는 것도 알려 드리자.

학생 2 : 그래. 그리고 난 무엇보다 우리가 왜 그분을 초청하고 싶은지를 꼭 썼으면 해.

학생 1 : 그러려면 지난번 축제에서 그분의 시에 대한 학생들의 반응을 언급하면 좋겠지?

학생 3 : 응, 축제 뒤에 그분의 시가 왜 좋은지 조사한 설문 결과도 같이 써 주면 좋겠다.

학생 1 : 그리고 ○○○ 님이 강연에 응해 주신다면, 감사의 의미로 그분의 시를 낭송하는 시간을 가졌으면 해.

학생 2 : 그거 참 좋다. 그럼, 내가 지난번 문학 평론집에서 본 그분의 시가 있는데, '◇◇' 어떨까?

학생 3 : 난 그거보다 우리 학교 문학 교과서에 실린 시 '△△△'가 더 좋다고 생각해. ㉢ <u>이 시가 '◇◇'보다 학생들에게 친숙한 시라고 생각하거든.</u>

학생 2 : 그래, 우리가 잘 아는 '△△△'가 더 낫겠다. 강연 시작 전에 시 낭송이 있을 거라고 알려 드리자.

학생 3 : 응, 그래. 그리고 마지막 문단에는 바쁘시더라도 꼭 오셔야 한다고 쓰자.

학생 2 : 그런 표현은 그분께 자칫 부담이 될 것 같아.

학생 1 : ㉣ <u>강요하듯 부탁 드리면 안 된다는 말이지?</u>

학생 2 : 응, 상대의 부담을 최소화하는 방식으로 강연을 부탁드리는 게 좋겠어.

학생 3 : 그러자. 내가 거기까지는 미처 생각을 못했네.

학생 1 : 그리고 마지막 문단은 ○○○ 님을 모시고 싶어 하는 마음을 드러내면서 마무리하면 좋겠어. 어떤 방법이 있을지 생각해 보자.

학생 2 : ㉤ <u>며칠 전에 TV 프로그램에서 그분의 인터뷰를 봤는데, 그 내용을 참고하면 어떨까?</u> 그분은 주변에서 들려오는 소리에 귀를 기울이는 것에서부터 시가 시작된다고 하시더라고. 그래서 생각한 건데, ○○○ 작가를 맞이하는 우리의 마음을 '소리'로 표현하면 어때?

학생 3 : 그거 괜찮은 생각이다.

학생 1 : 나도 좋아. 그럼 오늘 나온 의견을 반영해서 함께 글을 써 보자.

학생 2, 3 : 그래.

(나)

○○○ 작가님, 안녕하세요. 저희는 □□고등학교 문학 동아리 학생들입니다. 저희 학교에서는 해마다 학생들이 만나고 싶어 하는 분을 초청해 강연을 듣고 서로 소통하기 위한 '명사 초청의 날' 행사를 열고 있습니다. 저희가 이렇게 작가님께 글을 쓰는 이유는 올해 행사의 강연자로 작가님을 모시고 싶어서입니다.

지난 축제 때 저희 동아리는 여러 시인의 시를 전시하였는데, 저희 학교 학생들은 작가님 시에 가장 많은 감상평을 달았습니다. 축제가 끝나고 작가님의 시가 왜 좋은지 설문 조사를 실시하였는데, 일상의 소재에서 새로운 의미를 발견하는 것이 인상적이었다는 의견이 많았습니다. 이렇듯 작가님 시에 대한 관심이 큰 만큼 작가님을 모시고 뜻깊은 시간을 보내고 싶습니다.

올해의 행사 계획은 다음과 같으며, 강연의 내용은 작가님께서 행사 주제와 관련된 것으로 정해 주시면 됩니다.

- 일시 : 2019. 10. 18.(금) 17:00~19:00
- 장소 : □□고등학교 3층 강당
- 대상 : 2학년 전체 학생들
- 주제 : '우리 일상에서 시가 갖는 가치'

작가님께 감사의 마음을 전하고자 강연이 시작되기 전에 문학 동아리 학생들이 문학 교과서에 수록된 작가님의 시 '△△△'를 낭송하려고 합니다. 강연 뒤에는 질의응답 시간도 마련되어 있습니다.

| ⓐ |
|---|

**4.** 회의의 흐름을 고려할 때 ㉠~㉤에 대한 이해로 적절하지 <u>않은</u> 것은?

① ㉠ : 상대의 제안이 실현되었을 때 우려되는 부분을 언급한다.
② ㉡ : 자신의 의견을 제시하기 위해 상대가 알고 있는 사실을 환기한다.
③ ㉢ : 상대의 의견을 받아들이지 않고 다른 제안을 하게 된 이유를 제시한다.
④ ㉣ : 상대의 의도를 자신이 제대로 이해하였는지 확인한다.
⑤ ㉤ : 상대의 제안에 대해 궁금한 점을 질문하면서 추가 의견을 제시한다.

5. [A]에 드러난 회의 참여자들의 말하기 방식에 대한 이해로 가장 적절한 것은?

① 학생 1은 학생 2의 의견이 지닌 문제점을 제시하며 반대 의사를 전달하고 있다.
② 학생 1은 학생 3의 의견을 수용한 후 근거를 덧붙여 구체화하고 있다.
③ 학생 2는 학생 1의 의견과 자신의 의견을 절충하여 대안을 제시하고 있다.
④ 학생 3은 학생 1의 의견을 비판하며 보완해야 할 부분을 제시하고 있다.
⑤ 학생 3은 학생 2의 의견을 일부 인정한 후 상대방과 생각이 다른 부분을 언급하고 있다.

6. (나)를 쓰기 위한 글쓰기 계획이다. (나)에 반영되지 않은 것은?

① 행사를 개최하는 목적을 알리면서 글을 쓰게 된 이유를 밝혀야겠어.
② 축제 때 전시한 시에 대한 학생들의 반응을 전하며 강연자로 초청하고 싶은 이유를 드러내야겠어.
③ 행사 계획을 제시하여 행사에 대한 안내를 해 주어야겠어.
④ 강연 전에 낭송할 시를 소개하면서 시를 낭송하려는 취지를 담아야겠어.
⑤ 강연자와의 질의응답 시간에 대해 학생들이 지닌 기대감을 써 주어야겠어.

7. (가)를 바탕으로 할 때, ⓐ에 들어갈 내용으로 가장 적절한 것은? [3점]

① 많이 바쁘실 텐데 강연을 부탁드려도 될까요? 신청한 곡이 나오는 라디오의 노랫소리처럼 반갑게 느껴질 작가님을 기다리며 이 글을 마치겠습니다.
② 작가님의 강연에 귀를 기울일 준비가 되어 있는 저희들의 모습이 보이시나요? 작가님에 대한 진심 어린 마음이 전해지길 바라면서 이 글을 마치겠습니다.
③ 작가님의 시에 마음 깊이 공감하는 저희에게 강연을 해 주실 수 있으실까요? 이번 강연을 통해 작가님과 더 가까워지길 기대하면서 이 글을 마치겠습니다.
④ 이번을 계기로 작가님과 소통하는 시간을 가졌으면 좋겠습니다. 풀벌레 소리 들리는 가을 저녁에 저희와 함께하시겠다는 답변을 기다리면서 이 글을 마치겠습니다.
⑤ 점심시간을 알리는 종소리처럼 작가님의 시가 사람들에게 기쁨을 전해 준다는 것을 알고 계신가요? 학생들을 생각해 꼭 와 주실 것을 믿으면서 이 글을 마치겠습니다.

[8～10] 다음을 읽고 물음에 답하시오.

[학습 활동]
◦과제 : 사회적 쟁점에 대해 자신의 입장을 주장하는 글을 쓴다.
◦주장 : 고궁 무료 관람 혜택 대상에서 퓨전 한복을 제외하자.

[학생의 초고]

요즘 고궁은 각양각색의 퓨전 한복을 입은 사람들로 가득하다. 퓨전 한복이 본격적으로 증가하기 시작한 것은 2013년으로, 한복을 입고 고궁을 찾는 사람들에게 무료 관람 혜택을 주면서부터이다. 퓨전 한복을 선호하는 경향은 연령대가 낮을수록 뚜렷하게 나타난다.

[A] 그런데 문제는 전통 한복에서 멀어진 형태의 퓨전 한복이 늘어나 전통 한복의 훼손이 심해지고 있다는 점이다. 문제가 되는 퓨전 한복의 모양은 치마 속에 링 모양 뼈대를 넣어 치마를 부풀리거나, 상·하의가 분리되지 않는 서양 드레스 형태이다. 이런 퓨전 한복이 나오면서 전통 한복의 단아함과 아름다움은 찾기 어려워졌다.

또 다른 문제는 한복에 대한 잘못된 인식이 생길 수 있다는 점이다. 한국을 방문하여 고궁을 찾는 외국인 관람객들은 고궁 근처의 한복 대여점에서 대여한 퓨전 한복을 접하게 되는데, 이들이 전통 복식의 모양에서 많이 변모한 퓨전 한복을 전통 한복으로 오해할 수도 있다는 점이다.

또 우려되는 문제는 퓨전 한복 때문에 맞춤 제작 중심의 전통 한복 산업이 위축될 수 있다는 점이다. 퓨전 한복은 품질이 떨어지는 저가 원단과 값싼 장식을 사용하기 때문에 가격이 저렴한 편이다. 이것은 자연 소재로 수작업을 해야 하는 전통 한복이 퓨전 한복과의 가격 경쟁에서 밀리는 원인이 될 수 있으며, 이로 인해 전통 한복 산업이 위축되는 결과를 낳을 수 있다.

한복을 입은 사람들에게 고궁 무료 관람 혜택을 주고자 한 취지는 전통 한복을 입도록 장려하여 우리의 전통을 계승하자는 것이었다. 그러나 고궁 무료 관람으로 인해 퓨전 한복이 증가하면서 위와 같은 문제들이 발생한 것이다. 이러한 점에서 고궁 무료 관람 혜택 대상에서 퓨전 한복을 제외한다면 사람들이 전통 한복에 더 많은 관심을 갖도록 유도할 수 있으며, 전통 한복이 살아나는 계기를 만들 수 있을 것이다.

8. '학생의 초고'에 대한 설명으로 가장 적절한 것은?

① 공정성을 확보하기 위해 예상되는 반론을 함께 제시하고 있다.
② 타당성을 높이기 위해 여러 가지 대안의 장단점을 제시하고 있다.
③ 문제 해결의 필요성을 부각하기 위해 권위자의 견해를 인용하고 있다.
④ 설득력을 높이기 위해 주장이 실현되었을 때의 긍정적 전망을 드러내고 있다.
⑤ 현재의 문제 상황을 드러내기 위해 쟁점에 대한 다양한 관점을 비교하고 있다.

9. <보기>는 '학생의 초고'를 보완하기 위해 수집한 자료이다. 자료의 활용 방안으로 적절하지 않은 것은?

<보 기>

ㄱ. 통계 자료

ㄱ-1. 연령에 따른 한복 종류 선호도(내국인 대상)

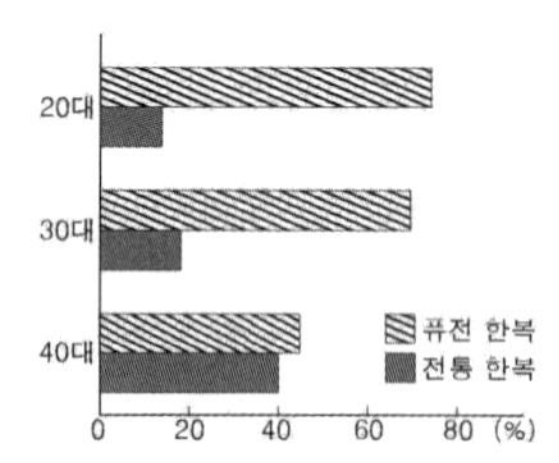


ㄱ-2. 전통 한복 체험 만족도 (외국인 관람객 대상)

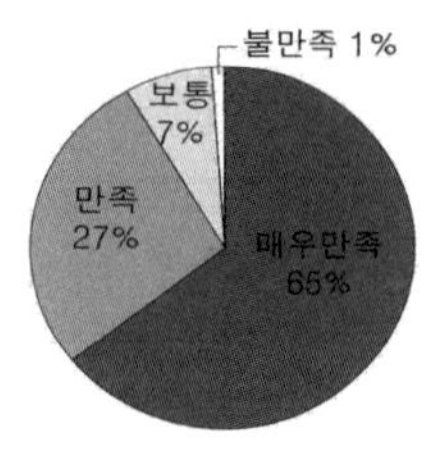


ㄴ. 전문가 인터뷰

"고궁을 찾아 한복을 체험한 외국인 관람객들의 SNS를 살펴보면 레이스나 큐빅 장식을 사용한 퓨전 한복을 전통 한복으로 잘못 소개하는 경우가 많습니다. 전통 한복은 동정과 고름의 형태, 소매의 둥그런 선을 특징으로 합니다. 전통 한복을 체험하거나 직접 본 외국인 대다수는 전통 한복의 곡선미와 단아함에서 한국적인 아름다움이 느껴진다고 말합니다."

ㄷ. 신문 기사

최근 품질이 떨어지는 퓨전 한복으로 인해 문제가 발생하고 있다. 통풍이 잘 되지 않아 더위에 시달리거나 거친 원단으로 인해 피부에 상처를 입는 등 불편을 겪는 사례가 늘고 있는 것이다. 더욱 큰 문제는 전통 한복을 입어 본 경험이 없는 사람들이 전통 한복도 퓨전 한복과 같이 불편할 것이라고 오인한다는 것이다.

① ㄱ-1을 활용하여 연령대가 낮을수록 퓨전 한복을 선호하는 경향이 뚜렷하다는 내용의 근거로 제시한다.
② ㄴ을 활용하여 퓨전 한복으로 인해 외국인 관람객이 전통 한복에 대해 잘못 인식할 수 있다는 내용의 사례로 제시한다.
③ ㄷ을 활용하여 품질이 낮은 퓨전 한복으로 인해 한복 전반에 대한 부정적 이미지가 생길 수 있다는 문제점을 추가한다.
④ ㄱ-1과 ㄷ을 활용하여 전통 한복 선호도를 높이기 위해 전통 한복의 가격을 낮추는 방안을 추가한다.
⑤ ㄱ-2와 ㄴ을 활용하여 전통 한복을 입도록 장려하는 것이 외국인들에게 한국적인 아름다움을 알리는 것에 도움이 된다는 내용을 추가한다.

10. <보기>를 활용하여 [A]에 대해 반박하는 글을 쓰려고 한다. 글에 담길 내용으로 가장 적절한 것은?

<보 기>

저고리가 허리까지 내려올 정도로 길었던 조선 전기의 여성 한복과 달리, 18세기부터 짧은 저고리가 유행하면서 19세기에는 20센티미터도 채 되지 않는 짧은 저고리가 주류를 이루었다. 아름다움을 추구하는 당대 여성들의 욕구가 복식의 변화를 이끌어 낸 것이다.

① 한 시대의 유행과 이에 대한 정당한 비판이 균형을 이룰 때 전통의 진정한 발전을 꾀할 수 있다.
② 많은 사람들이 일상생활에서도 한복을 입을 수 있도록 실용성을 추구하며 변화한 퓨전 한복의 가치를 인정해야 한다.
③ 우리의 한복도 사람들의 취향에 따라 끊임없이 변화해 왔으므로 시대에 따라 다르게 나타나는 변화를 존중해야 한다.
④ 전통 한복의 기본 요소를 바탕으로 허용 가능한 퓨전 한복의 변형 정도를 규정한다면 전통을 계승할 수 있을 것이다.
⑤ 전통 한복의 훼손을 막기 위해 전통의 긍정적 변용으로 인식되는 역사적 사례를 찾아 현대의 퓨전 한복에 적용해야 한다.

[11~12] 다음 글을 읽고 물음에 답하시오.

띄어쓰기를 정확하게 하지 않으면 의미를 전달할 때 문제가 발생한다. 구와 합성어의 경우가 그렇다. 다음 사례를 살펴보자.

ㄱ. 직장을 옮기면서 작은 집에서 살게 되었다.
ㄴ. 직장을 옮기면서 작은집에서 살게 되었다.

ㄱ과 ㄴ은 비슷해 보이지만 띄어쓰기에 따라 살게 된 집의 의미가 달라진다. ㄱ의 '작은 집'은 '크기가 작은 집'을 의미하는 '구'이고, ㄴ의 '작은집'은 '작은아버지 집'을 의미하는 '합성어'이다.

이때 한글 맞춤법 제2항 '문장의 각 단어는 띄어 씀을 원칙으로 한다.'에 따라 살펴보면, 구는 하나의 단어가 아니므로 띄어 써야 하고 사전에 표제어로 오르지 않는다. 반면 합성어는 하나의 단어로 붙여 써야 하고 사전에 표제어로 오른다. 구와 합성어를 구별하기 위해서는 먼저 구성 요소 사이에 다른 말을 넣어 본다. 이때 ㉠<u>중간에 다른 말이 끼어들 갈 수 있는 경우</u>와 ㉡<u>그렇지 않은 경우</u>가 있다. 전자는 '구'이고 후자는 '합성어'이다. 한편 구성 요소의 배열이 시간의 흐름에 따라 순차적으로 연결되었는지를 살펴보기도 한다. 이때 '구'는 순차적으로 연결되지만, '합성어'는 ㉢<u>그렇지 않은 경우</u>가 있다.

또한 우리말에는 형태는 같지만 기능이 달라 띄어쓰기를 판단하기 어려운 경우가 있다. 특히 의존 명사는 조사, 어미의 일부 등과 형태가 같아 띄어쓰기를 판단하기 어려운 경우가 있다. 이때 이들의 문법적 특성을 이해하면 띄어쓰기를 하는 것에 도움이 된다.

의존 명사는 의미상 그 앞에 수식하는 말, 즉 관형어를 반드시 필요로 한다는 점에서 의존적인 말이지만 자립 명사와 같은 명사 기능을 하므로 단어로 취급하여 앞말과 띄어 쓴다. 그러나 조사는 결합한 앞말과 분리해도 앞말이 자립성을 유지하므로 단어로 보지만, 단독으로 쓰이지 못하기 때문에 앞말에 붙여 쓴다. 그리고 어미는 용언의 어간과 분리하면 어간과 어미가 모두 자립성을 잃기 때문에 단어로 보지 않으며 앞말에 붙여 쓴다.

사전은 문법적 특징과 의미 등의 정확한 정보를 담고 있다. 따라서 띄어쓰기 여부를 확인할 때 사전을 적극적으로 활용하는 태도가 필요하다.

**11.** 윗글을 참고할 때, <자료>에 대해 이해한 내용으로 적절하지 않은 것은?

<자 료>

◦ 누군가 헌가방을 놓고갔다. ◦ 소가 풀을 뜯어먹었다.
◦ 뜬소문이 돌았다. ◦ 선생님의 설명을 알아들었다.

※ 밑줄 친 부분은 띄어쓰기 여부를 판단하지 못한 부분임.

① '헌가방'은 ㉠에 해당하니까 사전에 표제어로 실리지 않았겠군.
② '놓고가다'는 ㉠에 해당하니까 사전에 표제어로 실리지 않았겠군.
③ '뜯어먹다'는 ㉡에 해당하니까 사전에 표제어로 실렸겠군.
④ '뜬소문'은 ㉡에 해당하니까 사전에 표제어로 실렸겠군.
⑤ '알아듣다'는 ㉢에 해당하니까 사전에 표제어로 실렸겠군.

**12.** 윗글과 <보기>를 바탕으로 할 때, 밑줄 친 부분의 띄어쓰기가 적절하지 않은 것은?

<보 기>

**만큼**
[Ⅰ] 「의존 명사」
「1」 앞의 내용에 상당한 수량이나 정도임을 나타내는 말.
「2」 뒤에 나오는 내용의 원인이나 근거가 됨을 나타내는 말.
[Ⅱ] 「조사」
앞말과 비슷한 정도나 한도임을 나타내는 격조사.

**데** 「의존 명사」
「1」 '곳'이나 '장소'의 뜻을 나타내는 말.
「2」 '일'이나 '것'의 뜻을 나타내는 말.

**-는데** 「어미」
[1] 뒤 절에서 어떤 일을 설명하거나 묻거나 시키거나 제안하기 위하여 그 대상과 상관되는 상황을 미리 말할 때에 쓰는 연결 어미.

① 명주는 무명만큼 질기지 못하다.
② 학교에 가는데 비가 오기 시작했다.
③ 그 책을 다 읽는데 삼 일이나 걸렸다.
④ 소리가 나는 데가 어디인지 모르겠다.
⑤ 방 안은 숨소리가 들릴 만큼 조용했다.

**13.** <보기>의 ㄱ~ㄹ에 대해 탐구한 것으로 적절하지 않은 것은?

<보 기>

ㄱ. 신라[실라] ㄴ. 국물[궁물]
ㄷ. 올여름[올려름] ㄹ. 해돋이[해도지]

① ㄱ과 ㄴ은 모두 앞의 음운이 뒤의 음운의 성질을 닮아 변동된 것이군.
② ㄱ과 ㄷ은 모두 하나의 음운이 다른 음운으로 바뀌는 현상이 일어났군.
③ ㄱ과 ㄹ은 모두 음운의 변동이 일어나기 전과 후의 음운의 개수에 변화가 없군.
④ ㄴ과 ㄷ은 모두 두 형태소가 결합할 때 음운 변동이 일어났군.
⑤ ㄷ과 ㄹ은 모두 두 번 이상의 음운 변동이 일어났군.

**14.** <보기>의 [자료]를 탐구한 내용으로 적절하지 않은 것은? [3점]

<보 기>

문장의 중의성은 하나의 문장이 둘 이상의 의미로 해석되는 것이다. 이와 같은 중의성은 문장의 통사구조나 특정 어휘가 갖는 영향 범위 등에 의해서 발생한다. 중의성을 해소하기 위해서는 어순을 바꿔 주거나, 문장부호나 보조사 '은/는'을 사용한다.

[자료]
ㄱ. 친구가 모두 오지 않았다.
ㄴ. 그가 울면서 떠나는 그녀를 안아 주었다.
ㄷ. 나는 사랑스러운 그녀의 강아지를 보았다.

① ㄱ은 수량과 부정을 나타내는 말이 함께 사용되어 중의성이 생겼겠군.
② ㄴ은 행위의 주체가 불분명하여 중의성이 생겼겠군.
③ ㄷ은 수식을 받는 대상이 불분명하여 중의성이 생겼겠군.
④ ㄱ과 ㄴ은 모두 보조사 '는'을 사용하는 방법을 통해 중의성을 해소할 수 있겠군.
⑤ ㄴ과 ㄷ은 모두 어순을 바꾸는 방법을 통해 중의성을 해소할 수 있겠군.

**15.** <보기>를 참고할 때, ㉠과 ㉡에 해당하는 사례로 적절한 것은?

<보 기>

중세국어에서 'ᄋᆡ/의'는 ㉠ 관형격 조사와 ㉡ 부사격 조사로 모두 사용되는 양상을 보인다. 대체로 높임을 나타내지 않는 유정 명사 뒤에서는 관형격 조사로 쓰이고, 시간이나 장소 등을 나타내는 일부 체언 뒤에서는 부사격 조사로 사용되었다. 한편 'ᄋᆡ/의'는 모음조화의 양상에 따라 'ᄋᆡ' 또는 '의'로 실현되었다.

| | ㉠ | ㉡ |
|---|---|---|
| ① | 겨틔 서서<br>(곁에 서서) | 거부븨 터리 ᄀᆞᆮ고<br>(거북의 털과 같고) |
| ② | 거부ᄇᆡ 터리 ᄀᆞᆮ고<br>(거북의 털과 같고) | 겨틔 서서<br>(곁에 서서) |
| ③ | 거부븨 터리 ᄀᆞᆮ고<br>(거북의 털과 같고) | 바ᄆᆡ 비취니<br>(밤에 비치니) |
| ④ | 바믜 비취니<br>(밤에 비치니) | 사ᄅᆞᄆᆡ ᄠᅳ들<br>(사람의 뜻을) |
| ⑤ | 사ᄅᆞᄆᆡ ᄠᅳ들<br>(사람의 뜻을) | 겨ᄐᆡ 서서<br>(곁에 서서) |

[16~21] 다음 글을 읽고 물음에 답하시오.

패러다임이란 한 시대 사람들의 견해나 사고를 지배하고 있는 이론적 틀이나 개념의 집합체를 뜻하는 말로 과학철학자인 토머스 쿤이 새롭게 제시하여 널리 쓰이는 개념이다. 쿤은 패러다임 속에서 진행되는 연구 활동을 정상 과학이라고 하였으며, 기존의 패러다임에서는 예상하지 못했던 현상을 변칙 사례라고 하였다. 쿤은 정상 과학이 변칙 사례를 설명해 내기도 하나 중요한 변칙 사례가 미해결 상태로 남으면 새로운 패러다임으로의 급격한 대체 과정, 즉 과학혁명이 일어난다고 ⓐ 보았다. 그러나 쿤은 옛 패러다임과 새로운 패러다임 중 어떤 패러다임이 더 우월한지는 판단할 수 없다고 주장하였다.

18세기 말 라부아지에가 새로운 연소 이론을 확립하기 전까지의 패러다임은 플로지스톤이라는 개념으로 연소 현상을 설명하는 것이었다. 그리스어로 '불꽃'을 뜻하는 플로지스톤은 18세기 초 베허와 슈탈이 제안한 개념으로, 가연성 물질이나 금속에 포함되어 있을 것이라고 생각했던 물질이다. 베허와 슈탈은 종이, 숯, 황처럼 잘 타는 물질에 플로지스톤이 많이 포함되어 있으며, 연소는 물질에 포함되어 있던 플로지스톤이 방출되는 과정이라고 주장하였다. 또한 플로지스톤 개념으로 물질의 굳기, 광택, 색의 변화를 설명하기도 하였는데, 플로지스톤을 잃은 물질은 쉽게 부스러지며 탁하고 어둡게 된다고 보았다. 연소 현상뿐만 아니라 금속이 녹스는 현상, 음식이 소화되는 생화학 작용 등 다양한 현상이 플로지스톤 이론을 통해 이해될 수 있었다.

18세기 중반 캐번디시는 자신이 순수한 플로지스톤을 추출하는 데 성공했다고 믿었다. 캐번디시는 금속을 산에 녹일 때 발생하는 기체가 매우 잘 타는 성질을 ⓑ 띠고 있음을 발견하고 이 기체를 '가연성 공기'라고 명명하였다. 녹슨 금속을 산에 녹일 때는 이 기체가 발생하지 않았으므로 ㉠ 이 기체는 금속에 있던 플로지스톤이 빠져 나온 것이라고 생각하였다. 이후 캐번디시는 이 가연성 공기를 태울 때 물이 형성되는 현상을 관찰하기도 하였다.

18세기 후반 프리스틀리는 캐번디시가 발견한 가연성 공기를 활용하여 금속회*를 금속으로 환원하는 실험을 시행하였다. 먼저 프리스틀리는 물을 채운 넓적한 그릇에 빈 유리그릇을 엎어 놓고 그 안에 가연성 공기를 채웠다. 그리고 그 안에 금속회를 놓고 렌즈로 햇빛을 모아 가열하였다. 프리스틀리는 금속회가 플로지스톤을 흡수하여 금속이 될 것이라고 예측하였는데 예측대로 금속회는 금속이 되었다. 또한 유리그릇 안쪽의 수위가 높아지는 현상이 관찰되었는데 이는 유리그릇 안에 있던 플로지스톤이 소모된 증거라고 보았다. 금속에서 나온 기체가 가연성이라는 점, 그 기체를 활용하여 금속회를 금속으로 만들 수 있다는 점이 모두 플로지스톤 패러다임 안에서 설명된 것이다.

그런데 라부아지에는 금속이 녹슬 때 질량이 변화한다는 사실에 주목하며 플로지스톤 이론에 의문을 가졌다. 라부아지에는 연소 현상에서도 그러한 질량 변화가 있을 것이라고 보고 정밀하게 질량을 측정할 수 있는 기구를 동원하여 실험을 시행하였다. 라부아지에는 밀폐된 유리병 안에서 인과 황을 가열한 후에 가열 전과 비교하여 인과 황의 질량이 늘어난다는 사실을 확인하였고, 이때 질량이 증가한 양은 유리병 속 기체의 질량이 감소한 양과 같음을 확인하였다. 라부아지에는 연소 반응에서 발생하거나 소모되는 기체를 모아 정확히 질량을 측정하면 반응 전후의 총 질량은 변화가 없다는 사실을 근거로, 연소는 플로지스톤을 잃는 것이 아니라 공기 중의 산소와 결합하는 현상이라고 주장하였다.

가연성 공기를 태울 때 물이 형성된다는 캐번디시의 관찰 결과를 토대로 라부아지에는 프리스틀리의 실험을 자신의 이론으로 재해석하였다. 프리스틀리의 실험에서 나타난 현상은 플로지스톤과 금속회가 결합한 것이 아니라 금속회에 있던 산소가 유리그릇으로 방출된 것이며, 이 산소는 유리그릇을 채우고 있던 가연성 공기와 결합하여 물이 되었을 것이라는 설명이었다. 프리스틀리의 기존 실험은 물 위에서 시행되었기 때문에 새롭게 형성된 물을 관찰하기 어려웠으나 같은 실험을 물이 아닌 수은 위에서 다시 시행하자 수은 위에 소량의 물이 형성되는 현상을 관찰할 수 있었다.

이후 플로지스톤 학파는 기존 패러다임 안에서 이론을 일부 수정하여 라부아지에의 이론을 반박하기도 하였으나 정확한 질량 측정을 기반으로 한 라부아지에의 핵심적인 문제 제기는 끝내 명확하게 설명해 내지 못했다. 결국 플로지스톤이라는 개념과 그것으로 연소 현상을 이해하려는 패러다임은 ⓒ 사라지고, 연소를 산소와의 결합으로 이해하는 새로운 패러다임이 자리 잡게 되었다. 또한 물질의 성질을 추상적으로 설명하는 것에서, 정밀한 측정 도구를 활용하여 실험 과정을 정량화하는 것으로 화학 연구의 패러다임이 ⓓ 바뀌었다.

쿤은 과학사의 이러한 장면들을 통해 과학적 진보는 누적적인 것이 아니라 혁명적인 것이라고 주장하였다. 정상 과학의 시기에는 패러다임이라는 인식의 틀 안에서 퍼즐을 맞추는 활동을 수행하는 것일 뿐 새로운 과학 지식을 만들어 내지는 못한다는 것이다. 더 나아가 쿤은, 하나의 이론 체계를 ⓔ 받아들인다는 것은 그것의 개념, 법칙, 가정을 포함한 패러다임 전체를 믿는 행위이므로 새로운 패러다임을 옛것과 비교하여 어떤 패러다임이 더 우월한 것인지 평가할 논리적 기준은 있을 수 없다고 보았다. 쿤의 과학혁명 가설은 과학의 발전을 새롭게 바라보는 통찰력 있는 관점으로서 많은 과학자들로 하여금 기존 패러다임으로 설명되지 않는 변칙 사례에 주목하게 하였고, 고정된 틀 속에서 문제를 해결하려한 정상 과학을 반성적으로 바라볼 수 있게 하였다.

* 금속회(Calx) : 금속의 산화물.

16. 윗글에 대한 이해로 적절하지 않은 것은?

① 라부아지에는 연소 실험 전후에 물질의 질량을 정밀하게 측정하였다.
② 베허와 슈탈은 종이가 플로지스톤을 많이 포함하고 있기 때문에 잘 타는 것이라고 보았다.
③ 플로지스톤 패러다임에서는 음식이 소화되는 과정을 플로지스톤이 빠져 나가는 것으로 이해하였다.
④ 라부아지에는 금속을 산에 녹일 때 나온 기체가 가연성을 띤다는 캐번디시의 실험 결과를 반박하였다.
⑤ 쿤의 과학혁명 가설은 기존의 이론적 틀 안에서 문제를 해결하려 하는 태도를 반성적으로 바라볼 수 있게 하였다.

17. 캐번디시가 ㉠과 같이 판단한 이유로 가장 적절한 것은?

① 이 기체는 잘 타는 성질을 갖고 있고 타면서 물이 형성되었기 때문에
② 이 기체는 금속에 많이 포함되어 있고 금속이 녹슬면서 나온 것이기 때문에
③ 이 기체는 산에 많이 포함되어 있고 금속을 산에 녹일 때 나온 것이기 때문에
④ 이 기체는 잘 타는 성질을 갖고 있고 녹슬지 않은 금속에서만 나온 것이기 때문에
⑤ 이 기체는 녹슨 금속을 산에 녹일 때는 나오지 않고 가열할 때만 나온 것이기 때문에

18. 윗글을 참고할 때 라부아지에가 갖게 된 의문의 내용으로 가장 적절한 것은?

① 금속이 플로지스톤을 잃어 녹슨 것이라면 녹슬기 전보다 질량이 늘어나야 하지 않을까?
② 금속이 플로지스톤을 잃어 녹슨 것이라면 녹슬기 전보다 질량이 줄어들어야 하지 않을까?
③ 금속이 플로지스톤을 잃어 녹슨 것이라도 녹슬기 전후의 질량은 동일하여야 하지 않을까?
④ 금속이 플로지스톤을 얻어 녹슨 것이라면 녹슬기 전보다 질량이 늘어나야 하지 않을까?
⑤ 금속이 플로지스톤을 얻어 녹슨 것이라도 녹슬기 전후의 질량은 동일하여야 하지 않을까?

19. 윗글을 바탕으로 <보기>를 이해한 것으로 적절하지 않은 것은? [3점]

<보 기>

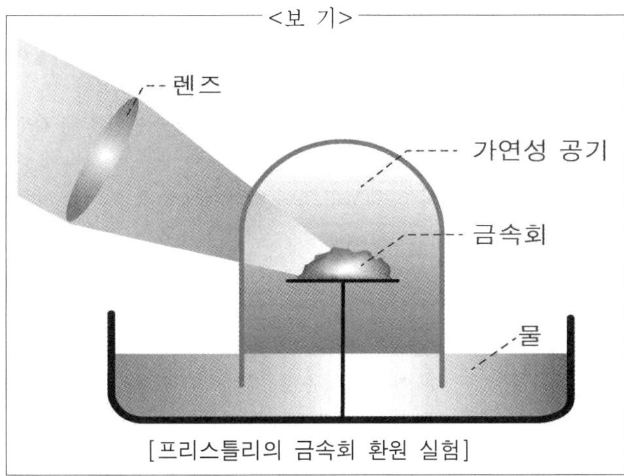

[프리스틀리의 금속회 환원 실험]

① 프리스틀리는 가열 전의 금속회는 플로지스톤이 결핍된 상태라고 보았다.
② 프리스틀리는 실험 과정 중 가연성 공기가 소모되어 수위가 상승한다고 이해하였다.
③ 프리스틀리는 가연성 공기를 활용하여 금속회를 금속으로 변화시킬 수 있다고 생각하였다.
④ 라부아지에는 금속회를 가열하면 가연성 공기와는 다른 기체인 산소가 방출된다고 보았다.
⑤ 라부아지에는 수은 위에서 실험을 시행하면 물 위에서 실험했을 때와는 달리 새로운 물이 형성될 것이라고 보았다.

20. <보기>의 관점에서 윗글의 토머스 쿤의 주장을 비판한 내용으로 가장 적절한 것은?

<보 기>

새로운 패러다임이 기존의 패러다임보다 더 나아졌다고 말할 수 없다면 우리는 과학이 진보하고 있다고 말할 수 없다. 과학은 객관적인 관찰과 자료 분석, 논리적인 접근으로 유도된 지식의 총합이며 이런 지식의 누적이 바로 과학적 진보이다. 뉴턴의 역학은 아리스토텔레스의 이론이 설명하지 못하는 부분까지 해명하므로 뉴턴의 역학이 더 진보되었다고 우리는 믿어 왔다. 그리고 우리가 아인슈타인의 상대성 이론에 열광한 것도 뉴턴 역학으로 설명할 수 없는 부분을 해명할 수 있었기 때문이다.

① 라부아지에는 변칙 사례를 발견하고 이를 정상 과학으로 해명하려 노력하였다는 점에서 정상 과학은 새로운 과학 지식을 만들어 낸다고 볼 수 있다.
② 가연성 공기와 관련한 캐번디시의 실험은 정상 과학의 범주에서 이루어졌다는 점에서 새로운 패러다임은 기존의 패러다임보다 더 진보되었다고 볼 수 있다.
③ 플로지스톤 패러다임에서는 미해결 상태로 남았던 변칙 사례가 라부아지에의 이론으로 해명되었다는 점에서 패러다임 간의 우월성은 존재한다고 볼 수 있다.
④ 플로지스톤 패러다임은 상태 변화의 원인에, 라부아지에의 이론은 물질의 질량 변화에 각각 주목한 것일 뿐이므로 과학적 진보는 혁명적이라고 볼 수 없다.
⑤ 라부아지에 역시 프리스틀리의 실험 결과를 활용하여 자신의 이론을 설명하였다는 점에서 하나의 이론 체계를 받아들인다는 것은 패러다임 전체를 믿는 행위라 볼 수 없다.

21. 문맥상 ⓐ~ⓔ와 바꿔 쓴 것으로 가장 적절한 것은?

① ⓐ: 조망(眺望)하였다
② ⓑ: 소유(所有)하고
③ ⓒ: 생략(省略)되고
④ ⓓ: 전도(顚倒)되었다
⑤ ⓔ: 수용(受容)한다는

[22~26] 다음 글을 읽고 물음에 답하시오.

(가)

살아 있는 것은 흔들리면서
튼튼한 줄기를 얻고
잎은 흔들려서 스스로
살아 있는 몸인 것을 증명한다.

ⓐ 바람은 오늘도 분다.
수만의 잎은 제각기
몸을 엮는 하루를 가누고
들판의 슬픔 하나 들판의 고독 하나 ┐
들판의 고통 하나도 ┘[A]
다른 곳에서 바람에 쓸리며
자기를 헤집고 있다.

피하지 마라
빈 들에 가서 깨닫는 그것
우리가 늘 흔들리고 있음을.

– 오규원, 「살아 있는 것은 흔들리면서 – 순례 11」 –

(나)

㉠ 너에게로 가지 않으려고 미친 듯 걸었던
그 무수한 길도
실은 네게로 향한 것이었다

까마득한 밤길을 혼자 걸어갈 때에도
내 응시에 날아간 별은
네 머리 위에서 반짝였을 것이고
내 한숨과 입김에 꽃들은 ┐
네게로 몸을 기울여 흔들렸을 것이다 ┘[B]

㉡ 사랑에서 치욕으로,
다시 치욕에서 사랑으로,
하루에도 몇 번씩 네게로 드리웠던 두레박

그러나 매양 퍼 올린 것은
수만 갈래의 길이었을 따름이다

은하수의 한 별이 또 하나의 별을 찾아가는
그 수만의 길을 나는 걷고 있는 것이다

나의 생애는
모든 지름길을 돌아서
㉢ 네게로 난 단 하나의 에움길*이었다

– 나희덕, 「푸른 밤」 –

* 에움길 : 굽은 길. 또는 에워서 돌아가는 길.

(다)

잡거니 밀거니 놉픈 뫼ᄒᆡ 올라가니
구롬은ᄏᆞ니와 안개ᄂᆞᆫ 므ᄉᆞ 일고
산쳔이 어둡거니 일월을 엇디 보며
지쳑을 모ᄅᆞ거든 쳔 리ᄅᆞᆯ ᄇᆞ라보랴
출하리 믈ᄀᆞ의 가 ᄇᆡ 길히나 보랴 ᄒᆞ니
ⓑ ᄇᆞ람이야 믈결이야 어둥졍* 된뎌이고
샤공은 어ᄃᆡ 가고 뷘 ᄇᆡ만 걸렷ᄂᆞᆫ고 ┐
강텬(江天)의 혼자 셔셔 디ᄂᆞᆫ ᄒᆡᄅᆞᆯ 구버보니 [C]
님다히 쇼식(消息)이 더옥 아득ᄒᆞᆫ뎌이고 ┘
모쳠(茅簷)* ᄎᆞᆫ 자리의 밤듕만 도라오니 ┐
반벽쳥등(半壁靑燈)은 눌 위ᄒᆞ야 ᄇᆞᆰ앗ᄂᆞᆫ고 ┘[D]
오ᄅᆞ며 ᄂᆞ리며 헤ᄯᅳ며* 바자니니*
져근덧 녁진(力盡)ᄒᆞ야 픗ᄌᆞᆷ을 잠간 드니
졍셩(精誠)이 지극ᄒᆞ야 ᄭᅮᆷ의 님을 보니
옥(玉) ᄀᆞᄐᆞᆫ 얼굴이 반(半)이 나마 늘거셰라
ᄆᆞᄋᆞᆷ의 머근 말ᄉᆞᆷ 슬ᄏᆞ장 ᄉᆞᆲ쟈 ᄒᆞ니
눈믈이 바라 나니 말ᄉᆞᆷ인들 어이ᄒᆞ며
졍(情)을 못다 ᄒᆞ야 목이조차 몌여ᄒᆞ니
오뎐된* 계셩(鷄聲)의 ᄌᆞᆷ은 엇디 ᄭᆡ돗던고 ┐
어와 허ᄉᆞ(虛事)로다 이 님이 어ᄃᆡ 간고 ┘[E]
결의 니러 안자 창(窓)을 열고 ᄇᆞ라보니
㉣ 어엿븐 그림재 날 조ᄎᆞᆯ ᄲᅮᆫ이로다
㉤ ᄎᆞᆯ하리 ᄉᆡ여디여* 낙월(落月)이나 되야 이셔
님 겨신 창(窓) 안ᄒᆡ 번드시 비최리라

– 정철, 「속미인곡(續美人曲)」 –

* 어둥졍 : 어수선하게.
* 모쳠 : 초가집.
* 헤ᄯᅳ며 : 헤매며.
* 바자니니 : 방황하니.
* 오뎐된 : 방정맞은.
* ᄉᆡ여디여 : 죽어서.

22. (가)~(다)에 대한 설명으로 가장 적절한 것은?

① (가), (나)는 현실 자각을 통해 미래에 대한 기대를 담고 있다.
② (가), (다)는 자연물의 속성을 통해 주제를 강화하고 있다.
③ (나), (다)는 부정적 상황을 긍정적인 시선으로 받아들이고 있다.
④ (가)~(다)는 모두 부재하는 대상에 대한 연민을 표출하고 있다.
⑤ (가)~(다)는 모두 대립적 상황 제시를 통해 포용과 조화를 강조하고 있다.

23. <보기>는 (가)를 읽고 쓴 비평문의 일부이다. ㉮~㉲ 중 (가)를 통해 알 수 있는 내용으로 적절하지 않은 것은?

<보 기>

우리는 문득 "왜 나만 이렇게 힘들지?"라는 의문을 품을 때가 있다. 이 작품은 이에 대한 답을 준다. ㉮ 살아 있는 모든 생명체는 시련과 고통을 마주하게 된다. ㉯ 각각 상황에 따라 차이가 있을 뿐 누구도 피해 갈 수 없다. 그러나 ㉰ 이것은 우리가 살아 있음을 증명하는 건강한 자극이다. 이를 통해 ㉱ 나와 주변을 한 번 더 돌아보고 함께 세상으로 나아갈 수 있다. 시련과 고통은 피하지 말아야 한다. 아니 ㉲ 오히려 빈 들에서 바람을 온전히 느낄 수 있듯 내가 살아 있음을 확인해야 한다.

① ㉮ ② ㉯ ③ ㉰ ④ ㉱ ⑤ ㉲

24. ⓐ와 ⓑ에 대한 이해로 가장 적절한 것은?

① ⓐ, ⓑ는 모두 인간의 강인함을 인식하게 한다.
② ⓐ, ⓑ는 모두 경외심을 느끼게 하는 대상이다.
③ ⓐ는 받아들여야 하는, ⓑ는 벗어나고 싶은 상황이다.
④ ⓐ는 화합의 이미지가, ⓑ는 고독의 이미지가 드러난다.
⑤ ⓐ는 상황에 대한 만족감을, ⓑ는 상황에 대한 안타까움을 준다.

25. <보기>를 참고하여 ㉠~㉤을 감상한 내용으로 적절하지 않은 것은? [3점]

<보 기>

선생님 : 우리 삶에서 수많은 형태로 반복되는 만남과 헤어짐은 문학 작품에서 다양하게 형상화되고 있습니다. (나)의 화자는 다가온 인연 때문에 한때는 갈등하며 방황하기도 했지만 결국 거부할 수 없는 운명을 받아들이고 있습니다. (다)에서는 헤어짐이 있지만 그것은 하나의 과정일 뿐, 화자는 온갖 어려움을 참고 견디며 이별을 거부합니다. 소중한 인연을 영원히 지켜내기 위해 죽음도 마다하지 않으며 운명적인 만남을 이어 가려 합니다.

① ㉠에서는 운명적인 인연을 애써 거부하며 방황했던 화자를 발견할 수 있군.
② ㉡에서는 인연의 굴레를 벗어나지 못하던 화자의 내적 갈등을 알 수 있군.
③ ㉢에서는 거부할 수 없는 운명임을 깨닫고 인정하는 화자의 모습을 볼 수 있군.
④ ㉣에서는 소중한 인연을 지켜내기 위해 어려움을 참고 견디겠다는 화자의 의지를 확인할 수 있군.
⑤ ㉤에서는 죽음도 마다하지 않으며 운명적인 만남을 이어가고 싶은 화자의 소망을 확인할 수 있군.

26. [A]~[E]에 대한 설명으로 적절하지 않은 것은?

① [A] : 유사한 시구의 반복을 통해 화자의 정서를 드러낸다.
② [B] : 비유를 통해 화자가 한 대상만을 지향했음을 보여준다.
③ [C] : 객관적 상관물을 통해 화자의 쓸쓸하고 외로운 처지를 강조한다.
④ [D] : 화자의 처지와 대비되는 소재를 통해 화자의 인식 변화를 부각한다.
⑤ [E] : 청각적 심상을 통해 화자가 꿈에서 깨게 된 원인을 드러낸다.

**[27~29] 다음 글을 읽고 물음에 답하시오.**

장 선생 맏손자가 여쭈되

"우리 집 잔치를 벌이려 하오매 각처 손님을 청하려니와 만일 산중의 왕 백호산군(白虎山君)을 청치 아니하오면 후일에 필경 화가 될 듯하오니 어찌하오리까."

장 선생이 눈을 감고 오래 생각하다가 이르되

"백호산군은 힘만 믿고 사나워 친구를 모르고, 연전에 네 아비를 해하려고 급히 좇아오니 네 아비가 뛰기를 잘 못하였던들 하마 죽을 뻔하였나니, 그러므로 내 집에 험한 기억이 있고, 또한 **산군**이 좌석에 참례하면 각처 손님이 필경 겁이 나고 두려워 잘 놀지 못할 것이니 **청치 아니함이 마땅하도다.**"

이때 이화도화 만발하고, 왜철쭉 두견화가 새로이 피고 각색 방초가 드리웠으니 만학천봉에 춘홍이 가득하여 경개절승(景槪絕勝)한지라. 주인 장 선생이 자리를 마련할 새 구름으로 차일 삼고 산세로 병풍 삼고 잔디로 포진하고, 장 선생은 갈건야복(葛巾野服)으로 손님을 기다리더니 동서남북 짐승 손님이 들어올 제, 뿔 긴 사슴이며, 요망한 토끼며, 열없는 승냥이며, 방정맞은 잔나비며, 요괴로운 여우며, 얼룩덜룩 두꺼비며, 까칠한 고슴도치며, 빛 좋은 오소리며, 만신이 미련한 두더지며, 어이없는 수달피 등이 앞서며 뒤서며 펄펄 뛰어 문이 메게 들어오니, 주인은 동쪽 계단에 읍하고 객은 서쪽 계단에 올라 상좌를 다투어 좌석의 차례를 결단치 못하여 분분 난잡하니 주인은 어찌할 줄을 몰랐다. 두꺼비는 원래 위엄이 없는지라 어수선하고 소란스러운 중에 아무 말도 못하고 목구멍을 벌떡이며 엉금엉금 기어 한 모퉁이에 엎드려 거동만 보더니, 그 중에 토끼란 놈이 깡충 뛰어 내달아 눈을 깜짝이며 말하되

"모든 손님은 훤화치 말고 내 말을 잠깐 들어보소."

주인 노루 대답하되

"무슨 말씀이오니까."

토끼 왈

[A] "오늘 잔치에 조용히 좌를 정하여 예법을 정할 것이거늘 한갓 요란만 하고 무례하니, 아무리 우리 잔치인들 놀랍지 아니하랴."

노루란 놈이 턱을 끄덕이며 웃어 왈

"말씀이 가장 유리하니 원컨대 선생은 좋은 도리를 가르쳐 좌정케 하소서."

토끼 모든 손님을 돌아보며 가로되

"내 일찍 들으니 '조정은 벼슬이요 향당은 나이'라 하오니 부질없이 다투지 말고 **연치(年齒)를 차려 좌를 정하**소서."

노루가 허리를 수그리고 펄쩍 뛰어 내달아 왈

"내가 나이 많아 허리가 굽었노라. 상좌에 처함이 마땅하다."

하고, 암탉의 걸음으로 엉금엉금 기어 상좌에 앉으니, 여우란 놈이 생각하되, '저놈이 한갓 허리 굽은 것으로 나이 많은 체하고 상좌에 앉으니, **난들 어찌 무슨 간계로 나이 많은 체 못 하리오.**'하고 나룻을 쓰다듬으며 내달아 왈

"내 나이 많아서 나룻이 세었노라."

한대, 노루 답 왈

"네 나이 많다 하니 어느 갑자에 났는가. 호패를 올리라."

하니, 여우 답 왈

[B] "소년 시절에 호방하고 의협심이 있어 주색청루(酒色青樓)에 다닐 적에 술이 대취하여 오다가, 대신 가시는 길을 건넜다 하여 호패를 떼여 이때까지 찾지 못하였거니와, 천지개벽한 후 처음에 황하수 치던 시절에 나더러 힘세다 하고 가래장부 되었으니 내 나이 많지 아니 하리오. 나는 이러하거니와 너는 어느 갑자에 났느냐."

노루 답 왈

"천지개벽하고 하늘에 별 박을 때에, 날더러 궁통(窮通)하다 하여 별자리를 분간하여 도수를 정하였으니 내 나이 많지 아니하리오."

하고 둘이 상좌를 다투거늘 두꺼비 곁에 엎드렸다가 생각하되, '저놈들이 서로 거짓말로 나이 많은 체하니 난들 거짓말 못 하리오.'하고 공연히 건넛산을 바라보고 슬피 눈물을 흘리거늘 여우 꾸짖어 왈

"저 흉간한 놈은 무슨 설움이 있기에 남의 잔치에 참례하여 상상치 못한 형상을 뵈느냐."

(중략)

또 여쭈되

"존장이 천지만물을 무불통지하오니, 글도 아시니이까."

두꺼비 왈

"미련한 짐승아. 글을 못 하면 어찌 천자 만고 역대를 이르며 음양지술을 어찌 알리오."

하거늘 여우 가로되

"존장은 문학도 거룩하니 풍월을 들으리이다."

두꺼비 **부채로 서안(書案)을 치며 크게 읊어** 왈

"대월강우입(待月江隅入)하니 고루석연부(高樓夕烟浮)라. 금일군회중(今日群會中)에 유오대장부(惟吾大丈夫)라."

읽기를 그치니 여우 왈

"존장의 문학이 심상치 아니하거니와, 실없이 묻잡느니 존장의 **껍질**이 어찌 우둘투둘하시나이까."

두꺼비 답 왈

"소년에 장안 팔십 명을 밤낮으로 데리고 지내다가, 남의 몸에서 옴이 올라 그리하도다."

여우 또 문 왈

"그리하면 **눈**은 왜 그리 노르시나이까."

"눈은 보은현감 갔을 때에 대추 찰떡과 고음을 많이 먹었더니 열이 성하여 눈이 노르도다."

또 물어 왈

"그리하면 등이 굽고 **목정**이 움츠러졌으니 그는 어찌한 연고입니까."

두꺼비 답 왈

"평양감사로 갔을 때에 마침 중추 팔월이라 연광정에 놀음하고 여러 기생을 녹의홍상에 초립을 씌워 좌우에 앉히고, 육방 하인을 대하에 세우고 풍악을 갖추고 술에 대취하여 노닐다가, 술김에 정하에 떨어지며 곱사등이 되고 길던 목이 움츠러졌음에, 지금까지 한탄하되 후회막급이라. 술을 먹다가 종신(終身)을 잘못할 듯하기로 지금은 밀밭 가에도 가지 않느니라. 이른바 소 잃고 외양간 고치는 격이라."

또 문 왈

"존장의 턱 밑이 왜 벌떡벌떡하시나이까."

두꺼비 답 왈

"너희 놈들이 어른을 몰라보고 말을 함부로 하기에 분을 참노라고 자연 그러하도다."

– 작자 미상, 「두껍전」 –

27. 윗글에 대한 이해로 적절하지 않은 것은?

① 주인은 토끼의 제안에 따라 동쪽에 있는 계단에 올랐다.
② 여우는 슬피 우는 두꺼비의 속마음을 의심하여 꾸짖었다.
③ 노루는 여우의 주장을 확인하기 위해 호패를 올리라고 하였다.
④ 장 선생의 아들은 백호산군에게 죽임을 당할 위기를 겪었었다.
⑤ 노루는 허리가 굽었다는 이유를 들어 자신의 나이가 많음을 주장하였다.

28. [A]와 [B]의 말하기 방식에 대한 설명으로 적절한 것은?

① [A]는 상대를 설득하기 위해 고사를 인용하고 있으며, [B]는 상대의 주장을 반박하기 위해 자신의 경험을 언급하고 있다.
② [A]는 상황을 정리하기 위해 문제를 지적하고 있으며, [B]는 상황을 모면하기 위해 변명을 내세우고 있다.
③ [A]는 자신의 의도를 직접적으로 드러내고, [B]는 자신의 의도를 우회적으로 드러내고 있다.
④ [A]는 자신이 원하는 바를 부탁하고 있으며, [B]는 상대방 주장의 부당함을 언급하고 있다.
⑤ [A]는 자신의 권위를 내세우고 있으며, [B]는 상대의 권위를 깎아내리고 있다.

29. <보기>를 참고하여 윗글을 감상한 내용으로 적절하지 않은 것은? [3점]

<보 기>

「두껍전」은 등장인물들의 행태를 통해 조선 후기 사회의 단면을 풍자한 우화 소설이다. 조선 후기는 기존의 신분 제도에 따른 지배 질서가 약화되면서 새로운 질서가 대두되는 시기였다. 「두껍전」에서 중요한 관심사는 이전과 다른 질서에 의해 누가 상좌에 앉아야 하느냐이다. 이 질서에 따라 펼쳐지는 인물들의 행위는 풍자의 대상이 된다. 풍자는 상대에게 우위를 점하기 위해 외양을 우스꽝스럽게 표현하거나 속임수를 쓰는 등의 비윤리적인 모습으로, 또 한문구를 이용하여 유식한 체하는 모습으로도 드러난다.

① 장 선생이 '산군'을 '청치 아니함이 마땅하도다'라고 말하는 장면을 통해, 기존의 신분 질서가 약화된 사회의 모습을 드러내는군.
② 노루가 '연치를 차려 좌를 정하'자는 기준에 동조하는 모습을 통해, 기존의 신분 질서를 옹호하는 인물을 풍자하는군.
③ 여우가 '난들 어찌 무슨 간계로 나이 많은 체 못 하리오'라고 생각하며 언변 대결에 참여하는 장면을 통해, 비윤리적 행위로 목적을 이루고자 하는 부정적인 행태를 드러내는군.
④ 두꺼비가 '부채로 서안을 치며 크게 읊'으며 말하는 내용을 통해, 유식한 체하는 인물의 모습을 풍자하는군.
⑤ 여우가 두꺼비의 '껍질', '눈', '목정' 등에 대해 언급한 내용을 통해, 상대에게 우위를 점하고자 외양을 우스꽝스럽게 표현하는 모습을 풍자하는군.

**[30～33] 다음 글을 읽고 물음에 답하시오.**

브레송은 일상의 순간에 예술적 생명감을 불어넣은 '결정적 순간'의 미학을 탄생시킨 사진작가이다. 그는 피사체가 의식하지 못한 상태에서 피사체의 자연스러운 동작이나 표정을 찍는 사진 기법을 활용하여 자신의 예술성을 드러내었다.

㉠ 브레송은 자신의 예술성을 드러내기 위해 안정된 구도와 유동성을 기반으로 하여 움직임 가운데 균형을 잡아낸 사진을 촬영하였다. '안정된 구도'란 회화에 기초한 구도를 통해 사진에서 안정감을 느낄 수 있도록 하는 것을 의미한다. 그가 사용한 회화의 구도는 황금분할 구도, 기하학적 구도, 주요 요소들

을 대비시킨 구도였다. 황금분할 구도는 3:2의 비율로 화면을 분할한 것이고, 기하학적 구도는 여러 종류의 도형이 채워져 있는 것이다. 주요 요소들 간의 대비로는 동(動)과 정(靜)의 대비, 상하 대비, 좌우 대비, 좌우 대각선 대비 등을 사용하였다. 그는 이와 같은 안정된 구도의 기반이 되는 공간을 미리 계획하였다. 그리고 '유동성'은 움직이는 대상에 집중하는 것으로, 그는 자신이 미리 계획했던 구도에 움직이는 대상이 들어와 원하는 형태적 구성을 완성한 순간이 포착될 때까지 끈질기게 기다렸다. 한편 카메라를 눈의 연장으로 생각했던 그는, 화각이 인간의 시야와 가장 비슷한 표준 렌즈를 주로 사용해 사람의 눈높이에서 촬영했다. 이때 화각은 카메라 렌즈를 통해 이미지를 담을 수 있는 범위를 뜻한다. 그는 표준 렌즈에 비해 화각이 넓은 광각 렌즈나 플래시의 사용을 가급적 피했다. 이런 장치를 사용하면 눈으로 보는 실제 모습과 달라지기 때문이었다.

그는 『순간 이미지』라는 자신의 사진집에서 '결정적 순간'이란 어떤 하나의 사실과 관련해 시각적으로 포착된 다양한 모습들이 하나의 긴밀한 구성을 이루고, 그 구성 안에 의미가 실리는 것을 순간적으로 동시에 인식하는 것이라 정의 내렸다. 그는 내용과 구성이 조화를 이룬 '결정적 순간'을 발견하고 타이밍에 맞추어 촬영하였던 것이다.

이후 사진작가들에게 브레송의 미학은 큰 영향을 주었다. 1960년대부터 활동한 ㉡ 마크 코헨은 브레송의 '결정적 순간'에 영향을 받아 자신만의 결정적 순간을 포착하고자 했다. 그는 돌발성을 기반으로 한 근접 촬영 방식을 택해 독특하면서도 기발한 결정적 순간을 포착했다. 그는 광각 렌즈를 부착한 카메라를 들고 길거리에서 마주치는 사람들에게 돌발적으로 접근해 카메라를 허리 밑에 위치한 상태에서 자유로운 각도로 촬영하였다. 그리고 그는 대상의 일부만을 잘라낸 구도를 사용하기도 하였으며 플래시를 사용해 그림자의 모양을 자신의 의도대로 변화시키기도 하였다. 즉 그는 자신이 원한 형태의 사진을 촬영하기에 적합한 방식으로 눈으로 보는 세상과는 다르게 보이도록 인공적으로 만든 자신만의 결정적 순간을 포착한 것이다.

이처럼 예술가가 자신이 원하는 순간을 포착하는 것의 중요성을 보여준 브레송의 '결정적 순간'은 사진작가 각자의 개성이 담긴 결정적 순간으로 확대되면서 예술 지평을 넓혔다는 평가를 받았다.

**30.** 윗글에 대한 설명으로 가장 적절한 것은?

① '결정적 순간'의 미학이 등장하게 된 시대적 배경을 설명하고 있다.
② '결정적 순간'의 의미를 설명하며 이후에 끼친 영향을 제시하고 있다.
③ '결정적 순간'에 대한 상반된 견해를 제시하며 절충점을 모색하고 있다.
④ '결정적 순간'의 사례를 제시하면서 이에 대한 다양한 견해를 비교하고 있다.
⑤ '결정적 순간'을 규정하는 조건이 시대에 따라 달라지는 원인을 분석하고 있다.

**31.** 다음은 윗글을 읽은 후 정리한 독서 노트이다. 그 내용이 적절하지 <u>않은</u> 것은?

| | |
|---|---|
| 알게 된 점 | 브레송의 사진에 회화가 미친 영향 ······ ① |
| | 브레송의 사진에 주로 사용된 구도 ······ ② |
| | 브레송의 '결정적 순간'이 갖는 예술사적 의의 ······ ③ |
| 더 알고 싶은 내용 | 마크 코헨이 결정적 순간을 포착하기 위해 주로 사용한 렌즈 ······ ④ |
| | 마크 코헨의 결정적 순간이 잘 드러난 대표 작품 ······ ⑤ |

**32.** ㉠과 ㉡에 대한 설명으로 적절하지 <u>않은</u> 것은?

① ㉠은 내용과 구성이 조화를 이루는 순간을 촬영하였다.
② ㉠은 카메라의 위치나 렌즈 선택 시 사람 눈과의 유사성을 중시하였다.
③ ㉡은 근접 촬영을 통해 독특하고 기발한 이미지를 담았다.
④ ㉡은 인공의 빛을 이용해 눈으로 보는 세상과는 다른 순간을 포착하였다.
⑤ ㉠과 ㉡은 모두 돌발성을 기반으로 하여 사진작가의 의도대로 촬영하였다.

**33.** <보기>는 브레송의 '생 라자르 역(1932)'을 분석하기 위한 그림이다. 윗글을 바탕으로 할 때 <보기>에 대해 이해한 것으로 적절하지 <u>않은</u> 것은? [3점]

<보 기>

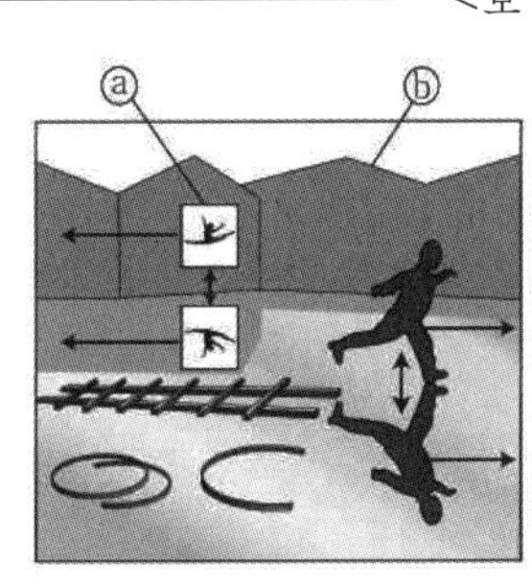


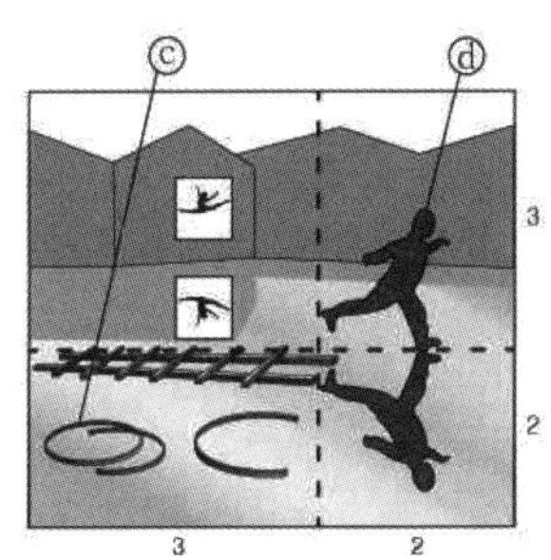


ⓐ: 화살표 방향으로 운동하는 댄서가 있는 포스터
ⓑ: 연속된 삼각형 모양의 지붕과 오각형 건물
ⓒ: 물 위에 흩어져 있는 둥근 모양의 철제 고리
ⓓ: 사다리를 밟고 고요한 물 위를 건너뛰는 남자

① 움직이는 남자와 고요한 물에서 동과 정의 대비를 확인할 수 있군.
② 남자와 그림자, 포스터와 그림자의 위치에서 상하 대비를 보이는 안정된 구도를 확인할 수 있군.
③ 건물, 지붕, 사다리, 고리의 모습에서 여러 종류의 도형이 이루는 기하학적 구도를 찾아볼 수 있군.
④ 남자와 그림자가 일정한 비율로 분할된 곳에 위치한 것에서 황금분할에 기초한 구도를 찾아볼 수 있군.
⑤ 남자와 포스터 속 댄서를 좌우 대각선에 배치한 것에서 미리 계획한 구도에 변화를 주었음을 알 수 있군.

[34~38] 다음 글을 읽고 물음에 답하시오.

국내외 사정으로 경기가 불안정할 때에 정부와 중앙은행은 경기 안정 정책을 펼친다. 정부는 정부 지출과 조세 등을 조절하는 재정정책을, 중앙은행은 통화량과 이자율을 조정하는 통화정책을 활용한다. 이 정책들은 경기 상황에 따라 달리 활용된다. 경기가 좋지 않을 때에는 총수요*를 증가시키기 위해 정부 지출을 늘리거나 조세를 감면하는 확장적 재정정책이나 통화량을 늘리고 이자율을 낮추는 확장적 통화정책이 활용된다. 또 경기 과열이 우려될 때에는 정부 지출을 줄이거나 세금을 올리는 긴축적 재정정책이나 통화량을 줄이고 이자율을 올리는 긴축적 통화정책이 활용된다. 이러한 정책들의 효과 여부에 대해서는 이견들이 존재하는데 대표적으로 '통화주의'와 '케인스주의'를 들 수 있다. 두 학과의 입장 차이를 확장적 정책을 중심으로 살펴보자.

먼저 정부의 시장 개입을 최소화해야 한다고 보는 통화주의는 화폐 수요가 소득 증가에 민감하게 반응한다고 주장했다. 여기서 화폐란 물건을 교환하기 위한 수단을 말하고, 화폐 수요는 특정한 시점에 사람들이 보유하고 싶어 하는 화폐의 총액을 의미한다. 통화주의에서는 화폐 수요의 변화에 따라 이자율 변화가 크게 나타나고 이자율이 투자 수요에 미치는 영향도 크다고 보았다. 따라서 불경기에 정부 지출을 증가시키는 재정정책을 펼치면 국민 소득이 증가함에 따라 화폐 수요가 크게 증가하고 이에 영향을 받아 이자율이 매우 높게 상승한다고 보았다. 더불어 이자율에 크게 영향을 받는 투자 수요는 높아진 이자율로 인해 예상된 투자 수요보다 급격히 감소하면서 경기를 호전시키지 못한다고 보았다. 이 때문에 확장적 재정정책의 효과가 기대보다 낮을 것이라 주장했다. 결국 불황기에는 정부 주도의 재정정책보다는 중앙은행의 통화정책을 통해 통화량을 늘리고 이자율을 낮추는 방식을 택하면 재정정책과 달리 투자 수요가 증가하여 경기를 부양시킬 수 있다고 본 것이다.

반면에 경기 안정을 위해 정부의 적극적인 개입이 필요하다고 보는 케인스주의는 화폐를 교환 수단으로만 보지 않고 이자율과 역의 관계를 가지는 투기적 화폐 수요가 존재한다고 보았다. 투기적 화폐 수요는 통화량이 늘어나도 소비하지 않고 더 높은 이익을 얻기 위해 화폐를 소유하고자 하는 수요이다. 따라서 통화정책을 통해 통화량을 늘리고 이자율을 낮추면 투기적 화폐 수요가 늘어나 화폐가 시중에 돌지 않기 때문에 투자 수요가 거의 증가하지 않는다고 본 것이다. 즉 케인스주의는 실제로 사람들이 화폐를 거래 등에 얼마나 자주 사용하였는지가 소득의 변화보다 화폐 수요에 크게 영향을 미친다고 본 것이다. 그래서 케인스주의는 확장적 재정정책을 시행하여 정부 지출이 증가하면 국민 소득은 증가하지만, 소득의 변화가 화폐 수요에 미치는 영향이 작기 때문에 화폐 수요도 작게 증가할 것이라 보았다. 이에 따라 이자율도 낮게 상승하기 때문에 투자 수요가 예상된 것보다 작게 감소할 것이라 보았던 것이다.

또한 확장적 재정정책의 효과는 ㉠ <u>승수 효과</u>와 ㉡ <u>구축 효과</u>가 나타나는 정도에 따라 달리 볼 수 있다. 승수 효과란 정부의 재정 지출이 그것의 몇 배나 되는 국민 소득의 증가로 이어지면서 소비와 투자가 촉진되는 것을 의미한다. 케인스주의는 이러한 승수 효과를 통해 경기 부양이 가능하다고 보았다. 한편 승수 효과가 발생하기 위해서는 케인스주의가 주장한 바와 같이 정부 지출을 늘렸을 때 이자율의 변화가 거의 없어 투자 수요가 예상 투자 수요보다 크게 감소하지 않아야 한다. 그런데 정부가 재정정책을 펼치기 위해 재정 적자를 감수하고 국가가 일종의 차용 증서인 국채를 발행해 시중의 돈을 빌리게 되는 경우가 많다. 국채 발행으로 시중의 돈이 정부로 흘러 들어가면 이자율이 오르고 이에 대한 부담으로 가계나 기업들의 소비나 투자 수요가 감소되는 상황이 발생하게 된다. 결국 세금으로 충당하기 어려운 재정정책을 펼치기 위해 국채를 활용하는 과정에서 이자율이 ㉮ <u>올라가고</u> 이로 인해 민간의 소비나 투자를 줄어들게 하는 구축 효과가 발생하게 된다는 것이다. 통화주의에서는 구축 효과에 의해 승수 효과가 감쇄되어 확장적 재정정책의 효과가 기대보다 줄어들 것이라고 본 것이다.

이처럼 경기를 안정화시키기 위해 특정한 정책의 긍정적 효과만을 고려하여 정책을 시행하게 될 경우 예상치 못한 문제들이 발생하여 기대했던 경기 안정을 가져오지 못할 수 있다. 경제학자들은 재정정책과 통화정책의 의의를 인정하면서, 이 정책들을 적절하게 활용한다면 경기 안정이라는 목적을 달성하는 데에 중요한 열쇠가 될 수 있을 것이라 보았다.

* 총수요: 국내에서 생산된 재화와 서비스에 대해 모든 경제 주체들이 일정 기간 동안 구입하고자 하는 것.

34. 윗글을 통해 해결할 수 있는 질문으로 적절하지 <u>않은</u> 것은?

① 정부의 재정 적자를 해소하는 방법은 무엇인가?
② 확장적 정책과 긴축적 정책의 시행 시기는 언제인가?
③ 투기적 화폐 수요가 투자 수요에 미치는 영향은 무엇인가?
④ 정부의 지출 증가가 국민 소득에 미치는 영향은 무엇인가?
⑤ 정부와 중앙은행이 각각 활용하는 경기 안정 정책은 무엇인가?

35. ㉠과 ㉡에 대한 설명으로 적절하지 <u>않은</u> 것은?

① ㉠은 정부의 재정 지출에 비해 더 큰 소득의 증가가 나타나는 현상에 대한 설명이다.
② ㉡은 세금으로 충당하기 어려운 정부 지출을 위해 시중의 돈이 줄어드는 상황에서 나타나는 것이다.
③ ㉠과 달리 ㉡은 정부 지출이 정부의 의도만큼 효과를 거두지 못할 것이라는 주장의 근거가 된다.
④ ㉡과 달리 ㉠은 정부가 재정 지출을 늘릴 경우 투자 수요가 줄어들 것이라는 주장의 근거가 된다.
⑤ ㉠과 ㉡은 모두 정부 지출을 확대했을 때 발생할 수 있는 결과들에 대해 분석한 것이다.

36. 윗글을 바탕으로 할 때, <보기>의 A~D에 들어갈 말을 바르게 짝지은 것은?

<보 기>

국내 사정으로 경기가 ( A )되어 정부가 긴축적 재정정책을 사용하면 시중 통화량이 ( B )하고, 이에 따라 이자율이 변동한다. 이러한 정책을 통해 경기가 안정되었지만 대외 경제 상황에 의해 경기 ( C )이/가 우려된다면, 중앙은행의 경우 통화량을 줄이고 이자율을 ( D ) 경기 안정을 도모할 수 있다.

| | A | B | C | D |
|---|---|---|---|---|
| ① | 과열 | 감소 | 과열 | 올려 |
| ② | 과열 | 증가 | 침체 | 내려 |
| ③ | 과열 | 감소 | 침체 | 올려 |
| ④ | 침체 | 감소 | 침체 | 올려 |
| ⑤ | 침체 | 증가 | 과열 | 내려 |

37. <보기>는 '확장적 재정정책'에 대한 '통화주의'와 '케인스주의'의 주장을 그래프로 나타낸 것이다. 윗글을 바탕으로 <보기>에 대해 이해한 내용으로 가장 적절한 것은? [3점]

<보 기>

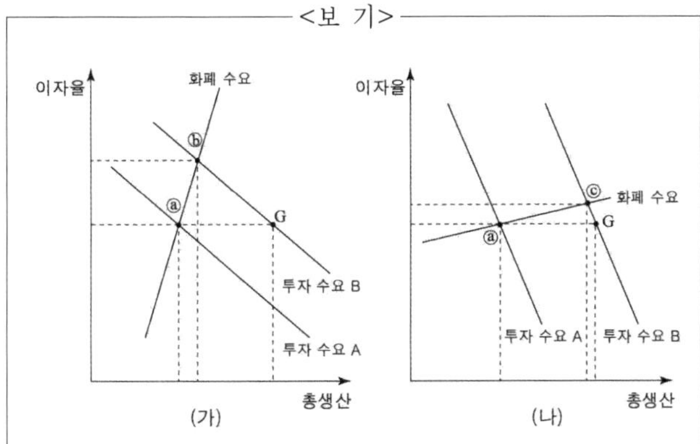


※ⓐ는 확장적 재정정책 활용 이전의 상태를, ⓑ와 ⓒ는 확장적 재정정책 활용 이후의 결과를 나타낸 것이다.
※G는 이자율의 변화를 고려하지 않고 정부 지출을 통해 총생산이 증가될 것으로 예상된 지점을 가정한 것이다.
※총생산의 증가는 소득이 증가한 것이라 가정한다.

① (가)는 (나)에 비해 정부 지출에 따른 화폐 수요의 변화가 투자 수요에 미치는 영향이 더 큰 것으로 보아, (가)는 '케인스주의'의 그래프이겠군.
② (가)는 (나)에 비해 화폐 수요의 변화에 따른 이자율의 변화가 작은 것으로 보아, (가)는 '통화주의'의 그래프이겠군.
③ (나)는 (가)에 비해 이자율에 따른 투자 수요 곡선의 기울기가 완만한 것으로 보아, (나)는 '통화주의'의 그래프이겠군.
④ (나)는 (가)에 비해 국민 소득 변화에 따른 화폐 수요의 변화가 작은 것으로 보아, (나)는 '케인스주의'의 그래프이겠군.
⑤ (나)는 (가)에 비해 정책 활용 결과에서 도출된 총생산 값이 예상된 총생산보다 많이 감소한 것으로 보아, (나)는 '케인스주의'의 그래프이겠군.

38. 문맥상 의미가 ㉮와 가장 가까운 것은?

① 서울에 올라가는 대로 편지를 보내겠습니다.
② 압력이 지나치게 올라가면 폭발 위험이 있다.
③ 그는 높은 곳에 올라가 종이비행기를 날렸다.
④ 강의 상류로 올라가면 아름다운 풍경이 펼쳐진다.
⑤ 담임 선생님의 응원에 학생들의 사기가 올라갔다.

**[39~42] 다음 글을 읽고 물음에 답하시오.**

[앞부분 줄거리] 숙부가 별세했다는 전보를 받은 저녁, '나'는 노을을 보고 핏빛을 연상한다. 숙부의 장례를 치르러 아들 '현구'와 함께 고향을 방문한 '나'는 백정인 아버지와 살던 어린 시절을 떠올린다.

갑득이가 뒤따르며 외쳤으나 나는 들은 척하지 않았다. 땀이 쏟아지고 숨이 턱에 닿았으나, 나는 내 눈으로 그 증거물을 빨리 찾아내고 싶었다. 집 마당으로 들어섰으나 또출이 할머니는 잔칫집에 가버려 보이지 않았다. 나는 집 뒤란 채마밭을 빠져 대숲길로 들어섰다. 숨을 가라앉히고 걸으며 길섶을 샅샅이 훑었다. 땅을 판 자리나 웅덩이나, 양철통을 감출 만한 곳을 빠뜨리지 않고 대숲을 뒤져나갔다.

"새이야 머 찾노?"

뒤쫓아온 갑득이가 헐떡이며 물었다.

㉠ 나는 대답 않고 대숲을 빠져나와 과녁판이 세워진 언덕길을 내리 걸었다. 선달바우산과 중앙산이 골을 파며 마주친 곳이 개울이었고, 개울 건너 완만한 더기에 과녁판이 있었다. 물 마른 개울까지 내려갔을 때, 상류 쪽에 설핏 눈이 갔다. 사태진 돌 틈으로 무엇인가 희끔한 게 보였다. 나는 개울을 거슬러 올랐다. 물 마른 모래 바닥 웅덩이 옆에 작은 양철통이 쑤셔 박혀 있었다. 그 아가리에 횟가루 묻은 옷가지가 비어져 나왔다.

"그거 아부지 주봉 아인가?"

쨍쨍한 한낮 햇볕 아래 내가 펼쳐 든 바지를 보고 갑득이가 말했다. 아버지 바지는 온통 흰 횟가루가 누덕누덕 묻어 있었다. 콩뜰이가 내 글씨보다 삐뚤삐뚤하더라고 말했는데, 그게 아버지 글씬가 하는 생각이 들었다. ㉡ 그러나 아버지는 글자를 쓸 줄 모른다. 백묵으로 글자를 써놓으면 그걸 그대로 베껴낼 수는 있을 터이다. 나는 눈앞이 캄캄했다. 이제 나는 어느 누구 귀띔을 들어서가 아닌, 아버지 행적에 따른 실제 증거물을 손에 쥔 셈이었다. 내 앞을 막아선 선달바우산의 짙푸른 감나무잎도 그 위 더위로 끓는 하늘도 눈에 들어오지 않았다. ㉢ 모든 게 물속처럼 흐릿하게 흘러갈 뿐이었다. 바지를 든 채 떨고 섰는 나를 보고 갑득이가 무엇인가 눈치를 챘는지 조그만 소리로 중얼거렸다.

"그라모 새이야, 아부지가 **어젯밤에 미창에 갔**단 말이가?"

나는 아우에게, 그 **비밀을 누구에게도 말해서는 안 된다**는 부탁도, 또 다른 어떤 말도 못 한 채 뙤약볕 아래 구슬땀을 흘리며 망연히 섰기만 했다. 아버지마저 삼돌이삼촌이나 우출이아저씨나 저 배도수씨처럼 우리 형제를 버리고 장터마당

에서 사라진다면, 그렇게 되어 죽어버리거나 감옥소에 갇히거나 산사람이 되어버린다면, 정말 우리 형제는 이제 누구를 의지하고 살아야 할는지, 그 생각만이 크나큰 두려움으로 나를 슬픔 속에 내동댕이쳤다. 그 **슬픔**은 **배가 고픈 따위의 서러움조차 우습게 여겨질 정도**여서, ㉣어떤 막강한 힘이 나와 갑득이를 엿가락처럼 꼬아 걸레 짜듯 쥐어짰다. 다 늙어 언제 죽을지 모르는 또출이할머니를 의지하고 살기엔 우리 형제는 아직 어렸다. 어느 집 꼴머슴으로 뿔뿔이 팔려가는 길밖에 없었다.

"새이야, 와 우노? 머시 슬퍼 우노? 아부지가 좌익, 그런 거해서 우나? 그라모 우리가 아부지한테 그런 짓 하지 말라고 빌모 안 되나? 그런 짓 하모 학교도 안 가고 부산이나 마산으로 도망가뿌리겠다고 말하지러?"

갑득이가 내 손을 잡고 흔들며 울먹이는 목소리로 애원했다.

"가자, 배 주사 집에. 우신에 묵고 바야제."

나는 아우에게 웃어 보이며 눈물을 닦았다. ㉤나마저 울고 있을 수 없다는 생각이 내 다리에 힘을 뻗쳤다. 어느 사이 땀 밴 손에서 구겨지고 만 장 선생님 편지 쪽지를 나는 찢어 버렸다.

(중략)

노을에 비낀 고향이 차츰 내 눈앞에서 빠르게 흘러간다. 이제 언제쯤 나는 다시 고향을 찾게 될는지 알 수 없다. 차창 밖으로 지나가는 여래리와 선달바우산이 눈앞에 스쳐간다. 숙모가 돌아가시면 그때쯤 내려오게 될는지, 어쩌면 영원히 고향을 찾지 못할는지도 모른다. 내가 고향을 버렸으므로 내려올 이유를 구태여 만들 필요는 없다. 그러나 고향을 떠나 산 스물아홉 해 동안 나는 하루도 고향을 잊어본 적 없다. 치모 말처럼 고향을 잊으려 노력해 온 만큼 이곳은 나로 하여금 더욱 잊지 못하게 하는 어떤 힘을 지니고 있었다. 그 점을 그 시절 폭동의 상처라 해도 좋고 굶주림이라 해도 좋다. 그런 이유를 떠나서라도 **고향은 오늘의 나를 있게 한 모태**가 된 것만은 사실이다. 인간은 누구나 두 군데 고향을 가질 수 없으므로 나는 객지의 햇살과 비와 눈발 속에 떠돌면서도 **뿌리만은 언제나 고향에 내리고 살아왔다**.

산 위에 걸린 쌘구름이 [노을빛]에 물들었다. 노을은 산과 가까운 쪽일수록 찬란한 금빛을 띠고 있다. 가운데는 벌겋게 타오르는 주황색, 멀어질수록 보라색 쪽으로 여리어져, 노을을 단순히 붉다고 볼 수만은 없다. 자세히 보면 그 속에는 여러 가지 색이 섞여 있음에도 사람들은 노을을 단순히 붉다고 말한다. 핏빛만이 아닌, 진노란색, 옅은 푸른색, 회색도 노을에 섞여 있다. 그런데도 사람들은 무엇인가 한 가지로 뭉뚱그려 말하기를 좋아한다. 문득 아버지와 헤어져 봉화산에서 내려온 저녁이 생각난다. 장마 뒤끝이라 노을이 아름다웠다. 폭동의 잔재도 소멸되고, 백태도 기수도 죽고 없는 텅 빈 장터마당에서 절름발이 미송이만이 홀로 종이비행기를 날리고 있었다. 제대로 걷지 못하기에 하늘로 날고 싶은 꿈을 키우던 병약한 미송이가 그날따라 날려 올리는 종이비행기는 유연하게 포물선을 그리며 노을빛 고운 하늘을 맴돌았다. "갑수야, 저 노을 있제? 저 노을꺼정 이 비행기가 날아 올라간데이. 내 태우고 말이데이." 미송이가 웃으며 말했다. 그는 노을에 힘차게 종이비행기를 띄워 보냈다. 미송이가 그렇게 나는 희망을 키우는 만큼, 그의 눈에 비친 하늘은 어둠을 맞는 핏빛 노을이 아니라 내일 아침을 기다리는 오색찬란한 무지갯빛일 터이다.

지금 노을 진 차창 밖을 내다보는 **현구 눈에 비친 아버지 고향**도 반드시 어둠을 기다리는 상처 깊은 고향이기보다, **내일 아침을 예비하는** 다시 오고 싶은 아버지 고향일 수 있으리라.

－ 김원일, 「노을」 －

39. 윗글에 대한 설명으로 적절하지 <u>않은</u> 것은?

① '나'는 미송이가 종이비행기를 날리던 일을 회상하며 인지하지 못했던 것을 깨닫는다.
② '나'가 비밀을 지키지 못해 삼돌이삼촌과 배도수씨는 가족과 헤어져 살게 된다.
③ '나'는 주봉에 묻은 가루와 콩뜰이가 이야기한 글씨가 연관이 있다고 생각한다.
④ '나'는 치모의 말을 떠올리며 고향에 대한 자신의 인식을 드러낸다.
⑤ '나'는 선달바우산에서의 일을 통해 아버지의 행적을 알게 된다.

40. ㉠~㉤에 대한 설명으로 적절하지 <u>않은</u> 것은?

① ㉠: 사건의 정황을 빨리 확인하고 싶은 '나'의 조바심이 드러나 있다.
② ㉡: 사회적으로 천대받는 아버지의 모습에 대한 '나'의 수치심이 나타나 있다.
③ ㉢: 짐작했던 상황이 실제로 벌어졌음을 지각한 '나'의 막막함이 드러나 있다.
④ ㉣: 아버지의 부재로 인해 일어날 상황에 대한 '나'의 두려움이 나타나 있다.
⑤ ㉤: 어려운 처지에서 형으로서 동생을 챙겨야 한다는 '나'의 책임감이 드러나 있다.

41. [노을빛]에 대한 이해로 가장 적절한 것은?

① 반목하던 인물들이 화해하는 계기가 되고 있다.
② 인물들을 둘러싼 사건을 객관적으로 보여 주고 있다.
③ 인물이 다른 사람들의 생각에 공감하도록 유도하고 있다.
④ 현실의 모순에 맞서 인물이 지향했던 삶의 모습을 암시하고 있다.
⑤ 인물이 시간의 흐름에 따라 새롭게 자각한 인식이 투영되어 있다.

42. <보기>를 바탕으로 윗글을 감상한 내용으로 적절하지 않은 것은? [3점]

<보 기>

김원일의 「노을」은 유년의 '나'와 현재의 '나'의 의식이 교차 서술되고 있다. 유년의 순수한 눈을 통해 이데올로기에 휩쓸린 아버지의 행위가, 자신을 포함한 주변 인물들에게 가져다준 고통을 드러내고 있다. 그러나 사건의 본질을 이해하지 못하여 상처 극복의 과정까지는 보여 주지 못한다. 한편 아버지가 된 현재의 '나'는 과거의 상처와 마주하면서 정체성을 확인하고 상처가 치유되어 가는 모습도 보여 주고 있다.

① 아버지가 '어젯밤에 미창에 갔'다는 '비밀을 누구에게도 말해서는 안 된다'고 생각하는 것은 유년의 '나'가 이데올로기에 휩쓸린 아버지에 대해 연민을 느끼고 있는 것이군.
② '배가 고픈 따위의 서러움조차 우습게 여겨질 정도'로 유년의 '나'가 '슬픔'을 느끼는 것은 아버지의 행위로 인해 겪은 주변 인물들의 고통을 드러낸 것이군.
③ '고향은 오늘의 나를 있게 한 모태'라고 인정하는 것에서 현재의 '나'가 유년의 상처를 마주했음을 알 수 있군.
④ '뿌리만은 언제나 고향에 내리고 살아왔다'고 생각하는 것은 자신의 정체성을 확인하는 현재의 '나'의 의식을 나타낸 것이군.
⑤ '현구 눈에 비친 아버지 고향'을 '내일 아침을 예비하는' 고향일 수 있다고 여기는 것에서 상처를 치유하려는 현재의 '나'를 확인할 수 있군.

[43~45] 다음 글을 읽고 물음에 답하시오.

[앞부분 줄거리] 서울에 살던 7살 상우는 엄마의 사업 실패로 형편이 어려워지자 시골에 사는 외할머니에게 맡겨진다.

㉠ S#7. 동네 정류장 (해질녘)

요란한 먼지바람을 일으키며 떠나는 버스. 휑뎅그렁하게 남겨진 상우와 할머니. 상우는 역시 먼지를 질색한다. 할머니는 앉으나 서나 상우의 키만 하다. 꽤 꼬부랑이시다. 벌써 노을이 지려 한다. 서먹서먹한 둘.

할머니, 같이 가자는 시늉을 하자 상우는 더욱 할머니를 우습게 보고, 상우가 움직일 생각을 안 하자 할머니 혼자 앞서 걷는다. 사이가 멀어지자 그제서야 걷기 시작하는 상우. 할머니, 가다가 돌아보면 상우는 딴전을 피우고, 다시 할머니가 걸으니까 상우도 마지못한 듯 따라간다. 카메라, 앞뒤로 떨어져 걷는 둘과 노을 지는 하늘을 멀리서 잡는다.

S#54. 장터 노점상 앞 (아침)

모퉁이에 숨어서 보고 있는 상우. 창피하고 난감하고 슬픈 표정이다. 길 건너편에서는 할머니가 보따리를 풀고 앉아 나물과 채소를 팔고 있다. 젊은 엄마들 사이에 끼어서 손님을 향해 손짓을 하는 할머니. 더 집어 가는 손님을 막지 못하고 손해 보듯 팔고 있다. 할머니 때문에 슬프고 화난다.

S#56. 중국 음식점 (낮)

허름한 중국집. 그래도 손님은 많다. 상우는 짜장면을 허겁지겁 먹고 있고, 할머니는 양파 한 점을 오물거리며 간간이 엽차를 마신다. 자기만 먹는 게 신경 쓰인 상우가 할머니를 보면, 할머니는 '어여 먹어. 난 배 안 고파'라는 손짓을 해 보인다.

(시간 경과)

계산대 앞. 허리춤에서 꼬깃꼬깃한 천 원짜리 몇 장을 꺼내 간신히 계산을 하는 할머니. 전 재산인 듯한 분위기. 상우, 그 광경을 유심히 본다.

㉡ S#63. 동네 정류장 (해질녘)

상우, 정류장까지 또 와 버렸다. 버스 한 대가 금방 도착하고 내리는 사람 없이 떠난다. 그런데 저 멀리 버스가 온 방향에서 할머니가 걸어오고 있는 게 아닌가. 그 보따리를 힘들게 들고서. 의아해하는 상우. '왜 버스를 안 타고 걸어올까?' 무척 피곤해 보이는 할머니의 땀에 전 얼굴을 보고 상우는 짐작이 간다. 울고 싶어진다…….

**할머니** : (수화로) '왜 나와 있어? 집에 있지.'

상우는 미안한 마음에 심통을 부린다. 할머니는 예의 그 '미안'이라는 뜻의 수화를 하는데 이번에는 상우가 짜증을 안 낸다. 대신 할머니의 보따리를 화난 듯 낚아채고 성큼성큼 앞서 걷는다. 걷다가 생각난 듯 주머니의 초코파이를 꺼내 보따리에 살짝 넣어준다.

S#83. 방 (밤)

상우, 지나간 달력 뒷면을 펼쳐 놓고 할머니에게 글자를 가르치고 있다. '아프다', '보고싶다'라는 단어가 상우의 솜씨로 큼지막하게 쓰여 있다. 할머니, 상우가 써 준 글자를 따라 써 보지만 눈도 잘 안 보이고 게다가 까막눈이 아니던가……. 글자 폼이 영 아니다.

**상우** : (자기가 쓴 글을 짚으며) 이건 '아프다', 요건 '보고 싶다' 써 봐, 다시.

할머니, 미안한 표정으로 애를 써 보지만 역시 이상한 선만 그어진다.

**상우** : 에이 참! 그것도 하나 못 해? (화를 내지만 예전의 상우랑은 다르다.)

할머니, 다시 노력해 보지만…….

**상우** : 할머니 말 못하니까 전화도 못 하는데 편지도 못 쓰면 어떡해……!

할머니, 면목 없다는 듯 노력해 본다. 애처롭다.

**상우** : (그 모습 보다가) …… 할머니, 많이 아프면 그냥 아무것도 쓰지 말고 보내. 그럼 상우가 할머니가 보낸 건 줄 알고 금방 달려올게. 응? 알았지? (울먹울먹하더니 줄줄 운다.)

할머니, 노력해도 안 된다는 걸 아는지라 연필을 꼭 쥔 채로 고개만 주억거리며 눈물을 참는다. 잠시 우는 시간…….

(시간 경과)

할머니는 자고 있고, 상우는 구석에서 등 돌리고 무엇엔가 열중. 보면, 바늘에다 실을 꿰고 있다. 적당한 길이로 실을 끊는다. 반짇고리의 모든 바늘에 실을 꿰어 놓았다.

S#86. 마당 (밤)

창호지 문으로 보이는 실루엣. 흐릿한 불빛 아래 상우가 바닥에다 대고 무언가를 그리고 있다. 밤이 깊어가도록…….

㉢ S#87. 동네 정류장 (낮)

엄마, 상우, 할머니가 서 있다. 상우는 올 때와 달리 단출한 짐이다. 많이 운 얼굴이다. 버스가 온다. 상우, 타기 전에 할머니에게 무언가를 소중하게 건네고 홱 돌아 타 버린다.

차창에 작은 키로 붙어서 상우를 보려고 애쓰는 할머니. 상우, 할머니를 외면하고 고개를 떨어뜨리고 있다. 쏟아지는 눈물을 참는 듯. 차가 움직이기 시작하자 할머니를 보려고 뒷좌석으로 달려간다. 멀어져 가는 할머니를 놓치지 않으려는 다급함으로 '미안' 수화를 보낸다. 글썽글썽……. 할머니, 아쉬움에 차를 쫓지만 금세 멀어진다. 그래도 계속 따라간다. 이미 차는 꽁지도 안 보이는데……. 할머니, 드디어 멈춰 선다. 미동도 않고 버스가 사라진 길만 보고 있다. 한참을 보다가 상우가 주고 간 것들을 펴 본다. 상우가 아꼈던 로봇 그림엽서들이다. 뒤집어 보면 다섯 장 모두에 주소와 상우 이름이 상우 글씨로 쓰여 있다. 보내는 사람 칸에는 '할머니', 우표 칸에는 '상우한테 바드세요', 사연 칸에는 할머니가 누워 있는 그림과 할머니 얼굴 그림이 한 장마다 번갈아 그려져 있고, 그 밑에는 '아프다', '보고십다'라고 쓰여 있다. 모두 다섯 장. '아프다', '보고십다', '아프다', '보고십다', 그리고 '보고십다'……. 엽서를 한 장 한 장 넘기는 할머니의 거친 손이 눈을 찌른다.

할머니가 집을 향하여 걸어가는 모습이 멀리서 보인다. 마치 아무 일도 없었다는 듯 차곡차곡 걸어가는 뒷모습…….

– 이정향 극본, 「집으로」 –

43. 윗글에 대한 설명으로 가장 적절한 것은?

① 상우는 할머니가 겪을 수 있는 어려움을 생각하여 도움을 주려 한다.
② 상우는 서울로 돌아가며 시골에 다시 오지 않을 것이라고 다짐한다.
③ 상우는 할머니가 동네 정류장까지 걸어온 것을 알아채지 못한다.
④ 할머니는 상우와 함께 서울로 올라가려고 시도한다.
⑤ 할머니와 상우는 수화로 인해 갈등을 겪는다.

44. ㉠~㉢을 이해한 것으로 적절하지 <u>않은</u> 것은?

① ㉠은 인물 간의 심리적 거리감을 물리적인 거리로 보여 준다.
② ㉠에서 '정류장'은 동행의 출발점으로 인물 간의 심리적 거리는 가깝지 않다.
③ ㉡에서 인물의 달라진 심리적 거리감은 물리적 거리에 영향을 준다.
④ ㉡에서 '정류장'은 만남의 공간으로 인물 간의 가까워진 심리가 드러난다.
⑤ ㉢에서 인물 간의 물리적인 거리가 멀어지면서 심리적 거리도 멀어진다.

45. 다음은 윗글을 영상화하기 위한 촬영 및 편집 계획이다. 적절하지 <u>않은</u> 것은? [3점]

■ **촬영 및 편집 계획**

- S#54에서 슬프고 화가 나는 상우의 표정을 강조하기 위해 할머니를 바라보는 상우를 멀리서 촬영해야겠어. …… ㉮
- S#56에서 꼬깃꼬깃한 천 원짜리로 간신히 계산하는 할머니의 상황을 부각하기 위해 할머니의 의상을 허름한 것으로 준비해야겠어. …… ㉯
- S#83에서 상우의 진심을 보여 주기 위해 겉으로는 화를 내는 표정을 짓지만 속으로는 안타까워하는 감정이 느껴지게 연기하도록 해야겠어. …… ㉰
- S#83에서 관객들이 할머니와 상우의 감정에 공감할 수 있도록 할머니가 눈물을 참는 부분부터 슬픈 배경음악을 삽입해야겠어. …… ㉱
- S#87에서 관객들에게 여운을 남기기 위해 할머니의 뒷모습이 있는 마지막 장면을 서서히 어두워지게 편집해야겠어. …… ㉲

① ㉮ ② ㉯ ③ ㉰ ④ ㉱ ⑤ ㉲

* 확인 사항
○ 답안지의 해당란에 필요한 내용을 정확히 기입(표기)했는지 확인하시오.

# 2019학년도 6월 고2 전국연합학력평가 문제지

# 국어 영역

11회 소 요 시 간 /80분

제 1 교시

➡ 해설 P.101

**[1~3] 다음은 수업 중 학생의 발표이다. 물음에 답하시오.**

요즘 취미 활동으로 악기 연주를 하는 사람들이 늘고 있습니다. 저는 이런 흐름에 주목하여 여러분이 배워 볼 만한 악기를 소개하고자 '우쿨렐레'에 대해 조사해 보았습니다. 우쿨렐레를 모르시는 분 있나요? (반응을 살핀 후) 많이 알고 계시네요. (화면 쪽을 가리키며) 제가 준비해 온 ㉠사진이 잘 보이시나요? 작은 기타처럼 생긴 이 현악기는 많은 사람에게 친숙한 악기가 되었습니다. 오늘은 우쿨렐레의 어원, 유래, 종류, 장점 등의 차례로 설명을 해 보겠습니다.

'우쿨렐레'라는 명칭은 어떤 뜻을 담고 있을까요? 하와이어로 '벼룩'이라는 뜻의 'uku'와 '톡톡 튄다'라는 뜻의 'lele'가 결합된 명칭으로, '튀어 오르는 벼룩'을 의미합니다. 지금 재생되는 우쿨렐레 공연 ㉡영상처럼 여러 연주자들이 손가락으로 줄을 튕기며 연주하는 모습이 벼룩이 튀어 오르는 것처럼 보인다고 하여 이런 이름을 붙였다고 합니다.

우쿨렐레는 하와이의 민속 악기로 널리 알려져 있지만, 사실은 지금 보시는 ㉢사진 속의 포르투갈 악기인 마체테를 받아들여 새롭게 디자인한 것입니다. 애초에 이 악기는 19세기 포르투갈 이민자들이 하와이로 들여온 것으로, 당시 하와이의 왕이었던 칼라카우아의 전폭적인 후원에 힘입어 하와이의 전통 악기로 자리 잡게 됩니다. 20세기 초에는 미국 전역에, 20세기 후반에는 전 세계에 소개되며 큰 인기를 누려 오늘에 이르게 됩니다.

우쿨렐레는 몸통의 모양과 음역에 따라 여러 종류가 있습니다. 지금 보시는 ㉣사진처럼 몸통의 모양에 따라 파인애플처럼 둥그스름한 파인애플 형, 기타와 같은 모양인 오리지널 형, 종 모양을 닮은 벨 형 등으로 분류됩니다. 음역에 따라서는 작은 몸체로 통통 튀는 매력적인 음색을 자랑하는 소프라노 형, 소프라노 형보다 커서 음역대가 넓고 음량이 더욱 풍부한 콘서트 형, 가장 큰 형태로 소리가 중후하고 울림이 큰 테너 형 등으로 나뉩니다.

이런 우쿨렐레가 특히 교육용 악기로 널리 쓰이는 이유는 무엇일까요? 이는 우쿨렐레가 가진 장점들 때문입니다. 첫째, 우쿨렐레는 가격이 저렴하여 구입하는 데 큰 무리가 없습니다. 둘째, 우쿨렐레는 누구나 배우기 쉬운 악기입니다. 셋째, 우쿨렐레는 노래와 악기 연주를 모두 교육하기에 적합한 악기입니다. ㉤영상에서 보는 것처럼 연주자가 우쿨렐레를 연주하면서 직접 노래하는 경우가 많습니다.

지금까지의 발표가 우쿨렐레를 더 깊이 이해하는 데 도움이 되었으면 합니다. 여러분, 배우기 쉬운 우쿨렐레로 공부에 지친 심신을 달래보는 건 어떨까요? 이상으로 우쿨렐레에 대한 발표를 마치겠습니다.

**1.** 발표에 반영된 학생의 발표 계획으로 적절하지 <u>않은</u> 것은?

① 발표 중간에 질문을 하여 청중의 주의를 환기해야겠어.
② 통계 자료를 활용하여 발표 내용의 신뢰성을 확보해야겠어.
③ 최근의 상황을 언급하며 화제 선정의 이유를 제시해야겠어.
④ 발표 내용과 관련한 제안을 하면서 발표를 마무리해야겠어.
⑤ 발표 순서를 안내하여 청중이 내용을 예측하며 듣도록 해야겠어.

**2.** ㉠~㉤에 대한 설명으로 가장 적절한 것은?

① ㉠: 우쿨렐레의 각 부분에 대해 설명하기 위해 우쿨렐레를 정면에서 찍은 큰 사진을 제시하였다.
② ㉡: 우쿨렐레의 독특한 연주법을 보여 주기 위해 우쿨렐레와 다른 현악기의 연주 장면을 함께 제시하였다.
③ ㉢: 우쿨렐레의 유래에 대한 이해를 돕기 위해 우쿨렐레의 기원이 된 악기의 사진을 제시하였다.
④ ㉣: 우쿨렐레와 기타의 특징을 비교하기 위해 두 악기의 사진을 함께 제시하였다.
⑤ ㉤: 우쿨렐레를 다양하게 활용할 수 있음을 보여 주기 위해 독주와 합주가 이루어지는 모습을 차례로 제시하였다.

**3.** 다음은 학생의 발표를 들은 후 청중이 보인 반응이다. 발표를 고려하여 청중의 반응을 분석한 내용으로 적절하지 <u>않은</u> 것은?

청중1: 음역에 따른 몇 가지 우쿨렐레를 실제로 본 적이 있어. 발표를 통해 몸통 모양에 따라서도 다양한 우쿨렐레가 있다는 것을 알게 되어 유익했어. 몸통 모양이 다르면 연주할 때 차이가 있는지 궁금해.
청중2: 학교 방과후 수업에서 우쿨렐레 강좌를 수강했어. 하지만 나처럼 박자에 약한 사람에게는 다루기 힘든 악기였어. 그래서 우쿨렐레가 배우기 쉬운 악기라는 말에는 공감하기 힘들었어. 나 같은 사람에게 필요한 내용은 없을까 기대했는데 거기까지 다루기엔 시간이 짧았던 것 같아.
청중3: 우쿨렐레에 관해 여러 정보를 얻을 수 있어서 참 좋았어. 우쿨렐레의 몸통 모양에 따른 종류 중에서 오리지널 형이 가장 많이 쓰이는데, 그걸 감안해서 연주 장면에서는 오리지널 형만 보여준 것 같아. 멋진 연주를 보여 주었으면 하고 바랐는데 짧고 소박한 연주 장면만 보여 주고 끝나버린 점은 조금 아쉬워.

① '청중1'은 발표 내용을 듣고 자신이 새롭게 알게 된 점을 밝히고 있군.
② '청중2'는 자신의 개인적인 특성과 관련지어 발표 내용에 반응하였군.
③ '청중3'은 자신의 배경지식을 활용하여 발표자의 의도를 짐작하며 들었군.
④ '청중1'과 '청중3'은 자신의 경험을 바탕으로 발표 내용과 관련된 의문을 제시하고 있군.
⑤ '청중2'와 '청중3'은 발표에서 기대했던 것과 관련하여 발표에서 아쉬웠던 점을 드러내고 있군.

**[4 ~ 7] (가)는 활동지에 따라 진행된 토론의 일부이고, (나)는 신문 독자란에 투고하기 위해 찬성 측의 학생이 작성한 초고이다. 물음에 답하시오.**

**활동지**

**※ 다음을 바탕으로 토론해 보자.**

대기 오염이 심각하여 외출하기 힘든 날이 자주 발생하고 있습니다. 그래서 미세먼지용 마스크와 공기 정화기가 불티나게 팔린다고 합니다. 이처럼 일상생활이 어려울 정도로 심각해진 대기 오염을 줄이기 위하여 자가용 승용차의 운행을 제한하는 '차량 부제'를 의무화하자는 여론이 높습니다. 따라서 이번 시간에는 차량 부제 의무화에 대하여 토론해 보도록 하겠습니다.

▸토론 주제 : 자가용 승용차의 차량 부제를 의무화해야 한다.

▸토론 방식 : 입론(3분) → 교차질의(4분) → 반론(3분) → 평결

(가)

**사회자** : 이번 시간에는 '자가용 승용차의 차량 부제를 의무화해야 한다.'라는 주제로 토론하겠습니다. 먼저 찬성 측에서 입론해 주십시오.

**찬성 1** : 자가용 승용차의 차량 부제 의무화는 대기 오염 경보가 발령되었을 때 지방 자치 단체장이 명한 차량의 운행 제한을 반드시 따라야 한다는 것을 말합니다. 자가용 승용차의 차량 부제는 반드시 의무화해야 합니다. 왜냐하면 자동차가 내뿜는 다양한 유해 가스가 대기 오염을 일으키는 주범이기 때문입니다. 자동차 배기가스 중 이산화질소와 같은 질소산화물은 인체에 해로운 것은 물론이고 식물의 세포까지 파괴할 정도로 매우 위협적이라고 합니다. 또한 2018년 7월 국토교통부 보도자료에 따르면 등록된 차량 2,288만 대 중 80% 이상인 1,837만 대가 자가용 승용차라는 사실도 주목할 필요가 있습니다. 차량 부제의 의무화는 현행 대기환경보전법 제8조 2항에 의거하여 충분히 시행 가능하며, 지방 자치 단체장의 재량에 따라 2부제, 5부제, 10부제 등 지역의 여건에 맞게 실시할 수 있을 것입니다. 따라서 자가용 승용차의 차량 부제를 의무화하여 미세먼지나 초미세먼지로 인한 일상의 위험을 줄여야 한다고 생각합니다.

**사회자** : 이번에는 반대 측에서 입론 해 주십시오.

**반대 1** : 저희들은 자가용 승용차의 차량 부제를 의무화하는 것을 반대합니다. 첫째, 자동차의 배기가스가 대기 오염의 원인 중 하나라는 것은 인정하지만 주범이라고 단정할 수는 없습니다. 요즘 논란의 중심에 있는 대기 오염의 주범은 자동차 배기가스보다는 국내로 유입되는 중국발 미세먼지 때문이라는 연구 결과가 자주 보도되고 있습니다. 그뿐만 아니라 환경부의 발표에 따르면, 국내적으로도 대기 오염의 원인이 자동차의 배기가스만이 아니라 공장의 매연, 쓰레기 소각이나 산불로 인한 연기 등 다양하며 어떤 것의 영향이 더 크다고 단정할 수도 없다고 합니다. 둘째, 자가용 승용차의 다수가 미세먼지를 많이 발생하는 디젤 기관보다는 유해성이 낮은 가솔린 기관을 사용한다는 점도 충분히 고려해야 합니다. 셋째, 차량 부제의 의무화가 사유 재산권을 침해한다는 사실입니다. 헌법 제23조 1항에 따르면 모든 국민의 재산권은 보장되어야 합니다. 따라서 어떤 형태이든지 자가용 승용차의 차량 부제를 의무화하는 것에 반대합니다.

(나)

미세먼지, 초미세먼지! 이제 더 이상 남의 일이 아니다. 우리의 일상생활을 위협할 정도로 심각하다. 이런 상황을 ㉠ <u>제거하기</u> 위하여 자가용 승용차의 '차량 부제'를 의무화해야 한다는 목소리가 커지고 있다. 그럼에도 불구하고 한편에서는 생활의 불편을 문제 삼아 반대하는 목소리도 여전히 높다.

그들 대부분은 자가용 승용차의 배기가스가 대기 오염을 유발하는 원인이라는 점은 인정한다. ㉡ <u>그리고</u> 그것이 대기 오염의 주범이라고는 여기지 않는다. 또한 그들은 자가용 승용차의 대다수가 유해한 배기가스를 많이 배출하는 디젤 기관이 아니라 가솔린 기관을 사용한다는 점을 강조한다. ㉢ <u>이것은 자가용 승용차가 전체 등록 차량의 80%를 넘는 1,800만 대 이상이라는 사실을 고려하지 못한 것이다.</u> 비록 대당 대기 오염에 끼치는 영향이 미약할지라도 자가용 승용차 대수가 많기 때문에 분명 대기 오염에 끼치는 영향이 클 수밖에 없다. 또한 ㉣ <u>전문가들에</u> 견해를 따르면 가솔린 기관이 디젤 기관보다 유해성이 낮다는 명확한 근거도 부족하다고 한다.

이런 상황에서 국민의 재산권을 침해한다는 이유로 차량 부제의 의무화를 더 이상 미룰 수 없다. "국민의 재산권은 보장된다."라는 헌법 제23조 1항보다 "재산권의 행사는 공공복리에 적합하도록 하여야 한다."라고 명시한 2항에 더 주목할 필요가 있다. ㉤ <u>물론 생업이나 사회적 약자 외에도 개인의 불가피한 사정 등은 고려해야 한다.</u> 우리 모두 자가용 승용차의 차량 부제 의무화에 적극 동참하여 쾌적한 환경을 후세에 물려줄 수 있도록 노력해야 할 것이다.

**4.** (가)의 찬반 양측의 '입론'에 대한 이해로 가장 적절한 것은?

① 양측 모두 구체적인 법적 근거를 사용하여 자신의 주장을 뒷받침하고 있다.
② 양측은 동일한 보도 자료를 각자의 입장에 따라 달리 해석하여 활용하고 있다.
③ 반대 측과 달리 찬성 측은 문제 현상을 여러 각도에서 분석하여 문제의 원인을 다양하게 제시하고 있다.
④ 찬성 측과 달리 반대 측은 통시적인 관점에서 문제 현상을 살펴 자신의 논리가 타당함을 부각하고 있다.
⑤ 찬성 측은 토론의 주제가 시의적절함을 강조하는 반면, 반대 측은 토론의 주제가 실현 불가능함을 강조하고 있다.

5. <보기>를 바탕으로, (가)의 반대 측에서 할 수 있는 '교차질의'로 가장 적절한 것은? [3점]

< 보 기 >

2018년 6월 말 현재 친환경 자동차로 분류되는 전기, 수소, 하이브리드 자동차는 전체에서 차지하는 비중이 점점 높아지고 있다. 미세먼지 저감을 위한 정부의 친환경차 보급 확대 정책과 국민들의 높은 관심에 따라 전기차는 36,835대로 1년 만에 2.3배, 수소차는 358대로 2.4배, 하이브리드차는 355,871대로 1.3배 각각 증가한 것으로 나타났다.

– 국토교통부 발표(2018. 7. 16.) –

① 친환경 자동차의 비중이 점점 높아지는 것을 고려할 때 자가용 승용차에 차량 부제를 강제하는 것은 부당하지 않을까요?
② 친환경 자동차 중 전기나 수소를 사용하는 자가용 승용차가 대기 오염과 어떤 연관성이 있는지 살펴야 하지 않을까요?
③ 친환경 자동차의 증가 추세를 반영하여 차량 부제의 의무화를 일시적으로 운영한다는 단서를 달아야 하지 않을까요?
④ 자가용 승용차 중 친환경 자동차를 차량 부제 의무화 대상에서 제외해서 얻는 이익부터 밝혀야 하지 않을까요?
⑤ 자가용 승용차 중 친환경 자동차가 차지하는 비중이 높아지는 원인이 무엇인지를 제시해야 하지 않을까요?

6. (가)의 찬성 측에서 반론을 위해 작성했던 메모 중, (나)를 쓸 때 반영하지 않은 것은?

○ 반대 측의 법적 근거를 반박할 수 있는 추가적인 법적 근거를 제시할 필요가 있음. ··········· ①
○ 차량 부제 시행을 촉구하는 여론이 높음을 설문 조사 결과를 통해 제시해야 함. ··········· ②
○ 자가용 승용차의 배기가스가 대기 오염의 원인이라고 인정한 반대 측 입장에 주목해야 함. ··········· ③
○ 입론에서 사용하였던 정보 중에서 반박의 근거로 다시 사용할 것은 없는지 살펴볼 필요가 있음. ··········· ④
○ 반대 측에서 주장을 뒷받침하기 위해 제시한 자료 중 타당성이 약한 것은 없는지 검토해야 함. ··········· ⑤

7. (나)의 ㉠~㉤을 고쳐 쓰기 위한 방안으로 적절하지 않은 것은?

① ㉠: 어휘 사용이 부적절하므로 '개선하기'로 바꾼다.
② ㉡: 앞뒤 문장의 연결이 어색하므로 '하지만'으로 고친다.
③ ㉢: 글의 흐름을 고려하여 앞 문장과 순서를 바꾼다.
④ ㉣: 조사의 쓰임이 적절하지 않으므로 '전문가들의'로 고친다.
⑤ ㉤: 글의 통일성을 해치고 있으므로 삭제한다.

[8 ~ 10] 다음을 읽고 물음에 답하시오.

**[학교 신문 편집부의 요청 사항]**

교내에서 열리는 '디카시 쓰기 대회'와 연관 지어 학생들에게 디카시를 소개하는 글을 써 주세요. ··········· ㉠

**[예상 독자에 대한 분석]**

• 디카시의 개념과 특성을 모르는 학생들이 있다. ··········· ㉡
• 디카시의 창작 과정을 궁금해하는 학생들이 있다. ··········· ㉢

**[초고]**

다음 달에 우리 학교에서 '디카시 쓰기 대회'가 처음으로 개최됩니다. 그런데 아직 디카시에 대해 잘 모르는 학생들이 많아서 이번 학교 신문의 '집중 탐구' 연재란에서는 디카시의 개념, 특성, 창작 과정 등을 다루고자 합니다.

디카시는 '디지털 카메라'와 '시(詩)'의 합성어로, 자연이나 사물에서 포착한 시적 형상을 디지털 카메라로 찍은 후 그 피사체와 관련된 감흥을 문자로 표현한 시를 뜻합니다. 기존의 시가 문자로 표현된 예술이라면, 디카시는 사진과 문자가 하나의 텍스트로 엮이는 새로운 시 형식이라 할 수 있습니다.

먼저 실제 디카시 한 작품을 감상해 봅시다.

수련잎 초등학생들이
교문을 빠져나오며 하교 중입니다.
등 뒤에서 앞에서 옆에서 누가 듣든 말든
입을 벌리고 종알거립니다.

– 공광규, 「수련잎 초등학생」 –

위의 사진을 보면, 수련잎의 모양은 아이들이 깔깔깔 웃거나 재잘거리는 모습과 비슷합니다. 즉, 이 디카시는 수련잎의 모양을 보고 초등학생들의 모습을 떠올려 아이들의 맑고 순수한 동심을 잘 담아내고 있습니다. 이처럼 디카시는 기존의 문자시와 달리 사진 이미지와 언어 표현을 절묘하게 연결하여 사람들의 예술적 감수성을 키워 줍니다. 그리고 내용의 이해가 비교적 쉽기 때문에, 기존의 문자시 감상에 어려움을 겪는 사람들에게 보다 쉽게 시를 경험할 수 있는 기회를 제공하고, 시에 대한 흥미도 길러 줍니다.

그렇다면 디카시는 어떤 창작 과정을 거칠까요? 일반적으로 기존의 문자시는 시간적 여유를 많이 두고 '착상, 성장(착상의 발전), 초고, 퇴고'의 과정을 거치면서 씁니다. 반면에 디카시는 착상에서 초고까지 한 번에 압축적으로 이루어진 후 퇴고를 하는 것이 특징이라고 디카시 시인들은 말합니다. 우리가 눈 내리는 장면을 보면서 아름답다고 생각하여 사진을 찍고 그것을 SNS상에 올리면서 몇 글자를 덧붙인다고 생각해 봅시다. 이 과정을 떠올려 보면 착상부터 초고까지의 과정이 압축적이라는 것을 쉽게 이해할 수 있습니다.

이런 점 때문에 디카시를 쓸 때는 글쓴이가 착상의 발전을 위해 상상력을 발휘하는 것보다는, 자연이나 사물을 관찰할 때 찰나에 일어나는 감흥을 살려 사진과 글로 담아내는 순간성이 강조됩니다. 그래서 기존의 문자시를 쓸 때는 착상 이후에 책상에 앉아 쓰는 과정이 중요하다면, 디카시를 쓸 때는 순간적인 감흥을 찾는 과정이 중요합니다.

[A]

8. ㉠~㉢을 고려하여 [초고]를 작성했다고 할 때, 활용된 글쓰기 전략으로 적절하지 않은 것은?

① ㉠을 고려해 학교 신문에서 디카시를 다루게 된 계기를 언급하며 글을 시작한다.
② ㉡을 고려해 디카시의 어원을 밝히면서 그 개념을 정의한다.
③ ㉡을 고려해 실제 디카시의 사례를 바탕으로 디카시의 특성을 설명한다.
④ ㉢을 고려해 전문가의 견해를 인용하여 디카시 창작 과정의 순차성을 강조한다.
⑤ ㉢을 고려해 기존의 문자시 창작 과정과 비교하여 디카시 창작 과정의 특성을 부각한다.

9. <자료>를 활용하여 [초고]를 보완하고자 한다. <자료>의 활용 방안으로 적절하지 않은 것은?

< 자 료 >

(가) 시의 내용 이해 정도에 대한 설문 조사

| 구분 | 기존의 문자시 | | | 디카시 | | |
|---|---|---|---|---|---|---|
| 이해도 | 잘됨 | 보통 | 안됨 | 잘됨 | 보통 | 안됨 |
| 결과 | 15% | 26% | 59% | 56% | 26% | 18% |

– □□□ 청소년 문예 잡지 –

(나) 선생님 인터뷰

대체적으로 기존의 문자시는 여러 문학적 장치부터 작가의 생애까지 다양한 요소를 고려해야 작품을 이해할 수 있다는 어려움이 있습니다. 이에 반해 디카시는 배경지식이 없더라도 시를 좀 더 쉽게 이해할 수 있습니다. 따라서 기존의 문자시 공부에 어려움을 겪는 사람이라면 먼저 디카시를 공부해 보기를 추천합니다.

(다) 신문 자료

뉴 미디어 시대의 도래로 매체 환경이 변하면서 시 예술도 영상과 사진을 받아들이는 상황으로 변하게 되었다. SNS를 통해 자신의 생각을 사진과 함께 실시간으로 공유하는 환경에서, 디카시는 디지털 시대에 어울리는 훌륭한 문학 갈래로 자리매김할 것이다.

– ◇◇신문 –

① (가)를 활용하여 디카시가 기존의 문자시에 비해 이해하기가 쉽다는 사실을 구체적인 수치로 보여줘야겠어.
② (나)를 활용하여 기존의 문자시를 공부할 때 어려움을 겪는 이유를 제시해야겠어.
③ (다)를 활용하여 디카시가 등장하게 된 계기를 매체 환경의 변화와 연관 지어 설명해야겠어.
④ (가)와 (나)를 활용하여 디카시가 시 감상에 어려움을 겪는 학생들에게 도움을 줄 수 있음을 부각해야겠어.
⑤ (나)와 (다)를 활용하여 디카시 창작으로 새로운 문학 갈래를 만들 수 있음을 강조해야겠어.

10. [A]에 들어갈 내용을 <조건>에 따라 작성한 것으로 가장 적절한 것은? [3점]

< 조 건 >

글의 흐름을 감안하되, 비유적 표현과 의문문의 형식을 활용하고, 디카시 창작을 권유하면서 글을 마무리해야겠어.

① 디카시 창작은 누구나 할 수 있습니다. 우리 함께 디카시 창작에 도전해 보지 않겠습니까?
② 오감으로 자연을 느끼고 손가락으로 그 순간을 남겨 보세요. 지금부터 디카시의 주인공은 바로 당신입니다.
③ 디카시 창작이 어렵습니까? 그렇다면 디카시 감상부터 시작해 보세요. 여러분에게 시 창작의 지름길을 안내할 것입니다.
④ 디카시로 순간적인 감흥을 포착하여 삶의 위안을 얻지 않으시렵니까? 우리 모두 디카시 감상으로 삶의 여유를 찾을 수 있는 시간을 가져 봅시다.
⑤ 여러분도 디지털 카메라와 순간적인 감흥만 있으면 누구나 디카시를 창작할 수 있습니다. 우리 주변에 숨어 있는 보물을 캐내러 교실 밖으로 나가 볼까요?

**[11 ~ 12] 다음 글을 읽고 물음에 답하시오.**

하나의 언어 표현이 둘 이상의 의미를 나타내는 현상을 '중의성'이라고 하는데, 일반적으로 (1)~(3)과 같이 세 가지 양상으로 나눌 수 있다.

(1) ㄱ. 손이 크다.
　　ㄴ. 차를 사다.
(2) ㄱ. 예쁜 민지의 목소리가 들린다.
　　ㄴ. 나는 철수와 영희를 달랬다.
　　ㄷ. 아버지는 어머니보다 강을 더 좋아한다.
(3) ㄱ. 나는 어제 그녀를 만나지 않았다.
　　ㄴ. 포수 세 명이 사슴 한 마리를 잡았다.

첫째, '어휘적 중의성'은 문장에 사용되는 어휘의 특성에 따라 문장이 중의적으로 해석되는 것으로, '다의어'나 '동음이의어'를 통해서 실현된다. (1ㄱ)은 '손'이 '신체 부위'나 '씀씀이'와 같이 둘 이상의 의미로 해석될 수 있기 때문에 '다의어'에 따른 중의성에 해당한다. (1ㄴ)의 '차'는 '엔진이 달린 탈것[車]'이라는 의미로도 해석되고, 녹차나 홍차와 같이 '마시는 음료[茶]'로도 해석된다. 따라서 (1ㄴ)은 소리는 같으나 뜻이 다른 '동음이의어'에 따른 중의성이 나타난 경우에 해당한다.

둘째, '구조적 중의성'은 어떤 문장이 둘 이상의 통사적 관계를 가진 문장 구조로 분석되어 중의적으로 해석되는 것으로, '수식 관계', '접속 구문', '비교 구문' 등을 통해서 실현된다. (2ㄱ)은 '수식 관계'에 따라 중의성이 생기는 경우로, '예쁜'이 '민지'를 수식할 수도 있고 '목소리'를 수식할 수도 있기 때문에 중의성이 생긴다. (2ㄴ)은 '접속 구문'에 따라 중의성이 생기는 경우이다. 내가 '철수와 영희' 둘 다 달랬다는 의미로도 해석되지만, 내가 철수와 함께 '영희'를 달랬다는 의미로도 해석되기 때문에 중의성이 생긴다. (2ㄷ)은 '비교 구문'에 따라 중의성이 생기는 경우이다. 행위의 주체인 '아버지와 어머니'가 강을 놓고 그 선호도를 비교했다는 의미로 볼 수도 있고, 아버지가 행위의 대상인 '어머니와 강'을 놓고 그 선호도를 비교했다는 의미로 볼 수도 있기 때문에 중의성이 생긴다.

셋째, '작용역*의 중의성'은 하나의 문장에서 나타나는 작용역이 다르게 해석됨에 따라 발생하는 것으로, '부정 표현', '수량 표현' 등을 통해서 실현된다. (3ㄱ)은 '부정 표현'에 따라 중의성이 생기는 경우이다. '않았다'가 부정하는 것이 '나'인지, '어제'인지, '그녀'인지, '만나다'인지 불분명하기 때문에 중의적 표현이 되었다. (3ㄴ)은 '수량 표현'에 따라 중의성이 생기는 경우이다. 즉, 포수 세 명이 합쳐서 사슴 한 마리를 잡았다는 의미도 될 수 있고, 포수 세 명 각자가 사슴 한 마리씩을 잡았다는 의미도 될 수 있다.

이와 같은 중의적 표현은 광고나 유머 등에서 표현 효과를 위해 의도적으로 사용하는 경우가 있다. 하지만 일반적으로 중의적 표현은 의사소통에 방해가 되기 때문에 중의성을 띠지 않도록 표현하는 것이 바람직하다. 쉼표를 사용하거나, 어순, 단어, 조사 등을 바꾸거나, 단어나 조사를 추가하면 중의성이 해소될 수 있다.

* 작용역 : 어떠한 단어의 의미가 다른 단어의 의미에 영향을 미치는 범위

11. 윗글을 읽고 알 수 있는 내용이 아닌 것은?

① 표현 의도에 따라 중의적 표현을 사용하는 경우도 있다.
② 동음이의어에 따른 중의성은 한자어 표기를 병행하여 해결할 수 있다.
③ 둘 이상의 수식어가 하나의 피수식어를 수식할 때 구조적 중의성이 발생한다.
④ 수량 표현이 영향을 미치는 범위가 둘 이상이 되면 작용역의 중의성이 나타날 수 있다.
⑤ 비교 구문에서 특정 부분이 행위의 주체도 될 수 있고 행위의 대상도 될 수 있을 때 중의성이 발생한다.

12. 윗글을 바탕으로 할 때, <보기>의 ㉠ ~ ㉤에 들어갈 내용으로 적절하지 않은 것은?

<보 기>

| 중의적인 문장 | 해소 방법 | 고친 문장 |
|---|---|---|
| 길이 없다. | 단어 바꾸기 | ㉠ |
| 착한 주희의 동생을 만났다. | 어순 바꾸기 | ㉡ |
| 나는 영호와 민주를 보았다. | 쉼표의 사용 | ㉢ |
| 회원들이 다 오지 않았다. | 조사의 추가 | ㉣ |
| 학생들이 컴퓨터 한 대를 사용한다. | 단어의 추가 | ㉤ |

① ㉠ : 도로가 없다.
② ㉡ : 주희의 착한 동생을 만났다.
③ ㉢ : 나는, 영호와 민주를 보았다.
④ ㉣ : 회원들이 다는 오지 않았다.
⑤ ㉤ : 모든 학생들이 컴퓨터 한 대를 사용한다.

13. <보기>는 문법 수업의 일부이다. 선생님의 질문에 대한 대답으로 적절한 것은? [3점]

<보 기>

**선생님**: 음운의 변동은 발음 결과에 따라 한 음운이 다른 음운으로 바뀌는 ㉠ 교체, 원래 있던 음운이 없어지는 ㉡ 탈락, 없던 음운이 추가되는 ㉢ 첨가, 두 음운이 합쳐져서 하나의 음운으로 바뀌는 ㉣ 축약으로 나눌 수 있습니다.

**[질문]** 다음 밑줄 친 부분에서 일어나는 음운의 변동 양상을 설명해 볼까요?

나는 어제 사 온 책을 **읽느라** 밤을 꼬박 새웠다. 목차만 **훑고서** 사 온 책은 기대보다 훨씬 재미있었다. 장시간 책을 봐서인지 머리가 아팠다. 그러나 **예삿일**로 생각해 어머니께서 챙겨 주신 **알약을** 먹지 않고 있다가 결국 몸살을 **앓았다**.

① '읽느라[잉느라]'에서 ㉠과 ㉡이 일어납니다.
② '훑고서[훌꼬서]'에서 ㉠과 ㉢이 일어납니다.
③ '예삿일[예산닐]'에서 ㉠과 ㉣이 일어납니다.
④ '알약을[알랴글]'에서 ㉡과 ㉢이 일어납니다.
⑤ '앓았다[아랃따]'에서 ㉡과 ㉣이 일어납니다.

14. <보기>의 ㉠ ~ ㉣에 대한 이해로 적절하지 않은 것은?

< 보 기 >

접두사는 단어의 앞에 붙어 특정한 뜻을 더하거나 강조하면서 새로운 단어를 만들어 낸다. ㉠접두사가 명사에 결합하여 생성된 단어도 있고, ㉡접두사가 용언에 결합하여 생성된 단어도 있다. ㉢특정한 접두사는 둘 이상의 품사에 결합하여 새로운 단어를 만들어 내기도 한다. 대개의 접두사는 형태가 고정되어 있지만, '찰-/차-'가 붙어 만들어진 '찰옥수수', '차조'처럼 ㉣주위 환경에 따라 형태가 다른 접두사가 붙어 만들어진 단어도 있다.

① ㉠에 해당하는 사례로는 '군기침, 군살'이 있다.
② ㉡에 해당하는 사례로는 '빗나가다, 빗맞다'가 있다.
③ ㉢에 해당하는 사례로는 '헛디디다, 헛수고'가 있다.
④ ㉡, ㉣에 모두 해당하는 사례로는 '새빨갛다, 샛노랗다'가 있다.
⑤ ㉢, ㉣에 모두 해당하는 사례로는 '수꿩, 숫양'이 있다.

15. <보기 1>을 바탕으로 <보기 2>를 분석한 것으로 적절하지 않은 것은?

< 보 기 1 >

[중세 국어의 주체 높임법과 객체 높임법]

- **주체 높임법** : 문장의 주어에 해당하는 대상을 높이는 것이다. 주체 높임법은 주로 선어말 어미 '-시-/-샤-'를 통해 실현된다. 또한 특수 어휘나 조사에 의해 실현되기도 한다.
- **객체 높임법** : 문장의 목적어나 부사어에 해당하는 대상을 높이는 것이다. 객체 높임법은 주로 선어말 어미 '-숩-/-줍-/-숩-'을 통해 실현된다. 또한 특수 어휘나 조사에 의해 실현되기도 한다.

< 보 기 2 >

㉠ 世尊(세존)ㅅ 安否(안부) 묻줍고 니르샤딕 므스므라 오시니잇고
[A] [B]
[세존의 안부를 여쭙고 이르시되 무슨 까닭으로 오셨습니까?]

㉡ 네 아드리 各各(각각) 어마님내 뫼숩고
[네 아들이 각각 어머님을 모시고]

① ㉠의 [A]에서 주체 높임은 실현되었으나 그 주체가 생략되었다.
② ㉠의 [A]에서 선어말 어미를 사용하여 객체 높임이 실현되었다.
③ ㉠의 [B]에서는 주체를 높이기 위해 선어말 어미가 사용되었다.
④ ㉡에서 특수 어휘를 사용하여 주체인 '아들'을 존대하였다.
⑤ ㉡에서는 객체인 '어마님'을 높이기 위해 선어말 어미를 사용하였다.

[16 ~ 19] 다음 글을 읽고 물음에 답하시오.

에릭 번이 창시한 '교류 분석 이론'은 심리 치료 및 상담에 널리 활용되는 이론이다. 이 이론을 이해하기 위한 주요 개념들로 '자아상태'와 '스토로크'가 있다.

자아상태 모델은 인간의 성격을 A(어른), P(어버이), C(어린이)의 세 가지 자아상태로 설명하며, 건강하고 균형 잡힌 성격이 되려면 세 가지 자아상태를 모두 필요로 한다고 본다. 이때 자아상태란 특정 순간에 보이는 일련의 행동, 사고, 감정의 총체를 일컫는 것이므로 특정 순간마다 자아상태는 달라질 수 있다. 예를 들어 보자. 김 군이 교통이 혼잡한 도로에서 주변 상황을 살피며 차를 몰고 있다. 그때 갑자기 다른 차가 끼어든다. 뒤따르는 차가 없는 것을 얼른 확인하고 브레이크를 밟아 충돌을 면한다. 이때 김 군은 'A 자아상태'에 놓여 있다. A 자아상태는 지금 여기에서 가장 현실적인 대책을 찾는, 객관적이며 합리적인 자아상태이다.

끼어들었던 차가 사라지자 김 군은 어릴 때 아버지가 했던 것처럼 "저런 운전자는 운전을 못하게 해야 해!"라고 말한다. 이때 김 군은 'P 자아상태'로 바뀐 것이다. P 자아상태는 자신 혹은 타인을 가르치려 들거나 보살피려 하는 자세를 취하는 자아상태로서, 어린 시절 부모가 자신에게 했던 행동이나 태도, 사고를 내면화한 것이다. 어릴 때 무엇을 해야 하는지 가르치고 통제했던 부모의 역할을 따라하고 있다면 'CP(통제적 어버이)' 상태, 따뜻하게 배려하고 돌봐 주었던 부모처럼 남을 돌봐 준다면 'NP(양육적 어버이)' 상태에 놓여 있다고 말한다.

잠시 후 김 군은 직장 상사와의 약속에 늦었다는 사실을 알고 당황한다. 이때 김 군은 학창 시절에 지각하여 선생님에게 벌을 받을까 겁을 먹었던 기억이 되살아나 'C 자아상태'로 이동한 것이다. C 자아상태는 어릴 때 했던 것처럼 행동하거나 사고하거나 감정을 느끼는 자아상태이다. 부모의 요구에 순응하며 살았던 행동 양식들을 재연할 경우를 'AC(순응하는 어린이)' 상태, 부모의 요구나 압력과 상관없이 독립적으로 행동했던 어린 시절의 방식대로 행동할 경우를 'FC(자유로운 어린이)' 상태라고 한다.

세 가지 자아상태 중 어느 한 상태에서 누군가에게 말을 걸면 상대방도 어느 한 상태에서 반응하게 된다. 이러한 의사소통 과정에서 자신이 기대하는 반응이 올 수도 있고, 기대하지 않는 반응이 올 수도 있다. 우리는 남들이 자기를 알아봐 줬으면 좋겠다는 인정의 욕구로 인해 서로 상대방을 인지한다는 신호를 보낸다. 이런 행위를 '스트로크(stroke)'라 부르는데, 스트로크는 다음과 같이 구분할 수 있다. 먼저 언어로 신호를 보내는 언어적 스트로크와 몸짓, 표정 등으로 신호를 보내는 비언어적 스트로크로 나눌 수 있다. 다음으로 상대방을 즐겁게 하는 긍정적 스트로크와 상대방을 고통스럽게 하는 부정적 스트로크로 나눌 수 있다. 끝으로 "일을 참 잘 처리했더군."과 같이 상대방의 행위에 반응하는 조건적 스트로크와 "난 당신이 좋아."와 같이 아무 조건 없이 존재 그 자체에 반응하는 무조건적 스트로크로 나눌 수 있다.

일반적으로 사람들은 상대로부터 긍정적 스트로크를 받기 원하지만, 긍정적 스트로크가 충분하지 않다고 여기면 부정적 스트로크라도 얻으려고 한다. 어떤 스트로크든 스트로크를 받지 못하는 것보다는 낫다는 원리가 작용하는 것이다. 그리고 어떤 행위를 통해 자신이 원하는 스트로크를 받게 되면, 그 스트로크를 계속 받기 위해 같은 행동을 반복하며 강화한다.

이와 같은 개념을 바탕으로 정립된 교류 분석 이론은 관찰 가능한 인간 행동을 간결하고 쉬운 용어로 분석함으로써 사람들이 이해하기 쉽게 설명해 준다. 또한 과거의 경험을 통해 인간의 성격을 파악할 수 있게 했을 뿐 아니라 인간의 욕구와 관련지어 의사소통 과정을 분석할 수 있게 한 점에서도 의의가 있다.

16. 윗글의 전개 방식에 대한 설명으로 가장 적절한 것은?

① 이론이 정립된 과정을 소개하고, 각 단계의 차이점을 설명하고 있다.
② 이론이 가지는 한계점을 지적하고, 이를 보완하는 다른 이론을 제시하고 있다.
③ 이론을 이해하는 데 필요한 개념을 설명하고, 이론이 지니는 의의를 밝히고 있다.
④ 이론이 나타나게 된 배경을 제시하고, 이론의 타당성을 사례를 들어 검증하고 있다.
⑤ 이론을 구성하는 요소들을 나열하고, 요소 간의 공통점과 차이점을 분석하고 있다.

17. 윗글에 대한 이해로 적절하지 않은 것은?

① 한 사람의 자아상태가 고정되어 있는 것은 아니다.
② 스트로크는 상대방을 인지한다는 신호를 보내는 행위이다.
③ 인간은 부정적 스트로크보다는 무관심과 무반응을 기대하는 경향이 있다.
④ 세 가지의 자아상태 중 한 가지라도 결핍되면 건강한 성격이라 볼 수 없다.
⑤ 의사소통의 과정에서 자신이 기대하지 않는 자아상태의 반응이 올 수도 있다.

※ <자료>를 바탕으로 18, 19번 두 물음에 답하시오.

<자 료>

<상황 1>은 어린 시절 철호가 겪은 일이고, <상황 2>는 어른이 된 철호가 직장에서 겪은 일이다. <상황 3>은 철호가 자신의 고민을 해결하기 위해 상담실을 찾은 장면이다.

<상황 1>

아버지 : ㉠(차가운 말투로) 너 할머니께 아까 보인 태도가 뭐냐? 좀 더 예의를 갖출 수 없어?
철호 : (머리를 떨구며) 죄송해요.

<상황 2>

철호 : (냉담하게) 너 아까 부장님께 너무 버릇없이 굴었어. 앞으로는 더 예의를 갖추도록 해.
후배 : (당황하면서) 그런가요? 제 나름대로는 예의를 보인 것인데 앞으로는 더 주의하겠습니다.

<상황 3>

상담사 : 주위 사람들에게 너무 엄격한 것 같아 고민이시군요. 그렇다면 문제의 원인을 찾고, 어떻게 할지 함께 생각해 보죠. 우선 질문을 몇 가지 드릴게요. 혹시 당신의 부모님은 엄격한 편이셨나요?
철호 : 예. 제 아버지는 어릴 때 제가 조금이라도 버릇없이 굴면 늘 질책을 하셨어요. 그래서 그때 많이 힘들었어요.
상담사 : 많이 힘들었겠군요. 그런데 어릴 때 당신은 아버지의 말씀을 잘 받아들이는 아이였겠죠?
철호 : 그럴 수밖에요. 늘 아버지의 기대에 부응하려 노력했어요. 아버지는 제가 어른들께 예의바르게 인사를 할 때면 얼굴이 환해지셨죠. 그래서 저는 누구보다 인사를 잘하기 위해 애를 썼었습니다.

18. ㉠에 대한 설명으로 적절한 것은?

① 언어적, 긍정적, 조건적 스트로크이다.
② 언어적, 부정적, 조건적 스트로크이다.
③ 언어적, 부정적, 무조건적 스트로크이다.
④ 비언어적, 긍정적, 무조건적 스트로크이다.
⑤ 비언어적, 부정적, 무조건적 스트로크이다.

19. 윗글을 바탕으로 <자료>를 이해한 내용으로 적절하지 않은 것은? [3점]

① <상황 1>과 관련지어 볼 때 <상황 2>의 철호는 CP 상태에서 후배에게 말을 하고 있다고 할 수 있군.
② <상황 2>에서 철호의 자아상태와 후배의 자아상태는 서로 일치하지 않는 것으로 볼 수 있군.
③ <상황 3>에서 상담사는 현재의 문제 상황에 대한 해결책을 찾는 합리적인 태도를 보이므로 A 자아상태라고 할 수 있군.
④ <상황 3>에서 상담사의 두 번째 질문은 철호의 FC 상태를 확인하기 위한 것이라고 할 수 있군.
⑤ <상황 3>에서 철호의 말을 통해 그가 아버지로부터 인정을 받기 위해 인사하는 행동을 강화했음을 확인할 수 있군.

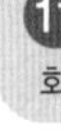

[20 ~ 24] 다음 글을 읽고 물음에 답하시오.

(가)

**[앞부분의 줄거리]** 동림산업은 제복을 제정하려고 준비위원회를 통해 사원들의 의견을 듣기로 한다. 사원들은 반대하지만 준비위원회는 일방적으로 제복 제정을 결정하고, 회사는 재단사를 불러 사원들의 치수를 재며 제복 도입을 강행한다.

"거기 있을 줄 알았지. 나야, 장이야. 우기환이도 같이 있나?"

전화를 받자마자 장상태가 낮고 빠른 말씨로 지껄여왔다.

"즉각 들어와 줘야겠어. 과장이 잔뜩 뿔따구가 나갖구 방금 사장실로 들어갔어."

"재단사들은 다 철수했나?"

"아직 다른 사무실을 돌고 있어. 그 친구들이 철수하기 전에 자네가 들어와야 일이 무사해질 것 같애."

"지금은 들어가고 싶잖아. 친구가 찾아와서 잠깐 외출했다고 그래."

"재는 거야 상관없잖아. ㉠ <u>입고 안 입는 건 그 후의 일인데 뭘 그래.</u>"

민도식은 일방적으로 전화를 끊어버렸다. 한참 만에 민 선생을 찾는 전화가 다시 왔다.

"과장일세. 자네들이 지금 취하고 있는 행동이 어떤 결과를 부르는지 알고나 그러나?"

수화기에서 대뜸 불호령이 떨어졌다.

"자네들이 이번 일에 비협조적이란 걸 알고 있어. 뒷전으로 돌면서 불평이나 터뜨리고 다니는 걸 내가 모를 줄 아나?"

과장은 계속해서 닦아세웠다.

"이 전화 끝나자마자 사장실로 가봐! 나하곤 이미 용무가 끝났어!"

사장은 전혀 화가 난 얼굴이 아니었다. 조심스럽게 들어와서 맞은편 소파에 앉는 두 사원을 응접세트 너머로 지그시 바라보고 있었다.

"자네들이 의복에 관해서 일가견을 가졌다는 소문인데, 어디 그 견해 좀 듣세나."

(중략)

"자네들이 이러지 않아도 난 지금 복잡한 일이 많은 사람이야. 우 군이 K직물을 동경하는 그 심정은 나도 알아. 하지만 앞으로 가까운 장래에 다른 사람들이 자네들을 동경하도록 만들기 위해서는 나도 노력하고 자네들도 적극 협조해야 되잖겠나. 그동안을 못 참아서 협조할 수 없다면 별 수 없지. ㉡ <u>이런 일엔 누군가 한 사람쯤 희생이 따른다는 사실을 각오해야 돼.</u>"

"무슨 뜻인지 알겠습니다. 제가 희생이 되죠. 피고용자한테도 권리는 있습니다. 들어올 때는 제 맘대로 못 들어오지만 나갈 때는 제 맘대로 나갈 수 있으니까요."

우기환이가 분연히 소파에서 일어나 빠른 걸음으로 도어를 향해 갔다. 순식간의 일이었다. 사장실을 나서는 우기환이와 엇갈려 웬 사내가 잽싸게 뛰어들었다. 다방에서 두 번 본 적이 있는 생산부의 잡역부 권 씨였다. 사장실로 들어서기 무섭게 권 씨는 민도식을 향해 눈자위를 하얗게 부릅떠 보였다. 우기환의 돌연한 행동에 초벌 놀랐던 도식은 권 씨의 험악한 표정에 재벌 놀라면서 엉거주춤 궁둥이를 들었다. 빨리 자리를 비켜달라는 권 씨의 무언의 협박이 빗발치고 있었다.

"㉢ <u>죄송해요, 사장님. 한사코 안 된다는데두 부득부득 우기면서 이 사람이…….</u>"

뒤쫓아 들어온 여비서를 손짓으로 내보낸 다음 사장이 말했다.

"어서 오게, 권 군."

자기보다 더 사정이 절박한 사람을 위해서 민도식은 사장실에서 물러나지 않을 수 없었다.

"잘 생각해서 스스로 결정을 내리도록 하게."

도어가 채 닫히기 전에 사장의 껄껄한 목소리가 도식의 등 뒤에 따라붙었다.

"장 선생 집에 전화 걸었더니 부인이 받데요. 새로 맞춘 유니폼 입구 아침 일찍 출근했다구요."

아내의 바가지 긁는 소리로 창업 기념일의 아침은 시작되었다. 체육대회가 열리는 제1공장까지 가자면 다른 날보다 더 일찍 나서야 되는데도 여전히 뭉그적거리고만 있는 남편 곁에서 아내는 시종 근심스런 눈초리를 거두지 않았다. 제복 때문에 총각 사원 하나가 사표를 던졌다는 소문을 아내는 믿지 않았다. 사표를 제출한 게 아니라 강제로 모가지가 잘린 거라고 굳게 믿고 있었다.

"까짓것 난 필요 없어. 거기 아니면 밥 빌어먹을 데 없는 줄 알아? 세상엔 아직도 유니폼 안 입는 회사가 수두룩하단 말야!"

거듭되는 재촉에 이렇게 큰소리로 대거리는 했지만 결국 민도식은 뒤늦게나마 집을 나서고 말았다.

시내를 멀리 벗어나서 교외에 널찍하게 자리 잡은 제1공장 앞에 당도했을 때는 벌써 개회식이 시작된 뒤였다. 공장 정문 철책 너머로 검정 곤색 일색의 운동장을 넘어다보는 순간 민도식은 갑자기 숨이 턱 막혀 옴을 느꼈다.

- 윤흥길, 「날개 또는 수갑」 -

(나)

**S# 29. 현의 집**

현을 끌고 오는 고 영감. 끌려오며 무어라고 잘못했다고 비는 현. 마당에 나뭇가지를 말리던 현 모 의아해 일어난다.

**고 영감** : (들어서며 대뜸) 너 야 앞에서 똑똑히 말하거라. 현이 애비가 왜 죽었느냐?

**현 모** : 무슨 말씀이신지 전…….

**고 영감** : 그게 훌륭한 죽음여? 그래서 철없는 자식헌티도 애비처럼 죽으라구 부추기는 거여?

**현 모** : 아버님 고정하시고…….

**고 영감** : 그 따위로 자식을 키우려거든 당장 오늘이라도 현인 내가 데려가서 키울란다.

**현** : 싫어. (할아버지 손을 탁 뿌리치고 밖으로 뛰어나간다.)

**현 모** : ……. 제가 잘못했습니다. 허지만 현이 아버지 죽음을 못난 죽음이라고는 말어 주세요.

**고 영감** : (조금 누그러지며) 지금 세상에 똑똑헌 놈 잘 되는 것 없어. 남이야 뭐라던 그저 죽어지내는 게 절 보존하는 거여……. 너도 명심허고 애를 그렇게 키워.

(중략)

**S# 36. 교정**

현이 가방 들고 나온다. 문득 멈춘다. 학교 직원실 건물 쪽에서 한 때의 학생들. 창백한 얼굴, 도수 높은 근시 안경의 M 선생을 고등계 형사 두 명이 연행해 가고 있다. 학생들이 수군거린다.

E*: 어떻게 된 거야?
E: 모종의 독서회를 열었고, 학생들에게 독립 사상을 주입시킨 혐의래.
태연히 냉소마저 머금고 지나치는 M 선생. 현과도 시선이 마주친다. 이상하게 흠칫 뒤로 물러서는 현.
M 선생: 공부를 잘해라.
지나치며 한마디 한다. 착잡한 시선으로 뒷모습 바라보는 현. 다시 교문을 향해 걸어 나가는데. "어이, 현아." 저쪽 나무 그늘 아래 또 한 떼 웅성대던 학생들 중에 연호가 부른다.
**현**: 연호, 너 안 갈래?
**연호**: 잠깐 와 봐.
그쪽으로 가는 현. 그쪽의 학생들 얼굴이 왠지 긴장해 있다. 그들 현을 자세히 본다. 약간 굳어지는 현.
**민영**: (나서며) 현은 우리의 뜻을 알 거다.
**현**: (어리둥절) 무슨 뜻?
**민영**: 현의 아버지는 삼일 혁명 당시 훌륭한 죽음을 하셨으니까…….
**현**: (흠칫. 무슨 뜻인지 안다.) …….
**민영**: ……. 아침에도 오 학년 학생 둘이 끌려갔어……. 또 끌려갈 거야……. 하지만 우리는 중단할 수 없어.
**현**: (주저) …….
**민영**: 잡혀간 철웅이 아버님이 주재소로 끌려가 매를 맞고 돌아와서 돌아가셨대……. ㉣ <u>너의 아버진 우리의 우상이야.</u> 너도 우리와 뜻을 같이해 주어.
**현**: (입술이 탄다.) …….
**연호**: (두둔하며) 현은 말 안 해도 우리의 뜻을 알아.
**현**: (당황) 아니 그보다…….
**민영**: 그보다 뭐야?
**현**: ……. 우리가 비밀 운동이나 조직한다구 무어가 달라질까?
**민영**: 뭐?
**현**: 글쎄……. 우리들 힘이나 잡혀간 M 선생님의 힘으로 뭐가 거대한 것이 달라질까 말이야…….
**민영**: (발끈) 그렇다고 우리는 언제까지나 수동적이어야만 하니.
**현**: (우물쭈물) 글쎄……. 난 당장 해야 할 숙제나 시험만 해도 과중해서…….
일순 굳어지는 야릇한 공기.
**현**: 미안해…….
돌아서 간다. 등 뒤에서 들리는 소리.
**민영**: 비겁한 자식. (움찔 멈춰 서는 현.)
**연호**: (변명하며) 아냐. ㉤ <u>현이는 홀어머니 때문에 가볍게 움직일 수 없어.</u>

– 선우휘 원작, 이은성 · 윤삼육 각색, 「불꽃」 –

*E: 효과음(effect). 화면에 삽입된 음향

**20.** (가)와 (나)의 공통점으로 가장 적절한 것은?

① 인물 간의 대화를 통해 사건의 긴장감을 조성하고 있다.
② 새로운 인물이 등장하여 갈등 해소의 계기를 마련하고 있다.
③ 과거 장면을 통해 인물의 성격이 변화한 원인을 드러내고 있다.
④ 공간적 배경을 사실적으로 묘사하여 시대 상황을 구체화하고 있다.
⑤ 동시에 일어난 사건을 나란히 배치하여 서사 진행을 지연시키고 있다.

**21.** <보기>를 바탕으로 (가)와 (나)를 이해한 것으로 적절하지 <u>않은</u> 것은? [3점]

<보 기>

소설과 시나리오에서 세계에 대응하는 자아의 양상은 다양하고 복합적이다. ⓐ <u>세계의 횡포에 좌절하거나 순응하는 자아</u>도 있고, ⓑ <u>쉽사리 세계에 굴복당하지 않으려는 자아</u>도 있다. 한편 위의 두 자아가 한 인물 내에서 충돌하는 경우도 있다.

① (가)의 '아내'가 장 선생은 '유니폼 입'고 '일찍 출근했다'며 재촉하는 것은 ⓐ, (나)의 '현 모'가 남편의 죽음을 '못난 죽음이라고는 말'라며 뜻을 굽히지 않는 것은 ⓑ의 양상으로 볼 수 있군.
② (가)의 '장상태'가 '즉각 들어오'라며 과장이 '방금 사장실로 들어갔'다고 전화한 것과 (나)의 '고 영감'이 '죽어지내는 게 절 보존하는 거'라 여기는 것은 모두 ⓐ의 양상으로 볼 수 있군.
③ (가)의 '우기환'이 '나갈 때는 제 맘대로 나갈 수 있으니까요.'라며 일어난 것과 (나)의 '민영'이 '언제까지나 수동적이어야만 하니.'라며 반문한 것은 모두 ⓑ의 양상으로 볼 수 있군.
④ (가)의 '민도식'이 '세상엔 아직도 유니폼 안 입는 회사가 수두룩하다'며 대거리하면서도 집을 나서 체육대회 장소로 가는 것은 ⓐ와 ⓑ가 공존하는 양상으로 볼 수 있군.
⑤ (나)의 '현'이 '우리들 힘'으로 '뭐가 거대한 것이 달라질까'라고 하면서 '미안하'다는 말을 남기고 돌아서는 것은 ⓐ에서 ⓑ로 전환되는 양상으로 볼 수 있군.

**22.** <보기>는 (나)의 S# 36에 해당하는 원작 소설 부분이다. 이 부분을 시나리오로 각색하는 과정에서 고려했을 사항으로 적절하지 <u>않은</u> 것은?

<보 기>

들려오는 사건의 내용은 M 선생이 주최하여 몇 명의 학생이 불온한 독서회를 열었고, 모종 과격한 행동까지 꾀했다는 것이었다. 현은 어느 땐가 R한테서 그런 권유를 받은 일이 있었으나 당장 해야 할 숙제나 시험만 해도 자기에겐 과중하다고 거절했던 일을 생각했다. 끌려간 M 선생은 학생들의 은근한 여론 속에서 하나의 우상이 되고 말았다. 더욱 옥중에서 쪽지를 보내 학생들을 격려했다는 소문은 어쩔 수 없는 흥분의 도가니를 이루게 했다.

① 연행되는 M 선생과 현이 마주치는 장면을 삽입한다.
② M 선생이 우상이 되어가는 과정을 대사로 제시한다.
③ M 선생이 연행되는 이유는 효과음을 사용해 드러낸다.
④ M 선생이 옥중에서 보낸 쪽지와 관련된 내용은 생략한다.
⑤ 권유를 받은 현이 당황해하는 모습을 지시문으로 추가한다.

11 회

23. (가)에 대해 <학습 활동>을 수행한 내용으로 가장 적절한 것은?

<학습 활동>

이 작품의 제목은, 중심 소재인 '옷'이 가지는 상반된 의미를 통해 주제 의식을 상징적으로 드러내고 있다. '민도식'이 한 아래의 말을 참고하여 제목의 의미를 이해해 보자.

"옷에는 보호 기능과 표현 기능이 있다고 들었습니다. 우리가 옷에서 바랄 수 있는 건 그 두 가지 기능만으로 충분하다고 믿고 있습니다. 제복으로 사원들 간에 일체감을 조성해서 회사를 더욱 더 발전시키겠다고 그러시지만 제 생각엔 그렇게 해서 얻어지는 단결력보다는 제복에 눌려서 개성이 위축되고 단결력에 밀려서 자유로운 창의력이 퇴보되는 데서 오는 손실이 더 클 것 같습니다."

① 옷이 조직원을 단결시킬 때는 '날개'이지만, 조직원의 자유를 억압할 때는 '수갑'이겠군.
② 옷이 개성을 표출하게 할 때는 '날개'이지만, 창의력을 퇴보시킬 때는 '수갑'이겠군.
③ 옷이 새로운 기능을 할 때는 '날개'이지만, 기존의 기능을 할 때는 '수갑'이겠군.
④ 옷이 조직을 발전시킬 때는 '날개'이지만, 조직을 일체화할 때는 '수갑'이겠군.
⑤ 옷이 표현 수단일 때는 '날개'이지만, 보호 수단일 때는 '수갑'이겠군.

24. ㉠ ~ ㉤에 대한 설명으로 적절하지 않은 것은?

① ㉠: 착용 여부를 선택할 수 있도록 도와줄 것을 약속하며 회유하고 있다.
② ㉡: 제복 제정에 반대하는 사람에게 불이익이 있을 것이라고 압박하고 있다.
③ ㉢: 사장을 반드시 만나고자 하는 권 씨를 제지하기에는 역부족이었다고 해명하고 있다.
④ ㉣: 현을 설득하기 위해 현의 아버지에 대한 자신의 생각을 드러내고 있다.
⑤ ㉤: 현의 가족 상황을 고려하여 그의 입장을 대변하고 있다.

**[25 ~ 30] 다음 글을 읽고 물음에 답하시오.**

고래의 유선형 몸매나 북극곰의 흰색 털처럼 주어진 환경에 어울리는 생물학적 '적응'은 어떻게 일어났을까? 찰스 다윈은 『종의 기원』에서 '자연선택에 의한 진화'를 그 해답으로 제시하였다. 개체*의 번식에 도움이 되는 유전적 변이만을 여러 세대에 걸쳐 우직하게 골라내는 자연선택의 과정이 결국 환경에 딱 맞는 개체를 만들어낸다는 것이다. 다윈은 자연선택이 각 개체의 적합도(fitness), 즉 번식 성공도를 높이는 방향으로 ⓐ 일어난다고 보았다.

그렇다면 자신은 번식을 하지 않으면서 집단을 위해 평생 헌신하는 일벌이나 일개미의 행동은 어떻게 설명할 수 있을까? 다윈은 그와 같은 경우 집단의 번성에 이득을 주므로 자연선택이 되었다고 결론을 내렸는데, 이것은 자연선택이 개체에게 이득이 되는 방향으로 일어난다는 그의 기본적인 생각에서 벗어난 것이었다.

윌리엄 해밀턴은 다윈 이론의 틀 안에서 일벌이나 일개미와 같은 개체의 이타적 행동이 자연선택 되는 과정을 규명하고자 하였다. 즉, 다윈 시대에는 없던 '유전자' 개념을 진화 이론에 도입함으로써, 개체 자신의 번식 성공도는 낮추면서 상대방의 번식 성공도를 높이는 이타적 행동이 여러 세대를 거치면서 결국은 개체 자신에게 이득이 되는 방향으로 자연선택이 됨을 입증하려 한 것이다.

다윈이 정리한 자연선택의 과정을 해밀턴은 각 개체가 다음 세대에 자신의 유전자 복제본을 더 많이 남기는 과정으로 보았다. 이때 행위 당사자인 개체는 자기 자신의 번식 성공도를 높임으로써 직접 자신의 유전자 복제본을 남길 수도 있지만, 자신과 유전자를 공유할 확률이 있는 상대의 번식 성공도를 높이는 데 도움을 줌으로써 간접적으로 자신의 유전자 복제본을 남길 수도 있다. 쉽게 설명하면, 철수는 스스로 자식을 많이 낳음으로써 직접 자신의 유전자 복제본을 다음 세대에 남길 수도 있지만, 유전자를 공유하고 있는 동생 영수가 자식을 많이 낳도록 도움으로써 자신의 유전자 복제본을 다음 세대에 남길 수도 있는 것이다. 해밀턴은 전자는 '직접 적합도'를 높이는 것으로, 후자는 ㉠'간접 적합도'를 높이는 것으로 설명하며, 개체의 자연선택은 두 적합도를 합한 '포괄 적합도'를 높이는 방향으로 일어난다고 보았다.

해밀턴에 따르면 이타적 행동 또한 개체의 포괄 적합도를 높이는 방향으로 자연선택이 일어난다. 그런데 이타적 행동은 개체 자신의 번식 성공도인 직접 적합도를 낮추게 되므로 그를 상쇄하고도 남을 정도로 간접 적합도를 높일 수 있어야 자연선택이 일어날 수 있다. 즉, 개체 자신이 남기는 유전자 복제본에 대한 손실보다 유전자를 공유할 확률이 있는 상대방을 통해 남기는 유전자 복제본에 대한 이득이 더 클 때 이타적 행동은 선택되는 것이다.

이때 개체와 상대방이 유전자를 공유할 확률을 '유전적 근연도'라 하는데, 유전적으로 100% 같은 경우는 유전적 근연도가 1이 된다. 유전적 근연도의 값이 클수록 개체와 상대방이 유전자를 공유할 가능성이 크므로, 개체가 상대방을 통해 자신의 유전자 복제본을 남길 수 있는 가능성 또한 커진다.

[A]
이를 바탕으로 해밀턴은 아래와 같은 '해밀턴 규칙'을 도출하였다.

$$rb > c \text{ (단, } b>c>0\text{으로 가정함.)}$$

즉, 이타적 행동은 그로 인해 상대방이 얻는 이득(b)이 충분히 커서 1보다 작은 유전적 근연도(r)를 가중하더라도 개체가 감수하는 손실(c)보다 클 때 선택된다는 것을 확인할 수 있다. 이러한 해밀턴의 규칙은 이득, 손실, 유전적 근연도의 세 가지 변수를 활용하여 이타성이 진화하는 조건을 알려 준다.

해밀턴의 '포괄 적합도 이론'은 다윈의 이론을 발전시켜 이타성이 왜 진화했는지를 매끄럽게 설명함으로써 진화생물학자들이 이타적 행동에 대해 통찰력을 가질 수 있는 계기를 제공하였으며, 자연선택이 유전자의 수준에서 일어난다는 점을 분명히 하여 이후 진화에 대한 연구의 길잡이가 되었다.

* 개체 : 하나의 독립된 생물체

**25.** 윗글의 표제와 부제로 가장 적절한 것은?

① 진화생물학의 발전 과정
　- 적합도에 관한 논쟁을 중심으로
② 해밀턴 규칙의 성립 조건
　- 유전자, 개체, 집단의 위계성을 중심으로
③ 자연선택을 통한 생물학적 적응
　- 유전적 근연도 값을 중심으로
④ 포괄 적합도 이론의 의의와 한계
　- 진화의 패러다임 변화를 중심으로
⑤ 이타적 행동이 자연선택 되는 이유
　- 해밀턴의 이론을 중심으로

**26.** 윗글을 이해한 내용으로 적절하지 <u>않은</u> 것은?

① 개체가 주어진 환경에 적응한 것은 자연선택의 결과이다.
② 유전적 근연도는 두 개체 간에 유전자를 공유할 확률을 의미한다.
③ 개체의 포괄 적합도를 높이는 데 기여하지 못하는 유전적 변이는 자연선택에서 도태된다.
④ 해밀턴은 다윈이 살았던 시기에는 없었던 개념을 적용하여 이타적 행동의 진화를 설명하였다.
⑤ 진화생물학자들은 이타성이 진화하는 다양한 이유를 제시하여 해밀턴의 이론을 뒷받침하였다.

**27.** [A]를 바탕으로 할 때, ㉮ ~ ㉰에 들어갈 말로 적절한 것은?

두 개체 사이의 유전적 근연도가 ( ㉮ ), 손실에 비해 이득이 ( ㉯ ) 이타적 행동은 선택되기 ( ㉰ ).

| | ㉮ | ㉯ | ㉰ |
|---|---|---|---|
| ① | 낮을수록 | 작을수록 | 쉽다 |
| ② | 낮을수록 | 클수록 | 어렵다 |
| ③ | 높을수록 | 작을수록 | 쉽다 |
| ④ | 높을수록 | 클수록 | 쉽다 |
| ⑤ | 높을수록 | 작을수록 | 어렵다 |

**28.** <보기>를 참고하여 일벌에 대해 이해한 내용으로 적절하지 <u>않은</u> 것은? [3점]

<보 기>

성 염색체에 의해 성이 결정되는 사람과 달리, 벌은 염색체 수에 의해 성이 결정된다. 한 짝의 염색체를 가지면 수컷, 두 짝의 염색체를 가지면 암컷이 된다. 암컷들은 수벌에게서 받는 한 짝의 염색체를 공유하고, 나머지 한 짝은 여왕벌이 가지고 있는 두 짝의 염색체 중에서 하나를 물려받는다. 암컷은 발육 과정에서 여왕벌과 일벌로 분화되는데, 그중 일벌은 번식을 포기하고 평생 친동생을 키우며 산다.

① 일벌들 간의 유전적 근연도는 1이다.
② 일벌의 직접 적합도는 0으로 볼 수 있다.
③ 일벌이 살아가는 모습은 이타적 행동으로 볼 수 있다.
④ 일벌의 간접 적합도를 높이는 방향으로 자연선택이 일어난다.
⑤ 일벌이 친동생을 키우는 것은 결국 개체 자신에게 이득이 되기 때문이다.

**29.** ㉠의 이유로 가장 적절한 것은?

① 개체 수준의 자연선택을 결정하는 요소이기 때문에
② 행위 당사자와 상대방의 유전자가 동일하기 때문에
③ 상대방을 통해 자신의 유전자 복제본을 남기는 것이 어렵기 때문에
④ 행위 당사자의 번식 성공도와 상대방의 번식 성공도는 무관하기 때문에
⑤ 다음 세대에 남기는 자신의 유전자 복제본 개수에 영향을 미칠 수 있기 때문에

**30.** 밑줄 친 단어 중, ⓐ와 문맥적 의미가 가장 유사한 것은?

① 사람마다 <u>일어나는</u> 시간이 다르다.
② 자동차가 지나가자 흙먼지가 <u>일어났다</u>.
③ 한류 열풍이 새로운 형태로 <u>일어나고</u> 있다.
④ 심사 결과를 발표하자 큰 환호성이 <u>일어났다</u>.
⑤ 그들은 자리에서 <u>일어나</u> 문을 향해 걸어갔다.

[31 ~ 34] 다음 글을 읽고 물음에 답하시오.

**[앞부분의 줄거리]** 유백로는 조은하에게 백학선(백학이 그려진 부채)을 주며 결혼을 약속한다. 유백로는 조은하를 보호하기 위해 가달과의 전쟁에 원수로 출전하였으나, 간신 최국냥이 군량 보급을 끊어 적군에 사로잡힌다. 태양선생과 충복의 도움으로 유백로의 소식을 접한 조은하는 황제 앞에서 능력을 증명하고 정남대원수로 출전한다. 가달과 대결하던 중 조은하는 선녀가 알려 준 백학선의 사용 방법을 떠올린다.

원수가 말에서 내려 하늘에 절하고 주문을 외워 백학선을 사면으로 부치니 천지가 아득하고 뇌성벽력이 진동하며 무수한 신장(神將)이 내려와 도우니 저 가달이 아무리 용맹한들 어찌 당하리오? 두려워하여 일시에 말에서 내려 항복하니 원수가 가달과 마대영을 마루 아래 꿇리고 크게 꾸짖어,

"네가 유 원수를 모셔 와야 목숨을 용서하려니와, 그렇지 않은즉 군법을 시행하리라."

하니, 가달이 급히 마대영에게 명하여 유 원수를 모셔오라 하거늘 마대영이 급히 달려 유 원수 있는 곳에 나아가,

"원수는 저의 구함이 아니런들 벌써 위태하셨을 터이오니 저의 공을 잊지 마소서."

하고 수레에 싣고 몰아가거늘 원수가 아무런 줄 모르고 마루 아래 다다르니 한 소년 대장이 맞이하여,

"낭군이 대대 명가 자손으로 이렇듯 곤함은 모두 운명이라. 안심하여 개의치 마소서."

하거늘, 유 원수가 눈을 들어본즉 이는 평생에 전혀 알지 못한 사람이라. 손을 들어 칭찬하며,

"뉘신지는 모르거니와 뜻밖에 죽어 가는 사람을 살려 본국 귀신이 되게 하시니 [ ㉮ ]이오나, 이제 패군한 장수가 되어 군부(君父)를 욕되게 하오니 무슨 면목으로 군부를 뵈오리오? 차라리 이곳에서 죽어 죄를 갚을까 하나이다."

원수가 재삼 위로하며,

"장수 되어 일승일패(一勝一敗)는 병가상사(兵家常事)*이오니 과히 번뇌치 마소서."

유 원수가 예를 갖추어 인사하더라. 가달과 마대영을 죄인이 타는 수레에 싣고 회군할 새 먼저 승전한 첩서*를 올리고 승전고를 울리며 행군하는데 유 원수가 부끄러워하는 기색이 가득한 것을 보고 조 원수가 묻기를,

"장군이 이제 사지(死地)를 벗어나 고국으로 돌아오시니 다행하거늘 어찌 이렇듯 수척하신지요?"

원수가 탄식하며,

"제가 불충불효한 죄를 짓고 돌아오니 무엇이 즐거우리이까? 원수가 이렇듯 걱정하시니 황공 불안하여이다."

조 원수가 짐짓 묻기를,

"듣자온즉 원수가 일개 여자를 위하여 자원 출전하셨다 하오니 이 말이 옳으니이까?"

유 원수가 부끄러워하며 대답이 없거늘 조 원수가 또 묻기를,

[A] "장군이 전에 길에서 일개 여자를 만나 백학선에 글을 써 주었더니 그 여자가 장성하여 백년을 기약하나 임자를 만나지 못하여 사면으로 찾아 서주에 이르러 장군의 비문을 보고 기절하여 죽었다 하오니 어찌 애석하지 않으리오?"

유 원수가 듣고서 비참하여 탄식하기를,

"제가 군부에게 욕을 끼치고 또 여자에게 원한을 쌓게 하였으니 내 차라리 죽어 모르고자 하나이다."

원수가 미소하고 백학선을 내어 부치거늘 유 원수가 이윽고 보다가 묻기를,

"원수는 그 부채를 어디서 얻었나이까?"

원수가 대답하기를,

"제 조부께서 상강현령으로 계실 때에 용왕의 현몽을 받고 얻으신 것이오니다."

유 원수가 다시 묻지 아니하고 내심 헤아리기를, '세상에 같은 부채가 있도다.'하고 재삼 보거늘 원수가 이를 보고 참지 못하여,

"장군이 정신이 가물거려 친히 쓴 글씨를 몰라보시는도다."

하고 부채를 유 원수 앞에 놓으니 유 원수가 비로소 조 소저인 줄 알고 비회를 이기지 못하여 나아가 그 손을 잡고

[B] "이것이 꿈인지 생시인지 깨닫지 못하리로다. 나는 대장부로 불충불효를 범하고 몸이 죽을 곳에 들었으되 그대는 규중 여자로 출전입공(出戰立功)하고 죽은 사람을 살리니 가히 규중 호걸이로다."

하며 여취여광(如醉如狂)*하거늘 조 소저가 또한 슬픔과 기쁨이 교차하나 군중이라 말씀할 곳이 아니오, 황상이 기다리심을 생각하고 행군을 재촉하니라.

위수에 이르러 용신(龍神)께 제사하고 3만 군 혼백을 위로한 후 사당을 지어 사적(事績)*을 기록하고 농토를 나누어주고 철마다 제사를 받들고 장졸을 놓아 보내어 말하기를,

"돌아가 부모처자를 반기라."

하고 남은 군졸을 거느려 행하여 아미산에 이르러서 유 원수의 선산(先山)에 성묘하고 전날 주인과 이웃을 모아 옛일을 이르며 금은을 흩어주고 태양선생을 찾아 전날 베푼 덕택을 사례한 후 늙은 종 충복을 찾아 천금을 상사*한 후 서울로 향하니라.

조 원수가 표(表)를 올리기를,

"정남대원수 조은하는 돈수백배*하옵고 천자께 올리나니 신첩이 폐하의 특은을 입어 한 번 북을 울려 오랑캐를 소멸하옵고 유 원수를 구하오니 신첩의 외람하온 죄를 거의 갚을 듯하옵니다. 어전에 보고하올 일이 급하오나 조상 분묘를 수리하고 죄를 기다리겠나이다."

하였더라.

상이 다 읽으시고 칭찬하여,

"기특하도다. 조은하는 규중여자로 출전입공함은 고금에 희한한 일이로다."

하시고 최국냥은 허리를 베어 죽이라 하시며 그 가족을 귀양 보내라 하시었다.

– 작자 미상, 「백학선전」 –

* 병가상사 : 전쟁에서 흔히 있는 일
* 첩서 : 보고하는 글
* 여취여광 : 이성을 잃은 상태를 비유적으로 이르는 말
* 사적 : 일의 실적이나 공적
* 상사 : 칭찬하여 상으로 물품을 내려 줌
* 돈수백배 : 머리가 땅에 닿도록 계속 절을 함

31. 윗글에 대한 설명으로 적절한 것만을 고른 것은?

ㄱ. 서사의 진행 과정에 비현실적인 요소가 개입되어 있다.
ㄴ. 꿈과 현실을 교차하여 사건을 입체적으로 구성하고 있다.
ㄷ. 인물의 심리를 구체적인 외양 묘사를 통해 드러내고 있다.
ㄹ. 공간의 이동에 따른 인물의 행적을 요약적으로 제시하고 있다.

① ㄱ, ㄴ ② ㄱ, ㄷ ③ ㄱ, ㄹ
④ ㄴ, ㄷ ⑤ ㄷ, ㄹ

32. [A]와 [B]에 대해 이해한 내용으로 가장 적절한 것은?

① [A]는 상대의 잘못을 꾸짖고 있으며, [B]는 상대를 위로하고 있다.
② [A]는 상대의 속마음을 떠보고 있으며, [B]는 상대를 칭송하고 있다.
③ [A]는 상대의 처지를 걱정하고 있으며, [B]는 상대를 치하하고 있다.
④ [A]는 상대의 능력을 시험하고 있으며, [B]는 상대를 회유하고 있다.
⑤ [A]는 상대에 대한 서운함을 드러내고 있으며, [B]는 상대를 설득하고 있다.

33. <보기>를 바탕으로 윗글을 감상한 내용으로 적절하지 않은 것은? [3점]

<보 기>

「백학선전」은 결혼을 약속한 남녀 주인공이 고난을 이겨내고 재회하는 애정소설의 성격을 지닌다. 또한 남성 중심의 사회적 규범을 극복한 여자 주인공이 영웅적 면모를 보이는 여성영웅소설의 성격도 지닌다. 「백학선전」은 백학선이라는 소재에 다양한 서사적 기능을 부여함으로써 두 가지 성격을 유기적으로 구현했지만, 여자 주인공을 예외적인 존재로 그려 여성에 대한 사회적 인식을 변화시키지 못했다는 한계를 지니기도 한다.

① 조은하가 오랑캐를 물리친 것에서 영웅으로서의 모습을 확인할 수 있군.
② 황상의 말을 통해 조은하를 예외적인 존재로 여기고 있음을 확인할 수 있군.
③ 유백로와 조은하가 백년을 기약하고 헤어졌다가 다시 만났다는 점에서 애정소설의 성격을 지닌다고 할 수 있군.
④ 조은하가 공적을 세운 후 황상에게 죄를 기다린다고 한 점에서 남성 중심의 사회적 규범을 극복하였음을 알 수 있군.
⑤ 조은하가 위기를 극복하는 것과 유백로가 조은하를 알아보는 것에 기여한다는 점에서 백학선의 서사적 기능을 알 수 있군.

34. ㉮에 들어갈 말로 가장 적절한 것은?

① 백골난망(白骨難忘) ② 사면초가(四面楚歌)
③ 어부지리(漁夫之利) ④ 이심전심(以心傳心)
⑤ 적반하장(賊反荷杖)

**[35 ~ 37] 다음 글을 읽고 물음에 답하시오.**

(가)

[A] 이 길을 만든 이들이 누구인지를 나는 안다
[B] 이렇게 길을 따라 나를 걷게 하는 그이들이
지금 조릿대밭 눕히며 소리치는 바람이거나
이름 모를 풀꽃들 문득 나를 쳐다보는 수줍음으로 와서
내 가슴 벅차게 하는 까닭을 나는 안다
[C] 그러기에 짐승처럼 그이들 옛 내음이라도 맡고 싶어
나는 자꾸 집을 떠나고
그때마다 서울을 버리는 일에 신명나지 않았더냐
[D] 무엇에 쫓기듯 살아가는 이들도
힘을 다하여 비칠거리는 발걸음들도
무엇 하나씩 저마다 다져놓고 사라진다는 것을
뒤늦게나마 나는 배웠다
[E] 그것이 부질없는 되풀이라 하더라도
그 부질없음 쌓이고 쌓여져서 마침내 길을 만들고
길 따라 그이들을 따라 오르는 일
이리 힘들고 어려워도
왜 내가 지금 주저앉아서는 안 되는지를 나는 안다

– 이성부, 「산길에서」 –

(나)

잃어버렸습니다.
무얼 어디다 잃었는지 몰라
두 손이 주머니를 더듬어
길에 나아갑니다.

돌과 돌과 돌이 끝없이 연달아
길은 돌담을 끼고 갑니다.

담은 쇠문을 굳게 닫아
길 위에 긴 그림자를 드리우고

길은 아침에서 저녁으로
저녁에서 아침으로 통했습니다.

돌담을 더듬어 눈물짓다
쳐다보면 하늘은 부끄럽게 푸릅니다.

풀 한 포기 없는 이 길을 걷는 것은
담 저쪽에 내가 남아 있는 까닭이고,

내가 사는 것은, 다만,
잃은 것을 찾는 까닭입니다.

– 윤동주, 「길」 –

35. (가)와 (나)에 대한 설명으로 가장 적절한 것은?

① (가)는 (나)와 달리 자연물에 인격을 부여하여 대상과의 교감을 드러내고 있다.
② (나)는 (가)와 달리 동일한 종결 어미를 반복하여 운율감을 높이고 있다.
③ (가)와 (나)는 모두 색채어를 활용하여 공간에 대한 인식을 드러내고 있다.
④ (가)와 (나)는 모두 공감각적 심상을 제시하여 대상에 입체감을 부여하고 있다.
⑤ (가)는 계절의 변화를 통해, (나)는 공간의 이동을 통해 시상을 구체화하고 있다.

36. (가)의 화자에 대한 이해로 적절하지 않은 것은?

① [A] : 길을 만든 이들이 누구인지 지각하고 있다.
② [B] : 삶의 고달픔이 어디에서 비롯되는지를 깨닫고 있다.
③ [C] : 집을 버리고 산길을 찾는 것에 즐거움을 느끼고 있다.
④ [D] : 사람은 누구나 삶의 자취를 남긴다는 사실을 알게 되었다.
⑤ [E] : 산길을 걷는 과정에서 포기하지 않는 삶의 태도를 다짐하고 있다.

37. <보기>를 참고하여 (나)를 감상한 내용으로 적절하지 않은 것은? [3점]

<보 기>

이 시는 '길'이라는 상징적 소재를 통해 '잃어버린 나'를 되찾으려는 화자의 모습을 잘 보여 주는 작품이다. 이 시의 화자는 부정적 상황 속에서 자기 탐색과 성찰을 통해, '잃어버린 나'를 회복하려고 끊임없이 노력하는 모습을 보인다.

① 굳게 닫힌 '쇠문'을 통해 화자가 처한 부정적 상황을 드러낸다고 할 수 있군.
② 길이 '저녁에서 아침으로 통했'다는 것은 자기 탐색의 과정이 끊임없이 이어짐을 의미하겠군.
③ '눈물짓'는 행위는 절망적 상황을 극복하려는 화자의 노력을 나타낸 것이겠군.
④ '부끄럽게'를 통해 화자가 하늘을 보며 자기 성찰을 하고 있음을 짐작할 수 있군.
⑤ 화자가 길을 걷는 이유는 '담 저쪽'의 '나'를 회복하기 위해서이겠군.

[38 ~ 42] 다음 글을 읽고 물음에 답하시오.

물가란 시장에서 거래되는 개별 상품의 가격을 종합하여 평균한 것으로, 물가 변동은 전반적인 상품의 가격 변동을 나타낸다. 물가지수는 이러한 물가 변동을 알기 쉽게 지수화한 경제지표를 일컫는다. 지수란 기준이 되는 시점의 수치를 100으로 해서 비교 시점의 수치를 나타낸 것인데, 이를테면 어느 특정 시점의 물가지수가 115라면 이는 기준 시점보다 물가 수준이 15% 높다는 것을 의미한다.

물가지수를 정확하게 측정하려면 모든 재화와 서비스의 가격 변동을 조사해야 하지만 이는 현실적으로 불가능하다. 그래서 정부는 일정 기준에 의해 선정된 대표 품목만을 대상으로 가격을 조사하여 물가지수를 구한다. 이때 선정된 품목들의 가격지수부터 구하게 되는데, 가격지수란 기준이 되는 시점에서 개별 상품의 가격 변동을 지수로 나타낸 수치를 말한다. 이처럼 선정된 품목들의 개별 가격지수의 합을 평균하는 방법으로 물가 수준의 변화를 파악하는 것을 단순물가지수라고 한다. 그러나 모든 품목이 전체 물가에 동일한 영향을 주는 것으로 전제하기 때문에 단순물가지수로 현실적인 물가 상승률을 드러내는 데에는 한계가 있다. 따라서 해당 품목이 차지하는 중요도에 따라 가격지수에 가중치를 부여하여 체감 물가에 근접한 결과를 측정하고자 한다. 이때 품목별 가중치를 가격지수에 곱한 후 합하여 얻어지는 값을 가중물가지수라고 한다. 가중물가지수는 거래 비중이 큰 품목의 가격 변동이 물가지수에 더 많이 영향을 미치도록 계산한 것이다.

이러한 물가지수는 어떤 용도로 쓰일까? 먼저, 물가지수는 화폐의 구매력을 측정할 수 있는 수단이 된다. 만일 시장에서 물가가 지속적으로 상승하는 경우 구입할 수 있는 상품의 양은 물가가 오르기 전보다 감소하게 되므로 화폐의 구매력은 떨어지게 된다. 다음으로, 물가지수는 경기판단지표로서의 역할을 한다. 일반적으로 물가는 경기가 호황일 때 수요 증가에 의하여 상승하고 경기가 불황일 때 수요 감소로 하락한다.

또한 물가지수는 명목 가치를 실질 가치로 바꾸는 역할을 한다. 금액으로 표시되어 있는 통계 자료를 다룰 때 종종 현재의 금액을 과거 어느 시점(T년도)의 금액으로 환산할 필요성을 느끼게 되는데, 이때 물가지수가 이용된다. 현재의 금액을 두 기간 사이의 물가지수 비율로 나누어 과거 시점의 금액으로 환산할 수 있는 것이다.

$$\text{T년도 금액} = \text{현재 금액} \div \frac{\text{현재물가지수}}{T\text{년도물가지수}}$$

이처럼 금액으로 표시되어 있는 통계 자료를 물가지수 등락률로 나눔으로써 가격 변동 효과를 제거할 수 있는데, 원래의 통계치인 '현재 금액'은 명목 가치에, 환산하여 얻어지는 통계치인 'T년도 금액'은 실질 가치에 해당한다.

물가지수는 이용 목적에 따라 여러 가지 형태로 작성되는데, 그것을 보여주는 사례가 소비자물가지수와 생산자물가지수이다. 소비자물가지수는 소비자가 일상생활에서 구입하는 상품이나 서비스의 가격 변동을 알아보기 위해, 생산자물가지수는 생산자가 생산을 위해 거래하는 상품의 가격 변동을 알아보기 위해 작성된다. 이때 어떤 품목의 가격 변동이 중요한가는 생산자와 소비자의 입장에 따라 다르다. 예를 들어, 지하철 요금의 인상은 일반 소비자들에게는 물가 상승의 현실로 다가오지만 기업에게는 생산원가의 직접적인 인상 요인으로 다가오지는 않는다. 그러나 철판 가격의 인상은 소비자보다 생산자에게 중요한 영향을 미친다. 따라서 ㉠ 생산자의 입장에서 유용한 물가지수와 소비자의 입장에서 유용한 물가지수는 다르게 작성된다.

두 물가지수가 같은 품목을 포함한다고 하더라도 품목에 부여하는 가중치는 서로 다르다. 예를 들어 경유는 기업에서 연료로 쓰이는 비중이 크기 때문에 생산자물가지수를 산출할 때 부여하는 가중치가 소비자물가지수에서보다 훨씬 크다. 반면, 채소는 가계에서 소비하는 비중이 커서 소비자물가지수를 산출할 때 부여하는 가중치가 생산자물가지수에서보다 크다. 이는 생산자물가지수의 품목별 가중치는 매출액 기준으로 산출되기 때문에 매출액이 큰 품목일수록 가중치가 큰 데 비하여, 소비자물가지수의 품목별 가중치는 도시가계 소비 지출액 기준이므로 소비 지출액이 큰 품목의 가중치가 더 크게 나타나기 때문이다. 이처럼 조사하는 품목이 다르고, 같은 품목이라고 하더라도 두 지수에서 적용되는 가중치가 다르다 보니 소비자물가지수와 생산자물가지수가 서로 다른 방향의 변동을 나타내거나, 같은 방향으로 움직이더라도 변동 수준에 차이를 보이는 경우를 쉽게 볼 수 있다.

생산자물가지수는 소비자물가지수에 앞서 움직이는 양상을 보이기도 하는데, 이는 가격 조사 단계의 차이에서 원인을 찾을 수 있다. 생산자물가지수는 생산자 판매 단계의 공장도 가격을 조사하여 작성되는 반면, 소비자물가지수는 소비자 구입 단계의 소매 가격을 조사하여 작성된다. 원재료, 중간재 등을 포괄하는 생산자물가지수에는 시장 변화의 영향이 곧바로 파급되지만, 소비자물가지수에는 몇 차례의 가공 단계를 거쳐 소비재로 만들어진 후에야 그 영향이 도달하게 되므로 생산자물가지수가 소비자물가지수보다 앞서 변동하게 되는 것이다. 즉, 생산자물가지수의 상승은 시차를 두고 소비자물가지수의 상승으로 이어질 가능성이 높다. 이와 같은 이유로 소비자물가지수의 선행지표로서 생산자물가지수를 이해하기도 한다.

38. 윗글을 통해 확인할 수 없는 것은?

① 물가와 물가지수의 차이점은 무엇인가?
② 물가지수를 측정하는 방법은 무엇인가?
③ 물가지수의 용도에는 어떤 것들이 있는가?
④ 물가지수의 개념은 어떻게 변화해 왔는가?
⑤ 물가지수와 경기 상황은 어떤 관계가 있는가?

39. 윗글을 읽고 이해한 내용으로 적절하지 않은 것은?

① 화폐의 구매력은 물가의 움직임에 따라 변화하는군.
② 물가지수는 시장의 수요 변화에 큰 영향을 미치는군.
③ 명목 가치에서 가격 변동 효과를 제거함으로써 실질 가치를 구할 수 있군.
④ 시장의 수요가 증가하면 같은 소득으로 시장에서 구매할 수 있는 상품의 양이 줄어들겠군.
⑤ 현재의 금액을 과거의 금액으로 환산할 때 현재 물가지수가 과거 물가지수보다 높을수록 환산된 금액이 적어지겠군.

40. ㉠에 대한 이해로 가장 적절한 것은?

① 소비자와 생산자가 물가지수를 이용하는 목적은 동일하다.
② 소비자와 생산자의 입장에 따라 실질 가치를 산출하는 계산식이 다르다.
③ 소비자와 생산자로 대상을 분류하면 보다 쉽게 물가지수를 측정할 수 있다.
④ 소비자물가지수의 조사 대상 품목군과 생산자물가지수의 조사 대상 품목군은 일치하지 않는다.
⑤ 소비자물가지수와 생산자물가지수 중 하나만 가지고는 전반적인 상품 가격의 변화를 판단할 수 없다.

41. 윗글을 바탕으로 <보기>를 설명한 내용으로 적절하지 않은 것은? [3점]

< 보 기 >

아래 표는 소비자물가지수를 작성하기 위해 기준 시점 대비 각 품목의 가격 변동을 조사한 자료이다.

| 구분 | A | B | C |
|---|---|---|---|
| 가격지수 | 104 | 110 | 110 |
| 가중치 | 0.6 | 0.3 | 0.1 |

① 품목별 소비 지출액은 A>B>C의 순으로 나타난다.
② 단순물가지수를 사용하면 소비자물가지수는 108이다.
③ 단순물가지수에서는 B와 C의 가격 변동이 전체 물가에 동일한 영향을 준다고 전제한다.
④ 단순물가지수를 사용했을 때보다 가중물가지수를 사용할 때 물가 상승률이 높게 나타난다.
⑤ 가중물가지수를 사용하면 거래 비중이 큰 A의 가격 변동이 물가지수에 더 많이 영향을 미치게 된다.

42. 윗글을 바탕으로 <보기>를 이해한 내용으로 적절하지 않은 것은?

< 보 기 >

다음 소식입니다. 올 여름 자연 재해로 인해 농작물의 작황이 나빠 농산물 가격이 크게 올랐습니다. 또한 원유 등 국제 원자재 가격도 올랐습니다. 이로 인해 소비자물가지수와 생산자물가지수에 변동이 있었습니다. - ○○ 경제 뉴스 -

① 원유 가격의 상승으로 인해 향후 소비자물가지수가 오를 가능성이 있다.
② 다른 조사 품목의 가격 변동이 없다면 농산물의 가격 상승은 소비자물가지수의 상승으로 이어질 것이다.
③ 생산자물가지수는 원재료, 중간재 등을 포괄하므로 원유 가격의 상승이 생산자물가지수에 곧바로 파급될 것이다.
④ 생산자물가지수와 소비자물가지수에서 농산물의 가중치는 다르기 때문에 두 지수의 변동 수준에 차이가 생길 수 있다.
⑤ 농산물의 생산자 판매 단계의 가격은 소비자 구입 단계의 가격보다 낮으므로 생산자물가지수가 소비자물가지수보다 낮을 것이다.

11회

[43 ~ 45] 다음 글을 읽고 물음에 답하시오.

(가)

鷰子初來時 제비 한 마리 처음 날아와
喃喃語不休 지지배배 그 소리 그치지 않네
語意雖未明 말하는 뜻 분명히 알 수 없지만
似訴無家愁 집 없는 서러움을 호소하는 듯
楡槐老多穴 느릅나무 홰나무 묵어 구멍 많은데
何不此淹留 어찌하여 그곳에 깃들지 않니
燕子復喃喃 제비 다시 지저귀며
似與人語酬 사람에게 말하는 듯
楡穴鸛來啄 느릅나무 구멍은 황새가 쪼고
槐穴蛇來搜 홰나무 구멍은 뱀이 와서 뒤진다오

– 정약용, 「고시(古詩)」 –

(나)

형님 온다 형님 온다 분고개로 형님 온다
형님 마중 누가 갈까 형님 동생 내가 가지
형님 형님 사촌 형님 시집살이 어떱뎁까
이애 이애 그 말 마라 시집살이 개집살이
앞밭에는 당추(唐楸)* 심고 뒷밭에는 고추 심어
㉠ 고추 당추 맵다 해도 시집살이 더 맵더라
둥글둥글 수박 식기(食器) 밥 담기도 어렵더라
도리도리 도리소반(小盤)* 수저 놓기 더 어렵더라
㉡ 오 리(五里) 물을 길어다가 십 리(十里) 방아 찧어다가
아홉 솥에 불을 때고 열두 방에 자리 걷고
외나무다리 어렵대야 시아버니같이 어려우랴
나뭇잎이 푸르대야 시어머니보다 더 푸르랴
㉢ 시아버니 호랑새요 시어머니 꾸중새요
동세 하나 할림새요 시누 하나 뾰족새요
시아지비 뾰중새요 남편 하나 미련새요
자식 하난 우는 새요 나 하나만 썩는 샐세
귀먹어서 삼 년이요 눈 어두워 삼 년이요
말 못해서 삼 년이요 석 삼 년을 살고 나니
㉣ 배꽃 같던 요내 얼굴 호박꽃이 다 되었네
삼단 같던 요내 머리 비사리춤*이 다 되었네
백옥 같던 요내 손길 오리발이 다 되었네
열새 무명 반물치마* 눈물 씻기 다 젖었네
두 폭 붙이 행주치마 콧물 받기 다 젖었네
울었던가 말았던가 베갯머리 소(沼)* 이뤘네
㉤ 그것도 소(沼)이라고 거위 한 쌍 오리 한 쌍
쌍쌍이 때 들어오네

– 작자 미상, 「시집살이 노래」 –

* 당추 : 고추의 한 종류
* 도리소반 : 둥글게 생긴 작은 밥상
* 비사리춤 : 싸리나무의 껍질
* 반물치마 : 짙은 남색 치마
* 소 : 작은 연못

43. (가)와 (나)의 공통점으로 가장 적절한 것은?

① 반어적인 표현을 사용하여 시적 정서를 부각하고 있다.
② 대화 형식을 활용하여 현실에 대한 인식을 드러내고 있다.
③ 시간의 흐름을 통해 깨달음에 이르는 과정을 제시하고 있다.
④ 감각적 이미지를 활용하여 자연의 아름다움을 드러내고 있다.
⑤ 자연물에 감정을 이입하여 대상에 대한 안타까움을 강조하고 있다.

44. ⓐ ~ ⓔ 중 (가)를 이해한 내용으로 적절하지 않은 것은?

오늘 수업 시간에 정약용의 「고시」가 조선 후기 지배층의 횡포와 피지배층의 고난을 드러낸 작품임을 배웠어. 이 작품에서 ⓐ '황새'와 '뱀'은 백성들을 괴롭히는 지배 세력을 상징하고, ⓑ '제비'는 지배 세력으로부터 착취당하는 백성들을 상징해. ⓒ 피지배층의 고난은 삶의 터전마저 빼앗기는 절박한 상황으로 그려지고 있어. ⓓ 그런 상황에서도 백성들은 현실에 굴하지 않는 꿋꿋한 모습을 보여. 이 작품을 통해 ⓔ 작가는 당대의 부정적 현실을 우회적으로 고발하고 있어.

① ⓐ ② ⓑ ③ ⓒ ④ ⓓ ⑤ ⓔ

45. <보기>를 바탕으로 (나)를 감상한 내용으로 적절하지 않은 것은? [3점]

<보 기>

「시집살이 노래」는 고통스러운 시집살이를 하는 아녀자들의 생활을 진솔하게 표현한 민요이다. 이 작품 속 여인은 대하기 어려운 시집 식구와 과중한 가사 노동으로 인해 힘든 삶을 살고 있다. 이러한 삶 속에서 여인은 자신의 처지를 한탄하기도 하고, 체념하는 태도를 보이기도 한다.

① ㉠에서 '고추', '당추'와 비교하여 시집살이의 고통을 표현하고 있군.
② ㉡에서 '오 리'와 '십 리'를 활용하여 감당해야 할 노동이 과중함을 강조하고 있군.
③ ㉢에서 '호랑새'와 '꾸중새'를 활용하여 시아버지와 시어머니를 대하기 힘든 존재로 표현하고 있군.
④ ㉣에서 '배꽃'과 '호박꽃'을 대비하여 초라하게 변한 자신의 모습을 한탄하고 있군.
⑤ ㉤에서 '거위'와 '오리'에 빗대어 현실에 대응하지 못하고 체념하는 자신을 드러내고 있군.

※ 확인 사항
○ 답안지의 해당란에 필요한 내용을 정확히 기입(표기) 했는지 확인하시오.

2019학년도 3월 고2 전국연합학력평가 문제지

# 국어 영역

12회 소요시간 /80분

제 1 교시

➡ 해설 P.110

[1 ~ 3] 다음은 학생의 발표이다. 물음에 답하시오.

안녕하세요. 5분 말하기 발표를 맡은 ○○○입니다. (㉠ 영상을 보여 준 후) 지금 보신 영상은 순수 우리 기술로 개발하고 있는 로켓인 '샛별호' 시험 발사체의 발사 장면입니다. 저는 로켓 개발자를 꿈꾸고 있어서 샛별호에 대해 관심이 많은데, 다른 사람들도 샛별호를 알게 되고 관심을 가지면 좋겠다고 생각해서 샛별호에 대해 발표하려고 합니다. 먼저 샛별호의 제원을 소개하고 이번 시험 발사의 의미를 설명한 후, 로켓을 완성하기까지 남은 과제를 말씀드리겠습니다.

(㉡ 그림을 보여주며) 이 그림은 샛별호의 예상 구조도입니다. 보시는 것처럼 샛별호는 3단으로 구성된 로켓입니다. (그림의 각 부분을 가리키며) 맨 아래의 1단에는 300톤급, 중간의 2단에는 75톤급, 맨 위의 3단에는 7톤급의 액체 엔진이 들어갑니다. 그림에서 보시는 것처럼 3단의 내부에 인공위성이 탑재돼서 우주로 향하게 되죠. 한국우주연구소에서 작성한 보고서에 따르면 샛별호의 총중량은 200톤, 높이는 47미터 정도라고 합니다. 얼마나 큰 규모인지 짐작이 가시나요? 대략 환산해 보면, 총중량은 성인 2,800여 명의 무게에 맞먹고, 높이는 15층 아파트와 비슷한 정도입니다. 샛별호가 완성되면 1.5톤급의 인공위성을 지구 저궤도인 600 ~ 800 km 상공에 올려놓을 수 있게 된다고 합니다.

앞서 영상에서 보셨던 시험 발사는 1단과 2단 로켓에 사용될 75톤급 엔진의 성능을 점검하기 위한 것이었습니다. 혹시 영상 하단의 시간 표시를 보셨나요? (대답을 들은 후) 많이들 놓치셨군요. (화면을 가리키며) 여기 정지된 영상을 보시면 시간 표시를 확인하실 수 있습니다. 이것은 액체 엔진의 성능을 평가하기 위한 것인데요. 75톤급 액체 엔진이 정상적으로 추진력을 발휘하기 위해서는 120초 이상의 연소 시간이 필요하다고 합니다. 이번 시험 발사에서는 140초를 목표로 하였는데 151초라는 성공적인 결과가 나왔습니다.

하지만 샛별호가 완성되기까지는 아직 많은 과제가 남아 있습니다. 4개의 75톤급 엔진을 클러스터링하여 300톤급의 1단 엔진을 만들어야 하고, 각 단을 안정적으로 조립하여 완전한 로켓의 형태를 만드는 것도 중요합니다. 또한 페어링, 단 분리 기술 등의 개발이 남아 있어 아직 갈 길이 멀었다고 할 수 있죠. 어려운 과정이겠지만 꼭 성공할 것이라고 기대합니다.

샛별호가 성공적으로 발사되기 위해서는 연구원들의 노력뿐 아니라 모두의 관심이 필요합니다. 샛별호가 우주로 향하는 그 날까지 많은 응원 부탁드립니다. 감사합니다.

**1.** 위 발표에 반영된 발표 계획으로 적절하지 않은 것은?

① 발표를 시작하며 샛별호를 주제로 정한 이유를 밝혀야겠어.
② 청중이 내용을 예측하며 들을 수 있도록 발표 순서를 안내해야겠어.
③ 샛별호의 제원을 설명하는 부분에서는 정보의 출처를 언급해야겠어.
④ 전문가의 말을 인용하여 샛별호에 들어갈 액체 엔진의 성능을 설명해야겠어.
⑤ 샛별호의 개발에 대해 지속적으로 관심을 가져 줄 것을 부탁하며 발표를 마무리해야겠어.

**2.** ㉠, ㉡에 대한 설명으로 가장 적절한 것은?

① ㉠은 청중과의 공통적인 관심사를 확인하기 위한 용도로 활용되고 있다.
② ㉠은 발표 내용을 요약 및 정리하기 위해 발표 후반에 다시 활용되고 있다.
③ ㉡은 발표 내용에 대한 이해를 돕기 위해 활용되고 있다.
④ ㉡은 청중의 배경지식을 확인하기 위한 용도로 활용되고 있다.
⑤ ㉡은 발표 내용에 대한 청중의 질문에 답하기 위해 활용되고 있다.

**3.** 다음은 발표를 들은 학생들의 반응이다. 이에 대한 이해로 적절하지 않은 것은? [3점]

○ **학생 1**: 샛별호의 엔진으로 고체 엔진이 아니라 액체 엔진을 사용하는 이유는 뭘까? 집에 가서 관련 내용을 검색해 봐야겠어.
○ **학생 2**: 흥미로운 주제였는데, '클러스터링', '페어링' 등의 전문 용어들을 설명하지 않아서 발표 내용을 충분히 이해하기는 어려웠어. 로켓에 대해 잘 알지 못하는 친구들을 위해서 더 쉽게 풀어서 설명했으면 좋았을 것 같아.
○ **학생 3**: 주변에서 접할 수 있는 것들을 활용해서 설명하니 샛별호의 규모를 짐작하는 데 도움이 되었어. 나도 곧 발표를 해야 하는데 효과적인 발표 방법을 생각해 봐야겠어. 발표 주제도 고민이었는데 발표자처럼 진로와 연관된 주제를 선택하는 것도 좋을 것 같아.

① 학생 1은 발표를 듣고 생긴 의문을 스스로 해결하려고 하고 있군.
② 학생 2는 발표에서 부족했던 점에 대해서 아쉬움을 느꼈군.
③ 학생 2는 발표에서 직접적으로 언급되지 않은 내용을 추론하며 들었군.
④ 학생 3은 발표자가 사용한 설명 방식을 긍정적으로 평가하고 있군.
⑤ 학생 3은 발표를 듣고 자신이 당면한 과제를 어떻게 해결할지 생각하고 있군.

[4 ~ 7] (가)는 학생회 임원들의 토의이고, (나)는 이를 바탕으로 '학생 회장'이 작성한 건의문의 초고이다. 물음에 답하시오.

(가)

**학생 회장**: 얘들아, 건의 사항 중에 학생회의 1학기 중점 활동으로 삼을 만한 것이 있을까?

**학생 1**: 학교 담장에 공공 벽화를 그리자는 학생의 제안이 있었는데, 학생회가 주관하면 좋을 것 같아.

**학생 2**: 나도 그 제안이 마음에 와 닿았어. 학교 담장 외벽이 페인트가 많이 벗겨져 너무 지저분해 보이잖아.

**학생 회장**: 그럼, 이 제안을 중점 활동으로 삼아도 될지 논의해 볼까? 어떤 제안이었는지 자세히 설명해 줄래?

[A]

**학생 1**: 최근 공공 벽화 그리기가 공익성을 인정받아 여러 학교에서 진행되고 있는데, 우리 학교에서도 학생들이 주도하여 담장에 벽화를 그리면 교육적으로 의미가 있을 거라는 제안이었어.

**학생 3**: 하지만 그 일을 우리 학생회가 해낼 수 있을까? 공공 벽화를 그리려면 예술성이나 전문성도 필요할 것 같고, 실제 작업에 들어가면 시간도 오래 걸리고 비용도 많이 들까 걱정이야.

**학생 1**: 많은 학생들이 함께한다면 불가능한 활동은 아니라고 봐. 주변 학교의 성공 사례도 있으니, 우리도 해낼 수 있을 거야. 디자인 공모전을 열면 미술 실력이 뛰어난 학생들의 도움을 받을 수 있을 테고.

**학생 2**: 좋은 생각이야. 그러면 미술에 소질 있는 친구들에게는 재능을 나눌 수 있는 기회가 되겠네.

**학생 1**: 그런데 비용 문제는 어떻게 해결하지? 학생회가 쓸 수 있는 예산만으로는 부족할 텐데. 학교에 예산 지원을 요청하는 것은 어때?

**학생 회장**: 구청에서 관내 학교를 대상으로 학생회 주관 사업의 비용을 지원해 주기도 한대. 먼저 내가 구청에 문의해 볼게.

**학생 3**: 일단 교장 선생님께 벽화 그리기 활동에 대해 허락을 받아야겠네.

**학생 회장**: 교장 선생님의 허락을 받기 위해 건의문을 써 볼게. 어떤 내용을 담아야 잘 설득할 수 있을까?

**학생 2**: 현재 학교 담장의 미관에 문제가 있다는 점을 언급하고, 이 활동을 통해 문제를 해결할 수 있다는 점을 말씀드리는 것이 좋겠어.

**학생 1**: 이 활동의 장점을 다양한 측면에서 강조하는 것도 좋을 것 같아.

**학생 회장**: 좋은 생각이야. 다른 효과적인 방법은 없을까?

**학생 3**: 교장 선생님께서 평소 자율적으로 행동하고 책임감을 가지라는 말씀을 학생들에게 많이 하시잖아. 이 말도 잘 활용해 봐.

**학생 1**: 담장 벽화가 멋지게 완성되면 학교를 홍보하는 데에 도움이 된다는 점이나 담장 벽화가 지역 공동체에 기여할 수 있다는 점도 언급하면 좋겠어.

**학생 회장**: 응. 너희들이 해 준 조언을 바탕으로 건의문의 초고를 작성해 볼게.

(나)

안녕하세요. 학생 회장 ○○○입니다. 학생회의 1학기 중점 활동으로 '공공 벽화 그리기 사업'을 진행하는 것을 교장 선생님께 허락 받고자 합니다.

우리 학교는 큰길가에 있어서 많은 사람들이 지나다니는데, 담장에 페인트를 칠한 지 오래되어 색이 많이 바랬고, 페인트가 벗겨진 부분도 많습니다. 그래서 이 문제를 해결하면 좋겠다는 제안이 있었습니다. 학생회에서는 공공 벽화 그리기 사업을 추진하여 이 문제를 해결하고자 합니다.

저희 학생회는 최근 도서관 벽화 그리기 사업을 성공적으로 끝낸 □□학교 학생회에 관련 자료를 보내 달라고 요청해 놓았습니다. 또한 △△구청에 관련 비용의 예산 지원이 가능한지도 문의해 놓았습니다.

공공 벽화 그리기 사업을 진행하면 많은 장점이 있습니다. 저희가 디자인 공모전을 계획하고 있는데, 미술에 재능이 있는 학생들은 여기에 참가하여 자신의 재능을 나누는 경험을 할 수 있습니다. 또 벽화 그리기 작업에 참여한 학생들은 지역 공동체를 위해 봉사하는 기회를 얻고, 이를 통해 보람도 느낄 것입니다. 학생들이 함께 완성한 벽화는 우리 학교의 특색이자 자랑이 될 수 있고, 주민들이 벽화를 보고 즐거워한다면 지역 공동체의 행복을 증진할 수도 있습니다.

학생회도 이 사업을 준비하고 추진하는 과정을 통해 교장 선생님께서 항상 강조하셨던 자율성과 책임감을 배울 수 있을 것입니다. 혹시 교장 선생님께서 저희가 이 사업을 잘 진행할 수 있을지 우려하실 수도 있겠지만, 저희가 노력하고 있다는 것을 알아주셨으면 합니다.

교장 선생님, 저희 학생회가 학교 담장에 공공 벽화 그리기 사업을 진행할 수 있도록 허락해 주십시오. 항상 노력하는 학생회가 되겠습니다.

*4.* '학생 회장'에 대한 설명으로 적절하지 <u>않은</u> 것은?

① 참여자들이 밝힌 의견을 바탕으로 자신이 할 일을 제시하고 있다.
② 특정 참여자가 발언권을 독점하지 않도록 발언 순서를 조정하고 있다.
③ 참여자가 발언한 내용과 관련하여 보충 설명을 요구하고 있다.
④ 참여자들의 다양한 의견을 이끌어내기 위해 질문하고 있다.
⑤ 논의할 내용을 분명하게 제시하며 토의를 시작하고 있다.

5. [A]를 이해한 내용으로 적절하지 않은 것은?

① 학생 1은 학생회의 예산을 고려하여 문제 해결 방안을 제시하고 있다.
② 학생 1은 주변의 사례를 근거로 문제 해결의 가능성을 판단하고 있다.
③ 학생 2는 학생 1의 의견에 동의하며 디자인 공모전의 의의를 말하고 있다.
④ 학생 3은 제안을 받아들였을 때 생길 수 있는 문제들을 언급하고 있다.
⑤ 학생 3은 학생 2가 제시한 해결 방안에 대해 부정적으로 평가하고 있다.

6. (가)를 바탕으로 (나)를 작성했다고 할 때, 반영된 내용으로 적절하지 않은 것은?

① 이 사업의 장점을 강조하라는 의견을 받아들여, 학생, 학교, 주민들의 측면에서 이를 열거하고 있다.
② 담장 벽화가 학교 홍보에 도움이 된다는 점을 밝히라는 의견을 받아들여, 다른 학교의 성공 사례를 강조하고 있다.
③ 학교 담장의 미관 문제에 대해 언급해 달라는 의견을 반영하여, 우리 학교 담장의 상태를 구체적으로 설명하고 있다.
④ 담장 벽화가 지역 공동체에 기여할 수 있다는 점을 언급해 달라는 의견을 반영하여, 공동체의 행복 증진에 대해 이야기하고 있다.
⑤ 교장 선생님께서 평소 하시던 말씀을 활용하라는 의견을 받아들여, 이 사업의 취지가 교장 선생님의 뜻에도 부합한다는 것을 드러내고 있다.

7. <보기>는 (나)를 읽은 '학생 1'이 '학생 회장'과 나눈 대화이다. Ⓐ에 들어갈 내용으로 가장 적절한 것은? [3점]

< 보 기 >

**학생 1**: 네가 쓴 초고 잘 읽었어. 하지만 3문단의 위치가 적절하지 않아 보이는데 위치를 바꾸면 어떨까? 그리고 3문단이 구청에 예산 지원을 문의했다는 것에서 끝나면 안 될 것 같아. 예산 지원을 못 받게 되었을 경우도 대비했으면 좋겠어.

**학생 회장**: 그러니까 네 말은 ( Ⓐ )하자는 말이지?

① 3문단을 4문단 뒤에 넣어 학생회의 주요 활동 계획을 안내하고, 학교의 예산 지원이 전제 조건임을 당부
② 3문단을 4문단 뒤에 넣어 학생회가 사업을 진행할 것임을 강조하고, 구청에 예산 지원을 문의했다는 내용을 삭제
③ 3문단을 5문단 뒤에 넣어 학생회의 노력을 부각하고, 학교의 예산 지원이 필요할 수 있다는 내용을 추가
④ 3문단을 5문단 뒤에 넣어 지역 공동체를 위한 활동임을 부각하고, 학교의 예산 지원이 필요할 수 있다는 내용을 언급
⑤ 3문단을 5문단 뒤에 넣어 교장 선생님의 우려에 대한 대책이 있음을 설명하되, 구청에 예산 지원을 신청했다는 내용은 삭제

[8 ~ 10] 다음을 읽고 물음에 답하시오.

[작문 과제]
주변에서 흔히 볼 수 있는 소재를 바탕으로 글을 써 보자.

[학생의 초고]
책장에 꽂혀 있던 『자전거 풍경』을 읽다가, 문득 자전거가 타고 싶어졌다. 오랫동안 방치되어 있던 자전거의 묵은 먼지를 대충 털어내고 ㉠ 현관으로 옮겼다. 그 모습을 본 형은 한동안 타지 않던 자전거니까 브레이크, 체인, 타이어 공기압 등을 점검하고 타는 게 좋겠다고 말했다. 하지만 나는 그런 ㉡ 형에 말을 듣는 둥 마는 둥 하며 집을 휙 나섰다. 책의 작가처럼 혼자서 10 km 떨어진 곳까지 자전거를 타고 가 보기로 목표를 세운 후, 바로 출발했다. ㉢ 자전거를 타면 탄소 배출이 줄어들어 환경을 보호하는 데 동참할 수 있다. 집 근처의 평탄한 길은 어려움이 없었다. 그런데 10분쯤 지난 뒤부터, 경사가 급하지도 않은데 자전거가 느려졌고, 자꾸 귀에 거슬리는 소리가 났다. 이상하다는 생각이 들어 자전거를 멈추고 살펴보니, 이미 바퀴에 바람이 빠져 있었고, 체인까지 느슨해져 있었다. 결국 탈 수 없게 된 자전거를 끌고 집으로 오는 길은 유난히 멀게만 느껴졌다.
돌아오는 길에 작년 교지 편집부 활동이 떠올랐다. '사회적 쟁점을 바라보는 우리들의 시선'이라는 기획에 ㉣ 걸맞은 기사를 써 보겠다고 사회관계망서비스(SNS)로 설문 조사를 하려고 할 때, 동아리 선배는 SNS로 설문 조사를 할 때는 참여율이 저조할 수 있으니 주의할 필요가 있다고 충고했다. 내 계정의 방문자 수가 적지 않다고 자랑을 늘어놓으며 전혀 걱정하지 않아도 된다고 했지만, 마감 기한이 가까워져 가는데도 설문 참여 인원은 늘지 않고 장난 댓글만 있어서 상처를 받았다. 결국 시간에 쫓겨 설문 조사를 ㉤ 마무리시키지 못하고 어설픈 기사를 쓰고 말았다. 그때와 조금도 변한 것이 없다는 생각에 아쉬웠다.
왜 나는 비슷한 실수를 또 했을까 생각해 보았다. 그동안의 내 태도에 문제가 있었던 것은 아닐까?

8. '학생의 초고'에 대해 이해한 내용으로 가장 적절한 것은?

① 경험을 통해 문제를 발견하고 자신의 삶을 성찰하고 있다.
② 가족 간의 갈등을 중심으로 가치관의 차이를 드러내고 있다.
③ 중심 제재의 특성에 착안하여 자신의 문제 해결 과정을 소개하고 있다.
④ 독서 경험을 통해 새롭게 알게 된 사실을 확인하며 삶의 태도를 드러내고 있다.
⑤ 개인적 체험에서 유추하여 사회문화적 현상에 대한 자신의 입장을 표출하고 있다.

9. <보기>는 학생이 초고를 쓰고 스스로 점검한 내용이다. <보기>를 참고하여 초고의 마지막에 추가할 내용으로 가장 적절한 것은?

< 보 기 >

초고의 마지막 부분이 완결된 것 같지 않아. 앞부분의 내용과 자연스럽게 연결되도록 끝에 한 문장을 추가해야겠어. 추가할 문장에서는 대조를 사용하여 앞으로의 다짐을 명확하게 서술하며 글을 끝맺어야지.

① 지금까지는 상대방의 말을 귀담아 듣지 않았지만, 앞으로는 상대방의 충고나 조언에 귀를 기울이는 태도를 갖춰야겠다.
② 이제까지는 상대방에게 듣기 좋은 말만 하였지만, 지금부터는 상대방에게 쓴소리도 할 수 있는 사람이 되어야겠다.
③ 실수를 줄이려면 다른 사람의 이야기를 들어 보고 들은 내용을 정리한 후에 정리한 것을 충분히 생각해 봐야겠다.
④ 과제를 해결할 때에는 먼저 목적을 확인하고 계획을 세운 후 방법을 모색하여 실수 없이 끝내야겠다.
⑤ 앞으로 어떤 행동을 할 때에는 나, 가족, 친구 등을 고려해서 행동하는 신중한 사람이 되어야겠다.

10. ㉠~㉤을 고쳐 쓰기 위한 방안으로 적절하지 않은 것은?

① ㉠: 필요한 문장 성분이 생략되어 있으므로 '자전거를'을 추가해야겠어.
② ㉡: 조사의 사용이 부적절하므로 '형의'로 고쳐야겠어.
③ ㉢: 글의 흐름과 어긋나는 문장이므로 삭제해야겠어.
④ ㉣: 어문 규범에 어긋나므로 '걸맞는'으로 고쳐야겠어.
⑤ ㉤: 불필요한 사동 표현이므로 '마무리하지'로 고쳐야겠어.

[11 ~ 12] 다음을 읽고 물음에 답하시오.

반모음과 관련된 대표적인 음운 현상으로 '반모음 첨가'와 '반모음화'가 있다. 현대 국어에서 반모음 첨가는 모음으로 끝나는 형태소 뒤에 모음으로 시작하는 형태소가 올 때 일어난다. 어간 '피-'에 어미 '-어'가 결합할 때 '피어'가 [피여]로 소리 나는 경우가 대표적인데 이때 어미에는 'ㅣ'계 반모음인 'ǐ'가 첨가된다. 어미 '-어'에 'ǐ'가 첨가되어 '되어[되여]', '쥐어[쥐여]'로 발음되는 경우도 마찬가지이다. 이렇게 어간이 'ㅣ, ㅚ, ㅟ'로 끝날 때 어미에 반모음 'ǐ'가 첨가되어 발음되는 경우는 표준 발음으로 인정되지만 표기할 때는 음운 변동이 일어나지 않은 형태로 해야 한다.

한편 '피어'는 [펴:]로 발음되기도 한다. '피 + 어 → [펴:]'의 경우처럼 두 개의 단모음이 나란히 놓일 때 하나의 단모음이 반모음으로 교체되는 음운 현상을 반모음화라고 부른다. 반모음화는 반모음과 성질이 비슷한 단모음에 적용되는 것으로, [펴:]의 경우 단모음 'ㅣ'가 소리가 유사한 반모음 'ǐ'로 교체된 것이다. [펴:]와 같이 반모음화가 일어난 경우도 규범상 표준 발음으로 인정된다.

15세기 국어 자료에서도 반모음 첨가나 반모음화가 일어난 것으로 추정되는 흔적을 찾을 수 있다. 15세기에는 표음적 표기* 를 지향했기 때문에 문헌의 표기 상태를 통해 당시의 음운 현상을 추론할 수 있는데, 15세기 국어 자료에서 반모음 첨가나 반모음화가 일어난 것으로 보이는 표기들이 관찰되는 것이다. 어간 '쉬-'에 어미 '-어'가 결합할 때 '쉬여'로 표기된 사례나 어간 'ᄒᆞ리-'에 어미 '-어'가 결합할 때 'ᄒᆞ리여'로 표기된 것은 반모음 첨가가 일어난 사례로 생각된다. 여기서 '쉬여'는 현대 국어의 [피여]와는 다른 음운 환경에서 반모음 첨가가 일어난 것인데, 15세기에는 'ㅟ' 표기가 'ㅜ'와 'ǐ'가 결합한 이중 모음을 나타냈을 것으로 추정되기 때문이다. 'ㆎ, ㅐ, ㅔ, ㅚ, ㅢ' 표기도 'ㅟ'와 마찬가지 방식으로 이중 모음을 나타냈을 것으로 추정된다. 따라서 '쉬여'는 ㉠'ㆎ, ㅐ, ㅔ, ㅚ, ㅟ, ㅢ'가 이중 모음을 나타낸 것이라고 할 경우 반모음 'ǐ' 뒤에서 일어난 반모음 첨가의 사례인 것이다. 이와 달리 어간 'ᄡᅮ미-'에 어미 '-어'가 결합할 때 'ᄡᅮ며'로 표기된 경우는 현대 국어의 [펴:]처럼 ㉡어간이 'ㅣ'로 끝나는 용언에서 일어난 반모음화의 사례라고 할 수 있다. 또한 15세기 국어에서 체언 '바' 뒤에 주격 조사 '이'가 붙을 때 '배'로 표기된 사례도 반모음화로 설명할 수 있다.

* 표음적 표기: 발음 형태대로 적는 표기 방식.

11. 윗글에 대한 이해로 적절하지 않은 것은?

① 현대 국어에서 '피어'를 [펴:]로 발음하는 것은 표준 발음으로 인정된다.
② 현대 국어에서 '피어'를 [펴:]로 발음할 때는 어간의 단모음이 반모음으로 교체된다.
③ 현대 국어에서 '피어'에 반모음 첨가가 일어나도 '피여'라고 적는 것은 허용되지 않는다.
④ 15세기 국어의 'ㅚ' 표기는 단모음 'ㅗ'와 반모음 'ǐ'가 결합한 이중 모음을 나타냈을 것으로 추정된다.
⑤ 15세기 국어의 체언 '바'에 주격 조사 '이'가 붙어 '배'로 표기된 사례에서는 체언의 단모음이 반모음으로 교체되었을 것으로 추정된다.

12. <보기>의 ⓐ~ⓓ 중 윗글의 ㉠과 ㉡에 해당하는 사례로 적절한 것은?

< 보 기 >

| 15세기 국어 자료<br>(현대어 풀이) | 밑줄 친 부분의<br>음운 변동 과정 |
|---|---|
| ⓐ내 이를 爲윙ᄒᆞ야<br>(내가 이를 위하여) | 나 + 이 → 내 |
| 수비 ⓑ니겨<br>(쉽게 익혀) | 니기 + 어 → 니겨 |
| 빗 바다ᄋᆞ로 ⓒ긔여<br>(배의 바닥으로 기어) | 긔 + 어 → 긔여 |
| 싸해 ⓓ디여<br>(땅에 거꾸러져) | 디 + 어 → 디여 |

| | ㉠ | ㉡ |
|---|---|---|
| ① | ⓑ | ⓐ |
| ② | ⓒ | ⓑ |
| ③ | ⓒ | ⓓ |
| ④ | ⓓ | ⓐ |
| ⑤ | ⓓ | ⓒ |

13. <보기>의 탐구 활동을 수행한 결과로 적절한 것만 고른 것은?

< 보 기 >

**[탐구 과제]**

다음을 참고하여 [탐구 자료] ㉠~㉣을 [A], [B]로 구분하고, 그렇게 구분한 근거를 적어 보자.

> 어근에 파생 접사가 결합하여 새로운 단어가 형성될 때 [A] 품사가 바뀌는 경우도 있고, [B] 품사가 바뀌지 않는 경우도 있다. 예를 들어, 명사 '마음'에 접사 '-씨'가 결합하여 '마음씨'가 될 때는 품사가 바뀌지 않지만, 형용사 '넓다'의 어근 '넓-'에 접사 '-이'가 결합하여 '넓이'가 될 때는 품사가 명사로 바뀐다.

**[탐구 자료]**

· 예술에 대한 안목을 ㉠ 높이다.
· 그는 모자를 ㉡ 깊이 눌러썼다.
· 오랫동안 ㉢ 딸꾹질이 멈추지 않았다.
· 그런 일은 ㉣ 일찍이 경험하지 못했던 일이다.

**[탐구 결과]**

| 탐구 자료 | 구분 | 근거 | |
|---|---|---|---|
| ㉠ | [B] | 형용사 '높다'의 어근 '높-'에 접사 '-이-'가 결합하여 형용사가 됨. | … ⓐ |
| ㉡ | [A] | 형용사 '깊다'의 어근 '깊-'에 접사 '-이'가 결합하여 명사가 됨. | … ⓑ |
| ㉢ | [A] | 부사 '딸꾹'에 접사 '-질'이 결합하여 명사가 됨. | … ⓒ |
| ㉣ | [B] | 부사 '일찍'에 접사 '-이'가 결합하여 부사가 됨. | … ⓓ |

① ⓐ, ⓑ ② ⓐ, ⓓ ③ ⓑ, ⓒ
④ ⓑ, ⓓ ⑤ ⓒ, ⓓ

14. <보기>의 ㉠에 해당하는 예로 적절하지 않은 것은?

< 보 기 >

**학 생**: 한 문장 안에 주어와 서술어의 관계가 한 번 나타나는 문장을 홑문장, 두 번 이상 나타나는 문장을 겹문장이라고 하잖아요. 그런데 '나는 따뜻한 차를 마셨다.'라는 문장의 경우 주어 '나는'과 서술어 '마셨다'의 관계가 한 번만 나타나는 것 같은데 왜 겹문장인가요?

**선생님**: '나는 따뜻한 차를 마셨다.'라는 문장은 겹문장으로, 관형절을 안은 문장이야. 관형절 '따뜻한'의 주어가 관형절이 수식하는 명사 '차'와 중복되어 생략된 것이지. 이처럼 ㉠ 한 문장이 다른 문장 속에 관형절로 안길 때 두 문장에 중복된 단어가 있으면, 관형절에서 그 단어가 포함된 문장 성분이 생략되기도 한단다.

① 그녀는 그가 여행을 간 사실을 몰랐다.
② 내가 사는 마을은 무척이나 아름답다.
③ 그는 책장에 있던 소설책을 꺼냈다.
④ 나는 동생이 먹을 딸기를 씻었다.
⑤ 골짜기에 흐르는 물이 깨끗하다.

15. <보기>는 '사전 활용하기' 학습 활동을 위한 자료이다. 이에 대한 이해로 적절하지 않은 것은? [3점]

< 보 기 >

**그치다** 「동사」
「1」 **【(…을)】** 계속되던 일이나 움직임이 멈추거나 끝나다. 또는 그렇게 하다.
¶ 비가 그치다. / 울음을 그치다.
「2」 **【…에】 【…으로】** 더 이상의 진전이 없이 어떤 상태에 머무르다.
¶ 출석률이 절반 정도에 그쳤다. / 예감이 예감으로 그치지 않고 현실이 되는 경우가 있다.

**멈추다** 「동사」
[1] 「1」 사물의 움직임이나 동작이 그치다.
¶ 시계가 멈추다. / 울음소리가 멈추다.
「2」 비나 눈 따위가 그치다.
¶ 멈추었던 비가 다시 내리기 시작했다.
[2] **【…을】** 사물의 움직임이나 동작을 그치게 하다.
¶ 기계를 멈추다. / 발걸음을 멈추다.

① '그치다「1」'의 문형 정보와 용례를 보니, '그치다「1」'은 자동사로도 쓰일 수 있고 타동사로도 쓰일 수 있군.
② '그치다「2」'의 문형 정보와 용례를 보니, '그치다「2」'는 부사어를 반드시 필요로 하는군.
③ '멈추다 [2]'의 용례로 '차가 경적을 울리며 멈추다.'를 추가할 수 있겠군.
④ '그치다'와 '멈추다'는 두 가지 이상의 의미를 지니고 있는 다의어이군.
⑤ '그치다「1」'과 '멈추다'의 뜻풀이와 용례를 보니, 두 단어는 유의 관계에 있군.

12 회

[16 ~ 20] 다음을 읽고 물음에 답하시오.

누군가 자신이 불행한 일을 겪었다고 말한다면 사람들은 그에게 동정심을 느낄 것이다. 그러나 다음 순간 자신의 이야기가 전부 꾸며낸 것이라고 말한다면, 더는 그에게 동정심을 느끼지 않게 될 것이다. 일반적으로 감정은 그 감정을 유발하는 대상이나 사건이 실제로 존재한다는 믿음이 전제되어 있기 때문이다. 그렇다면 허구임이 분명한 공포 영화를 보는 관객들이, 존재한다고 믿지 않는 괴물과 그 괴물을 중심으로 펼쳐지는 허구적 사건을 보면서 공포를 느끼는 현상은 어떻게 이해해야 할까?

래드포드는 허구적 인물과 사건에 대해 감정 반응을 보이는 현상을 '허구의 역설'이라 규정하고, 다음 세 가지 전제를 제시하였다.

> 전제 1. 우리는 존재한다고 믿는 것에 대해 감정적으로 반응한다.
> 전제 2. 우리는 허구적 사건이나 인물은 존재하지 않는다고 믿는다.
> 전제 3. 우리는 허구적 사건이나 인물에 대해 감정적으로 반응한다.

㉠ <u>이 세 가지 전제가 동시에 참일 수 없다는 모순을 해결하는 방법은 그중 일부를 부정하는 것이다.</u> 래드포드는 감정을 유발하는 대상이 존재한다는 믿음 없이 허구에 의해서도 감정이 발생할 수 있다고 보았다. 그렇지만 그 감정은 존재에 대한 믿음이 결여된 것이므로 비합리적이라고 하였다. 이후 학자들은 허구에서 비롯된 감정이 합리적일 수 있다고 주장하며, 믿음이나 생각과 같은 인지적 요소가 어떤 역할을 하는지에 대해 논의를 전개해 왔다.

환영론에서는 사람들이 허구를 감상하는 동안 허구에 몰입하여 허구적 사건이나 인물이 존재하지 않는다는 사실을 잊어버리고, 그 사건이나 인물이 실제로 존재한다는 환영에 빠져 감정 반응을 하게 된다고 보았다. 이에 대해 월턴과 캐럴은 공포 영화의 관객이 영화를 감상하는 동안에도 영화가 허구라는 사실을 잊지 않는다고 주장하였다. 만약 관객이 영화 속 괴물이 실제로 존재한다고 믿는다면 공포로 인해 영화관에서 도망을 가거나 도움을 요청하는 등의 행동을 보여야 하는데 그렇게 하지 않는다는 것이다. ㉡ <u>이런 점에서 월턴과 캐럴은, 환영론은 허구에서 느끼는 감정을 설명하는 타당한 이론이 될 수 없다고 주장하였다.</u>

월턴은 관객이 허구의 세계에 빠져드는 현상을 상상의 인물과 세계에 대해 '믿는 체하기' 놀이를 하는 것으로 설명하였다. 믿는 체하기란, 어린아이들이 소도구를 가지고 노는 소꿉장난에서 볼 수 있는 것처럼 실제 사물을 가지고 하는 일종의 상상하기이다. 공포 영화를 보는 관객은 영화를 소도구로 하는 믿는 체하기 놀이에 참여하는 중이고, 관객의 감정 반응은 허구에 대한 믿음에서 비롯되는 것이 아니라 상상하기의 결과인 것이다. 이때 괴물은 상상의 세계 안에서는 실제로 존재하는 대상이다. 다만 허구적 대상에서 비롯된 감정은 상상의 세계에서만 성립하는 것일 뿐, 대상이 실제 세계에 존재한다는 믿음에서 비롯된 것은 아니다. 이런 점에서 월턴은 허구를 감상할 때 유발되는 감정을 '유사 감정'이라고 하였다.

캐럴은 생각도 감정을 유발하는 인지적 요소라고 하면서 사고 이론을 전개하였다. 사고 이론은 허구를 감상하는 사람은 허구적 사건이나 인물 자체에 대해 반응하는 것이 아니라 그것들에 대한 '생각'에 반응한다고 보았다. 마음속에서 명제가 참임을 받아들이는 상태가 믿음이라면, 명제를 그저 머릿속에 떠올리는 것이 생각이다. 캐럴은 생각을 품는 것만으로도 감정이 유발될 수 있다고 보았다. 괴물이 실제로 존재한다는 믿음 없이 괴물에 대해 생각하는 것만으로도 공포를 느낄 수 있다는 것이다.

[A] 최근 등장한 감각믿음 이론은 영화가 주는 감각 자극에 주목하여, 믿음을 '중심믿음'과 '감각믿음'으로 구분하였다. 중심믿음은 추론적 사고와 기억 등에 의해 만들어지는 믿음을, 감각믿음은 오로지 감각 경험에 의해 자동적으로 떠오르는 믿음을 말한다. 건물이 불타는 영화의 장면을 보면 '건물에 불이 났다.'라는 감각믿음이 자동적으로 생긴다는 것이다. 감각믿음 이론에서는 관객이 허구인 영화의 내용을 인지적으로는 사실이라고 믿지 않지만 감각적으로는 사실이라고 믿고 감정 반응을 한다고 보았다. 공포 영화를 보는 관객 역시 감각 경험에 의해 괴물의 존재를 경험하고 공포를 느끼는데, 이러한 감각 경험이 괴물은 허구적 대상이라는 인지적 판단에 의해 억제될 수 없다는 것이다. 또한 감각믿음 이론은 관객이 감각 경험에 의해 영화 속 괴물이 존재한다고 믿으면서도 괴물은 허구적 대상이라는 중심믿음이 있기 때문에 도망가거나 도움을 요청하지 않는 것이라고 설명하였다.

허구의 감상과 그에 따른 감정 발생을 연구하는 학자들은 허구가 사실이 아님을 알면서도 그 허구에 대해 감정 반응을 보이는 인간의 행동을 설명하기 위한 고민을 계속하고 있다. 특히 공포 영화를 보는 관객의 공포가 인지적 경험과 감각적 경험의 통합에서 비롯된다는 최근의 논의는 영화 제작 시 공포를 주는 대상의 존재감이나 위협감이 어떻게 구성되어야 하는가를 말해주고 있다.

*16.* 윗글의 내용 전개 방식으로 가장 적절한 것은?

① 특정 현상에 관한 다양한 이론을 제시하고 시사점을 도출하고 있다.
② 특정 현상을 설명하는 상반된 이론을 제시하고 절충 방안을 모색하고 있다.
③ 특정 현상에 관한 이론들을 유형별로 분류하면서 그 분류 기준에 대해 검토하고 있다.
④ 특정 현상을 설명하는 각 이론의 의의와 한계를 평가하여 하나의 이론 아래 통합하고 있다.
⑤ 특정 현상에 관한 이론이 분화되는 과정을 단계적으로 서술하고 현상이 지닌 의의를 제시하고 있다.

*17.* ㉠의 방식을 활용하여 '환영론'의 입장을 설명한 것으로 적절한 것은?

① 전제 1을 부정하고 전제 2와 전제 3을 받아들인다.
② 전제 2를 부정하고 전제 1과 전제 3을 받아들인다.
③ 전제 3을 부정하고 전제 1과 전제 2를 받아들인다.
④ 전제 1과 전제 2를 부정하고 전제 3을 받아들인다.
⑤ 전제 1과 전제 3을 부정하고 전제 2를 받아들인다.

18. ㉡의 이유로 가장 적절한 것은?

① 실제로 존재하지 않는 대상에 대해 감정을 느끼는 것은 모순이기 때문이다.
② 대상이 존재한다는 믿음에서 유발된 감정은 해당 감정과 관련된 행동을 촉발하기 때문이다.
③ 허구에서 느끼는 감정은 실제로 존재하는 인물과 사건에서 느끼는 감정과 다르기 때문이다.
④ 감정을 인지적 경험과 감각적 경험이 통합된 결과로 설명할 때 이론적 타당성을 높일 수 있기 때문이다.
⑤ 사람들은 일반적인 경우와 달리 허구에 대해서는 '믿는 체하기' 놀이처럼 생각하여 감정 반응을 보이기 때문이다.

19. [A]를 바탕으로 <보기>를 이해한 내용으로 적절한 것은?

< 보 기 >

한 연구자가 감각믿음 이론과 관련하여 다음과 같은 실험을 실시하였다. 우선, 실험 참가자들에게 두 선분 a, b가 그려진 <그림>을 보여주겠다고 예고하였다. 그리고 ㉮ <그림>을 보여 주기 전, 굵은 선으로 표시된 선분 a와 선분 b의 길이는 동일하다고 말해 주었다. 하지만 ㉯ <그림>을 본 모든 실험 참가자들은 연구자가 앞서 한 말을 기억하고 있었음에도 불구하고, 선분 a보다 선분 b가 길어 보인다고 응답하였다. 이 실험에서 사용된 <그림>은 아래와 같다.

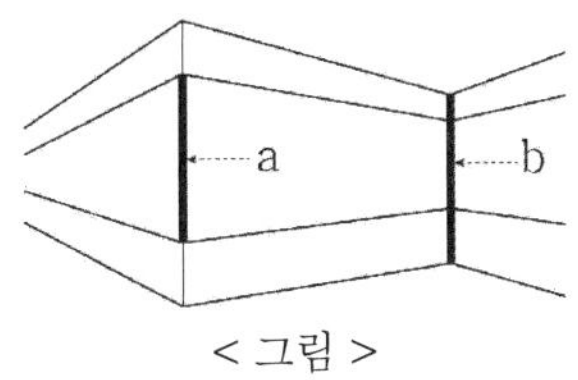

< 그림 >

① 연구자는 실험 참가자들이 ㉮ 단계에서 시각 경험에 의한 감각믿음을 가질 것으로 기대하였다.
② 실험 참가자들은 ㉮ 단계에서 추론적 사고에 의한 감각믿음을 형성하였다.
③ 실험 참가자들이 ㉮ 단계에서 가지게 된 중심믿음은 ㉯ 단계에서 감각 경험에 의해 유지되었다.
④ ㉮ 단계에서 연구자가 말해 준 내용은 ㉯ 단계에서 실험 참가자들의 감각믿음에 영향을 미치지 못한 것으로 나타났다.
⑤ ㉯ 단계에서 연구자는 실험 참가자들의 중심믿음과 감각믿음이 일치한 것으로 판단하였을 것이다.

20. 윗글을 바탕으로 할 때 <보기>에 대한 반응을 추론한 것으로 적절하지 <u>않은</u> 것은? [3점]

< 보 기 >

윤수는 끔찍한 녹색 점액 괴물이 나오는 공포 영화를 보고 있다. 괴물이 천천히 땅 위로 흘러내리며 주변의 모든 것을 파괴하는 장면을 보며 몸을 움츠린다. 이윽고 녹색 괴물의 몸체에서 끈적끈적한 머리가 솟아오르더니, 갑자기 관객을 향해 돌진한다. 윤수는 공포를 느껴 비명을 지른다. 영화가 끝난 후에도 윤수는 공포에 몸을 떨면서, "괴물이 진짜처럼 무서웠다."라고 말한다.

① 래드포드의 관점에서는, 영화를 보면서 윤수가 느낀 공포는 괴물이 존재한다는 믿음 없이 생겨난 것이라고 보겠군.
② 환영론의 관점에서는, 윤수가 비명을 지른 것에 대해 환영에 빠져 영화 속 내용을 사실이라 믿은 것으로 판단하겠군.
③ 월턴의 관점에서는, 영화를 보면서 윤수가 느낀 공포는 실제로 괴물이 존재한다는 믿음에서 비롯된 것이므로 유사 감정이라고 주장하겠군.
④ 캐럴의 관점에서는, 영화가 끝난 후에도 윤수가 공포를 느낀 것은 괴물에 대한 생각 때문이라고 주장하겠군.
⑤ 감각믿음 이론의 관점에서는, 영화를 보는 동안 윤수가 감각 경험으로 인해 공포를 느낀다고 주장하겠군.

[21 ~ 25] 다음을 읽고 물음에 답하시오.

우리는 소비를 할 때 벌어들인 소득 전부를 지출하지 않고 일부를 저축하기도 하고, 대출을 받아 자신이 벌어들인 소득보다 많이 지출하기도 한다. 예를 들어, 적금에 가입해 미래에 있을 지출에 대비하거나 대출을 받아 자동차를 구매하면서 여러 해에 걸쳐 대출금과 이자를 ⓐ <u>상환하기도</u> 한다. 이와 같이 소비는 여러 기간에 걸친 자금의 흐름을 고려하여 이루어진다. 따라서 저축과 대출 등의 금융 행위와 그것의 수익과 비용을 결정하는 이자율은 소비 계획의 결정에 있어 중요한 요소이다.

이자율이 소비에 미치는 영향을 분석하기 위해 다음과 같은 '2기간 소비 모형'을 가정하자. 가상의 소비자 K는 1기와 2기의 두 기간만 생존하며, 1기와 2기에 각각 소득 M1과 M2를 얻는다. 이때 1기 소비 지출액과 2기 소비 지출액의 합은 K가 전 기간에 걸쳐 벌어들일 총소득을 넘어설 수 없다. 또한 소비 지출액이 증가할수록 효용*은 증가하며, K는 한 시기의 소비 지출액만 지나치게 많은 것보다 각 시기의 소비 지출액이 균등한 것을 ⓑ <u>선호한다</u>.

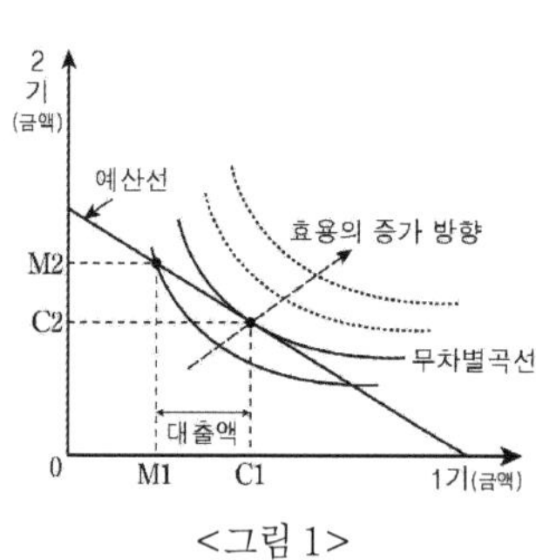

<그림 1>

<그림 1>은 이자율이 r일 때 K의 최적 소비 계획을 나타낸 것이다. <그림 1>의 예산선은 K가 총소득을 전부 지출할 때 소비할 수 있는 소비 계획들을 ⓒ연결한 선으로, 초기 부존점* (M1, M2)를 지나는 우하향 직선으로 나타난다. 이때 예산선의 기울기는 이자율에 의해 결정된다. 예를 들어, K가 1기에 r의 이자율로 100만 원을 빌린다면 1기에 소비할 수 있는 금액은 100만 원만큼 늘어나지만, 반대로 2기에 소비할 수 있는 금액은 '(1 + r) × 100만 원'만큼 줄어든다. 따라서 이자율이 r인 경우 예산선은 기울기가 −(1 + r)인, 초기 부존점을 지나는 직선이 된다. 이때 초기 부존점 왼쪽의 예산선은 저축할 때, 오른쪽의 예산선은 돈을 빌릴 때 선택 가능한 소비 계획들을 의미한다.

<그림 1>의 무차별곡선은 효용이 동일한 K의 소비 계획들을 연결한 선으로, 볼록한 모양의 우하향 곡선으로 나타난다. 이때 좌측 아래의 무차별곡선보다 우측 위의 무차별곡선일수록 더 높은 효용을 나타내는데, 이는 매 시기의 소비가 많을수록 효용이 증가하기 때문이다. 즉 (M1, M2)를 지나는 무차별곡선보다 (C1, C2)를 지나는 무차별곡선이 우측 위에 나타나므로, (M1, M2)에 비해 (C1, C2)가 효용이 더 높은 소비 계획이다. 이는 (C1, C2)의 매 시기 소비 지출액이 (M1, M2)에 비해 더 ⓓ균등하기 때문이다.

따라서 K는 예산선과 무차별곡선이 접하는 지점인 (C1, C2)에서 최적 소비 계획을 결정한다. 즉 (C1, C2)를 ⓔ제외한 예산선상의 다른 소비 계획들과 예산선 아래쪽의 소비 계획들은 (C1, C2)보다 효용이 작기 때문에 선택되지 않으며, 예산선 위쪽의 소비 계획들은 K의 총소득 범위를 넘어가므로 더 효용이 높지만 선택할 수 없다. 그러므로 K는 (C1 − M1)을 대출하여 (C1, C2)의 소비 계획을 선택한다.

이제 이자율 변화가 K의 소비 계획에 미치는 영향을 알아보기 위해 이자율이 상승한 경우를 가정해 보자. 이자율의 기울기는 −(1 + r)이므로 이자율이 상승하면 예산선의 기울기가 가파르게 변화한다. 따라서 이자율 상승 시 예산선은 초기 부존점을 기준으로 시계 방향으로 회전한다.

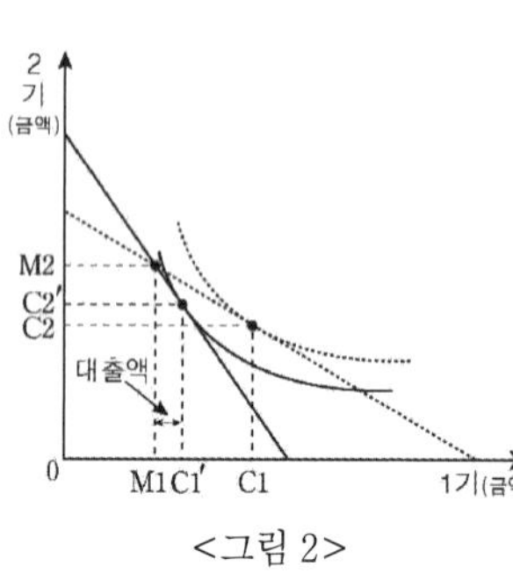

<그림 2>

<그림 2>는 이자율 상승에 따른 K의 최적 소비 계획 변화를 나타낸 것이다. 이 그림에서 무차별곡선과 예산선이 접하는 지점이 변화한 것을 통해 K는 이자율이 상승하면 1기 소비 지출액과 대출액을 줄이는 방향으로 최적 소비 계획을 변화시킨다는 것을 알 수 있다.

K가 최적 소비 계획을 바꾼 이유는 두 가지이다. 첫 번째 이유는 ㉠이자율이 상승함에 따라 2기 소비에 대한 1기 소비의 상대적 가치가 하락했기 때문이다. 따라서 K는 2기 소비를 늘리고, 상대적으로 가치가 하락한 1기 소비를 줄인다. 이렇게 1기와 2기 소비의 상대 가치 변화로 인해 최적 소비 계획이 변하는 효과를 대체효과라고 한다.

두 번째 이유는 이자율 상승으로 인해 상환해야 할 대출 이자가 늘어 K의 총소득이 감소하는 효과가 나타났기 때문이다. 따라서 총소득 감소에 따라 K는 1기 소비 지출액과 2기 소비 지출액을 모두 줄이는 방향으로 최적 소비 계획을 변경한다. 이렇게 총소득 변화에 따라 최적 소비 계획이 변하는 효과를 소득효과라고 한다.

따라서 이자율이 상승한 경우 대체효과와 소득효과로 인해 K는 1기 소비 지출액을 줄인다. 2기 소비 지출액은 대체효과와 소득효과가 상충되므로 각 효과의 상대적 차이에 의해 결정되는데, <그림 2>는 대체효과가 소득효과보다 커서 2기 소비 지출액이 증가한 경우를 가정한 것이다.

이처럼 2기간 소비 모형을 통해 이자율이 소비에 미치는 영향을 이해할 수 있다. 이는 소비자가 소비를 결정하는 데 있어, 현재의 소득만이 아니라 미래에 자신이 벌 것으로 예상하는 소득과 두 시기를 연결하는 매개 변수인 이자율을 고려한다는 것을 시사한다.

* 효용 : 소비자가 소비 행위를 통해 얻는 만족을 수치로 나타낸 것.
* 초기 부존점 : 저축이나 대출 등 금융 행위가 불가능할 때의 소비 계획.

*21.* 윗글의 내용과 일치하지 않는 것은?

① 소비자는 여러 기간에 걸친 자신의 자금 흐름을 고려하여 소비 계획을 결정한다.
② 2기간 소비 모형에 따르면, 예산선은 총소득을 전부 지출할 때 소비할 수 있는 소비 계획들을 의미한다.
③ 2기간 소비 모형에 따르면, 예산선과 무차별곡선이 접하는 지점에서 최적 소비 계획이 결정된다.
④ 2기간 소비 모형에 따르면, 이자율이 하락하면 초기 부존점을 기준으로 예산선이 시계 방향으로 회전한다.
⑤ 소비자는 현재 소비를 결정할 때 이자율, 현재 소득, 미래 예상 소득을 모두 고려한다.

*22.* '<그림 1>에 제시된 K의 최적 소비 계획'(㉮)과 '<그림 2>에 제시된 K의 최적 소비 계획'(㉯)에 대한 이해로 적절하지 않은 것은?

① ㉮는 <그림 1>의 예산선에서 K의 효용을 가장 크게 하는 소비 계획이다.
② ㉮는 <그림 1>의 초기 부존점에 비해 각 시기의 소비 지출액이 보다 균등한 소비 계획이다.
③ ㉮를 지나는 무차별곡선은, ㉮를 제외한 <그림 1>의 예산선상의 다른 소비 계획을 지나는 무차별곡선들보다 우측 위에 존재한다.
④ ㉮에 비해 ㉯의 2기 소비 지출액이 큰 것은 이자율 상승으로 인한 대체효과가 소득효과보다 큰 경우를 가정했기 때문이다.
⑤ ㉮와 ㉯에서의 K의 대출액의 차이는 ㉮와 ㉯에서의 1기 소비 지출액의 차이보다 작다.

*23.* <보기>를 참고하여 ㉠의 이유를 추론한 것으로 가장 적절한 것은?

< 보 기 >

이자율이 r인 경우 현 시기(1기) 100만 원의 가치는 다음 시기(2기)의 '(1 + r) × 100만 원'과 같은 가치를 지닌다. 이를 역으로 보면 다음 시기의 '(1 + r) × 100만 원'은 현 시기 100만 원의 가치와 같다고 판단할 수 있다. 이처럼 미래의 특정 금액의 가치는 이자율을 매개로 현재 가치로 환산할 수 있다. 이때 현재 가치란 어떤 금액이 현재 지니는 가치를 말한다.

① 이자율 상승으로 인해 1기 소비 지출액과 동일한 2기 소비 지출액의 현재 가치가 상승하기 때문이다.
② 이자율 상승으로 인해 1기 소비 지출액과 동일한 2기 소비 지출액의 현재 가치가 하락하기 때문이다.
③ 이자율 상승으로 인해 1기에 상환해야 하는 대출액이 감소하기 때문이다.
④ 이자율 상승으로 인해 1기 소비 지출액의 현재 가치가 하락하기 때문이다.
⑤ 이자율 상승으로 인해 1기 소비 지출액의 현재 가치가 상승하기 때문이다.

*24.* <보기>에 제시된 상황에 대한 설명으로 가장 적절한 것은? [3점]

< 보 기 >

갑국 정부는 내년부터 모든 소비자에게 보조금을 지급하는 정책을 수립하였다. 정부는 이러한 정책이 소비 진작을 통한 경제 활성화에 기여할 것으로 기대하고 있다. 정책 발표로 인해 갑국의 모든 소비자는 내년부터 보조금을 지급받게 된다는 것을 알게 되었다. 갑국 정부는 모든 소비자가 2기간 소비 모형의 모든 가정을 충족한다고 판단하고 있다. 또한 정책 시행 이전과 이후 이자율은 변하지 않는다고 판단하고 있다.
(단, 정책 시행 이전과 이후 다른 조건의 변화는 없다.)

① 보조금 지급 이전인 올해에는 소비가 증가하지 않을 것으로 갑국 정부는 예상할 것이다.
② 보조금 지급은 대체효과는 일으키지 않고 소득효과만 일으킬 것으로 갑국 정부는 예상할 것이다.
③ 모든 소비자가 내년에 지급받을 보조금만큼의 금액을 올해 모두 소비할 것으로 갑국 정부는 예상할 것이다.
④ 소비자의 저축액과 대출액에 따라 보조금 지급으로 인한 소비의 증감 여부가 결정될 것으로 갑국 정부는 예상할 것이다.
⑤ 보조금 지급으로 인한 대체효과와 소득효과의 상대적 차이에 의해 내년 소비의 증감 여부가 결정될 것으로 갑국 정부는 예상할 것이다.

*25.* 문맥상 ⓐ ~ ⓔ와 바꿔 쓴 것으로 적절하지 <u>않은</u> 것은?

① ⓐ : 갚기도　② ⓑ : 좋아한다
③ ⓒ : 이은　④ ⓓ : 고르기
⑤ ⓔ : 없앤

[26 ~ 30] 다음을 읽고 물음에 답하시오.

물질은 여러 가지 다른 상(phase)으로 ⓐ <u>존재</u>할 수 있다. 물질의 상이란 화학적 조성은 물론 물리적 상태가 전체적으로 균질한 물질의 형태를 말하며, 일반적으로 고체, 액체, 기체로 ⓑ <u>구분</u>된다. 고체는 일정한 부피와 모양을 가지고 있으며, 물질을 구성하는 원자들이 각자의 위치를 중심으로 결합되어 서로 고정된 상태이다. 액체는 일정한 부피를 가지나 모양이 일정하지는 않으며, 물질을 구성하는 분자 간 인력이 분자 위치를 고정할 만큼 강하지 못하여 분자가 액체 내부를 무질서하게 돌아다니는 상태이다. 기체는 부피와 모양이 모두 일정하지 않으며, 물질을 구성하는 분자 간 인력이 매우 작은 편으로 기체의 분자 간 평균적인 거리는 고체나 액체일 경우에 비해 매우 먼 상태이다.

물질은 압력과 온도 조건의 변화에 따라 다른 상으로 변할 수 있다. 화학적 조성의 변화는 ⓒ <u>수반</u>되지 않으면서 물질의 상이 전환되는 현상을 상변화(phase change)라 하며, 압력은 동일하지만 온도가 더 높은 조건에서 존재하는 상일 때의 물질을 높은 상 물질이라고 한다. 이러한 모든 상변화에서는 물질의 내부 에너지 변화가 일어나는 특징이 있다.

상평형 그림(phase diagram)은 닫힌계*에서 압력과 온도 조건의 변화에 따른 물질의 상변화를 나타낼 수 있는 방법이다. 아래의 <그림>은 물의 상평형 그림으로, 압력과 온도 조건에 따른 물의 상을 보여 준다. 상평형 그림에서 상과 상 사이의 선들을 상 경계라고 하는데, 선의 각 점은 두 상이 평형을 이루는 압력과 온도 조건을 나타내며, 상 경계는 두 상이 평형을 이루는 압력과 온도 조건의 집합이 된다. 상평형 그림에서 고체상과 액체상이 평형을 이루는 조건을 융해 곡선, 기체상과 고체상이 평형을 이루는 조건을 승화 곡선, 기체상과 액체상이 평형을 이루는 조건을 증기 압력 곡선이라 한다.

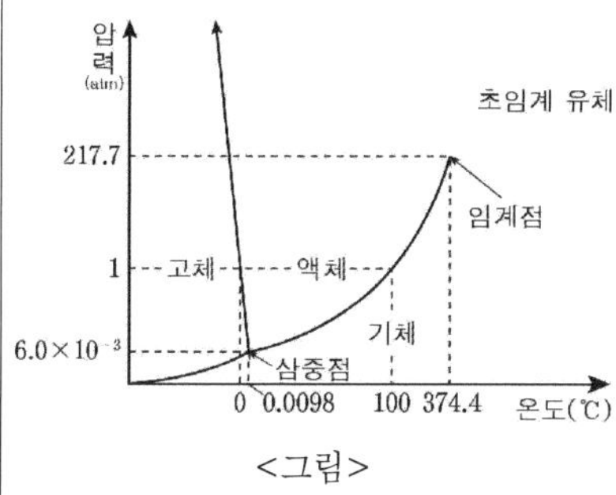

<그림>

[A] 닫힌계에서 기체상과 액체상이 평형을 이루는 상태에 대해 설명해 보자. 액체가 기체로 상이 전환되는 것은, 같은 온도에서도 액체의 분자가 각각 서로 다른 에너지를 가지고 있을 수 있어서 그중 높은 에너지를 갖는 분자가 증발할 수 있기 때문이다. 액체의 분자들을 한데 묶어 두는 분자 간 인력이 존재함에도 불구하고, 액체의 표면에 있는 분자들은 각각 다른 정도의 운동 에너지를 갖기 때문에 그중 운동 에너지가 큰 분자들은 분자 간 인력을 극복하고 증발하여 기체 상태로 변한다. 하지만 기체의 분자들 일부는 반대로 에너지를 잃고 응결되어 액체로 변한다. 그리고 이러한 과정의 초기에는 액체의 표면을 떠나는 분자의 수가 돌아오는 수보다 훨씬 많으나, 기체의 분자 수 증가로 기체의 압력 또한 높아져 액체의 표면에서 응결되는 분자 수 또한 증가하게 된다. 결국 분자들의 증발 또는 응결은 지속적으로 이루어지고 있으나, 특정한 압력과 온도 조건에서 액체의 증발 속도와 기체의 응결 속도는 같아지게 되어 거시적으로 평형을 유지하게 된다. 그리고 이러한 상태에서의 압력과 온도 조건들이 상평형 그림의 증기 압력 곡선이 된다.

한편, 위 <그림>에서 고체와 기체 사이의 상 경계를 따라가면 두 선이 ⓓ분기하는 점이 나타난다. 이 점은 세 개의 상이 평형을 이루며 공존하는 상태로, ㉠삼중점(triple point)이라고 한다. 그리고 액체와 기체 사이의 상 경계를 따라가면 선이 끝나는 임계점을 만나는데, 이때의 온도를 임계 온도, 압력을 임계 압력이라 한다. 임계 온도는 아무리 압력을 높여도 기체가 액화되지 않는 온도이며, 임계 압력은 아무리 온도를 높여도 액체가 증발되지 않는 압력으로, 임계점에서 두 상은 액체도 기체도 아닌 초임계 유체를 ⓔ형성한다.

* 닫힌계: 주위와 물질 교환을 하지 않으나 에너지 교환은 할 수 있는 계.

*26.* 윗글에 대한 설명으로 가장 적절한 것은?

① 물질의 상과 상변화 개념을 제시하고, 상평형 그림을 활용하여 물질의 상변화를 설명하고 있다.
② 물질의 상을 구분하고, 압력 변화에 따라 물질을 구성하는 원자나 분자가 달라지는 원인을 분석하고 있다.
③ 물질이 물리적 형태에 따라 나타내는 특성들을 제시하고, 다양한 물질의 예를 들어 각 특성들을 설명하고 있다.
④ 물질의 상과 상변화의 관련성을 설명하고, 압력과 온도 변화에 따른 물질의 화학적 조성 변화 원인을 분석하고 있다.
⑤ 물질의 상변화 과정에서 나타나는 압력과 온도 사이의 상관성을 분석하고, 물질의 화학적 변화 이유를 제시하고 있다.

*27.* <보기>와 윗글의 <그림>을 관련지어 이해한 내용으로 적절하지 않은 것은?

< 보 기 >

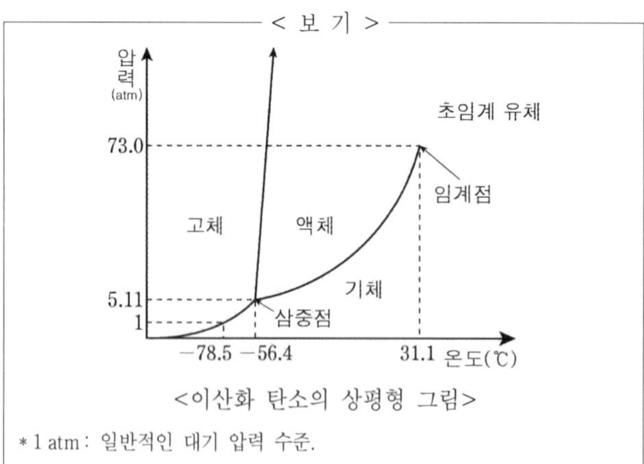


<이산화 탄소의 상평형 그림>

* 1 atm: 일반적인 대기 압력 수준.

① 이산화 탄소는 물에 비해 임계점이 상대적으로 더 낮은 압력과 온도 조건에 있군.
② 이산화 탄소는 물과 달리 일반적인 대기 압력 수준에서 액체로 존재할 수 없겠군.
③ 물과 이산화 탄소는 동일한 압력 조건에서 고체, 액체, 기체 중 기체가 높은 상 물질이겠군.
④ 물은 이산화 탄소와 달리 온도가 높아질수록 고체와 액체 간 평형을 이루는 압력이 낮아지겠군.
⑤ 물과 이산화 탄소는 어떤 압력과 온도 조건에서도 고체에서 기체로의 상변화가 일어날 수 없겠군.

*28.* [A]를 참고하여 <보기>를 이해한 내용으로 적절하지 않은 것은? [3점]

< 보 기 >

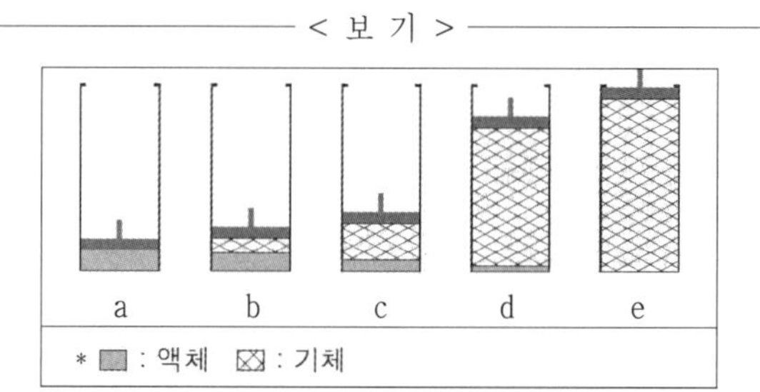


위 그림은 액체가 담긴 밀폐된 용기의 피스톤을 위로 당기는 과정을 단계적으로 도식화한 것이다. 그림의 a ~ e는 일정한 온도에서 압력의 감소에 따라 연속적으로 일어나는 액체에서 기체로의 전환을 보여 준다. a에서 e의 순서로 진행되며, a는 액체 상태, c만 상평형 상태, e는 기체 상태이다.

① a에서 e까지의 과정에서 액체의 분자 수는 감소하고 기체의 분자 수는 증가할 것이다.
② b는 액체의 표면을 떠나는 분자의 수가 기체에서 액체로 돌아오는 분자의 수보다 많은 상태일 것이다.
③ c는 액체의 분자가 증발하는 속도와 기체의 분자가 응결하는 속도가 같은 상태일 것이다.
④ c에서 e까지의 과정에서 액체의 분자와 기체의 분자는 모두 분자 간 인력이 커질 것이다.
⑤ e는 a에 비해 분자 간 평균적인 거리가 먼 상태일 것이다.

*29.* ㉠에 대한 이해로 가장 적절한 것은?

① 물질이 분자 수준에서는 상변화가 일어나고 있으나 거시적으로는 세 가지 상이 평형을 유지하고 있는 상태를 의미한다.
② 물질이 일정한 부피와 모양을 유지하면서 화학적 조성과 물리적 형태에는 변화가 없는 상태를 의미한다.
③ 물질이 세 가지 상으로 구별되나 압력과 온도의 변화에도 특정한 상을 유지하려는 상태를 의미한다.
④ 물질을 구성하는 분자 간의 인력이 강해지나 물질의 내부 에너지는 증가하는 상태를 의미한다.
⑤ 물질의 내부 에너지가 증가하며 지속적으로 압력과 온도가 상승하는 상태를 의미한다.

*30.* ⓐ ~ ⓔ의 사전적 의미로 적절하지 않은 것은?

① ⓐ: 현실에 실제로 있음.
② ⓑ: 일정한 기준에 따라 전체를 몇 개로 갈라 나눔.
③ ⓒ: 어떤 일과 더불어 생김.
④ ⓓ: 나뉘어서 갈라짐.
⑤ ⓔ: 어떤 물건의 형상을 본뜸.

[31 ~ 33] 다음을 읽고 물음에 답하시오.

(가)

집도 많은 집도 많은 남대문턱 **움 속**에서 **두 손 오구려 혹혹 입김** 불며 이따금씩 쳐다보는 하늘이사 아마 **하늘**이기 혼자만 곱구나

거북네는 만주서 왔단다 **두터운 얼음장과 거센 바람 속**을 세월은 흘러 거북이는 만주서 나고 할배는 만주에 묻히고 세월이 무심찮아 봄을 본다고 쫓겨서 울면서 가던 길 돌아왔단다

띠팡*을 떠날 때 강을 건늘 때 조선으로 돌아가면 빼앗겼던 땅에서 농사지으며 가 갸 거 겨 배운다더니 조선으로 돌아와도 집도 고향도 없고

거북이는 배추꼬리를 씹으며 달디달구나 배추꼬리를 씹으며 꺼무테테한 아배의 얼굴을 바라보면서 배추꼬리를 씹으며 거북이는 무엇을 생각하누

**첫눈** 이미 내리고 이윽고 **새해가 온다는데** 집도 많은 집도 많은 남대문턱 **움 속**에서 이따금씩 쳐다보는 하늘이사 아마 **하늘**이기 **혼자만 곱**구나

– 이용악, 「하늘만 곱구나」 –

* 띠팡 : '장소'를 뜻하는 중국말. 여기서는 거북네가 유이민으로 생활하면서 경작하던 땅을 가리킴.

(나)

등 너머로 훔쳐 듣는 남의 집 **대숲바람 소리** 속에는
밤사이 내려와 놀던 **초록별들의**
**퍼렇게 멍든 날개쭉지**가 떨어져 있다.
어린날 뒤울안에서
**매 맞고 혼자 숨어 울던** 눈물의 찌꺼기가
비칠비칠 아직도 거기
남아 빛나고 있다.

**심청이네집** 심청이
빌어먹으러 나가고
심봉사 혼자 앉아
날무처럼 끄들끄들 졸고 있는 **툇마루 끝**에
개다리소반 위 비인 상사발에
**마음만 부자로 쌓여주던 그 햇살이**
**다시 눈 트고 있다,** 다시 눈 트고 있다.
장 승상네 **참대밭의 우레 소리**도
**다시 무너져서 내게로 달려오고 있다.**

등 너머로 훔쳐 듣는
남의 집 **대숲바람 소리** 속에는
내 어린날 **여름냇가**에서
손바닥 벌려 잡다 놓쳐버린
벌거벗은 **햇살의 그 반쪽**이
앞질러 달려와서 **기다리며**
저 혼자 심심해 **반짝이고 있**다.
저 혼자 심심해 물구나무 서 보이고 있다.

– 나태주, 「등 너머로 훔쳐 듣는 대숲바람 소리」 –

*31.* (가)와 (나)의 공통점으로 가장 적절한 것은?

① 구체적인 지명을 활용하여 시적 상황을 형상화한다.
② 유사한 시구를 반복하여 시적 의미를 강조한다.
③ 청자를 명시적으로 설정하여 어조를 형성한다.
④ 반어적 표현을 통해 화자의 태도를 드러낸다.
⑤ 시선의 이동에 따라 시상을 전개한다.

*32.* (가)에 대한 이해로 적절하지 <u>않은</u> 것은?

① 1연에서는 고운 '하늘'과 '두 손을 오구려 혹혹 입김'을 부는 '움 속'의 상황이 대비를 이룬다.
② 2연에서 '두터운 얼음장과 거센 바람 속'의 세월은 거북네가 겪었을 시련을 짐작하게 한다.
③ 3연에서는 거북네가 고향에 돌아오면서 가졌던 기대와 돌아와서 직면한 현실 사이의 괴리가 드러난다.
④ 4연에서는 거북이와 아배의 행동이 번갈아 제시되면서 거북이의 내적 갈등이 드러난다.
⑤ 5연에서 '첫눈'이 내리고 '새해가 온다는데'도 '움 속'에서 보는 '하늘'이 '혼자만 곱'다는 것은 상황의 비극성을 부각한다.

*33.* <보기>를 바탕으로 (나)를 감상한 내용으로 적절하지 <u>않은</u> 것은? [3점]

< 보 기 >

(나)의 화자는 특정한 소리로 인해 떠올리게 된 장면에서, 슬픔과 외로움을 느끼면서도 이를 견뎌내는 어린 시절 자신의 모습을 발견하고 과거의 상처를 포용하게 된다. 2연을 기점으로 하여 1연과 3연에 나뉘어 제시된 장면에서는 기억 속 화자의 서로 다른 모습을 포착함으로써 이러한 양상을 드러내고 있다.

① 1연의 '대숲바람 소리'는 '초록별들의 / 퍼렇게 멍든 날개쭉지'와 연결되면서 화자에게 '매 맞고 혼자 숨어 울던' 유년 시절의 서러운 기억을 떠올리게 한다.
② 2연에서는 '심청이네집'에 '마음만 부자로 쌓여주던 그 햇살'이 화자에게도 '다시 눈 트고 있'는 것으로 언급되면서 서러운 기억을 포용할 수 있는 가능성을 암시하고 있다.
③ 2연에서는 '다시 눈 트고 있다'와 '다시 무너져서 내게로 달려오고 있다'가 대응되어 '햇살'과 '참대밭의 우레 소리'가 유사한 기능을 하고 있음을 읽어내게 한다.
④ 3연의 '여름냇가'는 2연의 '툇마루 끝'과 동일시되면서 화자가 어린 시절의 결핍으로 인해 꿈과 희망의 좌절을 경험했던 공간을 구체적으로 형상화하고 있다.
⑤ 3연의 '대숲바람 소리'로 떠올리게 된 '햇살의 그 반쪽'은 '기다리며' '반짝이고 있'는 것으로 제시되면서 화자가 기억 속 자신의 또 다른 모습을 발견하게 되었음을 드러내고 있다.

12회

[34 ~ 38] 다음을 읽고 물음에 답하시오.

<앞부분의 내용> 남파 간첩으로 체포되어 21년을 복역하고 작고한 작은할아버지의 생애를 석사 논문의 주제로 삼은 손자는 할아버지에게 과거사를 묻는다. 손자는 할아버지의 반응을 이끌어내려 노력하는 한편, 다른 가족에게서도 작은할아버지의 행적에 관한 증언을 듣고 기록한다.

(가) 작은할아버지의 생애와 그분이 살았던 시대를 두고 석사 논문을 쓰겠다는 마음이 애초부터 있었던 것은 아니다. 그분이 설령 남이라 해도 분단 현실에 희생양으로서 당신 생애가 관심을 끌 만했는데, 제삼자가 아닌 바로 우리 집안 어른이었다. 논문 부제로 붙인 '분단 시대 어느 사회주의자의 생애'에 합당한, 고난으로 점철된 그분 생애는 누구든 정리해 볼 만한 값어치가 있었다. '국민의 정부'가 들어서고 남북 화해 물꼬가 햇볕 정책이란 이름으로 트이자 북한에 대해 거리낌 없이 말해도 좋을 만큼 시대가 달라졌다. 그러자 작은할아버지는 유령의 가면을 벗고 지하에서 지상의 가족 앞에 그 모습을 드러냈다. 명절이나 집안 길흉사로 가족이 모이는 날이면 그분에 대한 일화가 이제 쉬쉬하지 않고 어른들 입에 자연스럽게 오르내리게 되었다. 작년 할머니 기일 때였다. 큰댁 식구, 고모네 식구에, 우리 식구가 할아버지 댁에 모이니 어린 조카들까지 합쳐 스물에 이르렀다. 속칭 '1·4 후퇴' 때 월남한 조부모 대 아래 50년 사이 후손이 그만큼 가지를 쳤던 것이다. 그날도 추모 예배 끝에 작은할아버지에 관한 일화가 어른들 입에서 오르내렸다. 「할아버지, 이제 새 천 년 이십일 세기가 시작됐는데 올해부터 우리 집안 쪽에서라도 작은할아버지 기일을 찾아 줘야 되잖겠어요? 그날 오늘처럼 가족이 모여 추모 예배를 보면 어때요?」 큰집 준식 형이 말을 꺼냈다. 「지금 너 뭐랬니? 대학 때 속깨나 썩이더니 아직도 삐딱한 생각을 청산 못했군. 뭐라구, 작은아버지 제사? 말이나 되는 소리니? 그 양반 제사를 우리가 왜 지내? 그 양반이 집안을 쑥대밭으로 만들었는데. 아버지도 그럴 맘 없겠지만, 난 반대야. 무슨 낯짝 있다구 우리 집 제삿밥 얻어먹어? 그 양반 망령인들 기독교식 제삿밥 먹으려 들갔어?」 술이 거나해진 큰아버지가 당신 맏아들인 준식 형을 삿대질하며 꾸짖었다.

(나) 1950년 12월 초순이었다. 제비 떼같이 창공에 뜬 폭격기 편대가 몰아치는 눈보라를 뚫고 엄청난 양의 폭탄을 퍼붓고 있었다. 폭탄이 떨어지는 지점마다 불티가 하늘로 치솟았다. 종전 전 일본 땅에다 그랬듯 미제가 원자 폭탄을 투하할 거란 소문이 거짓말이 아니란 생각이 들었고, 봄이 와도 저 땅엔 풀인들 싹을 틔우겠냐 싶었다. 나는 고향 땅에 남겨 둔 부모님과 처자식 걱정이 태산 같았다. 전쟁이 나도 나는 인민군에 소집되지 않았고, 개천역 저탄장 작업소에서 일했는데, 일제 때 유경험자라 개천광산 석탄 채굴 노동자로 작업터를 바꾸었다. 열댓 살짜리까지 전선으로 빠지고 40대 장정이 대부분을 차지한 광산 노동자들은 전쟁 와중에도 전선에서 쓸 석탄 채굴에 여념이 없었다. 전황이 기울어 평양을 남쪽에 내줬다는 소식이 광산까지 전해지기가 10월 초, 탄광이 폐쇄되어 읍내 집으로 돌아오자 아니나 다를까, 뒤이어 국군과 연합군이 읍내를 점령했다. 뒤따라 들어온 치안대, 한청(대한청년단), 청방(청년방위대)이 좌익 분자 색출에 혈안이 되어 꼬투리가 잡혔다 하면 하루를 못 넘겨 처형되거나 제 묻힐 구덩이 제가 파서 생매장당했다. 사람 목숨이 파리 목숨처럼 한순간에 사라지던 험한 시절이라 청년노동자동맹 분소 부부장이었던 나로서는 우선 살아남자면 우익 지푸라기라도 붙잡아야 할 처지였다. 중공군 참전 소식이 들리고 마침 개천읍에 주둔해 있던 국군 부대 병기창이 철수를 서두르며 노무자를 징발하기에 나는 거기에 자원했다. 부대로 찾아온 어머니가 내게, 너들 식구만이라도 남으로 내려가 몸을 피하라고 아내에게 이르겠다 했는데, 아내와 젖먹이 딸린 자식 넷이 읍내에 남아 있는지 피난길에 나섰는지 알 수 없었다. 「너들 식구는 피난 나서더래두, 우리 양주야 살 만큼 산 목숨 아닌가. 그러니 배가 앞산만 한 광수 아내와 우리 양주는 여기 남을래. 광수가 살아서 집 찾아 돌아올 날까지 대장간을 지켜야지.」 하던 어머니의 마지막 말이 줄곧 귓바퀴에서 맴돌았다. 나는 개털모자를 눌러썼는데 트럭이 속력을 내자 몰아치는 눈바람에 안면이 내 살 같지 않았고 무명으로 감싼 발톱은 집게로 뽑듯 아렸다. 그해 겨울, 결국 발가락 두 개가 동상으로 떨어져 나갔다. 생각만 해도 끔찍한 시절이었다. 늙고 할 일 없으니 자나깨나 그 시절 생각이다. 손자 녀석까지 남의 심사를 박박 긁으니 초조함과 불안이 온몸을 옥죄어 온다. 나는 의자 등받이에 몸을 붙이고 일렁이는 **불꽃**을 본다. 「여보, 봉창 밖이 왜 저렇게 환해요? 불이 난 게 아니에요?」 갑자기 죽은 아내 목소리가 들린다. 중손골로 찾아온 맏이 녀석과 한바탕 난리를 치르고 난 뒤 화가 가라앉지 않아 곽가 불러 술이나 한잔 하려 아내에게 술상을 차리라고 말한 뒤라, 나는 깜짝 놀라 뒷봉창을 보았다. 봉창이 훤했다. 나는 방문을 열고 뛰어나갔다. 변소 뒤 군용 천막으로 덮어 둔 폐지더미에서 불길이 일고 있었다. 덩이덩이 쌓아 둔 폐지더미가 바람을 타고 불길에 휩싸였다. 「여보, 어떡해요. 작은서방님이…….」 뒤좇아 나온 아내가 울먹였다. 폐지는 다 타버리더라도 광수부터 살려야 했다. 나는 정신없이 불길 속으로 뛰어들었다.

기침이 쏟아지고 갑자기 숨길이 가쁘다. 더 앉아 배겨 낼 수가 없다. 나는 의자에서 기우뚱 일어선다. 옷걸이에 걸린 10년 넘게 입어온 점퍼를 걸친다. 할아버지, 어디 가시게요? 하며 손자 녀석이 며늘애와 함께 빵을 먹다 돌아본다. 나는 대답 없이 현관으로 가서 테두리에 인조털 달린 겨울용 검정 고무신을 신는다.

(다) 불길에 뛰어든 아버지가 연기에 질식해 까무러친 작은아버지를 업구 수지면 소재 민간 병원으로 십 리 길을 뛰었지. (질문 : 병원에 입원한다면 작은할아버지 신분이 밝혀질 텐데, 할아버지가 거기에 대한 대비책은 있었는지요? 하고 내가 물었다.) 아버지 생각으론 작은아버지를 우선 살려 놓구 봐야겠다는 마음부터 앞섰겠지. 화급한 마음에, 의사가 만약 신원을 대라면 폐지 집하장에서 일하는 일꾼이라고 둘러대려 했거나 말이야. 졸도했던 작은아버지는 하루 만에 깨어났으나 숨길만 붙었을 뿐 호스로 음식물을 공급해야 할 만큼 목구멍이 화기로 상했구 얼굴과 손발은 온통 붕대에 감겨 있었으니 병원에서 쉬 빼낼 수가 있어야지. 이튿날, 소방관과 경찰이 들이닥쳐 화재 원인을 캐구 인명 피해와 재산 피해를 파악하던 중 일꾼 하나가, 주인어른이 불더미에서 사람을 구해 내서 업구 갔다는 말을 흘려, 작은아버지가 병원에 입원한 사실이 들통난 거지. 그제야 아버지가 아뿔싸 했으나 이미 때가 늦었어. 작은아버지의 위조된 도민증이 들통난 거야. 박 정권이 들어선 초기라 당시 시국이 얼마나 살벌했는지 알아? 전국 깡패 소탕령이 내려져 잡아들이는 족족 국토 개발 사업장에 보내구, 호구 조사가 철저했으니……. 수원경찰서에서 정보부로 옮겨 가며 신문받을 동안 아버지두 고문을 혹독히 당하셨나 봐.

\- 김원일, 「손풍금」 -

34. 다음은 윗글의 '손자'가 논문 작성 과정에서 조사한 내용이다. 적절하지 <u>않은</u> 것은?

> 할아버지의 고향은 북한의 평안남도 개천군 개천읍이다. ① <u>할아버지께서는 전쟁이 발발했을 때 인민군에 소집되지 않고 광산에서 석탄을 채굴하셨다</u>. 전황이 남측에 유리하게 전개되면서 ② <u>읍내가 국군과 연합군에 점령되었다</u>. 중공군의 참전 소식을 들은 할아버지는 ③ <u>철수를 결정한 국군 부대 병기창의 노무자 징발에 자원하셨고</u>, ④ <u>부모님과 처자식이 피난길을 떠나는 것을 보고서 국군 트럭에 오르셨다</u>고 한다. ⑤ <u>월남 후 폐지 집하장을 운영하시다가, 작은할아버지를 숨겨 준 일로 고초를 겪으셨다</u>.

35. <보기>의 [A]에 포함될 수 있는 내용으로 적절하지 <u>않은</u> 것은? [3점]

< 보 기 >

> 이 작품에서는 장별로 서술자가 교차되고 다양한 인물의 진술이 증언 기록의 방식으로 제시됨으로써 '과거의 기억에 대한 다중 진술'이 구현되고 있다. 서술자 혹은 인물의 질문과 탐색, 침묵과 진술을 통해 과거에 대한 정보가 등장인물이나 작품 외부의 독자에게 전달되고 축적되는 과정에서 가족의 과거사가 드러난다. (가)와 (다)의 서술자인 손자, (나)의 서술자인 할아버지, (다)에 기록된 증언의 제공자인 아버지를 각각 ㉮, ㉯, ㉰라고 할 때, 윗글은 다음과 같이 이해할 수 있다.
>
> [A]

① '손자 녀석까지 남의 심사를 박박 긁으니'라는 ㉯의 반응은 ㉮의 탐색이 쉽지 않을 것임을 짐작하게 한다.
② ㉯의 내면 서술은 가족의 과거와 관련된 정보를 작품 외부의 독자에게 전달하는 기능을 한다.
③ ㉯가 '초조함과 불안'을 느끼는 이유는 ㉰의 진술을 통해 짐작할 수 있다.
④ ㉰가 추측을 통해 사건을 전달하는 과정에서 ㉰의 진술과 ㉯의 기억 간에 상충되는 부분이 발견되고 있다.
⑤ ㉮가 탐색하고자 하는 가족의 과거사는 ㉰의 진술을 통해 그 일면이 드러나고 있다.

36. (가)에 나타난 인물들의 반응과 '작은할아버지'를 관련지어 설명한 내용으로 적절하지 <u>않은</u> 것은?

① 작은할아버지가 '지하'에서 '유령의 가면' 뒤에 존재하는 것처럼 여겨졌다는 것은 '그분에 대한 일화'를 공개적으로 언급하기 꺼려하던 집안 어른들의 모습과 관련지을 수 있다.
② '북한에 대해 거리낌 없이 말해도 좋을 만큼 시대가 달라졌다'는 언급에서, 작은할아버지가 '가족 앞에 모습을 드러'낼 수 있게 된 것이 시대의 변화와 관련되어 있음을 알 수 있다.
③ '작년 할머니 기일'에 모여 작은할아버지에 관한 일화를 이야기하는 가족들의 모습에서 작은할아버지가 가족의 일원임을 드러내는 것이 가능해졌음을 확인할 수 있다.
④ '삐딱한 생각을 청산 못'한 것이라 말하며 '준식 형'의 제안을 거부하는 '큰아버지'의 모습에서, '준식 형'에 대한 '큰아버지'의 태도가 작은할아버지에 대한 반감과 관련된 것임을 짐작할 수 있다.
⑤ '큰아버지'의 '삿대질'은 작은할아버지를 세대 간 갈등의 희생양으로 간주하고 이러한 갈등의 재발을 막고자 하는 의지의 표현으로 이해할 수 있다.

※ <보기>를 참고하여 37번과 38번의 두 물음에 답하시오.

< 보 기 >

(나)는 다음과 같은 순서로 서술되고 있다.

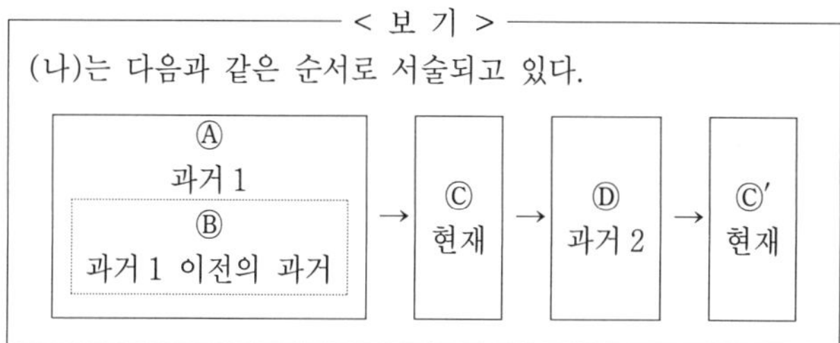


37. (나)를 이해한 내용으로 적절하지 <u>않은</u> 것은?

① Ⓑ에는 전쟁 발발 이후부터 Ⓐ에 이르기까지 서술자가 겪은 일이 제시되어 있다.
② '어머니의 마지막 말'을 기점으로 서술자의 생각이 Ⓑ에서 Ⓐ로 돌아오고 있다.
③ '늙고 할 일 없으니 자나깨나 그 시절 생각이다.'라는 언급은 Ⓒ와 Ⓒ′에서의 서술자의 상황을 표현한 것이다.
④ Ⓓ가 Ⓐ보다 시간적으로 앞서 있음은 Ⓐ와 Ⓓ에 제시된 시대적 배경의 비교를 통해 확인할 수 있다.
⑤ Ⓐ와 Ⓓ는 과거 시제로, Ⓒ와 Ⓒ′는 현재 시제로 서술되어 사건이 일어난 시점과 이를 서술하는 시점이 구분되고 있다.

38. [불꽃]의 서술상 기능으로 가장 적절한 것은?

① Ⓐ에서 자신이 내린 판단을 후회하게 되는 근거
② Ⓑ에 대한 인상을 압축적으로 드러내는 소재
③ Ⓒ에서 다가올 상황을 예측하게 해 주는 암시
④ Ⓓ에 대한 회상을 시작하게 하는 매개체
⑤ 추억의 대상을 Ⓓ에서 Ⓐ로 전환하는 장치

[39 ~ 41] 다음을 읽고 물음에 답하시오.

옹은 말을 할 때면 장황하게 하면서, 이리저리 둘러대었다. 하지만 어느 것 하나 꼭 들어맞지 않는 것이 없었고 그 속에 풍자를 담고 있었으니, 달변가라 하겠다. 손님이 물을 말이 다하여 더 이상 따질 수 없게 되자 마침내 분이 올라,

㉠ "옹께서도 두려운 것을 보셨겠지요?"

하니, 옹이 말없이 한참 있다가 버럭 소리를 질렀다.

"두려워할 것은 나 자신만 한 것이 없다네. 내 오른쪽 눈은 용이 되고 왼쪽 눈은 범이 되며, 혀 밑에는 도끼를 감추고 있고 팔을 구부리면 당겨진 활과 같아지지. 차분히 잘 생각하면 갓난아이처럼 순수한 마음을 잃지 않으나, 생각이 조금만 어긋나도 짐승 같은 야만인이 되고 만다네. 스스로 경계하지 않으면, 장차 제 자신을 잡아먹거나 물어뜯고 쳐 죽이거나 베어 버릴 것이야. 이런 까닭에 성인께서도 이기심을 누르고 예의를 따르며, 사악함을 막고 진실된 마음을 보존하면서 스스로 두려워하지 않으신 적이 없었다네."

이처럼 수십 가지 어려운 문제를 물어보아도 모두 메아리처럼 재빨리 대답해 내니, 끝내 아무도 그를 궁지에 몰 수 없었다. 옹은 자신에 대해서는 추어올리고 칭찬하는 반면, 곁에 있는 사람에 대해서는 조롱하고 업신여기곤 하였다. 사람들이 옹의 말을 듣고 배꼽을 잡고 웃어도, 옹은 안색 하나 변하지 않았다.

[A]
누군가가 말하기를,
"황해도는 황충이 들끓어 관에서 백성을 독려하여 잡느라 야단들입디다."
하니, 옹이 묻기를,
"황충은 뭐 하려고 잡느냐?"
고 하였다. 그러자 그 사람이 답하기를,
"이 벌레는 크기가 첫잠 잔 누에보다도 작고, 색깔은 알록달록하고 털이 나 있지요. 날아다니는 놈을 '명'이라 하고 볏줄기에 기어오른 놈을 '모'라 하는데, 우리의 벼농사에 피해를 주므로 '멸곡'이라고도 부릅니다. 그래서 잡아다가 땅에 파묻을 작정이랍니다."

하니, 옹은 이렇게 말했다.

[B]
"이런 작은 벌레들은 근심거리도 못 되네. 내가 보기에 종루* 앞길을 가득 메우고 있는 것들이 있는데, 이것들이 모두 황충이라오. 길이는 모두 일곱 자가 넘고, 대가리는 새까맣고 눈알은 반짝거리며 아가리는 커서 주먹이 들락날락할 정도인데, 웅얼웅얼 소리를 내고 꾸부정한 모습으로 줄줄이 몰려다니지. 곡식이란 곡식은 죄다 해치우는 것이 이것들만 한 것이 없더군. 그래서 내가 잡으려고 했지만, 그렇게 큰 바가지가 없어 아쉽게도 잡지를 못했다네."
그랬더니 주위 사람들은 정말로 그런 벌레가 있기나 한 듯이 모두 크게 무서워하였다.

어느 날 옹이 오기에 나는 멀리서 바라보면서 은어로,

㉡ "춘첩자(春帖子)에 방제(狵啼)로다."

라고 하였다. 그러자 옹이 웃으면서 말했다.

"춘첩자란 입춘날 문(門)에 붙이는 글씨[文]니, 바로 내 성 민(閔)을 가리키는 것이렷다. 그리고 방(狵)은 늙은 개를 지칭하니, 바로 나를 욕하는 것이구먼. 그 개가 울부짖으면[啼] 듣기가 싫은 법인데, 이는 내 이가 다 빠져 발음이 분명치 않은 것을 비꼰 게로군. 아무리 그렇다 해도 그대가 만약 늙은 개를 무서워한다면, 개를 내쫓는 것이 가장 낫네. 또 울부짖는 소리가 듣기 싫다면, 그 입을 막아 버리게나. 무릇 제(帝)란 조화를 부리는 존재요, 방(尨)은 거대한 물체를 가리키지. 그리고 제(帝)와 방(尨) 자를 한데 붙이면 조화를 부려 위대한 존재가 되나니, 그게 바로 용(𪚑)*이라네. 그렇다면 그대는 나에게 모욕을 가하지 못하고, 도리어 나를 칭송한 셈이 되고 말았구먼."

– 박지원, 「민옹전」 –

* 종루 : 서울 종로의 종각.
* 용(𪚑) : 용을 뜻하는 '龍' 자를 대신해 쓰는 한자.

*39.* 윗글에 대한 설명으로 가장 적절한 것은?

① 일화를 나열하여 인물의 특성을 드러내고 있다.
② 내적 독백을 활용하여 인물의 심리를 드러내고 있다.
③ 요약적 설명을 통해 인물의 성격 변화를 서술하고 있다.
④ 전기적 요소를 활용하여 공간의 비현실성을 부각하고 있다.
⑤ 장면이 바뀌면서 외적 갈등이 내적 갈등으로 전이되고 있다.

*40.* ㉠, ㉡에 대한 이해로 적절하지 <u>않은</u> 것은?

① ㉠은 손님이 감정이 고조된 상태에서 민옹에게 한 질문이다.
② 민옹은 ㉠에 답하기 위해 비유를 활용하고 있다.
③ ㉡은 민옹이 자신의 능력을 자각하는 계기가 된다.
④ 민옹은 한자에 대한 지식을 바탕으로 ㉡에 대해 답변한다.
⑤ 민옹은 ㉡을 결국 자신에 대한 칭찬으로 풀어내고 있다.

*41.* <보기>를 읽고 [A]와 [B]를 감상한 내용으로 적절하지 <u>않은</u> 것은? [3점]

< 보 기 >

「민옹전」을 비롯한 박지원 소설의 중요한 특징 중 하나로 우의(寓意)의 사용을 들 수 있다. 우의는 작가의 생각을 구체적 대상에 빗대어 간접적으로 제시하는 표현 방식으로, 그의 소설에서 사회 문제에 대한 비판 의식을 보여 주는 데 효과적으로 사용된다.

① [A]의 '황충'은 작가의 생각을 빗대어 드러내기 위해 제시된 구체적 대상으로 볼 수 있어.
② [A]의 '황충'과 [B]의 '황충'은 모두 인간에게 피해를 주는 존재로 표현되고 있어.
③ [B]에서 설명된 '황충'의 특징은 [A]의 '그 사람'이 '황충'에 대해 보여 주는 태도를 비판하는 근거가 되고 있어.
④ [A]와 [B]에 나타난 '황충'의 특징으로 보아 [B]의 '황충'은 백성을 수탈하는 존재를 빗댄 것으로 이해할 수 있어.
⑤ [B]의 '황충'을 잡으려고 했다는 민옹의 말에서 당대의 사회 문제에 대한 비판 의식을 엿볼 수 있어.

[42 ~ 45] 다음을 읽고 물음에 답하시오.

(가)

[A]
황매 시절 떠난 이별 만학단풍 늦었으니
상사일념 무한사는 저도 나를 그리려니
굳은 언약 깊은 정을 낸들 어이 잊었을까
인간의 일이 많고 조물이 시기런지
삼하삼추 지나가고 낙목한천 또 되었네
운산이 멀었으니 소식인들 쉬울손가
대인난* 긴 한숨의 눈물은 몇 때런고
흉중*의 불이 나니 구회간장 다 타 간다
인간의 물로 못 끄는 불이라 없건마는
㉠ 내 가슴 태우는 불은 물로도 어이 못 끄는고

[B]
자네 사정 내가 알고 내 사정 자네 아니
㉡ 세우사창 저문 날과 소소상풍 송안성*의
상사몽 놀라 깨여 맥맥히 생각하니
방춘화류 좋은 시절 강루사찰 경개* 좋아
일부일 월부월*의 운우지락 협흡*할 제
청산녹수 증인 두고 차생백년 서로 맹세
못 보아도 병이 되고 더디 와도 성화로세
오는 글발 가는 사연 자자획획 다정터니
엇지타 한 별리가 역여조기* 어려워라

― 이세보, 「상사별곡」 ―

* 대인난 : 약속한 시간에 오지 않는 사람을 기다리는 안타까움과 괴로움.
* 흉중 : 마음속.
* 송안성 : 기러기 울음소리.
* 경개 : 경치.
* 일부일 월부월 : 날마다 달마다.
* 협흡 : 화목하게 사귐.
* 역여조기 : 그리는 정이 간절함.

(나)

한라산이 시력 범위 안에 들어와 서기는 실상 추자도에서도 훨석 이전이었겠는데 새벽에 추자도를 지내 놓고 한숨 실컷 자고 나서도 날이 새인 후에야 ㉢ 해면 우에 덩그렇게 선연히 허우대도 끔직이도 크게 나타나는 것이 아닙니까! 눈물이 절로 솟도록 반갑지 않으오리까. 한눈에 정이 들어 즉시 몸을 맡기도록 믿음직스러운 가슴과 팔을 벌리는 산이외다. 동방화촉에 초야를 새우올 제 바로 모신 님이 수줍고 부끄럽고 아직 설어 겨울 뿐일러니 그 님의 그 얼굴 그 모습이사 동창이 아주 희자 솟는 해를 품은 듯 와락 사랑홉게 뵈입는 신부와 같이 나는 이날 아침에 평생 그리던 산을 바로 모시었습니다. 이즈음 슬프지도 않은 그늘이 마음에 나려앉아 좀처럼 눈물을 흘린 일이 없었기에 인제는 나의 심정의 표피가 호두 껍질같이 오롯이 굳어지고 말았는가 하고 남저지* 청춘을 아주 단념하였던 것이 제주도 어구 가까이 온 이날 이른 아침에 불현듯 다시 살아나는 것이 아니오리까. 동행인 영랑과 현구도 푸른 언덕까지 헤엄쳐 오르려는 물새처럼이나 설레고 푸덕거리는 것이요 좋아라 그러는 것이겠지마는 갑판 위로 뛰어 돌아다니며 소년처럼 희살대는 것이요, 빽빽거리는 것이었습니다. ㉣ 산이 얼마나 장엄하고도 너그럽고 초연하고도 다정한 것이며 준열하고도 지극히 아름다운 것이 아니오리까. 우리의 모륙(母陸)이 이다지도 절승*한 도선(徒船)을 달고 엄연히 대륙에 기항*하였던 것을 새삼스럽게 감탄하지 않을 수 없었습니다. 해면에는 아직도 야색(夜色)이 개이지는 않았는지 물결이 개운한 아침 얼굴을 보이지 않았건만 ㉤ 한라산 이마는 아름풋한 자줏빛이며 엷은 보랏빛으로 물들은 것이 더욱 거룩해 보이지 않습니까. 필연코 바다 저쪽의 아침 해를 미리 맞음인가 하였으니 허리에 밤 잔 구름을 두르고도 그리고도 그 우에 다시 헌출히 솟아오릅니다. 배가 제주 성내 앞 축항 안으로 들어가자 큼직한 목선이 선부들을 데불고 마중을 나온 것이었습니다. 갑자기 소나기 한줄금을 맞으며 우리는 목선에로 옮겨 타고 성내로 상륙하였습니다. 흙은 검고 돌은 얽었는데 돌이 흙보다 더 많은 곳이었습니다. 그러고도 사람의 자색은 희고도 아름답지 않습니까. 소나기 한줄금은 금시에 개이고 멀리도 밤을 새워 와서 맞은 햇살이 해협 일면에 부챗살 펴듯 하였습니다.

― 정지용, 「다도해기 5 - 일편낙토」 ―

* 남저지 : 나머지.
* 절승 : 아주 뛰어나게 좋은 경치.
* 기항 : 항해중인 배가 목적지가 아닌 항구에 잠시 들르는 것.

*42.* (가)와 (나)의 공통점으로 가장 적절한 것은?

① 운명을 수용하는 순응적 자세가 확인된다.
② 현재의 삶에 대한 반성적 태도가 부각된다.
③ 내용 전개 과정에서 시간의 흐름이 포착된다.
④ 인간과 자연의 대비를 통해 주제 의식이 표출된다.
⑤ 상실의 경험을 극복하려는 의지적 자세가 나타난다.

*43.* ㉠ ~ ㉤에 대한 설명으로 적절하지 않은 것은?

① ㉠ : 구체적 현상에 빗대어 애절한 마음을 형상화하고 있다.
② ㉡ : 자연물을 활용하여 애상적 분위기를 자아내고 있다.
③ ㉢ : 영탄적 표현을 통해 대상을 접한 감동을 드러내고 있다.
④ ㉣ : 대상에 동적인 속성을 부여하여 외양의 다채로움을 강조하고 있다.
⑤ ㉤ : 색채어를 사용하여 대상이 주는 인상을 시각적으로 형상화하고 있다.

12 회

44. <보기>를 바탕으로 (가)를 이해한 내용으로 적절하지 않은 것은? [3점]

< 보 기 >

(가)는 두 명의 화자가 각자 자신의 사연을 차례로 말하는 것으로 볼 수 있으며, 이는 [A]와 [B]로 구분된다.

① [A]의 '황매 시절 떠난 이별'과 [B]의 '엇지타 한 별리'에서 두 화자의 처지를 확인할 수 있다.
② [A]의 '저도 나를 그리려니'와 [B]의 '자네 사정 내가 알고 내 사정 자네 아니'를 통해 두 화자가 서로를 그리워하고 있음을 알 수 있다.
③ [A]의 '굳은 언약 깊은 정'과 [B]의 '차생백년 서로 맹세'에서 두 화자가 임과의 사랑에 대해 지녔을 기대감을 떠올릴 수 있다.
④ [A]의 화자는 '소식'이 전달되기 어려운 상황에 대한 안타까움을, [B]의 화자는 '오는 글발'이 끊긴 상황에 대한 안타까움을 표출하고 있다.
⑤ [A]의 '흉중의 불'과 [B]의 '병'은 두 화자가 상사로 인해 느끼는 괴로움을 의미하고 있다.

45. <보기>는 (나)를 읽고 학생이 쓴 감상문의 일부이다. 적절하지 않은 것은?

< 보 기 >

이 글은 제주도를 여행한 작가의 체험을 담고 있다. ⓐ굳었던 청춘의 감성이 한라산을 보고 다시 살아나는 것을 느꼈다는 작가의 표현이 흥미로웠고, ⓑ작가와 동행했던 인물들이 아이처럼 갑판 위를 뛰어 다니는 모습을 표현한 부분에서는 여행의 즐거움을 느낄 수 있었다. 특히 제주도의 풍광을 서술하면서 ⓒ아침 무렵 구름 위로 솟아오른 한라산의 모습을 묘사한 부분이나, ⓓ제주도의 토질과 사람들에 대해 언급한 부분이 기억에 남는다. 그리고 ⓔ작가가 변덕스러운 날씨로 인해 제주도의 아름다움을 제대로 감상하지 못해 아쉬워하는 부분에서는 나도 안타까움을 느꼈다.

① ⓐ ② ⓑ ③ ⓒ ④ ⓓ ⑤ ⓔ

※ 확인 사항
◦ 답안지의 해당란에 필요한 내용을 정확히 기입(표기) 했는지 확인하시오.

# 국어 영역

13회 소요시간 /80분

제 1 교시

➡ 해설 P.119

**[1 ~ 3] 다음은 학생의 발표이다. 물음에 답하시오.**

안녕하세요. 저는 오늘 행동디자인에 대해 소개하려고 합니다. 여러분은 행동디자인이라는 말을 들어본 적이 있으신가요? (대답을 듣고) 많지 않으시네요. 행동디자인은 환경이나 조건을 디자인해 사람들의 행동 변화를 이끌어 내는 것을 말합니다.

(화면을 가리키며) 자, 먼저 화면을 보시죠. 이 비누 속에는 장난감이 들어 있습니다. 무척 신기하시죠? 이 비누를 본 아이들은 호기심을 느껴 비누로 자주 손을 씻게 되었고, 덕분에 질병 발생률이 많이 줄었다고 합니다. 이것이 행동디자인의 좋은 예입니다.

그렇다면 행동디자인은 어떻게 사람들의 행동을 유발하는 것일까요? 그것은 트리거 때문입니다. 트리거란 일반적으로 유인, 계기를 뜻하는데요. 행동디자인에서는 사람들의 행동을 유발하는 계기가 되는 요소를 말합니다. 장난감이 들어 있는 비누처럼 감각을 통해 우리가 인지할 수 있는 요소를 물리적 트리거라고 하고, 그것에 대한 호기심, 즉 물리적 트리거 때문에 생기는 마음을 심리적 트리거라고 합니다. 행동디자인은 물리적 트리거와 심리적 트리거가 자연스럽게 이어질 때 효과적입니다.

그렇기 때문에 물리적 트리거를 만들 때 무엇보다 사람들의 마음을 이해하는 것이 중요합니다. 왜냐하면 아무리 멋진 물리적 트리거라도 사람들이 인식하지 못하거나, 인식 후에 심리적 트리거로 이어지지 않는다면 사람들의 행동에 영향을 줄 수 없기 때문입니다. 그래서 행동디자인에서는 사람들이 무슨 생각을 하는지, 사람들의 행동을 거부감 없이 바꿀 수 있는 방법이 무엇인지 생각하고 그것을 적용하여 물리적 트리거를 만들어야 합니다. 다음 영상을 함께 보시죠. (영상을 보여준 후) 횡단보도에서 1m 정도 떨어진 곳에 노란 발자국이 그려져 있고, 사람들이 거기에 서서 보행 신호를 기다리는 것을 보셨죠? 그래서 신호가 바뀌었을 때 사람들이 조금 늦게 횡단보도에 진입해서 사고를 예방할 수 있었습니다. 발자국 그림에 맞추어 서고 싶어 하는 사람들의 심리를 파악했기 때문에 간단한 물리적 트리거로도 일상의 문제를 해결할 수 있었던 것입니다.

이러한 물리적 트리거를 만들 때에는 공통점이 있는 두 물건을 결합하거나, 직감적으로 어떤 행동을 하도록 기존의 디자인을 조금 변경하는 방식이 주로 사용됩니다. 그런데 때로는 사람들이 물리적 트리거에 익숙해져 행동 변화가 일어나지 않는 경우도 있습니다. 이때에는 물리적 트리거에 경쟁이나 게임 같은 요소를 더하여 행동디자인의 효과를 강화하기도 합니다.

여러분, 발표 재미있게 들으셨나요? 우리 주변에는 행동디자인이 적용된 사례가 생각보다 많습니다. 이제부터는 무심코 지나쳤던 행동디자인의 사례를 찾아보면서 그 의미를 생각해보면 어떨까요?

*1.* 발표자의 말하기 전략으로 적절하지 <u>않은</u> 것은?

① 중심 화제의 개념을 제시하여 청중의 이해를 돕고 있다.
② 비언어적 표현을 사용하여 청중의 주의를 집중시키고 있다.
③ 매체를 활용하여 관련 정보를 청중에게 생생하게 전달하고 있다.
④ 발표 순서를 안내하여 청중이 내용을 예측하며 듣도록 하고 있다.
⑤ 질문의 방식으로 발표를 마무리하여 청중의 행동을 유도하고 있다.

*2.* 위 발표를 들은 학생의 추가 질문으로 가장 적절한 것은?

① 행동디자인에서 물리적 트리거를 만들 때 고려할 점은 무엇인가요?
② 행동디자인에서 사람들의 행동을 유발할 수 있는 요소는 무엇인가요?
③ 행동디자인에서는 무엇을 디자인하여 사람들의 행동 변화를 이끌어 내나요?
④ 물리적 트리거를 사람들이 인식하지 못하면 어떤 결과가 생기게 되나요?
⑤ 물리적 트리거가 심리적 트리거로 자연스럽게 연결되지 않은 예로는 무엇이 있나요?

*3.* 위 발표를 들은 청중이 <보기>에 대해 보인 반응으로 적절하지 <u>않은</u> 것은? [3점]

〈보 기〉

학생들이 교실 바닥에 쓰레기를 버리는 문제를 해결하기 위해 영수는 학생들이 농구를 좋아한다는 것을 파악하고, 쓰레기를 쓰레기통에 제대로 넣도록 그림과 같은 쓰레기통을 만들었다. 처음 쓰레기통을 설치했을 때에는 설치 의도대로 교실 바닥에 쓰레기를 버리는 일이 줄어들었다. 하지만 시간이 지나자 교실 바닥에 다시 쓰레기가 버려졌고 영수는 고민에 빠졌다.

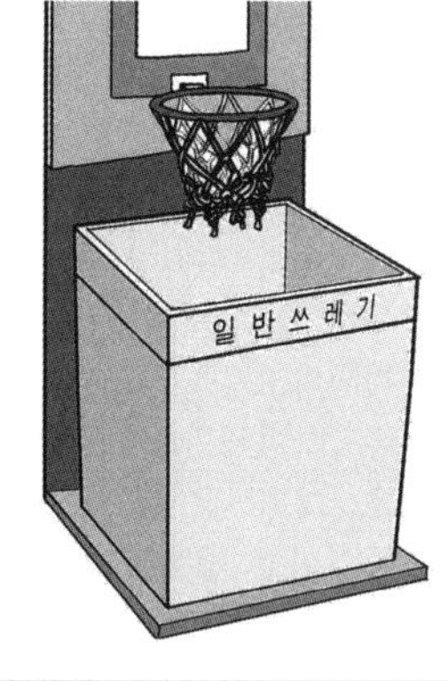


① 영수는 물건을 넣는다는 공통점에 주목하여 농구 골대와 쓰레기통을 결합시킨 것이겠군.
② 영수는 물리적 트리거를 만들기 위해 농구를 좋아하는 학생들의 심리를 파악한 것이겠군.
③ 교실 바닥에 쓰레기가 줄어들었다는 것은 영수의 심리적 트리거가 물리적 트리거를 유발한 것이라고 할 수 있겠군.
④ 시간이 지나자 교실 바닥에 다시 쓰레기가 버려진 것은 학생들이 물리적 트리거에 익숙해진 결과라고 할 수 있겠군.
⑤ 영수의 고민을 해결하기 위해서는 똑같은 쓰레기통을 하나 더 설치하여 게임을 통해 경쟁심을 유발하는 방법을 사용할 수도 있겠군.

**[4 ~ 7] (가)는 독서 동아리에서 실시한 독서 토의의 일부이고, (나)는 이를 바탕으로 '슬기'가 작성한 글의 초고이다. 물음에 답하시오.**

ㅇ토의 상황
독서 동아리에서는 '고전과 삶'이라는 주제로 프로젝트를 진행하고 있다. 지난 시간에는 함께 읽을 고전으로 『어린 왕자』를 선정하였고, 이번 시간에는 책의 내용을 바탕으로 독서 토의를 진행하고 있다.

(가)

지혜: 지난 시간에 이야기한 대로 오늘은 『어린 왕자』를 통해 우리의 삶을 돌아보는 시간을 가져보려 해. 우선 인상 깊었던 부분에 대해 슬기가 먼저 이야기해 보자.

[A]
슬기: 『어린 왕자』 하면 여우가 나오는 장면을 가장 많이 얘기하잖아. 나도 그렇긴 했는데, 어린 왕자가 여섯 개의 별에서 만난 사람들도 기억에 남았어.
준호: 어? 나도 그런데. 난 그중에서도 가로등 켜는 사람이 제일 인상적이었어.
슬기: 나랑 비슷하네. 난 가로등 켜는 사람이랑 사업가가 기억에 남아.

지혜: 그럼 둘 다 가로등 켜는 사람이 인상적이었다는 거구나. 어떤 면에서 그렇게 생각했는지 구체적으로 말해 볼까?

[B]
슬기: 가로등 켜는 사람은 누군가를 위해 쉬지 않고 묵묵히 자신의 일을 수행하는 성실한 면이 있다고 생각했거든.
준호: 나도 그 사람이 성실하다는 것은 인정해. 하지만 그건 다른 사람의 명령 때문에 한 일이잖아. 그래서 그런지 난 그 사람이 행복해 보이지 않았어. 오히려 그래서 더 인상적이었어.
슬기: 아, 그렇게 생각할 수도 있구나.

지혜: 인상 깊었던 이유는 서로 조금 다르네. 슬기는 가로등 켜는 사람의 성실한 면에, 준호는 수동적인 면에 더 주목했구나. 그러면 가로등 켜는 사람의 모습이 우리 삶에서 어떤 면을 돌아보게 하는지 말해 볼까?

[C]
슬기: 우리 주위에는 보이지 않는 곳에서도 자기 일을 묵묵히 해내는 사람들이 많아. 그 덕분에 우리 사회가 유지된다고 생각해. 자신의 역할을 성실하게 수행하는 것은 그 자체만으로도 아름다운 모습인 것 같아.
준호: 그래 네 말도 맞아. 그런데 우리 주변을 돌아보면 능동적이고 주체적인 삶을 살고 있는 사람들이 많지는 않은 것 같아. 그래서 나는 가로등 켜는 사람을 통해 주체적이고 능동적인 삶의 중요성도 생각해 보게 됐어.
슬기: 네 말을 듣고 보니 나도 그 점에 대해서 좀 더 생각해 봐야 할 것 같아.

(나)

삶이라는 길은 걷게 되는 것일까, 걸어가는 것일까? 요즘 내가 고민하고 있는 문제이다. 그동안 나는 학생으로서 하루하루를 성실하게 살아가고 있다고 생각했다. 그런데 독서 토의 후 이런 나의 삶에 대해 다시 돌아보게 되었다.

어릴 때 『어린 왕자』는 동화책 같은 느낌이었고 여우의 이야기는 오래도록 기억에 남았다. 그런데 이번에는 '가로등 켜는 사람'이 내 마음속에 깊이 새겨졌다. 처음에는 묵묵히 자신의 일을 수행한다는 점 때문이었지만, 토의를 하고 나서 그의 수동적인 면에 대해서도 생각하게 되었다. 그는 주어진 일만 열심히 할 뿐 자신에게 의미 있는 일을 스스로 찾지 않았던 것이다. 그 모습에서 나는 문득 내 얼굴을 발견했다.

나는 올해 학급 임원으로 활동했는데 주어진 역할을 나름대로 성실히 수행한다고 생각했다. 그런데 돌이켜 보니 스스로 학급 일에 관심을 가지고 필요한 부분을 적극적으로 찾으려고 하지 않았던 것 같다. 그러다 보니 시간이 갈수록 의무적으로 이 일을 하고 있는 것은 아닌가 하는 생각이 들었다.

이러한 생각은 평소에 고민하고 있던, 친구들과의 관계에 대한 생각으로 이어졌다. 평소 나는 여러 친구들과 원만하게 지내왔다. 하지만 고민을 터놓을 만한 진정한 친구는 없다는 생각에 외로움을 느끼곤 했다. 결국 이것도 능동적이지 못했던 나의 태도 때문이 아니었을까? 어린 왕자에게 여우는 친구가 되기 위해서는 시간을 들여 다가가야 한다고 말한다. 나는 여기서 말하는 시간이 나의 마음과 노력이라고 생각한다. 내가 스스로 누군가에게 의미를 부여하고 그 친구를 위해 나의 마음과 노력을 다할 때 진정한 친구가 되지 않을까.

*4.* (가)에 나타난 '지혜'의 역할에 대한 설명으로 적절하지 <u>않은</u> 것은?

① 토의 참여자들이 논의할 토의 주제를 안내하고 있다.
② 토의 진행을 위해 발언할 토의 참여자를 지정하고 있다.
③ 토의 참여자들이 제시한 의견에 대한 이유를 묻고 있다.
④ 토의 참여자들의 입장의 차이를 구분하여 정리하고 있다.
⑤ 토의 진행 과정에서 참여자들의 의견 충돌을 조정하고 있다.

*5.* [A] ~ [C]에 대한 설명으로 가장 적절한 것은?

① [A]: '준호'는 상대방의 의견을 수용하면서 자신의 견해를 수정하고 있다.
② [A]: '슬기'는 상대방의 배경지식을 환기하며 자신의 의견에 동의를 구하고 있다.
③ [B]: '슬기'는 상대방의 입장에 공감하며 상대방의 의견을 재진술하고 있다.
④ [B]: '준호'는 상대방의 의견에 일부 동의하면서 자신의 의견을 제시하고 있다.
⑤ [C]: '슬기'는 상대방이 제시한 의견의 문제점을 언급하며 그 내용을 보완하고 있다.

*6.* 다음은 (가)의 활동을 수행한 후, (나)를 작성하기 위한 '슬기'의 작문 계획이다. (나)에 반영된 내용으로 적절하지 <u>않은</u> 것은?

작문 계획

* 1문단
  - ㅇ독서 토의가 최근 나의 삶에 미친 영향을 언급해야겠어. ············ ①
* 2문단
  - ㅇ예전에 책을 읽었을 때와 다시 읽었을 때의 차이점을 드러내야겠어. ············ ②
* 3문단
  - ㅇ학급 임원으로 활동했던 경험에 대한 성찰의 내용을 언급해야겠어. ············ ③
* 4문단
  - ㅇ나 자신의 문제를 사회적 문제로 확장해서 생각한 내용을 담아야겠어. ············ ④
  - ㅇ책의 내용을 간접적으로 인용하여 깨달은 바를 드러내야겠어. ············ ⑤

*7.* <조건>에 따라 (나)의 제목을 작성한 것으로 가장 적절한 것은?

〈조 건〉

- (나)에 제시된 핵심적인 성찰의 내용을 포함할 것.
- 비유적인 표현을 사용할 것.

① 나의 미래를 밝혀주는 등불 『어린 왕자』, 친구와 함께 미래를 준비하다
② 『어린 왕자』를 읽고 성찰한 나의 삶, 주체적인 삶의 소중함을 깨닫게 되다
③ 선물처럼 다가온 『어린 왕자』, 그동안 잊고 있었던 나의 순수한 시절과 마주하다
④ 『어린 왕자』가 나에게 말했다, 배의 키를 쥔 선장같이 스스로 자기 삶의 주인이 되라고
⑤ 『어린 왕자』를 통해서 알게 된 함께 사는 세상, 남들이 알아주지 않아도 묵묵히 다른 사람을 돕는 삶

**[8 ~ 10] 다음 글을 읽고 물음에 답하시오.**

[작문 상황]
공공미술의 문제점과 해결 방안에 관하여 주장하는 글쓰기

[학생의 초고]
우리가 길을 지나다니다 보면 곳곳에 미술 작품들이 ㉠<u>설치되어져</u> 있는 것을 볼 수 있다. 이와 같이 시민들이 쉽게 접근할 수 있는 공간에, 시민들이 예술 작품을 감상할 기회를 늘리기 위해 설치한 미술 작품들을 '공공미술'이라고 한다.

그런데 최근 들어 공공미술과 관련된 문제점들이 나타나고 있다. 우선 사후 관리가 부실하여 훼손된 채로 방치되는 작품들이 많다. ㉡<u>그래서</u> 공공미술 작품이 특정 분야에만 편중되어 있어 다양한 작품 감상의 기회를 제공하지 못하고 있는 실정이다. 또한 시민들이 공공미술 작품을 예술 작품으로 인지하지 못하거나, 인지했다고 하더라도 작품의 의미를 이해하기 힘든 경우가 많다.

이러한 문제점이 발생하게 된 원인은 무엇일까? 우선 작품의 유지와 보수, 처분에 대한 법적 근거와 각종 제도가 부실하기 때문이다. ㉢<u>더욱이</u> 작품의 관리 주체가 분산되어 있어 관리에 대한 법적 책임 소재도 불분명하기 때문이다. 그리고 어떤 작품을 설치할 것인가를 설치 주체들의 판단에만 맡기다 보니, 작품의 예술성이나 주민들의 의견을 고려하지 못한 채 ㉣<u>설치와 비용이 많이 들지 않는</u> 특정 분야의 작품들만 설치되고 있기 때문이다. 또한 공공미술 작품에 대한 홍보와 안내가 제대로 이루어지지 않기 때문이다.

공공미술에 대한 문제점을 해결하기 위해서는 우선 공공미술의 유지와 보수, 처분에 관련된 제도를 정비하고 법적인 근거를 보완해야 한다. 그리고 작품을 관리할 주체를 ㉤<u>하나로 일원화</u>함으로써 작품 관리의 전문성을 강화할 필요가 있다. 다음으로, 작품을 설치할 때 전문가의 참여를 확대하여 공공미술 작품의 취지에 걸맞은 예술성을 확보하고, 설문 조사 등을 통해 주민들의 의사를 적극적으로 반영해야 한다. 마지막으로 시민들이 공공미술 작품에 관심을 가질 수 있도록 적극적으로 홍보하고, 설치된 작품에는 작품에 대한 정보를 알려줄 수 있는 작품 안내판을 설치해야 한다.

*8.* <보기>에서 '학생의 초고'에 드러난 글쓰기 전략으로 적절한 것을 고른 것은?

〈보 기〉

ㄱ. 묻고 답하는 방식을 사용하여 문제의 원인을 밝히고 있다.
ㄴ. 설문 조사 결과를 활용하여 문제의 심각성을 드러내고 있다.
ㄷ. 용어에 대한 개념을 정의하며 글의 화제를 소개하고 있다.
ㄹ. 전문가의 의견을 인용하며 문제의 해결책을 제시하고 있다.

① ㄱ, ㄴ ② ㄱ, ㄷ ③ ㄴ, ㄷ ④ ㄴ, ㄹ ⑤ ㄷ, ㄹ

13회

9. <보기>의 자료를 활용하여 '학생의 초고'를 보완하는 방안으로 적절하지 않은 것은? [3점]

〈 보 기 〉

(가) 통계자료

1. 공공미술 안내판 실태

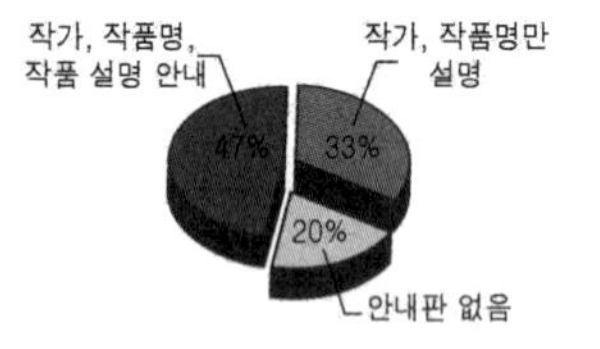


2. 분야별 공공미술 작품 설치 현황

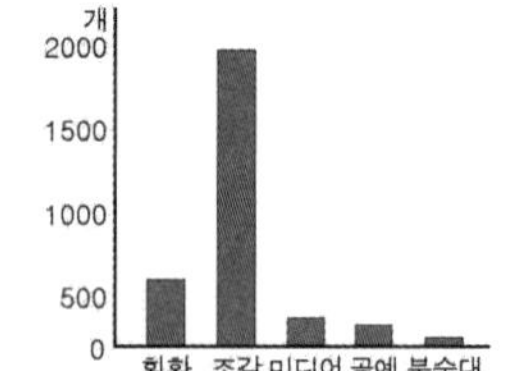


(나) 신문 기사

○○시에서 실시한 관내 공공미술 작품 점검 결과 긴급 보수가 필요한 작품이 35.4%, 철거가 시급한 작품이 9.7%에 달하는 것으로 나타났다. 또한 작품 안내판의 내용이 난해하여 시민들이 작품 감상에 불편을 겪는 것으로 나타났다. 이에 ○○시는 '공공미술위원회'를 신설하고, 공공미술 관리를 전담하게 함으로써 보다 전문적이고 체계적인 작품 관리를 할 예정이라고 발표했다.

(다) □□ 시 대표 인터뷰

우리 시에서는 예술가와 주민들의 협업을 통해 공공미술 작품을 제작한 결과 주민들의 의사가 반영된 다양한 분야의 작품들이 설치되었습니다. 이렇게 설치된 작품들을 쉽게 감상할 수 있도록 모바일 앱도 개발하였습니다. 향후 작품의 효율적 관리를 위해 작품의 수명을 설정하여 관리하는 외국의 '30년 일몰제'와 같은 제도의 도입도 고려하고 있습니다.

① (가)-2를 활용하여 공공미술 작품이 특정 분야에 편중되어 있다는 사실에 대한 구체적 근거로 제시한다.
② (나)를 활용하여 훼손된 채로 방치된 작품들이 많다는 사실에 대한 구체적 근거로 제시한다.
③ (가)-1과 (나)를 활용하여 시민들이 공공미술 작품의 의미를 이해하기 어려워하는 원인을 구체화하여 제시한다.
④ (가)-2와 (다)를 활용하여 시민들의 작품 감상 기회 확대를 위해 관리 주체를 통합하는 것을 해결책으로 제시한다.
⑤ (나)와 (다)를 활용하여 사후 관리가 부실한 공공미술 작품의 문제를 해결할 수 있는 제도적 방안을 제시한다.

10. ㉠ ~ ㉤을 고쳐 쓰기 위한 방안으로 적절하지 않은 것은?

① ㉠: 피동 표현이 불필요하게 중복되었으므로 '설치되어'로 고쳐야겠어.
② ㉡: 문장 연결 관계가 어색하므로 '그리고'로 고쳐야겠어.
③ ㉢: 맞춤법에 어긋나는 단어이므로 '더우기'로 고쳐야겠어.
④ ㉣: 문장 성분의 호응을 고려하여 '설치가 쉽고 비용이 많이 들지 않는'으로 고쳐야겠어.
⑤ ㉤: 의미상 중복된 표현이므로 '하나로'를 삭제해야겠어.

**[11 ~ 12] 다음 글을 읽고 물음에 답하시오.**

합성어는 일반적으로 두 개 이상의 어근이 결합되어 형성된 단어를 말하는데, 분류 기준에 따라 몇 가지로 나눌 수 있다.

첫째, 합성 명사, 합성 부사, 합성 동사 등과 같이 합성어의 품사를 기준으로 분류할 수 있다. 예를 들어 '불꽃'은 명사와 명사가 결합한 합성 명사이고, '곧잘'은 부사와 부사가 결합한 합성 부사, '힘쓰다'는 명사와 동사가 결합한 합성 동사이다.

둘째, 대등 합성어, 종속 합성어, 융합 합성어와 같이 결합하는 어근들의 의미 관계를 기준으로 분류할 수 있다. 대등 합성어는 결합하는 어근들의 의미가 대등한 관계를 이루는 것으로, '앞뒤, 오르내리다' 등이 여기에 해당한다. 종속 합성어는 선행 어근이 후행 어근을 수식하는 구조로, 선행 어근이 후행 어근에 의미상 종속되어 있는 합성어이다. '돌다리, 산길' 등이 여기에 해당한다. 한편, 융합 합성어는 어근들이 결합하면서 각 어근이 본래 갖고 있던 의미에서 벗어나 새로운 의미를 갖는 합성어를 말한다. 예를 들어 '나는 그분께 춘추(春秋)를 여쭈어 보았다.'에서 '춘추(春秋)'는 '봄'과 '가을'이라는 기존의 의미에서 벗어나 '어른의 나이를 높여 이르는 말'로 사용된 것이다.

[A] 셋째, 어근의 결합 방식이 국어의 일반적인 통사적 구성과 일치하는지를 기준으로 통사적 합성어와 비통사적 합성어로 분류할 수 있다. 통사적 합성어는 명사와 명사가 결합한 '산나물', 부사와 부사가 결합한 '실룩샐룩', 부사와 용언이 결합한 '그만두다', 연결어미에 의해 용언의 어간과 어간이 결합한 '뛰어가다' 등과 같이 국어의 일반적인 통사적 구성을 따른 합성어를 말한다. 반면 비통사적 합성어는 용언의 어간과 명사가 결합한 '접칼', 연결어미 없이 용언의 어간과 어간이 직접 결합한 '굶주리다', 부사와 명사가 결합한 '척척박사' 등과 같이 국어의 일반적인 통사적 구성과 일치하지 않는 합성어를 말한다.

11. 윗글을 바탕으로 <보기>의 ㉠ ~ ㉣을 이해한 내용으로 적절하지 않은 것은? [3점]

〈 보 기 〉

◦ 농부들이 ㉠ 피땀으로 일군 ㉡ 논밭에 가을이 왔다.
◦ 이 ㉢ 봄비가 그치고 여름이 오면, 포도가 ㉣ 송이송이 영글어 갈 것이다.

① ㉠은 두 어근의 본래 의미에서 벗어나 '노력과 수고'라는 새로운 의미로 사용되었으므로 융합 합성어이다.
② ㉢은 합성 명사로, 선행 어근이 후행 어근에 의미상 종속되어 있다.
③ ㉠과 ㉣은 모두 명사와 명사가 결합한 합성어이며, 두 합성어의 품사는 동일하다.
④ ㉡과 ㉢은 결합하는 어근들의 의미 관계가 다른 합성어이지만, 두 합성의 품사는 동일하다.
⑤ ㉡과 ㉣은 모두 결합한 어근들의 의미가 대등한 관계를 이루는 합성어이지만, 두 합성어의 품사는 다르다.

*12.* 다음은 [A]와 관련된 학습지의 일부이다. ㉠ ~ ㉤에 들어갈 내용을 탐구한 것으로 적절하지 않은 것은?

| 단어 | 결합 방식 | 구분 | 다른 예 |
|---|---|---|---|
| 또다시<br>→또+다시 | ㉠ | 통사적<br>합성어 | ㉡ |
| 첫사랑<br>→첫+사랑 | 관형사와 명사의<br>결합 | ㉢ | 왼쪽 |
| 붙잡다<br>→붙-+잡다 | 용언의 어간과<br>어간이 직접 결합 | ㉣ | ㉤ |

① ㉠에는 '부사와 부사의 결합'이 들어가겠군.
② ㉡에는 '하루빨리'를 넣을 수 있겠군.
③ ㉢에는 '통사적 합성어'가 들어가겠군.
④ ㉣에는 '비통사적 합성어'가 들어가겠군.
⑤ ㉤에는 '굳세다'를 넣을 수 있겠군.

*13.* <보기>의 ㉠ ~ ㉣에서 설명한 음운 변동이 일어난 예로 적절한 것은?

〈보 기〉

㉠ 원래 없던 음운이 새로 생긴다.
㉡ 한 음운이 다른 음운으로 바뀐다.
㉢ 두 개의 음운 중 한 음운이 없어진다.
㉣ 두 음운이 합쳐져 하나의 음운으로 바뀐다.

① ㉠: 설날[설:랄], 한여름[한녀름]
② ㉢: 놓아[노아], 없을[업:쓸]
③ ㉣: 앉히다[안치다], 끓이다[끄리다]
④ ㉠ + ㉡: 구급약[구:금냑], 물엿[물렫]
⑤ ㉡ + ㉢: 읊조리다[읍쪼리다], 꿋꿋하다[꾿꾸타다]

*14.* 다음 ㉠ ~ ㉢에 대한 설명으로 적절하지 않은 것은?

| | 주동문 | 사동문 |
|---|---|---|
| ㉠ | 철수가 집에 가다. | 내가 철수를 집에 가게 하다. |
| ㉡ | 동생이 밥을 먹다. | 누나가 동생에게 밥을 먹이다. |
| ㉢ | *이삿짐이 방으로 옮다.<br>('*'는 비문임을 나타냄.) | 인부들이 이삿짐을 방으로 옮기다. |

① ㉠의 주동문은 ㉡과 달리 사동 접미사를 활용하여 사동문을 만들 수 없다.
② ㉢의 사동문에서 사동 접미사 대신 '-게 하다'를 활용할 경우 어색한 문장이 된다.
③ ㉠과 ㉡은 모두 주동문의 주어가 사동문의 목적어로 바뀐 경우이다.
④ ㉠과 ㉡은 모두 주동문이 사동문이 될 때, 사동문에는 새로운 주어가 생겼다.
⑤ ㉠, ㉡과 달리 ㉢은 사동문에 대응하는 주동문이 없는 경우이다.

*15.* <보기 1>은 중세 국어를 학습하기 위한 자료이고, <보기 2>는 현대 국어사전의 일부이다. <보기 2>를 참고하여 ㉠ ~ ㉤을 탐구한 내용으로 적절하지 않은 것은?

〈보기 1〉

**[중세 국어]** 보살(菩薩)이 ㉠ 어느 나라해 ᄂᆞ리시게 ᄒᆞ려뇨
**[현대 국어]** 보살이 어느 나라에 내리시도록 하려는가?

**[중세 국어]** ㉡ 어늬 구더 병불쇄(兵不碎)ᄒᆞ리잇고
**[현대 국어]** 어느 것이 굳어 군대가 부수어지지 않겠습니까?

**[중세 국어]** 져믄 아히 ㉢ 어느 듣ᄌᆞ보리잇고
**[현대 국어]** 어린 아이가 어찌 듣겠습니까?

**[중세 국어]** 미혹(迷惑) ㉣ 어느 플리
**[현대 국어]** 미혹한 마음을 어찌 풀겠는가?

**[중세 국어]** 이 두 말ᄋᆞᆯ ㉤ 어늘 종(從)ᄒᆞ시려뇨
**[현대 국어]** 이 두 말을 어느 것을 따르시겠습니까?

〈보기 2〉

어느 01 「관형사」
둘 이상의 것 가운데 대상이 되는 것이 무엇인지 물을 때 쓰는 말.

어느 02 「대명사」 『옛말』
어느 것.

어느 03 「부사」 『옛말』
'어찌'의 옛말.

① 체언을 수식하는 역할을 하는 것으로 보아 ㉠은 <보기 2>의 '어느 01'과 품사가 같다고 할 수 있겠군.
② ㉡은 <보기 2>의 '어느 02'에 주어의 자격을 부여하는 조사가 결합한 것이라고 할 수 있겠군.
③ ㉢은 <보기 2>의 '어느 03'으로 쓰여 뒤에 오는 용언을 수식한다고 할 수 있겠군.
④ <보기 2>의 '어느 01'과 '어느 03'을 참고해 보니 ㉣과 '어느 01'은 품사가 서로 다르다고 할 수 있겠군.
⑤ ㉤에 사용된 '어느'는 둘 이상의 것 가운데 대상이 되는 것이 무엇인지 물을 때 쓰는 말인 <보기 2>의 '어느 01'에 해당한다고 볼 수 있겠군.

13
회

**[16 ~ 20] 다음 글을 읽고 물음에 답하시오.**

계몽주의자들은 이성에 의해 인간이 미성숙 상태에서 벗어났으며, 인간의 역사는 이성을 통해 문명의 발전과 진보를 추구해 왔다고 보고 이를 긍정적으로 평가한다. 하지만 아도르노는 이러한 인간의 역사가 자연에 대한 지배의 역사라고 규정하고, 나아가 인류가 전체주의의 폭력과 같은 야만 상태에 빠지게 되었다고 비판한다.

아도르노는 계몽주의자들이 신화를 비이성적인 것으로, 계몽을 이성적인 것으로 규정하는 이분법적 인식에 대해 새로운 관점을 제시한다. 즉 신화에도 이성적인 면이 있으며, 계몽에도 비이성적인 면이 있다는 것이다. 먼저 그는 자연과 인간이 분리되는 과정에 주목하여 ㉠'신화는 이미 계몽이었다.'라고 선언한다. 그에 따르면 원래 인간은 자연과 분리되지 않고 뒤엉켜 있는 상태였으며, 인간에게 천둥, 번개와 같은 자연은 미지의 대상이자 공포의 대상이었다. 그는 인간이 이러한 공포에서 벗어나기 위해 신화를 만들어 냈으며, 신화에는 신화적 힘, 예언 등과 같은 운명적 필연성으로부터 탈출하려는 인간의 노력이 나타나 있다고 여겼다. 그는 신화에 나타난 이러한 노력을 계몽주의자들이 말하는 이성으로 보았기 때문에 인간의 이성이 신화에도 작용한 것으로 보았다.

또한 아도르노는 인간이 자연을 지배하는 과정에 주목하여 ㉡'계몽은 다시 신화로 돌아간다.'라고 말한다. 아도르노는 인간이 자연과 분리되고 근대 과학이 발달하면서 인간의 이성이 자연을 지배하는 도구가 되었다고 비판한다. 그는, 인간의 이성에 의해 발달한 과학적 지식과 수학이 보편적이고 당위적인 것이 됨으로써 지배와 복종의 작동 방식이 만들어졌으며, 이로 인해 사회·정치, 심리·문화 등 다양한 맥락에서 폭력과 고통의 관계가 형성됐다고 본다. 다시 말해, 마치 신화적 힘이나 예언 등이 인간에게 숙명적인 필연성으로 강요되었던 것처럼, 이성의 힘이 당위적인 질서를 만들어 인간을 억압한다고 본 것이다. 결국 아도르노는 계몽주의자들이 중시하는 이성에 그들이 몰아내고자 했던 비이성적인 면모가 있음을 밝힌 것이다.

아도르노는 이처럼 인간의 이성이 비이성적인 면을 드러낸 이유가, 인간의 이성에 내재된 동일성 사고에 있음을 밝힌다. 동일성 사고는 주체가 자신의 개념적 틀에 대상을 끌어들이는 과정을 통해 그 대상을 파악했다고 믿는 사고방식이다. 예를 들어 책상 위에 여러 개의 사과가 있을 때 색깔과 크기, 모양 등은 서로 다르지만, 동일성 사고에 의해 이것들을 모두 '사과'라는 하나의 개념의 틀에 포함시키는 것이다. 아도르노는 효율성을 강조하는 근대 과학이 발달하면서 동일성 사고에 의해, 알려진 것과 아직 알려지지 않은 모든 대상은 고유의 질적 측면을 잃어버린 채, 계산 가능한 형태로만 측정되어 숫자로 환원된다고 보았다. 또한 이로 인해 서로 질적으로 다른 것들이 쉽게 교환 가능해 진다고 보았다. 가령 두 노동자가 동일한 노동 시간을 들여 만든 각각의 상품이 교환 관계가 성립되었다면, 그 과정에서 두 물건이 노동의 질은 무시된 채 노동 시간의 양으로만 환원된 것으로 볼 수 있다. 아도르노는 이러한 동일성 사고가 내재된 이성이, 자연은 물론 인간과 인간의 본성까지 계량화하여 지배하는 도구로 사용되었다고 주장한다. 특히 아도르노는 이와 같은 ⓐ동일성 사고에 지배받는 사회는 필연적으로 전체주의적 사회 질서를 강화하는 방향으로 나아간다고 보았다. 이에 대해 그는 동일성 사고에 대한 끊임없는 반성의 사유가 필요하다고 말한다.

이와 같은 관점에서 아도르노는 동일성 사고를 긍정하는 헤겔의 동일성 철학을 비판하는 과정을 통해 반성의 사유 방식을 제안한다. 아도르노는 헤겔의 동일성 철학의 핵심 개념인 '보편자'와 '특수자'를 각각 '동일성'과 '비동일성'으로 보았다. 즉 동일성 사고에 의해 대상을 끌어들이는 주체를 '동일성'으로, 끌어들임을 당하는 대상을 '비동일성'으로 본 것이다. 헤겔의 동일성 철학에서 특수자는 보편자의 개념적 틀에서 벗어나 있는 대상을 의미하는데, 헤겔은 보편자가 자신의 개념으로 특수자를 동일화시켜 파악하며, 이러한 과정을 반복함으로써 인간의 역사가 보다 발전된 방향으로 나아갈 수 있었다고 주장한다.

하지만, 아도르노는 이와 같은 헤겔의 동일성 철학으로 인해 특수자의 고유성과 독자성이 파괴된다고 보았다. 아도르노는 특수자, 즉 비동일성을 진정으로 파악한다는 것은 비동일성이 가지고 있는 차이를 인정하는 것이라고 말한다. 즉 동일성 사고에 의해 비동일성이 어떤 한쪽으로 동일화되지 않도록, 비동일성에 대해 참된 관심을 가져야 한다고 주장한다. 이것이 바로 아도르노가 강조하는 비동일성 철학이다. 그는 이러한 비동일성 철학의 논리를 예술이 담을 수 있다고 본다. 그래서 아도르노는 진정한 예술의 모습은, 동일성 사고로 인해 고정된 질서와 이러한 질서에 대한 친숙함에서 벗어나려는 것이어야 한다고 말한다. 이러한 예술을 접한 사람들로 하여금 동일성 사고가 지닌 억압을 자각할 수 있게 하기 때문이다. 결국 아도르노에게 진정한 예술은 동일성 사고의 논리에 지배받고 있는 자신을 반성하도록 하는 예술이다.

*16.* 윗글에 대한 설명으로 가장 적절한 것은?

① 기존 이론을 비판하며 계몽주의가 지닌 의의를 밝히고 있다.
② 인용문을 활용하여 계몽주의가 분화된 원인을 탐색하고 있다.
③ 시대적 흐름을 제시하여 비동일성 철학의 변화 요인을 분석하고 있다.
④ 대비되는 두 개념을 통해 비동일성 철학이 추구하는 바를 밝히고 있다.
⑤ 통념에 대한 의문을 통해 비동일성 철학에 대한 문제점을 제기하고 있다.

*17.* ㉠과 ㉡에 대한 이해로 적절하지 <u>않은</u> 것은?

① ㉠은 인간의 이성이 신화에도 작용했음을 의미한다.
② ㉠은 자연의 공포로부터 탈출하려는 인간의 노력이 계몽주의에서 말하는 이성에 해당한다는 것을 의미한다.
③ ㉡은 미지의 대상인 자연이 인간의 이성을 억압하고 있음을 의미한다.
④ ㉡은 과학적 지식과 수학이 당위적 질서가 되어 인간을 억압한다는 것을 의미한다.
⑤ ㉡은 근대 과학이 발달하면서 인간의 이성이 폭력과 고통의 관계를 만드는 데에 영향을 끼쳤음을 의미한다.

18. ⓐ에 대한 설명으로 적절하지 않은 것은?

① 모든 것을 숫자로 환원하게 한다.
② 전체주의적 사회 질서를 부정한다.
③ 인간의 본성과 자연까지 계량화하게 만든다.
④ 질적으로 다른 것들을 교환 가능하게 만든다.
⑤ 자연을 지배하려는 인간의 이성에 내재되어 있다.

19. 윗글과 <보기>를 이해한 내용으로 적절하지 않은 것은? [3점]

<보 기>

'국민 모두가 잘사는 국가'를 절대적 가치로 지향하는 A 국가에서는 국민들의 삶에 대한 만족감을 조사하기 위해 소득을 기준으로 5단계의 평가 척도를 만들었다. 이에 대해 K 씨는 삶에 대한 만족도나 즐거움 등을 수치로 나타낼 수 없다고 생각했다. 한편 P 씨는 평소 가족의 건강이 행복한 삶의 기준이라고 생각하고 자신의 삶에 만족했지만 이 척도를 접한 후 자신이 불행하다고 생각하게 되었다.

① 만약 헤겔의 관점에서 A 국가를 보편자로 본다면, K 씨는 특수자로 볼 수 있겠군.
② 만약 헤겔의 관점에서 A 국가를 보편자로 본다면, A 국가가 만든 5단계의 평가 척도는 P 씨에게 개념적 틀로 작용했겠군.
③ 만약 아도르노의 관점에서 A 국가를 동일성으로 본다면, P 씨는 자신의 고유성이 파괴된 것이라고 볼 수 있겠군.
④ 만약 아도르노의 관점에서 K 씨를 비동일성으로 본다면, K 씨는 자신의 기준으로 A 국가를 끌어들이는 주체라고 할 수 있겠군.
⑤ 만약 아도르노의 관점에서 P 씨를 비동일성으로 본다면, P 씨가 자신을 불행하다고 생각하는 것은 동일성 사고의 지배를 받았기 때문이겠군.

20. 윗글을 읽은 학생이 아도르노의 입장에서 <보기>의 '12음 기법 음악'을 이해한 내용으로 적절하지 않은 것은?

<보 기>

쇤베르크는 으뜸음을 중심으로 다른 음이 종속되도록 작곡하는 조성 중심의 작곡법에서 탈피하고자 12음 기법 음악을 탄생시켰다. 그는 12개의 서로 다른 음이 모두 한 번씩 사용될 때까지 같은 음이 되풀이되지 않도록 작곡함으로써 그 어떤 음도 조성에 얽매이지 않도록 했다. 당시 조성 음악에 익숙했던 사람들은 그의 음악을 처음 듣게 되면 어떤 음이 이어질지 전혀 예측할 수 없어 곤혹스러워 했다.

① 조성 중심 작곡법을 사용해 억압을 자각하게 하므로 진정한 예술의 모습이라고 볼 수 있다.
② 어떤 음도 조성에 얽매이지 않도록 한 것은 비동일성 철학의 논리가 담겨 있는 것으로 볼 수 있다.
③ 어떤 음이 이어질지 예측할 수 없다는 점에서 동일성 사고로 인한 친숙함에서 벗어난 것으로 볼 수 있다.
④ 감상자들로 하여금 조성 중심 작곡법에 익숙한 자신의 모습에 대한 반성을 이끌어 낼 수 있다고 볼 수 있다.
⑤ 12개의 음이 모두 한 번씩 사용될 때까지 같은 음을 되풀이하지 않는 것은 고정된 질서에서 벗어나려는 것으로 볼 수 있다.

**[21 ~ 23] 다음 글을 읽고 물음에 답하시오.**

송노인도 그 중의 한 사람이었다. 그는 더욱 심한 손해를 보았다. <원지본위>란 환지* 원칙이 있는데도 불구하고 송노인의 경우는 도합 천오백열 평 중 원지로 받은 것은 불과 사백 평뿐이고 나머지 천백열 평은 말도 안 되는 박토――산을 깎은 개간지를 환지로서 받았던 것이다.

㉠"죽일 놈들!"

송노인의 입에서는 또 이런 말이 나왔다. 환지에 불만을 가진 사람들은 모두 불평을 했다. 마을 환지위원들이 공정하지 못했다는 말이 떠돌았다. 진흥공사의 ××사업소 사람들도 그러고 그랬으리란 소문도 나돌았다. 이런 소문들이 맹탕 거짓말이 아니란 것은, 가령 마을 환지위원들 가운데는 그런 억울한 변을 당한 사람이 없었다는 사실과 또 환지위원들과 가까이 지내는 사람들도 어느 정도 덕을 본 셈이라는 얘기들을 미루어서 능히 짐작할 수 있는 일이었다.

**부당한 환지를 받은** 사람은 모두 같은 기분들이었지만 그런 뜻을 모아서 어떻게 해 보자는 사람들은 없는 것 같았다. 가뜩이나 <오리엔탈 골프장>의 경우와는 달라서 이건 바로 **정부에서 한 일**이니까 어쩔 도리가 없다고 생각하는 눈치들이었다. 말하자면 다루기 쉬운 백성들로 잘 훈련이 되어 있었던 것이다.

"망했다, 망했어!"

송노인의 불평은 한 계단 더 비약했다. 그는 자기에게 내려진 부당한 처사를 참을 수가 없었다. 늙은 몸으로 두 달을 계속 관계요로에 <부당 환지의 시정>을 호소하고 다녔다. 새어 나온 그의 유서 내용에 의하면 마을 환지위원장인 이성복 동장에게는 무려 15회, 농업진흥공사 ××사업소에는 6회나 찾아간 것으로 되어 있다. 그러나 모두가 허사였다. 시종일관 묵살을 당하고만 셈이니까.

게다가 고속도로가 통하면 사람 왕래도 많아져서 송노인의 집에서는 **가게도 차릴 수 있을 것**이란 메기입 이성복 동장의 말도 턱도 아닌 헛나발이 되고 말았다. 고속도로를 다니는 차들은 아무데나 설 수도 없고 또 고속도로는 함부로 건너갈 수도 없다는 것을 시골 사람들은 길이 통한 뒤에야 비로소 알았다. 바로 길 너멋 논에 두엄을 내는 사람들도 **먼 굴다리 쪽을 일부러 돌아**야만 되었다.

"제-기, 이기 무슨 지랄고!"

짐이 무거울수록 그들의 입에서는 욕이 절로 나왔다.

길에서 집이 가까운 송노인의 경우는 은근히 희망을 걸어보던 가게를 내긴커녕 지나가는 차들이 내뿜는 매연과 소음과 먼지 때문에 도리어 역정만 늘어날 판이었다. 그래서 처음에는 행여 구멍가게라도 될까싶어 일부러 길 쪽으로 내 보았던 마루방도 이내 문을 닫아걸었다. 길 쪽 창유리가 쉴 새 없이 밀어닥치는 먼지로 인해 마치 매가릿간의 그것처럼 뿌옇게 되어 버렸다.

㉡"망했다. 망했어!"

[중략 부분의 줄거리] 마을의 농토는 공장부지 조성 등의 명목으로 자본가들에게 넘어간다. 이러한 상황을 심각하게 받아들이지 않고 가벼운 농담이나 하는 마을 젊은이들과 송노인은 갈등하게 된다.

"비꼬지 마이소."

이번에는 메기입의 친구요 역시 마을 환지위원의 한 사람인 상출이란 청년이 불쑥 나섰다.

"영감님이 젊었을 때 무슨 대단한 일이라도 했다고 툭하면 젊었을 때는――하고 나서는기요? 농민조합에 들어가서 경찰서 때리부수는 일에 가담했다는 것밖에 더 있소?"

청년회장까지 겸하고 있는 만큼 비교적 머리가 영리하고 옛날 일도 제법 알고 있는 편이다. 안다는 놈이 그러니 송영감은 더욱 부아가 치밀었다.

"그래 농민조합에 가담한 기 그렇게 나쁜 일인가?"

"농민조합은 빨갱이 단체 아니오?"

상출이는 숫제 위협 비슷하게 나왔다. 송노인은 드디어 부아통이 터지고 말았다.

"머 빨갱이 단체? 이놈들이 몬하는 말이 없구나. 그래 왜놈의 경찰이 우리 경찰이더냐? 일제 때 고자질이나 하고 헌병 앞잡이나 돼서 독립운동하던 사람들을 괴롭히고 쏘아 죽이고 하던 놈들이 요새 와서는 자긴 반공 투쟁을 했을 뿐이라고 도리어 큰소릴 치고 돌아다닌다 카디이, ㉢바로 느그가 생사람 잡을 소릴 하는구나. 어데 그 소리 한 번 더 해 봐라!"

송노인은 뼈만 남은 팔을 걷어 올렸다. 금방 칼이나 창 구실을 할는지도 모를 그런 팔이었다.

"영감님 참으이소. 장난으로 한 소리 아잉기요."

송노인의 성깔을 누구보다도 잘 아는 메기입이 얼른 사이에 들었다. 다행히 별일은 없었다.

㉣"아나, 이놈아 어서 파출소에 가서 신고나 해라! 송기호는 늙은 빨갱이라고—— ."

송노인은 상출의 얼굴에 침이라도 뱉아 주려다 그대로 돌아섰다. 그러나 따지고 보면 송노인의 그러한 감정은 비단 상출이에게만이 아니라 아무런 주견도 패기도 없으면서 그래도 마을의 무슨 대표인 체하고 우쭐거리는 젊은 치 전체에 대한 것인지도 모른다. 물론 모든 청년들이 다 그렇다는 것은 아니다. 이른바 세대교체의 탓인지도 모르되 옛날과 달라서 요즘은 어느 마을 할 것 없이 어른들은 다 뒤로 물러앉고 그런 젊은 치들이 마을 일을 도맡듯 해서 옳든 그르든 위에서 시키는 대로만 용춤을 추고 있는 판국이라고 송노인은 생각했다. 환지문제 기타로 인해 송노인과 같은 생각을 가진 사람들도 많았지만 노인네들은 그저 **"세상이 그런 걸 머!"** 할 뿐 드러내 놓고 말을 잘 안 했다.—— 요컨대 아직은 드러내 놓고 말은 하지 않더라도 마을 사람들 사이에는 **눈에 보이지 않는 어떤 틈이 생기고 있는** 것만은 숨길 수 없는 사실이었다. 멍청한 얼굴들에 나타나게 마련인 씁쓸한 웃음들만 보아도 능히 짐작할 만한 일이었다.

㉤'철딱서니 없는 놈들…….'

– 김정한, 「어떤 유서」 –

* 환지: 토지를 서로 바꿈. 또는 바꾼 땅. 환토(換土)

*21.* 윗글의 서술상의 특징으로 가장 적절한 것은?

① 외부의 이야기에 내부의 이야기가 삽입되어 있다.
② 다양한 인물들의 경험을 삽화 형식으로 나열하고 있다.
③ 인물의 회상을 중심으로 과거와 현재를 반복하여 교차하고 있다.
④ 같은 시간에 벌어지는 다양한 장면을 병렬적으로 제시하고 있다.
⑤ 이야기 밖의 서술자가 특정 인물의 입장에서 사건을 전개하고 있다.

*22.* ㉠ ~ ㉤에 대한 설명으로 적절하지 않은 것은?

① ㉠: 송노인은 자신이 재산상의 피해를 입은 일로 인해 분노하고 있다.
② ㉡: 송노인은 자신의 기대와 다른 상황이 벌어진 것에 대해 실망하고 있다.
③ ㉢: 송노인은 과거에 그가 한 일을 왜곡하는 젊은이들에 대해 노여움을 드러내고 있다.
④ ㉣: 송노인은 폭력 행위에 적극적으로 가담했던 자신의 실수에 대해 인정하고 있다.
⑤ ㉤: 송노인은 자신이 생각하는 기준과는 다르게 행동하는 사람들의 모습에 대해 불편한 마음을 갖고 있다.

*23.* <보기>를 바탕으로 윗글을 감상한 내용으로 적절하지 않은 것은? [3점]

< 보 기 >

이 작품은 1970년대 국가 발전이라는 명목으로 권력자들에게 토지를 침탈당하는 농민들의 현실을 보여준다. 이 과정에서 가해자와 피해자의 갈등이 나타나는데, 여기에는 가해자 편에 서 있는 중간자가 개입되어 있다. 또한 권력이 휘두르는 폭력 앞에서 농민들은 다양한 양상을 보이는데, 무기력한 태도로 방관하거나 세대 간의 갈등을 일으키며 분열되는 등 파편화된 모습을 보인다.

① '정부에서 한 일'로 인해 '부당한 환지를 받은' 것은 권력자들에 의해 토지를 침탈당한 농민들의 모습이라고 할 수 있겠군.
② 송노인에게 '가게도 차릴 수 있을 것'이라고 한 점에서 이성복 동장은 가해자의 편에 서서 개발에 동조하고 있는 중간자라고 할 수 있겠군.
③ '먼 굴다리 쪽을 일부러 돌아'가는 모습을 통해 권력이 휘두르는 폭력 앞에서 세대 간의 갈등을 일으키는 농민들의 모습을 확인할 수 있겠군.
④ '세상이 그런 걸 머!'라고 체념하는 노인들의 모습을 통해 현실에 대해 무기력한 태도로 방관하고 있는 농민들의 모습을 확인할 수 있겠군.
⑤ 마을 사람들 사이에 '눈에 보이지 않는 어떤 틈이 생기고 있는' 모습을 통해 파편화되어 가는 농민들의 모습을 확인할 수 있겠군.

**[24 ~ 27] 다음 글을 읽고 물음에 답하시오.**

(가)

[A]
신령님……

처음 내 마음은
수천만 마리
**노고지리 우는 날의 아지랑이** 같었습니다

번쩍이는 비늘을 단 고기들이 헤염치는
초록의 강 물결
어우러져 날으는 **애기 구름** 같었습니다

[B]
신령님……

그러나 **그의 모습으로** 어느 날 **당신**이 내게 오셨을 때
나는 **미친 회오리바람**이 되었읍니다
쏟아져 내리는 벼랑의 폭포
쏟아져 내리는 쏘내기비가 되었읍니다

[C]
그러나 신령님……

**바닷물이 적은 여울을 마시듯이**
당신은 다시 **그를 데려**가고
그 **훠―ㄴ한** 내 마음에
**마지막 타는 저녁 노을을 두셨**읍니다
그러고는 또 ㉠기인 밤을 두셨읍니다

[D]
신령님……

그리하여 **또 한번 내 위에 밝는 날**
이제
산골에 피어나는 **도라지꽃 같은**
**내 마음의 빛갈**은 당신의 사랑입니다

– 서정주, 「다시 밝은 날에-춘향의 말 2」 –

(나)
그리운 이 그리워 마음 둘 곳 없는 ㉡[봄날]엔
홀로 어디론가 떠나 버리자.
사람들은
행선지가 확실한 티켓을 들고
부지런히 **역구**를 **빠져 나가고 또**
**들어오**고,
이별과 만남의 **격정으로 눈물짓는**데
방금 도착한 저 열차는
먼 남쪽 **푸른 바닷가에서 온 완행**.
실어 온 **동백꽃잎**들을
**축제처럼 역두에 뿌**리고 떠난다.
나도 과거로 가는 **차표를 끊고** 저 열차를 타면
어제의 어제를 달려서
**잃어버린 사랑**을 만날 수 있을까.
그리운 이 그리워
**문득** 타 보는 **완행열차**,
**그 차창에 어리는 봄날의**
**우수**.

– 오세영, 「그리운 이 그리워」 –

(다)
예전 영남을 유람할 때 동래의 해운대(海雲臺)와 몰운대(沒雲臺)를 올라간 적이 있다. 몰운대는 땅이 바다 한가운데로 움푹 들어가서 대가 된 곳이다. 길이 넓은 바다를 끼고 있는데 겨우 몇 길도 떨어져 있지 않다. 파도 소리가 해안을 치니 그 때문에 말이 피하여 뒷걸음친다. 몇백 걸음 가면 땅이 비로소 끝이 나고 하늘과 바다가 끝없이 펼쳐진다. 조금 있으니 바다로 들어가고 남은 햇살이 사방에서 부서진 금처럼 쏘아댄다. ⓐ <u>만경창파 넓은 바다에 사나운 바람이 일어 요란한 소리를 낸다.</u> 큰 파도가 허공에 뒤집어져서 마치 비가 내리는 것 같기도 하고 천둥이 치는 것 같기도 하다. 그러다가 갑자기 물결이 동탕쳤다. 내 마음이 상쾌해져서 근심이 싹 사라졌다. ⓑ <u>돌아와 대포진(大浦鎭)의 객사에서 휴식을 취하였다.</u> 조금 있으니 달이 떠올랐다. 바다의 빛은 거울처럼 맑았다. 나지막이 대마도가 바라다 보이는데 마치 잘 차려놓은 잔칫상 같았다. 다 장관이었다.

나는 마음속으로 생각하곤 한다. 눈은 내 방 안에 있지만 오래도록 사방의 벽을 보고 있노라면 벽에서 파도 문양이 생겨나 마치 바다를 그려놓은 휘장을 붙여놓은 듯하다. 절로 마음이 탁 트이고 정신이 상쾌해져서 내 자신이 좁은 방 안에 있다는 사실을 잊게 된다. 이 때문에 일어나 책을 마주하면 유창하고 쾌활하게 읽힌다. 마치 내 가슴을 바닷물로 적시는 듯하다. 그러니 예전 몰운대가 어찌 바로 내 집이 되지 않겠는가? ⓒ <u>이제 내가 사는 달팽이집이 바로 바다가 아닌 줄 어찌 알겠는가?</u> 그러니 집을 바닷물로 적신다는 함해라 이름한 것은 엉터리가 아니다.

또 생각해보았다. ⓓ <u>저 동래의 바다는 내 시야에서는 거리가 매우 멀기는 하지만 천 리를 넘지 않는다.</u> 금산(錦山)의 미라도(彌羅島)가 그 서쪽을 막고 있고 대마도가 그 동쪽을 가리고 있다. 남쪽 바다에는 섬들이 안개와 구름에 싸여 아스라이 보인다. 이는 바다 중에서 작은 것이다. 내 집의 책을 통해서는 동서남북, 하늘과 땅, ㉢[과거]와 현재에까지 미루어 나갈 수 있고, 천지와 사방 안팎의 공간이나 아주 먼 고대의 시간까지 에워싸 차지할 수 있다. 그렇게 되면 추연(鄒衍)이 세상 밖에 훨씬 더 큰 세상이 있다는 구주(九州)조차 책에서부터 벗어날 수 없게 된다. 그러니 책이라는 것의 크기를 어찌 더할 수 있겠는가? ⓔ <u>저 바람을 타고 구만 리를 날아오르는 큰 붕새나 몸집이 자그마한 메추라기나 소요(逍遙)를 즐기는 것은 한 가지다.</u>

비록 그러하지만 가장 좋은 것은 덕을 확립하는 일이요, 다음은 저술을 이루는 일이다. 내가 물에 대한 관찰을 통하여 내 국량을 키워 나가 끝없는 바다에 이를 수 있다면, 또 어떠한 것이 이에 비견할 것이겠는가?

– 이종휘, 「함해당기」 –

**24.** (가)의 [A] ~ [D]에 대한 감상으로 적절하지 <u>않은</u> 것은?

① [A]의 '노고지리 우는 날의 아지랑이'같이 평화롭던 화자의 내면은 [B]에서 '미친 회오리바람'처럼 격동적으로 변화하고 있군.
② [B]의 '그의 모습으로' 다가온 '당신'이 [C]에서 '바닷물이 적은 여울을 마시듯이' '그를 데려' 갔다고 한 것은 화자의 만남과 이별이 숙명과 같음을 드러낸 것이겠군.
③ [C]의 '휘-ㄴ한 내 마음'에 '마지막 타는 저녁 노을을 두셨'다는 것은 이별로 인한 화자의 내면 상태를 시각적 이미지로 표현한 것이겠군.
④ [D]의 '또 한번 내 위에 밝는 날'은 기다림의 끝에 희망적인 상황이 올 것이라는 화자의 기대를 드러낸 것이겠군.
⑤ [D]의 '도라지꽃 같은' '내 마음의 빛갈'은 [A]의 '애기 구름'같이 연약했던, 화자의 사랑이 화려한 결실을 맺었음을 비유적으로 표현한 것이겠군.

**25.** <보기>를 참고하여 (나)를 이해한 내용으로 적절하지 <u>않은</u> 것은? [3점]

〈보 기〉

이 작품에서는 이별과 만남이 공존하는 공간을 배경으로, 훌연히 떠나고 싶어 하는 화자의 모습이 드러난다. 기차역의 풍경을 보며 화자가 느낀 그리움의 정서는 계절적 배경과 어우러져 더욱 심화된다. 자연물을 통해 계절의 순환을 환기한 화자는 과거로의 회귀를 소망하지만 결국 그것이 불가능함을 인식하게 된다.

① 사람들이 '빠져 나가고 또' '들어오'는 '역구'는 이별과 만남이 공존하는 기차역의 이중적 의미를 드러내고 있다.
② 기차역에서 '격정으로 눈물짓는' 사람들과 '축제처럼 역두에 뿌'려지는 '동백꽃잎'이 어우러져 화자의 그리움을 심화하고 있다.
③ '푸른 바닷가에서 온 완행'을 타기 위해 '차표를 끊고' 싶어 하는 것은 계절의 순환을 깨닫기 위한 화자의 의지를 나타내고 있다.
④ '잃어버린 사랑'에 대한 그리움으로 '문득' '완행열차'를 타는 화자의 모습에는 과거로의 회귀에 대한 소망이 드러나 있다.
⑤ '차창에 어리는 봄날의' '우수'는 과거의 상황으로 돌아가는 것이 불가능함을 인식한 화자의 내면을 드러내고 있다.

13 회

*26.* ㉠ ~ ㉢에 대한 설명으로 가장 적절한 것은?
① ㉠ ~ ㉢은 모두 자연과 교감하는 소통의 시간을 의미한다.
② ㉠ ~ ㉢은 모두 대상과의 합일을 추구하는 기원의 시간을 의미한다.
③ ㉠, ㉡은 대상이 결핍된 시간을, ㉢은 인식이 확장된 시간을 의미한다.
④ ㉠, ㉢은 공동체적 체험의 시간을, ㉡은 개인적 체험의 시간을 의미한다.
⑤ ㉡, ㉢은 타인과 단절된 시간을, ㉠은 미래를 기약하는 시간을 의미한다.

*27.* (다)의 ⓐ ~ ⓔ에 대한 설명으로 가장 적절한 것은?
① ⓐ: 주변 상황으로 인한 내면의 동요를 인지하고 있다.
② ⓑ: 지난날을 돌아보며 자신의 삶을 성찰하고 있다.
③ ⓒ: 사고를 전환하여 공간적 한계를 벗어나고 있다.
④ ⓓ: 세상에 대한 자신의 관점이 편협함을 느끼고 있다.
⑤ ⓔ: 인생의 역경을 극복하기 위한 방법을 깨닫고 있다.

**[28 ~ 32] 다음 글을 읽고 물음에 답하시오.**

자동 조종 장치는 조종사가 비행 전에 미리 입력한 데이터에 따라 자동으로 비행 경로 및 고도를 유지해 주는 장치이다. 자동 조종 장치에서 관성 항법 장치라고 불리는 감지 센서는, 다양한 비행 상황에 대응하기 위해 비행기의 이동 방향, 이동 거리, 속도 등을 지속적으로 정확하게 측정하는 역할을 한다. 이 장치의 핵심은 가속도 센서와 자이로스코프인데, 이를 통해 측정된 값을 계산하여 운항 정보를 파악함으로써 비행기가 정해진 경로로 운항할 수 있게 되는 것이다.

비행기의 운항 정보를 파악하려면 직선 운동과, 각의 변화가 일어나는 회전 운동인 각운동을 이해해야 한다. 가속도 센서는 비행기의 직선 운동에 의한 방향, 속도, 이동 거리의 변화를 감지하는 장치이다. 비행기는 3차원 공간에서 운동하므로 위치나 이동 정보를 측정하기 위해서는 세 가지 축이 필요하다. 따라서 가속도 센서 역시 세 개가 필요하다. 즉 비행기의 맨 앞부분에서 꼬리까지를 기준으로 한 수평축, 비행기의 한 쪽 날개 끝에서 반대쪽 날개 끝을 기준으로 한 수평축, 비행기 동체의 윗부분에서 수직으로 아랫부분까지를 기준으로 한 수직축에서의 직선 운동을 측정하는 가속도 센서가 각각 필요하다. 예를 들어 비행기가 수평 방향으로만 가속하면서 직진할 때 어떠한 외부의 힘도 작용하지 않는다고 가정한다면, 수평축에서의 직선 운동을 측정하는 가속도 센서가 작동하여 이동 거리와 속도 등을 측정할 수 있다. 그리고 지구상의 모든 물체에는 중력이 작용하므로 수직 방향의 가속도 값은 기본적으로 중력 값을 바탕으로 측정된다.

그런데 가속도 센서는 직선 운동에서의 방향과 거리, 속도만 측정할 수 있고, 비행기가 외부의 힘에 의해 갑자기 기울어지는 것과 같은 각의 변화는 정확히 측정하지 못한다. 운항 중인 비행기가 좌우로 기울어지는 것은 맨 앞부분에서 꼬리까지를 회전축으로 한 회전 운동이고, 비행기의 머리 부분이 위로 들리거나 아래로 기우는 것은 비행기의 한 쪽 날개 끝에서 반대쪽 날개 끝을 회전축으로 한 회전 운동이다. 그리고 비행기가 좌우로 선회*를 하는 경우는 동체의 윗부분에서 수직으로 아랫부분까지를 회전축으로 한 회전 운동이다. 이와 같은 세 가지의 회전 운동을 측정하기 위해서는 세 개의 자이로스코프가 필요하다.

그렇다면 자이로스코프의 구조와 원리는 무엇일까? 기본적인 자이로스코프의 구조는 <그림>과 같다. 자이로스코프는 팽이처럼 회전 운동을 하는 회전자 1개와, 짐벌 2개로 구성되어 있다. 회전자는 회전축을 중심으로 모터에 의해 고속으로 회전 운동을 하고, 짐벌 A는 회전축의 양 끝을 잡아주며, 짐벌 B와 90도로 연결되어 있다. 짐벌 A와 짐벌 B는 베어링으로 연결되어 있어 짐벌 A와 짐벌 B가 이루는 각은 90도보다 크거나 작아질 수 있다.

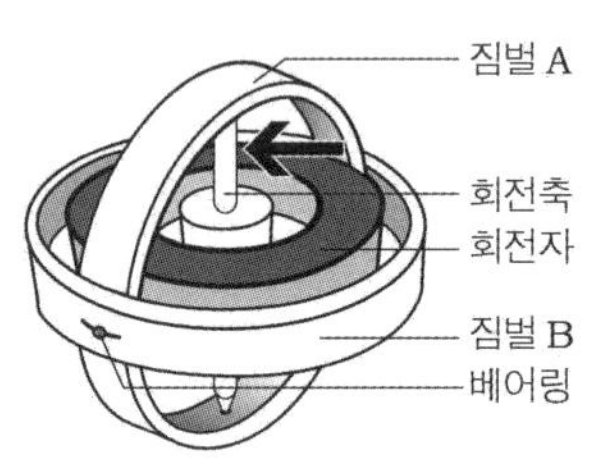

<그림>

[A] 한편 자이로스코프는 다음과 같은 두 가지 물리적 특성을 바탕으로 작동된다. 먼저, 회전자가 고속으로 회전 운동을 하기 때문에, 외부로부터 힘이 작용하지 않는 한 회전 관성에 의해 회전축의 방향이 변하지 않는다는 특성이 있다. 이로 인해 회전자의 회전축과 연결된 짐벌 A 역시 어느 방향으로도 기울어지지 않고 균형을 유지하게 된다.

다음으로, 자이로스코프의 축에 외부로부터 힘이 가해지면 힘이 가해진 축이 아닌, 그 축과 90도를 이루는 방향으로 힘이 전달되어 나타난다는 특성이 있다. 예를 들어 돌고 있던 팽이가 쓰러지려고 할 경우 팽이채로 팽이의 측면에 힘을 가하면 그 측면과 90도를 이루는 팽이의 회전축으로 힘이 전달되어 회전축이 더 빨리 회전하게 되면서 팽이가 쓰러지지 않고 계속 돌게 된다. 이와 같은 원리로 자이로스코프의 경우 회전자가 고속으로 회전하는 상태이기 때문에 <그림>의 화살표 방향으로 외부의 힘이 가해질 경우 회전축과 90도를 이루는 짐벌 B로 그 힘이 전달되어 짐벌 B가 움직이게 된다. 이때 짐벌 A는 회전 관성으로 인해 균형을 유지하기 때문에 움직이지 않고, 짐벌 B는 외부의 힘에 의해 기울어지게 되므로 짐벌 A를 기준으로 짐벌 B가 이루는 각의 변화가 발생하게 된다. 그러면 정해진 시간 안에 얼마만큼의 각의 변화가 일어나는지 그 각속도를 측정하여 비행기의 기울어진 방향과 정도를 정확하게 파악할 수 있다.

만약 다른 움직임이 없는 상태에서 비행기가 앞으로만 직선 운동을 한다면, 비행기의 맨 앞부분에서 꼬리까지를 기준으로 하는 가속도 센서가 작동할 것이다. 하지만 하강기류를 만나 비행기의 머리가 아래로 향하면서 속도 변화와 각의 변화를 동반한 운동을 한다면, 가속도 센서는 시간에 따른 속도와 이동 거리의 변화를 측정한다. 그리고 한 쪽 날개 끝에서 반대쪽 날개 끝을 축으로 한 비행기의 회전 운동을 측정하는 자이로스코프가 각의 변화를 감지하게 된다. 이처럼 가속도 센서와 자이로스코프로 측정된 값들을 통해 비행기의 정확한 위치를 파악함으로써 비행기가 원래의 궤도로 ⓐ <u>돌아오는</u> 데에 도움을 주는 것이다.

*선회: 항공기가 곡선을 그리듯 진로를 바꿈

*28.* 윗글의 내용 전개 방식으로 가장 적절한 것은?
① 대상의 구성 요소를 기능에 따라 구분하여 설명하고 있다.
② 대상의 구조 변화가 초래할 수 있는 결과를 예측하고 있다.
③ 대상의 형성과 발달 과정을 중심으로 내용을 전개하고 있다.
④ 대상이 지닌 문제점의 원인을 다양한 측면에서 분석하고 있다.
⑤ 대상의 유용성과 한계를 지적하여 새로운 전망을 제시하고 있다.

*29.* 윗글을 바탕으로 <보기>를 이해한 내용으로 적절하지 않은 것은? [3점]

〈보 기〉

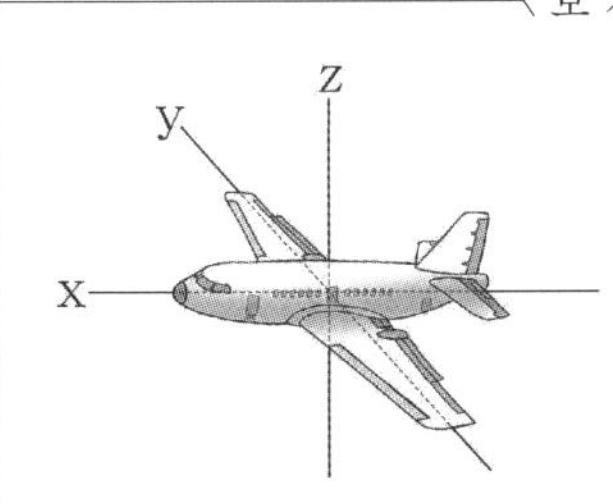


현재 비행기는 일정한 속도를 유지하며 x축 방향으로 직선 운동하고 있으며, 이때 관성 항법 장치의 가속도 센서와 자이로스코프는 정상 작동하고 있다.

① 비행기의 앞머리가 들리는 경우, y축을 기준으로 한 비행기의 회전 운동을 감지하는 자이로스코프가 각의 변화를 감지하겠군.
② 비행기가 좌우로 기울어지는 경우, x축을 기준으로 한 비행기의 회전 운동을 감지하는 자이로스코프가 각의 변화를 감지하겠군.
③ 비행기가 오른쪽으로 갑자기 선회하는 경우, z축을 기준으로 한 비행기의 회전 운동을 감지하는 자이로스코프가 각의 변화를 감지하겠군.
④ 비행기가 x축 방향으로 수평을 유지한 채 수직으로 하강하는 경우, z축을 기준으로 한 직선 운동을 감지하는 가속도 센서가 이동 거리와 속도를 측정하겠군.
⑤ 비행기가 왼쪽으로 선회하면서 속도와 각의 변화를 동반하는 경우, 가속도 센서는 속도 변화를, y축을 기준으로 한 비행기의 회전 운동을 감지하는 자이로스코프는 각의 변화를 감지하겠군.

*30.* <보기>는 윗글의 [A]를 도식화한 것이다. 윗글을 참고하여 <보기>를 이해한 내용으로 적절하지 않은 것은?

〈보 기〉

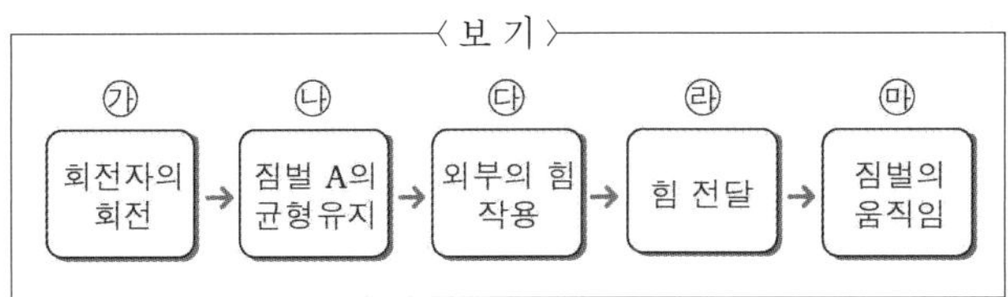


① 특별한 힘이 작용하지 않으면 ㉮에서 회전축의 방향은 변하지 않겠군.
② 짐벌 A의 양끝이 회전축에 연결되어 있지 않다면 ㉯가 일어나지 않겠군.
③ ㉮에서 일어나는 회전축의 회전은 ㉰의 작용이 있어야만 계속될 수 있겠군.
④ ㉰로 인해 발생한 ㉱는 회전축과 90도를 이루는 짐벌 B에 영향을 미치겠군.
⑤ ㉰에서의 외부 힘으로 인해 ㉲에서는 짐벌 A와 짐벌 B가 이루는 각이 변화하게 되겠군.

*31.* 윗글을 참고하여 <보기>의 ㉠ ~ ㉢에 들어갈 말로 적절한 것을 고른 것은?

〈보 기〉

가속도 센서가 부착된 외발 자전거를 타고 직선으로 달릴 때 정확한 움직임의 변화를 측정하기 위해서는 수평 방향의 측정값뿐 아니라 수직 방향에 작용하는 ( ㉠ )도 고려해야 한다. 한편 페달을 밟으면 바퀴가 돌아가는데 이때 바퀴의 중심은 ( ㉡ )이/가 된다. 이후 일정 속도 이상이 되면 페달을 밟지 않아도 바퀴의 ( ㉢ ) 때문에 자전거는 계속 앞으로 나아갈 수 있다.

| | ㉠ | ㉡ | ㉢ |
|---|---|---|---|
| ① | 중력 값 | 회전축 | 회전 관성 |
| ② | 중력 값 | 회전자 | 회전 관성 |
| ③ | 중력 값 | 회전자 | 직선 운동 |
| ④ | 각속도 | 회전축 | 회전 관성 |
| ⑤ | 각속도 | 회전축 | 직선 운동 |

*32.* 밑줄 친 단어의 문맥적 의미가 ⓐ와 가장 유사한 것은?
① 추석이 <u>돌아왔다</u>.
② 그는 고향으로 <u>돌아왔다</u>.
③ 이제 나의 발표할 차례가 <u>돌아왔다</u>.
④ 노력한 만큼 대가가 <u>돌아오는</u> 법이다.
⑤ 우리는 <u>돌아오는</u> 휴일에 등산을 갈 것이다.

**[33 ~ 37] 다음 글을 읽고 물음에 답하시오.**

무역이 발생하는 이유는 무엇일까? 고전적 무역 이론 중 비교우위론에서는 개별 국가들이 가지고 있는 노동 생산성 또는 보유 자원의 차이가 무역을 발생시킨다고 주장하였다. 일반적으로 각 나라는 상대적으로 더 유리한 자국의 산업에 집중하게 되는데 이를 특화라고 한다. 이때 특화된 자원이나 상품은 수출만 이루어지고, 자국이 보유하지 못한 자원이나 수입하는 것이 더 이득인 상품은 수입만 이루어진다고 보았다. 따라서 이 이론에서는, 무역이 발생하는 이유는 무역을 통해 해당 국가가 가지지 못하거나 상대적으로 덜 가진 상품을 간접 생산하여 이익을 얻기 위해서라고 보았다. 하지만 이러한 무역 이론은 서로 다른 산업 간의 무역은 설명 가능하지만, 동일한 산업에 속한 상품들이 서로 교환되는 산업 내 무역은 나타나지 않는다고 보았으므로 오늘날의 무역 양상을 설명하는 데에는 한계가 있었다.

이러한 무역 양상을 설명하기 위해 나타난 신무역이론에서는 만약 두 국가에 각각 독점적 경쟁시장이 형성되어 있고, 그 시장에 '규모의 경제'가 존재할 경우 두 국가 간에는 산업 내 무역이 이루어질 수 있다고 보았다. 먼저 ㉠ <u>독점적 경쟁시장</u>은 시장 내에 다수의 기업이 존재하며, 이들의 시장 진입과 퇴출이 자유롭다. 그리고 다수의 기업들이, 완전히 동일한 상품은 아니지만 서로 유사한 기능을 하면서도 질적으로 차별화된 상품을 생산한다. 예를 들어 자동차들은 기본적으로 기능은 동일하지만 자동차 산업에는 승용차, 트럭, 승합차 등 차별화된 상품이 존재하는 것이다. 이때 소비자들은 일반적으로 특정 상품에 대한 자신의 선호를 쉽게 바꾸지 않으려는 경향이 있어서 해당 기업은 어느 정도 독점적인 지위를 가진다. 따라서 해당 기업은 제품 가격을 결정할 권한을 가질 수도 있다. 하지만 다수의 경쟁기업이 존재하므로 다른 기업의 상품들은 해당 기업의 상품에 대해 어느 정도의 대체성도 가지고 있다. 따라서 해당 기업의 시장 지배력은 불완전하다고 할 수 있다.

한편 '규모의 경제'란 생산량이 증가함에 따라 평균생산비용이 하락하는 것을 말한다. 이때 평균생산비용이란 총생산비용을 총생산량으로 나눈 값을 의미한다. 상품을 생산하는 데에는 기본적으로 투자해야하는 초기 투자비용이 높기 때문에 기업은 생산량이 늘어날수록 평균생산비용을 낮출 수 있다. 하지만 시장의 크기는 제한되어 있기 때문에 시장 내에서 기업의 수가 증가하면 각 기업의 규모의 경제 효과는 감소하게 된다.

<그림>은 규모의 경제가 존재하는 독점적 경쟁시장을 가정하여, 동일 산업 내에 존재하는 기업의 수는 어떻게 결정되며, 그렇게 결정된 기업의 수를 통해 상품의 가격 및 생산량이 어떻게 정해지는지를 보여주고 있다. <그림>의 X축은 기업의 수 혹은 상품의 수, Y축은 생산 비용 혹은 상품 가격을 나타낸다. 또한 CC는 시장 내 기업의 평균생산비용곡선, PP는 시장 내 기업이 생산하는 상품의 가격곡선을 나타낸다. 이때 두 곡선이 교차하는 지점 E에서 균형점이 형성되며 이때 균형 기업의 수는 $n_1$이라고 할 수 있다. 그런데 시장의 크기가 정해져 있다는 것은 어떤 산업의 총수요량이 일정하다는 것을 의미한다. 만약 이 상황에서 기업의 수가 $n_1$에서 $n_2$로 증가하면 그 영향으로 일부 기업의 생산량은 감소하게 된다. 규모의 경제가 존재하는 상황이므로 생산량 감소에 따라 기업들의 평균생산비용은 $AC_1$에서 $AC_2$로 증가하게 될 것이다. 또한 이 경우 새로운 경쟁 기업의 진입으로 인해 기존 기업들의 독점력은 약화되어, 상품 가격은 $P_1$에서 $P_2$로 자연스럽게 하락하게 될 것이다. 결국 일부 기업들은 시장에서 퇴출되고, 이로 인해 소비자가 선택할 수 있는 상품의 다양성은 줄어들게 될 것이다.

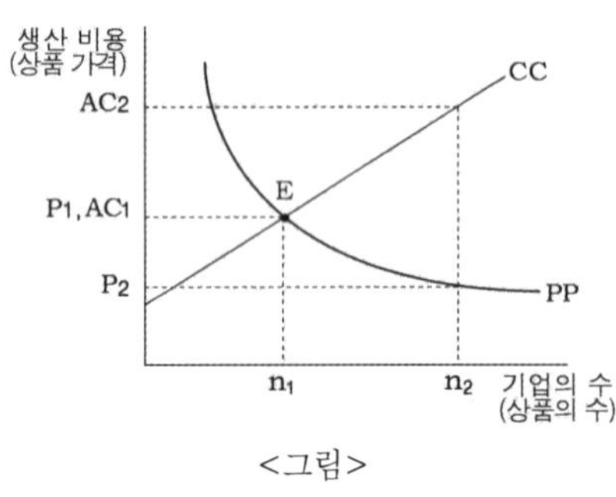

<그림>

신무역이론에서는 이러한 상황을 극복하기 위해 필요한 것이 바로 산업 내 무역이라고 생각하였다. 먼저 기업의 입장에서 보면, 이전에는 시장의 크기가 제한되어 있어 규모의 경제 효과를 제대로 살릴 수가 없었지만, 무역이 이루어지면서 ㉡ <u>시장의 크기가 확대</u>되어 생산량 증가에 따른 평균생산비용의 감소 효과를 얻게 되는 것이다. 소비자의 입장에서 보면, 무역을 통해 경쟁 기업이 증가함으로써 상품 가격이 하락하게 되어 소비자의 후생이 증가하게 된다. 또한 기존 국내 기업의 상품뿐만 아니라 외국 기업이 생산한 상품도 이용할 수 있게 되어 상품 선택의 다양성이 증가하게 된다.

*33.* 윗글에서 언급한 내용이 <u>아닌</u> 것은?

① 생산량과 평균생산비용의 관계
② 규모의 경제가 적용되지 않는 산업의 예
③ 산업 내 무역이 소비자에게 끼치는 영향
④ 독점적 경쟁시장에서 생산되는 상품의 특성
⑤ 고전적 무역 이론인 비교우위론이 가지는 한계

*34.* 윗글을 참고할 때, <보기>의 (가)와 (나)에 나타난 무역 양상에 대한 이해로 적절하지 <u>않은</u> 것은?

<보 기>

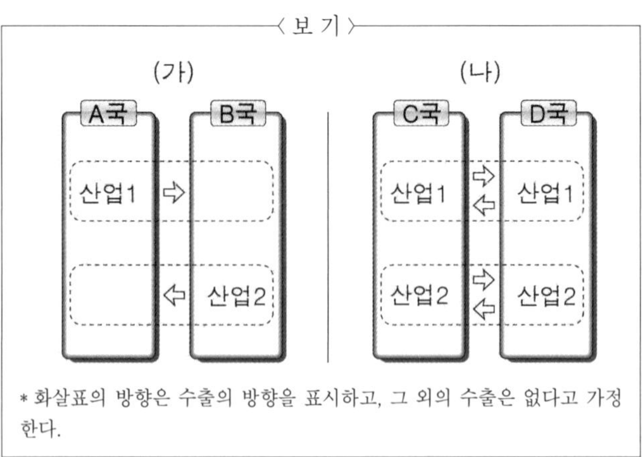

* 화살표의 방향은 수출의 방향을 표시하고, 그 외의 수출은 없다고 가정한다.

① (가)와 달리 (나)에서는 특화된 상품이 아니더라도 수출이 가능하겠군.
② (가)와 달리 (나)에서는 동일한 산업 내에서도 수출이 발생할 수 있겠군.
③ (나)와 달리 (가)에서는 국가 간의 노동 생산성과 보유 자원의 차이가 없다면 무역이 발생하지 않겠군.
④ (나)와 달리 (가)에서는 해당 국가가 보유하지 못하거나 상대적으로 덜 가진 상품은 무역을 통해 간접 생산하겠군.
⑤ (나)와 달리 (가)에서는 완전히 동일한 상품은 아니지만 질적으로 차별화된 상품을 수출하여 이익을 얻는다고 할 수 있겠군.

*35.* 윗글의 ㉠과 <보기>의 [A], [B]를 비교하여 이해한 내용으로 적절하지 <u>않은</u> 것은?

〈보 기〉

[A] 완전 경쟁시장은 상품의 공급자와 수요자가 다수이며, 완전히 동일한 상품이 거래되기 때문에 기업은 가격을 결정할 권한을 가질 수 없다. 또한 기업의 시장 진·출입이 자유롭고, 공급자나 수요자들이 시장 정보에 관해서 완전히 알고 있다는 특징이 있다.

[B] 독점 시장은 하나의 공급자가 한 종류의 상품을 판매하는 시장의 형태를 말한다. 독점 시장에서 공급자는 이윤이 극대화되도록 생산량과 가격을 조절할 수 있다. 또한 시장을 지배하는 기업의 영향력으로 인해 다른 기업의 진입이 매우 어렵다.

① ㉠은 시장에 참여하는 기업의 수가 다수라는 점에서 [A]와 유사하지만, 판매되는 상품들 간의 차별화 정도는 다르다고 할 수 있다.
② ㉠은 연필, 볼펜, 만년필 등의 차별화된 상품이 존재하는 필기구 시장이, [A]는 한 종류의 동일한 쌀을 여러 가게에서 팔고 있는 쌀 시장이 각각의 사례라고 할 수 있다.
③ ㉠은 기업이 상품에 대해 독점력을 가진다는 점에서는 [B]와 유사하지만, 기업의 시장 지배력은 다르다고 할 수 있다.
④ ㉠에서 상품 가격은 차별화된 상품을 생산하는 기업의 수에 영향을 받지만, [B]에서는 소비자의 선택에 따라 상품 가격이 결정된다고 할 수 있다.
⑤ ㉠에서는 상품들이 대체성을 갖고 있기 때문에 기업들은 경쟁 관계에 있지만, [B]에서는 다른 기업의 시장 진입이 쉽지 않아 경쟁 관계가 형성되기 어렵다고 할 수 있다.

*36.* 윗글을 바탕으로 <보기>를 이해한 내용으로 적절하지 <u>않은</u> 것은? [3점]

〈보 기〉

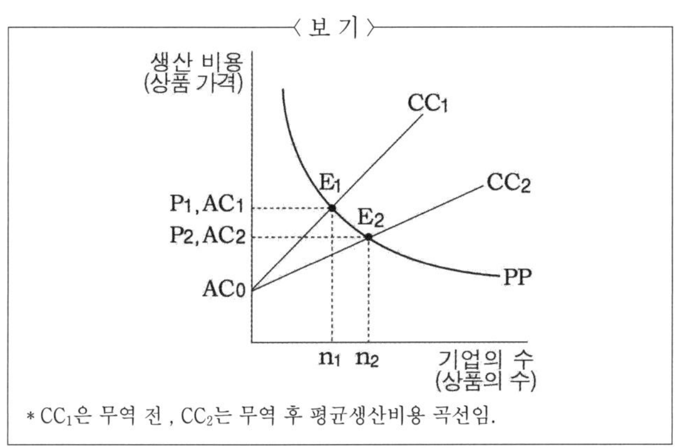


* $CC_1$은 무역 전, $CC_2$는 무역 후 평균생산비용 곡선임.

① 무역 후 기업의 수가 $n_1$에서 $n_2$로 바뀌게 되었다면 소비자의 후생은 증가했다고 볼 수 있겠군.
② $CC_1$과 $CC_2$가 모두 $AC_0$에서 시작되는 이유는 기본적으로 초기 투자비용이 들어가기 때문이라고 볼 수 있겠군.
③ 균형점이 $E_1$에서 $E_2$로 바뀌었다면, 시장이 확대되어 무역 전보다 더 많은 기업이 시장에 진입한 것이라고 볼 수 있겠군.
④ 상품의 가격이 $P_1$에서 무역 후 $P_2$로 바뀌었다면 기업의 독점력이 약화되어 상품의 다양성이 줄어든 것이 원인이라고 할 수 있겠군.
⑤ 무역 후 균형점이 $E_2$인 상태에서 시장의 크기 변화 없이 기업의 수가 $n_2$보다 늘어났다면, 평균생산비용이 $AC_2$보다 높아져 기업 중 일부는 퇴출될 가능성이 있겠군.

*37.* ㉡이 일어났을 때와 유사한 효과가 나타날 수 있는 상황으로 가장 적절한 것은?

① 상품의 가격이 큰 폭으로 상승하였다.
② 국가가 보유한 자원이 단기간에 감소하였다.
③ 기업의 초기 투자비용이 갑자기 상승하였다.
④ 평균생산비용이 기하급수적으로 상승하였다.
⑤ 단기간에 한 국가의 인구가 급격하게 증가하였다.

**[38 ~ 41] 다음 글을 읽고 물음에 답하시오.**

(가)

뎨 가ᄂᆞᆫ 뎌 각시 본 듯도 ᄒᆞᆫ뎌이고.
텬샹(天上) ᄇᆡᆨ옥경(白玉京)을 엇디ᄒᆞ야 니별(離別)ᄒᆞ고,
ᄒᆡ 다 뎌 져믄 날의 눌을 보라 가시ᄂᆞᆫ고.
어와 네여이고 내 ᄉᆞ셜 드러 보오.
내 얼굴 이 거동이 님 괴얌 즉ᄒᆞᆫ가마ᄂᆞᆫ
엇딘디 날 보시고 네로다 녀기실ᄉᆡ
[A] 나도 님을 미더 군ᄠᅳ디 전혀 업서
이ᄅᆡ야 교ᄐᆡ야 어ᄌᆞ러이 구돗ᄯᅥᆫ디
반기시ᄂᆞᆫ ᄂᆞᆺ비치 녜와 엇디 다ᄅᆞ신고.
누어 ᄉᆡᆼ각ᄒᆞ고 니러 안자 혜여ᄒᆞ니
**내 몸의 지은 죄** 뫼ᄀᆞ티 ᄡᅡ혀시니
하ᄂᆞᆯ히라 원망ᄒᆞ며 사ᄅᆞᆷ이라 허믈ᄒᆞ랴
**셜워 플텨 혜**니 조믈(造物)의 타시로다.

<중략>

모쳠(茅簷) ᄎᆞᆫ 자리의 밤듕만 도라오니
반벽청등(半壁靑燈)은 눌 위ᄒᆞ야 ᄇᆞᆰ갓ᄂᆞᆫ고.
오ᄅᆞ며 ᄂᆞ리며 헤ᄯᅳ며 바니니
져근덧 역진(力盡)ᄒᆞ야 픗ᄌᆞᆷ을 잠간 드니
졍셩(精誠)이 지극ᄒᆞ야 ᄭᅮᆷ의 님을 보니
옥(玉) ᄀᆞᄐᆞᆫ 얼굴이 반(半)이나마 늘거셰라.
ᄆᆞᄋᆞᆷ의 머근 말ᄉᆞᆷ 슬ᄏᆞ장 ᄉᆞᆲ쟈 ᄒᆞ니
눈믈이 바라 나니 말인들 어이ᄒᆞ며
졍(情)을 못다ᄒᆞ야 목이조차 몌여ᄒᆞ니

오뎐된 ⓐ <u>계셩(鷄聲)</u>의 ᄌᆞᆷ은 엇디 ᄭᆡ돗던고.
어와, 허ᄉᆞ(虛事)로다. 이 님이 어ᄃᆡ 간고.
결의 니러 안자 창(窓)을 열고 ᄇᆞ라보니
어엿븐 그림재 날 조출 ᄲᅮᆫ이로다.
ᄎᆞᆯ하리 싀여디여 **낙월(落月)**이나 되야이셔
님 겨신 창(窓) 안ᄒᆡ 번드시 비최리라.
각시님 ᄃᆞᆯ이야ᄏᆞ니와 구ᄌᆞᆫ 비나 되쇼셔.

– 정철, 「속미인곡」 –

(나)

[B]
봄은 오고 ᄯᅩ 오고 플은 플으고 ᄯᅩ 플으ᄂᆡ
나도 이 봄 오고 이 플 프르기 ᄀᆞ티
어ᄂᆞ날 고향(故鄕)의 도라가 **노모(老母)**ᄭᅴ 뵈오려뇨. <1수>

친년(親年)*은 칠십오(七十五)ㅣ오 **영로(嶺路)***ᄂᆞᆫ **수천리(數千里)**오
도라갈 기약(期約)은 가디록 아득ᄒᆞ다.
아마도 ᄌᆞᆷ 업ᄉᆞᆫ 중야(中夜)의 눈믈 계워 셜웨라. <2수>

ⓑ <u>기럭이</u> 아니 ᄂᆞ니 편지(片紙)를 뉘 전(傳)ᄒᆞ리
시름이 ᄀᆞ득ᄒᆞ니 ᄭᅮᆷ인ᄃᆞᆯ 이룰손가
매일(每日)의 노친(老親) 얼굴이 눈의 삼삼(森森)ᄒᆞ야라. <6수>

동산(東山)을 올라 보니 고국(故國)도 멀셔이고
태행(太行)이 어드메오 **구룸**이 머흐레라
갈ᄉᆞ록 애일촌심(愛日寸心)*이 여림심연(如臨深淵)* ᄒᆞ여라. <7수>

내 죄(罪)를 아ᄋᆞᆸ거니 **유찬(流竄)이 박벌(薄罰)***이라
지처(至處) **성은(聖恩)**을 어이 ᄒᆞ야 갑ᄉᆞ올고
노친(老親)도 플텨 혜시고 하 그리 마오쇼셔. <10수>

하ᄂᆞᆯ이 놉흐시나 ᄂᆞᄌᆞᆫ ᄃᆡ를 드르시ᄂᆡ
일월(日月)이 갓가오샤 하토(下土)의 비최시ᄂᆡ
아ᄆᆞ라타 우리 모자지정(母子至情)을 ᄉᆞᆯ피실 제 업ᄉᆞ오랴. <11수>

– 이담명, 「사노친곡」 –

*친년: 어머님 연세.
*영로: 고갯길.
*애일촌심: 부모님을 모실 시간이 흐르는 것을 안타까워하는 마음.
*여림심연: 깊은 못 가에 있는 듯 조심스러움.
*유찬이 박벌: 죄가 너무 커서 귀양 보내는 일이 오히려 가벼운 처벌임.

*38.* [A]와 [B]에 대한 설명으로 가장 적절한 것은?

① [A]와 달리 [B]는 직유법을 사용하여 대상의 속성을 드러내고 있다.
② [B]와 달리 [A]는 대구법을 사용하여 운율을 형성하고 있다.
③ [A]와 [B]는 모두 설의적 표현을 사용하여 의미를 강조하고 있다.
④ [A]와 [B]는 모두 의성어를 활용하여 대상의 생동감을 드러내고 있다.
⑤ [A]와 [B]는 모두 의인법을 활용하여 대상을 친근하게 드러내고 있다.

*39.* <보기>를 바탕으로 (가)와 (나)를 감상한 내용으로 적절하지 <u>않은</u> 것은? [3점]

<보 기>

정쟁(政爭)으로 인한 낙향이나 유배는 많은 문학 작품 창작의 계기가 되었다. 이러한 작품에 드러난 그리움과 원망의 정서는 충과 효를 적극적으로 실현할 수 없는 작가의 처지에서 기인한다. 그리움은 이별의 슬픔, 임금에 대한 연모와 감사, 가족에 대한 염려 등으로 표출되며 이 과정에서 우의적 형상화가 나타나기도 한다. 또한 원망은 정치적 반대 세력에 대한 울분, 자신을 잊은 임금에 대한 서운함, 죄를 지은 자신에 대한 자책 등으로 드러난다.

① (가)는 임금을 떠난 작가의 처지를 '님'을 잃은 여인의 모습으로 설정함으로써 군신 관계를 우의적으로 형상화하여 드러내고 있군.
② (나)는 '노모'와의 거리감을 '영로ᄂᆞᆫ 수천리'로 나타내어 작가가 유배지에서 느끼는 가족과의 이별의 슬픔을 드러내고 있군.
③ (가)는 '내 몸의 지은 죄'를 생각하며 자신의 잘못을 탓하는 모습을, (나)는 '유찬이 박벌'이라며 자신이 지은 죄를 인정하는 모습을 드러내고 있군.
④ (가)는 '셜워 플텨 혜'는 모습에서 임금에 대한 서운함을, (나)는 '구룸'이 험한 모습에서 정치적 반대 세력에 대한 울분을 드러내고 있군.
⑤ (가)는 죽어서 '낙월'이 되고 싶어하는 모습을 통해 임금에 대한 연모를, (나)는 '성은'을 생각하는 모습을 통해 임금에 대한 감사를 드러내고 있군.

*40.* (나)에 대해 이해한 내용으로 적절하지 <u>않은</u> 것은?

① <1수>의 '봄은 오고 ᄯᅩ 오'는 것에서 <2수>의 '도라갈 기약'이 실현될 것이라는 화자의 확신이 드러나는군.
② <2수>의 '중야'에 'ᄌᆞᆷ'을 이루지 못하고 흘리는 '눈믈'을 통해 화자의 시름이 드러나는군.
③ <2수>의 '친년은 칠십오'라는 것을 떠올리는 모습과 <7수>의 '갈ᄉᆞ록 애일촌심'을 느끼는 모습에서 화자의 근심이 드러나는군.
④ <6수>의 '매일' '노친 얼굴'을 떠올리는 모습과 <7수>의 '동산을 올라' '고국'을 바라보는 행위에는 화자의 간절함이 드러나는군.
⑤ <11수>의 '모자지정을 ᄉᆞᆯ피실' 때가 있으리라고 생각하는 것에서 화자의 기대감이 드러나는군.

*41.* ⓐ와 ⓑ의 공통점으로 가장 적절한 것은?

① 화자의 소망을 실현시켜 주는 소재이다.
② 화자의 감정이 이입되어 있는 소재이다.
③ 화자가 추구하는 이상향을 드러내는 소재이다.
④ 자연에 대한 화자의 경외감을 보여주는 소재이다.
⑤ 화자가 처한 현실 상황을 깨닫게 하는 소재이다.

**[42 ~ 45] 다음 글을 읽고 물음에 답하시오.**

해선은 바로 길을 떠나 먼저 해주로 들어가면서 여러 읍의 일을 차례차례 남모르게 염탐하였다. 한 주점에 들어가니 어떤 사람들이 술을 먹으면서 서로 걱정하면서 말하였다.

"해주는 운남도 도적 때문에 봉물이 마음대로 오가지 못하는구나. 그 놈들을 어찌 하여야 잡을 수 있겠느냐? 세상에 참혹한 일도 있도다. 모년 모일에 강릉의 이 감사가 벼슬살이를 옮겨 갈 적에 그 놈들에게 재물을 탈취 당하고 나는 간신히 살아왔노라. 그러니 그 놈들을 잡으면 만백성에게 적선하는 일일 것이다. 이번에 급제한 사람이 운남도 도적의 아들이라 하니 자세히 알지는 못하지만 **도적놈의 자식**이 급제해서 무엇을 하겠는가?"

어사가 들으니 자신에 대한 말인지라, 이에 생각하기를, '운남도 도적이란 말은 내가 아직 듣지 못한 바이지만, 만약 그렇다면 한심한 일이 아닐 수 없도다. 또 강릉 이 감사가 바람과 파도를 만나 배가 뒤집혔다고 하였는데, 저 아전의 말을 들으니 분명한 사실이도다. 이제야 생각해보니 옥통소는 진정 이 감사의 퉁소요, 그때 탈취한 것이로구나.'하고, 그들에게 천연덕스럽게 물었다.

"그때 이 감사는 죽었는가, 살았는가?"

그 아전이 말하였다.

"깨닫지도 못하는 사이에 갑자기 일어난 일이라 자세히 알 수는 없지만, 당시 모시고 있던 하인들 가운데서도 살아온 사람이 몇 아니 됩니다."

어사가 듣기를 마치고 마음속에 감추어두고는 운남도 도적을 탐문하여 알아내고자 배를 타고 몰래 들어갔다.

마침 어떤 집 마당에 큰 횃불을 놓고 여럿이 모여 앉아 분주하게 말하는 소리가 들렸다. 어사가 나무 사이에 몸을 숨기고 자세히 들으니 도적들이 훔친 물건을 자랑하면서 점고(點考)하고 있었다.

한 사람이 말하였다.

"자네 아들이 이번에 급제하였다는 소문은 있으나 한 달이 지나도록 어찌 도문(到門)*하지 아니하는고?"

그 도적이 대답하였다.

"이제 자네는 모르겠는가? 세상에 남의 자식이란 것은 다 거짓 것이라네. 어떤 일 때문에 백학산 동구를 지나갈 때 서역국 집 앞에 어떤 아이가 놀고 있었다네. 염탐하여 알아보니 역국의 **수양자**라 하더군. 살펴보니 거동이 비범하기에 데려다가 내 자식처럼 길렀으니 저인들 어찌 아비가 다른 줄 알리오? 그러나 무슨 마음으로 아직까지 오지 아니하는고? 아마도 남의 자식은 거짓 것인 듯하니 오지 않은들 어찌 하겠는가?"

또 한 도적이 여천추에게 물었다.

"저 사람은 그러하거니와 만일 오지 아니하면 자네 딸은 어이할꼬?"

이에 여천추가 말하였다.

"자네는 그런 말 하지 마소. 과거에 급제하여 유가(遊街)하다 보면 자연히 더딘 것이라. 부모와 아내를 두고 어찌 오지 않겠는가. 만일 오지 않더라도 우리 무리에게 무슨 상관이 있겠는가. 내 딸은 다른 가문에 다시 시집가면 그만이로다. 그러나 가장 분한 것은 황해도 감사의 짐을 빼앗았을 때에 얻은 강릉추월이라는 **옥통소**로다. 그것이 기이한 보배이기로 깊숙이 감추어두었다가 사위라 여겨 주었더니 이제 잃고 말았도다."

어사가 그 말을 다 듣고 분한 마음이 하늘을 찌를 듯하고 간과 심장이 떨리면서 견디지 못할 듯하였으나 모든 일을 어찌 급하게 처리할 수 있으리오. 먼저 백학산을 찾아 가서 **서역국에게 자초지종을 물어 보리라** 하고 즉시 그곳에서 나와 주점으로 돌아갔다.

**[중략 부분의 줄거리]** 어사는 백학산으로 가서 양아버지였던 서역국을 만난다. 그의 도움으로 자신의 친어머니와 만나 가족이 헤어지게 된 사연을 듣고는 도적들을 소탕하기로 한다.

마침내 어사는 해주 군진에서 쓰는 무기와 기치를 앞세우고 인근 읍의 군졸과 합세하여 사천 명을 거느리고 선문 없이 길을 떠나 깨닫지 못하는 사이에 운남도로 들어갔다. 운남도에 들어가 첩첩이 포위하여 도적을 소탕하고는 우선 장수백과 여천추를 잡아내어 꿇어앉히고 다른 도적도 차례차례 꿇어앉힌 뒤에 큰 횃불을 사방에 밝히고 형산맹호(荊山猛虎)처럼 앉아 장수백을 형문하였다.

"천하대적 장수백아, 너의 죄를 네가 아느냐? 또 나를 아느냐? 보아라."

수백이 머리를 들어서 보니 과연 저의 아들이었다.

"우리 아들 해선아! 네 부모인 줄 몰라보고 이렇게 하느냐? 내가 무슨 죄가 있어서 자식이 저의 부모에게 이렇게 하느냐?"

어사가 군사를 호령하여,

"주장으로 입을 찍으라." 하니,

"이놈 장수백아, 너는 도적질하며 훔치지 못할 것이 없이 파렴치한 짓을 하였으니, 백학산 동구에 가서 무엇을 도적하였느냐? 네 죄가 많으니 자세히 아뢰어라."

수백이 그제서야 말하였다.

[A] "일이 이미 발각되었으니 어찌 그럴듯한 말로 속일 수 있겠습니까. 서역국도 남의 자식을 수양자로 삼았고 나도 자식이 없어 남의 자식을 수양자로 삼았으니 저와 내가 마찬가지입니다. 또한 상벌과 공훈으로 말해보더라도 서역국의 아들이 되는 것이나 나의 아들이 되는 것이나 남의 자식이 되는 것은 마찬가지입니다. 제가 그 아이의 성명을 고친 것만 허물이라 할 수 있겠습니까? 길러준 은혜를 생각하신다면 이다지 괄시할 수 있습니까?"

어사가 또 호령하여,

"바삐 거행하라."

하니, 그 소리에 역졸과 무사가 한꺼번에 달려들어 형추 사오십 대를 때리고 다시 꿇어앉혔다.

이어서 여천추를 잡아들여 주리를 틀며 물었다.

"강릉추월 옥통소를 어디에 가서 도적하였느냐? 배에 실렸던 재물을 탈취하면 되었지 무슨 원수를 맺었다고 사람까지 죽였느냐? 천지가 무심치 아니하여 강릉추월 옥통소 소리로 나도 **전말을 알게** 되었고 **모친**도 찾았으니, 너의 죄를 생각하면 죽어도 아까울 것이 조금도 없느니라."

여천추가 놀랍고 또 겁이 나서 빌면서 말하였다.

"장인과 사위된 사정만 생각하라. 너는 나의 사위이니 나는 너의 처부모인데 어찌 인정 없이 이다지 악형을 가하느냐? 사정으로 말할진댄 처부모도 부모이니 부모이기는 마찬가지요, 또 이 감사의 재물을 탈취한 것이 너와 무슨 관계가 있기에 이렇게 주리를 트느냐? 또 옥통소를 어찌 네가 임자라 하느냐? 본임자는 이 감사요 둘째 임자는 나니라. 또 이 감사 죽이기로 네게 무슨 관계가 되느뇨?"

하니, 어사가 호령하여 말하였다.

"내가 관계가 없으면 이렇듯 하겠느냐? **이 감사는 바로 나의 부친**이니, 너는 나의 불공대천지원수니라."

하고 군사를 호령하여 찢어 죽이라 하니 여천추가 그제야 이 감사 아들인 줄 알고 놀라 허둥거리며 실색하고는 아무런 대답 없이 잠자코 죽기만 바랐다.

– 작자 미상, 「강릉추월전」 –

* 도문: 과거에 급제하여 홍패(紅牌)를 받아서 집에 돌아오던 일.

13 회

*42.* 윗글에 대한 설명으로 가장 적절한 것은?

① 과장된 상황을 설정하여 해학성을 유발하고 있다.
② 전기적 요소를 활용하여 사건의 환상성을 강화하고 있다.
③ 배경에 대한 묘사를 통해 낭만적 분위기를 형성하고 있다.
④ 초월적 인물을 통해 사건의 진실에 대한 단서를 제공하고 있다.
⑤ 서술자가 개입하여 인물의 상황에 대한 생각을 드러내고 있다.

*43.* <보기>는 주인공의 이동 경로를 도식화한 것이다. <보기>를 바탕으로 윗글을 이해한 내용으로 적절하지 않은 것은?

〈보 기〉

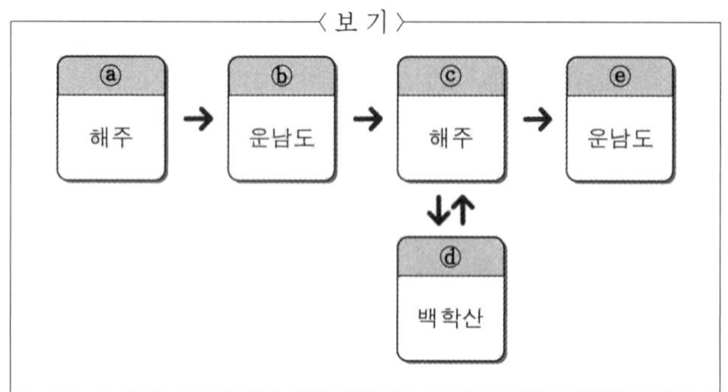


① 어사는 ⓐ에서 다른 인물들에게 자신의 신분을 밝히지 않는다.
② 어사는 ⓐ에서 들은 정보를 확인하기 위해 ⓑ로 들어가게 된다.
③ 어사가 ⓑ에서 느낀 감정은 ⓔ에서 행동으로 표출된다.
④ 어사가 ⓒ에서 ⓔ로 간 것은 다른 인물과의 타협점을 찾기 위해서이다.
⑤ 어사가 ⓓ로 가게 된 것은 ⓑ에서 알게 된 사실을 확인하기 위해서이다.

*44.* <보기>를 바탕으로 윗글을 감상한 내용으로 적절하지 않은 것은? [3점]

〈보 기〉

「강릉추월전」은 가족과의 '이별과 만남'이 서사의 핵심을 이룬다. 주인공은 혈육과의 이별로 인해 기구한 운명에 처하지만, 재회의 과정을 통해 열등한 상황에서 벗어나 원래 신분을 회복하게 된다. 또한 주인공의 '친부모 찾기'는 개인 존재의 근원을 찾음으로써 상실했던 자아 정체성을 회복하는 계기가 되며, 이러한 과정에서 특정 소재가 혈육임을 증명하는 신표(信標)로 사용된다.

① 어사가 여천추에게 '옥퉁소'를 받은 것에서 옥퉁소가 혈육임을 증명하는 신표로 사용되고 있음을 알 수 있겠군.
② 어사가 '이 감사는 바로 나의 부친이'라고 여천추에게 밝히는 모습에서 상실했던 자아 정체성을 회복했음을 알 수 있겠군.
③ 어사가 '서역국에게 자초지종을 물어 보리라'고 다짐하는 것은 자기 존재의 근원을 찾기 위한 노력의 일환으로 볼 수 있겠군.
④ 어사가 친부모를 잃고 두 번에 걸쳐 '수양자'가 되는 것은 혈육과의 이별로 인해 기구한 운명에 처한 것이라고 할 수 있겠군.
⑤ 어사가 '전말을 알게' 되고 '모친'을 찾은 것은 '도적놈의 자식'이라는 열등한 상황에서 벗어나는 계기로 작용했음을 알 수 있겠군.

*45.* [A]에 대해 이해한 내용으로 가장 적절한 것은?

① 호가호위(狐假虎威)하며 상대방을 위협하고 있다.
② 함구무언(緘口無言)하며 자신의 잘못을 은폐하고 있다.
③ 동병상련(同病相憐)의 마음으로 상대방을 위로하고 있다.
④ 일벌백계(一罰百戒)하기 위해 상대방의 실수를 부각하고 있다.
⑤ 아전인수(我田引水)의 논리로 자신의 행위를 정당화하고 있다.

**※ 확인 사항**

답안지의 해당란에 필요한 내용을 정확히 기입(표기)했는지 확인하시오.

2018학년도 9월 고2 전국연합학력평가 문제지

# 국어 영역

14회 소 요 시 간 /80분

제 1 교시

➡ 해설 P.128

**[1~3] 다음은 학생의 발표이다. 물음에 답하시오.**

> 안녕하세요? 지난주에 우리 반은 학급별 체험학습으로 △△시 '문화의 거리'에 다녀왔는데요, 오랜만에 여러 가지 체험을 한 유익한 시간이었습니다. 문화의 거리 조성은 공공디자인 관련 사업 중 하나인데요, 그래서 저는 오늘 공공디자인에 대해 말씀드리고자 합니다. 제 꿈은 디자인 분야에서 일하는 것인데, 그래서인지 발표 준비를 하면서 공공디자인에 더 많은 관심이 생겼습니다.
>
> 공공디자인은 공공 공간이나 시설의 심미적, 기능적 가치를 높이는 행위인데요, 말로는 잘 이해가 안 되실 것 같습니다. 지난번 발표에 대한 상호 평가에서 매체를 활용하고 사례를 들어 주면 더 좋겠다는 의견이 있었는데요, 그래서 준비해 보았습니다. (사진을 제시하며) 이것은 □□시의 정류장 모습입니다. 잘 보이시나요? 버스를 기다리는 시민들이 비와 바람을 피할 수 있도록 튼튼한 구조물을 사용해 정류장을 만들고 주변 경관과의 조화까지 고려한 예입니다. (사진 속 한 부분을 가리키며) 틀에 박힌 모습에서 벗어난 노선 안내판이 보이시나요? 이것도 정류장이 단순히 지루한 기다림의 공간이 되지 않도록 공공디자인한 것이랍니다.
>
> 공공디자인의 중요한 기능은 디자인이라는 행위를 통해 아름다움을 추구하고 사회 구성원들의 편의와 안전을 도모하는 데에 있습니다. 또 지역의 정체성을 표현하는 데에도 있는데요, 이러한 예로 마을의 역사를 벽화로 표현한 ○○시의 골목길을 들 수 있습니다. 이런 골목길은 다른 지역 사람들이 그 지역에 대해 가지게 되는 첫인상을 좌우하기도 합니다. 현재 우리나라 대부분의 도시들이 공공디자인을 통해 지역의 특색을 성공적으로 살리고 있습니다.
>
> 이러한 공공디자인은 사회의 미적 수준을 보여 주며 특정 개인을 위해 사적인 공간을 디자인하는 것과 달리 사회 구성원들을 두루 위하는 디자인이라는 점에서 중요합니다. 여러분이 제 발표를 통해 그동안 무심결에 지나쳤던 공공디자인에 많은 관심을 기울이면 좋겠습니다. 마침 다음 주 토요일에 '우리 지역에서 찾아볼 수 있는 공공디자인'이라는 주제로 학교 옆 도서관에서 강연이 열린다고 하니 가서 보시면 많은 도움이 될 겁니다. 이상으로 발표를 마치겠습니다.

1. 위 발표에 대한 설명으로 가장 적절한 것은?

① 공공디자인의 목적을 밝히며 그 실현 방안의 장단점을 비교하고 있다.
② 공공디자인의 개념과 기능을 설명하며 공공디자인의 의의를 제시하고 있다.
③ 공공디자인의 발전 가능성을 소개하며 이론적 연구가 뒷받침되어야 함을 강조하고 있다.
④ 공공디자인에 대한 오해를 언급하며 공공디자인이 사적인 공간을 디자인하는 것보다 유용함을 강조하고 있다.
⑤ 공공디자인이 주목을 받는 이유를 분석하며 공공디자인에 대한 제도적 지원이 이루어져야 함을 주장하고 있다.

2. 다음은 위 발표를 위해 사전에 세운 계획이다. 발표 내용에 반영되지 <u>않은</u> 것은?

◆ **발표 목적**: 정보 전달
◆ **예상 청중**: 고등학교 2학년 우리 반 학생들

| 항목 | 발표 계획 |
|---|---|
| 지역 | 학교 옆 도서관에서 우리 지역의 공공디자인에 대해 알 수 있는 강연이 열린다고 하니, 참석해 볼 것을 권해야겠다. ······ ① |
| 경험 | 체험학습을 다녀왔으니, 그때의 경험을 언급하며 발표를 시작해야겠다. ······ ② |
| 관심사 | 발표 내용과 관련 있는 진로 분야에 관심이 있으니, 공공디자인에 대한 전문가의 의견을 소개해야겠다. ······ ③ |
| 요구 | 발표에서 매체를 활용해 주기를 바라니, 발표 중 시각 자료를 보여 주어야겠다. ······ ④ |
| | 발표 내용과 관련된 사례를 들어 주길 바라니, 공공디자인을 활용한 예를 제시해 주어야겠다. ······ ⑤ |

3. 다음은 위 발표를 들은 후 학생이 떠올린 생각이다. 이를 바탕으로 발표자에게 할 수 있는 말로 가장 적절한 것은? [3점]

> 요즘 공공디자인 사업을 통해 골목길을 문화의 거리로 다시 꾸며 지역의 특색을 살린 곳이 많다고 해서 나도 몇 군데를 찾아가 봤어. 그런데 골목길들이 서로 비슷비슷해서 좀 실망스러웠어. 다른 지역의 잘된 사례를 무분별하게 따르다 보니 이런 현상이 생긴 것 같아.

① 공공디자인 관련 사업으로 문화의 거리 조성을 말씀했는데요, 이 외에도 공공디자인 관련 사업은 다양하지 않을까요?
② 공공디자인에 참여할 수 있는 주체가 누구인지 말씀하지 않았는데요, 구체적으로 누가 공공디자인에 참여할 수 있나요?
③ 공공디자인이 우리나라에 어느 정도 정착되어 있는지 구체적으로 밝히지 않았는데요, 시도별로 공공디자인이 적용된 사례가 얼마나 되나요?
④ 공공디자인의 대상이 공공 공간이나 시설이라고 했는데요, 만약 잘 디자인된 사적 공간이 대중에게 개방된다면 이것도 공공디자인의 영역에 포함될 수 있지 않을까요?
⑤ 공공디자인을 통해 우리나라 대부분의 도시들이 지역의 특색을 잘 살리고 있다고 했는데요, 공공디자인을 통해 지역의 정체성을 확보하지 못하는 경우도 있지 않을까요?

14 회

**[4~7] (가)는 학생들이 실시한 토의의 일부이고, (나)는 (가)를 바탕으로 '준원'이 작성한 글의 초고이다. 물음에 답하시오.**

(가)

**보연** : 지금부터 ○○고등학교 홍보부의 학생 소식지 작성을 위한 토의를 시작하겠습니다. '우리 학교의 역사와 문화'라는 주제에 적합한 제재부터 이야기해 보겠습니다.

[A]
**윤서** : 저는 학교 연혁관을 소개하고 싶습니다. 지난번 학생 설문 결과에서 나타났듯이 오랜 전통을 지닌 우리 학교의 발자취를 확인할 수 있는 연혁관을 방문한 학생이 매우 적다는 것에 놀랍기도 하고 아쉽기도 했어요.

**준원** : 물론 연혁관은 학생들의 관심이 필요한 곳이라는 점에서 좋은 제재라고 생각해요. 그런데 지난번 여름 소식지에 '우리 학교 시설물 안내'라는 내용으로 연혁관을 소개한 적이 있어요. 제재가 중복되어 식상하지 않을까요? 저는 우리 학교 본관에 대한 소식을 알렸으면 좋겠어요.

**보연** : 우리 학교 본관에 대한 소식이라면 무엇을 말하는 것이죠? 조금 더 설명을 부탁합니다.

[B]
**준원** : 학교 앞 사거리 현수막에서 우리 학교 본관이 등록문화재로 지정되었다는 소식을 보았어요. 등록문화재는 현재 사용 가능하며 문화적, 역사적인 가치를 인정받은 근대 건축물이나 물건 중에서 지정된다고 합니다. 저는 이런 내용을 자세히 알렸으면 합니다.

**윤서** : 우리 학교 건물이 문화적, 역사적인 가치를 인정받아 등록문화재로 지정되었다는 소식을 전하고 싶다는 것이군요?

**준원** : 맞아요. 사실 저도 그 현수막을 보고 등록문화재의 정의를 찾아보며 우리 학교의 역사도 생각해 보았어요. 이런 내용을 학생들과 나눌 수 있도록 소식지의 제재로 정하면 좋겠습니다.

**보연** : 지금까지 우리 학교 연혁관 소개, 우리 학교 본관의 등록문화재 지정 알림이라는 제재가 나왔습니다. 어느 것이 더 적합하다고 생각하세요?

**윤서** : 듣고 보니 준원이의 제재가 더 좋다고 생각합니다. 학교 본관과 학생들의 경험을 연결지어 글을 쓴다면 학생들이 친숙하게 다가갈 수 있는 글이 될 것 같아요.

**준원** : 지난번 소식지의 표현이 단조로웠다는 학생들의 평가가 있었는데 이를 반영해서 질문을 던지는 형식으로 독자들의 궁금증을 유도하는 글을 썼으면 합니다. 또 관심을 끌 수 있는 제목을 붙여도 좋을 것 같아요.

**윤서** : 글을 쓸 때 공신력 있고 출처가 분명한 자료를 활용하면 글에 대한 신뢰성이 높아질 것 같아요.

**보연** : 우리 학교 연혁관에 대한 의견과 학교 본관에 대한 의견들이 있었는데요, 최종적으로 본관의 등록문화재 지정과 관련한 내용으로 학생 소식지를 작성하도록 하겠습니다. 그러면 윤서는 관련 자료를 찾고 이를 바탕으로 준원이가 초고를 작성하기로 하죠. 그리고 다음 토의에서 글을 함께 수정하도록 하겠습니다.

(나)

**등록문화재로 다시 태어난 우리의 자랑, 학교 본관**

졸업식과 체육대회 등 학교 행사 사진에 추억으로 등장하는 건물. 매점이 있어 하루에도 몇 번씩 찾게 되어 우리들의 사랑을 받는 장소. 우리 학교에서 가장 오래되고 적벽돌의 멋진 외관을 뽐내는 학교의 상징. 맞습니다. 바로 우리 학교의 본관이 등록문화재로 지정되었다는 반가운 소식입니다.

등록문화재! 생소하시죠? 그러면 그 의미부터 알아보겠습니다. 문화재청 자료에 따르면 근현대의 문화, 역사, 지역 등의 기념이 되거나 지역의 역사·문화적 배경이 되는 건물, 다리, 책 등 사용 가능한 건축물과 물건을 등록문화재로 지정한다고 합니다. 특히 문화재로서의 가치에 비추어 보존 및 활용을 위한 조치가 특별히 필요한 대상을 등록문화재로 선정한다고 합니다.

바로 우리 학교 본관이 자랑스럽게도 이런 등록문화재로 지정되었습니다. 이것은 본관이 우리 지역 최고(最古)의 서구식 근대 건축물로 지역적, 역사적, 문화적 가치를 인정받았다는 것입니다. 특히 본관은 근대 역사의 흔적을 간직하고 지금도 우리와 함께 역사가 살아 숨 쉬고 있음을 깨닫게 해 주는 [특별함]이 있습니다.

이것이 우리가 본관에 더 관심을 가져야 하는 이유가 됩니다. 우리 학교의 역사와 문화를 담고 있는 본관에서 등록문화재가 주는 가치를 다시 한번 생각해 보았으면 합니다.

**4.** 다음은 '보연'이 토의를 준비하며 작성한 메모이다. ㉠~㉤ 중 (가)에서 확인할 수 있는 것을 고른 것은?

- 토의 문제를 명확하게 하기 위해 처음 발언 시 토의 주제를 제시하자. ........ ㉠
- 참여자의 의견을 구체적으로 확인하기 위해 추가 설명을 요구하자. ........ ㉡
- 토의 중 참여자 간 존중을 유지하기 위해 언어 예절의 중요성을 언급하자. ........ ㉢
- 토의를 마무리하기 위해 토의의 내용을 정리하여 제시하자. ........ ㉣
- 토의를 효율적으로 진행하기 위해 토의 참여자의 발언 순서를 정하자. ........ ㉤

① ㉠, ㉡, ㉢ ② ㉠, ㉡, ㉣ ③ ㉠, ㉣, ㉤
④ ㉡, ㉣, ㉤ ⑤ ㉢, ㉣, ㉤

**5.** [A]와 [B]에 나타난 토의 참여자들의 의사소통 방식에 대한 설명으로 적절하지 않은 것은?

① [A] : '윤서'는 구체적 근거를 제시하여 의견의 타당성을 높이고 있다.
② [A] : '준원'은 발언의 실현 가능성을 판단하며 상대의 의견을 평가하고 있다.
③ [A] : '준원'은 상대 의견의 문제점을 지적하며 새로운 의견을 제시하고 있다.
④ [B] : '준원'은 개인적 경험을 언급하여 자신의 의견을 드러내고 있다.
⑤ [B] : '윤서'는 상대의 발언을 재진술하며 상대의 의견을 확인하고 있다.

6. (가)와 (나)를 고려할 때, 밑줄 친 부분에 들어갈 말로 가장 적절한 것은?

> **보연** : 토의의 다양한 제안 사항 중에서 윤서의 제안을 어떻게 반영해서 글로 쓸 생각이야?
> **준원** : 어, 나는 ______________________

① 제재의 의미를 알리자는 제안을 반영하여, 학교의 역사적 사건을 제시해 독자의 이해를 도울 생각이야.
② 학생들의 관심을 끌 수 있는 제목을 붙이자는 제안을 반영하여, 비유적 표현을 사용해 제목을 붙일 생각이야.
③ 지난 소식지에 대한 학생 평가 결과를 반영하여, 등록문화재에 대한 질문으로 학생들의 궁금증을 유발할 생각이야.
④ 제재와 관련된 경험을 연결하자는 제안을 반영하여, 등록문화재에 대한 설문 조사 결과를 제시해 학생과의 관련성을 드러낼 생각이야.
⑤ 공신력 있는 자료를 활용하자는 제안을 반영하여, 등록문화재와 관련된 공공기관에서 찾은 정보를 제시해 글의 신뢰성을 높일 생각이야.

7. <보기>는 (나)를 보완하기 위해 찾은 자료이다. <보기>를 활용하여 [특별함]을 구체화하는 방안으로 가장 적절한 것은? [3점]

<보 기>

○ 등록문화재 제237호 서울 구 대법원 청사는 1928년 경성재판소로 건립되어 현재는 서울시립미술관으로 사용하고 있다. 즉 ⓐ <u>근대의 건축물을 현재에는 문화 공간으로 이용하고 있는 것이다.</u>
○ 문화재청은 ⓑ <u>등록문화재의 지정을 늘리기 위해</u> 등록문화재 소유자에 대한 재산세 감면 등의 인센티브를 제공하고 있다. 또한 외관의 4분의 1 이상을 변경하지 않는 범위에서 ⓒ <u>용도를 변경하여 앞으로 다양하게 활용할</u> 수 있도록 허용하고 있다.

① ⓐ를 활용하여 본관이 문화 공간으로서의 문화재적 가치를 가지고 있다는 내용으로 구체화한다.
② ⓑ를 활용하여 본관이 국가 지정을 통해 역사적·문화적 의미를 인정받게 되었다는 내용으로 구체화한다.
③ ⓒ를 활용하여 본관이 수리가 필요한 특별한 대상이라는 내용으로 구체화한다.
④ ⓐ와 ⓑ를 활용하여 본관을 문화 공간으로 이용하기 위해 국가 지원을 확대해야 한다는 내용으로 구체화한다.
⑤ ⓐ와 ⓒ를 활용하여 본관은 과거의 모습을 유지하면서 현재는 물론 미래까지 이용이 가능하다는 내용으로 구체화한다.

**[8~10] 다음을 읽고 물음에 답하시오.**

[작문 상황]
- **작문 과제** : 자신의 동아리와 관련된 웹 사이트의 문제점을 찾아보고 개선을 건의하는 글 쓰기
- **예상 독자** : 웹 사이트 '독도 336' 운영 담당자

[학생의 초고]

안녕하세요? 저는 □□고등학교에서 독도 탐구 동아리 부장을 맡고 있는 학생입니다. 제가 이렇게 글을 쓰게 된 이유는 저희 동아리를 대표하여, 독도의 주요 정보를 제공하고 있는 '독도 336'에 두 가지 사항을 건의하기 위해서입니다.

우선 '독도 336'의 내용 영역으로 '독도의 자연 환경'을 신설하였으면 합니다. 현재 '독도 336'은 크게 '독도의 역사'와 '독도의 가치'로 그 내용이 나누어져 있습니다. '독도의 역사'에서는 세계 여러 문헌에 나타나 있는 독도와 관련된 역사적 사실을 확인할 수 있고, '독도의 가치'에서는 독도 근해의 풍부한 수산 자원과 해저에 매장되어 있는 천연 자원의 현황을 파악할 수 있습니다. 이렇듯 독도에 관한 역사적 사실과 독도의 경제적 가치에 대해서는 잘 알 수 있는 반면, 독도의 지리적·생태적 특성과 같은 자연 환경에 대해서는 알 수가 없습니다. '독도 336'의 소개란을 보면 독도가 천연기념물 제336호라는 점에 착안하여 웹 사이트의 이름을 붙였다고 하는데, 이런 작명 취지를 살리기 위해서라도 독도의 자연 환경과 관련된 내용의 추가가 필요하다고 생각합니다.

다음으로 모바일 기기 이용자를 고려하여 '독도 336'의 모바일 웹 사이트를 구축하였으면 합니다. 현재 PC를 이용하여 '독도 336'에 들어가 보면 글과 사진, 동영상 등의 자료를 쉽게 열람할 수 있습니다. 그러나 스마트폰과 같은 모바일 기기로 '독도 336'에 접속해 보면 PC에서 보았던 웹 사이트의 형태가 모바일 기기의 작은 화면에 그대로 담겨 있어서 자료의 열람이 불편합니다. 모바일 기기를 통해 인터넷을 이용하는 경우가 많아지고 있는 만큼 이런 문제를 해결하지 않으면 '독도 336'의 이용자가 크게 감소할 수도 있다고 생각합니다.

'독도 336'은 독도의 주요 정보를 제공하는 대표적인 웹 사이트로서 그 위상에 맞도록 전면적인 개선이 이루어져야 할 것입니다. 위와 같이 내용 영역을 추가하고 모바일 편의성을 개선하기 위해서는 웹 사이트 운영자의 인식 전환과 철저한 준비가 필요할 것입니다.

8. '학생의 초고'에 대한 설명으로 가장 적절한 것은?

① 문제 상황을 드러내기 위해 해당 웹 사이트의 운영 실태를 구체적으로 제시하였다.
② 논의의 필요성을 드러내기 위해 자연 환경적 가치의 중요성이 부각되는 상황을 제시하였다.
③ 문제 해결 방안의 실현 가능성을 높이기 위해 모바일 웹 사이트의 구축 절차를 제시하였다.
④ 예상 독자의 관심을 반영하기 위해 유사한 성격의 타 웹 사이트를 비교 사례로 제시하였다.
⑤ 주장의 타당성을 높이기 위해 동아리에서 수행한 독도 관련 연구 결과를 근거로 제시하였다.

9. <자료>를 활용하여 '학생의 초고'를 보완하려 한다. <자료>의 활용 방안으로 적절하지 않은 것은?

<자 료>

**(가) 학생 인터뷰**

"발표 준비를 하면서 '독도 336'에 들어가 본 적이 있어요. 스마트폰으로는 글자가 너무 작게 보여 긴 글을 읽기가 어려웠는데 이 점이 개선된다면 더욱 자주 이용할 것 같아요."

**(나) 신문 기사**

본격 모바일 시대… 모바일 인터넷 사용량, PC 첫 추월

통계 전문 회사 A는 인터넷 사용량을 집계한 이후 모바일 기기 비중이 PC를 앞지른 것은 이번이 처음이라고 밝혔다. 또한 A사 관계자는 "이러한 경향은 앞으로 보다 심화될 것"이라며, "모바일 친화적인 웹 사이트를 구축해야만 이용자를 지킬 수 있을 것"이라고 말했다.

**(다) 연구 보고서**

최근 독도 환경 조사에서 2종의 신종 선형동물이 발견되어 이를 '독도'와 '한국'이라는 명칭이 포함된 종명으로 명명하였다. 또한 지난 2005년부터 현재까지 약 40여 종 이상의 신종 미생물 박테리아가 독도에서 발견되어 국제학회에 발표되기도 하였다.

① (가)를 활용하여 모바일 기기에서 '독도 336'을 이용할 때 불편함을 겪은 사례로 소개해야겠군.
② (나)를 활용하여 모바일 기기를 통한 인터넷 이용이 많아지고 있다는 내용의 근거로 제시해야겠군.
③ (다)를 활용하여 '독도의 자연 환경' 영역에 포함될 수 있는 사례로 제시해야겠군.
④ (가)와 (나)를 활용하여 모바일 웹 사이트 구축이 이용자 감소 문제를 예방하는 데 도움이 될 수 있음을 강조해야겠군.
⑤ (나)와 (다)를 활용하여 모바일 기기 이용자를 확보하기 위해 새로운 학술 자료가 필요함을 강조해야겠군.

10. <보기>는 '동아리 부원의 검토 의견'과 이에 따라 학생이 고쳐 쓴 글이다. ㉠에 들어갈 내용으로 가장 적절한 것은?

<보 기>

**[동아리 부원의 검토 의견]**

글의 성격을 고려하여 ( ㉠ )가 잘 드러나도록 마지막 문단을 고쳐 쓰면 좋겠습니다.

**[고쳐 쓴 글]**

'독도 336'은 독도의 주요 정보를 제공하는 대표적인 웹 사이트로서 그동안 여러 사람들에게 독도를 널리 알리는 데 기여한 바가 큽니다. 위와 같이 내용 영역을 추가하고 모바일 편의성을 개선한다면, 더욱 많은 사람들에게 독도의 다양한 특성과 가치를 알릴 수 있을 것이라고 생각합니다.

① '독도 336'의 의의와 건의 내용의 전제
② '독도 336'의 한계와 건의 내용의 전제
③ '독도 336'의 의의와 건의 내용의 기대 효과
④ '독도 336'의 한계와 건의 내용의 기대 효과
⑤ '독도 336'의 개선 방향과 건의 내용의 전제

**[11~12] 다음 글을 읽고 물음에 답하시오.**

어근은 파생이나 합성 등 조어(造語) 과정에 참여하는 요소 중 의미상 중심이 되는 부분을 말하며, 어간은 용언이 활용을 할 때 중심이 되는 줄기 부분으로서 활용에서 어미에 선행하는 부분을 말한다. 예를 들어 '맡기다'에서 '맡-'은 어근이며 '맡기-'는 어간이다.

어근이나 어간에 결합하여 특정한 의미나 기능을 부여하는 형태소를 접사라고 한다. 접사는 일반적으로 어근이나 어간과 함께 나타나야 하기 때문에 문장에서 단독으로 쓰이지 않는다. 접사는 기능에 따라 단어 파생에 기여하는 ㉠ 파생 접사와 활용할 때 어간에 결합하여 문법적인 기능을 표시하는 굴절 접사로 나누기도 한다. 어근의 앞에 위치하는 접두사는 굴절 접사가 없어 모두 파생 접사이고, 어근의 뒤에 위치하는 접미사는 굴절 접사와 파생 접사가 모두 존재한다. 굴절 접사는 흔히 ㉡ 어미라고 하는데 접사라 하면 일반적으로 파생 접사만을 가리킨다. 결국 접사는 좁은 의미로는 파생 접사만을 의미하고 넓은 의미로는 굴절 접사와 파생 접사를 모두 포함한다.

파생 접사는 새로운 단어를 만들어 내지만, 굴절 접사인 어미는 그렇지 않다. 예를 들면 '구경꾼'은 파생 접사 '-꾼'이 어근 '구경'과 결합하여 만들어진 새로운 단어이고, 이렇게 만들어진 단어는 '구경'과는 별개의 단어로 사전에 표제어로 등재된다. 이에 비해 어간 '먹-'에 어미가 결합한 '먹지, 먹자, 먹어서' 등은 사전에 표제어로 등재되지 않고, 기본형인 '먹다'만 사전에 표제어로 등재된다.

특히 ㉮ 파생 접사는 어근과 결합하여 새로운 단어를 만들 때 어근의 품사를 바꾸기도 하고 바꾸지 않기도 한다. 예를 들어 '군소리'에서 접두사 '군-'은 '쓸데없는'이라는 뜻으로, 어근인 '소리'가 나타낼 수 있는 뜻을 일부 제한할 뿐 품사를 바꾸지 않는다. 하지만 '놀이'는 동사의 어간 '놀-'을 어근으로 하여 접미사 '-이'가 붙어 만들어진 명사이다. 즉 접미사 '-이'는 새로운 단어를 만들 때 품사를 바꾸는 역할을 한다. 이처럼 '군-'과 같이 어근의 품사를 바꾸지 않는 접사를 한정적 접사라 하고, '-이'와 같이 어근의 품사를 바꾸는 접사를 지배적 접사라 한다.

11. 다음 문장에서 ㉠, ㉡에 해당하는 예를 찾아 이를 설명한 내용으로 적절하지 않은 것은?

> 말썽꾸러기였던 나는 시간이 흐르고 나서야 부모님의 드높은 사랑을 깊이 깨닫게 되었다.

① '드높은'의 '드-'는 ㉠에 해당하는 예로 단어 파생에 기여하는 기능을 하는군.
② '말썽꾸러기'의 '-꾸러기'는 ㉠에 해당하는 예이며, '말썽꾸러기'는 '말썽'과 별개의 단어이겠군.
③ '되었다'의 '-었-'은 ㉡에 해당하는 예로 어간에 결합하여 특정한 기능을 부여하는 형태소이군.
④ '깊이'의 '-이'는 ㉡에 해당하는 예로 문법적인 기능을 표시하는 역할을 하는군.
⑤ '흐르고'의 '-고'는 ㉡에 해당하는 예이며, '흐르다'는 사전에 표제어로 등재되었겠군.

12. 밑줄 친 단어 중 ㉮의 예로 적절하지 <u>않은</u> 것은?

① 그의 친구는 <u>행복하였다</u>.
② 그녀의 머릿결이 <u>찰랑거린다</u>.
③ 나와 그녀의 견해차를 <u>좁혔다</u>.
④ 아름다운 가을 하늘이 <u>높다랗다</u>.
⑤ 열심히 공부한 내가 <u>자랑스럽다</u>.

13. 다음은 '문장의 짜임'에 대해 활동한 것이다. ㉠에 들어갈 내용으로 적절한 것은?

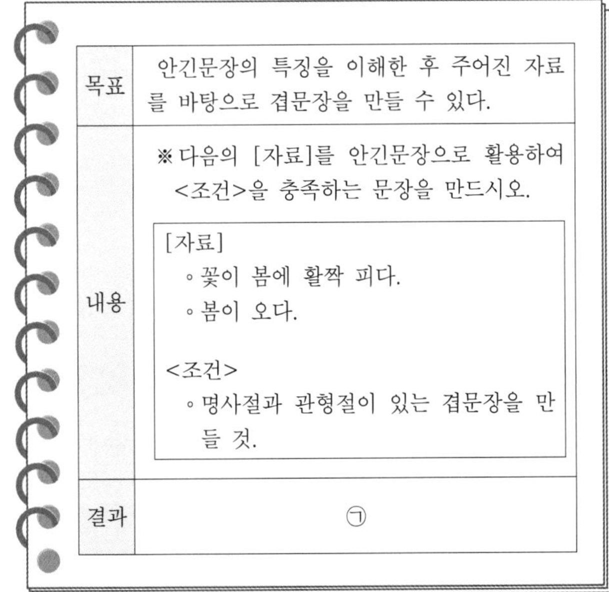

| 목표 | 안긴문장의 특징을 이해한 후 주어진 자료를 바탕으로 겹문장을 만들 수 있다. |
|---|---|
| 내용 | ※ 다음의 [자료]를 안긴문장으로 활용하여 <조건>을 충족하는 문장을 만드시오.<br>[자료]<br>◦ 꽃이 봄에 활짝 피다.<br>◦ 봄이 오다.<br><조건><br>◦ 명사절과 관형절이 있는 겹문장을 만들 것. |
| 결과 | ㉠ |

① 봄이 오면 꽃이 활짝 핀다.
② 꽃이 활짝 피는 봄이 온다.
③ 나는 봄이 오고 꽃이 활짝 피기를 바란다.
④ 나는 꽃이 활짝 핀 봄이 오기를 기다린다.
⑤ 나는 봄이 와서 꽃이 활짝 피기를 소망한다.

14. <보기>의 ㉠~㉤을 활용하여 현대의 '구개음화'를 탐구한 것으로 적절하지 <u>않은</u> 것은? [3점]

<보 기>

㉠ 맏이[마지], 같이[가치]
㉡ 밭이[바치], 밭을[바틀]
㉢ 굳히다[구치다], 닫히다[다치다]
㉣ 밑이[미치], 끝인사[끄딘사]
㉤ 해돋이[해도지], 견디다[견디다]

① ㉠을 보니, 'ㄷ'이나 'ㅌ'이 끝소리일 때 구개음화가 일어나는군.
② ㉡을 보니, 'ㅌ'이 특정한 모음과 만날 때 구개음화가 일어나는군.
③ ㉢을 보니, 'ㄷ' 뒤에서 'ㅎ'이 탈락할 때 구개음화가 일어나는군.
④ ㉣을 보니, 'ㅌ' 뒤에 실질 형태소가 올 때는 구개음화가 일어나지 않는군.
⑤ ㉤을 보니, 하나의 형태소 내부에서는 구개음화가 일어나지 않는군.

15. <보기>의 설명을 참고할 때, ㉠~㉢에 들어갈 말로 적절한 것은?

<보 기>

일반적으로 중세 국어의 주격 조사는 앞에 결합하는 체언의 끝소리에 따라 달라졌다. 체언의 끝소리가 자음일 때 '이'가 나타났고, 체언의 끝소리가 모음 'ㅣ'도, 반모음 'ㅣ'도 아닌 모음일 때는 'ㅣ'가 나타났다. 그런데 체언의 끝소리가 모음 'ㅣ'이거나, 반모음 'ㅣ'일 때는 아무런 형태가 나타나지 않았다.

◦ ___㉠___ 가칠 므러
(뱀이 까치를 물어)

◦ ___㉡___ 기픈 남ᄀᆞᆫ
(뿌리가 깊은 나무는)

◦ ___㉢___ 세상에 나매
(대장부가 세상에 나와)

| | ㉠ | ㉡ | ㉢ |
|---|---|---|---|
| ① | ᄇᆡ얌 | 불휘ㅣ | 대장뷔 |
| ② | ᄇᆡ얌 | 불휘ㅣ | 대장뷔ㅣ |
| ③ | ᄇᆡ야미 | 불휘 | 대장뷔 |
| ④ | ᄇᆡ야미 | 불휘 | 대장뷔ㅣ |
| ⑤ | ᄇᆡ야미 | 불휘ㅣ | 대장뷔 |

14회

**[16~21] 다음 글을 읽고 물음에 답하시오.**

근대 철학은 근대 과학의 양적인 크기를 중시하는 사고를 ⓐ수용하며 발달했다. 고대 과학이 사물 변화의 질적인 부분에 주목했던 것과 달리 근대 과학은 갈릴레오의 "자연이라는 책을 펴 보라. 거기에는 수(數)라는 글자로 가득 차 있다."라는 발언에 나타나듯 양적으로 수치화할 수 있는, 즉 양화할 수 있는 것을 과학으로 간주하였음을 알 수 있다. 또한 근대 과학은 미리 수학적으로 설정한 믿음을 통해 자연에 접근하였다. 일례로 케플러는 우주가 기하학적인 원리에 의해 만들어졌다는 믿음에 따라, 이에 맞는 결과를 도출하기 위해 노력하였다. 자연 세계에 대하여 기하학과 같은 수학적 관점의 선험적 태도를 취한 것이다. 이런 태도는 근대 철학의 이성론에 많은 영향을 주었다.

특히 수학에 심취했던 근대 철학자 데카르트는 선험적으로 가지고 있다고 믿는 ㉠직관을 통해 인식한 것들로 세계에 접근하려 하였다. 직관은 '순수한 정신의 의심할 여지없는 파악이며, 이것은 오직 이성의 빛에서 유래하는 것'으로 그 어떠한 의심 없이 분명한 인식을 얻을 수 있는 것이었다. 데카르트는 의심할 수 없는 것을 찾기 위해 대상을 직관으로 분절하여 더 나눌 수 없는 단순 본성을 찾고, 이 단순 본성들을 복합한 개념을 통해 세계에 대한 이해를 ⓑ확장하려 했던 것이다. 그리고 이러한 태도는 이후 근대 철학의 흐름에 지대한 영향을 주었다.

그런데 현대 철학자 베르그송은 이러한 근대 철학의 흐름에 반발한다. 그는 이성이 세계를 분절시키며, 질적인 시간마저 양적으로 쪼개는 일을 한다고 이야기한다. 베르그송은 세계의 사물들이 서로 경계가 모호한 채로 연속적인 전체를 이루고, 서로 수많은 관계 속에 처해 있다고 한다. 그런데 이성이 이러한 세계를 분절시킴으로써 전체성을 잃게 되었기 때문에 아무리 노력해도 세계에 대한 통찰에 실패할 수밖에 없다는 것이다.

그래서 베르그송은 세계를 통찰하기 위한 방법으로 이성 대신 ㉡직관과 지속을 제시한다. 그의 직관은 공감적 경험이자 통합적 경험을 의미한다. 즉 그의 직관은 사물의 내부로 들어가 서로를 느끼게 되는 공감적 경험을 통해 각각의 이질성을 유지하면서도 동시에 하나가 다른 하나로 스며가면서 전체를 향해 통합되는 경험인 것이다. 예를 들어 우리가 오렌지색에 공감하는 과정을 보자. 이 과정에서 우리가 직관을 통해 공감을 확장하려는 노력을 하면, 가장 어두운색으로서의 붉은색과 가장 밝은색으로서의 노란색 사이의 이질적인 다양한 색들이 있음을 경험할 수 있으며, 다시 그것들이 모호한 경계 속에서 스며가면서 통합되는 과정도 느낄 수 있다는 것이다.

한편 베르그송은 공감과 통합은 지속되는 시간에서 이루어진다고 하였다. 근대 철학의 이성론은 시간을 분절하여 공간 안에 정지된 상태로 보았지만, 베르그송은 시간은 계속해서 흐르기 때문에 오히려 공간적인 것이 시간적인 것에서 영향을 받아 생긴다는 주장을 하였다. 예를 들어 활짝 핀 장미꽃을 볼 때, 우리는 일정한 공간을 차지하고 있는 장미꽃을 보지만, 일정 시간이 지나면 꽃잎이 모두 떨어진 가지만을 보게 된다. 이전에 장미꽃이 차지하고 있던 공간은 비었고, 이는 시간에 의해 변화가 일어난 것이다. 그뿐만 아니라 시간이 양적인 변화를 담은 시간이 아닌 개인 체험이 반영된 질적인 시간임도 주장하였다.

미술사에서 이러한 베르그송의 철학과 유사성을 가진 사조가 인상주의이다. 인상주의자들은 색을 ⓒ혼합하는 방법을 즐겨 사용하였다. 그들은 서로 다른 색들을 합치는 대신 각각의 이질성을 살리면서 색들의 경계를 흐리게 표현하여 한 가지 색이 다른 하나의 색으로 감상자의 눈에 의해 분절됨이 없이 지속적으로 섞여 들어가도록 표현하였다. 또한 평면의 그림판에 그려진 그림이 3차원적 입체감을 갖도록 개발한 원근법과 같은 기법을 자제하고 색채를 중심으로 표현하였다. 더불어 인물화 속에 지성을 통해 ⓓ포착된 인물의 위대함이나 교훈을 담으려 했던 고전주의와 달리 대상의 인상을 표현하려 한 것도 특징이다. 예를 들어 마네의 「풀밭 위의 점심 식사」에는 등장인물들에 대한 어떤 이야기도 의미도 없다. 오로지 검은색과 흰색의 대비라는 색채의 미적 효과를 위해 '검은 양복을 입은 남자'와 '나체의 여자'를 그렸다. 고전주의에서는 풍경이 인간과 인간 행위의 배경에 불과하였다. 하지만 인상주의 회화에서는 인간도 독점적 지위 대신 배경의 일부로서의 의미만을 지니거나 아예 사라지기도 하였다. 심지어 대상에게 받은 인상에 집중시키기 위해 배경이 존재하지 않는 경우도 있었다. 왜냐하면 인상주의 화가들에게 중요한 것은 대상에게 받은 인상을 전달하는 것이었지, 그 대상이 인간인지 풍경인지가 중요한 것이 아니었기 때문이다.

인상주의자들은 색들을 합쳐 만든 중간색은 편견이므로 이를 해체해 고유의 색으로 되돌린 후, 빛이 연출하는 색채의 아름다운 변화들을 연속적으로 느끼게 하는 것이 중요하다고 생각하였다. 이로써 대상에 어떤 의미나 교훈을 담는 것이 아니라 받은 인상을 그대로 전달하려고 노력하였다. 이는 베르그송이 이야기한 근대 철학이 가져온 지성에 의한 분절로부터의 회복과, 이질적인 것의 연속 안에서 공감을 통한 통합으로 전체성을 느끼는 것과 ⓔ유사한 의미를 가지는 것이다.

16. 윗글의 논지 전개 방식으로 가장 적절한 것은?

① 특정 이론에 대한 상반된 주장을 제시한 후, 이에 대한 절충점을 모색하고 있다.
② 특정 이론에 대한 비판을 제시한 후, 비판에 대한 재반론을 일정한 기준에 따라 분류하고 있다.
③ 특정 이론의 견해가 지닌 부당함을 제시한 후, 이에 대한 다양한 분야의 의견을 시대 순으로 비교하고 있다.
④ 특정 이론의 견해를 제시한 후, 이를 반박하는 입장을 밝히고 그 입장과 연관된 다른 분야를 소개하고 있다.
⑤ 특정 이론에 대한 역사적 평가를 제시한 후, 자문자답의 방식을 통해 그 이론의 장단점을 병렬적으로 나열하고 있다.

17. 윗글에 대한 이해로 적절하지 않은 것은?

① 근대 과학의 수학적 관점은 근대 철학의 이성론에 영향을 주었다.
② 케플러는 우주의 구성 원리에 대한 선험적 태도를 바탕으로 자연에 접근하였다.
③ 고대 과학은 근대 과학과 달리 사물이 변화하는 과정의 질적인 측면에 주목하였다.
④ 고전주의 회화에서 인간은 중요한 대상이었기에 풍경과 차별성을 가진 존재로 작품에 표현하였다.
⑤ 근대 철학에서는 의심할 수 없는 분명한 것으로 개념화하기 위해 지속적으로 단순 본성을 분절하였다.

18. ㉠과 ㉡에 대한 설명으로 적절하지 않은 것은?

① ㉠은 경험하기 전부터 가지고 있는 것이다.
② ㉡은 공감과 통합의 경험을 통해 드러난다.
③ ㉠과 달리 ㉡은 순수한 이성을 통해 얻는다.
④ ㉡과 달리 ㉠은 단순 본성을 찾는 도구이다.
⑤ ㉠과 ㉡은 모두 세계를 이해하기 위한 방법이다.

19. 윗글을 참고하여 <보기>에 대해 이해한 것으로 가장 적절한 것은? [3점]

<보 기>

날이 너무 더워 얼음을 넣은 물 한잔을 마시고 싶을 때, 내가 서둘러도 소용이 없다. 결국은 얼음이 물에 녹아 물이 시원해질 때까지 기다려야 한다. 여기서 내가 기다리는 시간은 물질계에 적용되는 수학적인 시간이 아니라는 교훈을 얻는다. 그 시간은 내 마음대로 바꿀 수 없는, 얼음이 녹는 데 걸리는 얼음만의 시간이며, 그 시간은 나의 경험된 시간의 어떤 부분과 합치되고 있다. 따라서 그것은 수치화된 시간이 아니라 나의 체험이 반영된 질적인 시간인 셈이다.

① 데카르트는 얼음이 녹는 현상을 교훈과 연결하며, 정지된 시간 속의 경험을 설명한 것이라 보겠군.
② 데카르트는 얼음이 녹는 시간에 대한 인식이 세계를 연속적인 전체로 파악하여 알게 된 것이라 보겠군.
③ 베르그송은 얼음이 녹는 시간을 인정하며, 공간의 영향을 받아 생긴 시간의 유의미성에 동의한 것이라 보겠군.
④ 베르그송은 얼음이 녹는 현상과 자신의 기다림을 통합하는 체험을 통해 질적인 시간의 의미를 드러낸 것이라 보겠군.
⑤ 베르그송은 얼음이 녹기를 기다리는 시간을 물질계와 차별화하며, 수(數)로 개념화된 시간 체험을 보여준 것이라 보겠군.

20. 윗글을 바탕으로 <보기>를 감상한 것으로 적절하지 않은 것은?

<보 기>

「피리 부는 소년」(1866)
- 에두아르 마네

이 작품은 빛이 정면에서 대상을 비추지만 손과 발을 빼고는 그림자를 표현하지 않아 평면감이 나타난다. 또한 이 작품은 풍경이 없으며, 색이 입체감에 구애받지 않고 자신만의 영역을 분명히 하고 있다. 즉 검은색, 붉은색, 흰색과 같은 원색을 이용하여 각각의 색을 살리면서도 대상의 인상을 드러내는 인물화 안에 통합한 것이다.

① 풍경을 전혀 그리지 않은 것은 대상에서 받은 인상에 집중시키기 위한 것이겠군.
② 최소한의 그림자만으로 작품을 표현한 것은 입체감을 위한 기법에 구애받지 않은 것이겠군.
③ 색들을 합친 중간색을 사용하지 않은 것은 각각의 색들이 갖는 특징을 그대로 표현하기 위한 것이겠군.
④ 색채의 미적 효과를 중심으로 표현한 것은 인물에 특정한 의미나 교훈을 담기 위한 흐름에서 벗어난 것이겠군.
⑤ 대상을 향해 정면으로 빛을 비추는 구도로 그린 것은 색들이 감상자의 눈에서 섞이지 않고 이질적으로 독립되도록 한 것이겠군.

21. 문맥상 ⓐ~ⓔ와 바꿔 쓰기에 적절하지 않은 것은?

① ⓐ: 받아들이며
② ⓑ: 넓히려
③ ⓒ: 섞는
④ ⓓ: 모아진
⑤ ⓔ: 비슷한

**[22~25] 다음 글을 읽고 물음에 답하시오.**

(가)
거미 새끼 하나 방바닥에 나린 것을 나는 아모 생각 없이 **문 밖**으로 쓸어버린다
차디찬 밤이다

어니젠가 새끼 거미 쓸려나간 곳에 큰 거미가 왔다
나는 가슴이 짜릿한다
나는 또 큰 거미를 쓸어 문 밖으로 버리며
찬 밖이라도 새끼 있는 데로 가라고 하며 서러워한다

이렇게 해서 아린 가슴이 싹기도 전이다
어데서 좁쌀알만 한 알에서 가제 깨인 듯한 발이 채 서지도 못한 무척 작은 새끼 거미가 이번엔 큰 거미 없어진 곳으로 와서 아물거린다
나는 가슴이 메이는 듯하다
내 손에 오르기라도 하라고 나는 손을 내어 미나 분명히 울고불고 할 이 작은 것은 나를 무서우이 달어나 버리며 나를 서럽게 한다
나는 이 작은 것을 고이 ㉠ <u>보드러운 종이</u>에 받어 또 **문 밖**으로 버리며
이것의 엄마와 누나나 형이 가까이 이것의 걱정을 하며 있다가 쉬이 만나기나 했으면 좋으련만 하고 슬퍼한다

– 백석, 「수라(修羅)」 –

(나)
고향이 고향인 줄도 모르면서
긴 장대 휘둘러 까치밥 따는
서울 조카아이들이여
그 까치밥 따지 말라
**남도의 빈 겨울 하늘**만 남으면
우리 마음 얼마나 허전할까
살아온 이 세상 어느 물굽이
소용돌이치고 휩쓸려 배 주릴 때도
공중을 오가는 **날짐승에게 길을 내어주는**
그것은 따뜻한 등불이었으니
철없는 조카아이들이여
그 까치밥 따지 말라
사랑방 말쿠지에 짚신 몇 죽 걸어놓고
할아버지는 무덤 속을 걸어가시지 않았느냐
그 짚신 더러는 외로운 길손의 길보시가 되고
한밤중 동네 개 컹컹 짖어 그 짚신 짊어지고
아버지는 다시 새벽 두만강 국경을 넘기도 하였느니
아이들아, 수많은 기다림의 세월
그러니 서러워하지도 말아라
눈 속에 익은 ㉡ <u>까치밥 몇 개</u>가
겨울 하늘에 떠서
아직도 너희들이 **가야 할 머나먼 길**
이렇게 등 따숩게 비춰주고 있지 않으냐.

– 송수권, 「까치밥」 –

(다)
우리는 시를 감상하면서 시인이 시 속에 감추어 놓은 여러 장치들을 발견해 내는 즐거움을 경험할 수 있다. 여러 장치 중 하나인 시적 공간은 시인이 주제를 형상화하기 위해 설정한 곳으로 우리가 일상적 경험을 통해 지각하며 생활하게 되는 공간과는 성격이 다르다.
시적 공간은 시인이 특별한 의미를 부여하는 순간부터 구성된다. 시인은 이러한 시적 공간을 우리가 일상에서 볼 수 없는 공간으로 설정하기도 하고, 사람들이 일반적으로 생각하는 공간과는 다른 의미의 공간으로 설정하기도 하고, 동일한 공간도 한 편의 시에서 다른 의미를 담은 공간으로 설정하기도 한다.
또한 시적 공간은 시인이 살아온 삶과 가치관의 영향을 받기 때문에 주제를 이해하기 위해서는 시인에 대한 이해가 필요하다. 그리고 독자가 주체적으로 체득한 공간에 대한 인식도 중요하다. 이처럼 시적 공간은 감상의 실마리가 되며 나아가 창조적 의미를 구성하는 요소로 기능하기도 한다.

22. (가)와 (나)의 공통점으로 가장 적절한 것은?

① 대상과의 이별에 대한 화자의 안타까움이 나타나 있다.
② 과거 회상을 통해 바람직한 삶의 방향을 모색하고 있다.
③ 계절적 배경을 통해 화자가 처한 상황을 부각하고 있다.
④ 자연에서 얻은 깨달음을 통해 화자의 태도가 변화하고 있다.
⑤ 삶의 경험을 바탕으로 화자가 지향하는 바를 드러내고 있다.

23. ㉠과 ㉡에 대한 이해로 가장 적절한 것은?

① ㉠, ㉡은 모두 수고에 대한 보상을 나타낸다.
② ㉠, ㉡은 모두 다른 대상에 대한 배려를 나타낸다.
③ ㉠은 미물에 대한 용서를, ㉡은 미물에 대한 사랑을 나타낸다.
④ ㉠은 이상에 대한 동경을, ㉡은 현실에 대한 비판을 나타낸다.
⑤ ㉠은 인간과 자연의 합일을, ㉡은 인간과 자연의 조화를 나타낸다.

24. (가)에 대한 설명으로 적절하지 않은 것은?

① 대상을 의인화하여 화자의 연민을 드러내고 있다.
② 촉각적 심상을 활용하여 대상이 놓인 비극성을 부각하고 있다.
③ 현재형 어미를 사용하여 시적 상황을 생생하게 보여주고 있다.
④ 화자의 태도가 달라짐에 따라 대상이 처한 상황이 악화되고 있다.
⑤ 1연→2연→3연에 따라 행의 수가 늘어나는 구조를 통해 정서가 심화되는 양상을 보이고 있다.

25. (다)를 바탕으로 (가), (나)를 이해한 내용으로 적절하지 않은 것은? [3점]

① 시인은 (가)의 1연에서 '문 밖'을 일상적 경험을 통해 지각하는 공간과는 다른, 가족 공동체가 해체된 공간으로 설정했겠군.
② (가)의 3연의 '문 밖'은 1연의 '문 밖'과 동일한 공간이지만, 시인은 특별한 의미를 부여하여 1연의 '문 밖'과는 다른 의미를 가진 공간으로 설정했겠군.
③ 시인은 (나)의 '남도의 빈 겨울 하늘'을 일반적으로 생각하는 공간과는 다른, 화자가 지키려는 가치관이 사라졌을 때를 가정한 공간으로 설정했겠군.
④ 독자는 (나)의 '날짐승에게 길을 내어주는'에서의 '길'을 일상에서 지각하는 '길'이 아닌, 시인의 고된 삶이 반영된 '길'로 이해할 수 있겠군.
⑤ 독자는 (나)의 '가야 할 머나먼 길'에서의 '길'을 일상에서 지각하며 생활하는 공간으로서의 '길'이 아닌, 주체적으로 체득한 '길'로 이해할 수 있겠군.

**[26~28] 다음 글을 읽고 물음에 답하시오.**

[A] 적멸사(寂滅寺)에는 **청허(淸虛)**라 하는 한 이름 높은 선사가 살고 있었다. 그는 천성이 어질었고 마음 또한 착했다. 추운 사람을 만나면 입었던 옷을 벗어 주었다. 배고픈 사람을 보면 먹던 밥도 몽땅 주어 버렸다. 이래서 사람들이 그를 일러, '추운 겨울의 봄바람'이라거나 '어두운 밤의 태양'이라거나 하고 우러러 받들었다.
그런데 국운은 나날이 쇠퇴하였고, 호적(胡狄)이 침입하여 팔도강산을 짓밟았다. 상감은 난을 피하여 고성에 갇혔고, 불쌍한 백성들은 태반이 적의 칼에 원혼(冤魂)이 되었다. 이런 와중에서도 저 강도(江都)의 참상은 더욱 처절했다. 시신의 피는 냇물처럼 흘렀고, 백골이 산더미처럼 쌓였다. 까마귀가 사정없이 달려들어 시신을 파먹었으나 장사 지낼 사람이 없었다. 오직 청허 선사만이 이를 슬프게 여겼다.

선사는 몸소 시신을 거두어 묻어 주려고 했다. 그는 손으로 버들가지를 잡아 도술을 부렸다. 넓은 강물을 날아 건넜다. 강 건너 인가가 황폐하여 어디 몸을 의탁할 곳이 없었다. 이에 선사는 연미정(燕尾亭) 남쪽 기슭에다 풀을 베어 움막을 엮었다. 그는 움막에서 침식하며 법사(法事)를 베풀었다.

[B] 어느 날이었다. 달이 휘영청 밝았다. 그는 어렴풋이 한 꿈을 꾸었다. 티 한 점 없는 맑은 하늘은 물빛같이 푸르렀고, 음산한 밤공기가 주위를 휩쌌다. 이따금 찬바람이 엄습했고, 처량한 밤기운이 감돌아 심상치 않았다. 청허 선사는 손에 석장(錫杖)을 짚고 달밤을 소요(逍遙)하고 있었다. 밤중이 되어 바람에 소리가 들려오는데, 노랫소리 같기도 하고, 울음소리 같기도 했다. 그 노래와 웃음소리, 울음소리는 다 부녀들의 것으로서 한곳에서 들려왔다. 선사는 매우 이상히 여기고 가만가만 다가가 엿보았다. 그곳에 수많은 부녀자들이 열을 지어 앉아 있었다.

어떤 사람은 얼굴이 쭈글쭈글했고 백발이 성성했다. 또 젊은 여인도 있었는데 삼단 같은 머리를 하고 황홀하게 차려입고 있었다. 그들은 한데 있었는데, 비통하기 이를 데가 없었다. 청허 선사는 더욱 이상하게 생각했다. 좀 더 나아가 자세히 살펴보았다. 어떤 사람은 두어 발이 넘는 노끈으로 머리를 묶기도 했고, 또 다른 이는 한 자가 넘는 시퍼런 칼날이, 시뻘건 선지피가 엉긴 채 뼈에 박혀 있었다. 또 머리통이 박살났는가 하면, 물을 잔뜩 들이켜 배가 불룩한 사람도 숱했다. 이 끔찍스러운 참상은 두 눈 뜨고는 차마 볼 수 없었고, 날카로운 붓으로도 낱낱이 기록할 수 없는 생지옥이었다.

㉠ <u>한 여자</u>가 울먹거리며 말했다.

"종묘사직(宗廟社稷)이 전란을 입어 그 참상을 이루 다 말할 수 없습니다. 슬프외다. 하늘이 무심탄 말인가요. 아니면 요괴의 장난인가요. 구태여 그 이유를 다 따지고 든다면 바로 우리 낭군의 죄이겠지요. 태보(台輔)의 높은 지위며 체부(體副)의 중책을 진 사람이 공론(公論)을 무시한 소치입니다. 사사로운 정에 이끌려 편벽되게도 강도의 중책을 제 자식에게 맡겼지요. 자식 놈은 중책을 잊고 밤낮 술과 계집 속에 파묻혀 마음껏 향락에 빠졌습니다. 장차 닥쳐올 외적의 침입을 까맣게 잊어 버렸으니 어찌 군무(軍務)에 힘쓸 일을 생각이나 하겠습니까? 깊은 강, 높은 성, 험한 요새를 갖고도 이처럼 대사를 그르쳤으니, 죽어 마땅

하지요. 슬프외다. 이 내 죽음이여! 나는 떳떳이 자결했다고 자부합니다. 다만 제 자식 놈이 살아 나라를 구하지 못했고 죽어 또한 큰 죄를 지었으니, 하늘에 더러워진 이름을 어떻게 다 씻어 버리겠어요. 쌓이고 쌓인 원한이 가슴속속들이 박혀 한때라도 잊을 날이 없군요."

(중략)

[C] 모든 부인들이 제각기 슬픔을 이기지 못하여 깊이 탄식하기도 했고, 눈물을 줄줄 흘리기도 했으며, 대성통곡하기도 했다. 글로는 그것을 다 표현할 수 없었다. 조금 시간이 흘렀다. 다음 여자가 일어나 사람 속을 왔다 갔다 했다. 그녀는 두 눈동자가 샛별같이 유난히 빛나고 초승달 같은 눈썹이며 삼단 같은 머리는 가히 선녀라 할만했다. 선사는 매우 이상히 여기며 속으로 생각했다.
'직녀가 은하에서 내려왔나, 월궁에서 항아가 내려왔나, 만일 직녀라 한다면 견우 낭군을 이별한 뒤에 만나지 못했으니 당연히 슬픔에 싸여 눈물을 흘릴 것이다. 또한 월궁의 항아라면 긴긴 밤 독수공방에서 애타게 그리워한다고 홍안은 늙어 가고 백발이 성성할 터인데, 도무지 이 여자는 복사꽃 아롱진 빰에 근심 어린 빛이 전혀 없으니 알지 못할 일이로다. 이 또한 괴이한 일이구나.'

이때 ㉡ <u>그 여자</u>가 방긋 웃으며 말했다.

"첩은 **기생**이라. 노래와 춤이 널리 이름났습니다. 뭇 사내들과 어울려 인생 환락이 극도에 달했습니다. 혼자 곰곰이 생각해 보니 사람에게 귀한 것이 정절입니다. 그래서 하루아침에 마음을 가다듬고, 깊은 규중에 틀어박혀 오래도록 한 남편을 섬겨 다시는 두 마음을 먹지 않으려고 결심했습니다. 그러나 뜻밖에도 난리가 일어나 꽃 같은 청춘이 그만 지고 말았습니다. 사실 오늘 밤 이 높은 회합에 제가 낀다는 것은 너무나 과분합니다. 외람되게도 숭렬하신 여러분들의 곁에 끼어 다행히도 좋은 말씀을 많이 들었습니다. 그 절의의 높으심과 정렬(貞烈)의 아름다움은 하늘도 감동하고 사람마다 탄복하지 않을 사람이 없겠습니다. 몸은 비록 죽었지만 죽은 것은 아닙니다. 강도가 함락되고 남한성(南漢城)이 위태로워 상감마마의 욕되심과 국치(國恥)가 임박하였지만 충신절사(忠臣節士)는 만에 하나도 없었습니다. 다만 부녀자들만의 정절이 늠름하였으니, 이는 참으로 영광스러운 죽음이옵니다. 그런데 왜 그리 서러워하십니까?"

이 말이 끝나자마자, 좌중의 **여러 부인들**이 일시에 통곡했다. 그 통곡 소리는 참담하기 그지없었고 차마 들을 수 없었다. 선사는 혹시나 부인들이 알아차릴까 두려워 숲속에 숨어 서 몸 둘 바를 모르고 있었다. 그러다 날이 밝아지기를 기다려 물러나오다 별안간 놀라 깨어 보니 한바탕의 꿈이었다.

– 작자 미상, 「강도몽유록(江都夢遊錄)」 –

26. [A]~[C]에 대한 설명으로 적절하지 <u>않은</u> 것은?

① [A]: 요약적 진술을 통해 역사적 사건과 관련된 내용을 전달하고 있다.
② [A]: 인물의 성격을 직접적으로 서술하고 인물의 구체적인 행동을 통해 부연하고 있다.
③ [B]: 다양한 심상을 사용하여 사건의 시간적 배경을 드러내고 있다.
④ [C]: 전기적 요소를 활용하여 인물의 영웅적 면모를 드러내고 있다.
⑤ [C]: 고사 속에 등장하는 인물과 작중 인물을 비교하여 해당 인물에 대한 궁금증을 유발하고 있다.

27. ㉠과 ㉡에 대한 이해로 가장 적절한 것은?

① ㉠과 ㉡은 모두 상대에 대한 의구심을 해소하기 위해 질문을 하고 있다.
② ㉠과 ㉡은 모두 과거의 사건을 근거로 현재의 상황에 처한 이유를 드러내고 있다.
③ ㉠과 ㉡은 모두 자신의 처지를 강조하며 상대방에 대한 서운한 감정을 표출하고 있다.
④ ㉠에는 인물에 대한 분노가, ㉡에는 인물에 대한 시기가 내재되어 있다.
⑤ ㉠은 현실적 가치를 내세워, ㉡은 이상적 가치를 내세워 자신의 결정을 상대방이 따르도록 유도하고 있다.

28. <보기>를 참고하여 윗글을 감상한 내용으로 적절하지 <u>않은</u> 것은? [3점]

<보 기>

「강도몽유록」은 꿈속의 사건이라는 문학적 장치를 통해 전란의 책임이 무능한 위정자들에게 있다는 작가의 비판적 현실 인식을 드러낸 작품이다. 몽유자는 강화도가 함락될 때 죽어간 혼령들의 규탄과 통곡을 통해 병자호란의 참상을 전달한다. 특히, 여인의 입을 통해 역사적 사건과 인물들에 대한 기억을 재구성함으로써 사건의 감추어진 진상을 밝힌다.

① '청허'는 입몽 전에는 사건의 주체이지만 입몽 후에는 보고 들은 사건을 전달하는 역할을 하고 있군.
② '청허'의 꿈을 통해 죽은 혼령들의 끔찍한 모습을 구체적으로 제시하여 병자호란의 참상을 알리고 있군.
③ '한 여자'는 남편과 자식의 잘못을 지적하며 강화도가 쉽게 함락될 수밖에 없었던 감추어진 진상을 밝히고 있군.
④ '기생'은 나라가 위기에 빠졌는데도 나서는 충신이 없다고 한탄하면서 위정자들의 무능을 비판하고 있군.
⑤ '여러 부인들'의 역사적 사건에 대한 기억을 재구성함으로써 전란의 참상을 극복할 수 있는 현실적인 방안을 제시하고 있군.

**[29~32] 다음 글을 읽고 물음에 답하시오.**

우리가 섭취한 영양소로부터 생활에 필요한 에너지를 얻거나 몸에 필요한 물질을 합성하는 과정은 모두 화학 반응에 의해 이루어진다. 이 화학 반응의 속도를 변화시키는 물질이 촉매이다. 촉매는 정촉매와 부촉매로 구분되는데, 활성화 에너지와 반응 속도를 통해 설명할 수 있다. 활성화 에너지란 어떤 물질이 화학 반응을 일으키기 위해 필요한 최소한의 에너지이다. 활성화 에너지가 낮아지면 반응 속도가 빨라지고, 활성화 에너지가 높아지면 반응 속도가 느려지게 된다. 이러한 활성화 에너지를 낮추는 것이 정촉매이고, 활성화 에너지를 높이는 것이 부촉매이다.

우리 몸속에도 이러한 촉매가 존재하는데, 효소가 그러하다. 대부분의 효소는 생체 내에서 화학 반응을 빠르고 쉽게 일어나게 한다. 예를 들어 소화 효소인 펩신이 분비되어 우리는 음식물을 오랫동안 위장에 담고 있지 않고 소화시킬 수 있는 것이다. 효소를 구성하는 주성분은 단백질이며 각 효소는 고유의 입체 구조를 갖는다. 효소는 촉매로 작용하는 과정에서 반응물과 일시적으로 결합한다. 효소에서 반응물과 결합하여 화학 반응이 일어나게 하는 특정 부분을 활성 부위라고 하며, 활성 부위와 결합하는 반응물을 기질이라고 한다. 효소에 의한 촉매 과정에서 효소의 활성 부위와 기질의 3차원적 입체 구조가 맞으면 효소·기질 복합체가 일시적으로 형성되는데, 이처럼 한 종류의 효소가 한 종류의 기질에만 작용하는 것을 효소의 기질 특이성이라 한다. 촉매 과정이 끝나면 기질은 생성물로 바뀌며, 효소·기질 복합체로부터 분리된 효소는 처음과 동일한 화학적 상태로 복귀하여 다음 반응을 준비한다.

그런데 어떤 화학 물질은 효소와 결합하여 효소의 작용을 방해하는데, 이러한 물질을 저해제라고 한다. 저해제는 효소 반응을 방해하는 방식에 따라 ㉠ <u>경쟁적 저해제</u>와 ㉡ <u>비경쟁적 저해제</u>로 나누어진다. 먼저 경쟁적 저해제는 기질과 유사한 3차원적 입체 구조를 지니고 있어, 기질이 결합할 효소의 활성 부위에 기질 대신에 경쟁적 저해제가 결합하여 효소·기질 복합체의 형성을 저해한다. 경쟁적 저해제는 기질의 농도가 증가하면 저해 효과는 감소한다. 다음으로 비경쟁적 저해제는 효소의 활성 부위가 아닌 효소의 다른 부위에 결합하여 효소의 입체 구조를 변형시킴으로써 효소의 활성 부위에 기질이 결합하지 못하게 한다. 그 결과 효소·기질 복합체가 형성되지 않아 효소의 작용을 저해한다. 비경쟁적 저해제가 작용하는 경우에는 기질의 농도가 증가해도 저해 효과는 감소하지 않는다.

29. 윗글의 표제와 부제로 가장 적절한 것은?

① 촉매의 개념과 종류
- 활성화 에너지와 반응의 방향성을 중심으로
② 생체 내 효소의 촉매 반응
- 효소의 작용과 저해제의 기능을 중심으로
③ 촉매와 효소의 화학적 정의
- 반응 전후의 상태 및 기질 특이성을 중심으로
④ 효소가 관여하는 화학 반응의 속도
- 주변 온도와 기질의 농도가 미치는 영향을 중심으로
⑤ 효소가 우리 몸속에서 하는 여러 가지 역할
- 정촉매와 부촉매의 특성을 중심으로

30. 윗글에 대한 이해로 적절하지 <u>않은</u> 것은?

① 효소는 생체 내의 화학 반응에서 활성화 에너지를 조절하는 역할을 한다.
② 촉매는 몸에 필요한 물질을 합성하는 화학 반응에서 반응 속도에 영향을 미친다.
③ 기질의 구조와 효소의 활성 부위의 구조가 다르면 효소 촉매 반응은 일어나지 않는다.
④ 촉매 과정에서 반응물과 일시적으로 결합하는 효소는 고유의 입체 구조를 가지고 있다.
⑤ 효소·기질 복합체에서 분리된 효소는 다른 종류의 기질에 맞는 입체 구조로 변형되어 다음 반응을 준비한다.

31. ㉠과 ㉡에 대한 설명으로 적절한 것은?

① ㉠과 달리 ㉡은 효소의 입체 구조를 변형시키는 역할을 한다.
② ㉡과 달리 ㉠은 효소·기질 복합체의 형성을 방해한다.
③ ㉠과 ㉡은 모두 기질과 유사한 입체 구조를 가지고 있다.
④ ㉠과 ㉡은 모두 효소의 활성 부위가 아닌 곳에 결합한다.
⑤ ㉠과 ㉡은 모두 기질의 농도 증가가 저해 효과에 영향을 미친다.

32. 다음은 촉매 반응을 설명하기 위한 그래프이다. 윗글을 바탕으로 <보기>를 이해한 것으로 적절한 것은? [3점]

<보 기>

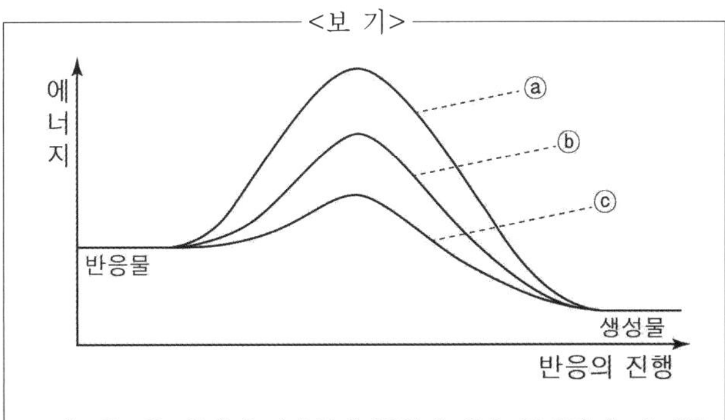


단, ⓐ, ⓑ, ⓒ에서 반응물의 종류와 양은 동일하며, 촉매를 제외한 모든 요인은 동일하다.

① ⓐ를 촉매가 없는 그래프라고 가정할 때, ⓑ는 반응물에 부촉매를 넣은 그래프이겠군.
② ⓒ를 촉매가 없는 그래프라고 가정할 때, ⓐ는 반응물에 정촉매를 넣은 그래프이겠군.
③ 생성물을 만들어내는 화학 반응 속도는 ⓒ가 ⓑ보다 빠르겠군.
④ ⓐ, ⓑ, ⓒ에서 반응에 필요한 활성화 에너지는 동일하겠군.
⑤ ⓐ, ⓑ, ⓒ에서 동일한 양의 생성물을 만들기 위해 필요한 시간은 모두 동일하겠군.

**[33~36] 다음 글을 읽고 물음에 답하시오.**

[앞부분의 줄거리] '나'는 너우네 아저씨가 위독하다는 소식을 듣고 한국 전쟁 때 자식 대신 성표를 데리고 피난했던 너우네 아저씨를 떠올린다.

밤새도록 반짝반짝 닦은 크고 작은 자물쇠를 앞뒤로 주렁주렁 달고 장군처럼 거만하고 당당하게 장사를 나가는 너우네 아저씨의 권위는 완벽했다. 내 자식을 사지에 뿌리치고 조카자식을 구해 내서 공부시킨다는 게 그렇게 위대한 일일까? 나는 그의 당당함에 압도된 채, 속으론 '언제고 그의 위대성이 터무니없는 가짜라는 걸 보고 말 테다'라는 엉큼한 생각을 키우고 있었다.

휴전이 되었지만 우린 고향에 돌아갈 수 없었다. 38 이남이었기 때문에 꼭 돌아갈 수 있으리라 믿었던 우리는 하필 우리 고향 쪽에서 남으로 처진 휴전선이 억울하고 원망스러웠다.

너우네 아저씨인들 그때 이별이 영이별 될 줄만 알았으면 설마 지게에 은표 대신 성표를 올려놓지는 않았으련만……. 형과 나는 고향을 아주 잃은 비감 때문에 이렇게 너우네 아저씨의 처사를 인간적으로 해석하려 들었다.

그러나 그게 아니었다. 너우네 아저씨는 한술 더 떠서 이렇게 될 줄 미리 알고 장조카를 구했노라고 으스댔다. 장조카를 공부시킬 위대한 사명을 띤 그의 행상이 조그만 점포로 발전할 무렵 우리도 생활이 좀 나아져서 딴 동네로 이사를 가게 됐다. 그러나 자주 소식을 주고받았고, 만날 기회도 심심찮게 있었다.

1년에 두 번 있는 동향인의 군민회도 우리 식구가 모두 기다리고 기다렸다가 참석하는 즐거운 모임이었지만 너우네 아저씨네도 꼭 숙질이 함께 참석했다. 또 실향민끼리의 의리라는 것도 각별해서 고향 땅에선 서로 모르고 지냈던 사이끼리도 경조사를 서로 연락하고 적극 참석했다.

결혼식장 같은 데서 가끔 만나는 너우네 아저씨는 성표를 대동할 적도 있었고 혼자일 적도 있었다. 물론 앞뒤에 자물쇠를 주렁주렁 달고 다니던 왕년의 행상 티는 조금도 나지 않았다. 그러나 내 눈엔 언제나 그가 [자물쇠]를 훈장처럼 달고 다니는 것처럼 보였다.

제 자식을 모질게 뿌리치고 장조카를 데리고 나와 성공시키기 위해 온갖 고생 다 했다는 걸로 자신을 빛내려 들었기 때문이다. 나는 그가 자물쇠 행상일 적에 매일 밤 그것을 닦아 훈장처럼 빛냈듯이, 요새도 매일 밤 자신의 내력을 번쩍번쩍 빛나게 닦고 있다고 생각했다. 그는 그 특이한 내력으로 어디서나 빛났다. 동향 사람들 중에서도 특히 나잇살이나 먹은 이들은 그의 자랑을 끝까지 들어 주고 아낌없이 그를 칭송하고 존경하는 걸로 자신의 도덕적인 결함까지 은폐하려 드는 것 같았다.

그러나 나는 은표 어머니의 ⓐ 억장이 무너지는 소리를 잊지 못하는 한 그의 위대성이 가짜라는 게 드러나 그가 웃음거리가 되는 걸 보고야 말겠다는 생각을 단념할 수 없었다.

동향인의 결혼식도 잦았지만 장례식도 잦아졌다. 동향인이 모이는 자리에도 세대교체 현상이 나타나 나잇살이나 먹은 이들이 점점 줄었다. 너우네 아저씨의 자랑을 들어 주고 칭송할 사람도 그만큼 줄었다. 자신의 내력이 더 이상 자신을 빛내 줄 수 없다는 걸 알았는지 너우네 아저씨는 눈에 띄게 풀이 죽어 갔다. 나는 그런 허점을 놓칠세라 젊은 사람들한테 그가 한 짓을 풍겼다. 젊은이들의 반응은 노인들의 반응과 판이했다. 우린 이미 너우네 아저씨가 신봉하던 케케묵은 도덕과 상관없는 세대였다. 그건 한낱 웃음거리에 지나지 않았다. 그게 웃음거리라면 너우네 아저씨는 더 큰 웃음거리였다. 좀 더 생각이 깊은 젊은이라면 너우네 아저씨가 자기 친자식에게 저지른 비인간적인 처사에 분개해 마지않았고, 그를 숫제 징그러운 괴물 취급하려 들었다.

(중략)

"에구머니, 이제 죽을 날이 정말 가까웠나 봐. 곡기 끊으면 죽는다는데……."

아주머니가 경망스럽게 숟갈을 내던지며 놀랐다. 그러나 나는 그가 무슨 말을 하고 싶어서 그런다는 확신을 얻고, 그의 경련 치는 손을 잡고 애타게 외쳤다.

"아저씨, 너우네 아저씨, 저를 알아보시겠어요? 네, 너우네 아저씨, 뭐라고 말씀 좀 해 보세요."

이윽고 아저씨의 손에 힘이 쥐어지는 듯하더니 입놀림이 확실해졌다. 나는 그의 멍청하던 눈에 그윽한 환희가 어리는 걸 똑똑히 보았고 그의 ⓑ 입이 말하는 소리를 분명히 들었다.

"은표야, 아아, 은표야."

아저씨는 그렇게 말하고 있었다. 나는 아저씨가 그의 아들을 뿌리치고 대신 조카를 데리고 피난 내려온 뒤 한 번도 아들의 이름을 입에 올리는 걸 들은 적이 없었다. 은표의 단짝이었던 나를 보면 은표도 어느 하늘 밑에 죽지 않고 살았으면 저만할 텐데 하고 비감하는 눈치라도 보일 법한데 그런 적조차 없었다. 그는 아들을 뿌리침과 동시에 아들의 이름까지 잊어버렸을 뿐더러 아예 기억에서 지우고 사는 사람 같았다. 아들 대신 장조카 데리고 피난 나왔다고 자랑할 때의 아들도 보통 명사로서의 아들이지 은표라는 고유 명사로서의 아들이 아니었다.

그가 처음으로 입에 올린 은표 소리는 나만 겨우 알아들을 만큼 희미했다. 그러나 내 귀엔 억장이 무너지는 소리로 들렸다. 그는 사력을 다해 ⓒ 억장이 무너지는 소리를 내고 있었다. 아아, 30여 년 전 은표 어머니의 억장이 무너지는 소리는 이제야 앙갚음을 완수한 것이다.

나는 그렇게 되길 오랫동안 바라고 기다려 왔을 터인데도 쾌감보다는 허망감에 소스라쳤다.

다시 열쇠고리 장수가 늘어선 거리로 나왔을 땐 해가 뉘엿뉘엿했다. 해가 뉘엿뉘엿할 무렵이면 가슴에 하나 가득 갖가지 자물쇠를 늘인 채 봉지쌀과 자반고등어를 사들고 뒤뚱뒤뚱 걸어오던 너우네 아저씨의 모습이 떠올랐다. 봉지쌀과 자반고등어 때문인지 자물쇠가 훈장으로 보이는 엉뚱한 착각은 일어나지 않았다. 그는 외롭고 초라한 자물쇠 장수에 지나지 않았다.

내가 그를 직시할 수 있기까지 자그마치 서른두 해가 걸렸던 것이다.

— 박완서, 「아저씨의 훈장」 —

33. 윗글의 서술상 특징으로 가장 적절한 것은?

① 특정 인물의 행동과 심리에 초점을 맞추어 이야기를 전개하고 있다.
② 공간적 배경을 사실적으로 묘사하여 시대적 상황을 구체화하고 있다.
③ 작중 인물인 서술자가 객관적인 입장에서 인물의 행동을 관찰하고 있다.
④ 장면을 빈번하게 교차하여 인물이 처한 상황의 긴박한 분위기를 조성하고 있다.
⑤ 공간의 이동에 따라 서술자를 달리하여 사건에 대한 다양한 관점을 제시하고 있다.

34. 자물쇠의 기능으로 가장 적절한 것은?

① '너우네 아저씨'에 대한 '나'의 인식을 드러낸다.
② '나'와 '너우네 아저씨'의 심리 변화를 유발한다.
③ '나'와 '너우네 아저씨'의 삶의 성찰을 이끌어낸다.
④ '나'와 '너우네 아저씨'가 갈등하는 이유를 드러낸다.
⑤ '너우네 아저씨'에 대한 '나'의 이중적 태도를 보여준다.

35. ⓐ~ⓒ에 대한 이해로 가장 적절한 것은?

① ⓐ로 인한 인물 간의 오해가 ⓑ로 인해 심화되고 있다.
② ⓐ를 통한 인물에 대한 판단을 ⓒ로 인해 보류하고 있다.
③ ⓐ를 통해 ⓒ를 공감하게 되면서 인물 간의 화해가 이루어지고 있다.
④ ⓑ를 통해 ⓐ를 회상하면서 사건의 전모가 밝혀지고 있다.
⑤ ⓑ를 ⓒ로 인식하면서 상대에 대한 심리적 거리가 가까워진다.

36. <보기>를 바탕으로 윗글을 감상한 내용으로 적절하지 않은 것은? [3점]

<보 기>

「아저씨의 훈장」은 가부장적 세계관과 사회적 평가에 사로잡혀 속박된 삶을 산 인물의 모습을 그리고 있다. 작품 속 인물은 자신이 따라야 한다고 생각한 믿음을 실천하며 자신이 속한 공동체에서 인정을 받고자 한다. 하지만 시대 흐름에 따라 세대가 교체되면서 사회적 평가가 달라지는 양상을 보인다. 아울러 작가는 인물들의 삶을 바탕으로 한국 전쟁으로 인한 분단의 문제까지 함께 조명하고 있다.

① '형'과 '나'가 고향을 잃은 비감을 느끼는 모습에서 한국 전쟁으로 인한 분단의 슬픔을 엿볼 수 있군.
② '너우네 아저씨'를 비웃는 '젊은이들'의 모습에서 기존 세대에서 인정받던 믿음이 달라지고 있음을 확인할 수 있군.
③ '나'는 풀이 죽어가는 '너우네 아저씨'의 모습을 시대에 따라 달라진 사회적 평가를 지각하지 못한 것으로 보고 있군.
④ '너우네 아저씨'를 칭송하는 '노인들'의 모습에서 가부장적 세계관을 따르고자 하는 사람들의 단면을 확인할 수 있군.
⑤ '나'는 '너우네 아저씨'가 장조카를 통해 자신을 빛내려 하는 모습을 공동체 안에서 인정받고자 하는 모습으로 보고 있군.

14 회

**[37~41] 다음 글을 읽고 물음에 답하시오.**

국가는 자국의 힘이 외부의 군사적 위협을 견제하기에 충분치 않다고 판단할 때나, 역사와 전통 등의 가치가 위협받는다고 느낄 때 다른 나라와 동맹을 맺는다. 동맹결성의 핵심적인 이유는 동맹을 통해서 확보되는 이익이며 이는 동맹관계 유지의 근간이 된다.

동맹의 종류는 그 형태에 따라 방위조약, 중립조약, 협상으로 ⓐ나눌 수 있다. 먼저 방위조약은 조약에 서명한 국가들 중 어느 한 국가가 침략을 당했을 경우, 다른 모든 서명국들이 공동방어를 위해서 참전하기를 약속하는 것이다. 다음으로 중립조약은 서명국들 중 한 국가가 제3국으로부터 침략을 받더라도, 서명국들 간에 전쟁을 선포하지 않고 중립을 지킬 것을 약속하는 것이다. 마지막으로 협상은 서명국들 중 한 국가가 제3국으로부터 침략을 당했을 경우, 서명국들 간에 공조체제를 유지할 것인지에 대해 차후에 협의할 것을 약속하는 것이다. 정리하면 세 가지 유형 중 방위조약의 경우는 동맹국의 전쟁에 개입해야 한다는 강제성이 있기에 동맹국 간의 정치·외교적 관계의 정도가 매우 가깝다. 또한 조약의 강제성으로 인해 전쟁 발발 시 동맹관계 속에서 국가가 펼칠 수 있는 정치·외교적 자율성은 매우 낮다. 즉 방위조약이 동맹국 간의 자율성이 가장 ⓑ낮고, 다음으로 중립조약, 협상 순으로 자율성이 높아진다. 한 연구에 따르면, 1816년부터 1965년까지 약 150년 간 맺어진 148개의 군사동맹 중에서 73개는 방위조약, 39개는 중립조약, 36개는 협상의 형태인데, 평균 수명은 방위조약이 115개월, 중립조약이 94개월, 협상은 68개월 정도였다. 따라서 ______㉮______

위와 같이 동맹관계는 고정되어 있지 않다. 그 이유에 대해 ㉠현실주의자들과 ㉡구성주의자들은 서로 다른 견해를 보이는데, 이는 국제 사회를 바라보는 시각의 차이에서 기인한다. 우선 현실주의자들은 국가는 이기적 존재이며 국제 사회의 유일하고 중요한 행위 주체라고 생각한다. 국제 사회는 국가 이상의 단위에서 작동하는 중앙정부와 같은 존재가 부재하는 일종의 무정부 상태이므로 개별 국가는 힘의 논리로부터 스스로를 지켜야 한다고 본다. 따라서 각 나라는 군사적 동맹을 통해 세력 균형을 ⓒ이루어 패권 안정을 취하려 한다. 특정한 패권 국가가 출현하면 그 힘을 견제하기 위한 국가들 간의 동맹이 형성되기도 하고, 그 힘에 편승하는 동맹이 형성되기도 한다. 이렇듯 힘의 균형점이 이동함에 따라 세력의 균형을 끊임없이 ⓓ찾는 과정에서 동맹관계는 변할 수 있다고 보는 것이다.

구성주의자들 역시 현실주의자들처럼 동맹관계가 고정된 약속이 아니라, 상황에 따라 변할 수 있는 약속이라고 본다. 구성주의자들은 무정부적 국제 사회를 힘의 분배와 균형 등의 요소로 분석할 수 없다고 비판하며, 관계에 주목한다. 구성주의자들은 국제 사회의 구성원들이 상호 작용을 하여 상호 간 역할과 가치를 형성하면서 국제 사회 환경의 변화를 만들어낸다고 본다. 상호 작용의 변화에 따라 동맹은 달라질 수 있는데, 타국이나 국제 사회에 대한 인식이 긍정적이고 국제 사회에서의 구성원들의 역할이 가치가 있다고 판단될 때, 긍정적인 동맹관계를 ⓔ맺고 평화로울 수 있지만, 그렇지 않으면 동맹은 파기될 수 있다고 본 것이다.

37. 윗글에 대한 이해로 적절하지 않은 것은?

① 국가는 동맹에 참여하여 자국의 이익을 확보할 수 있다.
② 협상은 전쟁 발발 이후의 공조체제 유지 여부를 사전에 결정하지 않는다.
③ 패권 국가가 출현하기 위해서는 그 힘에 편승한 세력들의 동맹이 필요하다.
④ 동맹은 국가가 전쟁 등의 위협에 대처하기 위해 맺는 국가 간의 약속이다.
⑤ 중립조약은 서명국이 속한 전쟁에 참가하지 않을 것을 합의하는 동맹이다.

38. ㉮에 들어갈 내용으로 적절한 것은?

① 동맹관계가 멀고 자율성이 높을수록 그 수명이 연장되었음을 알 수 있다.
② 동맹관계가 멀고 자율성이 낮을수록 그 수명이 단축되었음을 알 수 있다.
③ 동맹관계가 가깝고 자율성이 높을수록 그 수명이 연장되었음을 알 수 있다.
④ 동맹관계가 가깝고 자율성이 낮을수록 그 수명이 단축되었음을 알 수 있다.
⑤ 동맹관계가 가깝고 자율성이 낮을수록 그 수명이 연장되었음을 알 수 있다.

39. ㉠과 ㉡에 대한 설명으로 적절한 것은?

① 국제 사회의 문제를 ㉠은 힘의 관계에, ㉡은 상호 인식 관계에 주목하여 설명하였다.
② 국제 사회 혼란의 원인을 ㉠은 국가적 이기심, ㉡은 세력의 불균형 때문이라고 보았다.
③ 국제 사회의 안정을 유지하기 위해 ㉠은 상호 협력이, ㉡은 상호 견제가 필요하다고 보았다.
④ 동맹이 변화하는 이유를 ㉠은 패권 국가의 출현으로 인한 전쟁으로, ㉡은 구성원의 자국에 대한 인식의 부재로 보았다.
⑤ 국제 사회의 질서 유지를 위해 ㉠은 중앙정부와 같은 존재가, ㉡은 구성원 간의 고른 역할 분배가 필요하다고 보았다.

40. 윗글을 바탕으로 <보기>를 이해한 내용으로 적절하지 않은 것은? [3점]

<보 기>

A국은 B국과 방위조약을 맺고 동맹관계를 유지해 왔다. 그런데 국제 정세의 변화에 따라 A국은 B국과의 동맹을 파기하고 C국과 중립조약을 새로 체결했다. 그런데 A국의 여론은 이러한 변화에 반대한다.

① A국이 B국과 동맹을 파기하기 전에는, A국은 B국의 전쟁에 참전해야 할 의무가 있었겠군.
② A국이 C국과 동맹을 맺은 후에는, B국과 C국 사이에 전쟁이 발발하더라도 A국은 참전하지 않아야 하겠군.
③ 현실주의자들은 A국과 B국의 동맹이 파기된 이유를, B국에 대한 A국 구성원들의 신뢰가 약화되었기 때문이라고 설명하겠군.
④ 구성주의자들은 A국 구성원들이 C국에 부정적 인식을 가지게 된다면, C국과의 동맹관계는 유지되기 힘들 것이라고 설명하겠군.
⑤ 구성주의자들은 A국에서 변화에 반대하는 여론이 형성된 이유를, C국보다 B국에 대한 긍정적 인식이 작용했기 때문이라고 설명하겠군.

41. ⓐ~ⓔ의 문맥적 의미를 활용하여 만든 문장으로 적절한 것은?

① ⓐ: 이 글은 세 개의 문단으로 나눌 수 있다.
② ⓑ: 그녀의 목소리는 매우 낮고 단호했다.
③ ⓒ: 그는 친구들과 동아리를 이루어 발표 대회에 나갔다.
④ ⓓ: 감기로 병원을 찾는 환자가 부쩍 늘었다.
⑤ ⓔ: 나는 그와 오래전부터 친분을 맺고 있다.

**[42~45] 다음 글을 읽고 물음에 답하시오.**

(가)

**가을밤** 아주 긴 때 **적막한 방** 안에
어둑한 그림자 말 없는 벗이 되어
외로운 등 심지를 태우고 전전반측(輾轉反側)하여
밤중에 어느 잠이 ㉠ 빗소리에 깨어나니
구곡간장(九曲肝腸)을 끊는 듯 찌는 듯 새도록 끓인다
하물며 맑은 바람 밝은 달 삼경(三更)이 깊어 갈 때
**동창(東窓)**을 더디 닫고 외로이 앉았으니
임의 얼굴에 비친 **달**이 한 빛으로 밝았으니
반기는 진정(眞情)은 임을 본 듯하다마는
임도 달을 보고 나를 본 듯 반기는가
저 달을 높이 불러 물어나 보고 싶은데
구만리장천(九萬里長天)의 어느 달이 대답하리
묻지도 못하니 눈물질 뿐이로다
어디 뉘 말이 춘풍추월(春風秋月)을 흥(興) 많다 하던가
어찌한 내 눈에는 다 슬퍼 보이는구나
봄이라 이러하고 가을이라 그러하니
옛 근심과 새 한(恨)이 첩첩이 쌓였구나
세월이 아무리 흐른들 이내 한이 그칠까
몇 백세(百歲) 인생이 천년의 근심을 품어 있어
못 보는 저 임을 이토록 그리는가
잠깐 동안 아주 잊어 후리쳐 던져두자
운수에 정해진 만남과 이별을 마음대로 할 수 있는가
**언약**을 굳게 **믿고** 기다려는 보자구나
행복과 불행은 하늘의 이치에 자연 그러하니
**초생(初生)**에 이지러진 **달**도 **보름**에 둥글듯이
청춘에 나눈 거울 이제 아니 모을소냐
신혼에 즐거웠거늘 오랜 옛정이 지금이라고 어떠하랴
흰머리 속의 소년의 마음을 가져 있어
산수(山水) 갖춘 고을에 **초막(草幕)**을 작게 짓고
편안치 못한 생애를 유여(有餘)하고자 바랄소냐
두세 이랑 돌밭을 갈거니 짓거니
오곡이 익거든 조상 제사 받들고 성경(誠敬)을 이룬 후에
있으면 밥이오 없으면 **죽**을 먹고
좋은 일 못 보아도 궂은 일 없을지니
오십에 아들 낳아 자손 아기 늙도록
일생에 덜 밉던 정을 밉도록 좇으리라

– 박인로, 「상사곡(相思曲)」 –

(나)

내 나이 대여섯 살 적에 나는 동리 사람들이 '금융조합 이사 집 아들'이라고 부르는 것을 알게 되었다. 그리고 우리 집의 대명사가 '금융조합 집'인 것도 귀담아 듣게 되었다. 때문에 송천, 사리원, 겸이포, 장연 등지로 번질나게 이사를 다녔다고 한다. 이사(理事)네 집이기 때문에 이사(移徙)만 다닌다고, 나는 그때 혼자서 그렇게 생각했었다. 그래서 ⓐ 도라지꽃, 하늘 색깔 닮아 고웁던 그 구월산 줄기 남쪽엘 거의 안 다닌 곳 없이 다닌 것이었다.

요즈음도 그 ㉡ 몽금포 타령, 라디오에서 흐르는 그 가락은, 가끔 날 눈 감게 하여 주고, 그러고는 나의 고향을 그 가락에 매어 끌어다 준다. 마치 수평선 저쪽에서 다가오는 한

척의 돛배처럼 느리고 잔잔하게.

감나무 두 그루가 엇갈려 서 있는 송천의 금융조합 이사집이, 내 감은 두 눈 속에서 얌전히 찾아와 스며든다. 그것은 빛바랜, 옛날의 사진처럼 부우연 원색화이다.

뽕나무밭이 줄 그어 가시울타리까지 달려간 뒷밭에서, 오디 철 한여름을 보내면, 감나무의 감이 어린 나를 어르면서 익어 갔다.

오딧물 들어, 입술이 너나없이 연둣빛이 되던 그 한 철이 지나, ⓑ 뽕잎에 기름진 여름이 줄줄 녹아 흐르고 나면 그 다음엔 떫은 입속의 감 맛을 느끼게 된다. 그 떫은 감겨를 소매에 부빈다고 야단을 맞던 ⓒ 어린 시절이 나의 눈앞에서 희죽희죽 웃는다. 내가 순수 무구하게 웃음을 찾을 수 있다면 그것은 이런 혼자만의 회상 속에서 가능한 것 같다.

처음 담근 감의 떫음이 빠지기를 기다리다 못해, 가을이 먼저 오는 곳이 그곳이었다. 개암 익기 기다려 산을 파헤치고 다닌다. 또 ⓓ 두 산이 기역 자처럼 붙어 버린 산그늘, 그 속의 바위 냇물로 빨래하러 가는 아낙들을 부끄러운 줄 모르고 따라다니던 생각……. 사라지지 않는 방망이 소리. 또 먼지 피우며 달아나는 한두어 대의 목탄차가 신작로로 빠져나가는 것 바라보고 가슴 설레던 생각도, 시금털털한 머루 따 먹느라고 쐐기에 쏘이던 생각도, 지금은 애써 다 그려 보고 싶은 풍경들이다.

(중략)

고향은 지워지지 않고, 잊어버릴 뿐. 그러나 아직 잊어버리지 않으나, 잃어버리는 생각은 있다. 쬐그만 옛날의 장난감을 잃어버리듯이.

비 온 뒤, 광에서 채를 훔쳐 내다가 달치 새끼나 건져 나누며, 싸우던 냇가의 생각, 또 포플러 높은 키의 그림자가 물속에 드리울 때, 잔등에 뿔이 솟은 쏘가리가 그 그늘로 기어들고 모래 속에 주둥이만 콱 파묻는 모래무지가 무지무지하게 많던 강가.

그놈들 잡아서 한 마리도 국 끓여 먹어 보질 못했건만, 무엇 때문에 잡으려고 고무신만 떠내려 보내고 울곤 하였던가. ⓔ 수수깡 뽑아 마디마디 끝마다 씹어 빨아 먹고, 안경 만들어 쓰고 '에헴!' 우편소의 문을 밀고 들어서 보던 시절로 지금도 달려가는 나의 생각들, 그것이 몰려가선, 나의 고향을 이룬다.

– 유경환, 「고향 이루는 생각들」 –

42. (가), (나)의 공통점으로 가장 적절한 것은?

① 그리운 대상을 떠올리며 자신의 삶을 되돌아보고 있다.
② 해결하기 어려운 내면적 고통을 토로하며 현실을 비판하고 있다.
③ 차분하게 주변을 돌아보며 주변의 모습에서 깨달음을 얻고 있다.
④ 어지러운 세속을 부정하며 세속과 타협하지 않으려는 태도를 드러내고 있다.
⑤ 변해 버린 현실에 대해 아쉬워하며 현실에 대해 좌절하는 모습을 보이고 있다.

43. ㉠과 ㉡을 비교한 내용으로 가장 적절한 것은?

① ㉠은 화자의 상상 속에, ㉡은 작가의 현실 속에 있는 소재이다.
② ㉠은 화자가 함께하고 싶어 하는, ㉡은 작가가 멀리 하고 싶어 하는 소재이다.
③ ㉠은 화자의 처지가 긍정적임을, ㉡은 작가의 처지가 부정적임을 알게 하는 소재이다.
④ ㉠은 화자의 현재의 정서를 심화시키고, ㉡은 작가의 과거의 정서를 떠올리게 하는 소재이다.
⑤ ㉠은 화자의 내적 갈등이 고조됨을, ㉡은 작가의 외적 갈등이 해소됨을 알게 하는 소재이다.

44. <보기>를 참고하여 (가)를 감상한 내용으로 적절하지 않은 것은? [3점]

<보 기>

박인로의 「상사곡」은 이별한 임에 대한 연정의 마음을 잘 표현한 시가로서 화자를 둘러싼 배경과 자연물을 활용하여 임에 대한 간절함을 잘 드러내고 있다. 또한 이 작품은 이별의 상황을 신의로 극복하려는 모습에서 더 나아가 안분지족의 일념으로 자신의 부정적 상황을 견디려는 선비로서의 자세를 드러낸다는 점이 특징이다.

① '가을밤'과 '적막한 방'은 화자를 둘러싼 배경으로, 임과 이별하고 외로워하는 화자의 정서와 조응되는군.
② '동창'에 비친 '달'은 임을 떠올리게 하는 대상으로, 임에 대한 화자의 간절함을 느끼게 하는군.
③ '언약'을 '믿고' 기다리려는 행동은 화자의 의지가 담긴 것으로, 임에 대한 화자의 신의를 보여주는군.
④ '초생'의 '달'과 '보름'의 달의 대비로, 임과의 재회가 어려운 화자의 부정적 상황을 강조하는군.
⑤ '초막'과 '죽'은 화자의 태도와 관련된 소재로, 화자가 자신의 현실을 안분지족의 정신으로 견디려고 함을 알게 하는군.

45. ⓐ~ⓔ를 이해한 내용으로 적절하지 않은 것은?

① ⓐ: 회상 속 고향을 '도라지꽃, 하늘 색깔'의 시각적 이미지로 표현하여, 고향의 이미지를 형상화하고 있다.
② ⓑ: '여름'과 '감'을 감각적으로 표현하여, 고향의 계절감을 생동감 있게 드러내고 있다.
③ ⓒ: 음성상징어를 활용하여, '어린 시절' 순수했던 추억에 정감을 표현하고 있다.
④ ⓓ: 말줄임표를 사용하여, 고향의 '산그늘'과 '아낙들'을 따라다니던 추억에 여운을 주고 있다.
⑤ ⓔ: '나의 고향'을 이루는 '생각들'을 점층적으로 확대하여, '나'가 순수성을 회복하기 위해 노력하는 모습을 보여주고 있다.

* 확인 사항
○ 답안지의 해당란에 필요한 내용을 정확히 기입(표기)했는지 확인하시오.

2018학년도 6월 고2 전국연합학력평가 문제지

# 국어 영역

15회 소요시간 /80분

제 1 교시

➡ 해설 P.138

**[1 ~ 3] 다음은 학생이 수업 시간에 한 발표이다. 물음에 답하시오.**

> 오늘 자유 주제 발표를 맡은 ○○○입니다. 저는 오늘 급우 여러분에게 한 가지 제안을 할까 합니다. 먼저 한 장의 사진을 보여드리겠습니다. 어딘지 아시겠지요? (잠시 기다렸다가) 네, 맞습니다. 우리가 집보다 더 많은 시간을 보내는 교실입니다. 마치 폭풍이 한바탕 휩쓸고 지나간 듯합니다. ㉠ <u>우리가 저런 곳에서 살고 있다는 것이 믿어지십니까?</u> (청중의 반응을 살피며) 저도 여러분과 같은 생각입니다. (사진을 가리키며) 책상에는 온갖 책과 옷이 널려 있고, 바닥에는 크고 작은 쓰레기들이 나뒹굴고 있으며, 창틀이나 교실 뒤에는 주인을 알 수 없는 물건들이 흩어져 있습니다. ㉡ <u>여러분도 이런 행동을 한 적이 있지는 않습니까?</u>
>
> 우리 교실이 왜 이렇게 되었을까요? 저는 경제 용어인 '외부 효과'를 통해 그 원인을 설명해 보고자 합니다. '외부 효과'는 한 경제 주체의 경제 활동이 다른 경제 주체에게 의도치 않게 혜택이나 손해를 가져다주는 현상을 말합니다. 혜택을 주는 경우를 긍정적 외부 효과, 손해를 끼친 경우를 부정적 외부 효과로 구분합니다. 맛있는 빵집이 생기면 이웃의 편의점도 수익이 높아지는 긍정적 외부 효과가 발생합니다. 반면 제조업 공장이 많아지면 매연이나 소음이 생겨서 인근 주민들의 건강을 해치는 부정적 외부 효과가 발생합니다. 시장 경제가 원활하게 작동하려면 두말할 것도 없이 긍정적 외부 효과는 확대하고 부정적 외부 효과는 줄여야 합니다. 그래서 정부는 긍정적 외부 효과를 유발하는 경제 주체에게는 적절한 지원과 보상을 제공하고 부정적 외부 효과를 유발하는 경제 주체에게는 그에 합당한 사회적 책임을 묻습니다. 이러한 외부 효과는 비단 경제 현상에서만 나타나지 않습니다. 우리의 일상생활에서도 다양하게 확인할 수 있습니다.
>
> ㉢ <u>이제 엉망진창인 교실과 외부 효과가 어떤 연관성이 있는지 대충 짐작하시겠지요?</u> (청중의 반응을 보며) 저 역시 같은 생각입니다. 지금까지 우리는 너나없이 부정적 외부 효과를 일으키며 생활해 왔던 것입니다. 무심코 쓰레기를 버리는 누군가의 행위는 우리 모두의 기분을 상하게 할 뿐만 아니라 다른 친구들까지 쓰레기를 함부로 버리게 합니다. ㉣ <u>어디 그뿐입니까?</u> 사물함까지 가기 귀찮다는 이유로 누군가가 책상 위아래에 자신의 물건을 쌓아두면 지나다니는 친구들이 불편할 뿐만 아니라 다른 친구들까지 자신들의 물건을 교실 이곳저곳에 함부로 놓아두게 만듭니다.
>
> ㉤ <u>그렇다면 지금의 교실 환경을 개선하기 위해서 어떻게 하는 것이 좋을까요?</u> (청중의 반응을 보며) 네, 잘 알고 있군요. 이제부터라도 우리 교실에 부정적 외부 효과는 발생하지 않도록 차단하고 긍정적 외부 효과는 가득할 수 있도록 해야 합니다. 그래서 저는 교실 환경을 개선할 수 있는 구체적인 방안을 다음 학급회에서 논의할 것을 정식으로 제안합니다. 이상으로 자유 주제 발표를 마치겠습니다. 감사합니다.

**1.** 발표에 반영된 학생의 발표 계획으로 적절하지 <u>않은</u> 것은?

① 낯선 용어를 예를 들어 설명함으로써 청중의 이해를 도와야겠어.
② 청중과 공감대를 형성함으로써 긍정적인 호응을 이끌어 내야겠어.
③ 시각 자료를 활용함으로써 문제 현상을 효과적으로 전할 수 있도록 해야겠어.
④ 제시할 정보의 출처를 구체적으로 밝힘으로써 발표 내용의 신뢰성을 높여야겠어.
⑤ 문제 현상을 해결할 수 있는 방향을 제시함으로써 청중의 태도 변화를 유도해야겠어.

**2.** ㉠ ~ ㉤에 나타난 발표자의 말하기 의도로 가장 적절한 것은?

① ㉠: 발표 내용이 청중의 평소 관심사임을 부각한다.
② ㉡: 발표 내용과 관련하여 청중의 경험을 환기시킨다.
③ ㉢: 청중의 반응이 상황에 맞지 않음을 강조한다.
④ ㉣: 발표 내용에 대한 청중의 이해가 부족함을 지적한다.
⑤ ㉤: 발표 내용과 관련된 청중의 배경 지식을 확인시킨다.

**3.** <보기>는 학급회에서 제시된 의견들이다. 위의 발표 내용을 바탕으로 <보기>를 분석한 것으로 적절하지 <u>않은</u> 것은? [3점]

> < 보 기 >
>
> 학생 1 : 교실을 어지럽히는 사람에게 그에 상응하는 벌점을 부과했으면 합니다. 그러면 벌점 때문에 각자가 행동을 조심하게 될 것입니다.
> 학생 2 : 벌점을 주기보다 교실을 깨끗하게 만드는 데에 기여한 사람을 매주 학급회 시간에 투표로 뽑아, 청소를 일주일 쉬게 하는 등의 혜택을 주는 것이 필요하다고 생각합니다.
> 학생 3 : 매달 환경 미화 심사를 하여 우수 학급에 시상하는 방안을 학교에 제안합시다. 그러면 학생들이 깨끗한 환경을 유지하려고 노력하지 않을까요?

① '학생 1'은 개인의 행동에 합당한 책임을 물어서 문제를 해결하려고 하는군.
② '학생 2'는 교실 환경을 개선하기 위해 적절한 보상을 제공해야 한다고 생각하는군.
③ '학생 3'은 개인이 문제 상황의 심각성을 인식하는 것이 무엇보다 중요하다고 보는군.
④ '학생 2'와 '학생 3'은 개인의 행동에 책임을 묻는 것보다는 그들의 바람직한 행동을 이끌어 내려고 하는군.
⑤ '학생 1', '학생 2', '학생 3' 모두 교실의 환경 문제를 해결해야 한다는 점에는 동의하고 있군.

15회

**[4 ~ 7] (가)는 활동지의 [활동 1]에 따라 학생들이 실시한 독서 토론의 일부이고, (나)는 [활동 2]에 따라 '찬성 1'이 작성한 글의 초고이다. 물음에 답하시오.**

**활동지**

**[활동 1]** 다음의 내용을 바탕으로 토론해 보자.

S.L. 파월의 소설 『50 대 50』에는 열다섯 살의 사춘기 소년 '길'이 등장한다. 부모의 과보호와 간섭에 갑갑함을 느끼던 '길'이 우연히 '주드'라는 형을 만나고, 이를 계기로 동물 실험과 생명 윤리에 대해 관심을 갖는다. '주드'와의 만남이 잦아지면서 '길'은 불치병에 걸린 엄마를 살리기 위해 동물 실험을 하는 아빠와 갈등을 겪는다. 그 과정에서 '길'은 동물 실험이 꼭 필요한 것인지를 고민하게 된다. 그렇다면 여러분들은 동물 실험에 대해서 어떻게 생각하는가?

**[활동 2]** 토론 내용을 참고하여 동물 실험에 대한 자신의 생각을 글로 써 보자.

(가)

**사회자** : 지난 시간에 S.L. 파월의 소설 『50 대 50』을 읽고 각자 느낀 점을 발표했는데, 이번 시간에는 '동물 실험을 중단해야 한다'라는 논제로 토론하겠습니다. 먼저 찬성 측부터 입론을 하신 후 반대 측에서 반대 신문 해 주십시오.

**찬성 1** : 동물 실험은 즉각 중단되어야 합니다. 왜냐하면 동물 실험은 비윤리적인 행위이기 때문입니다. 많은 동물들이 실험 과정에서 인간에 의해 부상을 당하거나 고통 속에서 지내다가 실험이 끝나면 안락사를 당하게 됩니다. 또 안전한 의약품을 개발하기 위해 동물 실험을 한다고 하지만 동물은 인간과 생체 구조가 다르기 때문에 동물 실험으로 개발된 의약품이라 해도 안전을 보장받을 수 없습니다. 동물 실험에서는 별다른 이상이 없었던 약이 사람에게는 치명적인 결과를 초래했던 사건이 많았습니다. 1957년에 독일의 제약회사 그뤼넨탈이 임신부의 입덧을 방지하기 위한 약으로 탈리도마이드를 개발했습니다. 그런데 동물 실험에서는 아무런 이상이 없었지만 당시 이 약을 복용한 여성들은 기형아를 출산했다고 합니다. 따라서 의약품을 개발할 목적으로 동물들을 잔혹하게 희생시키는 일은 결코 용납해서는 안 된다고 생각합니다. [A]

**반대 2** : 인간과 생체 구조가 비슷한 동물들도 있지 않나요?

**찬성 1** : 물론 침팬지나 오랑우탄과 같은 영장류는 인간과 생체 구조가 비슷합니다. 하지만 인간과 생체 구조가 비슷하다고 해서 이 동물들을 실험 대상으로 삼아 개발한 약이 안전하다고 장담할 수는 없습니다.

**사회자** : 이번에는 반대 측에서 입론을 하신 후 찬성 측에서 반대 신문 해 주십시오.

**반대 1** : 동물 실험을 중단해서는 안 된다고 생각합니다. 왜냐하면 동물 실험은 인간의 질병 치료를 위한 신약과 화장품, 샴푸, 방향제 같은 생활용품을 개발하는 데 많은 도움을 주기 때문입니다. 만약 우리가 먹는 약이나 여러 생활용품의 안전성을 동물 실험을 통해 검증하지 않는다면 어떻게 이런 제품을 안심하고 사용할 수 있을까요? 또 동물 실험은 장기 이식 문제 해결에도 도움을 줍니다. 우리 주변에는 장기 기증자를 찾지 못해 죽어가는 사람이 많습니다. 하지만 최근 미국 하버드 대학의 연구 결과에 따르면 돼지 유전자에서 인간에게 부적합한 유전자를 제거하는 데 성공함으로써 동물의 장기를 인간에게 이식할 수 있는 길이 열렸다고 합니다. 이처럼 동물 실험은 질병 치료제나 여러 생활용품 개발뿐만 아니라 장기 이식 문제 해결에도 도움을 주기 때문에 계속되어야 한다고 생각합니다. [B]

**찬성 1** : 동물 실험을 하지 않고도 의약품이나 생활용품의 안전성을 검증할 수 있지 않나요?

**반대 1** : 물론 동물 실험 외에도 배양된 세포나 조직을 활용하거나, 컴퓨터 모의시험 등을 통해 의약품이나 생활용품의 안전성을 검증할 수는 있습니다. 하지만 인공 세포나 조직을 배양하는 것은 비용이 너무 많이 든다는 단점이 있습니다. 또 컴퓨터를 이용한 모의시험이라도 그 독성과 부작용을 완벽하게 검증할 수는 없습니다. 컴퓨터도 어차피 사람이 만든 기계이므로 불완전한 면이 있기 때문입니다. 현재로서는 동물 실험의 효용성을 무시할 수 없으므로 동물 실험은 계속되어야 합니다.

(나)

지난 국어 시간에 친구들과 『50 대 50』을 읽고 토론을 하였다. 토론의 논제는 '동물 실험을 중단해야 한다'였다. 토론에서 나는 동물 실험을 중단해야 한다는 입장에서 내 생각을 친구들에게 명확하게 전달하려고 노력했고, 친구들의 의견에도 열심히 귀를 기울였다. 이번 토론은 평소 동물 실험에 대해 무관심했던 나에게 반성의 기회를 제공해 주었다.

독서 토론이 끝난 후 삼촌께서 근무하시는 △△대학교 수의과대학의 실험실을 방문하였다. 삼촌께서는 동물 실험의 실상을 잘 모르는 나에게 매년 우리나라에서 얼마나 많은 동물들이 희생되는지를 설명해 주셨다. 또 동물들 중에는 마취도 하지 않고 실험 대상이 되는 경우도 많으며, 그런 동물을 볼 때마다 마음이 아프다는 말씀도 해주셨다. 삼촌의 말씀을 듣고 나니 실험용 동물들의 고통을 어느 정도 짐작할 수 있을 것 같았다.

실험실 방문 후 내 생활에도 적지 않은 변화가 생겼다. 나는 우리 지역에 있는 동물 보호 단체의 회원으로 가입하였고, 학교에서도 동물 실험의 실상을 보여 주는 자료를 만들어 친구들에게 나누어 주기도 하였다. 그리고 이번 주말에는 나와 뜻을 같이 하는 친구들과 함께 동물 실험에 반대하는 캠페인에도 참가하기로 하였다. 이러한 활동이 동물들의 소중한 생명을 지키고 나아가 동물과 인간이 평화롭게 공존하는 세상을 만드는 데 도움이 되었으면 좋겠다.

4. (가)의 [A]와 [B]에 대한 이해로 적절한 것은?

① [A] : 전문가의 견해를 인용하여 동물 실험의 위험성을 지적하고 있다.
② [A] : 자신의 직접 경험을 근거로 동물 실험의 안전성에 문제를 제기하고 있다.
③ [B] : 연구 결과를 근거로 제시하여 동물 실험의 정당성을 강조하고 있다.
④ [B] : 설문 조사 결과를 언급하며 동물 실험을 반대하는 입장을 반박하고 있다.
⑤ [B] : 상대측에서 제시한 자료의 신뢰성에 의문을 제기하며 동물 실험의 필요성을 강조하고 있다.

5. <보기>의 자료를 토론에서 활용하고자 할 때, 그 방안으로 가장 적절한 것은?

< 보 기 >

미국 식품의약품국(FDA) 자료에 따르면 인간과 동물이 공유하는 질병은 약 1.16%이고, 동물 실험의 결과와 인간을 대상으로 하는 임상 실험의 결과가 동일하게 나타날 확률은 겨우 8%에 불과하다.

– ○○ 신문 기사에서 –

① 찬성 측에서 동물 실험이 비윤리적으로 진행되고 있음을 입증하는 자료로 활용할 수 있겠군.
② 찬성 측에서 동물 실험을 거친 의약품이라도 안전성을 담보할 수 없다는 주장의 근거로 활용할 수 있겠군.
③ 찬성 측에서 인공 세포를 배양하는 데 비용이 많이 든다는 상대측 주장을 반박하는 자료로 활용할 수 있겠군.
④ 반대 측에서 동물 실험을 통해 편리한 생활용품을 개발할 수 있다는 주장의 근거로 활용할 수 있겠군.
⑤ 반대 측에서 동물 실험의 대상이 된 동물들이 안락사를 당할 수밖에 없는 이유를 설명하는 자료로 활용할 수 있겠군.

6. 다음은 (나)를 작성하기 위한 작문 계획이다. (나)에 반영된 내용으로 적절하지 않은 것은?

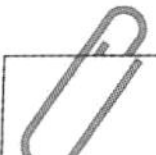

1문단
○ 독서 토론이 나에게 어떤 의미가 있었는지를 언급해야겠어. ······ ①

2문단
○ 대학의 실험실 방문을 통해 새롭게 알게 된 사실을 소개해야겠어. ······ ②
○ 실험용 동물들이 겪는 고통이 동물마다 차이가 있음을 강조해야겠어. ······ ③

3문단
○ 동물 보호를 위해 최근에 내가 했던 활동들을 소개해야겠어. ······ ④
○ 동물 보호와 관련된 나의 바람을 제시하며 글을 마무리해야겠어. ······ ⑤

7. (가)의 토론이 계속 진행된다고 할 때, 이어질 토론의 내용 중 <조건>을 모두 반영한 것은? [3점]

< 조 건 >

○ 동물 실험을 옹호하는 입장을 일부 인정하면서 반론을 시작한다.
○ 동물 실험을 반대하는 이유를 밝힌다.
○ 비유적 표현을 활용한다.

① 아직도 동물 실험을 주장하는 목소리가 곳곳에서 들립니다. 하지만 그들의 희생을 더 이상 방치해서는 안 됩니다. 왜냐하면 동물들은 인간의 영원한 친구이기 때문입니다.
② 화장품의 안전성 검증을 위해 동물 실험이 필요하다는 점은 인정합니다. 하지만 안전성 검증은 얼마든지 다른 방법으로도 가능합니다. 따라서 동물 실험은 지금 당장 멈춰야 합니다.
③ 인류는 오래전부터 동물 실험을 해왔고, 그 결과도 만족할 만합니다. 하지만 동물 실험을 거쳐서 만든 의약품 중 일부에 문제가 있었던 것은 사실입니다. 따라서 동물 실험은 엄격한 통제 하에서 이루어져야 합니다.
④ 동물은 오랫동안 인간의 동반자였습니다. 그런데 인간의 과욕 때문에 소중한 동물들이 지구촌에서 점점 사라지고 있습니다. 지금 당장 동물 실험을 중단하지 않으면 우리는 소중한 동물들을 영원히 볼 수 없을지도 모릅니다.
⑤ 동물 실험의 효용성을 무시할 수는 없다고 생각합니다. 그러나 인간이 동물들과 공존할 때 얻을 수 있는 혜택이 더 크다는 사실을 명심해야 합니다. 따라서 살려 달라고 하소연하는 동물들의 절규가 멈춰질 수 있도록 동물 실험을 중단해야 합니다.

[8 ~ 10] 다음을 읽고 물음에 답하시오.

(가) 초고 작성을 위한 메모

- 예상 독자 : 시청 도로교통 담당자
- 글의 목적 : 안전한 통학로를 확보해 달라고 건의하기
- 글의 주제 : 안전한 통학로를 확보하기 위한 방안 제시
- 글의 자료 : 통학로에서 교통사고를 당한 사례

(나) 글의 초고

안녕하십니까? 저는 □□고등학교 2학년에 재학 중인 홍길동입니다. 제가 이렇게 글을 쓰게 된 이유는 지난주에 우리 학교 앞에서 발생한 교통사고와 관련하여 시청 도로교통 담당자님께 안전한 통학로를 확보하기 위한 방안을 건의하기 위해서입니다.

우리 학교는 통학로가 차도와 인도로 구분되어 있지 않아 위험하고, 그 길마저 불법 주정차된 자동차들로 막혀 있어서 학생들의 보행권 침해가 심각합니다. 지난주에 학교 앞에서 발생한 교통사고도 불법 주차된 자동차 때문에 발생한 것입니다. 이런 식의 교통사고가 몇 년째 ㉠ 되풀이해서 반복되다 보니, 부모님이 직접 자가용으로 자녀들을 학교에 태워주거나 자녀들이 승합차를 이용해 통학하도록 하는 경우가 늘고 있습니다. 그런데 문제는 이런 노력에도 불구하고 교통사고가 계속 일어나고 ㉡ 있다는 것입니다. 더구나 통학 차량의 증가로 학교 주변의 교통이 혼잡해지다 보니, 인근 주민들도 출근길 교통 체증과 관련하여 지속적으로 ㉢ 시청의 민원을 제기하는 상황입니다.

그래서 이 문제를 해결할 수 있는 방안을 세 가지 정도 제안하고자 합니다. 먼저, 통학로에 교통안전시설을 설치하여 차도와 인도를 명확하게 구분하여 주시기 바랍니다. 이러한 근본적인 대책 없이는 학생들의 안전을 보장할 수 없기 때문에, 교통안전시설 설치는 가장 시급하게 처리해야 할 문제라고 생각합니다. 다음으로, 공영 주차장 만드는 일을 적극 검토해 주시기 바랍니다. 학교 주변 지역이 산비탈이다 보니 주차 공간이 부족합니다. 이를 해결하려면 충분한 주차 공간의 확보가 절실합니다. 끝으로, 마을버스 노선을 우리 학교 앞까지 연장해서 운행해 주시기 바랍니다. ㉣ 그리고 출근길 교통 체증도 해결할 수 있어서 인근 주민들의 불편도 해소할 수 있습니다.

안전한 통학로를 확보하는 것은 지역 사회의 문제를 해결하는 방안 중 하나입니다. 그런데 이 문제를 해결하기 위해서는 예산이 필요하기 때문에, 학교나 지역 주민이 자체적으로 해결하기가 어렵습니다. 그래서 시청 도로교통 담당자님의 적극적인 역할이 중요합니다. 부디 ㉤ 안전에 대한 걱정 없이 통학할 수 있도록 많은 관심을 부탁드립니다.

8. (가)를 참고하여 (나)를 분석한 내용으로 적절한 것만을 <보기>에서 찾아 바르게 묶은 것은?

<보 기>

ㄱ. 주제를 강조하기 위해 비유적인 표현을 활용하였다.
ㄴ. 자료의 객관성을 높이기 위해 통계 자료를 제시하였다.
ㄷ. 예상 독자의 관심을 끌기 위해 통학로의 실태를 제시하였다.
ㄹ. 글의 목적을 달성하기 위해 통학로에서 발생한 교통사고를 언급하였다.

① ㄱ, ㄴ ② ㄱ, ㄷ ③ ㄴ, ㄷ ④ ㄴ, ㄹ ⑤ ㄷ, ㄹ

9. <자료>를 활용하여 (나)를 보완하기 위한 방안으로 적절하지 <u>않은</u> 것은?

<자 료>

[A] 학부모 인터뷰

"아이를 학교에 보낼 때마다 통학로가 위험해 늘 걱정이에요. 승합차를 태우려니 경제적인 부담이 생기고, 아이를 직접 학교에 태워다 주려니 출근 시간이 빠듯합니다."

[B] 신문 기사

스쿨존(School Zone)은 어린이들을 교통사고의 위험으로부터 보호하기 위해 유치원과 초등학교 주변에 설정한 특별보호구역이다. 그런데 최근 통학로에서 중·고등학생들의 교통사고가 잇따라 발생하자, 도로교통 담당 부서에 스쿨존을 확대해 달라는 민원이 제기되고 있다.

[C] 교통 잡지

아래의 표를 보면 교통안전시설 설치가 필요함을 알 수 있다. 도로교통 담당 부서에서는 교통안전시설을 마련하여 통학로 교통사고가 발생하지 않도록 대비해야 한다.

| 교통안전시설 | 설치(50곳) | 미설치(250곳) |
|---|---|---|
| 교통사고 건수 | 1건 | 40건 |

<통학로에서 발생한 교통사고 통계 자료(작년 △△시 기준)>

① [A]를 활용하여 안전하지 못한 통학로 때문에 학부모의 부담이 늘었음을 구체적으로 제시해야겠어.
② [B]를 활용하여 스쿨존의 적용 범위를 고등학교까지 확대해 달라는 내용을 해결 방안에 추가해야겠어.
③ [C]를 활용하여 교통안전시설 설치가 문제 해결의 방안이 될 수 있다는 근거 자료로 삼아야겠어.
④ [A]와 [B]를 활용하여 통학로 안전에 대한 불만이 학교에 대한 불신으로 이어지고 있음을 강조해야겠어.
⑤ [B]와 [C]를 활용하여 안전한 통학로를 조성하기 위해서는 예상 독자의 역할이 중요함을 강조해야겠어.

10. (나)의 ㉠ ~ ㉤에 대한 점검 결과와 수정 방안으로 적절하지 <u>않은</u> 것은?

| | 점검 결과 | | 수정 방안 |
|---|---|---|---|
| ① | ㉠ : 이어지는 단어와 의미가 중복된다. | → | '되풀이해서'를 삭제한다. |
| ② | ㉡ : 주어와 서술어의 호응이 어색하다. | → | '있습니다.'로 고친다. |
| ③ | ㉢ : 조사의 쓰임이 부적절하다. | → | '시청에'로 고친다. |
| ④ | ㉣ : 접속어의 사용이 부자연스럽다. | → | '그러면'으로 바꾼다. |
| ⑤ | ㉤ : 필요한 문장성분이 빠졌다. | → | '학생들이'를 첨가한다. |

[11 ~ 12] 다음 글을 읽고 물음에 답하시오.

현대 국어와 중세 국어는 문법적으로 많은 차이가 있는데, 격 조사의 차이도 그중 하나이다. 현대 국어에서는 주격 조사로 '이 / 가'를, 목적격 조사로 '을 / 를'을, 관형격 조사로 '의'를 사용하고 있지만, 중세 국어에서는 음운 환경에 따라 주격 조사, 목적격 조사, 관형격 조사가 오늘날보다 다양하게 사용되었다.

먼저 주격 조사는 '이'만 사용하였는데, 이때 '이'는 음운 환경에 따라 그 형태가 조금씩 달랐다. 앞말이 자음으로 끝나면 '이'를 썼지만, 'ㅣ'를 제외한 모음으로 끝나면 'ㅣ'를 붙여 썼고, 'ㅣ'로 끝나면 주격 조사를 표기하지 않았다. 예를 들어, '사룸'에는 '이'가 붙고, '부텨'에는 'ㅣ'가 붙는다. 그러나 '비'와 같은 경우에는 따로 주격 조사를 붙이지 않는다.

다음으로 목적격 조사는 '올 / 을 / 롤 / 를'을 사용하였다. 앞말이 자음으로 끝날 경우 '올 / 을', 모음으로 끝날 경우 '롤 / 를'로 표기하였다. 또 앞말의 모음이 양성 모음이면 '올 / 롤'로, 음성 모음이면 '을 / 를'로 표기하였다. 각각의 상황을 예로 들면, 'ᄆᆞᅀᆞᆷ'에는 '올'이, '구름'에는 '을'이, '나'에는 '롤'이, '너'에는 '를'이 붙는다.

[A] 끝으로 관형격 조사는 단어의 의미와 음운 환경에 따라 '익 / 의'와 'ㅅ'을 사용하였다. '익 / 의'는 앞에 오는 명사가 사람이나 동물일 때 사용하였는데, 앞말의 모음이 양성 모음일 때는 '익'를, 음성 모음일 때는 '의'를 사용하였다. 'ㅅ'은 앞에 오는 명사가 사람이면서 높임의 대상이거나, 사람도 아니고 동물도 아닐 때 사용하였다. 예를 들어, '놈'은 사람이고 'ㆍ(아래아)'가 양성 모음이기 때문에 '익'가 붙고, '벌'은 동물이고 'ㅓ'가 음성 모음이기 때문에 '의'가 붙는다. 반면에 '부텨'는 사람이면서 높임의 대상이기 때문에 'ㅅ'이 붙는다.

11. 윗글에 대한 이해로 적절하지 않은 것은?

① 현대 국어의 주격 조사 중에는 중세 국어에서 사용하지 않았던 것이 있다.
② 중세 국어에는 음운 환경에 따라 주격 조사를 표기하지 않는 경우도 있었다.
③ 현대 국어보다 중세 국어에서 사용된 목적격 조사의 형태가 더 다양하였다.
④ 중세 국어에서 앞말이 모음으로 끝나면 예외 없이 주격 조사 'ㅣ'가 사용되었다.
⑤ 중세 국어에서 앞말의 모음이 양성 모음이고 자음으로 끝나면 목적격 조사로 '올'을 사용하였다.

12. [A]를 참고할 때, <보기>의 ㉠과 ㉡에 들어갈 조사로 적절한 것은?

< 보 기 >

[중세 국어] 거붑 + ㉠ 터리 곧고
[현대 국어] 거북의 털과 같고

[중세 국어] 하놀 + ㉡ 光明이 믄득 번ᄒᆞ거늘
[현대 국어] 하늘의 광명이 문득 훤하거늘

| | ㉠ | ㉡ |
|---|---|---|
| ① | 의 | ㅅ |
| ② | 익 | 익 |
| ③ | 의 | 익 |
| ④ | 익 | ㅅ |
| ⑤ | 의 | 의 |

13. <보기>의 '표준 발음법'을 바르게 적용하지 못한 것은?

< 보 기 >

**제10항** 겹받침 'ㄳ', 'ㄵ', 'ㄼ, ㄽ, ㄾ', 'ㅄ'은 어말 또는 자음 앞에서 각각 [ㄱ, ㄴ, ㄹ, ㅂ]으로 발음한다. 다만, '밟-'은 자음 앞에서 [밥]으로 발음한다.

**제11항** 겹받침 'ㄺ, ㄻ, ㄿ'은 어말 또는 자음 앞에서 각각 [ㄱ, ㅁ, ㅂ]으로 발음한다. 다만, 용언의 어간 말음 'ㄺ'은 'ㄱ' 앞에서 [ㄹ]로 발음한다.

**제14항** 겹받침이 모음으로 시작된 조사나 어미, 접미사와 결합되는 경우에는, 뒤엣것만을 뒤 음절 첫소리로 옮겨 발음한다.(이 경우, 'ㅅ'은 된소리로 발음함.)

① '넓지'는 제10항에 의거하여 [널찌]로 발음해야겠군.
② '옮겨'는 제11항에 의거하여 [옴겨]로 발음해야겠군.
③ '읽고'는 제11항에 의거하여 [일꼬]로 발음해야겠군.
④ '값이'는 제14항에 의거하여 [갑시]로 발음해야겠군.
⑤ '훑어'는 제14항에 의거하여 [훌터]로 발음해야겠군.

15회

14. <보기>의 (가)~(다)에 대한 설명으로 적절하지 않은 것은? [3점]

<보 기>

겹문장 속에서 하나의 '주어+서술어' 관계가 이루어진 부분을 '절'이라고 한다. '절'은 전체 문장의 한 성분으로 안기거나 서로 이어지거나 한다.

(가) 봄이 오면(㉠) 꽃이 핀다(㉡).

(나) 눈이 내린(㉢) 마을은 고요했다(㉣).

(다) 나는 그가 왔음을(㉤) 몰랐다.

① (가)에서 ㉠과 ㉡의 위치를 바꾸면 의미가 달라진다.
② (나)에서 ㉢은 ㉣의 주어를 꾸며 주는 역할을 한다.
③ (다)의 ㉤을 생략하면 전체 문장의 의미가 불완전해진다.
④ (나)와 달리 (다)는 절이 전체 문장의 한 성분으로 안겨 있다.
⑤ (가), (나), (다)는 모두 '주어+서술어' 관계가 두 번 나타난다.

15. <보기>의 ㉠~㉤에 들어갈 예문으로 적절하지 않은 것은?

<보 기>

**바치다** 동
① 반드시 내거나 물어야 할 돈을 가져다주다. ¶ ㉠

**받치다[1]** 동
① 화 따위의 심리적 작용이 강하게 일어나다. ¶ ㉡

**받치다[2]** 동
① 어떤 물건의 밑이나 안에 다른 물건을 대다. ¶ ㉢
② 어떤 일을 잘 할 수 있도록 뒷받침해 주다. ¶ ㉣

**밭치다** 동
① 건더기와 액체가 섞인 것을 거르기 장치에 따라서 액체만을 따로 받아 내다. ¶ ㉤

① ㉠: 매년 국가에 성실하게 세금을 바치고 있다.
② ㉡: 그는 설움에 받쳐서 끝내 울음을 터뜨렸다.
③ ㉢: 그녀는 쟁반에 음료수 잔을 받치고 걸어갔다.
④ ㉣: 그가 우산을 받쳐 들고 거리를 거닐고 있다.
⑤ ㉤: 어머니께서 멸치젓을 체에 밭쳐 놓았다.

**[16 ~ 20] 다음 글을 읽고 물음에 답하시오.**

정조 임금이 애초 10년을 잡았던 수원 화성의 ⓐ공사를 2년 7개월 만에 끝낼 수 있었던 까닭은 무엇일까? 그것은 정약용이 발명한 '유형거(游衡車)'라는 특별한 수레 덕분이었다. 『화성성역의궤』의 기록에 따르면 성을 쌓는 돌을 운반할 때 유형거를 이용함으로써 공사 기간을 단축하고 비용도 크게 절약할 수 있었다고 한다.

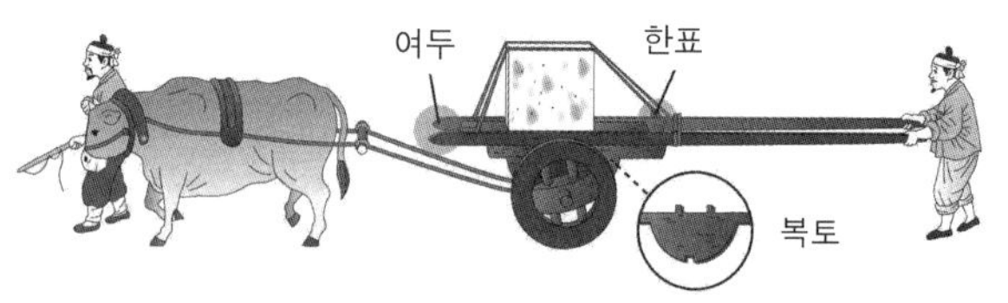


그렇다면 기존의 수레에 비해 유형거가 공학적으로 높은 평가를 받는 까닭은 무엇일까? 첫째, 여느 수레는 짐을 나르는 ⓑ기능에만 치우쳐 있는 것에 비해, 유형거는 짐을 쉽게 운반할 수 있을 뿐만 아니라 짐을 싣는 작업도 지렛대의 원리를 반영하여 쉽게 할 수 있도록 설계되었다. 유형거는 무게를 견디고 분산시키는 바퀴와 복토, 짐을 싣는 곳인 차상, 수레 손잡이, 여두 등으로 이루어져 있다. 돌부리에 찔러 넣어 돌을 들어 올리는 여두(輿頭)는 소 혀와 같은 모양으로 만들어 돌을 쉽게 올려놓을 수 있도록 하였고, 수레 손잡이는 끝부분을 점점 가늘고 둥글게 하여 손으로 쉽게 조작하도록 하였다. 이 손잡이 부분을 잡고 올리면 여두가 낮아져 돌을 쉽게 차상에 올려놓을 수 있고, 다시 손잡이를 내리면 돌이 손잡이 쪽으로 미끄러지게 된다.

[A] 둘째, 유형거는 소에서 얻는 주동력 외에 보조 동력을 더할 수 있었다. 이는 수레가 흔들림에 따라 싣고 있는 돌이 차상 위에서 앞뒤로 움직이는 것을 이용한 것으로, 바퀴 축과 차상 사이에 설치한 '복토(伏兎)'라는 반원형의 장치 덕분이다. 상식적으로는 복토로 인해 짐을 싣는 부분이 높아져 수레가 흔들리는 만큼 무게 중심도 계속 변화하여 수레를 안정적으로 ⓒ운용하기 어렵다. 그럼에도 복토를 설치함으로써 얻을 수 있는 보조 동력을 정약용은 놓치지 않았던 것이다. 즉, 유형거가 움직일 때 수레 손잡이를 들어 올리면 돌은 정지 마찰력을 극복하고 견인줄에 의해 멈출 때까지 수레의 진행 방향으로 여두 부근까지 미끄러지는데, 이때 생긴 에너지는 수레에 추진력을 더한다. 그리고 수레 손잡이를 내리면 이번에는 돌이 다시 수레의 진행 방향 반대쪽으로 미끄러지다가 한표(限表)라고 하는 조그만 나무토막에 걸려 멈추게 되는데, 이때 발생하는 에너지는 수레가 나아가는 것을 방해한다. 하지만 바퀴 축을 중심으로 보았을 때 여두까지의 거리가 길고 한표까지의 거리는 짧은 것을 생각하면, 추진력에 비해 나아가는 것을 방해하는 힘은 작으므로 결국 수레를 운전하는 ⓓ입장에서는 그만큼 보조 동력을 얻는 셈이다. 실제 『화성성역의궤』에서도 1치(약 3㎝)쯤 물러섰다가 1자(약 30㎝) 정도 앞으로 나아간다고 밝히고 있다.

셋째, 유형거는 손잡이의 조작으로 수레에 가해지는 충격을 완화시킬 수 있었다. 기존의 수레는 거친 길을 달리면서 받는 충격을 완화하기가 힘들었으나, 유형거는 수레를 운용하는 사람이 손에 익은 경험을 통해 유형거가 받는 충격을 감지하고 그 힘을 상쇄하기 위하여 손잡이를 ⓔ조작하는 방식으로 완충 제어를 하였다. 언덕을 오를 때는 손잡이를 올리고 내려갈 때는 손잡이를 내림으로써 수레가 앞뒤로 흔들거리며 진동하는 현상을 제어하는 것이다. 마찬가지로 왼쪽으로 돌 때에는 왼쪽이 올라가므로 왼쪽 손잡이를 누른다. 또 갑자기 출발할 때는 손잡이를 올리고, 갑자기 정지할 때는 손잡이를 내리는 등 사람의 능동적인 손잡이 조작에 의해 좀더 안정적으로 수레를 운용할 수 있게 된 것이다.

이상으로 볼 때 유형거는 단순한 수레라고 할 수 없다. 유형거는 편리하게 짐을 실을 수 있는 지게차이자 운행 중 덤으로 얻을 수 있는 보조 동력까지 갖추고, 불안정한 수레의 움직임을 보다 안정적으로 제어할 수 있는 완충 장치까지 갖춘 위대한 발명품이었다.

16. 윗글의 표제와 부제로 가장 적절한 것은?

① 유형거의 우수성
　– 구조적 특징 분석을 중심으로
② 유형거의 미학적 특성
　– 복토의 운용상 장점을 중심으로
③ 효과적인 운반 수단이 된 유형거
　– 실제 운용한 사람의 경험을 중심으로
④ 수레 발달의 역사
　– 기존 수레와 유형거의 차이를 중심으로
⑤ 유형거의 변화 과정
　– 유형거의 장단점과 작동 원리를 중심으로

17. <보기>를 활용하여 '유형거'에 대해 이해한 내용으로 적절하지 않은 것은? [3점]

< 보 기 >

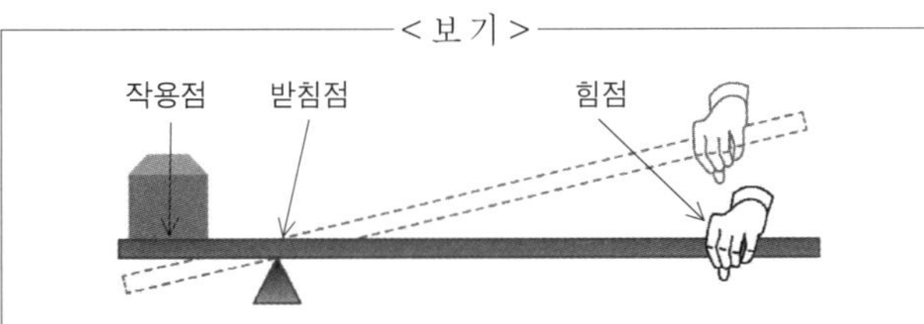


※ 지렛대에서 힘점과 받침점 사이가 멀수록, 작용점과 받침점 사이가 가까울수록 힘점에 가하는 힘이 작아도 작용점에 작용하는 힘은 커진다.

① 수레 손잡이 쪽에 한표를 두어 힘점에 가해지는 힘을 늘리려 했겠군.
② 손잡이는 되도록 길게 만들어 작용점에 더 큰 힘이 작용하도록 의도했겠군.
③ 여두와 바퀴 축의 거리를 가깝게 만들어 작은 힘으로도 무거운 돌을 싣도록 했겠군.
④ 여두를 특수한 형태로 만들어 작용점에 작용하는 힘이 더 효과적으로 전달되도록 했겠군.
⑤ 유형거의 여두는 작용점으로, 바퀴 축은 받침점으로, 손잡이는 힘점으로 기능하도록 설계했겠군.

18. [A]를 참고하여 <보기>를 이해한 내용으로 적절하지 않은 것은?

< 보 기 >

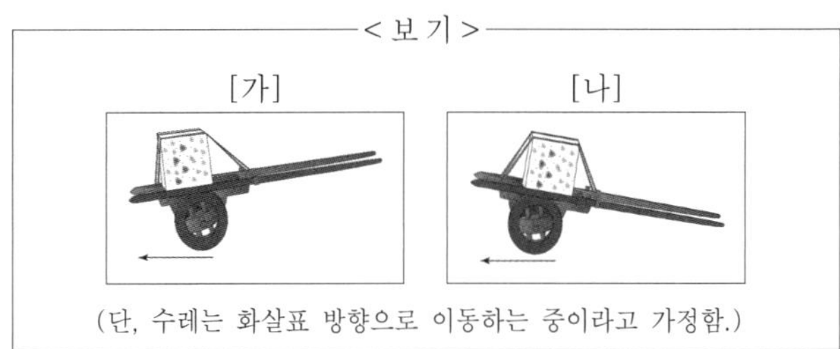


(단, 수레는 화살표 방향으로 이동하는 중이라고 가정함.)

① [가]에서 돌은 수레 진행 방향으로 미끄러지며 추진력을 만들어 낼 것이다.
② [나]에서 돌은 수레 진행 역방향으로 미끄러지고, 힘도 역방향으로 더해질 것이다.
③ [가], [나] 과정을 거치는 동안 수레의 무게 중심은 변화가 없을 것이다.
④ [가], [나] 과정에서 돌이 미끄러지는 까닭은 정지 마찰력을 극복하였기 때문일 것이다.
⑤ [가], [나] 과정을 반복한다면 수레는 운행 중 보조 동력을 꾸준히 얻을 수 있을 것이다.

19. 윗글을 바탕으로 다음 질문에 답하고자 할 때, ㉠~㉢에 들어갈 말로 적절한 것은?

<교사의 질문> 유형거가 평지에서 급출발을 하여 언덕길을 오른 후 갈림길에서 오른쪽으로 돌았다고 할 때, 사람은 유형거의 손잡이를 어떻게 제어해야 할까요?

<학생의 답변> 급출발 시에 손잡이를 올리고, 언덕길에서 손잡이를 ( ㉠ ), 갈림길에서 ( ㉡ ) 손잡이를 ( ㉢ ) 합니다.

| | ㉠ | ㉡ | ㉢ |
|---|---|---|---|
| ① | 올린 후 | 오른쪽 | 눌러야 |
| ② | 올린 후 | 오른쪽 | 올려야 |
| ③ | 올린 후 | 왼쪽 | 눌러야 |
| ④ | 내린 후 | 오른쪽 | 눌러야 |
| ⑤ | 내린 후 | 왼쪽 | 올려야 |

20. 문맥을 고려할 때, 밑줄 친 말이 ⓐ~ⓔ의 동음이의어가 아닌 것은?

① ⓐ: 정부는 자국 공사(公使)를 소환하려 하였다.
② ⓑ: 그는 나무를 깎는 기능(技能)을 연마하였다.
③ ⓒ: 지구의 자원을 효율적으로 운용(運用)해야 한다.
④ ⓓ: 경기장 입구는 입장(入場)하는 사람들로 북새통이다.
⑤ ⓔ: 사건을 조작(造作)하여 여론을 유리하게 돌리려 했다.

15회

[21 ~ 24] 다음 글을 읽고 물음에 답하시오.

경업은 도임한 뒤로 군대의 형편을 살피고 병사들을 훈련시켰는데, 달아난 호국 장수들이 다시 돌아와 염탐했다. 이것을 안 경업은 크게 노하여 군대를 내어

"되놈들을 잡아들이라!"

외치니, 군사들이 호국 군대의 진을 무너뜨리고 남은 호병들을 잡아왔다. 경업이 호병들을 크게 꾸짖으며 말했다.

[A] "내 몇 년 전 가달 왕에게 항복받고 너희 나라를 지켜 주었을 때, 너희는 은덕을 잊지 않겠다며 만세불망비도 세우지 않았더냐? 그걸 벌써 잊고 도리어 천조를 배반하고 우리나라를 침범코자 하니, 너희 같은 무리는 마땅히 죽여 분을 씻을 것이로다. 다만 너희를 불쌍히 여겨 용서하여 돌려보내니, 빨리 돌아가 너희 땅을 지키고 다시 분수에 넘치는 짓은 생각도 하지 말라. 만일 다시 두 마음을 먹으면 그때는 한 놈도 남기지 않고 다 죽여 없앨 것이다."

경업이 포로들을 끌어 내치니, 호병들이 쥐 숨듯 자기 진영으로 돌아가 대장과 군졸들에게 일의 전말을 보고했다. 이를 들은 호국 장수들이 크게 분개했다.

"임경업이 교묘한 말로 우리 호국을 욕되게 하고 병사들의 마음을 흔드는구나. 내 맹세코 경업을 죽여 오늘의 수치를 씻으리라."

호국 장수는 곧바로 정예 병사 7천 명을 뽑아 조선으로 향했다. 군사들이 압록강에 이르러 강을 사이에 두고 진을 치더니, 호국 장수가 강 건너 조선 군사들을 향해 외쳤다.

"조선국 의주 부윤 임경업은 들으라. 너는 한갓 어린아이로서 어찌 간사한 말로 병사들의 마음을 요동케 하느냐? 네가 재주가 있거든 나의 철퇴를 막아 보아라. 죽기가 두렵거든 항복하여 목숨을 아끼거라."

이 말을 경업이 듣고 크게 분노해 급히 배를 띄워 물을 건넜다. 경업이 말에 올라 청룡검을 비껴들고 호국 진영에 달려들어 거칠 것 없이 좌우로 칼을 휘두르니, 적병들의 머리가 가을바람에 낙엽 날리듯 떨어졌다. 호국 군사들이 감히 맞서지 못해 급히 달아나니, 이때 서로 짓밟으며 물에 빠져 죽는 자를 헤아릴 수 없었다.

경업이 홀로 출전하여 적진을 쑥대밭으로 만든 뒤 돌아와 승전고를 울리니 군사들의 사기가 하늘을 찌를 듯 올랐다. 의주 군졸들이 장군의 용맹을 감탄해 서로 즐거워하며 노래를 불렀다. 다음 날 새벽이 되자 압록강 가에는 적군의 시체가 흘러 산같이 쌓였고, 피는 흘러 내를 이루었다.

적병이 돌아가 호국 왕에게 패한 까닭을 보고하니, 왕이 몹시 분개해 다시 군대를 일으켜 원수 갚을 일을 의논했다. 경업이 의주 감영으로 돌아와 승전한 일을 조정에 보고하니, 임금이 보고 크게 기뻐했다. 경업은 머지않아 호국이 다시 침범하지 않을까 근심했는데, 조정의 신하들은 전혀 그런 염려를 하지 않았다.

이때 호국 왕은 경업에게 패한 뒤로 분한 기분을 참지 못하더니, 다시 장수들을 모아 조선을 침공할 준비를 했다.

"여기서 의주까지 가려면 며칠이나 걸리는가?"

호왕의 말에 좌우에서 말했다.

"열하루 길입니다. 다만 국경의 한쪽은 갈대 수풀이요, 다른 한쪽은 압록강이 가로막고 있으니, 강을 건너 기마군으로 승부하고자 하면 수만 군졸이 진을 칠 곳이 없고, 또 자칫 군사가 패하면 물러날 곳이 없습니다. 기이한 계교를 내어 경업을 먼저 깬 뒤에야 군사를 내는 게 좋을까 하나이다."

장수들의 의논을 들은 호왕이 이를 옳게 여겨 용골대 장군을 선봉장으로 삼고 지시했다.

"너는 수만 명 군사를 거느려 배를 띄워라. 가만히 황해를 건너 조선을 치면 미처 군대를 움직이지 못할 것이다. 이 일은 의주에서도 알지 못할 것이니, 그 사이에 한양을 급습하면 항복받기가 손바닥 뒤집는 것보다 쉬울 것이다. 하물며 이 일을 성공하면 당연히 경업도 사로잡지 않겠느냐?"

용골대가 명령을 받고 군사를 뽑아 훈련을 시작했다.

< 중략 >

용골대는 백성의 집을 헐어 얻은 나무 기둥들로 뗏목을 엮어 강화도로 침입했는데, 강화 유수 김경징은 술만 마시고 누워 있다가 갑자기 들이닥친 호국군에 꼼짝없이 당했다. 왕대비와 세자, 대군을 포로로 잡은 용골대는 송파 들판에 진을 치고 큰 소리로,

"어서 빨리 항복하지 아니하면 왕대비와 세자, 대군을 가만두지 않겠다."

라며 으름장을 부렸다.

이때 임금은 모든 대신과 병사를 거느리고 남한산성에서 외로이 성을 지키면서 눈물만 비 오듯 흘릴 뿐이었다. 도원수 김자점은 달리 방법도 없이 성문 밖에 진을 치고 방어만 하고 있었는데, 호병들의 북소리에 놀라 진이 무너지며 군사들이 무수히 죽었다. 어쩔 수 없이 소수의 군사만 산성 밖에 남기고 산성 안으로 들어와 지켰지만, 군량미도 바닥나서 어찌할 방법이 없었다. 이때 용골대가 큰 소리로 외쳤다.

[B] "너희가 끝내 항복하지 아니하면 우리는 여기서 겨울을 나고 여름 보리를 지어 먹고 있을 테다. 너희는 무엇을 먹고 살려 하느냐? 어서 빨리 나와 항복하여라."

용골대가 산봉우리에 올라 산성을 굽어보며 외치는 소리가 산을 울리니, 임금이 듣고는 하늘을 보고 통곡하며 말했다.

㉮ <u>"안에는 훌륭한 장수가 없고 밖에는 강적이 있으니 외로운 산성을 어찌 보전하며, 또한 양식이 다 떨어졌으니 이는 하늘이 나를 망하게 하려 하심이라."</u>

임금이 대신들과 항복할 것을 의논하니, 한 신하가 말했다.

"대왕마마! 왕대비와 세자, 대군이 다 적진에 계시니 나라에 이런 망극한 일이 어디 있겠습니까? 빨리 항복하시어 왕대비와 세자, 대군을 구하시며, 사직을 보전하심이 마땅할까 하나이다."

이 말을 듣고 한 신하가 앞에 나와 말했다.

"옛말에 일렀으되, 차라리 닭의 머리가 될지언정 쇠꼬리는 될 수 없다 했사오니, 어찌 오랑캐에게 무릎을 꿇어 욕을 당하리이까? 죽기를 무릅쓰고 성을 지키면 임경업이 소식을 듣고 마땅히 올라와 오랑캐를 물리치고 적장의 항복을 받을 것이옵니다. 그러면 대왕마마께서는 자연히 욕을 면할 것입니다."

"경들은 답답한 소리를 하지 말라. 길이 막혀 사람을 보낼 수 없으니 경업이 어찌 이 사정을 알겠는가? 지금 사정이 이렇듯 급한데 아무리 생각해도 항복하는 수밖에 다른 묘책이 없으니 경들은 입을 다물라."

임금이 이 말을 하고 하늘을 우러러 통곡하니 산천초목이 다 슬퍼하는 듯했다.

– 작자 미상, 「임경업전」 –

21. 윗글의 공간을 <보기>와 같이 도식화하였을 때, 이를 바탕으로 윗글을 이해한 내용으로 적절하지 않은 것은?

< 보 기 >

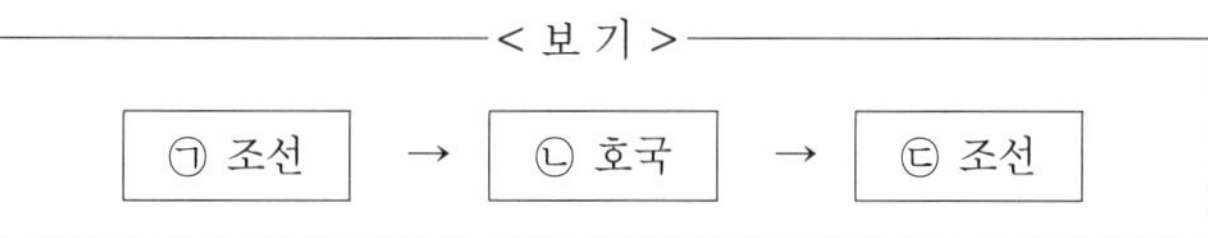


① ㉠에서 임경업은 호국 장수들이 아군을 염탐한 사실을 알고 크게 분노한다.
② ㉠에서 임경업과 달리 조정의 신하들은 호국이 다시 침범할 것이라는 염려를 하지 않는다.
③ ㉡에서 호국 왕은 임경업과의 직접적인 대결을 피해 한양을 급습하는 계교를 꾸민다.
④ ㉢에서 신하들은 호국의 침략을 받게 된 것에 대해 임경업에게 그 책임을 묻고자 한다.
⑤ ㉢에서 임경업이 남한산성의 상황을 아는 것이 불가능하다고 판단한 임금은 항복할 것을 결심한다.

22. [A]와 [B]에 나타난 인물의 말하기에 대한 설명으로 가장 적절한 것은?

① [A]는 [B]와 달리 상대방의 불리한 상황을 지적하며 회유하고 있다.
② [B]는 [A]와 달리 자신의 속마음을 감춘 채 질문을 통해 사실을 확인하고 있다.
③ [A]는 자신의 능력을 과시하고 있고, [B]는 상대방의 행동을 과대평가하고 있다.
④ [A]와 [B]는 모두 수용하기 어려운 일을 요구하며 상대방을 시험하고 있다.
⑤ [A]와 [B]는 모두 자신의 주장을 강력히 드러내어 상대방의 행동 변화를 유도하고 있다.

23. ㉮의 상황을 드러내기에 가장 적절한 것은?

① 사면초가(四面楚歌)
② 수구초심(首丘初心)
③ 오월동주(吳越同舟)
④ 이심전심(以心傳心)
⑤ 호가호위(狐假虎威)

24. <보기>를 바탕으로 윗글을 감상한 내용으로 적절하지 않은 것은? [3점]

< 보 기 >

임경업은 인조 때 중국에까지 이름이 알려진 장수로서 의주에 주둔하며 청의 주요한 공격로를 수비하였다. 그러나 현실보다 명분에 집착했던 조정은 병자호란 당시 청나라 군대에 무력하게 패배할 수밖에 없었고, 이후 강력한 실권자였던 김자점에 의해 임경업은 죽임을 당하게 된다. 「임경업전」은 이러한 임경업의 생애를 바탕으로, 좌절된 영웅에 대한 안타까움과 지배 계층에 대한 분노, 청나라에 대한 우리 민족의 자부심 등을 드러낸 작품이다.

① 의주 부윤 임경업의 활약은 실존 인물의 명성을 바탕으로 한 것이로군.
② 단숨에 호국 진영을 제압하는 임경업의 모습을 통해 민족적 자부심을 고취시키려 하였군.
③ 임경업이 용골대의 침략에 자신의 능력을 발휘할 기회조차 갖지 못한 것에 대해 민중들이 안타까움을 느꼈겠군.
④ 강력한 실권자였던 김자점을 호국의 침입에 무기력하게 대응한 인물로 형상화하여 지배 계층에 대한 분노를 드러내고 있군.
⑤ 조선과 호국에서 임경업의 능력에 대해 상반된 평가를 내린 데는 명분만 중시하던 조선 사회에 대한 비판이 함축되어 있군.

**[25 ~ 28] 다음 글을 읽고 물음에 답하시오.**

(가)

우리는 시를 통해 삶 속의 다양한 인물들을 만날 수 있다. 그중에는 특정 시대나 사회, 혹은 특정 계층을 대표할 만한 인물들이 있는데, 이런 인물을 '전형적 인물'이라고 한다. 시 속 전형적 인물은 두 가지 양상으로 드러난다. 어떤 시에서는 화자 자신이 전형적 인물이 되기도 하고, 또 어떤 시에서는 화자가 관찰한 대상이 전형적 인물이 되기도 한다. 전자는 화자가 체험한 현실을 자신의 생생한 목소리로 직접 전달할 수 있고, 후자는 시적 대상이 처한 현실과 그의 정서를 관찰자적 입장에서 객관적으로 담아낼 수 있다.

또한 시는 전형적 인물이 처해 있는 상황을 통해 현실을 보다 구체적으로 보여줄 수 있다. 일제 강점기의 상황을 보여 줄 수도 있고, 산업화와 도시화로 인해 피폐해진 농촌의 상황을 보여 줄 수도 있다. 따라서 독자는 전형적 인물이 어떤 상황에 놓여 있으며, 그 상황을 어떻게 인식하고 그에 어떻게 대응하는지를 면밀히 살펴야 한다.

(나)

흐르는 것이 물뿐이랴
우리가 저와 같아서
강변에 나가 삽을 씻으며
거기 슬픔도 퍼다 버린다
일이 끝나 저물어
스스로 깊어 가는 강을 보며
쭈그려 앉아 담배나 피우고
나는 돌아갈 뿐이다
삽자루에 맡긴 한 생애가
이렇게 저물고, 저물어서
샛강 바닥 썩은 물에
달이 뜨는구나
우리가 저와 같아서
흐르는 물에 삽을 씻고
먹을 것 없는 사람들의 마을로
다시 어두워 돌아가야 한다

– 정희성, 「저문 강에 삽을 씻고」 –

(다)

저 지붕 아래 제비집 너무도 작아
갓 태어난 새끼들만으로 가득 차고
어미는 둥지를 날개로 덮은 채 간신히 잠들었습니다
바로 그 옆에 누가 박아 놓았을까요, 못 하나
그 못이 아니었다면
아비는 어디서 밤을 지냈을까요
못 위에 앉아 밤새 꾸벅거리는 제비를
눈이 뜨겁도록 올려다 봅니다
종암동 버스 정류장, ㉠ <u>흙바람</u>은 불어오고
한 사내가 아이 셋을 데리고 마중 나온 모습
수많은 버스를 보내고 나서야
피곤에 지친 한 여자가 내리고, 그 창백함 때문에
반쪽 난 달빛은 또 얼마나 창백했던가요
아이들은 달려가 엄마의 옷자락을 잡고
제자리에 선 채 ㉡ <u>달빛</u>을 좀 더 바라보던
사내의, 그 마음을 오늘 밤은 알 것도 같습니다
실업의 호주머니에서 만져지던
때 묻은 ㉢ <u>호두알</u>은 쉽게 깨어지지 않고
그럴듯한 집 한 채 짓는 대신
못 하나 위에서 견디는 것으로 살아온 아비,
거리에선 아직도 흙바람이 몰려오나 봐요
돌아오는 길 희미한 달빛은 그런대로
식구들의 손잡은 그림자를 만들어 주기도 했지만
그러기엔 ㉣ <u>골목</u>이 너무 좁았고
늘 한 걸음 늦게 따라오던 아버지의 ㉤ <u>그림자</u>
그 꾸벅거림을 기억나게 하는
못 하나, 그 위의 잠

– 나희덕, 「못 위의 잠」 –

25. (가)를 바탕으로 (나)와 (다)를 이해한 내용으로 가장 적절한 것은?

① (나)는 화자가 전형적 인물이 되어, (다)는 화자가 전형적 인물을 관찰하여 현실을 드러내고 있다.
② (나)는 화자가 전형적 인물을 관찰하여, (다)는 화자가 전형적 인물이 되어 현실을 드러내고 있다.
③ (나)와 (다) 모두 화자가 전형적 인물을 관찰하여 보여 주는 방식으로 현실을 담아내고 있다.
④ (나)와 (다) 모두 화자가 전형적 인물이 되어 정서를 직접 표출하는 방식으로 현실을 보여 주고 있다.
⑤ (나)와 (다) 모두 전형적 인물이 처해 있는 구체적인 시대 상황을 부각하는 방식으로 현실을 반영하고 있다.

26. (가)를 바탕으로 (나)를 감상한 내용으로 적절하지 <u>않은</u> 것은?

① '슬픔도 퍼다 버리'는 모습에서 현실에 대한 고뇌를 덜어내려는 마음을 읽을 수 있군.
② '쭈그려 앉아 담배나 피우'는 모습에서 현실에 대한 소극적인 대응 태도를 엿볼 수 있군.
③ '샛강 바닥 썩은 물'에서 인물이 부정적인 상황에 처해 있음을 확인할 수 있군.
④ '먹을 것 없는 사람들의 마을'에서 인물과 유사한 상황에 놓인 사람들이 적지 않음을 알 수 있군.
⑤ '다시 어두워 돌아가야 한다'에서 반복되는 일상을 극복하려는 의지를 느낄 수 있군.

27. (나)와 (다)의 공통점으로 가장 적절한 것은?

① 접속어로 시상을 전환하여 시적 의미를 확대한다.
② 반어적 표현을 사용하여 인물의 정서를 강조한다.
③ 유사한 속성의 자연물에 빗대어 인물의 처지를 부각한다.
④ 대조적인 장면을 제시하여 주제 의식을 선명하게 드러낸다.
⑤ 공간의 이동에 따라 시상을 전개하여 인물의 상황 변화를 보여준다.

28. (다)의 ㉠~㉤을 이해한 내용으로 적절하지 <u>않은</u> 것은? [3점]

① ㉠: 엄마를 기다리는 가족들에게 '불어오'는 것으로, 이들에게 닥친 고난과 시련으로 볼 수 있다.
② ㉡: '제자리에 선 채' '좀 더 바라보던' 것으로, 아버지가 자신과 동일시하는 대상이라 할 수 있다.
③ ㉢: '때 묻'고 '쉽게 깨어지지 않'는 것으로, 오랫동안 지속된 아버지의 실업 상태를 표현한 것이라 볼 수 있다.
④ ㉣: 가족이 다 같이 함께하기에는 '너무 좁'은 곳으로, 가족의 힘든 상황을 형상화한 것으로 볼 수 있다.
⑤ ㉤: '한 걸음 늦게 따라오'는 아버지의 모습이 담긴 것으로, 가족을 생각하는 가장의 마음이 반영된 것이라 할 수 있다.

[29 ~ 33] 다음 글을 읽고 물음에 답하시오.

우리는 일상생활을 하면서 감정노동 종사자를 쉽게 접할 수 있다. 감정노동 종사자들은 특정한 감정 표현을 요구받기 때문에 스트레스를 받는 경우가 많다. 일반적으로 감정노동은 업무상 요구되는 특정한 감정 상태를 연출하거나 유지하기 위해 행하는 일체의 감정관리 활동을 일컫는다.

[A] 감정노동 종사자의 감정에 영향을 미치는 요인들은 크게 개인 특성, 직무 특성, 조직 특성으로 나눌 수 있다. 개인 특성을 대표하는 요인으로는 공감적 배려가 있다. 이것은 타인의 감정에 전적으로 동의하지 않더라도 타인의 감정에 공감하는 표현을 하는 것이다. 공감적 배려가 강한 사람은 타인의 감정에 대응하기 위하여 실제 감정과는 다른 감정을 표현하기도 한다. 직무 특성을 대표하는 요인으로는 직무 다양성이 있다. 이것은 직무 수행 과정에서 활용해야 하는 기능이나 재능의 복합성과 관련된다. 직무 다양성이 증가할수록 표현해야 할 감정도 다양해질 수밖에 없다. 특히 서비스 업무에서는 고객의 유형이 다양하면 직무 다양성이 높아진다. 조직 특성을 대표하는 요인으로는 사회적 지원이 있다. 이것은 상급자, 동료 등 조직 내에서 대인관계를 맺는 사람들에게서 얻는 인정이나 조언, 물질적 지원 등의 긍정적인 뒷받침을 의미한다. 사회적 지원이 풍부한 조직에서 일하는 사람은 감정노동에 대한 스트레스는 낮고 업무 만족도는 높다. 이러한 세 가지 특성의 요인들은 복합적으로 작용하면서 감정노동의 양상도 다양하게 나타난다.

실제 직무 수행 장면에서 나타나는 감정노동 양상 중 대표적인 것으로 표면 행위와 내면 행위 두 가지가 있다. 조직이 종사자에게 요구하는 특정한 감정 표현을 조직의 감정 표현 규칙이라고 하는데, ㉠표면 행위는 실제로 느끼지 않는 감정을 조직의 감정 표현 규칙에 맞추어 표현하는 것이다. ㉡내면 행위는 조직의 감정 표현 규칙을 내면화하여 실제 감정으로 느끼면서 표현하는 것이다. 내면 행위는 심리적 안정에 긍정적 영향을 미친다. 반면 표면 행위를 할 때 감정노동 종사자들은 자신의 감정을 위장해야 하기 때문에 감정 부조화를 경험하게 된다. 감정 부조화 상태가 되면 수치심이나 짜증과 같은 부정적인 감정이 유발된다. 감정 부조화가 지속되면 감정노동 종사자는 스스로를 위선적이라고 생각하며 거짓 자아를 느끼게 되고, 심할 경우 우울증과 같은 정신병리 증세를 겪을 수도 있다.

따라서 감정노동 종사자들은 감정 부조화에 따른 부정적 감정을 해소하기 위해 여러 가지 감정조절 전략을 구사한다. 우선 자신이 경험한 부정적 감정에 대하여 스스로 평가를 한다. 그 후 이에 어떻게 대처할 것인가를 결정하여 적절한 감정조절 전략을 구사한다. 이러한 감정조절 전략에는 대표적으로 세 가지가 있다. 첫째, 능동 전략은 부정적 감정에 적극적으로 대처하는 전략이다. 부정적인 감정을 있는 그대로 받아들이고, 자신이 왜 이러한 기분을 느끼게 되었는지 이해하고자 노력한다. 또한 과거 유사한 상황을 떠올리거나 문제에 따른 긍정적 측면을 보면서 자신이 더 성숙할 수 있는 기회로 삼기도 한다. 나아가 부정적인 감정을 유발한 상황을 개선하거나 해결할 수 있는 구체적인 행동을 취하기도 한다. '자꾸 짜증이 나는 이유가 뭘까?', '옛날에도 비슷한 일이 있었는데 잘 극복했으니 이번에도 잘 이겨내면 좋은 경험이 될 거야.'라고 생각하는 경우가 그 예에 해당한다.

둘째, 회피·분산 전략은 부정적인 감정 상태에 있을 때 의도적으로 다른 생각들을 떠올려 현재의 부정적인 상황을 피하거나 주의를 분산시키는 전략이다. '별것 아닐 거야.', '불쾌한 감정은 금방 지나갈 거야.'라고 생각하며 부정적 상황을 외면하거나, 부정적인 상황과 상관없는 즐거운 상황을 떠올리는 것이 그 예에 해당한다. 하지만 이 전략을 자주 쓰다 보면 자신의 문제뿐만 아니라 주위의 문제에도 무관심한 태도를 가지게 될 수도 있다.

셋째, 지지 추구 전략은 자신을 지지하는 사람들과의 교류를 통하여 자아 개념과 자존감을 안정되게 유지함으로써 부정적인 감정을 해소하려는 전략이다. 친밀한 사람을 만나 자기 감정을 토로하여 공감을 얻거나 주위 사람으로부터 조언이나 도움을 구하는 것 등이 그 예이다. 이 전략은 타인과의 상호 작용 과정을 통해 감정을 조절하는 것으로, 부정적 감정을 누그러뜨릴 수 있기에 많은 사람들이 활용한다. 세 가지 감정조절 전략 중 회피·분산 전략과 지지 추구 전략은 일시적인 감정조절에는 유용한 전략이나 근본적인 문제를 해결할 수 없다는 한계를 지닌다. 따라서 궁극적인 감정조절을 위해서는 능동 전략을 활용하는 것이 바람직하다.

29. 윗글에서 확인할 수 없는 것은?

① 감정조절이 불가능한 상황
② 감정노동의 개념과 대표적 양상
③ 감정조절 전략이 구사되는 과정
④ 감정 부조화의 지속이 초래하는 결과
⑤ 부정적인 감정을 줄이는 감정조절 전략

30. [A]의 내용 전개 방식으로 가장 적절한 것은?

① 대상의 의의를 제시하고 그 이유를 밝히고 있다.
② 대상의 변화 과정을 언급한 뒤 전망을 예측하고 있다.
③ 대상을 항목별로 분류하고 각 항목의 특성을 밝히고 있다.
④ 대상의 구성 요소를 나열한 후 그 장단점을 분석하고 있다.
⑤ 대상 간의 공통점과 차이점을 부각하여 논지를 강화하고 있다.

31. 윗글을 읽고 보인 반응으로 적절하지 않은 것은?

① 감정조절 전략 중에는 일시적인 감정조절에 유용한 전략도 있군.
② 주의를 분산시키는 감정조절 전략을 구사하면 궁극적인 감정 조절이 가능하겠군.
③ 공감적 배려가 강한 사람은 자신의 감정과 일치하지 않는 감정적인 표현을 할 수 있겠군.
④ 다른 생각들을 떠올리거나 자신을 지지해 주는 사람과의 교류를 통해 감정조절을 할 수 있겠군.
⑤ 상급자나 동료들의 인정이나 조언은 감정노동 종사자의 감정에 영향을 미치는 조직 특성에 해당하는군.

15 회

32. <보기>를 참고하여 ㉠과 ㉡을 이해한 내용으로 적절한 것은?

< 보 기 >

감정노동에는 여러 측면의 감정이 작용한다. 조직이 요구하는 감정, 외적으로 표현된 감정, 그리고 솔직한 내면의 감정이 그것이다.

① ㉠은 내면의 감정이 무엇인지 분명히 드러난다.
② ㉠은 내면의 감정과 조직이 요구하는 감정이 다르다.
③ ㉡은 조직이 요구하는 감정에 맞춰 내면의 감정을 위장한다.
④ ㉡은 조직이 요구하는 감정과 외적으로 표현된 감정이 다르다.
⑤ ㉡은 외적으로 표현된 감정에 맞게 조직이 요구하는 감정을 바꾸는 것이다.

33. 윗글을 바탕으로 <보기>의 사례를 이해한 내용으로 적절하지 않은 것은? [3점]

< 보 기 >

영희는 A호텔에서 안내 업무를 맡고 있다. ⓐ영희가 맡은 업무는 손님들의 나이나 성향이 다양하여 힘든 점이 많다. ⓑ하지만 지배인부터 동료 직원들까지 자신을 존중하고 지원해 주는 분위기가 마음에 들어 자기 일에 만족하고 있다. ⓒ가끔 영희는 기분 나쁜 반응을 보이는 손님도 웃으며 맞아야 하는 것에 짜증을 느끼기도 했는데, 그런 순간마다 자신에게 문제가 있는 것인지 손님에게 문제가 있는 것인지를 생각하면서 문제를 극복해 보려고 하였다. ⓓ슬픈 일이 있는데도 손님을 대하며 밝은 표정을 보여야 할 때는 우울함이 느껴지기도 했는데, 그럴 때는 아무 생각도 하지 않으려 애를 썼다. ⓔ그래도 기분이 나아지지 않을 때는 '오늘 친구랑 무슨 영화를 보러 갈까?'와 같이 좋은 일들을 떠올리면 기분이 나아졌다.

① ⓐ: 직무 다양성이 높아서 힘든 감정노동을 수행해야 하는 상황에 놓여 있군.
② ⓑ: 사회적 지원이 풍부하여 업무 만족도가 높게 나타나고 있군.
③ ⓒ: 능동 전략을 사용하여 부정적 감정에 적극적으로 대처하려 하고 있군.
④ ⓓ: 현재의 상황을 외면하여 감정 부조화에 따른 부정적인 감정을 해소하려 하는군.
⑤ ⓔ: 타인과의 상호 작용을 바탕으로 자존감을 회복하려는 전략을 활용하였군.

[34 ~ 37] 다음 글을 읽고 물음에 답하시오.

[앞부분의 줄거리] 눈 덮인 밤길을 억구와 큰 키의 사내(형사)가 동행하게 된다. 그 과정에서 억구가 6·25 때 자신의 아버지를 죽인 득칠을 우연히 만나 술자리 끝에 그를 살해하고, 부친의 산소 곁에서 죽을 심산으로 고향으로 가는 길임이 드러난다.

옆 산 소나무 위에 얹혔던 눈무더기가 쏴르르 쏟아져 내렸다. 마치 자기 무게를 그렇게 나약한 소나뭇가지 위에선 더 이상 지탱할 수 없다는 듯이……. 그때 좀 먼 곳에서 뚝 우지끈 소나뭇가지 부러져 내리는 소리가 들려 왔다.

그러자 이때 억구가 느닷없이 키 큰 사내의 앞을 막아 서며,

"선생, 난 득수 동생놈을, 그 김득칠일 어제 죽였단 말이오. 이렇게 온통 눈이 내리는데 그까짓 걸 숨겨 뭘 하겠소. 선생은 아주 추악한, 사람을 몇씩이나 죽인 무서운 놈과 함께 서 있는 거유. 자, 날 어떻게 하겠수?"

그러면서 한 걸음 큰 키의 사내 앞으로 다가섰다.

㉠큰 키의 사내는 후딱 몇 걸음 물러서며 오버 주머니에 오른손을 잽싸게 넣었다.

그의 시선은 억구가 양복 윗주머니의 불룩한 것을 움켜쥐고 있는 것에 머물러 있었다.

"아까두 말했지만, 그 술집에서 난 놈에게 이주걱댔죠. 그래 자넨 분명 우리 아버질 잡았것다? ㉡그래 벌초를 매년 해왔다구? 아 고마워, 고마워…… 하고 말입네다. 헌데 그 득칠일 난 그날 밤 죽이고야 만 것입니다. 글쎄, 나두 그걸 모르겠수다. 왜 내가 그 득칠일 죽였는지……."

여직 들어 보지 못한 맥빠진, 그렇게 풀이 죽은 목소리로 말했다.

그러나 큰 키의 사내는 묵묵히 억구의 얼굴을 뜯어보고만 있었다.

이윽고 억구가 큰 키의 사내 앞에서 몸을 돌리며 저쪽 산등성이를 가리켜 보였다.

"바루 저 산에 가친 산소가 있답니다. 우리 조부님 산소 옆이라는군요. 난 지금 거길 가는 겁니다. 가서 우선 무덤의 눈을 쳐드려야죠. 그리구 술을 한잔 올릴랍니다. 술을 올리면서 가친의 음성을 들을 겁니다. 올해두 눈이 퍽 내렸구나, 눈 온 짐작으루 봐선 내년두 분명 풍년이겠다만…… 하실 겁니다. 그리고 푹 한숨을 몰아쉬시겠죠. ㉢그 한숨 소릴 들으면서 가친 옆에 누워야죠. 이젠 가친을 혼자 버려두고 달아나진 않을 겁니다."

그는 산으로 향한 생눈길을 몇 걸음 걷다가 다시 이쪽을 향해,

"참, 바루 저기 보이는 저 모퉁일 돌아감 거기가 바루 와야립니다. 가셔서 우선 구장네 집을 찾아 몸을 녹이시우. 뜨끈뜨끈한 아랫목에 푹 몸을 녹이셔. 자, 그럼 난……."

산을 향해 생눈길을 걸어가는 그의 언 바짓가랑이가 서걱서걱 요란한 소리를 냈다.

어깨를 잔뜩 구부리고 흡사 한 마리 흰 곰처럼 산을 향해 걷는 억구의 을씨년스럽고 초라한 뒷모습에 눈을 주고 선 큰 키의 사내는 한참이나 그렇게 묵묵히 섰다가 문득 큰길 아래로 내려서서 억구 쪽으로 따라가며,

"노—형, 잠깐!"

말소리 속에 강인한 무엇인가 깔려 있는 듯싶었다.

언 바짓가랑이를 데걱거리며 걸어가던 억구가 주춤 멈춰서 이쪽으로 몸을 돌렸다. 큰 키의 사내가 성큼성큼 다가갔다. 오버 안주머니에 손을 넣어 무엇인가 움켜진 그런 자세였다.

억구가 짐짓 몸을 추스르며 자기에게로 다가서는 큰 키의 사

내 거동을 바라보고만 있었다.

억구 앞에 멈춰 선 큰 키의 사내가 할 말을 잊은 듯 멍청하니 고개를 위로 향했다. 고개를 약간 젖히고 입을 헤— 벌린 채. 그의 이러한 생각하는 표정 위에 눈이 내려앉고 있었다.

[A] ——— 그날 밤 난 생물 선생네 담을 빙빙 돌고만 있었지. 내 키보다두 낮은 담이었어. 난 거푸 담을 돌고만 있었지. 만약 내가 담을 넘어 들어간다면……. 그러나 난 담을 넘어서는 안 된다고 생각했다. 담이란 남이 들어오지 말라고 만들어 놓은 거니까. 들어오지 말라는 걸 들어가면 그건 나쁜 짓이니까, 그건 도둑놈이지. 난 나쁜 놈이 되는 건 싫었으니까. 무서웠던 거야. 나는 담만 돌며 생각했지. 오늘 갑자기 생물 선생넨 무서운 개를 얻어다 놓았을지도 모른다고. 또, 어쩌면 선생이 설사 나서 변소에 웅크려 앉았을지도 모른다는 지레 경계를……. 그리고 남의 담을 넘는다는 건 분명 나쁜 짓이라고……. 무서웠던 거야. 결국 난 새끼토낄 구할 생각을 거두고 담만 돌다 돌아오고 말았지.

"아니 선생, 남을 불러 놓군 왜 그렇게 하늘만 쳐다보슈?"

억구가 말했다.

——— 나쁜 놈이 되기가 싫었던 거야. 담을 넘는다는 건…….

큰 키의 사내가 한걸음 물러섰다. 생각하는 표정을 거두지 못한 채.

산 속 소나무 위에서 다시 눈무더기가 쏴르르 쏟아져 내렸다. 마치 그 연약한 나뭇가지 위에선, 그리고 거푸 내려 쌓이고 있는 눈의 무게를 더 이상 지탱할 수 없다는 듯.

억구가 다시 다그쳤다.

"선생, 발이 시립니다. 내가 여기 얼어붙어야 좋겠소? 원 별 양반도……. 자, 그럼……."

억구가 다시 몸을 돌려 산을 향했다. ㉣그가 몸을 돌리는 순간 그의 깡똥한 양복 윗주머니에 삐죽하니 2홉들이 소주병 노란 덮개가 드러나 보였다.

순간 망설이던 큰 키의 사내 얼굴에 어떤 결의의 빛이 스쳤다.

"아, 노형, 잠깐!"

억구가 바짓가랑이를 데걱거리며 다시 몸을 돌렸다.

순간 큰 키의 사내는 오른쪽 오버 주머니에서 서서히 손을 뺐다. 그리고 무엇인가 불쑥 억구 앞으로 내밀었다.

——— 나는 담만 돌았지. 무서웠던 거야.

"이걸 나한테 주시는 겁니까?" / 억구가 물었다.

"예, 드리는 겁니다. 아까 두 개비를 피웠으니까 꼭 열여덟 개비가 남아 있을 겁니다. 눈이 이렇게 많이 왔으니 올핸 담배도 풍년이겠죠. 그러나 제가 지금 드린 담배는 하루에 꼭 한 개씩만 피우셔야 합니다."

㉤큰 키의 사내 얼굴에 엷은 미소가 번지고 있었다.

그리고 그는 담배 한 갑을 받아 든 채 멍청히 서 있는 억구에게서 몸을 돌려 마치 눈에 홀린 사람처럼 비척비척 큰길을 향해 걸어가고 있었다. / 잔기침을 몇 번 큿큿 하면서.

걸어가는 그의 등뒤로 마치 울음 같은 억구의 외침이 따랐다.

"하루에 꼭 한 개씩 피우라구요? 꼭, 한 개씩, 피, 우, 라, 구요?"

그러면서 그는 느닷없이 웃음을 터뜨리는 것이었다.

ㅎ ㅎ ㅎ ㅎ ㅎ ㅎ ㅎ…….

눈 덮인 산 속, 아직 눈 조용히 비껴 내리고 있는 밤이었다.

– 전상국, 「동행」 –

**34.** 윗글의 서술상 특징으로 가장 적절한 것은?

① 현재 시제를 활용하여 상황의 현장감을 부각하고 있다.
② 빈번하게 장면을 전환하여 주제 의식을 강조하고 있다.
③ 대화와 내적 독백을 통하여 인물의 심리적 갈등을 드러내고 있다.
④ 서술의 시점을 달리하여 사건의 의미를 다각적으로 조명하고 있다.
⑤ 동시에 일어난 두 사건을 대비하여 갈등 해결의 실마리를 제시하고 있다.

**35.** <보기>와 [A]를 참고하여 '큰 키의 사내'에 대해 이해한 내용으로 가장 적절한 것은?

< 보 기 >

'큰 키의 사내'는 학창 시절에 새끼 토끼를 잡게 된다. 생물 선생은 그 새끼 토끼를 다음날 해부하고 고기는 술안주로 삼겠다고 하였다. 그날 밤, 새끼 토끼를 구하기 위해 목숨을 걸고 달려들던 어미 토끼의 눈과 끔찍하게 해부될 새끼 토끼를 떠올리던 '큰 키의 사내'는 고민 끝에 새끼 토끼를 구하러 가지만 생물 선생네 담을 넘지 못해 새끼 토끼를 구할 수 없었다.

① '억구'가 자신에게 위협적인 존재라고 인식하고 있다.
② '억구'를 '새끼 토끼'와 동일시하는 태도를 보이고 있다.
③ '새끼 토끼'를 구하지 못했던 과거 경험을 부정하고 있다.
④ '억구'의 처지가 '어미 토끼'를 닮아가고 있다고 여기고 있다.
⑤ '어미 토끼'에 대한 불쾌한 기억을 지우지 못해 후회하고 있다.

15회

**36.** ㉠~㉤에 대한 설명으로 적절하지 않은 것은?

① ㉠: '큰 키의 사내'가 범행을 털어놓는 '억구'를 경계하고 있음을 알 수 있다.
② ㉡: 아버지의 산소 벌초를 매년 한 것에 대해 '억구'가 득칠에게 진심으로 고마워하고 있음을 알 수 있다.
③ ㉢: 과거와 달리 아버지 곁을 떠나지 않겠다고 다짐하는 '억구'의 마음을 짐작할 수 있다.
④ ㉣: 아버지의 산소에 술을 올리고 그 옆에 눕겠다는 '억구'의 말이 사실임을 짐작할 수 있다.
⑤ ㉤: 미소가 번지는 표정을 통해 '큰 키의 사내'가 '억구'에 대한 자신의 결정에 만족해하고 있음을 알 수 있다.

37. <보기>를 참고하여 윗글을 감상한 내용으로 가장 적절한 것은? [3점]

< 보 기 >

「동행」은 동일한 여정 속의 두 인물에 관한 이야기이다. 전쟁이 남긴 상흔을 안고 살아가는 인물과 우연히 그를 만나 눈길을 동행하게 되는 인물의 모습이 잘 드러나 있다. 이들을 통해 작가는 전쟁이 남긴 아픔을 치유하는 인간애를 보이고 있다.

① '억구'와 '큰 키의 사내'는 전쟁의 상흔으로 고향을 떠났다가 돌아오는 동일한 여정을 지니고 있군.
② '억구'가 '큰 키의 사내'에게 구장네 집을 알려 주는 모습에서 쫓기는 자로서의 다급함을 느낄 수 있군.
③ '억구'가 자신의 범행을 '큰 키의 사내'에게 털어놓은 것은 밤길을 동행하며 느낀 인간적인 연민 때문이로군.
④ '큰 키의 사내'가 '억구'에게 담배를 하루에 한 개씩만 피우라고 당부하는 모습에서 따뜻한 인간애를 엿볼 수 있군.
⑤ '큰 키의 사내'를 뒤로하고 떠나가는 '억구'의 을씨년스러운 뒷모습에서 전쟁의 상처를 극복하려는 의지를 느낄 수 있군.

**[38 ~ 42] 다음 글을 읽고 물음에 답하시오.**

근로자란 직업의 종류를 불문하고 사업장에서 임금을 받을 목적으로 일하는 사람을 의미한다. 정규직 근로자에서부터 단시간 근로자 즉 아르바이트까지 근로자에 포함된다. 그런데 단시간 근로자의 경우 법적으로는 엄연한 근로자이면서도 여러 가지 이유에서 법적인 보호에서 벗어나 있는 경우가 많다.

사업주가 근로자를 채용할 경우에는 근로 조건을 ㉠ 명시(明示)한 근로 계약서를 작성해야 한다. 근로 계약이란 근로자가 근로 조건에 대해서 사업주와 약속하는 것을 말한다. 이러한 약속은 구두로 하기보다는 나중에 문제가 생겼을 때를 대비하여 반드시 문서로 작성해야 한다. 근로 계약서에는 일을 하기로 한 기간, 일할 장소, 해야 할 일, 하루에 일해야 하는 시간과 쉬는 시간, 쉬는 날, 임금과 임금을 받는 날 등 중요한 내용이 반드시 나타나 있어야 한다. 근로 계약서는 사업주와 근로자 본인이 작성해야 하며, 다른 사람이 대신할 수는 없다. 또 1일 근로 시간이 4시간인 경우에는 30분 이상, 8시간인 경우에는 1시간 이상의 쉬는 시간이 주어져야 하고, 1주간의 정해진 근로 일수대로 일한 근로자에게는 1주에 1일의 유급 주휴일*이 보장되어야 한다. 4인 이하의 사업장을 제외하고는 휴일에 근무할 경우 임금의 50%를 ㉡ 가산(加算)하여 받을 수 있으며, 1년간 정해진 근로 일수에 따라 성실히 근무한 경우에는 연차 유급 휴가*를 보장받을 수 있다. 다만 1주간의 정해진 근로 시간이 15시간 미만일 경우에는 퇴직금, 유급 주휴일, 연차 휴가 규정이 적용되지 않는다. 만약 사업주가 근로 계약서 작성을 거부할 경우 신고할 수 있으며, 이 경우 사업주는 500만 원 이하의 벌금형을 받을 수 있다. 사업주가 근로 계약서를 작성하고 근로자에게 이를 ㉢ 교부(交附)하지 않았을 경우에도 처벌 대상이 된다.

모든 근로자는 최저임금법에서 정한 최저임금 이상의 임금을 받을 권리가 있다. 보호자의 동의를 얻어 일을 하는 만 18세 미만의 연소 근로자도 동일한 적용을 받는다. 근로자로 채용된 이후에 기업의 필요에 따라 교육이나 연수를 받고 있는 수습 근로자의 경우, 일하기 시작한 날부터 3개월 이내에는 최저임금의 90%를, 3개월이 지나면 최저임금 전액을 지급받아야 한다. 하지만 단순노무직 근로자이거나 계약 기간이 1년 미만인 근로자의 경우에는 수습 기간에도 100% 임금을 지급받아야 한다. 만약 사업주가 최저임금 미만의 임금을 지급할 경우에는 최저임금법 제28조에 의해 3년 이하의 징역 또는 2,000만 원 이하의 벌금형에 처해질 수 있다.

임금은 '정기적으로', '해당 근로자에게 직접', '전액을', '현금으로' 지급해야 한다. 임금은 일, 주, 월 단위로 지급할 수 있고, 현물이나 상품권은 안 되며, 통장으로 지급하는 것은 가능하다. 이 기준을 지키지 못하면 임금 체불이 된다. 대표적인 임금 체불 사례를 보면, 정기적으로 지급하기로 한 날에 지급하지 않는 경우, 임금 중 일부만 지급하는 경우, 퇴사 후 14일 이내에 당사자 간 약속 없이 임금을 지급하지 않는 경우 등이다. 그리고 일을 하기 위해 출근하였으나 갑자기 일이 없어 집으로 되돌아가야 하는 경우, 그 이유가 사업주에게 있다면 4인 이하의 사업장을 제외하고는 평균 임금의 70%에 해당하는 휴업 수당을 받아야 한다. 만약 임금을 받지 못하면 독촉장을 발송하거나 고용노동부에 진정서를 제출하여 문제를 해결할 수 있다.

사업주는 근로 계약 기간이 끝나기 전에 정당한 이유 없이 근로자를 해고할 수 없다. 아르바이트로 일하는 경우에도 근로기준법에서 정한 해고 관련 내용 등이 동일하게 적용된다. 만약 사업주에게 부당하게 해고를 당했을 경우 일정 금액의 해고 수당을 받을 수 있다. 다만 일용 근로자로서 3개월을 연속 근무하지 않은 경우, 2개월 이내의 기간을 정하여 근무하는 경우, 계절적 업무에 6개월 이내의 기간을 정하여 근무하는 경우, 3개월 이내의 수습 기간을 정하여 근무 중인 경우에는 해고 수당을 ㉣ 청구(請求)할 수 없다. 정당한 이유 없이 근로자를 해고한 경우에는 5년 이하의 징역 또는 3,000만 원 이하의 벌금형에 처해질 수 있다.

일하다가 다쳤을 경우 사업주가 보험에 가입하지 않았거나 근로자 본인의 ㉤ 과실(過失)을 이유로 치료비 지급을 거부하더라도 치료비를 본인이 부담할 필요는 없다. 산업재해보상보험법(산재보험)에 따라 근로복지공단에서 치료 및 보상을 받을 수 있기 때문이다. 또한 근로기준법 제7조, 제8조에 따르면 사업주 또는 관리자가 근로자에게 기분이 나쁠 정도의 폭언이나 지나친 성적 농담을 하는 경우 또는 신체적인 체벌을 하는 경우에는 위법이므로 고용노동부나 경찰서 등 관련 기관에 신고할 수 있다.

* 유급 주휴일 : 1주간의 정해진 근로 일수대로 일하였을 때 임금을 받으면서 쉴 수 있는 날.
* 연차 유급 휴가 : 해마다 종업원에게 주도록 정하여진 유급 휴가.

38. 윗글의 내용과 일치하지 않는 것은?

① 아르바이트는 근로자임에도 법적인 보호를 받지 못하는 경우가 많다.
② 근로 계약이란 근로 조건에 대해서 근로자와 사업주가 약속하는 것을 말한다.
③ 1주일의 근로 시간이 15시간 미만일 경우에도 연차 휴가를 보장받을 수 있다.
④ 아르바이트의 경우에도 근로기준법에서 정한 해고 관련 내용이 동일하게 적용된다.
⑤ 근로기준법에 의하면 사업주 또는 관리자가 근로자에게 폭언이나 지나친 성적 농담을 하는 것은 위법이다.

39. 윗글을 읽은 후 추가할 수 있는 질문으로 적절하지 않은 것은?

① 사업주가 근로 계약서 작성을 거부할 경우 어디에 신고하면 되나요?
② 사업주가 근로자를 해고할 수 있는 정당한 이유에는 어떤 것들이 있나요?
③ 아르바이트를 하다가 사업주에게 체벌을 받았을 경우에는 어떻게 해야 하나요?
④ 수습 기간에도 최저임금 전액을 받을 수 있는 단순노무직에는 어떤 것들이 있나요?
⑤ 임금이 체불된 경우 독촉장을 발송하거나 진정서를 제출하는 것 말고는 다른 방법이 없나요?

**[40 ~ 41] <보기>는 직원이 10여 명인 ◇◇ 식당에 근무하게 된 '박○○' 군의 근로 계약서이다. 두 물음에 답하시오.**

< 보 기 >

**연소 근로자 근로 계약서**

김△△(이하 "사업주"라 함)와 박○○(이하 "근로자"라 함)는 다음과 같이 근로 계약을 체결한다.

1. 근로 계약 기간 : 2018년 5월 1일부터 2018년 6월 20일까지
2. 근무 장소 : ◇◇ 식당 홀
3. 업무의 내용 : 홀 서빙 및 청소
4. 근로 시간/휴게 시간 : 16시 30분부터 21시 30분까지 … ㉮
5. 근무일/휴일 : 매주 5일 근무 / 매주 토, 일요일 ………… ㉯
6. 임금
 – 시간급 : 7,530원 ……………………………………………… ㉰
 – 임금 지급일 : 매월 20일(휴일의 경우는 전일 지급)
 – 지급 방법 : 근로자에게 직접 지급( ), 근로자 명의 예금통장에 입금( √ )
7. 가족관계증명서 및 동의서
 – 가족관계기록사항에 관한 증명서 제출 여부 : √
 – 친권자 또는 후견인의 동의서 구비 여부 : √ ………… ㉱
8. 사회보험 가입 여부(해당란에 체크)
 ☑ 고용보험 ☐ 산재보험 ☐ 국민연금 ☑ 건강보험

2018년 4월 25일

(사업주) 사업체명 : ◇◇ 식당(전화 : xxx-xxxx-xxxx)
주 소 : □□시 □□구 □□로 48
대표자 : 김△△ (서명)
(근로자) 주 소 : □□시 □□구 □□로 28
연락처 : xxx-xxxx-xxxx
성 명 : 박○○ (서명) … ㉲

40. 윗글을 바탕으로 <보기>를 이해한 내용으로 적절하지 않은 것은?

① 1일 근로 시간이 4시간 이상이므로 ㉮에는 30분 이상의 쉬는 시간을 명시해야 한다.
② ㉯의 내용대로 1주일을 정해진 근로 일수대로 근무하였다면 1일의 유급 주휴일을 보장받을 수 있다.
③ ㉰에는 최저임금법에 규정되어 있는 최저임금 이상을 명시해야 한다.
④ 만 18세 미만의 연소자일 경우 ㉱처럼 보호자의 동의를 받아야 한다.
⑤ ㉲에서 내용의 확인 및 서명은 필요한 경우 다른 사람이 대신할 수 있다.

41. 다음의 '박○○' 군에게 해 줄 수 있는 말로 가장 적절한 것은? [3점]

> 박○○ 군은 5월 둘째 주 월요일에 사업주의 사정으로 일을 하지 못하고 그냥 돌아왔다. 그 주 토요일에는 일손이 모자라 근무하였다. 그 후 서빙 중 본인의 실수로 화상을 입었는데, 본인의 잘못으로 다쳤다는 이유로 사업주는 치료비 지급을 거부하였다. 그뿐만 아니라 다친 상태로 일을 할 수 없다는 이유로 박○○ 군에게 해고를 통보하였다.

① 휴일인 토요일에 근무하였으므로 가산된 임금을 적용받을 수 있습니다.
② 근로 기간 중에 해고당한 근로자이므로 해고 수당을 받을 수 있습니다.
③ 업무 수행 중이지만 본인 과실로 다쳤으므로 치료비를 보상받을 수 없습니다.
④ 사업주 사정으로 근무일에 일하지 못하고 돌아왔으므로 휴업수당을 요구할 수 없습니다.
⑤ 사업주가 산업재해보상보험에 가입되어 있지 않으므로 치료비를 보상받을 수 없습니다.

42. ㉠ ~ ㉤의 사전적 의미로 적절하지 않은 것은?

① ㉠ : 물체를 환히 꿰뚫어 봄
② ㉡ : 본래의 수에 더하여 셈함
③ ㉢ : 서류나 물건을 내어 줌
④ ㉣ : 상대편에게 일정한 행위를 요구하는 일
⑤ ㉤ : 부주의나 태만 따위에서 비롯된 잘못이나 허물

[43 ~ 45] 다음 글을 읽고 물음에 답하시오.

(가)

이화우(梨花雨) 흩뿌릴 제 울며 잡고 이별한 임
추풍낙엽(秋風落葉)에 저도 나를 생각하는가
천 리(千里)에 외로운 꿈만 오락가락 하는구나

– 계랑 –

(나)

동풍(東風)이 건듯 불어 쌓인 눈을 헤쳐 내니
창 밖에 심은 매화 두세 가지 피었구나
가뜩이나 쌀쌀하고 적막한데 그윽한 향기는 무슨 일인가
황혼의 달이 쫓아와 베갯머리에 비치니
흐느끼는 듯 반기는 듯 임이신가 아니신가
저 매화를 꺾어 내어 임 계신 곳에 보내고 싶구나
임이 너를 보고 어떻게 생각하실까
꽃 지고 새 잎이 나니 녹음(綠陰)이 깔렸는데
㉠ 비단 휘장 안은 쓸쓸하고 수놓은 장막은 텅 비어 있다
연꽃을 수놓은 휘장을 걷고 공작이 그려진 병풍을 두르니
가뜩이나 시름 많은데 날은 어찌 그리도 길던가
㉡ 원앙이 그려진 비단을 베어 놓고 오색실을 풀어 내어
금으로 만든 자로 재어서 임의 옷 지어 내니
솜씨는 물론이거니와 격식도 갖추었구나
산호로 만든 지게 위에 백옥함에 담아 두고
임에게 보내려고 임 계신 곳 바라보니
산인가 구름인가 험하기도 험하구나
천 리(千里) 만 리(萬里) 먼 길을 누가 찾아갈까
가거든 열어 두고 나를 본 듯 반기실까

– 정철, 「사미인곡」 –

(다)

나는 지난해 여름까지 난초 두 분(盆)을 정성스레, 정말 정성을 다해 길렀었다. 3년 전 거처를 지금의 다래헌(茶來軒)으로 옮겨 왔을 때 어떤 스님이 우리 방으로 보내 준 것이다. ㉢ 혼자 사는 거처라 살아 있는 생물이라고는 나하고 그 애들뿐이었다. 그 애들을 위해 관계 서적을 구해다 읽었고, 그 애들의 건강을 위해 하이포넥스인가 하는 비료를 구해 오기도 했었다. 여름철이면 서늘한 그늘을 찾아 자리를 옮겨 주어야 했고, 겨울에는 그 애들을 위해 실내 온도를 내리곤 했다.

이런 정성을 일찍이 부모에게 바쳤더라면 아마 효자 소리를 듣고도 남았을 것이다. 이렇듯 애지중지 가꾼 보람으로 이른 봄이면 은은한 향기와 함께 연둣빛 꽃을 피워 나를 설레게 했고, 잎은 초승달처럼 항시 청청했었다. 우리 다래헌을 찾아온 사람마다 싱싱한 난초를 보고 한결같이 좋아라 했다.

㉣ 지난해 여름 장마가 갠 어느 날 봉선사로 운허 노사를 뵈러 간 일이 있었다. 한낮이 되자 장마에 갇혔던 햇볕이 눈부시게 쏟아져 내리고 앞 개울물 소리에 어울려 숲속에서는 매미들이 있는 대로 목청을 돋우었다.

아차! 이때에야 문득 생각이 난 것이다. 난초를 뜰에 내놓은 채 온 것이다. 모처럼 보인 찬란한 햇볕이 돌연 원망스러워졌다. 뜨거운 햇볕에 늘어져 있을 난초 잎이 눈에 아른거려 더 지체할 수가 없었다. 허둥지둥 그길로 돌아왔다. 아니나 다를까, 잎은 축 늘어져 있었다. 안타까워하며 샘물을 길어다 축여 주고 했더니 겨우 고개를 들었다. 하지만 어딘지 생생한 기운이 빠져나간 것 같았다.

나는 이때 온몸으로, 그리고 마음속으로 절절히 느끼게 되었다. ㉤ 집착이 괴로움인 것을. 그렇다. 나는 난초에게 너무 집념해 버린 것이다. 이 집착에서 벗어나야겠다고 결심했다. 난을 가꾸면서는 산철*에도 나그네 길을 떠나지 못한 채 꼼짝을 못했다. 밖에 볼일이 있어 잠시 방을 비울 때면 환기가 되도록 들창문을 조금 열어 놓아야 했고, 분을 내놓은 채 나가다가 뒤미처 생각하고는 되돌아와 들여 놓고 나간 적도 한두 번이 아니었다. 그것은 정말 지독한 집착이었다.

– 법정, 「무소유」 –

* 산철 : 스님들이 거처를 떠나 수행하는 기간.

43. (가) ~ (다)의 공통점으로 가장 적절한 것은?

① 공감각적 표현을 통해 대상을 생동감 있게 묘사하고 있다.
② 대상에 감정을 이입하여 화자의 심리 상태를 드러내고 있다.
③ 현재와 과거를 대비하여 미래에 대한 전망을 제시하고 있다.
④ 설의적 표현을 통해 현실에 대한 비판적 태도를 나타내고 있다.
⑤ 시간의 흐름을 바탕으로 대상에 대한 화자의 심정을 표출하고 있다.

44. <보기>를 바탕으로 (가), (나)를 감상한 내용으로 적절하지 않은 것은? [3점]

< 보 기 >

고전 시가에는 헤어진 임에 대한 그리움과 변함없는 사랑을 여성 화자의 목소리로 표현한 작품들이 많다. 이러한 작품들에는 (가)처럼 여성 작자가 자신이 실제 겪었던 이별의 상황과 아픔을 진솔하게 표현한 노래도 있으며, (나)처럼 남성인 사대부가 임금의 곁에서 멀어져 있는 자신의 처지를 이별한 여인의 모습에 빗대어 표현한 노래도 있다.

① (가)의 '임'은 실제 경험 속 연인으로, (나)의 '임'은 당시의 임금으로 해석할 수 있군.
② (가)와 달리, (나)는 작가 자신을 이별한 여인에 빗대어 '임'에 대한 사랑을 노래하고 있군.
③ (가)와 (나)는 모두 '천 리'라는 시어를 통해 임과 멀어져 있는 현재의 상황을 표현하고 있군.
④ (가)의 '이화우', (나)의 '산'과 '구름'은 임에 대한 변함없는 화자의 사랑을 반영한 자연물이군.
⑤ (가)는 '저도 나를 생각하는가', (나)는 '나를 본 듯 반기실까'를 통해 여전히 임을 그리워하는 화자의 모습이 드러나는군.

45. ㉠ ~ ㉤에 대한 이해로 적절하지 않은 것은?

① ㉠ : 빈 '휘장'과 '장막'으로 화자의 외로운 심정을 드러내고 있다.
② ㉡ : '옷'을 짓는 과정으로 화자의 지극한 정성을 표현하고 있다.
③ ㉢ : '그 애들'이라는 의인화로 대상에 친근감을 나타내고 있다.
④ ㉣ : '운허 노사'의 가르침으로 가치관의 변화를 암시하고 있다.
⑤ ㉤ : '난초'를 통해 화자가 깨달은 바를 제시하고 있다.

※ 확인 사항

○ **답안지의 해당란에 필요한 내용을 정확히 기입(표기)했는지 확인하시오.**

2018학년도 3월 고2 전국연합학력평가 문제지

# 국어 영역

16회 소요 시간 / 80분

제 1 교시

➡ 해설 P.147

**[1 ~ 3] 다음은 학생이 수업 시간에 한 발표이다. 물음에 답하시오.**

안녕하세요? 3분 말하기 발표를 맡게 된 천○○입니다. 아시다시피 이번 달 보건 교육 행사로 양치 캠페인이 진행되고 있습니다. 점심 식사 후 보건실에 들러 선생님께 양치질 여부를 확인받으면 되고요, 필요하다면 치아 상태를 검사받을 수도 있습니다. 이번 발표에서는 이 캠페인과 관련하여 양치질의 중요성에 대해 이야기하려고 합니다.

우리가 양치질을 해야 하는 이유는 우리 입안에 살고 있는 구강 미생물 때문입니다. 구강 미생물의 종류는 700종이 넘는데, 이 중에는 유익한 것도 있고 해로운 것도 있습니다. 이들이 균형을 유지할 때는 별 문제가 없지만, 양치질을 소홀히 하여 구강 위생 상태가 나빠지거나 몸의 면역력이 약해지면 병원균과 같은 해로운 미생물의 영향력이 우세해지면서 잇몸 염증이나 치아 우식증 같은 구강 질환이 발생합니다.

해로운 미생물의 증가는 구강뿐 아니라 신체의 다른 부분에서 질병을 일으키기도 합니다. 한국대 치의학대학원 최○○ 교수 연구팀의 보고서에 따르면 구강은 미생물이 우리 몸속으로 파고들기에 가장 좋은 통로라고 합니다. 구강 질환이 발생하고 염증이 생기면 이로 인해 손상된 잇몸 조직을 통해 병원균이 몸속으로까지 침투할 수 있다는 것이지요. 이렇게 구강에서 몸속으로 침투한 병원균은 동맥 경화 같은 심혈관 질환이나 알츠하이머병 같은 다른 질병에 영향을 끼칠 수도 있다고 합니다.

자, 이제 양치질을 해야 할 이유가 분명해졌지요? 양치질은 건강한 입안을 위한 필수적인 습관입니다. 이번 캠페인도 이러한 습관을 기르기 위한 행사라 볼 수 있습니다. 그러면 학생들의 캠페인 참여율은 어떨까요? (화면을 가리키며) ㉠ <u>이 그래프</u>를 보면 전체 학생의 참여율은 2주간 증가하다가 지난주에 다소 감소한 것을 알 수 있습니다. 반별 참여율을 보시면 우리 반은 참여율도 낮은 데다 지난주의 감소 폭도 가장 큽니다. 이런 결과는 평소 양치질을 소홀히 했던 우리 반 친구들의 생활 습관이 반영된 것이라고 생각합니다. 아직 한 번도 참여하지 않은 친구들은 남은 기간에 모두 캠페인에 참여하면 좋겠습니다. 캠페인을 통해 구강 건강은 물론 우리 몸 전체의 건강을 지키는 바른 생활 습관을 기르시기 바랍니다. 감사합니다.

*1.* 발표를 위해 작성한 학생의 메모이다. 발표 내용과 부합하지 <u>않는</u> 것은?

| | |
|---|---|
| 처음 | ○ 청중이 알고 있는 상황과 관련지어 화제 제시하기 ······ ⓐ |
| 중간 | ○ 이해를 돕기 위해 내용 간의 인과 관계가 드러나도록 설명하기 ······ ⓑ<br>○ 신뢰할 만한 연구 결과를 바탕으로 내용 구성하기 ······ ⓒ |
| 끝 | ○ 청중이 내용을 잘 기억할 수 있도록 전체 발표 내용 요약하기 ······ ⓓ<br>○ 청중의 참여를 독려하면서 마무리하기 ······ ⓔ |

① ⓐ ② ⓑ ③ ⓒ ④ ⓓ ⑤ ⓔ

*2.* ㉠에 대한 설명으로 가장 적절한 것은?

① 문제가 되는 상황을 보여 주고 청중의 행동 변화를 유도하는 데 활용되고 있다.
② 문제 해결 방안을 통해 예상되는 효과를 부각하는 데 활용되고 있다.
③ 복잡한 현상의 원리를 한눈에 보여주는 데 활용되고 있다.
④ 자료 작성 방법 및 출처를 확인하는 데 활용되고 있다.
⑤ 청중의 이해 정도를 파악하기 위해 활용되고 있다.

*3.* <보기>는 위 발표를 들은 청중의 반응이다. 이에 대한 이해로 적절하지 <u>않은</u> 것은?

< 보 기 >

**청자 1**: 그동안 양치질을 대수롭지 않게 여겼던 것을 반성하게 됐어. 양치질이 구강은 물론이고 몸 전체의 건강에도 영향을 미친다니 놀라웠어. 오늘부터 당장 캠페인에 참여하고 양치질을 습관화해야겠어.

**청자 2**: 세균이 치아를 망가뜨린다는 건 알고 있었지만 입안 미생물에 관해서는 잘 몰랐는데 이번에 알게 돼서 좋았어. 학교 도서관에 가서 관련 분야의 자료를 찾아봐야겠어.

**청자 3**: 발표자의 성량도 적당하고 시선 처리도 자연스러웠어. 하지만 구강 관리를 위해서는 치실이나 치간 칫솔을 사용하거나 정기적으로 스케일링을 받는 방법도 있는데, 그런 내용은 언급되지 않아서 아쉬웠어.

① 청자 1은 발표를 듣고 기존에 가졌던 자신의 태도를 돌아보고 있군.
② 청자 2는 발표 내용과 관련하여 추후 활동을 계획하고 실천하려고 하는군.
③ 청자 2는 이전에 몰랐던 사실을 발표를 통해 알게 된 것을 긍정적으로 생각하고 있군.
④ 청자 3은 배경지식을 바탕으로 발표에서 아쉬웠던 점을 떠올리고 있군.
⑤ 청자 3은 발표 내용에 대해 자신이 정확하게 이해하고 있는지를 점검하고 있군.

**[4 ~ 7] (가)는 지역 라디오 방송의 대담이고, (나)는 (가)를 들은 후 구청 민원 게시판에 올리기 위해 쓴 건의문의 초고이다. 물음에 답하시오.**

(가)

**사회자**: 안녕하십니까? 지역 문제 해결을 위한 기획 대담 '안녕, 우리 동네'입니다. 오늘의 화제는 '도로 소음, 문제와 대책'으로, 이에 대해 전문가들의 의견을 들어 보겠습니다. 환경공학과 박□□ 교수님과 도시정책학과 김△△ 교수님을 모셨습니다. 박 교수님, 최근 도로 소음이 문제가 되는 이유는 무엇인가요?

16회

**박 교수**: 소음은 수질 오염이나 대기 오염과 달리 축적되지 않고 발생과 동시에 소멸하는 특성이 있어 그동안 큰 문제로 인식되지 않았습니다. 하지만 최근 들어 차량이 증가하고 도로가 늘어나면서 상시적으로 발생하는 도로 소음이 신체적·정신적 피해를 끼치고 있어 문제가 되고 있습니다.

**사회자**: 상시적인 도로 소음이 피해를 주기 때문에 문제라는 말씀이군요. 김 교수님, 이와 관련된 법적 규제는 없는지요?

**김 교수**: 현재 환경정책기본법이나 소음·진동 관리법 등을 통해 소음을 규제하고 관리하고 있습니다. 예를 들어, 공동주택 도로변 소음의 법적 허용 기준을 주간 68dB, 야간 58dB로 정하고, 이 기준을 초과하는 경우 개선 명령을 내리거나 과태료를 부과하고 있습니다.

**사회자**: 그렇다면 소음 발생이나 소음으로 인한 피해를 애초에 줄일 수 있는 방안은 없을까요? 먼저 박 교수님께서 말씀해 주시기 바랍니다.

**박 교수**: 현재 주로 사용되고 있는 도로 소음 저감 기술에는 방음벽, 방음 터널 등이 있는데, 이 방법들은 도로에서 도로 주변으로 퍼지는 소리를 물리적으로 차단하는 기술이라고 할 수 있습니다. 방음벽의 경우 설치 비용이 상대적으로 적게 든다는 장점이 있지만, 대체로 5m 이하로 설치되어 주변 건물이 6층 이상의 높이일 경우 방음 효과가 적다는 단점이 있습니다. 또 방음 터널의 경우에는 소음원 자체를 감싸는 구조로 되어 있어 방음의 효과가 탁월하지만, 초기 설치비 및 유지비가 많이 들고 입·출구부에서 소음이 크게 발생한다는 단점이 있습니다.

**사회자** : 그런 단점을 보완할 수 있는 새로운 기술은 없는지요?

**박 교수**: 비교적 최근에 개발된 저소음 포장 공법이 있습니다. 일반적으로 도로 소음의 90%는 차량 타이어 홈에 들어간 압축 공기가 도로와 마찰하는 과정에서 발생하는데, 이 기술을 사용하면 마찰 소음을 줄여 최대 9dB 정도의 소음을 줄일 수 있습니다. 또한 주변 건물에 방음 창호를 설치하면 최대 35dB 정도의 소음을 줄일 수 있어 효과적입니다.

**사회자**: 그렇군요. 이어서 김 교수님께서 정책적인 측면에서 말씀해 주시기 바랍니다.

**김 교수**: 도로 소음 발생을 줄이기 위해, 앞서 박 교수님께서 언급하신 저소음 포장 공법을 활용하여 도로를 포장할 경우 정책적인 지원을 하고 있습니다. 또한 주거지가 밀집된 지역과 같이 소음 피해의 가능성이 큰 지역을 소음 집중 관리 지역으로 지정하여 소음이 40dB을 넘지 않도록 주변 도로를 달리는 차량의 속도를 제한하거나 방음 시설을 설치하는 등 소음 피해를 막는 방안이 시행되고 있습니다.

**사회자**: 네. 오늘 두 분 말씀 잘 들었습니다. 감사합니다.

(나)

안녕하십니까? 저는 A시 ○○동에 살고 있는 학생입니다. 평소 우리 동네의 도로 소음 문제가 심각하다고 생각하고 있었는데, 도로 소음 문제와 관련한 라디오 대담을 듣고 대책 마련을 요구하고자 민원 게시판에 글을 올리게 되었습니다.

우리 동네는 도시 고속화 도로에 인접해 있습니다. 그러다보니 저를 비롯한 많은 주민들은 고속화 도로를 이용하는 차량들이 하루 종일 일으키는 소음으로 인해 일상생활에 심각한 지장을 받고 있습니다. 고속으로 달리는 자동차들이 상시적으로 일으키는 소음은 반드시 해결되어야 할 문제라고 생각합니다.

대담에서 들은 전문가의 말에 따르면 소음 집중 관리 지역으로 지정된 곳의 경우 소음이 40dB을 넘지 않도록 자동차 주행 속도를 제한하거나 방음 시설을 설치해 준다고 합니다.

우리 동네 곳곳에도 수직 일자형 방음벽이 설치되어 있지만 높이가 낮아 고층 아파트에 사는 주민들에게는 효과가 별로 없는 것 같습니다. 동네 주민들이 체감하는 도로 소음 피해가 심각한데도, 이에 대한 실질적인 대책은 부족해 보입니다.

소음으로 인해, 가장 편안한 공간이 되어야 할 집이 가장 불편한 공간이 되고 있습니다. 이렇게 느끼는 사람이 저뿐만은 아닐 것입니다. 우리 동네의 고속화 도로로 인한 소음 피해를 줄일 수 있는 방안을 시급히 마련해 주실 것을 건의합니다.

*4.* 사회자의 역할에 대한 설명으로 적절하지 <u>않은</u> 것은?

① 대담 참여자 간의 의견 차이를 조정하고 있다.
② 대담의 화제를 제시하고 발언자를 소개하고 있다.
③ 대담 내용의 흐름에 맞게 발언자를 지정하고 있다.
④ 발언자가 말한 내용을 정리하며 대담을 이어가고 있다.
⑤ 발언 내용과 관련하여 추가적인 정보를 요청하고 있다.

*5.* 대담 참여자들의 발언에 대한 설명으로 적절하지 <u>않은</u> 것은?

① 박 교수는 소음의 특성을 밝히고 최근에 도로 소음이 문제가 되고 있는 원인을 설명하고 있다.
② 박 교수는 장단점을 거론하며 소음 저감 기술을 설명하고 있다.
③ 박 교수는 소음 저감 기술의 효과를 구체적인 수치를 활용하여 제시하고 있다.
④ 김 교수는 박 교수의 의견을 듣고 기존 소음 저감 기술의 한계를 언급하고 있다.
⑤ 김 교수는 박 교수가 설명한 새로운 기술과 관련하여 정책적인 지원이 이루어지고 있음을 언급하고 있다.

*6.* <보기>는 학생이 (나)를 쓰기 전에 떠올린 생각이다. 학생의 초고에 반영된 것끼리 골라 묶은 것은?

< 보 기 >

㉠ 대담의 내용을 활용하여 실질적인 대책의 필요성을 드러내야겠어.
㉡ 제안하려는 대책이 실현될 경우를 가정하여 기대되는 효과를 언급해야겠어.
㉢ 도로 소음 발생의 원인을 다각도로 분석하여 원인별로 해결 방안을 제시해야겠어.
㉣ 도로 소음 문제를 심각하게 느끼는 사람이 혼자만이 아님을 거듭 언급하여 문제의 심각성을 부각해야겠어.

① ㉠, ㉡ ② ㉠, ㉢ ③ ㉠, ㉣ ④ ㉡, ㉣ ⑤ ㉢, ㉣

7. <보기>를 활용하여 (나)를 보완하기 위한 방안으로 적절하지 않은 것은? [3점]

< 보 기 >

㉮ 연구 자료

1. 건강에 악영향을 미치는 최소 소음 기준

| 건강상의 악영향 | 최소 소음 기준 |
|---|---|
| 수면 방해 | 32dB |
| 불쾌감 유발과 생활 방해 | 42dB |
| 학습과 기억의 방해 | 50dB |
| 고혈압증 등의 건강 침해 | |
| 심장 질환 유발 | 60dB |

- 유럽환경청 보고서(2010년) -

2. 꺾임형 방음벽 기술의 효과

꺾임형 방음벽 기술은 기존의 방음벽 상단에 소음원 방향으로 60° 꺾인 벽을 추가 설치하는 것으로, 기존의 수직 일자형 방음벽 위로 넘어가는 음의 회절을 방해하여 아파트 고층의 소음 피해를 줄이는 데 도움을 줄 수 있다.

- 한국소음진동공학회 보고서(2011년) -

㉯ 설문 조사 분석 자료

A시 ○○동 주민들을 상대로 조사한 '우리 동의 문제 중에 가장 시급한 문제가 무엇인가?'라는 설문에 '고속화 도로 주변 소음 문제'라는 대답을 한 주민이 75% 이상이었음. 이렇게 대답한 주민 가운데 약 80%가 6층 이상의 아파트 고층에 사는 사람들이었음.

㉰ 지역 신문 기사

A시 ○○동을 지나는 고속화 도로 인근 아파트 고층에서 측정한 소음이 최대 80dB로 나타나 상당히 높은 것으로 확인되었다. ○○동은 고층 아파트가 밀집된 지역이기 때문에 소음 집중 관리 지역으로 지정되어 있고, 그에 따라 최고 속도가 제한되어 있다. 그럼에도 불구하고 차량들이 제한 속도를 초과하여 달리는 것이 소음 발생의 주된 원인으로 지적되고 있다.

① ㉮ - 1과 ㉰를 활용하여 현재 고속화 도로 주변의 소음이 주민들에게 건강상의 악영향을 미칠 수 있다는 내용을 추가해야겠어.
② ㉮ - 2와 ㉯를 활용하여 현재 설치된 방음벽으로는 고층 아파트의 소음 저감에 한계가 있음을 지적하고 꺾임형 방음벽이 대안이 될 수 있음을 제안해야겠어.
③ ㉯를 활용하여 많은 주민들이 고속화 도로 소음 문제를 심각하게 인식하고 있다는 것을 구체적인 수치로 뒷받침해야겠어.
④ ㉰를 활용하여 우리 동네 부근 고속화 도로를 지나는 차들이 속도 제한을 잘 지킬 수 있도록 단속을 강화해 달라는 요구를 글에 추가해야겠어.
⑤ ㉰를 활용하여 우리 동네가 소음 집중 관리 지역으로 지정되어 있음에도 불구하고 차량들이 제한 속도를 지키지 않는 이유를 제시해야겠어.

**[8 ~ 10] (가)는 영화 제작 동아리의 회의 내용을 정리한 것이고, (나)는 (가)에 따라 쓴 초고이다. 물음에 답하시오.**

(가)

[회의 주제]

신입생 안내 책자에 실을 동아리 소개 글 작성

[회의에서 나온 의견]

○ 글의 앞부분에서 동아리의 활동 목적과 현황을 밝히자. … ㉠
○ 구체적인 사례를 들어 작년도 동아리 활동의 성과를 밝히자. …… ㉡
○ 모집 분야를 안내하고, 분야별로 요구되는 역량을 설명하자. …… ㉢
○ 동아리 활동을 하는 시기와 활동 시간을 밝히자. …… ㉣
○ 가입 신청서의 제출 기한과 장소를 안내하자. …… ㉤
○ 글의 끝부분에 [홍보 문구]를 덧붙이자.

(나)

신입생 여러분, 안녕하세요? '하늘별'은 영화를 사랑하는 학생들이 모여 단편 영화를 만드는 동아리입니다. 우리 동아리는 직접 영화를 제작해 봄으로써 영화에 대한 소양과 영화 제작 능력을 기르고자 합니다. 올해로 6년 차에 접어드는 우리 동아리에서는 총 15명의 2, 3학년 학생들이 즐겁게 활동하고 있습니다.

우리 동아리에서는 단편 영화를 1년에 한 편씩 제작하여 상영해 왔습니다. 작년에는 '기억의 저편'이라는 영화를 ○○구 문예회관 소극장에서 상영하였습니다. 350여 명의 적지 않은 관객들이 관람하였고, 관객들의 평가도 좋았습니다. ⓐ 다만 영화를 관람할 때는 관람 예절을 지키는 것이 중요합니다.

'하늘별'에서는 모집 분야를 대본, 연출 및 편집, 연기, 소품, 촬영 담당으로 ⓑ 구분되고 있습니다. 물론 한 분야를 담당한다고 해서 그 분야의 활동만 하는 것은 아닙니다. 종합 예술로서의 영화를 제대로 이해하려면, 각 분야를 맡은 부원들 간의 소통이 활발해야 하기 때문입니다. ⓒ 그런데 '하늘별'은 기획 회의는 물론 대부분의 활동을 ⓓ 공동으로 함께하는 것을 원칙으로 삼고 있습니다.

우리 동아리는 3월부터 12월까지 매주 1회 2시간씩 정기 모임을 갖습니다. 그리고 촬영과 편집이 집중되는 7월과 10월에는 주 3회 3시간씩 활동합니다. 동아리 전체가 모여서 활동을 하다 보면 시간이 많이 걸리고 작업이 힘들어지는 것도 다반사이지만, 실제로 한 편의 영화를 완성해 본 부원들은 공동 작업이야말로 '하늘별'만의 특징이자 장점이라고 자부합니다.

우리와 함께하고 싶은 1학년 학생들은 가입 신청서를 작성하여 별관 4층 동아리실로 3월 15일까지 제출하시면 됩니다. 활발하고 의욕 넘치는 신입생 여러분을 두 팔 ⓔ 벌여 맞이하겠습니다.

[A]

8. (가)의 ㉠ ~ ㉤ 중 (나)에서 활용되지 않은 것은?

① ㉠ ② ㉡ ③ ㉢ ④ ㉣ ⑤ ㉤

9. [A]에 들어갈 [홍보 문구]를 <보기>의 조건에 따라 작성할 때 가장 적절한 것은?

<보 기>

○ 영화를 제작한다는 동아리의 특성을 드러내고, 가입을 권유할 것.
○ 대구법을 사용할 것.

① 깊이 남을 명대사, 잊지 못할 명장면!
'하늘별'이 만들어 냅니다.
오직 하나뿐인 영화 제작 동아리 '하늘별'입니다.
② 대본부터 편집까지 한 편의 영화를 만듭니다.
웃음부터 눈물까지 한 줄기의 감동을 드립니다.
'하늘별'은 기다립니다. 여러분의 선택을!
③ 한 땀 한 땀 정성스럽게 모아봅니다.
한 장면 한 장면 우리 손으로 만들어 냅니다.
스크린에 펼쳐지는 아름다운 결실!
④ 한 편의 영화를 꽃 피우기 위해 일 년을 보냅니다.
쉽지 않은 길이지만 돌아가진 않습니다.
'하늘별'은 그 길을 함께할 여러분을 기다립니다.
⑤ 영화와 함께하면 우리는 누구나 될 수 있어요.
영화 속에서는 모두가 주인공이죠.
우리만의 세상, 하늘별로 오세요.

10. ⓐ ~ ⓔ를 고쳐 쓰기 위한 방안으로 적절하지 않은 것은?

① ⓐ는 글의 흐름을 고려하여 3문단 끝으로 옮긴다.
② ⓑ는 문장 성분 간 호응을 고려하여 '구분하고'로 고친다.
③ ⓒ는 앞뒤 내용을 자연스럽게 이어 주지 못하므로 '그래서'로 고친다.
④ ⓓ는 뒷말과 의미가 중복되므로 삭제한다.
⑤ ⓔ는 어문 규범에 어긋나므로 '벌려'로 고친다.

11. 밑줄 친 말 중 ㉠의 예로 적절하지 않은 것은?

<보 기>

조사는 주로 체언에 붙어서, 그 체언이 문장 중의 다른 단어와 맺는 관계를 나타내거나 특별한 뜻을 더해 주는 단어이다. 조사는 체언이 문장 속에서 다른 말과 맺는 관계를 표현하는 격조사, 둘 이상의 체언을 같은 자격으로 이어서 하나의 명사구를 형성하는 접속 조사, ㉠ 앞말에 특별한 뜻을 더해 주는 보조사로 구분된다.

① 오직 새소리만 들렸다.
② 시험까지 한 달도 안 남았다.
③ 나는 개와 고양이를 좋아한다.
④ 할아버지께서는 신문을 보셨다.
⑤ 그는 평생 가족밖에 모르고 살았다.

12. <보기>의 선생님의 질문에 답한 내용으로 적절하지 않은 것은? [3점]

<보 기>

**선생님** : 우리말에서 어근과 어근이 결합하여 합성 명사를 이룰 때, 뒤 어근의 예사소리가 된소리로 바뀌거나 두 어근 사이에 'ㄴ'이 첨가되기도 합니다. 다음은 이와 관련된 표준발음법의 규정을 정리한 것입니다.

㉮ 'ㄱ, ㄷ, ㅂ, ㅅ, ㅈ'으로 시작하는 단어 앞에 사이시옷이 올 때는 이들 자음만을 된소리로 발음하는 것을 원칙으로 하되, 사이시옷을 [ㄷ]으로 발음하는 것도 허용한다.
㉯ 사이시옷 뒤에 'ㄴ, ㅁ'이 결합되는 경우에는 [ㄴ]으로, '이' 음이 결합되는 경우에는 [ㄴㄴ]으로 발음한다.

㉮는 앞 어근의 끝소리가 울림소리이고 뒤 어근의 첫소리가 안울림 예사소리이면 뒤의 예사소리가 된소리로 바뀌는 현상과 관련된 규정입니다. 그리고 ㉯는 앞 어근이 모음으로 끝나고 뒤 어근이 'ㄴ, ㅁ'으로 시작되면 앞 어근의 끝소리에 'ㄴ' 소리가 첨가되는 현상, 혹은 앞 어근이 모음으로 끝나고 뒤 어근이 모음 'ㅣ'나 반모음 'ㅣ'로 시작되면 앞 어근의 끝소리와 뒤 어근의 첫소리에 각각 'ㄴ'이 첨가되는 현상과 관련된 규정입니다.

그러면, 이를 바탕으로 다음 단어들에 대해 설명해 볼까요?

빨랫돌[빨래똘 / 빨랟똘], 옷깃[옫낃],
홑이불[혼니불], 뱃머리[밴머리], 깻잎[깬닙]

① '빨랫돌'은 합성 명사로, 앞 어근의 끝소리가 울림소리이고 뒤 어근의 첫소리가 된소리로 바뀌므로 ㉮의 예로 볼 수 있어요.
② '옷깃'은 합성 명사이고 예사소리가 된소리로 바뀌는 현상이 나타나므로 ㉮의 예로 볼 수 있어요.
③ '홑이불'은 'ㄴ'의 첨가가 나타나지만, '홑-'이 접사이므로 ㉯의 예로 볼 수 없어요.
④ '뱃머리'는 합성 명사로, 앞 어근이 모음으로 끝나고 뒤 어근이 'ㅁ'으로 시작하는 음운 환경에서 앞 어근의 끝소리에 'ㄴ'이 첨가되므로 ㉯의 예로 볼 수 있어요.
⑤ '깻잎'은 합성 명사로, 앞 어근이 모음으로 끝나고 뒤 어근이 'ㅣ'로 시작되는데 앞 어근의 끝소리와 뒤 어근의 첫소리에 각각 'ㄴ'이 첨가되므로 ㉯의 예로 볼 수 있어요.

13. <보기>의 ㉠과 ㉡에 해당하는 예로 적절한 것은?

<보 기>

피동문은 서술어가 형성되는 방법에 따라서, '파생적 피동문'과 '통사적 피동문'으로 나뉜다. 파생적 피동문은 능동사 어간을 어근으로 하여 파생 접사 '-이-, -히-, -리-, -기-'가 붙어 만들어진 피동사를 서술어로 하는 문장이다. 한편 통사적 피동문은 서술어로 쓰이는 타동사의 어간에 '-아 / 어지다' 등이 결합되어 만들어진다.

그런데 동사의 성격에 따라서는 ㉠ 피동사로 파생되지 않는 동사도 있다. 또 ㉡ 능동문의 서술어로 쓰인 동사의 피동사가 존재함에도 불구하고 파생적 피동문으로 바꿀 수 없는 문장도 있다.

| | ㉠ | ㉡ |
|---|---|---|
| ① | 주다 | 고양이가 쥐를 잡았다. |
| ② | 먹다 | 사람들이 열심히 풀을 뽑았다. |
| ③ | 돕다 | 동생이 부모님께 칭찬을 들었다. |
| ④ | 만나다 | 학생들이 벽화를 멋지게 그렸다. |
| ⑤ | 나누다 | 누나가 일부러 문을 세게 닫았다. |

**[14 ~ 15] 다음 글을 읽고 물음에 답하시오.**

다른 문장 속에 들어가 하나의 문장 성분처럼 쓰이는 문장을 안긴문장이라고 하며, 이 안긴문장을 포함한 문장을 안은문장이라고 한다. 안긴문장에는 명사절, 관형절, 부사절, 서술절, 인용절이 있는데, 이 가운데 명사절은 서술어로 쓰인 용언의 어간에 명사형 어미 '-(으)ㅁ', '-기'가 붙어 만들어진다. 명사형 어미는 안긴문장에서 서술어로 쓰이는 용언이 서술 기능을 그대로 유지하면서 명사처럼 기능하도록 용언의 문법적인 기능을 바꾼다.

ㄱ. <u>그것이 사실임</u>이 틀림없다.
ㄴ. 나는 <u>그것이 사실이기</u>를 바란다.

명사절은 문장에서 주어, 목적어, 부사어 등 다양한 문장 성분으로 쓰이는데, 위의 예문에서 ㄱ의 명사절은 주어의 기능을 하고, ㄴ의 명사절은 목적어의 기능을 한다.

한편 중세 국어에서도 다양한 명사형 어미가 사용되어 만들어진 명사절이 문장에서 여러 가지 문장 성분으로 쓰였다. 중세에 사용된 명사형 어미로는 '-옴/움'과 '-기', '-디' 등이 있었다. 이 가운데 '-옴'과 '-움'은 모음 조화에 따라 양성 모음 뒤에서는 '-옴'이, 음성 모음 뒤에서는 '-움'이 쓰였다.

*14.* 윗글을 참고할 때, ㉠ ~ ㉣ 중 명사절이 동일한 문장 성분으로 사용된 것끼리 묶인 것은?

< 보 기 >

㉠ 농부들은 비가 오기를 기다린다.
㉡ 지금은 집에 가기에 이른 시간이다.
㉢ 그는 1년 후에 돌아가기로 결심했다.
㉣ 어린 아이들은 병원에 가기 싫어한다.

① ㉠, ㉡ / ㉢, ㉣
② ㉠, ㉢ / ㉡, ㉣
③ ㉠, ㉣ / ㉡, ㉢
④ ㉠ / ㉡, ㉢, ㉣
⑤ ㉠ / ㉡, ㉢ / ㉣

*15.* 윗글을 참고할 때, ⓐ ~ ⓔ 중 명사절이 포함되어 있지 <u>않은</u> 것은? [3점]

< 보 기 >

ⓐ 날로 ᄡᅮ메 뼌한킈 ᄒᆞ고져
(나날이 씀에 편하게 하고자)
ⓑ 구르믜 축추기 둡ᄃᆺ ᄒᆞ시니라
(구름이 축축하게 덮듯 하시니라)
ⓒ 부모ᄅᆯ 현뎌케 홈이 효도ᄋᆡ ᄆᆞᄎᆞᆷ이니라
(부모를 드러나게 함이 효도의 끝이니라)
ⓓ 본향(本鄕)애 도라옴만 ᄀᆞᆮ디 몯ᄒᆞ니라
(본향에 돌아옴만 같지 못하니라)
ⓔ 내 겨지비라 가져 가디 어려ᄫᅳᆯᄊᆡ
(내가 계집이라 가져가기 어려우니)

① ⓐ ② ⓑ ③ ⓒ ④ ⓓ ⑤ ⓔ

**[16 ~ 20] 다음 글을 읽고 물음에 답하시오.**

[가] 근대 이전의 조각은 고유한 미술 영역의 독립적인 작품으로서가 아니라 신전이나 사원, 왕궁과 같은 장소의 일부로서 존재했다. 중세 유럽의 성당 곳곳에 성서와 관련 있는 각종 인물이 새겨지거나 조각상으로 놓였던 것, 왕궁 안에 왕이나 귀족의 인물상들이 놓였던 것이 그 예이다. 이러한 조각은 그것이 놓여 있는 장소의 성격에 따라 종교적인 분위기를 조성하거나 왕의 권력을 상징함으로써 사람들을 감화시키는 기능을 수행하였다.

조각이 장소와 긴밀한 관련성을 지니고 그 장소의 맥락과 의미를 강조하는 수단으로 활용되는 경향은 근대에 들어서면서 큰 변화를 맞이했다. 종교의 영향력 및 왕권이 약화되면서 관련 장소가 지녔던 권위도 ⓐ <u>퇴색하여</u>, 그 장소에 놓인 조각에 부여되었던 종교적, 정치적 의미도 약해진 것이다. 또 특정 장소의 상징으로서의 조각이 원래의 장소에서 물리적으로 분리되어 기존의 맥락을 ⓑ <u>상실하는</u> 경우도 생겨났다. 이러한 상황이 전시 및 교육을 목적으로 하는 박물관, 미술관 등 근대적 장소가 ⓒ <u>출현하는</u> 상황과 맞물리면서 조각에 대한 새로운 관점이 부각되기 시작했다. 조각이 박물관이나 미술관에 놓이면서 미적 감상의 대상인 '작품'으로서의 성격이 강조된 것이다. 사람들은 조각을 예술적인 기법이나 양식 등 순수한 미적 현상이 구현된 독립적인 작품으로 감상하게 되었다.

이러한 경향은 19세기 이후 미술의 흐름 속에서 더욱 두드러졌고, 작품 외적 맥락에 ⓓ <u>구속되기보다는</u> 작품 자체에서 의미의 완결을 추구하는 경우가 많아졌다. 그래서 작품 바깥의 대상을 지시하거나 재현하기보다는 감상자의 시선을 작품에만 집중시키는 단순하고 추상화된 작품들이 이 시기부터 많이 등장하였다. 이러한 작품들은 대개 미술 전시장의 전형적인 화이트 큐브, 즉 출입구 이외에는 사방이 막힌 실내 공간 안에서 받침대 위에 놓여 실제적인 장소나 현실로부터 분리된 느낌을 주었다.

이렇게 조각이 특정 장소로부터 독립해 가는 경향 속에서 미니멀리즘이 등장하였다. 미니멀리즘은 1960년대에 미국을 중심으로 발달한 예술 사조로, 작품의 의미가 예술가의 의도에 의해 결정되는 것을 최소화하고 꾸밈과 표현도 최소화하여 극단적으로 단순화된 기하학적 형태를 추구했다. 미니멀리즘 작가들은 가공하지 않은 있는 그대로의 산업 재료들을 사용하는 등의 방법으로 무의도성과 단순성을 구현했기 때문에, 그 결과물은 작품이라기보다는 사물로 인식되기도 하였다. 또한 미니멀리즘 조각은 감상자들이 걸어 다니는 바닥이나 전시실 벽면과 같은 곳에 받침대 없이 놓임으로써 감상자와 작품 간의 거리를 축소하고, 동선에 따라 개별적이고 다양한 경험과 의미 형성이 가능하도록 하였다. 그 결과 미니멀리즘 조각은 단순성과 추상성을 특징으로 한다는 점에서 이전 시기의 추상 조각과 공통점을 지니면서도, 전시장이라는 실제 장소의 물리적 특성을 작품에 의도적으로 결부하여 활용했다는 점에서 차별성을 띠게 되었다. 이런 특징은 근대 이전의 조각이 장소의 특성에 종속되어 있었던 것과도 차별화된다.

이후 미술에서는 미니멀리즘을 통해 부각된 작품과 장소 간의 관련성을 새롭게 실현하려는 시도들이 이어져 왔다. 미니멀리즘 작품이 장소와의 관련성을 모색하고 구현한 것이기는 해도 미술관이라는 공간 내부에 제한된다는 점을 ⓔ <u>간파한</u> 일부 예술가들은, 미술관 바깥의 도시나 자연을 작업의 장소이자 대상으로 삼아 장소와의 관련성을 다양한 방식으로 실현하려 하였다. 대지 미술은 이러한 시도 중 하나로, 대지의 표면에 형상을 디자인하고 자연 경관 속에 작품을 만들어 냄으로써 지역이나 환경 자체를 작품화하였다. 구체적인 장소의 특성을 작품 의미의 근원으로 삼는 이러한 작품들에서는 작품과 장소, 감상자 간의 상호 작용을 통해 의미가 형성된다는 특징이 드러났다.

*16.* 윗글의 논지 전개 방식으로 가장 적절한 것은?

① 논쟁이 벌어지게 된 배경을 다각도로 분석하고 있다.
② 통념에 대한 비판을 통해 특정 이론을 도출하고 있다.
③ 하나의 현상을 해석하는 대립적인 관점을 절충하고 있다.
④ 역사적 사건에 영향을 미친 요소를 구체적으로 나열하고 있다.
⑤ 논의의 대상이 변모해 온 양상을 시간적 순서로 설명하고 있다.

*17.* 윗글의 내용과 일치하지 <u>않는</u> 것은?

① 대지 미술가들은 자연을 창작 작업의 장소이자 대상으로 삼았다.
② 화이트 큐브는 현실로부터 작품이 분리된 느낌을 완화해 주는 역할을 하였다.
③ 왕권이 약해짐에 따라 왕의 모습을 담은 인물상에 부여되는 상징적 의미가 변화되었다.
④ 19세기 이후의 추상 조각은 감상자의 시선을 작품 외적 맥락보다 작품 자체에 집중시키는 경향이 있었다.
⑤ 미니멀리즘 작가들은 가공하지 않은 산업 재료들을 사용하여 무의도성과 단순성을 구현하기도 하였다.

*18.* [가]와 <보기>를 관련지어 이해한 것으로 가장 적절한 것은?

< 보 기 >

중세 시대에 건축, 조각, 회화는 독자적인 예술 분야가 아닌 기술이나 수공업의 영역으로 인식되었으며, 정치, 사회적 기능에 전적으로 의존하였다. 근대에 이르러 미술의 개념이 확립되고 미가 인간 행위를 지배하는 하나의 독립적 원리로 여겨지면서, 사람들은 종교적 신비감이 시들해진 상태에서 순수한 미적 체험을 추구하기 시작했다. 미술관을 포함한 박물관의 건립은 이러한 변화와 맞물린 근대적 현상이었다.

① 박물관에서 원래의 장소로 되돌아온 조각상은 건축, 조각, 회화 영역의 통합에 기여하겠군.
② 근대에 출현한 박물관은 작품이 가진 수공업으로서의 가치를 강화하는 데 초점을 두었겠군.
③ 조각상을 감상의 대상인 '작품'으로 여긴다는 것은 그것에 정치, 사회적 기능을 부여한다는 뜻이겠군.
④ 종교적인 인물상이 사원에서 박물관으로 옮겨지면서 미의 개념이 예술 분야에서 기술 분야로 확대되었겠군.
⑤ 중세의 종교 건축물의 일부였던 조각상이 원래의 장소에서 물리적으로 분리되면 원래의 종교적 신비감이 유지되기 어렵겠군.

*19.* <보기>는 미술 작품을 감상한 사례이다. 윗글을 읽고 <보기>를 이해한 내용으로 적절하지 <u>않은</u> 것은? [3점]

< 보 기 >

| 작품 | 감상 내용 |
|---|---|
| ㉠: <L자 빔> | A는 미술관 안에서 동일한 크기의 'L'자 모양 조형물들을 곳곳에 배치한 ㉠을 보았다. 조형물들 사이를 걸으며 감상해 보니, 보는 위치에 따라 조형물들의 형태와 구도가 다르게 보였다. 서로 다른 동선으로 ㉠을 감상한 B와 그 느낌을 비교해 볼 수도 있었다. |
|  ㉡: <나선형 방파제> | ㉡은 그레이트 솔트 호수에 설치된 작품으로, 돌과 흙으로 만든 나선형의 방파제이다. C는 실제로 방파제 위를 걸어 보았는데, 가장자리의 일부가 물에 잠겼다가 다시 나타나기도 했다. 육지 쪽으로 나와서 바라보니 방파제 위에 하얀 소금 결정들이 덮여 있는 부분도 보여 색다른 느낌을 받았다. |

① ㉠은 미술관 내부라는 제한된 공간에 위치하고 있다는 점에서 ㉡과 구별된다.
② ㉠을 감상하는 동선에 따른 A와 B의 상이한 경험은 작품에 대한 각자의 의미 형성에 기여했을 것이다.
③ ㉡은 호수라는 자연에 돌과 흙으로 형상을 만들어 자연 환경을 작품화한 것으로 볼 수 있다.
④ ㉡은 그 위나 주변을 걸으면서 감상하게 되므로, 작품의 의미는 작품, 감상자 및 장소 간의 상호 작용으로 형성된다고 할 수 있다.
⑤ ㉠과 ㉡은 감상자가 한눈에 조망할 수 있는 위치에 있을 때 작가의 의도가 드러난다는 점에서 장소와 긴밀한 연관성을 가진 작품으로 볼 수 있다.

*20.* 문맥상 ⓐ ~ ⓔ와 바꾸어 쓰기에 적절하지 않은 것은?

① ⓐ : 희미해져
② ⓑ : 잃어버리는
③ ⓒ : 드러나는
④ ⓓ : 얽매이기보다는
⑤ ⓔ : 알아차린

**[21 ~ 23] 다음 글을 읽고 물음에 답하시오.**

(가)
지도에서는 푸른 것을 바다라 하였고
얼룩덜룩한 것을 육지라 부르는
습관을 길러 왔단다.

이제까지 국경이 있어 본 일이 없다는
저 하늘을 닮아서 바다는 한결로 푸르고

육지가 석류껍질처럼 울긋불긋한 것은
오로지 색채를 즐긴다는 단조한 이유가 아니란다.

오늘 펴보는 이 지도에는
조선과 인도가 왜 이리 많으냐?

시방 나는
똥그란 지구가 유성처럼 화려히 떨어져 갈 날을
생각하는 '외로움'이 있다.

도시* 지구는 한 덩이 푸른 석류였거니…….

– 신석정, 「지도」 –

* 도시 : 이러니저러니 할 것 없이 아주.

(나)
[A]
목련이 도착했다
한전 부산지사 전차기지터 앞
꽃들이 조금 일찍 봄나들이를 나왔다
나도 꽃 따라 나들이나 나갈까

[B]
심하게 앓고 난 뒤의 머릿속처럼
맑게 갠 하늘 아래,
전차 구경 와서 아주 뿌리를 내렸다는
어머니 아버지도 그랬겠지
꽃양산 활짝 펴 든
며느리 따라 구경 오신 할아버지도 그랬겠지

[C]
나뭇가지에 코일처럼 감기는 햇살,
저 햇살을 따라가면
나무 어딘가에 숨은 전동기가 보일는지 모른다
전차바퀴 기념물 하나만 달랑 남은 전차기지터
레일은 사라졌어도, 사라지지 않는
생명의 레일을 따라
바퀴를 굴리는 힘을 만날 수 있을는지 모른다
지난밤 내리치던 천둥번개도 쩌릿쩌릿
저 코일을 따라가서 동력(動力)을 얻진 않았는지,

[D]
한 량 두 량 목련이 떠나간다
꽃들이 전차 창문을 열고 손을 흔든다
저 꽃전차를 따라가면, 어머니 아버지
신혼 첫밤을 보내신 동래온천이 나온다

– 손택수, 「목련 전차」 –

*21.* (가)와 (나)의 공통점으로 가장 적절한 것은?

① 음성 상징어를 활용하여 대상에 동적 이미지를 부여하고 있다.
② 구체적 사물을 매개로 한 상상을 통해 시상을 전개하고 있다.
③ 말을 건네는 방식을 통해 독자의 주의를 환기하고 있다.
④ 동일한 시행의 반복으로 주제 의식을 부각하고 있다.
⑤ 공간의 이동에 따른 정서의 변화가 나타나고 있다.

*22.* <보기>를 바탕으로 (가)를 이해한 내용으로 적절하지 않은 것은?

< 보 기 >

지도는 영토와 국경의 존재를 드러내고 육지와 바다, 국가와 국가 간의 비교를 가능하게 한다. (가)는 '지도', '지구'와 같은 지리적 표상을 다루고 구체적 장소를 제시하면서 이를 1930년대 제국주의 치하의 현실과 연결하고 있다. (가)의 화자는 지도를 보며 민족 공동체의 차원에서 일제의 식민 지배에 대한 저항 의식을, 세계 공동체의 차원에서 제국주의에 대한 비판적 인식과 인류 평화에 대한 소망을 드러낸다.

① 화자는 '바다'를, '국경이 있어 본 일이 없'는 '하늘'과 유사하다고 인식하는 것으로 볼 수 있다.
② 화자는 '바다'와 '육지'를 대비하며 '육지'가 '바다'를 닮지 못한 데에 대한 안타까움을 나타내는 것으로 볼 수 있다.
③ '조선과 인도가 왜 이리 많으냐?'라는 화자의 말에는 제국주의에 대한 비판적 인식이 담겨 있는 것으로 볼 수 있다.
④ 화자의 '외로움'은 '지도'의 '울긋불긋한' '색채'를 더 이상 즐기지 못한다는 체념에서 기인하는 것으로 볼 수 있다.
⑤ '도시 지구는 한 덩이 푸른 석류였거니…….'에는 세계 공동체의 차원에서 평화가 회복되기를 바라는 화자의 소망이 담겨 있는 것으로 볼 수 있다.

23. [A]~[D]에 대한 감상으로 적절하지 않은 것은? [3점]

① [A]의 '목련이 도착했다'에서 [D]의 '목련이 떠나간다'로 이어지는 시상 전개는 자연의 흐름을 떠올리게 하는군.
② [A]의 '전차기지터'는 '나'의 '나들이'와 [B]의 '어머니 아버지', '할아버지'의 나들이를 이어주면서 서로 다른 세대를 공통적 경험으로 묶는 매개 역할을 하는군.
③ [C]의 '나뭇가지에 코일처럼 감기는 햇살'에서 '나무 어딘가에 숨은 전동기'를 떠올림으로써 목련을 피워내는 자연의 생명력을 환기하고 있군.
④ [C]의 '하나만' 남은 '전차바퀴'에서 [D]의 '한 량 두 량' 떠나가는 '목련'으로 이어지는 시상 전개는 현대의 기계 문명에 의해 사라지는 자연물에 대한 안타까움을 드러내는군.
⑤ [C]의 '생명의 레일'을 따라 움직이는 [D]의 '꽃전차'가 '어머니 아버지/신혼 첫밤을 보내신 동래온천'을 향한다고 생각하면서 화자는 자기 가족의 출발점을 떠올리고 있군.

**[24 ~ 28] 다음 글을 읽고 물음에 답하시오.**

빛은 망막의 광수용기 세포에서 수용되어 전기 신호로 변환된 뒤, 뇌의 시각 피질로 전달된다. ㉠ 후벨과 위젤은 망막에 비춰진 빛에 대해 고양이의 시각 피질 세포가 어떻게 반응하는지 실험하였다. 그들은 이를 통해 시각 피질 세포가 망막의 일정 영역 내 광수용기 세포들과 연결되어 있다는 사실을 알아냈다. 하나의 시각 피질 세포와 연결된 망막상의 일정 영역을 해당 시각 피질 세포의 '수용장'이라고 한다.

또한 이 실험을 통해 시각 피질이 하위의 '단순 세포'와 상위의 '복잡 세포'의 다층 구조로 구성되어 있다는 점이 밝혀졌다. 단순 세포와 복잡 세포 모두 각각의 수용장에 비친 특정한 각도를 가진 선분 모양의 빛에 활성화된다. 하지만 단순 세포가 수용장 내 특정 위치의 빛에만 활성화되는데 반해, 복잡 세포는 수용장이 단순 세포보다 넓고, 수용장에 비춰진 빛의 위치 변화에 관계없이 활성화된다. 이는 복잡 세포가 다수의 단순 세포들로부터 전기 신호를 전달받아 활성화되기 때문이다.

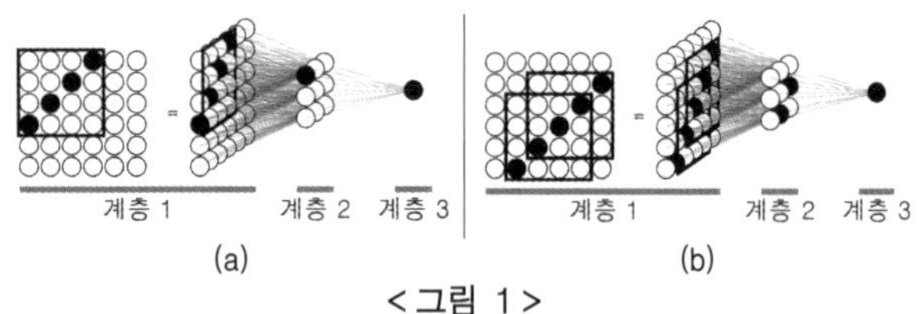

<그림 1>

<그림 1>은 이러한 시각 피질 세포들의 전기 신호 전달 과정을 다층 모형으로 나타낸 것이다. 모형의 각 층은 유닛들로 구성되는데, 계층 1의 각 유닛은 망막의 광수용기 세포에, 계층 2의 각 유닛은 단순 세포에, 계층 3의 유닛은 복잡 세포에 대응된다. 이때, 검은색 유닛은 해당 유닛이 활성화되었음을 의미하며, 계층 1의 사각형 영역은 계층 2의 활성화된 유닛의 수용장을 표시한 것이다. (a)와 (b)는 각각의 사선 패턴의 위치에 따른 각 유닛들의 활성화 상태를 나타낸 것이다. 계층 2의 각 유닛은 자신의 수용장 안의 특정한 위치에 특정한 각도의 사선 패턴이 입력되면 활성화된다. 계층 3의 유닛은 계층 2의 유닛 중에 하나라도 활성화되면 활성화된다.

'합성곱 신경망'은 이미지 인식(image recognition)*을 위해 만들어진 인공 신경망으로서, <그림 1>과 같은 다층 구조의 신경망 모형을 수학적으로 구조화한 것이다. 합성곱 신경망은 '합성곱층'과 '통합층'으로 구성되며, 이들은 각각 합성곱 연산과 통합 연산에 의해 출력된다. 먼저, 합성곱 연산은 특정한 크기의 [필터]가 이미지 데이터의 왼쪽 상단에서 오른쪽 하단까지 일정 간격으로 이동해 가며 이미지 데이터와 필터의 곱을 합산하는 과정이다. 이때 필터는 이미지 데이터의 국부 영역에 존재하는 특정한 기하학적 패턴을 검출하는 역할을 한다.

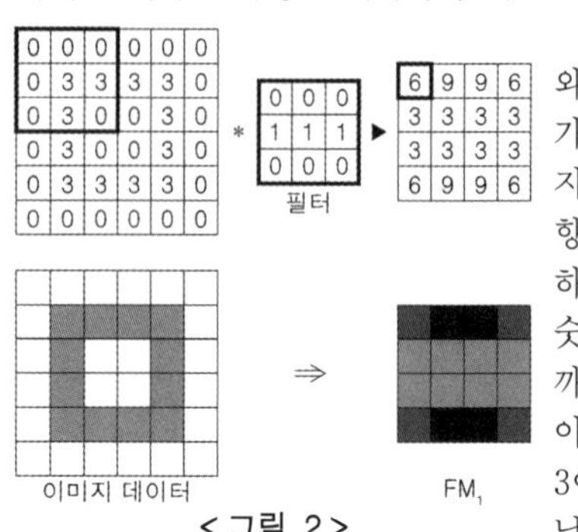

<그림 2>

예를 들어, <그림 2>와 같이 '□'의 형태를 가진 6×6 크기의 이미지 데이터로부터 수평 방향의 패턴을 추출한다고 하자. 이때, 각 유닛의 숫자는 명암을 0부터 10까지의 수치로 나타낸 것이다. 필터의 크기가 3×3이고 이동 간격을 1 유닛 단위로 설정했다면, 필터가 왼쪽 상단에서 오른쪽 하단으로 한 칸씩 이동해 가면서 합성곱을 16번 연산하고 4×4 크기의 '특징 지도'(feature map, FM)가 출력된다. <그림 2>에서 특징 지도 $FM_1$의 가장 왼쪽 위 유닛 값 '6'은 이미지 데이터의 왼쪽 위 3×3의 영역과 필터와의 곱의 총합인 '$0\times0 + 0\times0 + 0\times0 + 0\times1 + 3\times1 + 3\times1 + 0\times0 + 3\times0 + 0\times0$'의 연산을 통해 구해진 것이다.

이렇게 필터를 이용해 이미지 데이터에 합성곱 연산을 수행하면 필터의 특성에 맞게 강조된 특징 지도를 얻을 수 있다. <그림 2>는 합성곱 연산 결과 수평 방향의 패턴이 강조되고 데이터 크기는 6×6에서 4×4로 줄어 출력된 특징 지도를 보여 준다. 이때, 필터의 이동 간격이 크게 설정된다면 출력되는 특징 지도의 크기를 줄여 데이터 처리를 빠르게 할 수 있는 장점이 있지만, 이미지의 특징을 놓칠 가능성이 증가하게 되는 단점이 있다.

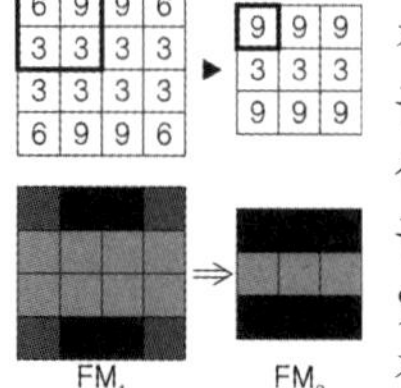

<그림 3>

다음으로, 통합 연산은 합성곱층의 일정 범위 안에 있는 유닛 값들을 정해진 규칙에 따라 하나의 값으로 통합하는 연산이다. 통합 연산 규칙에는 최댓값 통합 규칙, 평균값 통합 규칙 등 여러 종류가 있는데, 이를 통해 새롭게 출력된 특징 지도로 통합층이 구성된다. <그림 3>은 <그림 2>의 $FM_1$을 2×2 범위로 최댓값 통합 규칙에 따라 통합 연산한 것이다. 이때, 통합 연산의 범위를 왼쪽 상단에서 오른쪽 하단까지 1 유닛 단위로 이동하도록 설정하면 3×3 크기의 새로운 특징 지도 $FM_2$가 출력된다.

[가] 합성곱 연산을 통해 이미지의 어떤 영역에 어떤 패턴이 있는지를 추출할 수 있으며, 다양한 필터를 통해 이를 반복하면 이미지 속 사물을 인식할 수 있다. 하지만 연산을 반복하는 과정에서 패턴의 위치 정보를 계속 유지하게 되는데, 이는 일반적으로 불필요한 정보이다. 왜냐하면, 합성곱 연산을 통해 출력된 특징 지도 내에서 서로 인접한 유닛들은 미세한 위치 정보만 다를 뿐, 거의 비슷한 패턴 정보를 담고 있기 때문이다. 이때, 통합 연산 수행은 합성곱 연산의 결과에서 위치 정보를 줄여 주는 역할을 한다.

합성곱 연산과 통합 연산을 통해 위치 정보는 축약되고 패턴 정보는 강조된 특징 지도가 출력된다. 그리고 이 특징 지도를 인공 지능 네트워크인 '전체 연결층'에 입력하여 이미지 인식 결과를 출력할 수 있다. 또한 입력된 이미지가 많아질수록 인공 신경망의 기계 학습을 통해 합성곱 신경망이 스스로 필터의 수치를 갱신함으로써 이미지 인식의 정확성이 높아지게 된다. 하지만 합성곱 연산 및 통합 연산의 횟수, 필터의 크기 및 이동 간격, 통합 연산 규칙 등은 초기 설정 값이 계속 유지되므로 이를 고려하여 합성곱 신경망을 설계해야 한다. 최근 인공 지능 기술이 발전함에 따라 합성곱 신경망은 사진 자동 분류, 필기 인식 등 다양한 영역으로 확장되고 있다.

* 이미지 인식 : 이미지 속 사물이 무엇인지를 알아내는 것.

*24.* 윗글에 대한 이해로 적절하지 않은 것은?

① 통합 연산은 합성곱층의 일정 범위 내의 값들을 하나의 값으로 통합하는 기능을 한다.
② 시각 피질의 복잡 세포는 단순 세포로부터 전달받은 전기 신호를 전체 연결층에 전달한다.
③ 시각 피질의 단순 세포는 수용장 내에 비춰진 특정 각도의 선분 모양의 빛에 활성화된다.
④ 합성곱 신경망으로 이미지를 인식하려면 특징 지도에 특정 패턴에 대한 정보가 담겨 있어야 한다.
⑤ 합성곱 신경망은 합성곱 연산과 통합 연산을 통해 이미지의 패턴 정보가 강조된 특징 지도를 추출한다.

*25.* <보기>는 ㉠을 재구성한 실험에 대한 설명이다. <보기>와 윗글의 <그림 1>을 이해한 것으로 적절하지 않은 것은? [3점]

< 보 기 >

다양한 빛 자극에 대해 시각 피질 세포가 어떻게 반응하는지 알기 위해, 선분 모양의 빛을 고양이의 망막에 비춘다.
이때, 빛의 각도는 각도 Ⓐ와 Ⓑ로, 빛이 비추어지는 수용장 내 위치는 위치 ㉮와 ㉯로 각각 다르게 한다. 그 결과 세포 A와 B는 서로 다른 반응을 보였다.
(단, 세포 A와 B는 서로 다른 시각 피질 세포이며, 망막의 특정 영역을 수용장으로 공유한다.)

| 실험 | | | | 실험 결과 | |
|---|---|---|---|---|---|
| | 빛의 각도 | 빛의 위치 | | 세포 A | 세포 B |
| 자극 1 | Ⓐ | ㉮ | ⇨ | ○ | ○ |
| 자극 2 | Ⓐ | ㉯ | ⇨ | ○ | × |
| 자극 3 | Ⓑ | ㉮ | ⇨ | × | × |
| 자극 4 | Ⓑ | ㉯ | ⇨ | × | × |

(○: 활성화, ×: 비활성화)

① '자극 1'의 실험 결과를 고려하면, '세포 A'와 '세포 B'가 반응하는 빛의 각도는 같겠군.
② '자극 1'과 '자극 2'의 실험 결과를 고려하면, '세포 A'의 수용장이 '세포 B'의 수용장보다 더 넓겠군.
③ '자극 1'과 '자극 3'의 실험 결과를 비교하면, '세포 A'는 각도 Ⓑ의 빛에는 반응하지 않겠군.
④ '세포 A'는 <그림 1>의 '계층 3'의 유닛에, '세포 B'는 '계층 2'의 유닛에 해당되겠군.
⑤ '자극 1'과 '자극 2'의 실험 결과는 <그림 1>의 (a)에, '자극 3'과 '자극 4'의 실험 결과는 (b)에 해당되겠군.

*26.* 필터에 대한 이해로 적절하지 않은 것은?

① 합성곱 연산을 수행하면 필터의 특성이 반영된 특징 지도가 출력된다.
② 필터의 기능은 이미지 데이터에서 특정한 기하학적 패턴을 검출하는 것이다.
③ 적절한 필터를 통해 합성곱 연산을 반복하여 이미지 속 사물을 인식할 수 있다.
④ 필터의 크기와 이동 간격의 비율은 합성곱 신경망에 의해 자동적으로 변화된다.
⑤ 필터의 매개를 통해 이미지 속 사물의 패턴에 대한 정보가 합성곱층에 반영된다.

*27.* [가]를 고려할 때, '통합 연산'을 수행하는 이유로 적절한 것은?

① 통합 연산 수행 이전과 이후, 이미지 속 사물에 대한 인식 결과가 달라지기 때문이다.
② 통합층의 각 유닛에 담긴 정보는 합성곱층의 각 유닛에 담긴 정보와 관련이 없기 때문이다.
③ 이미지 속 사물의 위치 정보를 표시하기 위한 추가적인 합성곱 연산이 필요하기 때문이다.
④ 합성곱 연산을 수행한 결과에 이미지 인식에는 불필요한 위치 정보가 포함되어 있기 때문이다.
⑤ 통합 연산은 합성곱층에 포함된 이미지 속 사물의 패턴 정보를 추출하는 역할을 하기 때문이다.

*28.* <보기>는 '♡' 모양의 디지털 이미지를 인식하는 과정의 일부를 도식화한 것이다. 이에 대해 이해한 것으로 적절하지 않은 것은?

< 보 기 >

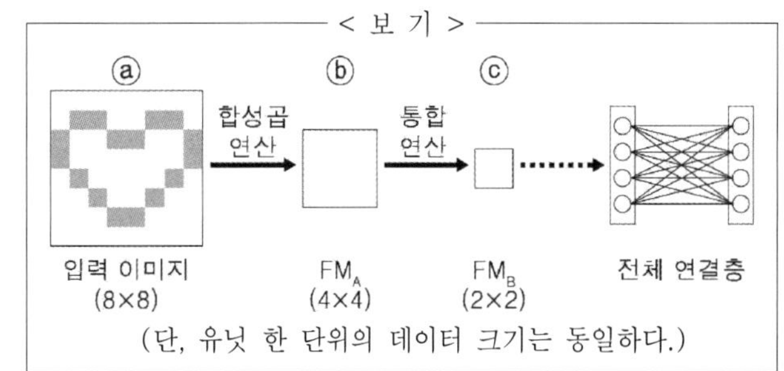

(단, 유닛 한 단위의 데이터 크기는 동일하다.)

① ⓑ의 데이터 크기는 ⓐ에 비해 작겠군.
② 필터의 이동 간격을 1 유닛 단위로 설정했다면 ⓑ를 출력하기 위해 5×5 필터가 사용되었겠군.
③ 2×2 범위로 평균값 통합을 통해 ⓒ를 출력했다면, ⓒ의 데이터 크기는 ⓑ의 25%로 감소하였겠군.
④ 2×2 범위로 최댓값 통합 규칙을 사용하여 ⓑ를 통합 연산한 경우, 해당 범위의 유닛 값들 중 최댓값이 ⓒ의 하나의 유닛 값으로 도출되겠군.
⑤ ⓑ에서 ⓒ를 출력하기 위한 통합 연산에는 '♡' 모양의 특징을 검출할 수 있는 필터가 적용되었겠군.

16회

**[29 ~ 32] 다음 글을 읽고 물음에 답하시오.**

노옹이 졸다가 말하기를,
"네 두 손으로 내 발바닥을 문지르라."
하여 생이 종일토록 노옹의 발바닥을 부비더니 노옹이 깨어나 말하기를,
"그대를 위하여 사방으로 찾아 다녔으나 보지 못하고 후토부인께 물으니 마고할미 데려다가 낙양 동촌에 가 산다하기로 거기 가보니 과연 숙향이 누상에서 수를 놓고 있거늘 보고 온 일을 표하기 위해 불똥이를 내리쳐 수놓은 봉의 날개 끝을 태우고 왔노라. 너는 그 할미를 찾아보고 숙향의 종적을 묻되 그 수의 불탄 데를 이르라." / 하였다. 이랑이 말하기를,
"제가 처음에 가 찾으니 여차여차 이르기로 **표진강가에까지 갔다가 이리 왔**는데 낙양 동촌에 데리고 있으면서 이렇게 속일 수가 있습니까?"
하니 노옹이 웃으며 말하기를,
"마고선녀는 범인(凡人)이 아니라 그대 정성을 시험함이니 다시 가 애걸하면 숙향을 보려니와 만일 그대 부모가 숙향을 만난 것을 알면 숙향이 큰 화를 당하리라."
하고 이미 간 데 없었다. 그리하여 이랑은 집으로 돌아왔다.
선시(先時)*에 할미 이랑을 속여 보내고 안으로 들어와 낭자더러 말하기를,
"아까 그 소년을 보셨습니까? 이는 천상 태을이요, 인간 이선입니다." / 하니 낭자가 물었다.
"태을인 줄 어찌 아셨습니까?"
할미가 말하기를,
"그 소년의 말을 들으니 '대성사 부처를 따라 요지(瑤池)에 가 반도(蟠桃)*를 받고 조적의 수(繡) 족자를 샀노라.' 하니 태을임이 분명합니다."
하니 낭자가 말하였다.
"세상 일이란 예측하기 어려운 것이니 옥지환(玉指環)*의 진주를 가진 사람을 살펴주십시오."
할미가 말하기를
"그 말이 옳습니다." / 하였다.
하루는 낭자가 누상에서 수를 놓더니 **문득 난데없는 불똥**이 떨어져 수 놓은 봉의 날개 끝이 탔는지라 낭자가 놀라 할미에게 보이니 할미가 말하기를,
"이는 화덕진군의 조화니 자연 알 일이 있을 것입니다."
하였다.
이때 이랑이 목욕재계하고 황금(黃金) 일정(一正)을 가지고 할미 집을 찾아가니 할미가 맞이하여 말하기를,
"저번에 취한 술이 엊그제야 깨어 해정(解酲)하려고 하던 차에 오늘 공자를 만나니 다행한 일입니다."
하니 이랑이 말했다.
"할미 집의 술을 많이 먹고 술값을 갚지 못하였기로 금전 일정을 가져와 정을 표하노라."
할미가 말하기를,
"주시는 것은 받거니와 제 집이 비록 가난하나 술독 위에 주성(酒星)이 비치고 밑에는 주천(酒泉)이 있습니다. 가득찬 술동이의 임자는 따로 있는 법이라, 어찌 값을 의논하겠습니까? 다른 말씀은 마시고 무슨 일로 수천 리를 왕래하셨습니까?"
하니 이랑이 탄식하며 말했다.
"할미의 말을 곧이듣고 숙향을 찾으러 갔노라."
할미가 말하기를,
"낭군은 참으로 신의 있는 선비입니다. 그런 병인(病人)을 위하여 그렇게 수고하니 숙향이 알면 자못 감사할 것입니다."
하니 이랑이 말하였다.
"헛수고를 누가 알겠는가?"
할미가 거짓으로 놀라는 척하며 말했다.
"숙향이 이미 죽었습니까?"
이랑이 말하기를,
"노전에 가 노옹의 말을 들으니 낙양 동촌 술 파는 할미 집에 있다고 하니 할미집이 아니면 어디에 있겠는가? 사람을 속임이 너무 짓궂도다."
하니 할미 정색하여 말하기를,
"낭군의 말씀이 매우 허단합니다. 화덕진군은 남천문 밖에 있고 마고선녀는 천태산에 있어 인간에 내려올 일이 없거늘 숙향을 데려 갔다는 말이 더욱 황당합니다."
하였다. 이랑이 말하기를,
"화덕진군이 말하기를, '숙향이 수놓는데 불똥을 나리쳐 봉의 날개를 태웠으니 후일 징간(徵看)하라.' 하였으니 그 노옹이 어찌 나를 속이겠는가?"
라고, 물으니 할미가 말했다.
"진실로 그러하다면 낭군의 정성이 지극합니다."
이랑이 말하기를,
"방장(方丈), 봉래(蓬萊)를 다 돌아서도 못 찾으면 이선이 또한 죽으리로다."
하고 술도 아니 먹고 일어나거늘 할미 웃으며 말하기를,
"숙녀(淑女)를 취하여 동락(同樂)할 것이지 구태여 그런 병든 걸인을 괴로이 찾습니까?"
하니 이랑이 말하기를,
"어진 배필이 없음이 아니라 **이미 전생 일을 알고서야 어찌 숙향을 생각지 않겠느냐? 내 찾지 못하면 맹세코 세상에 머물지 아니하**리라."
하였다. 할미가 또 말하기를,
"제가 아무쪼록 찾아 기별할 것이니 과히 염려하지 마십시오."
하니 이랑이 말하기를,
"나의 목숨이 할미에게 달렸으니 가련하게 여김을 바라노라."
하고 할미를 이별하고 집에 돌아와 밤낮으로 고대하더니 삼일 후에 할미가 나귀를 타고 오거늘 기쁘게 맞이하여 서당(書堂)에 앉히고 물었다.
"할미는 어찌 오늘에야 찾아 왔는가?" / 할미가 말했다.
"낭군을 위하여 숙낭자를 찾으러 다니니 숙향이란 이름이 세 곳에 있으되 하나는 태후 여감의 딸이요, 하나는 시랑 황전의 딸이요, 하나는 부모 없이 빌어먹는 아이였습니다. 세 곳에 기별한 즉 둘은 응답하나 걸인은 허락하지 아니하고 말하기를, '내 배필은 진주 가져간 사람이니 **진주를 보아야 허락하리라**' 하더이다."
이랑이 대희하여 말하기를,
"필시 요지에 갔을 적에 반도를 주던 선녀로다. 수고스럽지만 이 진주를 갔다가 보이라."
하고 술과 안주를 내어 관대하니 할미 응락하고 돌아가 낭자더러 이생의 말을 이르고 진주를 내어 주거늘 낭자가 보고 '맞습니다.' 하니 할미는 웃고, 즉시 이랑에게 가 말했다.

– 작자 미상, 「숙향전」 –

* 선시 : 이전의 어느 날.
* 반도 : 삼천 년마다 한 번씩 열매가 열린다는 선경에 있는 복숭아.
* 옥지환 : 옥으로 만든 가락지.

*29.* 윗글에 대한 설명으로 가장 적절한 것은?

① 서사의 진행 과정에 비현실적 요소가 개입되어 있다.
② 등장인물의 심리를 내적 독백의 형식으로 나타내고 있다.
③ 구체적인 외양 묘사를 통해 인물의 성격을 암시하고 있다.
④ 요약적 서술을 통해 시대적 배경을 구체적으로 제시하고 있다.
⑤ 언어유희를 사용하여 인물의 상황을 해학적으로 드러내고 있다.

*30.* <보기>를 참고하여 윗글의 내용을 이해한 것으로 적절하지 않은 것은? [3점]

< 보 기 >

윗글에서는 다음과 같은 내용 구조가 확인된다.

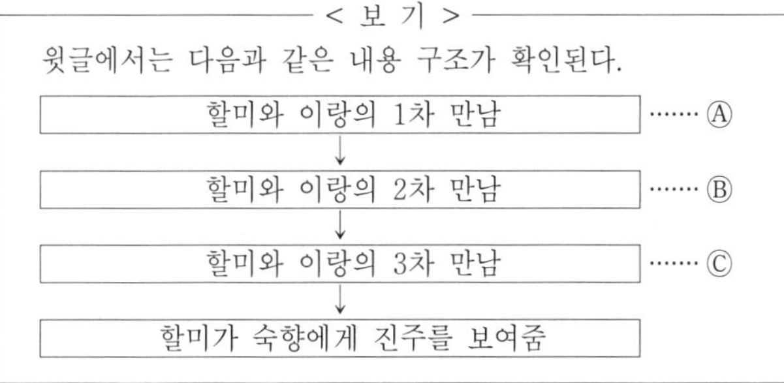


① Ⓐ에서 할미는 자신과 숙향의 관계를 이랑에게 숨겨 이랑과 숙향의 만남을 지연시킨다.
② Ⓐ와 Ⓑ 사이에 이랑은 화덕진군으로부터 마고선녀인 할미가 자신을 속이고 있다는 말을 듣는다.
③ Ⓑ에서 할미는 숙향을 두고 '병든 걸인'이라 칭하여 숙향에 대한 이랑의 마음을 시험하고 있다.
④ Ⓒ에서 할미는 이랑에게 자신과 숙향의 관계를 밝히고 만남을 주선하기로 약속하고 있다.
⑤ Ⓐ에서 Ⓒ로 진행되면서 숙향과의 만남에 대한 이랑의 기대감이 높아지고 있다.

*31.* <보기>를 참고하여 윗글을 감상한 내용으로 적절하지 않은 것은?

< 보 기 >

'숙향전'은 이미 천상계에서 정해진 남녀 주인공의 인연이 지상계에서 실현되는 과정을 보여준다. 이 과정이 순탄치는 않지만 두 주인공은 의지적인 태도로 고난에 대처해 가고, 결국은 징표에 근거하여 서로가 인연임을 확인하게 된다.

① 이랑이 숙향을 찾아 '표진강가에까지 갔다가 이리 왔'다는 것은, 이랑과 숙향의 결연 과정이 순탄치 않음을 드러내는 것으로 볼 수 있군.
② 숙향이 '문득 난데없는 불똥'을 보고 놀란 것은, 이랑과 자신에게 뜻밖의 시련이 닥칠 것임을 예상하였기 때문으로 볼 수 있군.
③ 이랑이 '이미 전생 일을 알고서야 어찌 숙향을 생각지 않겠느냐?'라고 하는 데서, 이들의 인연이 이미 천상계에서 정해진 것임을 알 수 있군.
④ 이랑이 '내 찾지 못하면 맹세코 세상에 머물지 아니하'겠다고 말한 것은, 숙향과의 인연을 이어나가려는 의지적 태도가 반영된 것으로 볼 수 있군.
⑤ 숙향이 '진주를 보아야 허락하'겠다고 말한 것은, 징표를 통해 이랑이 자신의 인연인지를 확인하려는 것으로 볼 수 있군.

*32.* 윗글을 읽은 독자가 <보기>와 같이 반응하였다고 할 때, ㉠에 들어갈 말로 가장 적절한 것은?

< 보 기 >

"이어지는 장면에서 이랑과 숙향의 만남이 이루어진다면 이랑은 ___㉠___ 하겠군."

① 감개무량(感慨無量)
② 면종복배(面從腹背)
③ 의기소침(意氣銷沈)
④ 전전긍긍(戰戰兢兢)
⑤ 절치부심(切齒腐心)

**[33 ~ 37] 다음 글을 읽고 물음에 답하시오.**

지대는 토지를 빌려주고 얻는 대가를 말한다. 지대의 개념과 성격에 관한 논의는 고전경제학파의 리카도로부터 이론적으로 정교화되기 시작했다. 그의 차액지대론은 지대가 발생하는 이유를 다음과 같이 설명하고 있다.

가령, 어떤 나라의 A, B, C 지역에 쌀 생산에만 쓰이는 토지가 있는데 그 비옥도에 차이가 있어 각 지역 토지에서의 쌀 한 가마당 생산비가 5만 원, 6만 원, 8만 원이라고 하자. 여기서 생산비는 투입한 노동과 자본에 대한 대가로, 쌀의 가격은 생산비와 일치하는 것으로 본다. 이 나라의 쌀 수요량이 적어서 A 지역 토지의 일부만 경작해도 그 수요를 충당할 수 있을 때 전국의 쌀 한 가마당 가격은 A 지역 토지에서의 쌀 생산비인 5만 원에서 결정될 것이다. 그런데 쌀 수요량이 증가하게 되면 어느 순간 A 지역 토지들로 모자라 B 지역 토지도 경작되기 시작할 것이다. 이때 B 지역 토지를, 경작되는 토지 가운데 가장 열악한 땅이라는 의미에서 한계지라 부른다. B 지역 토지가 한계지가 되면 전국의 쌀 한 가마당 가격은 6만 원으로 결정된다. 이에 따라 A 지역 토지를 경작하는 사람들은 5만 원을 들여 6만 원을 벌 수 있어 쌀 한 가마당 1만 원의 소득을 추가로 얻게 된다. 이 소득은 사람들로 하여금 A 지역 토지를 이용하려는 경쟁을 유발하고 지주에게 땅을 빌리기 위해 경쟁적으로 더 높은 지대를 제시하게 함으로써, 지대는 결국 기존의 A 지역 토지 경작자들의 추가 소득인 1만 원으로 결정될 것이다. 쌀 수요량이 더 늘어나서 C 지역 토지가 한계지가 되면 ㉠<u>A 지역 토지의 지대는 더 오르고, B 지역 토지에도 지대가 형성</u>된다. 결국 쌀의 가격은 한계지에서의 쌀 생산비가 되고, 한계지보다 비옥도가 높은 토지들의 지대는 그 토지에서의 쌀 생산비와 한계지에서의 쌀 생산비의 차액이 되는 것이므로, 더 열악한 땅이 한계지가 될수록 쌀 가격은 오르고 그에 따라 지대도 오르게 된다.

이와 같이 ⓐ<u>리카도</u>는 지대를, 토지 생산물의 가격에서 생산비를 뺀 나머지, 즉 잉여일 뿐이라고 생각했다. 이는 지대를 토지 생산물의 가격에 영향을 미치는 비용이 아니라 토지 생산물의 가격이 오름으로써 얻게 되는 불로소득에 불과하다고 본 것이다. 이런 고전경제학파의 지대론에 입각해 헨리 조지는 지대 전액을 조세로 걷어야 한다는 지대 조세론을 주장하기도 했다.

16회

고전경제학파에 이어 등장한 초기 신고전경제학파는 지대를 잉여나 불로소득으로 간주하는 고전경제학파의 관점을 비판적으로 보았다. 그래서 초기 신고전경제학파의 ⓑ클라크는 토지를 노동이나 자본과 같은 생산 요소의 하나로 보고, 지대를 '한계생산이론'에 입각하여 새롭게 정의했다. 이 이론은 공급자와 수요자가 다수인 완전경쟁시장을 전제로 생산 요소의 가격은 그것의 한계생산가치, 즉 생산 요소 한 단위를 추가함으로써 얻게 되는 생산량 증가분만큼의 가치를 반영한다는 것이다. 이에 따르면 토지의 임대 가격인 지대도 토지로부터 얻게 되는 생산물의 생산량 증가분만큼의 가치를 반영한 것이라는 결론을 이끌어낼 수 있다. 이로써 지대를 토지가 생산에 기여한 정도를 반영한 정당한 대가로 보고 토지를 노동이나 자본과 별개로 취급하는 고전경제학파의 관점을 비판했다.

리카도와 클라크의 논의는 신고전경제학파의 ⓒ마셜의 이론으로 이어진다. 마셜은 초기 신고전경제학파의 한계생산이론을 발전시키고 이를 바탕으로 고전경제학파의 지대론을 재해석함으로써, 자신의 이론을 전개했다. 우선 마셜은 생산 요소를 생산량이 변함에 따라 투입량을 변화시킬 수 있는 가변 생산 요소와 그렇지 않은 고정 생산 요소로 나누고 그에 대한 비용을 각각 가변 비용, 고정 비용이라 정의했다. 이 정의에 따르면 생산량을 늘리거나 줄이기 위해 즉각적으로 투입량을 조절할 수 있는 노동이나 자본은 가변 생산 요소이다. 그러나 토지의 경우에는 일반적으로 큰 규모의 필지를 특정 시기에 목돈을 지불하여 빌리기 때문에 단기적으로는 투입량을 즉각적으로 조절하기 어렵지만 장기적으로는 토지를 빌려 생산량을 늘리는 것이 가능하다. 따라서 토지는 단기적으로는 고정 생산 요소이지만 장기적으로는 가변 생산 요소로 볼 수 있다. 한편 마셜은 생산자의 행위는 이윤을 극대화하기 위한 것이라고 전제하고, 이를 위해서는 생산물 한 단위를 더 늘리는 데 필요한 비용의 추가분 즉, 한계 비용이 생산물 한 단위의 가격과 같아지도록 생산량을 결정해야 한다고 보았다. 그렇다면 한계 비용은 생산량을 결정하는 데 관여하는 비용이므로 생산량을 늘리거나 줄임에 따라 즉각적으로 변할 수 있는 가변 비용에 한해서만 논의될 수 있다. 이렇게 본다면 지대는 단기적으로는 생산량에 관여하는 한계 비용으로 볼 수 없지만, 장기적으로는 그렇게 볼 수도 있다는 결론을 이끌어낼 수 있다. 이와 같은 방법으로 마셜은 지대를 생산에 기여하는 비용으로 보는 초기 신고전경제학의 관점과, 임금이나 이자와는 다른 성격을 가진 것으로 보는 고전경제학파의 관점을 자신의 이론 안으로 수용할 수 있었다.

또한 마셜은 지대를 순전히 자연의 혜택으로 인한 것으로 한정하면서 리카도의 차액지대론이 인위적 요소가 개입될 수 있는 토지의 비옥도를 지대 발생의 원인으로 보았다고 비판하였다. 그러는 한편 그는 토지 이외의 요소에도 지대 개념을 확장하여 적용할 수 있는 가능성을 열었다. 이를테면 마셜은 공장, 기계 등 고가의 자본 설비의 경우에는 그것을 이용하는 대가가 지대와 유사한 성격을 가지고 있어 '준(準)지대'라고 하였다. 이런 요소도 토지처럼 공급을 쉽게 늘릴 수 없다는 점에서 단기적으로는 고정 생산 요소지만, 장기적으로는 가변 생산 요소의 성격을 가지고 있기 때문이다. 이와 같이 마셜은 이전까지의 지대론을 정교화하고 현대 지대론으로 이어주는 가교 역할을 했다는 점에서 의의를 찾을 수 있다.

33. 윗글의 내용 전개에 대한 설명으로 가장 적절한 것은?

① 지대의 성격을 달리 보는 두 이론이 후속 이론으로 수용되는 논의의 흐름을 설명하고, 후속 이론의 의의를 서술하고 있다.
② 지대의 결정 원리에 관한 이론을 소개하고 현실에서 실제로 지대가 결정되는 사례에 그 이론을 적용하고 있다.
③ 지대의 개념을 다른 개념과의 관계를 통해 밝히고 지대가 유발하는 사회적 문제를 고찰하고 있다.
④ 지대론의 역사적 변천 과정을 살피고, 지대론의 변천에 영향을 준 시대적 배경을 분석하고 있다.
⑤ 지대의 가치를 부정적으로 바라보는 다양한 이론들의 타당성을 평가하고 있다.

34. 윗글을 바탕으로 할 때 <보기>에서 밑줄 친 [A]의 근거로 가장 적절한 것은?

< 보 기 >

갑국은 곡물 수급의 일부를 수입에 의존해 왔다. 그러나 주변국과의 분쟁으로 인해 곡물 수입이 완전히 끊김으로써 곡물의 공급이 부족해졌고 그로 인해 그동안 쓰지 않던 척박한 땅까지 경작하게 되었다. 그 결과 곡물 가격과 기존 경작지의 지대가 크게 올랐다. 이후 주변국과의 분쟁이 해결되자 곡물 수입을 재개할 수 있게 되었다.

이런 상황에서 을은 '곡물 수입을 막아야 한다. 그 이유는 갑국의 지대가 비싸서 곡물의 가격이 높으므로 곡물 수입을 재개하면 경쟁력이 없는 갑국의 농업은 타격을 입을 것이다.'라고 주장했다.

이에 대해 리카도는 자신의 '차액지대론'에 입각하여 '갑국의 농업은 타격을 입지 않을 것이다. 왜냐하면 곡물 수입을 재개하면 곡물의 가격은 원래 수준으로 떨어지고 [A]그 손해는 지주들에게만 귀속될 것이기 때문이다.'라고 맞섰다.

① 그동안의 지대 상승은 곡물 가격 상승의 결과이기 때문이다.
② 그동안의 곡물 공급 부족은 지대 상승의 결과이기 때문이다.
③ 그동안의 곡물 생산비 상승은 곡물 가격 상승의 결과이기 때문이다.
④ 그동안의 곡물 가격 상승은 곡물 생산비 하락의 결과이기 때문이다.
⑤ 그동안의 곡물 생산비 상승은 지대 상승의 결과이기 때문이다.

35. ㉠의 결과를 추론한 것으로 적절한 것은?

① A 지역 토지와 B 지역 토지의 지대는 각각 1만 원이 된다.
② A 지역 토지와 B 지역 토지의 지대는 각각 2만 원이 된다.
③ A 지역 토지와 B 지역 토지의 지대는 각각 3만 원이 된다.
④ A 지역 토지의 지대는 2만 원, B 지역 토지의 지대는 1만 원이 된다.
⑤ A 지역 토지의 지대는 3만 원, B 지역 토지의 지대는 2만 원이 된다.

36. ⓐ, ⓑ, ⓒ에 대한 설명으로 적절하지 않은 것은?

① ⓐ는 헨리 조지의 지대 조세론에 영향을 끼쳤다.
② ⓐ와 ⓑ는 모두 지대를 토지 생산물과 관련짓고 있다.
③ ⓑ는 ⓒ와 달리 토지를 생산 요소의 하나로 보고 있다.
④ ⓒ는 한계생산이론에 입각하여 지대를 해석하고 있다.
⑤ ⓒ는 ⓐ와 달리 지대를 자연적 요소에 의한 것만으로 한정하고 있다.

37. <보기>를 윗글의 마셜의 관점에서 이해한 것으로 적절하지 않은 것은? [3점]

< 보 기 >

(가)
공장 부지를 임대하여 빵을 생산하던 기업 Ⓐ는 빵 가격이 오르기 시작하자 밀가루 투입량과 노동자 수를 즉시 늘려 빵 생산량을 증가시키고 이윤을 극대화했다. 그러다 빵 가격이 더 오르게 되자 Ⓐ는 거액을 투자하여 추가로 공장 부지를 빌렸고 이를 통해 빵 생산량을 대폭 늘리기로 했다.
(나)
임대 비행기로 사업을 운영하고 있는 항공사 Ⓑ는 승객이 늘어나 비행 운임이 오르자, 비행기를 추가로 빌려 운항하는 비행기 수를 늘렸다.

① (가)에서 빵 가격이 오르자 Ⓐ가 노동자와 밀가루를 즉시 추가 투입했다는 점에서 노동자와 밀가루는 가변 생산 요소로 볼 수 있겠군.
② (가)에서 Ⓐ가 빵 생산량을 늘리기 위해 공장 부지를 추가로 빌렸다는 점에서 지대는 장기적으로는 가변 비용으로 볼 수 있겠군.
③ (가)에서 Ⓐ가 추가로 빌린 공장 부지는 단기적으로는 가변 생산 요소로 볼 수 있겠군.
④ (나)에서 Ⓑ가 지불하는 비행기 임대료는 비행기의 공급을 쉽게 늘리기 어렵다는 점에서 준지대로 볼 수 있겠군.
⑤ (나)에서 Ⓑ가 추가 투입한 비행기의 임대료는 장기적으로 보면 이윤을 극대화하기 위한 비용으로 볼 수 있겠군.

**[38 ~ 41] 다음 글을 읽고 물음에 답하시오.**

(가)

고향이 그립다는 것이지? 작자는 나로서는 생전 이름도 들어보지 못한 시골에서 올라와서 서울을 빙빙 돌아다니며 사는 놈인데 그리고 보니 작자의 저 광증에 가까운 생활 태도는 무전여행자의 그것 아니면 촌놈이 서울에 와 보니 모든 게 신기하기만 해서 어쩔 줄을 몰라, 아니 **무턱대고 우쭐대고 싶은 저 촌뜨기 의식에 가득 차**서 괜히 심각한 체해 보았다가 시시하게 웃어 보았다가 술 사달라고 조르고 사랑이 어쩌고 하고 있는 게 분명한 것이다. 고향이 그립다는 것이지? 그러나 고향이 그리운 것 같지도 않다. 작자의 고향에는 자기의 어머니와 누이가 살고 있다고 얘기하는 것을 들은 적이 있지만 작자는 그들에게 대해서 별 애착을 갖고 있는 것 같지도 않은 것이다. 나는 작자에게 보낸 그의 어머니의 편지를 한번 읽은 적이 있는데 내가 보기에는 세상에서 그처럼 다정하고 착하고 그리고 내가 그 편지 속에서 받은 느낌을 상상해 보건대 그처럼 아름다운 용모를 가진 어머니가 좀처럼 있을 것 같지 않았다. 성모 마리아의 하얀 석상을 볼 때 받는 느낌 같았다고나 할까, 요컨대 **작자에게는 분에 넘치기 짝이 없이 훌륭한 어머니**인 것이다.

'아들아, 먼 곳에 너를 보내 놓고 마음 한시도 놓지 못하고 있다. 하느님께 기도 드리면 내 아들이 아무리 먼 곳에 가 있더라도 심신 평안하다 하여 지난 주일부터는 읍내에 있는 성당에 다니기로 하였다. 어느 곳에 있든지 무슨 일을 하든지 ….'

내가 읽은 그의 어머니의 편지 한 구절이다.

내가 그 편지를 읽고 있는 동안에 작자는, 우리 마을에서 성당이 있는 읍내까지는 꼬박 30리 길인데… 왕복 60리, … 미친 짓하고 계셔, 라고 투덜대더니 괜히 화가 나가지고 내가 그 편지를 돌려주자 북북 찢어서 팽개쳐 버리는 것이었다. 그처럼 착한 어머니께 '미친'이라는 차마 **입에 담을 수 없는 욕**을 하는 그야말로 미친 바보, 멍텅구리, 촌놈, 얼치기, 치한.

(나)

[A] 누이는 도시에서의 이야기를 나와 어머니의 간절한 요청에도 불구하고 한마디 하려 들지 않았었다. 우리는 누이가 지니고 왔던 **작은 보따리**를 헤쳐 보았다. 그러나 헌 옷 몇 벌과 두어 가지의 화장 도구를 발견할 수 있었을 뿐이었다. 그걸로써는 누이에게 침묵을 만들어 준 이 년의 내용을 측량해 볼 길이 없었다. 누이의 침묵은 무엇엔가의 항거의 표시였다. 우리를 향한 항거였을까, 도시를 향한 항거였을까. 그렇지만 우리를 향한 것이라면 그것은 분명 누이에게 잘못이 있는 것이다. 높은 목소리로 질책하는 방법이 침묵의 질책보다 더 서툴렀다는 것을 결국 도시에서 배워 왔단 말인가?

반대로, 도시를 향한 항거라면 — 아마 틀림없이 이것인 모양이었는데 — 그렇다면 누이의 저 향수와 고독을 발산하는 눈빛, 사람들이 ⓐ두고 온 것들에게 보내는 마음의 등불 같은 저 눈빛을 우리는 무엇으로써 설명해야 할 것인가?

누이가 돌아오고, 누이가 도시에서의 기억을 망각하려고 애쓰는 듯한 침묵 속에 빠져드는 것을 보고 우리는 아마 누이가 도시에서 묻혀온 고독이 병균처럼 우리 자신들조차 침식시켜 들어오는 것을 느끼게 되었다.

이 황혼과 이 해풍. 그들이 우리에게 알기를 강요하던 세계는 도대체 무엇이란 말인가. ⓑ미소를 침묵으로 바꾸어 놓는,

16 회

요컨대 우리가 만족해 있던 것을 그 반대로 치환시켜 버리는 세계였던 것인가. 누이는 적어도 우리가 보낼 때에는, 훈련을 받기 위해서 그곳에 간 것이 아니라 완성되기 위해서 간 것이었다. 그런데 침묵의 훈련만을 받고 돌아오다니.

어제 저녁, 어머니는 당신이 우리에게 마음을 쓰고 있다는 표시로 되어 있는 밀국수를 끓여서 저녁 식사를 하는 자리에서 당신이 할 수 있는 ⓒ가장 부드러운 말씨와 정성어린 손짓으로 누이의 어깨를 쓰다듬으며 도시에서 무슨 일을 했던가, 결국 곤란을 겪었던가, 무엇이 재미있었던가, 남자를 사귀었던가, 그렇다면 어떤 남자였던가, 고 얘기해 주기를 간청했었다. 그런데 그것이 짐작컨대 누이의 쓰라린 추억을 불러일으킨 모양이었다. 누이는 어머니를 붙들고 소리 없이 울었다. 석유 등잔불의 펄럭이는 빛이 그들의 그림자를 더욱 쓸쓸해 보이게 했다. ⓓ왜 저를 태어나게 했어요, 라고 누이는 말했다. 어머니도 소리 없이 울었다. 누이는 어머니의 얼굴을 올려다보며 새삼스럽게 **울음**을 터뜨렸다. 미안해요, 어머니, 라고 누이는 말하고 싶었던 거다. 하루는 아무렇지 않다는 듯이 무서운 사건이 세계의 은밀한 곳에서 벌어지고 그리고 다음날은 **희생자들**이 작은 조각에 몸을 기대고 **자기들의 괴로움을 울며 부유하는** 것이다.

강물이 빠르게 밀려오고 금빛 하늘이 점점 회색으로 변해 가는 이 시각에 아직도 신비한 힘을 보여 주는 자연 속에서 나는 누이로 하여금 **도시의 모든 기억을 토해 버리**게 할 생각이었다. 나를 위해서가 아니라 누이를 위해서였다. 이 년 동안을 씻어 버리고 다시 이 짠 냄새만을 싣고 오는 **해풍으로 목욕시키고 싶**었다. 인간이란 뭐냐, 인간이란? 저 도시가 침범해 오지 않는 한, 우리는 한 고장을 지키기에 충분한 만족을 가지고 있는 것이다. ⓔ영원의 토대를 만든다는 것, 의지의 신화들을 배운다는 것, 우는 것을 배운다는 것, 침묵을 배운다는 것, 그것만이 인간인 것이냐? 인간의 허영이 아닌가, 라고 나는 누이에게 말해주고 싶었다.

– 김승옥, 「누이를 이해하기 위하여」 –

**[선생님의 설명]**

(가)와 (나)는 하나의 작품을 구성하는 서로 다른 장들의 일부로, 각각의 구조를 다음과 같이 파악할 수 있습니다.

ㅇ (가)의 '나'는, 고향에 어머니와 누이를 두고 서울로 와 살고 있는 '작자'에 대하여 이야기한다.
ㅇ (나)의 '나'는, 고향을 떠나 도시에서 2년간 살다 귀향한 '누이'에 대하여 이야기한다.

(가)와 (나)는 '작자'와 '누이', 즉 고향을 떠나 도시 공간을 경험하고 있거나 경험한 인물을 다룸으로써 관련을 맺고 있습니다. 이 때문에 (가)와 (나)는 독립된 장으로 서로 구별되어 있음에도 '누이를 이해하기 위하여'라는 단일 제목 하에서 통합된 의미를 구현하게 되지요. 이 작품을 읽으며 독자는, (가)에서 '나'의 시각으로 서술되는 '작자'의 모습을 통해 (나)의 [ ㉠ ]을/를 짐작할 수 있습니다.

*38.* (가)와 (나)를 이해한 내용으로 적절하지 않은 것은? [3점]

① (가)에서 '나'는 '작자'를 '무턱대고 우쭐대고 싶은 저 촌뜨기 의식에 가득 차' 있다고 평가함으로써 '작자'에 대한 '나'의 부정적 태도를 드러내고 있다.
② (가)에서 '나'는 '작자'의 어머니를 '작자에게는 분에 넘치기 짝이 없이 훌륭한 어머니'로 표현하여 '작자'와 그 어머니에 대해 대조적인 시선을 보이고 있다.
③ (가)에서 '나'는 '작자'가 어머니의 편지를 찢고 '입에 담을 수 없는 욕'을 하는 것을 어머니의 헌신적인 태도에 대한 감동을 감추기 위한 것으로 이해하고 있다.
④ (나)에서 '나'는 '누이'의 '울음'을, '자기들의 괴로움을 울며 부유하는' '희생자들'과 연결지어 이해하고 있다.
⑤ (나)에서 '누이'를 '해풍으로 목욕시키고 싶'어 하는 것은 '누이'가 '도시의 모든 기억을 토해 버리'고 과거와 같은 존재로 돌아오기를 바라는 마음을 드러낸 것으로 볼 수 있다.

*39.* '[선생님의 설명]'의 ㉠에 들어갈 말로 가장 적절한 것은?

① '누이'가 가져온 '작은 보따리'의 가치
② '누이'가 도시에서 겪었을 경험의 성격
③ '누이'가 고향을 떠나고 싶어 하게 된 계기
④ '나'와 '어머니'가 '누이'를 도시로 보낸 까닭
⑤ '어머니'가 '누이'의 고독을 견디지 못하는 이유

*40.* [A]에 대한 설명으로 가장 적절한 것은?

① 독백적 질문이 반복되며 내적인 탐색의 과정이 제시되고 있다.
② 공간적 배경의 아름다움을 감각적인 언어로 묘사하고 있다.
③ 계절적 이미지를 묘사하여 사건 전개를 암시하고 있다.
④ 담담한 태도로 사건을 객관적으로 묘사하고 있다.
⑤ 인물 간의 갈등이 대화를 통해 심화되고 있다.

*41.* ⓐ~ⓔ와 관련하여 (나)의 인물에 대해 설명한 내용으로 적절하지 않은 것은?

① '나'는 ⓐ를 도시에 대해 미련을 떨치지 못한 것으로 해석하고 있다.
② '나'는 도시를 ⓑ로 보고 자신의 고향과는 이질적인 곳으로 인식하고 있다.
③ '어머니'는 ⓒ를 통해 '누이'가 도시에서의 경험을 털어놓도록 유도하고 있다.
④ '나'는 ⓓ의 발화에 이어지는 '울음'에 '누이'의 미안함이 담겨 있다고 생각하고 있다.
⑤ '나'는 고향의 속성들을 ⓔ와 같이 열거하며 도시의 허영적 속성을 일깨우고 있다.

**[42 ~ 45] 다음 글을 읽고 물음에 답하시오.**

(가)

이웃에 있는 장생이란 사람이 집을 지으려고 하여 산에 들어가 재목을 찾았으나, 빽빽이 심어진 나무들은 대부분 꼬부라지고 뒤틀려서 용도에 맞지 않았다. 그런 가운데 산꼭대기에 한 그루가 있었는데, 앞에서 보아도 곧바르고 좌우에서 보아도 역시 곧기만 했다. 때문에 쓸 만한 좋은 재목으로 생각하고는 도끼를 들고 그쪽으로 가 뒤에서 살펴보니, 구부러져 있는 나무였다. 이에 장생은 도끼를 내던지고 탄식했다.

"아, 나무 가운데 재목이 될 만한 것은 보면 쉽게 살필 수 있고, 고르면 쉽게 가름할 수 있다. 그런데 이 나무의 경우는 내가 세 번이나 살폈어도 쓸모없는 재목감이라는 것을 알지 못하였구나. 그러니 하물며 사람들이 외모를 그럴 듯하게 꾸미고 속마음을 깊게 숨기는 경우에 있어서랴! 그 말을 들으면 그럴듯하고 그 외모를 보면 친절하고 다정하기만 하며 세세한 행동을 살펴보아도 삼가고 삼가니, 군자라 여기지 않을 수 없다. 그러나 큰 변고를 당하거나 절개를 지켜야 하는 경우에 닥치고 나면 본심을 드러내고야 마니, 국가가 무너지게 되는 것은 언제나 이런 부류의 사람들 때문이다.

그리고 나무가 자랄 때, 소나 염소에 의해 짓밟히거나 도끼나 자귀에 의해 찍히는 것도 없이 비나 이슬을 맞고 무성해지면서 밤낮으로 커가니, 쭉쭉 뻗어 곧게 자라야 함이 마땅할 것이다. 그럼에도 쓸모없는 재목인지 판단하기가 어려운 것이 이다지도 심하니, 하물며 사람들이 이 세상에 몸을 담고 있는 경우에 있어서랴! 물욕이 참된 성품을 어지럽히고 이해관계가 분별력을 흐리게 하여, 타고난 성품을 굽히고 본래의 모습을 벗어난 자가 이루 헤아릴 수 없으니, 바르지 못한 자가 많고 정직한 자가 적은 것이야 조금도 괴이한 것이 아니로구나."

그가 이 일을 나에게 말하기에, 나는 다음과 같이 대답했다.

"그대의 세상에 대한 관찰력이 뛰어나네그려! 비록 그러하나 나 역시 할 말이 있네. 《서경》의 〈홍범〉 편에 오행을 논하면서 '나무는 그 속성이 구부러지거나 바르다'고 하였네. 그렇다면 나무가 굽은 것은 재목감으로는 되지 않을지라도 그 속성으로는 원래가 그러한 것이네. 하지만 공자께서는 '사람은 태어날 때부터 정직한 것이니, 정직하지 않고도 살아간다는 것은 요행히 죽음을 면한 것이라.'고 말씀하셨네. 그렇다면 사람이고서 정직하지 않게 사는 자가 죽음을 모면하고 사는 것도 역시 요행이라 할 수밖에 없네.

그런데 내가 세상을 보건대, 나무 가운데 굽은 것은 비록 보잘것없는 목수일지라도 가져다 쓰지 않지만, 사람 가운데 곧지 못한 자는 아무리 잘 다스려지는 치세일지라도 내버리고 쓰지 않은 적이 없네. 자네도 큰 집을 한번 보게나. 그 집의 들보나 기둥이나 서까래나 각목을 구름 모양으로 꾸미거나 물결처럼 장식한 경우에도 굽은 재목을 보지 못할 것이네. 이번에 또한 조정을 한번 보게나. 공경과 사대부로서 인끈을 차고 고관지위에 올라 조정에서 거드름을 피우는 자들 치고 바른 도를 지닌 사람을 보지 못할 것이네. 이처럼 나무 가운데 굽은 것은 항상 불행하지만, 사람 가운데 비뚤어진 자는 늘 행복하기만 하다네. 옛말에 '활줄처럼 곧으면 길가에서 죽고, 갈고리처럼 굽으면 공후에 봉해진다.'고 하였으니, 이 말로도 정직하지 못한 사람이 굽은 나무보다 대우를 많이 받는다는 것을 입증할 수 있을 것이네."

– 장유, 「곡목설」 –

(나)

집에 옷과 밥을 두고 들먹은 저 고공*아
우리 집 내력을 아느냐 모르느냐
비오는 날 일 없을 때 새끼 꼬며 이르리라
[A] 처음의 할아버지 살림살이하려 할 때
어진 마음 많이 쓰니 사람이 절로 모여
풀을 베고 터를 닦아 큰 집을 지어내고
써레, 보습, 쟁기, 소로 전답을 경작하니
올벼논 텃밭이 여드레갈이로다
자손에게 물려줘 대대로 내려오니
논밭도 좋거니와 머슴도 근검터라
저희마다 농사지어 가멸게* 살던 것을
요사이 머슴들은 철이 어찌 아주 없어
[B] 밥사발 큰지 작은지 옷이 좋은지 궂은지에만
마음을 다투는 듯 호수*를 시기하는 듯
무슨 일 생각 들어 흘깃흘깃하느냐
너희네 일 아니하고 시절조차 사나워
가뜩이나 내 세간이 졸아들게 되었는데
엊그제 날강도에 가산을 탕진하니
집 하나 불타버리고 먹을 것이 전혀 없다
크나큰 제사를 어찌하여 치르려는가
김가 이가 머슴들아 새 마음을 먹자꾸나

– 허전, 「고공가」 –

* 고공 : 머슴
* 가멸게 : 재산이나 자원 따위가 넉넉하고 많게.
* 호수 : 공물과 세금을 거두어 바치는 일을 책임지는 사람

(다)

[C] 비가 새어 썩은 집을 그 누가 고쳐 이며
옷 벗어 무너진 담 누가 고쳐 쌓을까
불한당 도적들 멀리 안 다니거늘
화살 찬 경비병들 그 누가 힘써 할까
[D] 크게 기운 집에 마노라* 혼자 앉아
분부를 뉘 들으며 논의를 뉘와 할까
낮 시름 밤 근심 혼자 맡아 계시니
옥 같은 얼굴이 편하실 적 몇 날이리
이 집 이리 되기 뉘 탓이라 할 것인가
철없는 종의 일은 묻지도 아니하려니와
돌이켜 헤아리니 마노라 탓이로다
내 상전 그르다 하기에는 종의 죄가 많건마는
그렇지만 세상 보기에 민망하여 여쭙니다
새끼 꼬기 멈추시고 내 말씀 들으소서
[E] 집일을 고치려면 종들을 휘어잡고
종들을 휘어잡으려면 상벌을 밝히시고
상벌을 밝히려면 어른 종을 믿으소서
진실로 이렇게 하시면 집안 절로 일어나리라

– 이원익, 「고공답주인가」 –

* 마노라 : 상전, 마님, 임금 등 남녀를 두루 높이어 이르는 말.

16회

42. (가)~(다)의 공통점에 대한 설명으로 가장 적절한 것은?

① 회상을 통해 과거 지향적 태도를 드러내고 있다.
② 공간의 이동에 따른 구조적 흐름이 나타나고 있다.
③ 가상의 사례를 들어 가치관의 대립을 강조하고 있다.
④ 현실에 대한 비판적 인식을 내용 전개의 기반으로 삼고 있다.
⑤ 자연과 인간의 변화상을 묘사하여 세월의 흐름을 드러내고 있다.

43. (가)의 '장생'과 '나'의 생각을 정리한 것으로 적절하지 않은 것은?

| | 자연물(나무)로 인해 떠올린 생각 | 인간사와 연관 짓기 | |
|---|---|---|---|
| 장생 | 여러 번 보고도 그 구부러져 있음을 파악하지 못함. | 사람을 여러 번 보고도 그 실체를 짐작하지 못함. | … ① |
| | 본래 곧은 나무도 곧게 자라지 못하는 경우가 있음. | 타고난 성품을 굽히고 본래의 모습을 벗어난 사람도 있음. | … ② |
| 나 | 나무의 속성에는 곧음과 구부러짐이 모두 포함됨. | 인간의 천성에는 올바름과 바르지 않음이 모두 포함됨. | … ③ |
| | 곧은 나무는 큰 집을 이루는 재목으로 사용됨. | 활줄처럼 곧은 사람은 세상에서 쓰이기 어려움. | … ④ |
| | 굽은 나무는 보잘것없는 목수에게라도 선택되기 어려움. | 정직하지 않은 사람이 높은 관직에 오름. | … ⑤ |

44. <보기>를 바탕으로 (가)~(다)에 대해 이해한 내용으로 적절하지 않은 것은? [3점]

< 보 기 >

문학작품에 등장하는 인물의 발화는 작가에 의해 기획되고 통제된다. 화자의 역할을 맡은 인물이 청자를 상정하지만 독백에 가까운 형태로 발화가 이루어지기도 하고, 인물들 간에 주고받는 발화로 구성된 대화가 작품 내에서 나타나기도 하며, 발화의 주고받음이 텍스트 단위로 이루어지면서 '텍스트 간의 대화'가 나타나기도 한다. 작가는 이와 같이 발화 내용 및 발화들 간의 관계를 주재하고 조정함으로써 전달하고자 하는 내용과 의도를 구체화한다.

① (가)에서 '장생'의 '탄식'은 '나'에게 전달되면서 대화의 실마리가 된다.
② (가)에서 '나'는 '장생'의 발화를 긍정적으로 평가하고 이에 더해 자신의 의견을 개진하고 있다.
③ (나)에서는 청자로 호명된 '고공'의 반응이 제시되지 않아 화자의 발화가 독백에 가까운 형태로 전달되고 있음을 확인할 수 있다.
④ (다)의 화자는 자신의 발화를 (나)의 청자들에게 전달하고자 하는 의도를 드러내면서 공감의 확대를 꾀하고 있다.
⑤ (다)는 이 작품이 (나)에 대한 화답임을 알 수 있게 하는 표지를 포함하고 있으며, 이를 통해 (나)와 (다) 사이에는 텍스트 간의 대화가 이루어지고 있음을 확인할 수 있다.

45. [A]~[E]에 대한 설명으로 적절하지 않은 것은?

① [A] : 시간의 흐름에 따라 '우리 집'이 재산을 축적하게 된 과정을 제시하고 있다.
② [B] : 비유적 표현을 사용하여 머슴들로 인한 피해를 구체화하고 있다.
③ [C] : 유사한 통사 구조를 반복하여 문제 상황을 드러내고 있다.
④ [D] : 설의적 표현을 통해 '마노라'의 심리적 부담감을 부각하고 있다.
⑤ [E] : 앞 구절의 끝 어구를 다음 구절의 앞 구절에 이어 받는 방식으로 해야 할 일의 우선 순위를 제시하고 있다.

※ 확인 사항
○ 답안지의 해당란에 필요한 내용을 정확히 기입(표기) 했는지 확인하시오.

# 국어 영역

17회 소요시간 /80분

제 1 교시

➡ 해설 P.158

**[1 ~ 3] 다음은 반대 신문식 토론의 일부이다. 물음에 답하시오.**

**사회자**: 우리 학교의 학생회장 선거 운동은 포스터 부착, 교문 앞 유세 등을 통해서 실시해 왔습니다. 그런데 기존 선거 운동 방식과 병행하여 공식적으로 SNS 선거 운동을 실시하자는 의견이 제기되고 있습니다. 이에 학생회에서는 'SNS를 활용한 선거 운동을 도입해야 한다.'를 논제로 토론을 실시하고자 합니다. 먼저 찬성 측에서 입론해 주십시오.

**찬성 1**: 학생회장 선거에 대한 관심을 확대할 수 있도록 SNS를 활용한 선거 운동을 도입해야 합니다. 작년에 후보자와 함께 홍보 포스터를 부착하고 교문 앞 유세에도 참여했었는데 학생들의 호응을 이끌어 내기가 무척 어려웠습니다. SNS는 학생들이 간편하게 이용할 수 있는 친숙한 매체이므로 SNS를 활용한 선거 운동을 도입하면 학생들의 관심을 유도하는 데 효과적일 것입니다.

**사회자**: 이번에는 반대 측 반대 신문 해 주십시오.

**반대 2**: 정말 SNS가 모든 학생들에게 친숙한 매체일까요? 혹시 SNS를 사용하지 않는 학생들은 상대적으로 소외감을 느끼지는 않을까요?

**찬성 1**: 물론 SNS를 사용하지 않는 학생들은 참여가 어려울 수 있지만 전체적으로는 학생들의 관심도를 높일 수 있을 것입니다. 최근 우리 학교의 SNS 사용에 대한 실태 조사 결과 86% 이상의 학생이 SNS를 사용하는 것으로 나타났습니다.

**사회자**: 이어서 반대 측 입론해 주시기 바랍니다.

**반대 1**: SNS를 활용한 선거 운동을 도입할 경우 기존의 선거 운동과 SNS를 활용한 선거 운동을 모두 준비해야 하기 때문에 시간과 노력이 더 많이 듭니다. 저도 작년에 선거 운동에 참여했었는데 실제로 많은 시간을 투자해야 했습니다. 그런데 거기다가 SNS상에서 학생들의 반응을 실시간으로 확인하고 댓글을 달아야 한다면 부담이 될 수 있습니다.

**사회자**: 이번에는 찬성 측 반대 신문 해 주십시오.

**찬성 1**: SNS상에서는 간단한 소통을 위주로 하는데 그렇게 많은 부담이 될까요?

**반대 1**: SNS상에서의 소통이 간단한 것은 맞지만 질문과 답변이 연속적으로 오가기도 하고 실시간으로 댓글을 달아야 하는 경우가 많기 때문에 부담이 될 수 있다고 생각합니다.

**사회자**: 네, 잘 들었습니다. 이번에는 찬성 측 두 번째 입론해 주십시오.

**찬성 2**: 학생회장 선거에 SNS를 활용한다면 후보자와 학생들 간의 소통이 더욱 활발해질 수 있습니다. 후보자는 학생들에게 자신의 공약을 자세히 알릴 수 있고, 학생들은 질문을 통해 공약의 구체적인 내용을 확인하고 실현 가능성을 판단할 수도 있습니다. 기존 선거 운동 방식은 후보자가 학생들의 의견을 지속적으로 확인하기가 어려웠지만, SNS를 활용하면 이를 보완할 수 있습니다.

**사회자**: 이번에는 반대 측에서 반대 신문 해 주십시오.

**반대 1**: SNS상에서는 주로 자신의 견해를 짧게 표현하는 경우가 많은데 이런 과정에서 학생들이 공약에 대한 질 높은 의사소통을 할 수 있을까요?

**찬성 2**: 자신의 견해를 짧게 표현하는 경우가 많다고 해서 의사소통의 질이 낮다고는 할 수 없습니다. 하나의 의견에 여러 명이 댓글을 달 수도 있고, 그 댓글에 대한 질문과 대답을 서로 올리는 과정에서 다양한 의견과 정보를 확인할 수 있어 소통의 질을 높일 수 있습니다.

**사회자**: 이어서 반대 측 토론자가 두 번째 입론을 해 주시기 바랍니다.

**반대 2**: 선거 운동에 SNS를 활용하면 자유롭고 활발한 의사소통을 할 수 있게 된다는 점은 인정합니다. 하지만 자칫 후보 간의 과열 경쟁을 불러일으킬 수 있고 비방과 거짓 정보가 확산되는 등 역기능이 나타날 수 있습니다. 게다가 이에 대한 학교 차원에서의 규제가 현실적으로 쉽지 않고 이미 확산된 거짓 정보나 비방으로 인한 문제를 수습하기도 어렵습니다.

**사회자**: 이번에는 찬성 측에서 반대 신문 해 주십시오.

**찬성 2**: ______________ [가] ______________

*1.* 위 토론을 이해한 내용으로 적절하지 않은 것은?

① '찬성 1'은 입론에서 자신의 과거 경험을 주장에 대한 근거로 활용하고 있다.
② '찬성 1'은 '반대 2'의 반대 신문에 답변하는 과정에서 구체적인 수치를 활용하여 새로운 방식 도입에 대한 타당성을 강조하고 있다.
③ '반대 1'은 '찬성 1'의 반대 신문에 답변하는 과정에서 기존 방식의 긍정적 측면을 강조함으로써 새로운 방식의 부작용을 제시하고 있다.
④ '찬성 2'는 입론에서 기존 방식의 문제점을 들어 새로운 방식의 도입 효과를 강조하고 있다.
⑤ '반대 2'는 입론에서 상대방의 의견을 일부 인정한 후 자신의 주장을 제시하고 있다.

*2.* '반대 2'의 입론을 고려할 때, [가]에 들어갈 발언으로 가장 적절한 것은?

① SNS에서의 비방과 거짓 정보가 확산되는 것을 규제하기 어렵지 않을까요?
② 비방과 거짓 정보에 대한 규제와 SNS에 의한 과열 경쟁 규제 모두 필요한 것은 아닐까요?
③ 기존 선거 운동 방식에서보다 SNS에서 거짓 정보의 파급력이 더 크다는 사실을 알고 계십니까?
④ 상대 후보에 대한 비방과 거짓 정보 확산이라는 역기능이 SNS만의 문제라고 말할 수 있을까요?
⑤ 학생 스스로 비방이나 거짓 정보에 대한 의식을 개선하면 SNS를 통한 자유로운 의사소통이 불가능하지 않을까요?

3. <보기>의 자료를 위 토론에 활용할 수 있는 방안으로 가장 적절한 것은? [3점]

〈 보 기 〉

동원이론에 따르면 인터넷 이용의 증가는 시민들의 정치 참여를 높이는 역할을 한다. 정치 참여가 어려웠던 사회적 약자나 정치에 무관심했던 시민들이 인터넷이 지닌 정보 습득의 용이성과 상호 작용적 특성으로 인해 정치 관련 정보와 정치적 토론에도 쉽게 접근할 수 있게 되었기 때문이다. 또한 인터넷은 정부와 시민이 의견을 주고받는 전자적 피드백 장치의 역할을 할 수 있다.

– ○○정치 학회 보고서 –

① 인터넷이 정치적 토론에 시민들이 쉽게 접근할 수 있게 한다는 내용을, SNS를 통해 공약의 실현 가능성을 판단할 수 있다는 찬성 1의 근거로 활용할 수 있겠군.
② 인터넷이 상호 작용적 특성을 가지고 있다는 내용을, SNS를 선거 운동에 활용하면 후보자와 학생들 간의 소통을 활발하게 할 수 있다는 찬성 2의 근거로 활용할 수 있겠군.
③ 인터넷이 전자적 피드백 장치의 역할을 한다는 내용을, SNS를 통해 다양한 의견과 정보를 확인할 수 있어 소통의 질을 높일 수 있다는 찬성 2에 대한 반박 근거로 활용할 수 있겠군.
④ 인터넷이 가진 정보 습득의 용이성에 대한 내용을, SNS를 선거 운동에 활용하면 기존 방식보다 시간과 노력이 더 많이 든다는 반대 1의 근거로 활용할 수 있겠군.
⑤ 인터넷이 정치에 무관심했던 시민들의 참여를 이끌어 낼 수 있다는 내용을, SNS를 활용한 선거 운동에 모든 학생들이 관심을 가져야 한다는 반대 2에 대한 반박 근거로 활용할 수 있겠군.

**[4 ~ 6] 다음을 읽고 물음에 답하시오.**

[작문 상황] 시사성 있는 내용의 제재를 찾아 주장하는 글쓰기

[학생의 초고]

최근 언론을 통해 국내외 청년 창업의 성공 사례가 알려지면서 창업에 대한 청년들의 관심이 높아지고 있다. 청년 창업은 청년 실업 문제를 해결하고 새로운 일자리를 창출할 수 있다는 점에서 큰 의미가 있다.

그러나 실질적으로는 청년 창업이 활성화되지 못하고 있다. 선뜻 창업에 뛰어드는 청년들의 수가 많지 않고, 막상 청년들이 창업을 하려고 해도 자금 부족 때문에 어려움을 겪는 경우가 많다. 그리고 창업 분야도 단순 서비스업에 편중되어 있다.

이러한 문제가 발생하는 원인은 무엇일까? 먼저, 창업에 뛰어들어 성공하지 못했을 경우 재기에 대한 부담이 크기 때문이다. 그리고 청년들이 창업 자금 지원 제도에 대해 잘 알지 못하고, 정작 창업 자금을 지원 받는다고 하더라도 그 금액이 적기 때문이다. 또 많은 지식이나 전문적인 기술 없이도 쉽게 창업을 할 수 있는 분야를 주로 선택하거나, 자신이 갖고 있는 창의적인 아이디어를 창업으로 실현시킬 수 있는 방법을 잘 모르는 것도 하나의 원인이다.

이를 해결하기 위해 정부에서는 청년들의 심리적 부담감을 덜어줄 수 있는 제도적 방안을 마련하여 창업을 장려하는 사회적 풍토를 조성해야 한다. 그리고 창업 자금 지원 제도를 적극적으로 홍보하고, 기술 개발비나 임대료, 홍보비 등 창업 자금을 지원하기 위한 예산을 확충해야 할 것이다. 또 예비 청년 창업자들은 창업 준비 교육 기관을 통해 전문적인 경험과 지식을 쌓을 필요가 있다.

[가]

4. '학생의 초고'에 반영된 글쓰기 전략으로 적절한 것은?
① 인용을 통해 문제 상황의 심각성을 제시하고 있다.
② 묻고 답하는 방식을 통해 내용 전달 효과를 높이고 있다.
③ 해결 방안의 장단점을 비교하여 설득력을 강화하고 있다.
④ 중심 제재와 관련된 이론을 제시하여 신뢰성을 확보하고 있다.
⑤ 대상에 대한 개념을 정의함으로써 논의의 범위를 한정하고 있다.

5. <보기>의 자료를 활용하여 '학생의 초고'를 보완하는 방안으로 적절하지 않은 것은? [3점]

Ⅰ. 통계 자료

1. 청년들의 창업에 대한 관심도 2. 청년들이 창업을 주저하는 이유

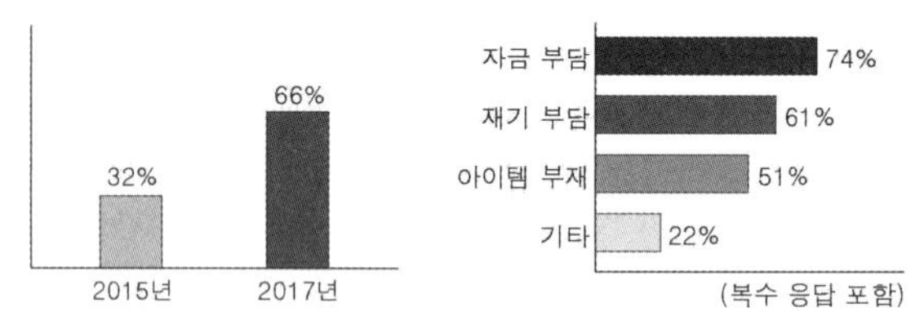


Ⅱ. 신문 기사

청년 창업에 관한 실태 조사 결과 숙박업, 요식업과 같은 단순 서비스업에 해당하는 비지식기반 생계형 창업 비중이 64%로 타 연령층에 비해 높게 나타났다. 최근 □□시에서는 창업을 희망하는 청년과 선배 창업 전문가의 인적 교류를 통해 청년들의 창의적인 아이디어와 선배 창업 전문가가 보유한 기술력, 자본, 경험을 결합해 협업과 공동 창업을 유도하는 정책을 실시하여 큰 호응을 얻고 있다.

– △△신문 –

Ⅲ. 전문가 인터뷰

"우리나라에서는 창업에 실패할 경우 재기가 불가능할 정도로 큰 타격을 입는 경우가 많습니다. 해외에서는 창업에 실패하더라도 좋은 창업 계획만 있다면 정부가 심사를 통해 금융권 대출을 용이하게 해 주고 창업 투자금의 대부분을 보전해 주고 있습니다. 또한 예비 청년 창업자들 간의 정보 공유, 창업 전문 컨설턴트나 투자자와의 인적 교류를 통해 청년들의 창의적이고 혁신적인 생각이 실제 창업 성공으로 이어지는 경우가 많습니다."

① Ⅰ-1을 활용하여, 첫째 단락에서 언급한 청년들의 창업에 대한 관심이 높아지고 있다는 내용의 근거 자료로 제시한다.
② Ⅰ-2를 활용하여, 셋째 단락에서 언급한 창업에 성공하지 못했을 경우 청년들이 재기에 부담을 느낀다는 내용을 뒷받침하는 근거 자료로 제시한다.
③ Ⅱ를 활용하여, 둘째 단락에서 언급한 청년 창업이 단순 서비스업에 편중되어 있다는 실태를 뒷받침하는 자료로 제시한다.
④ Ⅰ-2와 Ⅲ을 활용하여, 청년들의 창업 자금 부담을 덜어주기 위해 금융권이 창업 자금 지원 제도의 홍보에 적극적으로 나서야 한다는 내용을 넷째 단락에 추가한다.
⑤ Ⅱ와 Ⅲ을 활용하여, 청년들이 창의적 아이디어를 실현할 수 있는 방안으로 인적 교류의 활성화를 통한 협업과 공동 창업을 유도해야 한다는 내용을 넷째 단락에 추가한다.

6. 다음은 '학생의 초고'에 대한 선생님의 조언이다. 이에 따라 결론을 작성하고자 할 때 [가]에 들어갈 내용으로 가장 적절한 것은?

> **선생님:** 글을 인상적으로 마무리하기 위해 청년 창업이 활성화되었을 때의 기대 효과를 드러내고, 비유법과 대구법을 활용해 보면 좋겠어.

① 이처럼 자금 마련에 대한 부담은 덜어주고 기술 습득에 대한 기회는 늘려 준다면 청년들이 창업에 도전할 것이다.
② 이처럼 청년들의 뜨거운 열정과 노력이 결실을 맺을 수 있는 토양을 마련해 준다면 청년 창업은 더욱 활성화될 것이다.
③ 이렇게 해서 청년들의 꿈과 창의적 아이디어가 꽃핀다면 우리는 더욱 역동적이고 혁신적인 사회를 만들 수 있을 것이다.
④ 이와 같은 방법으로 청년들의 창업 역량을 높이고 자금 부담을 낮춘다면 청년 창업이 활성화되어 취업 걱정은 사라질 것이다.
⑤ 이러한 노력이 열매를 맺어 청년 창업이 활성화되면 청년 실업은 줄어들고 청년 일자리는 늘어나서 경제 발전의 토대가 될 것이다.

**[7 ~ 10] (가)는 학생의 발표이고 (나)는 발표를 들은 학생이 쓴 소감문의 초고이다. 물음에 답하시오.**

(가)

오늘 제가 소개할 좌우명은 '실패는 성공의 어머니'라는 말입니다. 누구나 알고 있는 말이지만 저에게 이 명언이 특별한 이유는 인식의 전환이 없다면 모든 실패가 성공으로 이어지는 것이 아님을 최근에 깨달았기 때문입니다. 그래서 저는 '실패작 박물관'과, 실패를 대하는 자세를 담은 책의 내용을 바탕으로 실패 극복 방법을 소개하고자 합니다.

우리는 일반적으로 성공 사례는 널리 알리지만 실패는 숨기려 합니다. 그러나 이런 우리들의 생각과 달리 실패한 제품을 전시하는 박물관이 있습니다. 해외에 있는 실패작 박물관의 모습을 담은 동영상을 보여 드리겠습니다. (영상을 보여 준 후) 정말 많은 전시품이 있지요? 어떤 전시품이 가장 인상적이었나요? (청중의 대답을 듣고) 예, 그렇군요. 아쉽게도 이 제품들은 이제 더 이상 시중에서 볼 수 없는 것들입니다.

그런데 이곳의 원래 명칭은 신제품 작업소였습니다. 설립자는 우리가 태어나기 훨씬 전부터 신제품을 모아 이곳을 세웠는데, 모은 제품의 80% 이상이 시장에서 실패해 버린 겁니다. 결국 이곳은 처음 기획했던 것과는 달리 실패작 박물관이 되었습니다. 그렇게 현재는 10만여 점의 제품이 전시되어 있고 그 실패 이야기에 주목하여 많은 사람들이 이곳을 찾고 있습니다. 이 영상은 박물관을 찾은 관람객과의 인터뷰입니다. (영상을 보여 준 후) 화면에서 보셨듯이 관람객들은 단순히 실패작만 구경하는 것이 아니라 전시물 소개 자료에 실려 있는 실패 이야기를 읽고 새로운 도전의 아이디어를 얻을 수 있다고 합니다.

실패작 박물관은 시장에서 성공하지 못한 수많은 제품들을 통해 실패가 우리 주위에서 얼마나 흔하게 발생하고 있는지를 일깨워 주고, 실패작을 숨기지 않고 전시하여 실패에서 배움을 얻을 수 있게 합니다. (목소리에 힘을 주어) 이를 통해 우리도 실패를 창피하게 생각하여 숨기거나 외면하지 않고 정면으로 바라보는 것이 실패 극복의 중요한 방법임을 알 수 있습니다.

그러면 실패를 긍정적으로 인식하기 위한 방법은 무엇인지 제가 책에서 찾은 내용을 알려 드리겠습니다. 우선, 실패의 상황을 구체적으로 적어 봅니다. 이때 주의할 점은 자기 비난과 같은 감정적 판단을 넣지 않고 객관적인 사실만을 기록하는 것입니다. 다음으로는 실패의 상황을 긍정적으로 재해석해야 합니다. 여기에는 자기 인정이 필요한데요, 결과적으로는 실패했지만 과정 속에서 나의 긍정적인 면을 찾아보고 나를 인정해 주는 겁니다. 마지막으로 왜 목표를 이루지 못했는지 신중하고 냉철하게 실패의 원인을 찾는 노력이 필요합니다.

여러분, 실패 속에 숨어 있는 긍정적인 의미를 발견하는 것이 실패를 성공의 어머니로 만드는 열쇠입니다. 오늘 저의 발표가 여러분의 새로운 도전에 도움이 되었으면 좋겠습니다. 그럼 이것으로 발표를 마치겠습니다.

(나)

오늘 친구의 발표를 듣고 실패에 대해 다시 생각해 보았다. 특히 실패의 경험을 성공으로 이끌기 위해서는 실패에 대한 인식을 전환해야 한다는 내용이 인상적이었는데, 이것을 나의 경험에 적용해 보았다.

1학기 때 나는 친한 친구들과 '책사랑' 자율 동아리를 결성하여 활동했다. 우리는 읽을 책의 목록을 정한 후 각자 ㉠ 읽고, 토론하기로 했다. ㉡ <u>하지만</u> 활동 일지를 바탕으로 학기말에 최종 활동보고서를 제출하기로 하였다. 그런데 처음에는 계획대로 진행되었지만 갈수록 책을 끝까지 읽지 못하는 친구들이 늘어났다. 한 달에 두 번으로 계획했던 토론 모임도 점점 횟수가 줄어들었고 결국 활동보고서 작성도 흐지부지되고 말았다.

하지만 한 학기 동안 동아리 부장으로서 내가 한 일을 돌아보니 긍정적으로 해석할 수 있는 부분이 있었다. 모임 장소를 구하려고 동분서주하며 노력했고, 토론 모임에 자주 빠진 친구들을 찾아가 끝까지 함께하자고 설득했다. ㉢ <u>토론은 사고력 향상에 도움을 준다.</u>

그럼에도 불구하고 왜 결과가 좋지 못했을까? 친구들의 관심을 고려하기보다는 유명한 책 위주로 목록을 선정하다보니 흥미를 갖고 책을 끝까지 읽기가 어려웠던 것이다. 그리고 바뀐 모임 장소와 시간을 제때에 ㉣ <u>알려서 공지해</u> 주지 못해서 토론 모임에 참여하지 못한 친구들도 많을 수밖에 없었다.

이렇게 실패의 경험을 돌아보고 나니 내년에는 자율 동아리를 잘 ㉤ <u>운영할</u> 수 있을 것이란 생각이 든다. 앞으로도 내 마음 속 실패작 박물관에는 더 많은 전시물이 생기겠지만, 그때마다 나 자신의 힘으로 '실패는 성공의 어머니'가 될 수 있음을 보여줄 것이다.

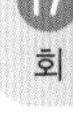


7. (가)의 발표자가 사용한 말하기 전략으로 적절하지 <u>않은</u> 것은?
① 매체 자료를 활용하여 발표 대상에 대한 청중의 이해를 돕고 있다.
② 질문을 던지고 그 반응을 확인하여 청중과의 상호작용을 강화하고 있다.
③ 반언어적 표현을 사용하여 발표 내용을 청중에게 효과적으로 강조하고 있다.
④ 도입부에 발표 내용을 간단히 제시하여 청중이 내용을 예측하며 듣도록 하고 있다.
⑤ 마지막 부분에 요약된 내용을 나열하여 청중이 핵심 내용을 잘 기억할 수 있도록 돕고 있다.

*8.* (가)를 들은 청중의 추가 질문으로 가장 적절한 것은?
① 실패작 박물관은 우리나라에도 있나요?
② 실패작 박물관의 원래 명칭은 무엇인가요?
③ 실패작 박물관이 갖는 의의는 무엇인가요?
④ 실패작 박물관에는 얼마나 많은 제품이 전시되어 있나요?
⑤ 실패작 박물관의 실패작들은 지금도 시중에서 볼 수 있나요?

*9.* 다음은 (가)를 들은 학생이 (나)를 작성하는 과정에서 떠올린 생각이다. ㉮ ~ ㉲ 중 (나)에 반영되지 않은 것은?

- 발표자는 실패의 원인을 분석해 보라고 했지. 나도 실패의 원인을 나에게서 찾아 분석하여 제시해야겠어. …………… ㉮
- 발표자는 실패한 경험을 구체적으로 써보라고 했지. 나도 자율 동아리를 잘 운영하지 못했던 경험을 자세하게 언급해야겠어. …………… ㉯
- 발표자는 실패를 정면으로 보는 것이 중요하다고 했지. 나도 실패를 숨기려고 했던 나의 인식이 전환된 것에 대해 언급해야겠어. …………… ㉰
- 발표자는 실패 상황을 재해석할 때 자기 인정이 필요하다고 했지. 결과가 좋지 않았지만 나는 동아리 부장으로서 긍정적인 의미가 있었던 부분을 제시해야겠어. …………… ㉱
- 발표자는 실패의 긍정적인 의미를 발견하는 것이 성공으로 이어질 수 있다고 했지. 나도 실패의 경험이 미래의 성공으로 이어질 수 있을 것이라는 기대를 언급해야겠어. …… ㉲

① ㉮ ② ㉯ ③ ㉰ ④ ㉱ ⑤ ㉲

*10.* (나)의 ㉠ ~ ㉤에 대한 고쳐 쓰기 방안으로 적절하지 않은 것은?
① ㉠에는 필요한 문장 성분이 빠져 있으므로 '책을'을 첨가한다.
② ㉡은 문장의 연결 관계를 고려하여 '그리고'로 바꾼다.
③ ㉢은 글의 통일성에 어긋나는 문장이므로 삭제한다.
④ ㉣은 의미가 중복되므로 '알려서'를 삭제한다.
⑤ ㉤은 문장의 호응 관계를 고려하여 '운영될'로 바꾼다.

*11.* <보기>는 음운 변동에 대한 수업의 한 장면이다. 학생들의 활동 결과로 적절한 것은?

〈 보 기 〉

**선생님:** 지난 시간에는 음운 변동 현상인 교체, 탈락, 축약, 첨가에 대해서 배웠습니다. 오늘은 음운 변동이 두 가지 이상 나타나는 단어를 통해 지난 시간에 배운 내용을 적용해 보겠습니다. 모둠별로 칠판에 제시한 단어에서 일어나는 음운 변동 현상을 분석한 후, 분석 결과에 따라 해당 항목에 알맞은 단어 카드를 붙여 볼까요?

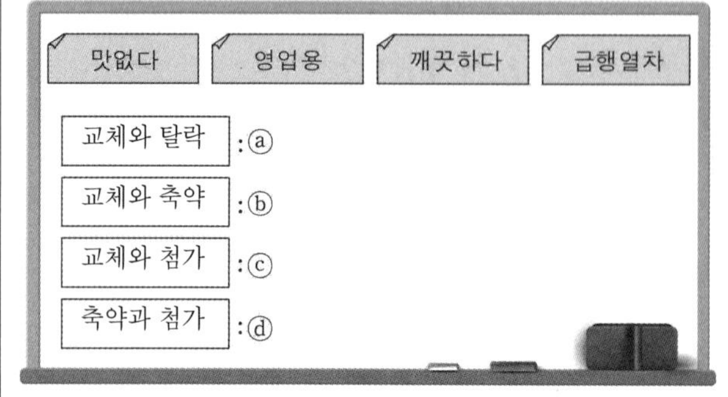


| | ⓐ | ⓑ | ⓒ | ⓓ |
|---|---|---|---|---|
| ① | 급행열차 | 깨끗하다 | 맛없다 | 영업용 |
| ② | 맛없다 | 급행열차 | 영업용 | 깨끗하다 |
| ③ | 맛없다 | 깨끗하다 | 영업용 | 급행열차 |
| ④ | 깨끗하다 | 영업용 | 맛없다 | 급행열차 |
| ⑤ | 깨끗하다 | 맛없다 | 급행열차 | 영업용 |

*12.* <보기>는 '사전 활용하기' 학습 활동을 위한 자료이다. 이에 대해 탐구한 내용으로 적절하지 않은 것은?

〈 보 기 〉

**물리다[1]**
동사
【…에/에게】
다시 대하기 싫을 만큼 몹시 싫증이 나다. ¶ 세 끼 꼬박 국수를 먹어서 이젠 국수에 물렸다.

**물리다[2]**
동사
[1] 【…에/에게 …을】
「1」 '물다[2][1] 「2」'의 피동사. ¶ 사나운 개에게 팔을 물리다.
「2」 '물다[2][1] 「3」'의 피동사. ¶ 어젯밤 모기에게 코를 물렸다.
[2] 【…에게】
'물다[2][1] 「4」'의 피동사. ¶ 그놈들에게 잘못 물렸다가는 큰 일 치른다.

**물리다[3]**
동사
[1] 【…을】
「1」 '무르다[2][1] 「1」'의 사동사. ¶ 친구는 새로 구입한 책을 모두 물렸다.
[2] 【…을 …으로】
「1」 ______㉠______ ¶ 약속 날짜를 이틀 뒤로 물리다.

① 물리다[1], 물리다[2], 물리다[3]은 서로 동음이의 관계이군.
② 물리다[2], 물리다[3]은 각각 다의어임을 알 수 있군.
③ 물리다[1]의 용례로 '버스가 고장이 나 승객들이 차표를 도로 물리는 소동이 있었다.'를 추가할 수 있군.
④ 물리다[2][1]은 물리다[1]에 비해 서술어가 요구하는 필수적 문장 성분이 더 많다고 할 수 있군.
⑤ 물리다[3]의 ㉠에는 '정해진 시기를 뒤로 늦추다.'가 들어갈 수 있겠군.

13. <보기>에 대한 설명으로 가장 적절한 것은?

< 보 기 >

부사는 수식하는 범위에 따라 문장의 한 성분을 수식하는 성분 부사와 문장 전체를 수식하는 문장 부사로 나뉜다. 이 중 성분 부사는 주로 용언을 수식하지만 때로는 체언을 수식하거나 관형사, 부사를 수식하는 경우도 있다.

ㄱ. 그녀는 매우 빨리 달린다.
ㄴ. 설마 나에게 맞는 옷이 없을까?
ㄷ. 우리 학교 바로 옆에 우체국이 있다.
ㄹ. 내 차는 얼마 전까지 아주 새 차였다.
ㅁ. 과연 그 아이는 재능이 정말 뛰어나군.

① ㄱ에서 '매우'는 용언을 수식하고 있다.
② ㄴ에서 '설마'는 체언을 수식하고 있다.
③ ㄷ에서 '바로'는 부사를 수식하고 있다.
④ ㄹ에서 '아주'는 관형사를 수식하고 있다.
⑤ ㅁ에서 '과연'과 '정말'은 문장을 수식하고 있다.

**[14 ~ 15] 다음 글을 읽고 물음에 답하시오.**

시제란 발화시를 기준으로 사건시의 선후 관계에 따라 과거, 현재, 미래를 구분하는 문법 범주를 가리킨다. 이때 발화시는 말하는 시점을, 사건시는 사건이 일어나는 시점을 말한다.

과거 시제는 일반적으로 사건시가 발화시에 선행하는 시간 표현으로 규정되는데, 선어말 어미 '-았-/-었-'과 관형사형 어미 '-(으)ㄴ' 등을 통해 실현된다. 그리고 '어제', '옛날'과 같은 시간 부사어와 결합하여 그 의미가 구체화되기도 한다. 현재와 단절된 상황이나 먼 과거는 '-았었-/-었었-'을 통해 표현되기도 한다. 과거 시제 선어말 어미 중 '-더-'는 발화자가 과거에 경험한 일을 회상할 때 쓰이는데, 주어가 1인칭인 경우 쓰임에 제약이 따르기도 한다. '-았-/-었-'이 사용되었다고 해도 경우에 따라 사건시가 발화시와 일치하는 현재의 일이나 사건시가 발화시 이후인 미래의 일을 표시하는 데에도 쓰일 수 있다.

현재 시제는 일반적으로 사건시와 발화시가 일치하는 시간 표현이다. 동사의 경우 선어말 어미 '-는-/-ㄴ-'을 통해, 형용사와 서술격 조사의 경우에는 선어말 어미 없이 현재 시제를 표현한다. 또한 관형사형 어미 '-는', '-(으)ㄴ'을 통해서도 현재 시제를 표현할 수 있으며, '지금'과 같은 시간 부사어와 결합하여 그 의미가 구체화되기도 한다. 현재 시제가 사용된 표현은 보편적인 사실과 미래에 예정된 일을 나타낼 때에도 사용된다.

미래 시제는 사건시가 발화시 이후인 시간 표현이다. 이를 표현하는 선어말 어미로는 보편적으로 '-겠-'이 사용되며, '-(으)리-'가 사용되어 예스러운 의미를 나타내기도 한다. 그리고 관형사형 어미로는 '-(으)ㄹ'이 사용된다. 미래 시제는 '내일'과 같은 시간 부사어와 결합하여 의미가 구체화되기도 한다.

중세 국어도 과거, 현재, 미래의 삼분 체계를 가진다는 점에서 현대 국어와 동일하다. 다만 이를 표현하는 방식에 있어서는 차이가 있었다. 중세 국어에서 동사의 경우, 과거 시제는 선어말 어미 없이 표현하거나 선어말 어미 '-더-'를 사용하여 표현하였다. 중세에는 '-더-'가 현대 국어와는 달리 모든 인칭에 두루 쓰였으며, 1인칭 주어와 함께 쓰이는 경우에는 '-다-'로 나타났다. 현재 시제는 선어말 어미 '-ᄂᆞ-/-ㄴ-'을 써서 표현하였으며, 이는 보편적인 사실을 나타내기도 한다. 미래 시제는 '-리-'를 써서 표현하였다.

14. 다음은 현대 국어의 시제에 대한 탐구 활동지의 일부이다. 윗글을 바탕으로 할 때 ㉮에 들어갈 내용으로 적절하지 않은 것은? [3점]

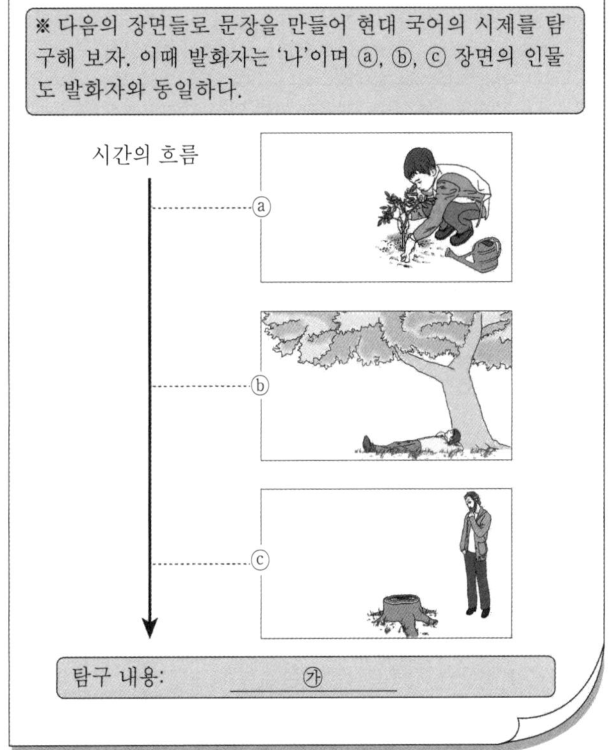


① ⓐ에서 발화시와 사건시가 동일하다면, 선어말 어미 '-는-'을 사용하여 '나는 묘목을 심는다.'와 같이 표현할 수 있다.
② ⓐ에서 사건시가 발화시 이후인 ⓑ를 나타내고자 한다면, 선어말 어미 '-겠-'을 사용하여 '묘목이 자라면 나무 아래에서 잘 수 있겠지.'와 같이 표현할 수 있다.
③ ⓐ를 시간적으로 거리가 먼 ⓒ에서 발화한다면, 선어말 어미 '-었었-'을 사용하여 '나는 묘목을 심었었지.'와 같이 표현할 수 있다.
④ ⓒ에서 ⓑ를 회상하여 발화할 때 '나는 나무 아래에서 자더라.'와 같은 표현이 어색한 것은 선어말 어미 '-더-'의 사용에 제약이 따르기 때문이다.
⑤ ⓒ에서 발화시보다 사건시가 선행할 때 선어말 어미 '-았-'을 사용하여 '이제 나무 아래에서 낮잠은 다 잤다.'와 같이 표현할 수 있다.

17회

*15.* 윗글을 바탕으로 <보기>의 밑줄 친 부분에 나타난 중세 국어의 특징을 이해한 내용으로 적절하지 않은 것은?

〈보 기〉

(가) 주거미 닐오ᄃᆡ "내 ᄒᆞ마 명종(命終)호라" <월인석보>
[현대어 풀이] 주검이 말하기를, "내가 이미 죽었다."

(나) 내 롱담ᄒᆞ다라 <석보상절>
[현대어 풀이] 내가 농담하였다.

(다) 네 이제 또 묻ᄂᆞ다 <월인석보>
[현대어 풀이] 네가 이제 또 묻는다.

(라) 하ᄂᆞᆯ히며 사ᄅᆞᆷ 사ᄂᆞᆫ 짜ᄒᆞᆯ 다 뫼호아 세계(世界)라 ᄒᆞᄂᆞ니라 <월인석보>
[현대어 풀이] 하늘이며 사람 사는 땅을 다 모아서 세계라 한다.

(마) 내 이제 분명(分明)히 너ᄃᆞ려 닐오리라 <석보상절>
[현대어 풀이] 내가 이제 분명히 너에게 말하겠다.

① (가): 시제를 나타내는 선어말 어미 없이 과거의 의미를 나타내고 있군.
② (나): 주어가 1인칭이므로 선어말 어미 '-다-'를 사용하여 과거의 의미를 나타내고 있군.
③ (다): 선어말 어미 '-ᄂᆞ-'를 통해 현재의 의미를 나타내고 있군.
④ (라): 현재형 선어말 어미가 사용되어 보편적인 사실을 나타내고 있군.
⑤ (마): 오늘날 사용되지 않는 선어말 어미를 통해 미래의 의미를 나타내고 있군.

**[16 ~ 20] 다음 글을 읽고 물음에 답하시오.**

고대 그리스 철학자들은 '변화'에 대해 많은 관심을 가졌다. 그들은 변화라는 현상의 실재(實在) 자체에서부터 종류, 원인 등에 이르기까지 많은 의문을 제기하였고, 특히 아리스토텔레스에 이르러 학문적 성과를 이룰 수 있었다.

먼저 헤라클레이토스는 모든 것이 항상 변화하고 있다고 믿었다. 그는 그 믿음을 "같은 강물에 두 번 들어갈 수 없다."란 말로 표현했다. 새로운 강물이 끊임없이 흘러들기 때문에 같은 강물에 다시 들어가는 것은 불가능하다는 것이다. 또한 그는 불꽃이 끊임없이 흔들리듯이 항상 변화하고 있는 '불'을 세계의 근원적 요소로 보았다. 반면 파르메니데스는 변화라는 현상 그 자체를 부정했다. 그는 '존재하는 것은 이미 존재하고 있으며, 존재하지 않는 것은 아무것도 존재하지 않는 것'이라고 인식했으므로, 절대적인 무(無)에서의 생성과 절대적인 무로의 소멸과 같은 변화는 있을 수 없다고 주장했다. 또한 세계는 존재하는 것들이 하나로 뭉쳐 있고 빈 공간이 없기 때문에 변화가 가능하지 않다고 보았다. 따라서 그는 우리가 일상에서 감각을 통해 흔히 경험하는, 변화라고 믿는 현상이 사실은 착각 또는 환상에 불과하다고 간주했다.

이와 같이 변화라는 현상의 실재성에 대한 상반된 견해가 제시된 이후, 후대에 이르러 플라톤과 아리스토텔레스는 변화의 문제에 대해 깊이 있는 논의를 ㉠ 펼쳤다. 그들은 변화에 대한 앞선 두 철학자의 견해를 받아들였지만 그 방식에는 서로 차이가 있었다. 플라톤은 모든 것이 항상 변화한다는 헤라클레이토스의 견해를 현실 세계에, 아무것도 변화하지 않는다는 파르메니데스의 견해를 이상 세계에 적용하여 이원론적 세계관을 확립했다. 하지만 아리스토텔레스는 플라톤이 주장하는 이상 세계를 거부했다. 그는 변화의 실재에 대한 헤라클레이토스와 파르메니데스의 상반된 견해를 어떤 방식으로든 현실 세계에 적용하려고 노력했다.

아리스토텔레스는 『자연학』에서 '기체(基體)'와 '형상(形相)'이라는 개념을 통해 변화의 문제를 설명하려고 했다. '기체'란 변화의 시작부터 끝까지 유지되는 변화의 토대를 의미한다. 그리고 '형상'이란 그런 토대 위에 구현되어 현실 세계에서 감각적으로 나타나는 것을 의미한다. 예를 들어 검은색의 머리카락이 흰색으로 변할 때 머리카락은 변화의 시작부터 끝까지 유지되는 기체이며, 검은색과 흰색과 같은 머리카락의 색깔이 형상에 해당한다. 이처럼 아리스토텔레스는, 변화란 현실 세계에서 실체의 기저에 깔린 머리카락이라는 기체 위에서 검은색의 형상이 흰색의 형상으로 대체되는 현상과 같은 것이라고 보았다.

[A] 또한 그는 변화의 종류와 성격에 대해서도 분석했는데, 먼저 변화를 실체적 변화와 비실체적 변화로 구분하였다. 실체적 변화란 실체의 변화 정도가 커서 기체가 무엇인지 분명하지 않은 변화를 가리킨다. 애벌레가 나비가 되는 것을 그 예로 들 수 있는데, 이는 변화의 전체 과정을 관찰하지 않는다면 마치 애벌레 자체가 소멸하고 나비가 생성되는 것으로 생각될 수도 있다. 그러나 아리스토텔레스는 파르메니데스와 마찬가지로 무에서의 생성과 무로의 소멸을 인정하지 않는데, 왜냐하면 모든 변화에서 기체가 유지된다는 것을 전제하기 때문이다. 따라서 실체적 변화는 변화의 시작부터 끝까지 유지되는 기체가 정확히 무엇인지 알 수 없다는 것을 의미할 뿐이지, 기체가 없이 무로부터의 생성이나 무로의 소멸이 일어난다는 것은 아니다. 비실체적 변화에는 얼굴이 빨개지는 등의 질적 변화, 작은 풍선이 커지거나 살이 찌거나 빠지는 등의 양적 변화, 이곳에서 저곳으로 장소를 이동하는 장소 변화가 있는데, 이들이 비실체적이라는 것은 실체가 전혀 또는 많이 변하지 않아서 기체가 분명하게 식별된다는 것을 의미한다. 특히 장소 변화의 경우 실체 자체는 아무런 변화를 겪지 않는다.

이처럼 아리스토텔레스는 이전 철학자들과는 달리 새로운 방식으로 변화를 규정했다. 그는 다수의 저술 속에서 변화 자체에 대한 분석뿐만 아니라 그 결과를 우주, 자연물, 인간 등의 사례에 적용할 정도로 변화의 문제에 깊은 관심을 보였으며, 이는 근대 자연 과학의 발전에 밑바탕이 되었다.

*16.* 윗글의 내용과 일치하지 않는 것은?
① 파르메니데스는 감각을 통해 경험한 변화를 착각으로 간주했다.
② 헤라클레이토스는 변화의 실재를 자연 현상을 통해 설명하였다.
③ 플라톤은 변화에 대한 견해를 적용하여 이원론적인 세계관을 확립하였다.
④ 변화에 대한 학문적 성과를 이룬 아리스토텔레스는 근대 자연 과학의 발전에 영향을 미쳤다.
⑤ 파르메니데스는 세계를 존재하는 것들과 존재하지 않는 것들이 하나로 뭉쳐 있는 것이라고 인식했다.

17. 윗글을 읽고 [변화]에 대한 '플라톤'과 '아리스토텔레스'의 견해를 <보기>와 같이 정리했을 때, ㉮와 ㉯에 들어갈 내용으로 적절하지 않은 것은?

〈 보 기 〉

**변화의 실재에 대한 플라톤과 아리스토텔레스의 견해**

| 플라톤 | 아리스토텔레스 |
|---|---|
| ㉮ | ㉯ |

① ㉮: 아무것도 변화하지 않는다는 파르메니데스의 견해를 이상 세계에 적용함.
② ㉮: 모든 것이 항상 변화한다는 헤라클레이토스의 견해를 현실 세계에 적용함.
③ ㉯: 아무것도 변화하지 않는다는 파르메니데스의 견해를 현실 세계에 적용함.
④ ㉯: 모든 것이 항상 변화한다는 헤라클레이토스의 견해를 현실 세계에 적용함.
⑤ ㉯: 변화의 실재에 대한 파르메니데스의 견해와 헤라클레이토스의 견해를 이상 세계에 적용함.

18. [A]를 바탕으로 '아리스토텔레스'의 입장에서 <보기>를 이해한 내용으로 적절하지 않은 것은? [3점]

〈 보 기 〉

| 구 분 | 변화 전 | → | 변화 후 |
|---|---|---|---|
| ㄱ | | → | |
| ㄴ | | → | |
| ㄷ | | → | |

① ㄱ에서 변화 전의 개구리가 다른 장소에서 이동해 왔다면 그것은 비실체적 변화라고 볼 수 있다.
② ㄱ에서 변화 전의 개구리의 피부색이 변화 후와 같이 바뀌었다면 색깔이라는 형상이 대체된 질적 변화가 나타났다고 볼 수 있다.
③ ㄴ은 실체의 변화 정도가 커서 기체가 무엇인지 분명하게 식별되는 변화라고 볼 수 있다.
④ ㄷ은 변화 전과 변화 후의 실체의 크기가 양적으로 증가한 비실체적 변화라고 볼 수 있다.
⑤ ㄱ, ㄴ, ㄷ은 모두 변화 과정에서 기체가 실체의 기저에 깔려 있다는 점에서 공통점을 갖는다고 볼 수 있다.

19. 윗글과 <보기>를 읽은 학생이 보일 수 있는 반응으로 가장 적절한 것은?

〈 보 기 〉

탈레스는 '물'을 만물의 근원이라고 보았다. 그는 물이 그 본성상 여러 가지로 변형되면서 다양한 형태의 사물들을 구성하므로, 현실에서 경험적으로 나타나는 변화를 인정할 수밖에 없다고 인식하였다. 그러나 근원적인 요소인 물 자체는 결코 변하지는 않는다고 보았다. 이처럼 그 자체는 변화하지 않으면서도 세계의 변화를 가능하게 해 주는 만물의 근원을 '아르케(arche)'라고 한다. 아르케를 주장한 그리스 철학자들은 절대적인 무에서의 생성과 절대적인 무로의 소멸을 인정하지 않았다.

① 헤라클레이토스와 탈레스는 모두 '불'을 통해 변화를 설명하려고 하였군.
② 탈레스는 아리스토텔레스와 달리 현실에서 경험적으로 나타나는 변화를 인정하였군.
③ 파르메니데스는 탈레스와 달리 만물의 근원적 요소 그 자체는 변할 수 없다고 여겼군.
④ 파르메니데스와 탈레스는 모두 '물'이 다양한 형태의 사물들을 구성한다고 인식하였군.
⑤ 아리스토텔레스와 탈레스는 모두 절대적인 무에서의 생성과 절대적인 무로의 소멸을 인정하지 않았군.

20. 밑줄 친 단어의 의미가 ㉠의 문맥적 의미와 가장 유사한 것은?
① 큰 독수리가 날개를 펼쳤다.
② 그 아이는 동화책을 펼쳤다.
③ 무용단은 환상적인 무대를 펼쳤다.
④ 그는 자신의 생각을 마음껏 펼쳤다.
⑤ 그는 오랫동안 독립 운동을 펼쳤다.

**[21 ~ 24] 다음 글을 읽고 물음에 답하시오.**

(가)
종다리 뜨는 아침 언덕 우에 구름을 쫓아 달리던
너와 나는 **그날** 꿈 많은 소년이었다.
**제비 같은 이야기**는 **바다 건너**로만 날리었고
가벼운 날개 밑에 머-ㄹ리 수평선이 층계처럼 낮더라.

자주 투기는 팔매는 바다의 가슴에 화살처럼 박히고
지칠 줄 모르는 마음은 단애(斷崖)*의 허리에
게으른 갈매기 울음소리를 비웃었다.

**오늘** 얼음처럼 싸늘한 노을이 뜨는 바다의 언덕을 오르는
두 놈의 **봉해진 입술에는 바다 건너 이야기가 없**고.

곰팡이처럼 얼룩진 수염이 코밑에 미운 너와 나는
**또다시 가슴이 둥근 소년일 수 없**고나.

- 김기림, 「추억」 -

* 단애: 깎아 세운 듯한 낭떠러지.

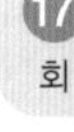

(나)

**어려서** 나는 램프불 밑에서 자랐다,
밤중에 눈을 뜨고 내가 보는 것은
재봉틀을 돌리는 젊은 어머니와
실을 감는 주름진 할머니뿐이었다.
나는 그것이 세상의 전부라고 믿었다.
**조금 자라서**는 **칸델라불 밑**에서 놀았다,
밖은 칠흑 같은 어둠
지익지익 소리로 새파란 불꽃을 뿜는 불은
주정하는 험상궂은 금점꾼들과
셈이 늦는다고 몰려와 생떼를 쓰는 그
아내들의 모습만 돋움새겼다.
**소년 시절**은 **전등불 밑**에서 보냈다,
가설극장의 화려한 간판과
가겟방의 휘황한 불빛을 보면서
나는 세상이 넓다고 알았다, 그리고

나는 **대처**로 나왔다.
이곳 저곳 떠도는 즐거움도 알았다,
바다를 건너 ㉠ 먼 세상으로 날아도 갔다,
많은 것을 보고 많은 것을 들었다.
하지만 멀리 다닐수록, 많이 보고 들을수록
이상하게도 내 시야는 차츰 좁아져
내 망막에는 마침내
재봉틀을 돌리는 **젊은 어머니**와
실을 감는 **주름진 할머니의**
**실루엣만 남았다.**

내게는 **다시 이것이**
**세상의 전부가 되었다.**

- 신경림, 「어머니와 할머니의 실루엣」 -

(다)

어느 날 약수터 옆에 서 있는 참나무 한 그루가 내 눈에 들어왔다. 인연이란 참으로 묘하디묘한 것이어서 하필이면 나무에 박혀 있는 녹슨 대못이 먼저 눈에 보였다. 오래전에 누군가 바가지를 걸어놓기 위해 박아놓은 것 같았다. 손으로는 빼낼 재간이 없어 그대로 내려왔는데 두고두고 그 대못이 가슴에 남았다.

그 다음 주말에 나는 배낭에 장도리를 챙겨 넣고 약수터로 올라갔다. 녹슨 못을 빼내고 나니 마음이 그렇게 후련할 수가 없었다. 그 나무와의 인연은 그렇게 시작됐다. 바야흐로 4월이 되면서 참나무는 연둣빛의 아름다운 잎을 가지마다 무성하게 토해내고 있었다. 그 후로 나는 그 참나무를 보기 위해, 아니 보고 싶어 산에 오르는 기분이 들었다. 괜히 마음이 심산스러울 때, 남에게 무심코 아픈 말을 내뱉고 후회할 때, 또한 이유 없는 공허함에 사로잡힐 때면 나는 그 나무를 보러 올라가곤 했다. 나무는 언제나 그 자리에 서 있었고 내게 시원한 그늘을 내주며 때로는 미소를 짓거나 무어라 말을 건네오는 것 같았다.

(중략)

지난 주말에도 나는 ㉡ 산에 다녀왔다. 눈이 내린 날이었다. 불과 일주일 만에 약수터의 참나무는 제 스스로 모든 잎을 떨군 채 찬바람 속에 무연히 서 있었다. 그리고 침묵의 시간으로 돌아간 듯 더 이상 말이 없었다. 나는 내가 못을 빼냈던 자리를 찾아보았다. 상처는 아직도 완전히 아물지 않은 상태였다.

그 헐벗은 나무를 보며 나는 생각했다. 그동안 나는 사소한 일에도 얼마나 자주 마음이 흔들렸던가. 또 어쩌다 상처를 받게 되면 얼마나 많은 원망의 시간을 보냈던가. 그리고 나는 길을 잃은 사람이 다시 찾아올 수 있도록 변함없이 그 자리에 서 있었던 적이 있었던가. 그렇게 말없이 기다림을 실천한 적이 있었던가.

이제부터는 한 그루 나무로 살고 싶다. 자기 자리에 굳건히 뿌리를 내리고 세월이 가져다주는 변화를 조용히 받아들이며 가끔은 누군가 찾아와 기대고 쉴 수 있는 사람이 되었으면 싶다. 겉모습은 어쩔 수 없이 변하더라도 속마음은 변하지 않는 사람이 되고 싶다. 한 그루 나무처럼 말이다.

- 윤대녕, 「한 그루 나무처럼」 -

**21.** (가) ~ (다)의 공통점으로 가장 적절한 것은?

① 직유법을 활용하여 대상을 구체화하고 있다.
② 점층적인 방식을 사용하여 내용을 전개하고 있다.
③ 영탄적 표현을 통해 고조된 감정을 나타내고 있다.
④ 명령형 어미를 반복하여 결연한 의지를 표출하고 있다.
⑤ 역설적 표현으로 주제 의식을 효과적으로 드러내고 있다.

**22.** <보기>를 바탕으로 (가)와 (나)를 감상한 내용으로 적절하지 않은 것은? [3점]

〈보 기〉

(가)와 (나)에는 시간의 흐름에 따른 화자의 변모와 이에 대한 정서가 나타나 있다. (가)에서 화자는 과거와 대비되는 현재의 모습을 통해 단절감을 드러내는 반면, (나)에서는 성장하면서 넓은 세상에서 경험이 확장되었던 화자가 모성(母性)의 이미지로 대표되는 유년 시절의 가치로 회귀하고자 하는 모습이 나타난다.

① (가)의 '그날', '오늘'과 (나)의 '어려서', '조금 자라서', '소년 시절'에서 시간의 흐름을 알 수 있군.
② (가)의 '또다시 가슴이 둥근 소년일 수 없'다는 것에서 과거로 돌아갈 수 없다는 단절감을, (나)의 '다시 이것이 세상의 전부가 되었다'는 것에서 넓은 세상에 대한 화자의 동경을 알 수 있군.
③ (가)의 '제비 같은 이야기'를 '바다 건너'로 날렸던 모습과 '봉해진 입술에는 바다 건너 이야기가 없'는 모습에서 과거와 현재의 대비되는 화자의 모습을 알 수 있군.
④ (나)에서 '칸델라불 밑', '전등불 밑', '대처'는 화자가 성장하면서 다양한 경험을 하게 되었음을 나타내는 장소임을 알 수 있군.
⑤ (나)의 '젊은 어머니'와 '주름진 할머니의 실루엣만 남았다'는 것에서 모성의 이미지로 대표되는 유년 시절의 가치로 회귀하고자 하는 화자의 모습을 알 수 있군.

**23.** ㉠, ㉡에 대한 설명으로 가장 적절한 것은?

① ㉠은 '나'가 견문을 넓히는 공간이다.
② ㉡은 '나'가 방황하며 슬픔을 느끼는 공간이다.
③ ㉠은 ㉡과 달리 '나'가 부끄러움을 환기하는 공간이다.
④ ㉡은 ㉠과 달리 '나'가 대상의 부재를 인식하는 공간이다.
⑤ ㉠과 ㉡은 모두 '나'가 시련을 극복하는 공간이다.

*24.* (다)의 내용을 <보기>와 같이 구조화했을 때, 이에 대한 설명으로 적절하지 않은 것은?

〈 보 기 〉

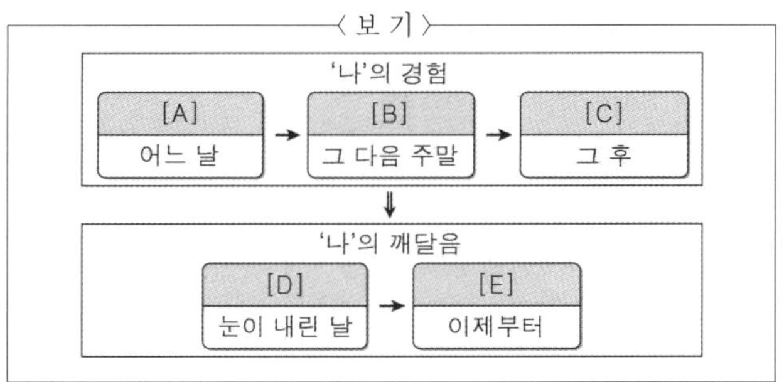


① [A]에서 글쓴이는 나무에 못이 박혀 있는 모습을 발견하고 연민을 느끼고 있다.
② [B]에서 글쓴이는 장도리를 사용해 나무의 못을 빼고 홀가분함을 느끼고 있다.
③ [C]에서 글쓴이는 언제나 제 자리를 지키는 나무의 그늘 밑에서 나무에게 친밀감을 느끼고 있다.
④ [D]에서 글쓴이는 모든 잎을 떨군 채 찬바람 속에 무연히 서 있는 나무를 보면서 자신을 성찰하고 있다.
⑤ [E]에서 글쓴이는 나무를 본받아 겉과 속이 일치하는 사람이 되겠다고 다짐하고 있다.

**[25 ~ 29] 다음 글을 읽고 물음에 답하시오.**

선반에 고정된 스프링 끝에 추를 매달면 추의 무게와 스프링이 추를 당기는 힘이 같아지는 지점에서 추는 멈추게 된다. 이 상태에서 추를 아래로 잡아당겨 보자. 추를 당기는 힘으로 인해 스프링은 늘어나는데 아래로 잡아당길수록 더 큰 힘이 필요하다. 이는 추를 당기는 힘에 대항하는 스프링의 탄성력 때문이다. 탄성력이란 고무줄이나 스프링같이 탄성을 가진 물체가 원래의 모양으로 되돌아가려는 힘이며, 길이를 늘이거나 압축하는 방향의 반대 방향으로 작용한다. 당겼던 추를 놓으면 탄성력에 의해 추는 상하로 진동하다가 추를 당기기 전과 동일한 지점에서 멈추게 된다. 이 지점을 평형점이라고 한다.

㉠이러한 추의 진동 과정은 에너지의 전환 과정으로도 설명될 수 있다. 추를 잡아당길 때, 추를 잡아당기는 데에 사용한 에너지가 스프링에 저장되었다고 할 수 있는데 이때 저장된 에너지를 탄성력에 의한 '퍼텐셜 에너지'라고 한다. 당겼던 추를 놓으면 스프링은 탄성력에 의해 스프링에 저장된 퍼텐셜 에너지만큼 추를 수직 방향으로 상향, 가속시키는 일을 한다. 즉 스프링에 저장된 퍼텐셜 에너지가 추의 운동 에너지로 전환되는 것이다. 수직 상향하던 추는 평형점을 지날 때에 속력이 가장 빠르고 운동 에너지는 최대가 된다. 이후 추는 계속 상향하면서 스프링을 누르는 일을 하여 결국 속도가 0인 최고점에 도달하게 된다. 즉 평형점을 지나면서 추의 운동 에너지는 스프링의 퍼텐셜 에너지로 전환되는 것이다. 이후 스프링에 저장된 퍼텐셜 에너지는 상향으로 운동할 때와 방향이 반대일 뿐, 같은 과정을 거쳐 운동 에너지로 전환되어 추를 수직 하향하게 한다. 만약 추의 운동을 방해하는 힘이 없고 공기 저항 등으로 인한 손실이 전혀 없다고 가정한다면 이러한 에너지 전환 과정이 반복되면서 스프링과 추는 계속 진동하게 될 것이다. 즉 퍼텐셜 에너지와 운동 에너지의 합은 항상 일정한 상태로 유지되는 것이다. 하지만 실제로는 공기와 스프링의 마찰 등에 의해 추의 운동 에너지가 열에너지로 전환되므로 에너지 전환 과정이 반복될수록 진동은 점차적으로 줄기 마련이다. 이를 '감쇠 현상'이라고 한다.

이와 같이 진동에서 일어나는 에너지 전환과, 감쇠의 원리를 적절히 응용한 것이 현가장치*의 스프링과 쇼크업소버이다. 먼저 차체와 바퀴 사이에 위치한 스프링은 진동을 활용하여 지면에서 받는 충격이 차체로 전달되는 것을 줄여주는 역할을 한다. 예를 들어 ㉡평지를 달리던 자동차가 과속 방지턱을 지난 후 높이 변화가 없는 평지를 계속 달리고 있다고 하자. 과속 방지턱에서 받은 충격으로 스프링은 차체와 바퀴 사이에서 눌려 퍼텐셜 에너지가 스프링에 저장된다. 이 에너지로 인해 스프링은 스프링 상단의 차체를 밀어 올리는 일을 하게 된다. 따라서 차체는 수직으로 상향, 가속되다가 평형점을 지나 감속되면서 운동 에너지가 퍼텐셜 에너지로 완전히 전환되는 최고점에 이른다. 이후 차체는 하향, 가속되다가 평형점을 지나 최저점에 도달하게 된다. 이와 같은 에너지 전환이 반복되면서 차체와 스프링은 진동하게 되는 것이다. 하지만 스프링만으로는, 차체 진동의 평형점에서 최고점이나 최저점까지의 거리인 진폭을 줄이는 데 시간이 오래 걸리므로 차에 탄 사람에게 불쾌감을 주게 된다. 그래서 스프링의 진동을 줄여주는 장치가 추가로 필요한데, 그것이 바로 스프링과 연결되어 있는 ㉢쇼크업소버이다.

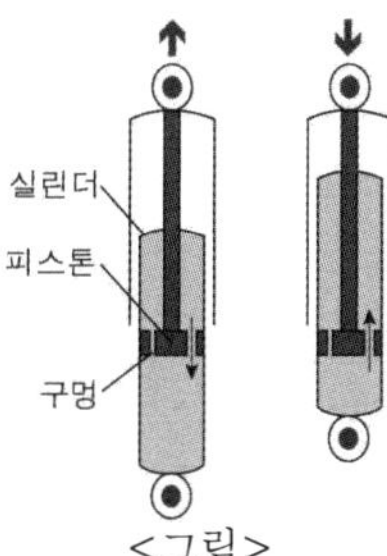

<그림>

<그림>에서와 같이 쇼크업소버는 액체로 가득 찬 밀폐된 실린더와, 그 속에 여러 개의 작은 구멍이 뚫린 피스톤으로 구성되어 있으며 실린더의 윗부분은 차체, 아랫부분은 바퀴와 연결되어 있다. 자동차가 과속 방지턱을 지나 차체와 스프링이 진동할 때, 피스톤도 실린더의 상단이나 하단으로 이동하게 된다. 예를 들어 차체가 수직으로 하향할 때 피스톤도 실린더의 하단으로 이동하게 된다. 이때 피스톤 아래에 있던 액체는 작은 구멍을 통해 피스톤 위로 이동하게 되는데 구멍의 크기가 작아 액체와 구멍 사이에서 마찰이 발생하기 때문에 피스톤이 하단으로 이동하는 속도가 그만큼 줄어들어 천천히 움직이게 된다. 이때 마찰에 의해 열이 발생하여 실린더 내부의 온도가 상승하게 되는데, 이를 에너지의 전환으로 설명하면 운동 에너지가 열에너지로 흩어지게 되는 것이다. 이와 같은 과정을 통해 쇼크업소버는 차체 진동의 진폭을 줄이게 된다. 결국 자동차의 승차감은 현가장치의 스프링과 쇼크업소버의 기능이 적절히 결합해 만들어지는 것이다.

* 현가장치: 자동차가 주행 중 노면으로부터 바퀴를 통하여 받게 되는 충격을 흡수하여 차체나 화물의 손상을 방지하고 승차감을 좋게 하는 장치.

*25.* 윗글의 표제와 부제로 가장 적절한 것은?
① 현가장치 스프링과 쇼크업소버의 역사
 - 에너지 전환 이론을 중심으로
② 현가장치 스프링과 쇼크업소버의 역할
 - 평형점의 이동 원리를 중심으로
③ 현가장치 스프링과 쇼크업소버의 작동 원리
 - 에너지 전환과 진동의 감쇠를 중심으로
④ 현가장치 스프링과 쇼크업소버의 장점과 단점
 - 에너지의 발생과 감쇠를 중심으로
⑤ 현가장치 스프링과 쇼크업소버의 주요 기능
 - 열에너지의 감소 과정을 중심으로

*26.* ㉠에 대한 이해로 적절하지 않은 것은?
① 스프링 대신 고무줄을 사용해도 유사한 현상이 발생할 것이다.
② 추를 수직 하향으로 당기면 스프링의 탄성력은 수직 상향으로 작용한다.
③ 추를 당겨서 스프링을 늘이려면 스프링의 탄성력보다 큰 힘이 필요하다.
④ 추를 당겼다 놓은 후 추가 진동하다 멈추는 것은 공기의 저항 등에 따른 감쇠 현상 때문일 것이다.
⑤ 추를 잡아당겼다 놓으면 스프링의 진동은 추를 당기기 전보다 높은 지점에서 결국 멈추게 될 것이다.

**[27 ~ 28] <보기>는 윗글의 ㉡의 상황에서 나타난 차체의 진동을 그래프로 표현한 것이다. 윗글과 <보기>를 바탕으로 27번과 28번 물음에 답하시오.**

〈보 기〉

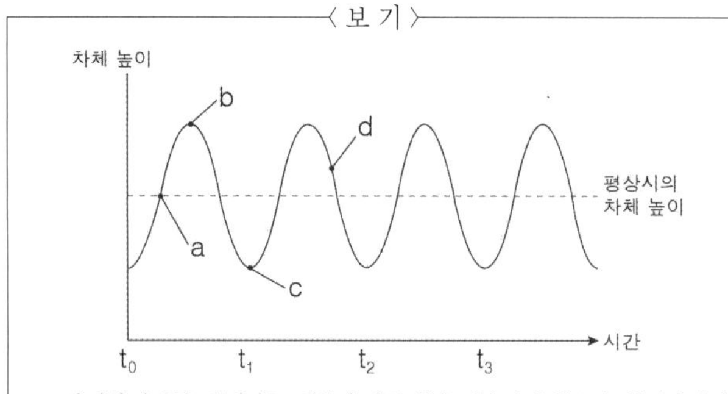


* 차체의 운동을 방해하는 외부의 다른 힘은 작용하지 않으며, 현가장치에 쇼크업소버가 설치되지 않은 상황이라고 가정한다.
* $t_0$은 자동차가 과속 방지턱을 지난 수 초 후이며, $t_0$에서 $t_3$까지 걸린 시간은 3초이다.

*27.* 윗글을 바탕으로 <보기>를 이해한 학생의 반응으로 적절하지 않은 것은? [3점]
① a는 차체 진동의 평형점으로, a에서의 차체의 수직 방향의 속력은 d에서보다 더 빠르겠군.
② b는 수직으로 운동하는 차체의 운동 에너지보다 스프링에 저장된 퍼텐셜 에너지가 큰 지점이겠군.
③ b와 c는 스프링이 수직 방향으로 움직이는 속도가 0이 되는 지점이겠군.
④ c는 수직 하향하던 차체의 운동 에너지가 0이 되는 지점이겠군.
⑤ d는 차체의 높이가 낮아지면서 탄성력에 의해 스프링이 늘어나고 있는 지점이겠군.

*28.* <보기>의 상황에서 ㉢을 추가로 설치했다고 할 때, 추론한 내용으로 적절하지 않은 것은?
① 차체의 높이가 a를 지날 때 ㉢의 피스톤은 실린더의 윗부분으로 이동하고 있을 것이다.
② 차체의 높이가 a에서 b가 되는 과정에서 ㉢의 피스톤 아래의 액체는 피스톤 위로 이동하게 될 것이다.
③ 차체의 높이 변화라고 할 수 있는 b에서 c까지의 수직 거리는 ㉢의 실린더에서 발생한 마찰로 인해 시간이 흐를수록 감소하게 될 것이다.
④ 차체의 높이가 c를 지나게 되면 실린더의 아래쪽으로 이동하던 ㉢의 피스톤의 방향은 전환되었을 것이다.
⑤ 차체의 높이가 d일 때 ㉢의 피스톤 아래의 액체가 작은 구멍을 통과하면서 실린더 내부에는 열이 발생할 것이다.

*29.* 윗글의 현가장치에 대해 이해한 내용으로 가장 적절한 것은?
① 스프링은 열을 탄성력으로 바꾸고, 쇼크업소버는 진동의 충격을 열로 바꾸는군.
② 스프링은 충격이 차체로 전달되는 것을 줄여주고, 쇼크업소버는 차체 진동의 진폭을 줄이는군.
③ 스프링은 차체의 진동방향을 바꾸고, 쇼크업소버는 차체 진동의 속도를 높이는 역할을 하는군.
④ 스프링에서는 운동 에너지가 열에너지로 전환되고, 쇼크업소버에서는 열에너지가 운동 에너지로 전환되는군.
⑤ 스프링에서는 공기와 스프링의 마찰을 늘려서, 쇼크업소버에서는 액체와 피스톤의 마찰을 억제해서 열이 발생되는군.

**[30 ~ 33] 다음 글을 읽고 물음에 답하시오.**

(가)
가사(歌辭)는 두 마디씩 짝을 이루는 율문의 구조만 갖추면 내용은 무엇이든지 노래할 수 있었던 양식이다. 시조의 형식이 간결한 것에 비해 가사는 복잡한 체험을 두루 표현할 수 있을 만큼 길어질 수 있었다. 그래서 시조를 길이가 짧다는 의미에서 '단가(短歌)'라고 부르던 것과 구별하여 가사는 '장가(長歌)'라고도 불렀다. 조선 시대의 가사는 보통 15세기부터 16세기까지의 전기 가사와 17세기부터 19세기 전반까지의 후기 가사로 구분된다.
전기 가사는 대체로 사대부들에 의해 지어졌다. 관직에 있지 않은 사대부들은 자연에 묻혀 지내면서 자연에 대한 흥취나 자신들이 중요시 여기던 가치관을 가사를 통해 드러냈다. 그 구체적인 모습으로 안빈낙도(安貧樂道)를 표방하기도 했으며, 이러한 경향이 '강호시가(江湖詩歌)'라는 한 유형을 형성하기도 하였다. 강호시가는 강호의 삶을 표방하기 위해 자연의 아름다움을 강조하고, 자연에서 느끼는 일체감을 드러냈다. 여기서 자연이라는 공간은 속세와의 대비에서 그 의미가 구체화된다.
그런데 임진왜란을 경계로 하는 17세기 무렵부터의 후기 가사에 오면 몇 가지 변화가 생긴다. 작자층의 확대, 제재의 변화, 대상을 보는 시각의 다변화, 표현 방식의 다양화 등이 그것인데 이런 변화는 서로 밀접한 관계 속에서 형성된 것들이었다. 사대부로 제한되었던 가사의 작자층이 확대되자 다양한 관심사가 가사 작품으로 형상화되었고, 각각의 삶이 다른 만큼 대상을 바라보는 시각도 변화하게 되었다. 이러한 현상은 경건한 태도로 사물을 바라보고 형상화하던 데에서 나아가 풍자적이고 희화적인 방식으로 사물을 바라보고 표현하는 작품을 등장하게 하였고, 서민의 삶의 어려움이나 그들의 바람을 드러내는 작품을 등장하게 하기도 하였다. 또한 후기 가사는 체험한 일을 구체적으로 형상화하는 것을 중시하고, 이념적인 삶보다 현실의 문제를 가사의 제재로 전면에 내세우게 되었는데, 이러한 변화는 조선 전기와 후기의 사회를 구분해 주는 특징이기도 하다.

(나)
엇그제 겨울 지나 새봄이 도라오니
**도화행화**(桃花杏花)는 석양리(夕陽裏)예 퓌여 잇고
녹양방초(綠楊芳草)는 **세우** 중(細雨中)에 프르도다

칼로 ᄆᆞᆯ아 낸가 붓으로 그려 낸가
조화신공(造化神功)이 물물(物物)마다 헌ᄉᆞ롭다
수풀에 우ᄂᆞᆫ 새ᄂᆞᆫ 춘기(春氣)ᄅᆞᆯ 못내 계워
소ᄅᆡ마다 교태(嬌態)로다
물아일체(物我一體)어니 흥(興)이ᄋᆡ 다ᄅᆞᆯ소냐
시비(柴扉)예 거러 보고 정자(亭子)애 안자 보니
소요음영(逍遙吟詠)*ᄒᆞ야 산일(山日)이 적적(寂寂)ᄒᆞᆫᄃᆡ
한중진미(閑中眞味)ᄅᆞᆯ 알 니 업시 호재로다
(중략)
송간 세로(松間細路)에 두견화(杜鵑花)ᄅᆞᆯ 부치 들고
**봉두**(峰頭)에 급피 올나 구름 소긔 안자 보니
천촌만락(千村萬落)이 곳곳이 버러 잇ᄂᆡ
연하일휘(煙霞日輝)*ᄂᆞᆫ 금수(錦繡)ᄅᆞᆯ 재폇ᄂᆞᆫ ᄃᆞᆺ
엇그제 검은 들이 봄빗도 유여(有餘)ᄒᆞᆯ샤
**공명**(功名)도 날 ᄭᅴ우고 부귀(富貴)도 날 ᄭᅴ우니
청풍명월(淸風明月) 외(外)예 엇던 벗이 잇ᄉᆞ올고
**단표누항**(簞瓢陋巷)에 ᄒᆞᆺ튼 혜음 아니 ᄒᆞᄂᆡ
아모타 백년행락(百年行樂)이 이만ᄒᆞᆫᄃᆞᆯ 엇지ᄒᆞ리

– 정극인, 「상춘곡」 –

* 소요음영: 자유롭게 이리저리 슬슬 거닐며 나지막이 시를 읊조림.
* 연하일휘: 안개와 노을과 빛나는 햇살이라는 뜻으로, 아름다운 자연 경치를 비유적으로 이르는 말.

(다)

[A]
조상 덕에 ᄒᆞ는 일이 읍중(邑中) 구실 첫째로다
드러ᄀᆞ면 **좌수별감(座首別監)*** 나ᄀᆞ셔ᄂᆞᆫ 풍헌감관(風憲感官)
유ᄉᆞ장의(有司掌儀)*에 그치면 체면 보와 사양터니
애슬프다 내 시절의 원수인(怨讐人)의 모해(謀害)로서
군ᄉᆞ 강정(降定)* 되단 말ᄀᆞ 내 ᄒᆞᆫ 몸이 허러 나니

[B]
좌우전후 일ᄀᆞ 친척 ᄎᆞᄎᆞ 츙군(充軍)* 되거고야
제사 받들 이ᄂᆡ 몸은 ᄒᆞᆯ일업시 ᄆᆡ와 잇고
시름 업슨 친족들은 자취업시 도망하고
여러 ᄉᆞᄅᆞᆷ 모든 신역(身役)* 내 ᄒᆞᆫ 몸의 모두 무니

ᄒᆞᆫ 몸 신역 삼냥오전(三兩五錢) 돈피(獤皮)* 두 장 의법이라
열두 ᄉᆞᄅᆞᆷ 업ᄂᆞᆫ 구실 합쳐 보면 사십육냥(四十六兩)
해마다 맞춰 무니 석숭(石崇)*인들 당ᄒᆞᆯ소냐

[C]
약간 농ᄉᆞ 전폐ᄒᆞ고 ᄎᆡ삼(採蔘)*ᄒᆞ려 입ᄉᆞᆫ(入山)ᄒᆞ여
허항영(虛項嶺)* 보ᄐᆡᄉᆞᆫ(寶泰山)을 돌고 돌아 ᄎᆞᄌᆞ보니

**인ᄉᆞᆷ싹**은 전혀 업고 오갈피잎 날 속인다
ᄒᆞᆯ일업시 공반(空返)ᄒᆞ여 팔구월 고추바람

[D]
안고 도라 **입ᄉᆞᆫ**(入山)ᄒᆞ여 돈피 사냥 하려 ᄒᆞ고
ᄇᆡᆨ두ᄉᆞᆫ(白頭山) 등의 지고 강 아래로 나려 가셔
싸리 껏거 누ᄃᆡ 치고 잎갈나무 모닥불 놓고
ᄒᆞᄂᆞ님게 축수ᄒᆞ며 ᄉᆞᆫ신(山神)님게 발원ᄒᆞ여
물ᄎᆡ츌*을 갖춰 꽂고 ᄉᆞ망*일기 원ᄒᆞ되

ᄂᆡ 정성이 부족ᄒᆞᆫ지 ᄉᆞ망실이 아니 붓ᄂᆡ
**뷘손**으로 도라서니 삼지연(三池淵)이 잘 ᄎᆞᆷ이라
입동(立冬) 지난 삼일(三日) 후에 밤새 **눈**이 사뭇 오니
다섯 자 깊이 벌써 너머 사오보(四五步)를 못 옴길ᄂᆡ

[E]
식량 다하고 옷 얇으니 압희 근심 다 떨치고
목숨 슬려 욕심ᄒᆞ여 죽기 살기 길을 허여
인가처를 ᄎᆞᄌᆞ오니 검천(劒川) 거리 첫목이라

첫닭 소리 이윽ᄒᆞ고 인가 적적 ᄒᆞᆫ잠일네
집을 ᄎᆞᄌᆞ 드러가니 혼비ᄇᆡᆨᄉᆞᆫ 반주검이
말 못하고 너머지니 더운 구들 아랫목의
송장갓치 누엇다가 정신을 차리고
두 발 끗흘 구버보니 열 ᄀᆞ락이 간 ᄃᆡ 업ᄂᆡ

– 작자 미상, 「갑민가」 –

* 좌수별감: 향청의 우두머리와 그에 버금가는 자리에 있는 사람.
* 유ᄉᆞ장의: 사무를 맡아보는 사람과 예식에 관한 일을 하는 사람.
* 군ᄉᆞ 강정: 군사의 계급으로 강등됨.
* 츙군: 모자란 군역을 채움.
* 신역: 몸으로 치르는 노역.
* 돈피: 담비 종류 동물의 모피를 통틀어 이르는 말.
* 석숭: 중국 진나라 때의 부자 이름.
* ᄎᆡ삼: 인삼을 캠.
* 허항영: 함남 혜산군과 함북 무산군 사이에 있는 고개.
* 물ᄎᆡ츌: 물과 채와 줄.
* ᄉᆞ망: 장사에서 이익을 많이 얻는 운수.

**30.** (가)를 이해한 내용으로 적절하지 않은 것은?

① 가사는 복잡한 내용을 두루 표현할 수 있는 양식이다.
② 가사는 길이가 늘어나는 것이 자유로운 시가 갈래이다.
③ 전기 가사와 후기 가사는 임진왜란을 기준으로 구분된다.
④ 가사는 두 마디씩 짝을 이룬다는 의미에서 장가라고도 불린다.
⑤ 가사의 작자층이 확대된 것과 표현 방식이 다양해진 것은 서로 관련이 있다.

**31.** (가)를 바탕으로 (나)와 (다)를 이해한 것으로 적절하지 않은 것은? [3점]

① (나)의 화자는 자연 속에서 지내면서 '도화행화'를 감상의 대상으로 여기지만, (다)의 화자는 경제적 어려움에 처한 가운데 '인ᄉᆞᆷ싹'을 생존을 위한 대상으로 여기고 있군.
② (나)의 '세우'는 봄을 맞이한 화자의 흥취를 돋우어 주는 역할을 하지만, (다)의 '눈'은 서민으로서 화자가 겪는 삶의 고통을 심화하는 역할을 하는군.
③ (나)는 화자가 '봉두'에 올라서 바라본 자연의 아름다움을 형상화하고 있지만, (다)는 화자가 '입ᄉᆞᆫ'하여 체험한 일을 구체적으로 형상화하고 있군.
④ (나)의 '공명'은 자연과 대비되는 속세에 대한 화자의 부정적 태도를 드러내지만, (다)의 '좌수별감'은 사대부들의 경건한 삶의 자세에 대한 화자의 풍자적 태도를 드러내는군.
⑤ (나)는 '단표누항'에 만족하는 화자의 모습을 통해 그의 가치관을 보여 주지만, (다)는 화자가 '뷘손'의 상황에서 겪는 고난을 통해 화자에게 닥친 현실의 문제를 보여 주는군.

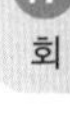

**32.** (나), (다)의 표현상의 공통점으로 가장 적절한 것은?

① 설의적 표현을 통해 화자의 정서를 강조하고 있다.
② 계절적 배경을 통해 애상적 분위기를 환기하고 있다.
③ 대화의 형식을 통해 대상과의 친밀감을 드러내고 있다.
④ 대상을 의인화하여 대상의 긍정적 속성을 부각하고 있다.
⑤ 의성어를 사용하여 시적 상황을 생생하게 묘사하고 있다.

*33.* <보기>를 바탕으로 (다)의 [A] ~ [E]에 대해 이해한 내용으로 적절하지 <u>않은</u> 것은?

< 보 기 >

<갑민가>의 '갑민'은 함경도 갑산의 백성이라는 뜻인데, 갑산은 변방이자 오지라는 특성 때문에 유배지로 유명한 지역이다. 이 작품처럼 특정 지역을 배경으로 하는 작품은 독자에게 사실감을 부여하는데, 그 지역에서 행하는 민속을 드러내어 사실감을 높이기도 한다. 한편 이 작품이 창작된 시기에는 신분의 이동이 많이 발생하였고, 세금을 내지 못하는 사람이 있으면 그 친족에게 세금을 대신 물리는 족징(族徵)의 폐해가 심각했는데, 이 작품에는 이러한 시대상이 잘 반영되어 있다.

① [A]: 갑민의 처지가 바뀌게 된 원인이 제시되어 있군.
② [B]: 갑민이 족징을 당하게 되는 과정이 드러나 있군.
③ [C]: 실제 지명을 언급하여 작품의 사실성을 높이고 있군.
④ [D]: 갑산 지역에서 돈피 사냥에 앞서 행하던 민속을 짐작할 수 있군.
⑤ [E]: 갑민이 유배를 가는 길에서 겪은 시련을 엿볼 수 있군.

**[34 ~ 36] 다음 글을 읽고 물음에 답하시오.**

**[앞부분 줄거리]** 시골 소농의 아들로 자란 방태흥은 상경하여 중학교 교사로 일하면서 고생 끝에 6년 만에 자신의 집을 짓게 된다. 그런데 어느 날 옆집에 사는 이 전무가 찾아와 방 씨의 집이 자신의 집을 침범했다며 방 씨의 집 벽을 허물라고 요구한다. 이 전무와 방 씨는 다시 만났지만 각자의 입장만 주장하다가 서로 타협점을 찾지 못한다.

"아저씨, 옆집에서 찾아요."
식모아이가 볼멘소리로 투덜대며 들어왔다.
"㉠ <u>자기가 무슨 높은 양반이라구 오라 가라 야단이람</u>."
"누가 찾는다구?"
"옆집에서요. 뭐 잠깐 왔다 가라나요? 아저씨, 구멍가게 집 아주머니가 그러는데요, 그 집 순 무식한 벼락부자 집안이래요."
"벼락부자?"
"그 남자가 전에는 말예요, 지금은 사장인 자기 형이랑 **가짜 구리무**를 집에서 만들었대요."
옆에서 아내까지 거들었다.
"나두 들었어요. **외제 빈 갑**에다 담아갖구선 집집으로 다니면서 팔았대요. ㉡ <u>국민학교두 못 나온 일자무식이라지 뭐예요</u>."
"잘 모르는 남의 일을 함부로 말하는 게 아니야."
"쩨쩨하구 치사한 집안이에요. 오라, 가라…… 아저씨, 제가 가서 그 남자보구 일루 오라구 그럴까요?"
"아냐, 내가 가지."
"축 잡힐 노릇 하시지 말구, 저앨 시켜서 부르세요."
몸이 무거워 아랫목에 누워 있던 아내도 말했지만 방선생은 못 들은 체해버렸다.
이전무는 초저녁부터 파자마 바람이었다. 그는 백과사전 같아 보이는 두툼한 책을 무릎 위에 펼쳐놓고 뒤적이다가 한참 만에 방선생이 담배 한대를 붙여물자 그제서야 고개를 들었다.
"어서 오쇼. 밀린 공부를 하다보니 이거 실례했소이다. 대학원엘 갈려고 준비중인데……"
"어떻게 결정하셨나요."
"요즘 세상에 까짓 석사학위쯤야 그게 학원가. 대학은 말할 필요두 없구."
"결정은 하셨습니까?"
옆집 남자가 멀뚱해진 얼굴로 시치미를 뗐다.
"무슨 결정 말요?"
"우리 쪽에서 담을 쌓아드리겠단 조건을 수락하는 겁니까?"
그자는 책장을 탁 덮고 뒤로 치웠다. 그러곤 공연히 귀만 후벼파면서 말했다.
"글쎄 그게 곤란하군요. 이 집이 내 집이라면야 그걸로 일단락을 짓겠지만 회사 집이란 말입니다."
집안이 소란스러워지고 짜증난 여자의 날카로운 목소리가 들려오는 통에 이전무의 말은 끊겨졌다.
"없다는데두 부득부득 지랄야, 지랄이. 너 줄 찬밥이 어딨니? 못 가 냉큼?"
"에, 밥 없으면 돈이라두 줘요, 씨."
이전무가 미닫이를 열고 시끄러워, 하며 고함을 쳤다. 투정하는 소리도 더욱 커졌다.
"씨, 안 주면 가나봐라, 좀 줘요."
"시끄럽다니까. 아, 빨리 못 쫓아내?"
이전무가 미닫이를 힘껏 닫고 나서 하던 얘기를 계속했다.
"우리 회사서는 말이오. 허물지 않으려면 손해 배상을 내라 이거요."
대문을 발길로 내지르는 소리가 요란해졌다. 이전무가 벌떡 일어섰다.
"이런 쌍놈의 새끼를……"
방태흥씨가 호주머니를 뒤적여 십원짜리 한장을 꺼냈다. 이전무는 매우 요긴한 것을 발견했다는 표정으로 돈을 덥석 받아쥐었다.
"거 마침 잘됐군, 잘됐어."
이전무가 방문 밖으로 돈을 내주며 빨리 쫓아버리라고 외쳤다. 불안해서 당황하는 듯 보였던 그자의 얼굴은 포마드로 빗어붙인 머리털과 매한가지로 빠듯하고 정돈된 표정으로 되돌아왔다. 방선생이 말했다.
"손해 배상이라면 얼마쯤이나……?"
"십만원이오. 집을 버려놓은 꼴루 봐서라두 꼭 알맞은 금액이라 생각하는데."
"너무 많습니다."
방선생은 침울한 얼굴로 말했다.
"능력이 없다는 건 둘째로 치고 부당하군요."
"그럴 줄 알았시다. 못 내겠다면 구청장을 상대로 고소하겠다 이거요. 아마 **고소장**을 냈을걸. 댁은 물론이고 건축 허가를 내준 과장부터 구청장까지 모조리 걸린단 말요."
"고소장을 냈어요?"
"냈지만…… 댁에서 **손해 배상금**을 지불하겠다면 당장이라도 취하시킬 수 있소. 오늘 이게 마지막 타협이란 걸 잘 알아두쇼."
"십만원이란 부당합니다. 말씀드렸지만, 말썽난 쪽의 담만을 쌓아 드린다는 조건이…… ㉢ <u>저로서는 최대의 성의입니다</u>."
이전무가 심각해진 인상을 하고서 오랫동안 고개를 끄덕였다. 입을 비죽이 내밀고 뭔가 곰곰이 생각해보던 이전무가 말했다.
"오만원 내시오."
방태흥씨도 속으로 계산을 해보았는데 담을 쌓아주려면 아무래도 최소한 삼만원쯤은 먹힐 것 같았다. 물론 남아 있는 벽돌은 묵혀버릴 작정을 했고 생돈을 들일 각오를 하고서였다. 눈 딱 감고 옜다 먹어라 하고 이만원을 더 얹어주고 나면 이 지겹고 고통스러운 이웃간의 다툼은 끝날 거였다. 방선생이 말했다.
"㉣ <u>그쯤에서 생각해보겠습니다</u>."

하면서도 방씨는 우선 아득한 근심이 앞섰다. 이전무가 말했다.

"그리고 나머지는 오만원짜리 약속어음을 십이월 말까지로 써주시오."

"나머지라뇨? 약속어음은 빚이나 마찬가진데요."

"그야 기분문제루 쓰자는 거 아니겠소? 지내노라면 나중에 가서 받게 되겠습니까. 이웃 사촌이라잖소."

**"이웃 사촌……"**

"자, 그럼 얘긴 끝난 모양이군."

"약속어음은 못 쓰겠군요."

방선생은 맥없이 고개를 저었고, ㉤ <u>이전무가 손바닥으로 무릎을 찰싹 소리가 나도록 두드렸다.</u>

"댁과는 타협이 여엉 안되는구만. 우리네도 좋을 대루 하겠소."

**두 사람의 타협**은 그것으로 **완전히 결렬**되었다. 그날은 어찌나 피로한 날이었던지 머리카락 꼬리 부근에 작은 종기가 생겨나 방태흥씨는 목을 움직이기가 거북했다. 작았던 멍울이 밤톨만한 뾰루지가 되어 끝이 노랗게 곪아 있었다. 손거울로 비춰보니 그 옆과 아래쪽에도 종처가 지나간 흔적이 흑색 딱지나 반점으로 남아 있었는데 방씨는 자기가 몹시 빈곤하고 천한 태생이란 느낌이 들었다. 종기 자국들은 자질구레하고 사소했던 여러가지의 피해로써 맺혀진 듯이 보였다. 약솜을 쥐고 뾰루지를 비틀어 누르기 시작했다. 고통이 뇌수 속을 깊이 찌르는 듯하다가 눈가에 눈물이 되어 가득히 고였다. 잠시 후 고통이 일시에 가셨지만 물범벅이 된 눈꺼풀을 껌벅이며 그는 멋쩍은 심정으로 거울을 들여다보았다. **깨알만한 고름 구멍**을 보노라니까 자기는 그 아픔과 상처보다도 훨씬 **미세한 존재**인 것만 같았다.

– 황석영, 「줄자」 –

*34.* 윗글의 서술상 특징으로 가장 적절한 것은?

① 대화를 통해 인물의 분열된 의식을 드러내고 있다.
② 과거를 회상하여 인물들의 관계가 변화된 원인을 제시하고 있다.
③ 외부 이야기 속에 내부 이야기를 삽입하여 사건을 전개하고 있다.
④ 현학적 표현을 통해 사건에 대한 서술자의 태도를 드러내고 있다.
⑤ 작품 밖의 서술자가 특정 인물의 입장에서 사건을 서술하고 있다.

*35.* ㉠ ~ ㉤에 대한 설명으로 가장 적절한 것은?

① ㉠: 자신을 무시하는 방 씨의 태도에 대한 불만이 드러난다.
② ㉡: 이 전무의 행동에 정당성을 부여하려는 태도가 드러난다.
③ ㉢: 이 전무의 요구를 전적으로 수용할 수는 없다는 태도가 드러난다.
④ ㉣: 이 전무의 입장을 모두 수용한 후에 느끼는 안도감이 드러난다.
⑤ ㉤: 자신의 요구가 과도했음을 인정하고자 하는 태도가 드러난다.

*36.* <보기>를 참고하여 윗글을 감상한 내용으로 적절하지 <u>않은</u> 것은? [3점]

〈 보 기 〉

이 작품은 공동체 의식이 약화되고 물질적 이해관계가 중시되어 가던 1970년대 무렵의 세태를 반영하고 있다. 즉 개인의 양심이나 도덕성보다 물질적 가치가 우선시되고, 사소한 갈등조차도 공동체의 관습이나 인정보다는 법을 내세워 해결하려는 변화된 시대상이 나타난다. 이 작품에는 이러한 현실 상황에 적극적으로 대응하지 못하는 인물이 등장하는데, 그는 갈등 속에서 얻게 된 상처를 통해 자신의 소시민적 모습을 인식하게 된다.

① 이 전무가 '가짜 구리무'를 만들어 '외제 빈 갑'에 담아 팔았다는 이야기를 통해 그가 개인의 양심과 도덕성을 중요하게 여기지 않았다는 것을 짐작할 수 있겠군.
② 방 씨가 '손해 배상금'을 지불하도록 하기 위해 '고소장'을 언급하는 이 전무의 모습에서 법을 내세워 갈등을 해결하려는 세태를 볼 수 있겠군.
③ 이 전무가 '이웃 사촌'이라고 한 말을 되뇌는 방 씨의 모습을 통해 그가 공동체 의식이 약화되어 가고 있는 시대적 변화에 적응하지 못하고 있음을 알 수 있겠군.
④ '두 사람의 타협'이 '완전히 결렬'된 것은 물질적 이해관계를 우선시하는 당시의 세태가 반영된 것이라고 할 수 있겠군.
⑤ 방 씨가 '깨알만한 고름 구멍'을 보며 자신을 '미세한 존재'로 느끼는 것은 그가 이 전무와의 갈등을 통해 자신의 소시민적 모습을 인식한 것이라고 볼 수 있겠군.

**[37 ~ 41] 다음 글을 읽고 물음에 답하시오.**

환경오염을 줄이기 위한 주요 환경 정책은 직접 규제와 ㉠ <u>간접 규제 방식</u>이 있다. 직접 규제는 정부의 지시나 통제를 통해 환경 기준을 준수하도록 강제하는 방식인데, 이는 수많은 오염 배출원을 정부가 직접 단속하는 데 많은 예산이 필요하다. 그래서 경제적 유인*을 통해 환경오염을 줄이려는 간접 규제 방식을 사용하기도 한다. 여기에는 부과금, 보조금, 예치금 등을 이용한 제도가 있다.

먼저 부과금 제도는 종량 수거료, 배출부과금, 제품부과금 등을 이용하는데, 쓰레기 종량제와 같은 종량 수거료 제도는 오염 물질의 단위당 수거료를 징수하므로 오염 물질의 배출량을 줄이려는 경제적 유인이 된다. 하지만 수거료 요율*을 무조건 높이면, 금전적 부담으로 인해 불법적인 무단 투기가 성행할 수도 있다. 한편 ㉡ <u>배출부과금</u>이란 기업 등이 오염 물질의 배출량에 비례하여 정부에 납부해야 하는 금액이다. 이 경우 배출부과금은 오염 물질의 배출량을 줄이는 경제적 유인이 된다.

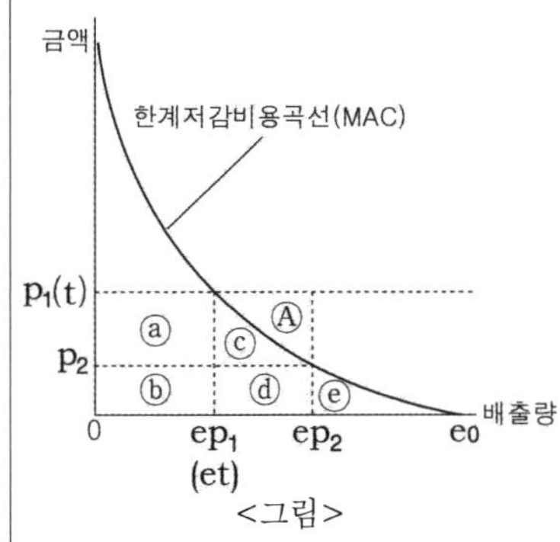

<그림>

배출부과금으로 인해 오염 물질 배출량이 줄어드는 원리는 <그림>과 같다. 제품 생산자의 경우를 가정해 보자. <그림>의 '한계저감비용곡선(MAC)'은 생산자가 현재 수준에서 오염 물질 배출량을 1단위 더 줄이는 데 필요한 추가적 비용을 나타낸 것이다. <그림>에서 오염 물질 배출량이 $ep_2$라면 한계저감비용은 $p_2$이고 배출량이 $ep_1$이라면 한계저감비용은 $p_1$이다. <그림>에서 배출량이 적어질수록 한계저감비용이 증가하는 이유는 배출량을 더 줄이려고 할수록 새로운 설비를 추가로 설치하는 등 더 많은 비용이 들기 때문이다.

이 곡선의 아랫부분의 면적은 그래프 각 지점에서의 한계저감비용을 더한 것이므로 오염 물질 배출량을 줄이는 데 들어가는 비용인 저감비용을 나타낸다. $e_0$에서 $ep_2$로 배출량을 줄이기

17회

위해 지불해야 하는 저감비용은 ⓔ이고, $ep_2$에서 $ep_1$으로 배출량을 줄이기 위한 저감비용은 ⓒ+ⓓ이다. 그런데 정부가 오염 물질 1단위를 배출할 때마다 t만큼의 배출부과금을 징수한다면 생산자는 어떤 선택을 하게 될까? 생산자가 $ep_2$만큼 오염 물질을 배출하면 배출량 $ep_2$에 부과금 t를 곱한 면적인 ⓐ+ⓑ+ⓒ+ⓓ+Ⓐ만큼의 배출부과금을 지불해야 하고, 생산자가 et만큼 오염 물질을 배출하면 ⓐ+ⓑ만큼의 배출부과금을 지불해야 한다. 원래 배출량이 $ep_2$인 생산자가 et로 오염 물질을 줄일 때 ⓒ+ⓓ만큼 저감비용이 들지만 배출부과금은 ⓒ+ⓓ+Ⓐ만큼 줄어들기 때문에 생산자는 Ⓐ만큼의 금액을 내지 않기 위해 배출량을 et의 수준으로 낮출 것이다.

이처럼 배출부과금 제도는 정책 수단인 부과금과 규제 대상인 오염 물질 간의 연계성이 높기 때문에 오염을 줄이는 효과는 뛰어나다. 하지만 이 제도는 정부가 각 생산자의 오염 물질 배출량을 지속적으로 확인해야 하므로 정보 획득 비용이 많이 든다. 이에 대한 하나의 대안으로 생산, 소비 및 폐기 단계에서 오염을 유발하는 제품에 대해 정부가 제품 단위당 특정 금액을 부과할 수 있는데 이를 제품부과금이라고 한다. 제품부과금은 오염 물질이 아니라 그와 관련된 제품 자체에 부과하는 만큼, 오염을 줄이는 효과는 배출부과금에 비해 떨어지나 정보 획득을 위한 비용은 상대적으로 적게 든다고 할 수 있다.

한편 보조금 제도는 오염 물질을 배출하는 기업 등이 환경오염을 줄이거나 이를 위한 투자를 하도록 재정적인 보상을 통해 경제적 유인을 제공하는 것이다. 이 중 저감시설 보조금제는 오염 물질 발생량을 줄이는 데 필요한 시설의 설치 비용 일부를 정부가 보조해 주는 것이다. 그리고 저감보조금제는 정부가 지정한 배출 상한 기준보다 적은 양의 오염 물질을 배출할 경우 배출 상한 기준과 실제 배출량의 차이에 대해 1단위당 특정 금액을 보조해 주는 것이다.

그러면 정부가 ⓒ 저감보조금을 정하는 기준은 무엇일까? 그 사회의 자원이 가장 효율적으로 이용되는 상태를 사회적 최적 수준이라고 하고, 오염 물질 1단위가 증가할 때 추가로 발생하는 사회적 피해비용을 오염의 한계피해비용이라고 한다. '한계피해비용곡선(MDC)'과 '한계저감비용곡선(MAC)'이 교차하는 지점에서 오염 배출량이 사회적 최적 수준이기 때문에, 정부는 이 지점에서의 금액을 보조금으로 결정하고 오염 배출량이 최적 수준이 되도록 유도한다. 기업 등은 배출 상한 기준으로부터 특정 지점까지 배출량을 줄일 때 드는 저감비용과 그들이 받을 수 있는 보조금을 비교하여 배출량을 조절하게 된다. 사회적 최적 수준은 앞서 언급한 배출부과금을 결정할 때에도 기준이 된다. 따라서 배출부과금 제도와 저감보조금제는 오염 수준을 사회적 최적 수준으로 유도할 수 있다는 점에서는 동일하다.

마지막으로 예치금 제도는 재활용 가능 자원의 효율적인 수거 및 처리를 통해 재활용률을 높이는 것을 목표로 한다는 점에서 부과금 제도와는 다르다. 예치금 제도 중 소비자 예치금은 주로 재활용할 수 있는 제품을 구매할 때 구매자로 하여금 일정 금액을 예치하게 한 후 그 제품을 반환하면 예치했던 금액을 환불해 주는 제도이다. 하지만 예치금 요율이 너무 낮을 경우 경제적 유인이 부족할 수 있다.

* 경제적 유인: 포상금, 과징금 등 사람이 어떤 행동을 하도록 만드는 경제적인 그 무엇.
* 요율: 요금의 정도나 비율.

*37.* 윗글에 대한 설명으로 가장 적절한 것은?

① 환경오염 규제 절차의 문제점을 밝힌 후 다양한 보완책을 제시하고 있다.
② 환경오염을 유발하는 다양한 원인을 분석한 후 해결 방안을 검토하고 있다.
③ 환경오염을 줄이기 위한 다양한 제도를 소개하고 그 특징을 설명하고 있다.
④ 환경오염을 해결하기 위한 상반된 입장을 제시한 후 절충안을 모색하고 있다.
⑤ 환경오염 예방 정책의 시대적 변천 과정을 살펴보고 발전 방향을 예측하고 있다.

*38.* ㉠에 대해 진술한 내용으로 적절하지 <u>않은</u> 것은?

① 부과금 제도는 재활용률을 높이는 것을 목표로 한다.
② 배출부과금 제도는 정책 수단과 규제 대상 간의 연계성이 높다.
③ 제품부과금 제도는 배출부과금 제도에 비해 정보 획득을 위한 비용이 적게 든다.
④ 보조금 제도와 예치금 제도는 경제적 유인을 통해 환경오염을 줄이도록 유도한다.
⑤ 소비자 예치금 제도의 요율이 너무 낮을 경우 재활용 가능 자원의 반환율이 낮아질 수 있다.

*39.* 윗글을 바탕으로 <보기>를 이해한 내용으로 적절하지 <u>않은</u> 것은?

〈 보 기 〉

A국은 환경을 심각하게 파괴하는 물질을 제품 생산의 원료로 사용하지 못하도록 법으로 규제하고 있다. 그리고 유리병에 든 ○○ 음료수를 500원에 판매하고 빈 병은 소비자가 알아서 처리하도록 하고 있다. B국은 쓰레기 수거료로 1kg마다 1,000원을 부과하고 있는데 쓰레기를 불법 배출하는 사람들이 늘어나고 있는 상황이다. 그리고 ○○ 음료수를 550원에 판매하는데 소비자가 빈 병을 반납하면 50원을 돌려주고 있다. C국은 공장에 매연 저감 장치를 설치할 경우 보조금을 지급하고 있다. 그리고 올해부터 쓰레기 수거료를 1kg마다 1,000원에서 500원으로 인하하였다.

① A국은 환경을 심각하게 파괴하는 물질 사용 여부와 유리병 반납 여부를 단속하기 위해 정부의 예산이 많이 소모되겠군.
② B국이 현재보다 쓰레기 수거료 요율을 올린다면 쓰레기의 불법 배출이 더 늘어날 가능성이 높아지겠군.
③ B국이 소비자 예치금을 음료의 판매 가격에 포함시키지 않았다면 ○○ 음료수의 가격은 A국과 동일할 가능성이 높겠군.
④ C국의 국민들은 쓰레기를 배출하는 양에 따른 경제적 부담이 작년보다 줄어들겠군.
⑤ C국은 저감시설 보조금을 통해 생산자가 환경오염 감소를 위한 투자를 하도록 경제적 유인을 제공하는 것이겠군.

**[40 ~ 41] <보기>는 정부가 ㉡ 또는 ㉢을 정하기 위해 참고한 자료이다. 윗글과 <보기>를 바탕으로 40번과 41번 물음에 답하시오.**

〈보 기〉

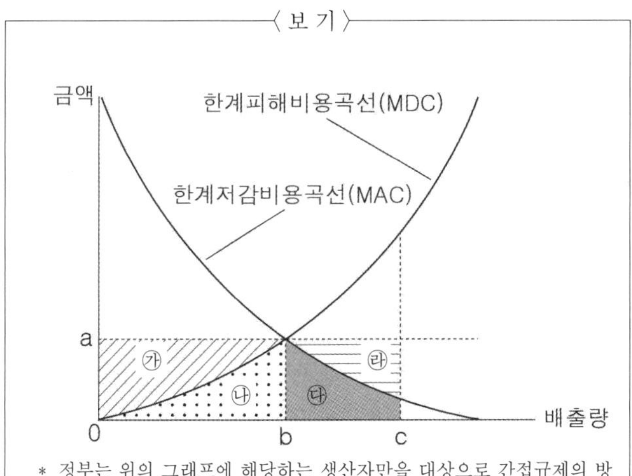


＊ 정부는 위의 그래프에 해당하는 생산자만을 대상으로 간접규제의 방식을 적용한다고 가정한다.

*40.* <보기>의 a에 대한 설명으로 가장 적절한 것은?

① 오염 물질을 배출하는 제품에 부과되는 금액이다.
② 사회적 피해비용과 한계저감비용을 합산한 금액이다.
③ 오염 물질 1단위당 부과금에 총 배출량을 곱한 금액이다.
④ 오염 수준을 사회적 최적 수준으로 유도하기 위한 금액이다.
⑤ 정부가 지시와 통제를 통해 강제하는 방식에서 필요한 금액이다.

*41.* 윗글을 바탕으로 <보기>를 이해한 학생의 반응으로 적절하지 <u>않은</u> 것은? [3점]

① 정부가 보조금을 지급하거나 부과금을 부과할 경우 오염 물질 배출량을 b로 줄이도록 유도하겠군.
② 정부가 보조금을 지급하지 않거나 부과금을 부과하지 않을 경우 생산자의 한계저감비용은 b에서보다 c에서 더 높겠군.
③ 정부가 부과금을 a로 정한 후 생산자의 오염 물질 배출량이 c라면 생산자는 ㉮+㉯+㉰+㉱ 면적만큼의 배출부과금을 지출하겠군.
④ 정부가 부과금을 a로 정한 후 생산자가 오염 물질 배출량을 c에서 b로 줄이려면 생산자는 ㉰ 면적만큼의 저감비용을 지출해야겠군.
⑤ 정부가 지정한 배출 상한 기준이 c이고 지급하는 보조금이 a라면 c에서 b로 오염 물질 배출량을 줄일 때 받는 보조금은 ㉰+㉱ 면적만큼이겠군.

**[42 ~ 45] 다음 글을 읽고 물음에 답하시오.**

[앞부분 줄거리] 원나라 때, 혼약을 맺은 유문성과 이춘영은 간신 달목에 의해 온갖 시련을 겪게 되고 일광도사를 만나 병법과 도술을 익혀 장수가 된다. 이때 달목이 황제를 내치고 스스로 황제 달황이 되니, 민심이 들끓게 되고 주원장이 건국의 뜻을 품고 장수 유기와 난을 일으켜 진군한다. 주원장, 유기와 형제의 의를 맺은 유문성과 이장(남장을 한 이춘영)은 각각 원수, 도독이 되어 달목의 부하인 장발과 전투를 벌인다.

날이 저물어 황혼이 되니, 유기는 기력이 쇠진하고, 장발은 조금도 쇠진치 아니하여, 유기의 형세 만분 위태하여 돌아오고자 하나, 만일 잠시 실수하면 생명이 경각에 있는지라, 가만히 기문법을 베풀어 몸을 구름 속에 감추어 혼백을 풍백에 붙이고 성세를 수기에 의지하여 달아나니, 장발이 비록 재주 있으나 어찌 알리오.

밤새도록 싸우다가 그 이튿날 평명에 보니, 유기는 없고 다만 한 기를 데리고 싸웠는지라, 크게 놀라고 냉랭하여 무료히 돌아오며 생각하되,

"유기는 필시 천인이요 인간 사람은 아니로다."

하고 가장 의아하더라.

유기 밤 삼경에 본진에 돌아오니, 모두 보고 대경하여 연고를 묻거늘 수말을 설화하니, 온 군중이 다 칭찬하며 우러러보더라.

이때 유원수 장발 잡기를 가장 염려한대, 유기 왈,

"장발은 한갓 검술만 믿고 대적치 못하리니, 용맹과 둔갑을 겸하여야 능히 제어하리라. 우리 진중에는 유원수밖에 당할 이 없나이다."

이때 주원수 유원수의 손을 잡고 왈,

"이제 모든 장졸은 거재두량*이라. 장군은 장차 어찌하면 좋으리오."

유원수 답왈,

"소장이 능히 당하오리니 근심치 마옵소서. 승패는 병가상사라, 어찌 장발을 근심하여 천하 대사를 등한히 하오리까."

바로 나아가려 하더니, 도독이 또한 원수를 만류하여 왈,

"소장이 한번 나아가 장발을 잡으리이다."

하고, 칼을 들고 말을 내몰아 급히 진전에 나아가니, 장발이 또한 창을 들고 나서며 가로되,

"저 백면 서생 어린 아이야, 가련하다. 네 오늘 비명에 세상을 버리고자 하니, 멀고 먼 황천 길에 조심하여 가라."

하고 나는 듯이 달려드니, 이낭자 미처 몸을 돌리지 못하여 말이 엎어지거늘, 장발이 창으로 겨누며 왈,

"가련타. 네 얼굴을 보니 차마 죽일 마음이 없다마는, 범의 새끼를 놓으면 후환을 끼치는 법이라, 어찌 살려 보내리오."

하고, 호통 일성에 창을 들어 치려 하니, 이장이 정신이 없어 하늘을 우러러 다시 유생을 보지 못함을 생각하고 눈물이 비 오듯 하더니, 이때 유원수 진중에서 바라보다가, 이장의 위급함을 보고 대경하여 급히 말을 타고 크게 소리하여 왈,

"도적은 감히 나의 장사를 해치 말라."

하고 바로 달려들어 치니, 장발이 미처 손을 놀리지 못하여 원수의 은하검이 번뜻하며 장발의 창 든 팔이 맞아 떨어지는지라. 일변 이장을 옆에 끼고 말에 올라 칼을 들고 달려들어 장발을 치려 하니, 장발이 비록 한 팔을 잃었으나 소리 벽력같이 지르고, 좌수로 삼백근 철퇴를 두르며 달려드니, 이때 유원수가 한 팔에 이장을 안았으매, 한 손으로 칼을 들어 대적할새, 급한 바람이 벽력을 치는 듯, 놀란 용이 벽해를 치는 듯, 천지 진동하고 산천이 무너지는 듯하더라.

삼십여 합에 승부를 결단치 못하매, 장발은 한 팔을 잃고 자연 기운이 태반이나 감하고, 유원수는 또 한편에 사람을 안았으매 자연 군속함이 많더라.

㉠ <u>이장이 정신없어 장발에게 잡혀가는가 하였더니, 이윽고 진정하여 가만히 본즉, 유원수에게 안겨 한 말에 실렸는지라,</u> 필시 나를 위하여 한편 팔을 쓰지 못하면 반드시 기력이 쇠진하여 극히 곤색할까 저어하여, 몸을 요동하여 내리고자 하나, 유장이 또한 생각하되, 이장을 내릴 즈음에 혹시 상할까 염려하여, 허리를 단단히 안고 놓지 아니하며 한 팔로 장발을 대적하

더니, 유원수를 쳐다보며 빌어 왈,

"만일 나를 놓지 아니하시면 필연 둘이 다 위태할 것이니 바삐 놓으소서."

한대, 유장이 종시 놓지 않고 왈,

"둘이 다 죽을지언정 놓지 못하리라."

(중략)

장발을 맞아 싸워 오십여 합에 이르매, 칼빛은 번개 같고 호통소리는 천둥 같으며, 고각 함성은 천지 진동하고, 기치 창검은 일월을 가리웠는데, 운무는 자욱하고 말굽은 분분하여, 급한 바람에 모진 상설이 뿌리는 듯, 장수는 정신을 잃고 군사는 넋을 잃어, 구렁에 올챙이떼같이 몰려 서서 구경만 하더라.

홀연 광풍이 대작하며 공중에서 벽력같은 소리 나며 은하검이 번뜻하더니, 장발의 머리 검광을 좇아 떨어지니 한 줄기 무지개 일어나며, 슬프다, 이 같은 장사로 천수를 알지 못하고 몸을 그릇 역적에게 허하여 천의를 거스르니, 제 비록 천하 명장이요 만고 영웅인들, 당시 창업 주씨를 어찌 대적하며 유문성을 당하리오. 산천이 슬퍼하는 듯하고, 일월이 무광하더라. 장발이 죽었으니 뉘라서 대적하리오. 무인지경같이 짓쳐들어가니, 삼국 청병 장졸과 본진 장졸의 머리 추풍낙엽일러라.

이때 달황이 할 수 없어 수백기를 거느리고 북문을 향하여 도망하거늘, 유원수 그 행동을 알고 급히 좇아가 사로잡고, 간신 당파 수백명을 잡아 무사로 하여금 차례로 처참하고, 본진으로 돌아와 서로 치하 분분하더라.

차시, 유원수 이도독과 더불어 전후 지낸 일과 달목 잡은 말을 좌중에 세세히 설화하며 왈,

"달목은 우리와 지극한 원수라. 평생의 품은 원을 오늘에야 풀리라."

하니, 이때 억만 군졸이 이 말을 듣고 대경하여, 그제야 이장이 여자인 줄 알고 칭찬불이하더라.

주원수와 유기 다시 치사하여 왈,

"부부 동심하여 천하를 평정하고, 대공을 세워 평생 원수를 갚고 원을 이루니, 이는 천고에 드문 일이라. 임의로 처치하옵소서."

한대, 유원수 도독과 더불어 칼을 들어 호령하여 왈,

"달목은 들으라. 네 이제 우리 양인을 아는가 모르는가. 나는 여남 땅 유문성이요, 저는 낙양 땅 이상서의 여자 이씨로다. 네 무도하여 음흉한 행실로 감히 우리 선군을 구박하고, 천조를 모함하여 남의 인륜을 작희(作戲)하여 백옥 같은 정절을 자결하게 하니, 그 죄 어떠하며, 또 천위를 찬역하여 현인군자를 참살하며 백성을 도탄에 빠지게 하였으니, 네 죄는 하늘에 사무치는지라. 빨리 목을 베어 천하에 회시하라."

하니, 달가의 처와 간신 당류 등이 황겁하여 감히 한 말도 못하고 우러러보지도 못하더라.

– 작자 미상, 「유문성전」 –

* 거재두량: 물건이나 인재 따위가 흔해서 귀하지 않음.

*42.* 윗글에 대한 설명으로 가장 적절한 것은?

① 꿈과 현실을 교차하여 환상적 분위기를 조성하고 있다.
② 초월적 존재가 등장하여 인물 간의 갈등을 중재하고 있다.
③ 인물의 외모를 과장되게 표현하여 인물을 희화화하고 있다.
④ 편집자적 논평을 활용하여 서술자의 생각을 드러내고 있다.
⑤ 공간적 배경을 구체적으로 묘사하여 인물의 과거를 암시하고 있다.

*43.* 윗글에 대해 이해한 내용으로 적절하지 <u>않은</u> 것은?

① 주원수는 사로잡힌 달황에게 관용을 베풀었다.
② 유기는 도술을 사용해 불리한 상황에서 벗어났다.
③ 이장이 여자라는 사실은 달목이 잡힌 후 밝혀졌다.
④ 달황은 장발이 죽은 뒤 전장에서 도망칠 수밖에 없었다.
⑤ 이장은 유원수의 안위를 걱정하여 자신을 희생하려 하였다.

*44.* <보기>를 바탕으로 윗글을 감상한 내용으로 적절하지 <u>않은</u> 것은? [3점]

〈 보 기 〉

<유문성전>과 같은 창작 군담소설은 주인공이 전투에 등장하는 시기를 조절하여 독자의 흥미를 유발한다. 보조 인물의 대결은 주인공의 등장을 지연시키고 주인공의 능력이 우월함을 부각하여 독자의 기대감을 상승시킨다. 또 주인공의 대결도 쉽게 끝나지 않도록 하여 긴장감을 더욱 고조시킨다. 이렇게 해서 주인공의 승리가 이루어지면 독자는 그동안 지속되었던 긴장을 이완하고 감동과 대리 만족을 느끼게 된다. 전투와 관련된 윗글의 장면을 도식화하면 다음과 같다.

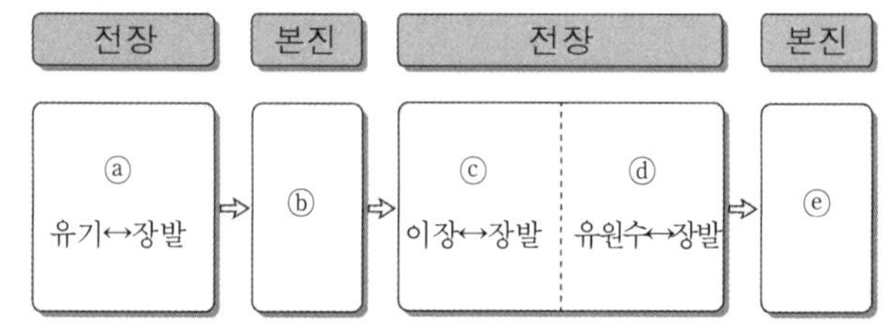


① ⓐ에서 유기의 능력을 보여준 후 ⓑ에서 유기가 유원수를 추천하는 것을 보며 독자는 유원수의 뛰어난 능력에 대한 기대감을 갖겠군.
② ⓑ에서 유원수를 만류한 이장이 ⓒ에서 위기에 처한 것을 보며 독자는 유원수의 등장을 더욱 기대하게 되겠군.
③ ⓓ에서 유원수가 장발과 쉽게 승부를 결정짓지 못하는 것을 보며 독자는 흥미를 갖고 대결 결과를 기대하겠군.
④ ⓓ에서 유원수가 장발을 물리치기 전까지 지속되었던 독자의 긴장감은 유원수가 승리한 후 이완되겠군.
⑤ ⓔ에서 유원수가 달목을 질책하는 것을 보며 독자는 유원수의 우월한 능력에 감탄하여 긴장감을 느끼겠군.

*45.* ㉠의 상황을 <보기>와 같이 이야기할 때, 빈칸에 들어갈 말로 가장 적절한 것은?

〈 보 기 〉

"사건의 흐름을 고려하면 이장은 ________한 것이로군."

① 개과천선(改過遷善)
② 결자해지(結者解之)
③ 기사회생(起死回生)
④ 무위도식(無爲徒食)
⑤ 일망타진(一網打盡)

**※ 확인 사항**

답안지의 해당란에 필요한 내용을 정확히 기입(표기)했는지 확인하시오.

# 국어 영역

18회 소요시간 /80분

제 1 교시

➡ 해설 P.166

**[1~2] 다음은 강연의 일부이다. 물음에 답하시오.**

(학생들을 보며) 안녕하세요. 방금 소개 받은 건축학과 교수 ○○○입니다. 전통 건축 양식을 주제로 강연을 해 달라는 부탁을 받고, 어떤 내용을 골라야 고등학생들의 수준에 맞고 재미있는 강연이 될까 고민을 했습니다. (화면에 사진을 띄우며) 여러분, 이게 뭐라고 생각하세요? (잠시 학생들의 대답을 경청한 후) 그림이나 벽화라는 대답이 많이 나왔는데, 비슷하지만 정확한 답은 아닙니다.

지금 여러분이 보고 있는 사진은 꽃담의 무늬를 가까이서 찍은 것입니다. 꽃담은 순우리말로, 아름다운 무늬나 그림을 넣어 장식한 담을 말합니다. 궁궐, 사대부 집, 일반 살림집 등 어디서나 볼 수 있었던 꽃담은 장독대나 굴뚝과 조화를 이루며 멋을 뽐냈습니다. 특히, 조선 시대에는 검소함을 숭상하는 문화로 인해 화려함보다는 우아함을 강조하게 되었습니다. 조선 시대 꽃담으로 가장 잘 알려진 것은 경복궁 자경전 꽃담입니다.

(사진들을 연달아 보여 주며) 이 ㉠사진들은 자경전 꽃담의 모습입니다. 어떠세요? 아름답지 않나요? 이 꽃담은 벽이나 돌담을 쌓기 위해 다듬은 사괴석을 하단에 3층으로 쌓고 그 위에 붉은색 벽돌을 다시 쌓은 후, 상단에 기와를 이었습니다. 이 중 붉은색 벽돌 부분이 무늬가 들어갈 자리가 됩니다. 먼저 벽의 테두리에 끝없이 이어지는 무늬를 만들고 그 사이에 문자, 꽃 등의 무늬를 넣었습니다.

자경전 바깥으로 향한 외벽의 주된 특징은 붉은색 벽돌에 흰색 바탕을 만들고, 여기에 매화, 국화 등의 무늬를 새겨 넣었다는 것입니다. 겨울을 견디고 봄에 피는 매화는 고결한 인품을, 서리를 이겨내고 가을에 피는 국화는 지조와 절개를 상징합니다. 그리고 매화나 국화 옆에 그 무늬의 의미와 관련하여 이를 부각하기 위해 문자를 기하학적으로 변형해 네모 모양으로 넣었습니다. 반면에 내벽에는 사악함을 물리친다는 벽사(辟邪)를 상징하는 육각형 속에, 작은 꽃무늬를 정교하게 상감(象嵌)하였습니다. 이 외에도 자경전 꽃담 무늬는 더 많이 있지만 시간을 고려하여 여기까지만 살펴보고, 창덕궁 낙선재 꽃담으로 넘어가도록 하겠습니다.

**1.** 강연자의 말하기 방식에 대한 설명으로 적절하지 않은 것은?

① 용어의 개념을 설명하여 청중의 이해를 돕고 있다.
② 화제를 소개하기에 앞서 강연 순서를 제시하고 있다.
③ 시각 자료를 활용하여 정보 전달의 효과를 높이고 있다.
④ 강연 시간을 고려하여 전달할 정보의 양을 조절하고 있다.
⑤ 질문을 통해 화제에 대한 청중의 반응을 이끌어 내고 있다.

**2.** 다음은 강연에서 제시된 ㉠의 일부이다. 이에 대한 학생들의 이해로 적절하지 않은 것은?

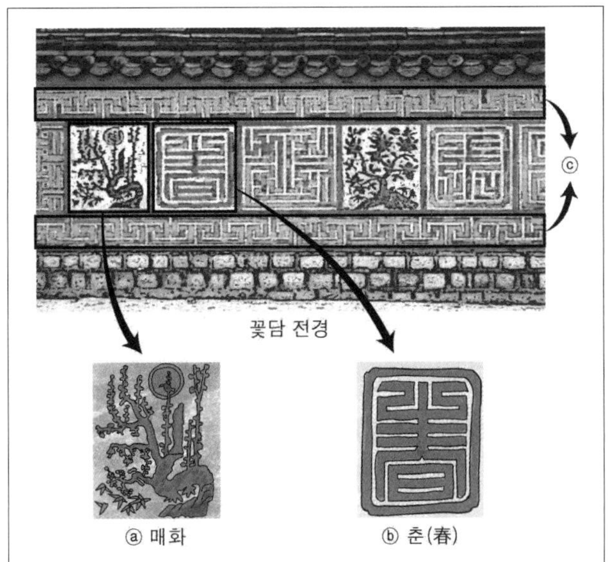


① 아래부터 사괴석, 벽돌, 기와의 구조로 되어 있군.
② 육각형 속에 작은 꽃무늬를 새긴 것을 보니 내벽에 해당하는군.
③ ⓐ에 새겨진 매화 무늬는 고결한 인품을 상징하는군.
④ ⓑ는 ⓐ와 관련이 있는 문자를 기하학적으로 변형해 넣은 것이군.
⑤ ⓒ는 끝없이 무늬가 이어지는 테두리에 해당하는군.

**[3~5] 다음은 토의의 일부이다. 물음에 답하시오.**

**동아리 회장 :** 이번 학술 동아리 발표 대회에 우리 동아리는 개인 연구, 공동 연구 중 어떤 부문에 참가하면 좋을까? 이 문제에 대해 의논하려고 모이자고 했어. 다들 자유롭게 이야기해 보자.

**학생 1 :** 우리는 지난 학기부터 개인 연구와 공동 연구를 동시에 진행했으니 둘 다 참가할 수 있지만, 이번에는 가장 오랜 기간 연구했고 애플리케이션까지 만든 '교내 식물 분포'에 대해 공동 연구 보고서를 써 보는 게 어떨까? [A]

**학생 2 :** 그런데 공동 연구 보고서는 개인의 책임이 분산되니 역할 분담이 어렵지 않을까? 실제로 공동 연구를 진행할 때도, 많은 시간을 투자해서 연구 내용을 정리했던 건 소수였잖아. 책에서 봤는데, '링겔만 효과'에 의하면 개인은 혼자 할 때보다 집단 속에 있을 때 노력을 덜 하게 된대. 우리 중에서 누군가도 '나 하나쯤은 결과에 큰 영향을 미치지 않겠지.'라는 생각으로 일을 서로에게 미루려고 할 수도 있어. [B]

**학생 3 :** 그래도 보고서를 혼자 책임지고 쓰는 개인 연구 보고서는 부담이 되니, 공동 연구 보고서를 쓰되 역할 분담이 되도록 개인의 기여도를 확인하는 방법을 적용하는 건 어떨까? 보고서 작성에 대한 부담도 줄이면서 다들 열심히 할 수 있는 방법이 될 것 같아. [C]

**학생 1 :** 그래, 그렇게 하면 보고서 작성에 대한 책임이 고르게 나눠지겠네. 우리 동아리원이 지닌 역량은 모두 다르지만 공동의 목표가 있으니, 함께 보고서를 쓰다 보면 서로를 통해 동기가 유발되고 새로운 아이디어나 힘도 얻을 수 있을 거야. 그렇게 되면 모두가 좋은 결과를 내기 위해 더 노력하게 되지 않을까? [D]

**동아리 회장 :** 얘기를 들어 보니, 보고서 작성의 책임을 나누고 부담을 줄이는 공동 연구 보고서로 의견이 많이 모아지네. 그렇다면 공동 연구 보고서로 결정하고, 개인의 기여도는 어떻게 확인하는 게 좋을까?

**학생 3 :** 본문을 소주제별로 개인이 작성한 후에 발표하게 해서 기여도를 확인하자. 각자가 맡은 부분을 정리하고 발표한 다음, 동아리원들과 질의응답을 통해 다시 정리하면 보고서의 전문성도 확보할 수 있을 거야. 맡은 부분을 완성하고 또 모여서 협의를 진행해야 하니 보고서 작성 시간은 길어지겠지만, 서로의 의견을 모아 가는 과정은 의미 있을 거야.

**학생 2 :** 서로 존중하면서 자신의 역할을 제대로 수행해 내기만 한다면, 한 사람이 아닌 여러 사람의 의견이 조화롭게 반영된 보고서를 작성할 수 있을 거야. [E]

**동아리 회장 :** ( ㉠ ) 다들 공동 연구 보고서를 열심히 써 보자.

3. [A]~[E]에 대한 설명으로 가장 적절한 것은? [3점]

① [A]에서는 예상되는 두 가지 의견을 절충할 것을 제안하고 있다.
② [B]에서는 이론적 근거를 제시하며 '학생 1'의 의견에 동의하고 있다.
③ [C]에서는 '학생 2'가 제기한 문제점의 해결 방안을 제시하고 있다.
④ [D]에서는 '학생 3'이 제시한 의견을 반박하기 위해 추가 질문을 던지고 있다.
⑤ [E]에서는 '학생 3'이 제시한 방안의 한계를 언급하며 보완 방법이 필요함을 강조하고 있다.

4. 위 토의에서 토의 참여자들이 모두 동의하고 있는 내용으로 가장 적절한 것은?

① 공동 연구 보고서는 개인 연구 보고서에 비해 개인의 책임이 분산된다.
② 공동 연구 보고서는 개인 연구 보고서에 비해 주제의 선정이 용이하다.
③ 개인 연구 보고서는 공동 연구 보고서에 비해 내용의 전문성이 높다.
④ 개인 연구 보고서는 공동 연구 보고서에 비해 작성 시간이 오래 걸린다.
⑤ 개인 연구 보고서는 공동 연구 보고서에 비해 아이디어 생성에 효과적이다.

5. <보기>를 참고하여 동아리 회장이 발언을 한다고 할 때, ㉠에 들어갈 말로 가장 적절한 것은?

<보 기>

집단에 소속된 사람은 각기 다른 역량을 지니는데, '쾰러'는 집단의 다른 구성원에 비해 상대적으로 능력이 떨어지는 사람들이 집단의 수행에 맞추기 위해 혼자 수행할 때보다 더욱 노력하여 결과적으로 집단의 생산성을 증가시키는 현상을 관찰하였다. 이를 '쾰러 효과'라고 하는데, 그에 의하면 집단 수행은 개인의 성장도 함께 기대할 수 있다는 것이다. 다만 이러한 효과는 지나치게 어려운 과제에는 적용되기 어려우며 주로 오랜 시간 지속해야 하는 끈기가 필요한 과제에 적합한 것으로 나타났다.

① 공동 연구 보고서의 주제로 어려운 과제를 선택했으니 생산성이 증가될 거야.
② 집단의 수행보다는 개인의 능력이 부각되어야 공동 연구 보고서의 결과도 좋아질 거야.
③ 공동 연구 보고서에서 개인의 부담을 줄이려면 보고서 작성 시간을 줄일 필요가 있을 거야.
④ 공동 연구 보고서 작성은 공동 연구에서 상대적으로 능력이 부족했던 친구들에게도 좋은 기회가 될 거야.
⑤ 지난 학기부터 진행했던 개인 연구 결과를 단기간 내에 통합해 내는 것이 공동 연구 보고서 작성의 핵심이야.

**[6~8] 다음은 사물 인터넷과 관련된 글을 교지에 싣기 위해 학생이 작성한 작문 계획과 초고이다. 물음에 답하시오.**

[작문 계획]

■ 처음
- ◦ 사물 인터넷의 개념 …… ㉠
- ◦ 사물 인터넷의 사례 …… ㉡

■ 중간
- ◦ 사물 인터넷의 경제적 가치 …… ㉢
- ◦ 국내 사물 인터넷 산업의 현황 …… ㉣
- ◦ 국내 사물 인터넷 산업의 활성화 방안 …… ㉤

■ 끝
- ◦ 사물 인터넷의 의의와 기대효과

[초고]

최근 사물 인터넷에 대한 사람들의 관심이 부쩍 늘고 있는 추세이다. 사물 인터넷은 '인터넷을 기반으로 모든 사물을 연결하여 사람과 사물, 사물과 사물 간에 정보를 상호 소통하는 지능형 기술 및 서비스'를 말한다.

통계에 따르면 사물 인터넷은 전 세계적으로 민간 부문 14조 4,000억 달러, 공공 부문 4조 6,000억 달러에 달하는 경제적 가치를 창출할 것으로 예상되며 그 가치는 더욱 커질 것으로 기대된다. 그래서 사물 인터넷 산업은 국가 경쟁력을 확보할 수 있는 미래 산업으로서 그 중요성이 강조되고 있으며, 이에 선진국들은 에너지, 교통, 의료, 안전 등 다양한 분야에 걸쳐 투자를 하고 있다.

그러나 우리나라는 정부 차원의 경제적 지원이 부족하여 사물 인터넷 산업이 활성화되는 데 어려움이 있다. 또한 국내의 기업들은 사물 인터넷 시장의 불확실성 때문에 적극적으로 투자에 나서지 못하고 있으며, 사물 인터넷 관련 기술을 확보하지 못하고 있는 실정이다. 그 결과 우리나라의 사물 인터넷 시장은 선진국에 비해 확대되지 못하고 있다.

그렇다면 국내 사물 인터넷 산업을 활성화하기 위한 방안은 무엇일까? 우선 정부에서는 사물 인터넷 산업의 기반을 구축하는 데 필요한 정책과 제도를 정비하고, 관련 기업에 경제적 지원책을 마련해야 한다. 또한 수익성이 불투명하다고 느끼는 기업으로 하여금 투자를 하도록 유도하여 사물 인터넷 산업이 발전할 수 있도록 해야 한다. 그리고 기업들은 이동 통신 기술 및 차세대 빅 데이터 기술 개발에 집중하여 사물 인터넷으로 인해 발생하는 대용량의 데이터를 원활하게 수집하고 분석할 수 있는 기술력을 확보해야 할 것이다.

[A]

6. '작문 계획'의 ㉠~㉤ 중 '초고'에 반영되지 <u>않은</u> 것은?

① ㉠ ② ㉡ ③ ㉢ ④ ㉣ ⑤ ㉤

7. <보기>의 자료를 활용하여 '초고'를 보완하고자 할 때, 적절하지 <u>않은</u> 것은? [3점]

<보 기>

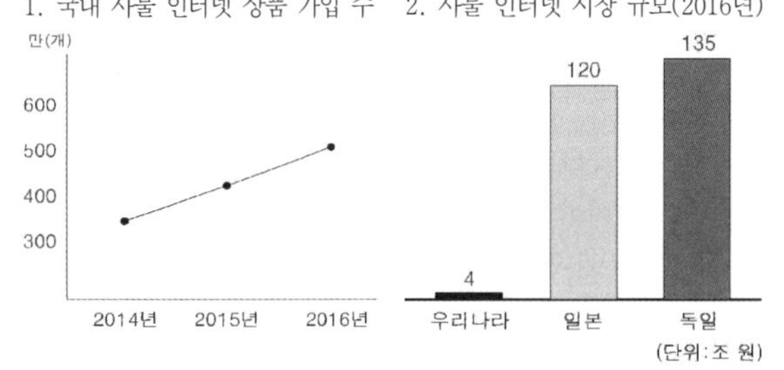


Ⅱ. 전문가 인터뷰

"사물 인터넷 산업은 미래의 고부가가치 산업으로, 헬스케어, 물류, 금융, 농업 등 적용 가능성이 무궁무진하게 열려 있는 분야입니다. 2020년까지 국내 시장 규모만 따져도 22조 원대를 웃돌 것으로 예상됩니다. 그러나 현재 사물 인터넷과 관련된 기술 규격이 표준화되지 않아서 각 기업의 제품끼리 호환되지 않는 문제가 있습니다. 이는 국내의 사물 인터넷 시장이 확대되지 못하는 원인 중 하나입니다. 이러한 문제들이 해결된다면 우리나라의 사물 인터넷 산업이 활성화될 수 있을 것입니다."

Ⅲ. 신문 기사

스페인의 바르셀로나 시는 스마트 시티 프로젝트의 일환으로 사물 인터넷을 활용한 스마트 가로등 및 스마트 주차 시스템을 도입하였다. 그 결과 바르셀로나 시는 연간 전력 소비량의 30%를 절감하고, 주차 요금으로 연간 600억 원 이상의 수익을 얻은 것으로 나타났다.

① Ⅰ-1을 활용하여 사물 인터넷에 대해 사람들의 관심이 늘고 있다는 내용을 뒷받침하는 근거로 제시한다.

② Ⅰ-2를 활용하여 국내 사물 인터넷 산업이 선진국에 비해 활성화되지 않았다는 점을 뒷받침하는 근거로 제시한다.

③ Ⅱ를 활용하여 사물 인터넷과 관련된 기술 규격이 표준화되지 않은 상황을 국내 사물 인터넷 시장이 확대되지 못한 이유로 추가한다.

④ Ⅰ-2와 Ⅲ을 활용하여 사물 인터넷과 관련된 선진국들의 투자가 공공 부문보다 민간 부문에 집중되었다는 점을 뒷받침하는 사례로 제시한다.

⑤ Ⅱ와 Ⅲ을 활용하여 사물 인터넷 산업이 높은 경제적 가치를 지니고 있다는 내용을 뒷받침하는 근거로 제시한다.

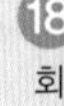

8. <조건>에 따라 [A]를 작성한 내용으로 가장 적절한 것은?

<조 건>

◦ '작문 계획'의 '끝' 부분을 반영할 것.
◦ 비유적 표현을 사용할 것.

① 우리는 좁은 우물 안에서 벗어나 넓은 시야를 확보하여야 한다. 이를 위해 사물 인터넷 산업을 발전시켜야 한다.
② 사물 인터넷 산업은 국가 경쟁력을 확보할 수 있는 미래 산업이다. 따라서 정부는 사물 인터넷 산업 육성을 위한 환경을 조성하여야 한다.
③ 사물 인터넷 관련 기술을 확보하려는 기업의 움직임이 활발해지고 있다. 그러나 양날의 검처럼 인간을 도외시한 기술 발전은 오히려 인간의 삶에 불편을 초래할 수 있다.
④ 사물 인터넷은 대규모의 데이터를 분석하고 이를 바탕으로 미래를 예측하는 서비스이다. 이를 활용하면 사람들은 자신들에게 최적화된 서비스를 제공 받을 수 있을 것이다.
⑤ 사물 인터넷은 세상을 연결하여 소통하게 하는 끈이다. 이런 사물 인터넷은 우리에게 편리한 삶을 약속할 뿐만 아니라 경제적 가치를 창출할 미래 산업으로 자리매김할 것이다.

**[9~10] 다음은 봉사 단원 모집을 위한 안내문이다. 물음에 답하시오.**

'누리 밝힘이 봉사단'은 그동안 다양한 봉사 활동을 하며 주변의 어려운 이웃에게 도움을 주기 위해 노력해 왔습니다.

학생회가 지난주에 실시한 '봉사 활동 참여 실태 조사' 결과에 따르면, 1, 2학년 학생 중 약 73%가 봉사 활동에 무관심하거나, 봉사 활동의 의미에 대해 알지 못한 채 참여한 것으로 나타났습니다. ㉠ 그러나 저희 봉사단에서는 제3기 봉사 단원을 모집하여 참가 학생들에게 봉사 활동의 가치와 그 의미를 깨닫는 기회를 제공하려고 합니다.

제3기 봉사단은 '사랑의 김장 나누기 활동'과 '지역 아동 센터 도우미 활동'을 할 것입니다. '사랑의 김장 나누기 활동'은 지난여름 학교 주변의 텃밭에 심어 놓았던 배추를 봉사 단원들이 수확해 김장을 담그고, 이를 학교 인근에 ㉡ 홀로 사시는 독거노인분들께 나눠 드리는 활동입니다. '지역 아동 센터 도우미 활동'은 우리 학교 인근의 지역 아동 센터에 매주 방문하여 청소, 간식 준비, 아이들의 학습 등을 돕는 활동입니다. ㉢ 지역 아동 센터는 아동복지법에 의해 설립된 사회복지 시설로, 돌봄 서비스를 희망하는 사람들은 주민 자치 센터에 신청하면 됩니다.

제3기 봉사 단원들은 이러한 활동들에 ㉣ 참여함으로서 이웃과 더불어 사는 삶의 중요성을 깨닫게 될 것입니다. 제1기 봉사 단원이었던 ○○○ 학생은 "이웃을 도우려고 시작한 일이 오히려 나를 성장하게 하였다."라고 봉사단 활동의 의의를 말했습니다.

한 사람 한 사람의 촛불이 모이면 세상을 밝게 ㉤ 비치는 커다란 빛이 됩니다. 여러분의 손길 하나하나가 모이면 우리 주변을 따뜻하게 만들 수 있습니다. 봉사단 가입을 희망하는 학생들은 다음 주까지 신청해 주시기 바랍니다. 제3기 '누리 밝힘이 봉사단'에 학생들의 많은 관심 부탁드립니다.

9. 윗글을 쓰는 과정에서 글쓴이가 활용한 전략으로 가장 적절한 것은?
① 봉사단의 활동 내용을 설명하여 봉사단에 가입할 것을 권유한다.
② 봉사단의 역사를 소개하여 봉사단이 발전해 온 과정을 보여준다.
③ 봉사 활동의 개념을 정의하여 봉사 활동이 갖는 의미를 전달한다.
④ 다른 봉사 활동 단체와의 차이점을 언급하여 봉사단의 가치를 부각한다.
⑤ 경험자의 말을 인용하여 학생들이 봉사 활동에 적극적이지 못했던 이유를 제시한다.

10. ㉠~㉤을 고쳐 쓰기 위한 방안으로 적절하지 않은 것은?
① ㉠ : 접속어의 사용이 부적절하므로 '또한'으로 고친다.
② ㉡ : 의미가 중복되므로 '홀로 사시는 노인'으로 고친다.
③ ㉢ : 글의 흐름과 어긋나는 문장이므로 삭제한다.
④ ㉣ : 조사의 사용이 잘못되었으므로 '참여함으로써'로 고친다.
⑤ ㉤ : 문맥상 부적절한 단어이므로 '비추는'으로 고친다.

**[11~12] 다음 글을 읽고 물음에 답하시오.**

서술어는 그 성격에 따라 필요로 하는 문장 성분의 개수가 다른데, 이를 '서술어의 자릿수'라고 한다. 이러한 서술어의 자릿수에 의한 서술어의 종류에는 주어만을 요구하는 한 자리 서술어, 주어 이외에도 목적어, 보어, 부사어 중에서 한 성분을 필수적으로 요구하는 두 자리 서술어, 주어, 목적어, 부사어 세 가지 성분을 모두 요구하는 ㉠ 세 자리 서술어가 있다.

한편 문장은 주어와 서술어의 관계에 따라 홑문장과 겹문장으로 나뉜다. 홑문장은 '주어-서술어'의 관계가 한 번, 겹문장은 '주어-서술어'의 관계가 두 번 이상 나타나는 문장이다.

겹문장은 다시 이어진문장과 안은문장으로 나뉜다. 이어진문장은 둘 이상의 절이 연결 어미에 의하여 결합된 문장으로, '대등하게 이어진 문장'과 '종속적으로 이어진 문장'이 있다. 대등하게 이어진 문장은 앞 절과 뒤 절의 의미가 대등하게 이어진 문장으로, 앞 절과 뒤 절은 '나열', '대조', '선택' 등의 대등한 의미 관계를 갖는다. 그리고 종속적으로 이어진 문장은 앞 절과 뒤 절의 의미가 독립적이지 못하고 종속적인 관계에 있는 문장으로, 앞 절이 뒤 절에 대해 '배경', '원인', '조건', '결과', '목적' 등의 종속적인 의미 관계를 나타낸다.

문장 속에 안겨 하나의 문장 성분처럼 기능하는 절을 '안긴문장'이라고 하며 이러한 절을 포함한 문장을 '안은문장'이라고 한다. 안긴문장은 문장 속에서 주어, 목적어 등의 기능을 하는 '명사절', 관형어의 기능을 하는 '관형절', 부사어의 기능을 하는 '부사절', 서술어의 기능을 하는 '서술절', 그리고 인용한 내용이 절의 형식으로 안기는 '인용절' 등이 있다. 안은문장에서는 안긴문장의 어떤 성분이 그것을 안고 있는 안은문장의 한 성분과 동일하게 되면 그 안긴문장의 성분이 생략될 수 있다.

11. ㉠에 해당하는 예로 가장 적절한 것은?

① 계절이 어느덧 가을이 되었다.
② 오빠는 아빠와 정말 많이 닮았다.
③ 장미꽃이 우리 집 뜰에도 피었다.
④ 아버지께서 헌 집을 정성껏 고치셨다.
⑤ 그는 자신의 직업을 천직으로 여겼다.

12. 윗글을 바탕으로 <보기>의 ㄱ~ㅁ에 대해 탐구한 것으로 적절하지 않은 것은?

<보 기>

ㄱ. 누나는 마음이 넓다.
ㄴ. 그 배는 섬으로 갔다.
ㄷ. 나는 형이 준 책을 읽었다.
ㄹ. 우리는 그가 학생임을 알았다.
ㅁ. 바람도 잠잠하고, 하늘도 푸르다.

① ㄱ에서 안은문장의 주어와 안긴문장의 주어는 동일하다.
② ㄴ은 주어와 서술어의 관계가 한 번 나타나므로 홑문장이다.
③ ㄷ에서 안긴문장의 목적어는 안은문장의 목적어와 중복되므로 생략되었다.
④ ㄷ에는 관형어의 기능을 하는 안긴문장이 있고, ㄹ에는 목적어의 기능을 하는 안긴문장이 있다.
⑤ ㅁ은 앞 절과 뒤 절이 '나열'의 의미 관계를 가지는, 대등하게 이어진 문장이다.

13. <보기>의 활동 과제를 수행한 결과로 적절한 것은?

<보 기>

[활동 과제]
음운 변동의 유형에는 '교체', '첨가', '탈락', '축약'이 있다.
ⓐ: 교체 - 한 음운이 다른 음운으로 바뀌는 현상
ⓑ: 첨가 - 없던 음운이 새로 생기는 현상
ⓒ: 탈락 - 한 음운이 없어지는 현상
ⓓ: 축약 - 두 음운이 합쳐져 다른 음운으로 바뀌는 현상

㉠과 ㉡에 해당하는 음운 변동을 ⓐ~ⓓ 중에서 골라보자.

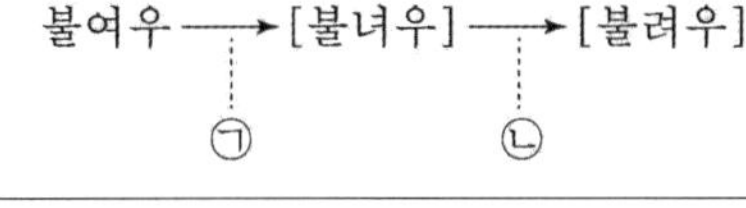


| | ㉠ | ㉡ |
|---|---|---|
| ① | ⓐ | ⓐ |
| ② | ⓐ | ⓑ |
| ③ | ⓑ | ⓐ |
| ④ | ⓑ | ⓒ |
| ⑤ | ⓒ | ⓓ |

14. 다음은 '사전 활용하기' 학습 활동을 위한 자료이다. 이에 대한 이해로 적절하지 않은 것은?

익다 동
① 열매나 씨가 여물다.
¶ 배가 익다.
② 고기나 채소, 곡식 따위의 날것이 뜨거운 열을 받아 그 성질과 맛이 달라지다.
¶ 고기가 푹 익다.

익-히다 동 【…을】
① '익다①'의 사동사.
¶ 잎사귀에 단풍이 든 콩들은 꼬투리를 더욱 단단하게 익히고 있었다.
② '익다②'의 사동사.
¶ 고기를 익히다.

① '익다'와 '익히다'는 모두 다의어로군.
② '익다'와 달리 '익히다'는 목적어를 필요로 하는군.
③ '익히다'는 '익다'에 사동 접미사가 결합된 단어로군.
④ '익다①'의 유의어로는 '김치가 잘 숙성되었나.'의 '숙성되나'가 있겠군.
⑤ '익히다②'의 용례로 '감자를 푹 익혀 먹으면 맛이 좋다.'가 있겠군.

15. <보기>를 바탕으로 현대국어와 중세국어의 특징을 비교한 내용으로 적절하지 <u>않은</u> 것은? [3점]

<보 기>

◦ ㉠ <u>효도홈</u>과 공슌호ᄆᆞᆯ
(효도함과 공손함을)

◦ 兄(형)ㄱ ㉡ <u>ᄠᅳ디</u> 일어시ᄂᆞᆯ ㉢ <u>聖孫(셩손)ᄋᆞᆯ</u> ㉣ <u>내시니이다</u>
(형의 뜻이 이루어지시매 (하늘이) 성손을 내셨습니다.)

◦ 世尊(세존)ㅅ 安否(안부) ㉤ <u>묻ᄌᆞᆸ고</u> 니르샤ᄃᆡ 므스므라 오시니잇고
(세존의 안부를 여쭙고 이르시되 무슨 까닭으로 오셨습니까?)

① ㉠을 보니 현대국어와 달리 명사형 어미 '-옴'이 사용되었군.
② ㉡을 보니 현대국어와 달리 어두자음군이 사용되었군.
③ ㉢을 보니 현대국어와 달리 목적격 조사 'ᄋᆞᆯ'이 사용되었군.
④ ㉣을 보니 현대국어와 마찬가지로 주체높임 선어말 어미 '-시-'가 사용되었군.
⑤ ㉤을 보니 현대국어와 마찬가지로 청자를 높이는 특수어휘가 사용되었군.

**[16~20] 다음 글을 읽고 물음에 답하시오.**

미술 작품은 사용된 재료의 자연적 노화 현상이나 예기치 않은 사고, 재해 등으로 작품의 일부가 손상되기도 하는데, 손상된 작품을 작가의 의도를 살려 원래의 모습으로 되돌려 놓는 것을 미술품 복원 작업이라고 한다. 복원 작업을 할 때에는 미관적인 면보다는 작가가 표현하고자 하는 의도에 초점을 맞추어 인위적인 처리를 가급적 최소화하여야 한다.

미술품 복원 작업은 목적에 따라 예방 보존 작업과 긴급 보존 처리 작업, 보존 복원 처리 작업으로 ㉠ <u>나눌</u> 수 있다. 먼저 예방 보존 작업은 작품의 손상을 사전에 방지하는 작업으로, 작품 보존에 적합한 온도 및 습도를 제공하고, 사고 예방 안전 장비를 설치하는 등 작품 전시에 필요한 최적의 환경을 제공하여 작품의 수명을 오래 지속시키기 위한 모든 활동이 해당된다. 긴급 보존 처리 작업은 작품의 손상이 매우 심해서 빠른 시일 내에 보존 처리를 하지 않으면 안 되는 작품들을 선별하여 위험 요소를 제거하거나 철거하는 작업으로, 허물어져 가는 벽화를 보강하거나, 모자이크 형식의 작품 사이에 생긴 잡초를 제거하는 일 등이 해당된다. 그리고 작품의 깨진 조각을 재배열하여 조합하는 경우처럼 작품의 일부가 심하게 없어지거나, 파손되었을 때에는 보존 복원 처리 작업을 실시한다. 이 작업을 진행할 때에는 작품이 만들어진 목적과 작가의 의도를 살려야 하기 때문에, 작품의 원본과 작품에 대한 완전한 이해와 존중이 요구된다.

[A] 미술품 복원 작업은 작품의 상태를 조사하는 것에서부터 출발한다. 이를 위해 육안으로 작품을 조사하기도 하지만, 주로 'X선투과사진법'을 이용한다. X선은 파장이 0.01 ~ 10nm인 전자파로 파장의 길이가 매우 짧은 편이다. 파장이 짧은 전자파는 물체를 투과하는 성질이 있는데, 파장이 짧을수록 투과력이 증가하며, 물체의 밀도가 크고 두께가 두꺼울수록 투과력은 감소한다. 또한 X선은 필름을 감광*시키는 성질이 있기 때문에, 미술품을 사이에 두고 X선원의 반대 측에 필름을 놓은 후 X선을 쪼이면, 필름에 흑백의 영상을 얻을 수 있다. 이때 X선의 투과력이 감소할수록 투과율 또한 감소하여 물체의 영상은 필름에 하얗게 나타난다. 따라서 흑백의 명암 차를 분석하면 물체의 밀도와 두께뿐만 아니라, 육안으로 식별할 수 없는 미술품의 손상 부위도 찾아낼 수 있는 것이다.

작품의 상태를 조사한 후에는 손상 정도에 맞게 복원 작업을 진행하는데, 작품을 오염시키고 있는 이물질을 제거하는 클리닝 작업을 먼저 실시한다. 이 작업은 작품이 원래의 모습을 찾도록 하는 데 큰 기여를 하지만, 여러 가지 화학 약품을 사용하기 때문에 작품에 손상을 가할 위험성이 매우 큰 작업이다. 따라서 클리닝 작업을 실시하기 전에는 작품에 사용된 재료의 화학 성분을 분석해야 하는데, 이때 사용하는 방법이 ㉮ <u>'형광X선분석법'</u>이다. 작품을 이루고 있는 재료의 원소는 원자로 이루어져 있으며, 원자의 중심에 있는 원자핵은 양자와 중성자로 이루어져 있다. 그리고 원자핵 주변에는 전자가 있다. 원소마다 고유의 원자핵 구조와 전자 수를 가지고 있으며, 원소의 전자는 원자핵 주위를 정해진 궤도를 따라 돌고 있다. 분석하고자 하는 대상에 X선을 쪼이면, 안쪽 궤도의 전자는 X선과 충돌한 후 밖으로 튀어나오게 된다. 그 자리를 바깥쪽에 위치한 전자가 이동하면서 원소에 따라 고유의 형광X선이 발생하는데, 이 형광X선의 파장을 분석하면 실험 재료 속에 포함되어 있는 원소의 종류를 알 수 있다. 또한 원소가 많이 포함되어 있을수록 형광X선의 방출량이 증가하므로, X선의 세기를 측정하면 원소의 양 또한 알 수 있다. 이러한 형광X선분석법은 실험 재료를 파괴하지 않고 분석할 수 있으며, 측정 준비에 소요되는 시간이 짧고, 측정 또한 몇 분 만에 완료되기 때문에 벽화나 단청처럼 측정 대상을 이동시키기 어려운 경우의 성분 분석에 널리 사용되고 있다.

클리닝 작업을 마친 미술품은 이후 여러 과정을 거쳐 원래의 모습을 회복하게 된다. 이처럼 우리 주변의 미술 작품들은 끊임없는 복원 처리 과정을 거치면서 원래의 모습을 간직하며 그 생명을 연장해 왔다. 따라서 미술 작품을 감상할 때 이러한 측면을 고려하여 감상한다면 작품을 보다 폭넓게 이해할 수 있을 것이다.

* 감광 : 사진에서, 필름에 바른 감광제에 빛을 쬐어 흑백의 상을 만듦.

16. 윗글에 대한 설명으로 가장 적절한 것은?

① 미술품 복원 과정을 설명하면서 미술품이 지닌 경제적 가치를 탐색하고 있다.
② 미술품 복원 작업의 종류를 구분하고 그것을 근거로 하여 예술의 형식을 분류하고 있다.
③ 미술품 복원 작업의 특징과 과정을 서술하면서 과학적 분석 방법이 활용되는 원리를 설명하고 있다.
④ 미술품 복원 작업이 등장하게 된 배경을 검토하며 과학적 분석 방법의 장점과 한계를 평가하고 있다.
⑤ 미술품 복원에 대한 평가가 작업 방식에 따라 달라지는 원인을 제시하고 과학적 분석과의 관계를 설명하고 있다.

17. [A]를 바탕으로 <보기>의 영상을 이해한 것으로 적절하지 않은 것은? [3점]

<보 기>

밀도가 같은 동일한 재질로 이루어진 목판의 글자가 일부 손상되어 복원 작업을 하려고 한다. 목판을 복원하기 전에 'X선투과사진법'을 사용하여 다음과 같은 영상을 얻었다.

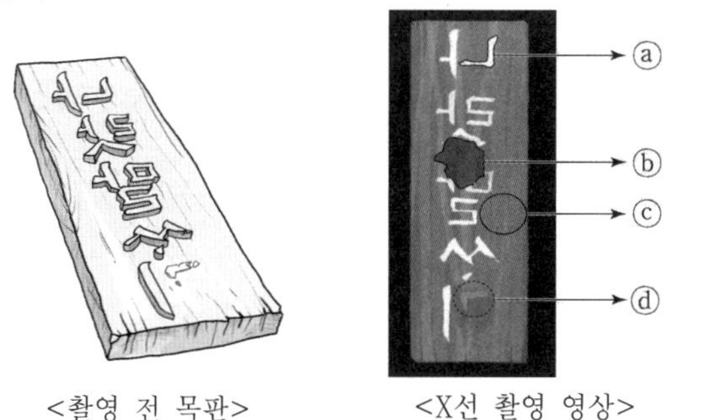


<촬영 전 목판> <X선 촬영 영상>

① ⓐ~ⓓ 중에서 X선의 투과율이 가장 낮은 곳은 ⓑ이겠군.
② 파장이 짧은 X선을 사용할수록 ⓒ는 더 검게 나타나겠군.
③ ⓑ를 보니 목판에는 육안으로 식별할 수 없는 손상 부위가 있겠군.
④ ⓐ와 ⓒ의 명암 차이는 해당 부위의 목판 두께가 다르기 때문이겠군.
⑤ ⓓ는 목판의 해당 부위가 손상되었기 때문에 ⓐ보다 검게 나타난 것이겠군.

18. 윗글을 이해한 내용으로 가장 적절한 것은?

① 작품 보존에 필요한 최적의 환경을 제공하는 것은 보존 복원 처리 작업에 해당한다.
② 작품에 사용된 재료의 자연적 노화로 인해 발생한 작품의 손상은 복원 작업에서 제외된다.
③ 허물어져 가는 벽화의 성분 분석을 할 때에는 형광X선분석법을 사용하는 것이 효과적이다.
④ 형광X선은 원소의 안쪽 전자 궤도에 위치한 전자가 X선과 충돌하여 바깥쪽 궤도로 이동할 때 발생한다.
⑤ 미술 작품의 보존 작업은 작품 원본에 대한 이해를 바탕으로 작가의 의도보다 미관적인 면에 초점을 두어야 한다.

19. ㉮와 <보기>의 ㉯에 대한 설명으로 적절하지 않은 것은?

<보 기>

화재로 인해 손상된 미술품을 복원하기 위해서는 작품 표면에 생긴 이물질인 그을음을 제거해야 한다. 그을음은 보통 탄화수소(CH)로 이루어져 있는데, 그을음에 산소(O)를 쏘게 되면 탄소는 산소와 반응하여 이산화탄소($CO_2$)나 일산화탄소(CO)가 되어 증발한다. 또한 수소는 산소와 반응하여 수증기($H_2O$)가 되므로 작품에 생긴 그을음은 사라지게 된다. 이러한 방법을 ㉯'산소원자복원법'이라고 하는데, 미술품을 이루는 원소들은 오랜 시간 동안 공기 중에 노출된 상태이므로 이 방법을 사용해도 작품의 손상이 일어나지 않는다.

① ㉮와 ㉯는 모두 복원하고자 하는 작품을 손상시키지 않기 위해 사용하는 방법이다.
② ㉮는 클리닝 작업을 실시하기 전에, ㉯는 클리닝 작업을 실시할 때 시행하는 방법이다.
③ ㉮는 특정 성분을 분석하는 것이 목적인 반면, ㉯는 특정 성분을 제거하는 것이 목적이다.
④ ㉮는 X선에 의해 원소의 양이 증가하는 원리를, ㉯는 산소 원자에 의해 원소끼리 결합하는 원리를 활용한다.
⑤ ㉮의 결과는 작품을 구성하고 있는 원소에 의해 결정되지만, ㉯의 결과는 작품을 구성하는 원소의 영향을 받지 않는다.

20. ㉠과 문맥적 의미가 가장 유사한 것은?

① 이 사과를 세 조각으로 나누자.
② 나는 물건들을 색깔별로 나누는 작업을 한다.
③ 형제란 한 부모의 피를 나눈 사람들을 말한다.
④ 우리 차라도 한잔 나누면서 이야기를 해 봅시다.
⑤ 상금을 모두에게 공정하게 나누어야 불만이 생기지 않는다.

**[21~23] 다음 글을 읽고 물음에 답하시오.**

(가)

광혜원 이월마을에서 칠현산 기슭에 이르기 전에
그만 나는 영문 모를 드넓은 자작나무 분지로 접어들었다
누군가가 가라고 내 등을 떠밀었는지 나는 뒤돌아보았다
㉠ 아무도 없다 다만 눈발에 익숙한 먼 산에 대해서
아무런 상관도 없게 자작나무숲의 벗은 몸들이
**이 세상을 정직하게** 한다 그렇구나 겨울나무들만이 **타락**을 모른다

슬픔에는 거짓이 없다 어찌 삶으로 울지 않은 사람이 있겠느냐
오래오래 우리나라 여자야말로 울음이었다 스스로 달래어 온 울음이었다
자작나무는 저희들끼리건만 **찾아든 나까지 하나가** 된다
누구나 다 여기 오지 못해도 여기에 온 것이나 다름없이
자작나무는 오지 못한 사람 하나하나와도 함께인 양 **아름답다**

나는 나무와 나뭇가지와 깊은 하늘 속의 우듬지의 떨림을 보며
나 자신에게도 세상에도 우쭐해서 나뭇짐 지게 무겁게 지고 싶었다
아니 이런 추운 곳의 적막으로 태어나는 눈엽이나
삼거리 술집의 삶은 고기처럼 순하고 싶었다
너무나 **교조적인 삶**이었으므로 미풍에 대해서도 사나웠으므로

얼마만이냐 이런 곳이야말로 우리에게 십여 년 만에 강렬한 곳이다
㉡ 강렬한 이 경건성! 이것은 나 한 사람에게가 아니라
온 세상을 향해 말하는 것을 내 벅찬 가슴은 벌써 알고 있다
사람들도 자기가 모든 낱낱 중의 하나임을 깨달을 때가 온다
나는 어린 시절에 이미 늙어버렸다 여기 와서 **나는 또 태어나야 한다**
그래서 이제 나는 자작나무의 천부적인 겨울과 함께
깨물어 먹고 싶은 어여쁨에 들떠 남의 어린 외동으로 자라난다

나는 광혜원으로 내려가는 길을 **등지고** 삭풍의 칠현산 험한 길로 **서슴없이** 지향했다

– 고은, 「자작나무 숲으로 가서」 –

(나)

평상이 있는 국숫집에 갔다
㉢ 붐비는 국숫집은 삼거리 슈퍼 같다
평상에 마주 앉은 사람들
세월 넘어온 친정 오빠를 서로 만난 것 같다
국수가 찬물에 헹궈져 건져 올려지는 동안
쯧쯧쯧쯧 쯧쯧쯧쯧,
㉣ 손이 손을 잡는 말
눈이 눈을 쓸어주는 말
병실에서 온 사람도 있다
식당 일을 손 놓고 온 사람도 있다
사람들은 평상에만 마주 앉아도
마주 앉은 사람보다 먼저 더 서럽다
세상에 이런 짧은 말이 있어서
세상에 이런 깊은 말이 있어서
국수가 찬물에 헹궈져 건져 올려지는 동안
㉤ 쯧쯧쯧쯧 쯧쯧쯧쯧,
큰 푸조나무 아래 우리는
모처럼 평상에 마주 앉아서

– 문태준, 「평상이 있는 국숫집」 –

**21.** (가)와 (나)의 공통점으로 가장 적절한 것은?
① 가상적 공간을 설정하여 화자의 염원을 드러내고 있다.
② 미래를 가정하여 화자의 낙관적 전망을 드러내고 있다.
③ 이상과 현실의 괴리로 인한 화자의 갈등을 드러내고 있다.
④ 구체적 대상을 제시하여 화자의 대결 의식을 드러내고 있다.
⑤ 경험을 바탕으로 화자가 지향하는 삶의 태도를 드러내고 있다.

**22.** <보기>를 참고하여 (가)를 감상한 내용으로 적절하지 <u>않은</u> 것은? [3점]

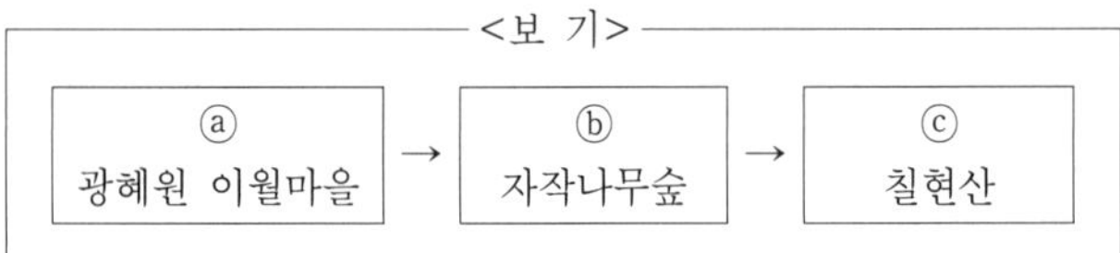


① 화자가 ⓐ에서 ⓑ를 찾아간 것은 '이 세상을 정직하게' 하여 '타락'에서 구하고 싶은 화자의 의지 때문이겠군.
② ⓑ에서 화자는 '찾아든 나까지 하나가' 되게 하는 자작나무의 속성을 '아름답다'고 인식하고 있군.
③ ⓑ에서 화자는 자작나무를 보며 자신의 지나온 삶이 '교조적인 삶'이었음을 반성하고 있군.
④ ⓑ에서 화자는 자작나무를 보며 '나는 또 태어나야 한다'고 다짐하고 있군.
⑤ 화자는 ⓑ에서의 깨달음을 바탕으로 ⓐ를 '등지고' ⓒ를 향해 '서슴없이' 가게 되었군.

**23.** ㉠~㉤의 표현상 특징으로 적절하지 <u>않은</u> 것은?
① ㉠: 색채 대비를 통해 시적 분위기를 환기하고 있다.
② ㉡: 영탄적 표현으로 화자의 정서를 표출하고 있다.
③ ㉢: 비유적 표현을 통해 시적 상황을 제시하고 있다.
④ ㉣: 유사한 통사 구조를 반복하여 주제를 부각하고 있다.
⑤ ㉤: 동일한 시어를 반복하여 의미를 강조하고 있다.

**[24~27] 다음 글을 읽고 물음에 답하시오.**

세계경제포럼의 일자리 미래 보고서는 기술이 발전함에 따라 향후 5년 간 500만 개 이상의 일자리가 사라질 것으로 경고했다. 실업률이 증가하면 사회적으로 경제적 취약 계층인 저소득층도 늘어나게 되는데, 지금까지는 '최저소득보장제'가 저소득층을 보호하는 역할을 담당해 왔다.

[A] 최저소득보장제는 경제적 취약 계층에게 일정 생계비를 보장해 주는 제도로 이를 실시할 경우 국가는 가구별 총소득*에 따라 지원 가구를 선정하고 동일한 최저생계비를 보장해 준다. 가령 최저생계비를 80만 원까지 보장해 주는 국가라면, 총소득이 50만 원인 가구는 국가로부터 30만 원을 지원 받아 80만 원을 보장 받는 것이다. 국가에서는 이러한 최저생계비의 재원을 마련하기 위해 일정 소득을 ⓐ넘어선 어느 지점부터 총소득에 대한 세금을 부과하게 된다. 이때 세금이 부과되는 기준 소득을 '면세점'이라 하는데, 총소득이 면세점을 넘는 경우 총소득 전체에 대해 세금이 부과되어 순소득*이 총소득보다 줄어들게 된다. 그런데 국가에서 최저생계비를 보장할 경우 면세점 이하나 그 부근의 소득에 속하는 일부 실업자, 저소득층은 일을 하여 소득을 올리는 것보다 일을 하지 않고 최저생계비를 보장 받는 것이 더 유리하다고 판단할 수 있다. 또한 지원 대상을 선정하기 위한 소득 및 자산 심사를 하게 되므로 관리 비용이 추가로 지출되며, 실제로는 최저생계비를 보장 받을 자격이 있지만 서류를 갖추지 못해 지원 대상에서 제외되는 가구가 생기기도 한다.

이러한 문제로 인해 기존의 복지 재원을 하나로 모아 국가 또는 지방자치단체에서 모든 구성원 개개인에게 아무 조건 없이 정기적으로 현금을 지급하는 ㉠'기본소득제'가 대안으로 제시되고 있다. 모든 국민에게 일정액을 현금으로 지급할 경우 저소득층 또한 일을 한 만큼 소득이 늘어나게 되므로 최저생계비를 보장 받기 위해 사람들이 일부러 일자리를 구하지 않을 가능성이 낮다는 것이다. 동시에 기본소득제는 자격 심사 과정이 없어 관리 비용이 절약될 뿐만 아니라 제도에서 소외된 빈곤 인구도 줄일 수 있다. 하지만 기본소득제는 모든 국민에게 일정액이 지급되는 만큼, 이에 만족하는 사람들이 늘어나면 최저소득보장제를 실시할 때보다 오히려 일자리를 찾는 사람이 전체적으로 줄어들 것이란 우려도 동시에 제기되고 있다. 또한 복지 예산이 상대적으로 부족한 국가에서는 시행하기 어렵고 기본 소득 이상의 혜택을 받아야 하는 취약 계층에 더 많은 경제적 지원을 할 수 없는 문제 등이 있어 기본소득제를 현실 사회에 적용하기까지는 많은 난관이 있을 것으로 예상된다.

그럼에도 불구하고 기본소득제의 도입을 모색하고 있는 국가나 지방자치단체는 모든 국민들이 소득을 일정 부분 보장 받는 만큼 생산과 소비가 촉진되고, 이로 인해 전체 경제가 활성화될 것이라 예상한다. 그래서 기본소득제는 최근 인공 지능과 같은 기술의 발달이 몰고 올 실업 문제와 경제 불황을 효율적으로 극복하기 위한 현명한 대안으로 검토되고 있는 것이다.

* 총소득 : 세금 부과 이전, 또는 정부 지원 이전의 전체 소득.
* 순소득 : 세금 부과 이후, 또는 정부 지원 이후의 실제 소득.

24. 윗글을 통해 해결할 수 없는 질문은?

① 최저소득보장제와 기본소득제의 개념은 무엇인가?
② 최저소득보장제는 사회에서 어떤 역할을 담당하였는가?
③ 기본소득제를 도입하여 얻을 수 있는 경제적 효과는 무엇인가?
④ 기본소득제가 최저소득보장제의 대안으로 제시된 이유는 무엇인가?
⑤ 기본소득제를 국가나 지방자치단체 차원에서 도입한 사례에는 어떤 것이 있는가?

25. <보기>는 '최저소득보장제'를 채택한 어느 국가의 가구별 소득을 나타낸 표이다. [A]를 바탕으로 <보기>를 이해한 것으로 적절하지 않은 것은?

<보 기>

단위 : 만 원

| 가구 | ㉮ 가구 | ㉯ 가구 | ㉰ 가구 | ㉱ 가구 | ㉲ 가구 |
|---|---|---|---|---|---|
| 총소득 | 40 | 80 | 50 | 110 | 200 |
| 순소득 | 100 | 100 | 50 | 88 | 160 |

* 최저생계비를 면세점인 100만 원까지 보장해 줌.
* 총소득이 면세점을 넘는 경우 20% 균등 세율을 적용함.

① ㉮ 가구는 국가로부터 60만 원을 지원 받았겠군.
② ㉯ 가구는 순소득이 100만 원이 되었으므로 세금이 부과되겠군.
③ ㉰ 가구의 총소득과 순소득을 보니 국가로부터 지원을 받지 못한 가구이겠군.
④ ㉱ 가구의 경우 세금을 내지 않고 최저생계비를 보장 받기 위해 일부러 일을 하지 않을 수도 있겠군.
⑤ ㉲ 가구의 경우 세금이 부과되어 순소득이 총소득보다 줄어든 것이겠군.

26. 윗글을 바탕으로 할 때, ㉠을 시행할 경우 나타날 수 있는 문제점으로 가장 적절한 것은? [3점]

① 과도한 생산으로 자원이 낭비되어 국가 경제가 침체될 것이다.
② 국가의 지원에 만족하는 사람이 늘어나 일자리가 전체적으로 줄어들 것이다.
③ 기본 소득을 동일하게 제공하므로 경제적 취약 계층에 대한 차등 지원이 어려울 것이다.
④ 소득에 대한 자격 심사를 하지 않아 국가 지원에서 제외되는 빈곤 인구가 늘어날 것이다.
⑤ 경제적 사회 안전망이 취약해지므로 일부 실업자는 국가의 지원을 받을 수 없을 것이다.

18회

27. <보기>를 바탕으로 할 때, 단어의 결합 방식이 ⓐ와 다른 것은?

<보 기>

합성어는 어근들의 결합 방식에 따라 통사적 합성어, 비통사적 합성어로 나눌 수 있다. 우리말의 일반적인 단어 배열법과 일치하는 합성어를 통사적 합성어, 일치하지 않는 합성어를 비통사적 합성어라고 한다. 윗글의 ⓐ는 용언의 어간과 어간이 연결어미로 연결되어 형성된 통사적 합성어이다.

① 주고받다 ② 타고나다 ③ 알아듣다
④ 갈아입다 ⑤ 오르내리다

**[28~32] 다음 글을 읽고 물음에 답하시오.**

(가)

한국 문학 작품들 사이에 면면히 흐르는 공통적인 특질을 '한국 문학의 전통'이라고 한다. 한국 문학에는 정(情)과 한(恨)의 정서를 담아낸 작품들이 많다. 그중 한은 인간의 감정이 억눌려 응어리가 매듭처럼 맺힌 것을 말하는데, 이러한 한은 수난이 잦은 역사의 비운이나 사회적 억눌림 그리고 어긋난 인간관계 등으로 인해 발생한다. 하지만 한국 문학 작품들을 살펴보면 단순히 한으로 인한 아픔과 슬픔만을 그리지 않고, 그것을 극복하려는 풀이의 모습도 그리고 있다. 그렇기 때문에 한국 문학은 '한의 문학'이자 '풀이의 문학'이라고 할 수 있다.

[A] 김춘택의 「별사미인곡」은 평생 벼슬을 하지 못했던 그가 당쟁에 휘말려 유배를 갔을 때 지은 가사로 송강 정철의 「사미인곡」과 「속미인곡」의 영향을 받아 지어진 작품이다. 유배 가사를 비롯한 사대부들의 시가 작품 중에는 임금과의 관계가 어긋나게 되었을 때의 슬픔과 억울함 등을 담아낸 작품들이 있는데, 이때 임금을 이별한 임으로 설정하여 임금에 대한 절절한 그리움을 표현하였다. 대개 이런 작품들은 임금에 대한 변함없는 충정으로 한을 극복한다.

[B] 「봉산탈춤」은 황해도 봉산(鳳山) 지방에 전승되어 오던 가면극으로 재담을 통해 봉건적인 가족 제도와 양반의 무능과 허위, 부조리 등을 폭로하고 비판한다. 이러한 탈춤은 서민들을 억압하는 사회를 풍자하고, 양반을 비하하는 욕설, 행동 등을 거침없이 표현하여 서민들의 금지된 욕망을 드러낸다. 또한 익살스러운 말과 행동을 통해 대상을 조롱하고 희화화하여 서민들이 겪었던 갈등과 고통을 웃음으로 해소한다.

(나)

**이보소 저 각시님** 설운 말씀 그만 하오
말씀을 들어하니 설운 줄을 다 모르겠네
인연인들 한가지며 이별인들 같을손가
**광한전(廣寒殿)* 백옥경(白玉京)***의 님을 뫼셔 즐기더니
이별을 하였거니 재앙인들 없을손가
해 다 저문 날에 가는 줄 설워 마소
어떻다 이내 몸이 견줄 데 전혀 없네
광한전 어디메오 백옥경 내 알던가
원앙침(鴛鴦枕) 비취금(翡翠衾)에 **뫼셔본 적 전혀 없네**
내 얼굴 이 거동이 무얼로 님 사랑할고
길쌈을 모르거니 가무(歌舞)야 더 이를가
엇언지 님 향한 한 조각 이 마음을
하늘이 삼기시고 성현이 가르치셔
정확(鼎鑊)*이 앞에 있고 부월(斧鉞)*이 뒤에 있어
일백 번 죽고 죽어 뼈가 갈리 된 후라도
님 향한 이 마음이 변할손가
나도 일을 가져 남의 없는 것만 얻어
㉮ 부용화 옷을 짓고 **목란**으로 꽂신 삼아
하늘께 맹세하여 님 섬기랴 원이러니
조물 시기한가 귀신이 훼방 놓았는가
(중략)
님을 뫼셔 그러한 각시님 같았던들
설움이 이러하며 생각인들 이러할가
차생이 이렇거든 후생을 어이 알고
차라리 싀어져 **구름**이나 되어 이셔
상광 오색(祥光五色)이 님 계신 데 덮었으면
그도 마다하면 **바람**이나 되어 이셔
**한여름 청음(淸陰)***의 님 계신 데 불고지고
− 김춘택, 「별사미인곡(別思美人曲)」 −

* 광한전 : 달에 있다는 전설의 궁전. / * 백옥경 : 옥황상제가 사는 서울.
* 정확 : 죄인을 삶아 죽이는 가마. / * 부월 : 도끼.
* 청음 : 시원한 그늘.

(다)

**생 원** 쉬이. (춤과 장단 그친다.) 말뚝아.
**말뚝이** 예에.
**생 원** 이놈, 너도 양반을 모시지 않고 어디로 그리 다니느냐?
**말뚝이** 예에. 양반을 찾으려고 찬밥 국 말어 일조식(日早食)* 하고, 마구간에 들어가 ⓐ 노새 원님을 끌어다가 등에 솔질을 솰솰 하여 말뚝이 님 내가 타고 서양(西洋) 영미(英美), 법덕(法德)*, 동양 삼국 무른 메주 밟듯 하고, 동은 여울이요, 서는 구월이라, 동여울 서구월 남드리 북향산 방방곡곡(坊坊曲曲) 면면촌촌(面面村村)이, 바위 틈틈이, 모래 쨈쨈이, 참나무 결결이 다 찾아다녀도 ⓑ 샌님 비뚝한 놈도 없습디다.
(중략)
**생 원** 이놈, 말뚝아.
**말뚝이** 예에.
**생 원** 나랏돈 노랑돈 칠 푼 잘라먹은 놈, 상통이 무르익은 대초빛 같고, 울룩줄룩 배미 잔등 같은 놈을 잡아들여라.
**말뚝이** ⓒ 그놈이 심(힘)이 무량대각(無量大角)*이요, 날랩이 비호(飛虎) 같은데, 샌님의 전령(傳令)이나 있으면 잡아 올는지 거저는 잡아 올 수 없습니다.
**생 원** 오오, 그리하여라. 옜다. 여기 ㉯ 전령 가지고 가거라. (종이에 무엇을 써서 준다.)
**말뚝이** (종이를 받아 들고 취발이한테로 가서) 당신 잡히었소.
**취발이** 어데, 전령 보자.
**말뚝이** (종이를 취발이에게 보인다.)

**취발이** (종이를 보더니 말뚝이에게 끌려 양반의 앞에 온다.)
**말뚝이** (ⓓ 취발이 엉덩이를 양반 코앞에 내밀게 하며) 그놈 잡아들였소.
**생 원** 아, 이놈 말뚝아. 이게 무슨 냄새냐?
**말뚝이** 예, 이놈이 피신(避身)을 하여 다니기 때문에, 양치를 못 하여서 그렇게 냄새가 나는 모양이외다.
**생 원** 그러면 이놈의 모가지를 뽑아서 밑구녕에다 갖다 박아라.
(중략)
**말뚝이** 샌님, 말씀 들으시오. 시대가 금전이면 그만인데, 하필 이놈을 잡아다 죽이면 뭣하오? ⓔ 돈이나 몇백 냥 내라고 하야 우리끼리 노나 쓰도록 하면, 샌님도 좋고 나도 돈냥이나 벌어 쓰지 않겠소. 그러니 샌님은 못 본 체하고 가만히 계시면 내 다 잘 처리하고 갈 것이니, 그리 알고 계시오. (굿거리장단에 맞추어 일제히 어울려서 한바탕 춤추다가 전원 퇴장한다.)

– 작자 미상, 「봉산탈춤」 –

* 일조식 : 아침 일찍 식사함. / * 법덕 : 프랑스와 독일.
* 무량대각 : 헤아릴 수 없을 정도로 힘이 셈.

28. (가)를 이해한 내용으로 적절하지 않은 것은?
① 한은 한국 문학 작품들에 나타나는 공통적인 특질 중 하나로 볼 수 있다.
② 역사의 비운, 사회적 억압으로 인해 감정이 응어리져 맺힌 것을 한이라 할 수 있다.
③ 탈춤은 현실의 억눌림을 웃음을 통해 해소하려고 했다는 점에서 풀이의 문학으로 볼 수 있다.
④ 사대부들의 시가 작품들은 지배층의 부조리를 비판하기 위해 임금을 이별한 임으로 그린 것으로 볼 수 있다.
⑤ 유배 가사는 임금과의 어긋난 관계로 인한 슬픔과 억울함을 담아낸다는 점에서 한의 문학이라고 할 수 있다.

29. [A]를 바탕으로 (나)를 감상한다고 할 때, <보기>를 활용하여 탐구한 내용으로 적절하지 않은 것은? [3점]

<보 기>

◦ **「사미인곡」과 「속미인곡」의 공통점**
• 임금을 천상계에 계신 임으로 그림. ······ ㉠
• 임금을 모셨던 작가 자신을 임과 이별한 여인으로 그림. ······ ㉡
• 죽어서도 임을 따르고자 하는 의지를 드러냄. ······ ㉢
◦ **「사미인곡」의 특징**
• 계절에 따라 임에 대한 그리움을 읊음. ······ ㉣
◦ **「속미인곡」의 특징**
• 두 여인이 이야기하는 형식을 통해 임에 대한 마음을 표현함. ······ ㉤

① '광한전 백옥경'을 보니 ㉠과 같이 임이 계신 곳을 천상계로 설정하고 있군.
② '뫼셔본 적 전혀 없네'를 보니 ㉡과 달리 벼슬을 하지 못했던 작가 자신의 모습을 그리고 있군.
③ '구름', '바람'을 보니 ㉢과 같이 죽어서라도 임의 곁에 가고자 하는 마음을 드러내고 있군.
④ '목란', '한여름 청음'을 보니 ㉣과 같이 계절적 소재를 통해 임과의 추억을 회상하고 있군.
⑤ '이보소 저 각시님'을 보니 ㉤과 같이 이야기하는 형식을 취하고 있군.

30. (나)에 대한 설명으로 가장 적절한 것은?
① 음성상징어를 활용하여 시적 상황을 구체화하고 있다.
② 설의적 표현을 사용하여 화자의 정서를 강조하고 있다.
③ 연쇄법을 사용하여 시적 의미를 긴밀하게 드러내고 있다.
④ 시간의 흐름에 따라 시적 대상의 변화 과정을 묘사하고 있다.
⑤ 근경에서 원경으로 시선을 이동하며 시적 배경을 제시하고 있다.

31. [B]를 바탕으로 ⓐ~ⓔ를 이해한 내용으로 적절하지 않은 것은?
① ⓐ: '노 생원님'과 발음이 유사하다는 것을 이용하여 양반을 희화화하고 있다.
② ⓑ: 양반을 얕잡아 보는 말을 사용하여 양반을 비하하고 있다.
③ ⓒ: '취발이'를 익살스럽게 묘사하여 서민들 사이의 갈등을 해소하고 있다.
④ ⓓ: 양반을 무시하고 조롱하는 행동을 함으로써 웃음을 유발하고 있다.
⑤ ⓔ: 돈을 받고 죄를 눈감아 주던 당시의 모습을 드러내어 부패한 사회를 풍자하고 있다.

32. ㉮와 ㉯에 대한 설명으로 가장 적절한 것은?
① ㉮는 화자가 과거를 떠올리게 하는 소재이고, ㉯는 '말뚝이'가 미래를 예측하게 하는 소재이다.
② ㉮는 화자의 절망적 현실을 나타내는 소재이고, ㉯는 '말뚝이'의 부정적 현실을 나타내는 소재이다.
③ ㉮는 화자의 간절한 바람을 나타내는 소재이고, ㉯는 '말뚝이'가 반성적 성찰을 하게 하는 소재이다.
④ ㉮는 화자가 상대에 대한 애정을 드러내는 소재이고, ㉯는 '말뚝이'가 상대를 제압할 수 있는 소재이다.
⑤ ㉮는 화자와 임의 약속을 상징하는 소재이고, ㉯는 '말뚝이'가 위임 받은 양반의 권위를 상징하는 소재이다.

**[33~35] 다음 글을 읽고 물음에 답하시오.**

동물들은 홍채에 있는 근육의 수축과 이완을 통해 눈동자를 크게 혹은 작게 만들어 눈으로 들어오는 빛의 양을 조절하므로 눈동자 모양이 원형인 것이 가장 무난하다. 그런데 고양이와 늑대와 같은 육식동물은 세로로, 양이나 염소와 같은 초식동물은 가로로 눈동자 모양이 길쭉하다. 특별한 이유가 있는 것일까?

육상동물 중 모든 육식동물의 눈동자가 세로로 길쭉한 것은 아니다. 주로 매복형 육식동물의 눈동자가 세로로 길쭉하다. 이는 숨어서 기습을 하는 사냥 방식과 밀접한 관련이 있는데, 세로로 길쭉한 눈동자가 사냥감과의 거리를 정확히 파악하는 데 효과적이기 때문이다.

일반적으로 매복형 육식동물은 양쪽 눈으로 초점을 맞춰 대상을 보는 양안시로, 각 눈으로부터 얻는 영상의 차이인 양안시차를 하나의 입체 영상으로 재구성하면서 물체와의 거리를 파악한다. 그런데 이러한 양안시차뿐만 아니라 거리지각에 대한 정보를 주는 요소로 심도 역시 중요하다. 심도란 초점이 맞는 공간의 범위를 말하며, 심도는 눈동자의 크기에 따라 결정된다. 즉 눈동자의 크기가 커져 빛이 많이 들어오게 되면, 커지기 전보다 초점이 맞는 범위가 좁아진다. 이렇게 초점의 범위가 좁아진 경우를 심도가 '얕다'고 하며, 반대인 경우를 심도가 '깊다'고 한다.

이런 원리로 매복형 육식동물은 세로로는 커지고, 가로로는 작아진 눈동자를 통해 세로로는 심도가 얕고, 가로로는 심도가 깊은 영상을 보게 된다. 세로로 심도가 얕다는 것은 영상에서 초점이 맞는 범위를 벗어난, 아래와 위의 물체들 즉 실제 세계에서는 초점을 맞춘 대상의 앞과 뒤에 있는 물체들이 흐릿하게 보인다는 것이고, 가로로 심도가 깊다는 것은 초점을 맞춘 대상이 더욱 뚜렷하게 보인다는 것을 말한다. 세로로 길쭉한 눈동자를 통해 사냥감은 더욱 선명해지고, 사냥감을 제외한 다른 물체들이 흐릿해짐으로써 눈동자가 원형일 때보다 정확한 거리 정보를 파악하는 데 유리해진다.

한편, 대부분의 초식동물은 가로로 길쭉한 눈동자를 지니고 있으며 눈의 위치가 좌우로 많이 벌어져 있다. 이는 주변을 항상 경계하면서 포식자의 출현을 사전에 알아채야 하는 생존 방식과 관련이 있다. 초식동물은 가로로 길쭉한 눈동자를 통해 세로로는 심도가 깊고 가로로는 심도가 얕은 영상을 얻게 되는데, 이로 인해 초점이 맞는 범위의 모든 물체가 뚜렷하게 보여 거리감보다는 천적의 존재 자체를 확인하는 데 더욱 효과적이다. 게다가 눈동자가 가로로 길쭉하기 때문에 측면에서 들어오는 빛이 위아래에서 들어오는 빛보다 많아 영상을 밝게 볼 수 있다. 또한 양안시인 매복형 육식동물과 달리 초식동물은 한쪽 눈으로 초점을 맞추는 단안시여서 눈의 위치가 좌우로 많이 벌어질수록 유리하다. 두 시야가 겹쳐 입체 영상을 볼 수 있는 영역은 정면뿐이지만 바로 뒤를 빼고 거의 전 영역을 볼 수 있기 때문이다.

이렇게 동물의 눈동자 모양은 동물들의 생존과 밀접한 관련이 있다. 생태학적 측면에서 포식자가 되든지, 피식자가 되든지 그 위치에 따라 각각의 동물들은 생존을 위해 가장 최적화된 형태로 진화해 온 것이다.

33. 윗글의 표제와 부제로 가장 적절한 것은?

① 동물의 생태학적 위치
　－포식자와 피식자의 관계를 중심으로
② 육상동물의 눈동자 모양
　－원형인 눈동자의 장점을 중심으로
③ 눈동자 모양의 결정 요인
　－눈동자의 색과 구조를 중심으로
④ 효과적인 심도 조절 방법
　－양안시와 단안시의 차이점을 중심으로
⑤ 눈동자 모양과 생존 방식
　－매복형 육식동물과 초식동물의 차이를 중심으로

34. 윗글의 내용과 일치하지 <u>않는</u> 것은?

① 동물들은 눈동자의 크기에 따라 초점이 맞는 범위가 달라진다.
② 매복형 육식동물은 양안시차를 통해 물체와의 거리를 파악한다.
③ 동물들은 홍채에 있는 근육의 수축과 이완을 통해 빛의 양을 조절한다.
④ 단안시인 초식동물은 눈의 위치가 좌우로 벌어질수록 시야가 넓어진다.
⑤ 매복형 육식동물은 초식동물과 달리 두 눈을 통해 입체 영상을 얻는다.

35. 윗글을 참고할 때, <보기>의 ㉠, ㉡에 대한 답으로 가장 적절한 것은? [3점]

<보 기>

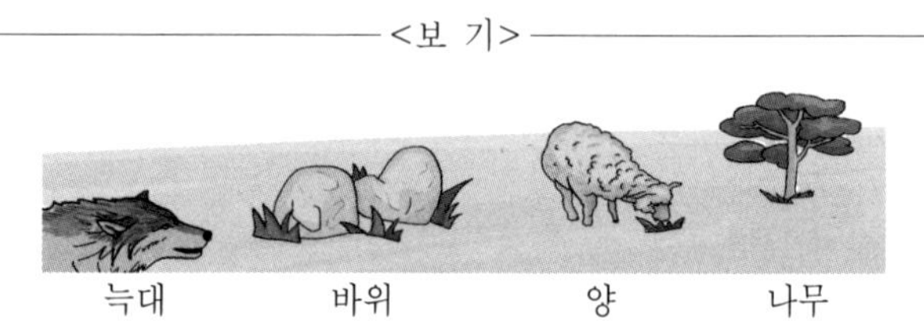


양을 사냥하기 위해 매복하고 있는 늑대는 사냥감에 초점을 맞춘 후 거리를 파악하고 있다. 모든 물체들은 일직선상에 위치하고 있으며, 양과 늑대는 움직이지 않고 있다. 이때, ㉠ <u>양과 늑대가 얻는 영상의 심도는 어떨까</u>? 그리고 ㉡ <u>양과 늑대의 눈에는 다른 물체들이 어떻게 보일까</u>?

| | | ㉠ | ㉡ |
|---|---|---|---|
| ① | 양 | 가로로 심도가 깊음.<br>세로로 심도가 얕음. | 바위와 늑대보다 나무가 더 어두워 보임. |
| ② | 양 | 가로로 심도가 얕음.<br>세로로 심도가 얕음. | 늑대와 나무, 바위가 모두 뚜렷해 보임. |
| ③ | 늑대 | 가로로 심도가 깊음.<br>세로로 심도가 얕음. | 나무와 양보다 바위가 더 뚜렷해 보임. |
| ④ | 늑대 | 가로로 심도가 깊음.<br>세로로 심도가 얕음. | 양보다 바위와 나무가 더 흐릿해 보임. |
| ⑤ | 늑대 | 가로로 심도가 깊음.<br>세로로 심도가 깊음. | 나무가 바위와 양보다 더 뚜렷해 보임. |

**[36~38] 다음 글을 읽고 물음에 답하시오.**

서양의 중세 시대에 인간이 마음의 평정을 얻는 유일한 방법은 신에게 의지하는 것이었다. 그 결과 인간은 신을 위한 삶을 중요하게 생각하였으며, 진리를 찾으려는 학문의 목적 역시 신의 질서를 파악하는 것이었다. 그런데 명증한 진리는 없어 보인다며 진리에 대해 회의적 태도를 보이는, 고대 회의주의 철학인 피론주의(Pyrrhonism)가 새롭게 관심을 받게 되면서 신 중심의 세계관이 흔들리게 된다.

ⓐ 피론주의자들은 인간들이 진리를 찾을 때 얻을 수 있는 결과를 '진리를 찾았거나, 진리가 없다고 포기하거나, 계속해서 진리를 찾는' 세 가지 경우라고 한정하였다. 그들은 진리를 찾았다고 주장하는 사람들에 대해 지나친 독단주의라고 비판하면서 계속해서 진리를 찾기 위해 노력하였지만 진리의 존재 여부를 파악할 수 없다는 결론에 이른다.

진리의 존재 여부를 파악할 수 없다는 피론주의자들의 주장은 모순에 빠져 있는 것처럼 보일 수도 있다. 어떤 명제(p)와 그 명제의 부정(~p) 가운데 하나는 반드시 참이라는 배중률을 고려하면 p와 ~p 중 하나는 참이라는 점에서 진리는 존재하기 때문에 피론주의자들의 주장은 거짓이 된다. 또한 피론주의자들의 주장이 옳다면 그 주장 자체가 참이 되어, 적어도 1개 이상의 참인 진리가 존재하는 것이기 때문에 마찬가지로 피론주의자들의 주장은 거짓이 된다.

그렇다면 왜 피론주의자들은 진리를 파악할 수 없는 것으로 인식하였을까? 그들은 어떤 명제가 참인 진리가 되기 위해서는 의심할 바 없이 뚜렷하게 증명되는 명증성을 지녀야 한다고 전제하였다. 그래서 그들은 다양한 명제들을 상충 또는 대립시켜 명증성을 확인하려고 하였고, 지속적으로 진리를 의심하는 방법으로 진리를 찾으려고 하였다. 그러나 이 과정에서 여러 명제들은 대립되고 모순되기 때문에 어느 쪽도 다른 명제에 비해 우월하거나 열등하지 않으므로, 어떤 명제도 명증성을 지닐 수 없다고 보았다. 따라서 그들은 진리를 찾을 수 없다는 회의적 상태에 이르게 되고 결국 진리는 없어 보인다는 결론을 내리게 된 것이다.

피론주의자들은 이처럼 진리를 판단할 수 없는 판단중지 상태를 에포케라고 일컬었다. 에포케는 어떤 명제에 대해 긍정도 부정도 하지 않는 마음의 상태로 그들은 진리에 대해 판단을 중지하면, 진리를 얻기 위한 고뇌에서 벗어나 마음의 평정 상태인 아타락시아가 오게 된다고 생각했다. 앞서 언급한 것처럼 중세 시대에는 마음의 평정을 얻는 유일한 방법은 신에게 의지하는 것이었다. 하지만 피론주의로 인해 인간 스스로에 의해 마음의 평정을 얻을 수 있는 방법을 알게 되었고, 이는 신 중심의 세계관에서 탈피하여 인간이 주체적으로 사고하는 계기가 되었다.

한편, ⓑ 데카르트와 같은 철학자들은 고대 피론주의의 진리의 존재 여부를 파악할 수 없다는 태도를 극복하기 위해 깊이 있게 인간의 인식에 대해 고찰하였다. 근대 철학의 시대가 열리게 된 것이다.

36. 윗글에 대한 설명으로 가장 적절한 것은?

① 고대 피론주의의 관점에서 근대적 인식론의 한계를 비판하고 있다.
② 고대 피론주의의 형성 배경과 발전, 쇠퇴 과정을 제시하고 있다.
③ 고대 피론주의와 중세에 부각된 피론주의의 차이점을 분석하고 있다.
④ 고대 피론주의를 신 중심의 중세 철학이 계승하게 된 까닭을 밝히고 있다.
⑤ 고대 피론주의가 인간이 주체성을 획득하는 데 미친 영향을 설명하고 있다.

37. <보기>에서 '피론주의'에 대한 내용으로 적절한 것만을 있는 대로 고른 것은? [3점]

<보 기>

ㄱ. 다양한 명제들을 상충 또는 대립시켜 명증성을 확인하려고 하였다.
ㄴ. 어떠한 명제도 다른 명제에 비해 우월하거나 열등하지 않다고 판단하였다.
ㄷ. 고뇌에서 벗어나 마음의 평정 상태에 이르면 진리를 파악할 수 있다고 생각하였다.
ㄹ. 어떤 명제가 진리가 되기 위해서는 의심되지 않는 명증성을 지녀야 한다고 전제하였다.

① ㄱ, ㄷ ② ㄱ, ㄹ ③ ㄴ, ㄷ
④ ㄱ, ㄴ, ㄹ ⑤ ㄴ, ㄷ, ㄹ

38. <보기>는 ⓑ에 대한 설명이다. ⓐ와 ⓑ의 공통점으로 가장 적절한 것은?

<보 기>

데카르트는 의심할 수 없는 절대적 확실성을 가진 '기초적 믿음'을 찾기 위해 진리에 대해 의심해 보는 회의적 사고를 통해 진리를 추구하였다. 이러한 방법으로 찾은 기초적 믿음은 사유하는 존재 자체는 의심할 수 없다는 것으로 다른 진리 추구의 토대가 되었다.

① 배중률을 통해 진리를 증명하였다.
② 기초적 믿음이 신의 질서라고 여겼다.
③ 사유의 과정에서 의심의 방법을 사용하였다.
④ 진리는 존재하지만 파악될 수 없다고 인식하였다.
⑤ 진리의 존재를 확신하며 근대 철학의 토대를 마련하였다.

**[39~42] 다음 글을 읽고 물음에 답하시오.**

그들은 팥죽 같은 땀을 흘리며 하나같이 고개들을 숙인 채 누구 하나 입을 열지 않았다. 마치 꾸중 듣는 어린아이들처럼 그들의 표정 속에는 공포와 불안만이 가득 차 있을 뿐이었다.

내 몸에서 갑자기 모든 불안이 썰물처럼 빠져 나갔다. 목을 조르던 공포와 긴장이 뜻밖에도 아주 빠르게 안도와 기쁨으로 변해 가기 시작했다. 거사는 실패했다. 그리고 거사가 실패했다고 생각하자, 실패가 오히려 아주 당연한 귀결처럼 느껴졌다. 그동안 불안과 공포에 떤 자신이 나는 이 순간 견딜 수 없이 우스꽝스러웠다. 지금까지 나를 짓눌러 온 온갖 불안에서 나는 불과 몇십 초 사이에 깨끗하게 해방된 것이었다.

그러나 바로 이때 나는 또 한 번 무서운 공포에 휩싸였다. 그것은 안도감에 잠긴 나를 몽둥이로 내려치듯이 통렬하게 후려쳤다. 누군가가 돌연 자리를 박차고 두 손을 높이 쳐들며 이렇게 소리쳤기 때문이었다.

"조센 반자이(조선 만세)!"

기범이었다. 그는 우렁차게 만세를 부른 후, 그대로 앞좌석에 홀로 대뚝하게 서 있었다. 장내는 고요했다. 모든 시선이 기범에게 집중되었다. 학생들도 고관들도 헌병들조차도 넋 나간 표정으로 기범의 얼굴을 뚫어지게 쏘아볼 뿐이었다. 그것은 무서운 폭풍을 내포한 폭발 직전의 서늘한 침묵이었다. 침몰하는 배 위에 올라탄 듯한 한없이 낭패스러운 삭막한 침묵이었다.

시간이 흘렀다. 아주 긴 시간인 것도 같고 아주 짧은 시간인 것도 같았다. 식장의 경비를 맡고 있던 헌병들은 이윽고 긴장된 표정으로 저마다 긴 칼자루에 손을 대기 시작했다. 그들은 기범이 또 한 번 소리치면 식장에서 당장에 그를 체포할 듯한 험악한 기세였다. 그런데 이때 뜻밖에도 기범의 두 팔이 다시 번쩍 머리 위로 쳐들렸다.

"닛본 반자이(일본 만세)!"

침묵은 계속되었다. 헌병들은 칼자루에 손을 댄 채 여전히 기범을 쏘아보고 있었고, 기범은 이번에도 만세 후에 여전히 앞좌석에 꼿꼿하게 서 있었다. 그러나 이번 침묵은 아까와는 약간 성질이 달랐다. 식장에 참석한 모든 사람들은 이번에는 긴장 대신에 묘한 의문에 사로잡혔다. 서로 상반되는 입장들에 놓여 있지만 그들은 기범을 향해 똑같은 질문들을 던지고 있었던 것이다. 너는 왜 조선 만세를 부른 후에 뒤따라 다시 일본 만세를 불렀는가? 너의 만세는 무슨 뜻인가? 너는 대체 어느 편인가? 그러나 이 의문도 뒤따라 곧 해답을 얻었다. 기범이 다시 두 팔을 쳐들고 제3의 만세를 외쳤기 때문이었다.

"다이토아 반자이(대동아 만세)!"

식장을 지배해 온 숨 막히던 긴장은 이 세 번째 만세로 깨끗이 해소되었다. 그는 첫 번째 만세로는 동지들의 체면을 세워 주었고, 두 번째와 세 번째의 만세로는 동지들을 위험에서 구해 준 것이다. 나는 [사건]이 끝난 한참 후에야 기범이 어째서 거사의 중임을 자청했는가를 깨달았다. 그는 사전에 이미 거사가 실패할 것을 예견했고, 만일 성공할 기미를 보였다면 처음부터 거사를 실패시킬 목적이었다.

[중략 줄거리] 기범은 일규를 배신한 적이 있음에도, 일규가 그리워 그의 장례식에 나타났다. 나는 그런 기범과 대화를 나눈다.

그럴듯한 음모였지만 나는 참을 수 없는 모욕감을 느꼈다.

"도둑놈아, 억지 쓰지 마라. 너는 파렴치범에 불과하지만 일규는 전신으로 세상을 산 놈이다. 아무리 네가 잡아 흔들어도 일규는 절대로 쓰러지지 않는다."

"천만에, 나는 안다. 그놈은 운 좋은 삼류 무사(武士)에 불과했다. 뽑아 본 일 없는 칼을 차고 질 수 없는 전쟁만 멋들어지게 해 온 놈이다. ㉠ <u>나는 세상이 가장 혼탁할 때는 일규가 어디 있는지 본 일이 없다. 그놈이 칼을 뽑았을 때는 누군가가 위기를 제거해서 세상이 더없이 편안해진 후다.</u> 이것이 바로 무사의 허풍스런 참모습이고 무사가 너희한테 존경과 사랑 받는 소치인 것이다."

"너는 그럼 그런 일규를 왜 허공에서 찾은 거냐? 왜 일규가 없어진 지금 살맛이 없다구 하는 거냐?"

"세상은 주인이 필요하다, 광대 같은 주인 말이다. 무대에 누군가가 있어야 할 것 아니냐? 무대를 비워 둘 순 없지 않냐? 내가 일규를 필요로 하는 건 그 녀석이 무대 위에 서서 너희들이 살아가는 간판 구실을 잘 해내기 때문이다."

"좋다, 네 쪽은 그렇다 치자. 허지만 일규 쪽에서는 왜 너를 필요로 한다는 이야기냐?"

[A] "무사가 칼을 차고 지나가면 그 뒤엔 그를 칭송할 악사(樂士)가 필요한 법이다. 칼이 허리에서 절그럭거려서 무사는 자기 입으로는 자찬의 노래를 읊을 수가 없다. 악사는 바로 이런 때를 대비했다가 무사의 눈짓이 날아올 때 재빨리 악기를 꺼내 황홀한 음악을 탄금하는 것이다. 이것이 바로 무사와 악사가 서로를 경멸하면서도 사이좋게 살아가는 우정이다."

"너는 그럼 무사 뒤에서 무슨 즐거움으로 세상을 사는 거냐?"

"㉡ <u>즐거움이라고? 우리에겐 아프지 않고 배고프지 않은 것이 즐거움이다.</u> 나는 살고 있어서, 살아남아서 고마울 뿐이다. 사람이 산다는 것에 너는 그 이상 무슨 뜻이 있다는 거냐?"

"사람이 사는 데 그 정도의 의미밖에 없다면 사람과 동물과 대체 뭐가 다른 거냐? 네놈의 그 추잡한 행각들을 변호하기 위해 너는 너 자신의 사는 의미까지 죽일 셈이냐?"

"네 말은 순서가 틀렸다. 사는 의미를 죽이기 위해 나는 지금까지 열심으로 살아왔다. 세상은 서 푼어치 밥이나 먹여 주고 우리한테 너무 많은 고통들을 강요한다. 너도 정신이 올바로 박혔으면 네 과거를 한번 돌아봐라. 일제시대와 대동아전쟁, 조국의 해방과 남북 분단, 6·25 사변과 동족상잔, 4·19 의거와 5·16 혁명…… ㉢ <u>뭘 했냐 너는? 이때 너는 어디 있었냐? 네가 한 일이 대체 뭐냐? 우린 모두가 살아남은 게 고작이었다.</u> 반만년 역사 동안 우리 영감들이 그랬듯이 우리도 그냥 똥이나 싸고 아침저녁으로 자식들이나 만들었을 뿐이다. 36년 동안 일제하에 있으면서 이천만 동포는 무얼 한 거냐? 대체 그들이 무얼 했길래 일제가 물러가자 반민특위(反民特委)를 조직한 거냐? 정권이 한 번씩 바뀔 때마다 엄청난 얘기들이 쏟아져 나온다. 그러나 그것들은 정권이 바뀌었을 때 비사(秘史)나 비록(秘錄)으로 공소 시효 지난 후일담으로나 나올 뿐이다. ㉣ <u>무수한 양심이란 것들이 그것들의 진행을 목격했지만 그것들이 진행될 동안은 누구 하나 찍소리 없었다.</u> 그 많은 정의와 양심들은 그때는 모두 어디 틀어박혀 있은 거냐? 이것이 바로 네가 말하는 그 고결하고 존경 받을 만한 '의의 있는 삶'이라는 거냐? 우리는 악사다. 재산이라고는 아주 잘 트인 목청 하나밖에 가진 것이 없다. ㉤ <u>무사님들이 작업을 하실 때 우리는 뒷전에서 잘한다, 옳소 하고 소리나 쳐주면 되는 거다.</u> 배고프지 않고 아프지만 않으면 그것이 바로 우리들이 사는 즐거움인 것이다."

– 홍성원, 「무사와 악사」 –

39. 윗글에 대한 설명으로 가장 적절한 것은?
① 서술자를 교체하여 사건을 입체적으로 그리고 있다.
② 공간 묘사를 통해 인물의 성격 변화 과정을 드러내고 있다.
③ 작중 인물이 서술자가 되어 인물의 말과 행동을 제시하고 있다.
④ 독백과 대화의 반복적 교차로 인물의 내면 갈등을 드러내고 있다.
⑤ 동시에 일어난 두 개의 사건을 병치하여 갈등 해결의 실마리를 제시하고 있다.

40. <보기>는 사건을 정리한 것이다. 이를 이해한 내용으로 적절하지 않은 것은?

<보 기>

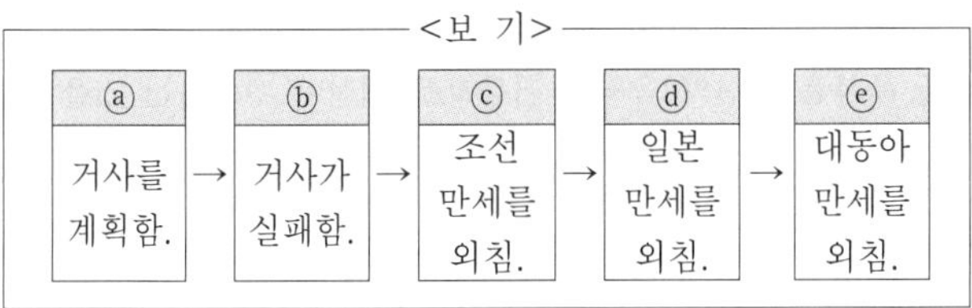

| ⓐ | ⓑ | ⓒ | ⓓ | ⓔ |
|---|---|---|---|---|
| 거사를 계획함. | 거사가 실패함. | 조선 만세를 외침. | 일본 만세를 외침. | 대동아 만세를 외침. |

① '나'는 기범이 ⓐ에 참여한 이유를 ⓔ가 끝난 한참 후에 깨달았다.
② '나'는 ⓑ에 대해 오히려 안도감을 느꼈다.
③ ⓒ를 듣고 모든 사람들의 시선이 기범에게 집중되었다.
④ 헌병들은 기범이 ⓓ를 행한 이유를 알고 있었다.
⑤ ⓔ로 인하여 식장의 긴장된 분위기가 해소되었다.

41. [A]에 대한 이해로 가장 적절한 것은?
① 인정에 호소하여 상대방의 동정을 유도하고 있다.
② 다른 대상에 빗대어 인물 간의 관계를 드러내고 있다.
③ 과거의 행적을 언급하며 자신의 내면을 성찰하고 있다.
④ 상황을 반전시키며 앞으로 일어날 일을 예상하고 있다.
⑤ 상대방에게 반문하며 상황의 불가피성을 강조하고 있다.

42. <보기>를 바탕으로 ㉠~㉤을 감상한 내용으로 가장 적절한 것은? [3점]

<보 기>

위 작품에는 정의의 목소리를 내야 할 때는 침묵하다가 뒤늦게 자신의 책무를 다하는 것처럼 행동하거나, 이념을 따르기보다는 생활에서 생계를 유지하는 지식인들이 등장하고 있다. 작가는 역사적 상황에서 현실 참여에 적극적이지 못한 이들의 무책임한 태도를 비판하고 있다.

① ㉠: 세상이 편안해진 후에야 행동한 것은 뒤늦게 자신의 책무를 다하는 것처럼 행동하는 모습으로 볼 수 있군.
② ㉡: 아프지 않고 배고프지 않은 생활을 중요하게 여긴 것은 현실 참여에 적극적인 모습으로 볼 수 있군.
③ ㉢: 아무 것도 하지 않고 살아남은 것은 생계유지에 무책임한 모습으로 볼 수 있군.
④ ㉣: 누구 하나 끽소리 없었던 것은 침묵으로 정의의 목소리를 대신한 모습으로 볼 수 있군.
⑤ ㉤: 뒷전에서 잘한다는 말이나 하는 것은 이념에 따라 행동한 모습으로 볼 수 있군.

**[43~45] 다음 글을 읽고 물음에 답하시오.**

이때 옥경의 선관이 항상 제일봉에 와서 놀았는데 황제가 거동하시는 것을 보고 선관이 급히 올라가느라 옥저*와 거문고를 버리고 가게 되었다.

이때 주봉이 그 옥저와 거문고를 보고 즉시 천자께 바치니, 천자께서 보시고 어루만지며 물으셨다.

"이것이 무엇이냐? 세상에는 없는 것이로구나."

하시고, 조정 백관들을 불러 알아보도록 하시니 아무리 알고자 한들 옥경의 선관이 가졌던 보배라 어찌 알겠는가. 천자께서 주봉을 돌아보시며 말씀하시길

"경(卿)은 아는가?"

하시니 주봉이 엎드려 아뢰었다.

"옥저는 장량이 계명산에 올라 팔천 병사를 흩었던 옥저이고, 거문고는 선관이 팔선녀를 희롱하던 거문고이옵니다."

천자께서 명령하시기를

"경(卿)들은 다 각각 불어 보라."

하시니 백관들이 아무리 불려고 해도 입만 아플 뿐 소리가 나지 않았다. 그런데 주봉이 명령을 받자와 옥저는 입에 물고 거문고는 손에 들고 희롱하듯 연주하니 옥저 소리는 산천의 초목이 춤추는 듯하고 거문고 타는 소리는 온갖 짐승이 노래하는 듯하였다. 천자께서 주봉의 손을 잡으시고 못내 사랑하시며 여러 벼슬을 내리시며 주홍의 큰 글씨로 사명기(司命旗)*를 써 주시고 환궁하셨다. 그 후로는 조정에서의 권세가 전국에서 진동하더라. 이때 조정 백관이 모여 의논하되

"주봉이 조정 권세를 자기 혼자 차지하였으니 우리는 무슨 벼슬을 하겠는가?"

하며 주봉을 원망하였다. 이때 좌승상 하던 유정한이라 하는 놈이 한 묘책을 생각하고 황제께 나아가 아뢰기를

"해평 도사를 보낸 지 여러 해가 되었으나 지금까지 소식이 없습니다. 들어보오니 해평 도사로 간 놈들이 일심으로 힘을 합쳐 스스로 왕이라 칭하고 작당하여 연습하고 군사 훈련을 한다고 하옵니다. 이들이 국가에 큰 환란을 일으킬까 하오니 폐하께서는 깊이 생각하옵소서."

하니 천자가 크게 근심하여 말하였다.

"짐도 괴이하다 여겼었는데, 과연 그런 듯싶구나."

하시고 명령하여 가로되

"문무 여러 신하들 중에 충성심이 높고 능력 있는 사람을 가리어 보내도록 하라."

하셨다.

[중략 줄거리] 해평 도사로 가던 주봉은 수적 장취경에 의해 아내와 헤어져 떠돈다. 한편, 주봉의 아내는 아들 해선을 낳지만 어쩔 수 없이 해선과 헤어지게 되고, 해선은 장취경에 의해 길러진다. 과거를 보러 황성에 간 해선은 하룻밤 묵게 된 곳에서 주인과 이야기를 나눈다.

"부인께서 소자를 보시고 그렇게 슬퍼하시니, 부인의 자제분은 어디를 가셨나 봅니다."
하니 부인이 말하기를
"내 아들 이름은 주봉이요, 일찍이 십사 세에 과거 급제하여 해평 도사로 간 지 십사 년이나 되었으나 소식이 완전히 끊어졌으니 이런 답답하고 슬픈 일이 어디 있겠습니까?"
하니 해선이 불쌍한 생각이 들어 과거 볼 생각도 없어져 부인께 여쭙기를
"저 옥저와 거문고를 주시면 값을 후하게 쳐 드리겠습니다."
했다. 해선이 사랑하는 마음을 보고 부인이 옥저와 거문고를 내주시니 해선이 받아 가지고 한번 불어 보았다. 부인이 그 부는 소리를 들으니 주봉과 같이 부는지라. 부인이 더욱 슬퍼하다가 주봉을 생각하고는 옥저와 거문고를 내어주며 말했다.
"죽은 자식을 생각하여 주는 것이니 부디 자주 들러 주시오."
이때 해선이 부인께 하직하고 바로 해평으로 날아가 경치 좋은 곳에 앉아 옥저와 거문고를 연주하니 그 소리가 맑고 아름다워 산천이 진동하더라. 이때 주봉은 빌어먹으며 이곳저곳 다니다 천만의외로 옥저와 거문고 연주하는 소리가 저 하늘 높은 곳에서 은은히 들리거늘 반가운 마음에 더듬더듬 찾아 들어갔다. 그러다 보니 한 소년이 연주를 하고 있는데 옥저도 낯이 익었고 거문고도 낯이 익었다. 마음에 기이한 생각이 들기를
'분명히 나의 옥저와 거문고로다.'
하여 눈물을 흘리니 이를 본 해선이 물어보았다.
"걸인은 무슨 연고로 그렇게 슬퍼하는 것인가?"
걸인이 대답하여 말하기를
"나는 주 승상의 아들 주봉인데 어린 나이에 과거 급제하였더니 황제께서 벼슬을 많이 주시매 조정이 시기하여 나로 하여금 해평 도사로 보내도록 하였다. 그래서 해평 도사로 부임하러 가다가 바다에서 수적 장취경을 만나 하인 삼십여 명이 다 죽었다. 또 나를 물에 밀쳐 넣었는데 옥황상제께옵서 살려 주셔서 고향으로 돌아가지 못하고 이곳에서 빌어먹고 있는 것이다."
하고 옥저와 거문고를 자꾸 쳐다보았다. 이를 본 해선이 묻기를
"이 옥저와 거문고를 네가 한번 불어보겠는가?"
하며 옥저와 거문고를 주니 주봉이 받아서 옥저는 입에 물고, 거문고는 손으로 타니 그 소리의 맑고 아름다움이 해선보다 더 하더라. 이때 구경하던 사람들이 이르되
"부자지간 아니면 형제지간이다."
하니 해선이 생각하기를
'황성의 부인께서 말씀하신 주봉과 같구나. 주봉이 떠난 지 십사 년이고, 또 내 나이가 십사 세요, 사람들마다 내가 걸인과 같다 하니 실로 이상하구나.'
하였다.

– 작자 미상, 「주봉전」 –

* 옥저 : 옥으로 만든 저. 관악기.
* 사명기 : 군대를 지휘하는 데 쓰던 깃발.

43. 윗글에 대한 설명으로 적절한 것은?
① 외양 묘사를 통해 인물의 성격을 드러내고 있다.
② 요약적 서술을 통해 시대적 배경을 제시하고 있다.
③ 서술자가 직접 개입하여 주관적 판단을 제시하고 있다.
④ 잦은 장면 전환을 통해 긴박한 분위기를 형성하고 있다.
⑤ 꿈과 현실을 교차하여 사건을 입체적으로 구성하고 있다.

44. 윗글에 대한 이해로 적절하지 않은 것은?
① 천자는 해평에서 환란이 일어날 수 있다는 유정한의 말에 근심하고 있다.
② 부인은 해선의 연주를 듣고 해선이 주봉과 인연이 있음을 확신하고 있다.
③ 해선은 아들 주봉과 헤어진 부인의 사연을 듣고 부인을 불쌍하게 여기고 있다.
④ 주봉은 자신의 옥저와 거문고를 해선이 연주하는 것을 기이하게 여기고 있다.
⑤ 조정 백관들은 주봉이 조정 권세를 혼자 차지하였다고 생각하며 주봉을 원망하고 있다.

45. <보기>를 바탕으로 윗글을 감상한 내용으로 적절하지 않은 것은?

<보 기>

「주봉전」은 주여득, 주봉, 주해선의 3대를 중심으로 한 '이산(離散)–시련–상봉(相逢)'의 서사 구조를 가진 작품이다. 「주봉전」은 신물(神物) 획득과 가족 찾기, 위기 극복 과정 등에서 우연이 반복되고 전기성(傳奇性)이 두드러지는 등 작품 전반에 걸쳐 비현실적 요소를 삽입하여 당시의 독자들로 하여금 큰 흥미를 갖게 하였다.

① 주봉이 걸인이 되어 해평을 떠도는 것은 인물이 겪는 '시련'으로 볼 수 있겠군.
② 죽을 위기에 처한 주봉을 옥황상제가 살려준 것은 '비현실적 요소'로 볼 수 있겠군.
③ 옥저와 거문고를 통해 주봉과 해선이 만나게 되므로 옥저와 거문고는 '상봉'의 매개물이라 할 수 있겠군.
④ 해선이 주봉의 어머니 집에 머물고, 연이어 주봉을 만나는 장면에서 '우연'이 반복되고 있다고 할 수 있겠군.
⑤ 해선이 부인을 만나 주봉에 대해 이야기를 나눈 이후 과거를 치를 생각이 없어진 것에서 '전기성'을 확인할 수 있겠군.

* 확인 사항
○ 답안지의 해당란에 필요한 내용을 정확히 기입(표기)했는지 확인하시오.

# 국어 영역

19회 소요시간 /80분

제 1 교시

➡ 해설 P.175

[1~2] 다음은 학생의 발표이다. 물음에 답하시오.

> 여러분, 인상파 화가 중에 생각나는 사람이 있나요? (청중의 반응을 살핀 후) 네, 생각나는 사람이 별로 없군요. 이번 주말에 우리 학교에서 창의적 체험활동의 일환으로 관람할 예정인 『모네 특별전』의 주인공인 모네가 바로 대표적인 인상파 화가입니다. 클로드 모네는 19세기 후반 프랑스에서 활동했던 화가입니다. 모네는 관념적인 자연이 아니라 직접 눈으로 인식한 자연을 많이 그렸는데, 빛에 따라 순간적으로 변화하는 모습을 연작으로 그린 화가로 유명합니다. 그래서 오늘은 주말에 여러분들이 모네의 그림을 감상할 때 도움이 되도록 그의 작품 세계를 소개할까 합니다.
>
> (화면을 보여 주며) 이 그림은 모네의 작품 중 하나인 <인상, 해돋이>입니다. 모네는 강 위로 태양이 떠오르는 순간을 포착하여 하늘과 강물, 강 위의 배들을 모두 붉게 표현했는데, 모네가 이러한 순간을 포착할 수 있었던 것은 사진의 발명 덕분입니다. 모네는 빛으로 인해 변화되는 순간을 포착함으로써, 이전의 미술가들이 포착할 수 없었던 순간을 화폭에 담는 데 성공했습니다. 모네는 이 그림을 무명미술가 협회전에 출품했는데, 외관상 마무리가 덜 된 것처럼 보여서 당시 평론가들로부터 미완성의 작품이라고 비웃음을 샀습니다. 특히 평론가 루이 르루아는 이 그림의 제목을 차용하여 무명미술가 협회전을 '인상주의자들의 전시회'라고 조롱했다고 합니다. 이때부터 비평가들은 모네를 인상주의자라고 불렀던 것입니다. 하지만 모네는 이러한 비난에도 아랑곳하지 않고 자신만의 방식으로 열심히 그림을 그렸습니다.
>
> (화면을 전환하며) 이 그림은 모네의 대표작인 <수련>입니다. 이 그림은 그가 평생 추구한 빛과 색채의 철학이 집약된 그림이라는 평가를 받고 있습니다. 그는 같은 수련이라도 아침, 점심, 해가 질 때 등 시간에 따라 다르게 보이는 모습을 화폭에 담았습니다. 그래서 그를 빛의 화가라고 부르는 것입니다. 19세기 이전의 사실주의 화가들과 달리 그는 사물에는 고유색이 없고 우리가 보는 것은 사물의 표면에 반사된 빛에 지나지 않는다고 생각했습니다. 그의 관심은 사물 그 자체가 아니라, 오로지 사물의 표면에 반사된 빛을 포착하여 화폭에 그리는 것이었습니다. 모네는 빛에 따라 시시각각으로 변해 가는 사물의 인상을 표현하기 위해 '색채 분할법'이라는 특이한 방법을 도입했습니다. 색채 분할법이란, 물감을 팔레트에서 직접 혼합하여 칠하지 않고 화폭 위에 나란히 칠해 착시 현상을 주는 표현 기법입니다. 따라서 모네의 미술품을 감상할 때는 너무 가까운 거리보다 그림과 일정한 거리를 두는 것이 바람직합니다.
>
> 지금까지의 제 발표가 『모네 특별전』을 관람하는 데 도움이 되었으면 좋겠습니다. 이상 발표를 마치겠습니다.

**1.** 발표에 반영된 학생의 발표 계획으로 적절하지 않은 것은?

① 청중의 관심을 유도하기 위해 시각 자료를 제시해야겠어.
② 청중의 이해를 돕기 위해 생소한 용어의 개념을 설명해야겠어.
③ 청중의 배경 지식을 확인하기 위해 질문을 던지며 시작해야겠어.
④ 청중이 이해하기 쉽도록 핵심 정보를 다른 상황에 빗대어 설명해야겠어.
⑤ 청중이 발표 내용에 주목할 수 있도록 발표의 목적을 분명히 밝혀야겠어.

**2.** 다음은 발표를 들은 학생이 작성한 메모이다. 발표 내용을 고려할 때, 적절하지 않은 것은?

[인상파 화가 '모네']

- 모네는 동일한 대상이 빛에 따라 시시각각 변화하는 인상을 화폭에 담으려고 노력함. ······ ⓐ
- 모네는 이전의 화가들이 활용한 사진 기술을 바탕으로 자연의 빛깔을 연구함. ······ ⓑ
- 모네가 그린 <인상, 해돋이>는 당시의 비평가들로부터 혹평을 받음. ······ ⓒ
- 모네는 사실주의 화가들과 달리 사물이 고유한 색을 지니고 있음을 부정함. ······ ⓓ
- 모네는 착시 효과를 이용하여 대상의 인상을 드러내고자 함. ······ ⓔ

① ⓐ ② ⓑ ③ ⓒ ④ ⓓ ⑤ ⓔ

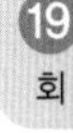

[3~5] 다음은 토론의 일부이다. 물음에 답하시오.

**사회자** : 우리 학교에서는 매주 토요일마다 재능 기부 봉사활동으로 다양한 프로그램을 운영하고 있습니다. 지금까지는 재능 기부 봉사활동을 희망하는 학생들이 참가 신청서와 봉사활동 계획서를 제출하면 담당 선생님께서 서류를 심사하여 학생을 선발하였습니다. 그런데 재능 기부 봉사활동에 참여하려는 학생들이 계속 증가하면서, 선발 방식을 바꿔 달라는 건의가 많이 들어오고 있습니다. 학생들은 기존 방식인 ㉠ 서류 심사 방식 대신 새로운 방식으로 ㉡ 심층 면접 방식을 요구하고 있습니다. 그래서 이번 시간에는 '재능 기부 봉사활동에 참여하는 학생을 심층 면접 방식으로 선발해야 한다.'라는 논제로 토론을 하겠습니다. 먼저 찬성 측부터 입론해 주십시오.

**찬성 1** : 재능 기부 봉사활동에 참여하는 학생을 선발할 때 심층 면접 방식으로 해야 합니다. 봉사활동 계획서를 보고 심사하는 기존의 방식은 문제가 있다고 생각합니다. 서류 심사 방식은 계획서의 내용만 살펴보고 학생을 선발하기 때문에 참가자가 구체적으로 어떤 재능을 지니고 있는지 정확히 평가하기가 어렵습니다. 또 서류 내용의 사실 여부를 심사자가 정확히 확인하기 어려워 우수한 재능을 지닌 학생들이 선발 과정에서 탈락할 수도 있습니다. 반면에 심층 면접 방식은 경험이 많은 선생님들께서 면접을 통해 학생을 선발하기 때문에 참가자의 재능이나 역량 등을 직접 검증할 수 있을 뿐만 아니라 객관적으로 확인할 수 있습니다. 그래서 다양한 분야에 재능을 지닌 학생들을 효과적으로 선발할 수 있습니다.

**사회자** : 이번에는 반대 측에서 반대 신문을 해 주십시오.

**반대 2** : 심층 면접 방식이 참가자의 개인적 재능이나 역량을 객관적으로 검증할 수 있다고 말씀하셨는데, 심층 면접 방식은 면접 과정에서 면접관이 직접 학생을 대면하기 때문에 면접관의 주관이 개입될 가능성이 있습니다. 그렇게 되면 평가의 신뢰성이 떨어져 학생들의 불만이 높아질 수도 있지 않을까요? [A]

**찬성 1** : 물론 면접 과정에서 면접관의 견해가 반영될 수 있습니다. 그런데 이는 기존의 서류 심사 방식도 마찬가지라고 생각합니다. 오히려 심층 면접 방식은 참가자의 재능을 면접 과정에서 직접 확인할 수 있고, 다른 학생과 비교할 수 있어서 더 우수한 재능을 지닌 학생을 선발할 수 있다는 장점이 있습니다.

**사회자** : 이번에는 반대 측에서 입론해 주십시오.

**반대 1** : 저는 심층 면접 방식으로 선발하는 것에 반대합니다. 심층 면접 방식은 심사를 맡은 면접관과 대면하여 질문에 대답하는 방식이므로 말을 잘하지 못하는 학생들은 불리할 수 있습니다. 특히 긴장을 하다 보면 실수할 수도 있고 말을 논리적으로 못할 수도 있습니다. 또 면접 경험이 부족한 저학년 학생들은 고학년 학생들보다 면접에 약하기 때문에 공정하지 못합니다. 하지만 서류 심사 방식은 담당 부서에서 마련한 타당한 평가 기준으로 학생을 선발하는 방식이기 때문에 공정하다고 생각합니다.

**사회자** : 이번에는 찬성 측에서 반대 신문을 해 주십시오.

**찬성 2** : 방금 서류 심사 방식의 평가 기준이 타당하다고 말씀하셨습니다. 그런데 얼마 전에 학생회에서 실시한 설문 조사 결과에 따르면, 평가 기준 중에 재능 기부 봉사활동 참가자를 선발하는 것과 관련 없는 내용이 있다고 응답한 학생들이 많았습니다. 이런 점에서 서류 심사의 평가 기준이 타당하다고 보기 어렵지 않나요? [B]

**반대 1** : 평가 기준의 일부에 문제가 있다면, 그것을 대체할 다른 기준을 마련함으로써 해결할 수 있다고 생각합니다.

**3.** 위 토론의 '입론'에 대한 이해로 적절한 것은?

① '찬성 1'은 새로운 방식의 긍정적 측면을 근거로 삼아 자신의 주장을 펼치고 있다.
② '찬성 1'은 논제와 관련되는 구체적인 사례를 제시하여 자신의 주장을 강화하고 있다.
③ '반대 1'은 논제와 관련된 전문가의 견해를 인용하여 자신의 주장을 정당화하고 있다.
④ '반대 1'은 기존 방식의 장점을 제시한 후 새로운 방식의 실효성에 의문을 제기하고 있다.
⑤ '반대 1'은 상대측의 견해를 일부 수용하며 새로운 방식을 도입했을 때의 문제점을 지적하고 있다.

**4.** [A]와 [B]에 대한 설명으로 적절한 것은?

① [A]는 상대측 발언의 일부를 언급하고, 새로운 방식의 신뢰성에 의문을 제기하고 있다.
② [A]는 상대측 발언 내용 중 모호한 표현을 지적하며, 정확하게 설명해 줄 것을 요구하고 있다.
③ [B]는 상대측 발언 내용을 구체적으로 언급하며, 자신이 이해한 내용이 맞는지 확인하고 있다.
④ [B]는 상대측 발언 내용에 문제가 있음을 지적하고, 설문 조사 결과를 근거로 새로운 방식의 장점을 강조하고 있다.
⑤ [A]와 [B] 모두 상대측 자료 내용의 정확성에 문제를 제기하며, 자료의 출처를 밝혀 달라고 요구하고 있다.

**5.** ㉠과 ㉡에 관한 토론의 내용을 분석한 것으로 적절하지 <u>않은</u> 것은? [3점]

① 찬성 측은 새로운 방식이 참가자의 재능을 직접 검증할 수 있다는 점에서 ㉡을 옹호하고 있다.
② 찬성 측은 기존 방식이 서류 내용의 사실 여부를 정확히 확인하기 어렵다는 점에서 ㉠을 반대하고 있다.
③ 반대 측은 기존 방식의 평가 기준이 타당함을 내세워서 ㉠이 적합한 선발 방식이라고 주장하고 있다.
④ 반대 측은 새로운 방식이 학년에 따라 유불리가 작용할 수 있다는 점을 들어 ㉡이 공정하지 않다고 주장하고 있다.
⑤ 반대 측은 기존 방식이 다양한 분야의 재능을 지닌 학생을 효과적으로 선발할 수 있다는 점을 들어 ㉠을 옹호하고 있다.

[6~8] 다음을 읽고 물음에 답하시오.

(가) 작문 상황

나는 얼마 전에 안도현 시인의 「스며드는 것」이라는 시를 감명 깊게 읽었는데, 평소 시를 멀리하는 친구들에게 이 시를 읽고 깨달은 바를 전하고자 글을 쓰기로 하였다.

(나)

꽃게가 간장 속에
반쯤 몸을 담그고 엎드려 있다
등판에 간장이 울컥울컥 쏟아질 때
꽃게는 뱃속의 알을 껴안으려고
꿈틀거리다가 더 낮게
더 바닥 쪽으로 웅크렸으리라
버둥거렸으리라 버둥거리다가
어찌할 수 없어서
살 속으로 스며드는 것을
한때의 어스름을
꽃게는 천천히 받아들였으리라
껍질이 먹먹해지기 전에
가만히 알들에게 말했으리라

저녁이야
불 끄고 잘 시간이야

– 안도현, 「스며드는 것」 –

(다) 초고

어머니께서는 간장게장을 무척 좋아하신다. 어머니의 식성을 닮아서 나 역시 간장게장이 식탁에 오르면 밥 한 그릇을 뚝딱 해치운다. 남들이 좋아하는 음식이 무엇이냐고 물으면, 주저 없이 간장게장이라고 대답할 정도이다. ㉠ 그리고 며칠 전 친구가 생일 선물로 준 안도현 시인의 시집에서 「스며드는 것」을 읽고 신선한 충격을 받았다. 왜냐하면 나는 간장게장을 단순히 먹을거리로만 ㉡ 생각되었지만 시인은 간장게장에서 어머니의 사랑을 발견하고 이를 시로 표현했기 때문이다.

나는 평소에 시를 공부할 때, 어떻게 감상해야 하는지 난감할 때가 많았다. 시인들은 고상한 단어로 내가 잘 모르는 어떤 진리를 탐구하는 사람들로만 생각했다. 그래선지 나는 시를 감상하는 것이 늘 ㉢ 막역하고 어려웠다. 그런데 이 시는 평범한 단어를 사용하여 어머니의 사랑이라는 익숙한 이야기를 하고 있음에도 불구하고 큰 감동을 ㉣ 주었다. 나는 '왜 이 시가 감동적일까?'라는 의문이 들었고, 몇 번 더 꼼꼼하게 시를 읽어 보면서 그 나름의 이유를 고민해 보았다. 그 결과 시인의 '관찰력'과 '발상의 전환'이 감동을 불러일으키는 주된 이유라는 생각이 들었다.

간장게장은 우리의 입맛을 사로잡는 먹을거리이지만, 음식을 만들지 않는 사람들은 그것이 어떻게 식탁에 오르는지에 큰 관심을 두지 않는다. 그런데 시인은 간장게장이 만들어지는 과정을 세심하게 관찰한 후에 새로운 의미를 부여하였다. 또한 간장게장이 만들어지는 과정을 사람이 아닌 '꽃게'의 입장에서 생각해 보는 발상의 전환을 통해 작품에 ㉤ 새로운 참신성을 더했다.

이 시를 통해, 나는 무심히 지나치던 일상을 관찰하고 이를 바탕으로 발상을 전환하여 새로운 의미를 담아내면 좋은 시가 될 수 있다는 생각이 들었다. 그러니까 시는 우리의 삶과 동떨어진 다른 세상의 이야기가 아닌 것이다. 결국 '시'란 ________ [A] ________

6. (가)와 (다)를 통해 알 수 있는 작문의 특성으로만 묶은 것은?

ㄱ. 예상 독자를 고려하여 표현하는 활동이다.
ㄴ. 일상의 경험과 관련지어 의미를 발견하는 활동이다.
ㄷ. 문제 상황에 따른 사회적 갈등을 해소하려는 활동이다.
ㄹ. 전달의 효과를 높이기 위해 다양한 매체를 사용하는 활동이다.

① ㄱ, ㄴ ② ㄱ, ㄷ ③ ㄴ, ㄷ
④ ㄴ, ㄹ ⑤ ㄷ, ㄹ

7. [A]에 들어갈 내용을 <조건>에 따라 쓴 것으로 가장 적절한 것은?

<조 건>

○ 글의 흐름을 고려하되, 설의적 표현으로 마무리할 것.
○ (나)의 시어나 시구를 활용할 것.

① 삶의 고통과 아픔을 천천히 받아들이는 과정에서 만들어지는 것이구나.
② 우리가 꿈틀대고 버둥거리며 살아가는 삶의 모습 속에 스며 있는 것이 아닐까.
③ 꽃게가 알을 껴안듯이 시인이 동경하는 미지의 세계를 내면화하는 것은 아닐까.
④ 일상어로 삶을 재현해 내는 과정을 통해 우리에게 삶의 진실을 보여주는 것이 아닐까.
⑤ 울컥울컥 쏟아지는 감정들을 담담히 추스르는 과정에서 인간의 참된 모습을 드러내는 것이구나.

8. (다)의 ㉠ ~ ㉤에 대한 점검 결과와 수정 방안으로 적절하지 않은 것은?

① ㉠: 문장의 연결이 어색하므로 '그런데'로 고친다.
② ㉡: 피동 표현으로 잘못 썼으므로 '생각했지만'으로 고친다.
③ ㉢: 문맥상 부적절한 단어이므로 '막연하고'로 고친다.
④ ㉣: 주술 호응이 적절하지 않으므로 '받았다'로 고친다.
⑤ ㉤: 의미가 중복되므로 '새로운'을 삭제한다.

19회

[9~10] 다음을 읽고 물음에 답하시오.

※ (가)는 '한낮의 소식통'을 소개하기 위해 학생 자치회에서 학교 홈페이지 게시판에 작성한 글이고, (나)는 (가)를 읽은 학생이 '한낮의 소식통'에 보내기 위해 쓴 글이다.

(가)

안녕하세요? ○○고등학교 학생 여러분. 오늘은 '한낮의 소식통'에 대해 소개하고자 글을 남깁니다. '한낮의 소식통'은 친구들과 함께 나누고 싶은 이야기를 적어 방송반 함에 넣어주면, 점심시간에 학교 방송을 통하여 그 이야기를 전해 주는 프로그램입니다. 마치 사연을 소개하는 라디오 프로그램처럼 우리들의 이야기가 방송반 아나운서의 목소리를 통해 전달되는 것이죠.

학교에 대한 건의 사항이나 친구와 나눈 우정 등 여러분이 하고 싶은 이야기는 무엇이든 보내 주세요. 그러면 학생 자치회와 방송반에서 선별하여 여러분의 점심시간을 알차게 채워 드리겠습니다. 그날 방송된 내용은 학교 홈페이지에 게시하고, 건의 사항은 그 결과도 공지하여 어떻게 해결되었는지 알려드리겠습니다.

우리 모두가 즐거운 학교생활을 하는 데 '한낮의 소식통'이 큰 힘이 될 것이라 생각합니다. 여러분의 많은 참여를 부탁드립니다. 감사합니다.

(나)

반갑습니다. 저는 2학년 1반 김□□입니다.

저는 학생 여러분께 건의할 내용이 있어서 글을 쓰게 되었습니다. 결론부터 말씀드리면, 우리 모두 환기를 자주 했으면 좋겠습니다. 여름이 되면 에어컨을 켠다고 문을 닫고, 겨울에는 춥다고 문을 닫고, 봄이면 황사 때문에 문을 닫고, 가을에는 일교차가 심하여 감기에 걸린다고 문을 닫습니다. 일 년 내내 문을 꽉꽉 닫고 교실에서 생활하기 때문에 실내 공기의 질이 안 좋아서 학생들의 호흡기 건강에 문제가 생깁니다. 오늘도 제 짝은 목이 따갑다며 온종일 따뜻한 물을 마셨습니다. 그런데 단순히 따뜻한 물을 마신다고 해결될 수 있는 문제는 아니라고 생각합니다.

얼마 전에 '왜 교실 환기를 하지 않는가?'와 관련한 ㉠ <u>설문 조사를 하였습니다.</u> 설문 조사에 참여한 ㉡ <u>대부분이</u> 환기를 하지 않는 이유로 '내가 하기는 귀찮아서'를 들었고, ㉢ <u>일부는</u> '교실 밖의 공기가 더 더러워서'라고 했습니다. '내가 하기는 귀찮아서'라고 답변한 학생 중의 90%는 ㉣ <u>환기의 필요성을 느끼지 못했습니다.</u> 귀찮다고 환기를 하지 않으면 건강이 나빠질 수 있습니다. 그리고 ㉤ <u>실외 공기가 더 더럽다는 생각은 잘못된 판단인 경우가 많습니다.</u> 따라서 실내 환기가 반드시 필요합니다. 이를 위해서는 ㉥ <u>구성원의 협의가 바탕이 된 규칙을 정할 필요가 있다고 생각합니다.</u> 예를 들어, 반마다 환기를 담당하는 학생을 정해서 조례 시간, 점심시간, 종례 시간처럼 일정한 시간에 환기를 하면 좋겠습니다. 그렇게 하면 얼마든지 쾌적한 환경에서 생활할 수 있습니다.

환기를 하면 당장은 잠깐 덥거나 추울 수는 있지만, 우리의 건강을 지킬 수 있습니다. 지금보다 쾌적하고 깨끗한 교실이 될 수 있도록 우리 모두 교실을 환기하는 데 관심을 가지고 적극 동참했으면 좋겠습니다.

9. 다음은 (가)를 쓰기 전에 학생이 떠올린 생각이다. (가)에 반영되지 <u>않은</u> 것은?

① '한낮의 소식통'이 방송되는 시간이 언제인지 알려야겠어.
② '한낮의 소식통'에 보낼 수 있는 내용들에 대해 언급해야겠어.
③ '한낮의 소식통'의 운영을 통해 얻을 수 있는 효과를 제시해야겠어.
④ '한낮의 소식통'을 통해 소개되는 이야기들을 선정하는 구체적 기준에 대해 말해줘야겠어.
⑤ '한낮의 소식통'에서 소개된 이야기들을 방송 후에 어디서 확인할 수 있는지 이야기해야겠어.

10. <보기>는 (나)를 작성할 때 활용한 자료이다. <보기>에 맞추어 (나)의 ㉠ ~ ㉥을 수정 · 보완하고자 할 때, 적절하지 <u>않은</u> 것은? [3점]

<보 기>

[자료1]

우리 학교 교지 편집부에서 100명의 학생을 대상으로 '왜 교실 환기를 하지 않는가?'를 주제로 설문 조사를 하였습니다. 그 결과 80%가 '내가 하기는 귀찮아서'라고 대답하였고, '교실 밖의 공기가 더 더러워서'라고 대답한 학생들도 15%가 있었습니다. 그런데 '내가 하기는 귀찮아서'라고 대답한 학생 중의 90%는 '환기를 해야 한다'고 생각하였습니다.

– 교지의 일부 –

[자료2]

흔히 실외 공기가 실내 공기보다 더럽다고 생각하는데, 실제로는 실외 공기보다 실내 공기의 오염 농도가 더 높은 경우가 대부분입니다. 따라서 건강한 생활을 위해 주기적인 실내 환기가 꼭 필요합니다.

– ◇◇대 환경공학과 김△△ 교수 인터뷰 –

① ㉠은 설문 조사의 주체를 '나'라고 오해할 수 있으므로, [자료1]을 활용하여 '교지 편집부의 설문 조사 결과를 보았습니다.'로 수정한다.
② ㉡과 ㉢은 정보의 정확성이 떨어지므로, [자료1]을 활용하여 ㉡은 '학생들 중 80%가'로, ㉢은 '15%의 학생들은'으로 수정한다.
③ ㉣은 [자료1]의 내용과 일치하지 않으므로, '환기의 필요성을 느끼고 있었습니다.'로 수정한다.
④ ㉤에 내용의 신뢰성을 높이기 위해, [자료2]를 활용하여 '◇◇대 환경공학과 김△△ 교수의 견해에 따르면'이라는 말을 추가한다.
⑤ ㉥은 문맥을 고려할 때, [자료2]의 내용과 결부하여 '자신의 건강을 지키기 위해 개인의 자발적이고 주기적인 실내 환기가 필요합니다.'로 수정한다.

[11~12] 다음 글을 읽고 물음에 답하시오.

'형태소'는 단어를 분석한 단위이며 뜻을 가진 가장 작은 말의 단위이다. 형태소는 뜻의 성격에 따라 실질 형태소와 형식 형태소로 나눌 수 있고, 자립성의 여부에 따라서 자립 형태소와 의존 형태소로 나눌 수 있다.

(1) 사과를 먹었다.

(1)은 '사과, 를, 먹었다'의 세 단어로 이루어져 있다. 이 중 '사과'의 경우, 단어를 나누면 '사'와 '과'로 쪼개어지는데 각각은 뜻이 없다. 따라서 '사과'는 뜻을 가진 단위 중 가장 작은 단위이므로 하나의 형태소가 된다.

'먹었다'의 경우, '먹-'의 자리에 '꺾-'을 넣는다면 단어의 뜻이 달라진다. 그러므로 '먹었다'라는 단어가 '음식 등을 입을 거쳐 배 속으로 들여보내다.'라는 뜻을 나타낼 수 있는 것은 '먹-' 때문임을 알 수 있다. 다음으로, '-었-' 자리에 '-는-'을 넣으면 먹는 행위가 이루어진 때가 '현재'로 달라지므로 '-었-'이 '과거'를 나타내고 있음을 알 수 있다. 같은 방법으로 '-다' 자리에 '-고'를 넣으면 '먹었고'가 되어서 그 뒤에 문장이 이어짐을 나타내므로 '-다'가 '문장 종결'의 뜻을 나타내고 있음을 알 수 있다. 이러한 원리에 의해 단어 '먹었다'는 '먹-', '-었-', '-다'라는 세 개의 형태소로 분석할 수 있다.

이 때 '-었-'이나 '-다'는 '먹-'과 달리 문법적인 기능을 수행하는데, 이러한 문법적인 기능을 하는 형태소를 형식 형태소라고 한다. 형식 형태소에는 '-었-', '-다'와 같은 어미뿐만 아니라 '를'과 같은 조사, 어근의 앞뒤에 붙어 뜻을 더하거나 단어의 성질을 바꾸는 접사가 있다. 반면에 '사과', '먹-'처럼 구체적인 대상이나 상태를 나타내는 실질적인 뜻을 지닌 형태소를 실질 형태소라고 한다.

(1)의 형태소 중 '사과'는 다른 말에 기대지 않고 자립해서 쓰일 수 있지만, '를'은 '사과'에 붙어야 쓰일 수 있고, '먹-', '-었-', '-다'는 서로 기대어야 문장에서 쓰일 수 있다. '사과'처럼 자립하여 쓸 수 있는 형태소를 자립 형태소라고 하고, '를', '먹-', '-었-', '-다'처럼 다른 말에 기대어 사용되는 형태소를 의존 형태소라고 한다.

이상의 설명을 바탕으로 (1)의 형태소를 분석하면 (2)와 같이 나타낼 수 있다.

| (2) | 사과 | / | 를 | / | 먹 | / | 었 | / | 다 |
|---|---|---|---|---|---|---|---|---|---|
| | 실질 | | 형식 | | 실질 | | 형식 | | 형식 |
| | 자립 | | 의존 | | 의존 | | 의존 | | 의존 |

11. 윗글을 통해 알 수 있는 내용으로 적절하지 <u>않은</u> 것은?

① 형태소를 더 작게 쪼개면 뜻이 사라진다.
② 의존 형태소만으로도 단어를 형성할 수 있다.
③ 형태소 하나가 단어 하나를 형성하는 경우도 있다.
④ 형태소 중에는 문법적인 기능만 수행하는 것도 있다.
⑤ 실질적인 뜻을 지닌 형태소는 모두 자립적인 성격을 지닌다.

12. 윗글을 참고하여 <보기>를 분석한 내용으로 적절하지 <u>않은</u> 것은? [3점]

<보 기>

그가 풀밭을 맨발로 뛴다.

① '풀밭'은 '풀' 대신 '꽃'을 넣거나 '밭' 대신 '빛'을 넣으면 단어의 뜻이 달라지므로 '풀'과 '밭'으로 나눌 수 있다.
② '맨발'의 '맨-'은 '발'과 결합하여 뜻을 더하는 기능을 하므로 하나의 형태소로 볼 수 있다.
③ '뛴다'의 '-ㄴ-' 대신에 '-었-'을 넣으면 동작 시간이 현재에서 과거로 바뀌므로 '-ㄴ-'을 하나의 형태소로 보아야 한다.
④ 다른 말에 기대지 않고 홀로 쓰일 수 있는 형태소의 개수는 모두 4개이다.
⑤ 실질적인 뜻은 없고 문법적인 기능을 하는 형태소의 개수는 모두 5개이다.

13. <보기 1>을 활용하여 <보기 2>의 음운 변동을 설명한 내용으로 적절한 것은?

<보기 1>

| 조음 방법＼조음 위치 | 입술소리 | 잇몸소리 | 센입천장소리 | 여린입천장소리 |
|---|---|---|---|---|
| 파열음 | ㅂ, ㅍ | ㄷ, ㅌ | | ㄱ, ㅋ |
| 파찰음 | | | ㅈ, ㅊ | |
| 비음 | ㅁ | ㄴ | | ㅇ |
| 유음 | | ㄹ | | |

<보기 2>

㉠ 국민→[궁민]　㉡ 물난리→[물랄리]　㉢ 굳이→[구지]

① ㉠은 첫음절 끝의 파열음이 뒤의 자음과 결합하여 유음으로 바뀌었다.
② ㉡은 유음이 앞뒤 비음의 영향을 받아 비음으로 바뀌었다.
③ ㉢은 여린입천장소리가 뒤의 자음을 닮아 센입천장소리로 바뀌었다.
④ ㉠과 ㉡에서 변동된 음운은 조음 방법이 변하였다.
⑤ ㉡과 ㉢에서 변동된 음운은 조음 위치가 변하였다.

19회

14. <보기>의 수업 상황에서, 밑줄 친 물음에 대한 학생의 대답으로 적절하지 않은 것은?

<보 기>

이번 시간에는 문장을 구성할 때 반드시 있어야 하는 성분인 주성분에 대해 살펴보겠습니다. 주성분에는 주어, 서술어, 목적어, 보어가 있습니다. 주어는 문장에서 동작 또는 상태나 성질의 주체를 나타내는 것입니다. 서술어는 주어의 동작, 상태, 성질 따위를 풀이하는 기능을 하는 성분입니다. 서술어의 동작 대상이 되는 문장 성분을 목적어라고 하고, 서술어 '되다, 아니다'가 필요로 하는 문장 성분 중에서 주어를 제외하고 조사 '이/가'가 붙은 것을 보어라고 합니다.
자, 그럼 다음 문장의 주성분에 대해 알아볼까요?

ㄱ. 철수의 동생이 사진을 찍었다.
ㄴ. 언니는 올해 대학생이 되었다.

① ㄱ의 '찍었다'는 '동생'의 동작을 풀이하는 서술어입니다.
② ㄴ의 '올해'는 '되었다'가 꼭 필요로 하므로 주성분입니다.
③ ㄱ에는 목적어가 있지만, ㄴ에는 목적어가 없습니다.
④ ㄱ과 ㄴ에는 주어가 하나씩 있습니다.
⑤ ㄱ과 ㄴ에는 주성분의 종류가 세 가지씩 있습니다.

15. <보기>의 설명을 참고할 때, ㉠과 ㉡에 들어갈 단어로 적절한 것은?

<보 기>

중세 국어 의문문의 종결어미는 인칭의 종류와 물음말의 유무에 따라 달라진다. 주어가 1, 3인칭일 경우, 물음말이 있는 의문문에는 '-ㄴ고', '-ㄹ고'와 같은 '오'형 어미가 사용되었고, 물음말이 없는 의문문에는 '-ㄴ가', '-ㄹ가'와 같은 '아'형 어미가 사용되었다. 그리고 주어가 2인칭일 경우, 물음말의 유무와 상관없이 '-ㄴ다'가 사용되었다.

• 부톄 世間에 ___㉠___
(부처가 세간에 나신 것인가?)

• 네 뉘손ᄃᆡ 글 ___㉡___
(너는 누구에게서 글을 배웠는가?)

• 어느 사ᄅᆞ미 少微星이 잇다 니ᄅᆞ던고
(어떤 사람이 소미성이 있다고 말하던가?)

| | ㉠ | ㉡ |
|---|---|---|
| ① | 나샤미신가 | ᄇᆡ혼다 |
| ② | 나샤미신가 | ᄇᆡ호ᄂᆞ고 |
| ③ | 나샤미신고 | ᄇᆡ혼다 |
| ④ | 나샤미신다 | ᄇᆡ호ᄂᆞ고 |
| ⑤ | 나샤미신다 | ᄇᆡ호ᄂᆞ가 |

[16~21] 다음 글을 읽고 물음에 답하시오.

'지방'은 몸을 구성하는 주요 성분이다. 또한 지방은 우리 몸의 에너지원이 되기도 하는데, 탄수화물과 단백질은 1g당 4㎉의 열량을 내는 데 비해 지방은 9㎉의 열량을 낸다. '체지방'은 섭취한 영양분 중 쓰고 남은 영양분을 지방의 형태로 몸 안에 축적해 놓은 것을 지칭하는 용어이다. 체지방은 지방 조직을 ㉠이루는 지방세포에 축적되며, 피부 밑에 위치하는 피하지방과 내장 기관 주위에 위치하는 내장지방으로 나뉜다. 이 체지방은 내장 보호와 체온 조절 기능을 할 뿐 아니라 필요시 분해되어 에너지를 만들기도 한다.

체지방이 과잉 축적된 상태인 비만은 여러 가지 질병을 유발할 수 있으므로 건강을 유지하기 위해서는 체지방을 조절해야 한다. 이때 활용할 수 있는 지수가 체중에서 체지방이 차지하는 비율인 '체지방률'이다. 체지방률은 남성의 경우 15~20%, 여성의 경우 20~25%를 표준으로 삼고, 남성은 25% 이상, 여성은 30% 이상을 비만으로 판정한다.

비만의 판정과 관련하여 흔히 쓰이는 '체질량지수(BMI)'는 신장과 체중을 이용한 여러 체격지수 중에서 체지방과 가장 상관성이 높은 것으로 알려져 있다. BMI는 체중(kg)을 신장의 제곱(㎡)으로 나누어 구하는데, 18.5~22.9이면 정상 체중, 23 이상이면 과체중, 25이상이면 경도 비만, 30이상이면 고도 비만으로 판정한다. 그러나 운동선수처럼 근육량이 많은 사람은 체지방량이 적어도 상대적으로 BMI가 높을 수 있다. 이처럼 BMI는 체지방량에 대한 추정만 가능할 뿐 체지방량을 정확하게 알려줄 수 없다는 단점이 있다. 그렇다면 BMI의 단점을 보완할 수 있는 체지방 측정 방법에는 어떤 것이 있을까?

체지방을 측정하는 방법 중 가장 간단한 방법으로 ㉮'피부두겹법'이 있다. 이 방법은 살을 캘리퍼스*로 집어서 피하지방의 두께를 잰 후 통계 공식에 넣어 체지방을 산출한다. 하지만 이 방법은 측정 부위나 측정자의 숙련도에 따라 측정 오차가 발생할 수 있고, 내장지방을 측정할 수 없다는 한계가 있다.

㉯'수중체중법'은 신체를 물에 완전히 잠근 후 수중 체중을 측정하고 물 밖 체중과 비교하여 체지방량을 계산하는 방법이다. 체중은 체지방과 제지방*의 합이다. 체지방은 밀도가 0.9g/㎤로 물에 뜨고, 제지방은 밀도가 1.1g/㎤로 물보다 높아 가라앉는다. 그러므로 체지방량이 많을수록 수중 체중이 줄어들어 물 밖 체중과의 차이가 커진다. 이 차이를 이용하여 체지방량을 얻어낼 수 있다. 이 방법은 체지방량을 구하는 표준 방법으로 쓰일 정도로 이론적으로는 정확성이 높다. 하지만 신체 부위별 체지방의 구성이나 비율은 정확하게 측정할 수 없다. 그리고 체내 공기량에 따라 측정치가 달라질 수 있으므로 이에 대한 보정이 필요하며, 고가의 장비가 필요한 점 등으로 인해 연구 목적 외에는 잘 사용되지 않는다.

체지방 측정기를 이용하여 체지방을 측정할 수도 있는데, 이때 '생체 전기저항 분석법(BIA)'이 활용된다. 이 방법은 일정한 신체 부위에 접촉된 전극을 통해 체내에 미약한 전류를 흘려보내 전기저항을 알아봄으로써 체지방량을 산출하는 방법이다. 전류가 흘러갈 때 이를 방해하는 힘을 저항 또는 전기저항이라고 하는데, 인체 내의 수분은 전기가 잘 통하므로 전기저항이 매우 작다. 근육세포는 많은 수분을 함유하고 있어 근육이 많은 곳에서는 전기저항이 비교적 작게 나타난다. 반면 지방세포는 수분을 거의 함유하지 않아 지방이 많은 곳에서는 전기저항이 크게 나타난다. 전류가 신체를 통과해서 나온 값이 처음 흘려보낸 값에서 얼마나 손실되었는지 확인하면 신체의 전기저항을 구할 수 있다. 이런 성질을 이용하면 체지방량을 산출할 수 있게 된다.

그런데 단일 주파수의 전류로는 세포와 관련된 정보를 정확히 확인할 수 없어서 다주파수 측정 방식을 사용한다. 10㎑ 이하의 저주파 전류는 세포막을 넘어서는 데 어려움이 있어서 세포 외 공간에서만 흐를 수 있다. 세포 외 공간은 수분이 대부분이어서 전기저항이 매우 작다. 하지만 50㎑ 이상의 고주파 전류는 세포 외 공간과 세포 내 공간을 구별하지 않고 흐른다. 다양한 주파수의 전류를 보내면 세포의 수나 세포 내외 수분의 양을 정확히 측정할 수 있게 되고, 이를 바탕으로 신체의 구성 성분 비율까지 얻을 수 있게 된다. 한편, 전기저항 수치는 체내 수분의 양에 절대적 영향을 받는다. 따라서 음료 섭취나 운동 등으로 체내 수분의 양에 변화가 생기면 전기저항 수치가 변하여 체지방량을 정확하게 측정할 수 없다. 그러므로 체지방 측정기를 사용할 때에는 매일 정해진 시간에 일정한 조건에서 측정해야 한다.

* 캘리퍼스 : 자로 재기 힘든 물체의 두께, 지름 따위를 재는 기구.
* 제지방 : 근육과 뼈, 수분 등 지방 이외의 신체 구성성분.

16. 윗글에 대한 설명으로 가장 적절한 것은?

① 체지방을 정의하는 상반된 관점을 대비하고 있다.
② 체지방이 수행하는 역할을 단계별로 설명하고 있다.
③ 체지방을 조절하는 방법들의 장단점을 소개하고 있다.
④ 체지방을 측정하는 다양한 방법과 그 특성을 밝히고 있다.
⑤ 체지방에 대한 잘못된 통념을 다양한 근거로 비판하고 있다.

17. 윗글을 이해한 내용으로 적절하지 않은 것은?

① 지방은 탄수화물과 단백질에 비해 열량이 높다.
② 체지방률은 판정 기준치가 성별에 따라 다르다.
③ 체지방은 피하지방과 내장지방으로 나눌 수 있다.
④ 비만은 인체에 체지방이 과잉 축적된 상태를 말한다.
⑤ 체중은 체지방과 제지방의 전기저항 차이를 통해 산출한다.

18. ㉮와 ㉯의 공통점으로 적절한 것은?

① 일정한 시간에 일정한 조건에서 측정해야 한다.
② 내장지방을 별도로 측정할 수 없다는 한계가 있나.
③ 측정의 정확성이 높아 표준 측정 방법이 될 수 있다.
④ 연구 목적 외에도 실제 측정 방법으로 널리 활용된다.
⑤ 측정자의 숙련도와 상관없이 정확하게 측정할 수 있다.

19. 윗글을 읽고 <보기>에 대해 반응한 내용으로 적절하지 않은 것은?

<보 기>

아래의 측정값은 체중이 60kg인 A, B 두 남성에게서 얻은 것이다.

| 측정 대상 | BMI | 체지방량(kg) |
|---|---|---|
| A | 24.2 | 16.2 |
| B | 20.4 | 13.2 |

① 신장이 더 작은 사람은 A이다.
② 제지방량이 더 많은 사람은 B이다.
③ 수중 체중이 더 나가는 사람은 A이다.
④ BMI만 볼 때 정상 체중인 사람은 B이다.
⑤ 체지방률로만 볼 때 비만인 사람은 A이다.

20. 윗글을 바탕으로 <보기>를 이해한 내용으로 적절하지 않은 것은? [3점]

<보 기>

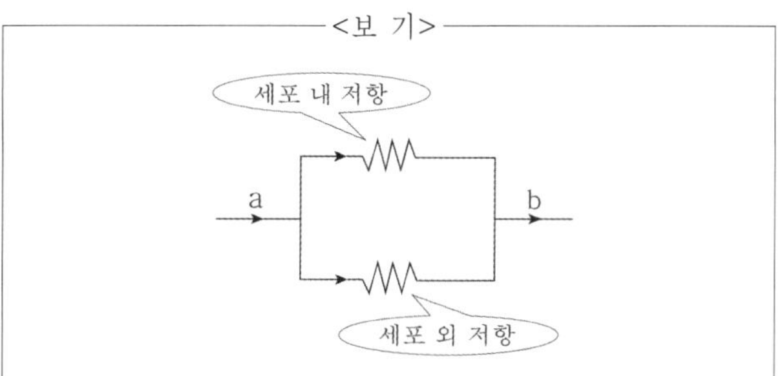


※ 체지방 측정기에서 인체 내 전류의 흐름을 가상한 그림이다. a는 인체에 투입되는 특정 주파수의 전류를, b는 a가 지방과 근육세포 내외를 모두 통과한 후의 전류를 나타낸다. 그 외 다른 조건은 고려하지 않는다고 가정한다.

① a는 50㎑ 이상의 주파수를 가질 것이다.
② 지방보다 근육에서 '세포 내 저항'이 작게 나타날 것이다.
③ a만으로는 세포 내외의 수분을 정확히 측정할 수 없을 것이다.
④ a가 흐를 때 '세포 내 저항'이 '세포 외 저항'보다 작게 나타날 것이다.
⑤ 땀을 많이 흘린 후 다시 측정하면 그 전보다 b의 값이 감소할 것이다.

21. ㉠과 바꾸어 쓸 수 있는 말로 가장 적절한 것은?

① 구성(構成)하는　② 달성(達成)하는
③ 양성(養成)하는　④ 완성(完成)하는
⑤ 합성(合成)하는

[22~25] 다음 글을 읽고 물음에 답하시오.

**[앞부분의 줄거리]** 음성 나환자 수용소 '자유원'의 원생들은 원장 박성일의 비리를 폭로하고 처벌을 호소하지만, 오히려 박 원장은 자신이 운영하는 '희망원'의 부랑아들을 동원해 집단 폭행을 하는 등 앙갚음한다. 이후 우중신 노인은 뜻을 같이하는 자유원 사람들과 함께 산속으로 들어가 '인간단지'라는 자신들만의 삶의 터전을 만들고자 한다.

그날도 자유원에서 몇 사람이 더 와 있었다. 그들의 말에 의하면 박성일 원장이 아주 노발대발하고 있다는 것이었다. 심지어 배은망덕한 놈들이라면서

"제 놈들이 이곳을 빠져나간다고 해서 어디 가 발을 붙일 수 있나 보자. 미구에 오도 가도 못하고 거리에서 굶어죽을 것이 뻔한데……."

이것은 떠난 사람들에 대한 악담인 동시에, 한편 남아 있는 사람들에 대한 위협이기도 했다.

결국 — 바로 그 이튿날 아침나절이었다. 면사무소 직원 두 사람과 파출소 순경 한 사람이 함께 그 괴상한 간판 — '인간단지'를 찾아왔다.

"이곳 반장이 누구요?"

제일 나이 들어 보이는 한 친구가, 자기들의 신분을 밝히면서, 막사의 흙담을 쌓고 있는 한 패를 보고 물었다. 아무 데라도 애국반이라는 게 있는 듯이 말하는 걸 보아서 역시 면직원에 틀림없었다.

"반장은 없소만 저 언덕 우로 가 보시오."

일행은 두말 않고 그들이 가리키는 언덕 위-버덩 쪽으로 갔다. ㉠ 거기서는 수십 명의 음성 나환자들이 패를 나누어 밭을 일구고 있었다. 역시 같은 사람이 같은 소리를 했다.

"반장이란 건 없소만 무슨 일로 왔소?"

우중신 노인이 일동을 대표하듯 말했다.

찾아온 이유는 간단했다. ㉡ 빤한 것이었다. — 왜 허가도 맡지 않고 함부로 여기 들어왔느냐, 그것도 그렇거니와 이 아래 부락들이 발칵 뒤집혀져서 면이랑 파출소로 몰려와 그냥 두지 않겠다고 야단들이니, 빨리 본래 있던 자유원으로 되돌아가도록 하라는 것이었다.

우중신 노인은 잠깐 생각했다. 할 말이 없어서가 아니라, 가장 효과 있는 대답을 가려내기 위해서였다. 게다가, 암만해도 박성일 원장의 부추김을 받은 것 같은 — 말하자면 박 원장과 꼭 같은 부류의 사람들이란 생각이 들어서 노여움이 한결 더 했던 것이다.

"허가라니 누구의 허가를 받아야 합니까?"

우중신 노인은 결국 이렇게 되물었다.

"그야 관청의 허가지요."

면서기의 대답도 퉁명스러워졌다.

"글쎄요. 관청이지만 관청도 하도 많으니 어느 관청인지? 면입니까, 파출솝니까, 아니면 군청? 도청? 어느 쪽입니까?"

"이 영감이 누굴 보고 따지는 거요?"

면서기는 결국 화를 버럭 냈다.

"따지는 기 아니라, 몰라서 묻는 거 아니오."

"좋게 타이를 때 알아서 하시오. 괜히……."

파출소가 한 마디 거든다.

"글쎄요. 누가 덮어놓고 반대를 합니까. 순서를 아리키 달라는 거 아입니꺼. 면이면 면이다, 군이면 군이라고."

㉢ 어쩌자는 건지 세 사람의 방문객은 서로 얼굴만 잠깐 쳐다보았다.

[A] "이 늙은 것도 법률을 전연 모르는 건 아니오만, 소위 헌법에 규정댄 '거주의 자유'란 거 말입더. 집 없는 국민이 건축허가가 필요치 않은 깊은 산중에 있는, 노는 나라 땅에 움집을 짓거나 거기서 살 때도 허가를 꼭 맡아야만 대는 건지 어떤지? 내 생각 같애서는 애기의 경우처럼 출생에는 허가가 필요치 않고, 낳은 후 신고만 하면 대듯이, 거주의 경우도 필요하다면 신고만 하면 대지 않을까 싶은데……?"

"그렇지만 당신네들의 경우는 다르지 않소?"

역시 나이 든 면직원의 말이다.

"문딩이니까? 그러나 여기 온 사람들은 모두 음성입니다. 나라에서 성한 사람과 아무 차별 대우도 하지 않는 그런 국민입니다."

우중신 노인은 시종 침착한 태도를 보였다.

"아무튼 우리는 여러분들을 위해서 그러는 겁니다. 상부의 명령도 그렇고, 또 부근 주민들이 어떤 짓을 할는지도 모르니까요……."

경찰은 경찰다운 소리를 했다. 면서기들보다 솔직한 데가 있었다.

이렇게 해서 그 날은, 결국 서로 어떻게 하겠다는 약속도 타협도 없이 헤어졌다.

(중략)

2백여 명의 장정들이 백주에 괭이며 삽, 몽둥이들을 들고 몰이꾼처럼 몰려왔다. ㉣ 어느 얼굴을 보나 인간 백정이다!

5십 명 남짓한 음성 나환자들은 우선 손에 쥔 것 없이 그들의 천막 앞에 앉아 있었다.

부락민들은 천막을 죽 에워쌌다.

구장인지 뭔지 얼굴이 넓적하고 입이 메기처럼 커다란 사람이 겁에 질려 있는 듯한 음성 환자들을 보고 명령을 하듯 했다.

"여러 말 할 것도 들을 것도 없으니 곧 이곳을 떠나시오!"

목소리도 입따라 우렁찼다.

경기까투리가 일동을 대표해서 따지려 들었다. 그러나 그는 두 마디도 못하고 구장인 듯한 사내의 발길에 채어 넘어졌다.

환자들은 우꾼하려다 말고 천막 안을 돌아보았다.

흰 수염을 덜덜 떨며 우중신 노인이 예의 긴 지팡이를 짚고 경기까투리가 섰던 자리에 나타났다.

"자네 말마따나 여러 말 할 것 없네. 우릴 죽이라. 우선 나부터!"

우중신 노인은 누더기 같은 옷을 확 찢으며 뼈만 남은 가슴을 쑥 내밀었다.

㉤ 그러나 구장깨나 해먹을 만한 사람 같이 보이는 메기아가리에겐 그까짓 거러지들의 불평이나 위협 따위에 윈눈도 깜짝할 필요가 없다.

"자네-? 이 자식이 머 이런 기 있노!"

메기아가리의 넓적한 손바닥이 우 노인의 얼굴을 몰강스럽게 냅다 갈겼다.

쓰러질 듯하다가 일어나는 우 노인의 수염에 피가 벌겋게 흘러내렸다. 우 노인의 지팡이가 상대방의 아랫배 짬을 지르자, 미처 닿기도 전에 또 한 부락민의 괭이가 느닷없이 우 노인의 정수리를 내리쳤다. 퍽… 하는 둔탁한 음향과 함께 쓰러진 우 노인의 눈은 금방 하얗게 뒤집혀졌다. 거의 순간적인 일이었다.

– 김정한, 「인간단지」 –

22. 윗글에 대한 설명으로 가장 적절한 것은?

① 공간적 배경을 묘사하여 시대적 분위기를 드러내고 있다.
② 작품 속 인물이 자신의 체험을 서술하여 공감을 유도하고 있다.
③ 과거와 현재를 교차하여 사건 전개에 인과성을 강화하고 있다.
④ 장면을 빈번하게 전환하여 사건 전개에 입체감을 부여하고 있다.
⑤ 인물 간의 대화와 행동을 제시하여 문제 상황을 실감나게 보여주고 있다.

23. ㉠~㉤에 대한 설명으로 적절하지 않은 것은?

① ㉠: 새로 정착한 삶의 터전을 일구려고 애쓰는 모습을 보여주고 있다.
② ㉡: 방문객들의 방문 목적이 충분히 짐작 가능한 것임을 드러내고 있다.
③ ㉢: 우 노인의 말에 대응하지 못하고 머뭇거리는 모습을 보여주고 있다.
④ ㉣: 음성 나환자들을 쫓아내려는 부락민들의 인상을 부정적으로 평가하고 있다.
⑤ ㉤: 예상치 못한 우 노인의 위협에 놀라서 당황하는 모습을 나타내고 있다.

24. [A]의 발화 의도로 가장 적절한 것은?

① 방문객들과의 우호적인 관계를 유지하려는 것이다.
② 방문객들이 궁금해 하는 절차를 알려 주려는 것이다.
③ 방문객들의 요구가 타당하지 않음을 환기하려는 것이다.
④ 방문객들과 맞서서 싸울 의향이 없음을 전하려는 것이다.
⑤ 방문객들이 자신들에게 적극 동조하도록 유도하려는 것이다.

25. <보기>를 참고하여 윗글을 감상할 때, 적절하지 않은 것은? [3점]

<보 기>

김정한 소설은 부조리한 현실의 폭력성을 주로 다루고 있다. 「인간단지」에 드러나는 현실의 폭력성은 부당한 권력과 사회적 편견에 바탕을 둔다. 이러한 폭력성 때문에 사회적 약자들은 기본적인 생활권과 삶의 의지를 짓밟히게 되고, 그 결과 사회적 약자들은 삶의 터전마저 잃게 된다. 이처럼 「인간단지」는 부당한 권력과 사회적 편견에 희생되는 사회적 약자들의 고통을 보여준다.

① 박 원장이 부당한 권력을 행사하는 모습은 부조리한 현실의 폭력성을 드러내는 것으로 볼 수 있군.
② 우 노인 일행은 기본적인 생활권을 위해 저항하지만 삶의 터전을 보장받지 못한다고 볼 수 있군.
③ 우 노인이 산속에 '인간단지'를 건설한 것은 부당한 권력의 행태를 세상에 알리려는 의도로 볼 수 있군.
④ 부락민들 때문에 생존의 위협을 느끼며 살아야 하는 나환자들의 고통은 사회적 편견에서 비롯된 것으로 볼 수 있군.
⑤ 면사무소 직원이 '인간단지' 사람들을 자유원으로 되돌려 보내려는 것은 사회적 약자의 삶의 의지를 꺾으려는 것으로 볼 수 있군.

[26~29] 다음 글을 읽고 물음에 답하시오.

(가)

조선시대 시조 문학의 주된 향유 계층은 사대부들이었다. 그들은 '사(士)'로서 심성을 수양하고 '대부(大夫)'로서 관직에 나아가 정치 현실에 참여하는 것을 이상으로 여겼다. 세속적 현실 속에서 나라와 백성을 위한 이념을 추구하면서 동시에 심성을 닦을 수 있는 자연을 동경했던 것이다. 이러한 의식의 양면성에 기반을 두고 시조 문학은 크게 강호가류(江湖歌類)와 오륜가류(五倫歌類)의 두 가지 경향으로 발전하게 되었다.

[A] 강호가류는 자연 속에서 한가롭게 지내는 삶을 노래한 것으로, 시조 가운데 작품 수가 가장 많다. 강호가류가 크게 성행한 시기는 사화와 당쟁이 끊이질 않았던 16~17세기였다. 세상이 어지러워지자 정치적 이상을 실천하기 어려웠던 사대부들은 정치 현실을 떠나 자연으로 회귀하였다. 이때 사대부들이 지향했던 자연은 세속적 이익과 동떨어진 검소하고 청빈한 삶의 공간이자 안빈낙도(安貧樂道)의 공간이었다. 그 속에서 사대부들은 강호가류를 통해 자연과 인간의 이상적 조화를 추구하며 자신의 심성을 닦는 수기(修己)에 힘썼다.

[B] 한편, 오륜가류는 백성들에게 유교적 덕목인 오륜을 실생활 속에서 실천할 것을 권장하려는 목적으로 창작한 시조이다. 사대부들이 관직에 나아가면 남을 다스리는 치인(治人)을 위해 최선을 다했고, 그 방편으로 오륜가류를 즐겨 지었던 것이다. 오륜가류는 쉬운 일상어를 활용하여 백성들이 일상생활에서 마땅히 행하거나 행하지 말아야 할 것들을 명령이나 청유 등의 어조로 노래하였다. 이처럼 오륜가류는 유교적 덕목인 인륜을 실천함으로써 인간과 인간이 이상적 조화를 이루고, 이를 통해 천하가 평화로운 상태까지 나아가는 것을 주요 내용으로 하였다.

이처럼 사대부들의 시조는 심성 수양과 백성의 교화라는 두 가지 주제로 나타난다. 이는 사대부들이 재도지기(載道之器), 즉 문학을 도(道)를 싣는 수단으로 보는 효용론적 문학관에 바탕을 두었기 때문이다. 이때 도(道)란 수기의 도와 치인의 도라는 두 가지 의미를 지니는데, 강호가류의 시조는 수기의 도를, 오륜가류의 시조는 치인의 도를 표현한 것이라 할 수 있다.

(나)

산수간(山水間) 바위 아래 띠집을 짓노라 하니
그 모른 남들은 웃는다 한다마는
어리고 햐암*의 뜻에는 내 분(分)인가 하노라

<제1수>

보리밥 풋나물을 알맞게 먹은 후에
바위 끝 물가에 슬카지 노니노라
그 남은 여남은 일이야 부럴* 줄이 있으랴

<제2수>

누고셔 삼공(三公)*도곤 낫다 하더니 만승(萬乘)*이 이만하랴
이제로 헤어든 소부 허유(巢父許由)*가 약돗더라*
아마도 임천한흥(林泉閑興)을 비길 곳이 없어라

<제4수>

강산이 좋다 한들 내 분(分)으로 누었느냐
임금 은혜를 이제 더욱 아노이다
아무리 갚고자 하여도 하올 일이 없어라

<제6수>

– 윤선도, 「만흥(漫興)」 –

* 햐암 : 시골에 사는 견문이 좁고 어리석은 사람.
* 부럴 : 부러워할.
* 삼공 : 삼정승.
* 만승 : 천자(天子).
* 소부, 허유 : 요임금 때 세상을 등지고 살던 인물들.
* 약돗더라 : 약았더라.

(다)

㉠ 님금과 백성 사이 하늘과 땅이로되
나의 셜온 일을 다 알려고 하시거든
우린들 살진 미나리를 혼자 엇디 머그리

<제2수>

어버이 사라신 제 셤길 일란 다하여라
디나간 후(後)면 애닯다 엇디하리
㉡ 평생(平生)애 고텨 못할 일이 이뿐인가 하노라

<제4수>

남으로 삼긴 중의 벗같이 유신(有信)하랴
㉢ 나의 왼* 일을 다 닐오려 하노매라
이 몸이 벗님이 아니면 사람 되미 쉬울가

<제10수>

㉣ 비록 못 니버도 남의 옷을 앗디 마라
비록 못 먹어도 남의 밥을 비디 마라
㉤ 한적곳* 때 시른* 후면 고텨 씻기 어려우리

<제14수>

– 정철, 「훈민가(訓民歌)」 –

* 왼 : 그른. 잘못된.
* 한적곳 : 한 번이라도.
* 때 시른 : 때가 묻은.

26. (가)를 이해한 내용으로 가장 적절한 것은?

① 사대부들은 강호가류를 통해 인간과 자연의 이상적 조화를 지향했다.
② 사대부들은 강호가류보다 오륜가류의 창작에 더욱 힘쓰는 모습을 보였다.
③ 사대부들은 치인보다 수기를 더 중요한 덕목으로 여기며 시조를 창작했다.
④ 사대부들은 오륜가류와 달리 효용론적 문학관에 바탕을 두고 강호가류를 창작했다.
⑤ 사대부들은 사화와 당쟁으로 어지러운 정치 현실을 벗어나기 위해 오륜가류를 창작했다.

27. [A]와 <보기>를 참고하여 (나)를 이해한 내용으로 적절하지 않은 것은? [3점]

<보 기>

전남 해남에는 고산 윤선도의 흔적들이 곳곳에 남아 있다. 그중에서도 금쇄동은 윤선도가 오랜 유배 생활을 끝내고 돌아와 은거했던 공간이다. 그는 혼탁한 정치 현실을 떠나 그곳에서 십여 년간 자연을 즐기며 생활하였다. 하지만 그 가운데서도 군신의 도리를 잊지 않았다. 「만흥(漫興)」은 이러한 윤선도의 삶이 담겨 있는 작품이다.

① '띠집'은 유배 생활을 끝내고 오랫동안 은거하며 지냈던 삶의 공간으로 볼 수 있군.
② '보리밥 풋나물'은 자연 속에서 검소하면서도 청빈한 삶을 추구했음을 짐작하게 하는 소재이군.
③ '부럴 줄이 있으랴'에는 어지러운 세상을 떠나 자연 속에서의 삶에 만족하는 태도가 잘 드러나 있군.
④ '비길 곳이 없어라'에는 당시의 정치 현실이 어느 때보다 혼탁하다는 인식이 반영되어 있군.
⑤ '임금 은혜를 이제 더욱 아노이다'에서는 자연에 머물면서도 군신의 도리를 잊지 않고 있는 모습을 엿볼 수 있군.

28. [B]를 바탕으로 ㉠~㉤을 설명한 내용으로 적절하지 않은 것은?

① ㉠: 백성의 도리를 언급하기 위해 신분 차이를 밝히고 있다.
② ㉡: 백성들에게 효를 실천할 것을 권장하고 있다.
③ ㉢: 인륜을 실천하는 모습을 벗의 행위로 보여주고 있다.
④ ㉣: 일상생활에서 행하지 말아야 할 것을 강조하고 있다.
⑤ ㉤: 이상적 상황을 제시하며 치인의 도를 드러내고 있다.

29. (나)와 (다)에 대한 설명으로 적절하지 않은 것은?

① (나)의 <제1수>에는 '남들'과 '하암'을 대조하여 화자의 지향하는 바를 드러내었군.
② (나)의 <제4수>에는 '소부 허유'와 관련된 고사를 활용해 화자가 추구하는 삶을 제시하였군.
③ (다)의 <제2수>에는 '혼자 엇디 머그리'라는 명령의 어조로 교화의 의도를 드러내었군.
④ (다)의 <제4수>에는 '디나간 후면'이라고 상황을 가정하여 말하고자 하는 바를 강조하였군.
⑤ (다)의 <제14수>에는 '비록~마라'를 반복하여 전달하고자 하는 바를 효과적으로 표현하였군.

[30~33] 다음 글을 읽고 물음에 답하시오.

조선시대 유학자들은 도덕적이고 규범적이며 사람다운 삶을 강조하는 성리학을 받아들였다. 성리학은 우주의 근원과 질서, 그리고 인간의 심성과 질서를 '이(理)'와 '기(氣)' 두 가지를 통해 설명하고, 이를 바탕으로 인간과 세계를 연구하는 학문이다. 그래서 성리학을 '이기론' 또는 '이기 철학'이라고도 부른다. 성리학에서 일반적으로 '이'는 만물에 ⓐ 내재하는 원리이고, '기'는 그 원리를 현실에 드러내 주는 방식과 구체적인 현실의 모습이라 할 수 있다. '이'는 '기'를 통해서 드러난다. '이'는 언제나 한결같지만 '기'는 여러 가지 모습으로 존재하므로, 우주 만물의 원리는 그대로지만 형체는 다양하다. 이러한 '이'와 '기'를 어떻게 보는가에 따라 성리학자들이 현실을 해석하고 인식하는 자세가 달라진다.

'기'를 중시했던 대표적인 성리학자로 **서경덕**을 들 수 있다. 그는 '기'를 우주 만물의 근원이라고 보았다. 서경덕에 의하면, 태초에 '기'가 음기와 양기가 되고, 음기와 양기가 모이고 흩어지고를 반복하면서 하늘과 땅, 해와 달과 별, 불과 물 등의 만물이 만들어졌다. '기'는 어떤 외부의 원리나 힘에 의해 움직이는 것이 아니라 스스로 움직여 만물을 생성하고 변하게 한다. 하지만 '이'는 '기' 속에 있으면서 '기'가 작용하는 원리로 존재할 뿐 독립적으로 드러나거나 ⓑ 작용하지 않는다. 즉, '이'와 '기'는 하나이며, 세계에 드러나는 것은 '기'뿐이라는 것이다. 이와 같은 입장을 '기일원론(氣一元論)'이라 한다. 기일원론의 바탕에는, 현실 세계의 모습은 '기'의 움직임에 의한 것이므로, '기'가 다시 움직이면 현실도 변할 수 있을 것이라는 사고가 깔려 있다.

'이'를 중시했던 대표적인 성리학자는 **이황**이다. 이황은 서경덕의 논의를 단호하게 ⓒ 비판하며 '이'와 '기'는 하나가 아니라는 주장을 펼쳤다. 그는 '이'를 우주 만물의 근원이자 변하지 않는 절대적 가치이며 도덕 법칙이라고 보았다. '이'는 하늘의 뜻, 즉 천도(天道)이며, 만물이 선천적으로 지니고 태어나는 본성이라고 여겼다. 따라서 인간이 '이'를 깨우치고 실행하면 하늘이 부여한 본성을 회복하고, 인간 사회는 천도에 맞는 이상적이고 도덕적인 질서를 확립한다고 보았다. 현실 사회가 비도덕적이고 타락한 모습을 보이는 이유는 인간이 본성을 잃어버리고 사악한 마음을 따르기 때문인데, 이러한 사악한 마음은 인간의 생체적 욕구, 욕망 등인 '기'에서 나오는 것이다. 따라서 '이'와 '기'가 하나일 수는 없으며, 둘은 철저히 ⓓ 구분되어야 한다는 것이 이황의 주장이다. 이러한 입장을 '이기이원론(理氣二元論)'이라 한다. 이황은 '이'가 원리로서만 존재하는 것이 아니라 발동*한다고 보았다. '이'가 발동하면 그에 따라 '기'도 작용하여 인간이나 사회는 도덕적인 모습이 되지만, '이'가 발동하지 않고 '기'만 작용하면 인간이나 사회는 비도덕적 모습이 될 수 있다. 이황은 인간이 '이'를 깨우치고 실행하기 위해서는 학문과 수양에 힘써야 한다고 생각하였다. 그는 현실의 문제 상황은 학문과 수양을 통해 '이'를 회복함으로써 해결될 수 있다는 점을 강조하였다.

한편, **이이**는 서경덕과 이황의 논의가 양극단을 달리는 오류를 범하고 있다고 비판하면서, '이'와 '기'의 관계를 새롭게 ⓔ 규정하였다. 이이는 '이'를 모든 사물의 근원적 원리로, '기'를 그 원리를 담는 그릇으로 보았다. 둥근 그릇에 물을 담으면 물의 모양이 둥글고 모난 그릇에 물을 담으면 물의 모양이

모나 보이지만, 그 속에 담긴 물의 속성은 달라지지 않는다. 이처럼 '기'는 현실에서 다양한 모습으로 존재하지만 그 속에 담겨 있는 '이'는 달라지지 않는다. 물이 그릇에 담겨 있지만 물과 그릇이 다른 존재이듯이, '이'와 '기'도 한 몸처럼 붙어 있지만 '이'와 '기'로 각각 존재한다는 것이다. 이이에 따르면, '이'는 현실에 아무 작용을 하지 않고 '기'만 작용한다. 현실의 모습이 문제를 드러내고 있다면, 이는 '이'가 잘못된 것이 아니라 '기'가 잘못된 것이다. 그러므로 '이'를 회복하기보다는 '기'로 나타난 현실의 모습 자체를 바꾸기 위해 싸워야 한다는 것이 이이의 주장이다. 이이가 조선 사회의 변화를 위한 여러 가지 개혁론을 펼칠 수 있었던 것은 이러한 사고가 바탕을 이루고 있었기 때문이다.

* 발동(發動) : 일어나 움직임.

30. 윗글에 대한 설명으로 가장 적절한 것은?

① 철학적 용어의 현대적 의미를 재조명하고 있다.
② 철학적 용어에 대한 사회적 통념을 비판하고 있다.
③ 문답의 형식을 통해 철학적 용어의 개념을 드러내고 있다.
④ 현실을 해석하는 철학적 용어가 등장한 배경을 소개하고 있다.
⑤ 철학적 용어의 관계를 바라보는 다양한 관점을 나열하고 있다.

31. 윗글을 참고할 때, 아래의 'ㄱ'과 'ㄴ'에 들어갈 내용으로 가장 적절한 것은?

| | 서경덕 | 이황 |
|---|---|---|
| '이'와 '기'란 무엇인가? | '이'란 만물에 내재하는 원리이고, '기'란 '이'를 현실에 드러내 주는 방식과 구체적인 현실의 모습이다. | |
| '이'와 '기'의 성격은 어떠한가? | ㄱ | ㄴ |

① ㄱ : '이'와 '기'는 하나이다.
ㄴ : '이'와 '기'는 철저히 구분된다.

② ㄱ : '이'는 '기'와 별도로 작용한다.
ㄴ : '이'는 '기'와 동시에 작용한다.

③ ㄱ : 현실로 나타나는 것은 '이'이다.
ㄴ : 현실로 나타나는 것은 '기'이다.

④ ㄱ : '기'는 '이' 속에 포함되어 있다.
ㄴ : '이'는 '기' 속에 포함되어 있다.

⑤ ㄱ : 생체적 욕구와 욕망을 '기'라고 본다.
ㄴ : 생체적 욕구와 욕망을 '이'라고 본다.

32. 윗글을 바탕으로 <보기>에 대해 '이이'가 할 수 있는 말로 가장 적절한 것은? [3점]

<보 기>

양반이 되어야 군포를 면제받을 수 있기 때문에 백성들은 밤낮으로 양반이 되는 길을 모색한다. 고을 호적부에 기록되면 양반이 되고, 거짓 족보를 만들면 양반이 되고, 고향을 떠나 먼 곳으로 이사하면 양반이 되고, 두건을 쓰고 과거 시험장에 드나들면 양반이 된다. 몰래 불어나고, 암암리에 늘어나고, 해마다 증가하고, 달마다 불어나 장차 온 나라 사람들이 모두 양반이 되고 말 것이다.

– 정약용, 「신포의(身布議)」 –

① 양반이 되려는 백성들의 문제는 본성을 잃어버려서 생긴 문제이므로, 학문과 수양을 통해 본성을 회복해야 합니다.
② 편법으로 쉽게 양반이 될 수 있는 현실이 백성을 이렇게 만든 것이므로, 이러한 현실의 모습을 우선적으로 개선해야 합니다.
③ 백성들의 행동은 현실에 내재하는 원리가 잘못되어 나타난 현상이므로, 현실의 문제를 근본부터 해결하기 위해서는 이 원리부터 바꾸어야 합니다.
④ 양반이 되려는 백성들의 모습은 음양의 작용에 의해 생겨난 것이므로, 인위적인 노력보다는 음양의 또 다른 작용을 통해 해결되기를 기다려야 합니다.
⑤ 백성들이 양반이 되고자 하는 것은 군포를 면제받고자 하는 잘못된 욕구에서 나온 것이므로, 이러한 욕구를 따르지 않도록 천도에 맞는 질서를 확립해야 합니다.

33. ⓐ~ⓔ의 사전적 의미로 적절하지 않은 것은?

① ⓐ : 내부적으로 미리 정함.
② ⓑ : 어떤 현상을 일으키거나 영향을 미침.
③ ⓒ : 옳고 그름을 판단하여 밝히거나 잘못을 지적함.
④ ⓓ : 일정한 기준에 따라 갈라 나눔.
⑤ ⓔ : 내용이나 성격 따위를 밝혀 정함.

[34~37] 다음 글을 읽고 물음에 답하시오.

차시 양경이 정공의 딸이 죽은 줄 알았더니 천만 의외에 그 딸이 태자비가 됨을 보고 심중에 분함을 품고 생각하되,

'요망한 정녀가 죽었다고 하고 나를 속였으니 어찌 분하지 아니리오. 태자비라는 위세로 당당히 우리 가문을 해할 것이니, 내 먼저 계교를 도모하리라.'

하고, 즉시 양귀비 궁에 들어가 남매가 비밀스럽게 상의하여 계교를 꾸미더라. 일일은 양귀비가 태자비 침전에 이르니, 정비 맞아 예를 갖추매, 양귀비 가로되,

"황상이 태자비의 바느질 솜씨를 보고자 하사 첩으로 하여금 황룡단(黃龍緞) 한 필을 정비에게 주어 삼 일 내로 용포(龍袍)를 지어 올리라 하시더이다."

하고 촉금단* 한 필을 내어놓으니, 정비가 허리를 굽혀 황상의 명을 받은 후 주과를 내어 양귀비를 대접하더라. 양귀비 늦도록 앉았다가 돌아와 즉시 자기 딸 비연 공주를 불러 계교를 가르치니, 비연이 순순히 응낙하고 즉시 장락전에 이르러 낮 문안을 마치고 황상의 곁에 있다가 문득 양귀비더러 왈,

"소저가 정비께 갔더니 정비께서 용포를 짓더이다."

양귀비 짐짓 꾸짖어 왈,

㉠"너 같은 어린 애가 무엇을 아노라 잡담을 하나뇨?"

황상이 웃으시며 왈,

"비연아! 네 무슨 말을 하다가 어머니에게 책언(責言)을 듣나뇨? 짐에게 자세히 말하라."

비연 공주가 황상 앞에 엎드리며 왈,

"소저가 태자궁에 갔삽더니, 정비께서 용포를 지으니, 솜씨가 절묘하더이다."

황상이 다시 물어 왈, "네 정녕히 보았느냐?"

비연이 고하여 왈,

"황룡단에 구룡(九龍)을 수놓으니 용포가 아니면 무엇이리까?"

황상이 속으로 깊이 생각하시되,

'태자에게 용포가 당치 않거늘 용포를 지어 무엇에 쓰려 하는고? 반드시 수상한 뜻이 있음이로다.'

하시고 좌우를 명하여 태자를 부르라 하시니 양귀비 왈,

"이 일이 비록 의심스러우나, 어린 애의 모호한 말을 어이 믿고 궁중을 요란케 하시리까? 앞으로 서서히 보아 처치하소서. 태자의 천성이 어질고 효성 또한 깊더니, 최근 정비를 취한 후로 행동이 조금 변하오니, 폐하는 노여움을 참으시고 후일을 보소서."

황상이 양귀비의 말을 아름답게 여기사 이후로는 양귀비를 더욱 총애하시고, 태자와 정비를 보시면 안색에 노기 어리시니, 태자와 정비 황공함을 이기지 못하나 그 연유를 모르고 마침내 용포를 지어 양귀비께 드리니, 양귀비 이를 황상께 드리며 왈,

㉡"폐하께서 정비를 보시고 좋지 않은 기색을 보이시니, 정비는 본디 총명한 인물이라. 그 기미를 짐작하고 짐짓 용포를 지어 첩에게 보내며 황상께 드리라 하니, 그 허물이 신첩에게 있는지라. 도리어 황공하여이다."

황상이 듣기를 마치고 크게 노하사 즉시 용포를 불태워 버리시니, 정비 이 말을 듣고 근심하더라.

**[중략 부분 줄거리]** 양귀비는 자기의 아들이 독질로 사망하자 정비가 독살한 것으로 꾸민다. 정비를 아끼던 황후는 사약을 받을 위기에 처한 정비를 구해주고 멀리 떠나도록 한다. 이후 정비는 아버지 정공과 죽마고우인 이 시랑을 만나 그의 집에 숨어 지낸다.

차시 정비가 이 시랑 집에서 밤낮으로 무예를 연습하며 황성 소식을 탐지하더니, 문득 비복이 들어와 고하기를,

[A] "황성 소식을 들으니, 육주(六州)의 자사(刺史)가 다 반란을 일으켜 경성을 범하오되, 천자와 태자가 적진에 싸이어 양식이 끊어진 지 칠 일이나 되었다 하더이다."

정비 크게 놀라며 왈,

"이는 필경 양경의 소행이라. 어찌 일시라도 지체하리오. 급히 달려가 천자와 동궁을 구하고 도적을 평정하리라."

하고 갑옷을 정제하고 말에 오르니, 시랑이 왈,

"노신이 낭랑*을 모셔 가 황상과 태자 전하를 뵙고자 하옵나니, 함께 감이 어떠하리까?"

정비 말리며 왈,

㉢"공의 말씀이 당연하나, 첩의 탄 말이 천리마(千里馬)라. 한 번 채를 던지면 빠름이 풍우(風雨)같아 만리강산(萬里江山)을 눈앞에 지내나니, 공의 노력(老力)으로 어찌 나의 뒤를 좇으리오. 첩이 마땅히 천자를 뵙는 날에는 공의 충심을 고하리라."

하고 천사보검(天賜寶劍)을 비껴들고 말에 올라 채를 들어 한 번 치니, 그 말이 소리를 벽력같이 지르고 급히 달려 하룻밤 만에 황성 가까이 이르러 바라보니, 평원광야에 수만의 철갑을 입은 군사들이 천자와 태자를 에워쌌으니, 살기등등(殺氣騰騰)하여 급함이 경각(頃刻)에 있는지라. 정비 크게 노하여 소리 질러 왈,

㉣"너희는 어떤 도적이기에 감히 천자를 범하나뇨? 한칼로 죽여 씨를 없이 하리라."

하니 적진 중에서 한 장수가 나와 크게 웃으며 왈,

"천자가 덕이 없어 만민이 도탄에 빠지매, 우리가 천명(天命)을 받아 의병을 이루어 어리석은 임금을 없애고 만민을 구하려 하거늘, 너는 어찌 하늘의 때를 모르고 덤비느냐?"

정비 크게 노하여 창을 들어 공중을 찌르며 왈,

"너희 양씨 가문이 대대로 국록을 먹고, 너희 누이 총애를 받으니 은혜가 망극하거늘, 도리어 역당(逆黨)을 모아들여 임금을 해코자 하니, 하늘이 어이 무심하리오. 자고로 임금이 있은 후에 백성이 평안하나니, 군신지의(君臣之義)는 삼강(三綱)의 으뜸이라. 너희가 오륜을 모르니, 일러 무엇하리오."

하고 칼을 들어 급히 치니, 양춘이 크게 노하여 창을 들어 맞아 싸워 몇 합(合)을 겨루지 않았는데, 정비 칼을 들어 양춘의 말 다리를 찌르니 양춘이 말에서 떨어지더라. 정비 칼을 날려 그 머리를 베어 꿰어 들고 적진 앞을 가로지르며 왈,

"너희 중에 나를 당할 자가 있거든 빨리 나와 승부를 결하라."

서주(徐州) 자사 양의태, 양춘의 죽음을 보고 성을 내며 왈,

㉤"구상유취(口尙乳臭)한 놈이 감히 우리 대장을 해하나뇨?"

하고 달려드니, 정비 맞아 몇 합이 지나지 않아 칼을 날려 양의태의 머리를 베어 말 아래 내리치고, 바로 적진에 달려들어 좌충우돌하며 적군의 머리를 풀 베듯 하니, 적진 장졸이 크게 놀라 넋을 잃어 감히 가까이 올 자가 없는지라.

– 작자 미상, 「정비전(鄭妃傳)」 –

* 촉금단 : 매우 귀한 비단.
* 낭랑 : 왕비나 귀족의 아내를 높여 부르는 말.

34. 윗글에 대한 설명으로 가장 적절한 것은?

① 양경은 정공이 죽은 것으로 생각했다.
② 태자는 평소 황상의 행동에 반감을 갖고 있었다.
③ 이 시랑은 정비가 태자비라는 사실을 알지 못했다.
④ 정비는 비범한 능력으로 황상의 위기를 예견하였다.
⑤ 비연은 보지 않은 사실을 본 것처럼 황상에게 고했다.

35. ㉠~㉤에 대한 설명으로 적절하지 <u>않은</u> 것은?

① ㉠: 거짓으로 비연을 꾸짖는 체하여 황상의 궁금증을 유발하고 있다.
② ㉡: 정비의 의도를 왜곡하여 전달함으로써 황상을 분노하게 하고 있다.
③ ㉢: 이 시랑과 동행할 수 없는 이유를 밝혀 그의 제안을 거절하고 있다.
④ ㉣: 상대의 능력에 대한 놀라움을 숨기고자 상대에게 호통을 치고 있다.
⑤ ㉤: 정비의 행동에 분노하며 자신이 충분히 대적할 수 있다는 자신감을 드러내고 있다.

36. <보기>는 윗글에 나타난 인물들의 갈등 양상을 정리한 것이다. 이를 이해한 내용으로 적절하지 <u>않은</u> 것은? [3점]

<보 기>

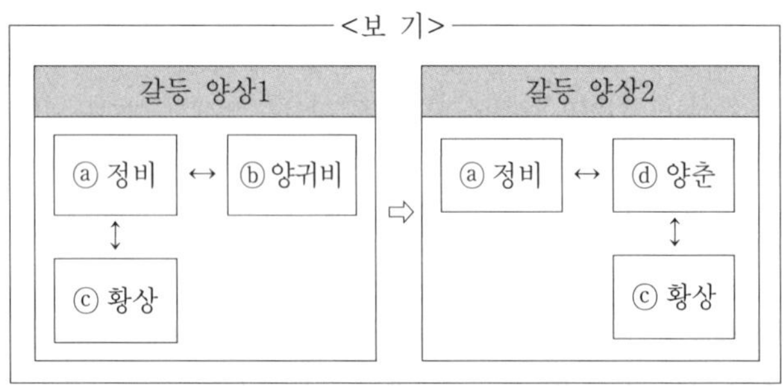


① '갈등 양상1'은 ⓐ의 신분 변화로 인해 ⓑ의 가문이 느낀 위기감에서 비롯된다.
② '갈등 양상1'에서 ⓒ는 ⓐ의 행동을 의심하여 그 진위를 직접 확인한다.
③ '갈등 양상2'는 ⓓ가 ⓒ의 권위를 빼앗으려는 데에서 비롯된다.
④ '갈등 양상2'에서 ⓓ는 ⓐ가 천명을 막고 있음을 내세우면서 대립한다.
⑤ '갈등 양상2'에서 ⓐ는 유교적 명분에 입각하여 ⓓ에게 죄가 있음을 질타한다.

37. [A]의 '천자와 태자'의 처지에 어울리는 말로 적절한 것은?

① 결초보은(結草報恩)
② 동상이몽(同床異夢)
③ 사면초가(四面楚歌)
④ 전화위복(轉禍爲福)
⑤ 호가호위(狐假虎威)

[38~42] 다음 글을 읽고 물음에 답하시오.

한 나라의 경제 활동 또는 경제적 성과를 알아보기 위해서는 생산과 관련된 여러 지표들을 비교해 보아야 한다. 이러한 지표들은 한 국가의 경제 규모뿐만 아니라 경제의 특성, 장·단기적 발전 가능성 등을 보여주기 때문이다. 비교 가능한 지표들 중 한 국가의 생산량을 잘 보여주는 것이 국내총생산, 국내순생산, 국민총생산이다.

[A] '국내총생산(GDP, gross domestic product)'은 일정 기간 동안 한 나라 안에서 생산된 재화 및 용역의 금전적 가치를 합한 것으로, 기간은 보통 1년으로 한다. 국내총생산의 '생산(P, product)'이란 생산량의 '부가 가치'의 총합을 말한다. 부가 가치란 각 생산자의 최종 생산량에서 중간에 쓰인 투입량을 뺀 가치이다. 빵을 파는 제과점의 1년 매출액이 3,000만 원이라고 가정해 보자. 이때 빵을 만들기 위해서는 밀가루, 달걀 등 각종 재료와 연료, 전기 등이 필요하다. 이러한 중간 투입물을 사는 데에 2,000만 원이 들었다면 제과점은 결국 1,000만 원의 가치만 부가적으로 생산한 것이다. 중간 투입물의 가치를 빼지 않고 각 생산자의 최종 생산량을 더하면 어떤 부분은 중복 계산되어 실제 생산량이 크게 부풀려진다. 제과점 주인이 방앗간에서 생산한 밀가루를 샀으므로 제과점과 방앗간의 생산량을 그대로 더하면 밀가루 가격이 두 번 계산되는 셈이다. 또 방앗간 주인이 농부에게서 밀을 샀으므로 제과점, 방앗간의 생산량에 농부의 생산량까지 보태면 밀의 가격은 세 번 계산된다. 그래서 부가된 가치만을 더해야 제대로 된 생산량이 나오는 것이다.

국내총생산의 '총(G, gross)'은 무슨 뜻일까? 생산량을 계산할 때, 생산하는 과정에서 자본재가 소비되면서 하락한 가치까지 모두 포함하고 있다는 의미다. 다시 제과점을 예로 들면 오븐, 반죽기 등이 자본재에 해당되는데, 이러한 기계는 밀가루와 달리 생산물에 직접 들어가지는 않지만 계속 사용함에 따라 마모되어 경제적 가치가 ⓐ <u>떨어진다</u>. 이를 가리켜 감가상각이라 한다. 국내총생산에서 자본재의 감가상각을 뺀 것을 '국내순생산(NDP, net domestic product)'이라고 부른다. 국내순생산은 생산에 필요한 중간 투입물과 감가상각을 모두 빼고 계산한 수치이기 때문에 한 나라의 경제적 성과를 국내총생산보다 더 정확하게 알려준다. 그러나 보통 국내순생산보다 국내총생산을 더 많이 쓰는 이유는 감가상각을 계산하는 방법에 대한 의견 일치가 이루어지지 않았기 때문이다.

그렇다면 국내총생산의 '국내(D, domestic)'는 무슨 뜻일까? 여기서 국내는 한 나라의 국경 안을 의미한다. 그런데 한 나라의 국경 안에 있는 생산자가 그 나라의 국민이나 기업이 아닐 수도 있다. 뒤집어 생각하면 모든 생산자가 자국에서 생산 활동을 하는 것은 아니라는 의미도 된다. 외국에 공장을 지어 생산하는 기업도 많고, 외국에서 일자리를 얻어 일하는 사람도 많다. 한 나라의 국경 안에서 나오는 생산량이 아니라, 한 나라의 국민과 그 나라의 기업이 생산한 생산량 전체는 '국민총생산(GNP, gross national product)'이라고 한다. 예를 들어, 외국 기업이 많이 들어와 있지만 자국 기업은 외국에 많이 진출하지 않은 캐나다, 브라질, 인도의 경우는 국내총생산이 국민총생산보다 더 크다. 반면 국내에서 영업하는 외국 기업보다 외국에 진출한 자국 기업이 더 많은 스웨덴, 스위스는 국민총생산이 국내총생산보다 더 크다.

보통 국내총생산(GDP)이 국민총생산(GNP)보다 더 자주 쓰인다. 단기적으로 볼 때 한 나라 안의 생산 활동 수준을 더 정확히 알려 주는 지표이기 때문이다. 그러나 한 나라의 경제가 갖는 장기적 저력을 측정하기에는 국민총생산이 더 효과적이다. 자국민과 자국 기업의 생산량이 그 나라의 지속적인 생산 능력을 나타내기 때문이다. 그런데 어떤 나라가 이웃 나라보다 국민총생산이나 국내총생산이 더 크다고 할 때, 단순히 인구가 더 많기 때문에 그러한 결과가 나타날 수도 있다. 따라서 한 나라의 경제가 얼마나 생산적인지를 알고 싶다면 국내총생산이나 국민총생산을 1인당 생산량으로 환산하여 살펴보는 것이 더 정확할 것이다.

그런데 국내총생산과 국민총생산은 일부의 생산량을 포함하지 못한다는 한계가 있다. ㉠ 시장에서 거래되지 않거나 돈으로 계산하기 어려운 재화나 용역은 제외될 수밖에 없다는 것이다. 개발도상국의 영세한 자급농이나 주부의 가사 노동이 그 사례에 해당한다. 개발도상국의 영세한 자급농은 자기가 생산한 농산물 대부분을 자체 소비하고 시장에 내다팔지 않아서 그들의 농산물은 총생산량에 포함되지 않는다. 또한 주부의 가사 노동은 시장 밖에서 생산될 뿐만 아니라 돈으로 계산하기도 어렵기 때문에 국내총생산이나 국민총생산 어디에도 포함되지 않는다. 그래서 최근에는 이러한 부분도 반영하여 경제 활동을 살피려는 움직임을 보이고 있다.

**38.** 윗글에서 확인할 수 없는 내용은?

① '감가상각'을 산출하는 다양한 방법
② '국민 1인당 생산량'을 살펴야 하는 이유
③ '국내총생산(GDP)'에서 '생산'의 구체적 의미
④ '국민총생산(GNP)'과 '국내총생산(GDP)'의 한계
⑤ '국민총생산(GNP)'과 '국내총생산(GDP)'의 차이점

**39.** [A]를 바탕으로 <보기>를 이해한 내용으로 가장 적절한 것은?

<보 기>

'가' 국가는 빵 한 가지만을 최종 생산물로 하는 나라로, 각 생산자의 최종 생산량을 매출액으로 나타내면 다음과 같다.

| 생산 단계 : | 1단계 | | 2단계 | | 3단계 |
|---|---|---|---|---|---|
| 생산자 : | 농부 (밀) | → | 방앗간 주인 (밀가루) | → | 제과점 주인 (빵) |
| 매출액 : | 7억 원 | | 12억 원 | | 20억 원 |

※ 단, 농부는 중간 투입물 없이 밀을 생산하고, 빵을 만드는 데 필요한 중간 투입물은 밀가루 하나라고 가정한다.

| | 부가 가치를 가장 많이 창출한 생산자 | 국내총생산 |
|---|---|---|
| ① | 농부 | 20억 원 |
| ② | 방앗간 주인 | 39억 원 |
| ③ | 방앗간 주인 | 13억 원 |
| ④ | 제과점 주인 | 20억 원 |
| ⑤ | 제과점 주인 | 39억 원 |

**40.** 문맥을 고려할 때, ㉠의 이유로 가장 적절한 것은?

① 생산물을 소비할 수 있는 시장이 한정되어 있기 때문에
② 생산량의 가치는 시장 가격으로만 계산하기 때문에
③ 생산량이 일정하지 않고 수시로 변하기 때문에
④ 생산물이 거래되는 구조가 복잡하기 때문에
⑤ 생산량이 매우 미미한 수준이기 때문에

**41.** 윗글을 바탕으로 <보기>를 이해한 내용으로 적절하지 않은 것은? [3점]

<보 기>

<지표 산출 기간 : 1년>

| | A국 | B국 |
|---|---|---|
| 국내총생산(GDP) | 180조 원 | 210조 원 |
| 국내순생산(NDP) | 170조 원 | 180조 원 |
| 국민총생산(GNP) | 210조 원 | 180조 원 |

※ 단, A국과 B국의 인구 및 국경 내 자국민과 자국 기업의 생산량은 모두 동일하다고 가정한다.

① 자본재의 감가상각은 B국이 더 크다.
② 국민총생산의 1인당 생산량은 A국이 더 많다.
③ 한 나라 국경 안의 부가 가치 총합은 B국이 더 크다.
④ 장기적인 관점에서 국가의 저력이 더 높게 평가되는 국가는 B국이다.
⑤ 외국에 사는 자국민과 외국에 있는 자국 기업의 생산량이 더 많은 국가는 A국이다.

**42.** ⓐ의 문맥적 의미와 가장 가까운 것은?

① 그는 타락의 길로 떨어졌다.
② 연일 주가가 떨어져서 큰일이다.
③ 감기가 떨어지지 않아 고생을 하였다.
④ 식당과 본관 건물은 서로 떨어져 있다.
⑤ 드디어 우리에게도 출동 명령이 떨어졌다.

[43 ~ 45] 다음 글을 읽고 물음에 답하시오.

(가)
산마다 단풍만 저리 고우면 뭐헌다요
뭐헌다요. 산 아래
물빛만 저리 고우면 뭐헌다요
산 너머, 저 산 너머로
산그늘도 다 도망가불고
산 아래 집 뒤안
하얀 억새꽃 하얀 손짓도
당신이 안 오는데 뭔 헛짓이다요
저런 것들이 다 뭔 소용이다요
뭔 소용이다요. 어둔 산머리
초생달만 그대 얼굴같이 걸리면 뭐헌다요
마른 지푸라기 같은 내 마음에
허연 서리만 끼어 가고
저 달 금방 져불면
세상 길 다 막혀 막막한 어둠 천지일 턴디
병신같이, 바보 천치같이
이 가을 다 가도록
서리밭에 하얀 들국으로 피어 있으면
뭐헌다요, 뭔 소용이다요

– 김용택, 「들국」 –

(나)
사람이 벽(癖)이 없으면 그 사람은 버림받은 자이다. 벽이란 글자는 질병과 치우침으로 이루어져 '편벽된 병을 앓는다.'라는 의미를 지닌다. 벽이 편벽된 병을 뜻하지만 고독하게 새로운 것을 개척하고 전문 기예를 익히는 것은 오직 벽을 가진 사람만이 가능하다.

김 군이 화원(花園)을 만들었다. 김 군은 ㉠꽃을 주시한 채 하루 종일 눈 한번 꿈쩍하지 않는다. 꽃 아래에 자리를 마련하여 누운 채 꼼짝도 않고 손님이 와도 말 한마디 건네지 않는다.

그런 김 군을 보고, 미친놈 아니면 멍청이라고 생각하여 손가락질하고 비웃는 자가 한둘이 아니다. 그러나 그를 비웃는 웃음소리가 미처 끝나기도 전에 그 웃음소리는 공허한 메아리만 남기고 생기가 싹 가시게 되리라.

김 군은 만물을 마음의 스승으로 삼고 있다. 김 군의 기예는 천고(千古)의 누구와 비교해도 훌륭하다. ㉡『백화보(百花譜)*』를 그린 그는 '꽃의 역사'에 공헌한 공신의 하나로 기록될 것이며, '향기의 나라'에서 제사를 올리는 위인의 하나가 될 것이다. 벽의 공훈이 참으로 거짓이 아니다!

아아! 벌벌 떨고 게으름이나 피우면서 천하의 대사를 그르치는 위인들은 편벽된 병이 없음을 뻐기고 있다. 그런 자들이 이 그림을 본다면 깜짝 놀랄 것이다.

을사년(1785) 한여름에 초비당(苕翡堂) 주인이 글을 쓴다.

– 박제가, 「백화보서(百花譜序)」 –

* 백화보 : 피고 지는 다양한 꽃과 잎사귀의 모습 등을 그려놓은 책.

43. (가)와 (나)에 대한 설명으로 가장 적절한 것은?

① (가)는 시상이 전개됨에 따라 어조가 변화하고 있다.
② (나)에는 대상의 행적을 제시하며 예찬하는 태도가 드러나 있다.
③ (가)에는 (나)에서와 달리 현실을 초월하려는 강한 의지가 드러나 있다.
④ (나)에는 (가)에서와 달리 사물에 인격을 부여하여 주제 의식을 강조하고 있다.
⑤ (가)와 (나) 모두 색채어를 사용하여 추상적인 관념을 구체화하고 있다.

44. <보기>를 바탕으로 (가)를 감상한 내용으로 적절하지 <u>않은</u> 것은? [3점]

<보 기>

이 시는 그리운 임에 대한 애틋함과 이별의 상황에 대한 막막함을 함께 노래한 작품이다. 화자는 임과 이별한 자신의 처지를 늦가을의 아름다운 풍경과 대비하여 강조한다. 동시에 특정 자연물과 자신을 동일시하거나 다양한 이미지를 활용하여 화자 자신의 정서나 처지를 구체적으로 형상화한다.

① '단풍'과 '물빛' 등의 자연물과 대비하며 화자의 처지를 부각한다고 볼 수 있군.
② '하얀 손짓'은 '당신'을 향한 화자의 애틋한 정서를 자연물의 움직임으로 형상화한 것으로 볼 수 있군.
③ '초생달'은 '그대 얼굴'을 떠올리며 이별의 상황에 막막해 하는 화자와 동일시된다고 볼 수 있군.
④ '막막한 어둠'은 '마른 지푸라기'나 '허연 서리'가 환기하는 화자의 정서를 심화한다고 볼 수 있군.
⑤ '서리밭에 하얀 들국'을 통해 부정적 상황 속에 놓인 화자의 처지를 드러낸다고 볼 수 있군.

45. (나)의 ㉠과 ㉡에 대한 설명으로 가장 적절한 것은?

① ㉠과 같은 벽의 공훈을 얻기까지 ㉡에 대한 끊임없는 탐구가 필요하였다.
② ㉠을 아름답게 가꾸는 행위를 통해 ㉡에 대한 편벽된 병을 극복하게 되었다.
③ ㉠에 대한 편벽된 병이 ㉡과 같은 벽의 공훈을 이루어내는 원동력이 되었다.
④ ㉠에 남다른 의미나 가치를 부여하기 위하여 ㉡에 대한 편벽된 병이 작용하였다.
⑤ ㉠을 탐구하는 행위에 대한 사람들의 비웃음이 ㉡과 같은 벽의 공훈을 이루도록 이끌었다.

※ 확인 사항
○ 답안지의 해당란에 필요한 내용을 정확히 기입(표기)했는지 확인하시오.

# 국어 영역

20회 소요시간 /80분

제 1 교시

➡ 해설 P.183

**[1 ~ 3] 다음은 라디오 대담의 일부이다. 물음에 답하시오.**

진행자 : 최근 동전 없는 사회를 만들자는 논의가 있는데 오늘은 그 이유가 무엇인지, 우려되는 점은 없는지, 관련 부처에 계신 김 과장님과 ○○대학교 최 교수님을 모시고 이야기를 나눠 보겠습니다. 먼저 김 과장님, 동전 없는 사회를 만들자는 이유는 무엇인가요?

김 과장 : 요즘 신용 카드 사용이 늘어나면서 현금 거래가 급격히 줄고 있는 상황입니다. 게다가 한 설문 조사에서는 응답자의 46.9 %가 동전을 사용하지 않는다고 답했습니다. 그런데 동전을 제조하고 유통하는 데 비용이 여전히 많이 듭니다. 이런 이유로 이미 동전 없는 사회를 실현한 나라들도 있습니다.

진행자 : 동전 제조나 유통에 비용이 많이 든다고 하셨는데, 좀 더 구체적으로 설명해 주시겠습니까?

김 과장 : 매년 새 동전을 제조하는 데만 500억 원 정도 듭니다. 거기에 유통 비용까지 더하면 1,000억 원 이상 소요됩니다.

진행자 : 그럼, 최 교수님께서는 동전 없는 사회에 대해 어떻게 생각하시는지요?

최 교수 : 물론 동전을 없애면 동전의 제조와 유통 등에 드는 비용을 줄일 수는 있습니다. 하지만 물가 상승의 우려가 있습니다. 예를 들어 990원짜리 상품이 1,000원으로 인상될 수 있다는 것이죠. 그렇기 때문에 저는 동전 없는 사회를 만드는 것에 찬성할 수 없습니다.

진행자 : 네, 동전의 제조와 유통 등과 관련된 비용을 줄일 수 있다는 점에는 두 분 다 같은 의견이시군요. 그러면 김 과장님, 최 교수님께서 제기하신 문제에 대해서는 어떻게 생각하시는지요?

김 과장 : 요즘 판매점 간 가격 경쟁이 심화되고 있기 때문에 영업 전략상 가격을 올리기는 어려울 것입니다. 그리고 동전을 교환해 주고 관리하는 데 들어가는 비용을 줄일 수 있어서 가격 상승 요인이 발생한다고 볼 수 없습니다. 이런 경제적 요인들로 인해 최 교수님께서 우려하시는 물가 상승은 일어나지 않을 것입니다.

진행자 : 그렇다면 좀 다른 측면에서 살펴볼까요? 동전을 없애면 불편을 겪을 사람들도 있을 것 같은데요. 이번에는 최 교수님께서 먼저 말씀해 주시겠습니까?

최 교수 : 당연히 불편을 겪을 사람들이 있지요. 제가 알고 있기로 이를 해결하기 위한 방안으로 카드에 거스름돈을 충전하는 방법을 검토 중이라고 하는데, 카드를 사용하지 않는 분들은 여전히 불편할 것입니다.

김 과장 : 통계 자료에 의하면 □□도는 94 %, △△시는 85 % 이상이 교통 카드를 사용하고 있을 정도로 국민 대다수가 카드를 사용하고 있습니다. 따라서 불편을 겪을 분들은 그리 많지 않을 것으로 예상하고 있습니다.

진행자 : 여기서 잠깐, 지금까지 두 분께서 말씀하신 내용에 대해 청취자들의 질문을 받아보겠습니다. 청취자 여러분, 원활한 진행을 위해 게시판의 공지 사항을 꼭 지켜 주시기 바랍니다.

*1.* 대담의 진행자에 대한 설명으로 적절하지 <u>않은</u> 것은?

① 대담에서 다룰 내용을 소개하며 대담을 시작하고 있다.
② 대담자를 지정하여 발언 기회를 부여하고 있다.
③ 대담 내용과 관련된 구체적인 설명을 요청하고 있다.
④ 대담자들의 공통된 의견을 언급하며 대담을 이어가고 있다.
⑤ 대담 내용을 자신이 정확히 이해하였는지 질문하며 확인하고 있다.

*2.* 대담의 진행 과정을 고려하여 두 대담자의 발화를 이해한 것으로 적절하지 <u>않은</u> 것은?

① 김 과장 : 설문 조사 결과를 바탕으로 동전 없는 사회를 만들어야 하는 이유를 설명하고 있다.
② 최 교수 : 동전을 없앴을 때 예상되는 문제점을 언급하며 김 과장과 다른 견해를 표명하고 있다.
③ 김 과장 : 경제적 요인을 근거로 삼아 최 교수의 의견을 반박하고 있다.
④ 최 교수 : 자신이 알고 있는 정보를 바탕으로 진행자가 언급한 내용이 새로운 문제를 야기할 수 있음을 지적하고 있다.
⑤ 김 과장 : 통계 자료를 바탕으로 최 교수가 지적한 문제에 대해 반박하고 있다.

*3.* 대담의 진행자가 선정할 추가 질문으로 가장 적절한 것은?

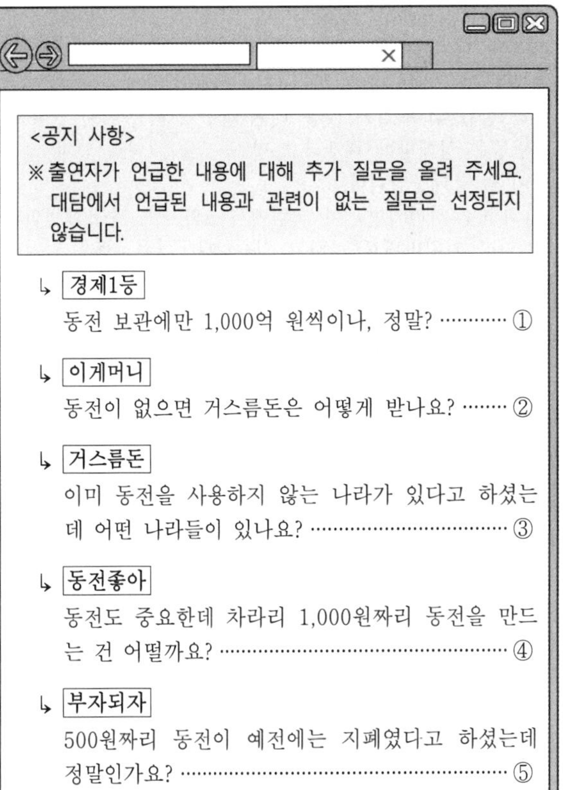

**[4 ~ 5] 다음은 수업 시간에 학생이 한 발표의 일부분이다. 물음에 답하시오.**

여러분은 일상에서 순서를 정하거나 어떤 일을 결정해야 할 때 어떻게 하나요? (청중들의 대답을 듣고) 그렇습니다. 흔히들 가위바위보를 많이 하시죠? 그런데 우리가 가볍게 생각하는 이 가위바위보가 생각보다 훨씬 더 중요한 일을 결정하는 데 사용되기도 합니다. 실제로 2004년 일본의 한 회사가 내놓은 200억 상당의 미술품을 경매하는 업체가 가위바위보로 결정된 적도 있습니다. 오늘은 이러한 가위바위보와 관련된 흥미로운 내용을 알려 드릴까 합니다.

가위바위보는 어디에서부터 시작되었을까요? 가위바위보는 중국 또는 인도에서 시작되었다고 합니다. 우리나라에는 일제 강점기에 일본에서 들어왔고 아동 문학가 윤석중 선생이 가위바위보라는 우리말 이름을 붙였습니다. 그런데 혹시 세계 가위바위보 협회에 대해 들어보셨나요? (청중의 반응을 살핀 후) 아마 처음 듣는 분이 많으실 겁니다. 캐나다에 있는 세계 가위바위보 협회에서는 가위바위보 규칙을 제정하는 것은 물론, 거액의 상금을 걸어 국제 대회를 개최하고 승리의 전략을 연구하여 발표하기도 했습니다.

자, 이제 옆에 있는 친구와 함께 가위바위보 한번 해볼까요? (큰 목소리로) 가위바위보! (더 큰 목소리로) 다시, 가위바위보! 어때요, 이기셨나요? 가위바위보에서 항상 이길 수는 없습니다. 하지만 패배하지 않을 확률을 높일 수 있는 몇 가지 방법을 알려 드릴게요.

2016년 2월 ○○저널에 실린 연구 결과에 의하면 첫째, 사람들은 가위바위보를 할 때 처음에 바위를 낼 확률이 높기 때문에 처음에는 보를 내는 것이 이길 확률이 높다고 합니다. 둘째, 승유패변의 법칙을 고려하는 것입니다. 승유패변의 법칙이란 가위바위보에서 이긴 사람은 다음 판에서도 같은 것을 낼 확률이, 비기거나 진 사람은 다음 판에서 다른 것을 낼 확률이 높다는 것을 말합니다. 이러한 연구 결과 외에 자기가 낼 것을 미리 말한 뒤 똑같은 것을 내는 방법도 있습니다. 일반적으로 사람들은 상대방이 내겠다고 말한 것을 그대로 믿지 않는 경향이 있기 때문입니다.

(화면을 가리키며) 이 그림에서 A와 B는 승유패변의 법칙에 따라 가위바위보를 하고 있습니다. 그럼, 제가 알려 드린 승리의 전략을 떠올리며 이 그림을 한번 보실까요?

*4.* <보기>는 발표자가 세운 발표 계획이다. 실제 발표에 반영되지 <u>않은</u> 것은?

< 보 기 >

ㄱ. 청중과 함께했던 추억을 환기하며 발표를 시작해야겠어.
ㄴ. 구체적인 사례를 제시하여 청중의 흥미를 유발해야겠어.
ㄷ. 반언어적 표현을 활용하여 청중의 참여를 유도해야겠어.
ㄹ. 연구 결과를 인용하여 발표 내용의 신뢰성을 확보해야겠어.
ㅁ. 질문을 던지고 청중의 반응을 살피며 상호 작용해야겠어.

① ㄱ ② ㄴ ③ ㄷ ④ ㄹ ⑤ ㅁ

*5.* 다음은 발표자가 마지막에 제시한 그림이다. 이 발표를 들은 청중이 그림을 보고 보인 반응으로 적절하지 <u>않은</u> 것은? [3점]

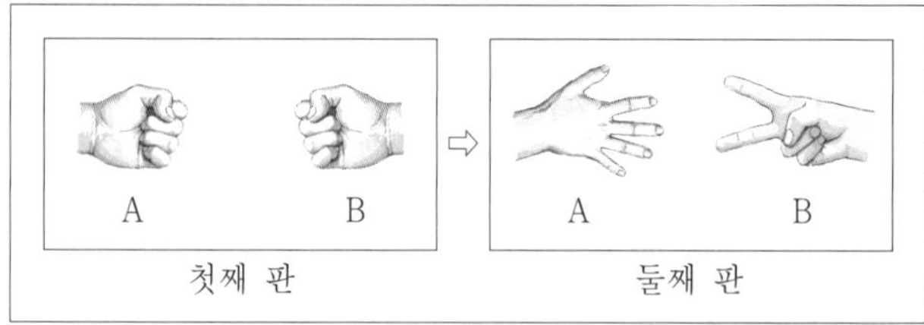


① A와 B가 첫째 판에서 모두 바위를 낸 것은 첫째 판에 바위를 낼 확률이 높다는 설명에 부합하는군.
② A가 첫째 판과 달리 둘째 판에서 보를 낸 것은 비긴 사람은 다음 판에 다른 것을 낼 확률이 높다는 설명에 부합하는군.
③ B는 둘째 판에서 가위를 내서 A에게 이겼으니, 셋째 판에서도 다시 가위를 낼 확률이 높겠군.
④ 만약 B가 셋째 판에서도 가위를 낸다면, A에게 비기거나 이길 확률이 높겠군.
⑤ 만약 A가 둘째 판을 시작할 때 B에게 보를 낼 것이라고 미리 말했다면, B는 가위를 내지 않았을 확률이 높겠군.

**[6 ~ 8] 다음은 동아리 문학 기행 감상문이다. 물음에 답하시오.**

■ **작문 상황**

문학 기행에 대한 감상을 학교 누리집 동아리 활동란에 싣기 위해 작문 계획을 세우고 감상문을 작성함.

■ **초고**

우리 동아리에서는 봄맞이 문학 기행으로 영월 청령포에 다녀왔다. 청령포는 단종이 수양대군에게 왕위를 빼앗기고, 유배를 가 비운의 삶을 ㉠<u>마치게 되었다</u>. 동아리에서 이문구의 소설 「매월당 김시습」을 읽고 작품에 대해 토의를 하다가, 당시 단종의 슬픔을 좀 더 가까이에서 느껴 보고자 동아리원들과 의견을 모아 직접 그곳을 찾게 되었다.

영월역에서 버스로 15분쯤 이동한 후, 나루에서 청령포로 가는 배를 탔다. 마음이 강 물결처럼 ㉡<u>설레인다</u>. 청령포는 서강이 삼면을 휘돌아 흐르고, 한쪽이 절벽으로 가로막혀 있어 배를 타지 않고는 드나들 수 없는 곳이다. 마치 육지 속 외로운 섬과 같이. 봄볕이 쏟아져 반짝이는 수면이 기대감에 부푼 부원들의 얼굴처럼 환하다.

배에서 내려 모래톱을 지나면 소나무들 사이로 산책 길이 나타난다. 봄바람이 소나무 숲을 지나서 산들산들 불어온다. 아! 솔향기, 봄이다. 저 앞으로 단종 어가가 보인다. ㉢<u>그러나</u> 참 이상한 소나무도 다 있다. 다른 소나무들은 꼿꼿하게 하늘을 향해 뻗어 있는데, 담장에 허리를 굽히고 꼭 임금을 뵙는 신하의 모습처럼 비스듬히 자랐다. 부원 한 명이 소설에 등장하는 영월의 호장 엄홍도 ㉣<u>같다라고</u> 혼잣말을 했다. 어린 단종은 밤이면 두려움과 외로움에 슬프게 울었다. 그 울음소리에 애가 타서 출입을 금하는 명을 어기고 헤엄쳐 강을 건너가 단종을 위로한 엄홍도.

노산대는 서강을 따라 솟아 있는 산봉우리들이 보이는 절벽가에 있다. 어린 임금은 해질 무렵이면 여기에 올라 봉우리들 너머 그 너머에 있는 한양 쪽을 바라보면서 다시 돌아갈 날을 손꼽아 기다렸다. ⓜ붉은 노을을 보면서 생이별을 한 아내 정순왕후를 그리워했을 단종의 모습이 눈에 선했다.
노산대에서 망향탑으로 걸음을 옮기면서 우리는 '청령포'로 삼행시를 짓기로 했다. 시를 지으며 단종의 마음을 떠올려 본다. 소나무 한 그루, 풀잎 하나, 그리고 봄바람 한 자락에도 그 마음이 서려 있다. 청령포 봄빛이 싱그럽고 완연하여 더욱 애잔하다.
그 때문일까? 왕에서 노산군으로 강봉된 단종을 영월까지 호송하고 한양으로 돌아오는 길에 왕방연이 지었다는 시조가 떠올랐다.

천만리 머나먼 길에 고운 임 여의옵고
내 마음 둘 데 없어 냇가에 앉았으니
저 물도 내 마음 같아서 울며 밤길 가는구나

6. 학생의 작문 계획 중 '초고'에 반영되지 않은 것은?

① 기행지와 관련된 인물과 문학 작품을 활용한다.
② 기행지의 지리적 특징을 묘사하여 이해를 돕는다.
③ 문화 유적으로서 기행지의 보존 상황을 언급한다.
④ 문학 기행을 하게 된 동기를 구체적으로 제시한다.
⑤ 장소의 이동에 따라 견문이나 감상이 드러나게 한다.

7. ㉠~ⓜ을 고쳐 쓰기 위한 방안으로 적절하지 않은 것은?
① ㉠: 문장 성분 간의 호응을 고려하여 '마쳤다'로 고친다.
② ㉡: 어법을 고려하여 '설렌다'로 고친다.
③ ㉢: 앞뒤 문맥을 고려하여 '그런데'로 수정한다.
④ ㉣: 간접 인용임을 고려하여 '같다고'로 고친다.
⑤ ⓜ: 중의성을 해소하기 위해 '보면서' 뒤에 ','를 추가한다.

8. '초고'의 뒤에 들어갈 내용을 <조건>에 맞게 추가할 때, 가장 적절한 것은? [3점]

< 조 건 >
○ 문학 기행이 갖는 의미를 드러낼 것.
○ 자연물을 통한 감정이입을 활용할 것.

① 소쩍, 소쩍, 소쩍새가 슬피 우는 곳. 서쪽의 한양을 그리워하며 단종이 눈물 흘리던 청령포를 떠나왔다.
② 한양을 그리워하며 단종이 눈물을 흘리던 곳. 청령포에 가면 비극적 역사의 한쪽을 가슴에 담아 볼 수 있다.
③ 소설 속 단종의 슬픔을 좀 더 가까이에서 느낄 수 있었던 청령포 기행. 단종의 애사에 가슴 아파하는 우리의 마음속에서 그날의 강물은 여전히 슬피 울며 흐르고 있었다.
④ '청령포'는 맑은 물이 흐르는 냇가에 가면 삶의 배움이 있다는 뜻이다. 자연의 아름다움과 역사의 숨결을 느낄 수 있는 그곳에 가서 문학의 짙은 향기를 맡아보길 바란다.
⑤ 단종의 슬픈 사연이 전해지는 청령포를 알고 있는가? 그곳에 가면 솔향기 속 단종의 애달픈 이야기를 떠올리며 생생한 역사의 현장을 확인할 수 있는 시간을 갖게 될 것이다.

**[9~10] 다음은 학교 신문 편집부의 요청 사항에 따라 학생이 작성한 기사의 초고이다. 물음에 답하시오.**

■ 학교 신문 편집부의 요청 사항
• 사회적 관심이 높은 '오투오(O2O) 서비스'를 제재로 할 것.
• '표제-전문-본문'의 형식을 갖추고 세부 내용은 '기사 검토 항목'을 참고하여 작성할 것.

■ 학생의 초고
표제 오투오 서비스의 개념과 등장 배경

전문 최근 오투오 서비스 산업이 급속하게 성장하고 있다.

본문
'오투오(O2O: Online to Off-line) 서비스'는 모바일 기기를 통해 소비자와 사업자를 유기적으로 이어주는 서비스를 말한다. 어디에서든 실시간으로 서비스가 가능하다는 편리함 때문에 최근 오투오 서비스의 이용자가 증가하고 있다. 스마트폰에 설치된 앱으로 택시를 부르거나 배달 음식을 주문하는 것 등이 대표적인 예이다.
오투오 서비스 운영 업체는 스마트폰에 설치된 앱을 매개로 소비자와 사업자에게 필요한 서비스를 제공하고 있다. 이를 통해 소비자는 시간이나 비용을 절약할 수 있게 되었고, 사업자는 홍보 및 유통 비용을 줄일 수 있게 되었다. 이처럼 소비자와 사업자 모두에게 경제적으로 유리한 환경이 조성되어 서비스 이용자가 증가함으로써, 오투오 서비스 운영 업체도 많은 수익을 낼 수 있게 되었다.
하지만 오투오 서비스 시장이 성장하면서 여러 문제들이 발생하고 있다. 소비자의 경우 신뢰성이 떨어지는 정보나 기대에 부응하지 못하는 서비스를 제공받는 사례가 늘어나고 있고, 사업자의 경우 관련 법규가 미비하여 수수료 문제로 오투오 서비스 운영 업체와 마찰이 생기는 사례도 증가하고 있다. 또한 오투오 서비스 운영 업체의 경우에는 오프라인으로 유사한 서비스를 제공하는 기존 업체와의 갈등이 발생하고 있다.
이를 해결하기 위해 소비자는 오투오 서비스에서 제공한 정보가 믿을 만한 것인지를 꼼꼼히 따져 합리적으로 소비하는 태도가 필요하고, 사업자는 수수료와 관련된 오투오 서비스 운영 업체와의 마찰을 해결하기 위한 다양한 방법을 강구해야 한다. 오투오 서비스 운영 업체 역시 기존 업체들과의 갈등을 조정하기 위한 구체적인 노력들이 필요하다.
스마트폰 사용자가 늘어나고 있는 추세를 고려할 때, 오투오 서비스 산업의 성장을 저해하는 문제점들을 해결해 나가면 앞으로 오투오 서비스 시장 규모는 더 커질 것으로 예상된다.

9. 다음은 학교 신문 편집부가 제시한 '기사 검토 항목'이다. 이에 따라 '초고'를 검토한 결과로 적절하지 않은 것은?

| | 기사 검토 항목 | 예 | 아니요 |
|---|---|---|---|
| ① | '표제'는 전체 내용을 포괄할 것. | | ✔ |
| ② | '전문'은 핵심 내용을 요약할 것. | | ✔ |
| ③ | '본문'에 제재의 개념을 설명할 것. | ✔ | |
| ④ | '본문'에 제재의 사례를 소개할 것. | | ✔ |
| ⑤ | '본문'에 제재에 대한 전망을 제시할 것. | ✔ | |

20회

10. <보기>는 '오투오 서비스'와 관련하여 수집한 자료이다. 이를 활용하여 '초고'를 수정하고자 할 때, 적절하지 않은 것은?

< 보 기 >

(가) 통계 자료

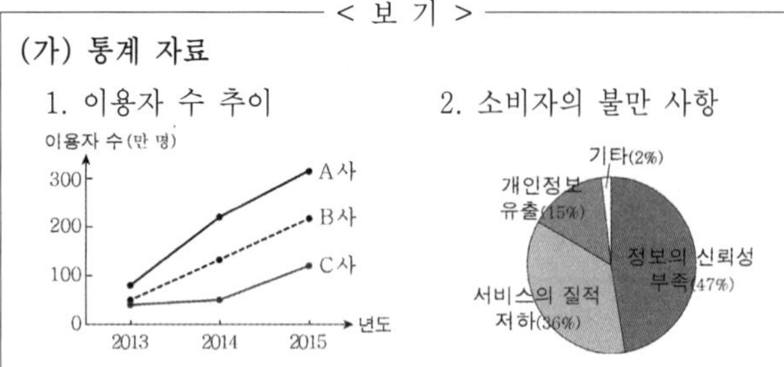


(나) 인터뷰

"오투오 서비스가 가게의 매출을 올려 주는 것은 사실입니다. 하지만 오투오 서비스 운영 업체에 수수료를 내고 나면 실제로 남는 수익은 이전과 거의 같습니다. 지난달에도 매출이 5 % 정도 늘었지만 수익에는 거의 변동이 없었습니다. 이 때문에 서비스 운영 업체에 문제를 제기하였지만 수수료와 관련된 법규가 제대로 마련되지 않아 운영 업체와 마찰을 빚었습니다. 우리 같은 사업자는 수수료를 내는 것이 부담스럽다 보니 소비자에게 질 좋은 서비스를 제공하기 어려운 실정입니다. 이와 관련된 정부의 적극적 노력이 필요하다고 생각합니다."

– 오투오 서비스 가입 사업자 –

(다) 연구 보고서

우리나라의 대표적 오투오 서비스 운영 업체인 ○○ 회사는 2015년 495억 원의 매출에도 불구하고 250억 원의 적자를 기록하였다. 현재의 법률 중 일부가 오프라인 산업을 기준으로 만들어져 온라인 중심의 오투오 서비스 산업에는 맞지 않아 영업에 제약을 받기 때문에 이러한 적자가 발생하고 있다는 주장도 있다. 그러나 연구 결과 ○○ 회사의 적자 중 약 80 %는 오투오 서비스 운영 업체 간의 과도한 경쟁이 주요한 원인으로 분석되었다.

– △△ 경제연구원 –

① (가)-1을 활용하여 '본문' 첫째 문단에 오투오 서비스 이용자가 증가하고 있는 현황을 뒷받침하는 자료로 제시한다.
② (나)를 활용하여 '본문' 셋째 문단에 사업자가 오투오 서비스 운영 업체와 수수료 문제로 마찰을 겪고 있는 사례를 구체화한다.
③ (다)를 활용하여 '본문' 셋째 문단에 오투오 서비스 시장이 성장하면서 오투오 서비스 운영 업체가 직면할 수 있는 문제점을 추가한다.
④ (가)-2와 (나)를 활용하여 '본문' 넷째 문단에 서비스의 질적 저하에 의한 소비자의 불만을 낮추기 위해 수수료와 관련된 법규 마련을 위한 정부의 노력이 필요함을 제시한다.
⑤ (나)와 (다)를 활용하여 '본문' 다섯째 문단에 오투오 서비스와 관련된 법적 규제의 완화가 오투오 서비스의 시장 규모를 확대하는 전제 조건임을 강조한다.

11. <보기>의 설명에 따를 때, 음운 변동 ⓐ, ⓑ가 모두 일어나는 단어로 적절한 것은?

< 보 기 >

다음은 '맨입'과 '국민'을 발음할 때에 일어나는 음운 변동을 나타낸 것이다. '맨입'은 음운 변동 ⓐ가 일어나 [맨닙]으로 발음되고, '국민'은 음운 변동 ⓑ가 일어나 [궁민]으로 발음된다.

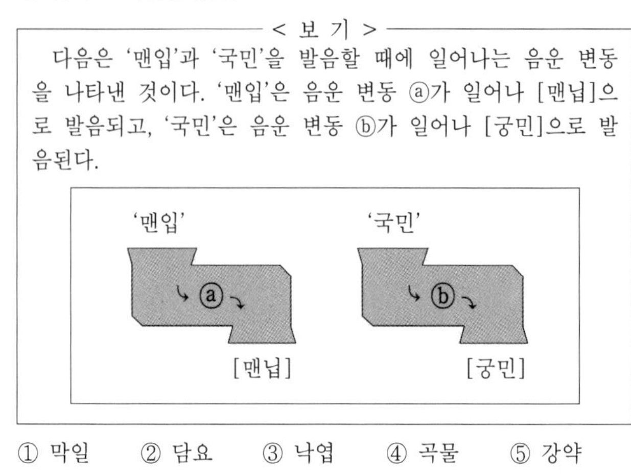


① 막일 ② 담요 ③ 낙엽 ④ 곡물 ⑤ 강약

12. 제시된 탐구 과정을 고려할 때, [A], [B]에 들어갈 ㉠~㉣을 바르게 분류한 것은? [3점]

| 탐구 주제 | 밑줄 친 말을 문장 성분과 품사를 기준으로 분류하시오.<br>• 이것은 ㉠ 새로운 글이다. • 이것은 ㉡ 새 글이다.<br>• 그는 ㉢ 빠르게 달린다. • 그는 ㉣ 빨리 달린다. | |
|---|---|---|
| 탐구 관련 지식 | • 관형어는 체언을, 부사어는 용언을 한정하는 기능을 함. | • 형용사는 관형사나 부사와 달리 활용을 함.<br>• 관형사는 명사를, 부사는 동사를 수식함. |
| 탐구 결과 | 문장 성분에 따라 [A] 로 분류할 수 있다. | 품사에 따라 [B] 로 분류할 수 있다. |

| | [A] | [B] |
|---|---|---|
| ① | ㉠, ㉡ / ㉢, ㉣ | ㉠, ㉡ / ㉢ / ㉣ |
| ② | ㉠, ㉡ / ㉢, ㉣ | ㉠, ㉢ / ㉡ / ㉣ |
| ③ | ㉠, ㉡ / ㉢, ㉣ | ㉠, ㉣ / ㉡ / ㉢ |
| ④ | ㉠, ㉢ / ㉡, ㉣ | ㉠, ㉡ / ㉢ / ㉣ |
| ⑤ | ㉠, ㉢ / ㉡, ㉣ | ㉠, ㉢ / ㉡ / ㉣ |

13. <보기>의 밑줄 친 부분에 해당하는 예로 적절하지 않은 것은?

< 보 기 >

어간에 관형사형 어미 '-ㄴ'을 결합하고자 할 때, 어간의 끝소리가 'ㄹ'인 경우에는 'ㄹ'을 탈락시키고 '-ㄴ'을 붙여야 한다. 그러나 실생활에서는 'ㄹ'을 탈락시키지 않고 '-은'을 잘못 붙여 사용하는 경우가 많다.

■ 녹슬- + -ㄴ → 녹슨(○)
　　　　　　　→ 녹슬은(×)

① 언니는 시들은 꽃다발을 부여잡고 눈물을 흘렸다.
② 자신의 잘못임을 깨달은 형은 누나에게 사과했다.
③ 낯설은 땅에 정착한 주민들은 모든 것이 새로웠다.
④ 나는 차창 밖으로 내밀은 어머니의 손을 붙잡았다.
⑤ 석양빛을 받아 붉게 물들은 구름이 꽤 아름다웠다.

14. <보기>에 제시된 '선생님'의 질문에 대한 답으로 적절한 것은?

< 보 기 >

**선생님** : 중세 국어에서는 각 글자의 왼편에 점을 찍어 소리의 높낮이를 표시하였습니다. 점이 없으면 낮은 소리, 점이 한 개면 높은 소리, 점이 두 개면 처음은 낮고 나중이 높은 소리를 나타냈습니다. 가령 ':말쓰·미'는 다음과 같이 소리의 높낮이를 표시할 수 있습니다.

:말쓰·미 → 말 쓰 미

자, 그럼 다음의 밑줄 친 ⓐ는 소리의 높낮이를 어떻게 표시할 수 있을까요?

불·휘기·픈남·ᄀᆞᆫᄇᆞᄅᆞ·매 ⓐ 아·니:뮐·ᄊᆡ
– 『용비어천가(龍飛御天歌)』 제2장 중에서

① 아 니 뮐 ᄊᆡ

② 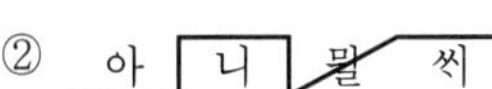

③ 아 니 뮐 ᄊᆡ

④ 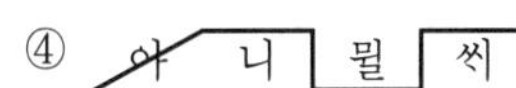

⑤ 아 니 뮐 ᄊᆡ

15. <보기>는 '뿐'에 대한 남북한의 사전 풀이이다. 이를 탐구한 내용으로 적절하지 않은 것은?

< 보 기 >

(가) 표준국어대사전(남한)

**뿐**01 「의존 명사」
(1) (어미 '-을' 뒤에 쓰여) 다만 어떠하거나 어찌할 따름이라는 뜻을 나타내는 말.
¶ 소문으로만 들었을 뿐이네.
(2) ('-다 뿐이지' 구성으로 쓰여) 오직 그렇게 하거나 그러하다는 것을 나타내는 말.
¶ 시간만 보냈다 뿐이지 한 일은 없다.

**뿐**02 「조사」 (체언이나 부사어 뒤에 붙어) '그것만이고 더는 없음' 또는 '오직 그렇게 하거나 그러하다는 것'을 나타내는 보조사.
¶ 이제 믿을 것은 오직 실력뿐이다.

(나) 조선말대사전(북한)

**뿐** 「불완전명사*」
(1) (체언아래에 쓰이여) 그것만이고 더는 없다는 뜻.
| 소식을 듣고 기뻐한것은 나뿐이 아니였다.
(2) (용언아래에 쓰이여) 다만 어떠하거나 어찌할따름이라는 뜻.
| 우리는 감격의 눈물을 삼켰을뿐이였다.

* 불완전명사 : 북한에서 '의존 명사'를 가리키는 말.

① (가)의 '뿐01'은 (나)의 '뿐'과 달리 앞에 오는 말과 띄어서 쓰이는군.
② (가)의 '뿐01'과 (나)의 '뿐'은 모두 두 가지의 뜻을 가진 단어이군.
③ '내가 가진 것은 이것뿐이다.'에서 '뿐'은 (가)의 '뿐02', (나)의 '뿐'(1)의 뜻에 해당하는군.
④ (가)에서는 (나)에서와 달리 체언 뒤의 '뿐'과 용언 뒤의 '뿐'을 서로 다른 표제어로 등재하고 있군.
⑤ (나)에서는 (가)에서와 달리 '뿐'을 다른 말에 기대어 쓰이지 않고 자립하여 쓰일 수 있는 말로 보고 있군.

**[16 ~ 18] 다음 글을 읽고 물음에 답하시오.**

㉠ 독방에서도 울음이 터진 것은 어머니가 묻혀 있을 서해안의 어느 이름 모를 야산을 향해 북쪽 벽 아래에다 물 한 그릇 떠 놓고 절을 드린 다음이었다. 나는 그렇게 한 그릇의 물 앞에 꿇어앉아 소리를 죽여 울면서 입안으로 중얼거렸다.

혼령이 계신다면…… 한 번이라도 만나야겠습니다.

어처구니없는 이기심이었지만 어머니는 나를 위해서 혼령이라도 한 번만은 모습을 나타내야 될 것 같았다. 당신의 말마따

20 회

나 너무나 드센 팔자를 타고나서 뼈가 다른 남매를 또 다른 의붓아비 그늘에서 길렀더니 이제 비로소 자식과 함께 산 지 채 이 년이 못 되어 이번에는 자식 때문에 죽었다…… 더군다나 자식은 당신으로서는 도무지 이해할 수 없는 엄청난 죄명 아래 갇히고, 거기다가 당신은 생모이면서도 법적인 친자 관계가 아니라는 이유로 면회마저 금지되어 자식의 얼굴조차 보지 못했다…… 당신의 병이라는 것도 화병으로 쓰러진 것이 원인이 되어 반신불수로 죽는 날까지 자리에서 일어나지 못했다. 그렇게 한 그릇의 물을 떠 놓고 그 앞에 꿇어앉아서 나는 어머니에게 찾아든 단말마의 순간에 어머니가 반신불수의 몸을 뒤틀며 나를 향해 부르짖었을 외마디 소리를 듣고 그 모습을 보았다.

"그만 울구 일어나. 몸두 성치 않으면서…… 다 지난 일 아녀?"

이 선배가 내 한쪽 팔을 붙들어 일으키며 말했다. 나는 아직도 눈물이 흘러나오는 두 눈을 손잔등으로 씻으며 새삼스럽게 어머니의 산소를 둘러보았다.

내가 어머니의 죽음이 나에게 무슨 의미가 되는가를 생각한 것은 단식을 시작한 지 사흘째 되는 무렵이었다. 어떤 종교를 지닌 것도, 그렇다고 사후의 세계나 영혼의 존재를 굳게 믿는 것도 아닌 나로서는 어머니가 단말마의 순간까지 품고 있었을, 그러다가 외마디 소리로 나에게 남기고 갔을 예의 한에 대해서 전혀 속수무책이었다. 무엇보다도 나는 그러한 자신의 무력감에 대해서 절망하고 있었다. 그렇다고, 그래, 돌아가셨군 하고, 쉽게 어머니의 죽음을 받아들일 수는 더욱이나 없었다. 어머니의 부음을 듣고 나서부터 아무런 생각 없이 날마다 어머니에게 떠 올렸던 물 한 그릇만으로 하루를 견뎌 내던 나는 마침내 사흘째 되던 날 비로소 자신의 단식에 대해서 의미를 붙였다.

좋수다. 당신의 죽음이 한스러운 만큼 나도 거기에 못지않겠수.

나는 그때 누구보다도 바로 어머니에 대해서 이를 악물었을 것이었다. 나는 굶어 죽을 결심이었다. 어머니가 나에게 남기고 간 한에 대해서 나는 그런 식으로나마 이겨 내고 싶었다. 어머니의 한에 대한 자신의 무력감이 이제는 한 그 자체에 대한 반감으로까지 번져 갔는지도 몰랐다.

열흘째 되는 오후 무렵이었다. 나는 창문 바로 옆에 누워 쏟아져 들어오는 초가을의 햇살을 아득한 시선으로 올려다보고 있었다. 언제부터 시작된 지 모르게 웅웅 귀를 울리는 이명과 함께 담장 밖 버드나무 숲에서 늦매미가 울어 대고 있었다. 나는 절반쯤은 잠이 든 상태에서 꿈결에서인 듯 나의 이명과 늦매미의 울음소리를 들었다. 그러자 그런 소리들에 겹쳐서 문득 어떤 노랫소리가 들려오는 것이었다.

어화, 이놈의 세상을 어이 넘어갈꺼나…….

어머니였다. 여섯 살 무렵이던 나는 어머니의 무릎 위에 눕혀져 있었다. 늦봄의 긴 오후 나절을 툇마루에 앉아서 어머니는 칭얼대는 나를 달래며 시름겨운 노래를 부르는 것이었다. 극심한 흉년 끝에 닥친 보릿고개를 견디다 못한 어머니와 누님과 나 이렇게 세 식구는 논가의 웅덩이에 있는 물풀을 건져다 밀기울에 버무려 죽을 쑤어 먹고, 그중에 어렸던 내가 물풀에 독이 올라 온몸이 뚱뚱 부은 채 거의 죽어 가는 중이었다. 그런 나를 무릎 위에 올려놓고 어머니는 굵은 눈물을 뚝뚝 흘리며 육자배기의 느린 가락으로 시름을 달래고 있었다. ㉡어머니의 노랫소리는 나의 이명처럼 끊어졌다가 다시 이어지며 계속해서 들려왔고, 나는 그 노랫소리를 들으며 베개를 흠뻑 적셨다.

**[중략 부분 줄거리]** '나'는 감옥에서 나와 월문리에 들렀다가 어머니의 죽음이 자살이었다는 사실을 알게 된다. 서울로 돌아온 후 폭음으로 몸과 정신이 쇠약해진 '나'는 답답한 마음과 응어리진 슬픔을 안고 다시 월문리를 찾는다.

어머니의 산소 앞에 있는 꽤 큰 덩치의 ㉢아카시아 숲이 시야를 답답하게 하는 느낌이어서 너무 무리다 싶으면서도 낫을 대었다. 톱이 없이 낫만으로는 역시 무리여서 대충 윗가지나 쳐내고 말려고 했는데 차츰 이상한 예감이 들었다. 좀 더 아카시아 나무의 밑동에 손을 대자 역시 예감대로 봉분의 형태가 드러나는 것이었다. 나는 기진맥진해 가면서도 결국 아카시아 숲을 모두 쳐냈다. 그것이 봉분임을 확인한 순간 나는 너무 지친 나머지 어머니 산소 앞에 벌렁 나자빠져 버렸다. 문득 잘했다, 하는 어머니의 목소리가 들려오는 듯했다. 나는 어린애처럼 자랑스러운 기분으로 몸을 뒤집어 어머니의 산소를 바라보았다. 그리고 말했다.

"이제 화해합시다."

산소에서 돌아왔을 때는 이미 정오가 지난 무렵이었다. 나는 마치 어머니의 산소 앞 아카시아 숲을 쳐내듯이 집 안팎을 손질하기 시작했다. 안채의 방문을 고쳐서 다시 달고, 창호지를 구해다가 새로 문을 바르고, 마룻바닥에 켜처럼 내려앉은 먼지들을 씻어 내고, 뒤주에서 죽어 있는 몇 마리의 쥐새끼들을 꺼내어 파묻고, 안방에 나 있는 쥐구멍들을 막았다. 내가 부엌의 무너진 부뚜막까지 마저 고쳐서 다시 무쇠솥을 올려놓았을 때는 이미 밤이 되어 있었다. 밤이 깊어지자 때 아닌 비가 내리기 시작했다. 나는 문간방에 누워 있었다. 처마 기슭에서 떨어지는 낙숫물 소리가 차츰 무성해지고 있었다. 나는 문득 자리에서 일어났다. 그리고 이부자리를 들고 안채로 건너갔다. 방안을 들어서며 내가 말했다.

"이런 밤엔 혼자 자기가 서로 외로운 법 아니우?"

나는 평소에 어머니의 잠자리였던 ㉣아랫목 바로 옆에 이부자리를 깔고 누웠다. 그러자 나는 마치 이제 더 이상 갈 데가 없이 끝까지 와 버린 것처럼 깊고 아득한 느낌이었다. 그렇게 자리에 누워서 나는 어느 사이에 자신이 바로 이 폐가의 일부가 되어 있는 것을 깨달았다. 그리고 어느 사이에 나는 또다시 어머니와 내가 한 몸이 되어 있는 것을 깨달았다. 나는 어머니의 목소리를 들었다.

오메, 내 새끼야.

처마 기슭에서는 여전히 ㉤낙숫물 소리가 무성하게 들려오고 있었다. 나는 울었다. 기쁨도 슬픔도 아닌 망망한 그리움이었다. 그러다가 나는 잠이 들었고, 나는 꿈을 꾸었다.

고향의 장터였다. 장을 보는 사람들로 붐비는 어물전 부근이었다. 서른 언저리의 젊은 여자가 양옆에 어린 남매를 데리고 앉아서 좌판을 벌여 놓고 있었다. 좌판에는 갈치며 고등어 몇 마리가 뎅그마니 올려져 있었다. 내가 다가가자 여자는 고개를 들어 나를 올려다보았다. 여자의 얼굴을 확인한 순간에 나는 잠이 깨었다. 여자는 내가 까마득히 잊고 있던 옛 여자였다. 잠이 완연히 깨고 난 다음에 나는 그 여자가 나의 새로운 어머니라고 생각했다.

— 송기원, 「다시 월문리에서」 —

*16.* 윗글에 대한 설명으로 가장 적절한 것은?

① 서술자가 관찰자의 입장에서 인물을 세밀하게 묘사하고 있다.
② 각 장면마다 서술자를 교체하여 사건을 긴장감 있게 전개하고 있다.
③ 서술자가 자신의 체험을 진술하며 그와 관련된 내면을 드러내고 있다.
④ 순행적 구성을 통해 인물들의 갈등 양상을 효과적으로 드러내고 있다.
⑤ 동시에 벌어지는 사건을 나란히 배치하여 사건의 전모를 입체적으로 보여 주고 있다.

*17.* <보기>를 바탕으로 윗글을 감상한 내용으로 적절하지 않은 것은? [3점]

< 보 기 >

이 작품에서 주목해야 할 점은 어머니의 산소에서 '나'가 어머니에게 건넨 "이제 화해합시다."라는 말에 담긴 의미이다. 이를 이해하기 위해서는 자식에 대한 어머니의 한과 어머니에 대한 '나'의 한을 연관 지어 살펴볼 필요가 있다. 어머니의 죽음을 수용하지 못하고 내적 갈등을 느끼던 '나'가 다시 월문리로 돌아와 어머니의 산소와 폐가를 정리하는 행동은, 어머니의 기구한 삶과 한을 받아들이며 '나'의 한을 풀어 가는 모습이라고 할 수 있다. 이러한 과정을 통해 '나'는 잊고 있었던 젊은 시절의 어머니의 모습을 떠올리며 어머니와 화해를 이루게 된다.

① '나'가 '뼈가 다른 남매를 또 다른 의붓아비 그늘에서' 기른 어머니의 모습을 떠올리는 부분에서, 어머니가 살아온 기구한 삶을 엿볼 수 있겠군.
② '나'가 법적 친자가 아니라는 이유로 어머니가 감옥에 갇힌 '나'의 얼굴조차 보지 못하고 돌아가신 것에서, 자식에 대한 어머니의 한을 짐작할 수 있겠군.
③ '나'가 돌아가신 어머니의 한에 대해 무력감을 느끼며 독방에서 굶어 죽을 결심으로 단식하는 것에서, 어머니의 한을 받아들이며 '나'의 한을 풀어내려는 의지를 확인할 수 있겠군.
④ '나'가 다시 월문리로 돌아와 어머니의 폐가를 손질한 후 어머니와 한 몸이 되어 있다고 느끼는 것에서, '나'가 어머니의 삶을 수용하고 있음을 짐작할 수 있겠군.
⑤ '나'가 어린 남매를 데리고 앉아 있는 꿈속의 '젊은 여자'를 '나의 새로운 어머니'로 생각하는 것에서, '나'가 마음속에서 어머니와 화해를 이루었음을 엿볼 수 있겠군.

*18.* ㉠ ~ ㉤에 대한 이해로 적절하지 않은 것은?

① ㉠은 '나'가 어머니를 떠올리며 지난 삶을 되돌아보는 공간이다.
② ㉡은 '나'에게 자신에 대한 어머니의 애달픈 심정을 환기하게 하는 소재이다.
③ ㉢은 '나'의 답답한 심정과 연결 지어 이해할 수 있는 소재이다.
④ ㉣은 '나'가 어머니의 자취를 느끼며 교감할 수 있는 공간이다.
⑤ ㉤은 어머니로 인해 겪었던 '나'의 고달픈 경험을 연상하게 하는 소재이다.

**[19 ~ 21] 다음 글을 읽고 물음에 답하시오.**

(가)

외모도 남에 비해 그리 빠지지 않고
바느질 솜씨 길쌈 솜씨도 좋건만
가난한 집안에 태어나 자란 까닭에
좋은 중매 자리 나를 몰라준다오. [A]

춥고 굶주려도 겉으로는 내색하지 않고
하루 종일 창가에서 베만 짠다네
오직 내 부모님만 가엾다 여기실 뿐
그 어떤 이웃이 이내 속을 알아주리오. [B]

밤이 깊어도 베를 짜는 손 멈추지 않고
베틀 소리만 삐걱삐걱 처량하게 우네
베틀에 짜여 가는 이 한 필 비단
끝내는 어느 색시의 옷이 되려나. [C]

가위로 싹둑싹둑 옷감을 마르노라면
추운 밤에 손끝이 곱아 오네
시집가는 누군가를 위해 길옷을 만들고 있지만
이내 몸은 해마다 홀로 잔다오. [D]

- 허난설헌, 「빈녀음(貧女吟)」 -

(나)

이 밤 이제 조금만 있으면 닭이 울어서 귀신이 제 집으로 가고 육보름달*이 오겠습니다. 이 좋은 밤에 시꺼먼 잠을 자면 하얗게 눈썹이 센다는 말은 얼마나 무서운 말입니까. 육보름이면 옛사람의 인정 같은 고사리의 반가운 맛이 나를 울려도 좋듯이 허연 영감 귀신의 호통 같은 이 무서운 말이 이 밤에 내 잠을 좇아 버려도 나는 좋습니다. 고요하니 즐거운 이 밤 초롱초롱 맑게 괸 샘물 같은 눈으로 나는 지금 당신께서 보내 주신 맑고 고운 **수선화 한 폭**을 들여다봅니다. 들여다보노라니 그윽한 향기와 새파란 꿈이 안개같이 오르고 또 **노란 슬픔**이 냇내같이 오릅니다.

나는 이제 이 긴긴밤을 당신께 이 노란 슬픔의 이야기나 해서 보내도 좋겠습니다. 남쪽 바닷가 어떤 낡은 항구의 처녀 하나를 나는 좋아했습니다. 머리가 까맣고 눈이 크고 코가 높고 목이 패고 키가 호리낭창했습니다. 그가 열 살이 못 되어 젊디젊은 그 아버지는 가슴을 앓아 죽고 그는 아름다운 젊은 홀어머니와 둘이 동지선달에도 눈이 오지 않는 따뜻한 이 낡은 항

구의 크나큰 기와집에서 그늘진 풀같이 살아왔습니다.

어느 해 유월이 저물게 실비 오는 무더운 밤에 처음으로 그를 안 나는 여러 아름다운 것에 그를 견주어 보았습니다. 당신께서 좋아하시는 산새에도 해오라비에도 또 진달래에도 그리고 산호에도…. 그러나 나는 어리석어서 아름다움이 닮은 것을 골라낼 수 없었습니다. 총명한 내 친구 하나가 그를 비겨서 수선이라고 했습니다. 그제는 나도 기뻐서 그를 비겨 수선이라고 했습니다. 그러한 나의 **수선**이 시들어갑니다. 그는 스물을 넘지 못하고 또 가슴의 병을 얻었습니다. 이 이야기는 이만하고 나의 노란 슬픔이 더 떠오르지 않게 나는 당신의 보내 주신 맑고 고운 수선화의 폭을 치워 놓아야 하겠습니다.

밤이 아직 샐 때가 멀고 복밥을 먹을 때도 아직 되지 않았습니다. 이제 나는 어머니의 바느질 그릇이 있는 데로 가서 무새 헝겊이나 얻어다가 **알록달록한 각시**나 만들면서 이 남은 밤을 당신께서 좋아하실 내 [시골 육보름 밤의 이야기]나 해서 보내도 좋겠습니까.

**육보름으로 넘어서는 밤**은 집집이 안간으로 사랑으로 윗간에도 맏윗간에도 누방에도 허청에도 고방에도 부엌에도 대문간에도 외양간에도 모두 쩨듯하니 불을 켜 놓고 복을 맞이하는 밤입니다. 달 밝은 마을의 행길 어디로는 복덩이가 돌아다닐 것도 같은 밤입니다. 닭이 수잠을 자고 개가 밤물을 먹고 도야지 깃을 들썩이는 밤입니다. **새악시 처녀들**은 새 옷을 입고 복물을 긷는다고 벌을 건너기도 하고 고개를 넘기도 하여 부잣집 우물로 가서 반동이에 옹패기에 찰락찰락 물을 길어 오며 별 같은 이야기를 재깔재깔하는 밤입니다.

새악시 처녀들은 또 복을 가져오느라고 달을 보고 웃어 가며 살기같이 여우같이 부잣집으로 가서는 날쌔기도 하게 기왓골의 기왓장을 벗겨 오고 부엌의 솥뚜껑을 들어오고 곱새담* 의 짚날을 뽑아 오고…. 이렇게 허물없는 즐거움 속에 끼득깨득하는 그들은 산에서 내린 무슨 암짐승들이 되어 버리는 밤입니다. 그러다는 집으로 들어가서 마음 고요히 세 마디 달린 수숫대에 마디마디 콩 한 알씩을 박아 물독 안에 넣는 밤인데 밝은 날 산골이라는 윗마디, 중산이라는 가운뎃마디, 해변이라는 밑마디의 그 어느 마디의 콩이 붇는가를 보고 그 어느 고장에 풍년이 들 것을 점칠 것입니다. 그러다는 닭이 울어서 새날이 되면 아홉 가지 나물에 아홉 그릇 밥을 먹으면, 먹으면 몸 솔쐐기*가 쏜다는 김치와 먹으면 김맬 때 비가 온다는 물을 자꾸 먹고 싶어 하는 밤입니다.

이렇게 해서 육보름의 아침이 됩니다. 새악시 처녀들은 해뜨기 전에 동리 국수당의 스무나무 가지를 꺾 오려서 가시가시에 하얀 솜을 피우고 그 솜밭 속에 며칠 앞서부터 스물이고 서른이고 만들어 놓은 울긋불긋한 각시와 새하얀 할미를 세워서는 굴통 담에 곱새담에 장독담에 꽂아 놓는데, 이렇게 하면 이 해에는 하루같이 목화밭에서 천 근 목화가 난다고 믿는 그들이 새 옷의 스적이는 소리도 좋게 의좋은 짝패들끼리 끼리끼리 밀려다니며 담장마다 머물러서는 목화 따는 할미며 각시와 무슨 이야기나 하는 듯이 즐거워하는 것입니다.

(닭이 우나?) 아, 닭이 웁니다. 나는 이만 이야기를 그치고 복밥을 기다리는 얼마 아닌 동안 신선과 고사리와 수선화와 **병든 내 사람**이나 생각하겠습니다.

– 백석, 「편지」 –

* 육보름달 : 정월 대보름날 밤에 뜨는 가장 둥근 달을 의미함.
* 곱새담 : 풀 짚으로 만든 담.
* 솔쐐기 : 소나무 송충이.

*19.* (가), (나)의 공통점으로 가장 적절한 것은?

① 시선의 이동에 따라 대상의 특징을 묘사하고 있다.
② 주체와 객체를 전도시켜 삶의 덧없음을 부각하고 있다.
③ 역설적 표현을 통해 이상에 대한 열망을 표출하고 있다.
④ 음성 상징어를 활용하여 상황을 효과적으로 드러내고 있다.
⑤ 연쇄적 표현을 활용하여 정서의 변화 추이를 나타내고 있다.

*20.* 시적 맥락을 고려하여 (가)의 [A] ~ [D]를 이해한 내용으로 적절하지 않은 것은?

① [A]의 '가난한 집안' 사정은 [B]의 '하루 종일 창가에서 베만' 짜야 하는 구체적 상황으로 이어지고 있군.
② [A]의 '좋은 중매 자리'가 들어오지 않는 상황은 [D]의 '해마다 홀로' 자야 하는 외로운 처지에 놓이게 했군.
③ [B]의 '어떤 이웃'도 알아주지 않는 '이내 속'은 [C]의 '처량하게 우'는 '베틀'에 투영되어 있군.
④ [C]의 '베틀에 짜여 가는 이 한 필 비단'은 [D]의 '옷감을 마르'는 힘겨운 일상에 위안을 주고 있군.
⑤ [D]의 '길옷을 만들고 있'는 상황은 [C]의 '어느 색시'의 처지와 대비되어 서글픔을 심화시키고 있군.

*21.* <보기>를 바탕으로 (나)를 감상할 때, 적절하지 않은 것은? [3점]

< 보 기 >

백석은 '감각'과 '열거'를 통해 기억을 환기해 내는 탁월한 작가이다. 그의 이러한 면모가 잘 드러나 있는 「편지」는 두 가지 이야기로 구성되어 있다. 사랑하는 여인에 대한 추억과, 정월 대보름 고향 마을의 풍속에 대한 기억이 그것이다.

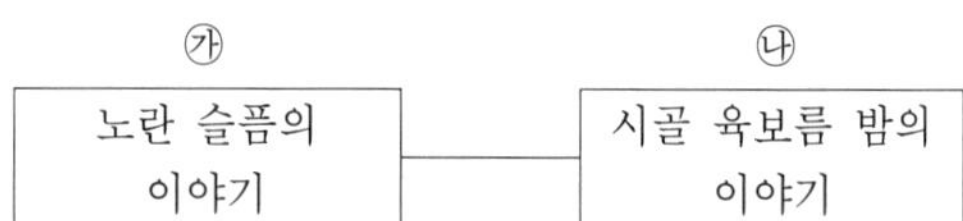


㉮는 사랑하는 여인을 수선화에 빗대어, 그녀에 대한 애련한 심정을 섬세한 필치로 담고 있다. 그리고 ㉯는 마을의 풍요와 안녕을 기원하는 풍속에 대한 기억을 현재형 진술을 통해 촘촘히 불러냄으로써, 일제 강점기, 사라져 가는 고유의 풍속과 민족 정서를 복원하고, '지금', '여기'에서 재현될 수 있는 어울림의 공동체를 지향하고자 했던 백석의 문학 세계를 고스란히 담고 있다.

① '수선화 한 폭'은 글쓴이의 내면을 ㉮의 추억으로, '알록달록한 각시'는 ㉯의 기억으로 이어주는 매개적 기능을 하는군.
② 화제가 ㉮의 '그'에서 ㉯의 '새악시 처녀들'로 확대되면서 글의 애상적인 분위기가 심화되고 있군.
③ '병든 내 사람'을 비유한 시들어가는 '수선'은 ㉮의 '노란 슬픔'에서 환기되는 이미지와 연계되고 있군.
④ ㉯에서 '육보름으로 넘어서는 밤'의 풍속에 대한 기억을 열거하면서 민족 공동체의 정서를 환기하고 있군.
⑤ ㉯에서 과거의 이야기를 '~밤입니다'와 같은 현재형 진술로 반복한 것은 기억 속의 세계가 '지금', '여기'에 재현되기를 바라는 마음을 표현한 것으로 볼 수 있군.

**[22 ~ 25] 다음 글을 읽고 물음에 답하시오.**

북을 치면 소리가 난다. 북을 쳤을 때 북의 가죽에서 진동이 일어나고 이로 인해 공기가 진동하여 소리를 내는 것이다. 이때 공기가 가죽의 진동을 받아 생기는 진동수가 크면 높은 음이, 작으면 낮은 음이 난다. 그리고 공기의 진폭이 크면 강한 소리가, 작으면 약한 소리가 난다. 스피커도 이와 같은 원리로 전류의 진동수나 진폭에 따라 다양한 소리를 ⓐ 재생한다.

일반적으로 널리 사용되는 스피커로는 다이내믹 스피커가 있다. 다이내믹 스피커는 영구 자석에 의해 형성되는 자기장이 보이스 코일에 흐르는 전류와 수직 방향을 이루도록 하여 진동판을 움직이는 힘이 위아래로 ⓑ 작용하게 함으로써 소리를 재생하는 메커니즘을 갖는다. 이러한 메커니즘은 왼쪽의 <그림>에서와 같이 자기장과 전류의 방향이 수직을 이룰 때 생성되는 힘이 자기장과 전류의 수직 방향으로 작용한다는 플레밍의 왼손 법칙으로 설명할 수 있다.

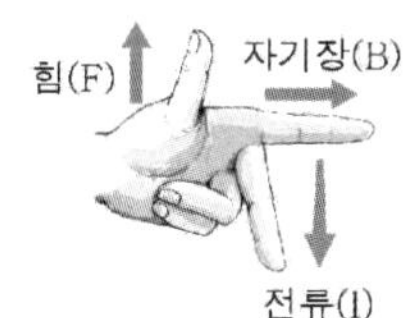

<그림> 플레밍의 왼손 법칙

다이내믹 스피커의 주요 부품으로는 영구 자석, 탑 플레이트, 보이스 코일, 보빈, 진동판, 댐퍼, 폴피스 등이 있다. 영구 자석은 자기장을 형성하고, 탑 플레이트는 이 자기장을 보이스 코일 방향으로 제어하는 역할을 한다. 보이스 코일은 보빈에 감겨 있는 도선으로, 이 코일에 전류가 흐르면 영구 자석이 형성하는 자기장과 상호 작용을 하여 생성되는 힘이 보이스 코일을 위아래로 움직이게 한다. 보이스 코일에 고정되어 있는 보빈은 보이스 코일이 받는 힘을 진동판에 그대로 전달하여 소리를 재생하게 한다. 댐퍼는 스피커의 외형을 이루는 단단한 프레임에 보빈을 지지시켜 보빈에 감겨 있는 보이스 코일이 위아래로 ⓒ 원활하게 움직일 수 있도록 보이스 코일의 중심을 잡아 준다. 그리고 폴피스는 전류가 흐르면서 보이스 코일에서 발생하는 열을 영구 자석과 탑 플레이트로 ⓓ 분산시켜 식혀 주는 역할을 한다.

다이내믹 스피커에서 소리를 재생하기 위해서는 보이스 코일이 위아래로 반복하여 움직이면서 진동판을 진동시켜야 한다. 진동판의 반복 운동은 전류의 방향이 계속해서 바뀌는 교류 전류를 보이스 코일에 흘려줌으로써 이루어진다. 영구 자석에서 나오는 자기장의 방향은 동일하지만 보이스 코일에 흐르는 교류 전류의 방향이 전환됨에 따라 보이스 코일이 받는 힘이 이전과 반대 방향으로 작용하게 된다. 그렇게 되면 진동판이 위아래로 반복 운동을 하며 소리가 재생된다.

한편 자기장(B)과 전류(I)의 세기가 커짐에 따라 보이스 코일에 작용하여 진동판을 진동시키는 힘(F)은 커진다. 그런데 영구 자석에서 형성되는 자기장의 세기는 항상 ⓔ 일정하기 때문에 스피커에서 재생되는 소리의 크기는 보이스 코일에 흐르는 전류의 변화에 따라 달라진다.

*22.* '다이내믹 스피커'에 대한 설명으로 적절하지 않은 것은?

① 전류는 보이스 코일에서 열을 발생시킨다.
② 보이스 코일과 보빈이 움직이는 방향은 동일하다.
③ 전류의 방향이 변하지 않으면 소리를 재생하지 못한다.
④ 보이스 코일에 전류를 흘려주면 보이스 코일이 힘을 받는다.
⑤ 보이스 코일이 받은 힘은 전류와 자기장의 상호 작용을 유도한다.

*23.* <보기>는 '다이내믹 스피커'의 단면도이다. Ⓐ ~ Ⓔ에 대한 설명으로 적절하지 않은 것은?

< 보 기 >

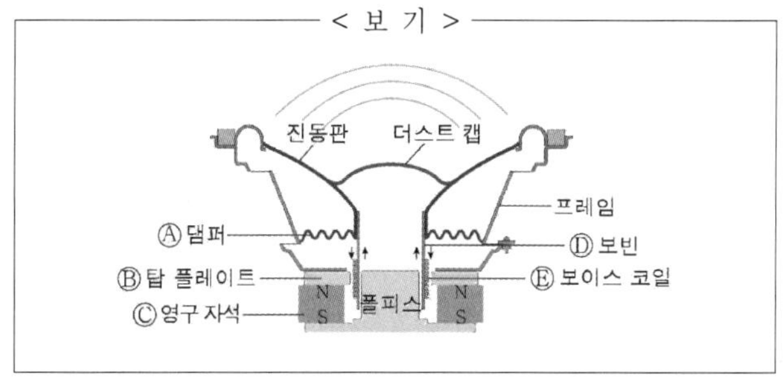


① Ⓐ : 프레임에 보빈을 지지시켜 보이스 코일의 중심을 잡아 준다.
② Ⓑ : 영구 자석이 형성하는 자기장을 보이스 코일 쪽으로 향하도록 제어한다.
③ Ⓒ : 보이스 코일에 흐르는 전류의 영향을 받아 자기장을 반대 방향으로 전환시킨다.
④ Ⓓ : 보이스 코일이 받는 힘을 진동판에 전달하여 진동판을 진동시킨다.
⑤ Ⓔ : 교류 전류의 방향 전환에 따라 보빈을 위아래로 움직이게 한다.

*24.* 윗글을 바탕으로 할 때, <보기>의 ㉠에 들어갈 내용으로 적절한 것은? [3점]

< 보 기 >

이퀄라이저는 특정 주파수 대역의 음을 세게 하거나 약하게 하여 음악에 따라 음색을 조절하며 감상할 수 있게 하는 장치이다. 예를 들어 클래식 음악을 감상할 때는 저음 대역에 해당하는 전류의 ( ㉠ ) 방법을 통해 스피커에서 나오는 저음을 강화할 수 있다.

① 세기를 크게 하는
② 진폭을 작게 하는
③ 방향을 전환시키는
④ 진동수를 크게 하는
⑤ 진동수와 진폭을 작게 하는

*25.* ⓐ ~ ⓔ의 사전적 의미로 적절하지 않은 것은?

① ⓐ : 사물이 어떤 근원으로부터 갈려 나와 생김.
② ⓑ : 어떠한 현상을 일으키거나 영향을 미침.
③ ⓒ : 거침이 없이 잘되어 나감.
④ ⓓ : 갈라져 흩어지거나 그렇게 되게 함.
⑤ ⓔ : 어떤 것의 크기나 범위 등이 하나로 정하여져 있음.

**[26 ~ 28] 다음 글을 읽고 물음에 답하시오.**

금융 상품에는 주식, 예금, 채권 등 다양한 유형의 투자 상품이 있다. 그 중 주식은 예금에 비해 큰 수익을 얻을 수 있지만 손실의 가능성이 크고, 예금은 상대적으로 적은 수익을 얻지만 손실의 가능성이 적다. 그렇기 때문에 사람들은 자신의 투자 성향에 따라 각기 다른 금융 상품을 선호한다. 금융 회사는 이러한 고객의 성향을 고려하여 고객에게 최적의 투자 상품을 추천한다. 그렇다면 금융 회사가 고객들의 투자 성향을 판단하는 기준은 무엇일까?

금융 회사는 투자의 기대 효용에 대한 고객들의 태도 차이를 기준으로 고객들을 위험 추구형, 위험 회피형 등으로 분류한다. 투자의 기대 효용이란 투자를 통해 얻을 수 있는 수익의 기댓값으로, 투자 수익에 그것이 발생할 확률을 곱한 값과 투자 손실에 그것이 발생할 확률을 곱한 값의 총합을 의미한다. 예를 들어, 어떤 금융 상품 ㉮에 500원의 비용을 들여 투자할 때 40 %의 확률로 2,000원의 수익을 얻을 수 있고, 60 %의 확률로 투자한 500원을 모두 잃는다고 가정해 보자. 그렇다면 이 상품의 기대 효용은 투자 수익인 2,000원에 40 %를 곱한 값($2{,}000 \times 0.4 = 800$)과 투자 손실인 -500원에 60 %를 곱한 값($-500 \times 0.6 = -300$)의 총합인 500원이 된다.

고객들의 투자 유형은 투자를 통해 얻을 수 있는 기대 효용과 투자를 하지 않고 화폐를 보유할 때의 효용 중에서 어느 것을 선택하느냐에 따라 나눌 수 있다. 투자보다 화폐 보유를 선호하면 위험 회피형이고 투자를 통한 기대 효용을 선호하면 위험 추구형이다. 즉, 투자한 500원을 모두 잃을 수 있음에도 금융 상품 ㉮에 투자하려는 사람은 위험 추구형이고, 손실을 우려하여 500원을 투자하지 않고 화폐로 보유하려는 사람은 위험 회피형이다.

이처럼 기대 효용이 같더라도 소비자들이 보이는 태도에는 차이가 있는데, 이를 한계효용*의 개념으로 설명할 수 있다.

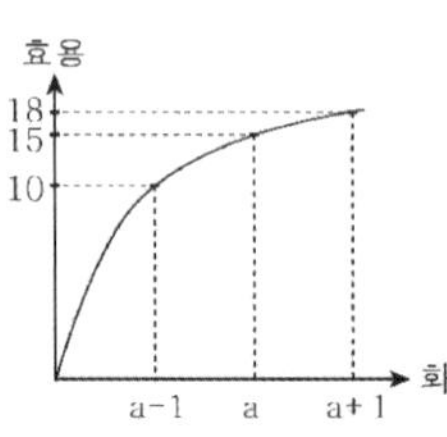


왼쪽 그래프는 어떤 사람이 느끼는 화폐에 대한 효용을 나타낸 것이다. 그래프를 보면 투자에 성공해서 화폐가 a에서 a + 1로 1단위 증가할 경우 한계효용은 15와 18의 차인 3이 된다. 반대로 투자에 실패하여 화폐가 a에서 a − 1로 1단위 감소할 경우 한계효용은 15와 10의 차인 5가 된다. 이 사람은 투자에서 성공했을 때 오는 만족(3)보다 투자에서 실패했을 때 오는 불만족(5)을 더 크게 인식하므로 투자를 하지 않는 위험 회피형의 성향을 보일 것이다. 만일 ㉠ <u>투자 실패로 인한 불만족보다 투자 성공으로 인한 만족을 더 크게 여기는 경우</u>에는 위험 추구형 성향을 보이게 될 것이다.

금융 회사는 이러한 고객들의 투자 성향을 분류하여 위험 회피형인 고객에게는 예금과 같이 안전성이 높은 상품을 추천하고, 위험 추구형인 고객에게는 손실의 위험이 있더라도 큰 수익을 얻을 수 있는 투자 상품을 추천하게 된다. 이와 같은 방식으로 금융 상품을 추천했을 때, 금융 회사는 더 많은 고객들과 더 많은 투자 자금을 유치할 수 있게 된다.

* 한계효용 : 일정한 종류의 재화가 잇따라 소비될 때 최후의 한 단위로부터 얻어지는 심리적 만족도.

*26.* 윗글에서 언급된 정보가 <u>아닌</u> 것은?

① 투자 상품의 유형 ② 기대 효용의 계산 방법
③ 투자 성향의 판단 기준 ④ 투자 성향의 분류 효과
⑤ 투자 상품의 다양화 방안

*27.* ㉠과 같은 투자 성향을 가진 사람의 화폐에 대한 효용 그래프로 적절한 것은?

①
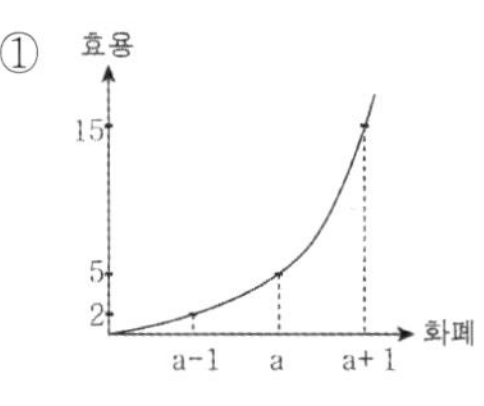


②
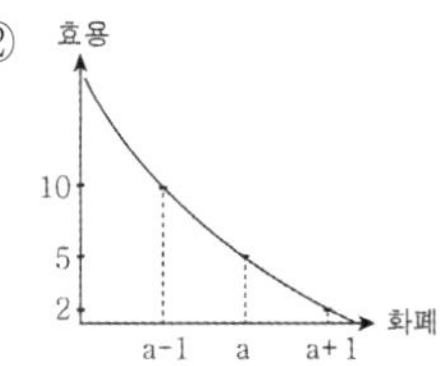


③
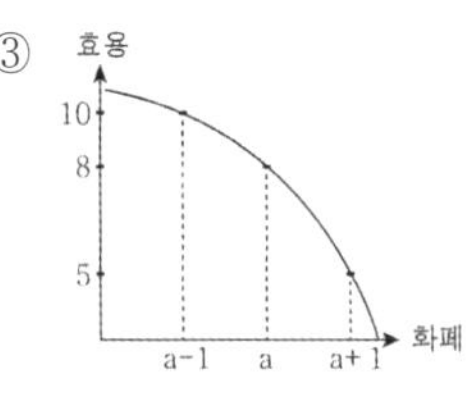


④
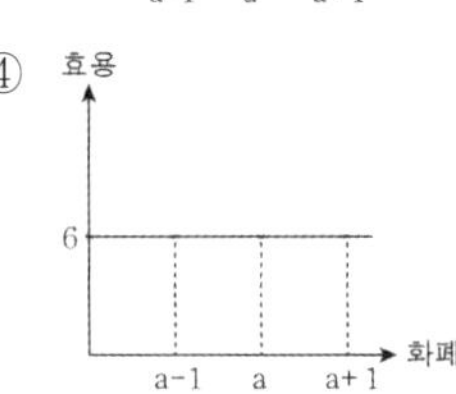


⑤
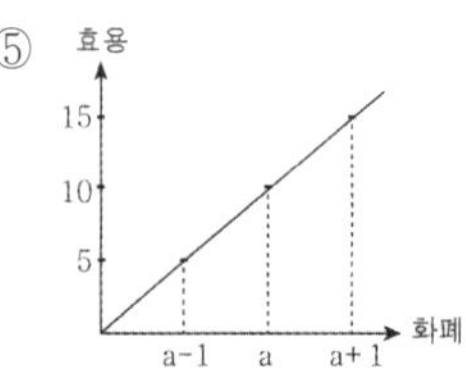


*28.* 윗글을 바탕으로 할 때, <보기>의 '갑', '을', '병'에 대한 설명으로 적절하지 <u>않은</u> 것은? [3점]

< 보 기 >

귀하는 50만 원의 현금을 보유하거나 다음의 두 상품 중 하나에 투자를 해야 한다면, 어느 경우를 더 선호하십니까?

(단위: 만 원)

| | 투자 비용 | 투자 수익 | 수익을 얻을 확률 | 기대 효용 |
|---|---|---|---|---|
| A 상품 | 50 | 450 | 20 % | 50 |
| B 상품 | 50 | 200 | 40 % | 50 |

| | A 상품 | B 상품 | 현금 보유 |
|---|---|---|---|
| 갑 | | ✓ | |
| 을 | ✓ | | |
| 병 | | | ✓ |

① '갑'은 '병'에 비해 손실 위험이 있더라도 수익을 얻을 수 있는 투자 상품을 선호하겠군.
② '갑'과 '을'은 화폐를 보유하기보다 투자를 통해 얻는 기대 효용을 선택하였군.
③ '을'은 '갑'에 비해 투자할 때 위험을 더 추구하는 성향을 보이는군.
④ '병'은 '갑'과 달리 A 상품이 B 상품보다 투자 실패 확률이 더 크다고 보겠군.
⑤ '병'은 '을'에 비해 투자 성공의 만족보다 투자 실패의 불만족을 더 크게 인식하겠군.

**[29 ~ 34] 다음 글을 읽고 물음에 답하시오.**

논리학은 논증에서 전제들로부터 결론이 도출될 수 있는지를 판단하는 학문이다. 논리학을 학문으로 체계화한 사람은 기원전 3세기의 철학자 아리스토텔레스이다. 그는 논증의 일반적인 원리를 연구함으로써 논증의 타당성을 검토하려고 했다.

아리스토텔레스는 정언 문장으로 이루어진 연역 논증을 중심으로 논리학을 연구하였는데, 이러한 논리학을 ⓐ전통 논리학이라 부른다. 연역 논증은 결론이 이미 전제에 포함되어 있기 때문에 전제가 참이면 결론이 반드시 참이 되는 형식의 논증을 말한다. 그리고 정언 문장이란 참과 거짓을 판별할 수 있는 문장 중에서 '주어-술어'로 이루어진 다음 네 가지 형식의 문장을 말한다.

- 모든 A는 B이다.
- 모든 A는 B가 아니다.
- 어떤 A는 B이다.
- 어떤 A는 B가 아니다.

(1)은 연역 논증의 하나로 세 개의 정언 문장으로 구성된 정언 삼단 논증의 예이다.

(1) 모든 [아버지]는 [남자]이다. <전제1>
어떤 [사람]은 [아버지]이다. <전제2>
그러므로 어떤 [사람]은 [남자]이다. <결론>

(1)에서 결론의 주어가 되는 개념인 '사람'을 소명사(S), 결론의 술어가 되는 개념인 '남자'를 대명사(P)라 하며, '아버지'와 같이 전제에만 있으면서 전제들을 엮을 수 있도록 하는 개념을 중명사(M)라 한다. 만약 술어가 '걷는다'와 같이 동사인 경우에는 '걷는 존재'와 같은 명사(名辭)*로 나타낼 수 있다. 그리고 대명사가 포함된 전제를 대전제, 소명사가 포함된 전제를 소전제라 한다. 이를 사용하여 (1)을 형식화하면 (2)와 같다.

(2) 모든 [M]은 [P]이다. <대전제>
어떤 [S]는 [M]이다. <소전제>
그러므로 어떤 [S]는 [P]이다. <결론>

정언 삼단 논증에서 중명사(M)는 전제들 사이에서 소명사(S)와 대명사(P)를 연결시키는 역할을 맡는다. 만약 전제에 중명사가 없으면 소명사와 대명사를 연결시킬 수 없으므로 논증을 구성할 수 없다. (2)에서 결론의 [S]-[P]는 배열이 고정되어 있지만, 전제의 'M, P, S'는 배열이 자유롭기 때문에 'M, P, S'를 조합해서 ㉠정언 삼단 논증의 네 가지 유형을 만들 수 있다. 이를 아리스토텔레스는 정언 삼단 논증의 제1격에서부터 제4격이라고 명명하였다. 이와 같이 정언 문장을 대명사, 중명사, 소명사로 분석한 전통 논리학을 명사 단위의 논리학이라 한다.

그런데 (3)은 정언 삼단 논증의 형태를 띠고 있는 것처럼 보이지만 정언 삼단 논증의 유형에서 벗어나 있다.

(3) 만약 비가 온다면, 소풍은 취소된다. <전제1>
비가 온다. <전제2>
그러므로 소풍은 취소된다. <결론>

<전제1>은 '비가 온다.'와 '소풍은 취소된다.'의 두 문장이 결합된 것이다. <전제2>는 <전제1>을 구성하고 있는 문장 중 하나이며, <결론>은 <전제1>을 구성하고 있는 나머지 문장이다. 따라서 정언 문장만을 대상으로 한 전통 논리학으로는 이 논증의 타당성을 분석할 수 없다.

20세기 독일의 논리학자 프레게는 소명사, 대명사, 중명사를 중심으로 논증의 타당성을 검토하는 정언 삼단 논증의 한계를 지적하면서, 명제를 단위로 논증을 분석하는 ⓑ명제 논리학을 제안하였다. 명제란 참과 거짓을 판단할 수 있는 문장이다. 전통 논리학에서는 정언 문장을 명사 단위로 나누어서 분석하였지만, 명제 논리학에서는 명제 자체를 논증의 기본 단위로 삼았다. 그리고 더 이상 분해할 수 없는 명제를 단순 명제라 하여 'p, q, r' 등의 기호로 표시하고, 단순 명제에 논리적 연결사인 '∨(또는)', '∧(그리고)', '→(만약 …이면 …이다)', '~(…가 아니다)' 등을 사용하여 복합 명제를 만들었다.

가령 (3)의 <전제1>은 '비가 온다.'와 '소풍은 취소된다.'의 두 개의 단순 명제가 연결된 복합 명제로, 각각의 단순 명제를 'p'와 'q'로 나타낼 수 있다. 그리고 단순 명제 'p'와 'q'는 '만약 …이면 …이다.'에 해당하는 논리적 연결사 '→'를 사용하여 'p→q'와 같은 복합 명제로 나타낼 수 있다. 따라서 (3)을 기호화하여 나타내면 다음과 같다.

(4) 만약 p이면 q이다.
p이다.
그러므로 q이다.

⇒

(4') p → q
p
q

아리스토텔레스는 정언 문장에서 명사들 간의 관계에 의존하여 논증의 타당성을 설명하였지만, 명제 논리학에서는 명제들의 진릿값과 논리적 연결사에 의존하여 논증의 타당성을 평가했다. 가령, 'p∨q'는 'p'와 'q' 중 하나라도 참이면 참이 되지만, 'p∧q'는 'p'와 'q' 모두 참일 때에만 참이 된다. 또한 'p→q'는 'p'와 'q'가 모두 참인 경우에는 참이지만, 'p'가 참이고 'q'가 거짓인 경우에는 거짓이 된다. 따라서 복합 명제의 진릿값은 단순 명제의 진릿값과 논리적 연결사에 의존한다. (4')는 <전제2>가 <전제1>의 선행 조건인 p를 긍정함으로써 <결론>인 q가 성립된다고 주장하는 논증인데, 이러한 형식을 ㉡전건 긍정이라 한다.

명제 논리학은 정언 문장만을 분석의 대상으로 삼는 전통 논리학에서 다루지 못하는 문장들까지 논증의 대상으로 포함시켰다는 점에서 의미가 있다. 또한 논증의 모든 요소를 기호화하여 ㉢명제 논리학은 자연 언어를 컴퓨터로 프로그래밍할 수 있는 길을 열어 주었다. 이후 명제 논리학은 술어 논리학으로 발전되었는데, 술어 논리학은 술어 기호를 사용하여 명제 논리학에서 다루지 못한 명제 내의 논리 구조를 분석함으로써 논리학의 범위를 한층 더 확대시켰다.

* 명사(名辭): 하나의 개념을 언어로 나타내며 명제를 구성하는 데에 요소가 되는 말.

*29.* 윗글에 대한 설명으로 가장 적절한 것은?

① 논리학의 발전 과정을 개괄적으로 소개하고 있다.
② 논리학의 의의를 다양한 관점에서 고찰하고 있다.
③ 논리학의 특징을 인접 학문과 비교하여 분석하고 있다.
④ 논리학의 논증 방식이 단순화된 배경을 설명하고 있다.
⑤ 논리학의 변화에 영향을 준 여러 학문을 고찰하고 있다.

30. 윗글의 내용과 일치하지 않는 것은?

① 연역 논증에서 전제가 참이면 결론이 참이 된다.
② 전통 논리학은 정언 문장을 명사 단위로 분석한다.
③ 주어와 술어로 구성된 모든 문장은 정언 문장이다.
④ 명제 논리학은 명제 자체를 논증의 기본 단위로 삼는다.
⑤ 술어 논리학은 명제 내의 논리 구조를 분석하여 논증한다.

31. ⓐ와 ⓑ의 입장에서 <보기>를 분석한 것으로 적절하지 않은 것은?

< 보 기 >

| ㄱ | | ㄴ |
|---|---|---|
| 모든 생명체는 죽는다. | <전제1> | 민수는 일하거나 논다. |
| 어떤 사람은 생명체이다. | <전제2> | 민수는 일하지 않는다. |
| 어떤 사람은 죽는다. | <결론> | 민수는 논다. |

① ⓐ: ㄱ에서 '모든 생명체는 죽는다.'는 '모든 [생명체]는 [죽는 존재]이다.'와 같이 나타낼 수 있다.
② ⓐ: ㄱ에서 '생명체'는 전제에만 나타나므로 중명사이고, '사람'은 결론의 주어가 되는 개념이므로 소명사이다.
③ ⓑ: ㄱ에서 '모든 생명체는 죽는다.'를 '만약 생명체라면 죽는 존재이다.'로 재구성한다면, 이는 'p → q'의 구조에 해당한다.
④ ⓑ: ㄴ의 <전제1>은 복합 명제에, <전제2>는 단순 명제에 해당한다.
⑤ ⓑ: ㄴ의 '민수는 일하거나 논다.'를 기호로 나타내기 위해서는 논리적 연결사가 필요하다.

32. ㉠에 해당하지 않는 것은?

① M−P / S−M / S−P
② P−M / S−M / S−P
③ P−M / M−S / S−P
④ M−P / P−S / S−P
⑤ M−P / M−S / S−P

33. ㉡의 사례로 가장 적절한 것은?

① 차가 달리지 않으면 멈춘다. 차가 달린다. 그러므로 차가 멈추지 않는다.
② 만약 그것이 생명체라면 죽는다. 그것이 죽는다. 그러므로 그것은 생명체이다.
③ 비가 오면 가뭄이 끝난다. 아직 가뭄이 끝나지 않았다. 그러므로 비가 오지 않았다.
④ 교실 청소가 끝나면 집에 갈 수 있다. 교실 청소가 끝났다. 그러므로 집에 갈 수 있다.
⑤ 공부를 하면 성적이 오른다. 철수는 공부를 하지 않았다. 그러므로 철수는 성적이 오르지 않았다.

34. <보기>는 ㉢을 심화 학습하는 과정에서 얻은 자료이다. 이를 이해한 내용으로 적절하지 않은 것은? [3점]

< 보 기 >

논리 게이트는 '1'과 '0'의 이진법 정보로 운용되는 전자 회로로 명제 논리학에 착안하여 만들어졌다. 입력값이 '1'인 것은 명제의 진릿값이 참인 경우에, 입력값이 '0'인 것은 명제의 진릿값이 거짓인 경우에 대응될 수 있다. 논리 게이트는 두 개의 입력 단자 'A', 'B'와 하나의 출력 단자 'Y'로 구성된다. <그림>은 논리 게이트 중 'OR 게이트'이다.

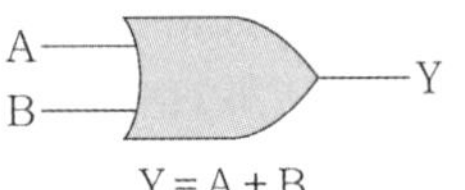


Y = A + B

이는 'A'와 'B' 중 하나 이상의 입력값이 '1'이면 출력값이 '1'이 되고, 입력값이 모두 '0'이면 출력값이 '0'이 되는 경우이다. 이 외에 'A', 'B'의 입력값이 모두 '1'일 때만 출력값이 '1'이 되는 'AND 게이트'도 있다.

① 논리 게이트에서 입력 단자 'A', 'B'는 명제 논리학의 단순 명제, 출력 단자 'Y'는 복합 명제에 대응된다고 할 수 있겠군.
② 논리 게이트에서 입력값에 의해 출력값이 결정되는 것은 명제 논리학에서 단순 명제의 진릿값과 논리적 연결사에 의해 복합 명제의 진릿값이 결정되는 것과 같은 원리이겠군.
③ 'OR 게이트'의 'A + B'를 명제 논리학의 논리적 연결사로 기호화하여 나타내면 'A∨B'에 해당하겠군.
④ 'OR 게이트'는 명제 논리학에서 두 명제 중 적어도 하나의 진릿값이 참일 때 결론의 진릿값이 참인 경우에 해당하겠군.
⑤ 'AND 게이트'에서 'Y'가 1인 것은 명제 논리학에서 두 명제의 진릿값 중 하나라도 참인 경우에 해당하겠군.

**[35 ~ 36] 다음 글을 읽고 물음에 답하시오.**

섬유 예술은 실, 직물, 가죽, 짐승의 털 등의 섬유를 오브제로 사용하여 미적 효과를 구현하는 예술을 일컫는다. 오브제란 일상 용품이나 자연물 또는 예술과 무관한 물건을 본래의 용도에서 분리하여 작품에 사용함으로써 새로운 상징적 의미를 불러일으키는 대상을 의미한다. 섬유 예술은 실용성에 초점을 둔 공예와 달리 섬유가 예술성을 지닌 오브제로서 기능할 수 있다는 자각에서 비롯되었다.

섬유 예술이 새로운 조형 예술의 한 장르로 자리매김한 결정적 계기는 1969년 제5회 '로잔느 섬유 예술 비엔날레전'에서 올덴버그가 가죽을 사용하여 만든 「부드러운 타자기」라는 작품을 전시하여 주목을 받은 것이었다. 올덴버그는 이 작품을 통해 공예의 한 재료에 불과했던 가죽을 예술성을 구현하는 오브제로 활용하여 섬유를 심미적 대상으로 인식할 수 있게 하였다.

이후 섬유 예술은 평면성에서 벗어나 조형성을 강조하는 여러 기법들을 활용하여 작가의 개성과 미의식을 구현하는 흐름을 보였는데, 이에는 바스켓트리, 콜라주, 아상블라주 등이 있다. 바스켓트리는 바구니 공예를 일컫는 말로 섬유의 특성을 활용하여 꼬기, 엮기, 짜기 등의 방식으로 예술적 조형성을 구현하는 기법이다. 콜라주는 이질적인 여러 소재들을 혼합하여 일상성에서 탈피한 미감을 주는 기법이고, 아상블라주는 콜라주의 평면적인 조형성을 넘어 우리 주변에서 흔히 볼 수 있는 물건들과 폐품 등을 혼합하여 3차원적으로 표현하는 기법이다. 콜라주와 아상블라주는 현대의 여러 예술 사조에서 활용되는 기법을 차용한 것으로, 섬유 예술에서는 순수 조형미를 드러내거나 현대 사회의 복합성과 인류 문명의 한 단면을 상징화하는 수단으로 활용되기도 하였다.

섬유를 오브제로 활용한 대표적인 작품으로는 라우센버그의 「침대」가 있다. 이 작품에서 라우센버그는 섬유 자체뿐 아니라 여러 오브제들을 혼합하여 예술적 미감을 표현하기도 했다. 「침대」는 캔버스에 평소 사용하던 커다란 침대보를 부착하고 베개와 퀼트 천으로 된 이불, 신문 조각, 잡지 등을 붙인 다음 그 위에 물감을 흩뿌려 작업한 것으로, 콜라주, 아상블라주 기법을 주로 활용하여 섬유의 조형적 미감을 잘 구현한 작품으로 평가 받고 있다.

*35.* 윗글에서 언급된 '섬유 예술'에 대한 설명으로 적절하지 <u>않은</u> 것은?

① 섬유를 예술성을 지닌 심미적 대상으로 인식하였다.
② 올덴버그를 통해 조형 예술로서 자리를 잡게 되었다.
③ 섬유의 오브제로서의 기능을 자각하면서 시작되었다.
④ 바스켓트리는 섬유의 특성을 활용하여 조형성을 구현한다.
⑤ 순수한 미의식을 배제하고 고정 관념에서 벗어난 예술을 지향한다.

*36.* 윗글을 바탕으로 <보기>를 이해한 내용으로 적절하지 <u>않은</u> 것은?

< 보 기 >

이 작품은 라우센버그가 창작한 「모노그램」이다. 라우센버그는 나무 판넬에 물감을 칠하고 나무 조각이나 신발 굽 등 버려진 물건들을 부착하였다. 그리고 그 위에 털이 풍성한 박제 염소를 놓고 그 염소의 허리에 현대 문명을 상징하는 타이어를 끼워 놓았다. 이 작품을 통해 생명체가 산업화로 인해 위협 받고 있는 모습을 떠올릴 수 있다.

① 박제 염소의 털을 활용한 것에서 섬유를 하나의 예술 매체로 인식하는 섬유 예술의 특징을 확인할 수 있군.
② 나무 조각이나 신발 굽, 염소, 타이어 등은 작가의 예술적 미의식을 구현하는 데 활용된 오브제로 볼 수 있군.
③ 콜라주 기법이 주는 3차원적 입체성을 강조하기 위해 버려진 여러 가지 물건들을 부착하였음을 확인할 수 있군.
④ 주제 의식을 드러내기 위해 판넬 위에 염소를 세워 놓은 것에서 아상블라주 기법이 사용되었음을 알 수 있군.
⑤ 염소의 허리에 끼워진 타이어를 통해 생명체를 위협하는 산업 사회의 한 단면을 엿볼 수 있군.

**[37 ~ 42] 다음 글을 읽고 물음에 답하시오.**

(가) 우화소설(寓話小說)은 동물을 인격화하여 풍자를 바탕으로 교훈을 전달하는 작품을 말한다. 동물들의 언행을 통해 그 이면에 담겨 있는 인간 세계의 진면목을 보여 준다는 점에서 우회적인 방식으로 주제를 드러내는 서사 양식이다. 우화소설의 주요 유형으로는 소송 사건을 다루는 송사형 소설과 시비를 가리는 쟁론형 소설 등이 있다.

우화소설은 인물의 성격이나 가치관의 대립을 보여 주는 사건을 중심으로 전개된다. 이러한 대립 구도는 소설의 갈등을 부각하는 서사적 장치로 독자의 흥미를 유발한다. 또한 동물의 외형이나 생태적 특성을 반영하여 인물을 형상화하며, 구어나 비속어 또는 기지나 재치 있는 언술을 활용하여 해학적 분위기를 조성한다. 우화소설은 이러한 소설적 형상화 방식을 통해 [인간 세태에 대한 풍자]를 드러내는 문학이라 할 수 있다.

조선 후기의 「서대주전」은 쥐를 의인화한 대표적 우화소설이다. 서대주가 타남주가 모아 놓은 밤을 몰래 훔치자 타남주가 서대주를 관가에 고소하는 사건을 통해 당대 관리들의 행태를 고발하고 있다. 또한 「별주부전」은 용왕이 토끼의 간을 구하기 위해 자라를 시켜 토끼를 용궁으로 데려오는 사건을 통해 인간의 잘못된 본성과 지배층의 횡포를 잘 보여 주고 있다.

이 두 작품들과 같이 우화소설은 동물을 소재로 하여 인간의 부정적인 면모나 봉건 사회의 부조리한 모습을 풍자한다. 즉 우화소설은 인간의 삶과 사회에 대한 문제의식을 드러내어 인간에게 필요한 윤리 의식과 도덕적 교훈을 제시한다는 점에서 바람직한 사회상을 모색하려는 문학적 시도라고 평가할 수 있다.

(나) 사령이 데리고 가 옥졸(獄卒)에게 넘겨주자, 옥에 끌어넣어 단단히 가두고 돈을 내라 졸라댔다. 서대주는 갖고 온 물건을 옥의 수졸(守卒)에게 많이 주자, 수졸들이 대단히 좋아하며 큰 칼을 풀어 주어 편히 쉬게 하고, 하인과 같이 돌봐 주는 것이었으니, 돈이 마르면 귀(貴)하다고 할 수 있는 것이다.

서대주가 곤하여 누워 있으니, 대서(大鼠)는 그 손을 주무르고, 중서(中鼠)는 그 다리를 안마하고 동서(童鼠)는 그 허리를 밟으며 대주의 심란스러운 바를 위로하며, 대추, 밤 등속의 것을 주어 요기시키면서 밤을 새우니, 이것을 보는 자가 배를 움켜잡고 웃지 않는 사람이 없었다.

다음 날에 주석가 두 자리 크게 설치하고, 둘을 잡아들여 동서(東西)로 나누어 꿇어앉히고, 책상을 치며 크게 꾸짖어 말하기를,

"네 이놈, 조그마한 것이 잔악하기도 심하게 남의 물건을 하루 저녁에 다 도적질해 갔다 하는데, 그게 정말이냐? 바른대로 말할 것이지, 다소라도 거짓말이 있다면 당장에 엄한 형벌로 무겁게 치죄를 할 것이다."

라고 형리가 고성으로 소리치니, 그 소리가 우렁차, 담보가 큰 자라 하더라도 놀래어 겁을 낼 지경이었는데, 더군다나 죄가 있는 약한 자로서는 말할 나위가 없었다.

서대주가 이 말을 듣고 속으로는 벌벌 떨리는 것이었으나, 겉으로는 일상과 같이 태연히 정신을 진정하고 안색을 변치 않고서 우러러보며 대소(大笑)하고,

(중략)

"저는 본시 대대로 부유하여 이와 같은 흉년에 한 홉조차 다른 것들한테 꾸지 않아도 되는데, 빌어먹는 놈의 밤을

훔쳤다는 것이 어찌 옳겠습니까? 이놈의 평상시 소행을 제가 하나하나 다 아뢰겠나이다. 매년 봄여름이 되면 농사 잘 짓는 자들을 널리 구하여 밤낮으로 가을걷이를 한 후에는, 그들 중에서 절름발이, 도둑놈, 귀머거리, 맹인, 쓸모없는 늙은 할미는 쫓아내어 흩어지게 하였는데, 또 봄여름이면 이와 같이 그대로 하였습니다. 매년 겨울이 되면 이들을 마을에 떠돌아다니는 거지가 되게 하여, 보는 자가 차마 볼 수 없고 들을 수 없는 짓을 행하였기 때문에 분개하는 바가 있었습니다. 마침 사냥하러 나갔을 때, 소토산 왼편의 용강산(龍岡山) 기슭에서 만나고도 인사조차 하지 않기에 [A] 그 행실머리 없음을 아주 심하게 꾸짖었습니다.

그 후로 자기의 잘못을 스스로 알지 못한 채 항상 분노의 마음을 품고는, 사리에 맞지 아니한 터무니없는 말로 저를 얽어매는, 도리에 어긋난 간악한 송사를 꾀했으니, 세상천지에 이와 같은 맹랑하고 무뢰한 놈이 있겠습니까? 제가 비록 매우 졸렬하기는 하지만 역시 대대로 공훈이 있는 가문의 후손으로서, 이러한 무도하고 못난 놈한테 구차하게 고소를 당하여 선조의 공훈에 더럽힘을 끼치고 관정을 소란스럽게 하오니, 죽으려고 하여도 죽을 만한 곳이 없어서 사는 것이 죽는 것만 못하옵니다. 밝게 살피시는 원님께 엎드려 바라건대, 사정을 살피시어 원한을 풀어 주옵소서."

서대주가 옷섶을 고쳐 여미며 단정히 꿇어앉았는데, 뾰족한 입이 오물거리고 두 귀가 발쪽거리며 두 눈이 깜짝거리면서 두 손을 모아 슬피 빌고 눈물이 흘러내려 옷깃을 적시니, 보는 자가 더할 나위 없이 애처롭고 불쌍하다고 할 만한 것이었다.

원님이 서대주의 진술하는 말을 들으니 말마다 사리에 꼭 들어맞고, 형세가 본디부터 그러하여 죄를 주기도 어려워, 결박한 것을 풀고 씌운 큰 칼을 벗겨 주고는, 술을 내려 주어 놀랜 바를 진정케 하고 특별히 놓아주었다. 타남주는 도리에 어긋난 간악한 소송을 한 죄로 몽둥이 세 대를 맞고 멀리 떨어진 외딴 섬으로 귀양을 가니, 서대주가 거듭거듭 절하고 머리를 조아리며 갔다.

서대주는 후에 수백의 여자를 취(娶)하고 자손이 번성하여 주(州), 군(郡), 현(縣), 읍(邑), 항려(巷閭), 향곡(鄕谷)에 살지 않음이 없고, 그들은 다 도적질로 생활을 하매, 세상의 아동, 적은 것들, 부녀 또는 가마 메는 졸부 등이 만나기만 하면 죽여 버리니, 이것은 즉 서대주가 사람을 해친 마음에 대한 앙갚음이 아닌가 생각한다.

– 작자 미상, 「서대주전(鼠大州傳)」 –

**(다)** 이때에 뜰아래 섰던 군사들이 일시에 달려들려 하니 토끼 무단히 허욕을 내어 자라를 쫓아왔다가 수국원혼이 되게 되니 이는 모다 자취(自取)한 화라, 누구를 원망하며 누구를 한하리오. 세상에 턱없이 명리(名利)를 탐하는 자는 가히 이것을 보아 징계할지로다.

이때에 토끼 이 말을 들으며 청천벽력이 머리를 깨치는 듯 정신이 아득하여 생각하되 '내 부질없이 영화부귀를 탐내어 고향을 버리고 오매 어찌 이 외의 변이 없을소냐. 이제 날개가 있어도 능히 위로 날지 못할 것이오, 또 축지(縮地)하는 술법이 있을지라도 능히 이때를 벗어나지 못하리니 어찌하리오.' 또 생각하되, '옛말에 이르기를 죽을 때에 빠진 후에 산다 하였으니 어찌 죽기만 생각하고 살아 갈 방책을 헤아리지 아니하리오.' 하더니 문득 한 꾀를 생각하고 이에 얼굴빛을 조금도 변치 아니하고 머리를 들어 전상을 우러러보며 가로되,

"소토(小兎) 비록 죽을지라도 한 말씀 아뢰리다. 대왕은 천승의 임금이시오 소토는 산중의 조그마한 짐승이라 만일 소토의 간으로 대왕의 환후 십분 나으실진대 소토 어찌 감히 사양하오며 또 소토 죽은 후에 후장하오며 심지어 사당까지 세워 주리라 하옵시니 이 은혜는 하늘과 같이 크신지라, 소토 죽어도 한이 없사오나 다만 애달픈 바는 소토는 비록 짐승이오나 심상한 짐승과 다르와 본디 방성정기를 타고 세상에 내려와 날마다 아침이면 옥같은 이슬을 받아 [B] 마시며 주야로 기화요초(琪花瑤草)를 뜯어 먹으매 그 간이 진실로 영약이 되는지라. 이러하므로 세상 사람이 모두 알고 매양 소토를 만난즉 간을 달라하와 보챔이 심하옵기로 그 괴로움을 견디지 못하와 염통과 함께 끄집어 청산녹수 맑은 물에 여러 번 씻사와 고봉준령 깊은 곳에 감추어 두옵고 다니옵다가 우연히 자라를 만나 왔사오니 만일 대왕의 환후 이러하온 줄 알았던들 어찌 가져오지 아니 하였으리오."

하며 또 자라를 꾸짖어 가로되,

"네 임금을 위하는 정성이 있을진대 어이 이러한 사정을 일언반사도 날 보고 말하지 아니하였느뇨."

하거늘 용왕이 이 말을 듣고 크게 노하여 꾸짖어 가로되,

"네 진실로 간사한 놈이로다. 천지간에 온갖 짐승이 어이 간을 출입할 이치가 있으리오. 네 얕은 꾀로 과인을 속여 살기를 도모하니 과인이 어이 근리(近理)치 아닌 말에 속으리오. 네 과인을 기만한 죄 더욱 큰지라. 빨리 너의 간을 내어 일변 과인의 병을 고치며 일변 과인을 속이는 죄를 다스리리라."

토끼 이 말을 듣고 또한 어이없고 정신이 산란하며 간장이 없고 가슴이 막히어 심중에 생각하되 속절없이 죽으리로다 하다가 다시 웃으며 가로되,

"대왕은 소토의 말씀을 다시 자세히 들으시고 굽어 살피옵소서. 이제 만일 소토의 배를 갈라 간이 없사오면 대왕의 환후도 고치지 못하옵고 소토만 부질없이 죽을 따름이니 다시 누구에게 간을 구하오려 하시나이까. 그때는 후회막급하실 터이오니 바라건대 대왕은 세 번 생각하옵소서."

용왕이 이 말을 듣고 또 그 기색이 태연함을 보고 심중에 심히 의아하여 가로되,

"네 말과 같을진대 무슨 간을 출입하는 표적이 있는가."

토끼 이 말을 듣고 크게 기뻐이 생각하되 이제는 내 살아날 도리 쾌히 있도다 하고 여쭈오되,

"세상의 날짐승 가운데 소토는 홀로 하체에 구멍이 셋이 있사오니 하나는 대변을 통하옵고 하나는 소변을 통하옵고 하나는 특별히 간을 출입하는 곳이오니다."

– 작자 미상, 「별주부전(鼈主簿傳)」 –

37. (가)에서 언급한 '우화소설'의 특징으로 보기 어려운 것은?

① 동물을 의인화한 이야기로서 송사형과 쟁론형 등의 유형이 있다.
② 구어나 비속어 등의 표현을 사용하여 해학적 분위기를 조성한다.
③ 봉건 사회의 잘못된 이념이나 현실에 대한 비판적인 관점을 드러낸다.
④ 시비를 다투는 사건을 제시하여 인물 간의 대립적 가치관을 보여 주기도 한다.
⑤ 계층 간의 갈등과 해소라는 전형적인 서사 구조를 통해 바람직한 사회상을 제시한다.

38. (가)를 바탕으로 (나), (다)를 감상한 내용으로 적절하지 않은 것은? [3점]

① (나)에서 서대주의 모습을 뾰족한 입이 오물거리고 두 귀가 발쪽거린다고 묘사한 것은 '동물의 외형'을 반영한 것이겠군.
② (나)에서 타남주가 섬으로 귀양을 가도록 결말을 구성한 것은 신의를 지켜야 한다는 '윤리 의식'을 강조한 것이겠군.
③ (나)에서 서대주의 자손들이 사람에게 앙갚음을 당한 것은 올바른 삶에 대한 '도덕적 교훈'을 제시한 것이겠군.
④ (다)에서 토끼와 용왕의 대립 구도를 설정한 것은 '독자의 흥미를 유발'하기 위한 서사적 장치라고 할 수 있겠군.
⑤ (다)에서 토끼가 하체에 간이 출입하는 특별한 구멍이 따로 있다고 말하는 것은 등장인물의 '기지'를 드러낸 것이겠군.

39. (가)의 [인간 세태에 대한 풍자]를 바탕으로 (나), (다)의 인물을 이해한 내용으로 적절하지 않은 것은?

① (나)의 '수졸'을 통해 뇌물을 받는 부패한 관리를 풍자하고 있다.
② (나)의 '서대주'를 통해 타인의 권세를 빌려 위세를 부리는 간사한 인물을 풍자하고 있다.
③ (나)의 '원님'을 통해 시비를 올바로 가리지 못하는 무능한 판관을 풍자하고 있다.
④ (다)의 '토끼'를 통해 부귀영화를 꿈꾸는 인간의 허황된 욕심을 풍자하고 있다.
⑤ (다)의 '용왕'을 통해 민중의 목숨을 하찮게 여기는 권력자의 횡포를 풍자하고 있다.

40. (나)와 (다)의 공통된 서술상 특징으로 적절한 것은?

① 사건 전개 과정에서 서술자의 주관적 논평을 드러내고 있다.
② 독백적 진술을 중심으로 인물의 내면 심리를 묘사하고 있다.
③ 액자식 구성을 활용하여 인물의 삶의 내력을 소개하고 있다.
④ 과장된 비유를 반복하여 현재 상황의 급박함을 부각하고 있다.
⑤ 현재와 과거 사건을 교차하며 장면을 빈번하게 전환하고 있다.

41. (나)의 [A]와 (다)의 [B]에 나타난 인물의 말하기에 대한 설명으로 적절하지 않은 것은?

① [A]는 [B]와 달리 무고를 당한 자신의 억울함을 풀어 달라고 호소하고 있다.
② [B]는 [A]와 달리 자신의 선행을 나열하며 남들과 다른 면모를 역설하고 있다.
③ [A]는 특정 인물의 부당한 행동을, [B]는 자신이 특별한 존재임을 강조하고 있다.
④ [A]와 [B]는 모두 자신의 말을 믿게 하려는 설득의 의도를 담고 있다.
⑤ [A]와 [B]는 모두 청자를 높이고 자신을 낮추는 겸양의 표현을 사용하고 있다.

42. (다)에 나타난 '토끼'의 태도를 평가한 말로 가장 적절한 것은?

① 임기응변(臨機應變)으로 자신이 처한 위기에서 벗어나려 하는군.
② 원래의 목적을 성취하기 위해 고육지책(苦肉之策)을 모색하는군.
③ 현재의 굴욕적인 상황을 참아 내며 와신상담(臥薪嘗膽)하고 있군.
④ 권토중래(捲土重來)의 마음으로 지난날의 실패를 만회하려 하는군.
⑤ 토사구팽(兎死狗烹)을 당할 처지에 놓인 자신의 상황을 한탄하고 있군.

**[43 ~ 45] 다음 글을 읽고 물음에 답하시오.**

(가)

㉠ 유리(琉璃)에 차고 슬픈 것이 어린거린다.
열없이 붙어서서 입김을 흐리우니
길들은 양 언 날개를 파다거린다.
지우고 보고 지우고 보아도
새까만 밤이 밀려 나가고 밀려와 부딪히고,
물 먹은 별이, 반짝, 보석(寶石)처럼 백힌다.
밤에 홀로 유리를 닦는 것은
외로운 황홀한 심사이어니
고흔 폐혈관(肺血管)이 찢어진 채로
아아, 너는 산(山)ㅅ새처럼 날러갔구나!

- 정지용, 「유리창(琉璃窓)1」 -

(나)

속이 검게 타버린 고목이지만
창녕 덕산리 느티나무는 올봄도 잎을 내었다

잔가지 끝으로 하늘을 밀어올리며 그는
한 그루 용수(榕樹)처럼
제 ㉡ 아궁이에서 자꾸만 잎사귀를 꺼낸다
번개가 가슴을 쪼개고 지나간 흔적을 안고도

저렇게 눈부신 잎을 피워내다니,
시커먼 아궁이 하나 들여놓고
그는 오래오래 제 살을 달여 내놓는다
낮의 새와 밤의 새가 다녀가고
다람쥐 일가가 세들어 사는,
구름 몇 점 별 몇 개 뛰어들기도 하는,
바람도 가만히 숨을 모으는 그 검은 아궁이에는
모든 빛이 모여 불타고 모든 빛이 나온다
까마귀 깃들었다 날아간 자리에
검은 울음 몇 가지가 뻗어 있기도 한다

발이 묶인 채 날아오르는 새처럼
덕산리 느티나무는 푸른 날개를 마악 펴들고 있다
- 나희덕, 「성(聖) 느티나무」 -

*43.* (가), (나)에 대한 설명으로 가장 적절한 것은?

① (가)는 설의적 표현을 사용하여 화자의 정서를 심화하고 있다.
② (나)는 계절적 배경이 시의 분위기를 형성하는 데 기여하고 있다.
③ (가)는 동적 심상을, (나)는 정적 심상을 주로 활용하여 시상을 확대하고 있다.
④ (가)는 인간과 자연을 대비하여, (나)는 자연을 인간에 빗대어 시적 의미를 강조하고 있다.
⑤ (가)와 (나) 모두 대상에게 말을 건네는 어투를 사용하여 친근감을 드러내고 있다.

**※ <보기>를 읽고 44번과 45번 두 물음에 답하시오.**

< 보 기 >

소재가 지닌 속성은 작품을 이해하는 중요한 단서를 제공한다. (가)는 자식의 죽음에서 오는 슬픔을 투명하지만 차단성을 지닌 '유리'의 속성을 통해, (나)는 죽은 줄 알았던 느티나무가 생명을 이어가고 생(生)의 터전이 되어 주는 모습을, 스스로를 태우고 불을 피우며 온기를 품는 '아궁이'의 속성을 통해 표현하고 있다. 이처럼 '유리'와 '아궁이'는 각각 단절과 소통, 소멸과 생성의 이미지를 형성하면서 주제 의식을 형상화하는 데 관여하고 있다.

*44.* <보기>를 바탕으로 (가)의 ㉠과 (나)의 ㉡을 이해한 내용으로 적절하지 않은 것은?

① (가)의 화자가 창밖의 세계에 있는 '너'를 만날 수 없는 것은 ㉠이 지닌 차단성에 기인한 것이겠군.
② (가)의 화자가 밤에 홀로 '유리'를 닦으며 소통을 시도하는 것은 ㉠이 지닌 투명성으로 인해 가능한 것이겠군.
③ (나)의 '고목'이 발이 묶인 채 하늘을 밀어올리는 모습에서 ㉡이 지닌 소멸의 이미지를 엿볼 수 있겠군.
④ (나)의 '고목'이 새들과 다람쥐 일가의 생의 터전이 되는 것에서 ㉡이 지닌 생성의 이미지를 엿볼 수 있겠군.
⑤ (나)의 '고목'이 자신의 살을 달이는 모습과 이를 내놓는 모습에서 ㉡이 지닌 소멸과 생성의 이미지를 엿볼 수 있겠군.

*45.* <보기>를 바탕으로 아래의 탐구 과제를 수행한 결과에 대한 판단 근거로 적절하지 않은 것은? [3점]

**[탐구 과제]**

내용이나 형식 면에서의 여러 차이점에도 불구하고, (가)와 (나)는 서로 대응되는 지점이 많은 작품입니다. 모둠별 토론을 통해 두 작품을 함께 감상하며 대응 요소들을 탐구하여 그 결과를 정리해 보도록 합시다.

**[탐구 결과]**

A. 행위의 반복을 통해 주제 의식을 드러냄.
B. 역설적 표현을 통해 시상을 집약하여 제시함.
C. 비유적 표현을 통해 대상을 구체적으로 형상화함.

| 대응 요소 | | 판단 근거 |
|---|---|---|
| A | (가) | '지우고 보고 지우고 보아도'를 통해 죽은 자식에 대한 그리움을 드러내고 있다. ……… ① |
| | (나) | '자꾸만 잎사귀를 꺼낸다'를 통해 자연의 부단한 생명력을 드러내고 있다. ……… ② |
| B | (가) | '외로운 황홀한 심사'를 통해 죽은 자식을 떠올리고 있는 상황에서 나타나는 화자의 모순된 심리를 집약적으로 제시하고 있다. ……… ③ |
| | (나) | '모든 빛이 모여 불타고 모든 빛이 나온다'를 통해 불에 타 버렸지만 생명을 이어가는 고목의 이중적 속성을 집약적으로 제시하고 있다. |
| C | (가) | '산(山)ㅅ새'는 화자의 품을 떠나 버린 작고 연약한 자식을 비유한 것으로, 이를 통해 화자의 상실감을 형상화하고 있다. ……… ④ |
| | (나) | '날아오르는 새'는 하늘을 향해 가지를 뻗고 있는 느티나무의 모습을 비유적으로 표현한 것으로, 죽음도 기꺼이 감내하는 나무의 수용적 태도를 상징하고 있다. ……… ⑤ |

**※ 확인 사항**
**○ 답안지의 해당란에 필요한 내용을 정확히 기입(표기)했는지 확인하시오.**

2022
H

# OMR 카드 작성 연습 안내

## [실제 전국연합학력평가 OMR 카드]

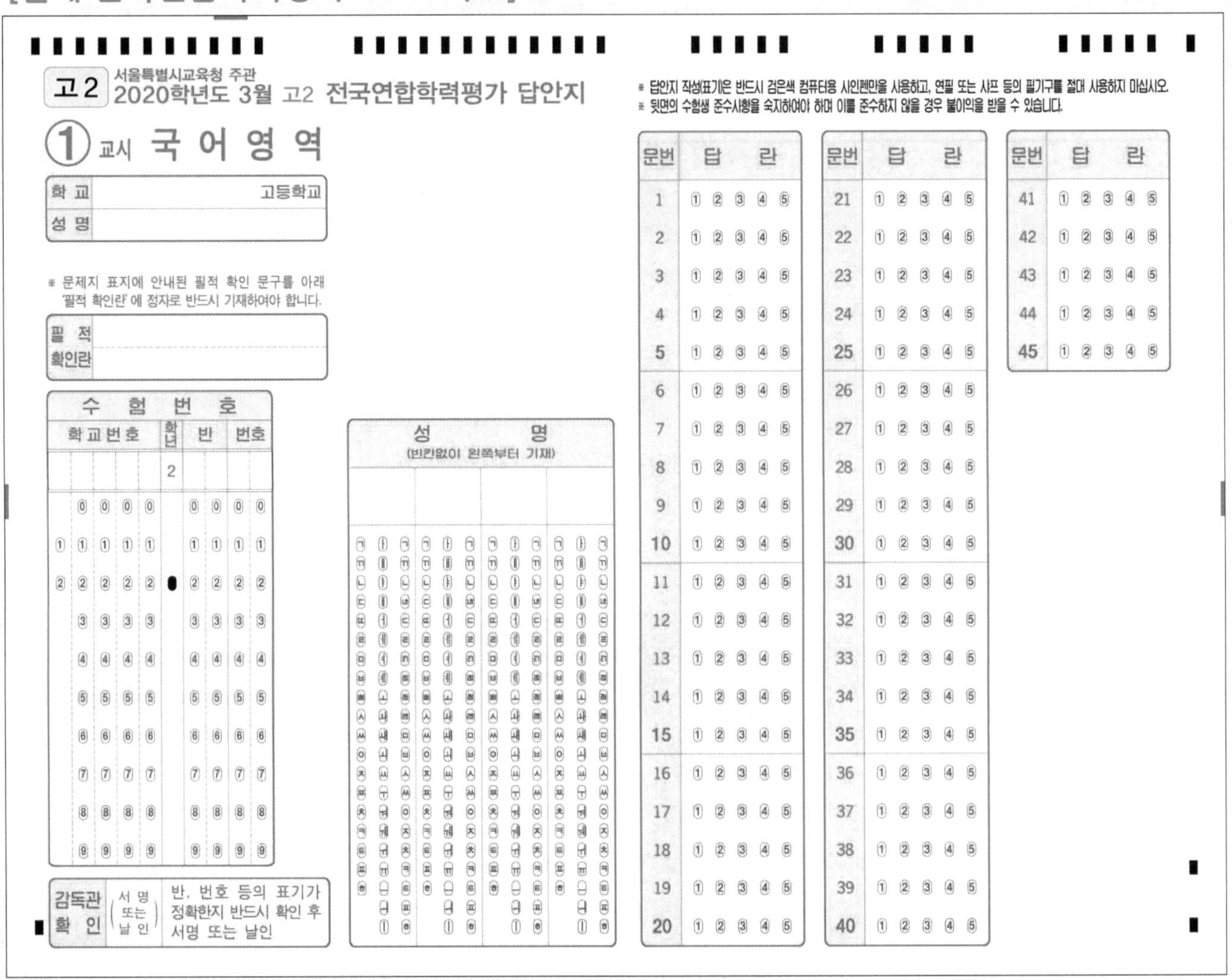


★ 실제 전국연합학력평가 시험의 OMR 카드에는 위처럼 주관사(OO교육청), 필적 확인란, 감독관 확인 등이 포함되며, 경우에 따라서는 '홀수형/짝수형' 선택 등이 들어가기도 합니다.

★ 현장에서 학력평가 시험을 원활하게 치르기 위해서는 위와 같은 사항들을 문제 없이 기입하고 마킹해야 합니다. 하지만 OMR 카드에 들어가는 사항은 때에 따라 달라질 수 있기 때문에, 다음 페이지부터 제시된(실전 연습용) OMR 카드에서는 일반적인 시험에서 공통적으로 포함되는 사항들로 연습할 수 있도록 구성하였습니다.

★ 정해진 시간 내에 문제를 풀고, OMR 카드에 정답을 올바르게 표기하는 마킹 연습까지 진행하여 실제 시험에서 실수 없도록 대비하시기 바랍니다.

## 전국연합학력평가(실전 연습용)답안지

# ① 교시 국 어 영 역

| 학 교 | |
|---|---|
| 성 명 | |

| 성 명 | | | | | | | | | |
|---|---|---|---|---|---|---|---|---|---|
| 수 험 번 호 | | | | | | | | | |
| | | | | – | | | | | |
| | ⓪ | ⓪ | ⓪ | – | ⓪ | ⓪ | ⓪ | ⓪ |
| ① | ① | ① | ① | | ① | ① | ① | ① |
| ② | ② | ② | ② | | ② | ② | ② | ② |
| ③ | ③ | ③ | ③ | | ③ | ③ | ③ | ③ |
| ④ | ④ | ④ | ④ | | ④ | ④ | ④ | ④ |
| ⑤ | ⑤ | ⑤ | ⑤ | | ⑤ | ⑤ | ⑤ | ⑤ |
| ⑥ | ⑥ | ⑥ | ⑥ | | ⑥ | ⑥ | ⑥ | ⑥ |
| ⑦ | ⑦ | ⑦ | ⑦ | | ⑦ | ⑦ | ⑦ | ⑦ |
| ⑧ | ⑧ | ⑧ | ⑧ | | ⑧ | ⑧ | ⑧ | ⑧ |
| ⑨ | ⑨ | ⑨ | ⑨ | | ⑨ | ⑨ | ⑨ | ⑨ |

| 감독관 확 인 (수험생은 표기하지 말것.) | 서 명 또는 날 인 | 본인 여부, 수험번호 및 문형의 표기가 정확한지 확인, 옆란에 서명 또는 날인 |
|---|---|---|

※ 답안지 작성(표기)은 반드시 검은색 컴퓨터용 사인펜만을 사용하고, 연필 또는 샤프 등의 필기구를 절대 사용하지 마십시오.
※ 뒷면의 <수험생 준수사항>을 숙지하여야 하며, 이를 준수하지 않을 경우 불이익을 받을 수 있습니다.

| 문번 | 답 란 | 문번 | 답 란 | 문번 | 답 란 |
|---|---|---|---|---|---|
| 1 | ① ② ③ ④ ⑤ | 21 | ① ② ③ ④ ⑤ | 41 | ① ② ③ ④ ⑤ |
| 2 | ① ② ③ ④ ⑤ | 22 | ① ② ③ ④ ⑤ | 42 | ① ② ③ ④ ⑤ |
| 3 | ① ② ③ ④ ⑤ | 23 | ① ② ③ ④ ⑤ | 43 | ① ② ③ ④ ⑤ |
| 4 | ① ② ③ ④ ⑤ | 24 | ① ② ③ ④ ⑤ | 44 | ① ② ③ ④ ⑤ |
| 5 | ① ② ③ ④ ⑤ | 25 | ① ② ③ ④ ⑤ | 45 | ① ② ③ ④ ⑤ |
| 6 | ① ② ③ ④ ⑤ | 26 | ① ② ③ ④ ⑤ | | |
| 7 | ① ② ③ ④ ⑤ | 27 | ① ② ③ ④ ⑤ | | |
| 8 | ① ② ③ ④ ⑤ | 28 | ① ② ③ ④ ⑤ | | |
| 9 | ① ② ③ ④ ⑤ | 29 | ① ② ③ ④ ⑤ | | |
| 10 | ① ② ③ ④ ⑤ | 30 | ① ② ③ ④ ⑤ | | |
| 11 | ① ② ③ ④ ⑤ | 31 | ① ② ③ ④ ⑤ | | |
| 12 | ① ② ③ ④ ⑤ | 32 | ① ② ③ ④ ⑤ | | |
| 13 | ① ② ③ ④ ⑤ | 33 | ① ② ③ ④ ⑤ | | |
| 14 | ① ② ③ ④ ⑤ | 34 | ① ② ③ ④ ⑤ | | |
| 15 | ① ② ③ ④ ⑤ | 35 | ① ② ③ ④ ⑤ | | |
| 16 | ① ② ③ ④ ⑤ | 36 | ① ② ③ ④ ⑤ | | |
| 17 | ① ② ③ ④ ⑤ | 37 | ① ② ③ ④ ⑤ | | |
| 18 | ① ② ③ ④ ⑤ | 38 | ① ② ③ ④ ⑤ | | |
| 19 | ① ② ③ ④ ⑤ | 39 | ① ② ③ ④ ⑤ | | |
| 20 | ① ② ③ ④ ⑤ | 40 | ① ② ③ ④ ⑤ | | |

도서출판 홀수


## 전국연합학력평가(실전 연습용)답안지

| 학 교 | |
|---|---|
| 성 명 | |

| 성 명 | | | | | | | | | |
|---|---|---|---|---|---|---|---|---|---|
| 수 험 번 호 | | | | | | | | | |
| | | | | – | | | | | |
| | ⓪ | ⓪ | ⓪ | – | ⓪ | ⓪ | ⓪ | ⓪ |
| ① | ① | ① | ① | | ① | ① | ① | ① |
| ② | ② | ② | ② | | ② | ② | ② | ② |
| ③ | ③ | ③ | ③ | | ③ | ③ | ③ | ③ |
| ④ | ④ | ④ | ④ | | ④ | ④ | ④ | ④ |
| ⑤ | ⑤ | ⑤ | ⑤ | | ⑤ | ⑤ | ⑤ | ⑤ |
| ⑥ | ⑥ | ⑥ | ⑥ | | ⑥ | ⑥ | ⑥ | ⑥ |
| ⑦ | ⑦ | ⑦ | ⑦ | | ⑦ | ⑦ | ⑦ | ⑦ |
| ⑧ | ⑧ | ⑧ | ⑧ | | ⑧ | ⑧ | ⑧ | ⑧ |
| ⑨ | ⑨ | ⑨ | ⑨ | | ⑨ | ⑨ | ⑨ | ⑨ |

| 감독관 확 인 (수험생은 표기하지 말것.) | 서 명 또는 날 인 | 본인 여부, 수험번호 및 문형의 표기가 정확한지 확인, 옆란에 서명 또는 날인 |
|---|---|---|

※ 답안지 작성(표기)은 반드시 검은색 컴퓨터용 사인펜만을 사용하고, 연필 또는 샤프 등의 필기구를 절대 사용하지 마십시오.
※ 뒷면의 <수험생 준수사항>을 숙지하여야 하며, 이를 준수하지 않을 경우 불이익을 받을 수 있습니다.

| 문번 | 답 란 | 문번 | 답 란 | 문번 | 답 란 |
|---|---|---|---|---|---|
| 1 | ① ② ③ ④ ⑤ | 21 | ① ② ③ ④ ⑤ | 41 | ① ② ③ ④ ⑤ |
| 2 | ① ② ③ ④ ⑤ | 22 | ① ② ③ ④ ⑤ | 42 | ① ② ③ ④ ⑤ |
| 3 | ① ② ③ ④ ⑤ | 23 | ① ② ③ ④ ⑤ | 43 | ① ② ③ ④ ⑤ |
| 4 | ① ② ③ ④ ⑤ | 24 | ① ② ③ ④ ⑤ | 44 | ① ② ③ ④ ⑤ |
| 5 | ① ② ③ ④ ⑤ | 25 | ① ② ③ ④ ⑤ | 45 | ① ② ③ ④ ⑤ |
| 6 | ① ② ③ ④ ⑤ | 26 | ① ② ③ ④ ⑤ | | |
| 7 | ① ② ③ ④ ⑤ | 27 | ① ② ③ ④ ⑤ | | |
| 8 | ① ② ③ ④ ⑤ | 28 | ① ② ③ ④ ⑤ | | |
| 9 | ① ② ③ ④ ⑤ | 29 | ① ② ③ ④ ⑤ | | |
| 10 | ① ② ③ ④ ⑤ | 30 | ① ② ③ ④ ⑤ | | |
| 11 | ① ② ③ ④ ⑤ | 31 | ① ② ③ ④ ⑤ | | |
| 12 | ① ② ③ ④ ⑤ | 32 | ① ② ③ ④ ⑤ | | |
| 13 | ① ② ③ ④ ⑤ | 33 | ① ② ③ ④ ⑤ | | |
| 14 | ① ② ③ ④ ⑤ | 34 | ① ② ③ ④ ⑤ | | |
| 15 | ① ② ③ ④ ⑤ | 35 | ① ② ③ ④ ⑤ | | |
| 16 | ① ② ③ ④ ⑤ | 36 | ① ② ③ ④ ⑤ | | |
| 17 | ① ② ③ ④ ⑤ | 37 | ① ② ③ ④ ⑤ | | |
| 18 | ① ② ③ ④ ⑤ | 38 | ① ② ③ ④ ⑤ | | |
| 19 | ① ② ③ ④ ⑤ | 39 | ① ② ③ ④ ⑤ | | |
| 20 | ① ② ③ ④ ⑤ | 40 | ① ② ③ ④ ⑤ | | |

도서출판 홀수

## 전국연합학력평가(실전 연습용)답안지

# ① 교시 국 어 영 역

| 학 교 | |
|---|---|
| 성 명 | |

| 성 명 | | | | | | | | |
|---|---|---|---|---|---|---|---|---|
| 수 험 번 호 | | | | | | | | |
| | | | | – | | | | |
| | ⓪ | ⓪ | ⓪ | | ⓪ | ⓪ | ⓪ | ⓪ |
| ① | ① | ① | ① | | ① | ① | ① | ① |
| ② | ② | ② | ② | | ② | ② | ② | ② |
| ③ | ③ | ③ | ③ | | ③ | ③ | ③ | ③ |
| ④ | ④ | ④ | ④ | | ④ | ④ | ④ | ④ |
| ⑤ | ⑤ | ⑤ | ⑤ | – | ⑤ | ⑤ | ⑤ | ⑤ |
| ⑥ | ⑥ | ⑥ | ⑥ | | ⑥ | ⑥ | ⑥ | ⑥ |
| ⑦ | ⑦ | ⑦ | ⑦ | | ⑦ | ⑦ | ⑦ | ⑦ |
| ⑧ | ⑧ | ⑧ | ⑧ | | ⑧ | ⑧ | ⑧ | ⑧ |
| ⑨ | ⑨ | ⑨ | ⑨ | | ⑨ | ⑨ | ⑨ | ⑨ |

| 감독관 확 인 (수험생은 표기하지 말것.) | 서 명 또는 날 인 | 본인 여부, 수험번호 및 문형의 표기가 정확한지 확인, 옆란에 서명 또는 날인 |
|---|---|---|

※ 답안지 작성(표기)은 반드시 검은색 컴퓨터용 사인펜만을 사용하고, 연필 또는 샤프 등의 필기구를 절대 사용하지 마십시오.
※ 뒷면의 <수험생 준수사항>을 숙지하여야 하며, 이를 준수하지 않을 경우 불이익을 받을 수 있습니다.

| 문번 | 답 란 | 문번 | 답 란 | 문번 | 답 란 |
|---|---|---|---|---|---|
| 1 | ① ② ③ ④ ⑤ | 21 | ① ② ③ ④ ⑤ | 41 | ① ② ③ ④ ⑤ |
| 2 | ① ② ③ ④ ⑤ | 22 | ① ② ③ ④ ⑤ | 42 | ① ② ③ ④ ⑤ |
| 3 | ① ② ③ ④ ⑤ | 23 | ① ② ③ ④ ⑤ | 43 | ① ② ③ ④ ⑤ |
| 4 | ① ② ③ ④ ⑤ | 24 | ① ② ③ ④ ⑤ | 44 | ① ② ③ ④ ⑤ |
| 5 | ① ② ③ ④ ⑤ | 25 | ① ② ③ ④ ⑤ | 45 | ① ② ③ ④ ⑤ |
| 6 | ① ② ③ ④ ⑤ | 26 | ① ② ③ ④ ⑤ | | |
| 7 | ① ② ③ ④ ⑤ | 27 | ① ② ③ ④ ⑤ | | |
| 8 | ① ② ③ ④ ⑤ | 28 | ① ② ③ ④ ⑤ | | |
| 9 | ① ② ③ ④ ⑤ | 29 | ① ② ③ ④ ⑤ | | |
| 10 | ① ② ③ ④ ⑤ | 30 | ① ② ③ ④ ⑤ | | |
| 11 | ① ② ③ ④ ⑤ | 31 | ① ② ③ ④ ⑤ | | |
| 12 | ① ② ③ ④ ⑤ | 32 | ① ② ③ ④ ⑤ | | |
| 13 | ① ② ③ ④ ⑤ | 33 | ① ② ③ ④ ⑤ | | |
| 14 | ① ② ③ ④ ⑤ | 34 | ① ② ③ ④ ⑤ | | |
| 15 | ① ② ③ ④ ⑤ | 35 | ① ② ③ ④ ⑤ | | |
| 16 | ① ② ③ ④ ⑤ | 36 | ① ② ③ ④ ⑤ | | |
| 17 | ① ② ③ ④ ⑤ | 37 | ① ② ③ ④ ⑤ | | |
| 18 | ① ② ③ ④ ⑤ | 38 | ① ② ③ ④ ⑤ | | |
| 19 | ① ② ③ ④ ⑤ | 39 | ① ② ③ ④ ⑤ | | |
| 20 | ① ② ③ ④ ⑤ | 40 | ① ② ③ ④ ⑤ | | |

도서출판 홀수


## 전국연합학력평가(실전 연습용)답안지

# ① 교시 국 어 영 역

| 학 교 | |
|---|---|
| 성 명 | |

| 성 명 | | | | | | | | |
|---|---|---|---|---|---|---|---|---|
| 수 험 번 호 | | | | | | | | |
| | | | | – | | | | |
| | ⓪ | ⓪ | ⓪ | | ⓪ | ⓪ | ⓪ | ⓪ |
| ① | ① | ① | ① | | ① | ① | ① | ① |
| ② | ② | ② | ② | | ② | ② | ② | ② |
| ③ | ③ | ③ | ③ | | ③ | ③ | ③ | ③ |
| ④ | ④ | ④ | ④ | | ④ | ④ | ④ | ④ |
| ⑤ | ⑤ | ⑤ | ⑤ | – | ⑤ | ⑤ | ⑤ | ⑤ |
| ⑥ | ⑥ | ⑥ | ⑥ | | ⑥ | ⑥ | ⑥ | ⑥ |
| ⑦ | ⑦ | ⑦ | ⑦ | | ⑦ | ⑦ | ⑦ | ⑦ |
| ⑧ | ⑧ | ⑧ | ⑧ | | ⑧ | ⑧ | ⑧ | ⑧ |
| ⑨ | ⑨ | ⑨ | ⑨ | | ⑨ | ⑨ | ⑨ | ⑨ |

| 감독관 확 인 (수험생은 표기하지 말것.) | 서 명 또는 날 인 | 본인 여부, 수험번호 및 문형의 표기가 정확한지 확인, 옆란에 서명 또는 날인 |
|---|---|---|

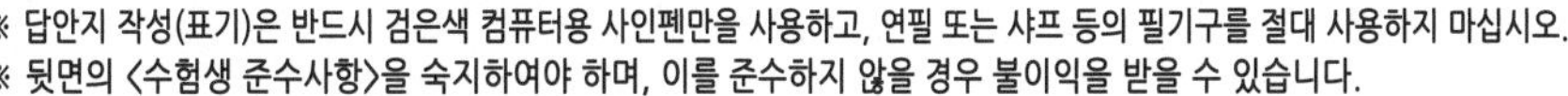
※ 답안지 작성(표기)은 반드시 검은색 컴퓨터용 사인펜만을 사용하고, 연필 또는 샤프 등의 필기구를 절대 사용하지 마십시오.
※ 뒷면의 <수험생 준수사항>을 숙지하여야 하며, 이를 준수하지 않을 경우 불이익을 받을 수 있습니다.

| 문번 | 답 란 | 문번 | 답 란 | 문번 | 답 란 |
|---|---|---|---|---|---|
| 1 | ① ② ③ ④ ⑤ | 21 | ① ② ③ ④ ⑤ | 41 | ① ② ③ ④ ⑤ |
| 2 | ① ② ③ ④ ⑤ | 22 | ① ② ③ ④ ⑤ | 42 | ① ② ③ ④ ⑤ |
| 3 | ① ② ③ ④ ⑤ | 23 | ① ② ③ ④ ⑤ | 43 | ① ② ③ ④ ⑤ |
| 4 | ① ② ③ ④ ⑤ | 24 | ① ② ③ ④ ⑤ | 44 | ① ② ③ ④ ⑤ |
| 5 | ① ② ③ ④ ⑤ | 25 | ① ② ③ ④ ⑤ | 45 | ① ② ③ ④ ⑤ |
| 6 | ① ② ③ ④ ⑤ | 26 | ① ② ③ ④ ⑤ | | |
| 7 | ① ② ③ ④ ⑤ | 27 | ① ② ③ ④ ⑤ | | |
| 8 | ① ② ③ ④ ⑤ | 28 | ① ② ③ ④ ⑤ | | |
| 9 | ① ② ③ ④ ⑤ | 29 | ① ② ③ ④ ⑤ | | |
| 10 | ① ② ③ ④ ⑤ | 30 | ① ② ③ ④ ⑤ | | |
| 11 | ① ② ③ ④ ⑤ | 31 | ① ② ③ ④ ⑤ | | |
| 12 | ① ② ③ ④ ⑤ | 32 | ① ② ③ ④ ⑤ | | |
| 13 | ① ② ③ ④ ⑤ | 33 | ① ② ③ ④ ⑤ | | |
| 14 | ① ② ③ ④ ⑤ | 34 | ① ② ③ ④ ⑤ | | |
| 15 | ① ② ③ ④ ⑤ | 35 | ① ② ③ ④ ⑤ | | |
| 16 | ① ② ③ ④ ⑤ | 36 | ① ② ③ ④ ⑤ | | |
| 17 | ① ② ③ ④ ⑤ | 37 | ① ② ③ ④ ⑤ | | |
| 18 | ① ② ③ ④ ⑤ | 38 | ① ② ③ ④ ⑤ | | |
| 19 | ① ② ③ ④ ⑤ | 39 | ① ② ③ ④ ⑤ | | |
| 20 | ① ② ③ ④ ⑤ | 40 | ① ② ③ ④ ⑤ | | |

도서출판 홀수

## 전국연합학력평가(실전 연습용)답안지

# ① 교시 국 어 영 역

| 학 교 | |
|---|---|
| 성 명 | |

| 성 명 | | | | | | | | | |
|---|---|---|---|---|---|---|---|---|---|
| 수 | 험 | | | | 번 | | 호 | | |
| | | | | – | | | | | |
| | 0 | 0 | 0 | | 0 | 0 | 0 | 0 |
| 1 | 1 | 1 | 1 | | 1 | 1 | 1 | 1 |
| 2 | 2 | 2 | 2 | | 2 | 2 | 2 | 2 |
| 3 | 3 | 3 | 3 | | 3 | 3 | 3 | 3 |
| 4 | 4 | 4 | 4 | – | 4 | 4 | 4 | 4 |
| 5 | 5 | 5 | 5 | | 5 | 5 | 5 | 5 |
| 6 | 6 | 6 | 6 | | 6 | 6 | 6 | 6 |
| 7 | 7 | 7 | 7 | | 7 | 7 | 7 | 7 |
| 8 | 8 | 8 | 8 | | 8 | 8 | 8 | 8 |
| 9 | 9 | 9 | 9 | | 9 | 9 | 9 | 9 |

| 감독관 확인 (수험생은 표기하지 말것.) | 서 명 (또는) 날 인 | 본인 여부, 수험번호 및 문형의 표기가 정확한지 확인, 옆란에 서명 또는 날인 |
|---|---|---|

※ 답안지 작성(표기)은 반드시 검은색 컴퓨터용 사인펜만을 사용하고, 연필 또는 샤프 등의 필기구를 절대 사용하지 마십시오.
※ 뒷면의 〈수험생 준수사항〉을 숙지하여야 하며, 이를 준수하지 않을 경우 불이익을 받을 수 있습니다.

| 문번 | 답 란 | 문번 | 답 란 | 문번 | 답 란 |
|---|---|---|---|---|---|
| 1 | ① ② ③ ④ ⑤ | 21 | ① ② ③ ④ ⑤ | 41 | ① ② ③ ④ ⑤ |
| 2 | ① ② ③ ④ ⑤ | 22 | ① ② ③ ④ ⑤ | 42 | ① ② ③ ④ ⑤ |
| 3 | ① ② ③ ④ ⑤ | 23 | ① ② ③ ④ ⑤ | 43 | ① ② ③ ④ ⑤ |
| 4 | ① ② ③ ④ ⑤ | 24 | ① ② ③ ④ ⑤ | 44 | ① ② ③ ④ ⑤ |
| 5 | ① ② ③ ④ ⑤ | 25 | ① ② ③ ④ ⑤ | 45 | ① ② ③ ④ ⑤ |
| 6 | ① ② ③ ④ ⑤ | 26 | ① ② ③ ④ ⑤ | | |
| 7 | ① ② ③ ④ ⑤ | 27 | ① ② ③ ④ ⑤ | | |
| 8 | ① ② ③ ④ ⑤ | 28 | ① ② ③ ④ ⑤ | | |
| 9 | ① ② ③ ④ ⑤ | 29 | ① ② ③ ④ ⑤ | | |
| 10 | ① ② ③ ④ ⑤ | 30 | ① ② ③ ④ ⑤ | | |
| 11 | ① ② ③ ④ ⑤ | 31 | ① ② ③ ④ ⑤ | | |
| 12 | ① ② ③ ④ ⑤ | 32 | ① ② ③ ④ ⑤ | | |
| 13 | ① ② ③ ④ ⑤ | 33 | ① ② ③ ④ ⑤ | | |
| 14 | ① ② ③ ④ ⑤ | 34 | ① ② ③ ④ ⑤ | | |
| 15 | ① ② ③ ④ ⑤ | 35 | ① ② ③ ④ ⑤ | | |
| 16 | ① ② ③ ④ ⑤ | 36 | ① ② ③ ④ ⑤ | | |
| 17 | ① ② ③ ④ ⑤ | 37 | ① ② ③ ④ ⑤ | | |
| 18 | ① ② ③ ④ ⑤ | 38 | ① ② ③ ④ ⑤ | | |
| 19 | ① ② ③ ④ ⑤ | 39 | ① ② ③ ④ ⑤ | | |
| 20 | ① ② ③ ④ ⑤ | 40 | ① ② ③ ④ ⑤ | | |

도서출판 홀수


## 전국연합학력평가(실전 연습용)답안지

# ① 교시 국 어 영 역

| 학 교 | |
|---|---|
| 성 명 | |

| 성 명 | | | | | | | | | |
|---|---|---|---|---|---|---|---|---|---|
| 수 | 험 | | | | 번 | | 호 | | |
| | | | | – | | | | | |
| | 0 | 0 | 0 | | 0 | 0 | 0 | 0 |
| 1 | 1 | 1 | 1 | | 1 | 1 | 1 | 1 |
| 2 | 2 | 2 | 2 | | 2 | 2 | 2 | 2 |
| 3 | 3 | 3 | 3 | | 3 | 3 | 3 | 3 |
| 4 | 4 | 4 | 4 | – | 4 | 4 | 4 | 4 |
| 5 | 5 | 5 | 5 | | 5 | 5 | 5 | 5 |
| 6 | 6 | 6 | 6 | | 6 | 6 | 6 | 6 |
| 7 | 7 | 7 | 7 | | 7 | 7 | 7 | 7 |
| 8 | 8 | 8 | 8 | | 8 | 8 | 8 | 8 |
| 9 | 9 | 9 | 9 | | 9 | 9 | 9 | 9 |

| 감독관 확인 (수험생은 표기하지 말것.) | 서 명 (또는) 날 인 | 본인 여부, 수험번호 및 문형의 표기가 정확한지 확인, 옆란에 서명 또는 날인 |
|---|---|---|

※ 답안지 작성(표기)은 반드시 검은색 컴퓨터용 사인펜만을 사용하고, 연필 또는 샤프 등의 필기구를 절대 사용하지 마십시오.
※ 뒷면의 〈수험생 준수사항〉을 숙지하여야 하며, 이를 준수하지 않을 경우 불이익을 받을 수 있습니다.

| 문번 | 답 란 | 문번 | 답 란 | 문번 | 답 란 |
|---|---|---|---|---|---|
| 1 | ① ② ③ ④ ⑤ | 21 | ① ② ③ ④ ⑤ | 41 | ① ② ③ ④ ⑤ |
| 2 | ① ② ③ ④ ⑤ | 22 | ① ② ③ ④ ⑤ | 42 | ① ② ③ ④ ⑤ |
| 3 | ① ② ③ ④ ⑤ | 23 | ① ② ③ ④ ⑤ | 43 | ① ② ③ ④ ⑤ |
| 4 | ① ② ③ ④ ⑤ | 24 | ① ② ③ ④ ⑤ | 44 | ① ② ③ ④ ⑤ |
| 5 | ① ② ③ ④ ⑤ | 25 | ① ② ③ ④ ⑤ | 45 | ① ② ③ ④ ⑤ |
| 6 | ① ② ③ ④ ⑤ | 26 | ① ② ③ ④ ⑤ | | |
| 7 | ① ② ③ ④ ⑤ | 27 | ① ② ③ ④ ⑤ | | |
| 8 | ① ② ③ ④ ⑤ | 28 | ① ② ③ ④ ⑤ | | |
| 9 | ① ② ③ ④ ⑤ | 29 | ① ② ③ ④ ⑤ | | |
| 10 | ① ② ③ ④ ⑤ | 30 | ① ② ③ ④ ⑤ | | |
| 11 | ① ② ③ ④ ⑤ | 31 | ① ② ③ ④ ⑤ | | |
| 12 | ① ② ③ ④ ⑤ | 32 | ① ② ③ ④ ⑤ | | |
| 13 | ① ② ③ ④ ⑤ | 33 | ① ② ③ ④ ⑤ | | |
| 14 | ① ② ③ ④ ⑤ | 34 | ① ② ③ ④ ⑤ | | |
| 15 | ① ② ③ ④ ⑤ | 35 | ① ② ③ ④ ⑤ | | |
| 16 | ① ② ③ ④ ⑤ | 36 | ① ② ③ ④ ⑤ | | |
| 17 | ① ② ③ ④ ⑤ | 37 | ① ② ③ ④ ⑤ | | |
| 18 | ① ② ③ ④ ⑤ | 38 | ① ② ③ ④ ⑤ | | |
| 19 | ① ② ③ ④ ⑤ | 39 | ① ② ③ ④ ⑤ | | |
| 20 | ① ② ③ ④ ⑤ | 40 | ① ② ③ ④ ⑤ | | |

도서출판 홀수

## 전국연합학력평가(실전 연습용)답안지

# ① 교시 국 어 영 역

| 학 교 | |
|---|---|
| 성 명 | |

| 성 명 | | | | | | | | | |
|---|---|---|---|---|---|---|---|---|---|
| 수 험 번 호 | | | | | | | | | |
| | | | | – | | | | | |
| | 0 | 0 | 0 | | 0 | 0 | 0 | 0 |
| 1 | 1 | 1 | 1 | | 1 | 1 | 1 | 1 |
| 2 | 2 | 2 | 2 | | 2 | 2 | 2 | 2 |
| 3 | 3 | 3 | 3 | | 3 | 3 | 3 | 3 |
| 4 | 4 | 4 | 4 | – | 4 | 4 | 4 | 4 |
| 5 | 5 | 5 | 5 | | 5 | 5 | 5 | 5 |
| 6 | 6 | 6 | 6 | | 6 | 6 | 6 | 6 |
| 7 | 7 | 7 | 7 | | 7 | 7 | 7 | 7 |
| 8 | 8 | 8 | 8 | | 8 | 8 | 8 | 8 |
| 9 | 9 | 9 | 9 | | 9 | 9 | 9 | 9 |

| 감독관 확인 (수험생은 표기하지 말것.) | 서 명 또는 날 인 | 본인 여부, 수험번호 및 문형의 표기가 정확한지 확인, 옆란에 서명 또는 날인 |
|---|---|---|

※ 답안지 작성(표기)은 반드시 검은색 컴퓨터용 사인펜만을 사용하고, 연필 또는 샤프 등의 필기구를 절대 사용하지 마십시오.
※ 뒷면의 〈수험생 준수사항〉을 숙지하여야 하며, 이를 준수하지 않을 경우 불이익을 받을 수 있습니다.

| 문번 | 답 란 | 문번 | 답 란 | 문번 | 답 란 |
|---|---|---|---|---|---|
| 1 | ① ② ③ ④ ⑤ | 21 | ① ② ③ ④ ⑤ | 41 | ① ② ③ ④ ⑤ |
| 2 | ① ② ③ ④ ⑤ | 22 | ① ② ③ ④ ⑤ | 42 | ① ② ③ ④ ⑤ |
| 3 | ① ② ③ ④ ⑤ | 23 | ① ② ③ ④ ⑤ | 43 | ① ② ③ ④ ⑤ |
| 4 | ① ② ③ ④ ⑤ | 24 | ① ② ③ ④ ⑤ | 44 | ① ② ③ ④ ⑤ |
| 5 | ① ② ③ ④ ⑤ | 25 | ① ② ③ ④ ⑤ | 45 | ① ② ③ ④ ⑤ |
| 6 | ① ② ③ ④ ⑤ | 26 | ① ② ③ ④ ⑤ | | |
| 7 | ① ② ③ ④ ⑤ | 27 | ① ② ③ ④ ⑤ | | |
| 8 | ① ② ③ ④ ⑤ | 28 | ① ② ③ ④ ⑤ | | |
| 9 | ① ② ③ ④ ⑤ | 29 | ① ② ③ ④ ⑤ | | |
| 10 | ① ② ③ ④ ⑤ | 30 | ① ② ③ ④ ⑤ | | |
| 11 | ① ② ③ ④ ⑤ | 31 | ① ② ③ ④ ⑤ | | |
| 12 | ① ② ③ ④ ⑤ | 32 | ① ② ③ ④ ⑤ | | |
| 13 | ① ② ③ ④ ⑤ | 33 | ① ② ③ ④ ⑤ | | |
| 14 | ① ② ③ ④ ⑤ | 34 | ① ② ③ ④ ⑤ | | |
| 15 | ① ② ③ ④ ⑤ | 35 | ① ② ③ ④ ⑤ | | |
| 16 | ① ② ③ ④ ⑤ | 36 | ① ② ③ ④ ⑤ | | |
| 17 | ① ② ③ ④ ⑤ | 37 | ① ② ③ ④ ⑤ | | |
| 18 | ① ② ③ ④ ⑤ | 38 | ① ② ③ ④ ⑤ | | |
| 19 | ① ② ③ ④ ⑤ | 39 | ① ② ③ ④ ⑤ | | |
| 20 | ① ② ③ ④ ⑤ | 40 | ① ② ③ ④ ⑤ | | |

도서출판 홀수


전국연합학력평가(실전 연습용)답안지

① 교시 국 어 영 역

| 학 교 | |
|---|---|
| 성 명 | |

| 성 명 | | | | | | | | | |
|---|---|---|---|---|---|---|---|---|---|
| 수 험 번 호 | | | | | | | | | |
| | | | | – | | | | | |
| | 0 | 0 | 0 | | 0 | 0 | 0 | 0 |
| 1 | 1 | 1 | 1 | | 1 | 1 | 1 | 1 |
| 2 | 2 | 2 | 2 | | 2 | 2 | 2 | 2 |
| 3 | 3 | 3 | 3 | | 3 | 3 | 3 | 3 |
| 4 | 4 | 4 | 4 | – | 4 | 4 | 4 | 4 |
| 5 | 5 | 5 | 5 | | 5 | 5 | 5 | 5 |
| 6 | 6 | 6 | 6 | | 6 | 6 | 6 | 6 |
| 7 | 7 | 7 | 7 | | 7 | 7 | 7 | 7 |
| 8 | 8 | 8 | 8 | | 8 | 8 | 8 | 8 |
| 9 | 9 | 9 | 9 | | 9 | 9 | 9 | 9 |

| 감독관 확인 (수험생은 표기하지 말것.) | 서 명 또는 날 인 | 본인 여부, 수험번호 및 문형의 표기가 정확한지 확인, 옆란에 서명 또는 날인 |
|---|---|---|

※ 답안지 작성(표기)은 반드시 검은색 컴퓨터용 사인펜만을 사용하고, 연필 또는 샤프 등의 필기구를 절대 사용하지 마십시오.
※ 뒷면의 〈수험생 준수사항〉을 숙지하여야 하며, 이를 준수하지 않을 경우 불이익을 받을 수 있습니다.

| 문번 | 답 란 | 문번 | 답 란 | 문번 | 답 란 |
|---|---|---|---|---|---|
| 1 | ① ② ③ ④ ⑤ | 21 | ① ② ③ ④ ⑤ | 41 | ① ② ③ ④ ⑤ |
| 2 | ① ② ③ ④ ⑤ | 22 | ① ② ③ ④ ⑤ | 42 | ① ② ③ ④ ⑤ |
| 3 | ① ② ③ ④ ⑤ | 23 | ① ② ③ ④ ⑤ | 43 | ① ② ③ ④ ⑤ |
| 4 | ① ② ③ ④ ⑤ | 24 | ① ② ③ ④ ⑤ | 44 | ① ② ③ ④ ⑤ |
| 5 | ① ② ③ ④ ⑤ | 25 | ① ② ③ ④ ⑤ | 45 | ① ② ③ ④ ⑤ |
| 6 | ① ② ③ ④ ⑤ | 26 | ① ② ③ ④ ⑤ | | |
| 7 | ① ② ③ ④ ⑤ | 27 | ① ② ③ ④ ⑤ | | |
| 8 | ① ② ③ ④ ⑤ | 28 | ① ② ③ ④ ⑤ | | |
| 9 | ① ② ③ ④ ⑤ | 29 | ① ② ③ ④ ⑤ | | |
| 10 | ① ② ③ ④ ⑤ | 30 | ① ② ③ ④ ⑤ | | |
| 11 | ① ② ③ ④ ⑤ | 31 | ① ② ③ ④ ⑤ | | |
| 12 | ① ② ③ ④ ⑤ | 32 | ① ② ③ ④ ⑤ | | |
| 13 | ① ② ③ ④ ⑤ | 33 | ① ② ③ ④ ⑤ | | |
| 14 | ① ② ③ ④ ⑤ | 34 | ① ② ③ ④ ⑤ | | |
| 15 | ① ② ③ ④ ⑤ | 35 | ① ② ③ ④ ⑤ | | |
| 16 | ① ② ③ ④ ⑤ | 36 | ① ② ③ ④ ⑤ | | |
| 17 | ① ② ③ ④ ⑤ | 37 | ① ② ③ ④ ⑤ | | |
| 18 | ① ② ③ ④ ⑤ | 38 | ① ② ③ ④ ⑤ | | |
| 19 | ① ② ③ ④ ⑤ | 39 | ① ② ③ ④ ⑤ | | |
| 20 | ① ② ③ ④ ⑤ | 40 | ① ② ③ ④ ⑤ | | |

도서출판 홀수

# 전국연합학력평가(실전 연습용)답안지

## ① 교시 국 어 영 역

| 학 교 | |
|---|---|
| 성 명 | |

| 성 명 | | | | | | | | | |
|---|---|---|---|---|---|---|---|---|---|
| 수 | | 험 | | | 번 | | 호 | | |
| | | | | – | | | | | |
| | 0 | 0 | 0 | | 0 | 0 | 0 | 0 | |
| 1 | 1 | 1 | 1 | | 1 | 1 | 1 | 1 | |
| 2 | 2 | 2 | 2 | | 2 | 2 | 2 | 2 | |
| 3 | 3 | 3 | 3 | | 3 | 3 | 3 | 3 | |
| 4 | 4 | 4 | 4 | – | 4 | 4 | 4 | 4 | |
| 5 | 5 | 5 | 5 | | 5 | 5 | 5 | 5 | |
| 6 | 6 | 6 | 6 | | 6 | 6 | 6 | 6 | |
| 7 | 7 | 7 | 7 | | 7 | 7 | 7 | 7 | |
| 8 | 8 | 8 | 8 | | 8 | 8 | 8 | 8 | |
| 9 | 9 | 9 | 9 | | 9 | 9 | 9 | 9 | |

| 감독관 확 인 (수험생은 표기하지 말것.) | 서 명 (또는) 날 인 | 본인 여부, 수험번호 및 문형의 표기가 정확한지 확인, 옆란에 서명 또는 날인 |
|---|---|---|

※ 답안지 작성(표기)은 반드시 검은색 컴퓨터용 사인펜만을 사용하고, 연필 또는 샤프 등의 필기구를 절대 사용하지 마십시오.
※ 뒷면의 〈수험생 준수사항〉을 숙지하여야 하며, 이를 준수하지 않을 경우 불이익을 받을 수 있습니다.

| 문번 | 답 란 | 문번 | 답 란 | 문번 | 답 란 |
|---|---|---|---|---|---|
| 1 | ① ② ③ ④ ⑤ | 21 | ① ② ③ ④ ⑤ | 41 | ① ② ③ ④ ⑤ |
| 2 | ① ② ③ ④ ⑤ | 22 | ① ② ③ ④ ⑤ | 42 | ① ② ③ ④ ⑤ |
| 3 | ① ② ③ ④ ⑤ | 23 | ① ② ③ ④ ⑤ | 43 | ① ② ③ ④ ⑤ |
| 4 | ① ② ③ ④ ⑤ | 24 | ① ② ③ ④ ⑤ | 44 | ① ② ③ ④ ⑤ |
| 5 | ① ② ③ ④ ⑤ | 25 | ① ② ③ ④ ⑤ | 45 | ① ② ③ ④ ⑤ |
| 6 | ① ② ③ ④ ⑤ | 26 | ① ② ③ ④ ⑤ | | |
| 7 | ① ② ③ ④ ⑤ | 27 | ① ② ③ ④ ⑤ | | |
| 8 | ① ② ③ ④ ⑤ | 28 | ① ② ③ ④ ⑤ | | |
| 9 | ① ② ③ ④ ⑤ | 29 | ① ② ③ ④ ⑤ | | |
| 10 | ① ② ③ ④ ⑤ | 30 | ① ② ③ ④ ⑤ | | |
| 11 | ① ② ③ ④ ⑤ | 31 | ① ② ③ ④ ⑤ | | |
| 12 | ① ② ③ ④ ⑤ | 32 | ① ② ③ ④ ⑤ | | |
| 13 | ① ② ③ ④ ⑤ | 33 | ① ② ③ ④ ⑤ | | |
| 14 | ① ② ③ ④ ⑤ | 34 | ① ② ③ ④ ⑤ | | |
| 15 | ① ② ③ ④ ⑤ | 35 | ① ② ③ ④ ⑤ | | |
| 16 | ① ② ③ ④ ⑤ | 36 | ① ② ③ ④ ⑤ | | |
| 17 | ① ② ③ ④ ⑤ | 37 | ① ② ③ ④ ⑤ | | |
| 18 | ① ② ③ ④ ⑤ | 38 | ① ② ③ ④ ⑤ | | |
| 19 | ① ② ③ ④ ⑤ | 39 | ① ② ③ ④ ⑤ | | |
| 20 | ① ② ③ ④ ⑤ | 40 | ① ② ③ ④ ⑤ | | |

도서출판 홀수


전국연합학력평가(실전 연습용)답안지

① 교시 국 어 영 역

학 교 / 성 명

성 명 / 수험번호

감독관 확 인 (수험생은 표기하지 말것.) 서 명 또는 날 인 — 본인 여부, 수험번호 및 문형의 표기가 정확한지 확인, 옆란에 서명 또는 날인

※ 답안지 작성(표기)은 반드시 검은색 컴퓨터용 사인펜만을 사용하고, 연필 또는 샤프 등의 필기구를 절대 사용하지 마십시오.
※ 뒷면의 〈수험생 준수사항〉을 숙지하여야 하며, 이를 준수하지 않을 경우 불이익을 받을 수 있습니다.

문번 1–45 답 란 ① ② ③ ④ ⑤

도서출판 홀수

## 전국연합학력평가(실전 연습용)답안지

# ① 교시 국 어 영 역

| 학 교 | |
|---|---|
| 성 명 | |

| 성 명 | | | | | | | | |
|---|---|---|---|---|---|---|---|---|
| 수 | 험 | | | | 번 | | 호 | |
| | | | | – | | | | |
| | ⓪ | ⓪ | ⓪ | | ⓪ | ⓪ | ⓪ | ⓪ |
| ① | ① | ① | ① | | ① | ① | ① | ① |
| ② | ② | ② | ② | | ② | ② | ② | ② |
| ③ | ③ | ③ | ③ | | ③ | ③ | ③ | ③ |
| ④ | ④ | ④ | ④ | – | ④ | ④ | ④ | ④ |
| ⑤ | ⑤ | ⑤ | ⑤ | | ⑤ | ⑤ | ⑤ | ⑤ |
| ⑥ | ⑥ | ⑥ | ⑥ | | ⑥ | ⑥ | ⑥ | ⑥ |
| ⑦ | ⑦ | ⑦ | ⑦ | | ⑦ | ⑦ | ⑦ | ⑦ |
| ⑧ | ⑧ | ⑧ | ⑧ | | ⑧ | ⑧ | ⑧ | ⑧ |
| ⑨ | ⑨ | ⑨ | ⑨ | | ⑨ | ⑨ | ⑨ | ⑨ |

| 감독관 확 인 (수험생은 표기 하지 말것.) | ( 서 명 또는 날 인 ) | 본인 여부, 수험번호 및 문형의 표기가 정확한지 확인, 옆란에 서명 또는 날인 |
|---|---|---|

※ 답안지 작성(표기)은 반드시 검은색 컴퓨터용 사인펜만을 사용하고, 연필 또는 샤프 등의 필기구를 절대 사용하지 마십시오.
※ 뒷면의 〈수험생 준수사항〉을 숙지하여야 하며, 이를 준수하지 않을 경우 불이익을 받을 수 있습니다.

| 문번 | 답 란 | 문번 | 답 란 | 문번 | 답 란 |
|---|---|---|---|---|---|
| 1 | ① ② ③ ④ ⑤ | 21 | ① ② ③ ④ ⑤ | 41 | ① ② ③ ④ ⑤ |
| 2 | ① ② ③ ④ ⑤ | 22 | ① ② ③ ④ ⑤ | 42 | ① ② ③ ④ ⑤ |
| 3 | ① ② ③ ④ ⑤ | 23 | ① ② ③ ④ ⑤ | 43 | ① ② ③ ④ ⑤ |
| 4 | ① ② ③ ④ ⑤ | 24 | ① ② ③ ④ ⑤ | 44 | ① ② ③ ④ ⑤ |
| 5 | ① ② ③ ④ ⑤ | 25 | ① ② ③ ④ ⑤ | 45 | ① ② ③ ④ ⑤ |
| 6 | ① ② ③ ④ ⑤ | 26 | ① ② ③ ④ ⑤ | | |
| 7 | ① ② ③ ④ ⑤ | 27 | ① ② ③ ④ ⑤ | | |
| 8 | ① ② ③ ④ ⑤ | 28 | ① ② ③ ④ ⑤ | | |
| 9 | ① ② ③ ④ ⑤ | 29 | ① ② ③ ④ ⑤ | | |
| 10 | ① ② ③ ④ ⑤ | 30 | ① ② ③ ④ ⑤ | | |
| 11 | ① ② ③ ④ ⑤ | 31 | ① ② ③ ④ ⑤ | | |
| 12 | ① ② ③ ④ ⑤ | 32 | ① ② ③ ④ ⑤ | | |
| 13 | ① ② ③ ④ ⑤ | 33 | ① ② ③ ④ ⑤ | | |
| 14 | ① ② ③ ④ ⑤ | 34 | ① ② ③ ④ ⑤ | | |
| 15 | ① ② ③ ④ ⑤ | 35 | ① ② ③ ④ ⑤ | | |
| 16 | ① ② ③ ④ ⑤ | 36 | ① ② ③ ④ ⑤ | | |
| 17 | ① ② ③ ④ ⑤ | 37 | ① ② ③ ④ ⑤ | | |
| 18 | ① ② ③ ④ ⑤ | 38 | ① ② ③ ④ ⑤ | | |
| 19 | ① ② ③ ④ ⑤ | 39 | ① ② ③ ④ ⑤ | | |
| 20 | ① ② ③ ④ ⑤ | 40 | ① ② ③ ④ ⑤ | | |

도서출판 홀수


## 전국연합학력평가(실전 연습용)답안지

# ① 교시 국 어 영 역

| 학 교 | |
|---|---|
| 성 명 | |

| 성 명 | | | | | | | | |
|---|---|---|---|---|---|---|---|---|
| 수 | 험 | | | | 번 | | 호 | |
| | | | | – | | | | |
| | ⓪ | ⓪ | ⓪ | | ⓪ | ⓪ | ⓪ | ⓪ |
| ① | ① | ① | ① | | ① | ① | ① | ① |
| ② | ② | ② | ② | | ② | ② | ② | ② |
| ③ | ③ | ③ | ③ | | ③ | ③ | ③ | ③ |
| ④ | ④ | ④ | ④ | – | ④ | ④ | ④ | ④ |
| ⑤ | ⑤ | ⑤ | ⑤ | | ⑤ | ⑤ | ⑤ | ⑤ |
| ⑥ | ⑥ | ⑥ | ⑥ | | ⑥ | ⑥ | ⑥ | ⑥ |
| ⑦ | ⑦ | ⑦ | ⑦ | | ⑦ | ⑦ | ⑦ | ⑦ |
| ⑧ | ⑧ | ⑧ | ⑧ | | ⑧ | ⑧ | ⑧ | ⑧ |
| ⑨ | ⑨ | ⑨ | ⑨ | | ⑨ | ⑨ | ⑨ | ⑨ |

| 감독관 확 인 (수험생은 표기 하지 말것.) | ( 서 명 또는 날 인 ) | 본인 여부, 수험번호 및 문형의 표기가 정확한지 확인, 옆란에 서명 또는 날인 |
|---|---|---|

※ 답안지 작성(표기)은 반드시 검은색 컴퓨터용 사인펜만을 사용하고, 연필 또는 샤프 등의 필기구를 절대 사용하지 마십시오.
※ 뒷면의 〈수험생 준수사항〉을 숙지하여야 하며, 이를 준수하지 않을 경우 불이익을 받을 수 있습니다.

| 문번 | 답 란 | 문번 | 답 란 | 문번 | 답 란 |
|---|---|---|---|---|---|
| 1 | ① ② ③ ④ ⑤ | 21 | ① ② ③ ④ ⑤ | 41 | ① ② ③ ④ ⑤ |
| 2 | ① ② ③ ④ ⑤ | 22 | ① ② ③ ④ ⑤ | 42 | ① ② ③ ④ ⑤ |
| 3 | ① ② ③ ④ ⑤ | 23 | ① ② ③ ④ ⑤ | 43 | ① ② ③ ④ ⑤ |
| 4 | ① ② ③ ④ ⑤ | 24 | ① ② ③ ④ ⑤ | 44 | ① ② ③ ④ ⑤ |
| 5 | ① ② ③ ④ ⑤ | 25 | ① ② ③ ④ ⑤ | 45 | ① ② ③ ④ ⑤ |
| 6 | ① ② ③ ④ ⑤ | 26 | ① ② ③ ④ ⑤ | | |
| 7 | ① ② ③ ④ ⑤ | 27 | ① ② ③ ④ ⑤ | | |
| 8 | ① ② ③ ④ ⑤ | 28 | ① ② ③ ④ ⑤ | | |
| 9 | ① ② ③ ④ ⑤ | 29 | ① ② ③ ④ ⑤ | | |
| 10 | ① ② ③ ④ ⑤ | 30 | ① ② ③ ④ ⑤ | | |
| 11 | ① ② ③ ④ ⑤ | 31 | ① ② ③ ④ ⑤ | | |
| 12 | ① ② ③ ④ ⑤ | 32 | ① ② ③ ④ ⑤ | | |
| 13 | ① ② ③ ④ ⑤ | 33 | ① ② ③ ④ ⑤ | | |
| 14 | ① ② ③ ④ ⑤ | 34 | ① ② ③ ④ ⑤ | | |
| 15 | ① ② ③ ④ ⑤ | 35 | ① ② ③ ④ ⑤ | | |
| 16 | ① ② ③ ④ ⑤ | 36 | ① ② ③ ④ ⑤ | | |
| 17 | ① ② ③ ④ ⑤ | 37 | ① ② ③ ④ ⑤ | | |
| 18 | ① ② ③ ④ ⑤ | 38 | ① ② ③ ④ ⑤ | | |
| 19 | ① ② ③ ④ ⑤ | 39 | ① ② ③ ④ ⑤ | | |
| 20 | ① ② ③ ④ ⑤ | 40 | ① ② ③ ④ ⑤ | | |

도서출판 홀수

## 전국연합학력평가(실전 연습용)답안지

# ① 교시 국 어 영 역

| 학 교 | |
|---|---|
| 성 명 | |

| 성 명 | | | | | | | | | |
|---|---|---|---|---|---|---|---|---|---|
| 수 | | 험 | | | 번 | | 호 | | |
| | | | | – | | | | | |
| | ⓪ | ⓪ | ⓪ | | ⓪ | ⓪ | ⓪ | ⓪ | |
| ① | ① | ① | ① | | ① | ① | ① | ① | |
| ② | ② | ② | ② | | ② | ② | ② | ② | |
| ③ | ③ | ③ | ③ | | ③ | ③ | ③ | ③ | |
| ④ | ④ | ④ | ④ | – | ④ | ④ | ④ | ④ | |
| ⑤ | ⑤ | ⑤ | ⑤ | | ⑤ | ⑤ | ⑤ | ⑤ | |
| ⑥ | ⑥ | ⑥ | ⑥ | | ⑥ | ⑥ | ⑥ | ⑥ | |
| ⑦ | ⑦ | ⑦ | ⑦ | | ⑦ | ⑦ | ⑦ | ⑦ | |
| ⑧ | ⑧ | ⑧ | ⑧ | | ⑧ | ⑧ | ⑧ | ⑧ | |
| ⑨ | ⑨ | ⑨ | ⑨ | | ⑨ | ⑨ | ⑨ | ⑨ | |

| 감독관 확인 (수험생은 표기하지 말것.) | 서 명 또는 날 인 | 본인 여부, 수험번호 및 문형의 표기가 정확한지 확인, 옆란에 서명 또는 날인 |
|---|---|---|

※ 답안지 작성(표기)은 반드시 검은색 컴퓨터용 사인펜만을 사용하고, 연필 또는 샤프 등의 필기구를 절대 사용하지 마십시오.
※ 뒷면의 〈수험생 준수사항〉을 숙지하여야 하며, 이를 준수하지 않을 경우 불이익을 받을 수 있습니다.

| 문번 | 답 란 | 문번 | 답 란 | 문번 | 답 란 |
|---|---|---|---|---|---|
| 1 | ① ② ③ ④ ⑤ | 21 | ① ② ③ ④ ⑤ | 41 | ① ② ③ ④ ⑤ |
| 2 | ① ② ③ ④ ⑤ | 22 | ① ② ③ ④ ⑤ | 42 | ① ② ③ ④ ⑤ |
| 3 | ① ② ③ ④ ⑤ | 23 | ① ② ③ ④ ⑤ | 43 | ① ② ③ ④ ⑤ |
| 4 | ① ② ③ ④ ⑤ | 24 | ① ② ③ ④ ⑤ | 44 | ① ② ③ ④ ⑤ |
| 5 | ① ② ③ ④ ⑤ | 25 | ① ② ③ ④ ⑤ | 45 | ① ② ③ ④ ⑤ |
| 6 | ① ② ③ ④ ⑤ | 26 | ① ② ③ ④ ⑤ | | |
| 7 | ① ② ③ ④ ⑤ | 27 | ① ② ③ ④ ⑤ | | |
| 8 | ① ② ③ ④ ⑤ | 28 | ① ② ③ ④ ⑤ | | |
| 9 | ① ② ③ ④ ⑤ | 29 | ① ② ③ ④ ⑤ | | |
| 10 | ① ② ③ ④ ⑤ | 30 | ① ② ③ ④ ⑤ | | |
| 11 | ① ② ③ ④ ⑤ | 31 | ① ② ③ ④ ⑤ | | |
| 12 | ① ② ③ ④ ⑤ | 32 | ① ② ③ ④ ⑤ | | |
| 13 | ① ② ③ ④ ⑤ | 33 | ① ② ③ ④ ⑤ | | |
| 14 | ① ② ③ ④ ⑤ | 34 | ① ② ③ ④ ⑤ | | |
| 15 | ① ② ③ ④ ⑤ | 35 | ① ② ③ ④ ⑤ | | |
| 16 | ① ② ③ ④ ⑤ | 36 | ① ② ③ ④ ⑤ | | |
| 17 | ① ② ③ ④ ⑤ | 37 | ① ② ③ ④ ⑤ | | |
| 18 | ① ② ③ ④ ⑤ | 38 | ① ② ③ ④ ⑤ | | |
| 19 | ① ② ③ ④ ⑤ | 39 | ① ② ③ ④ ⑤ | | |
| 20 | ① ② ③ ④ ⑤ | 40 | ① ② ③ ④ ⑤ | | |

## 전국연합학력평가(실전 연습용)답안지

# ① 교시 국 어 영 역

| 학 교 | |
|---|---|
| 성 명 | |

| 성 명 | | | | | | | | | |
|---|---|---|---|---|---|---|---|---|---|
| 수 | | 험 | | | 번 | | 호 | | |
| | | | | – | | | | | |
| | ⓪ | ⓪ | ⓪ | | ⓪ | ⓪ | ⓪ | ⓪ | |
| ① | ① | ① | ① | | ① | ① | ① | ① | |
| ② | ② | ② | ② | | ② | ② | ② | ② | |
| ③ | ③ | ③ | ③ | | ③ | ③ | ③ | ③ | |
| ④ | ④ | ④ | ④ | – | ④ | ④ | ④ | ④ | |
| ⑤ | ⑤ | ⑤ | ⑤ | | ⑤ | ⑤ | ⑤ | ⑤ | |
| ⑥ | ⑥ | ⑥ | ⑥ | | ⑥ | ⑥ | ⑥ | ⑥ | |
| ⑦ | ⑦ | ⑦ | ⑦ | | ⑦ | ⑦ | ⑦ | ⑦ | |
| ⑧ | ⑧ | ⑧ | ⑧ | | ⑧ | ⑧ | ⑧ | ⑧ | |
| ⑨ | ⑨ | ⑨ | ⑨ | | ⑨ | ⑨ | ⑨ | ⑨ | |

| 감독관 확인 (수험생은 표기하지 말것.) | 서 명 또는 날 인 | 본인 여부, 수험번호 및 문형의 표기가 정확한지 확인, 옆란에 서명 또는 날인 |
|---|---|---|

※ 답안지 작성(표기)은 반드시 검은색 컴퓨터용 사인펜만을 사용하고, 연필 또는 샤프 등의 필기구를 절대 사용하지 마십시오.
※ 뒷면의 〈수험생 준수사항〉을 숙지하여야 하며, 이를 준수하지 않을 경우 불이익을 받을 수 있습니다.

| 문번 | 답 란 | 문번 | 답 란 | 문번 | 답 란 |
|---|---|---|---|---|---|
| 1 | ① ② ③ ④ ⑤ | 21 | ① ② ③ ④ ⑤ | 41 | ① ② ③ ④ ⑤ |
| 2 | ① ② ③ ④ ⑤ | 22 | ① ② ③ ④ ⑤ | 42 | ① ② ③ ④ ⑤ |
| 3 | ① ② ③ ④ ⑤ | 23 | ① ② ③ ④ ⑤ | 43 | ① ② ③ ④ ⑤ |
| 4 | ① ② ③ ④ ⑤ | 24 | ① ② ③ ④ ⑤ | 44 | ① ② ③ ④ ⑤ |
| 5 | ① ② ③ ④ ⑤ | 25 | ① ② ③ ④ ⑤ | 45 | ① ② ③ ④ ⑤ |
| 6 | ① ② ③ ④ ⑤ | 26 | ① ② ③ ④ ⑤ | | |
| 7 | ① ② ③ ④ ⑤ | 27 | ① ② ③ ④ ⑤ | | |
| 8 | ① ② ③ ④ ⑤ | 28 | ① ② ③ ④ ⑤ | | |
| 9 | ① ② ③ ④ ⑤ | 29 | ① ② ③ ④ ⑤ | | |
| 10 | ① ② ③ ④ ⑤ | 30 | ① ② ③ ④ ⑤ | | |
| 11 | ① ② ③ ④ ⑤ | 31 | ① ② ③ ④ ⑤ | | |
| 12 | ① ② ③ ④ ⑤ | 32 | ① ② ③ ④ ⑤ | | |
| 13 | ① ② ③ ④ ⑤ | 33 | ① ② ③ ④ ⑤ | | |
| 14 | ① ② ③ ④ ⑤ | 34 | ① ② ③ ④ ⑤ | | |
| 15 | ① ② ③ ④ ⑤ | 35 | ① ② ③ ④ ⑤ | | |
| 16 | ① ② ③ ④ ⑤ | 36 | ① ② ③ ④ ⑤ | | |
| 17 | ① ② ③ ④ ⑤ | 37 | ① ② ③ ④ ⑤ | | |
| 18 | ① ② ③ ④ ⑤ | 38 | ① ② ③ ④ ⑤ | | |
| 19 | ① ② ③ ④ ⑤ | 39 | ① ② ③ ④ ⑤ | | |
| 20 | ① ② ③ ④ ⑤ | 40 | ① ② ③ ④ ⑤ | | |

도서출판 홀수

## 전국연합학력평가(실전 연습용)답안지

# ① 교시 국 어 영 역

| 학 교 | |
|---|---|
| 성 명 | |

| 성 명 | | | | | | | | |
|---|---|---|---|---|---|---|---|---|
| 수 | | 험 | | | 번 | | 호 | |
| | | | | – | | | | |
| | ⓪ | ⓪ | ⓪ | | ⓪ | ⓪ | ⓪ | ⓪ |
| ① | ① | ① | ① | | ① | ① | ① | ① |
| ② | ② | ② | ② | | ② | ② | ② | ② |
| ③ | ③ | ③ | ③ | | ③ | ③ | ③ | ③ |
| ④ | ④ | ④ | ④ | – | ④ | ④ | ④ | ④ |
| ⑤ | ⑤ | ⑤ | ⑤ | | ⑤ | ⑤ | ⑤ | ⑤ |
| ⑥ | ⑥ | ⑥ | ⑥ | | ⑥ | ⑥ | ⑥ | ⑥ |
| ⑦ | ⑦ | ⑦ | ⑦ | | ⑦ | ⑦ | ⑦ | ⑦ |
| ⑧ | ⑧ | ⑧ | ⑧ | | ⑧ | ⑧ | ⑧ | ⑧ |
| ⑨ | ⑨ | ⑨ | ⑨ | | ⑨ | ⑨ | ⑨ | ⑨ |

| 감독관 확 인 (수험생은 표기하지 말것.) | 서 명 또는 날 인 | 본인 여부, 수험번호 및 문형의 표기가 정확한지 확인, 옆란에 서명 또는 날인 |
|---|---|---|

※ 답안지 작성(표기)은 반드시 검은색 컴퓨터용 사인펜만을 사용하고, 연필 또는 샤프 등의 필기구를 절대 사용하지 마십시오.
※ 뒷면의 〈수험생 준수사항〉을 숙지하여야 하며, 이를 준수하지 않을 경우 불이익을 받을 수 있습니다.

| 문번 | 답 란 | 문번 | 답 란 | 문번 | 답 란 |
|---|---|---|---|---|---|
| 1 | ① ② ③ ④ ⑤ | 21 | ① ② ③ ④ ⑤ | 41 | ① ② ③ ④ ⑤ |
| 2 | ① ② ③ ④ ⑤ | 22 | ① ② ③ ④ ⑤ | 42 | ① ② ③ ④ ⑤ |
| 3 | ① ② ③ ④ ⑤ | 23 | ① ② ③ ④ ⑤ | 43 | ① ② ③ ④ ⑤ |
| 4 | ① ② ③ ④ ⑤ | 24 | ① ② ③ ④ ⑤ | 44 | ① ② ③ ④ ⑤ |
| 5 | ① ② ③ ④ ⑤ | 25 | ① ② ③ ④ ⑤ | 45 | ① ② ③ ④ ⑤ |
| 6 | ① ② ③ ④ ⑤ | 26 | ① ② ③ ④ ⑤ | | |
| 7 | ① ② ③ ④ ⑤ | 27 | ① ② ③ ④ ⑤ | | |
| 8 | ① ② ③ ④ ⑤ | 28 | ① ② ③ ④ ⑤ | | |
| 9 | ① ② ③ ④ ⑤ | 29 | ① ② ③ ④ ⑤ | | |
| 10 | ① ② ③ ④ ⑤ | 30 | ① ② ③ ④ ⑤ | | |
| 11 | ① ② ③ ④ ⑤ | 31 | ① ② ③ ④ ⑤ | | |
| 12 | ① ② ③ ④ ⑤ | 32 | ① ② ③ ④ ⑤ | | |
| 13 | ① ② ③ ④ ⑤ | 33 | ① ② ③ ④ ⑤ | | |
| 14 | ① ② ③ ④ ⑤ | 34 | ① ② ③ ④ ⑤ | | |
| 15 | ① ② ③ ④ ⑤ | 35 | ① ② ③ ④ ⑤ | | |
| 16 | ① ② ③ ④ ⑤ | 36 | ① ② ③ ④ ⑤ | | |
| 17 | ① ② ③ ④ ⑤ | 37 | ① ② ③ ④ ⑤ | | |
| 18 | ① ② ③ ④ ⑤ | 38 | ① ② ③ ④ ⑤ | | |
| 19 | ① ② ③ ④ ⑤ | 39 | ① ② ③ ④ ⑤ | | |
| 20 | ① ② ③ ④ ⑤ | 40 | ① ② ③ ④ ⑤ | | |

도서출판 홀수

## 전국연합학력평가(실전 연습용)답안지

# ① 교시 국 어 영 역

| 학 교 | |
|---|---|
| 성 명 | |

| 성 명 | | | | | | | | |
|---|---|---|---|---|---|---|---|---|
| 수 | | 험 | | | 번 | | 호 | |
| | | | | – | | | | |
| | ⓪ | ⓪ | ⓪ | | ⓪ | ⓪ | ⓪ | ⓪ |
| ① | ① | ① | ① | | ① | ① | ① | ① |
| ② | ② | ② | ② | | ② | ② | ② | ② |
| ③ | ③ | ③ | ③ | | ③ | ③ | ③ | ③ |
| ④ | ④ | ④ | ④ | – | ④ | ④ | ④ | ④ |
| ⑤ | ⑤ | ⑤ | ⑤ | | ⑤ | ⑤ | ⑤ | ⑤ |
| ⑥ | ⑥ | ⑥ | ⑥ | | ⑥ | ⑥ | ⑥ | ⑥ |
| ⑦ | ⑦ | ⑦ | ⑦ | | ⑦ | ⑦ | ⑦ | ⑦ |
| ⑧ | ⑧ | ⑧ | ⑧ | | ⑧ | ⑧ | ⑧ | ⑧ |
| ⑨ | ⑨ | ⑨ | ⑨ | | ⑨ | ⑨ | ⑨ | ⑨ |

| 감독관 확 인 (수험생은 표기하지 말것.) | 서 명 또는 날 인 | 본인 여부, 수험번호 및 문형의 표기가 정확한지 확인, 옆란에 서명 또는 날인 |
|---|---|---|

※ 답안지 작성(표기)은 반드시 검은색 컴퓨터용 사인펜만을 사용하고, 연필 또는 샤프 등의 필기구를 절대 사용하지 마십시오.
※ 뒷면의 〈수험생 준수사항〉을 숙지하여야 하며, 이를 준수하지 않을 경우 불이익을 받을 수 있습니다.

| 문번 | 답 란 | 문번 | 답 란 | 문번 | 답 란 |
|---|---|---|---|---|---|
| 1 | ① ② ③ ④ ⑤ | 21 | ① ② ③ ④ ⑤ | 41 | ① ② ③ ④ ⑤ |
| 2 | ① ② ③ ④ ⑤ | 22 | ① ② ③ ④ ⑤ | 42 | ① ② ③ ④ ⑤ |
| 3 | ① ② ③ ④ ⑤ | 23 | ① ② ③ ④ ⑤ | 43 | ① ② ③ ④ ⑤ |
| 4 | ① ② ③ ④ ⑤ | 24 | ① ② ③ ④ ⑤ | 44 | ① ② ③ ④ ⑤ |
| 5 | ① ② ③ ④ ⑤ | 25 | ① ② ③ ④ ⑤ | 45 | ① ② ③ ④ ⑤ |
| 6 | ① ② ③ ④ ⑤ | 26 | ① ② ③ ④ ⑤ | | |
| 7 | ① ② ③ ④ ⑤ | 27 | ① ② ③ ④ ⑤ | | |
| 8 | ① ② ③ ④ ⑤ | 28 | ① ② ③ ④ ⑤ | | |
| 9 | ① ② ③ ④ ⑤ | 29 | ① ② ③ ④ ⑤ | | |
| 10 | ① ② ③ ④ ⑤ | 30 | ① ② ③ ④ ⑤ | | |
| 11 | ① ② ③ ④ ⑤ | 31 | ① ② ③ ④ ⑤ | | |
| 12 | ① ② ③ ④ ⑤ | 32 | ① ② ③ ④ ⑤ | | |
| 13 | ① ② ③ ④ ⑤ | 33 | ① ② ③ ④ ⑤ | | |
| 14 | ① ② ③ ④ ⑤ | 34 | ① ② ③ ④ ⑤ | | |
| 15 | ① ② ③ ④ ⑤ | 35 | ① ② ③ ④ ⑤ | | |
| 16 | ① ② ③ ④ ⑤ | 36 | ① ② ③ ④ ⑤ | | |
| 17 | ① ② ③ ④ ⑤ | 37 | ① ② ③ ④ ⑤ | | |
| 18 | ① ② ③ ④ ⑤ | 38 | ① ② ③ ④ ⑤ | | |
| 19 | ① ② ③ ④ ⑤ | 39 | ① ② ③ ④ ⑤ | | |
| 20 | ① ② ③ ④ ⑤ | 40 | ① ② ③ ④ ⑤ | | |

도서출판 홀수

## 전국연합학력평가(실전 연습용)답안지

# ① 교시 국 어 영 역

| 학 교 | |
|---|---|
| 성 명 | |

| 성 명 | | | | | | | | | |
|---|---|---|---|---|---|---|---|---|---|
| 수 | | 험 | | | 번 | | 호 | | |
| | | | | – | | | | | |
| | ⓪ | ⓪ | ⓪ | | ⓪ | ⓪ | ⓪ | ⓪ |
| ① | ① | ① | ① | | ① | ① | ① | ① |
| ② | ② | ② | ② | | ② | ② | ② | ② |
| ③ | ③ | ③ | ③ | | ③ | ③ | ③ | ③ |
| ④ | ④ | ④ | ④ | – | ④ | ④ | ④ | ④ |
| ⑤ | ⑤ | ⑤ | ⑤ | | ⑤ | ⑤ | ⑤ | ⑤ |
| ⑥ | ⑥ | ⑥ | ⑥ | | ⑥ | ⑥ | ⑥ | ⑥ |
| ⑦ | ⑦ | ⑦ | ⑦ | | ⑦ | ⑦ | ⑦ | ⑦ |
| ⑧ | ⑧ | ⑧ | ⑧ | | ⑧ | ⑧ | ⑧ | ⑧ |
| ⑨ | ⑨ | ⑨ | ⑨ | | ⑨ | ⑨ | ⑨ | ⑨ |

| 감독관 확 인 (수험생은 표기하지 말것.) | (서 명 또는 날 인) | 본인 여부, 수험번호 및 문형의 표기가 정확한지 확인, 옆란에 서명 또는 날인 |
|---|---|---|

※ 답안지 작성(표기)은 반드시 검은색 컴퓨터용 사인펜만을 사용하고, 연필 또는 샤프 등의 필기구를 절대 사용하지 마십시오.
※ 뒷면의 〈수험생 준수사항〉을 숙지하여야 하며, 이를 준수하지 않을 경우 불이익을 받을 수 있습니다.

| 문번 | 답 란 | 문번 | 답 란 | 문번 | 답 란 |
|---|---|---|---|---|---|
| 1 | ① ② ③ ④ ⑤ | 21 | ① ② ③ ④ ⑤ | 41 | ① ② ③ ④ ⑤ |
| 2 | ① ② ③ ④ ⑤ | 22 | ① ② ③ ④ ⑤ | 42 | ① ② ③ ④ ⑤ |
| 3 | ① ② ③ ④ ⑤ | 23 | ① ② ③ ④ ⑤ | 43 | ① ② ③ ④ ⑤ |
| 4 | ① ② ③ ④ ⑤ | 24 | ① ② ③ ④ ⑤ | 44 | ① ② ③ ④ ⑤ |
| 5 | ① ② ③ ④ ⑤ | 25 | ① ② ③ ④ ⑤ | 45 | ① ② ③ ④ ⑤ |
| 6 | ① ② ③ ④ ⑤ | 26 | ① ② ③ ④ ⑤ | | |
| 7 | ① ② ③ ④ ⑤ | 27 | ① ② ③ ④ ⑤ | | |
| 8 | ① ② ③ ④ ⑤ | 28 | ① ② ③ ④ ⑤ | | |
| 9 | ① ② ③ ④ ⑤ | 29 | ① ② ③ ④ ⑤ | | |
| 10 | ① ② ③ ④ ⑤ | 30 | ① ② ③ ④ ⑤ | | |
| 11 | ① ② ③ ④ ⑤ | 31 | ① ② ③ ④ ⑤ | | |
| 12 | ① ② ③ ④ ⑤ | 32 | ① ② ③ ④ ⑤ | | |
| 13 | ① ② ③ ④ ⑤ | 33 | ① ② ③ ④ ⑤ | | |
| 14 | ① ② ③ ④ ⑤ | 34 | ① ② ③ ④ ⑤ | | |
| 15 | ① ② ③ ④ ⑤ | 35 | ① ② ③ ④ ⑤ | | |
| 16 | ① ② ③ ④ ⑤ | 36 | ① ② ③ ④ ⑤ | | |
| 17 | ① ② ③ ④ ⑤ | 37 | ① ② ③ ④ ⑤ | | |
| 18 | ① ② ③ ④ ⑤ | 38 | ① ② ③ ④ ⑤ | | |
| 19 | ① ② ③ ④ ⑤ | 39 | ① ② ③ ④ ⑤ | | |
| 20 | ① ② ③ ④ ⑤ | 40 | ① ② ③ ④ ⑤ | | |

도서출판 홀수


전국연합학력평가(실전 연습용)답안지

① 교시 국 어 영 역

학 교 / 성 명

성 명 / 수 험 번 호

감독관 확 인 (수험생은 표기하지 말것.) (서 명 또는 날 인) 본인 여부, 수험번호 및 문형의 표기가 정확한지 확인, 옆란에 서명 또는 날인

※ 답안지 작성(표기)은 반드시 검은색 컴퓨터용 사인펜만을 사용하고, 연필 또는 샤프 등의 필기구를 절대 사용하지 마십시오.
※ 뒷면의 〈수험생 준수사항〉을 숙지하여야 하며, 이를 준수하지 않을 경우 불이익을 받을 수 있습니다.

문번 답 란 1–45 ① ② ③ ④ ⑤

도서출판 홀수

## 전국연합학력평가(실전 연습용)답안지

# ① 교시 국 어 영 역

| 학 교 | |
|---|---|
| 성 명 | |

| 성 명 | | | | | | | | | |
|---|---|---|---|---|---|---|---|---|---|
| 수 험 번 호 | | | | | | | | | |
| | | | | – | | | | | |
| | ⓪ | ⓪ | ⓪ | | ⓪ | ⓪ | ⓪ | ⓪ |
| ① | ① | ① | ① | | ① | ① | ① | ① |
| ② | ② | ② | ② | | ② | ② | ② | ② |
| ③ | ③ | ③ | ③ | | ③ | ③ | ③ | ③ |
| ④ | ④ | ④ | ④ | – | ④ | ④ | ④ | ④ |
| ⑤ | ⑤ | ⑤ | ⑤ | | ⑤ | ⑤ | ⑤ | ⑤ |
| ⑥ | ⑥ | ⑥ | ⑥ | | ⑥ | ⑥ | ⑥ | ⑥ |
| ⑦ | ⑦ | ⑦ | ⑦ | | ⑦ | ⑦ | ⑦ | ⑦ |
| ⑧ | ⑧ | ⑧ | ⑧ | | ⑧ | ⑧ | ⑧ | ⑧ |
| ⑨ | ⑨ | ⑨ | ⑨ | | ⑨ | ⑨ | ⑨ | ⑨ |

| 감독관 확 인 (수험생은 표기하지 말것.) | 서 명 또는 날 인 | 본인 여부, 수험번호 및 문형의 표기가 정확한지 확인, 옆란에 서명 또는 날인 |
|---|---|---|

※ 답안지 작성(표기)은 반드시 검은색 컴퓨터용 사인펜만을 사용하고, 연필 또는 샤프 등의 필기구를 절대 사용하지 마십시오.
※ 뒷면의 <수험생 준수사항>을 숙지하여야 하며, 이를 준수하지 않을 경우 불이익을 받을 수 있습니다.

| 문번 | 답 란 | 문번 | 답 란 | 문번 | 답 란 |
|---|---|---|---|---|---|
| 1 | ① ② ③ ④ ⑤ | 21 | ① ② ③ ④ ⑤ | 41 | ① ② ③ ④ ⑤ |
| 2 | ① ② ③ ④ ⑤ | 22 | ① ② ③ ④ ⑤ | 42 | ① ② ③ ④ ⑤ |
| 3 | ① ② ③ ④ ⑤ | 23 | ① ② ③ ④ ⑤ | 43 | ① ② ③ ④ ⑤ |
| 4 | ① ② ③ ④ ⑤ | 24 | ① ② ③ ④ ⑤ | 44 | ① ② ③ ④ ⑤ |
| 5 | ① ② ③ ④ ⑤ | 25 | ① ② ③ ④ ⑤ | 45 | ① ② ③ ④ ⑤ |
| 6 | ① ② ③ ④ ⑤ | 26 | ① ② ③ ④ ⑤ | | |
| 7 | ① ② ③ ④ ⑤ | 27 | ① ② ③ ④ ⑤ | | |
| 8 | ① ② ③ ④ ⑤ | 28 | ① ② ③ ④ ⑤ | | |
| 9 | ① ② ③ ④ ⑤ | 29 | ① ② ③ ④ ⑤ | | |
| 10 | ① ② ③ ④ ⑤ | 30 | ① ② ③ ④ ⑤ | | |
| 11 | ① ② ③ ④ ⑤ | 31 | ① ② ③ ④ ⑤ | | |
| 12 | ① ② ③ ④ ⑤ | 32 | ① ② ③ ④ ⑤ | | |
| 13 | ① ② ③ ④ ⑤ | 33 | ① ② ③ ④ ⑤ | | |
| 14 | ① ② ③ ④ ⑤ | 34 | ① ② ③ ④ ⑤ | | |
| 15 | ① ② ③ ④ ⑤ | 35 | ① ② ③ ④ ⑤ | | |
| 16 | ① ② ③ ④ ⑤ | 36 | ① ② ③ ④ ⑤ | | |
| 17 | ① ② ③ ④ ⑤ | 37 | ① ② ③ ④ ⑤ | | |
| 18 | ① ② ③ ④ ⑤ | 38 | ① ② ③ ④ ⑤ | | |
| 19 | ① ② ③ ④ ⑤ | 39 | ① ② ③ ④ ⑤ | | |
| 20 | ① ② ③ ④ ⑤ | 40 | ① ② ③ ④ ⑤ | | |

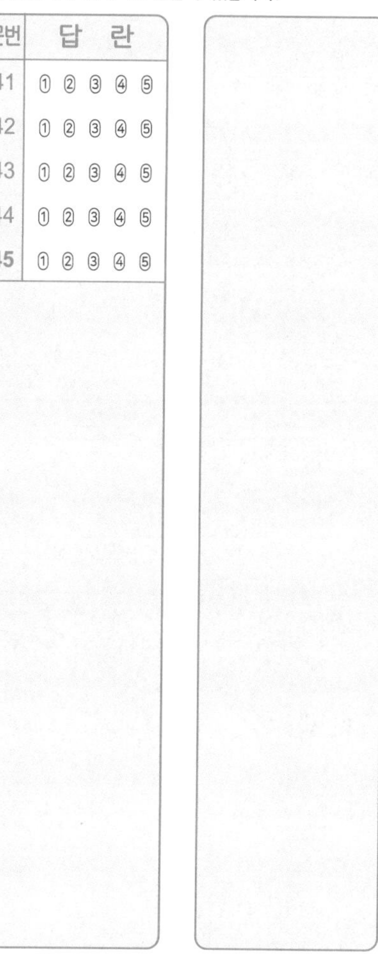




## 전국연합학력평가(실전 연습용)답안지

# ① 교시 국 어 영 역

| 학 교 | |
|---|---|
| 성 명 | |

| 성 명 | | | | | | | | | |
|---|---|---|---|---|---|---|---|---|---|
| 수 험 번 호 | | | | | | | | | |
| | | | | – | | | | | |
| | ⓪ | ⓪ | ⓪ | | ⓪ | ⓪ | ⓪ | ⓪ |
| ① | ① | ① | ① | | ① | ① | ① | ① |
| ② | ② | ② | ② | | ② | ② | ② | ② |
| ③ | ③ | ③ | ③ | | ③ | ③ | ③ | ③ |
| ④ | ④ | ④ | ④ | – | ④ | ④ | ④ | ④ |
| ⑤ | ⑤ | ⑤ | ⑤ | | ⑤ | ⑤ | ⑤ | ⑤ |
| ⑥ | ⑥ | ⑥ | ⑥ | | ⑥ | ⑥ | ⑥ | ⑥ |
| ⑦ | ⑦ | ⑦ | ⑦ | | ⑦ | ⑦ | ⑦ | ⑦ |
| ⑧ | ⑧ | ⑧ | ⑧ | | ⑧ | ⑧ | ⑧ | ⑧ |
| ⑨ | ⑨ | ⑨ | ⑨ | | ⑨ | ⑨ | ⑨ | ⑨ |

| 감독관 확 인 (수험생은 표기하지 말것.) | 서 명 또는 날 인 | 본인 여부, 수험번호 및 문형의 표기가 정확한지 확인, 옆란에 서명 또는 날인 |
|---|---|---|

※ 답안지 작성(표기)은 반드시 검은색 컴퓨터용 사인펜만을 사용하고, 연필 또는 샤프 등의 필기구를 절대 사용하지 마십시오.
※ 뒷면의 <수험생 준수사항>을 숙지하여야 하며, 이를 준수하지 않을 경우 불이익을 받을 수 있습니다.

| 문번 | 답 란 | 문번 | 답 란 | 문번 | 답 란 |
|---|---|---|---|---|---|
| 1 | ① ② ③ ④ ⑤ | 21 | ① ② ③ ④ ⑤ | 41 | ① ② ③ ④ ⑤ |
| 2 | ① ② ③ ④ ⑤ | 22 | ① ② ③ ④ ⑤ | 42 | ① ② ③ ④ ⑤ |
| 3 | ① ② ③ ④ ⑤ | 23 | ① ② ③ ④ ⑤ | 43 | ① ② ③ ④ ⑤ |
| 4 | ① ② ③ ④ ⑤ | 24 | ① ② ③ ④ ⑤ | 44 | ① ② ③ ④ ⑤ |
| 5 | ① ② ③ ④ ⑤ | 25 | ① ② ③ ④ ⑤ | 45 | ① ② ③ ④ ⑤ |
| 6 | ① ② ③ ④ ⑤ | 26 | ① ② ③ ④ ⑤ | | |
| 7 | ① ② ③ ④ ⑤ | 27 | ① ② ③ ④ ⑤ | | |
| 8 | ① ② ③ ④ ⑤ | 28 | ① ② ③ ④ ⑤ | | |
| 9 | ① ② ③ ④ ⑤ | 29 | ① ② ③ ④ ⑤ | | |
| 10 | ① ② ③ ④ ⑤ | 30 | ① ② ③ ④ ⑤ | | |
| 11 | ① ② ③ ④ ⑤ | 31 | ① ② ③ ④ ⑤ | | |
| 12 | ① ② ③ ④ ⑤ | 32 | ① ② ③ ④ ⑤ | | |
| 13 | ① ② ③ ④ ⑤ | 33 | ① ② ③ ④ ⑤ | | |
| 14 | ① ② ③ ④ ⑤ | 34 | ① ② ③ ④ ⑤ | | |
| 15 | ① ② ③ ④ ⑤ | 35 | ① ② ③ ④ ⑤ | | |
| 16 | ① ② ③ ④ ⑤ | 36 | ① ② ③ ④ ⑤ | | |
| 17 | ① ② ③ ④ ⑤ | 37 | ① ② ③ ④ ⑤ | | |
| 18 | ① ② ③ ④ ⑤ | 38 | ① ② ③ ④ ⑤ | | |
| 19 | ① ② ③ ④ ⑤ | 39 | ① ② ③ ④ ⑤ | | |
| 20 | ① ② ③ ④ ⑤ | 40 | ① ② ③ ④ ⑤ | | |

도서출판 홀수

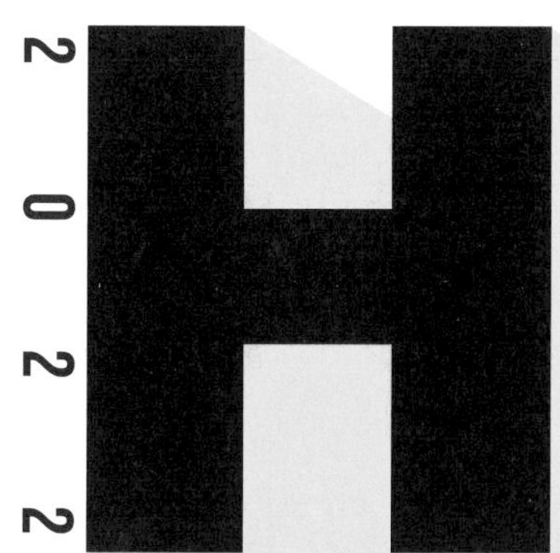


# 고2 국어 학력평가 기출문제집

## 5개년

총 20회 ( 2017~2021 시행 )

최다 회분 수록

**11월 전국연합학력평가 반영**

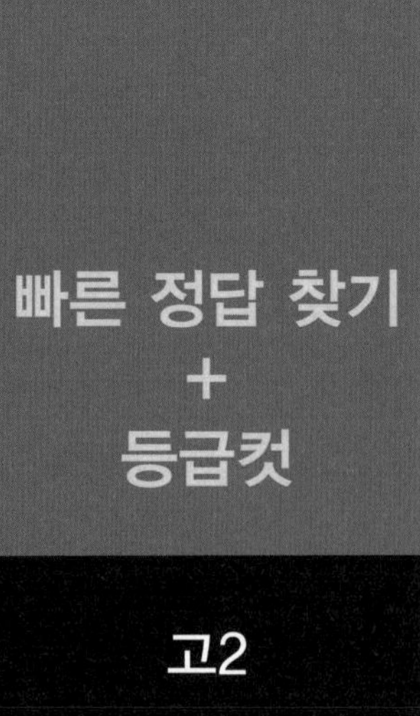


## 2021 학년도

### 1회 11월 학평

| 등급 | 1 | 2 | 3 | 4 | 5 | 6 | 7 | 8 |
|---|---|---|---|---|---|---|---|---|
| 원점수 | 95 | 89 | 80 | 68 | 53 | 35 | 24 | 19 |

| | | | | | | | | | |
|---|---|---|---|---|---|---|---|---|---|
| 1. ③ | 2. ⑤ | 3. ⑤ | 4. ⑤ | 5. ④ | 6. ③ | 7. ④ | 8. ② | 9. ④ | 10. ③ |
| 11. ② | 12. ④ | 13. ① | 14. ② | 15. ⑤ | 16. ③ | 17. ③ | 18. ⑤ | 19. ④ | 20. ⑤ |
| 21. ④ | 22. ② | 23. ① | 24. ② | 25. ② | 26. ① | 27. ③ | 28. ① | 29. ④ | 30. ③ |
| 31. ④ | 32. ④ | 33. ④ | 34. ③ | 35. ④ | 36. ② | 37. ② | 38. ② | 39. ⑤ | 40. ① |
| 41. ⑤ | 42. ⑤ | 43. ③ | 44. ② | 45. ① | | | | | |

### 2회 9월 학평

| 등급 | 1 | 2 | 3 | 4 | 5 | 6 | 7 | 8 |
|---|---|---|---|---|---|---|---|---|
| 원점수 | 90 | 82 | 73 | 62 | 48 | 33 | 23 | 18 |

| | | | | | | | | | |
|---|---|---|---|---|---|---|---|---|---|
| 1. ④ | 2. ③ | 3. ① | 4. ⑤ | 5. ② | 6. ③ | 7. ⑤ | 8. ③ | 9. ⑤ | 10. ② |
| 11. ① | 12. ② | 13. ④ | 14. ③ | 15. ① | 16. ④ | 17. ⑤ | 18. ① | 19. ② | 20. ③ |
| 21. ③ | 22. ⑤ | 23. ② | 24. ③ | 25. ① | 26. ① | 27. ⑤ | 28. ② | 29. ② | 30. ③ |
| 31. ② | 32. ④ | 33. ① | 34. ④ | 35. ③ | 36. ④ | 37. ⑤ | 38. ② | 39. ① | 40. ④ |
| 41. ④ | 42. ③ | 43. ② | 44. ⑤ | 45. ④ | | | | | |

### 3회 6월 학평

| 등급 | 1 | 2 | 3 | 4 | 5 | 6 | 7 | 8 |
|---|---|---|---|---|---|---|---|---|
| 원점수 | 94 | 88 | 78 | 66 | 49 | 32 | 23 | 19 |

| | | | | | | | | | |
|---|---|---|---|---|---|---|---|---|---|
| 1. ① | 2. ③ | 3. ② | 4. ③ | 5. ④ | 6. ④ | 7. ① | 8. ⑤ | 9. ⑤ | 10. ② |
| 11. ③ | 12. ④ | 13. ⑤ | 14. ② | 15. ① | 16. ④ | 17. ④ | 18. ① | 19. ③ | 20. ② |
| 21. ① | 22. ⑤ | 23. ⑤ | 24. ④ | 25. ④ | 26. ② | 27. ② | 28. ① | 29. ③ | 30. ⑤ |
| 31. ③ | 32. ① | 33. ④ | 34. ② | 35. ⑤ | 36. ② | 37. ① | 38. ④ | 39. ③ | 40. ③ |
| 41. ④ | 42. ⑤ | 43. ③ | 44. ⑤ | 45. ⑤ | | | | | |

### 4회 3월 학평

| 등급 | 1 | 2 | 3 | 4 | 5 | 6 | 7 | 8 |
|---|---|---|---|---|---|---|---|---|
| 원점수 | 76 | 66 | 56 | 47 | 38 | 30 | 23 | 19 |

| | | | | | | | | | |
|---|---|---|---|---|---|---|---|---|---|
| 1. ③ | 2. ⑤ | 3. ① | 4. ③ | 5. ④ | 6. ⑤ | 7. ④ | 8. ④ | 9. ⑤ | 10. ② |
| 11. ① | 12. ② | 13. ③ | 14. ③ | 15. ② | 16. ③ | 17. ⑤ | 18. ⑤ | 19. ④ | 20. ③ |
| 21. ③ | 22. ① | 23. ④ | 24. ⑤ | 25. ① | 26. ① | 27. ② | 28. ⑤ | 29. ④ | 30. ④ |
| 31. ④ | 32. ② | 33. ⑤ | 34. ③ | 35. ⑤ | 36. ① | 37. ⑤ | 38. ② | 39. ② | 40. ④ |
| 41. ① | 42. ② | 43. ① | 44. ③ | 45. ① | | | | | |

## 2020 학년도

### 5회 11월 학평

| 등급 | 1 | 2 | 3 | 4 | 5 | 6 | 7 | 8 |
|---|---|---|---|---|---|---|---|---|
| 원점수 | 90 | 82 | 73 | 61 | 47 | 33 | 24 | 16 |

| | | | | | | | | | |
|---|---|---|---|---|---|---|---|---|---|
| 1. ③ | 2. ⑤ | 3. ③ | 4. ② | 5. ① | 6. ② | 7. ④ | 8. ② | 9. ④ | 10. ④ |
| 11. ③ | 12. ⑤ | 13. ③ | 14. ③ | 15. ② | 16. ① | 17. ③ | 18. ③ | 19. ③ | 20. ⑤ |
| 21. ④ | 22. ⑤ | 23. ② | 24. ② | 25. ① | 26. ⑤ | 27. ② | 28. ③ | 29. ⑤ | 30. ⑤ |
| 31. ③ | 32. ② | 33. ① | 34. ① | 35. ② | 36. ④ | 37. ⑤ | 38. ① | 39. ③ | 40. ⑤ |
| 41. ⑤ | 42. ② | 43. ⑤ | 44. ③ | 45. ⑤ | | | | | |

### 6회 9월 학평

| 등급 | 1 | 2 | 3 | 4 | 5 | 6 | 7 | 8 |
|---|---|---|---|---|---|---|---|---|
| 원점수 | 85 | 76 | 67 | 56 | 44 | 31 | 22 | 18 |

| | | | | | | | | | |
|---|---|---|---|---|---|---|---|---|---|
| 1. ③ | 2. ⑤ | 3. ④ | 4. ② | 5. ② | 6. ④ | 7. ③ | 8. ③ | 9. ⑤ | 10. ① |
| 11. ④ | 12. ② | 13. ① | 14. ② | 15. ① | 16. ④ | 17. ③ | 18. ④ | 19. ⑤ | 20. ⑤ |
| 21. ② | 22. ⑤ | 23. ③ | 24. ④ | 25. ② | 26. ④ | 27. ① | 28. ③ | 29. ④ | 30. ② |
| 31. ⑤ | 32. ③ | 33. ① | 34. ③ | 35. ④ | 36. ② | 37. ⑤ | 38. ② | 39. ⑤ | 40. ② |
| 41. ① | 42. ① | 43. ① | 44. ⑤ | 45. ⑤ | | | | | |

### 7회 6월 학평

| 등급 | 1 | 2 | 3 | 4 | 5 | 6 | 7 | 8 |
|---|---|---|---|---|---|---|---|---|
| 원점수 | 91 | 84 | 75 | 62 | 47 | 32 | 22 | 18 |

| | | | | | | | | | |
|---|---|---|---|---|---|---|---|---|---|
| 1. ⑤ | 2. ③ | 3. ⑤ | 4. ④ | 5. ⑤ | 6. ② | 7. ③ | 8. ④ | 9. ③ | 10. ① |
| 11. ① | 12. ⑤ | 13. ① | 14. ② | 15. ⑤ | 16. ④ | 17. ① | 18. ⑤ | 19. ⑤ | 20. ② |
| 21. ② | 22. ③ | 23. ③ | 24. ① | 25. ④ | 26. ② | 27. ④ | 28. ① | 29. ⑤ | 30. ① |
| 31. ④ | 32. ① | 33. ② | 34. ② | 35. ③ | 36. ② | 37. ④ | 38. ② | 39. ③ | 40. ① |
| 41. ③ | 42. ④ | 43. ① | 44. ④ | 45. ⑤ | | | | | |

### 8회 3월 학평

| 등급 | 1 | 2 | 3 | 4 | 5 | 6 | 7 | 8 |
|---|---|---|---|---|---|---|---|---|
| 원점수 | 80 | 72 | 63 | 53 | 42 | 33 | 25 | 20 |

| | | | | | | | | | |
|---|---|---|---|---|---|---|---|---|---|
| 1. ⑤ | 2. ⑤ | 3. ① | 4. ② | 5. ① | 6. ⑤ | 7. ③ | 8. ④ | 9. ① | 10. ① |
| 11. ⑤ | 12. ③ | 13. ④ | 14. ④ | 15. ② | 16. ② | 17. ③ | 18. ② | 19. ③ | 20. ③ |
| 21. ⑤ | 22. ④ | 23. ① | 24. ④ | 25. ④ | 26. ④ | 27. ③ | 28. ② | 29. ① | 30. ⑤ |
| 31. ③ | 32. ② | 33. ⑤ | 34. ③ | 35. ⑤ | 36. ② | 37. ④ | 38. ① | 39. ② | 40. ② |
| 41. ① | 42. ④ | 43. ① | 44. ④ | 45. ③ | | | | | |

## 2019 학년도

### 9 회 11월 학평

| 등급 | 1 | 2 | 3 | 4 | 5 | 6 | 7 | 8 |
|---|---|---|---|---|---|---|---|---|
| 원점수 | 91 | 84 | 75 | 62 | 48 | 33 | 23 | 17 |

| 1. ② | 2. ⑤ | 3. ⑤ | 4. ⑤ | 5. ② | 6. ④ | 7. ① | 8. ④ | 9. ④ | 10. ④ |
|---|---|---|---|---|---|---|---|---|---|
| 11. ⑤ | 12. ⑤ | 13. ② | 14. ① | 15. ③ | 16. ④ | 17. ⑤ | 18. ④ | 19. ③ | 20. ③ |
| 21. ① | 22. ③ | 23. ④ | 24. ③ | 25. ④ | 26. ② | 27. ③ | 28. ③ | 29. ③ | 30. ⑤ |
| 31. ① | 32. ① | 33. ⑤ | 34. ② | 35. ① | 36. ② | 37. ④ | 38. ⑤ | 39. ① | 40. ⑤ |
| 41. ③ | 42. ⑤ | 43. ② | 44. ② | 45. ③ | | | | | |

### 10 회 9월 학평

| 등급 | 1 | 2 | 3 | 4 | 5 | 6 | 7 | 8 |
|---|---|---|---|---|---|---|---|---|
| 원점수 | 87 | 78 | 69 | 58 | 44 | 30 | 22 | 17 |

| 1. ③ | 2. ③ | 3. ③ | 4. ⑤ | 5. ⑤ | 6. ⑤ | 7. ① | 8. ④ | 9. ④ | 10. ③ |
|---|---|---|---|---|---|---|---|---|---|
| 11. ③ | 12. ③ | 13. ⑤ | 14. ④ | 15. ③ | 16. ④ | 17. ④ | 18. ② | 19. ⑤ | 20. ③ |
| 21. ⑤ | 22. ② | 23. ④ | 24. ③ | 25. ④ | 26. ④ | 27. ① | 28. ② | 29. ② | 30. ② |
| 31. ④ | 32. ⑤ | 33. ⑤ | 34. ① | 35. ④ | 36. ① | 37. ④ | 38. ② | 39. ② | 40. ② |
| 41. ⑤ | 42. ① | 43. ① | 44. ⑤ | 45. ① | | | | | |

### 11 회 6월 학평

| 등급 | 1 | 2 | 3 | 4 | 5 | 6 | 7 | 8 |
|---|---|---|---|---|---|---|---|---|
| 원점수 | 88 | 80 | 72 | 61 | 47 | 31 | 22 | 17 |

| 1. ② | 2. ③ | 3. ④ | 4. ① | 5. ① | 6. ② | 7. ③ | 8. ④ | 9. ⑤ | 10. ⑤ |
|---|---|---|---|---|---|---|---|---|---|
| 11. ③ | 12. ⑤ | 13. ① | 14. ⑤ | 15. ④ | 16. ③ | 17. ③ | 18. ② | 19. ④ | 20. ① |
| 21. ⑤ | 22. ② | 23. ② | 24. ① | 25. ⑤ | 26. ⑤ | 27. ④ | 28. ① | 29. ⑤ | 30. ③ |
| 31. ③ | 32. ② | 33. ④ | 34. ① | 35. ① | 36. ② | 37. ③ | 38. ④ | 39. ② | 40. ④ |
| 41. ④ | 42. ⑤ | 43. ② | 44. ④ | 45. ⑤ | | | | | |

### 12 회 3월 학평

| 등급 | 1 | 2 | 3 | 4 | 5 | 6 | 7 | 8 |
|---|---|---|---|---|---|---|---|---|
| 원점수 | 80 | 72 | 63 | 53 | 42 | 33 | 25 | 20 |

| 1. ④ | 2. ③ | 3. ③ | 4. ② | 5. ⑤ | 6. ② | 7. ③ | 8. ① | 9. ① | 10. ④ |
|---|---|---|---|---|---|---|---|---|---|
| 11. ⑤ | 12. ② | 13. ⑤ | 14. ① | 15. ③ | 16. ① | 17. ② | 18. ② | 19. ④ | 20. ③ |
| 21. ④ | 22. ⑤ | 23. ② | 24. ② | 25. ⑤ | 26. ① | 27. ⑤ | 28. ④ | 29. ① | 30. ⑤ |
| 31. ② | 32. ④ | 33. ④ | 34. ④ | 35. ④ | 36. ⑤ | 37. ④ | 38. ④ | 39. ① | 40. ③ |
| 41. ③ | 42. ③ | 43. ④ | 44. ② | 45. ⑤ | | | | | |

## 2018 학년도

### 13 회 11월 학평

| 등급 | 1 | 2 | 3 | 4 | 5 | 6 | 7 | 8 |
|---|---|---|---|---|---|---|---|---|
| 원점수 | 90 | 81 | 71 | 60 | 46 | 33 | 25 | 18 |

| 1. ④ | 2. ⑤ | 3. ③ | 4. ⑤ | 5. ④ | 6. ④ | 7. ④ | 8. ② | 9. ④ | 10. ③ |
|---|---|---|---|---|---|---|---|---|---|
| 11. ③ | 12. ② | 13. ④ | 14. ③ | 15. ⑤ | 16. ④ | 17. ③ | 18. ② | 19. ④ | 20. ① |
| 21. ⑤ | 22. ④ | 23. ③ | 24. ⑤ | 25. ③ | 26. ③ | 27. ③ | 28. ① | 29. ⑤ | 30. ③ |
| 31. ① | 32. ② | 33. ② | 34. ⑤ | 35. ④ | 36. ④ | 37. ⑤ | 38. ③ | 39. ④ | 40. ① |
| 41. ⑤ | 42. ⑤ | 43. ④ | 44. ① | 45. ⑤ | | | | | |

### 14 회 9월 학평

| 등급 | 1 | 2 | 3 | 4 | 5 | 6 | 7 | 8 |
|---|---|---|---|---|---|---|---|---|
| 원점수 | 90 | 83 | 75 | 62 | 46 | 34 | 24 | 18 |

| 1. ② | 2. ③ | 3. ⑤ | 4. ② | 5. ② | 6. ⑤ | 7. ⑤ | 8. ① | 9. ⑤ | 10. ③ |
|---|---|---|---|---|---|---|---|---|---|
| 11. ④ | 12. ④ | 13. ④ | 14. ③ | 15. ③ | 16. ④ | 17. ⑤ | 18. ③ | 19. ④ | 20. ⑤ |
| 21. ④ | 22. ⑤ | 23. ② | 24. ④ | 25. ④ | 26. ④ | 27. ② | 28. ⑤ | 29. ② | 30. ⑤ |
| 31. ① | 32. ③ | 33. ① | 34. ① | 35. ⑤ | 36. ③ | 37. ③ | 38. ⑤ | 39. ① | 40. ③ |
| 41. ⑤ | 42. ① | 43. ④ | 44. ④ | 45. ⑤ | | | | | |

### 15 회 6월 학평

| 등급 | 1 | 2 | 3 | 4 | 5 | 6 | 7 | 8 |
|---|---|---|---|---|---|---|---|---|
| 원점수 | 93 | 88 | 80 | 69 | 57 | 41 | 26 | 19 |

| 1. ④ | 2. ② | 3. ③ | 4. ③ | 5. ② | 6. ③ | 7. ⑤ | 8. ⑤ | 9. ④ | 10. ② |
|---|---|---|---|---|---|---|---|---|---|
| 11. ④ | 12. ① | 13. ④ | 14. ④ | 15. ④ | 16. ① | 17. ① | 18. ③ | 19. ① | 20. ③ |
| 21. ④ | 22. ⑤ | 23. ① | 24. ⑤ | 25. ① | 26. ⑤ | 27. ③ | 28. ② | 29. ① | 30. ③ |
| 31. ② | 32. ② | 33. ⑤ | 34. ③ | 35. ② | 36. ② | 37. ④ | 38. ③ | 39. ③ | 40. ⑤ |
| 41. ① | 42. ① | 43. ⑤ | 44. ④ | 45. ④ | | | | | |

### 16 회 3월 학평

| 등급 | 1 | 2 | 3 | 4 | 5 | 6 | 7 | 8 |
|---|---|---|---|---|---|---|---|---|
| 원점수 | 82 | 74 | 65 | 55 | 43 | 33 | 24 | 19 |

| 1. ④ | 2. ① | 3. ⑤ | 4. ① | 5. ④ | 6. ③ | 7. ⑤ | 8. ③ | 9. ② | 10. ① |
|---|---|---|---|---|---|---|---|---|---|
| 11. ③ | 12. ② | 13. ③ | 14. ③ | 15. ② | 16. ⑤ | 17. ② | 18. ⑤ | 19. ⑤ | 20. ③ |
| 21. ② | 22. ④ | 23. ④ | 24. ② | 25. ⑤ | 26. ④ | 27. ④ | 28. ⑤ | 29. ① | 30. ④ |
| 31. ② | 32. ① | 33. ① | 34. ① | 35. ⑤ | 36. ③ | 37. ③ | 38. ③ | 39. ② | 40. ① |
| 41. ⑤ | 42. ④ | 43. ③ | 44. ④ | 45. ② | | | | | |

## 2017 학년도

### 17 회 11월 학평

| 등급 | 1 | 2 | 3 | 4 | 5 | 6 | 7 | 8 |
|---|---|---|---|---|---|---|---|---|
| 원점수 | 89 | 80 | 71 | 58 | 44 | 29 | 21 | 16 |

| 1. ③ | 2. ④ | 3. ② | 4. ② | 5. ④ | 6. ⑤ | 7. ⑤ | 8. ① | 9. ③ | 10. ⑤ |
|---|---|---|---|---|---|---|---|---|---|
| 11. ③ | 12. ③ | 13. ④ | 14. ⑤ | 15. ⑤ | 16. ⑤ | 17. ⑤ | 18. ③ | 19. ⑤ | 20. ④ |
| 21. ① | 22. ② | 23. ① | 24. ⑤ | 25. ③ | 26. ⑤ | 27. ⑤ | 28. ② | 29. ② | 30. ④ |
| 31. ④ | 32. ① | 33. ⑤ | 34. ⑤ | 35. ③ | 36. ③ | 37. ③ | 38. ① | 39. ① | 40. ④ |
| 41. ② | 42. ④ | 43. ① | 44. ⑤ | 45. ③ | | | | | |

### 18 회 9월 학평

| 등급 | 1 | 2 | 3 | 4 | 5 | 6 | 7 | 8 |
|---|---|---|---|---|---|---|---|---|
| 원점수 | 95 | 88 | 79 | 67 | 53 | 37 | 25 | 19 |

| 1. ② | 2. ② | 3. ③ | 4. ① | 5. ④ | 6. ② | 7. ④ | 8. ⑤ | 9. ① | 10. ① |
|---|---|---|---|---|---|---|---|---|---|
| 11. ⑤ | 12. ① | 13. ③ | 14. ④ | 15. ⑤ | 16. ③ | 17. ① | 18. ③ | 19. ④ | 20. ② |
| 21. ⑤ | 22. ① | 23. ① | 24. ⑤ | 25. ② | 26. ③ | 27. ⑤ | 28. ④ | 29. ④ | 30. ② |
| 31. ③ | 32. ④ | 33. ⑤ | 34. ⑤ | 35. ④ | 36. ⑤ | 37. ④ | 38. ③ | 39. ③ | 40. ④ |
| 41. ② | 42. ① | 43. ③ | 44. ② | 45. ⑤ | | | | | |

### 19 회 6월 학평

| 등급 | 1 | 2 | 3 | 4 | 5 | 6 | 7 | 8 |
|---|---|---|---|---|---|---|---|---|
| 원점수 | 93 | 87 | 77 | 67 | 51 | 36 | 23 | 16 |

| 1. ④ | 2. ② | 3. ① | 4. ① | 5. ⑤ | 6. ① | 7. ② | 8. ④ | 9. ④ | 10. ⑤ |
|---|---|---|---|---|---|---|---|---|---|
| 11. ⑤ | 12. ⑤ | 13. ④ | 14. ② | 15. ① | 16. ④ | 17. ⑤ | 18. ② | 19. ③ | 20. ④ |
| 21. ① | 22. ⑤ | 23. ⑤ | 24. ③ | 25. ③ | 26. ① | 27. ④ | 28. ⑤ | 29. ③ | 30. ⑤ |
| 31. ① | 32. ② | 33. ① | 34. ⑤ | 35. ④ | 36. ② | 37. ③ | 38. ① | 39. ④ | 40. ② |
| 41. ④ | 42. ② | 43. ② | 44. ③ | 45. ③ | | | | | |

### 20 회 3월 학평

| 등급 | 1 | 2 | 3 | 4 | 5 | 6 | 7 | 8 |
|---|---|---|---|---|---|---|---|---|
| 원점수 | 86 | 76 | 66 | 55 | 44 | 33 | 24 | 19 |

| 1. ⑤ | 2. ④ | 3. ③ | 4. ① | 5. ④ | 6. ③ | 7. ① | 8. ③ | 9. ④ | 10. ⑤ |
|---|---|---|---|---|---|---|---|---|---|
| 11. ① | 12. ② | 13. ② | 14. ② | 15. ⑤ | 16. ③ | 17. ③ | 18. ⑤ | 19. ④ | 20. ④ |
| 21. ② | 22. ⑤ | 23. ③ | 24. ① | 25. ① | 26. ⑤ | 27. ① | 28. ④ | 29. ① | 30. ③ |
| 31. ④ | 32. ④ | 33. ④ | 34. ⑤ | 35. ⑤ | 36. ③ | 37. ⑤ | 38. ② | 39. ② | 40. ① |
| 41. ② | 42. ① | 43. ② | 44. ③ | 45. ⑤ | | | | | |

# 1 회

2021학년도 11월 학평

| | | | | | | | | | |
|---|---|---|---|---|---|---|---|---|---|
| 1. ③ | 2. ⑤ | 3. ⑤ | 4. ⑤ | 5. ④ | 6. ③ | 7. ④ | 8. ② | 9. ④ | 10. ③ |
| 11. ② | 12. ④ | 13. ① | 14. ② | 15. ⑤ | 16. ③ | 17. ③ | 18. ⑤ | 19. ④ | 20. ⑤ |
| 21. ④ | 22. ② | 23. ① | 24. ② | 25. ② | 26. ① | 27. ③ | 28. ① | 29. ④ | 30. ③ |
| 31. ④ | 32. ④ | 33. ④ | 34. ③ | 35. ④ | 36. ② | 37. ② | 38. ② | 39. ⑤ | 40. ① |
| 41. ⑤ | 42. ⑤ | 43. ③ | 44. ② | 45. ① | | | | | |

오답률 Best 5

## [1~3] 화법

### 1 ③ 정답률 93%

정답풀이

발표자는 '이처럼 성돌의 모양이 다양하게 나타나는 이유가 무엇인지 궁금하지 않으신가요?', '그렇다면 각자성석에는 어떤 내용이 새겨져 있을까요?' 등에서 발표 내용과 관련된 질문을 하여 청중의 주의를 환기하고 있다.

오답풀이

① 발표자가 자료의 출처를 밝히는 부분은 확인할 수 없다.
② 발표자가 전문가의 말을 인용한 부분은 확인할 수 없다.
④ 발표자가 청중의 이해도를 점검하며 발표를 마무리한 부분은 확인할 수 없다.
⑤ 발표자가 청중의 요청을 수용하여 발표 내용에 대한 정보를 추가한 부분은 확인할 수 없다.

### 2 ⑤ 정답률 89%

정답풀이

'(사진 제시) 오랜 복원 노력으로 옛 모습에 가깝게 정비되었지만 지금 보시는 사진처럼 아직도 훼손된 성벽이 남아 있습니다.'에서 훼손된 성벽을 사진 자료로 제시하고 있으나, 발표자는 한양도성이 현재 '오랜 복원 노력으로 옛 모습에 가깝게 정비'되었음을 언급했을 뿐 한양도성을 복원하기 위한 방안을 제시하지는 않았다.

오답풀이

① '먼저 여기를 봐주세요. (동영상 제시) 영상 속 장소가 바로 한양도성인데요.~이처럼 옛 성벽의 형태가 유지되고 있는 경우를 다른 나라에서는 찾아보기 힘듭니다.'에서 동영상을 통해 '한양도성'이라는 주제에 대한 청중의 흥미를 유발하고 있다.
② '(사진 제시) 이 사진은 실제 한양도성 성벽의 한 구간을 촬영한 것인데요. 이처럼 성돌의 모양이 다양하게 나타나는 이유가 무엇인지 궁금하지 않으신가요?'에서 성벽의 한 구간에 다양한 모양의 성돌이 나타남을 알려 주기 위해 사진 자료를 제시하였고, 이를 활용하여 '조선 건국 초 태조 때', '세종 때', '숙종 때'의 시기별 성벽의 특징을 설명하고 있다.
③ '각자성석에 대해서는 처음 들어보실 텐데요. (사진을 확대하여 제시) 이렇게 글자가 새겨져 있는 성돌을 각자성석이라고 합니다.'에서 각자성석을 설명하기 위해 사진 자료를 확대하여 보여 주고 있다.
④ '각자성석에는 도성의 축성과 관련된 정보가 기록되어 있습니다. (사진 제시) 태조 때에는 이처럼 축성 구간을 구분하는 정도만 표시하였습니다. 그러다~숙종 때에 이르러서는 여기 보이는 것처럼 책임자의 이름까지 밝히게 됩니다.'에서 한양도성의 축성에 대한 기록이 담긴 각자성석의 사진 자료를 시대별로 차례차례 설명하고 있다.

### 3 ⑤ 정답률 93%

정답풀이

'학생 1'과 '학생 2' 모두 발표에서 제시된 자료를 통해 자신이 가지고 있던 기존 지식을 수정하고 있지 않다.

오답풀이

① '학생 1'은 '당시 도성의 관리에 심혈을 기울였다는 것을 각자성석을 통해 알 수 있다는 점이 매우 흥미로웠'다고 하며 발표에서 새롭게 알게 된 정보를 긍정적으로 생각하고 있다.
② '학생 2'는 '각자성석에 대한 지식'을 다룬 발표 내용을 자신이 '지난번 한양도성에 갔을 때'의 경험과 관련지어 생각하고 있다.
③ '학생 1'은 '도시에 옛 성벽의 형태가 잘 유지되고 있지 않다고' 하는 '다른 나라'의 '실제 사례'가 제시되지 않은 점을, '학생 2'는 '태조, 세종, 숙종 때 외에 다른 시기의 축성에 대한 언급'이 없었던 점을 지적하며 발표에서 제시된 정보가 부족하다고 생각하고 있다.
④ '학생 1'은 '오랜 복원 노력으로 옛 모습에 가깝게 정비'된 한양도성이 '현대에는 어떤 기술로 복원'되었는지에 대해, '학생 2'는 '조선 건국 초기 한양도성을 축성하는 과정 중에 겪었던 어려움'에는 '짧은 기간'과 '극심한 추위' 외에 '어떤 것들이 더 있었을'지에 대해 궁금해 하고 있다.

## [4~7] 화법과 작문

### 4 ⑤ 정답률 70%

정답풀이

반대 1은 '디지털 기기는 서책에 비해 많은 이산화탄소를 배출하고, 더구나 폐기 시 독성 화학 물질을 배출하여 환경에 더 유해'하다고 했을 뿐, 디지털 교과서를 사용할 때 이산화탄소가 배출되는 원리를 설명하고 있지는 않다.

오답풀이

① 반대 1은 '인터넷이나 전기 등 디지털 교과서 활용에 필요한 여건'들을 제시하며 그러한 '여건이 갖추어지지 않으면 오히려 학습에 불편을 줄 수 있습니다.'라고 밝히고 있다.
② 찬성 1은 디지털 교과서가 '서책을 만드는 데 필요한 종이나 인쇄와 관련된 비용을 아낄 수 있'다는 것을 근거로 들어 디지털 교과서가 '경제적'이라는 자신의 주장을 강조하고 있다.
③ 반대 1은 '서책 교과서와 달리 콘텐츠 제작에 많은 예산이 투입되고, 디지털 교과서 사용 여건을 조성하고 유지하는 데에도 많은 예산이 들기 때문'에 디지털 교과서가 '경제적이지 않'다는 것을 강조하고 있다.
④ 찬성 1은 디지털 교과서가 '종이 생산을 위한 벌목으로 숲이 황폐화해지는 것을 막아 환경을 보호할 수 있'음을 밝히고 있다.

**5** ④ 정답률 87%

정답풀이

[C]의 찬성 1은 '미국, 캐나다 등 여러 나라에서는 디지털 교과서로 교체하며 4차 산업혁명 시대에 맞는 교육 환경을 조성하고 있'다는 현황을 예로 들며, 자신의 논지를 강화하기 위해 '우리 사회도 장기적인 관점에서 시대가 요구하는 교육을 하는 것이 훨씬 경제적이라고 생각하지 않으십니까?'라고 질문하고 있다.

오답풀이

① [A]의 반대 2는 '서책 교과서를 디지털 교과서로 교체하면 환경을 보호할 수 있다'는 말이 '서책 교과서 사용이 환경을 파괴한다는 의미'인지 묻고 있을 뿐, 진술 내용에 이의를 제기하며 실현 가능한 방안을 추가하고 있지는 않다.
② [B]의 반대 2는 디지털 교과서가 '환경을 보호할 수 있'다는 상대측의 주장에 대해 '디지털 기기는 제작부터 사용까지 평균 130kg의 이산화탄소를 배출하고 서책은 4kg을 배출'한다는 자료를 활용해 반박하고 있을 뿐, 상대측이 제시한 자료에 대해 의문을 제기하며 수치의 명확성을 확인하고 있지는 않다.
③ [B]의 찬성 1은 반대 2가 제시한 수치는 '단순 비교'한 것이며, '디지털 기기는 고정된 양의 이산화탄소를 배출하기 때문에 기기를 오래 사용할수록 환경 보호에 도움이 된'다고 주장하고 있을 뿐, 상대측의 발언 내용이 공정하지 못함을 지적하며 자신의 주장이 타당함을 강조하고 있지는 않다.
⑤ [C]의 반대1은 '저도 장기적인 관점에서 시대가 요구하는 교육을 해야 한다는 것에는 동의'한다며 상대측의 의견에 일부 동조하고 있다. 하지만 '서책 교과서를 사용하면서 필요에 따라 다양한 자료를 선택하여 활용할 수 있게 교육한다면 4차 산업혁명 시대에 필요한 정보처리 역량을 키울 수 있'으므로 '서책 교과서를 이용하는 것이 더 경제적이라고' 주장하고 있을 뿐, 사실 관계를 확인할 수 있는 자료를 추가로 요구하고 있지는 않다.

**6** ③ 정답률 78%

정답풀이

(가)에서는 '서책 교과서를 사용하면서 필요에 따라 다양한 자료를 선택하여 활용할 수 있게 교육한다면 4차 산업혁명 시대에 필요한 정보처리 역량을 키울 수 있'다고 하였다. 또한 (나)의 3문단에서 '서책 교과서가 4차 산업혁명 시대에 필요한 정보처리 역량'을 키우는 데 더 효과적이라고 한 것은 디지털 교과서가 아니라 서책 교과서를 통해 키울 수 있는 역량과 관련된 것이다. (나)에서 디지털 교과서로 키울 수 있는 정보처리 역량에 대한 구체적인 예를 추가로 제시하고 있지 않다.

오답풀이

① (가)에 따르면 논제는 '서책 교과서를 디지털 교과서로 교체하는 것이 바람직하다.'이다. (나)의 1문단에서는 이러한 논제와 관련된 사회적 배경, 즉 '인쇄 매체보다는 디지털 기기를 통해 정보를 습득하는 것에 더 익숙'한 '요즘 세대들'에게 '맞는 새로운 교육적 방법을 찾아야 한다는 점에서 서책 교과서를 디지털 교과서로 교체하는 것에 대한 논의'가 필요하다는 것을 제시하고 있다.
② (나)의 1문단에서는 토론에서 언급되지 않은 '디지털 네이티브', 즉 '태어나서부터 디지털 환경에서 성장하였기 때문에 인쇄 매체보다는 디지털 기기를 통해 정보를 습득하는 것에 더 익숙'한 세대를 지칭하는 용어를 제시하고 있다.
④ (가)에서는 '디지털 교과서는 여러 권의 교과서에 담긴 정보를 하나의 디지털 기기에 넣어 활용하는 방식으로 이용'되므로, '교과서에 연동된 멀티미디어 자료나 인터넷 자료를 활용하여 손쉽게 심화 학습을 할 수 있어 편리'하다는 교육적 효과를 언급하였다. (나)의 2문단에서는 이러한 교육적 효과와 함께 '온라인 커뮤티니와의 연계를 통해 다른 학습자와의 협력 학습이 가능'하고, '학습자가 스스로 자신의 학습을 관리할 수 있어 개별화 학습에 유리'하다는 교육적 효과를 확장하여 제시하고 있다.
⑤ (나)의 4문단에서는 '학생들의 다양한 사고력을 키울 수 있는 양질의 콘텐츠 개발이 뒷받침되면 성공적으로 디지털 교과서를 도입할 수 있을 것'이라며 토론에서 언급되지 않은, 디지털 교과서의 성공적인 도입을 위한 양질의 콘텐츠 개발이 필요함을 제시하고 있다.

**7** ④ 정답률 88%

정답풀이

초고를 읽은 선생님은 '디지털 교과서 도입의 기대 효과를 비유적 표현을 활용하여 제시하면서 글을 마무리'하라고 조언하였다. ④번은 '4차 산업혁명 시대를 이끌어 갈 인재 양성의 길을 찾'을 수 있다는 내용에서 디지털 교과서 도입의 기대 효과가 드러나고, '디지털 나침반'이라는 비유적 표현을 활용하였으므로 ㉠을 작성한 내용으로 적절하다.

오답풀이

① '디지털 교과서를 도입'하면 '변화하는 시대에 적합한 인재를 양성할 수 있'다는 기대 효과를 언급하였으나, 비유적 표현을 활용하지 않았다.
② '디지털 교과서 도입'을 '거스를 수 없는 물결'에 비유하였으나, 디지털 교과서 도입의 기대 효과를 언급하지 않았다.
③ 디지털 교과서의 도입을 '동전의 양면'에 비유하였으나, 디지털 교과서 도입의 기대 효과를 언급하지 않았다.
⑤ '디지털 교과서를 도입'하면 '디지털 기기 활용에 익숙한 학생들이 능동적으로 학습에 참여할 수 있는 교육 환경이 조성'될 것이라는 기대 효과를 언급하였으나, 비유적 표현을 활용하지 않았다.

## [8~10] 작문

**8** ② 정답률 90%

정답풀이

(가)에 제시된 글의 목적인 '아이스 팩으로 인해 발생하는 환경 문제에 대한 관심 촉구'를 강조하기 위해 (나)의 2문단에서는 아이스 팩을 폐기할 때 '소각할 경우' '대기를 오염'시키며, '땅에 매립'할 경우 '토양을 오염'시키고, '싱크대나 변기에 내용물을 버릴 경우 하천과 바다를 오염'시킨다는 문제를 유형별로 제시하고 있다.

오답풀이

① (나)는 '아이스 팩의 폐기 과정에서 일어나는 환경 오염 문제'를 해결해야 함을 일관되게 주장하고 있을 뿐, 환경 문제에 대한 상반된 견해를 제시하지는 않았다.
③ (나)의 3문단에서 '정부는 아이스 팩의 전국적인 수거 체계를 구축해야' 함을 주장하고 있을 뿐, 현재 아이스 팩 수거 체계의 운영 현황을 제시하지는 않았다.
④ (나)의 3문단에서 '기업은 제품 배송 시 사용하는 아이스 팩을 친환경 소재의 아이스 팩으로 대체하여 사용하도록 노력해야' 함을 주장했을 뿐, 예상 독자인 '우리 학교 학생들'의 실천을 촉구하기 위해 친환경 아이스 팩의 구매 방법을 제시하지는 않았다.
⑤ (나)에서 예상 독자인 '우리 학교 학생들'을 대상으로 한 설문 조사 결과를 제시하지는 않았다.

**9** ④ 정답률 53%

정답풀이

[자료 1-㉯]는 '고흡수성 수지 아이스 팩 폐기 유형' 중 '매립'이 '53.6%'를 차지함을 보여 주고, [자료 2]는 미세 플라스틱의 일종인 고흡수성 수지를 땅에 매립했을 때 '자연 분해되는 데' '500년 이상'이 걸림을 보여 준다. 따라서 두 자료를 활용해 대기 오염 문제가 아니라 아이스 팩 매립으로 인한 토양 오염 문제의 심각성을 강조할 수 있다.

오답풀이

① [자료 1-㉮]는 '연간 아이스 팩 생산량'이 매년 늘어나고 있음을 보여 주므로, 이를 활용하여 (나)의 1문단에서 최근 '아이스 팩의 생산량도 급증'했다는 내용을 뒷받침할 수 있다.
② (나)의 3문단~4문단에서 아이스 팩으로 인한 환경 오염 문제를 해결하는 데 '기업'의 노력이 필요함을 강조했다. [자료 2]는 기업이 일반 아이스 팩 대신 '친환경 아이스 팩'을 사용하면 '고객 만족도를 향상시켜 매출 증대'로 이어질 수 있음을 보여 주므로, 이를 활용하여 친환경 아이스 팩으로의 대체가 기업에 이익이 됨을 설명해 기업의 노력을 강조할 수 있다.
③ [자료 3]은 아이스 팩을 '토양 보수제'로 이용할 수 있음을 보여 주므로, 이를 활용하여 (나)의 3문단에 제시된 가정에서 아이스 팩을 '재사용'하는 방안 외에 아이스 팩을 이용해 생활용품을 만들 수도 있다는 해결 방안을 추가할 수 있다.

⑤ [자료 1-㉯]는 '고흡수성 수지 아이스 팩 폐기 유형'에 '매립', '소각', '하수구 배출' 등이 있음을 보여 주고, [자료 3]은 아이스 팩은 '일반 쓰레기로 분류'되므로 '종량제 봉투'에 버려야 함을 보여 준다. 이를 활용해 (나)에서 아이스 팩의 폐기 과정에서 발생하는 환경 오염 문제를 해결하기 위한 정부 차원의 노력으로 제시한 '전국적인 수거 체계' 구축 외에, 아이스 팩을 버리는 방법을 잘못 알던 사람들에게 올바른 규정을 홍보하는 방안을 추가할 수 있다.

**오답률 Best 1**

9번은 여러 개의 추가 자료를 주고, 이를 활용해 학생의 초고를 보완 혹은 수정하는 방안으로 적절한 것을 묻는 문제였어. 이런 문제의 경우 선지에서 [자료]의 내용을 제대로 해석했는지, 선지에서 해석한 [자료] 내용으로 초고를 적절하게 보완할 수 있는지 등 세세한 내용을 확인해야 하는데, 시간에 쫓겨 정답을 빠르게 찾으려고만 하다 보면 쉽게 찾을 수 있는 단서도 놓치는 실수를 할 수 있어.

정답인 ④번에서는 [자료 1-㉯]와 [자료 2]를 활용하여 '대기 오염 문제의 심각성'을 강조할 수 있는지 물어보았어. 하지만 [자료 1-㉯]와 [자료 2]에서 아이스 팩을 '매립'하면 이것이 '자연 분해되는 데' 500년 이상의 시간이 걸린다고 설명한 것을 통해 알 수 있는 아이스 팩을 매립할 때 발생하는 문제는 대기 오염이 아니라 '토양 오염'이다. ④번을 고르지 않은 많은 학생들은 선지를 세세하게 보지 않고, '대기 오염'도 맞다고 판단하고 넘어갔을 가능성이 커. 차분한 태도로 선지의 세세한 내용을 살피는 것은 모든 문제를 풀 때 필요한 태도이지만, 다른 영역에 비해 실수하기 쉬운 화법과 작문 영역에서는 더 중요한 자세라는 점!

**10 ③** 정답률 **84%**

**정답풀이**

〈보기〉에서 아이스 팩의 장점을 추가로 제시하지 않았으므로, 설득력을 높이기 위해 제재가 가진 장점을 추가하자는 조언 내용은 반영되었다고 볼 수 없다.

**오답풀이**

① [A]의 '우리 생활에 많은 편의를 주고 있음은 분명하다.'에는 서술어 '분명하다'에 호응하는 주어가 생략되어 있으므로, 〈보기〉의 '아이스 팩이 우리 생활에 많은 편의를 주고 있음은 분명하다.'에서는 주어인 '아이스 팩'을 추가했다.

② [A]의 '하지만 아이스 팩 없이는 신선 식품이 생산되기 힘들다.'는 아이스 팩으로 인한 환경 오염 문제와 해결 방안을 다루는 글의 전체적인 흐름과 어울리지 않아 삭제되었다.

④ [A]에서 '정부, 기업, 가정의 협력이 필요하다.'라고 했는데, 〈보기〉에서는 '손에 손을 잡고'라는 관용적 표현을 활용해 각 주체들의 협력을 강조하고 있다.

⑤ [A]와 달리 〈보기〉에서는 아이스 팩을 '폐기하는 과정에서 발생하는 문제점을 해결하지 않는다면 환경에 심각한 악영향을 끼칠 것이다.'라고 하며, 문제점을 해결하지 않았을 때를 가정하고 예상되는 결과를 언급하여 상황의 심각성을 부각하고 있다.

## [11~15] 문법(언어)

**11 ②** 정답률 **83%**

**정답풀이**

2문단에서 '부사어는 수의적 성분이지만 간혹 서술어가 필수적으로 요구하는 성분이 되기도 한다.'라고 했고, 이 경우 부사어가 없으면 '불완전한 문장'이 된다고 했다. 〈보기〉에서 ㉡(친구와)이 쓰인 문장인 '아침에 친구와 싸웠다며?'에서 '친구와'가 없으면 불완전한 문장이 되므로, ㉡은 서술어가 필수적으로 요구하는 성분이다. 그런데 ㉢(설마)이 쓰인 문장인 '설마 제가 잘못했다고 생각하시는 거예요?'에서 '설마'가 없더라도 문장이 성립하므로, ㉢은 서술어가 필수적으로 요구하는 성분이 아니다.

**오답풀이**

① 3문단에서 '같은 형태의 부사격 조사라고 해도 문맥에 따라 다양한 의미로 사용되기도 한다.'라고 했다. ㉠(아침에)에 쓰인 '에'는 '시간'을 의미하는 부사격 조사이고, ㉥(때문에)에 쓰인 '에'는 '원인'을 의미하는 부사격 조사로, 같은 형태의 부사격 조사가 쓰였지만 서로 다른 의미로 사용되었다.

③ 1문단에서 '문장 부사어는 문장 전체를 수식하는 부사어인데 이들 중 일부는 특정 표현과 호응 관계를 이루기도 한다.'라고 했다. ㉣(결코)은 문장 전체를 수식하며, 부정의 의미를 나타내는 서술어 '않아'와 호응 관계를 이루고 있다.

④ 1문단에서 '부사어 중에는 문장과 문장을 이어 주는 기능을 하는 접속 부사어도 있'다고 했다. ㉤(그런데)은 앞 문장과 뒤 문장을 이어 주는 기능을 하는 접속 부사어로 쓰인 것이다.

⑤ 3문단에서 부사어의 형성 방식 중 '용언의 어간에 부사형 어미가 붙어 부사어가 되는 것'이 있다고 했다. ㉦(편하게)은 용언의 어간 '편하-'에 부사형 어미 '-게'가 붙어 형성된 부사어이고, 문장에서 '대하다'를 꾸며 주고 있다.

**12 ④** 정답률 **77%**

**정답풀이**

[A]를 통해 중세 국어의 부사격 조사 중에는 현대 국어에서는 사용되지 않는 것으로, '비교'의 의미를 가지고 있는 부사격 조사 '이'가 있었음을 알 수 있다. 〈보기〉의 '거부븨 터리 ᄀᆞᆮ고'에서 '터리'는 '털 + 이'로 분석되는데, 현대어 풀이 '거북의 털과 같고'를 참고하면 '이'는 '비교'의 의미를 지닌 부사격 조사임을 알 수 있다. 그러나 이때 부사격 조사 '이'는 'ㅣ' 모음 뒤에서 쓰인 것이 아니라, 'ㄹ' 뒤에서 쓰인 것이다.

**오답풀이**

① [A]에서 중세 국어의 부사격 조사 중 "장소'의 의미를 나타내는 부사격 조사인 '애/에/예'는 결합한 체언의 끝음절 모음이 양성 모음이면 '애', 음성 모음이면 '에', 'ㅣ'나 반모음 'ㅣ'이면 '예'가 쓰였'다고 했다. 〈보기〉의 '내히 이러 바ᄅᆞ래 가ᄂᆞ니'에서 '바ᄅᆞ래'는 '바ᄅᆞᆯ + 애'로 분석되며, 이때 '애'는 모음 조화에 따라 선행 체언 '바ᄅᆞᆯ'의 끝음절 모음이 양성 모음 'ㆍ'이기 때문에 사용된 것이다.

② [A]에서 중세 국어의 부사격 조사 중에는 '특정 체언들 뒤에서는 'ᄋᆡ/의'로 쓰이'는 부사격 조사가 있다고 했다. 〈보기〉의 '뎌 지븨 가려 ᄒᆞ시니'에서 '지븨'는 '집 + 의'로 분석되며, 현대어 풀이 '집에'를 참고하면 이때 '의'는 특정 체언인 '집' 뒤에 붙어 장소를 나타내는 부사격 조사로 사용된 것이다.

③ [A]에서 중세 국어의 부사격 조사 중에는 현대 국어에는 나타나지 않는 '비교'의 의미를 지니는 부사격 조사 '라와'가 쓰였다고 했다. '貪欲앳 브리 이 블라와 더으니라'에서 '블라와'는 '블 + 라와'로 분석되며 현대어 풀이 '불보다'를 참고하면 '라와'는 현대 국어에서 쓰이지 않는 비교의 의미를 지니는 부사격 조사임을 알 수 있다.

⑤ [A]에서 중세 국어의 "ᄋᆞ로/으로'는 '출발점'의 의미를 나타내는 부사격 조사로 쓰였는데, 현대 국어에서는 '으로'가 '출발점'을 나타내는 의미로 쓰이지 않'는다고 했다. '이에셔 사던 저그로 오ᄂᆞᆳ낤 ᄀᆞ장'에서 '저그로'는 '적 + 으로'로 분석되며 현대어 풀이 '때로부터'를 참고하면 '으로'는 현대 국어에서의 의미와 달리 출발점의 의미로 사용되었음을 알 수 있다.

**13 ①** 정답률 **66%**

**정답풀이**

〈보기〉에서 '직접 구성 요소란 어떤 말을 둘로 나누었을 때 나누어진 두 구성 요소 각각을 일컫는다.'라고 했고, 복잡하게 이루어진 단어의 짜임은 ㉠(첫 번째 단계), ㉡(두 번째 단계)과 같이 단계별로 분석할 수 있다고 했다. '울음보'의 직접 구성 요소를 분석해 보면 먼저 ㉠에서 어근 '울음'과 접사 '-보'로 분석되고, '울음'은 ㉡에서 어근 '울-'과 접사 '-음'으로 분석된다.

**오답풀이**

② '헛웃음'은 ㉠에서 접사 '헛-'과 어근 '웃음'으로 분석되고, '웃음'은 ㉡에서 어근 '웃-'과 접사 '-음'으로 분석된다.

③ '손목뼈'는 ㉠에서 어근 '손목'과 어근 '뼈'로 분석되고, '손목'은 ㉡에서 어근 '손'과 어근 '목'으로 분석된다.

④ '얼음길'은 ㉠에서 어근 '얼음'과 어근 '길'로 분석되고, '얼음'은 ㉡에서 어근 '얼-'과 접사 '-음'으로 분석된다.

⑤ '물놀이'는 ㉠에서 어근 '물'과 어근 '놀이'로 분석되고, '놀이'는 ㉡에서 어근 '놀-'과 접사 '-이'로 분석된다.

## 14 ② 정답률 71%

정답풀이

ⓒ((형이 동생에게) 삼촌께서 할머니를 데리고 식당으로 가셨어.)에서 '데리고'를 '모시고'로 수정한 것은 '삼촌'을 간접적으로 높이려고 한 것이 아니라 객체인 '할머니'를 직접적으로 높이기 위한 것이다.

오답풀이

① ㉠((아들이 아버지에게) 아버지, 무슨 고민이 계신가요?)에서는 주어인 '아버지'가 높임의 대상이므로 주어와 관련된 대상인 '고민'을 높임으로써 '아버지'를 간접적으로 높이기 위해서는 '계신가요?'를 '있으신가요?'로 수정하는 것이 적절하다.
③ ⓒ((사원이 다른 사원에게) 부장님이 이제 회의실로 온다고 하셨어.)에서 주어인 '부장님'을 직접적으로 높이기 위해서는 주격 조사 '께서'를 사용하여 '부장님이'를 '부장님께서'로 수정하고, 서술어인 '온다고'를 주체 높임 선어말 어미 '-시-'를 결합한 '오신다고'로 수정하는 것이 적절하다.
④ ㉣((손녀가 할아버지에게) 언니가 할아버지한테 안경을 갖다 주라고 했어요.)에서 객체인 '할아버지'를 직접적으로 높이기 위해서는 부사격 조사 '께'와 특수 어휘 '드리다'를 사용하여 '할아버지한테'를 '할아버지께'로, '주라고'를 '드리라고'로 수정하는 것이 적절하다.
⑤ ㉤((학생이 다른 학생에게) 문제를 풀다가 어려운 것이 있으면 선생님한테 물어봐.)에서 객체인 '선생님'을 직접적으로 높이기 위해서는 부사격 조사 '께'와 특수 어휘 '여쭈다'를 사용하여 '선생님한테'를 '선생님께'로, '물어봐'를 '여쭤봐'로 수정하는 것이 적절하다.

## 15 ⑤ 정답률 59%

정답풀이

ⓒ에서 '맑지'의 음운 변동 과정은 '맑지 → 막지 → [막찌]'로, 자음군 단순화(탈락)와 된소리되기(교체)가 일어나 음운의 개수가 6개에서 5개로 줄었다. 한편 ⓒ에서 '막힘없다'의 음운 변동 과정은 '막힘없다 → 마킴업다 → [마키멉따]'로 거센소리되기(축약), 자음군 단순화(탈락), 된소리되기(교체)가 일어나 음운의 개수가 11개에서 9개로 줄었다. 따라서 ⓒ과 ⓒ은 모두 음운의 개수가 줄었다.

오답풀이

① ㉠에서 '꽃잎'의 음운 변동 과정은 '꽃잎 → 꼳닙 → [꼰닙]'으로 음절의 끝소리 규칙(교체), 'ㄴ' 첨가(첨가), 비음 동화(교체)가 일어난다. 한편 ⓒ에서 '맑지'의 음운 변동 과정은 '맑지 → 막지 → [막찌]'로, 자음군 단순화(탈락)와 된소리되기(교체)가 일어난다. 따라서 ⓒ에는 첨가 현상이 일어나지 않는다.
② ㉠에서 '꽃잎'의 음운 변동 과정은 '꽃잎 → 꼳닙 → [꼰닙]'으로 음절의 끝소리 규칙(교체), 'ㄴ' 첨가(첨가), 비음 동화(교체)가 일어난다. 한편 ⓒ에서 '막힘없다'의 음운 변동 과정은 '막힘없다 → 마킴업다 → [마키멉따]'로 거센소리되기(축약), 자음군 단순화(탈락), 된소리되기(교체)가 일어난다. 따라서 ㉠에는 탈락 현상이 일어나지 않는다.
③ ⓒ에서 '맑지'의 음운 변동 과정은 '맑지 → 막지 → [막찌]'로, 자음군 단순화(탈락)와 된소리되기(교체)가 일어난다. 한편 ⓒ에서 '막힘없다'의 음운 변동 과정은 '막힘없다 → 마킴업다 → [마키멉따]'로 거센소리되기(축약), 자음군 단순화(탈락), 된소리되기(교체)가 일어난다. 따라서 ⓒ에는 축약 현상이 일어나지 않는다.
④ ㉠에서 '꽃잎'의 음운 변동 과정은 '꽃잎 → 꼳닙 → [꼰닙]'으로 음절의 끝소리 규칙(교체), 'ㄴ' 첨가(첨가), 비음 동화(교체)가 일어나 음운의 개수가 5개에서 6개로 늘어난다. 한편 ⓒ에서 '맑지'의 음운 변동 과정은 '맑지 → 막지 → [막찌]'로, 자음군 단순화(탈락)와 된소리되기(교체)가 일어나 음운의 개수가 6개에서 5개로 줄었다.

**오답률 Best 2**

이 문제를 해결하기 위해서는 <보기>에 제시된 ㉠~ⓒ의 음운 변동 과정을 파악할 수 있어야 했어. 또한 교체, 탈락, 첨가, 축약에서 음운의 개수가 늘어나는 건은 첨가이고, 음운의 개수가 줄어드는 건은 탈락과 축약이라는 건을 알고 있었어야 했지. 이처럼 음운의 변동과 관련된 문제는 해당 예시의 최종적인 발음이 도출되는 음운 변동의 과정을 분석할 수 있어야 해. 예를 들어 '꽃잎'이 [꼰닙]이 되는 과정을 '꽃잎 → 꼳닙(음절의 끝소리 규칙, 'ㄴ' 첨가) → [꼰닙](비음 동화)'와 같이 분석할 수 있어야 하고, 각각의 음운 변동 현상이 교체, 탈락, 첨가, 축약 중 어떤 유형에 해당하는지도 알아야 해. 참고로 음운 변동의 순서가 중요한 건은 순서대로 적어두어야 하지만, 순서가 크게 상관없는 과정은 동시에 적고 세부적인 현상을 옆에 적어 두기만 하면 돼. 그리고 기출 문제에서 음운의 변동과 관련된 문제들을 뽑아서 모든 예시들의 음운 변동 과정을 위와 같이 분석해 본다면 이런 유형의 문제는 쉽게 해결할 수 있을 거야.

[16~19] **기술**

## 16 ③ 정답률 85%

정답풀이

2문단에서 '표면정전방식에서는 패널의 표면에 덮인 전도성 투명 필름이 전도성 물체의 접촉을 인식하는 센서 역할을 한다.'라고 하였으므로, 표면정전방식을 실현하기 위해 스크린에 전도성이 없는 투명 필름을 입혀야 한다는 설명은 윗글과 일치하지 않는다.

오답풀이

① 1문단에서 '터치스크린 패널은 스크린의 특정 지점을 직접 접촉하면 그 위치를 파악하여 해당 위치에 설정된 기능을 직관적으로 조작할 수 있도록 설계된 장치'라고 하였다.
② 3문단에서 자기정전방식은 '센서가 특정 지점의 접촉을 인식'하면 나타나는 '정전 용량의 변화'를 바탕으로 '행과 열의 교차점인 접촉 위치'를 파악한다고 하였다.
④ 4문단에서 상호정전방식은 패널에 전도성 물체가 접촉했을 때 '구동 라인과 감지 라인의 교차점인 터치좌표쌍이 인식'된다고 하였는데, 5문단에 따르면 '이후 터치좌표쌍의 정보를 터치 컨트롤러가 디지털 신호로 변환해 이미지로 처리'하여 '접촉한 위치를 최종적으로 판단하게 된'다.
⑤ 2문단에서 '표면정전방식은 투영정전방식에 비해 구조가 단순'하지만 '정확도가 낮'다고 하였다. 즉 투영정전방식은 표면정전방식보다 구조가 복잡하지만, 더욱 정교한 좌표 인식이 가능한 것이다.

## 17 ③ 정답률 65%

정답풀이

3문단에 따르면 ⓒ(자기정전방식)은 '센서의 각 행과 열의 끝에 배치된 감지회로'를 통해 접촉점을 인식한다. 하지만 2문단에서 ㉠(표면정전방식)은 '패널의 네 모서리에 있는 각각의 감지회로'를 통해 접촉 위치를 파악한다고 했으므로, ㉠과 달리 ⓒ이 하나의 접촉점을 인식하기 위해 두 개 이상의 감지회로를 활용하는 방식이라고 볼 수는 없다.

오답풀이

① 2문단에서 ㉠은 '패널의 네 모서리에 있는 각각의 감지회로가 동시에 정전용량의 변화를 감지하여 전도성 물체의 접촉 위치를 파악'한다고 하였으며, 3문단에서 ⓒ은 '패널에 전도성 물체가 접촉'할 때 형성된 '전기장에 의해 증가하는 정전용량을 측정'한다고 하였다. 또한 4문단~5문단에 따르면 ⓒ(상호정전방식)은 '전도성 물체가 접촉'할 때 '상호 정전용량이 변화'하여 '터치좌표쌍이 인식'된다. 따라서 ㉠~ⓒ 모두 전도성 물체의 접촉에 따른 정전용량의 변화를 측정한다고 볼 수 있다.
② 2문단에서 ㉠은 '패널의 표면에 덮인 전도성 투명 필름이 전도성 물체의 접촉을 인식하는 센서 역할'을 하여 '전도성 물체의 접촉 위치를 파악하는 방식'이라고 하였으며, 3문단에서 ⓒ은 '접촉을 감지할 수 있는 센서를 패널의 일정한 구역마다 배치하여 활용하는 방식'이라고 하였다. 또한 4문단에서 ⓒ은 '가로축으로 배열된 센서인 구동 라인'과 '세로축으로 배열된 센서인 감지 라인' 사이에 형성되는 '상호 정전용량'을 통해 '터치좌표쌍'이 인식된다. 따라서 ㉠~ⓒ 모두 패널에 있는 센서를 이용하여 접촉 부분의 위치를 알아내는 방식이라고 할 수 있다.
④ 3문단에서 ㉠은 '하나의 층에 여러 개의 행과 열의 형태로 배치된 각각의 센서들을 활용'한다고 하였는데, 4문단에 따르면 ⓒ은 ㉠과 달리 '가로축으로 배열된 센서인 구동 라인과 세로축으로 배열된 센서인 감지 라인이 두 개의 층'을 이루고 있다.

1회

⑤ 4문단에서 ⓒ은 '패널에 전도성 물체가 접촉'하게 되면 '상호 정전용량이 감소하며 전기장의 크기'가 줄어들면서 '접촉 전과는 다른 전기장의 흐름이 나타나 상호 정전용량이 변화'한다고 하였다. 3문단에 따르면 ⓛ은 ⓒ과 달리 '패널에 전도성 물체가 접촉'하여 '전압이 변화'할 때 '형성된 전기장에 의해 증가하는 정전용량을 측정'한다.

**오답률 Best 5**

㉠~㉢에 대한 정보를 확인하고 비교해야 해서, 꼼꼼하게 판단하지 않으면 오답을 고를 수 있는 문제였지. 정답 외에 ②번과 ⑤번의 선택 비율이 높았어. ②번의 경우, 2문단에서 '전도성 투명 필름이 전도성 물체의 접촉을 인식하는 센서 역할'을 한다는 것만 보고 ㉠(표면정전방식)에는 센서 역할만 하는 투명 필름만 있고, 센서가 없다고 판단했을 수 있어. 하지만 그 다음에 바로 '센서에 전도성 물체가 접촉'할 때 어떻게 위치를 파악하는지 설명하고 있지. 따라서 ㉠의 경우 패널에 있는 센서를 이용하여 접촉 부분의 위치를 알아내는 방식이라고 볼 수 있는 거야. ⑤번의 경우 주어가 ㉢(상호정전방식)이 아니라 ㉡(자기정전방식)이라는 것을 주의해야 해. 시간에 쫓기다 보면 ⑤번을 '㉡과 달리 ㉢은'이라고 읽을 수도 있거든. 선지를 판단하기 위해 확인해야 하는 정보의 양도 많고, 세 개의 개념을 비교하는 경우도 있어서 마음이 급할 수 있지. 하지만 이런 문제는 시간을 뺏을 수밖에 없어. 그러니 시간에 대한 강박을 버리고 정확하게 선지를 판단한다고 생각하면서 문제를 풀어 봐. 이때 어떤 문단에 어떤 개념을 설명하고 있는지를 구획화하여 기억해 두고 문제를 푼다면 조금 더 빠르게 근거를 확인할 수 있을 거야!

**18** ⑤ 정답률 70%

**정답풀이**

〈보기〉의 〈자료 1〉의 '감지 라인', '구동 라인'을 통해 〈보기〉의 터치스크린 패널은 상호정전방식임을 알 수 있다. 〈자료 2〉에서 ⓒ는 '전도성 물체의 접촉이 없는 상태의 전기장 크기'인 P와 전기장 크기가 같으므로, 전도성 물체의 접촉이 없는 상태라고 볼 수 있다. 4문단에서 '패널에 전도성 물체가 접촉하게 되면' '전기장의 일부가 접촉된 물체로 흡수'되고, 이로 인해 '구동 라인과 감지 라인 사이에 형성된 상호 정전용량이 감소하며 전기장의 크기 역시 줄어든다.'라고 하였다. 이를 고려하면 P와 전기장 크기가 같은 ⓒ의 경우 구동 라인과 감지 라인 사이에서 형성된 상호 정전용량이 감소했다고 볼 수 없다.

**오답풀이**

① 〈보기〉의 〈자료 2〉에서 ⓐ의 전기장 크기는 ⓑ보다 작다. 4문단에서 '패널에 전도성 물체가 접촉하게 되면' '전기장의 일부가 접촉된 물체로 흡수'되고, 이로 인해 '구동 라인과 감지 라인 사이에 형성된 상호 정전용량이 감소하며 전기장의 크기 역시 줄어든다.'라고 하였다. 이를 고려하면 ⓐ에서 접촉된 물체가 흡수한 전기장의 크기는 ⓑ에서 접촉된 물체가 흡수한 전기장의 크기보다 클 것이다.

② 〈보기〉의 〈자료 2〉에서 ⓐ의 전기장 크기는 ⓑ보다 작다. 4문단에서 '패널에 전도성 물체가 접촉'할 때 '접촉이 정확하게 일어날수록 해당 지점에 전기장이 더 많이 줄어들게 된다.'라고 하였다. 이를 고려하면 ⓑ보다 ⓐ에서 더 정확한 접촉이 이루어진 것으로 볼 수 있다.

③, ④ 〈보기〉의 〈자료 2〉에서 ⓒ는 '전도성 물체의 접촉이 없는 상태의 자기장 크기'인 P와 전기장 크기가 같고, ⓑ는 이보다 작은 전기장 크기를 가지고 있다. 4문단에서 '패널에 전도성 물체와의 접촉이 없을 때' 구동 라인에서 형성된 전기장이 모두 감지 라인으로 들어가 '일정한 크기의 전기장을 유지하여 구동 라인과 감지 라인 사이에 상호 정전용량'이 형성되지만, '패널에 전도성 물체가 접촉하게 되면' '전기장의 일부가 접촉된 물체로 흡수'되고, 이로 인해 '구동 라인과 감지 라인 사이에 형성된 상호 정전용량이 감소하며 전기장의 크기 역시 줄어든다.'라고 하였다. 이를 고려하면 ⓒ는 구동 라인에서 발생한 전기장의 크기와 감지 라인으로 들어가는 전기장의 크기가 일치할 것이며, 이와 달리 ⓑ는 감지 라인으로 들어가야 할 전기장의 일부가 접촉된 물체로 흘러들어 갔을 것이다.

**19** ④ 정답률 88%

**정답풀이**

4문단에서 상호정전방식은 '터치좌표쌍이 인식'될 때 '구동 라인과 감지 라인이 개별적으로 인식된 교차점이기에 하나의 패널에서는 여러 개의 터치좌표쌍이 만들어질 수 있'다고 하였으며, 5문단에서 상호정전방식은 '구동 라인과 감지 라인의 교차점을 개별적으로 인식하는 과정을 거치기에 측정 시간이 많이 소요되지만, 두 지점을 접촉하는 멀티 터치가 가능(Ⓐ)하'다고 하였다. 이를 고려하면 Ⓐ의 이유는 구동 라인과 감지 라인의 교차점이 개별적으로 인식되기 때문이라고 할 수 있다.

**오답풀이**

① 5문단에서 상호정전방식은 '구동 라인과 감지 라인의 교차점을 개별적으로 인식하는 과정을 거치기에 측정 시간이 많이 소요'된다고 하였다.

② 4문단~5문단에 따르면 중앙처리장치는 상호정전방식에서 인식된 터치좌표쌍, 즉 '구동 라인과 감지 라인이 개별적으로 인식된 교차점'의 정보를 '디지털 신호로 변환해 이미지로 처리'된 상태로 전달받은 뒤 '전도성 물체의 접촉 여부 및 접촉한 위치를 최종적으로 판단'할 뿐, 행과 열의 정보를 분할하는 것은 아니다.

③ 4문단에서 상호정전방식은 '가로축으로 배열된 센서'와 '세로축으로 배열된 센서'가 '두 개의 층을 이루고 있'다고 했을 뿐, 센서의 행과 열 끝에 감지회로가 배치되어있다는 설명은 찾아볼 수 없다.

⑤ 4문단에서 상호정전방식의 경우 '하나의 패널에서는 여러 개의 터치좌표쌍이 만들어질 수 있다.'라고 하였다.

## [20~22] 현대시

**20** ⑤ 정답률 75%

**정답풀이**

(가)에서는 '솟아나올 한 방울 붉은 피도 없을 것 같은'을 통해 '희머얼건 얼골'을, '흙을 씹고 자라난 듯'을 통해 '부두의 인부꾼들'의 외양을 드러내고 있고, (나)에서는 '허방으로 내딛는 저 곁뿌리처럼'과 '부젓가락 같은'을 통해 옥수숫대의 '뿌리'의 모습을 드러내고 있다. 따라서 (가)와 (나)에서는 모두 직유적 표현을 활용하여 대상의 외양에 드러나는 특성을 나타내고 있다.

**오답풀이**

① (가)와 (나) 모두 반어적 표현을 통해 현실을 우회적으로 제시한 부분은 찾을 수 없다.

② (가)와 (나) 모두 의문형 진술을 반복적으로 사용해 문제의식을 드러낸 부분은 찾을 수 없다.

③ (가)에서는 '그날의 나진이여'와 같이 영탄적 어조를 사용했지만, 이는 과거에 대한 그리움을 드러낸 것일 뿐, 이를 통해 화자의 의지적 태도를 부각한 것은 아니다. 한편 (나)에서는 영탄적 어조를 사용하여 화자의 의지적 태도를 부각한 부분을 찾을 수 없다.

④ (가)와 (나) 모두 점층적 시상 전개를 통해 화자의 고조된 감정을 강조한 부분을 찾을 수 없다.

**21** ④ 정답률 90%

**정답풀이**

〈보기〉에서 (가)의 화자는 '방황하는 마음을 다잡아 삶의 의지를 다지고 미래의 희망을 꿈'꾼다고 했다. 이를 고려하면 '마음'이 '흩어졌다'가도 '작대기처럼 꼿꼿해'졌다는 것은, 바다로 가로막힌 공간에서 좌절했던 모습을 드러낸 것이 아니라 방황하는 마음을 다잡아 삶의 의지를 다지는 화자의 모습을 드러낸 것이라 할 수 있다.

**오답풀이**

① 〈보기〉에서 '(가)는 화자의 과거 회상 속 항구의 모습을 감각적으로 형상화하고 있다.'라고 했다. 이를 고려하면 화자가 바라본 항구의 모습은 '검은 기선', '희머얼건 얼골'과 같은 시각적 이미지를 통해 감각적으로 형상화되고 있다.

② 〈보기〉에서 '항구는 부두의 인부들과 어린 노동자인 화자가 고달픈 삶을 이어가는 공간'이라고 했고, '이런 항구에서 다른 노동자들이 이상을 잃은 채 살아'간다고 했다. 이를 고려하면 '푸른 하늘을 쳐다본 적이 없는 것 같'은 '인부꾼들'은, 이상을 잃어버린 노동자들의 모습을 표현한 것이라 할 수 있고, 이를 통해 고달픈 생활 현장으로서의 항구를 보여 주고 있다고 볼 수 있다.

③ 〈보기〉에서 '항구에서 다른 노동자들이 이상을 잃은 채 살아가는 것과 달리 화자는 방황하는 마음을 다잡아 삶의 의지를 다지고 미래의 희망을 꿈'꾼다고 했다. 이를 고려하면 '날마다 바다의 꿈을 꾸'며 자신을 '믿고'자 했던 화자의 모습은 '시금트레한 눈초리'를 한 채 이상을 잃고 살아가는 인부꾼들의 모습과 대비되어 화자의 희망적 태도를 나타낸다고 볼 수 있다.

⑤ 〈보기〉에서 화자에게 '과거 자신의 모습은 그리움의 대상'이 된다고 했다. 이를 고려하면 '여러 해 지난 오늘' '마음'이 '항구로 돌아간다'는 것은, 화자가 과거 '그날의 나진'에서 자신이 가졌던 마음을 그리워하는 것이라 할 수 있다.

## 22 ② 정답률 89%

**정답풀이**

'맨발의 근성을 키우는 것이다'는 '옥수숫대'가 스스로의 힘으로 땅을 딛기 위해 뿌리를 내는 모습을 나타낸 것일 뿐, 다른 존재와의 교감을 통한 성장을 드러낸 것이라고 볼 수는 없다.

**오답풀이**

① '헛발일지라도' 뿌리를 '들이민다'는 것은 실패를 두려워하지 않고 뿌리를 뻗어 땅에 닿으려고 시도하는 '옥수숫대'의 모습을 나타낸 것이라 할 수 있다.

③ '제 흠집'에 뿌리를 '박는다'는 것은 '버드나무'가 자신의 상처인 '흠집'에 뿌리를 내리며 고통을 인내하는 모습을 나타낸 것이라 할 수 있다.

④ '스스로 기둥을 세운다'는 것은 '버드나무'가 자신의 힘으로 상처를 극복하는 모습을 나타낸 것이라 할 수 있다.

⑤ '생이란' '자신의 상처'에서 '버팀목'을 '꺼내는 것이라고'는 '옥수수'와 '버드나무'와 같은 자연의 모습을 통해 유추한 생에 대한 깨달음을 나타낸 것이라 할 수 있다.

### [23~27] 사회

## 23 ① 정답률 88%

**정답풀이**

5문단에 따르면 '잠정조치란 긴급한 상황에서 분쟁 당사국의 이익을 보호하거나 해양 환경의 중대한 피해를 방지할 목적으로 내려지는 구속력 있는 임시 조치'인데, 7문단에서 '잠정조치 재판을 통해 잠정조치를 명령할 수 있'다고 했으므로, 잠정조치 재판에서 내려진 결정에는 구속력이 있을 것이다.

**오답풀이**

② 3문단에서 '당사국들은 자국의 이익이나 분쟁 내용 등을 고려해 분쟁 해결 기구를 선택할 수 있'다고 하였다.

③ 2문단에서 유엔해양법협약에 따른 '분쟁 해결의 원리'는 '기본적으로 각 국가의 동의를 바탕으로 적용'된다고 하였다.

④ 3문단에서 '국제적인 분쟁 해결 기구'에 해당하는 중재재판소, 국제해양법재판소 등은 '유엔해양법협약에 의해 설립된 분쟁 해결 기구들'이라고 하였다.

⑤ 2문단에서 유엔해양법협약에 따르면 '분쟁 당사국들은 우선 의무적으로 분쟁 해결에 관하여 신속히 의견을 교환해야' 한다고 하였다.

## 24 ② 정답률 87%

**정답풀이**

5문단에 따르면 잠정조치는 본안 소송에서 '재판의 최종 판결이 내려지기까지 일정 시간이 소요'된다는 점을 감안하여 '해양 환경의 중대한 피해를 방지할 목적으로 내려지는 구속력 있는 임시 조치'로, '본안 소송의 최종 판결이 내려지면 효력이 종료'된다. 즉 잠정조치는 소송 절차 개시 이후에 내려져 본안 소송의 최종 판결이 내려질 때까지만 효력을 가지는 것이므로, A국의 요청으로 잠정조치 명령이 내려졌다고 해서 B국과의 본안 소송 재판이 종결되는 것은 아니다.

**오답풀이**

① 6문단에서 '분쟁 당사국이 소송을 제기하여 재판소에 사건이 회부되면 소송 절차가 개시되고, 그 이후 분쟁 당사국들은 언제든지 잠정조치를 요청할 수 있다.'라고 하였으므로, A국이 잠정조치를 요청할 수 있었던 것은 B국과의 사건이 재판에 회부되었기 때문임을 알 수 있다.

③ 2문단에서 유엔해양법협약에 따르면 '해당 협약에 대한 해석이나 적용에 관해 국가 간 분쟁이 발생하였을 때, 분쟁 당사국들은 우선 의무적으로~교섭이나 조정 절차 등 국가 간 합의에 의한 평화적 수단을 통해 분쟁 해결을 위해 노력해야 한다.'라고 하였다. 따라서 해양을 둘러싼 국가적 분쟁 상황에서 A국이 B국에게 우선 평화적 수단인 '교섭'을 시도한 것은 유엔해양법협약에 따른 의무가 있었기 때문임을 알 수 있다.

④ 3문단에서 '양국이 동일한 선택을 하지 않은 경우에는 별도의 합의를 하지 않는 한, 사건이 중재재판소에 회부된다.'라고 하였으므로, A국과 B국이 각각 '국제해양법재판소'와 '중재재판소'를 선택하여 동일한 분쟁 해결 기구를 선택하지 않은 상황에서 두 국가 간 분쟁은 중재재판소를 통해 해결될 것임을 알 수 있다.

⑤ 5문단에서 '잠정조치란 긴급한 상황에서 분쟁 당사국의 이익을 보호하거나 해양 환경의 중대한 피해를 방지할 목적으로 내려지는 구속력 있는 임시 조치'로, '분쟁 당사국의 요청이 있으면 필요한 경우 잠정조치를 명령할 수 있다.'라고 하였다. 따라서 분쟁 당사국인 A국이 재판이 사건에 회부된 후 바로 잠정조치를 요구한 것은, B국으로 인해 '자국의 인근 바다에 해양 오염 물질이 유출'되어 해양 환경이 중대한 피해를 받는 것을 시급히 막아야 하는 긴급한 상황에 처해 있었기 때문임을 알 수 있다.

## 25 ② 정답률 81%

**정답풀이**

3문단에 따르면 Ⓓ(강제절차)를 진행하는 분쟁 해결 기구 중 '상설 기구'인 '국제해양법재판소'와 달리 '중재재판소는 필요할 때마다 분쟁 당사국 간의 합의를 통해 구성'되므로, 모든 분쟁 해결 기구가 분쟁이 발생하기 전에 재판소가 구성되어 있는 것은 아니다.

**오답풀이**

① 2문단에 따르면 Ⓐ(분쟁 발생)의 상황은 '해양을 둘러싸고' 유엔해양법협약에 대한 '해석이나 적용에 관해 국가 간 분쟁이 발생'한 경우를 나타낸다고 볼 수 있다.

③ 2문단에서 유엔해양법협약에 대한 국가 간 분쟁이 발생하였을 때 분쟁 당사국들은 우선 '국가 간 합의에 의한 평화적 수단을 통해 분쟁 해결을 위해 노력'해야 한다고 했으므로, Ⓑ(평화적 수단)를 통해 Ⓒ(분쟁 해결)로 가는 과정은 분쟁 당사국 간의 합의에 따라 진행된다고 볼 수 있다.

④ 2문단과 3문단에 따르면 평화적 수단으로 분쟁이 해결되지 못할 경우 '구속력 있는 결정을 수반하는 절차'이자 '분쟁 당사국들이 국제적인 분쟁 해결 기구를 통해 분쟁을 해결하는 절차'인 '강제절차(Ⓓ)'가 이뤄진다. 따라서 Ⓓ를 통해 Ⓔ(분쟁 해결)로 가는 과정은 국제적 분쟁 해결 기구의 구속력 있는 결정을 통해 이루어진다고 볼 수 있다.

⑤ 5문단에서 '강제절차(Ⓓ)' 중 분쟁 당사국의 요청이 있으면 이루어지는 '잠정조치는 효력이 임시적이므로 본안 소송의 최종 판결이 내려지면 효력이 종료된다.'라고 했으므로, Ⓓ를 통해 Ⓔ로 가는 과정에서 내려진 잠정조치 명령의 효력은 최종 판결 전까지만 유효하다고 볼 수 있다.

## 26 ① 정답률 85%

**정답풀이**

7문단에서 '잠정조치가 요청된 국제해양법재판소에서 본안 소송의 관할권(㉠)을 심리한 결과, 중재재판소가 관할권을 갖게 될 가능성이 예측되어야 국제해양법재판소는 잠정조치의 관할권(㉡)을 가질 수 있'으며, '기본적으로 잠정조치에 대한 관할권(㉡)은 본안 소송을 담당하는 재판소가 관할권(㉠)을 갖게 될 가능성이 큰 경우에 인정'된다고 했으므로, ㉠(본안 소송의 관할권)의 존재 가능성이 예측되어야 ㉡(잠정조치의 관할권)이 인정된다고 볼 수 있다.

**오답풀이**

②, ③ 7문단에서 '본안 소송을 담당하는 중재재판소의 관할권(㉠)이 확정되지 않았더라도, 잠정조치가 요청된 국제해양법재판소에서 본안 소송의 관할권(㉠)을 심리한 결과, 중재재판소가 관할권을 갖게 될 가능성이 예측되어야 국제해양법재판소는 잠정조치의 관할권(㉡)을 가질 수 있'다고 했으므로, ㉡에 대한 판단이나 확정이 이루어진 것을 전제로 ㉠을 판단하거나 인정하는 것이 아니라, ㉠의 가능성에 대한 판단이 먼저 이루어진 후에 ㉡의 인정 여부가 결정된다고 보아야 한다.

④ 4문단에서 '본안 소송을 담당하는 재판소가 분쟁에 대한 최종 판결을 내리기 위해서는 먼저 본안 소송 관할권(㉠)의 존재 여부를 판단하여 확정하는 심리 절차를 거쳐야 한다.'라고 했으므로, 최종 판결 이후에 ㉠이 확정된다고 볼 수는 없다.

1
회

⑤ 6문단에서 '분쟁 당사국이 소송을 제기하여 재판소에 사건이 회부되면 소송 절차가 개시되고, 그 이후 분쟁 당사국들은 언제든지 잠정조치를 요청할 수 있다.'라고 했으므로, 본안 소송의 개시 이후에 요청되는 잠정조치의 ⓒ이 인정되는 시점은 본안 소송의 개시 시점과 일치하지 않는다.

**27** ③ 정답률 95%

**정답풀이**

'소요되다'는 '필요로 되거나 요구되다.'의 의미로 사용되었으므로, '짧아지다'와 바꿔 쓸 수 없다.

**오답풀이**

① '발생하다'는 '어떤 일이나 사물이 생겨나다.'의 의미이므로, '생겨나다'와 바꿔 쓸 수 있다.
② '교환하다'는 '서로 주고받고 하다.'의 의미이므로, '주고받다'와 바꿔 쓸 수 있다.
④ '담당하다'는 '어떤 일을 맡다.'의 의미이므로 '맡다'와 바꿔 쓸 수 있다.
⑤ '방지하다'는 '어떤 일이나 현상이 일어나지 못하게 막다.'의 의미이므로, '막다'와 바꿔 쓸 수 있다.

## [28~33] 인문

**28** ① 정답률 88%

**정답풀이**

(가)의 2문단에서는 '산[san]', 'mountain[máuntən]', 3문단에서는 '빨갛다', '시뻘겋다' 등의 예시를 들어 소쉬르의 언어학에 대해 설명하고 있다. 그리고 (나)에서도 1문단의 '가령 '빨강'이라는 단어의 의미를 배우는 것은~골라 사용할 수 있게 되는 일이다.' 등의 사례를 들어 언어에 대한 비트겐슈타인의 이론을 소개하고 있다. 따라서 (가)와 (나)는 모두 언어에 대한 특정한 이론을 관련 사례를 들어 소개하고 있다고 볼 수 있다.

**오답풀이**

② (가)의 1문단에서 소쉬르와 '소쉬르 이전의 사람들'의 언어에 대한 주장이 상반된다고 볼 수 있지만, 둘의 절충 방안은 확인할 수 없다. (나)의 4문단에서 비트겐슈타인의 주장과 '개념을 형성하는 일'에 대한 전통적인 입장이 상반된다고 볼 수 있지만, 이 둘의 절충 방안은 확인할 수 없다.
③ (가)와 (나)에는 각각 소쉬르와 비트겐슈타인의 언어에 대한 입장이 중점적으로 제시되어 있을 뿐, 언어에 대한 관점들이 통합되어 가는 역사적 과정은 확인할 수 없다.
④ (가)와 (나) 모두 언어에 대한 이론들을 시대순으로 나열하고 있지 않으며, 이론들 간의 공통적인 특성을 도출하고 있지도 않다.
⑤ (가)와 (나) 모두 소개한 언어 이론의 의의나 한계를 언급하고 있지는 않다.

**29** ④ 정답률 87%

**정답풀이**

(가)의 3문단에서 '랑그란 언어가 갖는 추상적인 체계이고, 파롤은 랑그에 바탕을 두고 개인이 실현하는 구체적인 발화'라고 하였으며, 어떤 사람의 '발화의 표현 방식이나 범위는 사실상 그가 사용하는 언어 체계인 랑그에 의해서 지배되거나 제약받는다'고 하였으므로 파롤의 표현 방식은 랑그에 의해서 제약을 받는다고 할 수 있다.

**오답풀이**

① (가)의 3문단과 4문단에 따르면 소쉬르는 '언어가 현실 세계를 수동적으로 재현하는 수단이 아니'라고 보았으므로, '언어가 갖는 추상적인 체계'인 랑그를 현실 세계를 재현하는 수단이라고 볼 수는 없다.
② (가)의 3문단에 따르면 '언어가 갖는 추상적인 체계'는 파롤이 아니라 랑그이다.
③ (가)의 3문단에 따르면 '개인이 실현하는 구체적인 발화'는 랑그가 아니라 파롤이다.
⑤ (가)의 4문단에 따르면 '소쉬르는 발화의 진정한 주체는 발화자가 아닌 랑그'라고 보았으므로, 랑그가 발화자가 주체임을 드러내는 것은 아니다.

**30** ③ 정답률 83%

**정답풀이**

(가)의 3문단에서 소쉬르는 '랑그(언어의 추상적 체계)의 차이에 따라 사람들이 현실 세계를 인식하는 방식이 달라진다'고 보았으므로, 소쉬르의 입장에서 '영어권의 외국인들'이 '대부분 낙지와 문어를 잘 구분하지 못'하는 것은 이들이 낙지와 문어를 비슷하게(㉮) 인식하기 때문이라고 볼 수 있다. 그리고 (가)의 1문단과 4문단에 따르면 소쉬르는 '언어가 현실 세계를 있는 그대로 묘사하는 것이 아니라' '언어가 현실 세계를 구성한다'고 보았으므로, 영어권의 외국인들이 낙지와 문어를 비슷하게 인식하는 것을 언어가 현실 세계를 구성한다는(㉯) 사례로 볼 것이다. 한편 (나)의 4문단에서 비트겐슈타인은 '언어가 그것을 사용하는 사람들의 삶과 맞물려 있어 삶의 양식이 다양한 만큼 언어 역시 다양하'다고 보았으므로 비트겐슈타인의 입장에서 영어에 오징어와 문어를 나타내는 단어가 있는 것과 달리 주꾸미와 낙지를 구분하는 단어가 없는 것은 영어를 사용하는 사람들이 공유하는 삶의 양식(㉰)에 따라 언어가 만들어진 사례를 보여 주는 것이라고 볼 것이다.

**31** ④ 정답률 72%

**정답풀이**

(가)의 2문단에서 소쉬르는 '언어는 기호 체계'이며, 기호를 이루는 '기표와 기의의 관계는 필연적이지 않고 자의적이며, 단지 그 기호를 사용하는 사람들의 사회적 약속일 뿐'이라고 하였다. 따라서 소쉬르가 언어가 사람들의 약속에 의해 형성된다는 것을 비판하고 있다고 응답한 것은 적절하지 않다.

**오답풀이**

① (가)의 1문단에서 '소쉬르 이전의 사람들은 일반적으로 언어가 현실 세계의 대상을 지칭한다고 생각'한 것과 달리 소쉬르는 '사람들이 그들의 언어 체계에 맞춰 현실 세계를 새롭게 인식한다고 주장'하였음을 알 수 있다. 따라서 소쉬르는 언어가 현실 세계의 대상을 지칭하는 것이라고 주장하고 있지 않다고 응답한 것은 적절하다.
② (나)의 3문단에 따르면 '비트겐슈타인은 언어에 존재하는 많은 불명확성이 오히려 단점이 아닌 장점이 될 수도 있'다고 하였으므로, 비트겐슈타인은 언어에 존재하는 불명확성에 대해 긍정하고 있다고 응답한 것은 적절하다.
③ (가)의 1문단에서 '소쉬르의 언어학은 언어에 대한 전통적인 견해에 대해서 의문을 제기하고 이를 뒤집는다.'라고 하였다. 또한 (나)의 4문단에 따르면 비트겐슈타인은 '서로 다른 개별적이고 구체적인 대상으로부터 공통 요소를 추출하는 과정'을 통해 개념이 형성된다는 전통적인 입장과 달리 '개념을 사용할 때 그것의 적용 사례들에 어떤 공통 요소가 반드시 있어야 한다는 강박 관념을 버려야 한다'고 보았으므로, 소쉬르와 비트겐슈타인은 모두 언어에 대한 전통적인 입장을 고수하고 있지 않다고 응답한 것은 적절하다.
⑤ (나)의 1문단의 '비트겐슈타인에게 언어는 삶의 다양한 맥락에 따라 서로 다르게 혹은 유사한 모습으로 존재한다.', 3문단의 "크다'나 '작다'와 같은 표현들은 사람에 따라 의미가 다르게 사용되기 때문에' 등을 고려할 때, 비트겐슈타인은 언어가 사용하는 사람들의 맥락에 따라 다르게 사용될 수도 있다는 것을 부정하지 않는다고 응답한 것은 적절하다.

**32** ④ 정답률 72%

**정답풀이**

(나)의 4문단에서 '비트겐슈타인에게 있어 언어란 현실 세계를 재현하는 것이 아니라, 언어를 사용하는 사람들의 소통에 의해서 만들어지는 것'이라고 하였으므로, 이는 '세계가 먼저 있고 그 세계를 재현하기 위해서 언어가 존재'한다는 ⓑ의 입장과 차이가 있으며, 비트겐슈타인은 언어가 먼저 있고 절대 불변의 법칙에 따라 세계가 존재한다고 주장하고 있지도 않다.

**오답풀이**

① (가)의 2문단에 따르면 소쉬르는 언어가 '언어의 소리 측면을 지칭'하는 기표와 '그 소리가 지칭하는 의미를 나타내는' 기의의 대응을 통해 이루어진다고 주장하였는데, 이는 '개념이 말소리와 직접적으로 연결'된다고 본 ⓐ의 입장과 유사하다.
② (나)의 1문단과 4문단에 따르면 비트겐슈타인은 언어가 '삶의 다양한 맥락에 따라 서로 다르게 혹은 유사한 모습으로 존재'하며 '사용하는 사람들의 소통에 의해서 만들어'진다고 보았는데, 이는 '언어는 일정한 의미를 형성하게 된'다는 ⓐ의 입장과 차이가 있다.

③ (가)의 2문단과 4문단에 따르면 소쉬르는 '언어가 현실 세계를 수동적으로 재현하는 수단이 아니'라 '근본적으로 자의적인 체계'라고 주장하였는데, 이는 '언어란 현실 세계를 재현하기 위한 수단'이라고 보는 ⓑ의 입장과 차이가 있다.
⑤ (가)의 2문단에서 '소쉬르에 따르면 기표와 기의의 관계는 필연적이지 않고 자의적'이라고 하였는데, 이는 '언어에서 사물의 이름은 임의적으로 붙여진 것이 아니'라 '자연의 법칙에 따라 지어진 것'이라는 ⓒ의 입장과 차이가 있다.

**33** ④ 정답률 93%

정답풀이

'빨간색을 골라(㉣)'와 '여러 책들 중에 한 권을 골라'에서 '고르다'는 모두 '여럿 중에서 가려내거나 뽑다.'라는 의미로 사용되었다.

오답풀이

① '외적 형식을 이르며(㉠)'의 '이르다'는 '어떤 대상을 무엇이라고 이름 붙이거나 가리켜 말하다.'라는 의미로 사용되었지만, '약속 장소에 이르며'의 '이르다'는 '어떤 장소나 시간에 닿다.'라는 의미로 사용되었다.
② '파롤은 랑그에 바탕을 두고(㉡)'의 '두다'는 '행위의 준거점, 목표, 근거 따위를 설정하다.'라는 의미로 사용되었지만, '많은 지점을 두고'의 '두다'는 '직책이나 조직, 기구 따위를 설치하다.'라는 의미로 사용되었다.
③ '다양한 맥락에 따라(㉢)'의 '따르다'는 '어떤 경우, 사실이나 기준 따위에 의거하다.'라는 의미로 사용되었지만, '어머니를 따라'의 '따르다'는 '다른 사람이나 동물의 뒤에서, 그가 가는 대로 같이 가다.'라는 의미로 사용되었다.
⑤ '사람들의 삶과 맞물려(㉤)'의 '맞물리다'는 '무엇이 서로 밀접한 관련을 맺으며 어우러지다.'라는 의미로 사용되었지만, '입술은 굳게 맞물려'의 '맞물리다'는 '아래윗니나 입술, 주둥이, 부리 따위가 마주 물리다.'라는 의미로 사용되었다.

## [34~37] 고전소설

**34** ③ 정답률 86%

정답풀이

유씨는 염왕과의 대화에서 '춘매를 떠나지 못하겠'다며 저승에 남겠다고 말하고, 염왕은 '아직 원명이 멀었'다며 유씨에게 이승으로 돌아가라고 말하고 있다. 이처럼 인물 간의 대화를 통해 유씨와 염왕의 갈등 상황이 구체화되고 있다.

오답풀이

① 윗글은 유씨가 춘매의 관 앞에 당도하고, 유씨의 혼백이 춘매를 따라 구천으로 가는 사건을 시간의 흐름에 따라 제시했다. 따라서 사건이 발생한 시간 순서를 역전시켜 사건의 진상을 밝혔다고 볼 수 없다.
② 윗글에서 등장인물의 꿈속 사건은 확인할 수 없으므로, 꿈을 삽입했다고 볼 수 없다.
④ 윗글은 전지적 작가 시점에서 일관되게 서술되고 있으므로, 서술자를 교체하여 사건을 새로운 국면으로 전환하였다고 볼 수 없다.
⑤ 윗글은 유씨가 겪은 일을 시간의 흐름에 따라 제시하고 있을 뿐, 동시에 벌어진 사건을 나란히 서술하지 않았다. 따라서 사건을 병치하여 사건의 흐름을 지연시켰다고 볼 수 없다.

**35** ④ 정답률 82%

정답풀이

유씨는 자신을 위문하러 나온 양옥을 보고 '실로 미안하'다고 말했을 뿐, 양옥을 원망하지 않았으며, 윗글에서 양옥이 춘매를 죽음에 이르게 했다는 내용도 확인할 수 없다.

오답풀이

① 염라왕은 '인간에게 가서 시한을 어'긴 춘매를 '급히 잡아들이라.'라고 사신에게 명령했다.
② 춘매는 '구천을 급히 따라오'는 유씨에게 '그대는 어찌 오는가. 바삐 가옵소서.'라고 말하며 말린다.
③ 정양옥은 유씨가 온다는 청산의 말을 듣고 '십 리 밖에 나와 기다렸다.'라고 했다.
⑤ 춘매는 자신을 잡으러 온 사신에게 '내 돌아오는 길에 아내의 혼백을 만나 다시 돌아가라 만류하다가 시한을 어기'었다고 말했다.

**36** ② 정답률 81%

정답풀이

[A]의 '이제 가시면 백발 노친과 기댈 곳 없는 첩은 어찌하라고'에서 유씨는 춘매가 죽으면 춘매 모친과 자신이 의지할 곳 없는 처지가 된다고 말하며 비통한 마음을 드러내고 있다. 또한 [B]에서 유씨는 염왕으로 인해 춘매가 '부모 자식 간에 사랑'을 저버렸고, 자신은 '젊은 인생 배필 없이' 살게 되었다고 말하며 원망을 토로하고 있다.

오답풀이

① 유씨는 [A]의 '첩은 어찌하라고 그리 무정하게 누웠는고.'에서 춘매를 질책(꾸짖어 나무람.)한다고 볼 수 있고, [B]에서 '이런 작별을 하게 하'게 한 염왕을 질책한다고 볼 수 있다. 그러나 유씨가 상대방에게 용서를 요구한다고 볼 수는 없다.
③ [A]에서 유씨가 춘매의 약점을 공격하는 내용은 확인할 수 없다.
④ [B]에서 유씨는 염왕에게 '여필종부'라는 정절을 지키기 위해 '춘매를 떠나지 못'한다고 주장하고 있으나, 자신의 직책을 언급하고 있지는 않다.
⑤ [A]에서 유씨는 '백발 노친'과 자신을 두고 죽은 춘매의 관 앞에서 자신의 감정을 토로할 뿐, 춘매를 위로하고 있지는 않다. 또한 [B]에서 유씨는 염왕에게 '젊은 인생 배필 없이 어이 살'겠냐며 '결단코 춘매를 떠나지 못하겠'다고 말할 뿐이지, 상대방을 위로하고 있지는 않다.

**37** ② 정답률 81%

정답풀이

〈보기〉에서 윗글은 '비현실계에서 주어지는 시험과 현실계로 이어지는 보상'을 통해 당대 여성의 규범을 강조한다고 했다. 이를 참고할 때 윗글의 염라대왕은 유씨의 정절을 시험한 후, '유씨의 백설 같은 정절과 절의에 탄복하여' 유씨와 춘매를 이승에 돌려보내는 보상을 준 것이지, 염왕이 춘매의 능력을 알아보려고 '춘매는 제 원명으로 잡아 왔'다고 말하는 시험을 했다고 볼 수는 없다.

오답풀이

① 〈보기〉에서 윗글의 '비현실계에서 주어지는 시험과 현실계로 이어지는 보상은 시대가 바라던 여성으로서의 규범을 더욱 강조한다.'라고 했다. 따라서 염왕이 유씨의 정절에 감동하여 유씨와 춘매를 이승으로 돌려보내는 것에서 비현실계의 시험으로 얻은 보상이 현실계로 이어짐을 확인할 수 있다.
③ 〈보기〉에서 유씨의 행동에서 '다른 유교적 가치에 앞서 사랑을 택하는 모습'을 확인할 수 있다고 했다. 염라대왕이 '그대 모친과 춘매 모친은 누구에게 부탁하고 왔느냐?'라고 묻자, 유씨는 부부가 함께 있지 않으면 '무슨 봉양하'겠느냐고 말한다. 따라서 유씨에게서 효 같은 다른 유교적 가치에 앞서 사랑을 택하는 적극적인 모습을 확인할 수 있다.
④ 〈보기〉에서 윗글에는 '현실 세계의 고난을 견뎌 내고, 죽음마저 불사하는 유씨의 열행에는 주체적인 여인상이 드러난다.'라고 했다. 따라서 '낭군을 천 리 밖에 두고 불측한 일을 당하여 목숨을 겨우 부지'한 채로 먼 길을 와 춘매의 관 앞에 선 유씨의 모습에서 현실의 고난을 사랑으로 견뎌내는 모습을 확인할 수 있다.
⑤ 〈보기〉에서 유씨의 '초월적 존재 앞에서도 의지를 굽히지 않는 당당한 모습'에 주목할 수 있다고 했다. 염라대왕이 '다른 배필을 정하여' 주겠다고 하자, 유씨가 '아무리 저승과 이승이 다르오나~대왕께서 저러하고도 저승을 밝게 다스리는 대왕이라 하십니까?'라고 말하며 초월적 존재인 염왕을 책망하는 것에서 남편인 춘매에 대한 사랑을 지키겠다는 의지를 굽히지 않는 주체적인 모습을 확인할 수 있다.

## [38~41] 현대소설

**38** ② 정답률 85%

정답풀이

[A]에서는 '나는 그의 실직을 누구에게도 알리지 않을 작정'이라고 하며 이와 관련하여 '아래채 셋방 가족, 구멍가게 주인, 쌀가게 주인, 연탄 가게 주인', '일가친지, 그와 나의 친구들'에게 할 행위를 나열하고 있다. 이를 통해 '도와주지도 않을 동정을 하라 말라 할 수는 없겠지만, 그런 동정은 무조건 받기 싫'다는 서술자의 심리를 드러내고 있다. 또한 [B]에서는 '나'의 관점에서 서술 대상인 '그'에 대해 '그는 지쳐 있었다.', '각성의 계기가 될지도 모르므로 그에게는 차라리 축복이었다.', '그가 세상살이와 인간관계에 좀 더 분별력이 있어지리라고 믿었다.' 등과 같은 주관적인 판단을 제시하고 있다.

오답풀이

① [A]에서 내적 독백을 통해 '그의 실직을 누구에게도 알리지 않을 작정'이라는 '나'의 판단을 드러내고 있으나 이를 비판하고 있지는 않다. 또한 [B]에서 풍자적 서술을 통해 서술 대상인 '그'의 행위를 비판하고 있지는 않다.
③ [A]에서 시간의 흐름에 따라 변화되는 서술자의 생각이 나타나지 않으며, [B]에서 공간적 배경에 대한 묘사도 나타나지 않는다.
④ [A]에서 '나'와 '아래채 셋방 가족, 구멍가게 주인, 쌀가게 주인, 연탄 가게 주인', '일가친지, 그와 나의 친구들' 등 주변 인물 간의 관계가 드러난다고 볼 수 있지만, 반복되는 사건은 제시되지 않는다. 한편 [B]에서 인물 간의 대화는 나타나지 않는다.
⑤ [A]에서 과거와 현재 사건의 대비는 나타나지 않으며, [B]에서 서술 대상인 '그'에 대한 적대적인 감정을 강조하고 있지는 않다.

## 39 ⑤ 정답률 61%

정답풀이

'노인네보다 먼저 죽으면 안 되는데 말이야.'라며 '봄기운이 무색해지는 말을 슬쩍 흘'리는 그에게 '나'는 ⓜ(원, 중병 걸린~싱싱한 사람이.)과 같이 말하며 대수롭지 않게 반응하고 있을 뿐, 의심을 드러내고 있지는 않다.

오답풀이

① ㉠(이번에는 자신의~본분을 불신하게 되었다.)에는 '그'가 '두 번의 돌연한 '역사적인 밤'을 겪고 난 다음' '기자로서 마땅히 갖추고 있어야 할 본분'을 수행하지 못한 것에서 느낀 모멸감이 내재되어 있다.
② ㉡(다른 한편으로~고함을 지르고 싶었다.)에서는 '기자로서 마땅히 갖추고 있어야 할 본분'은 수행하지 못하고 '줄기차게 화면'을 만들어내는 '기계적인 일련의 직무 수행'만 하는 상황에 대한 '그'의 분노를 엿볼 수 있다.
③ ㉢(그러니 이미 먹물도 뭣도 아니다.)에는 '총 앞에서만 와들와들 떠는 과민성 체질의 까막눈'들, 즉 부당한 무력 앞에서 정당한 권리를 내세우지 못하는 것에 대한 '그'의 멸시가 드러나 있다.
④ ㉣(나는, 우리가~어떤 관조기에 들었다고 생각했다.)에서는 남편과 자신이 '관조기에 들었다고 생각'하며 '조금 쓸쓸해'진 기분을 느끼는 '나'의 심리를 엿볼 수 있다.

**오답률 Best ❸**

'의심'은 '확실히 알 수 없어서 믿지 못하는 마음'을 말해. 그런데 ⓜ의 앞뒤 맥락을 보면, 남편이 '노인네보다 먼저 죽으면 안 되는데 말이야.'라고 하며 자신의 현재 처지에 대해 부정적인 인식을 드러내자, 아내가 '싱싱한 사람'이 마치 '중병 걸린 사람 같은 소릴' 한다고 말한 뒤 '안 죽어요. 죽긴 누가 죽어요?'라며 단호하게 대답하는 것을 확인할 수 있어. 즉 아내는 남편의 한탄 섞인 말에 반박하며 남편이 죽을 리 없다고 확신하는 태도를 보여 주고 있는 거지. 따라서 남편의 말이 '갑작스럽고도 엉뚱하게 제시된' 진지한 말이라고 볼 수는 있지만, 이에 대응하는 아내의 말이 어떠한 의심을 내포하고 있다고 볼 수는 없는 거지. 특정 구절의 의미나 효과를 물어볼 때에는 앞뒤 맥락을 살펴 보면서 꼼꼼하게 사실 관계를 파악해 봐야 해!

## 40 ① 정답률 67%

정답풀이

'일 년쯤 어디 낯선 데 가서 고생이나 실컷 했으면 좀 살 것 같'다는 남편의 말에 '나'는 '다들 너무 편하니 나사가 풀린 거예요.', '궤변 늘어놓지 마시고 나사를 좀 조여 보세요. 당신은 지금 너무 편하고 걱정이 없어서 이런저런 잔걱정이 많은 거예요.'라고 말한다. 즉 아내인 '나'가 남편에 대해 '나사'가 풀려서 이런저런 잔걱정이 많아진 것이라고 여기고 있으므로 적절하지 않다.

오답풀이

② 아내는 남편에게 '당신은 악이 없어졌어요.', '당신은 지금 너무 편하고 걱정이 없어서 이런저런 잔걱정이 많은 거예요.'라고 말한다. 반면 남편은 '내가 편하다고? 웃기고 있네.'라고 하며 '악이 살아 있을 테니 이런 무력감 같은 것도 모를' '그 친구들'과는 달리 무력감과 허탈감만 느껴지는 자신의 삶에 대해 토로하고 있다.
③ '일 년쯤 어디 낯선 데 가서 고생이나 실컷 했으면 좀 살 것 같'다는 남편의 말을 들은 아내는 '너무 편하니 나사가 풀린 거예요.', '당신은 지금 너무 편하고 걱정이 없어서 이런저런 잔걱정이 많은 거예요.'라고 하고 있다.
④ 아내는 남편에게 '당신은 악이 없어졌어요.', '궤변 늘어놓지 마시고 나사를 좀 조여 보세요.'라고 하고 있다.
⑤ 아내가 '해직 기자 중에는 옳은 직장을 못 구해 전전긍긍하는 사람도 있다면서요?'라고 묻자 남편은 '그 친구들은 악이 살아 있을 테니 이런 무력감 같은 것도 모를 거야.'라고 하며 무력감이 느껴지는 자신의 삶에 대해 토로하고 있다.

## 41 ⑤ 정답률 64%

정답풀이

〈보기〉에서 윗글은 '원칙과 상식이 통하는 사회에 대한 갈망'을 보여준다고 하였다. 이를 참고할 때, 남편이 '나처럼 눈알 똑바로 박힌 놈이 다섯만 있어도 당장 내 사업'을 벌일 것이라고 하며, '어느 놈이 무슨 욕을 하'더라도 '열심히 살아 봐야지.'라고 한 것은 원칙과 상식이 통하는 사회를 부정하는 것이 아니라, 오히려 그러한 사회에서 자신의 본분을 다하며 살고 싶다는 의지를 드러낸 모습으로 이해할 수 있다.

오답풀이

① 〈보기〉에서 윗글은 '현실 세계의 문제를 외면하며 살아가는 인물들의 부도덕함을 반성적으로 폭로하고 있'다고 하였다. 이를 참고할 때, '사태를 훤히 알고 있으면서도 눈만 껌벅거리'며 "다 그런 거지 뭐'라는 유행가 가사만을 읊조'릴 뿐인 동료 기자들의 모습에서 현실 세계의 문제를 외면하며 살아가는 인물들의 부도덕함을 확인할 수 있다.
② 〈보기〉에서 윗글에는 '삶에 매몰된 채, 속물적 사고로 인해 신의를 저버리'는 인물의 모습이 나타난다고 하였다. 이를 참고할 때, '그를 따르'던 한 후배 기자가 '나까지 안 찍히려면 적당한 핑계를 하나 만들어 놔야' 한다며 그를 피하려는 모습을 보이는 것에서 삶에 매몰되어 속물적 사고로 인해 신의를 저버리는 중산층의 일면을 확인할 수 있다.
③ 〈보기〉에서 윗글은 '현실적 삶을 살아가는 중산층 인물의 모습'을 '반성적으로 폭로하고 있'다고 하였다. 이를 참고할 때, '괴물의 화면을 만드는 괴물의 집단'에게는 '가지로서의 사명감이 없어진 지 오래'라고 여기는 그의 모습에서 현실적 삶을 반성적으로 인식하는 태도를 확인할 수 있다.
④ 〈보기〉에서 윗글은 '현실적 삶을 살아가는 중산층 인물'이 '평범한 삶의 의미를 찾아 일상을 회복하는 과정을 보여주고 있'다고 하였다. 이를 참고할 때, '정신없이 바쁘게 살'아온 탓에 '속이 허해졌고 진기가 다 빠져 버'린 듯 하다고 한탄하는 남편을 보며 아내인 '나'가 그러한 '무력감 내지는 허탈감'이 오히려 '각성의 계기가 될지도 모르므로 그에게는 차라리 축복'이라고 여기는 것은 남편이 평범한 일상을 회복할 것을 기대하는 모습이라고 할 수 있다.

**오답률 Best ❹**

⑤번은 남편의 말이 어떤 맥락에서 사용되었는지 제대로 파악하지 못하고 선지의 진술에만 주목했다면 적절한 내용이라고 착각하기 쉬웠을 거야. '해직기자 중 옳은 직장을 못 구해 전전긍긍하는 사람'들을 생각해서라도 '열심히 살아야' 하지 않겠냐고 조언하는 아내의 말을 '교과서 같은' 소리라고 치부하며 남들이 '무슨 욕을 하'든 개의치 않겠다는 의미로 이해했다면, 이는 '원칙과 상식이 통하는 사회를 부정하는 태도'처럼 보일 수도 있으니까 말이야. 하지만 남편이 '나처럼 눈알 똑바로 박힌 놈이 다섯만 있어도~열심히 살아 봐야지.'라고 한 것을 고려하면, 남편은 오히려 자신처럼 원칙과 상식이 통하는 사람들과 함께하는 사회에서 열심히 살아가고 싶다는 의지를 드러낸 것으로 볼 수 있어. 이처럼 소설 지문에 나타난 인물의 말이나 행동에 담긴 뜻을 이해할 때는 반드시 앞뒤의 맥락을 종합적으로 고려하여 판단해야 한다는 점을 꼭 기억하도록 하자.

[42~45] **고전시가+고전수필**

## 42 ⑤ 정답률 79%

**정답풀이**

ⓜ(두어라 이렁성그러 종로한들 어이하리)에서 화자는 자연에서 한가로움을 즐기며 늙어 죽은들 어찌하겠냐고 하므로, 현재의 삶이 지속되기를 바라는 심정을 드러냈다고 볼 수 있다. 그러나 ⓒ(한가롭고 여유 있게~죽을 것이니)에서 글쓴이는 '세상에 쓰임이 없'는 자신의 처지를 받아들이고 '한가롭고 여유 있게' 지내다 '자연 속에서 죽겠다고 하였으므로, 벼슬을 하는 대신 정원을 가꾸며 한가롭게 살고 있는 현재의 삶에서 벗어나고자 한다고 볼 수 없다.

**오답풀이**

① ㉠(공명부귀도 구하기에 재주 없어)에서 화자는 자신이 '세정도 모르고 인사에 우활하여' 공명을 이루지도, 부귀를 누리지도 못했다고 하여 세상 물정에 어두운 스스로에 대한 인식을 드러내고 있다. 한편 ⓞ(그대는 어찌~취하고자 하는가?)에서 '객'은 '악목'으로 불리는 '가죽나무'를 '사랑하고 길러 영화와 꾸밈을 받게 하고, 더불어 뭇 향기로운 나무들과 같이 있게' 한 글쓴이의 행동에 대한 인식을 드러내고 있다.

② ㉡(빈천기한을 일생에 겪어 있어)의 '빈천'은 가난하고 천함을, '기한'은 굶주리고 헐벗어 배고프고 추움을 의미하므로 가난한 삶의 모습이 나타난다고 볼 수 있다. 한편 ⓧ(문득 얕은 재주와 ~여러 해였다.)에서 글쓴이는 '벼슬아치의 뜨락에서' 벼슬을 '구하고자 시도'했던 삶의 모습을 드러내고 있다.

③ ㉢(낚시터에 내려 앉아 백구를 벗을 삼고)에서 화자는 자연물인 백구를 벗으로 삼는다고 하여 자연과 조화를 이루려는 태도를 드러내고 있다. 한편 ㉥(내가 기국원을 가꾼 지~대략 갖추었다.)에서 글쓴이는 정원에서 풀과 나무들을 가꾸며 살아가는 태도를 드러내고 있다.

④ ㉣(술동이를 기울여 취토록 혼자 먹고)에서 화자는 '백구를 벗을 삼'아 술을 마시며 '석양'을 보는 등 자연에서 즐기는 흥취를 드러내고 있다. 한편 ⓐ(원을 가꾸는 하인에게~널리 퍼지게 했더니)에서 글쓴이는 하인으로 하여금 '가죽나무'에 정성을 쏟아 키우게 하였으므로 자연물을 아끼는 마음이 나타난다고 볼 수 있다.

## 43 ③ 정답률 79%

**정답풀이**

〈보기〉에서 (가)에는 '자연 속에서 바라본 속세에 대한 화자의 인식'이 드러난다고 하였다. 하지만 (가)의 '망망속물은 안중에 티끌이로다'는 아득한 속세를 눈 안의 티끌에 비유하여 속세에 대한 화자의 부정적인 인식을 드러낼 뿐, 속세가 자연에서 멀지 않은 곳에 있다는 인식을 나타내지는 않는다.

**오답풀이**

① 〈보기〉에서 (가)의 '화자는 자신이 이익이나 공명과 같은 세상사에 밝지 않다'는 생각을 드러냈다고 하였다. (가)에서 화자는 '영욕을 어이 알며', '출척을 어이 알까'라고 하여 자신이 영욕이나 벼슬에 관심이 없고 세상 물정에 어둡다는 것을 반복과 변주를 통해 드러내고 있다.

② 〈보기〉에서 (가)는 '자연을 벗하며 한가로이 살아가는 모습을 노래'했다고 하였다. (가)에서는 '바위에 기대어 앉아 보'고 '송근을 베고도 누워 보'는 화자의 행동을 묘사하여 속세를 떠나 자연에서 한가롭게 지내는 모습을 드러내고 있다.

④ 〈보기〉에서 (가)의 화자는 '속세를 떠나 마음껏 자연을 누리며 풍류를 즐기는' 모습을 보여 준다고 하였다. (가)의 화자는 추상적 관념인 '만강풍류'를 '배 위에 실어' 온다고 하여 구체화하였으며, 이를 통해 자연 속에서 운치 있게 즐기는 상황을 나타내고 있다.

⑤ 〈보기〉에서 (가)의 화자는 '속세를 떠나 마음껏 자연을 누리며 풍류를 즐기는' 모습을 보여 준다고 하였다. (가)의 화자는 '표연천지에 걸린 것이 무엇이랴'라는 설의적 표현을 통해 아득한 천지에서 자연을 즐기며 사는 삶에 거칠 것이 없음을 드러내고 있다.

## 44 ② 정답률 70%

**정답풀이**

ⓐ(객)는 ⓑ(나)에게 '주부자가 말하기를, '한 그릇 속에 향내와 악취가 섞이면 향기의 깨끗함을 구하기는 어렵다.'고 했으니, 그대는 어찌 더러움과 고상함을 섞음에서 취하고자 하는가?'라고 하여 역사적 인물의 말을 인용하여 잘 가꾼 정원에 가죽나무를 키우는 것은 바람직하지 않다는 자신의 의견을 강조하고 있다.

**오답풀이**

① ⓑ의 말을 들은 ⓐ는 '고개를 끄덕끄덕 하면서 가버'리므로, ⓐ의 의견에 끝내 동의하지 않고 항의했다고 볼 수는 없다.

③ ⓑ는 ⓐ에게 '처음에는 나의 어리석음을 스스로 헤아리지 못하고 망령되이 당세에서 쓰임에 뜻이 있어' 벼슬을 구해 왔으나 '소용이 없음을 확실하게 알아 게으름을 피우며 쉬고 있었'다는 자신의 사연을 말하였으나, ⓐ에게 도움을 요청한 것은 아니다.

④ ⓑ는 잘 가꾼 정원에 가죽나무를 키우는 것은 바람직하지 않다는 ⓐ의 의견에 '그대의 말이 참으로 옳다.'라고 했을 뿐 명분이 없음을 지적하거나 불쾌감을 나타내지는 않았다.

⑤ ⓑ는 ⓐ에게 '가죽나무'가 '재목이 못 됨으로 쓰임이 없'다고 하지만, 그렇기 때문에 '하늘이 준 수명을 다'할 수 있다고 하여 대상을 보는 자신의 관점을 설명하고 있을 뿐, 상황의 급박함을 드러내지는 않았다.

## 45 ① 정답률 74%

**정답풀이**

(가)의 화자는 '빈천기한'이라는 자신의 처지에 순응하고 '산수'에서 자연을 벗하며 늙어 죽을 때까지 자연을 즐기겠다는 의지를 드러내고 있다. 따라서 '산수'는 화자가 지향하는 자연을 벗하는 삶의 모습이 실현된 공간으로 볼 수 있다. 한편 (나)의 글쓴이는 '정원'에 자란 '가죽나무'를 보고 '느낀 바가 깊었'다고 하였으며, '한가롭고 여유 있게 놀다가 늙어서 또한 숲과 풀 사이에 죽을 것'이라고 하였다. 따라서 '정원'은 글쓴이가 지향해야 할 삶의 모습을 깨닫게 된 공간으로 볼 수 있다.

**오답풀이**

② (가)의 화자는 '빈천기한을 일생에 겪'었다고 하여 궁핍한 삶을 살아왔음을 드러냈으나 그것을 해결하려 하기보다는 '산수'에서 '부귀공명'을 잊고 한가롭게 지내고자 한다. 한편 (나)의 글쓴이가 '정원'에서 궁핍한 생활에 대해 한탄하는 모습은 나타나지 않는다.

③ (나)의 글쓴이는 '정원'에 자란 '가죽나무'를 가꾸며, 그 '가죽나무'처럼 자신도 '세상에 쓰임이 없'기 때문에 '내 분수에 편안히 내 천성을 다'할 수 있다고 생각한다. 따라서 글쓴이는 '정원'에서 풀과 나무를 키우며 한가롭게 지내는 현실에 만족감과 평화로움을 느낀다고 볼 수 있다. 한편 (가)의 화자는 '산수'에서 흥취를 즐기며 자신의 현실에 만족감을 드러내고 있으므로, '산수'가 현실에서의 고뇌가 이어지는 괴로운 공간이라고 볼 수 없다.

④ (가)의 화자는 '산수'에서 흥취를 즐기는 생활에 만족감을 느낄 뿐, 현실로의 복귀를 염원하고 있지는 않다. 한편 (나)의 글쓴이는 '정원'에 자라난 '가죽나무'를 보며 '내 분수에 편안히 내 천성을 다'하는 삶을 살겠다고 할 뿐, 현실에 대한 미련을 표출하지는 않는다.

⑤ (가)의 화자는 '산수'에 머물며 세속적 삶과 거리를 두고 자연과 함께하는 즐거움을 드러내고 있으므로, 세속적 삶에서의 불만을 해소하려는 의지를 '산수'에서 드러낸다고 볼 수 없다. 한편 (나)의 글쓴이는 '정원'을 가꾸며 한가로이 지내는 삶의 방식을 보여 주며 '벼슬도 나를 얽어맬 수 없고 형벌도 나에게 더해질 수 없다'고 하였으므로, '정원'에서 세속적 가치를 추구하려는 의지를 드러낸다고 볼 수 없다.

## 2회

2021학년도 9월 학평

| 1. ④ | 2. ③ | 3. ① | 4. ⑤ | 5. ② | 6. ③ | 7. ⑤ | 8. ③ | 9. ⑤ | 10. ② |
|---|---|---|---|---|---|---|---|---|---|
| 11. ① | 12. ② | 13. ④ | 14. ③ | 15. ① | 16. ④ | 17. ⑤ | 18. ① | 19. ② | 20. ③ |
| 21. ③ | 22. ⑤ | 23. ② | 24. ③ | 25. ① | 26. ① | 27. ⑤ | 28. ② | 29. ② | 30. ③ |
| 31. ② | 32. ④ | 33. ① | 34. ④ | 35. ③ | 36. ④ | 37. ⑤ | 38. ② | 39. ① | 40. ④ |
| 41. ④ | 42. ③ | 43. ② | 44. ⑤ | 45. ④ | | | | | |

오답률 Best 5

[1~3] 화법

**1** ④ 정답률 76%

정답풀이

발표자는 '우리나라에서 생산되는 달걀의 95%가 사육 환경 3, 4번 달걀이라고 하는데요.'에서 닭의 사육 환경 번호와 관련된 통계 수치를 제시하고 있으나 통계의 출처를 제시하지는 않았다.

오답풀이

① 발표자는 청중에게 '달걀 껍데기에 있는 번호를 보신 적 있으신가요?'라고 질문하고, 청중의 반응을 확인하며 발표를 이어나가고 있다.
② 발표자는 '목소리를 크게 하며'에서 준언어적 표현을 사용해 청중에게 난각 코드를 확인하며 달걀을 구입할 것을 강조하고 있다.
③ 발표자는 '대한민국 국민이라면 누구나 주민등록번호를 가지고 있듯이'라고 말하며 생소한 난각 코드를 익숙한 주민등록번호에 빗대고 있다. 이를 통해 청중의 흥미를 불러일으키고 있다.
⑤ 발표자는 'A4 용지를 보여 주며'에서 기존 케이지의 사육 면적을 가늠할 수 있도록 돕는 대상을 사용해 청중의 이해를 유도하고 있다.

**2** ③ 정답률 93%

정답풀이

[자료 1]은 달걀에 대한 정보를 담고 있는 난각 코드를 보여 줄 뿐 식품안전나라 홈페이지에 나오는 농장의 정보를 보여 주고 있지 않다. 발표에 따르면 난각 코드의 '생산자 고유 번호'를 통해 '식품안전나라 홈페이지에서 달걀을 생산한 농장 이름과 소재지 등의 정보를 찾아볼 수가 있'다. 그런데 ㉡을 제시하며 발표자는 '동물 복지 인증 달걀'의 사육 환경을 설명하고 있으므로 이를 보여 주는 [자료 2]를 제시하는 것이 적절하다.

오답풀이

① 발표자는 [자료 1]을 통해 달걀에 대한 정보를 담은 '난각 코드'의 구성 요소로 '산란 일자', '생산자 고유 번호', '닭의 사육 환경 번호'를 보여 주고 있으므로 ㉠에 사용할 수 있다.
② 발표자는 [자료 1]을 통해 '달걀 껍데기에 표시된 숫자와 알파벳 조합'인 '난각 코드'를 보여 주고 있으므로 ㉠에 사용할 수 있다.
④ 발표자는 [자료 2]를 통해 '동물 복지 인증 달걀'이 생산되는 닭의 '사육 환경'을 보여 주므로 ㉡에 사용할 수 있다.
⑤ 발표자는 [자료 3]을 통해 '기존 케이지'와 '개선 케이지'의 사육 면적과 닭의 사육 환경을 보여 주므로 ㉢에 사용할 수 있다.

**3** ① 정답률 94%

정답풀이

발표자는 좁은 환경에서 '사육되는 닭들은 질병에 취약하고, 스트레스 호르몬 성분이 다량 함유되어 있는 달걀을 낳는다는 연구 결과'를 인용하며 3번과 4번에서 사육되는 닭들의 '열악한 사육 환경은 개선되어야 한다'고 주장했다. 이를 고려하면 청중이 '닭들의 사육 환경이 개선되어야' 하는 이유를 질문했을 때 발표자는 그렇게 되면 닭들이 스트레스를 덜 받고, 우리도 질 좋은 달걀을 먹을 수 있다고 답변했을 것이다.

오답풀이

② 산란 일자는 '신선한 달걀'을 구매하는 것과 관련될 뿐 닭들의 스트레스와 관련 없다.
③ 〈보기〉의 발표자의 답변에서 좁은 공간에서 사육되는 닭들이 질병에 취약한 이유를 확인할 수 없다.
④ 〈보기〉의 발표자의 답변에서 우리나라에서 생산된 달걀이 모두 난각 코드를 가지고 있는 이유를 확인할 수 없다.
⑤ 〈보기〉의 발표자의 답변에서 우리나라에서 생산되는 달걀의 대부분이 사육 환경 3, 4번의 달걀인 이유를 확인할 수 없다.

[4~7] 화법과 작문

**4** ⑤ 정답률 85%

정답풀이

(나)의 대화 참여자들인 학생 1~3은 대화 시간과 공간을 공유하므로 언어적 표현 외에도 '고개를 끄덕이'거나, '손뼉을 치'는 등 비언어적 표현을 사용해 의사소통하고 있다. 이와 달리 (가)의 의사소통 참여자는 인터넷을 통해 의사소통의 시·공간적 제약을 벗어나 소통하기 때문에 비언어적 표현을 사용했다고 보기는 어렵다.

오답풀이

① (가)의 필자는 공지 사항 전달이라는 공적인 상황에 맞게 '-습니다' 같은 격식 있는 표현을 사용하고 있다. (나)의 화자는 동아리 학생들 사이의 대화라는 자연스러운 상황에 맞게 친밀한 표현을 사용하고 있다.
② (가)의 의사소통 참여자인 학생회는 다른 학생들에게 공지 사항을 전달하고 있으므로 사회적 차원의 의사소통을 하고 있다고 볼 수 있다. (나)는 학생 간의 대화이므로 개인적 차원의 의사소통을 하고 있다고 볼 수 있다.
③ (가)의 의사소통 참여자인 학생회는 개선해야 할 점을 건의해달라는 요청을 전달할 뿐, 대안을 조정하고 있지 않다. (나)의 대화 참여자인 학생 1~3은 합의에 이르기 위해 면학실 개선 요구라는 건의 사항을 조정하고 있다.
④ (가)의 필자는 '개선해야 할 점을 건의해 주시면 학생들의 공감 정도를 바탕으로 학생회에서 선정하'겠다고 했으므로 인터넷 매체의 양방향적인 특징을 활용해 학생들의 반응을 요구했다고 볼 수 있다. 또한 (나)의 화자는 화자와 청자가 양방향적으로 소통할 수 있다는 대화의 특징을 활용하여 상대방의 반응을 요구하고 있다.

**5** ② 정답률 84%

정답풀이

[A]에서 '학생 1', '학생 2', '학생 3'은 학생회 블로그에 올라온 공지 사항을 공유하고 있는데, '학생 3'은 '학생 참여 예산제'가 무엇인지 질문했으므로 낯선 용어에 대한 설명을 요청했다고 볼 수 있다.

오답풀이

① [A]에서 '학생 2'는 '학생 1'의 질문에 답할 뿐, 발화 내용을 요약하고 있지 않으며, 자신의 이해 여부를 확인하고 있지도 않다.
③ [B]에서 '학생 3'은 정수기 옆에 종이컵을 설치하면 '편하긴 할 텐데'라고 일부 동의하지만, '쓰레기도 너무 많이 생기고 환경 호르몬 때문에 건강에도 안 좋을 것 같'다며 부정적인 결과를 언급하고 있다.
④ [B]에서 '학생 2'는 '학생 1'의 의견에 대해 '조금 귀찮고 불편해도 개인 컵을 사용하는 것이 좋'겠다며 의견을 제시하고 있을 뿐, '학생 1'의 의견의 문제점을 지적했다고 볼 수 없다.
⑤ [A]와 달리 [B]에서 '학생 2'는 '조금 귀찮고 불편해도 개인 컵을 사용하는 것이 좋지 않을까?'라며 질문의 형식을 활용해 자기 의견에 동의를 구하고 있다.

**6** ③ 정답률 74%

정답풀이

(나)의 '우리 제안이 실현되면 엄청 뿌듯하겠다.'와 '우리 제안이 실현되지 않더라도~의미 있을 것 같아.'라는 언급에서 공모 참여 의도를 확인할 수 있다. 그러나 (다)에는 건의문 작성 과정에서 얻은 긍정적 변화가 드러나지 않았다.

오답풀이

① (나)의 '카페는 사적 공간과 공적 공간의 경계여서 집중력이 올라가는 효과를~소개한 걸 본 적 있어.'라는 언급을 반영하여 (다)의 5문단에서 면학실을 개선하면 '집중력이 올라가므로 학생들의 학습 효과를 높일 수 있'다는 기대 효과를 나타냈다.
② (나)의 '하긴 '카공족'이라는~요즘 카페에서 공부하는 사람들이 많나 봐.'에서 '카공족'이 많아진 현상을 언급하고 있다. 이를 반영하여 (다)의 2문단에서 "'카공족'을 들어 보셨나요?'라는 질문으로 문제에 대한 관심을 유도하고 있다.
④ (나)의 '나도 가끔 모둠 과제 할 때 카페에 가는데 은근히 비용이 많이 들더라고.'라는 언급을 반영하여 (다)의 2문단에서 경제적 부담을 이유로 면학실을 카페 같은 분위기로 개선할 것을 요구하고 있다.
⑤ (나)의 '나도 삼면이 꽉 막힌 1인용 책상으로만 되어 있어서 답답하게 느껴지더라고.'에서 언급한 불만족 의견을 반영하여 (다)의 3문단에서 '모둠이나 짝 활동을 할 수 있는 다양한 형태의 책상을 구비'해 달라는 해결 방안을 제시하고 있다.

**7** ⑤ 정답률 78%

정답풀이

(다)에서 '카페 같은 따뜻한 분위기가 조성되도록 조명을 설치해' 달라고 주장했다. 그러나 이와 관련된 근거로 기존의 면학실 분위기가 지닌 문제점을 제시하고 있지 않으므로, ㉣에 제시된 요건에 따라 기존 면학실 분위기의 다양한 문제점을 제시했다고 볼 수 없다.

오답풀이

① ㉠에 제시된 요건에 따라, 우리 학교 학생들의 공공의 이익과 관련해 '면학실 개선' 요구가 많았다는 설문 조사 결과를 제시했으므로 적절하다.
② ㉡에 제시된 요건에 따라, 개선된 면학실을 요구하는 입장뿐만 아니라 기존의 면학실 형태를 선호하는 학생들의 입장을 공평하게 고려했다고 볼 수 있으므로 적절하다.
③ ㉢에 제시된 요건에 따라, '예산을 고려하여 다음과 같은 우선순위에 따라 면학실을 개선해' 달라고 요청했으므로 예산에 따라 실현 가능한 방안인지를 고려했다고 볼 수 있다.
④ ㉢에 제시된 요건에 따라, '주변의 ○○고등학교'의 사례를 통해 '학생회 중심으로 이용 규칙을 마련하여 자율적으로 운영'하는 실현 방안을 제시했다고 볼 수 있다.

## [8~10] 작문

**8** ③ 정답률 95%

정답풀이

(나)에서 '재사용'의 개념, 실천 방법 등 정보를 전달하고 있는 것은 맞지만, 자신의 경험을 제시한 부분은 확인할 수 없다.

오답풀이

① (나)의 3문단에서 '리필 스테이션' 등의 예시를 제시해 재사용에 대한 이해를 돕고 있다.
② (나)의 1문단에서 '소 잃고 외양간 고친다.'라는 관용적 표현을 사용해 우리 사회의 일회용품 쓰레기 문제 해결을 위해 재사용에 주목해야 하는 현재 상황을 드러내고 있다.
④ (나)의 1문단에서 재사용을 통해 일회용품 쓰레기를 줄일 수 있다는 효용적 가치를 제시하고 있다.
⑤ (나)의 2문단에서 '폐품 따위를 가공하여 다시 활용하는' 재활용과 달리 재사용은 '물건이나 부품을 원형 그대로 다시 사용'한다고 설명하며 두 개념의 차이를 드러내고 있다.

**9** ⑤ 정답률 71%

정답풀이

ㄴ에서 리필 스테이션을 이용하면 '연간 10톤의 플라스틱을 절감'하는 효과가 있음을, ㄷ에서 아이스팩을 재사용하면 '생활 쓰레기 54톤을 감량하는 효과'가 있음을 알 수 있다. 따라서 ㄴ, ㄷ을 활용해 (나)에서 설명한 재사용 실천 방법과 효과를 보완할 수 있지만 재활용 시스템이 정비될수록 자원 낭비를 막을 수 있다는 점을 제시할 수는 없다.

오답풀이

① ㄱ에서 한국이 독일, 핀란드에 비해 빈 병 재사용률이 낮음을 알 수 있다. 따라서 (나)에서 '한국은 다른 나라에 비해 재사용의 비율이 낮은 편'이라고 한 것을 뒷받침하는 근거로 ㄱ을 추가할 수 있다.
② ㄴ에서 리필 스테이션을 이용하면 제품을 저렴하게 구매할 수 있음을 알 수 있다. 따라서 (나)에서 '이곳을 이용하면~쓰레기의 배출을 줄일 수 있다.'라고 언급한 리필 스테이션의 장점에 ㄴ을 활용해 제품 구매 비용 절감을 추가할 수 있다.
③ ㄷ에서 ○○구의 사례를 통해 아이스 팩을 재사용면 쓰레기 감량 효과가 있음을 알 수 있다. 따라서 (나)의 2문단~3문단에서 제시한 일상 속 재사용 실천 방법에 ㄷ의 아이스 팩 재사용을 추가할 수 있다.
④ ㄱ에서 재사용률을 올리면 '약 15,000명의 연간 에너지 사용량에 해당하는 에너지를 절약할 수 있'음을, ㄷ에서 '해양 생태계 교란의 가능성이 있는 아이스 팩을 재사용'하면 쓰레기를 감량하는 효과가 있음을 알 수 있다. 따라서 ㄱ, ㄷ을 활용해 재사용이 에너지 절약과 환경 오염 예방에 효과적임을 제시할 수 있다.

**10** ② 정답률 68%

정답풀이

〈보기〉와 달리 [A]에서는 (나)에서 설명한 재사용의 구체적 실천 방안인 '리필 스테이션'의 개념과 가치를 요약하여 서술하고 있다. 따라서 〈보기〉를 [A]로 고쳐쓸 때 '글의 주제가 강조되도록 글의 내용을 요약'하여 썼다고 보는 것이 적절하다.

오답풀이

① [A]에서 언급한 '리필 스테이션'은 (나)의 3문단에서 앞서 설명한 것이므로 추가적인 실천 방안이라고 볼 수 없다.
③ 재사용을 통해 '쓰레기가 될 뻔한 자원에 새 숨을 불어넣'어 문제를 해결할 수 있다는 태도 변화의 필요성은 〈보기〉와 [A]에서 공통적으로 언급했으므로 고쳐 쓸 때 반영한 조언이라고 볼 수 없다.
④ 일회용품 쓰레기 문제 해결을 위해 일상 생활에서 재사용을 실천하자는 것은 〈보기〉와 [A]에서 공통적이므로 고쳐 쓸 때 반영한 조언이라고 볼 수 없다.

2 회

⑤ 〈보기〉에서 어려운 용어를 쓰지 않았고, [A]에서 풀어서 설명하지 않았으므로 고쳐 쓸 때 반영한 조언이라고 볼 수 없다.

## [11~15] 문법(언어)

### 11 ① 정답률 73%

**정답풀이**

4문단에서 ㉠(자동적 교체)에는 '비음 앞에 평파열음인 'ㄱ, ㄷ, ㅂ'이 올 수 없다는 음운론적 제약 등으로 일어나는 교체'가 있다고 했다. '믿는'은 비음 'ㄴ' 앞에 평파열음인 'ㄷ'이 올 수 없다는 음운론적 제약에 의해 [ㄷ→ㄴ]으로 교체되어 [민는]으로 발음되므로 ㉠의 예로 볼 수 있다. 또한 5문단에서 ㉡(비자동적 교체)은 비음 뒤에 'ㄱ, ㄷ, ㅈ'과 같은 자음이 올 수 있음에도 '용언의 어간 말음이 비음으로 끝나고 뒤에 어미가 올 때'에 필연적 이유가 없이 교체 현상이 일어나는 경우가 있다고 했다. '안고'는 용언 '안다'의 어간 말음인 비음 'ㄴ' 뒤에 'ㄱ'으로 시작하는 어미가 올 때 필연적 이유 없이 된소리로 교체되어 [안:꼬]로 발음되므로 ㉡의 예로 볼 수 있다.

**오답풀이**

② '삶도'는 '음절의 종성에 두 개의 자음이 발음되는 것을 허용하지 않는 음운론적 제약'에 의해 [삼:도]로 발음되므로 ㉠의 예로 볼 수 있다. '김장'은 용언의 어간 말음이 비음으로 끝나고 뒤에 'ㄱ, ㄷ, ㅈ'으로 시작하는 어미가 온 것이 아니므로 [김장]으로 발음하며 ㉡의 예로 볼 수 없다.
③ '입은'은 받침의 'ㅂ'이 연음되어 [이븐]으로 발음하므로 ㉠의 예로 볼 수 없다. '넘다'는 용언의 어간 '넘-'의 말음인 비음 'ㅁ' 뒤에 'ㄱ, ㄷ, ㅈ'으로 시작하는 어미가 올 때에 [ㄷ→ㄸ]으로 교체되어 [넘:따]로 발음되므로 ㉡의 예로 볼 수 있다.
④ '밥만'은 비음 'ㅁ' 앞에 평파열음인 'ㅂ'이 올 수 없다는 음운론적 제약에 의해 [ㅂ→ㅁ]으로 교체되어 [밤만]으로 발음되므로 ㉠의 예로 볼 수 있다. '앉는'은 '음절의 종성에 두 개의 자음이 발음되는 것을 허용하지 않는 음운론적 제약'에 의해 [안는]으로 발음되므로 ㉡이 아닌 ㉠의 예로 볼 수 있다.
⑤ '닭이'는 받침의 'ㄺ' 중 'ㄱ'이 연음되어 [달기]로 발음하므로 ㉠의 예로 볼 수 없다. '삼고'는 용언 '삼다'의 어간 말음인 비음 'ㅁ' 뒤에 'ㄱ, ㄷ, ㅈ'으로 시작하는 어미가 올 때에 [ㄱ→ㄲ]으로 교체되어 [삼:꼬]로 발음되므로 ㉡의 예로 볼 수 있다.

### 12 ② 정답률 51%

**정답풀이**

윗글에서 하나의 형태소가 '앞이나 뒤에 오는 형태소에 따라' 다른 모습으로 실현되는 교체가 일어나서, 둘 이상의 이형태가 존재하면 이를 대표할 수 있는 형태를 하나의 '기본형'으로 정하고, '교체를 하지 않는 형태소'는 그 자체를 기본형으로 정한다는 것을 알 수 있다. ⓑ의 '책'은 환경에 따라 '책이[채기]', '책도[책또]', '공책은[공채근]'에서는 '[책]'으로, '책만[챙만]'에서는 '[챙]'으로 실현됨을 확인할 수 있다. 따라서 '책'은 이형태 '[책]', '[챙]' 중 대표할 수 있는 형태를 기본형으로 설정해야 하므로 기본형을 따로 정할 필요가 없다는 설명은 적절하지 않다.

**오답풀이**

① 윗글에서 '이형태들은 나타나는 조건이나 환경이 겹치지 않는 상보적 분포를 지닌다.'라고 했다. ⓐ의 '닭'은 '닭이[달기]', '통닭은[통달근]'에서는 '[닭]'으로, '닭도[닥또]'에서는 '[닥]'으로, '닭만[당만]'에서는 '[당]'으로 실현되므로, 이형태 '[닭]', '[닥]', '[당]'은 실현되는 환경이 다른 상보적 분포를 보인다고 볼 수 있다.
③ ⓒ의 '밥'은 환경에 따라 교체가 일어나 '밥이[바비]', '밥도[밥또]', '찬밥은[찬바븐]'에서는 '[밥]'으로, '밥만[밤만]'에서는 '[밤]'으로 실현됨을 알 수 있다.
④ ⓓ의 '달'은 앞이나 뒤에 어떤 형태소가 오든 형태소가 달리 실현되지 않고 항상 '[달]'로만 실현됨을 알 수 있다.
⑤ 윗글에서 '교체를 하는 형태소는 기본형을 따로 정'한다고 했으므로, 환경에 따라 '[잎]', '[입]', '[임]'으로 실현되는 ⓔ의 '잎'은 이형태들을 대표할 수 있는 기본형을 설정할 것임을 알 수 있다.

**오답률 Best ③**

③번을 선택한 학생들이 14%, ④번을 선택한 학생들이 20%로 높은 편이었어.

'이형태', '상보적 분포'라는 개념이 생소할 수 있지만, 지문형 문법 문제에서는 예를 들면서 개념을 구체적으로 설명해주니까 겁먹을 필요는 없어. 윗글에서 앞이나 뒤에 오는 형태소에 따라 교체가 일어나 달리 실현된 형태들을 이형태라고 했지. 예를 들어 '밥'은 '밥이[바비]'와 '밥도[밥또]', '찬밥은[찬바븐]'에서는 '[밥]'으로, '밥만[밤만]'에서는 '[밤]'으로 실현되고 이때 '[밥]'과 '[밤]'은 '밥'이라는 하나의 형태소가 환경에 따라 달리 실현된 이형태인 거야. 이와 달리 '달'은 '달이[다리]', '달도[달도]', '달만[달만]', '반달은[반다른]'에서 '[달]'이라는 하나의 형태만 나타났기 때문에 이 자체로 기본형이 되었어. ④번을 고른 학생들은 모든 단어가 이형태를 가질 거라고 오해했지만, '물'이나 '달'처럼 앞이나 뒤에 어떤 단어가 오더라도 형태가 유지되는 단어도 분명 있어.

### 13 ④ 정답률 80%

**정답풀이**

〈보기〉에서 피동 표현은 '행위의 주체가 중요하지 않거나 누구나 아는 사람이어서 말할 필요가 없을 때 사용'한다고 했다. ㉣에서 '대통령이 뽑혔다'는 뽑는 행위의 대상인 '대통령'이 아니라 대통령을 뽑는 행위의 주체인 '국민들'이 누구나 아는 사람이어서 말할 필요가 없을 때 피동 표현을 사용한 경우에 해당한다.

**오답풀이**

① 〈보기〉에서 '피동 표현은 행위의 주체보다 대상을 부각하고 싶을 때' 사용한다고 했다. 따라서 ㉠에서 피동 표현 '그가 벌에 쏘였다.'는 쏘는 행위의 주체인 '벌'보다 행위의 대상인 '그'를 부각한다고 볼 수 있다.
② 〈보기〉에서 피동 표현은 '행위의 주체를 분명하게 밝히지 않고자 할 때' 사용한다고 했다. 따라서 ㉡에서 피동 표현 '편지가 찢어졌다.'는 '편지'를 찢은 주체를 분명하게 밝히지 않는다고 볼 수 있다.
③ 〈보기〉에서 피동 표현은 '행위의 주체가 중요하지 않'을 때 사용한다고 했다. 따라서 ㉢에서 피동 표현 '내 이야기가 신문에 실렸다.'는 행위의 주체인 '기자'가 중요하지 않을 때 사용한 것이라 볼 수 있다.
⑤ 〈보기〉에서 피동 표현은 '행위의 주체를 분명히 설정하기 어려운 경우에 사용'한다고 했다. 따라서 ㉤에서 피동 표현 '추웠던 날씨가 풀렸다.'는 행위의 주체를 설명하기 어려워 피동 표현을 사용한 것이라 볼 수 있다.

### 14 ③ 정답률 35%

**정답풀이**

ㄴ(나는 여름만 좋아한다.)은 '좋아한다'라는 서술어 1개로 이루어진 홑문장이다. ㄷ(그녀는 시인이자 선생님이다.)은 '시인이자'와 '선생님이다'라는 서술어 2개로 이루어진 이어진문장이므로 ㄴ과 ㄷ의 서술어 개수는 다르다.

**오답풀이**

① ㄱ(나는 키가 크다.)은 주어 '나는'과 서술어의 역할을 하는 서술절 '키가 크다'로 이루어진 안은문장이다. 이때 서술절 '키가 크다'는 주어 '키가'와 서술어 '크다'로 이루어졌다. ㄷ은 주어 '그녀는'과 서술어 '시인이자', '선생님이다'로 이루어진 이어진문장이다. ㄱ과 ㄷ을 구성하는 문장 성분의 종류는 주어와 서술어로 동일하다.
② ㄱ은 주어 '나는'과 서술절 '키가 크다'로 구성되어 있고 서술절 '키가 크다'는 주어 '키가'와 서술어 '크다'로 구성된다. 따라서 주어와 서술어의 관계가 두 번 나타났다. ㄹ(그녀가 사과를 먹고 나는 배를 먹는다.)은 '그녀가 사과를 먹고'와 '나는 배를 먹는다'라는 2개의 절이 대등하게 이어져 있으므로 주어와 서술어의 관계가 두 번 나타났다.
④ ㄴ은 주어 '나는'과 목적어 '여름만', ㄹ은 주어 '그녀가', '나는'과 목적어 '사과를', '배를'을 포함하고 있다.

⑤ ㄷ과 ㄹ은 대등적 연결 어미 '-자', '-고'로 연결된 이어진문장이다.

**오답률 Best ❶**

①번을 선택한 학생들이 16%, ②번을 선택한 학생들이 34%로 높은 편이었어. 문법 개념이 익숙하지 않은 학생들은 '문장 성분'과 '품사'를 혼동하기 쉬운데, 그 중에서도 품사의 '동사, 형용사'와 문장 성분의 '서술어', 그리고 겹문장에서 '서술절'은 많은 학생들이 어렵게 생각하는 부분이야. 문법 개념은 한번 정리해두고 꾸준히 문제를 풀면 오래 기억할 수 있으니까 한번은 제대로 공부하는 것을 추천해. 서술절 개념에서 주의해야 할 것은 안은문장 내부에서 서술절이 전체 문장의 서술어 역할을 하고 그래서 주어와 서술절이 주어-서술어의 관계를 맺는다는 거야. 그래서 '나는 키가 크다'에서 주어 '나는'은 서술어인 서술절 '키가 크다'와 호응하고 서술절 내부의 주어 '키가'는 서술절 내부의 서술어 '크다'와 호응하는 거지.

<보기>의 예문 ㄱ(나는 키가 크다.)은 해설에서 설명한 대로 주어 '나는'과 '키가', 서술어 '크다'로 이루어져 있고, 예문 ㄷ(그녀는 시인이자 선생님이다.)은 주어 '그녀는'과 서술어 '시인이자', '선생님이다'로 구성되어 있어. 그래서 ①번 ㄱ과 ㄷ을 구성하는 문장 성분은 주어와 서술어로 동일했던 거야. 한편 예문 ㄱ에서 주어 '나는'과 서술어 '키가 크다', 서술절 내부 주어 '키가'와 서술어 '크다'가 주어와 서술어 관계이므로 ㄱ에서 주어와 서술어 관계는 두 번 나타났고, '그녀는 사과를 먹고'와 '나는 배를 먹는다'가 대등하게 연결된 ㄹ에서 주어와 서술어 관계는 두 번 나타났다고 보는 게 맞지.

**15** ① 정답률 80%

정답풀이

㉠에는 현대어 풀이의 '가겠습니다'에 대응되는 동사 '가다'의 미래 시제가 들어가야 하므로, 선어말 어미 '-리-'를 사용한 '가리이다'가 들어간다. ㉡에는 현대어 풀이의 '스승이시다'에 대응되는 '체언+이다'의 현재 시제가 들어가야 하므로, 특정한 선어말 어미를 사용하지 않은 '스스이시다'가 들어간다. ㉢에는 현대어 풀이의 '묻는다'에 대응되는 동사 '묻다'의 현재 시제가 들어가야 하므로, 선어말 어미 '-ᄂᆞ-'를 사용한 '묻ᄂᆞ다'가 들어간다.

## [16~19] 고전시가+현대수필

**16** ④ 정답률 88%

정답풀이

(가)의 〈언학 제4수〉에서 화자는 학문을 닦던 길을 버려두고 '어듸 가 다니다가 이제야' 돌아온 자신의 삶을 성찰하고 있다. (나)에서 '우리(감방에 있는 동지들)'는 글을 읽고 싶은 욕구를 가지고 있으며, 이러한 욕구를 충족하기 위해 간수들에게 뒤지로 얻은 기관지나 신문지를 돌려 가며 윤독하고 있다.

오답풀이

① (가)의 화자는 지금은 없는 '고인'이 가던 학문의 길을 따르겠다고 했지만 그리워하는 심정을 나타낸 것은 아니다. (나) 또한 곁에 없는 사람을 그리워하는 심정과는 거리가 멀다.

② (나)에서 '우리'가 '무슨 꾀를 부리고 무슨 방법을 쓰든지 간에 신문 조각을 돌려 가며 윤독하'려는 모습은 다른 사람의 문제 상황을 해결해 주려는 자세로 볼 수 있다. 그러나 (가)의 화자는 자연 속에서 허물 없이 학문을 닦는 삶을 살고자 할 뿐, 다른 사람이 처한 문제 상황을 해결해 주려고 한다고 볼 수 없다.

③ (가)와 (나)에서 부정적으로 인식하는 주변 사물을 확인할 수 없으므로, 부정적 인식이 긍정적 인식으로 바뀐다고 볼 수 없다.

⑤ (가)에서 화자는 역사적 인물인 '고인'이 가던 학문의 길을 따르고자 할 뿐 비판적 태도를 보이고 있지 않다. (나)의 '우리'는 감옥에 억압되어 살면서도 그 안에서 글을 읽고자 노력하므로 현실 상황에 대한 수용적 태도를 보인다고 말하기 어렵다.

**17** ⑤ 정답률 69%

정답풀이

〈보기〉에서 발문에는 제자들이 이 작품을 향유하게 하여 '지향할 만한 삶의 방식과 바람직한 가치를 마음에 새기게 하려는 교육적 의도를 가지고 있었음이 드러'난다고 했다. 〈언학 제6수〉에서 화자는 학문 수양이 '우부'도 알며 할 수 있을 만큼 쉽지만, '성인'도 못다 할 만큼 어려움을 말하고 있을 뿐 제자들에게 '성인'을 본받아야 함을 보여주려는 의도가 반영된 것은 아니다.

오답풀이

① 〈보기〉에서 '〈언지〉에는 자연 속에 살며 인간의 선한 본성을 회복하기를 바라는 뜻'이 나타났다고 했다. (가)의 〈언지 제2수〉에서 화자가 '연하'와 '풍월' 같은 자연을 가까이 하며 '허물' 없이 살고자 하는 것은 자연 속에서 인간의 선한 본성을 회복하기를 바란 것으로 볼 수 있다.

② 〈보기〉에서 '〈언학〉에는 선한 본성 회복을 위해 학문에 힘쓰겠다는 의지가 나타'났다고 했다. (가)의 〈언학 제4수〉에서 화자가 이제 돌아온 학문 수양의 길 외의 '다른 데'에는 'ᄆᆞ음' 두지 않겠다고 다짐하는 것에는 학문에 열중하겠다는 의지가 담겨 있다고 볼 수 있다.

③ 〈보기〉에서 '발문'에는 '지향할 만한 삶의 방식과 바람직한 가치를 마음에 새기게 하려는 교육적 의도를 가지고 있었음이 드러'난다고 했다. 이에 따르면 (가)의 〈언지 제1수〉에서 자연을 사랑하는 버릇인 '천석고황'을 고치지 않겠다고 한 것에는 이것이 지향할 만한 삶의 방식이라는 인식이 반영되었다고 볼 수 있다.

④ 〈보기〉에서 발문에는 제자들이 이 작품을 향유하게 하여 '지향할 만한 삶의 방식과 바람직한 가치를 마음에 새기게 하려는 교육적 의도를 가지고 있었음이 드러'난다고 했다. 이에 따르면 (가)의 〈언학 제3수〉에서 화자가 '고인'이 '가던 길' 즉 학문의 길을 따르려는 것은 이것이 제자들로 하여금 마음에 새길 만큼 바람직한 가치라고 생각했음이 반영되었다고 볼 수 있다.

**18** ① 정답률 63%

정답풀이

㉠(순풍이 죽다 ᄒᆞ니~진실로 올흔말이)에서는 '거즛말'과 '올흔말'을 대조하여, '순풍이 죽다' 하는 말은 거짓말이고, '인성이 어지다' 하는 말은 옳은 말이라는 자신의 판단을 드러내고 있다.

오답풀이

② ㉠은 '순풍이 죽다 ᄒᆞ니'와 '인성이 어지다 ᄒᆞ니'에서 다른 사람의 말을 인용하고 있으나, 자신이 주변 사람에게 준 영향을 강조하고 있지는 않다.

③ ㉡(사람이 하고 싶어 하는 의욕은~역시 인간인가 싶었다.)은 감옥 안에서 글을 읽기 위해 노력했던 일을 통해 '의욕은 벌을 받거나 모욕을 당하는 것만으로'는 버릴 수 없다는 깨달음을 얻었다는 것을 전달하고 있을 뿐, 우화적인 표현을 사용하지는 않았다.

④ ㉡에서 유사한 형태의 구절을 반복하지 않았고, 상황이 나아지리라는 기대도 확인할 수 없다.

⑤ ㉠과 ㉡에서 말을 건네는 방식을 사용하지 않았으며, 상대와 유대감을 강화한다고 보기도 어렵다.

**19** ② 정답률 70%

정답풀이

(나)에서 '경찰서'는 '왜정 당시 경찰계의 유일한 기관지로서 '경무휘보'란 것'의 '재고품이 상당히 풍부한'지 이것을 '우리들에게 뒤지'로 공급했다고 말한다. 즉 경찰서가 '경무휘보'로 '우리들에게 뒤지를 공급하'는 것은 재고품이 많았기 때문이지, 글쓴이와 동지들이 노력한 결과라고 볼 수는 없다.

오답풀이

① 〈보기〉에서 '(나)에는 글을 읽는 것이 일상적이었던 사람들'이 '투옥 생활 중에도 읽을거리를 얻기 위해 노력하며 글을 읽으려는 의지를 보이는 모습'이 드러난다고 했다. (나)에서 글쓴이가 화장실에서 사용하는 '뒤지'를 '도서관에서 책을 대하듯이 귀중한 읽을거리'로 인식하는 것에서 투옥 생활에서 읽을거리를 접하기 쉽지 않았던 처지를 알 수 있다.

③ 〈보기〉에서 '(나)에는 글을 읽는 것이 일상적이었던 사람들'이 '글을 읽으려는 의지를 보이는 모습'이 드러난다고 했다. (나)에서 우리는 '글발이 있는 종잇조각이라도 얻어 읽'으면 '한결 지루한 시간이 쉽사리 지나는 것만 같았다.'고 한 것에는 글쓴이와 동지들이 글을 읽을 때 느낀 만족감이 드러났다고 볼 수 있다.

④ 〈보기〉에서 '(나)에는 글을 읽는 것이 일상적이었던 사람들'이 '투옥 생활 중에도 읽을거리를 얻기 위해 노력하며 글을 읽으려는 의지를 보이는 모습'이 드러난다고 했다. (나)에서 우리들이 '다 각각 얻은 뒤지를 서로 돌려 가며 보는 것'은 글을 읽으려는 글쓴이와 동지들의 의지를 보여준다고 볼 수 있다.

⑤ 〈보기〉에서 '(나)에는 글을 읽는 것이 일상적이었던 사람들'이 글을 읽는 것을 포기하지 않으려는 의지를 보이는 모습이 드러난다고 했다. (나)에서 글쓴이가 '사람이 하고 싶어 하는 의욕'이 있으면 '벌을 받거나 모욕을 당'해도 '버리지 못하는 것'이 '인력으로 좌우할 수 없는 본능의 소치인 듯하'다고 생각한 것은 현실적 어려움에도 글 읽기를 포기하지 않으려는 글쓴이의 모습을 반영했다고 볼 수 있다.

## [20~25] 사회

### 20 ③ 정답률 84%

**정답풀이**

(가)는 헌법의 특질인 '최고규범성', '자기보장성', '권력제한성'을 병렬적으로 설명하고, (나)는 헌법해석학에 영향을 미친 헌법관인 '법실증주의적 헌법관', '결단주의적 헌법관', '통합론적 헌법관'을 병렬적으로 제시하며 헌법의 특징을 설명하고 있다. 따라서 ⓐ는 '적절'하다고 평가할 수 있다. (나)는 '헌법의 해석이 문제되'면 '세 가지 헌법관을 함께 생각'해야 한다고 했으므로 서로 다른 견해를 절충했다고 볼 여지는 있으나 (가)는 헌법의 세 가지 특질을 설명하면서 서로 다른 견해를 조정하여 절충하고 있지 않으므로 ⓑ는 '부적절'하다고 평가할 수 있다. (나)는 2문단~3문단에서 세 헌법관의 긍정적 측면과 부정적 측면을 함께 밝혔으므로 ⓒ는 '적절'하다고 평가할 수 있다.

### 21 ③ 정답률 71%

**정답풀이**

(가)의 2문단에서 헌법은 '스스로를 보장하지 않으면 안 된다.'고 했고, '국가 권력이 그 효력을 부정하거나 침해할 수 없도록 헌법재판제도와 같은 장치를 스스로 마련하여 지니'는 '자기보장성'이라는 특징을 가진다고 했다. 즉 '자기보장성'은 헌법의 효력을 보장하기 위한 장치를 헌법 내에 스스로 마련하여 지니는 것이다.

**오답풀이**

① (가)의 2문단에서 '헌법재판은 일반 소송과 달리 국가 기관이 그 재판 결과를 따르지 않아도 이를 강제적으로 따르게 할 수 없는 한계가 있다'고 했으므로 헌법이 국가 기관의 행위를 일반 소송을 통해 제한한다고 볼 수 없다.

② (가)의 1문단에 따르면 '헌법이 국민적 합의에 의해 제정되었기 때문에 인정'되는 것은 '자기보장성'이 아니라 '최고규범성'이다.

④ (가)의 1문단에서 '헌법의 하위에 있는 법규범들은 헌법으로부터 그 효력을 부여 받으며 존속을 보장 받'는다고 했고, 2문단에서 헌법은 '스스로를 보장'한다고 했으므로, 하위의 법규범에 의해 헌법의 효력이 보장된다고 볼 수 없다.

⑤ (가)의 3문단에 따르면 '국가 작용을 담당하는 기관이 그 권한을 남용하여 오히려 국가가 추구하는 목적인 공통의 가치를 위험에 빠뜨리지 않도록 노력'하는 것은 헌법이 가진 '권력제한성'을 말한다.

### 22 ⑤ 정답률 53%

**정답풀이**

(가)의 2문단에서 '헌법재판소의 결정은 국가 권력을 포함한 헌법의 적용을 받는 모든 대상들이 이를 존중하는 조건하에 실현된다.'라고 했다. 따라서 헌법이 '국민적 합의에 의해 제정되었기 때문에 인정'되는 최고 규범으로서의 효력은 강제 수단이나 법적 제재가 아니라, '헌법의 내용'에 적용 받아 그것을 실현하고자 하는 '모든 구성원'들이 이를 존중하는 '적극적 의지'가 있는지에 영향받는다고 볼 수 있다.

**오답풀이**

① (가)의 2문단에서 '헌법재판은 일반 소송과 달리 국가 기관이 그 재판 결과를 따르지 않아도 이를 강제적으로 따르게 할 수 없는 한계가 있다.' 고 했으므로 헌법의 최고 규범으로서 효력이 강제 수단 마련에 좌우된다고 볼 수 없다.

② (가)의 2문단에서 '헌법재판소의 결정은 국가 권력을 포함한 헌법의 적용을 받는 모든 대상들이 이를 존중하는 조건하에 실현된다.'라고 했으므로, 헌법이 최고 규범으로서 효력을 발휘하기 위해선 입법부의 존중 또한 필요하다고 볼 수 있다.

③ (가)의 1문단에 따르면 헌법의 '최고규범성'은 '국민적 합의에 의해 제정되었기 때문'에 인정되므로, 헌법재판소의 법적 권위에 따라 최고 규범으로서 헌법의 효력이 좌우된다고 볼 수 없다.

④ (가)의 2문단에서 '헌법재판은 일반 소송과 달리 국가 기관이 그 재판 결과를 따르지 않아도 이를 강제적으로 따르게 할 수 없는 한계가 있다.'라고 했으므로 헌법의 최고 규범으로서 효력이 국가 권력의 법적 제재 수단에 좌우된다고 볼 수 없다.

**오답률 Best 4**

헌법은 최고규범성에도 불구하고 '스스로를 보장'해야 하는 '자기보장성'을 가지고 있으며 '국가 기관이 그 재판 결과를 따르지 않아도 이를 강제적으로 따르게 할 수 없는 한계'를 지니고 있어. 22번 문제는 헌법의 이러한 한계 및 특징과 관련해서 '헌법의 최고 규범으로서의 효력'이 어디에 영향 받는지를 파악할 수 있는지 묻고 있어.

①번을 선택한 학생들이 10% 정도였어. ①번을 고른 학생들은 '헌법재판소가 자기가 내린 결정을 입법부로 하여금 강제로 지키게 할 수 있는 수단이 따로 없'으니 강제하는 수단을 만들어야 한다고 생각한 것으로 보이는데, (가)의 2문단에서 헌법재판소의 결정은 '국가 권력을 포함한 헌법의 적용을 받는 모든 대상들이 이를 존중하는 조건하에 실현된다.'고 했으므로 결정 이행을 강제하는 수단을 마련하는 것은 최고 규범으로서 헌법의 효력에 영향을 미칠 수 없어.

②번을 선택한 학생들이 17% 정도였어. 근데 헌법재판소가 자기가 내린 결정을 입법부에게 강제로 지키게 할 수 있는 수단이 없는 한계가 있다고 한 것은 이미 입법부가 헌법재판소와는 구분되는 독자성을 가지고 있음을 보여줘. 따라서 헌법이 입법부를 강제할 수 없는 한계에도 최고 규범으로서 효력을 가지는 게 '입법부의 독자성'에 좌우된다는 설명은 적절하지 않았어.

### 23 ② 정답률 75%

**정답풀이**

(나)의 2문단에서 법실증주의 헌법관은 '산업화, 다원화에 따라 변화하는 사회와 그에 따라 변화된 헌법을 이론적으로 설명하기 어려웠고, 정해진 법규범을 지나치게 강조하여 실정법 만능주의라는 비판을 받았다.'라고 했다. 또한 4문단에서 통합론적 헌법관은 '헌법을 완성물이 아닌 하나의 과정으로 바라보며 오늘날의 민주주의적 상황과 다원적 산업사회의 현실을 효과적으로 설명하였다.'라고 했다. 따라서 '통합론적 헌법학자'의 관점에서 '법실증주의 헌법학자'가 정해진 법규범을 지나치게 강조하여 변화하는 사회와 헌법을 설명하지 못하는 점을 비판할 수 있다.

**오답풀이**

① (나)의 2문단에 따르면, 법실증주의적 헌법관은 '권력자의 자의적 통치를 배제하고 법규범에 의한 통치를 지향하며 등장'했으므로, ①번은 '통합론적 헌법학자' 입장에서 '법실증주의 헌법학자'를 비판한 내용으로 볼 수 없다.

③ (나)의 2문단에 따르면, 법실증주의 헌법학자는 '존재적 요소인 도덕 · 자연법 등을 배제하고 당위'를 연구 대상으로 규정했으므로 ③번은 '통합론적 헌법학자' 입장에서 '법실증주의 헌법학자'를 비판한 내용으로 볼 수 없다.

④ (나)의 3문단에 따르면, 헌법을 '헌법제정권력자'의 결단으로 보며 그의 의지에 주목하는 것은 결단주의적 헌법관이므로 ④번은 '통합론적 헌법학자'의 입장에서 '법실증주의적 헌법학자'를 비판한 내용으로 볼 수 없다.

⑤ (나)의 3문단에 따르면, '국가를 권력 투쟁의 장이 되게' 한 것은 결단주의적 헌법관이므로 ⑤번은 '통합론적 헌법학자'의 입장에서 '법실증주의적 헌법학자'를 비판한 내용으로 볼 수 없다.

## 24 ③ 정답률 54%

**정답풀이**

(나)의 2문단에 따르면 법실증주의적 헌법관은 '권력자의 자의적 통치를 배제하고 법규범에 의한 통치를 지향'한다. 한편 〈보기〉에서 ⓐ(심판대상조항)는 대형 마트와 중소 유통업의 상생을 위해 대형 마트의 영업시간 및 휴업일을 규정하는 법률이고, 헌법 제119조 제2항에 따라 경제주체 간의 조화로 경제를 규제하고 조정한다는 점에서 '입법 목적의 정당성'이 인정된다고 했다. 따라서 ⓐ에는 권력자의 통치 이념이 아니라 경제에 대한 규제와 조정이라는 헌법적 가치가 반영되어 있다고 볼 수 있다.

**오답풀이**

① (가)의 1문단에 따르면 헌법의 최고규범성은 '헌법이 국민적 합의에 의해 제정되었기'에 인정되고 이에 따라 헌법의 하위에 있는 법률은 '헌법에 합치되어야 하며', '적극적으로 헌법적 가치를 실현'해야 한다. 〈보기〉의 ⓐ는 헌법 제119조 제2항에 따라 '입법 목적의 정당성'이 인정되므로, '경제주체 간의 조화'라는 헌법적 가치를 실현한다고 볼 수 있다.

② (가)의 3문단에 따르면 헌법의 권력제한성은 국가 기관이 권한을 남용하여 '국가가 추구하는 목적인 공통의 가치를 위험에 빠뜨리지 않도록 노력'하는 것이라고 했다. 한편 〈보기〉에서 ⓑ(심판대상조항)는 해고예고제도에서 예외를 규정한 것이 '근로자의 권리를 침해'한다는 점에서, 헌법 제32조 제3항에서 '근로조건의 기준은 인간의 존엄성을 보장하도록 법률'로 정해야 한다고 한 것에 어긋나므로 헌법에 위배된다고 보았다. 따라서 ⓑ는 해고예고제도 등의 적용 대상 범위를 정하는 입법자의 권한이 인간의 존엄성이라는 국가 공통의 가치를 실현하려는 헌법적 가치를 실현하는 범위 내로 한정되어야 한다고 볼 것이다.

④ (나)의 3문단에 따르면 결단주의적 헌법관은 헌법을 '헌법제정권력의 근본적 결단'으로 본다. 〈보기〉에서 ⓑ는 '근로자의 권리를 침해'하여 '헌법에 어긋'났기에 헌법에 위배되었다고 했다. 따라서 결단주의적 헌법관에 따르면 ⓑ는 '인간의 존엄성을 보장'해야한다는 헌법제정권력자(주권자)의 의사를 반영하지 못한 것으로 볼 수 있다.

⑤ (나)의 4문단에 따르면 통합론적 헌법관은 헌법을 '공감대적인 가치를 바탕으로 국가의 통합을 실현하고 촉진하기 위한 것'으로 본다. 〈보기〉에서 ⓐ에 대해 '국가는 경제주체 간의 조화를 통한 경제의 민주화를 위하여 경제에 관한 규제와 조정을 할 수 있다.'고 했으므로, 통합론적 헌법관에 따르면 ⓐ에는 '경제의 민주화'를 통해 국가의 통합을 실현하려는 노력이 반영되었다고 볼 수 있다.

**오답률 Best 5**

④번을 선택한 학생들이 24%나 되었어. (나)의 3문단에서 ④번이 적절한 이유를 쉽게 찾을 수 있는데도, 헌법과 ⓐ, ⓑ 조항의 관계를 이해하지 못한 학생들이 정답 선지 외의 다른 선지들을 골라 오답률이 높았지. <보기>는 헌법 조항의 내용을 제시하고, 헌법에서 특정 법률 즉 심판대상조항 ⓐ, ⓑ가 헌법 규정에 합치되는지, 위배되는지 판단하는 내용을 제시하고 있어.

(나)의 4문단에서 결단주의적 헌법관은 '헌법을 헌법제정권력의 근본적 결단'으로 보며, 헌법이 '주권자인 헌법제정권력자'의 의사에 따라 정립되었기 때문에 정당성을 가진다고 봐. 따라서 <보기>의 ⓑ가 '근로조건의 기준은 인간의 존엄성을 보장하도록 법률'로 정해야 한다는 주권자의 의사에 따라 성립된 헌법에 위배되었다는 점에서, '인간의 존엄성을 보장'해야 한다는 주권자의 의사가 반영되지 못했다고 볼 수 있었기 때문에 적절했던 거야.

## 25 ① 정답률 94%

**정답풀이**

㉠(따르지)과 ①번의 '따르며'는 '관례, 유행이나 명령, 의견 따위를 그대로 실행하다.'라는 뜻으로 사용되었다.

**오답풀이**

② '다른 사람이나 동물의 뒤에서, 그가 가는 대로 같이 가다.'라는 뜻으로 사용되었다.

③ '앞선 것을 좇아 같은 수준에 이르다.'라는 뜻으로 사용되었다.

④ '어떤 일이 다른 일과 더불어 일어나다.'라는 뜻으로 사용되었다.

⑤ '남이 하는 대로 같이 하다.'라는 뜻으로 사용되었다.

### [26~30] 인문

## 26 ① 정답률 89%

**정답풀이**

윗글은 서양철학에서 철학자들이 기억과 망각을 어떻게 인식하는지에 대해 설명한다. 이때 피히테와 니체의 사유를 중심으로 인간의 사상을 탐구하고 있으므로 ㉮에 '인간의 사상을 탐구하고 있으므로, 글에 담긴 관점을 정확하게 파악'이 들어가는 것이 적절하다.

**오답풀이**

② 윗글은 기억과 망각에 대한 서양철학자들의 인식을 설명할 뿐, 사회 현상을 다루고 있지 않으므로 관련된 배경지식을 활용하며 읽는 것은 적절하지 않다.

③ 윗글에서 삶의 문제를 개별 요소나 성질로 나누어 분석하고 있지 않으므로, 글에 반영된 사회적 요구를 논리적으로 평가하며 읽는 것은 적절하지 않다.

④ 윗글에서 사실과 법칙을 원인과 결과에 따라 설명하고 있지 않다.

⑤ 윗글에 기억과 망각에 대한 서양철학자들의 연구가 제시되었다고 보더라도, 연구 성과를 실생활에 응용했다고 보기는 어렵다.

## 27 ⑤ 정답률 81%

**정답풀이**

5문단에서 니체는 '철저한 망각은 현실적으로 불가능할 뿐만 아니라, 현재를 향유할 수 있도록 어느 정도 지속되는 기억이 필요'하다고 보았음을 알 수 있다. 따라서 니체는 현재를 행복하게 살아가기 위해 철저한 망각이 필요하다고 본 것은 아니다.

**오답풀이**

① 1문단에서 플라톤은 '이데아에 대한 기억이 그것에 대한 망각보다 뛰어난 상태라고 이야기함으로써 둘 사이에 가치론적 이분법을 설정'했다고 했으므로 적절하다.

② 1문단에서 하이데거는 '진리가 망각이 없는 상태, 즉 기억이 지배하는 상태를 의미한다고 강조'했다고 했으므로 적절하다.

③ 1문단에서 '전통적인 서양철학에서 기억은 긍정적인 능력으로, 망각은 부정적인 능력으로 인식'되었다고 하였으며, 3문단에서 니체는 이를 거부하며 '기억이 부정적이고 수동적인 능력이라면, 망각은 능동적이며 창조적인 능력이라고 인식'했으므로 적절하다.

④ 3문단에서 니체는 '새로운 음식을 먹으려면 위를 비워야 하며~과거의 기억들이 정신에 가득 차 있다면 무언가를 새롭게 인식하는 것은 불가능하다' 말하며 신체와 관련된 사례를 제시하여 망각을 긍정하고 있다.

## 28 ② 정답률 81%

**정답풀이**

2문단에 따르면 ㉢(자기의식)이 있기 위해선 ㉠(기억)이 전제되어야 하고, 이를 통해 '이 의자'가 과거 '그때의 의자라고 주장'하고 '과거의 '나'와 현재의 '나'가 같음'을 인식하고 주장하는 ㉡(A는 A이다)이 성립할 수 있다. 따라서 ㉠이 가능해야 ㉢도 가능하다고 볼 수 있다.

**오답풀이**

① ㉠이 있어야 ㉡에 의거한 주장이 가능하므로 적절하지 않다.

③ ㉠이 있어야 ㉡에 의거한 주장이 가능하므로 ㉡이 성립해야 ㉠이 성립한다고 볼 수 없다.

④ ㉠이 가능해야 ㉢이 가능하므로 ㉢이 ㉠을 위해 존재한다는 것은 적절하지 않다.

⑤ ㉢이 있기 위해서는 ㉠이 필요하므로 ㉡이 아니라 ㉠이 전제되어야 한다.

## 29 ② 정답률 46%

**정답풀이**

2문단에서 피히테가 주장한 'A는 A이다'라는 명제는 '과거의 A가 현재의 A이다'라는 주장으로 현실화되며, 이런 주장이 가능하기 위해서는 '과거의 의자를 기억하고 있어야 한다는 것'이 전제되어야 한다고 했다. 그러나 〈보기〉의 을이 '지난 시험은 지난 시험'이라고 주장한 것은 '과거의 A가 현재의 A이다'라는 명제의 형태에 부합하지 않는다. 따라서 피히테는 을의 주장이 '시험은 시험이다'라는 명제가 현실화된 것이라고 보지 않을 것이다. 피히테의 관점에 따라 '시험은 시험이다'라는 명제는 '과거의 시험이 현재의 시험이다'로 현실화될 수 있다.

**오답풀이**

① 〈보기〉의 을은 과거의 지갑을 기억하고 있다. 2문단의 피히테의 관점에서 을이 과거의 지갑을 기억하는 것은, '자신을 기억하는 것과 마찬가지'이므로, 피히테는 을이 선물을 받았던 과거의 자신과 현재의 자신이 같음을 '기억의 능력'을 통해 의식하고 있다고 볼 것이다.

③ 3문단에서 니체는 '기억에만 집착하는 사람들은 새로운 것을 낯설고 불편한 것으로 여겨 변화와 차이를 긍정할 수 없기 때문에 현재를 행복하게 살아갈 수 없'다고 했다. 니체에 따르면 〈보기〉의 을이 과거의 지갑에 집착하는 것은 지갑을 새로 사는 것을 긍정하지 않기 때문이라고 볼 수 있다.

④ 〈보기〉의 을은 지난 시험에 집착하지 않는다. 3문단에서 니체는 '기억이 부정적이고 수동적인 능력이라면, 망각은 능동적이며 창조적인 능력이라고 인식'했고 '기억에만 집착하는 사람들은 ~현재를 행복하게 살아갈 수 없'다고 보았다. 따라서 〈보기〉의 을이 지난 시험을 잊고 '이번 국어 시험'을 열심히 준비하는 모습을 본 니체는 그가 현재를 행복하게 살아갈 수 있는 사람이라고 볼 것이다.

⑤ 4문단에서 니체는 아이가 부서진 모래성을 보고도 '새로운 모래성을 만들 수 있음을 직감하기 때문에' 좌절하지 않는다고 보았다. 따라서 〈보기〉의 을이 지난 시험 결과에 좌절하지 않는 것을 본 니체는 그가 다음 시험에서 좋은 결과를 얻을 것을 직감하기 때문이라고 볼 것이다.

**오답률 Best 2**

③번을 선택한 학생들이 17%, ⑤번을 선택한 학생들이 24%로 높은 편이었어.

③번과 ⑤번 사이에서 고민한 학생들은 ③번 선지에서 '을'이 '과거의 기억에 집착'한다고 했고, ⑤번 선지에서 을이 과거 시험 결과에 '좌절하지 않'고 다음 시험 등 미래의 좋은 결과를 직감한다고 했으므로 둘 중 하나는 틀렸다고 판단했지. 하지만 이건 선지를 두고 학생들이 투툭한 내용일 뿐, 윗글의 3문단~4문단에서 니체는 과거의 '기억에만 집착하는 사람들은 새로운 것을 낯설고 불편'하게 여기지만, 건강한 망각의 역량을 복원하기 위해서는 '새로운 모래성을 만들 수 있음을 직감'하고 즐거워하는 아이처럼 우울해 할 필요가 없다고 보았어. 따라서 <보기>의 '을'이 지갑에 대한 과거의 기억에 집착하여 새로 사는 것을 긍정하지 않은 ③번과 '지난 시험'을 잊고 '이번 국어 시험'을 준비하는 모습에서 좋은 결과를 직감한다고 본 ⑤번은 <보기>에 대해 적절하게 이해한 내용이었어.

## 30 ③ 정답률 73%

**정답풀이**

ⓒ(낯설고)는 '사물이 눈에 익지 아니하다.'를 뜻하므로, '뜻을 이해하기 어렵다.', '풀거나 해결하기 어렵다.'를 뜻하는 '난해하고'와 바꿔 쓸 수 없다.

**오답풀이**

① ⓐ(뛰어난)는 '남보다 월등히 훌륭하거나 앞서 있다.'를 뜻하므로, 이는 '다른 것보다 낫다.'를 뜻하는 '우월한'과 바꿔 쓸 수 있다.

② ⓑ(살아갈)는 '어떤 종류의 인생이나 생애, 시대 따위를 견디며 생활해 나가다.'를 뜻하므로, '일을 꾸려 나가다.'를 뜻하는 '영위할'과 바꿔 쓸 수 있다.

④ ⓓ(되찾은)는 '다시 찾거나 도로 찾다.'를 뜻하므로, '원래의 상태로 돌이키거나 원래의 상태를 되찾다.'를 뜻하는 '회복한'과 바꿔 쓸 수 있다.

⑤ ⓔ(찾아내고자)는 '찾기 어려운 사람이나 사물을 찾아서 드러내다.'를 뜻하므로, '미처 찾아내지 못하였거나 아직 알려지지 아니한 사물이나 현상, 사실 따위를 찾아내다.'를 뜻하는 '발견하고자'와 바꿔 쓸 수 있다.

### [31~34] 현대소설

## 31 ② 정답률 85%

**정답풀이**

윗글은 1인칭 주인공 '나'의 시점에서 어머니와 이모의 삶을 바라보며 인간에게 행복만큼 불행이 필수적이라는 모순에 대해 생각하는 '나'의 복잡한 내면 심리를 독백적 진술로 드러내고 있다.

**오답풀이**

① 윗글에서 계절적 배경을 묘사하는 부분은 확인할 수 없다.

③ 윗글은 '나'의 내면 심리를 드러내고 있을 뿐 의식의 흐름 기법이 사용된 부분을 확인할 수 없다. 의식의 흐름 기법은 무의식적으로 떠오르는 생각들, 인물의 단편적인 의식을 연속적으로 제시하는 기법이다.

④ '형은 이렇게 말하며 동생의 등을 툭 쳤다던가…….'와 '김장우는 어떠했는지 알 수 없지만.'을 추측의 진술로 볼 수 있지만 이를 통해 다른 인물에 대한 반감을 드러냈다고 보기 어렵다.

⑤ 윗글에서 과거와 현재를 교차 서술한 부분을 확인할 수 없다.

## 32 ④ 정답률 79%

**정답풀이**

ⓔ은 헤어진 다음날들을 죽음뿐이라고 생각한 이모와는 달리 '나는 잘 견디었'지만, '나'와 이별한 김장우의 심정은 알 수 없음을 보여 준다. '이모의 가르침대로'라면 김장우를 선택해야 하지만, '나'는 나영규와 결혼하기로 선택했다. 따라서 ⓔ은 나영규를 선택한 후, 김장우의 심정을 알 수 없음을 보여 줄 뿐 '나'의 소극적 태도를 보여준다고 볼 수는 없다.

**오답풀이**

① ㉠은 김장우가 형이 경영하던 여행사가 부서지는 것을 지켜봐야 하는 고통을 겪었던 것처럼 '나'에게도 '진모'와 어머니를 바라보는 고통이 있었음을 보여 준다.

② ㉡은 '나'가 아버지와 과거에 '슬픈 일몰을 이야기하고 아름다운 비밀 반쪽'을 나누던 추억을 애틋하게 생각함을 보여 준다.

③ ㉢은 '나'가 가출 후 중풍과 치매에 걸려 돌아온 아버지를 보며 '지금도 나를 알아보지 못하'는 아버지로 인해 앞으로도 '우리는 영영 서로를 알아보지 못한 채 헤어질 것'이라고 부정적으로 생각함을 보여 준다.

⑤ '일 년쯤 전'에 '나'는 '인생은 탐구하면서 살아가는 것'이라 생각했지만, 지금은 인생은 '살아가면서 탐구하는 것'이며 '실수는 되풀이된다. 그것이 인생이다'라고 그때 자신이 한 말을 수정한다. 따라서 ㉤은 실수를 반복하는 것이 인생이라는 '나'의 깨달음을 보여 준다.

## 33 ① 정답률 90%

**정답풀이**

어머니는 진모의 재판 때문에 사건 브로커에게 사기 당해 돈을 잃은 후 '법을 알아야 법과 싸워 이길 수 있다'며 서점에서 ⓐ(형법 책)를 사와 읽는다. 또한 어머니는 아버지를 위해 ⓑ(의학 책)를 선택했다. 또한 '나'는 어머니의 독서를 보며 '미래에 내 어머니가 읽어야 할 책이 무엇인지' 또 어떤 ⓒ(난해한 분야의 책)를 읽어야 하는지 알 수 없다고 생각한다. 이처럼 어머니는 예기치 않은 삶의 곤경에 처할 때마다 여러 권의 책을 읽고, '나'는 어머니가 세상에 맞서 싸우기 위해 책을 읽으리라 짐작하므로 '어머니의 독서'는 어머니에게 자신이 당면한 문제를 해결하기 위한 적극적 행위라고 볼 수 있다.

오답풀이

② 어머니는 진모를 위해 ⓐ를, 아버지를 위해 ⓑ를 읽으며, 미래에는 세상과 맞서기 위해 ⓒ를 읽을 것인데 이는 특정 대상과 차별화를 목적으로 한 행위로 보기는 어렵다.
③ 이모는 '많은 소설책이나 시집을 선택'했으나 어머니는 형법 책이나 의학 책을 선택했으므로 어머니의 독서가 정서적 안정을 위한 것이라 보기는 어렵다.
④ 어머니의 독서 목적은 일상에서 즐거움을 얻기 위해서가 아니라 '세상과 맞서 싸우기 위'함이다.
⑤ 윗글에서 어머니가 독서를 통해 가치관을 정리하며 성찰했는지는 확인할 수 없다.

## 34 ④ 정답률 59%

정답풀이

〈보기〉에서 '행복의 이면에 불행이 있고, 불행의 이면에 행복이 있'으며, 세상의 일들은 이렇게 '모순으로 짜여 있'다고 했다. '나'는 이모와 어머니의 삶을 보고 완벽하게 행복한 삶이나 완전히 불행하기만 한 삶은 없으며 '행복만큼 불행도 필수적'임을 깨닫는다. 따라서 '나'가 '어떤 종류의 불행과 행복을 택할 것인지' 결정하며 '내게 없었던 것은 선택'한 것이 '나'가 불행을 거부하려는 모습이 아니라 모순을 이해하여 삶의 본질에 가까워지는 것이라고 볼 수 있다.

오답풀이

① 〈보기〉에서 '행복의 이면에 불행이 있고, 불행의 이면에 행복이 있'다고 했다. 중풍과 치매에 걸린 아버지 때문에 생활이 '더욱 바빠'진 어머니는 표면적으로는 불행해 보이지만, '나날이 생기를 더해' 가는 것으로 보아 이면에 행복을 느낀다고 볼 수 있으므로 불행의 이면에 행복이 있다는 삶의 모순을 보여 준다고 볼 수 있다.
② 〈보기〉에서 '세상의 일들이란 모순으로 짜여 있으며' 이를 이해할 때 '삶의 본질 가까이로 다가갈 수 있'다고 했다. '나'는 아버지가 '왜 사랑하는 우리를 멀리하고 떠돌아야만 했는지' 그 모순을 이해할 수 없지만 그 모순이 '아버지가 내게 물려주고 싶었던 중요한 인생의 비밀'이라 생각한다고 볼 수 있다.
③ 〈보기〉에서 '해석의 폭을 넓히기 위해서는 사전적 정의에 만족하지 말고 그 반대어도 함께 들여다볼 일'이라고 했다. '그 다짐에 충실했던 일 년' 동안 내가 나영규와 김장우 중 누구와 결혼해야 할지 '살필 수 있는 만큼 다 살'피고 '생각할 수 있는 것은 다 생각'한 것은 반대 의미까지 탐구하여 모순된 생에 대한 이해를 확장한 것으로 볼 수 있다.
⑤ 〈보기〉에서 '풍요의 뒷면을 들추면 반드시 빈곤이 있고, 빈곤의 뒷면에는 우리가 찾지 못한 풍요가 숨어 있다.'라고 했다. '무덤 속 같은 평온'은 물질적 풍요 속에서도 정신적 빈곤에 시달리는 것을 '못 견뎌 했던' 이모의 모순된 삶을 드러낸다고 볼 수 있다.

## [35~38] 과학

## 35 ③ 정답률 89%

정답풀이

2문단에서 '식물 독의 주성분은 대부분 알칼로이드라는 물질인데 이는 질소를 함유하는 염기성 유기 화합물을 일컫는'다고 했을 뿐 알칼로이드가 질소를 함유하는 이유는 설명하지 않았다.

오답풀이

① 2문단에서 '아코니틴은 신경 세포의 나트륨 이온 통로를 계속 열어두기 때문에' 세포 안으로 나트륨 이온이 다량 유입되어 '나트륨 이온의 이동이 정상적으로 일어나지 않아, 전기 신호인 활동 전위가 신경 세포에서 일어나지 못하'여 '아세틸콜린이 분비되지 않아, 결국 호흡 곤란으로 이어'진다고 한 것에서 확인할 수 있다.
② 4문단의 복어의 독소인 테트로도톡신은 '복어가 스스로 만들어 내는 것이 아니라, 복어가 먹이로 섭취한 플랑크톤에 의해 축적되거나 복어 체내에 기생하는 균에 의해 만들어진다'에서 확인할 수 있다.
④ 4문단의 '살무사에게 물리면 '크로탈로톡신'이라는 독이 혈액 내의 혈구 세포와 혈소판 등을 파괴'해 근육이 괴사되고 출혈이 멈추지 않아 죽게 된다.'에서 확인할 수 있다.
⑤ 4문단에서 '오피오톡신'은 '시냅스에서 아세틸콜린 수용체와 결합해 근육으로의 정보 전달이 방해'되며 '크로탈로톡신'은 '혈액 내의 혈구 세포와 혈소판 등을 파괴한다.'고 한 것에서 확인할 수 있다.

## 36 ④ 정답률 73%

정답풀이

5문단에서 '유입된 독과 서로 반대 작용을 하는 독'을 해독제로 활용할 수 있다고 했고, 3문단에서 '아트로핀은 부교감 신경의 시냅스에서 아세틸콜린 대신에 아세틸콜린 수용체와 결합함으로써 아세틸콜린의 작용을 방해'한다고 했다. 즉 아트로핀은 부교감 신경의 스냅스에서 아세틸콜린이 아세틸콜린 수용체와 결합하려는 작용을 방해해 흥분을 억제하기 때문에 일부 독의 해독제로 쓰인다고 볼 수 있다.

오답풀이

① 3문단에서 '아트로핀은 아세틸콜린과 화학 구조가 유사하기 때문에 아세틸콜린 수용체와 결합'하여 정보 전달을 방해한다고 했을 뿐 아세틸콜린을 분해하는 물질의 작용을 방해한다고 하지 않았다.
② 윗글에서 아트로핀이 아세틸콜린을 소모한다는 내용은 확인할 수 없다.
③ 윗글에서 아트로핀이 아세틸콜린을 분비시킨다는 내용은 확인할 수 없다.
⑤ 윗글에서 아트로핀이 아세틸콜린을 분비를 억제한다는 내용과 다른 신경 물질을 활성화한다는 내용은 확인할 수 없다.

## 37 ⑤ 정답률 80%

정답풀이

2문단에서 '아코니틴(㉠)은 신경 세포의 나트륨 이온 통로를 계속 열어두기 때문에 나트륨 이온을 세포 안으로 다량 유입'시켜서 '이온의 농도 차에 의한 나트륨 이온의 이동이 정상적으로 일어나지 않아, 전기 신호인 활동 전위가 신경 세포에서 일어나지 못하게 된다.'라고 했다. 또한 4문단에서 '테트로도톡신(㉡)은 신경 세포의 나트륨 이온 통로를 차단함으로써 나트륨 이온이 들어오지 못하게 하기 때문에 활동 전위가 일어나지 않는다.'라고 했다. 따라서 ㉠, ㉡은 모두 신경 세포에서 활동 전위가 일어나지 못하게 방해한다고 볼 수 있다.

오답풀이

① '아코니틴(㉠)은 신경 세포의 나트륨 이온 통로를 계속 열어두기 때문에 나트륨 이온을 세포 안으로 다량 유입'시켜서 '이온의 농도 차에 의한 나트륨 이온의 이동이 정상적으로 일어나지 않아, 전기 신호인 활동 전위가 신경 세포에서 일어나지 못하게 된다.'라고 했다. 즉 신경 세포에서는 '이온의 농도 차'에 의해 나트륨 이온의 이동이 일어나는 것이 정상인데, ㉠이 '나트륨 이온 통로'를 계속 열어두면 농도 차이가 점점 적어져 이온의 이동이 일어나지 않음을 알 수 있다. 또한 '테트로도톡신(㉡)은 신경 세포의 나트륨 이온 통로를 차단함으로써 나트륨 이온이 들어오지 못하게' 한다고 했다. 따라서 ㉠과 ㉡ 모두 나트륨 이온의 농도 차이가 없어지도록 한다고 볼 수 있다.
② ㉠은 '나트륨 이온 통로'를 열어두어 나트륨 이온이 유입되도록 하고, ㉡은 '나트륨 이온 통로'를 차단해 나트륨 이온이 들어오지 못하게 한다. 따라서 ㉡이 ㉠과 달리 나트륨 이온이 들어오지 못하게 방해한다고 보는 것이 적절하다.
③ 3문단에서 '아세틸콜린과 화학 구조가 유사'해 아세틸콜린 대신 아세틸콜린 수용체와 결합함으로써 '시냅스에서 이루어지는 정보 전달을 방해하'는 것은 ㉠, ㉡이 아니라 '아트로핀'이라고 했다. ㉠, ㉡은 나트륨 이온이 정상적으로 이동하지 못하게 함으로써 활동 전위를 막는다.
④ 2문단과 4문단에서 ㉠, ㉡은 신경 세포 내에서 활동 전위가 일어나지 않아 '아세틸콜린이 분비되지 않'는다고 했으므로 둘 다 아세틸콜린 분비에 영향을 미친다고 볼 수 있다.

## 38 ② 정답률 62%

정답풀이

〈보기〉의 B는 '카리브도톡신'을 이용해 시냅스 말단에서 '아세틸콜린이 과잉 분비'되도록 한다고 했다. 3문단에 따르면 아세틸콜린이 과잉 분비되면 신경이 흥분되고, 근육은 수축됨을 알 수 있다. 따라서 B의 카리브도톡신은 신경을 흥분시키기 때문에 근육으로의 정보 전달을 방해하지는 않을 것이다.

오답풀이

① 〈보기〉에서 A에 포함된 '스코폴라민'은 '아세틸콜린 수용체와 결합'한다고 했다. 3문단에 따르면 '신경의 스냅스에서 아세틸콜린 대신에 아세틸콜린 수용체와 결합'하면 아세틸콜린의 작용이 방해되어 정보 전달이 방해됨을 알 수 있다. 따라서 A의 스코폴라민은 시냅스에서 이루어지는 정보 전달을 방해하는 작용을 한다고 볼 수 있다.
③ 〈보기〉에서 A에 포함된 '스코폴라민'은 '아세틸콜린 수용체와 결합'하는데 3문단에서 '아세틸콜린이 아세틸콜린 수용체와 결합하지 못하면 신경의 흥분이 억제되어 근육은 이완'된다고 하였으므로 '스코폴라민'은 근육을 이완시킨다고 말할 수 있다. 반면에 B의 '카리브도톡신'은 '아세틸콜린'을 과잉 분비시키므로 근육을 수축시킬 것이다.
④ 〈보기〉에서 A의 잎에 '알칼로이드에 속하는 스코폴라민이 포함되어 있'다고 했고, B의 독침에 '단백질 계열의 카리브도톡신'이 있다고 했다. 5문단에서 '해독제로는 산과 염기의 반응을 이용한 중화제, 독소 분자를 분해하는 효소'를 활용할 수 있다고 했다. 따라서 '질소를 함유하는 염기성 유기화합물'인 알칼로이드에 속하는 A의 스코폴라민을 해독할 때 산성 물질을 활용할 수 있고 단백질 계열인 B의 카리브도톡신을 해독할 때 단백질 분해 효소를 사용할 수 있다.
⑤ 〈보기〉에서 A에는 스코폴라민이 포함되어 있어 '동물에게 먹히지 않'았다고 했으므로 이는 자신을 보호하기 위한 수단이었다고 볼 수 있다. B는 카리브도톡신이 '먹잇감인 곤충의 몸속에 들어가' 아세틸콜린이 과잉 분비되도록 하므로 사냥감을 포획하기 위한 것으로 볼 수 있다.

## [39~42] 현대시

### 39 ① 정답률 59%

정답풀이

(가)는 '기다리던 것이 오지 않는다는 것은 누구나 안다', '항시 우리들 삶은~먼지 낀 풍경 같은 것이었다', '그런 일은 없었다'에서 단호하게 잘라 말하는 단정적 진술을 활용해 삶에 대한 비관적 인식을 강조하고 있다. (나)는 '벽은 꿈쩍도 하지 않았다.', '벽은 조금도 흔들림이 없었다.' 등에서 단정적 진술을 활용해 인정이 없는 메마른 현실을 강조하고 있다.

오답풀이

② (가)의 '때로 우리는 묻는다 우리의 굽은 등에 푸른 싹이 돋을까'에서 정상적인 문장 성분의 순서를 바꿔 표현한 도치의 방식을 확인할 수 있지만, (나)에서는 도치의 방식을 확인할 수 없다.
③ (가), (나)에서 뒤로 갈수록 강하게 표현한 점층적 표현을 확인할 수 없다.
④ (가)에서 '푸른', '누구' 등의 시어와 '돼지 목 따는 동네의 더디고 나른한 세월'이라는 구절이 반복되고 (나)에서 '벽', '할머니', '있었다' 등의 시어가 반복된다. 그러나 (가), (나)에서 열거와 이를 통해 드러나는 화자의 의지는 확인할 수 없다.
⑤ (가)는 '푸른 풀', '푸른 싹'에서 색채 이미지를 통해 계절적 배경인 봄을 표현했다. (나)는 전동차의 승객들이 할머니를 '벽'처럼 에워싸고 있는 모습을 표현했을 뿐, 색채 이미지를 활용하지 않았다.

### 40 ④ 정답률 83%

정답풀이

[C]는 '풀잎 아래 엎드려 숨죽이'던 무기력한 삶에서 벗어나 '길길이 날뛰는 물줄기처럼' 생기 있는 자유로운 삶을 살고 싶어 하는 화자의 바람을 드러내고 있다. 따라서 [C]는 물줄기처럼 치열하고 역동적으로 살고자 하는 화자의 욕망을 드러낸다고 볼 수 있을 뿐 과거의 삶을 반성한다고 보기는 어렵다.

오답풀이

① [A]는 '푸른 싹'이 돋는 봄이 와도 '기다리던 것이 오지 않는다'는 화자의 비관적인 현실 인식을 드러내고 있다. 따라서 [A]는 변화 가능성이 없는 '더디고 나른한 세월'을 보내는 권태로운 삶을 드러냈다고 볼 수 있다.
② [B]에서 화자는 '우리의 굽은 등에 푸른 싹이 돋을까'라고 묻지만 '비계처럼 씹히는 달착지근한 혀'가 답이 없는 것을 보여주며, 자신이 처해 있는 현실에 대한 회의적인 태도를 드러냈다고 볼 수 있다.
③ [B]에서 화자는 '굽은 등에 푸른 싹이 돋'는 생기 있는 삶을 기대하지만, 우리들 삶은 항상 '낡은 유리창에 흔들리는 먼지 낀 풍경' 같을 뿐이라는 비관적 인식을 드러냈다고 볼 수 있다.
⑤ [C]는 화자가 무기력한 삶에서 벗어나 '솟아오르고 싶었'으며 '길길이 날뛰는 물줄기처럼' 자유롭고 활기 있는 삶을 살고자 하는 욕망을 드러냈다고 볼 수 있다.

### 41 ④ 정답률 89%

정답풀이

㉣(더)은 승객들이 '빈틈을 더 세게' 조여 할머니에게 고통을 더하는 상황을 부각한다. 속박된 상황을 벗어나려는 할머니의 모습을 부각하는 표현은 '꿈틀거리는', '꿈틀거릴수록'이므로 ㉣을 활용해 할머니의 모습을 부각한다는 것은 적절하지 않다.

오답풀이

① ㉠(헛되이)은 전동차에서 내리려고 하는 할머니의 행동이 이루어지지 않음을 부각한다. 따라서 ㉠은 '혼자', '허우적거리고'와 연결되어 할머니의 힘만으로는 문제를 해결할 수 없음을 부각했다고 볼 수 있다.
② ㉡(튼튼한)은 '빈틈없이 할머니를 에워싸고' 있는 벽 같은 승객들의 견고한 상태를 표현했다. 따라서 ㉡은 할머니가 전동차에서 내리지 못하는 어려움을 강조한다고 볼 수 있다.
③ ㉢(조금도)은 있는 힘을 다해 꿈틀거리는 할머니와 달리 승객들에게 변화가 없음을 강조한다. 따라서 ㉢은 할머니의 고통에 반응하지 않는 승객들의 모습을 강조한다고 볼 수 있다.
⑤ ㉤(견고한)은 승객들이 '벽'처럼 단단하고 변함없이 할머니를 에워싸고 있음을 부각했다고 볼 수 있다.

### 42 ③ 정답률 67%

정답풀이

〈보기〉에서 '몽타주는 이질적인 장면이나, 시공간이 다른 장면들을 연결'해서 '대조나 유사성'을 통해 정서적 반응을 유발한다고 했다. (가)의 화자는 '길길이 날뛰는 물줄기' 같은 생명력 있고 역동적인 삶을 원하지만, 욕망이 실현되지 못한 채 굳어버린 모습을 '윤기나는 석탄층'으로 표현했다. 따라서 몽타주 기법처럼 연결된 '길길이 날뛰는 물줄기'와 '윤기나는 석탄층'은 대조되어 정서적 반응을 유발할 수 있지만, 화자가 '현실에 맞서'고 있지는 않으므로 적절하지 않다.

오답풀이

① 〈보기〉에서 '클로즈업은 주관적 의도에 의해 선택된 대상을 확대하여 대상에 집중하게' 한다고 했다. (가)의 화자는 '갈라진 밑동'에 돋은 '푸른 싹'에 주목하는데, 이는 화자의 의도에 따라 대상을 클로즈업하여 확대함으로써 화자가 바라는 생기 있는 모습을 강조한 것이라 볼 수 있다.
② 〈보기〉에서 '몽타주는 이질적인 장면이나, 시공간이 다른 장면들을 연결'해서 '대조나 유사성'을 통해 정서적 반응을 유발한다고 했다. (가)의 화자는 '우리의 굽은 등'과 '먼지 낀 풍경'처럼 서로 다른 장면을 연결해 화자가 처한 부정적 상황에 대한 비관적인 정서를 유발했다고 볼 수 있다.
④ 〈보기〉에서 '몽타주는 이질적인 장면이나, 시공간이 다른 장면들을 연결'해서 '대조나 유사성'을 통해 정서적 반응을 유발한다고 했다. (나)의 '작은 할머니'와 '높고 튼튼한 벽'은 몽타주 기법처럼 연결되어 대조됨으로써 고통받는 할머니에 대한 안타까움이 유발된다고 볼 수 있다.
⑤ 〈보기〉에서 '클로즈업은 주관적 의도에 의해 선택된 대상을 확대하여 대상에 집중하게' 한다고 했다. (가)의 화자는 꿈틀거리는 할머니의 모습을 확대해 할머니가 애쓰는 상황을 강조한다고 볼 수 있다.

## [43~45] 고전소설

### 43 ② 정답률 55%

정답풀이

두련사가 '신방 급제를 하면 이 혼사를 의논'할 수 있을 것이라며 과거에 힘쓰라고 하자, 양생은 과거가 자신의 '주머니 가운데 있는 것이나 다름이 없'다며 자신감을 보이면서 정 소저를 보게 주선해 달라고 간청한다. 따라서 양생이 정 소자와 만나기 위해 과거 시험을 피한다고 볼 수 없다.

오답풀이

① 두련사가 정 소저의 뛰어남에 대해 이야기하자, 양생은 '섬월이 말하던 여자인 줄 알고' '어떤 여자이기에 두 서울 사이에 이렇듯 이름을 얻었는' 지 궁금해한다. 따라서 양생은 정 소저가 명성이 높음을 알고 있었다고 볼 수 있다.
③ 양생은 정체를 속이고 '거문고 타는 여자'인 척 정 사도 집에서 보낸 작은 교자를 타고 불려 가므로 적절하다.
④ 정체를 숨긴 양생이 젊은 여관의 모습으로 정 사도 집에 가 부인에게 '소저의 가르치심'을 바란다고 하자, 부인이 소저를 나오도록 했으므로 적절하다.
⑤ 두련사가 전 노파에게 '젊은 여관'에 대해 이야기하자 이를 들은 전 노파는 '우리 부인이 들으시면 부르실 법하'다고 말하고 갔고, 두련사는 '양생에게 이 말을 전하고 좋은 소식이 오기를 초조하게 기다'렸다고 했으므로 적절하다.

## 44 ⑤ 정답률 79%

정답풀이

[A]에서 양생은 정 소저의 얼굴을 보게 해달라며 원하는 바를 직접 드러냈다. [B]에서는 소저를 보기 위해 '천한 재주를 시험하여 소저의 가르치심을 바라나이다'라고 말하며 부인으로 하여금 정 소저를 불러내도록 유도했다고 볼 수 있다.

오답풀이

① [A]에서 양생은 '처자의 얼굴을 보지 못하면 구혼을 하지 않으려' 한다고 상황을 가정해 두련사에게 소저의 얼굴을 보게 해달라고 회유했다고 볼 수 있다. 그러나 [B]에서는 부인에게 소저의 가르침을 바란다고 요청할 때 상황을 가정하지 않았다.
② [A], [B]에서 양생은 이상적 가치를 내세우고 있지 않으므로, 이를 통해 자신의 행동을 정당화했다고 볼 수도 없다.
③ [A]에서 양생은 '과거는 소자의 주머니 가운데 있는 것이나 다름이 없'다고 말하는 것이나, '얼굴을 보지 못하면 구혼을 하지 않'겠다는 등에서 미래의 상황을 가정하고 있을 뿐 과거 사건에 대한 정보를 제공하고 있지는 않다. [B]에서 양생은 앞으로 일어날 일을 예견하지 않았다.
④ [A]에서 양생이 '과거는 소자의 주머니 가운데 있는 것이나 다름이 없'다고 했으므로 자신의 능력을 과시했다고 볼 수 있으나, [B]에서 양생은 '천한 재주를 시험'하고 싶다며 겸손하게 행동할 뿐 우월한 지위를 드러냈다고 볼 수 없다.

## 45 ④ 정답률 67%

정답풀이

양생이 부인에게 거문고를 보이며 '단단하기가 금석 같으니 비록 천금이라도 바꾸지' 않겠다고 말한 것은, 양생의 거문고를 보고 '좋은 재목'이라고 칭찬한 부인의 말에 긍정하는 답을 할 것일 뿐, 인간 본연의 욕망을 드러낸 것으로 볼 수는 없다.

오답풀이

① 〈보기〉에서 윗글은 '속임수를 통한 긴장감의 유발'을 통해 '독자들에게 문학적 쾌감을 주'었다고 했다. 따라서 양생이 여사도인 척 정 사도 집에 들어가는 부분은 긴장감을 유발했다고 볼 수 있다.
② 〈보기〉에서 윗글은 '애정의 상대를 직접 보고 싶어 하는 인간 본연의 욕망'과 '당대의 사회적 금기를 넘어서는 인물의 행동'을 표현했다고 했다. 따라서 양생이 정체를 속이고 재상가 처자인 정 소저를 만난 부분은 남녀유별이라는 당대의 사회적 금기를 넘어선 것이라 볼 수 있다.
③ 〈보기〉에서 윗글은 '치밀하게 전개되는 욕망의 성취 과정'을 표현했다고 했다. 양생이 두련사의 도움을 받고 정 사도 집의 전 노파를 속여 부인에게 초대받아 그 집을 방문하는 부분은 정 소저를 보고자 하는 욕망 성취 과정을 보여 준다.
⑤ 〈보기〉에서 윗글은 '욕망의 성취 과정에서 발생하는 감정의 변화'를 통해 독자에게 문학적 쾌감을 준다고 했다. 정 소저와의 만남을 욕망한 양생은 정 소저를 보고 '정신이 요란하여 가히 측량하지 못할' 뿐 아니라, 정면에서 가까이 보지 못해 가까이 하려 하다 안타까워하는 등 감정의 변화를 보여 준다.

## 3회 2021학년도 6월 학평

| 1. ① | 2. ③ | 3. ② | 4. ③ | 5. ④ | 6. ④ | 7. ① | 8. ⑤ | 9. ⑤ | 10. ② |
|---|---|---|---|---|---|---|---|---|---|
| 11. ③ | 12. ④ | 13. ⑤ | 14. ② | 15. ① | 16. ④ | 17. ④ | 18. ① | 19. ③ | 20. ② |
| 21. ① | 22. ⑤ | 23. ⑤ | 24. ④ | 25. ④ | 26. ② | 27. ② | 28. ① | 29. ③ | 30. ⑤ |
| 31. ③ | 32. ① | 33. ④ | 34. ② | 35. ⑤ | 36. ② | 37. ① | 38. ④ | 39. ③ | 40. ③ |
| 41. ④ | 42. ⑤ | 43. ③ | 44. ⑤ | 45. ⑤ | | | | | |

오답률 Best 5

### [1~3] 화법

**1** ① 정답률 87%

정답풀이

발표자는 '부채에 관해 역사, 종류, 예술미, 현대적 계승의 순'으로 발표하고 있을 뿐, 자신이 경험한 구체적 사례를 제시하고 있지 않다.

오답풀이

② 발표자는 『선화봉사 고려도경』을 통해 고려 시대 부채에 관해 알 수 있음을 언급하며 발표 내용의 신뢰성을 확보하고 있다.
③ 발표자는 청중에게 '선풍기나 에어컨이 없던 옛날에는 어떻게 더위를 식혔을까요?'라고 질문을 하여 발표 내용인 부채에 대한 관심을 유도하고 있다.
④ 발표자는 '저는 오늘 우리나라 부채에 관해 역사, 종류, 예술미, 현대적 계승의 순으로 발표를 해 보겠습니다.'에서 발표 순서를 제시하여 청중이 발표 내용을 예측하며 듣도록 유도하고 있다.
⑤ 발표자는 '여러분도 올여름에는 부채를 가까이 해 보는 건 어떨까요? 부채를 가까이한다면 냉방병 없는 건강한 여름을 보낼 수도 있을 것입니다.'에서 부채를 가까이하자는 제안을 하며, 이를 통해 냉방병을 예방할 수 있다는 부수적 효과를 밝히고 있다.

**2** ③ 정답률 90%

정답풀이

㉢(자료3)에서는 '옻칠을 하거나 자개를 붙'여 화려함을 강조한 '옛 부채들'을 제시해야 하므로 현대의 공예 부채를 제시하는 것은 적절하지 않다.

오답풀이

① ㉠(자료1)에서는 우리나라 부채의 역사를 설명하기 위해 '기원전의 것으로 추정되는' 가장 이른 시기의 '부채 자루 유물'을 시각 자료로 제시해야 한다.
② ㉡(자료2)에서는 우리나라 부채의 종류를 설명하기 위해 '둥글부채와 접부채'라는 두 가지 부채를 시각 자료로 제시해야 한다.
④ ㉣(자료4)에서는 우리나라 부채가 지닌 예술미를 알려주기 위해 '추사 김정희 선생의 글과 그림을 담은 부채'를 시각 자료로 제시해야 한다.
⑤ ㉤(자료5)에서는 오늘날에도 부채가 만들어지고 있음을 보여 주기 위해 주변에서 흔히 볼 수 있는 홍보 부채, 팬시 부채를 시각 자료로 제시해야 한다.

**3** ② 정답률 85%

정답풀이

학생 1은 '질 좋은 닥나무 한지와 잘 쪼개지고 질긴 대나무'로 '견고한 부채를 만들 수 있었다'고 들은 배경지식을 떠올리고 있으며, 학생 2는 '예전에는 단오에 부채를 선물하는 풍습이 있었다고 알고 있'다는 배경지식을 떠올리고 있다.

오답풀이

① 학생 1은 '지금도 전통 부채를 만드는 장인을 무형 문화재로 지정하여 대우하고 있다'는 것을 추가했으면 좋겠다고 언급했지만, 학생 2는 추가했으면 하는 내용을 언급하지 않았다.
③ 학생 2는 '무심코 지나쳤던 부채'에 대한 발표를 들은 후 '주변의 사소한 것들에도 애정 어린 시선을 보내야겠다'는 다짐을 하고 있다. 그러나 학생 1, 학생 2 모두 자신의 태도를 반성하고 있지는 않다.
④ 학생 2는 발표를 듣고 보니 부채와 관련한 풍습에 대해 인터넷 자료를 찾아보고 싶어졌다고 했으나 학생 1은 의문점을 떠올리지도 이를 해결하는 방법을 생각하지도 않았다.
⑤ 학생 1, 학생 2 모두 발표를 통해 얻게 된 정보로 기존에 알고 있던 지식을 수정하고 있지 않다.

### [4~7] 화법과 작문

**4** ③ 정답률 93%

정답풀이

㉢(하지만 '생태 통로'처럼~노력도 있습니다.)은 '인간이 결국 다른 생명들의 보금자리를 뺏고 있는 셈'이라는 학생 2의 발언과 관련하여 이와 유사한 사례가 아니라, 인간이 다른 생명과 공존하기 위해 노력하는 사례인 '생태 통로'를 제시하고 있다.

오답풀이

① ㉠(저는 10여 년간~힘써 왔습니다.)에서는 멸종위기종에 대한 이야기를 쓰게 된 계기를 과거에 환경 단체에서 활동했던 자신의 경험과 관련지어 언급하고 있다.
② ㉡(인간의 욕심이~무척 슬펐습니다.)에서는 인간에 의해 반달가슴곰이 웅담 채취용으로 사육되었다는 것에 충격 받은 학생 2의 발언에 작가가 공감하고 있음을 보여 주고 있다.
④ ㉣(그러고 보니~본 적이 있어요.)에서는 야생동물의 안전을 위해 생태 통로가 필요하다는 작가의 말과 관련해 자신이 알고 있는 수달의 로드킬 사고에 대해 진술하고 있다.
⑤ ㉤(적극적으로~말씀이시죠?)에서는 작가의 발언 의도가 자연과 인간의 공존을 위해서 적극적으로 목소리를 내야 한다는 것인지 확인하기 위해 질문하고 있다.

**5** ④ 정답률 94%

정답풀이

(가)에서 학생들이 작가에게 '책에 미처 소개하지 못해 아쉬운 멸종 위기종이 있는지'에 대해 질문하는 부분은 찾을 수 없다.

오답풀이

① '작가님 책에 대해 여쭙고~이야기를 쓰시게 된 계기가 무엇인가요?'에서 학생들이 작가를 찾아뵌 목적과 책을 쓰게 된 계기에 대해 질문한 것을 확인할 수 있다.

② '멸종 위기종이~설정이 신선했는데, 특별한 의도가 있나요?'에서 신선하게 느껴진 책의 설정과 작가의 의도에 대해 질문한 것을 확인할 수 있다.
③ '특히 멸종 위기종인 반달가슴곰이~충격적이었습니다.'에서 멸종 위기종 중 가장 인상적이었던 '반달가슴곰'에 대해 말씀드린 것을 확인할 수 있다.
⑤ '그렇다면 자연과 공존하기 위해 저희가 할 수 있는 일은 없을까요?'에서 인간과 자연의 공존을 위해 우리가 할 수 있는 일에 대해 질문한 것을 확인할 수 있다.

## 6 ④ 정답률 74%

**정답풀이**

(가)에서 작가가 책을 통해 '멸종 위기에 처한 동식물의 이야기'를 다룸으로써 '자연과 인간이 공존'하기 위해 노력해야 함을 주장했다고 볼 수 있으나, 생태계 다양성 보존의 필요성을 주장했다고 보기는 어렵다. 또한 (나)의 4문단에서는 국립공원관리공단에서 발표한 내용을 토대로 생태 통로 설치에 따르는 기대 효과를 제시하고 있을 뿐, 우리 시가 진행 중인 생태계 보존 정책의 긍정적인 효과를 제시하고 있지는 않다.

**오답풀이**

① (가)에서 작가가 모든 생명은 존중받는 것이 당연하며 '멸종 위기종도 우리와 동등한 존재'라고 언급한 것을 바탕으로, (나)의 1문단에서 우리 시의 야생동물 보호와 관련해 건의한다는 화제를 제시하고 있다.
② (가)에서 언급한 수달의 로드킬 사고 내용과 함께 (나)의 2문단에서 '한 해 로드킬 사고의 절반이 우리 지역에서 발생한다'는 통계를 추가하여 문제 상황을 제시하고 있다.
③ (가)에서 알게 된 로드킬 사고를 막을 수 있는 '생태 통로'의 필요성을 바탕으로 (나)의 3문단에서는 '특히 최근 사고가 발생한 우리 시의 ◇◇천과 △△터널'에 생태 통로의 설치와 관리가 필요하다는 요구 사항을 구체적으로 건의하고 있다.
⑤ (가)에서 언급한 반달가슴곰과 저어새의 사례에서 전자는 사육곰 증식을 금지하는 정부의 정책이 마련되었으나, 후자는 저어새 산란지인 ○○갯벌에 '여전히 매립 사업이 진행 중'이라는 점에서 대조적인 상황에 처해 있다고 볼 수 있다. (나)의 5문단에서는 이를 바탕으로 문제 해결을 위한 우리 시의 즉각적인 대책 마련이 필요함을 당부하고 있다.

## 7 ① 정답률 78%

**정답풀이**

'친구를 떠나보낸 것처럼'에서 직유를 활용한 비유적 표현을, '슬픕니다.'에서 정서를 직접 드러내는 어휘를 사용한 것을 확인할 수 있다.

**오답풀이**

② '부끄럽습니다.'에서 정서를 직접 드러내는 어휘를 확인할 수 있으나, 비유적 표현은 확인할 수 없다.
③ '우리'를 '등불'에 빗댄 비유적 표현은 확인할 수 있으나, 정서를 직접 드러내는 어휘는 확인할 수 없다.
④ 비유적 표현과 정서를 직접 드러내는 어휘 모두 확인할 수 없다.
⑤ '미어집니다.'에서 정서를 드러내는 어휘를 확인할 수 있으나, 비유적 표현은 확인할 수 없다.

## [8~10] 작문

## 8 ⑤ 정답률 86%

**정답풀이**

윗글은 일라이트라는 천연자원을 소개하며 명칭의 유래, 성분, 효능 등에 대해 설명하고 있을 뿐, 일라이트를 다른 광물자원과 비교하거나 일라이트의 단점을 밝히고 있지 않다.

**오답풀이**

① 1문단에서 평소 '새로운 천연자원의 발굴에 관심이 많았'기 때문에 '최근 주목받고 있는 우리나라의 천연자원'을 제재로 선정하게 되었다고 밝히고 있다.
② 2문단에 '일리노이주에서 발견된 광물'이라는 뜻에서 일라이트라는 명칭이 생겼다는 유래를 제시하여 독자의 이해를 돕고 있다.
③ 4문단에서 한국지질자원연구원의 자료를 인용하여 정보의 신뢰성을 높이고 있다.
④ 3문단에서 '환경, 의료, 향균, 미용' 등 일라이트의 다양한 활용 분야를 제시하여 효용 가치를 드러내고 있다.

## 9 ⑤ 정답률 83%

**정답풀이**

ㄴ은 일라이트가 '토양오염을 정화'하고, '뇌 질환과 골다공증 치료'에 효과가 있음을 소개하는 전문가 인터뷰이고, ㄷ은 일라이트 성분이 함유된 상품을 개발하기 위한 업무 협약의 사례를 소개한 신문 기사이다. 따라서 ㄷ은 일라이트 활용 기술 개발을 위해 기관 사이에 협조 체제가 구축되고 있음을 보여주는 사례로 제시할 수 있으나, ㄴ은 활용할 수 없다.

**오답풀이**

① ㄱ은 일라이트(운모)가 '피부를 보호'하고 '부스럼이나 종기의 독을 제거'하는 기능이 있다는 동양 고서의 기록이므로, ㄱ을 활용해 2문단에서 언급한 일라이트의 약물적 효능을 구체화할 수 있다.
② ㄴ은 일라이트가 환경과 의료 분야에서 어떤 효과를 발휘할 수 있는지 보여주는 자료이므로, ㄴ을 활용해 3문단에서 설명한 일라이트의 특성을 보강할 수 있다.
③ ㄷ은 일라이트 성분이 함유된 상품을 개발하기 위해 영동군과 한국세라믹기술원이 체결한 업무 협약의 사례를 소개한 자료이므로, ㄷ을 통해 일라이트에 대한 연구가 여러 가지 상품 개발로 이어질 수 있음을 보여 줄 수 있다.
④ ㄱ과 ㄴ은 일라이트의 효능을 설명하는 자료이므로, 일라이트가 다양한 가치를 지닌 자원임을 뒷받침하는 근거로 추가할 수 있다.

## 10 ② 정답률 76%

**정답풀이**

〈보기〉는 '일라이트 연구에 몰두'한 '○○○ 대표'의 사례를 제시했으나, [A]는 '일라이트 연구에 몰두'하는 이들의 열정을 보며, 자신 또한 '새로운 천연자원을 발굴하여' 인류에 '기여할 수 있는 사람이 되어야겠다고 다짐'했음을 드러내고 있다. 윗글이 '진로 탐색 활동 시간에 알게 된 내용을 바탕으로' 교지에 싣기 위해 쓴 글임을 참고하면, 〈보기〉를 [A]로 고쳐 쓰는 과정에서 진로 탐색 활동을 통해 느끼거나 깨달은 바를 전달하는 것이 좋겠다는 조언을 참고했다고 볼 수 있다.

**오답 풀이**

① [A]에서 한자 성어인 '불광불급'을 활용하고 있으나, 제재와 관련된 추가 정보를 제공하고 있지는 않다.
③ 글의 서두에서 궁금증을 제시하고 있지 않으므로 궁금증이 해소될 수 있는 내용으로 바꾸었다고 볼 수 없다.
④ [A]에서 일라이트에 대한 정보를 요약하고 있지 않다.
⑤ 〈보기〉에서 연구 활동 지원을 위해 지자체에서 방안을 마련 중임을 언급하였으나, [A]에서 그 구체적인 방안을 밝히고 있지는 않다.

## [11~15] 문법(언어)

## 11 ③ 정답률 68%

**정답풀이**

윗글에서 '설명 의문문'에 주로 의문 대명사, 의문 관형사 등의 의문사가 사용되지만, '의문 대명사가 포함된 의문문의 경우, 상황에 따라 판정 의문문으로 사용되기도 한다.'라고 했다. ⓒ(너 오늘 저녁에 무엇을 하니?)은 의문사 '무엇'이 포함된 의문문으로, 상대방의 대답에 따라 설명 의문문으로 쓰였는지 판정 의문문 쓰였는지 판단할 수 있다. ⓒ에 대한 상대방의 대답이 부정의 답변에 해당하는 '아니'이므로, ⓒ은 판정 의문문으로 볼 수 있다. 따라서 ⓒ에서 의문사는 가리키는 내용을 설명해 달라는 의도가 아니라 '가부의 답변을 요구'하는 의도를 드러낸다고 보는 것이 적절하다.

**오답풀이**

① ㉠(아침 못 먹었어?)에 대한 상대방의 대답이 긍정의 답변인 '응'인 것으로 보아, ㉠은 청자에게 긍정이나 부정의 대답을 요구하는 판정 의문문으로 볼 수 있다.

3회

② ⓒ(너도 못 먹었지?)은 종결 어미 '–지'를 사용하여 청자도 자신처럼 아침을 못 먹었을 것이라고 믿고 있는 사실을 확인하는 판정 의문문이다.

④ 윗글에서 '의문 대명사가 포함된 의문문의 경우, 상황에 따라 판정 의문문으로 사용되기도 한다.'라고 했다. ⓓ(넌 무엇을 하니?)은 상대방의 대답에 따라 긍정이나 부정의 답변을 요구하는 판정 의문문이나, 의문사가 가리키는 내용을 설명해 주기를 요구하는 설명 의문문이 될 수 있다. 따라서 ⓓ에 대해 상대방이 긍정이나 부정의 대답을 한다면 의문사가 부정칭 대명사로 사용되었다고 볼 수 있다.

⑤ ⓔ(아까부터 왜 자꾸 웃기만 하는 거야?)에 대해 상대방이 '어제 본 영화가 자꾸 생각이 나서.'라고 이유를 설명하므로, ⓔ의 화자는 '왜'라는 의문의 초점에 대해 구체적인 설명을 요구하는 설명 의문문을 사용했다고 볼 수 있다.

## 12 ④

정답률 54%

**정답풀이**

윗글의 4문단을 통해 중세 국어에서는 '의문사나 '–녀', '–뇨'와 같은 종결 어미 외에도 '가'와 '고'와 같은 보조사'를 사용해서도 의문문을 만들었음을 알 수 있다. 〈보기〉의 [탐구 결과]에 따르면, ㄱ과 ㄴ은 판정 의문문이고, ㄷ과 ㄹ은 설명 의문문이다. ㄱ의 '죵가'는 현대어 풀이가 '종인가?'이므로, 체언 '죵'에 보조사 '가'가 결합해 판정 의문문이 되었다고 볼 수 있다. 또한 ㄴ의 '하녀 져그녀'는 현대어 풀이가 '많으냐 적으냐?'이므로, 용언의 어간에 '–녀'라는 종결 어미가 결합해 판정 의문문이 되었다고 볼 수 있다. 한편 ㄷ의 '광명고'는 현대어 풀이가 '광명인가?'이므로, 체언 '광명'에 보조사 '고'가 결합해 설명 의문문이 되었다고 볼 수 있으며 ㄹ의 '잇ᄂᆞ뇨'는 용언의 어간에 '–뇨'라는 종결 어미가 결합해 설명 의문문이 되었다고 볼 수 있다. 따라서 판정 의문문에는 보조사 '가'와 종결 어미 '–녀'가, 설명 의문문에는 보조사 '고'와 종결 어미 '–뇨'가 쓰인 것으로 보아 판정 의문문과 설명 의문문에 다른 형태의 보조사와 종결 어미가 사용되었다고 볼 수 있다.

**오답풀이**

① 〈보기〉의 판정 의문문 ㄴ에서 종결 어미 '–녀'가, 설명 의문문 ㄹ에서 종결 어미 '–뇨'가 활용됨을 확인할 수 있다. 따라서 판정 의문문, 설명 의문문 모두 종결 어미를 활용한다고 볼 수 있다.

② 〈보기〉에서 긍정이나 부정의 대답을 요구하는 판정 의문문 ㄱ과 ㄴ에서 의문사를 사용하고 있지 않으므로, 〈보기〉의 중세 국어를 이해한 내용으로 적절하지 않다.

③ 〈보기〉의 판정 의문문 ㄱ은 보조사 '가', ㄴ은 종결 어미 '–녀'를 사용하고 있을 뿐, 둘을 동시에 사용하지는 않았다.

⑤ 〈보기〉에서 의문사를 포함한 의문문은 '엇던'이 쓰인 ㄷ과 '어듸'가 쓰인 ㄹ로, 이는 모두 설명 의문문에 해당한다고 하였다. 2문단에서 '"너는 학교에 갔니 안 갔니?"처럼 선택을 요구하는 의문문'은 판정 의문문에 포함된다고 했으므로, 〈보기〉에서 의문사를 포함한 설명 의문문인 ㄷ, ㄹ이 선택을 요청하는 의문문으로 쓰였다고 볼 수는 없다.

**오답률 Best ❸**

③번과 ⑤번 선지를 고른 비율이 14%, 18%로 높았어.

③번 선지를 고른 학생들은 의문문을 만들 때 '보조사와 종결 어미가 동시에 사용되지는 않는다'는 점을 예문을 통해 파악해 내지 못했어. <보기>의 ㄱ~ㄹ을 통해 체언에 보조사 '가' 혹은 '고'가 붙거나, 용언의 어간에 종결 어미 '-녀' 혹은 '-뇨'가 붙는 것을 확인하고, 의문문을 만들 때에는 '보조사'와 '종결 어미'를 동시에 사용하는 경우는 없고 둘 중 하나를 사용한다는 사실을 파악할 수 있어야 했지.

한편 지문의 3문단에서 의문사를 포함한 의문문은 주로 설명 의문문이지만 판정 의문문으로 사용되기도 한다고 했어. 이때 의문사를 포함한 의문문이 설명 의문문인지, 판정 의문문인지는 상대방의 대답을 통해 판단할 수 있는데 <보기>의 ㄱ~ㄹ의 예문에서 의문사를 포함한 의문문이 판정 의문문으로 쓰였음을 보여 주는 상대의 대답은 확인할 수 없지. 따라서 ⑤번은 '윗글'만 고려했을 때에는 적절하다고 볼 여지도 있지만, <보기>의 사례들을 이해하는 내용으로 가장 적절한 것은 아니었어.

## 13 ⑤

정답률 56%

**정답풀이**

'팥빵'은 받침 'ㅌ'이 'ㄷ'으로 바뀌는 음절의 끝소리 규칙(교체)에 따라 [팓빵]으로 발음하고, '많던'은 'ㅎ'과 뒤의 'ㄷ'이 'ㅌ'으로 합쳐지는 거센소리되기(축약)에 따라 [만턴]으로 발음한다. 따라서 ⓐ에는 교체, ⓑ에는 축약에 해당하는 음운 변동이 들어간다. '애틋한'은 음절의 끝소리 규칙(교체)에 따라 받침 'ㅅ'이 'ㄷ'으로 바뀌어 [애튿한]이 되고, 거센소리되기(축약)로 인해 'ㄷ'과 'ㅎ'이 'ㅌ'으로 합쳐져 [애트탄]으로 발음된다.

**오답풀이**

① '낯설고'는 받침 'ㅊ'이 'ㄷ'으로 바뀌는 음절의 끝소리 규칙(교체)이 일어나 [낟설고]가 된 후, 'ㄷ' 뒤의 'ㅅ'이 'ㅆ'으로 바뀌는 된소리되기(교체)가 일어나 [낟썰고]로 발음된다. 이때 ⓑ에 해당하는 음운 변동은 일어나지 않았다.

② '놓더라'는 'ㅎ'과 뒤의 'ㄷ'이 'ㅌ'으로 합쳐지는 거센소리되기(축약)가 일어나 [노터라]로 발음되므로 ⓐ에 해당하는 음운 변동은 일어나지 않았다.

③ '맞는지'는 받침 'ㅈ'이 'ㄷ'으로 바뀌는 음절의 끝소리 규칙(교체)이 일어나 [맏는지]가 된 후, 'ㄷ'이 'ㄴ'의 영향을 받아 'ㄴ'으로 바뀌는 비음화(교체)가 일어나 [만는지]로 발음된다. ⓑ에 해당하는 음운 변동은 일어나지 않았다.

④ '먹히는'은 'ㄱ'과 뒤의 'ㅎ'이 'ㅋ'으로 합쳐지는 거센소리되기(축약)가 일어나 [머키는]으로 발음되므로 ⓐ에 해당하는 음운 변동은 일어나지 않았다.

**오답률 Best ❹**

문제에서는 ⓐ, ⓑ에 해당하는 음운 변동이 모두 일어난 예시를 묻고 있어. 그러니 ⓐ, ⓑ에 해당하는 음운 변동이 무엇인지부터 확인해야겠지. '팥빵'은 음절의 끝소리 규칙에 의해 'ㅌ'이 'ㄷ'으로 교체되는 음운 변동이 일어나므로 ⓐ에는 음절의 끝소리 규칙(교체)이 들어가. '많던'은 거센소리되기에 의해 종성의 'ㅎ'과 초성의 'ㄷ'이 'ㅌ'으로 합쳐지는 축약이 일어나므로 ⓑ에는 거센소리되기(축약)가 들어가.

이때 ②번을 선택한 비율이 28%로, '놓더라'에 ⓐ에 해당하는 음운 변동이 일어난다고 오해한 학생들이 많았어. 하지만 '놓더라'는 거센소리되기에 의해 종성의 'ㅎ'과 초성의 'ㄷ'이 'ㅌ'으로 합쳐지는 축약만 일어나므로 ⓐ가 아니라 ⓑ만 일어났어. 아직 음운 변동에 대한 학습이 부족한 학생들이 오답을 고른 것으로 보이는데, 음운 변동은 꾸준히 출제되는 영역이니 꼭 관련 개념을 정확히 정리해보자.

## 14 ②

정답률 71%

**정답풀이**

'저 친구, 저러다가 큰일 한번 내겠어.'에서 '저 친구'는 절이 아니므로, 이는 쉼표가 절과 절 사이에 쓰이는 ⓒ의 예라고 볼 수 없다. 이때 쓰인 쉼표는 특별한 효과를 위해 끊어 읽는 곳을 나타낸다고 볼 수 있다. ⓒ에 해당하는 예는 '인내는 쓰지만, 그 열매는 달다.' 등이 있다.

**오답풀이**

① '근면, 검소, 협동은 우리 겨레의 미덕이다.'에서 쉼표는 주어인 '근면', '검소', '협동'을 같은 자격으로 열거할 때 쓴 것이다.

③ '여름에는 바다에서, 겨울에는 산에서 휴가를 즐겼다.'에서 쉼표는 '휴가를 즐겼다.'라는 말의 되풀이를 피하기 위해 쓴 것이다.

④ '네, 지금 가겠습니다.'에서 쉼표는 대답하는 말 뒤에서 쓴 것이다.

⑤ '나는, 솔직히 말하면, 그 말이 별로 탐탁지 않아.'의 쉼표는 '나는 그 말이 별로 탐탁지 않아.'의 중간에 끼어든 어구인 '솔직히 말하면'의 앞뒤에 쓴 것이다.

## 15 ①

정답률 66%

**정답풀이**

'가려진'은 기본형 '가리다'에 '–어지다'가 붙어 피동의 의미를 나타내는 것으로, 피동 접미사 '–이–', '–히–', '–리–', '–기–'는 쓰이지 않았다. 따라서 피동 표현을 두 번 겹쳐 쓴 이중 피동 표현의 예가 아니다.

오답풀이

② '쓰여진'은 기본형 '쓰다'의 어근 '쓰-'에 피동 접미사 '-이-'와 '-어지다'를 같이 쓴 이중 피동 표현이다.
③ '담겨진'은 기본형 '담다'의 어근 '담-'에 피동 접미사 '-기-'와 '-어지다'를 같이 쓴 이중 피동 표현이다.
④ '열려진'은 기본형 '열다'의 어근 '열-'에 피동 접미사 '-리-'와 '-어지다'를 같이 쓴 이중 피동 표현이다.
⑤ '보여진'은 기본형 '보다'의 어근 '보-'에 피동 접미사 '-이-'와 '-어지다'를 같이 쓴 이중 피동 표현이다.

## [16~20] 인문

### 16 ④ 정답률 83%

정답풀이

2문단에 따르면, 레비나스는 '타자성'을 '주체로 환원되지 않는 타자의 성질'이라고 정의했을 뿐, 타자를 위해 주체를 무조건 희생하는 것이라 보지는 않았다.

오답풀이

① 2문단에서 '주체는 주위의 모든 것들을 자기와 동일한 것으로 끊임없이 환원하는 자기중심적 존재'이고, 레비나스는 이러한 주체를 '동일자'라는 개념으로 설명했다고 하였다.
② 4문단에서 레비나스는 '타자에 대한 무조건적인 수용을 '환대''로 본다고 했다.
③ 3문단에서 '향유는 즐김과 누림이며, 다른 누구도 대신해 줄 수 없는 개체의 고유한 행위'를 말한다고 했다.
⑤ 3문단에서 '어떤 것에 의존하지 않고 홀로 무엇을 누릴 때 나로서의 모습', 즉 '자기성'이 성립한다고 했다.

### 17 ④ 정답률 80%

정답풀이

2문단에서 레비나스는 '인간의 삶은 진정한 삶을 향해 나아가는' 초월이라고 보았으며, 5문단에서 타자의 출현으로 '주체의 이기성을 제한하고 책임의 주체로 설 수 있'기에 타자는 '자기성에 갇힌 주체를 무한히 열린 세계로 초월할 수 있게 하는 존재'라고 보았음을 알 수 있다. 따라서 레비나스는 '타자의 존재'는 주체를 진정한 삶으로 이끌어 초월을 가능하도록 한다는 점에서 의미가 있다고 답할 것이다.

오답풀이

① 3문단에서 레비나스는 '향유의 대상인 세계는 불확실하기에 주체의 욕구는 항상 충족되지는 않는'다고 보았으므로 적절하지 않다.
② 2문단에서 레비나스는 타자는 '주체로 환원되지 않는'다고 보았으므로 적절하지 않다.
③ 5문단에서 레비나스는 타자의 출현으로 인해 '자기성이 상실되는 것'은 아니라고 했으므로 적절하지 않다.
⑤ 5문단에서 레비나스는 타자는 '자기성에 갇힌 주체를 무한히 열린 세계로 초월할 수 있게 하는 존재'라고 했으므로 적절하지 않다.

### 18 ① 정답률 39%

정답풀이

ⓐ(놓였던)와 ①번의 '놓이다'는 둘 다 '물체가 일정한 곳에 두어지다.'라는 뜻으로 사용되었다.

오답풀이

② '걱정이나 근심, 긴장 따위가 사라지거나 풀리다.'라는 뜻으로 사용되었다.
③, ④ '일정한 곳에 기계나 장치, 구조물 따위가 설치되다.'라는 뜻으로 사용되었다.
⑤ '무늬나 수가 새겨지다.'라는 뜻으로 사용되었다.

**오답률 Best 1**

②번을 선택한 비율이 정답 선지만큼 많았어. ①번의 '놓이다'는 '연필' 같은 사물이 '책상 위'라는 상황 혹은 공간에 두어졌다는 의미로, ②번의 '놓이다'는 '마음'이 풀렸다는 의미로, ③번의 '놓이다'는 '도로'가 어떤 곳에 설치되었다는 의미로, ④번의 '놓이다'는 '다리'가 설치되었다는 의미로, ⑤번의 '놓이다'는 '꽃무늬'가 수놓아졌다는 의미로 해석돼. 이때 '전쟁의 참상 앞에 놓였던 철학자 레비나스'에서 '놓이다'는 사람이 어떤 상황에 처했다는 의미로 해석되므로 ①번과 문맥적 의미가 가장 유사하다고 볼 수 있어. 어휘 문제는 대개 정답률이 높지만, 이처럼 헷갈리게 출제되는 경우가 있으니 틀렸을 때에는 반드시 그 내용을 정리해두는 것으로 대비하자.

### 19 ③ 정답률 82%

정답풀이

〈보기〉의 관점에서는 '타자는 나와 투쟁의 관계'에 있다고 보며, 타자를 자신의 '생명과 자유를 박탈하려는 잠재적인 적'으로 여기고 있다. 반면 윗글의 2문단에서 ㉮(레비나스)는 '타자'를 '주체가 마음대로 할 수 없'으며 5문단에서는 '주체의 존재를 침몰시키는 위협적인 존재'가 아니라 '자기성에 갇힌 주체를 무한히 열린 세계로 초월할 수 있게 하는 존재'로 본다.

오답풀이

① 〈보기〉는 인간을 '자기 보존을 위해 무한히 욕망을 추구하는 이기적 존재'로, ㉮도 인간을 욕망을 추구하는 이기적 존재로 여기고 있다.
② ㉮가 아닌 〈보기〉가 '자유에 기반한 권리를 주장하는' 인간의 투쟁을 국가가 '통제할 수 있'다고 본다.
④ 4문단에서 ㉮는 무조건적으로 타자를 '환대'해야 한다고 보며, 〈보기〉는 합의와 계약에 의해 타자에 대한 의무를 통제해야 한다고 본다.
⑤ 〈보기〉는 '공동의 이익과 평화를 위해'서 주체의 이익은 제한될 수 있다고 보며 ㉮ 역시 5문단에서 '타자의 출현은 주체의 이기성을 제한'한다고 말하므로, 주체의 이익은 제한될 수 있다고 본다.

### 20 ② 정답률 76%

정답풀이

4문단에서 레비나스가 제시한 '환대'의 주체성을 설명하며 '타자의 출현으로 인해 주체는 그동안 누려왔던 자유와 이기성에 의문을 제기'하게 된다고 하였다. 그런데 〈보기〉의 A는 '난민 신청을 한 외국인들' 즉 타자를 자신의 '이익과 자유를 제한'하는 존재로 여기고 있으므로, 자신의 자유에 의문을 제기하며 타자를 환대하는 새로운 주체의 모습으로 나아가고 있다고 볼 수 없다.

오답풀이

① A가 '나의 이익과 자유'를 위해 외국인들을 자국으로 돌려보내야 한다고 말하는 것은 '타자를 마음대로 할 수 있는 대상으로 취급'하는 주체의 모습으로 볼 수 있다.
③ B가 외국인들을 위해 자신이 '가진 것을 나눠주는 것이 당연'하다고 말하는 것은 '타자의 문제를 자신의 문제로 받아들여 책임'지려는 환대의 주체성으로 볼 수 있다.
④ B는 외국인들을 무조건적으로 환영하는 환대의 주체성을 보여주고 있다. 4문단에서 '타자의 출현'으로 인해 주체는 '타자의 요구에 무조건적인 응답을 해야' 하며 이때 타자는 주체보다 우월한 위치에 놓이게 된다고 했으므로 적절하다.
⑤ A는 자기성을 바탕으로 이루어진 향유의 주체성을, B는 타인의 문제를 자신의 문제로 받아들여 책임지려고 하는 환대의 주체성을 지닌 존재로 볼 수 있다.

## [21~25] 사회

### 21 ① 정답률 89%

정답풀이

윗글은 내용증명 제도의 특징과 기능을 설명하며 2문단에서 방문판매 구매계약 철회, 4문단에서 채무 이행 독촉 내용증명이라는 구체적인 사례를 제시하고 있다. 따라서 윗글은 내용증명 제도의 특징과 기능을 사례를 들어 소개한다고 볼 수 있다.

### 22 ⑤ 정답률 82%

정답풀이

2문단에서 내용증명은 계약을 '철회 기간 내에 취소'할 경우나 철회 기간 내에 계약의 '철회가 불가능한 경우'에 사용할 수 있다고 했다. 그러나 '계약을 철회할 수 있는 기간이 지난 경우'에도 효력을 가지는지는 확인할 수 없다.

오답풀이

① 4문단에서 내용증명은 '상대방에게 심리적 부담을 주어 그 내용의 이행을 실현하게 하기도 한'다고 했다.
② 7문단에서 방문판매 등의 청약 철회를 요청하는 내용증명은 '수신인의 수취 여부와 상관없이 서면을 발송한 날부터' 효력이 발생한다고 했다.
③ 7문단에서 내용증명은 발송 후 '3년간 우체국에서 보관'하므로 발신인이 이를 분실한 경우 본인임을 입증하면 필요시 복사를 요청할 수 있다고 했다.
④ 3문단에서 내용증명은 '발신인, 수신인, 우체국 3자가 각각 동일한 내용의 문서를 소지하기' 위해 '우체국에 같은 내용의 문서 3부를 제출'한다고 했다.

## 23 ⑤ 정답률 82%

정답풀이

[A]에서 내용증명 작성 시 기재하는 날짜는 문서 '발송 날짜'라고 했으므로, ㉮의 날짜는 수신인이 내용증명을 받게 될 날짜가 아니라 발신인이 발송한 날짜이다.

오답풀이

① [A]에서 '기재된 발신인 및 수신인의 주소와 이름'은 '봉투 겉면에 작성하는 주소, 이름과 일치'해야 한다고 했다. ㉮에는 수신인의 주소와 이름만 작성되어 있으므로 봉투 겉면에 작성하는 것과 일치하도록 발신인의 주소와 이름을 추가하여야 한다.
② [A]에서 제목에는 '손해 배상 청구 등과 같이 내용증명의 구체적 목적이 담겨야 한'다고 했다. ㉯의 제목은 구체적 목적을 드러내지 못하므로 발신인이 내용증명을 보내는 목적이 구체적으로 드러나도록 '계약 철회 요청'으로 수정하여야 한다.
③ [A]에서 본문 내용을 수정할 때에는 '반드시 '정정', '삽입' 또는 '삭제'라는 문자 및 수정한 글자 수를 여백에 기재'해야 한다고 했다. ㉰에는 '삭제'라는 수정 사유만 기재되어 있으므로 수정한 글자 수까지 명시해야 한다.
④ [A]에서 '본문에는 계약 경위와 같은 객관적 사실 관계와 요구 사항 등을 분명히 제시해야 한'다고 했다. ㉱에는 객관적 사실 관계만 드러나 있으므로 요구 사항이 분명하게 드러나도록 계약의 취소를 요청한다는 문장을 추가해야 한다.

## 24 ④ 정답률 69%

정답풀이

내용증명이 ㉠(향후 법적 분쟁의 소지를 줄일 수 있다.)할 수 있는 이유는 4문단에서 내용증명이 '문서를 발송하였다는 것을 공적으로 증명하는 증거의 효력을 갖는'다고 한 것과 연관된다. 내용증명은 발신인이 분쟁이 예견되거나 진행 중인 상황에 대해 어떠한 의사 표시를 하기 위해 문서를 발송했다는 사실을 우체국에서 객관적으로 증명해 주는 제도이므로, 그러한 사실 자체는 문제 삼을 수 없다는 점에서 법적 분쟁의 소지를 줄이는 것이다.

오답풀이

①, ② 2문단에서 내용증명은 '개인 간 채권 · 채무 관계나 권리 · 의무를 더욱 명확하게 할 필요가 있을 때 주로 이용'한다고 했을 뿐, 수신인에게 분쟁 철회를 요청하거나 의사 표시를 할 것을 주장하는 수단이라고 볼 수는 없다.
③ 2문단에서 내용증명은 '방문판매를 통해 충동적으로 구입한' 물품에 대해 '구매 계약을 철회 기간 내에 취소하고 싶을 때 사용할 수 있'다고 하였다. 즉 내용증명이 충동적으로 계약을 맺는 것 자체를 막아 준다고 볼 수는 없다.
⑤ 3문단에서 내용증명은 '내용증명 우편이 발송되었다는 사실은 입증하지만 문서 내용의 진위까지 입증하는 것은 아니'라고 했다.

## 25 ④ 정답률 51%

정답풀이

5문단에 따르면 내용증명이 '소멸시효를 중단시키'기 위해서는 '내용증명을 보낸 날짜로부터 6개월 이내에 청구나 압류, 가압류, 가처분 등'의 법적 대응을 해야 한다. 〈보기〉의 을이 내용증명을 보낸 이후 그러한 법적 대응을 하지 않는다면 소멸시효 중단의 효력이 발생하지 않으므로 을이 돈을 받을 수 있는 권리는 2020년 12월 31일까지만 유지된다.

오답풀이

① 2문단에서 내용증명은 '개인 간 채권 · 채무 관계나 권리 · 의무'를 명확하게 하는 데 이용된다고 하였다. 따라서 〈보기〉의 을이 '채무 이행을 요구하는 내용증명'을 보낸 궁극적인 목적은 소멸시효 만료를 알리는 것이 아니라 갑에게 채무 이행을 요구하는 것에 있음을 알 수 있다.
② 5문단에서 '법적 대응을 하게 되면 해당 사안의 소멸시효가 내용증명을 보낸 시점에 중단되는 효력이 발생'한다고 했으므로 내용증명을 보낸 2020년 10월 31일에 소멸시효가 중단된다.
③ 5문단에서 '소멸시효가 중단되면 그때까지 경과한 소멸시효 기간은 무효가 되고, 중단 사유가 종료된 때로부터 소멸시효가 새로이 시작된다.'라고 하였으므로 2개월 연장된다고 할 수 없다.
⑤ 5문단에 따르면 내용증명을 보낸 이후 6개월 이내에 법적 대응을 해야 하므로 2020년 10월 31일에 내용증명을 보낸 을이 2021년 4월 30일 전에 법적 대응을 진행해야 소멸시효가 중단된다.

오답률 Best 2

이 문제는 윗글의 '내용증명' 제도에 대한 설명을 바탕으로 <보기>의 구체적인 상황을 이해할 수 있는지 묻고 있어. 윗글에서 내용증명은 '채권 · 채무 관계나 권리 · 의무'를 명확히 한다는 목적으로 이용되며, 이를 보낸 날짜로부터 '6개월 이내에 청구나 압류, 가압류, 가처분 등을 해야만' '소멸시효를 중단시키는' 역할을 할 수 있다고 했어. 즉 윗글에서 설명한 내용증명의 목적, 소멸시효를 중단시키는 방법 등을 근거로 해서 ①번~⑤번 중 적절한 설명을 골랐어야 했지. 참고로 법과 관련된 독서 지문에서 날짜가 나오면 조심해야 해. 이 문제에서는 ⑤번을 선택한 비율이 22%로 높았는데, 해당 학생들은 바로 이 '보낸 날짜'와 만료 날짜를 혼동해서 오답을 고른 거였어. <보기>에서 '채무 관계의 소멸시효는 3년으로 2020년 12월 31일에 만료'되며, 을은 '2020년 10월 31일'에 내용증명을 보냈다고 했어. 즉 을이 소멸시효를 중단시키기 위해선 채권 · 채무 관계의 소멸시효인 '2020년 12월 31일'이 아니라 내용증명을 보낸 날짜인 '2020년 10월 31일'로부터 '6개월 이내'인 '2021년 4월 30일' 이전에 '청구나 압류, 가압류, 가처분 등을 해야만' 했던 거야.

### [26~29] 고전시가+고전수필

## 26 ② 정답률 76%

정답풀이

(가)는 '내 몸을 내마저 잊으니 남이 아니 잊으랴', '나같이 군마음 없이 잠만 들면 어떠리'에서 설의적 표현을 활용해 세상과 단절된 채 전원에서 은거하며 욕심 없이 사는 화자의 만족감을 강조하고 있다. (나)는 '이 여섯 가지를 얻어서 벗으로 삼는다면 그 취미나 기상이 또한 서로 가깝지 않겠습니까.', '세상의 걱정을 피해서 자신의 천진을 지키는 것이 낫지 않겠습니까.' 등에서 설의적 표현을 활용해 세상과 떨어져 육우를 벗 삼는 삶의 자세를 강조하고 있다.

오답풀이

① (가)와 (나)에서 앞 구절의 끝 부분을 뒤 구절의 첫 부분에 이어받아 표현하는 연쇄법은 사용되지 않았다.
③ (가)와 (나)에서 표면적으로 모순되는 것 같지만 이면에 진실을 담고 있는 역설적 표현은 사용되지 않았다.
④ (나)의 '뒤로는 감악산을 등지고 앞으로는 큰 들을 임하여 초막집을 한 채 얽어'에서 원경에서 근경으로의 시선 이동이 나타났다고 볼 수 있으나, 계절감은 드러나지 않는다. (가)에서는 원경에서 근경으로의 시선 이동을 확인할 수 없다.
⑤ (가)에서 '대 막대'를 '너'라고 부르며 말을 건네는 방식으로 반가움을 드러내고 있으나, (나)에서는 의인화된 대상에게 말을 건네는 방식이 사용되지 않았다.

## 27 ② 정답률 81%

**정답풀이**

<2수>에서 화자는 '공명'과 '부귀'를 잊은 삶에 대한 지향을 드러내고 있다. '내 몸을 내마저 잊으니 남이 아니 잊으랴'는 속세와 멀어져 욕심 없이 사는 삶의 모습을 표현한 것일 뿐, '남'으로부터 소외된 자신의 존재에 대한 안타까움을 드러낸 것으로 볼 수 없다.

**오답풀이**

① <2수>에서 화자는 '공명'과 '부귀' 같은 '세상 번우한 일'을 다 잊었다고 말하며 욕심 없는 삶에 대한 지향을 드러내고 있다.
③ <5수>에서 화자는 '팥죽'과 '저리지'의 맛을 '남이 알까 하노라'라고 말하며 소박한 삶에 만족하고 있음을 드러내고 있다.
④ <11수>에서 화자는 '대 막대'를 '너'라고 부르고, 이를 보니 '유신하고 반갑'다고 하며 대상에 대한 친밀감을 드러내고 있다.
⑤ <11수>에서 화자는 '아이 적'에는 '대 막대'를 타고 다녔지만, 지금은 '대 막대'가 자신을 '뒤 세우고' 다니는, 즉 '대 막대'를 지팡이로 쓰는 상황을 통해 세월의 흐름을 인식하고 있다.

## 28 ① 정답률 64%

**정답풀이**

ⓐ(백구)는 '갈 숲으로 서성이며 고기 엿보기 하는' 대상으로, 화자는 백구에게 그렇게 '수고'하지 말고 자신같이 '군마음 없이 잠만 들면' 어떻겠느냐고 한다. 즉 ⓐ는 욕심을 가지고 있다는 점에서 욕심 없이 사는 화자가 비판적으로 바라보는 대상이다. ⓑ(육우)는 '세한의 절개가 있어 더위와 추위에도 지조를 변치 않는'다는 점에서 글쓴이가 예찬하는 대상이다.

**오답풀이**

② ⓐ는 화자의 그리움을 불러일으키는 대상이 아니고, ⓑ 또한 글쓴이의 외로움을 불러일으키는 대상이 아니다.
③ (가)의 화자는 '고기 엿보기' 하는 백구를 비판하므로, 화자가 ⓐ와 어울리고 싶어 한다고 볼 수 없다. (나)의 글쓴이는 '세한의 절개'를 가지고 있어 '지조를 변치 않는' ⓑ를 긍정적으로 평가하므로 글쓴이가 본받고 싶어 하는 대상이라고 볼 수 있다.
④ (가)의 화자는 '고기 엿보기' 하는 백구에게 자신같이 '군마음 없이 잠'들면 어떻겠느냐고 말하고 있으므로 ⓐ는 화자의 처지와 대비된다고 볼 수 있다. ⓑ는 변화하는 '세상의 교우 관계', '세태의 풍조'와 달리 '지조를 변치 않는' 대상이지만, 글쓴이가 '육우'를 통해 자신의 부정적 현실을 드러내고 있지는 않다.
⑤ (가)의 화자는 상실감을 느끼고 있지 않으므로 ⓐ가 상실감을 부각한다고 볼 수 없다. (나)의 글쓴이가 ⓑ를 긍정적으로 평가하는 것은 맞으나, ⓑ가 글쓴이의 기대감을 고조시키는지는 확인할 수 없다.

**오답률 Best 5**

많은 학생들이 ⓐ(백구)는 자연물이니까 화자가 함께 어울리고 싶어 하는 대상이 맞다고 보아 ③번을 정답으로 골랐어. 자연친화를 주제로 하는 고전시가 작품에서 화자가 '백구'를 함께 자연을 즐기는 긍정적 대상으로 표현하는 경우가 많았기 때문에 그렇게 판단한 것으로 보여. 하지만 (가)에서 화자는 '백구'가 '갈 숲으로 서성이며 고기 엿보기 하는' 모습을 보며, 자신같이 '군마음 없이' 사는 게 어떠냐고 조언하고 있으므로 이때의 '백구'는 화자와 함께 자연을 즐기는 대상으로 볼 수 없어. 결국 '백구'는 욕심을 가진 존재라는 점에서 화자가 비판적으로 바라보는 대상이라고 보는 것이 가장 적절했지.

## 29 ③ 정답률 66%

**정답풀이**

글쓴이는 '당'의 주인에게 '떵떵거리는 자리에는 서로 나가고 적막한 자리에는 서로 기피하는 것이 세태의 풍조'라고 했다. <보기>에서 '글쓴이는 권력의 성쇠에 따라 변하는 세상을 비판적으로 바라보'며 자연과 벗하며 지조와 신의를 지키는 자세를 강조한다고 했으므로 '적막한 자리'는 '떵떵거리는 자리'와 마찬가지로 글쓴이가 거리를 두려는 세태의 풍조 중 하나로 볼 수 있다. 즉 '적막한 자리'에 만족하는 것 또한 진정한 한에 가까워지는 길이라 볼 수 없다.

**오답풀이**

① '이 여섯 가지를 얻어서 벗으로 삼는다면 그 취미나 기상이 또한 서로 가깝지 않겠습니까.'에서 글쓴이는 사촌 형이 '육우'와 벗하며 '충분히 그 운취'를 누리기를 바라고 있음을 알 수 있다.
② '이 여섯 가지를 얻어서 벗으로 삼는다면 그 취미나 기상이 또한 서로 가깝지 않겠습니까.', '이 당에는~옹께서 그 가운데에 처하시니, 어찌 '육우'라 이름하는 것이 좋지 않겠습니까.'에서 글쓴이는 사촌 형이 '취미나 기상'에 어울리는 '육우'와 함께하기를 바라며 새로운 당명을 권하고 있음을 알 수 있다.
④ <보기>에서 '글쓴이는 권력의 성쇠에 따라 변하는 세상을 비판적으로 바라'본다고 했으므로, '득세한 자'와 '실세한 자', '떵떵거리는 자리'와 '적막한 자리'로 표현되는 '세태의 풍조'에 대해 비판하고 있음을 알 수 있다. 그리고 이와 대비되는 '육우'를 통해 지조와 신의 있는 삶의 중요성을 강조한다고 볼 수 있다.
⑤ <보기>에서 '이 작품에서 글쓴이는 한을 추구하는 사촌 형에게 새로운 당명을 권하며 바람직한 삶의 자세에 대한 생각'을 밝힌다고 했으므로, 글쓴이는 '육우'의 지조를 취하여 '천진'을 지키는 삶을 바람직한 삶의 자세라고 보며 이를 권유한다고 볼 수 있다.

[30~33] **현대소설**

## 30 ⑤ 정답률 90%

**정답풀이**

ⓜ('그것'이 회사생활을 어떻게 했을지는 뻔했다.)에서 '나'는 회사에서 '그것'이 보여 준 업무 능력이 완벽했을 것이라고 짐작하면서 '그것'이 회사생활을 한 열흘 만에 그동안 자신이 '쌓아온 세월이 다 와해된 기분'을 느끼고 '지금 사무실에 있는 사람들이 원하는 게 내가 아니라'는 생각을 하게 된다. 따라서 '그것'의 업무 능력으로 인해 '나'가 안심한다고 볼 수 없다.

**오답풀이**

① ㉠(손님을 대하듯~서 있었다.)에서 '나'는 자신과 똑같이 생긴 로봇인 '그것'을 처음 보고 '그것'을 손님으로 대해야 할지, 물건으로 대해야 할지 혼란스러워 '멍하게' 서 있었다.
② ㉡(함께 있는~집에 들어갔다.)에서 '나'는 업체에서 보낸 '유의사항'에 따라 로봇과 함께 있는 모습을 아이에게 들키지 않기 위해서 노력하고 있다.
③ ㉢('그것'은 최고의~척척 만들어냈다.)에서 '나'는 청소, 설거지, 빨래, 요리 등 '그것'의 가사 업무 수행 능력이 완벽하다고 생각하고 있다.
④ ㉣(시간을 들여~투정을 부렸다.)에서 아이가 '그것'이 해 준 음식을 더 먹고 싶어 하는 것으로 보아 '나'가 만든 음식이 '그것'이 만든 음식과 비교되고 있다.

## 31 ③ 정답률 81%

**정답풀이**

'나'는 집 안에서 '혼자 아이를 키우며 집안일'을 해야 하는 상황에서 '그것'을 통해 그 문제를 해결하려 한다. 또한 회사에서 '부서의 인원 감축이 예고'되자 홈페이지 웹 디자인 작업을 '그것'에게 맡겨 위기를 해결하려 한다. 따라서 집 안과 회사는 모두 '나'가 그것을 통해 문제 해결을 시도하는 공간이라고 볼 수 있다.

**오답풀이**

①, ② '그것'은 집 안에서의 가사 업무와 회사에서의 웹 디자인 작업에서 모두 '나'보다 뛰어난 능력을 드러낸다. 이로 인해 '나'는 집 안뿐만 아니라 회사에서도 위축감을 느끼는 것으로 볼 수 있다.
④ '아이'는 '나'가 시간을 들여 만든 음식을 먹은 뒤, '맛없어, 저번에 해준 거 그거 먹고 싶어.'라고 '그것'이 해 주었던 음식을 찾으며 투정을 부리고 있다. 또한 '그것'이 열흘 동안 회사에서 '나'의 업무를 대신한 이후, '친목을 도모했던 동료들은 나를 노골적으로 피했'다고 했으므로, 집 안과 회사 모두 '그것'으로 인해 '나'와 주변 사람들의 관계가 돈독해지는 공간이라고 볼 수 없다.
⑤ 집 안에서 '그것'이 '나'를 필요로 하는 모습은 나타나지 않는다.

3회

## 32 ① 정답률 85%

정답풀이

[A]에서 '홍'은 '나'의 결과물을 보고 '수정 전보다 더 안 좋'다고 실망감을 드러내며 '나'를 질책하고 있다.

오답풀이

② '나'는 구가 보낸 [B]를 보고 '빈정거리는 구의 목소리가 들리는 듯'한 기분을 느끼므로 '구'가 '나'의 기분을 헤아리며 위로한다고 볼 수 없다.
③ [A]는 '홍'이 '나'를 질책하는 것일 뿐, 설득하는 것으로는 볼 수 없다.
④ [A]와 [B] 모두 수용하기 어려운 요구로 상대방을 시험하는 것은 아니다.
⑤ [A]와 [B] 모두 속마음을 감춘 채 진위를 확인하는 것은 아니다.

## 33 ④ 정답률 89%

정답풀이

〈보기〉에서 윗글은 '로봇이 인간의 역할을 대체하게 되는 상황'을 그린다고 했다. '나'가 '죄인처럼 회사에 복직할 날만 기다'리는 모습은 집에서 불안함을 느끼며 회사에 가기를 기다리는 모습을 표현한 것이므로, '나'의 사회적 위치가 로봇의 도움으로 회복된 것을 보여 준다고 볼 수 없다.

오답풀이

① 〈보기〉에서 '최근 소설에서는 공상과학물의 상상력을 활용하여 현대인이 처한 현실'을 그린다고 했다. '그것'은 '나와 똑같이 생'긴 로봇으로, 로봇이 인간인 '나'의 역할을 대체하는 것에는 공상과학물의 상상력이 활용되었다고 볼 수 있다.
② 〈보기〉에서 윗글은 '치열한 경쟁에 내몰린 현대인'이 자신의 위치와 정체성을 고민하는 모습을 드러냈다고 했다. '나'가 부서의 인원 감축이 예고된 상황에 로봇 도우미 업체 담당자에게 도움을 청하고 '회사에서 살아남는 게 중요하지 않'느냐는 말을 듣는 것은 치열한 경쟁 속에서 살아가는 현대인의 처지를 보여 준다고 볼 수 있다.
③ 〈보기〉에서 윗글은 '로봇이 인간의 역할을 대체하게 되는 상황'을 그린다고 했다. '나'가 '웹 구축 능력도 뛰어나고 플래시를 다루는 솜씨도 수준급'인 '그것'에게 회사 일을 맡긴 후 '나'보다 뛰어난 업무 능력을 지닌 '그것'이 '나'의 작업을 대신하는 것은 로봇이 회사에서 '나'의 역할을 대체한 것을 보여 준다.
⑤ 〈보기〉에서 윗글은 '로봇이 인간의 역할을 대체하게 되는 상황'을 통해 현대인이 '정체성을 고민하는 모습'을 드러낸다고 했다. 회사로 복귀한 '나'가 '홍'과 사무실에 있는 사람들이 '나'가 아닌 '그것'을 필요로 한다고 생각하며, 사무실의 사람들을 어떻게 대해야 할지 혼란스러워하는 것은 '그것'으로 인해 자신의 정체성이 위협받는 상황을 드러낸다고 볼 수 있다.

[34~37] **고전소설**

## 34 ② 정답률 69%

정답풀이

윗글에서 외양 묘사를 통해 인물의 성격 변화를 보여 주는 부분은 찾을 수 없다.

오답풀이

① 윗글은 이혈룡, 김진희(김 감사) 등이 주고받는 대화와 등장인물의 행동에 대한 서술을 중심으로 사건을 전개하고 있다.
③ 암행어사 출두 직후 김 감사와 수령들의 모습과 행동을 '칼집 쥐고 오줌 싸고', '청보에 똥을 싸고' 등으로 과장되게 묘사하여 해학적으로 표현하고 있다.
④ 이혈룡이 김진희의 잔치 자리에 나타나 하는 말에서 지난 사건들을 요약한 내용을 확인할 수 있다.
⑤ '통곡하는 옥단춘의 정상을 누가 아니 슬퍼하랴.', '그중에서 각 읍의 수령들은 불의의 변을 당하고 겁낸 거동 가관이다.', '평양 감사 김진희의 거동이 가장 볼만하니라.' 등에서 서술자의 개입으로 인물에 대한 주관적 감정을 드러내고 있다.

## 35 ⑤ 정답률 68%

정답풀이

옥단춘은 이혈룡에게 '집을 보고 있으라고 신신당부'하고 김 감사의 잔치 자리에 왔는데, 이를 듣지 않고 잔치 자리에 나타난 이혈룡이 김 감사에게 붙잡혀 죽을 위기에 처하자 '모든 것이 허사로다.'라고 말하며 낙담하고 있다.

오답풀이

① 윗글에서 이혈룡이 옥단춘과의 언약을 후회했다는 내용은 찾을 수 없다.
② 이혈룡을 죽이려 한 김 감사가 '네가 저번에 죽지 않고 또 살아서 왔느냐?'라고 한 것을 볼 때, 이혈룡이 찾아올 것을 짐작했다고 볼 수는 없다.
③ 비장은 '참말 같지 않사옵니다. 죽은 원혼이 어찌 사람 모습이 되어 올 수 있습니까?'라고 말할 뿐, 이혈룡을 모함하지는 않았다.
④ 김 감사는 '옥단춘을 잡아내라!'라며 호통치고 있으므로 김 감사의 호의로 옥단춘이 위기에서 벗어난다고 볼 수 없다.

## 36 ② 정답률 81%

정답풀이

김 감사는 죽은 줄 알았던 이혈룡이 잔치 자리에 나타나자 그를 '배에 태워 물속에 던져서 죽이'라고 명했던 뱃사공들을 잡아들여 문초한다. 이때 사공들이 '악착같은 악형에 못 이기고 여차여차하였다고 사실대로 토설'했다는 것을 고려하면, 뱃사공이 문초를 당하는 것은 김 감사의 악행을 드러낼 뿐, 악인을 징계하는 것에 해당한다고 볼 수 없다.

오답풀이

① 오랜 친구인 이혈룡을 죽이려는 김 감사는 〈보기〉에서 언급한 것처럼 우정을 저버리는 '부도덕한 사대부'의 모습을 보여 준다.
③ 〈보기〉에서 윗글에는 '천민 신분인 여성'이 '부도덕한 사대부와 대비되는 신의가 있는 존재'로 표현되었다고 했다. 옥단춘이 자신의 목숨이 위험한 상황에서도 '나는 지금 죽더라도 원통할 것 없'지만 이혈룡의 억울한 죽음은 '원통한 일'이라고 여기는 것에서 신의 있는 인물의 모습을 엿볼 수 있다.
④ 〈보기〉에서 윗글에는 '천민 신분인 여성이 상당한 경제력을 지닌 인물'로 그려졌다고 했다. 옥단춘이 '내 집의 재물만으로도 호의호식 지낼 텐데'라고 말한 것에서 옥단춘의 경제력을 확인할 수 있다.
⑤ 〈보기〉에서 윗글은 '암행어사 모티프를 사용하여 악인을 징계하고 있다는 점에서 권선징악이라는 고전소설의 전형적인 주제 의식'을 드러낸다고 했다. 이혈룡이 암행어사가 되어 죄 없는 백성들을 괴롭힌 김 감사와 그의 무리를 벌하는 것은 암행어사 모티프를 활용해 악인을 징계한 것으로 볼 수 있다.

## 37 ① 정답률 88%

정답풀이

[A]에서 형방은 뱃사공들에게 '저기 저 양반을 영대로 물에 던져 죽였'는지 '바른대로 고하'라고 하며 다그치고 있는데, 이러한 상황을 드러내는 데 가장 적절한 말은 '사실 그대로 고함.'이라는 뜻의 '이실직고'이다.

오답풀이

② 결초보은은 '죽은 뒤에라도 은혜를 잊지 않고 갚음을 이르는 말.'을 의미한다.
③ 상부상조는 '서로서로 도움.'을 의미한다.
④ 각골통한은 '뼈에 사무칠 만큼 원통하고 한스러움. 또는 그런 일.'을 의미한다.
⑤ 전화위복은 '재앙과 근심, 걱정이 오히려 복이 됨.'을 의미한다.

[38~42] **과학**

## 38 ④ 정답률 81%

정답풀이

윗글은 차원의 동일성과 무차원화를 통해 차원해석에 대해서 설명하고 이를 통해 '과학적, 공학적 문제의 의미를 일반화하고 단순화할 수 있'다는 의의를 밝히는 글이므로 '차원해석의 이해와 의의'를 표제로, '차원의 동일성과 무차원화의 이해를 중심으로'를 부제로 삼는 것이 적절하다.

오답풀이

① 3문단에서 무차원화의 의미를 확인할 수 있으나, 이는 차원해석을 이해하기 위한 내용의 일부일 뿐이므로 '무차원화의 의미와 의의'를 표제로 삼는 것은 적절하지 않다.

② 3문단과 4문단에서 무차원화의 방법을 설명했지만 이는 차원해석을 이해하기 위한 내용의 일부일 뿐이므로 표제로 삼기에는 적절하지 않다.
③ 윗글에서 차원해석의 역사는 확인할 수 없다.
⑤ 1문단에서 단위와 차원의 분류를 확인할 수 있으나 이는 윗글의 중심 내용이 아니므로 표제로 삼는 것은 적절하지 않다.

**39** ③ 정답률 73%

**정답풀이**

1문단에서 면적(A)은 [길이²]라고 했으며, 2문단에서 '물리적 수식 양변의 각 항들은 동일한 차원을 지녀야' 한다는 '차원의 동일성'을 설명하며 '한 차원으로 다른 차원을 곱하거나 나눌 때', '차원이 같은 항을 더하거나' 뺄 때 차원의 동일성이 유지된다고 하였다. 이를 참고하면, 〈보기〉의 수식에서는 우변의 각 항도 [길이²]이 되어야 한다. 즉 'A=2(B×C)+πD'는 '[길이²] = 2[길이²]+π[길이²]'이므로, 이때 B와 C는 [길이], D는 [길이²]이어야 수식이 성립한다.

**오답풀이**

① B와 C, D 모두 [길이]이면, 우변이 2[길이²]+π[길이]가 되므로 수식이 성립하지 않는다.
② B와 C, D 모두 [길이²]이면, 우변이 2[길이⁴]+π[길이²]가 되므로 수식이 성립하지 않는다.
④ B와 D는 [길이], C는 [길이²]이면, 우변이 2[길이³]+π[길이]가 되므로 수식이 성립하지 않는다.
⑤ B는 [길이²], C, D는 [길이]이면 우변이 2[길이³]+π[길이]가 되는데, 2문단에서 '수식에서 2, π와 같은 상수들은 차원을 갖지 않'는다고 했으므로 적절하지 않다.

**40** ③ 정답률 65%

**정답풀이**

〈그림2〉는 '무차원 시간'에 따라 '무차원 몸무게'의 변화를 나타내므로, 이때 성장 곡선의 기울기는 성장 속도를 나타낸다. 〈그림2〉에서는 ㉯의 성장 곡선의 기울기가 ㉮보다 가파르므로 ㉯의 성장이 ㉮보다 빠르다는 것을 알 수 있다.

**오답풀이**

① 〈그림1〉은 시간(변수 1)에 따라 몸무게(변수 2)가 어떻게 변화하는지 알려 주므로, ㉮와 ㉯ 각각의 변화를 두 변수의 관계로 파악할 수 있다.
② 〈그림1〉은 수명이 80년인 ㉮와, 수명이 10년인 ㉯의 시간에 따른 몸무게 변화 과정을 나타내므로, 두 과정의 상대적인 크기가 드러나지 않아 비교하기 어렵다.
④ 〈그림2〉에서 ㉯는 무차원 시간 (t/T)이 0.2일 때, ㉮는 0.3일 때 성체 몸무게에 도달한다. 또한 이를 사람의 수명인 80세를 기준으로 계산할 때, 개는 생후 16년(0.2×80)에, 사람은 생후 24년(0.3×80)에 성체 몸무게에 도달하므로, ㉯가 ㉮보다 빠르게 성체 몸무게에 도달한다고 볼 수 있다.
⑤ 〈그림2〉의 세로축은 몸무게를 성체 몸무게로 나눈 m/M, 가로축은 시간을 수명으로 나눈 t/T인데, 이는 3문단에서 설명한 '0에서 1 사이의 값을 갖는' '무차원화된 수'이다.

**41** ④ 정답률 68%

**정답풀이**

[B]에 따르면, 위로 던진 물체의 최대 높이는 'h=C(v²/g)'로, 이는 질량(m)과는 관계가 없으므로 물체의 질량을 달리하며 실험을 반복할 필요가 없다.

**오답풀이**

① [B]에 따르면 '상수값 C의 수치를 아는 것보다 변수들 사이의 관계를 이해하는 것'이 중요하다.
② [B]에 따르면 c는 2가 아니라 −1이므로 g를 제곱한 것이 아니다.
③ [B]에 따르면 최대 높이(h)는 속도의 제곱(v²)에 비례하므로 v와 무관한 것이 아니라 관련 있다.
⑤ [B]에 따르면 a=0, b=2, c=−1이 되어 a, b, c의 합이 1이 되면 '우변에서 [길이] 외의 차원은 없어져 좌변처럼 [길이]'가 되므로, 좌변이 차원이 없는 상태가 되는 것은 아니다.

**42** ⑤ 정답률 76%

**정답풀이**

ⓔ(도출)는 '판단이나 결론 따위를 이끌어 냄.'이라는 뜻이다. '시간이나 물건의 양 따위를 헤아리거나 잼.'이라는 뜻을 지닌 단어는 '계측'이다.

## [43~45] 현대시

**43** ③ 정답률 70%

**정답풀이**

2연의 '땅으로 땅으로 파고드는 뿌리는 / 날카롭지만'과 '하늘로 하늘로 뻗어가는 가지는 / 뾰족하지만', 4연의 '모든 생성하는 존재는 둥글다는 것을'과 '스스로 먹힐 줄 아는 열매는 / 모가 나지 않는다는 것을.'에서 유사한 통사 구조를 반복하여 원만한 삶의 자세와 자기희생적 정신의 의미를 강조하고 있다.

**오답풀이**

① (가)는 '열매', '나무' 등의 자연물을 소재로 사용했으나 그것에 감정을 이입하지는 않았다.
② (가)에서 청각적 심상의 활용을 확인할 수 없다.
④ (가)에서 색채어나 색채어의 대비는 확인할 수 없다.
⑤ (가)에서 계절의 흐름은 확인할 수 없다.

**44** ⑤ 정답률 75%

**정답풀이**

'가던 길'을 멈추고 '어딘가 걸려 있고 싶다'는 것은 '똥덩이처럼' 무의미한 존재가 아니라 '소나무 자루에서 송진을 흘리면서 / 대장간 벽에' 걸린 '꼬부랑 호미'처럼 의미 있는 존재가 되고 싶은 화자의 소망과 의지를 나타낼 뿐, 현실과 타협하려는 모습을 나타낸 것은 아니다.

**오답풀이**

① 자신이 '플라스틱 물건처럼' 무의미한 존재로 느껴질 때 '버스'에서 뛰어내리고 싶다고 한 것은 부정적인 상황에서 벗어나려는 태도를 드러낸 것이다.
② '현대 아파트'가 들어서며 '털보네 대장간'이 사라진 '홍은동 사거리'의 변화에 화자는 사라진 '털보네 대장간'을 찾아가고 싶은 심정을 드러내고 있다.
③ 화자는 '털보네 대장간'에서 자기 자신을 '달구고', '벼리고', 숫돌에 '갈아' 내는 과정을 통해 '시퍼런 무쇠낫'과 같은 새로운 존재로 거듭나고자 한다. 즉 이는 자신을 단련하여 탈바꿈하는 과정으로 볼 수 있다.
④ 화자가 '지금까지 살아온 인생'을 부끄럽게 여기며 '직지사 해우소'의 나락으로 떨어지는 '똥덩이처럼' 느끼는 것은 자신의 삶에 대한 반성적 인식을 보여 준 것으로 볼 수 있다.

## 45 ⑤ 정답률 84%

**정답풀이**

〈보기〉에서 (나)는 '무가치하고 소모품적인 존재가 아니라 자기만의 의미와 가치를 지닌 존재가 되고 싶다는 소망'을 보여 준다고 했다. '꼬부랑 호미'가 '송진'을 흘리며 벽에 걸려 있는 모습은 무가치한 존재가 아닌 가치를 지닌 존재로 거듭나고 싶은 화자의 소망을 표현한 것이다.

**오답풀이**

① 〈보기〉에서 (가)는 '나무의 모습을 관찰하며 원만한 삶의 태도'를 발견한다고 했다. 따라서 (가)에서 날카로운 '뿌리'와 달리 '모가 나지 않는' '열매'의 모습은 원만한 삶의 태도를 표현한 것이라 볼 수 있다.
② 〈보기〉에서 (가)는 '나무의 모습을 관찰하며 원만한 삶의 태도와 자기희생적 정신을 발견'한다고 했다. 따라서 (가)에서 '스스로 먹힐 줄' 아는 열매의 모습은 다른 생명을 위해 자신을 희생하는 자세라 볼 수 있다.
③ 〈보기〉에서 (가)는 '나무의 모습을 관찰'하며 얻은 '깨달음을 확장'한다고 했다. (가)에서 '모든 생성하는 존재'가 둥글다는 인식은 둥글고 모가 나지 않는 '열매'를 통해 얻은 깨달음을 확장한 것이라고 할 수 있다.
④ 〈보기〉에서 (나)는 '무가치하고 소모품적인 존재가 아니라 자기만의 의미와 가치를 지닌 존재가 되고 싶다는 소망'을 보여 준다고 했다. 따라서 (나)에서 '망가지면 내다 버리는' 플라스틱 물건은 무가치하고 소모품적인 존재를 표현한 것이라고 할 수 있다.

# 4회

2021학년도 3월 학평

| 1. ③ | 2. ⑤ | 3. ① | 4. ③ | 5. ④ | 6. ⑤ | 7. ④ | 8. ④ | 9. ⑤ | 10. ② |
|---|---|---|---|---|---|---|---|---|---|
| 11. ① | 12. ② | 13. ③ | 14. ③ | 15. ② | 16. ③ | 17. ⑤ | 18. ⑤ | 19. ④ | 20. ③ |
| 21. ③ | 22. ① | 23. ④ | 24. ⑤ | 25. ① | 26. ① | 27. ② | 28. ⑤ | 29. ④ | 30. ④ |
| 31. ④ | 32. ② | 33. ⑤ | 34. ③ | 35. ⑤ | 36. ① | 37. ⑤ | 38. ② | 39. ② | 40. ④ |
| 41. ① | 42. ② | 43. ① | 44. ③ | 45. ① | | | | | |

오답률 Best 5



[1~3] **화법**

**1** ③ 정답률 **90%**

정답풀이

발표자는 청중에게 발표의 순서를 안내하여 청중이 발표 내용을 예상하며 듣도록 하고 있지는 않다.

오답풀이

① 발표자는 '얼마 전에 유명 아이돌의 뮤직비디오를 보다가 화려한 모양과 색깔의 노리개가 인상적이어서' 노리개를 발표 소재로 선택하였다는 동기를 밝히며 발표를 시작하고 있다.
② 발표자는 청중에게 '여러분, '노리개'가 무엇인지 아시나요?', '노리개를 옷에 단 이유는 무엇일까요?' 등의 질문을 하고 대답을 듣는 과정을 통해 청중의 배경지식을 확인하고 있다.
④ 발표자는 노리개의 주체에 염원을 담아 착용한 것에 대해 '포도 모양의 주체'와 '거북 모양의 주체' 등의 구체적인 예를 제시하며 청중의 이해를 돕고 있다.
⑤ 발표자는 청중에게 '이 기회에 여러분도 노리개에 관심을 가져 보시는 것은 어떨까요?'라고 말하며 발표를 마무리하고 있다.

**2** ⑤ 정답률 **90%**

정답풀이

발표자는 ⓒ(자료)을 제시하며 해당 노리개에는 주체인 '호랑이 발톱이 액운을 쫓아 주기 바라는 마음이 담겨 있'다는 설명을 하고 하고 있다. 따라서 노리개의 소재와 크기에 제한이 있었다는 설명을 하기 위해 ⓒ에 [자료 3]을 활용했다고 보기 어렵다.

오답풀이

① 발표자는 ㉠(자료)을 제시하며 '노리개의 형태를 살펴보겠'다고 했다. 따라서 ㉠에 노리개를 구성하는 각 요소의 명칭과 특징을 보여 주기 위해 [자료 1]을 활용한 것은 적절하다.
② 발표자는 ⓛ(자료)을 제시하며 '삼작노리개를 착용하여 좀 더 격식적인 느낌을 주었다고' 설명하고 있다. 따라서 ⓛ에 격식적인 느낌을 주고자 착용한 노리개를 보여 주기 위해 [자료 2]를 활용한 것은 적절하다.
③ 발표자는 ⓛ을 제시하며 '세 줄로 된 노리개가 한데 묶여 있'다고 했다. 따라서 ⓛ에 삼작노리개가 세 줄로 된 노리개라는 것을 보여 주기 위해 [자료 2]를 활용한 것은 적절하다.
④ 발표자는 ⓒ을 제시하며 주체가 호랑이 발톱으로 된 노리개와 이에 담긴 염원을 설명하고 있다. 따라서 ⓒ에 주체에 염원이 담겨 있다는 것을 보여 주기 위해 [자료 3]을 활용한 것은 적절하다.

**3** ① 정답률 **78%**

정답풀이

'청중 1'은 '발표를 들으면서 노리개가 언제부터 사용되었는지 알고 싶어졌'다고 했고, '청중 2'는 발표를 듣고 '남자들이 착용한 노리개는 어떤 모양의 노리개였'는지 궁금하다고 했다. 따라서 '청중 1'과 '청중 2'는 모두 발표 내용과 관련된 궁금증을 나타내고 있다고 볼 수 있다.

오답풀이

② '청중 2'는 '예전에 박물관에서 노리개를' 본 과거의 경험을 떠올리고 있지만, '청중 1'은 과거의 경험을 떠올리지 않았다.
③ '청중 2'는 '발표를 듣고 노리개에 대해 호기심이 생겼'다며 발표 내용에 흥미를 갖고 긍정적으로 평가하고 있지만, '청중 1'은 '노리개의 기원에 대한 설명이 없어 아쉬웠'다고 평가하고 있다.
④ '청중 1'은 '○○○ 박물관 홈페이지를 통해 관련 정보를 찾아' 볼 것이라는 추가적인 활동을 계획하고 있지만, '청중 2'는 추가적인 활동을 계획하고 있지 않다.
⑤ '청중 1'과 '청중 2'는 모두 발표 내용에서 다루지 않은 관련 내용에 대한 궁금증을 드러낼 뿐, 이에 대해 추측하고 있지는 않다.

[4~7] **화법과 작문**

**4** ③ 정답률 **57%**

정답풀이

(가)의 1문단은 기사문의 전문으로, 기사의 핵심 내용을 압축하여 요약적으로 제시한 부분이다. 그런데 여기에서는 우리 학교가 '학교 공간 개선 지원 사업'의 대상 학교로 선정되었다는 내용과 '유휴 교실 활용 위원회' 회의를 통해 유휴 교실 활용 방안을 논의할 예정이라는 내용을 요약하여 제시하고 있을 뿐이며, '유휴 교실 개선의 필요성'은 본문에 해당하는 (가)의 2문단에서 다루고 있다.

오답풀이

① (가)에서는 기사문의 공적인 성격을 고려하여 격식체를 사용하고 있다.
② (가)의 3문단에서 기사문의 예상 독자인 학생이나 교사 등을 고려하여 김○○ 학생, 최△△ 교사의 인터뷰를 통해 회의에 대한 학교 구성원들의 기대감을 나타내고 있다.
④ (가)의 4문단에서 '회의 결과를 연재 기사 형태로 실어 학교 구성원들에게 전달할 예정'이라고 밝히고 있다.
⑤ (가)의 2문단에서 정보 전달이라는 기사문의 목적에 따라 '학교 공간 개선 지원 사업'에 신청하게 된 배경에 관한 정보를 전달하고 있다.

**5** ④ 정답률 **71%**

정답풀이

사회자가 [A]에서는 학생들과 교사 위원의 의견을 정리하고 이에 대한 학부모 위원의 생각을 묻고 있는 것과 달리, [B]에서는 '그러면 휴게 공간과 교육 공간의 성격을 아우를 수 있는 공간 활용 방안은 없을까요?'라며 참가자들의 의견이 수렴될 수 있는 방안에 대해 묻고 있다.

오답풀이

① [A]에서 사회자는 참가자의 발언 내용을 되묻고 있지 않으며, 발언의 정확한 의도를 확인하고 있지도 않다.

② [B]에서 사회자가 참가자들의 발언의 취지를 확인하고 있다고 볼 수 있으나, 이에 대한 추가적인 설명을 요구하고 있지는 않다.
③ [A]가 아닌 [B]에서 사회자가 참가자들의 발언에 대해 '모두 사업의 취지에 부합'한다며 적절성을 평가하고 있다.
⑤ [A]와 [B]에서 사회자는 참가자들의 발언 내용을 요약하고 있으나, [A]에서만 '학부모 위원'을 다음 발언자로 지목하고 있을 뿐, [B]에서는 다음 발언자를 지목하고 있지 않다.

**6** ⑤ 정답률 65%

**정답풀이**

(나)에서 교사 위원이 '이 사업이 교육청의 지원을 받아 이루어지므로 유휴 교실은 교육 활동을 위한 공간으로 활용되어야' 한다고 말하고 있는 것으로 보아, 유휴 교실을 휴게실로 이용하자는 학생 위원과의 인식 차이를 드러내기 위해 ㄴ(교육청 공문 내용)을 활용했음을 알 수 있다. 그러나 교사 위원이 ㄷ(인근 학교의 공간 개선 지원 사업 보고서)을 활용한 것은 유휴 교실을 북카페로 만들 경우 '교과와 연계된 독서 교육 프로그램을 운영하는 공간'으로 활용할 수 있다는 의견을 제시하기 위해서이지, 공간 활용에 대한 학생 위원과의 인식 차이를 부각하기 위해서가 아니다.

오답풀이

① (나)에서 학생 위원은 학생들이 '유휴 교실을 휴게실로 사용하기를 가장 원'하고 있음을 제시하기 위해 ㄱ(유휴 교실에 대한 학생 선호도 조사)을 활용하고 있다.
② (나)에서 교사 위원은 유휴 교실을 휴게실로 활용하자는 학생 위원의 제안이 교육청이 지원하는 '사업의 취지에 맞지 않'음을 지적하기 위해 ㄴ을 활용하고 있다.
③ (나)에서 학생 위원은 북카페의 내부 디자인 설계에 '학생들의 의견을 반영'해야 한다는 자신의 의견을 뒷받침하기 위해 ㄷ을 활용하고 있다.
④ (나)에서 학부모 위원은 '유휴 교실을 스터디카페로 활용'하자는 제안의 타당성을 뒷받침하기 위해 ㄱ, ㄷ을 활용하고 있다.

**7** ④ 정답률 87%

**정답풀이**

(나)에서 교사 위원은 '북카페로 만든다면 교과와 연계된 독서 교육 프로그램을 운영하는 공간으로 활용할 수도 있을 것'이라고 하며 유휴 교실을 북카페로 만들 것을 제안했고, 이에 학부모 위원은 '북카페를 학생뿐 아니라 학부모 독서 모임 공간으로도 활용할 수 있'다고 하며 교사 위원의 제안에 동의하고 있다. 따라서 ㉣(학부모 위원은 북카페가 되면 교과 연계 독서 활동이 가능하다며 동의하였고)은 적절하지 않다.

오답풀이

① (나)에서 '유휴 교실을 북카페로 활용하는 것으로 의견이 모아'졌다는 사회자의 말을 고려하면, ㉠(유휴 교실, 북카페로 변신)은 표제로 적절하다.
② (나)에서 '유휴 교실을 북카페로 활용하는 것으로 의견이 모아'졌다고 했으므로, ㉡(지난 XX일 학생 자치실에서 열린 제1차 '유휴 교실 활용 위원회' 회의 결과 유휴 교실을 북카페로 만들기로 의견이 모아졌다.)은 전문으로 적절하다.
③ (나)에서 학생 위원은 학생 선호도 조사를 활용하여 유휴 교실을 휴게실로 만들자고 제안했고, 교사 위원은 교육청 공문 내용을 활용하여 유휴 교실을 교육 활동 공간으로 만들자고 제안했으므로, ㉢(학생 위원은 유휴 교실을 휴게실로, 교사 위원은 교육 활동 공간으로)은 적절하다.
⑤ (나)에서 사회자는 '공간 내부 디자인 설계 방법에 대해서는 제2차 회의에서 디자인 전문가를 모시고 협의'하겠다고 하였으므로, ㉤(제2차 회의에서는 디자인 전문가와 함께 내부 디자인 설계 방안에 대해 논의할 예정이다.)은 적절하다.

## [8~10] 작문

**8** ④ 정답률 62%

**정답풀이**

5문단의 '좁은 길목을 빠져 나가는 물살이~이름 붙여진 곳.'에 울돌목 지명의 유래가 제시되어 있을 뿐, 울돌목과 관련된 전설에 대해서는 언급하지 않았다.

오답풀이

① 2문단의 '운림산방은 소치 허련의 화실이다. 소치는~그림을 그렸다.'에서 운림산방의 내력에 대한 정보를 제시하고 있다.
② 3문단의 '봄의 기척이 들려오는 들녘에는~농부들이 보인다.'에서 소포마을 들녘에 봄이 오는 모습을 묘사하고 있다.
③ 4문단의 '이곳에서는 매주 토요일~공연이 진행된다.'에서 진도향토문화회관의 공연 시간과 내용에 대해 안내하고 있다.
⑤ 5문단의 '정유재란 때 이순신 장군이~수업 시간에 배운 그 역사의 현장에 내가 서 있다.'에서 울돌목에서 떠올린 역사적 사실과 수업 내용을 제시하고 있다.

**9** ⑤ 정답률 81%

**정답풀이**

진도향토문화회관에서 '매주 토요일 오후 2시에' 진행되는 '씻김굿'에 대한 정보는 4문단에서 다루고 있으므로, 이러한 씻김굿의 한 장면을 5문단에서 '영웅의 지략과 민초들의 헌신'을 전달하기 위한 영상 자료로 제시하는 것은 적절하지 않다.

오답풀이

① 1문단에서 '운림산방과 소포마을, 그리고 울돌목 등'을 내일 둘러본다고 했으므로, 여정을 한눈에 볼 수 있도록 탐방 지역의 약도를 시각 자료로 제시할 수 있다.
② 2문단에서 '운림산방'과 '첨찰산'에 대해 설명하고 있으므로, 장소에 대한 독자의 이해를 돕기 위해 두 장소의 사진을 제시할 수 있다.
③ 3문단에서 '남도 소리의 산실'인 소포마을을 소개하고 있으므로, 독자가 진도 아리랑을 들어볼 수 있는 기회를 제공하기 위해 진도 아리랑을 청각 자료로 제시할 수 있다.
④ 4문단에서 '진도향토문화회관'에서 진행되는 공연을 설명하고 있으므로, 독자가 직접 공연과 관련된 정보를 탐색할 수 있도록 하이퍼링크를 제시할 수 있다.

**10** ② 정답률 83%

**정답풀이**

〈보기〉에 따르면 글에 추가할 내용에는 '여정이 마무리되는 시간적 배경', '색채어', '비유적 표현'이라는 조건이 모두 포함되어야 한다. '붉은 노을에 집으로 향하는 발길이 물든다.'에서 여정이 마무리되는 시간적 배경이 저녁임이 나타나고, '금빛'과 '붉은'에서 색채어를 사용하고 있으며, '바닷물이 금빛 비늘을 퍼덕인다.'에서 비유적 표현을 활용하고 있음을 확인할 수 있다.

오답풀이

① '파아란'에서 색채어를 사용하고 있고, '도란거리는 섬들이 평화롭다.'에서 비유적 표현을 활용하고 있지만, 여정이 마무리되는 시간적 배경은 확인할 수 없다.
③ 내일 여정에 대한 계획만 나타나 있을 뿐 여정이 마무리되는 시간적 배경, 색채어, 비유적 표현은 확인할 수 없다.
④ 색채어 '흰'이 나타나지만, 여정이 마무리되는 시간적 배경과 비유적 표현은 확인할 수 없다.
⑤ '조용히 저물고 있다.'에서 여정이 마무리되는 시간적 배경이 드러나고, '섬들이 어깨를 토닥이며'에서 비유적 표현이 나타나고 있지만, 색채어는 확인할 수 없다.

## [11~15] 문법(언어)

**11** ① 정답률 77%

**정답풀이**

1문단에서 '의존 명사는 관형어의 수식 없이 단독으로 쓰일 수 없'다고 했고, [A]에서 '의존 명사는 앞말과 띄어' 써야 한다고 했다. '노력한 만큼'의 '만큼'은 관형어 '노력한'의 수식을 받는 의존 명사이므로 앞말과 띄어 써야 하는데, 예문의 띄어쓰기는 올바르게 되어 있으므로 판단 결과는 'X'가 아닌 'O'가 되어야 한다.

오답풀이

② [A]에서 '의존 명사는 앞말과 띄어 쓰고, 조사는 앞말과 붙여 써야 한다.'라고 했다. 체언 '형' 뒤에 오는 '만큼'은 조사이므로 앞말과 붙여 써야 한다.

③ [A]에서 '의존 명사는 앞말과 띄어 쓰고, 조사는 앞말과 붙여 써야 한다.'라고 했다. '몰랐던 만큼'의 '만큼'은 관형어 '몰랐던'의 수식을 받는 의존 명사이므로, 앞말과 띄어 써야 한다.
④ [A]에서 '의존 명사는 앞말과 띄어 쓰고, 조사는 앞말과 붙여 써야 한다.'라고 했다. '바랄 만큼'의 '만큼'은 관형어 '바랄'의 수식을 받는 의존 명사이므로 앞말과 띄어 써야 한다.
⑤ [A]에서 '의존 명사는 앞말과 띄어 쓰고, 조사는 앞말과 붙여 써야 한다.'라고 했다. '고향만큼'의 '만큼'은 체언 '고향' 뒤에 붙은 조사이므로 앞말과 붙여 써야 한다.

## 12 ② 정답률 48%

정답풀이

의존 명사 '만'을 수식하는 관형어를 살펴 보면, '그들은 칭찬을 (*받은 / *받는 / 받을 / *받던) 만도 하다.'와 같이 관형사형 어미 '-(으)ㄹ'과만 결합하는 것을 확인할 수 있으므로, 의존 명사 '만'은 선행어 제약이 있다.

오답풀이

① 의존 명사 '바'에 결합하는 조사를 살펴 보면, '어찌할 (바가 / 바를 / 바에)' 등과 같이 목적격 조사 이외에도 다른 조사와 결합하는 것을 확인할 수 있으므로, 의존 명사 '바'는 후행어 제약이 없다.
③ 의존 명사 '무렵'에 결합하는 조사를 살펴 보면, '해 질 (무렵이 / 무렵을 / 무렵에 / 무렵이다)'와 같이 서술격 조사 이외에도 다른 조사와 결합하는 것을 확인할 수 있으므로, 의존 명사 ' 무렵'은 후행어 제약이 없다.
④ 의존 명사 '리'에 결합하는 조사를 살펴 보면, '그런 일을 할 (리가 / *리를 / *리에 / *리이다)'와 같이 주격 조사와만 결합하는 것을 확인할 수 있으므로, 의존 명사 '리'는 후행어 제약이 있다.
⑤ 의존 명사 '채'를 수식하는 관형어를 살펴 보면, '호랑이를 (산 / *사는 / *살 / *살던) 채로'와 같이 관형사형 어미 '-(으)ㄴ'과만 결합하는 것을 확인할 수 있으므로, 의존 명사 '채'는 선행어 제약이 있다.

## 13 ③ 정답률 53%

정답풀이

〈관련 자료〉에서 현대 국어의 '살코기'는 'ㅎ 종성 체언'의 흔적이 남아 있는 단어라고 했으나, 'ㅎ 종성 체언'이 단독형으로 쓰일 때에는 'ㅎ'이 나타나지 않았다고 했으므로, '살코기'의 '살'은 중세 국어에서 단독으로 쓰일 경우 '숧'의 형태가 아닌 '숧'의 형태로 사용되었을 것이다.

오답풀이

① 현대 국어의 '안팎'은 '안'과 '밖'이 어울려 쓰인 것인데, '밖'이 '팎'으로 나타나는 것으로 보아 'ㅎ 종성 체언'인 '않'의 흔적이 남은 경우라 할 수 있다.
② 현대 국어의 '수캐'는 '수'와 '개'가 어울려 쓰인 것인데, '개'가 '캐'로 나타나는 것은 중세 국어의 'ㅎ 종성 체언'인 '숳'의 'ㅎ'이 '개'와 어울려 거센소리되기가 이루어졌기 때문이라 할 수 있다.
④ 〈관련 자료〉에서 중세 국어의 '나랗'는 'ㅎ 종성 체언'에 해당한다고 했으므로, 모음으로 시작하는 조사 '이'와 결합할 경우 'ㅎ'을 이어 적어 '나라히'와 같은 형태로 나타날 것이다.
⑤ 〈관련 자료〉에서 중세 국어의 '암ㅎ'는 'ㅎ 종성 체언'에 해당한다고 했으므로, 현대 국어의 '암평아리'는 중세 국어에서 'ㅎ 종성 체언'인 '암ㅎ'이 '병아리'와 결합한 흔적이라고 볼 수 있다.

## 14 ③ 정답률 56%

정답풀이

㉠의 '가다'는 주어 '친구가'와 부사어 '서울로'를 필요로 하는 두 자리 서술어이고, ㉡의 '가다'는 주어 '구김이'와 부사어 '바지에'를 필요로 하는 두 자리 서술어이며, ㉢의 '가다'는 주어 '시계가'만 필요로 하는 한 자리 서술어이다. 또한 ㉣의 '생각하다'는 주어 '학생이'와 목적어 '진로를'을 필요로 하는 두 자리 서술어이고, ㉤의 '생각하다'는 주어 '우리가'와 목적어 '투표를', 부사어 '의무로'를 필요로 하는 세 자리 서술어이다. 〈보기〉에서 선생님은 '㉠~㉤ 중에서 두자리 서술어로 쓰인 경우'를 고르라고 했으므로, 답은 ㉠, ㉡, ㉣이다.

## 15 ② 정답률 65%

정답풀이

〈보기〉에서 단모음과 단모음이 만나 ㉠(교체)이 일어난 예로 '오- + -아 → [와]'를 들었다. 이는 이중 모음 'ㅘ'가 '반모음(ㅗ̆) + 단모음(ㅏ)'으로 구성된 것이므로, 단모음이 반모음으로 교체되었다고 보는 관점을 따른 것이다. '살피- + -어'가 [살펴]로 발음되는 경우에도 'ㅕ'는 반모음 'ㅣ̆'와 단모음 'ㅓ'가 결합된 것이므로 어간의 단모음 'ㅣ'가 반모음 'ㅣ̆'로 교체되었음을 알 수 있다.

오답풀이

① '뛰- + -어 → [뛰여]'는 단모음 'ㅟ'와 단모음 'ㅓ'가 만나 그 사이에 반모음 'ㅣ̆'가 첨가되면서 둘째 음절이 이중 모음 'ㅕ'로 나타난 것이다.
③ '치르- + -어 → [치러]'는 어간 둘째 음절의 모음 'ㅡ'가 탈락되는 현상에 해당한다.
④ '끼- + -어 → [끼여]'는 단모음 'ㅣ'와 단모음 'ㅓ'가 만나 그 사이에 반모음 'ㅣ̆'가 첨가되면서 둘째 음절이 이중 모음 'ㅕ'로 나타난 것이다.
⑤ '자- + -아서 → [자서]'는 동일 모음인 단모음 'ㅏ'가 하나 탈락되는 현상에 해당한다.

[16~18] **희곡**

## 16 ③ 정답률 80%

정답풀이

옛날 의상이 준비되지 않았으며 궁중어가 서투르다는 세조의 걱정에 대해 학자는 '우리가 목적하는 바는 그따위 옷이나 말 같은 것이 아니'라고 하고 있다. 따라서 연출가가 ㉢(하하하…… 알겠네.)에 대해 걱정할 것이 없다는 듯이 웃어넘기는 어투로 연기를 해 달라고 지시하는 것은 적절하다.

오답풀이

① ㉠(저…… 선생님.) 이후 세조는 '옛날 의상 같은 것의 준비가 전혀 없'고, '궁중어 같은 건 서툴'다며 걱정하고 있으므로, 연출가가 ㉠에 대해 자신감이 넘치는 어투로 연기를 해 달라고 지시하는 것은 적절하지 않다.
② ㉡(그러구 저흰 궁중어 같은 건 서툴러놔서…….)에는 궁중어가 서툰 것에 대한 세조의 걱정이 드러나야 한다. 따라서 연출가가 ㉡에 대해 무대 공간이 협소한 것을 걱정하는 어투로 연기를 해 달라고 지시하는 것은 적절하지 않다.
④ ㉣(그래두 어떤 질서 같은…….)에는 정해진 줄거리 없이 연기하는 것에 대한 성삼문의 걱정과 불안이 드러나야 한다. 따라서 연출가가 ㉣에 대해 다양한 연기 경험이 부족하다는 것을 걱정하는 어투로 연기를 해 달라고 지시하는 것은 적절하지 않다.
⑤ ㉤(상왕을 복위시키는 것은 무사와 안녕만을 바라는 늙은이들의 고집에 지나지 않는다구……)에는 상왕을 복위시키려는 인물들에 대한 숙주의 비판적 견해가 드러나야 한다. 따라서 연출가가 ㉤에 대해 상대방의 판단에 견해가 의구심을 가지고 불안해하는 어투로 연기해 달라고 지시하는 것은 적절하지 않다.

## 17 ⑤ 정답률 63%

정답풀이

윤씨는 사육신에 대해 '그들은 폭군에 저항했어요. 그분들은 옳은 일을 위해 죽었어요.'라고 하며 숙주에게 '모두들 당신이 생명을 유지하기 위해서 대군께 지조를 굽혔다고 떠'든다고 했고, 숙주도 사육신에 대해 '결국 그들은 전하의 악명과 함께 영원히 충성심으로 떠받쳐'질 것이라고 했다. 따라서 윤씨와 숙주는 모두 백성들이 사육신을 충신으로 평가할 것이라고 생각하고 있으므로, '백성들은 사육신을 충신으로 평가할 것인가?'는 윤씨와 숙주 간의 쟁점에 해당하지 않는다.

오답풀이

① 사육신에 대해 윤씨는 '그들은 폭군에 저항했어요. 그분들은 옳은 일을 위해 죽었어요.'라고 했고, 숙주는 '그들이 죽은 건 명예 때문~나이 어린 아이에 대한 충성을 바치기 위해서 죽은 거야.'라고 하며 논쟁하고 있다. 따라서 '사육신은 정의를 위해 죽었는가?'는 윤씨와 숙주 간의 쟁점에 해당한다고 볼 수 있다.

② 윤씨가 '당신은 수양대군의 폭정을 정당하다고 주장하시는군요.'라고 하자 숙주는 '어느 의미에서는 옳지.'라고 하며 대립하고 있으므로, '세조의 폭정은 정당화될 수 있는가?'는 윤씨와 숙주 간의 쟁점에 해당한다고 볼 수 있다.
③ 윤씨는 숙주의 행동에 대해 '배반이죠. 비겁한 배반이야요.'라고 했고, 숙주는 '난 그들을 설복시키는 데 실패했을 따름이야.'라고 하며 대립하고 있으므로, '신숙주의 행동은 비겁한 배반이었는가?'는 윤씨와 숙주 간의 쟁점에 해당한다고 볼 수 있다. .
④ 숙주는 수양대군이 '이 나라를 유지할 수 있는 유일한 인물이'기 때문에 자신도 '정과 인연을 끊었'다고 했고, 이에 대해 윤씨는 '결국 당신은 그들과 인연을 끊음으로써 부귀와 영달을 얻었군요.'라고 하며 대립하고 있으므로, '신숙주의 배반은 자신을 위한 일이었는가?'는 윤씨와 숙주 간의 쟁점에 해당한다고 볼 수 있다.

## 18 ⑤ 정답률 70%

**정답풀이**

〈보기〉를 통해 극중극의 구조에서는, ⓐ(틀극)의 배우들이 각각 역할을 분담하여 ⓑ(내부극)의 배우나 관객이 되게 함을 알 수 있다. 따라서 한 명의 배우가 ⓐ에서 두 개의 배역을 담당한다는 내용은 적절하지 않다.

**오답풀이**

① 윗글에서는 '(전원 퇴장한다. 성삼문 고개를 갸우뚱 한다. 시계 소리 한 시를 친다. 이어서 음악이 엷게 흐른다.)'를 기점으로 ⓐ에서 ⓑ로 전환되고 있다.
② 학자는 숙주에게 '자네의 의지로써 신숙주의 입장을 타개해 보'라고 했고, 성삼문에게는 '뚜렷한 줄거리' 없이 '그저 성실하게 각 인물들의 입장을 더듬으면' 된다고 했다. 이를 통해 ⓐ에서 학자가 ⓑ에서의 줄거리를 한정하지 않았기 때문에 ⓑ에서의 등장인물들이 자율적으로 연기할 수 있었을 것이라 짐작할 수 있다.
③ 윗글의 '옛날 의상 같은 것의 준비가 전혀 없잖습니까?'라는 세조의 말을 통해 ⓑ에서 옛날 의상을 입지 않고 연극이 진행되었음을 알 수 있다. 한편 〈보기〉에서 '관객들은 관객과 배우 사이에 미리 정해 놓은 암묵적 약속인 컨벤션에 따라 극의 상황을 실제 상황인 것처럼 받아들이게 된다.'라고 했으므로, ⓑ에서 배우들이 옛날 의상을 입지 않아도 관객들은 그 배경이 조선 시대임을 암묵적으로 동의할 수 있었을 것이다.
④ 윗글에서 숙주가 '저 선생님! 제가 신숙주라는 인물과 비유되는 것마저 저로서는 불쾌합니다.'라고 말하자 학자는 한번 그의 입장이 되어 '지금 같은 말이 나오'는지 보라며 결국에는 '그분을 존경하게 될 걸세.'라고 했다. 이를 통해 ⓐ에서 학자가 신숙주에 대해 비판적인 인물에게 ⓑ에서 숙주 역할을 맡게 한 것은 인물의 인식 변화를 의도한 것임을 알 수 있다.

## [19~23] 현대시+고전시가

## 19 ④ 정답률 76%

**정답풀이**

(가)에서는 '내 가난한 늙은 어머니가 있다', '또 내 사랑하는 사람이 있다'에서 유사한 문장 구조가 반복되면서 화자가 그리워하는 사람을 떠올리는 시적 상황을 부각하고 있다. (나)에서는 '안표누공인들 나같이 비었으며', '원헌간난인들 나갈이 심했을까'와 '동편 이웃에 따비 얻고', '서편 이웃에 호미 얻고' 등에서 유사한 문장 구조를 반복하여 화자가 처한 궁핍한 상황을 부각하고 있다.

**오답풀이**

① (가)와 (나)는 모두 수미상관의 기법을 활용하고 있지 않다.
② (가)에는 '방'이라는 특정 공간이, (나)에는 '집'이라는 특정 공간이 언급되어 있지만, 공간의 대비는 나타나지 않는다.
③ (나)의 '이봐 아이들아 아무려나 힘써 일하라'에서 명령적 어조가 나타나기는 하지만, 이를 통해 화자의 강한 의지를 표출하고 있다고 보기 어렵고, (가)에서는 명령적 어조가 나타나지 않는다.
⑤ (가)의 '시퍼러둥둥하니 추운 날인데 차디찬 물에 손은 담그고'에서 촉각적 심상이 나타나지만 이를 통해 사물의 정적인 모습을 강조하고 있다고 보기 어렵고, (나)에서는 촉각적 심상이 나타나지 않는다.
⑤ [D]에서 화자는 '내 쓸쓸한 얼굴을 쳐다보며' 생각을 하다가 '내 가슴은 너무도 많이 뜨거운 것으로 호젓한 것으로 사랑으로 슬픔으로 가득 찬다'고 했다. 화자는 이러한 애상적 정서에 침잠하지 않고, [E]의 '하늘이 이 세상을 내일 적에~언제나 넘치는 사랑과 슬픔 속에 살도록 만드신 것이다'와 같이 긍정적 정서로 나아가고 있다.

**오답률 Best 2**

이 문제는 정답인 ③번을 고른 학생보다 오답인 ④번을 고른 학생의 비율이 높았어. 아마도 (가)의 화자가 떠올린 '내 가난한 늙은 어머니'와 '내 사랑하는 사람'이 소외된 사람들이라고 생각하여 이들에 대한 연민이 내포되어 있을 것이라 짐작했을 가능성이 있어. 물론 [B]에서 떠올린 가난하고 늙은 어머니가 추운 날 차디찬 물에 손을 담그고 있는 모습에서 연민의 정서가 드러나지만, [C]에서 떠올린 사랑하는 사람에 대한 연민은 찾아보기 어렵기 때문에 ③번은 적절하지 않아. 한편 정답보다 선택 비율이 높았던 ④번을 선택한 학생들은 아마도 [D]의 지나가는 글자들에서 자기 긍정의 정서를 발견하지 못했을 가능성이 커. 하지만 '높고'라는 글자에 가난하고 외롭고 쓸쓸하지만 자신의 존재를 높게 인식하는 화자의 긍정의 정서가 담겨 있다고 볼 수 있지. 지문에 현대시가 나오면 먼저 표면적으로 나타난 상황과 정서를 찾아 선지와 사실 관계가 일치하는지부터 판단하고, 그 후에 '높고'를 긍정의 정서와 연결할 수 있는지 파악했던 것처럼 특정 시어에 내포된 정서를 세부적으로 검토해 보자.

## 20 ③ 정답률 30%

**정답풀이**

(가)의 화자는 '흰 바람벽'을 보며 [B]에서는 '내 가난한 늙은 어머니'를, [C]에서는 '내 사랑하는 사람'을 떠올리고 있다. 이들은 모두 화자가 그리워하고 사랑하는 대상이지, '소외된 사람들'이라고 볼 수 없다. 따라서 [B], [C]에 '소외된 사람들에 대한 연민'이 나타난다고 보기 어렵다.

**오답풀이**

① [A]에서 화자는 '십오촉 전등'이나 '무명샤쯔' 등 외부의 사물을 응시하다가 내면의 '내 가지가지 외로운 생각'으로 시선을 옮겨가고 있다.
② 화자는 [A]의 '흰 바람벽'을 보며 [B]에서는 '내 가난한 늙은 어머니'를, [C]에서는 '내 사랑하는 사람'을 떠올리고 있다.
④ [D]에서 화자는 '나는 이 세상에서 가난하고 외롭고 높고 쓸쓸하니 살어가도록 태어났다'고 여기는데, 이때 '높고'에는 스스로를 고귀한 존재로 여기는 자기 긍정의 정서가 내포된 것이라고 볼 수 있다. 이러한 자기 긍정의 정서는 [E]의 '하늘이 이 세상을 내일 적에~언제나 넘치는 사랑과 슬픔 속에 살도록 만드신 것이다'에서 더 강화되고 있다고 볼 수 있다.

## 21 ③ 정답률 72%

**정답풀이**

(나)에서 '이 원수 궁귀를 어이하여 여의려노'는 '원수와 같은 궁귀(가난 귀신)를 어떻게 해야 떨쳐버릴 수 있을까'라는 의미일 뿐, 가난한 상황을 미리 대비하지 못한 무능함에서 오는 화자의 자괴감을 드러낸다고 볼 수는 없다.

**오답풀이**

① 〈보기〉에서 이 작품에는 '극심한 궁핍으로 인해 사대부임에도 불구하고 종에 대한 권위를 내세울 수 없는 상황이 드러'난다고 했다. 이를 고려하면 '죽 쑨 물 상전 먹고 건더기 건져 종을 주니'에서 사대부임에도 종의 눈치를 볼 정도로 내세울 권위도 없이 가난한 화자의 처지를 엿볼 수 있다.
② 〈보기〉에서 '이 작품에는 가난으로 인해 사대부로서의 도리를 지키지 못하는 형편'이 드러난다고 했다. 이를 고려하면 '세시 절기 명절 제사는 무엇으로 해 올리며'에서 사대부의 도리를 다하지 못하는 현실에 대한 화자의 한탄을 엿볼 수 있다.
④ 〈보기〉에서 '「탄궁가」는 경제적으로 몰락한 사대부가 자신이 처한 궁핍한 현실에 대해 한탄하는 가사'로, '경제적인 무능력으로 인해 가난에서 벗어나지 못하'는 상황이 잘 나타나 있다고 했다. 이를 고려하면 '무정한 세상은 다 나를 버리거늘'에서 힘겨운 경제적 상황을 타개해 나갈 수 없는 화자의 비관적 인식을 엿볼 수 있다.

⑤ 〈보기〉에서 이 작품에는 '경제적인 무능력으로 인해 가난에서 벗어나지 못하고 이를 수용할 수밖에 없는 처지'가 나타나 있다고 했다. 이를 고려하면 '빈천도 내 분이어니 설워 무엇하리'에서 궁핍한 현실을 체념적으로 수용하는 화자의 태도를 엿볼 수 있다.

## 22 ① 정답률 77%

**정답풀이**

(가)의 ㉠(오늘 저녁)은 화자가 자신의 삶을 돌아보며 자신의 운명을 긍정적으로 생각하고 스스로를 위로하는 내적 성찰이 이루어지는 시간으로 볼 수 있다. 한편 (나)의 ㉡(봄날)은 화자가 농사일을 해야 하지만 그것마저 하기 어려운 궁핍한 현실을 체감하며 절망감이 심화되는 시간으로 볼 수 있다.

**오답풀이**

② ㉠은 화자가 과거의 고통을 상기하는 시간이라기보다는 외로움과 쓸쓸함을 느끼고 있는 시간이라 할 수 있고, ㉡은 화자가 행복했던 경험을 떠올리는 시간이라고 볼 수 없다.

③ ㉠은 화자가 지금까지의 자신의 삶을 돌아보며 내적 성찰을 이루는 시간으로, 시간의 단절감을 경험하고 있는 시간이라고 볼 수는 없다. 한편 ㉡은 화자가 계절의 순환 질서를 받아들이는 시간이라고 볼 수 없다.

④ ㉠은 화자가 그리운 대상들을 떠올리는 시간으로 고향에 대한 추억을 떠올리는 시간이라고 볼 수 있으나, ㉡은 화자가 고향 사람들에 대한 인정을 느끼고 있는 시간이라고 볼 수 없다.

⑤ ㉠은 화자가 어머니를 떠올리는 시간이기도 하므로, 가족에 대해 애틋함을 느끼는 시간이라고 볼 수 있으나, ㉡은 화자가 가족에 대한 상실감을 느끼는 시간이라고 볼 수 없다.

## 23 ④ 정답률 32%

**정답풀이**

윗글에서 ⓐ(운명론적 세계관)는 '인간은 각자 정해진 운명이 있고, 초월적인 힘에 밀려 자신의 의지나 노력으로도 그것을 바꿀 수 없는 삶이 있다고 믿는 가치관'이라고 했다. ⓐ의 관점에서 볼 때, (가)의 화자는 자신의 삶을 긍정적으로 받아들이고 있고, (나)의 화자는 어릴 적부터 이어져 온 가난한 삶을 체념적으로 수용하고 있을 뿐이며, (가)에서 이상과 현실의 괴리감이 나타나거나 (나)에서 과거와 현재의 괴리감이 나타나지는 않는다.

**오답풀이**

① (가)의 '하늘이 이 세상을 내일 적에~만드신 것이다'와 (나)의 '하늘이 만든 이 내 궁을 설마한들 어이하리'를 통해, (가)와 (나)의 화자는 모두 운명을 결정짓는 초월적인 존재(하늘)가 있다고 전제하고 있음을 알 수 있다.

② (나)의 화자는 가난을 운명으로 여기는데, (가)의 화자는 '나는 이 세상에서 가난하고 외롭고 높고 쓸쓸하니 살어가도록 태어났다'고 했으므로, 가난뿐만 아니라 외로움도 자신이 받아들이는 운명의 대상으로 여기고 있음을 알 수 있다.

③ (나)의 '하늘이 만드시길 일정 고루 하련마는'에서 화자가 사람들의 운명은 고르게 타고 나야한다고 인식하고 있음을 알 수 있다. (가)에서는 이러한 인식이 나타나지 않는다.

⑤ (가)의 "프랑시스 잼"과 '도연명'과 '라이넬 마리아 릴케'가 그러하듯이'를 통해 화자는 타인과의 동질감에서 운명적인 삶에 대한 위안을 느끼고 있음을 알 수 있고, (나)의 '안표누공인들 나같이 비었으며', '원헌간난인들 나같이 심했을까'를 통해 화자는 타인과의 비교에서 절망을 느끼고 있음을 알 수 있다.

**오답률 Best ④**

이 문제는 정답인 ④번을 고른 학생보다 오답인 ③번을 고른 학생의 비율이 높았어. 아마도 (나)의 시작 부분인 '하늘이 만드시길 일정 고루 하련마는'의 의미를 제대로 파악하지 못했거나, (가)에서 '하늘이 이 세상을 내일 적에 그가 가장 귀해하고 사랑하는 것들은 모두 가난하고 외롭고~만드신 것이다'를 보고, (가)의 화자도 사람들의 운명을 고르게 타고나야 한다고 생각했다고 보았기 때문일 거야. 전자의 경우라면 고전시가 작품들을 꾸준히 현대어 풀이와 비교하며 읽어 보는 것이 도움이 될 거야. 그리고 후자의 경우라면, '모두'가 쓰이기는 했지만, '하늘이 가장 귀해하고 사랑하는 것들은'이라는 조건을 달았으므로 (나)의 화자가 사람들의 운명이 고르게 타고나야 한다는 인식을 지녔다고 보기는 어렵다는 점을 판단할 수 있도록 작품의 표현을 있는 그대로 정확히 읽는 연습을 하는 것이 좋아.

### [24~27] 기술

## 24 ⑤ 정답률 57%

**정답풀이**

2문단에서 '텔레스코핑 케이지는 타워 크레인의 높이를 조절하는 장치로, 유압 장치를 통해 운전실을 들어 올린 후 마스트와 운전실 사이의 빈 공간에 단위 마스트를 끼워 넣어 높이를 조절한다.'라고 했으므로, 텔레스코핑 케이지를 이용해 타워 크레인의 높이를 높일 때에는 유압 장치로 운전실을 들어 올린다는 것을 알 수 있다.

**오답풀이**

① 3문단에서 '상단의 타워 헤드에는 지브의 인장력을 보강하면서 평형 유지를 돕는 타이바가 연결되어 있다.'라고 했고, '지브는 카운터 지브와 메인 지브로 구성'되는데, '카운터 지브는 길이가 짧'고, '메인 지브는 길이가 길'다고 했으므로, 타이바는 길이가 다른 두 개의 지브가 한쪽으로 기울어지지 않고 평형을 유지하도록 돕는 역할을 한다는 것을 알 수 있다.

② 3문단에서 운전실의 '하단에는 중량물을 수평으로 이동시키는 선회 장치가 있'다고 했고, '트롤리는 메인 지브의 레일을 통해 중량물을 수평으로 이동시키는 역할을 한다.'라고 했으므로, 타워 크레인으로 들어 올린 중량물의 수평 이동은 트롤리와 선회 장치에 의해 이루어짐을 알 수 있다.

③ 5문단에서 '여러 개의 움직도르래를 사용하게 되면 여러 가닥의 와이어로프가 바람에 의해 꼬여 손상되는 일이 발생할 수 있'다고 했다.

④ 5문단에서 '권상 장치는 그 안에 있는 전동기의 회전 방향에 따라 와이어로프를 원통 모양의 드럼에 감거나 풀어 중량물을 들어 올리거나 내린다.'라고 했으므로, 타워 크레인이 중량물을 들어 올릴 때와 내릴 때에 권상 장치에 있는 전동기의 회전 방향은 반대가 됨을 알 수 있다.

## 25 ① 정답률 34%

**정답풀이**

4문단을 통해 지레의 원리에서 '작용점에 가하는 힘을 F, 작용점에서 받침점까지의 거리를 D, 힘점에 작용하는 힘을 f, 힘점에서 받침점까지의 거리를 d라고 할 때, FD = fd이면 지레는 어느 한쪽으로 기울어지지 않고 평형을 이'룬다는 것을 알 수 있다. '마찬가지로 타워 크레인의 평형추는 작용점, 운전실 지점은 받침점, 트롤리는 힘점에 해당하는데, 타워 크레인은 두 지브의 길이가 다르기 때문에 길이가 짧은 카운터 지브에 무거운 평형추를 설치하여 길이가 긴 메인 지브와 평형을 이루'게 한다고 했으므로, 타워 크레인에서 FD는 고정이라는 것을 알 수 있다. ㉠(반대로 메인 지브의 안쪽에서 들어 올린 중량물을 메인 지브 바깥쪽으로 이동시키지 못할 수도 있다.)에서 메인 지브의 안쪽에서 들어 올린 중량물을 메인 지브 바깥쪽으로 이동시킨다는 것은 동일한 중량물을 이동시키는 것이므로, f는 일정하지만 d가 증가하게 된다는 의미이다. 이로 인해 FD보다 fd가 커지면 타워 크레인이 메인 지브 쪽으로 기울어지게 되므로, 메인 지브의 안쪽에서 들어 올린 중량물을 메인 지브 바깥쪽으로 이동시키지 못할 수 있다.

**오답률 Best ⑤**

이 문제는 지레가 평형을 이루는 원리인 'FD = fd'를 타워 크레인에 적용하여 ㉠의 이유를 찾는 문제였어. 지레의 원리가 복잡하지는 않지만, 타워 크레인에서 FD는 항상 고정이라는 것을 파악해야 하고, '안쪽에서 들어 올린 중량물을 바깥쪽으로 이동시'킨다는 의미가 f는 고정이지만 d가 증가하게 된다는 의미라는 것을 알 수 있어야 했어. 정답인 ①번 이외에 학생들이 ⑤번도 많이 선택을 했는데, d가 커지면 'FD < fd'가 되어 평형추가 있는 카운터 지브 쪽이 아닌 트롤리가 있는 메인 지브 쪽으로 타워 크레인이 기울어지게 돼. 출제자들은 이렇게 지문에 설명된 내용과 반대되는 진술로 오답을 구성하기도 하니까, 변화의 방향이나 인과관계와 관련된 진술이 나오면 한 번 더 확인하는 습관을 갖도록 하자!

4회

## 26 ① 정답률 45%

**정답풀이**

5문단을 통해 도르래 사용 시 '일의 양(W) = 줄을 당긴 힘(F) × 감아올린 줄의 길이(S)'라는 점과, '움직도르래를 타워 크레인에서 추가적으로 사용할 때마다 동일한 무게의 중량물을 같은 높이로 들어 올릴 때 권상 장치가 사용하는 힘의 크기가 더 감소하지만, 권상 장치가 감아올리는 와이어로프의 길이는 더 길어'짐을 알 수 있다. 〈보기 1〉에서 A는 움직도르래 한 개가 사용된 후크 블록이고, B는 움직도르래 두 개가 사용된 후크 블록이다. 따라서 동일한 중량물을 들어 올리는 힘의 크기는 A에 비해 B가 작지만, 동일한 중량물을 같은 높이로 들어 올릴 때 권상 장치가 감아올리는 와이어로프의 길이는 B가 더 길어져야 한다. 그런데 권상 장치가 감아올린 와이어로프의 길이가 같다면 A가 중량물을 들어 올리는 힘의 크기가 B보다 크므로 A가 한 일의 양이 B가 한 일의 양보다 더 많아지게 되고, A가 B에 비해 더 많은 일을 했다면, 동일한 중량물을 들어 올릴 경우 A가 B보다 중량물을 더 높이 들어 올렸을 것이라고 볼 수 있다. 따라서 〈보기 2〉의 ㄱ에는 'A가 B보다 크고'가, ㄴ에는 'A가 B보다 높다'가 들어가야 한다.

## 27 ② 정답률 89%

**정답풀이**

ⓑ(제어하는)는 '기계나 설비 또는 화학 반응 따위가 목적에 알맞은 작용을 하도록 조절하다.'라는 의미를 나타내므로, 이를 '물건의 밑이나 옆 따위에 다른 물체를 대다.'라는 의미의 '받치는'으로 바꾸어 쓰는 것은 적절하지 않다.

**오답풀이**

① ⓐ(달하는)는 '일정한 표준, 수량, 정도 따위에 이르다.'라는 의미를 나타내므로, 이를 '이르는'으로 바꾸어 쓸 수 있다.

③ ⓒ(연결되어)는 '사물과 사물이 서로 이어지거나 현상과 현상이 관계가 맺어지다.'라는 의미를 나타내므로, 이를 '이어져'로 바꾸어 쓸 수 있다.

④ ⓓ(분산되기)는 '갈라져 흩어지다.'라는 의미로, 문맥상 '나누다'의 의미로 사용되었으므로, 이를 '나뉘기'로 바꾸어 쓸 수 있다.

⑤ ⓔ(감소하지만)는 '양이나 수치가 줄다. 또는 양이나 수치를 줄이다.'라는 의미를 나타내므로, 이를 '줄지만'으로 바꾸어 쓸 수 있다.

# [28~31] 고전소설

## 28 ⑤ 정답률 66%

**정답풀이**

유실부는 '연무대를 찾아 천자가 친히 출정하시는 군중에 참여'하고자 했지만, 천자는 유실부의 나이가 어리다는 이유로 출정을 허락하지 않았다. 하지만 천자가 호로왕의 침입으로 위기를 겪자 유실부는 출정해 천자를 구해 낸다. 이후 유생은 천자에게 '다행히 적군을 물리치오나, 천명을 어기었사오니 군법으로 시행'해 달라며 죄를 청한다. 따라서 유실부가 천자의 명을 어기고 출정한 일에 대해 천자께 죄를 청했다는 내용은 적절하다.

**오답풀이**

① 윗글에서 천자가 '북문을 열고 도망하실새, 길은 없고 다만 산이 가리'웠다고 했으므로, 천자가 북문을 나와 유실부가 있는 곳으로 몸을 피했다는 내용은 적절하지 않다.

② 윗글에서 '강공은 최두를 베고, 강녕은 왕건을 베니, 송 진영에 남은 군사 싸울 마음 없'어졌다고 했으므로, 최두와 왕건의 충성에 송나라 군사들이 전의를 불태웠다는 내용은 적절하지 않다.

③ 유실부는 '연무대를 찾아' 군중에 참여하고자 했으나 천자가 이를 허락하지 않자, 연무대를 나와 방황하다가 '부친 소식을 탐지하더니, 한 주점을 찾아 밥을 사 먹으며 쉬'었을 뿐이므로 유실부가 주점에서 부친을 간절히 기다렸다는 내용은 적절하지 않다.

④ 유실부가 '한 주점을 찾아 밥을 사 먹으며 쉬더니, 문득 백발노인이 갈건야복으로 청려장을 끌고 지나다가, 유생을 보고 급히 들어'온 것이므로, 유실부가 술법을 배우려고 백발노인을 찾아 산천을 헤맸다는 내용은 적절하지 않다.

## 29 ④ 정답률 56%

**정답풀이**

㉠(선설)은 '앞의 이야기를 하자면.'의 뜻으로, ㉠의 앞부분에는 천자를 구한 소년 장수가 등장하고, ㉠의 뒷부분에는 유실부가 백발노인을 만나 술법을 익히고 선관의 말에 따라 천자를 구하러 가는 과정이 나타나 있다. 따라서 ㉠은 유실부의 정체를 밝혀 유실부가 천자를 구한 영웅적 활약의 배경을 제시하는 기능을 한다고 할 수 있다.

**오답풀이**

① ㉠ 이전에는 소년 장수가 위험에 처한 천자를 구하는 내용이 나타나고, ㉠ 이후에는 소년 장수인 유실부가 술법을 익혀 천자를 구하러 가는 과정이 제시되어 있으므로, ㉠이 천자의 위태로운 상황을 부각하는 기능을 한다고 보기 어렵다.

② ㉠ 이후에 유실부가 최두를 만나게 된 내막은 나타나지 않는다.

③ ㉠ 이후에 천자가 조력자로 등장하는 내용은 나타나지 않는다.

⑤ 유실부의 아버지가 '한림학사'이고 조부가 '호부상서'임이 유실부와 천자의 대화를 통해 드러나기는 하지만 ㉠이 이를 드러내는 서사적 기능을 하는 것은 아니다.

## 30 ④ 정답률 60%

**정답풀이**

고전소설에서 전기적 요소는 기이하고 비현실적인 내용을 의미한다. '유생이 적장의 머리를 칼끝에 꿰어 들고 바로 천자 앞에 나아가'는 것은 현실 세계에서 유생이 한 행동을 사실적으로 묘사한 장면이므로, 여기에서 전기적 요소가 드러나지는 않는다.

**오답풀이**

① 〈보기〉에서 「월왕전」은 '극단적 상황 설정'이 잘 나타나 있다고 했다. 천자가 쫓기다 '인검을 빼어서 자결코자 하'는 것은 위기 상황에서 천자가 스스로 목숨을 끊으려는 극단적 상황을 보여 주는 것으로, 이를 통해 긴박감을 조성하고 있다고 할 수 있다.

② 〈보기〉에서 「월왕전」은 '이야기의 흐름을 끊는 단절 기법'이 잘 나타나 있다고 했다. '아지 못하겠어라. 이 어떤 사람인고.' 이후에는 천자를 구한 소년 장수가 누구인지 밝히지 않고 과거의 다른 장면으로 전환되고 있는데, 이러한 단절 기법을 통해 소년 장수에 대한 독자의 궁금증을 유발하고 있다고 볼 수 있다.

③ 〈보기〉에서 「월왕전」은 '속도감 있는 사건 전개를 위한 압축적인 사건 서술이 잘 나타나 있다'고 했다. '불과 수년지내에 능히 재주를 통'했다고 한 것은 유실부가 신통한 술법을 갖추게 될 때까지의 수년간의 과정을 압축적으로 제시한 것이라 할 수 있다.

⑤ 〈보기〉에서 '「월왕전」은 유교적 충효 사상을 주제로 한 군담소설'이라고 했다. 유실부가 위태로운 황실의 상황을 듣고 '당돌히 전장에 참여하'여 적장을 물리치는 것은 위태로운 상황에 처한 천자와 황실을 구하려는 유교적 충의 사상이 나타난 것이라 할 수 있다.

## 31 ④ 정답률 46%

**정답풀이**

[A]는 노인은 유실부에게 '세상에 나아가 천자의 위태함을 구'하라고 하며 유실부가 수행할 임무를 제시하고 있다. 한편 [B]에서도 선관이 유실부에게 '천자의 위태함을 구'하라는 요청을 하고 있을 뿐, 임무를 수행하는 구체적인 방법을 언급하고 있지는 않다.

**오답풀이**

① [B]는 유실부의 꿈속에서 이루어지고 있는 대화인 반면, [A]는 현실 상황에서 이루어지고 있는 대화이다.

② [B]에서 선관은 유실부에게 '부디 때를 잃지 말'라고 하며 행동의 시의성을 강조하고 있으나, [A]에서는 이를 확인할 수 없다.

③ [A]에서 노인이 유실부에게 '그대는 이제 천지조화지리를 알았'다고 한 것은 상대의 능력을 근거로 한 발화라 할 수 있고, [B]에서 용왕의 둘째 아들이 유실부에게 '부왕의 명을 받'고 당부할 말이 있어 왔다고 한 것은 권위자의 명령을 근거로 한 발화라 할 수 있다.
⑤ [A]에서 노인은 유실부에게 '천자의 위태함을 구하고, 꽃다운 이름을 후세에 전하라'고 했고, [B]에서 선관은 유실부에게 '부디 때를 잃지 말고 아름다운 이름을 후세에 전하'라고 했으므로, [A]와 [B]는 모두 상대의 명망이 높아질 것에 대한 기대를 나타내고 있다고 볼 수 있다.

[32~36] **예술**

**32** ② 정답률 75%

정답풀이

윗글은 플로티노스의 예술론을 소개하고 있으나, 플로티노스가 예술의 유형을 어떻게 분류했는지에 대한 내용은 제시되지 않았다.

오답풀이

① 1문단에 '미가 물질적인 대상의 형식적인 구조 속에 표현되는 객관적인 법칙이라고 생각'한 피타고라스학파의 인식이 제시되어 있다.
③ 2문단에서 플로티노스가 '몇 가지 이유를 들어 미의 본질은 균제로 대표되는 수적 비례에 있는 것이 아니라고 주장'하며 균제 이론을 비판적으로 인식했음을 알 수 있다.
④ 5문단과 6문단을 통해 예술의 가치를 폄하한 플라톤과 달리 플로티노스는 예술의 가치를 높이 평가하고 있음을 알 수 있다.
⑤ 7문단에서 플로티노스의 미 이론은 '중세의 비잔틴 예술을 탄생하게 했'으며 '낭만주의와 현대 추상 회화의 근본을 마련'한 의의가 있음을 알 수 있다.

**33** ⑤ 정답률 57%

정답풀이

3문단을 통해 ⓐ(일자), ⓑ(정신), ⓒ(영혼)는 예지계를 구성하고, ⓓ(자연), ⓔ(질료)는 현상계를 구성함을 알 수 있다. 또한 4문단에서 유출은 존재의 완전성 정도에 따라 ⓐ에서 ⓑ, ⓒ, ⓓ, ⓔ의 순서로 이루어진다고 했고, 6문단에서 '유출로 생성된 각 단계의 존재들이 거꾸로 예지계의 일자에게로 회귀하는 상승 운동이 '테오리아''라고 했다. 즉, 유출은 예지계에 있는 일자에서부터 현상계에 있는 질료의 방향으로 순차적으로 이루어지고, 테오리아는 현상계에서 예지계의 방향으로 이루어진다. 이때 테오리아는 정신의 미를 깨닫게 해 주는 감각적 미에 의해 이루어지므로, 정신은 현상계에서 예지계로 나아가기 위해 깨달아야 하는 대상이 되며, 이에 따라 따라서 플로티노스가 예지계와 현상계가 정신에 의해 상호 보완적 관계를 유지한다고 생각한다고 보기는 어렵다.

오답풀이

① 3문단을 통해 ⓐ는 '가장 완전하고 충만한 원천'이며, 유출은 ⓐ의 빛이 흘러넘침을 의미함을 알 수 있다. 4문단에서 유출은 존재의 완전성 정도에 따라 ⓐ에서 ⓑ, ⓒ, ⓓ, ⓔ의 순서로 이루어진다고 했으므로, 플로티노스는 ⓐ의 속성이 위계적 차등에 따라 ⓑ, ⓒ, ⓓ, ⓔ로 전해지는 것이라 생각할 것이다.
② 4문단에서 ⓐ에서 ⓔ로 내려갈수록 점차 추에 가까워진다고 했으므로, 플로티노스는 ⓐ에 가까운 정도를 기준으로 미, 추를 판단할 수 있다고 생각할 것이다.
③ 4문단에서 유출은 '자기 동일성의 타자적 발현'이라고 했고, '유출로 연결된 존재 간에는 어떤 동일성이 유지되어 있'다고 했으며, 플로티노스는 ⓐ~ⓔ가 동일성을 함유하면서 '질적으로는 서로 연결'되어 있다고 본다고 했다.
④ 4문단에서 유출은 존재의 완전성 정도에 따라 ⓐ에서 ⓑ, ⓒ, ⓓ, ⓔ로 이루어진다고 했고, 6문단에서 '유출로 생성된 각 단계의 존재들이 거꾸로 예지계의 일자에게로 회귀하는 상승 운동이 '테오리아''라고 했다. 따라서 플로티노스는 유출은 ⓐ에서 ⓔ로, 테오리아는 ⓔ에서 ⓐ로 향하는 방향성을 갖는다고 생각할 것이다.

**34** ③ 정답률 58%

정답풀이

5문단에서 '플라톤은 예술이 이데아계를 모방한 현상계를 다시 모방하는 것에 불과하다고 폄하했다.'라고 했으므로, 플라톤은 비너스 석상을 이데아계를 직접 모방한 것으로 보지 않을 것이다.

오답풀이

① 1문단에서 피타고라스가 '아름다움은 그 대상을 구성하는 여러 요소들 간의 수적인 비례에 의한 것이라는 균제 이론을 내세웠'다고 했으므로, 피타고라스는 비너스 석상이 황금비율이라는 수적 비례를 지켰기에 미의 본질을 구현했다고 평가할 것이다.
② 3문단에서 '플라톤은 이 세계를 이데아계와 현상계로 나누고, 현상계는 이데아계를 본떠서 생겨난 것이'며, '두 세계가 근본적으로 단절되어 있다고 본'다고 했다. 따라서 플라톤은 이데아계의 여신과 현상계의 예술 작품인 비너스 석상을 동일시하지 않을 것이다.
④ 6문단에서 '플로티노스가 예술을 중시하는 것은 예술이 미적 경험을 환기하여 테오리아를 일으키는 강력한 추동력을 갖고 있기 때문'이라고 했다. 따라서 플로티노스는 예술 작품인 비너스 석상을 감상자로 하여금 테오리아를 일으킨다는 점에서 높게 평가할 것이다.
⑤ 5문단에서 플로티노스는 예술을 '영혼 안에 있는 미의 형상을 질료에 실현시키는 것'이라고 했다. 따라서 플로티노스는 비너스 석상도 돌을 질료로 하여 예술가가 자신의 영혼에 내재된 미를 형상화한 것으로 인식할 것이다.

**35** ⑤ 정답률 49%

정답풀이

5문단에서 플로티노스는 예술을 '정신의 아름다움과 진리를 물질화하는 것'이자, '선험적 관념상, 즉 연역적 표상을 현상계의 감각적인 것으로 유출시키는 행위'로 보았다고 했다. 그리고 〈보기〉의 칸딘스키도 예술을 '정신이나 초월적인 것을 구현해 내'는 것으로 보았다. 따라서 플로티노스와 칸딘스키는 모두 예술의 본질이 현실 세계에서 감각적으로 지각되지 않는 관념을 표현하는 데 있다고 보았다고 할 수 있다.

오답풀이

① 5문단에서 플로티노스는 예술을 '정신의 아름다움과 진리를 물질화하는 것'이며, '영혼 안에 있는 미의 형상을 질료에 실현시키는 것'으로 보았다고 했다.
② 6문단에 따르면 플로티노스는 영혼은 '일자의 속성을 지니고' 있다고 했고, '내면을 관조함으로써 자신의 근원인 일자를 상기할 수 있으며, 일자로 돌아갈 수 있다고' 보았는데, 이는 예술이 바람직한 삶의 자세에 대한 형이상학적 깨달음을 줄 수 있다는 내용과는 관련이 없다.
③ 1문단을 통해 '미가 물질적인 대상의 형식적인 구조 속에 표현되는 객관적인 법칙이라고 생각'한 것은 플로티노스와 칸딘스키가 아닌 피타고라스학파임을 알 수 있다.
④ 6문단에서 플로티노스는 '일자에게로 회귀하는 상승 운동'인 '테오리아를 위해서는 자신의 영혼에 정신의 미가 존재하고 있다는 사실부터 깨달아야 하는데, 이것을 깨닫게 해 주는 것이 바로 감각적인 미'라고 했다. 즉 플로티노스는 초월적 존재의 미적 가치를 드러내기 위해 감각적 미를 탈피해야 한다고 보지는 않았다.

**36** ① 정답률 45%

정답풀이

'백과사전'의 의미에서 〈귀납〉은 '개개의 현상으로부터 보편적 원리를 도출하는 것'이라고 했으므로, ㉠(귀납적 표상으로 형성되는 관념상을 그리는 행위)은 ㄱ(현상계의 경험으로부터 도출된 보편적 미를 형상화하는 것)으로 볼 수 있다. 한편 '백과사전'의 의미에서 〈연역〉은 '보편적 원리로부터 개개의 현상을 이끌어내는 것'이라고 했으므로, ㉡(연역적 표상을 현상계의 감각적인 것으로 유출시키는 행위)은 선험적(경험에 앞서, 대상에 대한 인식이 선천적으로 가능하다고 보는) 관념을 형상화하는 것이라 할 수 있다. 3문단과 4문단을 참고할 때, 플로티노스에게 있어 선험적 관념은 일자에서 비롯된 미의 형상이라 할 수 있으므로, ㉡은 ㄴ(일자에서 비롯된 미의 형상을 발견해 질료에 담는 행위)으로 볼 수 있다.

4 회

## [37~42] 과학+사회

**37** ⑤ 정답률 **53%**

**정답풀이**

(가)에서는 동물의 이타적 행동에 관하여 2문단에서 해밀턴의 '혈연 선택 가설'을 설명하고, 이가 '진화에 얽힌 수수께끼를 푸는 중요한 열쇠로 평가된다.'라고 했으며, 3문단에서는 도킨스의 『이기적 유전자』에 대해 설명하면서 '개체를 단순히 유전자의 생존을 돕는 수동적 존재로 보았다는 점에서 비판을 받기도' 한다는 평가를 제시하고 있다. (나)에서는 이타적 인간이 진화하는 이유에 대해 2문단에서는 '반복-상호성 가설'을 설명하고 '반복적이지 않은 상황에서 나타나는 이타적 행동을 설명하는 데는 한계가 있다'는 평가를 제시하고 있고, 3문단에서는 '집단 선택 가설'을 설명하면서 '집단 선택 가설은 논리적으로만 가능할 뿐이라고 비판' 받는다는 평가를 제시하고 있다.

**오답풀이**

① 각각의 이론은 대립된 이론이 아니며, 이를 절충하는 내용도 제시되어 있지 않다.
② 이타적 행동의 정의와 구체적 유형이 무엇인지 분류하고 있지 않다.
③ 이타적 행동에 관한 이론들을 통시적으로, 즉 시간의 흐름에 따라 고찰하고 있지 않다.
④ (나)의 3문단을 통해 집단 선택 가설에서 '집단 선택의 유효성을 높일 수 있는 방안에 대해서' 연구를 진행하고 있다고 하며 이론의 발전 방향을 제시하고 있으나, 나머지 이론에서는 이론의 발전 방향에 대한 전망이 나타나 있지 않다.

**38** ② 정답률 **40%**

**정답풀이**

(가)의 2문단에서 ㉠(해밀턴의 법칙)에 의하면, '개체들의 이타적인 행동은 자신과 같은 유전자를 공유하는 친족들의 생존과 번식에 도움을 줌으로써 자신의 유전자를 후세에 많이 전달하기 위한 행동'이라고 볼 수 있다고 했다. 따라서 ㉠은 개체의 이기적 행동 뒤에 숨은 이타적인 동기가 아니라, 개체의 이타적인 행동 뒤에 숨은 이기적 행동의 동기에 대해 설명하고 있다고 보아야 한다.

**오답풀이**

① (가)의 2문단에서 ㉠은 유전적 근연도인 r을 중심으로 동물의 이타적 행동을 설명하고 있다.
③ (가)의 2문단에서 'r은 2촌인 형제자매를 기준으로 1촌이 늘어날 때마다 반씩 준다.'라고 하였으므로, 이타적 행위자와 그의 수혜자가 삼촌 관계일 때 r은 0.5 × 0.5 = 0.25가 된다.
④ (가)의 2문단에서 r은 '이타적 행위자와 이의 수혜자가 유전자를 공유할 확률'인데, 이타적 행위자와 수혜자가 부모 자식이거나 형제자매 관계일 때 r은 모두 0.5(50%)라고 했다.
⑤ (가)의 2문단에서 ㉠에 의하면 'r × b − c > 0'을 만족하면 개체의 이타적 유전자가 진화한다고 했는데, 이타적 행위자와 그의 수혜자가 혈연관계일 때 유전적 근연도인 r은 확률을 나타내는 성격상 100%를 넘지 못해 0 < r ≤ 1이 되므로, b = c일 경우 해밀턴의 법칙을 만족하지 못하게 된다. 따라서 이타적 행위자와 그의 수혜자가 혈연관계일 때, b와 c가 같으면 이타적 유전자는 진화하지 못한다.

**39** ② 정답률 **46%**

**정답풀이**

(나)의 2문단에서 'TFT 전략이란 상대방이 협조할지 배신할지 모르고 선택이 매회 동시에 일어나는 상황에서 처음에는 무조건 상대방에게 협조하고 그 다음부터는 상대방이 바로 전에 사용한 방법을 모방하는 전략'이라고 했다. 〈보기〉에서 A는 'TFT 전략'을 사용하므로 첫 회에는 협조 전략을, 두 번째 회에는 B가 이전 회에 사용한 비협조 전략을 사용할 것이다. 그리고 B는 첫 회에만 비협조 전략을 사용하므로 두 번째 회부터는 모두 협조 전략을 사용할 것이다. 결국 첫 회에서 A는 협조 전략을, B는 비협조 전략을 사용하고, 두 번째 회에서 A는 비협조 전략을, B는 협조 전략을 사용하면서 A와 B의 보수는 첫 회에서는 (−1, 2), 두 번째 회에서는 (2, −1)이 될 것이므로 두 번째 회까지 얻게 되는 B의 보수의 합은 (2 − 1 =)1이 된다.

**40** ④ 정답률 **55%**

**정답풀이**

(나)의 3문단을 통해 '개인 간의 생존 경쟁에서 우월한 개인이 생존하는 개인 선택에서는 이기적 인간이 살아남는 데 유리하'기 때문에 개인 선택의 속도가 집단 선택의 속도보다 빠르면, 집단 선택에 의해 이타적 구성원의 진화가 일어나기도 전에 집단 내의 이타적 구성원은 이기적인 구성원과의 생존 경쟁에서 도태되어 사라지게 됨을 알 수 있다. 따라서 ㉡(집단 선택이 일어나는 속도가 개인 선택이 일어나는 속도를 압도해야 한다.)의 이유는 개인 선택으로 이타적인 구성원이 먼저 소멸하면, 이타적 구성원을 진화하게 하는 집단 선택이 발생할 수 없기 때문이라고 할 수 있다.

**오답풀이**

① (나)의 3문단에 따르면 개인 선택의 속도가 집단 선택의 속도보다 빠르면, 집단 내의 이타적 구성원은 이기적인 구성원과의 생존 경쟁에서 도태되어 사라지게 됨을 알 수 있다. 따라서 집단 선택의 속도가 개인 선택의 속도보다 느릴 경우 이타적 구성원의 수는 증가하지 않을 것이다.
② (나)에 개인 선택과 집단 선택 중 무엇이 먼저 일어나는지는 언급되지 않았다.
③ (나)에서 집단 선택의 속도가 천천히 일어날 경우 집단 간의 생존 경쟁이 발생하지 않을 것이라는 근거를 찾기 어려우며, 이는 ㉡의 이유와 관련이 없다.
⑤ (나)의 3문단에서 '개인 선택'은 '개인 간의 생존 경쟁에서 우월한 개인이 생존하는' 것이고, '집단 선택'은 '집단 간의 경쟁에서 우월한 집단이 생존하는' 것이라고 했으므로, 이타적 구성원이 많은 집단이 개인 선택에 불리하다는 내용은 적절하지 않다.

**41** ① 정답률 **31%**

**정답풀이**

(가)의 2문단을 통해 ㉮(혈연 선택 가설)는 '개체들의 이타적 행동은 자신과 같은 유전자를 공유하는 친족들의 생존과 번식에 도움을 줌으로써 자신의 유전자를 후세에 많이 전달하기 위한 행동'임을 알 수 있고, '유연적 근연도'란 '이타적 행위자와 이의 수혜자가 유전자를 공유할 확률'임을 알 수 있다. 〈보기〉의 ㄱ에서 여왕개미와 암컷 일개미 간의 유전적 근연도가 0.5이고 일개미와 자매들 간의 유전적 근연도가 0.75라고 했으므로, ㉮에서는 일개미가 직접 번식을 하지 않고 자매들을 돌보는 것이 유전적 근연도가 높은 자매들을 돌봄으로써 자신의 유전자를 후세에 더 많이 전달하기 위함이라고 볼 것이다. 따라서 이를 부보다 모의 유전자를 후세에 더 많이 전달하기 위한 전략이라고 보지는 않을 것이다.

**오답풀이**

② (가)의 3문단을 통해 ㉯(『이기적 유전자』)에서는 '이타적으로 보이는 개체의 행동은 겉보기에만 그럴 뿐, 실은 유전자가 다른 DNA와의 생존 경쟁에서 이기기 위한 이기적인 행동'으로 본다는 것을 알 수 있다. 따라서 ㉯에서는 〈보기〉의 ㄱ에서 일개미가 목숨을 걸고 개미 군락을 지키는 이유를 다른 DNA와의 생존 경쟁에서 이기기 위한 유전자의 이기적인 행동으로 볼 것이다.
③ (나)의 2문단을 통해 ㉰(반복-상호성 가설)에서는 '자신이 이기적으로 행동할 경우 상대방도 이기적인 행동으로 보복할 수 있기 때문에 이를 피하기 위해 이타적 행동을 한다고 주장'함을 알 수 있다. 따라서 ㉰에서는 〈보기〉의 ㄴ에서 식량 공유 관습이 생긴 것은 자신이 식량을 나눠 주지 않으면 사냥에 실패했을 때 자신도 얻어먹지 못할 수 있기 때문이라고 볼 것이다.
④ (나)의 3문단을 통해 ㉱(집단 선택 가설)는 '개인 선택이 일어나는 속도를 늦추고 집단 선택의 효과를 높이는 장치로서 법과 관습과 같은 제도에 주목하면서, 집단 선태의 유효성을 높'이고자 한다는 것을 알 수 있다. 따라서 ㉱에서는 〈보기〉의 ㄴ에 제시된 식량 공유 관습을 이기적인 구성원도 식량을 공유하게 함으로써 이타적 구성원이 사회에서 사라지지 않도록 하는 제도로 볼 것이다.

⑤ (가)의 2문단을 통해, ㉮는 '개체들의 이타적 행동은 자신과 같은 유전자를 공유하는 친족들의 생존과 번식에 도움을 줌으로써 자신의 유전자를 후세에 많이 전달하기 위한 행동'임을 알 수 있고, (나)의 3문단을 통해 ㉱는 '이타적 구성원이 많은 집단이 그렇지 않은 집단과의 생존 경쟁에 유리하기 때문에 이타적 인간이 진화한다고' 주장함을 알 수 있다. 따라서 〈보기〉의 ㄴ에 제시된 식량 공유 관습에 대하여 ㉮에서는 혈연관계가 없는 구성원과의 식량 공유를 설명하지 못하는 한계가 있지만, ㉱에서는 협업을 통해 집단의 생존 확률을 높이는 행동으로 설명할 수 있다.

**오답률 Best ❸**

이 문제는 정답인 ①번을 고른 학생이 31%인데, 오답인 ④번을 고른 학생도 29%나 됐어. 이 문제는 지문에 제시된 ㉮~㉱를 <보기>의 구체적인 사례에 적용하여 이해하는 문제였어. 특히 (가)의 ㉮는 계산하는 식이 등장하기 때문에 복잡해 보일 수 있지만, 사실 ①번을 판단하기 위해서는 계산이 필요하지 않고, 부, 모, 자매의 '유전적 근연도'를 확인하면 쉽게 판단할 수 있어. 한편 학생들이 ④번을 선택한 이유는 '평등주의적 부족 질서 아래 사냥감을 서로 나누어 먹는 식량 공유 관습'을 집단 선택이라고 생각하지 못했기 때문일 가능성이 있어. (나)에서 '집단 선택의 효과를 높이는 장치로서, 법과 관습과 같은 제도'가 있다고 했으므로, ㉱의 관점에서는 '관습'도 하나의 제도로 볼 거야. 문제의 형식이 복잡하거나 <보기>가 길더라도 당황하지 말고 차분하게 읽으면서 지문에 제시된 개념을 <보기>의 내용에 하나씩 적용해 보는 훈련을 해 두자.

## 42 ② 정답률 72%

**정답풀이**

동음이의어는 소리는 같으나 뜻이 다른 단어를 말한다. 윗글의 ⓑ(감수)가 쓰인 '이타적 행위자가 감수하는 손실'에서 '감수하다'는 '책망이나 괴로움 따위를 달갑게 받아들이다.'라는 의미이고, '이 사전은 여러 전문가가 감수하였다.'의 '감수하다'는 '책의 저술이나 편찬 따위를 지도하고 감독하다.'라는 의미이다. 따라서 이 두 단어는 동음이의어 관계에 해당한다.

**오답풀이**

① 윗글의 ⓐ(관찰)가 쓰인 '이타적 행동이 자주 관찰된다.'와 '그는 형의 모습을 유심히 관찰하였다.'의 '관찰하다'는 모두 '사물이나 현상을 주의하여 자세히 살펴보다'라는 의미로 사용되었다.
③ 윗글의 ⓒ(도태)가 쓰인 '이타적 사람들은 자연히 도태될 수밖에 없다.'와 '그 기업은 경쟁사에 밀려 도태되었다.'의 '도태되다'는 모두 '여럿 중에서 불편하거나 부적당한 것이 줄어 없어지다.'라는 의미로 사용되었다.
④ 윗글의 ⓓ(유용)가 쓰인 '이타적 행동을 설명하는 데 유용하지만'과 '이것은 장소를 검색하는 데 유용하다.'의 '유용하다'는 모두 '쓸모가 있다.'라는 의미로 사용되었다.
⑤ 윗글의 ⓔ(대응)가 쓰인 '효과적으로 대응할 수 있기 때문에'와 '우리는 적극적으로 상황에 대응하였다.'의 '대응하다'는 모두 '어떤 일이나 사태에 맞추어 태도나 행동을 취하다.'라는 의미로 사용되었다.

## [43~45] 현대소설

## 43 ① 정답률 53%

**정답풀이**

윗글에는 서술자인 '나'가 중심인물인 '아내'로부터 전해 들은, '티타임'과 관련된 사건의 전말이 제시되고 있다.

**오답풀이**

② 윗글에서 특정 인물의 외양 묘사가 드러난 부분은 찾을 수 없다.
③ 윗글에서 과거와 현재가 반복적으로 교차된 부분은 찾을 수 없다.
④ 윗글에서 인물 간의 대립되는 행동이나 그 의미를 상세하게 설명하고 있는 부분은 찾을 수 없다.
⑤ 윗글에서 새로운 인물의 등장으로 인해 갈등 상황이 조성되는 부분은 찾을 수 없다.

## 44 ③ 정답률 54%

**정답풀이**

윗글에서 ⓒ(어느 날) 부분을 살펴보면, 아내는 '당분간 밤참은 없을' 것이라는 '폭탄선언'을 하는데, '나'는 '당분간 밤참이 제공되지 않을 것이라는 사실에 서운하기는 했지만', 밝은 표정으로 당분간 불필요한 지출이 줄겠다고 말하는 아내를 보며 개운함을 느낀다. 따라서 ⓒ에서 '나'가 아내의 무거운 마음을 생각하면서 안타까움을 느꼈을 것이라고 보기는 어렵다.

**오답풀이**

① 윗글에서 ㉠(그날) 부분을 살펴보면, 아내는 화보에서 보았다며 '자몽'을 사 오고, 이에 대해 '나'는 '한동안 농약이 검출되었다고' 시끄러웠는데 '왜 하필 자몽이'냐며 의아해 한다.
② 윗글에서 밤참을 내오기 시작한 '그날'부터 '어느 날' 폭탄선언을 하기 전까지인 ⓛ 부분을 살펴보면, 아내는 밤마다 가족들에게 밤참으로 간식을 제공하는데, '나'는 그 이유가 '티타임이 쉽사리 이루어지지 않았'기 때문이라고 생각한다.
④ 윗글에서 ㉣(그날 밤) 부분을 살펴보면, [중간 부분의 내용]을 통해 '나'가 티타임을 갖자고 술에 취해 복도에서 난동을 부렸던 때임을 알 수 있다. 그 후, 티타임을 갖지 못했다는 아내의 말을 들은 '나'는 '그렇다면 우르르~되돌아갔다는 말인가.'라고 생각하며 자신의 실수 때문에 아내가 난처한 입장에 처했을 수도 있겠다고 생각한다.
⑤ 윗글에서 ㉤(그때) 부분을 살펴보면, 피자 같은 음식이 아닌 떡을 먹고 있던 아이들의 모습을 이웃들이 보게 되면서 아내는 부끄러움을 느끼는데, '나'는 당시 아내가 느낀 '억울하고 부끄럽고 쓸쓸하고 참담했을 그 기분을' 이해할 수 있다고 했다.

## 45 ① 정답률 21%

**정답풀이**

윗글에서 '티타임에 곁들이는 간식이 화보로 나와 있'는 것을 본 아내가 '하마터면 창피당할 뻔했지 뭐예요. 티타임이면 난 그냥 차만 마시는 줄 알았거든요.'라고 말한 것을 통해 아내는 이전부터 티타임을 준비해야겠다는 생각을 가지고 있었음을 알 수 있다. 따라서 '화보'가 아내로 하여금 티타임을 갖겠다고 결심하게 만든 소재라고 볼 수는 없다.

**오답풀이**

② 〈보기〉에서 '아내는 공간을 이분법적으로 구분'한다고 했고, 윗글에서 아내는 이사 온 아파트가 위치한 동네를 '이쪽 동네'라고 하면서 다른 동네에서라면 몰라도 '이쪽 동네'에서 구입한 자몽이라면 문제가 없을 것이라고 말한다. 따라서 이는 아내가 공간을 이분법적으로 구분하고 있음을 보여 준 것이라 할 수 있다.
③ 〈보기〉에서 아내는 '아파트 주민들을 매개로 중산층의 삶으로 편입되고자' 한다고 했고, 윗글에서 아내는 '13호 여자가 나가는 소리를' 듣고 우연히 마주친 것처럼 놀라며 티타임에 대한 대화를 하게 됐다고 했다. 따라서 아내가 13호 여자의 동태를 살핀 것은 중산층의 삶으로 편입될 수 있는 기회인 티타임이 언제 이루어질지 몰라 답답했기 때문으로 볼 수 있다.
④ 〈보기〉에서 아내는 '아파트 주민들을 닮고 싶어 하면서도 그들에게 경쟁 심리를 느끼기도 한다'고 했고, 윗글에서 아내는 아파트 주민들이 망년회로 바쁘다는 이야기를 들은 후, 13호 여자에게 자신도 망년회가 밀려 있다고 거짓말한다. 따라서 아내가 거짓말을 한 것은 욕망의 매개자인 아파트 주민들에 대한 경쟁 심리 때문으로 볼 수 있다.
⑤ 〈보기〉에서 아내는 '아파트 주민들을 매개로 중산층의 삶으로 편입되고자 하는 간접화된 욕망'이 있다고 했고, '결국 아내의 간접화된 욕망의 대상이 허상임이 밝혀진다'고 했다. 그리고 윗글에서 아내는 티타임을 위해 만난 자리에서 13호 여자가 떡 잔치나 하자고 하며 손으로 떡을 집어 먹는 것을 보고 충격을 받는데, 이는 아내의 간접화된 욕망의 대상이 허상이었음을 보여 주는 것이라 할 수 있다.

오답률 Best 1

이 시험에서 오답률이 가장 높은 문제였어. 정답인 ①번을 고른 학생이 21%인데, 오답인 ④번을 고른 학생이 41%였고, ②번을 고른 학생도 20%나 됐어. 아마도 마지막 문제였기 때문에 시간적 여유도 없었겠지만, 가장 큰 원인은 정답인 ①번이 적절한 내용이라고 판단하면서 다른 선지들을 두고 고민을 많이 했기 때문일거야. 윗글에서 아내는 '화보'를 보고 와서 남편에게 티타임 얘기를 하기 때문에 아내가 '화보'를 보고 티타임을 갖겠다고 결심했을 것이라고 생각했다면 ①번을 적절하다고 여겨 다른 선지를 정답으로 선택했을 가능성이 높아. 소설이 지문으로 제시된 경우 출제자들은 인물의 대화나 생각, 행동 묘사 등을 근거로 삼아 선지를 구성하는데, 이때 생각 없이 넘길 수 있는 세부적 내용을 근거로 삼을 수 있으니 선지의 내용이 헷갈릴 때에는 그 부분으로 돌아가 꼼꼼히 읽어 보고 문제를 풀어야 해. ①번에서 아내는 '화보'를 보고 티타임에 대한 이야기를 했지만, '하마터면 창피당할 뻔했지 뭐예요.'를 통해 '화보'를 보기 전에도 아내는 티타임을 가질 생각이 있었음을 알 수 있어. 이처럼 소설이 지문으로 제시된 경우에는 세세한 부분까지 확인하는 훈련을 해 두자!

# 5회

2020학년도 11월 학평

| | | | | | | | | | |
|---|---|---|---|---|---|---|---|---|---|
| 1. ③ | 2. ⑤ | 3. ③ | 4. ② | 5. ① | 6. ② | 7. ④ | 8. ② | 9. ④ | 10. ④ |
| 11. ③ | 12. ⑤ | 13. ③ | 14. ③ | 15. ② | 16. ① | 17. ③ | 18. ③ | 19. ③ | 20. ⑤ |
| 21. ④ | 22. ⑤ | 23. ② | 24. ② | 25. ① | 26. ⑤ | 27. ② | 28. ③ | 29. ⑤ | 30. ⑤ |
| 31. ③ | 32. ② | 33. ① | 34. ① | 35. ② | 36. ④ | 37. ⑤ | 38. ① | 39. ③ | 40. ⑤ |
| 41. ⑤ | 42. ② | 43. ⑤ | 44. ③ | 45. ⑤ | | | | | |

오답률 Best 5

## [1~3] 화법

### 1 ③ 정답률 95%

정답풀이

강연자는 '여러분 주사 맞아본 경험 있으시죠? 그런데 주사에도 여러 종류가 있다는 사실을 알고 계셨나요?'와 같은 질문을 던지며, 강연 내용에 대한 청중의 관심을 유발하고 있다.

오답풀이

① 강연자는 자료의 출처를 밝히고 있지 않다.
② 강연자는 강연의 마무리에서 강연의 내용을 요약하고 있지 않다.
④ 강연자는 화제와 관련된 실태(있는 그대로의 상태)를 언급하며 화제 선정의 이유를 제시하고 있지 않다.
⑤ 강연자는 청중을 칭찬하는 말로 강연을 시작하고 있지 않다.

### 2 ⑤ 정답률 89%

정답풀이

'학생 2'와 '학생 3' 모두 강연에서 언급된 내용 중 실천할 수 있는 방법이 있는지 고민하며 듣고 있지 않다.

오답풀이

① '내가 알고 있던 것보다 주사의 종류가 다양하구나.'를 통해 '학생 1'이 새롭게 알게 된 정보를 기존에 자신이 알고 있던 사실과 비교하며 듣고 있음을 알 수 있다.
② '학생 2'는 강연을 들으며 '주사 맞기 전에 유의할 점은 없을까?'라는 의문을 가졌고 이를 '강연이 끝난 후에 간호사 선생님께 여쭤봐야겠'다고 하므로, 강연을 들으며 생긴 의문점을 해결할 수 있는 방법을 생각하며 듣고 있다고 할 수 있다.
③ '주사의 종류에 따라 약물의 흡수 속도가 달라지고, 약물의 특성에 따라 주사도 달라질 수 있다는 말이구나.'를 통해 '학생 3'이 강연 내용에 대해 자신이 이해한 내용을 정리하며 듣고 있음을 알 수 있다.
④ '학생 1'은 '어제 병원에서 맞은 주사'를, '학생 2'는 '주사를 맞은 부위를 왜 문질러야 하는지 모르고 문질렀'던 것을 생각했으므로, 강연 내용과 관련된 자신의 경험을 떠올리며 듣고 있다고 할 수 있다.

### 3 ③ 정답률 92%

정답풀이

강연에 따르면 (가)는 '피부와 근육 사이에 있는 피하조직', (나)는 '피하조직 아래에 있는 근육', (다)는 '혈관'임을 알 수 있다. 강연의 마지막 부분에서 '근육 주사를 맞고 나서는 약물의 빠른 흡수를 돕기 위해 주사를 맞은 부위를 가볍게 문질러 주는 것이 좋'다고 했으므로, (나)에 주사를 맞은 후에 주사 맞은 부위를 문지르지 말아야겠다고 반응하는 것은 적절하지 않다.

오답풀이

① '피하조직 (가)에 투여하면 잘 흡수가 되지 않아 통증을 유발할 수 있는 항생제 같은 약물들은 근육 (나) 주사를 사용해야 합니다.'를 통해 알 수 있다.
② '근육 (나) 주사는 피하 (가) 주사보다 더 많은 양의 약물을 빠르게 흡수시키고자 할 때 사용합니다. 근육에는 피하조직보다 혈관이 더 많이 분포되어 있기 때문인데요.'를 통해 알 수 있다.
④ 강연에서 정맥 주사는 '약물을 혈관 (다)에 직접 투여하기 때문에 효과가 다른 주사들보다 빨리 나타'난다고 하였다.
⑤ 강연에서 '약물을 혈관 (다)에 직접 투여'하는 '정맥 주사는 주사를 맞는 동안 주삿바늘이 혈관벽을 손상시킬 우려가 있기 때문에, 피하 주사나 근육 주사에 비해 상대적으로 덜 날카로운 주삿바늘을 사용'한다고 하였다.

## [4~7] 화법과 작문

### 4 ② 정답률 92%

정답풀이

입론에서 '찬성 1'이 '국민건강보험공단에 따르면 질병으로 인해 발생하는 사회경제적 비용이 140조 원을 넘는다고 합니다.'라며 질병으로 인한 사회경제적 비용을 수치로 제시한 것은 맞지만, 유전자 편집 기술 연구에 많은 비용이 필요함을 강조하고 있지는 않다.

오답풀이

① '찬성 1'은 입론에서 '배아 상태의 유전자를 편집하여 유전자 정보 전체를 교정할 수 있다면 현재 이루어지고 있는 유전자 치료의 한계를 극복할 수 있을 것입니다.'라고 언급하며, '유전자로 인한 질병으로부터 해방'될 수 있음을 내세우고 있다.
③ '반대 1'은 입론에서 '인간 배아의 유전자를 편집하는 기술은 아직까지 안전성이 확인되지 않았습니다.~그 문제가 미래 세대에게까지 영향을 미칠 위험성이 있습니다.'라며 예상하지 못한 문제가 발생할 것을 우려하고 있다.
④ '반대 1'은 입론에서 '소수의 사람들만이 기술의 혜택을 받게 될 것'이라며 이로 인해 '사회적 불평등이 심화될 수 있'음을 지적하고 있다.
⑤ '반대 1'은 입론에서 '유전자 편집 기술은 유전자 중 결함이 있는 유전자가 있다는 것을 전제'하고 있다고 비판하며 유전자 편집 기술의 '윤리적 문제'를 언급하고 있다.

### 5 ① 정답률 93%

정답풀이

[A]에서 '반대 2'는 '질병으로 인해 발생하는 사회경제적 비용이~모두 유전자와 관련된 질병으로 인해 발생한 비용이라고 할 수 있나요?'를 통해 '국민건강보험공단에 따르면 질병으로 인해 발생하는 사회경제적 비용이 140조 원을 넘는다고 합니다.'에서 '찬성 1'이 제시한 자료의 적절성에 의문을 제기하고 있다. 또한 '그렇지 않다면 이 자료는 근거로 적합하지 않다고 생각합니다.'에서 근거의 타당성을 지적하고 있다.

오답풀이

② [A]의 '찬성 1'은 상대측의 의견과 자신의 의견을 절충하고 있지 않다.
③ [B]의 '찬성 2'는 예상되는 문제점을 비판하고 있지 않다.
④ [B]의 '반대 1'은 사례 제시를 통한 반론을 요청하고 있지 않다.
⑤ [B]의 '찬성 2'는 '유전자 편집 기술의 혜택을 소수만이 누릴 수 있다고 하셨는데요'에서 '반대 1'의 주장을 재진술하고, '기술이 발전하여 비용을 낮출 수 있다면 그 혜택이 많은 사람들에게 돌아갈 수 있지 않을까요?'에서 실현 가능한 방안을 추가했다고 볼 수도 있다. 그러나 [A]의 '반대 2'는 '질병으로 인해 발생하는 사회경제적 비용이 140조 원을 넘는다고 하셨는데요'에서 '찬성 1'의 주장을 재진술하였을 뿐, 실현 가능한 방안을 추가하지 않았다.

## 6 ② 정답률 83%

정답풀이

(나)의 2문단에서 '나는 유전자 편집 기술이 소년의 병을 고쳐줄 수 있는 획기적인 기술이라고 생각했다. 그래서 처음에는 이 기술을 허용하는 것을 비판하는 입장에 대해 동의하기 어려웠다.'라고 하였으므로, 유전자 편집 기술을 허용하는 것을 비판하는 입장에 동의할 수 없었던 이유가 제시되었다고 볼 수 있다.

오답풀이

① (나)의 1문단에서는 '유전병을 앓는 소년을 주인공으로 하는 소설을 본' 경험과 토론의 내용을 연결지어 '인간 배아의 유전자 편집 기술을 이용하여 유전병에 걸리는 것을 막을 수 있었다면 어땠을까?'라는 생각을 제시하고 있다.
③ (나)의 2문단 '베르누이 법칙을 이용해 비행기를 만들어 먼 원거리를 이동할 수 있게 된 것처럼 유전자 편집 기술을 잘 활용하면 유전병 치료의 한계를 극복할 수 있다고 생각했기 때문이다.'에서는 유추의 방식을 활용하여 유전자 편집 기술 활용의 필요성을 설명하고 있다.
④ (나)의 3문단 '유전자 편집 기술은 아직 인간 배아에 적용하기에는 안정성이 확인되지 않았다는 사실을 알게 되었기 때문이다.'에서는 토론에서 새롭게 알게 된 사실을 언급하고 있으며, '유전자 편집 기술이 불러일으킬 결과들에 긍정적인 것은 아닐 수 있다는 생각을 하게 되었다.'에서는 변화된 생각을 서술하고 있다.
⑤ (나)의 4문단에서는 '무조건 과학 기술을 찬양하는 것이 아니라 과학이 나아가야 하는 방향을 감시하고 비판해야 할 의무도 함께 가져야 할 것 같다.'라며 우리가 경계해야 할 태도를 제시하며 글을 마무리하고 있다.

## 7 ④ 정답률 91%

정답풀이

'우리의 가치와 생각이 그 뒤를 좇기만 한다면'의 '-면'이 가정할 때 쓰이는 연결 어미임을 고려할 때, ㉣(가게 될 것이다.)은 '가고 있다'로 고쳐 쓰지 않고 그대로 두는 것이 적절하다.

오답풀이

① 원거리는 '먼 거리'라는 뜻이므로 의미의 중복을 피하기 위해 ㉠(먼 원거리)을 '먼 거리'로 고쳐 쓰는 것은 적절하다.
② ㉡(곰곰히)은 비표준어이므로 맞춤법에 따라 '곰곰이'로 고쳐 쓰는 것이 적절하다.
③ (나)는 '인간 배아의 유전자 편집 기술'에 대한 생각을 담은 글이므로 이와 관련이 없는 내용인 ㉢(그래서 나는~읽기로 했다.)은 글 전체의 통일성을 고려하여 삭제하는 것이 적절하다.
⑤ ㉤(그러나)은 앞의 내용과 뒤의 내용이 상반될 때 쓰는 접속 부사이므로, '그러므로'로 고쳐 쓰는 것이 적절하다.

## [8~10] 작문

## 8 ② 정답률 93%

정답풀이

(가)에서 글의 목적은 '물티슈의 무분별한 사용으로 인해 발생하는 문제점을 알리고, 이에 대한 해결 방법 제안하기'임을 알 수 있다. (나)의 3문단에서는 이를 구체화하기 위해 '학교', '물티슈 제조 회사', '학생들', '학생회'와 같이 주체별로 실천할 수 있는 문제 해결 방법을 제시하고 있다.

오답풀이

① (나)에서는 물티슈 사용에 대한 상반된 주장을 비교하여 제시하고 있지 않다.
③ (나)에서는 학생들의 물티슈 구매 방법을 제시하고 있지 않다.
④ (나)에서는 물티슈의 종류에 따라 다르게 발생하는 문제 상황을 제시하고 있지 않다.
⑤ (나)에서는 물티슈의 잘못된 사용으로 고통받는 피해자의 사례를 제시하고 있지 않다.

## 9 ④ 정답률 85%

정답풀이

[자료 1-㉮]를 통해 '국내 연간 물티슈 시장 규모'가 커지고 있음은 보여 줄 수 있지만, [자료 1-㉮]와 [자료 3]에서 물티슈 시장의 확대에 따라 물티슈에 포함되는 화학적 약액의 종류가 늘어나고 있는지는 확인할 수 없다.

오답풀이

① [자료 1-㉮]에서는 '국내 연간 물티슈 시장 규모'가 커지고 있음을 알 수 있으므로, 이를 통해 물티슈의 사용량이 지속적으로 증가하고 있다는 것을 뒷받침할 수 있다.
② [자료 2]에서는 '변기에 버려진 물티슈'로 인해 '하수처리시설 운영비가 매년 예산 범위를 크게 넘어서고 있'음을 알 수 있는데, 이를 통해 사용한 물티슈를 제대로 분리배출하지 않아 발생하는 사회적 비용의 심각성을 강조할 수 있다.
③ [자료 3]은 '정부'가 '물티슈의 성분 비율 등에 대한 구체적이고 정확한 표기 의무를 법제화할 필요가 있'다는 내용의 전문가 인터뷰이다. 따라서 이를 활용해 물티슈의 안전한 사용을 위하여 정부가 물티슈의 성분 비율 등에 대한 정확한 표기를 법제화해야 한다는 것을 해결 방안으로 추가할 수 있다.
⑤ [자료 1-㉯]에서 '82%'의 학생이 '물티슈에 플라스틱이 함유되어 있다는 사실'을 모른다는 것을 알 수 있고, [자료 2]에서 '올바르게 분리배출되지 않은 물티슈는 잘게 부서진 미세 플라스틱이 되어 환경오염의 원인'이 됨을 알 수 있다. 따라서 이는 물티슈가 플라스틱을 함유하고 있다는 사실을 모르는 학생이 많고 플라스틱은 환경오염을 유발할 수 있다는 점을 보여주며 학교에서의 교육이 필요하다는 주장에 대한 근거가 될 수 있다.

## 10 ④ 정답률 68%

정답풀이

'개인과 사회, 나아가 환경까지 병들게 한다.'라는 비유적 표현을 활용하여 '물티슈의 무분별한 사용'의 문제점을 드러내고, '물티슈에 대해 제대로 알고 올바르게 사용하자.'에서 글의 주제를 강조하고 있다.

오답풀이

① '우리는 모두 환경의 파수꾼이다.'와 같은 비유적 표현을 활용하였으나 이를 통해 글에서 제시한 문제점을 드러내고 있지 않다.
② '물티슈는 우리에게 편리함이라는 선물을 준다.'와 같은 비유적 표현을 활용하였으나 이를 통해 글에서 제시한 문제점을 드러내고 있지 않다.
③, ⑤ 비유적 표현을 활용하고 있지 않다.

## [11~15] 문법(언어)

## 11 ③ 정답률 70%

정답풀이

2문단을 참고할 때, ㄷ에는 연결 어미 '-(으)면서'를 통해 노래를 부르는 동작이 시간의 흐름 속에서 계속 이어지고 있음을 표현하는 '진행상'이 나타나 있다. 따라서 연결 어미를 통해 시간의 흐름 속에서 사건이 완료되었음을 표현한다고 볼 수 없다.

오답풀이

① 1문단을 참고할 때, ㄱ에는 동생이 책을 읽는 사건이 일어난 시점인 사건시와 말하는 시점인 발화시가 일치하는 '현재' 시제가 나타난다. 또한 2문단을 참고할 때 '-고 있다'를 통해 사건이 계속 이어지고 있음을 표현하는 '진행상'이 나타난다.

② 2문단을 참고할 때, ㄴ에는 '-어 있다'를 통해 꽃이 핀 후의 결과가 지속되고 있음을 나타내는 '완료상'이 실현되어 있다.

④ 3문단에서 '신체에 무언가를 접촉하는 행위 중 어느 정도 시간의 폭을 요구하는 동사에, '-고 있다'가 쓰이면 중의적인 의미를 가지게 된다.'라고 하였다. 이에 따르면 ㄹ은 그가 빨간 티셔츠를 입는 중이라는 진행상으로 해석할 수도 있지만, 빨간 티셔츠를 입은 채로 있다는 완료상으로 해석할 수도 있다.

⑤ 1문단을 참고할 때, ㅁ은 내가 밥을 먹고 집을 나서는 사건이 일어난 시점인 사건시가 말하는 시점인 발화시보다 앞서는 '과거' 시제가 나타난다. 또한 2문단을 참고할 때, 연결 어미 '-고서'를 통해 내가 밥을 먹는 동작이 끝났음을 나타내는 '완료상'을 표현하고 있다.

## 12 ⑤ 정답률 49%

정답풀이

4문단에서 '중세 국어에서도 '-아/어 잇다' 등과 같이 보조적 연결 어미와 보조 용언의 결합이나, '-(으)며셔', '-고셔' 등과 같은 연결 어미를 통해 동작상이 실현되었음을 확인할 수 있다.'라고 하였다. 이에 따르면 ㄹ의 '시름ᄒᆞ야 잇더니'에는 보조적 연결 어미와 보조 용언이 결합된 형태로 동작상이 표현되어 있다. 하지만 ㅁ의 '닫고셔'에는 연결 어미 '-고셔'를 통해 동작상이 표현되어 있으므로, ㅁ에서 보조적 연결 어미와 보조 용언이 결합된 형태로 동작상이 표현되어 있다고 볼 수는 없다.

오답풀이

① 4문단을 참고할 때, ㄱ의 '안자 잇거늘'은 '-아 잇다'가 활용된 형태를 통해 앉은 후의 결과가 지속되고 있음을 나타내는 '완료상'을 표현하고 있다.

② 4문단을 참고할 때, ㄴ의 '쉬며셔'는 연결 어미 '-(으)며셔'를 사용하여 '동작상'을 표현하고 있다.

③ 4문단에서 '중세 국어의 '-아/어 잇다'는 현대 국어의 '-아/어 있다'와 달리 진행상을 실현할 때와 완료상을 실현할 때 모두 사용되었다.'라고 하였다. 이를 참고하면 ㄷ의 '쌀아 잇더라'에서 '-아 잇다'는 현대 국어의 '-아 있다'와 달리 '진행상'을 표현하고 있다.

④ 4문단에서 중세 국어에서는 '어간과 결합하는 보조적 연결 어미 '-아'는 'ᄒᆞ-' 뒤에서 '-야'의 형태로 바뀌어 나타났다.'라고 하였다. 이를 참고하면 ㄷ의 '쌀아 잇더라'와 달리 ㄹ의 '시름ᄒᆞ야 잇더니'에서는 보조적 연결 어미 '-아'가 'ᄒᆞ-' 뒤에서 '-야'의 형태로 바뀌어 나타났음을 확인할 수 있다.

**오답률 Best 3**

지문에서는 문법 이론을 설명하고 문제의 <보기>에 예시를 주어서 학생들이 지문의 내용을 예시에 제대로 적용할 수 있는지를 묻는 탐구형 문제가 지속적으로 출제되고 있어. 이때 제시되는 문법 이론은 대개 아주 낯선 것이기보다는 이론서에서 한 번쯤은 보았을 만한 내용인 경우가 많기 때문에 기본적인 문법 이론 학습을 꼼꼼하게 해두면 보다 쉽게 지문 독해가 가능할 거야. 그리고 문법 이론 학습을 할 때에는 현대 국어의 문법 이론과 관련된 중세 국어와 근대 국어의 문법도 함께 학습하는 것을 추천해. 예를 들어 현대 국어에서 시제와 동작상에 대해 공부했다면, 중세 국어와 근대 국어에서도 시제와 동작상이 어떻게 나타났는지를 함께 학습해 보는 거지! 다만 배경지식만을 가지고 문제를 푸는 것은 위험할 수 있으니, 시험에서 아는 내용이 나오더라도 지문의 내용을 정확히 읽은 후 <보기>에 적용하도록 하자. 또한 중세 국어나 근대 국어 자료가 제시되는 경우 함께 나오는 현대어 풀이는 선지 판단에 큰 도움이 되는 만큼, 문제를 풀 때 반드시 참고하는 습관을 들이자.

## 13 ③ 정답률 69%

정답풀이

'작년[장년]'은 'ㄱ'이 비음 'ㄴ'의 영향을 받아 'ㄴ' 앞에서 비음 'ㅇ'으로 바뀌는 경우이므로 ㉠(A가 C의 영향을 받아 C 앞에서 B로 바뀌는 경우)에 해당하는 예이다. 그리고 '칼날[칼랄]'은 'ㄴ'이 유음 'ㄹ'의 영향을 받아 'ㄹ' 뒤에서 유음 'ㄹ'로 바뀌는 경우이므로 ㉡(A가 C의 영향을 받아 C 뒤에서 B로 바뀌는 경우)에 해당하는 예이다.

오답풀이

① '겹눈[겸눈]'은 'ㅂ'이 비음 'ㄴ' 앞에서 비음 'ㅁ'으로 바뀌므로 ㉠에 해당하는 예이다. 하지만 '맨입[맨닙]'은 'ㄴ' 첨가가 나타나는 경우로 ㉡에 해당하는 예가 아니다.

② '실내[실래]'는 'ㄴ'이 유음 'ㄹ' 뒤에서 유음 'ㄹ'로 바뀌므로 ㉠이 아닌 ㉡에 해당하는 예이다. 또한 '국물[궁물]'은 'ㄱ'이 비음 'ㅁ' 앞에서 비음 'ㅇ'으로 바뀌므로 ㉡이 아닌 ㉠에 해당하는 예이다.

④ '백마[뱅마]'는 'ㄱ'이 비음 'ㅁ' 앞에서 비음 'ㅇ'으로 바뀌므로 ㉠에 해당하는 예이다. 하지만 '잡히다[자피다]'는 'ㅂ'과 'ㅎ'이 만나 'ㅍ'으로 축약이 되는 경우로 ㉡에 해당하는 예가 아니다.

⑤ '끓이다[끄리다]'는 'ㅎ' 탈락이 나타나는 경우로 ㉠에 해당하는 예가 아니다. 한편 '물놀이[물로리]'는 'ㄴ'이 유음 'ㄹ' 뒤에서 유음 'ㄹ'로 바뀌므로 ㉡에 해당하는 예이다.

## 14 ③ 정답률 50%

정답풀이

ㄱ의 서술어 '안기다'가 필요로 하는 문장 성분은 주어와 부사어이므로 그 개수는 2개이다. ㄷ의 서술어 '보이다'가 필요로 하는 문장 성분은 주어뿐이므로 그 개수는 1개이다. 따라서 ㄱ과 ㄷ은 서술어가 필요로 하는 문장 성분의 개수가 서로 같지 않다.

오답풀이

① ㄱ을 능동문으로 바꾸면 '엄마가 아기를 안았다.'가 된다. 이 문장의 서술어 '안다'가 필요로 하는 문장 성분은 주어와 목적어이므로 그 개수는 2개이다.

② ㄴ을 주동문으로 바꾸면 '엄마가 아기를 안았다.'가 된다. 이 문장의 서술어 '안다'가 필요로 하는 문장 성분은 주어와 목적어이므로 그 개수는 2개이다.

④ ㄴ을 주동문으로 바꾸면 '엄마가 아기를 안았다.'가 되는데, 이 문장의 서술어 '안다'가 필요로 하는 문장 성분은 주어와 목적어이므로 그 개수는 2개이다. 한편 ㄹ을 주동문으로 바꾸면 '학생들이 사진첩을 보았다.'가 되는데, 이 문장의 서술어 '보다'가 필요로 하는 문장 성분은 주어, 목적어이므로 그 개수는 2개이다. 따라서 ㄴ과 ㄹ을 각각 주동문으로 바꾸었을 때, 바뀐 문장의 서술어가 필요로 하는 문장 성분의 개수는 서로 같다.

⑤ ㄷ의 서술어 '보이다'가 필요로 하는 문장 성분은 주어뿐이므로 그 개수는 1개이다. 한편 ㄹ의 서술어 '보이다'가 필요로 하는 문장 성분은 주어, 부사어, 목적어이므로 그 개수는 3개이다. 따라서 ㄷ과 ㄹ은 서술어가 필요로 하는 문장 성분의 개수가 서로 다르다.

**오답률 Best 4**

선지에서 '서술어가 필요로 하는 문장 성분의 개수'라는 표현을 보았을 때, 바로 '서술어의 자릿수'를 떠올릴 수 있어야 했어. 서술어의 자릿수란 서술어가 반드시 갖추어야 하는 문장 성분의 수로, 주어만을 요구하는 '한 자리 서술어', 주어 외에 목적어나 보어 또는 부사어를 요구하는 '두 자리 서술어', 그리고 주어와 목적어 외에 부사어를 요구하는 '세 자리 서술어'가 있지. 이 외에도 이 문제를 풀기 위해서는 '피동문', '사동문', '능동문', '주동문'의 개념을 사전에 알고 있어야 했어. 또한 선지에서 가리키는 서술어가 무엇인지를 정확히 확인해서 자릿수를 일일이 확인해야 하는 만큼 시간도 꽤 걸렸을 거야. 이처럼 문법은 다른 영역에 비해 개념 학습이 중요한 만큼 고3이 되기 전에 문법 이론 전반을 한번은 제대로 정리해 둘 필요가 있어. 또한 문제를 푼 후 오답 정리를 할 때 조금이라도 이해가 부족하거나 잘못된 개념이 있는 것 같다면 다시 이론서를 찾아보고 개념을 정확하게 짚고 넘어가는 것 잊지 마.

**15** ② 정답률 56%

정답풀이

ㄴ은 안긴문장 '사진이 벽에 걸려 있다.'와 안은문장 '나는 사진을 떠올렸다.'에서 공통된 체언인 '사진'이 생략되어 관형절 '벽에 걸려 있던'이 만들어졌다는 점에서 Ⓐ(안은문장과 공통된 체언이 생략된 관형절을 안은 문장)와 같은 유형이다.

오답풀이

① ㄱ은 안긴문장 '그가 시를 지었다.'와 안은문장 '시는 감동적이었다.'에서 공통된 체언인 '시'가 생략되어 관형절 '그가 지은'이 만들어졌다는 점에서 Ⓐ와 같은 유형이다.
③ ㄷ은 안긴문장 '그가 한국에 돌아왔다.'가 생략된 성분 없이 체언 '소문'을 수식하는 관형어로 쓰이고 있다는 점에서 Ⓑ(생략된 성분 없이 문장의 필수 성분을 완전하게 갖춘 관형절을 안은 문장)와 같은 유형이다.
④ ㄹ은 관형절 '그 사람이 나를 속일'이 생략된 성분 없이 문장의 필수 성분을 완전하게 갖추고 있다는 점에서 Ⓑ와 같은 유형이다.
⑤ ㅁ은 안긴문장 '땀이 이마에 흘렀다.'와 안은문장 '나는 수건으로 땀을 닦았다.'에서 공통된 체언인 '땀'이 생략되어 관형절 '이마에 흐르는'이 만들어졌다는 점에서 Ⓐ와 같은 유형이다.

오답률 Best ⑤

정답률이 56%, 오답률이 44%에 달했던 문제로 많은 학생들이 오답을 골랐어. 그중에서도 18%의 학생이 ④번을 선택했네. 아마도 '문장의 필수 성분을 모두 갖추고 있다'는 것이 무슨 의미인지 정확히 몰랐던 것 같아. 필수 성분이란 문장을 구성하는 데 없어서는 안 되는 최소한의 문장 성분을 가리켜. 다시 말해 해당 성분을 생략하면 불완전한 문장이 되는 성분이 필수 성분이야. 예를 들어 '개나리가 예쁘게 피었다.'에서 '개나리가'와 '피었다'는 필수 성분이지만, '예쁘게'는 생략해도 문장을 구성하는 데 문제가 없으므로 필수 성분이 아니야.

[16~19] **인문**

**16** ① 정답률 87%

정답풀이

윗글은 '고유 이름이 의미하는 바'를 '지시체 자체'로 보는 '의미지칭이론'을 비판하며 '고유 이름이 의미하는 바를 새롭게 설명'하는 '프레게'의 이론을 샛별과 개밥바라기는 예를 중심으로 설명하고 있다.

오답풀이

② 윗글에는 '프레게'의 이론이 제시되고 있지만, 그 이론의 변천 과정을 통시적 관점에서 분석하고 있지는 않다.
③ '의미지칭이론'과 '프레게'의 이론을 상반된 이론으로 볼 수도 있지만, 두 이론을 절충한 새로운 이론은 소개되고 있지 않다.
④ 윗글에는 '의미지칭이론'과 '프레게'의 이론이 제시되고 있을 뿐, 특정 이론에 대한 다양한 관점을 제시하고 각 관점의 장단점을 비교하고 있지는 않다.
⑤ '프레게'는 기존의 이론을 비판하며 자신의 이론을 제시하고 있을 뿐, 윗글에서 특정 학자가 자신의 이론에 제기된 문제점을 수용하는 과정은 나타나 있지 않다.

**17** ③ 정답률 85%

정답풀이

[A]에 따르면 '관념은 지시체에서 개인이 감각적 경험을 통해 얻게 된 주관적인 내적 이미지'이며, '개인이 지시체에 대해 갖는 관념'과 달리 뜻은 '언어 공동체가 공유할 수 있는 객관적으로 합의된' 것이라고 하였다. 이를 고려할 때 '달'을 가리키는 ⓐ(밤하늘의 달)는 '지시체'로 설명이 가능하며, 달이 '우리 가족에게 서로 다른 추억으로 기억'된다는 점에서 ⓒ(망막에 맺힌 달은 우리 가족에게 서로 다른 추억)는 개인이 얻게 된 주관적인 내적 이미지라는 점에서 '관념', 우리 가족에게 '달의 형상은 모두 같았'다는 점에서 ⓑ(우리 가족이 나눈 대화 속 망원경 렌즈에 맺힌 달의 형상은 모두 같았지만)는 가족이라는 공동체가 공유하는 '뜻'으로 설명할 수 있다.

**18** ③ 정답률 67%

정답풀이

5문단에서 뜻은 '언어 공동체가 공유할 수 있는 객관적으로 합의된 재산'이며, '우리가 성공적으로 의사소통할 수 있는 이유는 뜻이 공적인 것이기 때문'이라고 하였다. 이에 따르면 ㉮(a와 b의 교점)와 ㉯(b와 c의 교점)로 의사소통이 가능한 이유는 개인의 '내적 이미지'인 '관념'이 아니라 '뜻'이 일치하기 때문이다.

오답풀이

① 3문단에서 프레게는 '동일한 지시체의 서로 다른 제시 방식'은 '다른 뜻'을 가진다고 하였다. 이에 따르면 〈보기〉에서 '㉮와 ㉯의 지시체는 ㉰(o)'라고 하였으므로, ㉮와 ㉯는 동일한 지시체를 지칭하지만 그 뜻은 서로 다르다고 볼 수 있다.
② 4문단에서 '프레게는 고유 이름에 한정 기술구도 포함되어야 한다고 주장'했는데, '한정 기술구란 오직 하나의 대상만이 만족하는 조건을 몇 개의 단어나 이런저런 기호로 구성한 언어 표현'이라고 하였다. 이에 따르면 몇 개의 단어와 기호로 구성된 ㉮와 ㉯도 고유 이름으로 볼 수 있다.
④ 3문단에 따르면 프레게는 '동일한 지시체'를 '서로 다른 제시 방식으로 제시'할 수 있다고 보므로, 'a와 c의 교점'도 ㉰에 대한 제시 방식이 될 수 있다.
⑤ 3문단에서 '뜻의 차이로 인해 1)(샛별은 샛별이다.)과 2)(샛별은 개밥바라기이다.)가 인식적 차이가 있'다고 한 것을 고려하면, ㉱(o는 a와 b의 교점이다.)는 'o는 o이다.'라는 문장과 뜻의 차이로 인해 인식적 차이가 발생한다고 할 수 있다.

**19** ③ 정답률 74%

정답풀이

1문단에 따르면 의미지칭이론에서는 '고유 이름이 의미하는 바는 그 표현이 지칭하는 것, 즉 지시체 자체'라고 하였다. 따라서 의미지칭이론에서 고유 이름이 의미하는 바를 지시체 자체로 보기 때문에 "유니콘"과 같이 '지시체가 존재하지 않는 허구적인 대상'의 고유 이름이 의미하는 바'를 설명할 수 없다.

[20~25] **사회**

**20** ⑤ 정답률 89%

정답풀이

윗글에서는 범죄인인도를 법원이 허가한 경우 범죄인의 신병(보호나 구금의 대상이 되는 사람의 몸)이 언제 인도되는지에 대해서 언급하고 있지 않다.

오답풀이

① 2문단에서 범죄인인도조약은 '서로 범죄인인도를 할 것을 합의하고 그에 대한 사항을 규정하는 국가 간의 조약'임을 알 수 있다.
② 4문단에서 범죄인인도거절 사유로 '절대적 인도거절 사유'와 '임의적 인도거절 사유'가 있음을 알 수 있다.
③ 3문단의 '대부분의 범죄인인도조약은 처벌 가능한 최소 형기를 기준으로 인도대상범죄를 규정한다.'를 통해 알 수 있다.
④ 2문단에서 '사전에 체결된 범죄인인도조약에 의해서만 상대 국가에 대한 범죄인인도청구에 응할 의무가 발생'한다고 하였다.

**21** ④ 정답률 81%

정답풀이

2문단에서 '범죄인인도조약은 주로 양자조약의 형태로 발달하였으며 범세계적인 조약은 성립되지 않고 있다.'라고 하였으므로, 범죄인인도제도가 범세계적인 범죄인인도조약의 규정을 기초로 하여 운영된다고 볼 수 없다.

오답풀이

① 1문단의 '근대에 들어 각국은 국제법상 범죄인인도제도를 발전시켰다.'를 통해 알 수 있다.
② 3문단에서 '범죄인인도제도의 구체적인 내용은 범죄인인도조약에 따라 차이가 있'다고 하였다.
③ 1문단에서 '범죄인이 다른 나라로 도피하면 그 신병을 확보하기 어려워 처벌이 힘'든데 이 때문에 발전시킨 것이 범죄인인도제도라고 하였으므로, 범죄인인도제도는 해외에 있는 범죄인의 신병을 확보하기 위한 제도라고 할 수 있다.
⑤ 2문단에서 '범죄인인도가 원만히 진행되려면 상대국의 사법제도에 대한 상호 신뢰가 필요'하다고 하였다.

## 22 ⑤ 정답률 60%

정답풀이

5문단에서 '인도청구된 범죄에 대하여 이미 피청구국에서 재판이 진행 중이거나 피청구국에서 확정 판결을 받은 경우는 중복 처벌을 피하기 위해 범죄인인도가 허용되지 않는다.'라고 하였다. 따라서 X와 Y가 이미 피청구국인 B국에서 유죄 판결을 받았다면 절대적 인도거절 사유에 해당하여 범죄인인도는 허용되지 않는다.

오답풀이

① 3문단에 따르면 '범죄인인도를 청구하는 청구국과 인도를 청구받는 피청구국 모두에서 범죄로 성립'될 때 인도대상범죄로 규정된다. 그리고 〈보기〉에서 X와 Y의 행위는 모두 '인도대상범죄에 해당한다'고 하였으므로, A국과 B국의 법률에서는 X와 Y의 행위를 모두 범죄로 규정하고 있을 것이다.

② 7문단에 따르면 '자국민 불인도 조항'은 '범죄인이 피청구국의 자국민'일 경우 적용될 수 있다. 그런데 〈보기〉에서 X는 '제3국 국민'이고 Y는 'A국 국민'이라고 하였으므로, X와 Y 모두 피청구국인 B국의 자국민이 아니기 때문에 자국민 불인도 조항이 있더라도 해당 조항의 적용대상이 되지 않는다.

③ 4문단과 6문단을 통해 절대적 인도거절 사유는 '피청구국이 범죄인인도를 할 수 없'으며, '정치범'의 '범죄인인도가 불허'되는 것도 절대적 인도거절 사유임을 알 수 있다. 〈보기〉의 (가)에서 B국 법원은 'X의 인도를 허가하기로 결정'했지만, (나)에서 Y에 대해서는 '일반 형사범죄로서의 성격과 정치범죄의 성격을 검토한 후 이를 바탕으로 인도를 불허한다는 결정'을 내렸다. 즉 Y는 정치범으로, Y의 행위는 X의 행위와 달리 범죄인인도조약상 B국이 범죄인인도를 허가할 수 없는 절대적 인도거절 사유에 해당한다고 볼 수 있다.

④ 2문단에 따르면 범죄인인도조약을 맺으면 '상대국가에 대한 범죄인인도청구에 응할 의무'가 발생하는데, 3문단에서 인도대상범죄에 부합하면 '내국인이든 외국인이든 범죄인인도의 대상'이 될 수 있다고 하였다. 따라서 범죄인인도조약을 맺고 있는 B국은 X, Y 모두에 대한 A국의 범죄인도청구에 응해야 할 의무를 진다.

## 23 ② 정답률 64%

정답풀이

6문단에 따르면 '일반적으로 범죄행위의 정치적 성격이 일반 형사범죄로서의 성격보다 우월할 때 그 것을 정치범죄로 판단'하며, '정치범도 일반적으로 범죄인인도가 불허'된다. 〈보기〉의 (나)에서 B국 법원은 Y에 대해서 '일반 형사범죄로서의 성격과 정치범죄로서의 성격을 검토한 후 이를 바탕으로 인도를 불허한다는 결정'을 내렸으므로, Y의 행위가 일반 형사범죄로서의 성격보다 정치적 범죄로서의 성격이 더 강한 범죄라고 판단했을 것이다.

오답풀이

① 6문단에서 '어떤 행위가 정치범죄에 해당하는가의 판단은 피청구국에서 하게 된다.'라고 하였다. 따라서 〈보기〉의 (나)에서 청구국인 A국 법원이 피청구국인 B국 법원 대신 Y의 행위가 정치범죄로 인정받을 수 있는지 여부를 결정할 수는 없다.

③ 6문단에서 가해조항은 '국가원수나 그 가족의 생명 · 신체를 침해하는 행위'라고 하였다. 하지만 〈보기〉의 (나)에서 Y는 '무인 공공시설물을 파손하려다 발각'되었다고 했으므로, 가해조항의 적용을 받지 않는다.

④ 6문단에서 '정치범죄의 판단기준이 시대나 상황에 따라 달라질 수 있으므로 범죄인인도조약에 정치범죄의 정의가 포함되는 경우는 찾기 어렵다.'라고 하였다. 따라서 〈보기〉의 (나)에서 B국 법원은 범죄인인도조약에 명시된 정의를 기준으로 Y의 행위를 판단할 수는 없다.

⑤ 6문단에서 '무고한 불특정 다수를 대상으로 하는 테러행위 등은 많은 범죄인인도조약에서 정치범죄로 인정되지 않는다'고 하였다. 〈보기〉의 (나)에서 Y는 '무인 공공시설물을 파손하려다 발각'되었다고 했으므로, Y의 행위를 무고한 불특정 다수를 대상으로 하는 테러행위로 볼 수는 없다. 하지만 B국 법원은 Y에 대해서 '일반 형사범죄로서의 성격과 정치범죄로서의 성격을 검토한 후 이를 바탕으로 인도를 불허한다는 결정'을 내렸으므로, 정치범 불인도의 대상에서 제외되어야 한다고 판단한 것은 아니다.

## 24  정답률 61%

정답풀이

7문단에서는 '사형을 폐지한 피청구국은 청구국이 대상 범죄인을 사형에 처하지 않을 것이라는 보증을 하지 않을 경우 범죄인인도를 거절'할 수 있다고 했다. 또한 〈보기〉의 제5조에서도 피청구국이 범죄인의 인도를 거절할 수 있는 경우와 보증으로 예외가 되는 경우를 언급했을 뿐, 피청구국이 청구국에 보증을 할 필요가 있다는 내용이 포함되어 있지 않다.

오답풀이

① 7문단에서 피청구국이 '자국민 불인도 조항에 따라 자국민 범죄인의 인도를 거절하고 범죄인을 처벌하지도 않'을 경우에 대비하여 '청구국의 요청이 있으면 피청구국은 기소 당국에 사건을 회부해야 한다는 조항을 넣기도' 함을 알 수 있는데, 〈보기〉의 제4조는 이에 대한 규정을 포함하고 있다.

③ '피청구국에 의해 인도가 허용된 범죄, 인도 이후에 저지른 범죄, 피청구국이 처벌에 동의하는 범죄'에 대해서만 처벌을 받을 수 있다는 〈보기〉의 제6조는 8문단에 제시된 '특정성의 원칙'과 관련된 조항이라고 볼 수 있다.

④ 7문단에 따르면 '범죄인이 피청구국의 자국민일 경우 피청구국이 범죄인인도를 거절'할 수 있고, '사형을 폐지한 피청구국은 청구국이 대상 범죄인을 사형에 처하지 않을 것이라는 보증을 하지 않을 경우 범죄인인도를 거절'할 수 있는데, 이는 모두 '임의적 인도거절 사유'에 해당한다. 이때 〈보기〉의 제4조와 제5조는 각각 앞서 설명한 임의적 인도거절 사유에 대한 내용을 담고 있다.

⑤ 7문단에서 '사형을 폐지한 피청구국은 청구국이 대상 범죄인을 사형에 처하지 않을 것이라는 보증을 하지 않을 경우 범죄인인도를 거절'할 수 있는 것은 '범죄인의 인권을 보호'하기 위함이라고 하였는데, 〈보기〉의 제5조는 이에 대한 내용을 담고 있다. 그리고 8문단에서 '특정성의 원칙' 또한 '범죄인의 인권을 보호하기 위한 장치'라고 하였는데, 〈보기〉의 제6조는 이에 대한 내용을 담고 있다. 따라서 제5조와 제6조 모두 범죄인인도의 대상이 되는 범죄인의 인권을 보호하기 위한 장치로 볼 수 있다.

## 25 ① 정답률 92%

정답풀이

'기관이나 조직체 따위를 만들어 일으킴.'은 '설립'의 사전적 의미이다. '성립'의 사전적 의미는 '일이나 관계 따위가 제대로 이루어짐.'이다.

[26~30] **기술**

## 26  정답률 77%

정답풀이

3문단에서 '전자총은 고유한 파장을 가진 금속에 그 파장보다 짧은 파장의 빛을 가하면 전자가 방출되는 광전효과를 활용'한다고 했으므로, 금속의 고유한 파장보다 짧은 파장의 빛을 금속에 쏘아야 전자를 방출시킬 수 있다.

오답풀이

① 5문단의 '빔라인은 실험 목적에 맞도록 방사광에서 원하는 파장을 분리시켜 실험에 이용하는 장치로~주로 물질의 내부 구조, 원자 배열 등에 대한 실험이 이루어진다.'를 통해 알 수 있다.

② 4문단에서 저장링은 '일반적으로 n각형 모양으로 설계하여 n개의 직선 부분과 n개의 모서리 부분으로 이루어'지는데, '저장링의 모서리 부분에는 전자의 방향을 조절해 주는 휨전자석을 설치'한다고 했다. 따라서 휨전자석의 개수는 저장링의 모양에 따라 달라질 수 있다.

③ 2문단의 '휘도란 빛의 집중 정도를 나타내는 것으로, 빛의 세기가 크면 클수록, 그리고 빛의 퍼짐이 작으면 작을수록 높은 휘도 값을 갖는다.'를 통해 알 수 있다.

④ 3문단에서 '음(−)전하를 띤 전자가 양(+)전하를 띤 양극 쪽으로 움직이려는 전기적인 힘'이 있음을 알 수 있다.

5 회

**27** ② 정답률 68%

정답풀이

3문단에 따르면 '방사광가속기를 사용해 인위적으로' 방사광을 만들 수 있지만, 이때 가속시키는 대상은 전자기파가 아니라 '전자'이다.

오답풀이

① 2문단에서 방사광은 '실험 목적에 따라 파장을 선택하여 사용할 수 있는 파장 가변성'을 지님을 알 수 있다.
③ 3문단의 '방사광은 자연에서는 별이 수명을 다해 폭발할 때 발생하기도 하지만, 이를 연구에 활용하는 것은 어려우므로 고성능 슈퍼 현미경이라고도 불리는 방사광가속기를 사용해 인위적으로 만들어 사용한다.'를 통해 알 수 있다.
④ 2문단에서 '방사광은 휘도가 높은 빛'이며, '방사광에서 실험을 위해 선택된 X선은, 기존에 쓰던 X선보다 휘도가 수만 배 이상이라서 이를 활용하면 물질의 정보를 보다 자세하게 얻을 수 있다.'라고 하였다.
⑤ 1문단의 '방사광이란 빛의 속도에 가깝게 빠른 속도로 운동하는 전자가 방향을 바꿀 때, 바뀐 운동 궤도 곡선의 접선 방향으로 방출되는 좁은 퍼짐의 전자기파를 가리킨다.'를 통해 알 수 있다.

**28** ③ 정답률 63%

정답풀이

4문단에서 '삽입장치(Ⓓ)에서 중첩되어 진폭이 커진 방사광은, 휨전자석(Ⓒ)에서 방출된 방사광보다 큰 에너지를 지닌 더 밝은 방사광이 된다.'라고 하였다. 따라서 Ⓓ에서 방출된 방사광이 Ⓒ에서 방출된 방사광보다 더 밝으며, 그 이유는 Ⓓ에서 방출된 방사광이 진폭이 커지는 간섭 현상이 일어났기 때문이라고 볼 수 있다.

오답풀이

① 3문단에서 Ⓐ(전자총)는 '광전효과를 활용하여 지속적으로 전자를 방출'시키는데, '이때 방출되는 전자는 상대적으로 속도가 느려 높은 에너지를 가지지 못하므로' Ⓑ(선형가속기)에서 '전자를 가속'시켜 전자가 '빛의 속도에 근접'하게 된다고 하였다.
② 4문단에서 '저장링의 모서리 부분에는 전자의 방향을 조절해 주는 휨전자석(Ⓒ)을 설치하여 전자가 지속적으로 궤도를 따라 회전할 수 있도록' 하며, '전자는 휨전자석을 지나면서 자석 주위의 자기장의 힘을 받아 휘게' 됨을 알 수 있다.
④ 4문단의 '휨전자석(Ⓒ)과 삽입장치(Ⓓ)를 통과하며 방사광을 방출한 전자는 에너지를 잃게 되고, 고주파 공동장치(Ⓔ)는 이러한 전자에 에너지를 보충하여 전자가 계속 궤도를 돌게 한다.'를 통해 알 수 있다.
⑤ 5문단에서 '빔라인은 실험 목적에 맞도록 방사광에서 원하는 파장을 분리시켜 실험에 이용하는 장치로 크게 진공 자외선 빔라인(Ⓕ)과 X선 빔라인으로 나눌 수 있다'라고 하였다.

**29** ⑤ 정답률 68%

정답풀이

〈보기〉의 ㉡(광학 현미경)은 가시광선을 사용하는데 1문단에서 '가시광선 영역은 파장이 길'다고 하였다. 한편 5문단에서 'X선 빔라인들 중 하나인 X선 현미경(㉠)'에서는 '다른 빛보다 상대적으로 짧은 파장을 가진 X선의 특성을 이용'함을 알 수 있다. 따라서 ㉠(X선 현미경)은 ㉡에서 사용하는 빛보다 상대적으로 짧은 파장의 빛을 이용한다고 볼 수 있다.

오답풀이

① 5문단에 따르면 ㉠은 '생체 조직 등과 같은 물질의 내부 구조까지도 확대하여 관찰'할 수 있다.
②, ③ 〈보기〉에서 ㉡은 '가시광선을 굴절시켜 빛을 모을 수 있는 유리 렌즈를 이용해 물질의 표면을 확대하는 실험 장치'라고 하였고 5문단에서 ㉠은 '특수 금속 렌즈를 이용해 X선을 실험에 활용한다.'라고 하였다.
④ 〈보기〉에서 ㉡은 '가시광선'을 사용함을 알 수 있는데, 1문단에서 '가시광선 영역'은 '사람의 눈으로 볼 수 있'다고 하였다.

**30** ⑤ 정답률 90%

정답풀이

'가변성을 지닌다(ⓐ)'와 '보편성을 지니고'의 '지니다'는 모두 문맥상 '바탕으로 갖추고 있다.'라는 의미로 사용되었다.

오답풀이

① '몸에 간직하여 가지다.'라는 의미로 사용되었다.
② '어떠한 일 따위를 맡아 가지다.'라는 의미로 사용되었다.
③ '본래의 모양을 그대로 간직하다.'라는 의미로 사용되었다.
④ '기억하여 잊지 않고 새겨 두다.'라는 의미로 사용되었다.

[31~34] **고전소설**

**31**  정답률 60%

정답풀이

윗글에는 기이하고 비현실적인 요소를 뜻하는 전기적 요소가 나타나지 않는다.

오답풀이

① '처음에는 그 집 머슴살이를 했는데~마침내 자리를 잡을 수 있었다.' 등에서 도령과 자란이 몰래 달아나 살림을 차리게 된 사건이 요약적으로 제시되어 있다.
② '털모자에 쪽빛 비단옷을 입고~테두리가 뜯어진 벙거지를 얻어 머리에 썼다.'에서 도령의 누추한 외양을 묘사하여 자란을 찾아 평양으로 가는 길의 힘겨운 상황을 보여 주고 있다.
④ '그러나 실은 도령이 자란과~호쾌한 말을 내뱉으며 이별을 가볍게 여겼던 것이다.'에서 이별의 날에도 의연했던 도령의 태도에 대한 서술자의 생각이 직접적으로 드러나 있다.
⑤ 도령과 자란이 재회하여 자리를 잡게 된 이야기를 전개하다가 그보다 이전에 일어났던 사건인 '예전에 도령이 절을 뛰쳐나왔을 때의 일'에 대한 정보를 제시하고 있다.

**32** ② 정답률 88%

정답풀이

'신임 관찰사의 아들은 자란이 달아난 뒤 서윤으로 하여금 자란의 어미와 친척을 모두 가두'게 하였으므로, ㉣(평양)의 인물들이 옥에 갇힌 것은 맞다. 하지만 그 원인은 자란과 도령이 ㉣에서 ㉤(깊은 골짜기)으로 도망쳤기 때문이지, 도령이 ㉡(서울)에서 ㉢(절)으로 이동했기 때문은 아니다.

오답풀이

① 도령이 ㉠(관아)에서 ㉡으로 이동한 이유는 부친이 ㉠에서 '관찰사'로서의 '임무를 마치고 대사헌에 임명되어 조정으로 돌아왔'기 때문이다.
③ '절(㉢)에서 함께 공부하던 도령의 친구들'은 '끝내 도령의 종적을 찾을 수 없었'고, 모두들 도령이 '요사한 여우에게 홀려서 죽었거나 호랑이 밥이 된 게 틀림없다'며 '도령의 상을 치르고 빈 무덤 앞에서 제사를 지'낸다. 따라서 도령이 ㉢에서 ㉣로 향한 것을 ㉢에 함께 있었던 인물들은 알지 못했다고 볼 수 있다.
④ 도령이 ㉢에서 ㉣로 향한 것은 ㉠에서 헤어진 '자란의 얼굴을 보고 싶은 욕망을 억누를 수 없'었기 때문이다.
⑤ 도령이 ㉣에서 ㉤으로 이동한 것은 ㉣에서 재회한 자란과 함께 살기 위해서이다.

**33** ① 정답률 83%

정답풀이

도령과 자란이 이별할 때 '자란은 눈물을 쏟고 목메어 울며 도령의 얼굴을 차마 보지 못했'고 '도령은 조금도 연연해하는 기색이 없'이 '의연한 모습'을 보였을 뿐, 이 장면을 통해 신분 질서의 구속에서 벗어나기 위해 개인의 의지대로 행동하는 주인공들의 모습을 확인할 수는 없다.

오답풀이

② 〈보기〉를 통해 윗글에서는 '주인공들이 인간의 본질적 욕망인 사랑을 성취하는 과정'이 나타남을 알 수 있다. 도령이 '한 번만이라도 자란의 얼굴을 보고 싶은 욕망을 억누를 수 없어 마치 실성한 사람처럼 되'어 '한밤중에 절을 뛰쳐나와 곧장 평양으로 향'하는 장면에서는 이를 확인할 수 있다.

③ 〈보기〉에서는 윗글에서 '사랑을 성취한 후 현실적인 문제를 해결하는 과정에서 여성 인물의 역할이 확대되었다'고 하였다. 도령과 자란이 도망친 후 '도령은 천한 일을 제대로 해내지 못했'지만 '자란이 베 짜기와 바느질'을 부지런히 하며 '지니고 온 옷가지와 패물을 팔'고, '이웃과도 잘 지내며 환심'을 사 '이웃들'에게 도움을 받아 '자리를 잡'은 것으로 볼 때, 자란과 도령이 안정적으로 정착해 가는 장면에서 여성 인물의 역할이 확대된 모습을 확인할 수 있다.

④ 〈보기〉에서는 '작품 속 주인공들은 사회적으로 중시되는 효나 입신양명과 같은 유교적 가치'로부터 '완전히 벗어나지는 못한다'고 하였다. 자란이 도령에게 '재상 가문의 외아들'이 '한낱 기생에게 빠져 부모를 버리고 달아나 외진 산골에 숨어 살며 집에서는 살았는지 죽었는지조차 알지 못하니, 이보다 더 큰 불효는 없을 것'이라며 문제를 제기하자, '도령이 눈물을 줄줄 흘리며' 동의하는 장면에서는 주인공들이 효를 중시하는 모습을 확인할 수 있다.

⑤ 〈보기〉에서는 '작품 속 주인공들은 사회적으로 중시되는 효나 입신양명과 같은 유교적 가치'로부터 '완전히 벗어나지는 못한다'고 하였다. 자란이 도령에게 '과거의 허물을 덮는 동시에 새로운 공을 이룰 수 있어, 위로는 부모님을 다시 모실 수 있고 아래로는 세상에 홀로 나설 수 있는 길'은 '오직 과거에 급제해서 이름을 떨치는 길 한 가지뿐'이라고 과거 급제의 당위성을 강조하는 장면에서는 유교적 가치로부터 완전히 벗어나지 못한 모습을 확인할 수 있다.

**34** ① 정답률 92%

정답풀이

[A]에서 도령은 자신이 자란에게 '연연하여 잊지 못하는 마음을 가질 리'가 있겠냐며, '아버지께서는 이 일로 더 이상 염려하지' 않아도 된다고 안심시키고 있다. 한편 [B]에서 자란은 '외진 산골에 숨어 살며' '여기서 늙어 죽을 수'도 '집으로 돌아갈 수도 없는' 자신들의 상황을 환기하며, 도령에게 '당신은 앞으로 어쩌실 작정'이냐고 묻고 있다.

오답풀이

② [B]에서 자란은 청자인 도령이 '재상 가문의 외아들이건만 한낱 기생에게 빠져 부모를 버리고 달아나 외진 산골에 숨어' 사는 것을 '나쁜 행실'이라고 지적하지만, [A]에서 도령이 청자인 부친의 장점을 언급하거나 성품을 칭송하고 있지는 않다.

③ [A]에서 도령은 청자인 아버지에게 '상사병이라도 들 거라 생각하십니까?', '잊지 못하는 마음을 가질 리 있겠습니까?'와 같은 질문을 반복하며 자란과 헤어져 '서울로 가면 헌신짝 여기듯'하고 연연하지 않을 것이라고 장담하고 있지만, [B]에서 자란이 청자인 도령에게 명령을 거듭하며 자신의 의지를 강요하고 있지는 않다.

④ [A]에서 도령이 자신의 무고함(아무런 잘못이나 허물이 없음)을 주장하고 있지는 않다. 또한 [B]에서 자란이 도령의 의견에 동의하며 도령의 삶의 방식을 칭찬하고 있지도 않다.

⑤ [A]에서 도령은 다른 사람의 의견을 근거로 들지 않으며, [B]에서 자란은 도령의 신분적 위세를 두려워하며 자신의 생각을 감추지 않았다.

## [35~37] 현대시

**35** ② 정답률 87%

정답풀이

(가)의 '겨울은 강철로 된 무지갠가 보다.'에서는 추상적 대상인 '겨울'을 무지개로 시각화하여 고통스러운 현실 상황에 대한 인식을 전환하려는 주제 의식을 드러내고 있다. 또한 (나)의 '진실도 / 부서지고 불에 타면서 온다', '추위의 면도날로 제 몸을 다듬는다' 등에서도 추상적 관념인 '진실'과 '추위'를 시각화하여 고통을 감내하는 생명과 같은 삶의 방향을 추구하는 화자의 인식을 드러내고 있다.

오답풀이

① (가)와 (나) 모두 음성상징어를 사용하지 않았다.

③ (나)의 1연과 5연에서 '생명은 / 추운 몸으로 온다'와 같이 동일한 문장을 반복하고 있지만, (가)에서는 동일한 문장을 반복하고 있지 않다.

④ (가)에서는 '겨울은 강철로 된 무지갠가 보다.'라는 추측의 표현을 활용하여 시적 상황을 드러내고 있다. 그러나 (나)에서는 '온다', '왔다', '아니다' 같은 단정적인 표현을 사용할 뿐 추측의 표현을 사용하고 있지 않다.

⑤ (나)에서는 '겨울 나무들을 보라', '충전 부싯돌임을 보라'와 같이 명령형 어조를 사용한 것을 확인할 수 있지만, (가)에서는 명령형 어조를 사용하지 않았다.

**36** ④ 정답률 90%

정답풀이

(가)의 화자는 어디에 '무릎을 꿇어야' 할지 찾으나 '한 발 재겨 디딜 곳조차 없'는 극한 상황에 처했음을 고려할 때, 화자가 고난이 끝났음을 인지했다고 볼 수 없으며 부정적 현실을 이겨내려는 자세를 보인다고도 볼 수 없다.

오답풀이

① (가)에서는 '매운 계절'이라는 감각적 이미지를 활용하여 겨울의 혹독한 추위를 실감나게 드러내고 있다.

② (가)에서는 '서릿발(땅속의 물이 얼어 기둥 모양으로 솟아오른 것)'이라는 시어를 통해 겨울이 환기하는 시련의 의미를 분명하게 드러내고 있다.

③ (가)에서 '매운 계절의 채찍에 갈겨' '휩쓸려' 온 '북방'과 '하늘도 그만 지쳐 끝난 고원'은 극한 상황을 형상화한 공간의 이미지로 볼 수 있고, 이는 겨울의 이미지들과 맞물려 화자가 처한 고통스러운 상황을 표현하고 있다.

⑤ 혹독한 추위와 시련의 이미지로 제시되던 겨울을 '강철로 된 무지개'의 이미지로 전환한 것에서 현실 상황을 다르게 인식하려는 화자의 모습이 드러난다고 볼 수 있다.

**37** ⑤ 정답률 68%

정답풀이

〈보기〉에 따르면 윗글은 '고통을 동반할 수밖에 없는' 생명의 속성을 통해 '화자가 추구하는 삶의 방향'을 드러낸다. 4연에서 화자는 '상한 살을 헤집고 입맞출 줄 모르는 이는 / 친구가 아니다'라고 했으므로 '상한 살을 헤집고 입맞'추는 사람이 아닌, '상한 살을 헤집고 입맞출 줄 모르는 이'를 부정하는 모습에서 화자가 지향하는 삶의 방향을 확인할 수 있다.

오답풀이

① 〈보기〉에 따르면 윗글은 '생명의 속성을 자연물로 형상화'하였다. 1연은 '생명은 / 추운 몸으로 온다 / 벌거벗고 언 땅에 꽂혀 자라는 / 초록의 겨울보리'에서는 생명의 속성을 '겨울보리'로 형상화하고 있다.

② 〈보기〉에서 '화자는 생명이란 고통을 동반할 수밖에 없는 것임을 보여주며 삶의 진실 또한 이와 다르지 않음을 강조한다.'라고 하였다. 2연의 '진실도 / 부서지고 불에 타면서 온다 / 버려지고 피 흘리면서 온다'에서는 삶의 진실도 생명의 속성과 마찬가지로 고통을 동반한다고 여기는 화자의 생각을 확인할 수 있다.

③ 〈보기〉에서 윗글은 '자연물의 모습을 통해, 고통을 감내하며 또 다른 생성을 준비하는 생명의 속성을 드러낸다.'라고 하였다. 3연의 '겨울 나무들을 보라 / 추위의 면도날로 제 몸을 다듬는다'에서는 고통을 감내하는 '겨울 나무들'의 속성을 확인할 수 있다.

④ 〈보기〉에서 윗글에는 '생성과 소멸이라는 이중적인 속성을 가진 자연물의 모습'이 나타난다고 하였다. 3연의 '떨어져 먼 날의 섭리에 불려 가'는 '잎'에서는 소멸, '충전 부싯돌'인 '줄기'에서는 생성이라는 자연물의 속성을 확인할 수 있다.

## [38~41] 현대소설

**38** ① 정답률 88%

정답풀이

윗글에서는 '나'와 박판돌의 대화를 통해 과거에 고향에서 있었던 두 집안 사이에 얽힌 사건의 내용이 제시되고 있다.

오답풀이

② 윗글은 공간적 배경의 묘사를 통해 역사적 사건을 제시하고 있지 않다.

③ 대화를 통해 과거의 사건이 제시되고 있을 뿐, 동시에 일어나는 두 개의 사건이 병렬적으로 제시되어 있지는 않다.

④ 윗글은 [중략 줄거리]를 기준으로 장면이 한번 전환되었을 뿐 장면이 빈번하게 전환된다고 보기는 어렵다.

⑤ 윗글은 '나'라는 서술자가 작품 속에서 사건을 전달하고 있다.

5회

## 39  정답률 76%

정답풀이

'나'는 '자식된 도리로 개죽음 당한 아버지 뼈라도 찾아서 편히 모셔야' 한다며 고향으로 온 것이다. 또한 '물론 저도 아직 족보가 없습니다만.'에서 판돌이 족보에 오르지 않았음을 알 수 있다.

오답풀이

① '지 아버지는 족보에 이름 석 자 올릴 욕심으로 죽을 때꺼정 껑껑댔지만'에서 판돌의 아버지 박쇠는 족보에 이름이 올라가기를 평생 기다렸음을 알 수 있다.
② '이제는 백만 원만 주고도 지가 박씨 문중에서 문벌 좋은 집안을 탈탈 골라 족보에 이름을 올릴 수 있겠습니다만…….'에서 판돌은 돈을 이용하는 등 이전과 다른 방식으로 족보에 이름을 올릴 수 있다고 생각함을 알 수 있다.
④ '지는 족보 대신에 아직도 우리 조부님 종 문서허고 도련님 조부님이 박판돌이라고 지어 주신 지 부자 이름이 적힌 종이쪽지를 소중히 간직허고 있구만요.'에서 판돌은 족보 대신에 판돌 부자의 이름이 적힌 종이쪽지를 소중히 간직하고 있음을 알 수 있다.
⑤ '지 부자가 도련님 댁 족보에 오르는 것이 싫어서'에서 '나'의 아버지는 판돌 부자의 이름이 족보에 올라가는 것을 원치 않았음을 알 수 있다.

## 40  정답률 41%

정답풀이

〈보기〉에서는 '한을 품게 한 대상과의 재회를 통해 인식이 전환되고, 이는 한을 해소할 수 있는 계기가 된다.'라고 하였다. 즉 '나'는 '한을 품게 한 대상'인 판돌과의 재회를 통해 인식이 전환되고, 인식이 전환되는 것은 한을 해소할 수 있는 계기가 된다. 이에 따르면 '정말이지 마음이 떨려서 그를 정면으로 마주 보기가 싫었다.~나는 하늘을 쳐다본 채 허탈하게 물었다.'에서 '나'가 마주 보기도 싫은 판돌에게 근황을 물었음은 알 수 있다. 하지만 이는 '나'가 판돌과 재회하게 된 것을 보여 줄 뿐 아직 '나'의 인식이 전환되지는 않았으므로, '나'가 판돌의 근황을 묻는 것이 한을 해소할 수 있는 계기를 마련하기 위함이라고 볼 수는 없다.

오답풀이

① 〈보기〉에서 윗글의 '주인공인 '나'는 가족이 겪은 비극으로 인하여 한을 품게 된다.'라고 하였다. 이에 따르면 '나'가 어머니에게 '개죽음 당한 아버지 유골이 지리산 계곡에 비바람 맞으며 나뒹굴어, 구천에 정처 없이 떠돌음하는 혼백이라도 위로해 주어야 할 게 아니냐고 설득하는 것'에서는 '나'가 품은 한이 아버지가 죽임을 당한 것과 관련이 있음을 알 수 있다.
② 〈보기〉에서 윗글의 '나'는 '한을 품게 한 대상과의 재회'를 하게 됨을 알 수 있다. 이에 따르면 '나'가 어머니에게 자신이 보잘것없이 되었다면 부끄러워서도 고향에 갈 생각을 하지 않았으나, 이만큼이나 되어서 무엇이 두려워 수구초심으로 동경해 온 귀향을 꺾을 수 있겠느냐고 승낙을 받는 데 진땀을 뺐다.'라고 한 것을 고려할 때, '나'가 '고등 고시 합격허서 검사'가 된 것은 고향에 가 한을 품게 한 대상인 판돌과의 재회를 가능하게 한 것으로 볼 수 있다.
③ 〈보기〉에서는 윗글의 '나'가 '소통의 단절로 인하여 한을 해소할 기회를 잃게' 되었다고 하였다. 이에 따르면 '나'가 '자식된 도리로 개죽음 당한 아버지 뼈라도 찾아서 편히 모셔야 하지 않겠냐며, 꿈꾸듯 오랫동안 별러 온 고향에 다녀오겠다'고 한 것에서 '나'가 오랜 시간 고향을 떠나 있었음을 알 수 있다. 이는 소통의 단절로 인해 한을 해소할 기회를 얻지 못한 이유가 되었다고 할 수 있다.
④ 〈보기〉에서는 '한을 품게 한 대상과의 재회를 통해 인식이 전환되고, 이는 한을 해소할 수 있는 계기가 된다.'라고 하였다. 이에 따르면 '나'가 '정면으로 마주 보기'조차 싫어했던 '판돌이가 그의 아버지 유골을 찾았기를 바라'는 것에서 한의 대상에 대한 '나'의 인식이 달라졌음을 알 수 있다.

**오답률 Best 1**

이 시험에서 오답률이 가장 높은 문제로, 정답률이 41%에 그쳤어. 이렇게 많은 학생들이 오답을 고른 이유는 <보기>의 내용을 정확하게 파악하지 못한 데에 있지. <보기>에서는 1) '나'가 한을 품게 한 대상과 재회하고 2) 재회를 통해 인식이 전환되면 3) 인식의 전환이 한을 해소할 수 있는 계기가 된다고 했어. 이에 따르면 '나'가 판돌에게 근황을 묻는 것은 1)에 해당하며, 이때에는 아직 '나'의 인식이 전환되지 않았지. 그러니 당연히 한을 해소할 수 있는 계기를 마련하는 것과는 거리가 멀어. 이처럼 <보기>를 참고하여 감상하도록 요구하는 문학 문제에서는 <보기>를 제대로 읽는 것이 선지 판단에 있어 몹시 중요해. 그럼 제대로 읽는 방법이 뭐냐고? <보기>를 읽을 때 몇 개의 명사만 중점적으로 읽을 것이 아니라, 조사나 어미, 서술어까지 정확히 읽고, 거기에 순서나 인과 관계 등이 나타나는 경우 이를 꼼꼼하게 확인하며 읽는 거지!

## 41  정답률 62%

정답풀이

[A]의 '사실 그때 지는 어르신네께서 거짓말로라도 지 아버지를 절대 죽이지 않았다고 말하기를 맘속으로 얼마나 바랐는지 몰라요.'에서는 인동이 자신의 아버지를 죽이지 않았다고 거짓말이라도 하기를 바라는 판돌의 속마음을 확인할 수 있을 뿐, 인동의 말을 거짓이라고 생각하는 판돌의 속마음이 드러나는 것은 아니다. S#96의 '안돼야, 제발, 제발 그 말만은….'에서도 이와 마찬가지이므로, 인동의 말을 거짓이라고 생각하는 판돌의 속마음을 전달하는 것은 적절하지 않다.

오답풀이

① [A]에서 '나'는 '우리 아버지한테 당신이 박쇠 아들이라는 건 언제 밝혔소?'라고만 물었지만, S#95에서는 '우리에게 당신이 박쇠 아들이라는 건 왜 숨겼소?'를 추가하여 박 검사의 궁금한 점이 여러 가지임을 드러내고 있다.
② [A]의 '그래서 그 어른을 데리고 지리산으로 들어갔지요.~지한테 용서를 빌었어요.'를 S#96에서는 당시 상황을 보여주는 대화 장면으로 제시하여 현장감을 높이고 있다.
③ [A]의 '종이를 보이면서, 지 신분을 밝혔어요.'를 S#96에서는 '(종이를 인동의 얼굴을 향해 던지며)'라는 지시문으로 구성하여 판돌의 감정을 효과적으로 드러내고 있다.
④ S#95에서 '얼굴 C.U.'을 통해 '만감이 교차하는 듯한 박 검사의 얼굴'을 확대하여 보여 줌으로써 판돌을 바라보는 박 검사의 심리를 부각하고 있다.

### [42~45] 고전시가

## 42  정답률 73%

정답풀이

'내얼굴 이거동이 님괴얌즉 혼가마는(내 얼굴 이 거동이 임의 사랑을 받음직 한가마는)'에서는 임금이 있는 조정을 떠나기 전에 임금과의 관계에 대한 화자의 생각을 드러낸 것일 뿐, 정치적 반대 세력에 의해 조정을 떠나게 된 상황에 대한 화자의 자책이 드러나 있지는 않다.

오답풀이

① ⓐ((가)에서 작자는 정치적 반대 세력에 의해~충정을 드러내고 있음을 확인할 수 있다.)에 따르면 (가)에는 '임금이 있는 조정을 떠난 상황'이 나타나는데, 이를 참고할 때 '천상 백옥경'을 '이별'했다는 표현은 임금이 있는 조정을 떠난 상황을 가리키는 것으로 볼 수 있다.
③ ⓐ에 따르면 (가)의 작자는 '자신이 처한 상황'을 '자신의 운명으로 받아들이'는데, 이를 참고할 때 '조물의 타시로다(조물주의 탓이로다)'에는 자신의 상황을 조물주에 의한 운명으로 여기고 받아들이는 모습이 드러난다고 할 수 있다.
④ ⓐ에 따르면 (가)에는 '임금 곁에 머물 수 없는 상황'에 대한 '탄식'이 나타난다. 이를 참고할 때 '어엿븐 그림재 날조출 뿐이로다(어여쁜 그림자만 나를 좇을 뿐이로다)'는 '님'은 없고 '그림재'만 자신을 따라다닌다는 표현을 통해 임금을 떠나 홀로 지내는 상황에 대한 탄식을 드러낸다고 할 수 있다.
⑤ ⓐ에 따르면 (가)에는 '임금에 대한 변치 않는 충정'이 드러난다. 이를 참고할 때 '출하리 싀여디여 낙월이나 되야이셔(차라리 죽어 없어져서 지는 달이나 되어)'는 죽어서 달이 되어 임금을 비추고 싶은 마음이 드러나므로, 임금에 대한 변치 않는 충정이 드러나 있다고 볼 수 있다.

## 43 ⑤ 정답률 46%

정답풀이

윗글에서 [A]의 인물은 대화 상대인 목동의 삶의 방식에 대해 질책한다고 했다. 즉 '연교 초야의 소치기만 하나산다'에서는 부귀공명이나 입신양명이 아니라 소치기만 하는 목동의 '삶의 방식에 대해 질책'을 하고 있을 뿐, 여기에 반어적 표현은 사용되지 않았다.

오답풀이

① '소 먹이난 아해들아'에서는 호격 조사 '아'를 사용한 부름의 표현을 활용하여 대화의 상대가 '목동'임을 밝히고 있다.
② '인생 백년이 플끗에 이슬이라'에서는 인생을 풀끝의 이슬에 빗대어 '인생이 유한하여 허무한 것'임을 형상화하고 있다.
③ '생애는 유한하되 사일은 무궁하다'에서는 대구를 활용하여 '인생이 유한'함을 제시함으로써 '인간영락을 추구하는 삶이 가치 있다고 강조'하고 있다.
④ '공산백골이 긔 아니 늣거오냐'에서는 '~냐'라는 물음의 표현을 활용하여 부귀공명이나 입신양명 같은 인간영락을 추구하지 않고 죽으면 북받치지 않겠냐고 그 결과를 언급하고 있다.

**오답률 Best ❷**

윗글은 '대화체로 구성된 작품'이라는 공통점을 중심으로 두 작품을 소개하고 있어. 고전시가 작품은 단독으로 출제되기보다는 주로 다른 고전시가, 현대시, 수필 등과 묶여 출제되는 경우가 많은데, 최근에는 이 지문처럼 평론 안에서 여러 작품이 포함된 형태로 출제되기도 해. 이런 경우 개별 작품에 대한 이해뿐만 아니라, 평론과 작품을 연결하여 이해하는 법, 작품과 작품의 공통점과 차이점을 파악하는 법 등에 대해서도 충분히 공부해둘 필요가 있어. 이 문제의 경우 특정 구절에 사용된 표현법도 판단해야 했고, 그 구절의 의미를 평론과 연결하여 이해할 수도 있어야 했기 때문에 오답률이 높았던 걸로 보여. ⑤번처럼 선지의 전체가 틀린 내용이 아니라 일부는 맞고 일부는 틀린 내용으로 구성된 선지를 적절한 것으로 잘못 판단하지 않으려면, 선지를 판단 요소별로 끊어가면서 읽는 것도 오답의 함정을 피하는 하나의 방법이야!

## 44 ③ 정답률 62%

정답풀이

윗글에 따르면 작품의 대화가 '통합된 주제'로 나타나는 것은 열린 대화체가 아닌 닫힌 대화체의 특성이다. 따라서 ⓒ(내 근심 더뎌 두고 남의 분별 하시는고)에서는 인물이 '상대방의 간섭에 대해 반문'함으로써 '독자적 인물들 사이의 긴장'이 유지되며 '작자의식이 어느 한쪽으로 치우쳐 드러나지 않'는 열린 대화체의 특징을 엿볼 수 있다.

오답풀이

① 윗글에 따르면 닫힌 대화체에서 보조적 인물은 '질문을 통해 상대방의 사설을 이끌어내'는 역할을 담당한다. 이에 따르면 ㉠(ᄒᆡ다뎌 져믄날의 눌을보라 가시ᄂᆞᆫ고)에서는 보조적 인물이 '눌을 보라 가시ᄂᆞᆫ고(누구를 보러 가시는가)'라는 질문을 통해 주도적 인물의 'ᄉᆞ셜(사설)'을 이끌어내고 있다.
② 윗글에 따르면 닫힌 대화체에서 보조적 인물은 '상대방의 사설에 의견을 덧붙여 첨언을 하는 등 보조적 역할'을 함으로써 '작자의식을 강조'한다. 이에 따르면 ㉡(각시님 ᄃᆞᆯ이야 ᄏᆞ니와 구ᄌᆞᆫ비나 되쇼셔)에서는 보조적 인물이 주도적 인물의 사설에 대해 '구ᄌᆞᆫ비나 되쇼셔(궂은비나 되소서)'라고 의견을 덧붙여 작자의식을 강조하고 있다.
④ 윗글에 따르면 열린 대화체에서는 '독자적 인물들 사이의 긴장'이 '유지'된다. 이에 따르면 ㉣(즐겁고 즐거오믈 너해난 모라리라)에서는 '너해난 모라리라(너희는 모르리라)'와 같은 조롱 섞인 과시를 통해 대화를 하는 인물들 사이의 긴장이 유지되고 있음을 알 수 있다.
⑤ 윗글에 따르면 열린 대화체에서는 '독자적 인물들' 사이의 주장을 '대등한 비중으로 대립'시킨다. 이에 따르면 ㉤(부귀는 부운이오 공명은 와각이라)에서는 목동이 부귀와 공명을 중시하는 '상대방의 의견에 반박'함으로써 대화를 하는 독자적 인물들의 주장을 대등하게 대립시킨다고 볼 수 있다.

## 45 ⑤ 정답률 75%

정답풀이

(가)의 '내 ᄉᆞ셜'에서는 '천상 백옥경을 엇디ᄒᆞ야 이별'하게 되었는지에 대한 이유가 드러난다. 한편 (나)의 '장안을 도라보니 풍진이 아득하다~이 퉁소 한 곡조의 행화촌을 차자리라'를 고려할 때, '내 노래'에는 목동이 '자연에 의탁하여 사는 삶'을 선택한 이유가 드러난다고 볼 수 있다.

오답풀이

① (가)의 '내 ᄉᆞ셜'에서 화자가 '이리야 교틱야 어즈러이' 하였던 '내몸의 지은죄 뫼ᄀᆞ티 싸'였다고 말하였으므로 반성이 드러난다고 볼 수 있다. 그러나 (나)의 '내 노래'에는 자연에서 즐겁게 지내는 감상이 나타나므로 화자의 후회가 드러난다고 볼 수 없다.
② (가)의 '내 ᄉᆞ셜'에는 '자신이 처한 상황에 대해 자책하고 나아가 이를 자신의 운명으로 받아들이'는 모습이 나타날 뿐, 자신의 문제를 극복하려는 의지는 나타나지 않는다. 또한 (나)의 '내 노래'에서도 화자의 신세 한탄은 드러나지 않는다.
③ (가)의 '내 ᄉᆞ셜'에서는 화자의 '자책'과 '탄식'이 드러날 뿐이며, 화자는 현재 흥취를 느끼고 있지 않다. 또한 (나)의 '이 퉁소 한 곡조의 행화촌을 차자리라'를 고려할 때 '내 노래'에는 자신이 현재 느끼고 있는 흥취가 드러난다고 볼 수 있다.
④ (가)의 '내 ᄉᆞ셜'에서는 '임의 사랑을 받음직' 하였던 상황에서 '천상 백옥경'을 '이별'하게 된 상황의 변화가 나타난다고 볼 수 있지만, (나)의 '내 노래'에서 화자가 추구했던 삶의 방식의 변화가 드러나지는 않는다.

# 6회

2020학년도 9월 학평

| 1. ③ | 2. ⑤ | 3. ④ | 4. ② | 5. ② | 6. ④ | 7. ③ | 8. ③ | 9. ⑤ | 10. ① |
|---|---|---|---|---|---|---|---|---|---|
| 11. ④ | 12. ② | 13. ① | 14. ② | 15. ① | 16. ④ | 17. ③ | 18. ④ | 19. ⑤ | 20. ⑤ |
| 21. ② | 22. ⑤ | 23. ③ | 24. ④ | 25. ② | 26. ④ | 27. ① | 28. ③ | 29. ④ | 30. ② |
| 31. ⑤ | 32. ③ | 33. ① | 34. ③ | 35. ④ | 36. ② | 37. ⑤ | 38. ② | 39. ⑤ | 40. ② |
| 41. ① | 42. ① | 43. ① | 44. ⑤ | 45. ⑤ | | | | | |

오답률 Best 5

## [1~3] 화법

### 1 ③ 정답률 71%

정답풀이

발표자는 발표 내용에 대한 청중의 이해도를 확인하며 추가 정보를 제공하지는 않았다.

오답풀이

① 발표자는 "태백, 금강, 한라, 백두'는 무엇과 관련된 말일까요? 산 이름이라고 생각되시죠?'에서 질문의 방식을 활용하여 화제에 대한 관심을 유발하고 있다.

② 발표자는 '(목소리를 크게 하며)'에서 준언어적 표현을 통해 청중에게 '체육 시간'에 '열심히 참여하면서 우리 씨름에 대해 직접 이해해'볼 것을 강조하고 있다.

④ 발표자는 '(손가락 두 개를 펼쳐 보이며)', '(손가락으로 자료를 가리키며)' 등에서 비언어적 표현을 활용해 발표 내용을 효과적으로 전달하고 있다.

⑤ 발표자는 '샅바', '앞무릎치기', '밭다리걸기' 등 씨름과 관련된 용어의 의미를 설명하며 청중의 이해를 돕고 있다.

### 2 ⑤ 정답률 76%

정답풀이

발표자는 ⓒ(자료)을 제시하며 '상대방을 당기면서 오른손으로 밀어 무릎 안쪽을 치면서 넘어뜨리는 앞무릎치기' 기술을 소개하였으며, [자료3]의 ①과 ②는 이 기술이 사용되는 과정을 보여 주고 있다.

오답풀이

① 발표자는 ㉠(자료)을 제시하기 직전에 '씨름의 체급'에 대해 언급하고 있으나, [자료1]은 두 선수가 모래판 위에서 서로의 샅바를 잡고 있는 장면이므로 씨름의 체급 분류 기준을 설명하는 자료로 볼 수 없다.

② 발표자는 ㉠을 제시하면서 '씨름에 대해 발표하려고' 한다고 안내하였으므로 ㉠에 씨름의 경기 상황을 실감나게 보여 주는 자료를 활용하는 것은 적절하다. 그러나 [자료3]은 앞무릎치기 기술이 사용되는 과정을 보여 주는 자료이므로, 이를 씨름의 경기 상황을 실감나게 보여 주기 위한 자료로 사용하기는 어렵다.

③ 발표자는 ㉡을 제시하면서 씨름을 '김홍도의 풍속화'에서도 볼 수 있으며 '한민족 특유의 공동체 문화가 바탕이 되어 발전하였'음을 말할 뿐, 씨름의 변천 과정에 대해 설명하지는 않았다. 또한 [자료2]는 조선시대 씨름의 모습을 보여 주는 김홍도의 풍속화이므로, 이를 씨름의 변천 과정을 설명하기 위한 자료로 사용하기는 어렵다.

④ 발표자는 ⓒ을 제시하며 앞무릎치기 기술에 대해 설명한 뒤, 이어 다른 기술들도 제시하고 있다. 그런데 [자료1]은 두 선수가 모래판 위에서 서로의 샅바를 잡고 있는 장면을 보여 주는 자료이므로, 이를 씨름의 다양한 기술을 구체적으로 설명하기 위한 자료로 사용하기는 어렵다.

### 3 ④ 정답률 66%

정답풀이

발표자는 청중의 질문을 들은 후 '처음에는 샅바 없이 씨름을 하다가 허리에 띠를 매고 하는 허리씨름이 생겼'고, 이후 '샅바씨름이 생겨났'다고 설명한다. 또한 '두 다리 사이를 뜻하는 '샅'과 길게 늘어뜨린 줄을 뜻하는 '바'가 합해져 '샅바'라는 이름'이 생겼다고 답한 것으로 보아 청중의 질문은 '샅바'라는 명칭이 생긴 유래에 대한 것임을 알 수 있다.

## [4~7] 화법과 작문

### 4 ② 정답률 87%

정답풀이

ⓐ(그래, 그러면~어떤 걸 기사에서 다룰까?)는 스마트팜의 장점 중 어떤 것을 기사에서 다룰지, ⓑ(제목을 놓칠~얘기해 보자.)는 표제와 부제 작성에 관해, ⓒ(좋은 생각이지만,~얘기해 보자.)는 부제에 들어갈 내용에 대해 논의하자는 제안을 하는 발화로 볼 수 있다. 즉 ⓐ~ⓒ는 공통적으로 앞으로 논의해야 할 회의 내용을 제시하기 위한 발화로 볼 수 있다.

### 5 ② 정답률 80%

정답풀이

[A]에서 '학생 2'는 기사의 표제에서 '독자의 호기심을 끌 수 있게 질문의 형식을 활용'하자는 의견을 제시하였다. 이에 대해 '학생 3'은 '의문문을 사용하면 의도가 잘 전달되지 않을 수도 있으니까 평서문으로 진술'하자고 했으므로, '학생 2'의 의견이 지닌 문제점을 지적하며 새로운 해결책을 제안하고 있다고 볼 수 있다.

오답풀이

① [A]에서 '학생 2'는 표제를 '평서문으로 진술하고 행사명이 드러나게 작성'하자는 '학생 3'의 의견에 대해 '그래.'라고 답하며 지지하고 있지만 구체적인 사례를 들고 있지는 않다.

③ [B]에서 '학생 2'는 '본문에는 행사 운영에 대한 결과를 드러내'도록 하자는 '학생 3'의 의견을 반영하여 '학생 만족도 설문 조사 결과를 제시'하여 운영 결과를 드러내자고 하였으나 자신이 제시한 의견을 보충하고 있지는 않다.

④ [B]에서 '학생 3'은 '학생 만족도 설문 조사 결과를 제시'하자는 '학생 2'의 의견에 대해 '정보가 중복되는 느낌을 줄 수 있'다고 하며 수용하지 않았다.

⑤ [A]에서 '학생 3'은 '질문의 형식을 활용'하여 표제를 작성하자는 '학생 2'의 의견에 대해 '의도가 잘 전달되지 않을 수도 있'다는 문제점을 지적한 뒤 '평서문으로 진술하고 행사명이 드러나게 작성'하자는 대안을 제시하고 있다. 그러나 [B]에서 '학생 3'은 '학생 만족도 설문 조사 결과를 제시'하자는 '학생 2'의 의견에 대안을 제시하고 있지 않다.

**6** ④ 정답률 **91%**

정답풀이

3문단에서 '미래 동아리는 이번 행사를 위해 한 달 전부터 본격적인 준비를 하였'다고 하여 행사 준비에 대해 언급했으나, 행사 준비 과정의 어려움을 드러내지는 않았다.

오답풀이

① 1문단에서 '이번 행사는 우리 학교 학생들에게 스마트팜을 소개하고, 농업 관련 진로 체험의 기회를 제공하기 위해 개최되었다.'라고 하여 행사의 목적을 제시하였다.
② 2문단에서 '원격으로 관리할 수 있'으며 '날씨에 영향을 받지 않고' '토양 오염을 유발하지 않'는다는 스마트팜의 장점을 제시하고 있다.
③ 3문단에서 행사가 총 3부로 이루어졌으며, 1부에서는 '이론 교육', 2부에서는 '농장 실습'을 진행하였으며, 3부에서는 '청년 농부'와 만나 '농업 관련 진로에 대해 궁금한 점을 알아 보는' 시간을 가졌음을 밝히고 있다.
⑤ 4문단에서 '주말에 부모님과 함께 작은 텃밭을 가'꾼 경험이 있는 학생의 인터뷰를 인용하여 행사에 참여한 학생의 반응을 제시하고 있다.

**7** ③ 정답률 **71%**

정답풀이

(가)에서 '학생 2'는 '마지막 문단에는 대구를 사용하여 행사의 의의를 드러내'자고 하였고, '학생 3'은 '앞으로의 미래 동아리 활동 계획도 같이 알려 주'자고 하였다. 이러한 논의 내용에 가장 부합하는 것은 ③번으로, '오늘은 팜, 내일은 스마트팜'에서 대구를 활용하여 학생들이 체험을 통해 '발전하는 우리의 농업을 알게 되었다'는 행사의 의의를 제시하고, 미래 동아리의 활동 계획으로 '진로 체험 행사를 확대'하겠다고 밝히고 있다.

오답풀이

① '관리는 편하게, 수확은 즐겁게'에서 대구를 활용하여 행사를 통해 학생들이 느낀 바를 나타냈으나, 앞으로의 미래 동아리 활동 계획을 제시하지 않았다.
② '스마트 팜을 개방해 진로 탐색의 기회를 제공하겠다'는 미래 동아리 활동 계획을 제시했으나, 대구를 통해 행사의 의의를 드러내지는 않았다.
④ '수확한 농산물을 지역 주민들에게 나누어 줄 계획'이라고 하여 미래 동아리 활동 계획을 제시했으나, 행사의 의의를 나타내면서 대구의 표현 방법을 활용하지는 않았다.
⑤ '내 삶을 행복하게 하는 팜, 우리 삶을 행복하게 하는 스마트팜'에서 대구를 활용하여 행사의 의의를 드러냈으나, 미래 동아리 활동 계획을 제시하지 않았다.

## [8~10] 작문

**8** ③ 정답률 **89%**

정답풀이

(나)는 '전동킥보드를 안전하게 이용하기 위한 방법'을 '첫째', '둘째', '셋째'와 같은 표지를 활용하여 'KC마크를 취득한 안전 제품을 구입해야' 함, '도로교통법을 준수해야' 함, '안전모와 함께 무릎과 팔꿈치 등에 보호대를 착용해야' 함과 같이 병렬적으로 제시하였다.

오답 풀이

① 1문단에서 전동킥보드 '사고가 증가하고 있다.'는 실태만 제시될 뿐, 전동킥보드를 부적절하게 이용하고 있는 구체적인 상황은 드러나지 않았다.
② 2문단에서 전동킥보드의 '제품 안전 정보를 안내한 홈페이지'를 이용하라고 소개했으나 제품 안전 정보를 제공하는 기관의 목록은 제시되지 않았다.
④ 1문단에서 전동킥보드가 '우리 학교 학생들에게도 인기가 많다.'라고 했을 뿐, 전동킥보드 이용에 대해 논의하고 있는 우리 학교의 상황은 제시되지 않았다.
⑤ '운행할 때의 안전 규정에 관해 잘 알고 있지 못'한 점, '제품 불량' 등을 전동킥보드의 사고 원인으로 언급하였으나, 이를 사례를 중심으로 제시하지는 않았다.

**9** ⑤ 정답률 **86%**

정답풀이

〈보기〉의 ㄴ은 '배터리 충전 중 전기적 요인'으로 발생하는 '전동킥보드 화재'를 예방하기 위해 '과충전 보호 장치가 있는 KC마크 취득 제품을 구입'하고 '취침 중에는 충전을 피하고 충전이 끝난 뒤에는 전원을 분리해야' 한다는 내용의 인터뷰이다. 이를 활용하여 안전성이 검증된 제품이더라도 과충전되지 않도록 유의해야 한다는 내용을 추가할 수 있다. 그런데 ㄷ은 '사고에 취약한 전동킥보드에 대한 최소한의 안전장치'로 '속도 제한과 보호 장비 착용'이 필요하다는 내용의 신문 기사이다. 따라서 안전성이 검증된 제품이더라도 관리 소홀로 인해 사고가 발생할 수 있다는 내용을 뒷받침하는 자료로 ㄷ을 활용하는 것은 적절하지 않다.

오답풀이

① 〈보기〉의 ㄱ-1은 2018년과 2019년의 '전동킥보드 사고유형별 현황'을 보여 주는 통계 자료이며, 이를 통해 전동킥보드 사고가 급격히 증가했음을 알 수 있다. 따라서 ㄱ-1을 활용하여 전동킥보드 사고가 증가하는 실태를 1문단에 제시하는 것은 적절하다.
② 〈보기〉의 ㄴ은 '배터리 충전 중 전기적 요인'으로 인해 '전동킥보드 화재가 발생'할 수 있다는 내용의 인터뷰로, '과충전 보호 장치가 있는 KC마크 취득 제품을 구입해야' 화재를 예방할 수 있다는 내용이다. 따라서 ㄴ을 활용하여 KC마크를 취득한 전동킥보드를 구입해야 하는 이유로 충전 중 화재 발생을 예방할 수 있음을 2문단에 추가하는 것은 적절하다.
③ 〈보기〉의 ㄷ은 '바퀴의 크기가 작고 몸을 보호해 줄 만한 차체가 없'는 전동킥보드의 구조적 특성으로 인해 자동차 사고에 비해 전동킥보드 사고는 '중상자 비율'이 높으며, 전동킥보드 사고를 방지하기 위해 '속도 제한과 보호 장비 착용'과 같은 안전장치가 필요하다는 내용의 신문기사이다. 따라서 ㄷ을 활용하여 전동킥보드 이용 시 규정 속도를 지켜야 하는 이유를 3문단에 추가하는 것은 적절하다.
④ 〈보기〉의 ㄱ-2는 전동킥보드 이용 시 '보호 장비 착용 현황'을 보여 주고 있고, ㄷ은 전동킥보드의 특성으로 인해 '사고 시 중상자 비율'이 높음을 보여 준다. 따라서 ㄱ-2와 ㄷ을 활용하여 전동킥보드 이용 시 보호 장비를 착용해야 할 필요성을 4문단에 제시하는 것은 적절하다.

**10** ① 정답률 **62%**

정답풀이

〈보기〉에는 관용적 표현이 활용되지 않았다.

오답풀이

② '앞 문단과의 흐름을 고려하여 연결 표현을 삭제'하라는 조언에 따라 [A]의 '그러나'가 〈보기〉에서는 삭제되었다.
③ [A]의 두 번째 문장 '전동킥보드뿐만 아니라 모든 교통수단을 이용할 때는 안전 수칙을 준수해야 한다.'는 주제에서 벗어나는 문장이다. 따라서 '주제에서 벗어나니까 해당 문장을 삭제'하라는 조언에 따라 〈보기〉에서 이 문장이 삭제되었다.
④ '어려운 단어는 학생들의 수준을 고려하여 쉬운 단어로 교체'하라는 조언에 따라 [A]의 첫 번째 문장에 쓰인 '숙지하는'이 〈보기〉에서는 '잘 아는'으로 수정되었다.
⑤ '첫 번째 문장의 설득력을 높이기 위해 주장을 제시한 이유를 추가하'라는 조언에 따라 [A]와 달리 〈보기〉에는 '실천하지 않'았을 때 '안전도 위협'한다는 내용이 추가되었다.

## [11~15] 문법(언어)

### 11 ④ 정답률 78%

정답풀이

3문단에서 '등급 반의어에서는 한쪽 단어의 긍정이 다른 쪽 단어의 부정을 함의하며, 이것의 역은 성립하지 않는다.'라고 하였다. 따라서 '영수 집은 학교에서 가깝다.'에서 '가깝다'를 부정하면 '가깝지 않다'가 되는데, 이때 '가깝지 않다'고 해서 반드시 '멀다'는 것은 아니므로 '가깝다'의 부정이 '멀다'의 의미와 동일하다는 추론은 적절하지 않다.

오답풀이

① 2문단에서 '등급 반의어'는 '비교 표현이 가능하다.'라고 하였다. '좋다/나쁘다'는 등급 반의어이므로 '올해는 사과의 품질이 작년보다 더 좋다.'와 같이 비교 표현을 쓸 수 있다.
② 2문단에서 '등급 반의어가 나타내는 정도나 등급은 단계적인 차이를 보이며' 그 정도에 대해 '사람마다 생각하는 바가 조금씩 다를 수 있다.'라고 하였다. '무겁다/가볍다'는 등급 반의어이므로 사람들이 생각하는 가방의 무게는 조금씩 다를 수 있다.
③ 2문단에서 '등급 반의어'는 '정도부사의 수식'이 가능하다고 하였다. '멀다/가깝다'는 등급 반의어이므로 '기차역은 여기에서 아주 멀다.'와 같이 정도부사의 수식을 받을 수 있다.
⑤ 4문단에서 '등급 반의어'는 "중간 정도'에 해당하는 부분을 나타내는 별도의 말이 존재하기도 한다.'라고 하였다. '뜨겁다/차갑다'는 등급 반의어이므로 중간 정도를 나타내는 별도의 말인 '미지근하다'가 존재한다.

### 12 ② 정답률 71%

정답풀이

'크다/작다'는 등급 반의어이다. 어떤 대상의 크기에 대한 '사전 지식이 없는 상태'에서 대상의 '크거나 작은 정도'를 물을 때, '문학관이 커?'와 같이 묻는 것이 일반적이므로 '크다'(ⓒ)가 ㉠(등급 반의어의~더 일반적인 경향을 나타내는 의미로 쓰인다.)의 경우에 해당한다고 볼 수 있다. 또한 '길다/짧다' 역시 등급 반의어인데, 어떤 대상의 길이에 대한 '사전 지식이 없는 상태'에서 대상의 '길거나 짧은 정도'를 물을 때, '줄이 짧아?'보다 '줄이 길어?'와 같이 묻는 것이 일반적이므로 '길다'(ⓔ)가 ㉠의 경우에 해당한다고 볼 수 있다.

오답풀이

ⓐ, ⓑ '오다/가다'는 등급 반의어가 아닌 두 단어가 상대적 관계를 형성하며 방향상의 대립 관계를 나타내는 방향 반의어이다.
ⓓ '작다'는 '크다'에 비해 더 일반적인 경향을 나타내는 의미로 쓰인다고 볼 수 없다.
ⓕ '짧다'는 길다'에 비해 더 일반적인 경향을 나타내는 의미로 쓰인다고 볼 수 없다.

### 13 ① 정답률 63%

정답풀이

'달님[달림]'은 'ㄴ'이 '앞'의 음운인 'ㄹ'의 영향을 받아 '유음'인 'ㄹ'로 바뀌었으므로 '조음 방법'이 바뀐 사례이다. 또한 '공론[공논]'은 'ㄹ'이 '앞'의 음운인 'ㅇ'의 영향을 받아 '비음'인 'ㄴ'으로 바뀌었으므로 '조음 방법'이 바뀐 사례이다. '논리[놀리]'는 'ㄴ'이 '뒤'의 음운인 'ㄹ'의 영향을 받아 '유음'인 'ㄹ'로 바뀌었으므로 '조음 방법'이 바뀐 사례이다. 따라서 ㉠에는 '달님', ㉡에는 '앞', ㉢에는 유음, ㉣에는 '조음 방법'이 들어가는 것이 적절하다.

### 14 ② 정답률 42%

정답풀이

㉠(누나가 주인임이 밝혀졌다.)에서 '누나가 주인임'은 명사절로, 안은문장 안에서 주어의 기능을 한다. 그리고, ㉡(삼촌은 농담을 던짐으로써 분위기를 풀었다.)에서 '농담을 던짐'은 명사절로, 안은문장 안에서 부사어의 기능을 한다. 마지막으로 ㉢(형은 동생이 고향으로 돌아오기만 기다렸다.)에서 '동생이 고향으로 돌아오기'는 명사절로, 안은문장 안에서 목적어의 기능을 한다. 즉 ㉠~㉢의 안긴문장은 모두 명사절로 종류는 동일하며, ㉠의 안긴문장은 주어로, ㉡의 안긴문장은 부사어로, ㉢의 안긴문장은 목적어로 안은문장 안에서 각각 다른 기능을 한다.

**오답률 Best 4**

주어진 예문에 포함된 안긴문장의 종류와 기능에 대해 묻는 문제로, 기출에서 자주 등장하는 유형이야. 예문 ㉠~㉢은 모두 명사절을 포함하고 있는데, 명사절은 용언의 어간이나 서술격 조사에 명사형 어미 '-(으)ㅁ/-기'가 결합해서 만들어져. 명사절이 안긴문장으로 쓰일 때에는 결합하는 격 조사에 따라 다양한 문장 성분으로 기능할 수 있어. 그러니 명사절 뒤에 어떤 격 조사가 결합했는지 살펴보면 어떤 문장 성분인지도 쉽게 파악할 수 있어. 물론 격 조사가 생략되어 있거나 보조사가 사용된 경우에는 문장에서의 위치와 의미를 통해 문장 성분을 파악할 수 있지. 오답 선지들 중에서는 ㉠~㉢에서 안긴문장의 종류가 모두 다르다고 진술한 ④번과 ⑤번 선지의 선택 비율이 비교적 높았어. ㉠~㉢의 안긴문장의 종류가 모두 명사절이라는 점을 파악하지 못한 거지. ㉠은 서술격 조사 '이'에 '-(으)ㅁ'이, ㉡은 용언의 어간에 '-(으)ㅁ'이 결합함으로써, ㉢은 용언의 어간에 '-기'가 결합함으로써 명사절이 되었어.

### 15 ① 정답률 63%

정답풀이

〈보기〉의 첫 번째 예문에서 ㉠이 '무엇인가?'로 해석된 것으로 보아, 해당 예문은 구체적 답변을 요구하는 설명 의문문으로 의문 보조사 '고/오'로 실현됨을 알 수 있다. 이때 '므스것'은 자음 'ㅅ'으로 끝나므로 ㉠에 들어갈 말로는 '므스것고'가 적절하다. 두 번째 예문에서 ㉡은 '종인가?'로 해석되었으므로 해당 예문은 '예' 또는 '아니오'의 판정을 요구하는 판정 의문문이다. 따라서 의문 보조사 '가/아'를 사용해야 하는데, 자음 'ㆁ' 다음이므로 ㉡에 들어갈 말로는 '죵가'가 적절하다. 마지막으로 ㉢은 '선야인가?'로 해석되고 해당 예문은 '어찌'로 시작하므로 설명 의문문이라는 것을 알 수 있다. 따라서 의문 보조사 '고/오'를 사용해야 하는데, '선야'라는 이름이 모음 'ㅑ'로 끝나므로 ㉢에 들어갈 말로는 '船若(선야)오'가 적절하다.

## [16~21] 사회

### 16 ④ 정답률 84%

정답풀이

1문단에서 '합리적인 선택을 하려면 편익과 비용을 충분히 고려하여 편익에서 비용을 뺀 순편익이 가장 큰 대안을 선택해야 한다.'라고 하였으며, 2문단에서 '순편익은 한계편익과 한계비용이 같을 때 가장 커'진다고 하여 합리적인 선택을 하기 위한 방법을 제시하고 있다. 이를 바탕으로 3~4문단에서 '이윤을 극대화'하기 위해 '상품을 얼마나 생산'해야 할지, 5~6문단에서 '손실이 발생하는' 상황에서 '생산을 계속할 것인지'에 대한 기업의 의사 결정을 설명하고 있다.

오답풀이

① 기업이 합리적 선택을 통해 이윤을 극대화할 수 있음을 언급하였으나, 기업의 의사 결정 과정을 평가하고 있지는 않다.
② 합리적 선택이 지닌 한계에 대해 언급하지는 않았으며, 기업의 생산 활동이 사회 전체에 미치는 영향이 크다는 점을 언급했을 뿐 사회적 책임에 대해 서술하지도 않았다.
③ 가계, 기업, 정부가 경제 주체임을 언급했을 뿐, 경제 주체가 되기 위한 조건을 제시하지는 않았다.
⑤ 기업이 생산 활동을 할 때 한계비용, 한계수입, 평균비용 등을 고려해야 함을 언급했으나, 생산량을 결정할 때의 어려움을 원인에 따라 분류하지는 않았다.

### 17 ③ 정답률 79%

정답풀이

5문단에서 '한계비용이 총비용 중 가변비용에만 영향을 받는'다고 하였다. '생산량과 상관없이 기업이 매달 똑같이 내야 하는 임대료'는 고정비용에 해당하므로, 이는 한계비용에 영향을 주지 않는다.

오답풀이

① 5문단에서 '총비용은 고정비용과 가변비용으로 구분된다.'라고 했으므로, 고정비용을 제외한 나머지는 모두 가변비용이다.
② 3문단에서 '완전경쟁시장은 많은 수의 공급자와 수요자로 구성되어 있고 거래되는 상품이 동질적이므로 개별 공급자나 수요자가 시장 가격에 영향을 미칠 수 없'으므로 '소비자는 시장에서 결정된 상품 가격을 주어진 것으로 받아들'인다고 하였다.
④ 5문단에서 '평균비용은 어떤 양의 상품을 생산하는 데 투입된 총비용을 생산량으로 나눈 것으로, 상품을 한 단위 생산하는 데 드는 평균적인 비용을 말한다.'라고 하였다.
⑤ 1문단에서 '합리적인 선택을 하려면 편익과 비용을 충분히 고려하여 편익에서 비용을 뺀 순편익이 가장 큰 대안을 선택해야 한다.'라고 하였다.

## 18 ④ 정답률 62%

정답풀이

3문단에서 '기업은 상품을 얼마나 생산하면 이윤을 극대화할 수 있을지 한계비용과 한계수입을 고려해 합리적인 판단을 내릴 수 있다.'라고 하였으므로 기업은 한계비용을 통해 이윤을 극대화할 수 있는 생산량이 얼마인지 알 수 있다. 또한 6문단에서 '기업은 평균비용을 상품의 시장 가격과 비교해 보고 만약 가격이 평균비용곡선의 최저점에도 미치지 못한다면, 생산량이 얼마이든 그 가격에 상품을 판매해 보았자 손실을 피할 수 없다고 판단할 것'이며, '생산을 계속할 것인지 신중하게 고민'하게 된다고 하였다. 따라서 평균비용을 통해 생산을 중단할 만한 상품의 가격이 얼마인지 알 수 있다.

## 19 ⑤ 정답률 43%

정답풀이

[A]에서 '비용이란 암묵적 비용 중 가장 큰 것과 명시적 비용을 합친 것'이며, '암묵적 비용은 어떤 선택으로 인해 포기한 다른 대안의 가치'라고 하였다. 따라서 비용에서 명시적 비용을 제외하면 과자를 사기 위해 포기한 음료수 소비의 금전적 가치를 알 수 있다. 과자를 1개 살 때 1,500(= 2,500 − 1,000)원, 2개 살 때 3,500(= 5,500 − 2,000)원, 3개 살 때 6,000(= 9,000 − 3,000)원으로 과자 구입 개수가 늘어날수록 갑이 포기한 음료수 소비의 금전적 가치는 점점 커진다.

오답풀이

① [A]에서 '순편익'은 '편익에서 비용을 뺀' 것이라고 하였다. 과자를 1개 살 때의 순편익은 1,500(= 4,000 − 2,500)원, 3개 살 때의 순편익은 500(= 9,500 − 9,000)원으로, 과자를 3개 살 때보다 1개 살 때 순편익이 더 크다.
② [A]에서 '합리적인 선택을 하려면 편익과 비용을 충분히 고려하여 편익에서 비용을 뺀 순편익이 가장 큰 대안을 선택해야 한다.'라고 하였다. 과자 소비량을 합리적으로 선택하려면 순편익이 2,000(= 7,500 − 5,000)원으로 제일 큰 경우인 2개를 소비해야 한다. 갑은 3,000원을 가지고 있으므로 과자를 2개 사면 음료수 1개 값인 1,000원이 남는다.
③ [A]에서 '한계편익은 어떤 선택에 의해 추가로 발생하는 편익'이라고 하였다. 과자 소비량을 0개에서 1개씩 늘릴 때마다 얻는 한계편익은 4,000(= 4,000 − 0)원, 3,500(= 7,500 − 4,000)원, 2,000(= 9,500 − 7,500)원으로 점점 줄어든다.
④ [독서 후 심화활동]에서 '편익은 과자 소비의 만족감을 고려해 각 소비량만큼 과자를 사기 위해 갑이 지불할 마음이 있는 최대한의 금액으로 나타냈다.'라고 하였다. 따라서 갑이 과자 소비량을 2개에서 3개로 늘리기 위해 추가로 3,500(= 9,000 − 5,500)원의 비용이 드는데 추가로 얻는 만족감은 2,000(= 9,500 − 7,500)원이므로, 추가로 드는 비용이 추가로 얻는 만족감보다 크다.

**오답률 Best 5**

경제 지문이 출제되었을 때 학생들이 가장 어렵게 느끼는 문제 유형이 계산을 요하는 문제와 그래프가 제시되는 문제야. 그런데 이 지문에서는 두 가지 유형이 모두 출제되었고, 두 문제 모두 오답률 상위권을 차지하고 있지. 이 문제는 지문에 제시된 여러 개념들에 대한 이해를 바탕으로 제시된 자료를 활용해 여러 값들을 산출하도록 하고 있어. 개념을 잘 알고 있다면 단순한 계산 문제이지만, 개념에 대한 이해가 부족하다면 어떤 값을 어떤 수식에 대입하여 계산해야 하는지 알 수 없겠지. [독서 후 심화 활동]과 선지에 제시된 '비용', '편익', '순편익', '한계편익' 등 여러 개념들을 [A]에서 다시 확인하며 정확히 계산해야 해. 선지 판단을 위해 필요한 정의나 공식들을 아래에 정리할 테니, 어떤 부분을 놓쳤는지 다시 확인해 보도록 하자!
*비용 = 암묵적 비용 중 가장 큰 것 + 명시적 비용
*순편익 = 편익 - 비용, 순편익이 가장 큰 대안을 선택하는 것이 합리적임
*한계편익 = 어떤 선택에 의해 추가로 발생하는 편익

## 20 ⑤ 정답률 41%

정답풀이

3문단에서 '완전경쟁시장'은 '시장에서 결정된 상품 가격을 주어진 것으로 받아들이며 이 가격이 기업의 한계수입이 된다.'라고 하였으며, 4문단에서 '기업은 한계비용과 한계수입이 일치하도록 생산량을 조절해 이윤을 극대화할 수 있다.'라고 하였다. 시장 수요 증가로 가격이 $P_2$가 되면, 한계수입이 한계비용보다 커지며 한계비용과 한계수입이 일치하는 $Q_2$로 생산량을 늘려야 이윤이 극대화된다. 그러므로 생산량을 $Q_2$에 가깝게 늘릴수록 이윤이 증가한다.

오답풀이

① 4문단에서 '한계비용과 한계수입이 일치하도록 생산량을 조절해 이윤을 극대화할 수 있다.'라고 하였다. 생산량을 $Q_0$로 유지하면 한계비용과 한계수입이 일치하기 때문에 이윤이 극대화되는 것이지, 평균비용이 한계수입보다 작아서 이윤이 극대화되는 것은 아니다.
② 4문단에서 '한계비용과 한계수입이 일치'하면 이윤이 극대화되며 '한계비용이 한계수입보다 큰 경우'에는 '생산량을 줄여'야 이윤이 증가됨을 알 수 있다. 생산량을 $Q_2$로 늘리면 한계비용이 한계수입보다 커져서 이윤이 줄어들기는 하지만 이윤이 남지 않는 것은 아니다.
③ 4문단에 따르면 가격이 $P_0$로 유지되면 생산량이 $Q_0$이어야 '한계비용과 한계수입이 일치'하여 이윤이 극대화된다. 따라서 생산량을 $Q_1$으로 줄이면 이윤이 줄어들 것이다.
④ 6문단에서 '가격이 평균비용곡선의 최저점에도 미치지 못한다면, 생산량이 얼마이든 그 가격에 상품을 판매해 보았자 손실을 피할 수 없다고 판단'할 수 있다고 하였다. 시장 수요 감소로 가격이 $P_1$이 되면, 상품의 시장 가격이 평균비용곡선의 최저점보다 낮아지므로 생산을 계속할 경우 손실이 발생할 것이다.

**오답률 Best 3**

경제 지문을 어렵게 만드는 이유 중 하나인 그래프가 제시되었어. 경제 지문과 함께 제시된 그래프를 해석할 때는 선들이 교차하는 지점을 유의해야 돼. 겁먹지 말고 지문에 등장한 정보들을 바탕으로 선지에 제시된 조건들을 하나하나 확인하면 어렵지 않게 정오를 판단할 수 있을 거야. 그리고 한 가지 더! 발문을 대충 읽고 넘어가는 경우가 많은데, 발문에 중요한 정보나 단서를 담고 있는 경우도 있으므로 반드시 정독하는 습관을 들여야 해! 이 문제에서도 발문에 <보기>가 '완전경쟁시장에 있는 어느 기업'의 상황을 나타낸 그래프라는 정보가 제시되어 있지.

## 21 ② 정답률 90%

정답풀이

ⓐ(내릴)에서 '내리다'는 '판단, 결정을 하거나 결말을 짓다.'의 의미로, '심사위원은 그에 대해 평가를 내리지 않았다.'의 '내리다'도 동일한 의미로 쓰였다.

오답풀이

① '탈것에서 밖이나 땅으로 옮아가다.'의 의미이다.
③ '명령이나 지시 따위를 선포하거나 알려주다. 또는 그렇게 하다.'의 의미이다.
④ '위에 올려져 있는 물건을 아래로 옮기다.'의 의미이다.
⑤ '컴퓨터 통신망이나 인터넷 신문에 올린 파일이나 글, 기사 따위를 삭제하다.'의 의미이다.

6 회

## [22~25] 현대시

**22** ⑤ 정답률 **80%**

정답풀이

(가)의 '은빛 금속'과 (나)의 '황금빛 생명'은 각각 '서리'와 '씨앗'을 비유한 표현으로 공통적으로 색채어가 사용되었으며, 이러한 색채어와 비유적 표현을 통해 대상이 지닌 속성을 감각적으로 드러내고 있다.

오답풀이

① (가), (나) 모두 일상적 소재를 열거하여 화자의 심리적 변화를 드러낸 부분을 찾을 수 없다.
② (가)는 '내 유년 시절 바람이 문풍지를 더듬던 동지의 밤'에 대해 이야기하며 과거를 회상하고 있으나 과거와 현재를 대비하여 화자의 의지를 표현하지는 않았다. (나) 또한 '얻은 것 없이 / 꺼멓게 때만 묻어 돌아'온 화자 자신과 '알차고 여문 황금빛 생명'을 마련한 '가을 초목'을 대비할 뿐, 과거와 현재를 대비하지는 않았다.
③ (나)에서는 '모진 비바람에 부대끼며 / 머언 세월을 살아오'시고, '알차고 여문 황금빛 생명'을 마련한 '가을 초목'에 대한 예찬적 태도를 '가을 초목이여', '마련하셨네'와 같은 영탄적 표현을 활용하여 드러내고 있다. 하지만 (가)의 화자는 자신의 '유년 시절'을 회상하며 그때의 '작은 소년과 어머니'를 그리워할 뿐, 대상에 대한 예찬적 태도는 드러내지 않았다.
④ (가)의 '어머니 무서워요 저 울음 소리, 어머니조차 무서워요. 얘야, 그것은 네 속에서 울리는 소리란다. 네가 크면 너는 이 겨울을 그리워하기 위해 더 큰 소리로 울어야 한다.'에서는 어린 화자와 어머니의 대화를 활용하여 시적 상황을 구체적으로 드러내고 있다. 그러나 (나)에서는 특정 대상과의 대화가 나타나지 않았다.

**23** ③ 정답률 **78%**

정답풀이

'상징으로서의 어머니'는 '절대적인 모성애를 발휘하는 포용의 상징'이면서 동시에 '자식의 온전한 성장과 독립을 위해서 자신으로부터의 분리를 행하는 엄격함의 상징'이라고 하였다. 이를 참고하면 (가)의 '어머니'는 화자에게 '네가 크면 너는 이 겨울을 그리워하기 위해 더 큰 소리로 울어야 한다.'라고 말함으로써 화자가 맞서야 할 미래를 냉정하게 전망하며 엄격한 태도를 보이고 있다. 이와 달리 (나)의 '어머니'는 '바쁘게 바쁘게 / 거리를 헤매고도 // 아무 / 얻은 것 없'는 화자에게 '알차고 여문 황금빛 생명'을 내어 주며 너그럽게 포용하는 모습을 보이고 있다.

오답풀이

① '자식의 온전한 성장과 독립을 위해서 자신으로부터 분리를 행하는 엄격함의 상징'인 '어머니'의 모습이 나타나는 것은 (가)이다.
② (가)의 '어머니'가 화자에게 '네가 크면 너는 이 겨울을 그리워하기 위해 더 큰 소리로 울어야 한다.'라고 말하는 모습에서 '어머니'의 단호한 태도가 나타나지만, (나)의 '어머니'는 일관되게 온화하고 부드러운 태도를 보일 뿐 단호한 태도는 나타나지 않고 있다.
④ (가)의 '어머니'에게서 세계에 대항하지 못하는 나약함을 질책하는 엄격한 모습은 나타나지 않는다. 또한 (나)의 '어머니'는 '꺼멓게 때만 묻어 돌아'온 화자에게 '씨앗'을 베푸는 포용의 태도를 보이고 있다.
⑤ (가)의 '어머니'는 화자를 '무릎에 뉘고 무딘 칼끝으로 시퍼런 무를 깎아주시곤' 했지만 '바람'이라는 외부의 시련을 차단해 내지는 못하고 있다. 한편 (나)에서는 '모진 비바람에 부대끼며', '황금빛 생명을' 마련한 '어머니'의 모습은 나타나지만, 외부의 시련을 차단해 냈다고 보기는 어렵다.

**24** ④ 정답률 **58%**

정답풀이

(가)의 화자는 '방안 가득 풀풀 수십 장 입김이 날리'게 하는 추위로부터 온전히 보호받지는 못하고 있다. 이러한 상황을 한 해 중 밤이 가장 긴 날인 '동지'라는 시간적 배경과 조응하여 화자가 느끼는 불안과 공포를 부각할 뿐, 안온한 시적 분위기를 조성한다고 볼 수는 없다.

오답풀이

① '바람이 문풍지를 더듬'는 소리를 어린 화자는 '울음 소리'로 인식하며 '무서워' 하고 있으므로, '바람'의 움직임은 불안의 정서를 유발한다고 볼 수 있다.
② '종잇장 같은 내 배', '시래기 한줌 부스러짐'은 얇고 메마른 속성을 드러내며 화자가 처한 궁핍하고 힘겨운 삶의 이미지를 형성하고 있다.
③ 작품의 부제가 '겨울 판화 1'임을 고려하면 현재의 화자에게 '유년 시절'은 판화처럼 각인되어 있음을 알 수 있다. 화자는 '그 작은 소년과 어머니는 지금 어디서 무엇을 할까?'라고 하며 '유년 시절'에 대한 그리움을 드러내고 있다.
⑤ '사위어가는 호롱불'은 밤이 깊어가며 불이 점점 사그라지는 모습으로, 시간의 경과를 나타내는 한편 '바람'으로 인해 위태로워지는 사물이라는 점에서 어린 시절 화자가 느꼈던 불안을 상징적으로 보여 준다고 볼 수 있다.

**25** ② 정답률 **81%**

정답풀이

화자는 '바쁘게 / 바쁘게 / 거리를 헤매고도 // 아무 / 얻은 것 없이 / 꺼멓게 때만 묻어 돌아왔'으며, '젊음이 역사한 씨앗'을 마련한 것은 '가을 초목'이다. 따라서 '젊음이 역사한'을 추가하여 화자가 과거에 기울였던 노력의 가치를 스스로 재인식하는 모습을 부각한다고 볼 수는 없다.

오답풀이

① 화자는 1연과 6연에서 '가을 뜨락에'를 반복하였으며, 이를 통해 '가을 초목'에게서 '알차고 여문 황금빛 생명'이라는 결실을 받으며 '얻은 것 없이 / 꺼멓게 때만 묻어 돌아'온 자신의 삶을 성찰하게 된 계절적 상황을 강조하고 있다.
③ 화자는 1연과 6연에서 '씨앗을 받으려니'를 반복하였으며, 이를 통해 '가을 초목'이 마련한 '알차고 여문 황금빛 생명', 즉 '씨앗'을 받으며 '얻은 것 없이 / 꺼멓게 때만 묻어 돌아'온 자신의 삶을 성찰하고 있다. 따라서 화자는 '씨앗을 받으려니'를 반복하여 화자가 현재 느끼고 있는 감정을 촉발한 소재인 '씨앗'에 주목하게 한다고 볼 수 있다.
④ 화자는 6연에서 '도무지'를 추가하여 '얻은 것 없이 / 꺼멓게 때만 묻어 돌아'온 자신의 삶에 대한 성찰과 반성이 심화되었음을 나타내고 있다.
⑤ '송구하다'는 '두려워서 마음이 거북스럽다.'라는 뜻이며, '염치없다'는 '체면을 차릴 줄 알거나 부끄러움을 아는 마음이 없다.'라는 뜻이다. 화자는 1연을 6연과 같이 변주하면서 '송구하다'를 '염치없다'로 변형하여 자신의 성찰적 태도를 강화하고 있다고 볼 수 있다.

## [26~29] 현대소설

**26** ④ 정답률 **79%**

정답풀이

[중략 줄거리] 이전은 취업을 준비하는 훈이가 살던 '서울'을 배경으로 하며, [중략 줄거리] 이후는 영동 고속도로 건설 현장 일꾼으로 채용된 훈이가 지내는 곳을 배경으로 한다. 따라서 공간의 이동이 나타난다고 볼 수 있으나, 서술자는 달라지지 않고 '나'로 일정하게 유지되고 있다.

오답풀이

① '나'는 '공일날 카메라 메고 야외에 나갈 만큼의 사람 사는 낙을 누릴 수 있기를 바랐'으나, 훈이는 '고속도로 건설 현장 일꾼으로 채용'되었고 '나'는 훈이에게 '카메라 대신 작업복과 워커'를 사 준다. 즉 여가를 누릴 수 있을 만큼의 경제적 여유가 있는 안정된 삶을 상징하는 소재인 '카메라'와 고속도로 건설 현장에서 힘겹게 노동하는 훈이의 현재 상황을 상징하는 '작업복과 워커'의 상징적인 대비를 통해 작품의 주제 의식을 드러내고 있다.
② '뭐라고, 해외 취업? 그럼 외국에 나가 살겠단 말이지? 그건 안 된다.', '왜요 고모, 쩨쩨하게 돈이 아까워서? 아니면 고모가 영영 할머니를 떠맡게 될까 봐 겁나서?' 등에서 훈이와 '나'의 대화를 통해 훈이의 해외 취업 문제를 둘러싼 두 인물 간의 시각 차이를 드러내고 있다.
③ '논의 벼는 비단 폭처럼 선연하게 푸르고~아름다운 고장이다.'에서 훈이가 일하는 곳의 자연적 배경이 아름답게 묘사되고 있다. 이는 현실에 '뿌리 내리지' 못하는 훈이를 바라보는 '나'의 '혼란'스러운 심리와 대조되어 '나'의 심리를 부각하고 있다.

⑤ '나는 뭣에 얻어맞은 듯이 아연했다.', '시선이 강하게 부딪쳤으나 나는 단절감을 느꼈다. 문득 이 녀석 치다꺼리에 구역질 같은 걸 느꼈으나 가까스로 평정을 가장했다.' 등에서 1인칭 주인공 서술자의 자기 고백적 진술을 통해 인물의 심리 상태를 구체적으로 드러내고 있다.

## 27 ① 정답률 57%

정답풀이

㉠(아니면 고모가 영영 할머니를 떠맡게 될까 봐 겁나서?)은 훈이가 자신의 해외 취업을 반대하는 '나'에게 그 이유가 '할머니(어머니)'의 부양 문제 때문이냐며 불만을 드러내는 부분이다. 그러나 '나'는 어머니에 대한 부양 책임을 혼자서 떠맡게 될까 봐 두려워 훈이의 해외 취업을 반대하는 것이 아니다. '나'는 '전쟁이 만들어 놓은 고아'인 조카 훈이를 '온 정성을 다해 남부럽지 않게 키'워 훈이가 '내 눈앞에서 잘'사는 모습을 보면서 전쟁에서 '받은 깊숙한 상처'를 치유 받고 싶었기 때문에 훈이의 해외 취업을 반대한 것이다.

오답풀이

② '나'와 훈이는 훈이의 해외 취업 문제에 대한 의견 차이로 인해 갈등하고 있다. ㉡(그 녀석도 나를 똑바로 바라보았다.)에서 '나'에게 반감을 드러내는 훈이의 심정이 나타난다고 볼 수 있다.
③ 열악한 환경에서 고생하는 훈이에게 '나'는 '잘될 수도 있을 거야.'라고 말하고, 이에 훈이는 ㉢(그렇지만 고모, 잘되게 하려고 너무 급하게 굴진 마.)과 같이 말하며 '뒷돈 쓰고 빌붙고 하느라 돈 없애고 자존심 상하고 하지 말'라고 한다. 이는 자신이 처한 열악한 상황에서 벗어나기 어려울 것이라는 훈이의 현실 인식을 드러낸다고 볼 수 있다.
④ 훈이는 '육 개월만 기다리라는 임시직 신세로 삼 사 년을 현장으로만 굴러다니는' 사람들이 수두룩하고 '임시직에겐 봉급 조금 주고, 일요일도 없이 부려 먹고, 책임'은 지지 않는 회사측의 행태에 대해 ㉣(회사 측으로선 훌륭한 경영합리화지.)과 같이 말한다. 즉 비정규직을 부당하게 대우하며 착취하는 회사에 대한 비판적 인식을 드러낸 것이다.
⑤ 훈이는 '고속도로가 뚫리면 서울서 강릉까지가 얼마나 가까워지고 편안해지겠느냐, 너는 이런 국토건설사업에 이바지하고 있는 걸 자랑으로 삼아야 한다'는 '나'의 말에 ㉤(녀석이 구역질 같은 소리로 "웃기네" 했다.)과 같은 반응을 보인다. 이는 국토건설사업에 이바지한다는 허울 좋은 명분을 내세우는 '나'의 말에 대한 훈이의 비웃음을 드러낸다고 볼 수 있다.

## 28  정답률 85%

정답풀이

'나'는 훈이를 '온 정성을 다해 남부럽지 않게 키'워 훈이가 '이 땅에서, 내 눈앞에서 잘'사는 모습을 봄으로써 '더럽고 잔인한 전쟁에 대해 통쾌한 복수(ⓐ)'를 하고 싶어한다. 즉 ⓐ는 전쟁으로 인한 상처와 관련된 것이므로, 인물과 사회 간의 갈등에서 비롯된 것이라고 할 수 있다. 한편 ⓑ(복수)는 서울로 돌아가자는 '나'에게 훈이가 '더 비참해지고 싶'다고 답하며 의견 차이를 보이는 장면에서 훈이가 서울로 가지 않으려는 의도를 '나'가 오해하여 한 말이다. 따라서 ⓑ는 인물과 인물 간의 갈등에서 비롯된 것이라고 할 수 있다.

오답풀이

① '나'는 훈이가 '잘되고 잘사는 것'을 통해 '내가 겪은 더럽고 잔인한 전쟁에 대해 통쾌한 복수(ⓐ)를 할 수 있'다고 여기고 있으나, 그것은 '쉽게 되어 주지를 않'고 있다. 따라서 ⓐ는 의도적으로 계획되었으나 이루어지지는 않았다고 볼 수 있다. 한편 ⓑ는 고속도로 건설 현장 일꾼으로 열악한 환경에서 고생하면서도 '더 비참해지고 싶'다는 훈이의 말을 '나'가 오해하여 인식한 것일 뿐 훈이가 실제 '나'에게 복수를 한 것은 아니다. 따라서 ⓑ를 우발적으로 일어난 행위로 볼 수 없다.
② '나'는 훈이를 '온 정성을 다해 남부럽지 않게 키'워 훈이가 '이 땅에서, 내 눈앞에서 잘'사는 모습을 봄으로써 '더럽고 잔인한 전쟁에 대해 통쾌한 복수(ⓐ)'를 하고자 한다. 한편 ⓑ는 '더 비참해지고 싶'다는 훈이의 말을 '나'가 오해한 것이다. 따라서 ⓐ에 특정 인물의 의지가 반영되었고, ⓑ에 특정 인물의 오해가 반영되었다고 보는 것이 적절하다.
④ ⓐ에는 '나'가 훈이를 '온 정성을 다해 남부럽지 않게 키'워 훈이가 '이땅에서, 내 눈앞에서 잘'사는 모습을 보고자 하는 '나'의 욕망이 반영되었으므로 특정 인물을 보호하기 위한 의도가 반영되었다고 볼 수 있다. 그러나 ⓑ는 열악한 상황에 처해 힘겹게 노동하는 훈이가 '더 비참해지고 싶'다고 하자 이를 '나'가 오해하면서 해석한 것이다. 훈이는 '고모나 할머니가 철석같이 믿고 있는 기술이니 정직이니 근면이니 하는 것이 결국엔 어떤 보상이되어 돌아오나를 똑똑이 확인하고 싶'어서 서울로 돌아가지 않으려 하는 것이므로 ⓑ에 특정 인물을 기만하려는 의도가 반영되었다고 볼 수는 없다.
⑤ '나'는 훈이를 '온 정성을 다해 남부럽지 않게 키'워 훈이가 '이 땅에서, 내 눈앞에서 잘'사는 모습을 봄으로써 '더럽고 잔인한 전쟁에 대해 통쾌한 복수(ⓐ)'를 하고자 하므로, ⓐ는 특정 인물에 대한 부정적 인식에서 비롯된 것이 아니다. 또한 ⓑ는 '더 비참해지고 싶'다는 훈이의 말을 '나'가 오해하면서 해석한 것이므로 특정 인물에 대한 긍정적 인식에서 비롯된 것은 아니다.

## 29  정답률 67%

정답풀이

'그게 보기 싫어 먼 딴 데를 바라보'는 것은 서울로 돌아가자는 '나'의 제안을 거부하고 '워커에 뿌리라도 내린 듯이 꼼짝 않고 서' 있는 훈이의 모습을 보고 싶지 않은 '나'의 불편한 심리 상태를 드러내는 행동일 뿐이다. 이를 '세상에 대한 분노를 감춘 채, 세상과의 타협을 지향하는 이중적 삶의 방식'을 보여 주는 연극적 자아의 행동으로 볼 수는 없다.

오답풀이

① 〈보기〉에서 윗글의 연극적 자아는 '세상에 대한 분노를 감춘 채, 세상과의 타협을 지향하는 이중적인 삶의 방식을 취'한다고 하였다. '나'가 '지랄같이 무책임한 전쟁'에 대해 '통쾌한 복수'를 하고자 하는 모습을 통해 연극적 자아인 '나'의 내부에 감추어진 분노의 원인이 전쟁에 있음을 짐작할 수 있다.
② 〈보기〉에서 윗글의 '연극적 자아는 속물적인 논리로 자신과 자기 주변만을 생각하는 삶의 태도를 보인다.'라고 하였다. '뒷문으로 통하는 길을 알아봐야겠다.'는 훈이의 취업을 위해 정당하지 못한 방법을 알아보려는 것이므로 이 모습은 연극적 자아인 '나'의 속물성을 보여준다고 할 수 있다.
③ 〈보기〉에서 윗글의 '연극적 자아는 그 주변의 인물마저도 절망적인 상황으로 몰아간다.'라고 하였다. 훈이가 '고모가 애써 된 이 일의 파국'이라고 한 것에는 절망의 상태를 애써 만든 사람이 바로 '고모('나')'라는 인식이 드러나므로, 연극적 자아인 '나'가 자신의 주변 인물인 훈이를 절망적인 상황으로 몰아간 것으로 볼 수 있다.
⑤ 〈보기〉에서 윗글의 연극적 자아는 '세상에 대한 분노를 감춘 채, 세상과의 타협을 지향하는 이중적인 삶의 방식을 취'한다고 하였다. '나'가 '이 땅에 뿌리내리기 쉬운 가장 무난한 품종'으로 훈이를 키우고자 한 것은 연극적 자아인 '나'가 세상에 대한 분노를 감추고 세상과 타협하는 모습으로 볼 수 있다.

[30~32] **고전소설**

## 30  정답률 61%

정답풀이

현경은 편지를 '즐겨 뜯어보지 아니하'였을 뿐 편지의 내용을 숨기려 하지 않았다. 따라서 연경은 현경이 편지 내용을 숨기려는 의도를 파악하고 있다고 볼 수 없다.

오답풀이

① 현경은 '내 몸이 비록 여자나 황상이 총애하시고 벼슬과 봉록이 떨어지지 아니하였으니, 규중에 잔몰한 사람이 아니라.'라며 자신이 여자임을 밝힌 후에도 황제의 총애를 받고 있음을 말하고 있다.
③ '형이 이제는 근본이 탄로되었으니 가히 홀로 늙지 못할지라. 장후를 버리고 어떤 사람을 얻으려 하십니까?'에서 연경이 현경의 혼인 상대로 장연이 적합하다고 여김을 알 수 있다.

6 회

④ 현경의 답장을 받은 장연은 '이 혼사가 쉬우리라 하였더니, 어찌 여차할 줄 뜻하였으리오.'라고 하며 자신의 생각과 다른 답장이 온 것에 '크게 놀라'고 있다.
⑤ '시랑의 친구들'은 어린 현경이 부모님의 초상을 어른스럽게 치르는 것을 보고 '이형도는 비록 세상을 버렸으나 딸 세 아들을 두어 상을 치르는 예절이 장성한 열 아들보다 지나니, 시랑이 죽지 않았다.'라고 하며 현경을 칭찬하고 있다.

## 31 ⑤ 정답률 78%

정답풀이

[A]에서 장연은 현경과 자신이 '옛날 죽마고우로 지내며 관포지기를 맺어 한 부중에 있으며 권권한 뜻으로 백 년이라도 떠나지 아니할까 하였'다는 인연을 부각하여 혼인을 하자는 제안을 성사시키고자 하는 의도를 드러내고 있다. [B]에서 현경은 '어렸을 때부터 간혹 글월을 화답할 따름이라. 어찌 관포의 지기가 있'겠냐고 말하며 상대와의 생각 차이를 드러내어 상대의 제안을 거절하려는 의도를 드러내고 있다.

오답풀이

① [A]에서 장연은 여성임이 밝혀진 현경의 상황에 대해 '십 년 공업이 하루아침에 티끌이 되었'다고 하며 자신의 해석을 덧붙이고 있다. 그러나 [B]에서 상대인 장연이 처할 상황에 대한 타인의 추측은 언급되어 있지 않다.
② [A]에서 장연이 상대가 얻을 이익을 들어 상대를 종용하는 내용은 나타나지 않는다. 한편 [B]에서 현경이며 상대를 만류하고 있는 것은 맞지만, 상대가 얻을 손해를 언급하고 있지는 않다.
③ [A]에서 장연이 자신의 권위를 내세워 입장을 고수하고 있지는 않으며, [B]에서 현경이 역사적 사실을 내세워 상대의 태도 변화를 요구하고 있지도 않다.
④ [A]에서 장연은 '형이 임금께 올린 진정표를 들으니, 소제의 마음이 무너지는 것 같'다고 하며 상대의 처지에 공감을 표하고 있으나 자신의 도움을 받을 것을 권유하지는 않았다. 한편 [B]에서 현경이 자신의 처지에 좌절하거나 상대의 의도를 왜곡하여 받아들이지는 않았다.

## 32 ③ 정답률 78%

정답풀이

현경이 '남복으로 갈아입고 시랑을 모'신 것에 대해 '모든 사람들'은 주인공을 '이형도의 자식이라 하여 그 얼굴과 풍채를 사랑하'였다고 하였다. 하지만 이것이 여성에게 불평등했던 당대 현실을 보여 준다고 할 수는 없다.

오답풀이

① 〈보기〉에서 윗글의 '주인공은 주변으로부터 당대의 보편적 성 역할에 따를 것을 권유받'는다고 하였다. 이공이 현경에게 '여자의 도를 닦을 것이어늘, 남자의 일 행함은 어찌된 일인가.'라고 한 것에서 이를 확인할 수 있다.
② 〈보기〉에서 윗글에는 '자발적으로 남자의 삶을 선택하고 사회적 성취를 통해 자아실현을 도모하는 주인공이 등장'한다고 하였다. 이에 따르면 현경은 '공명을 일세에 누리고 이름을 백세에 전하'여 자아실현을 하고자 자발적으로 '남복으로 갈아입고' 남자의 삶을 선택했음을 알 수 있다.
④ 〈보기〉에서 윗글의 주인공은 '여성임이 드러난 후에도 자신의 사회적 지위를 유지하려고' 한다고 하였다. 현경이 여성임이 밝혀진 후에도 '사후에 묘'에 '대명 청주후 태학사'라는 자신의 벼슬 이름을 새기기를 원하는 것에서 태학사라는 자신의 사회적 지위를 유지하고자 하는 소망을 확인할 수 있다.
⑤ 〈보기〉에서 윗글의 주인공은 '당대의 보편적 성 역할에 따를 것을 권유받'으며, '여성에게 불평등했던 당대 현실에 대한 비판적 시각을 보여' 준다고 하였다. '장연의 장형 장협과 차형 장흡과 모든 벗들'이 장연의 혼사 제안을 거절한 현경을 두고 '여자로서 저러할 줄을 누가' 알았겠냐고 놀라는 것에서, 여자는 남자의 혼인 요구를 당연히 수락할 것이라는 당대의 여성상에 대한 통념이 드러나고 있다.

[33~36] **과학**

## 33 ① 정답률 69%

정답풀이

2문단에서 피막이 있는 바이러스는 '감염이 가능한 숙주 세포와 접촉한 후 바이러스 피막의 부착 단백질을 이용해 숙주 세포 수용체에 달라붙'어 '숙주 세포 내부로 침투'한다고 하였다.

오답풀이

② 1문단에서 '피막이 있는 바이러스는 피막의 바깥에 부착 단백질이 박혀 있고 피막 안에는 캡시드라는 단백질이 있다. 캡시드 안에는 핵산이 있는데, 핵산은 DNA와 RNA 중 하나로만 구성된다.'라고 하였다.
③ 1문단에서 '바이러스는 세포가 아니기 때문에 스스로 생장이 불가능'하며 이로 인해 '살아 있는 숙주 세포에 기생'한다고 하였다.
④ 1문단에서 '피막이 있는 바이러스는 피막의 바깥에 부착 단백질이 박혀 있'다고 하였다.
⑤ 1문단에서 '피막이 있는 바이러스는 피막의 바깥에 부착 단백질이 박혀 있고 피막 안에는 캡시드라는 단백질이 있다.'라고 하였다.

## 34 ③  정답률 62%

정답풀이

[A]에서 바이러스 감염 과정 중 '바이러스의 핵산이 캡시드로부터 분리되어 숙주 세포 내부로 빠져나온다.'라고 하였다. 즉 캡시드로부터 분리되어 빠져나온 것은 효소가 아니라 바이러스의 핵산이며, 이는 ⓐ에서 일어난다.

오답풀이

① [A]에서 '바이러스는 감염이 가능한 숙주 세포와 접촉한 후 바이러스 피막의 부착 단백질을 이용해 숙주 세포 수용체에 달라붙'고 이를 통해 '바이러스가 숙주 세포 내부로 침투하고, 바이러스의 핵산이 캡시드로부터 분리되어 숙주 세포 내부로 빠져나온다.'라고 하였다. 따라서 ⓐ에서 바이러스의 핵산이 숙주 세포 내부로 빠져 나오기 위해서는 바이러스 피막의 부착 단백질을 이용하여 숙주 세포 수용체에 달라붙는 과정이 필요하다.
② [A]에서 '캡시드로부터 분리되어 숙주 세포 내부로 빠져나온' '핵산은 효소를 이용하여 복제'된다. 이는 ⓑ에서 일어나며, 이때 '핵산이 DNA일 경우 숙주 세포에 있는 효소를 그대로 이용하고, 반면 RNA일 경우 숙주 세포에 있는 효소를 이용해 자신에 맞는 효소를 합성한다.'라고 하였으므로, 숙주 세포의 효소를 그대로 이용하지 않는다면 바이러스의 핵산은 RNA이다.
④ [A]에서 '핵산은 mRNA라는 전달 물질을 통해 단백질을 합성한다. 합성된 단백질의 일부는 캡시드가 되어 복제된 핵산을 둘러싸고 다른 일부는 숙주 세포막에 부착되어 바이러스의 부착 단백질이 될 준비를 한다.'라고 하였다. 이에 따르면 ⓒ에서 바이러스의 핵산을 둘러싸거나 ⓓ에서 바이러스의 부착 단백질이 되는 물질은 mRNA를 통해 합성된 것이다.
⑤ [A]에서 '단백질이 부착된 숙주 세포막이 캡시드를 감싸 피막이 되면서 증식된 바이러스가 숙주 세포 밖으로 배출된다.'라고 하였다. 이는 ⓓ에서 일어나며, 배출되는 바이러스의 피막이 숙주 세포의 구성 요소인 세포막을 통해 만들어진다고 할 수 있다.

## 35 ④ 정답률 84%

정답풀이

3문단에서 '지속감염(㉡)은 급성감염(㉠)에 비해 상대적으로 오랜 기간 동안 바이러스가 체내에 잔류한다.'라고 하였다. 따라서 ㉡은 ㉠에 비해 감염한 바이러스가 체내에 장기간 남아 있게 된다고 할 수 있다.

오답풀이

① 4문단에서 ㉡ 중 하나인 '지연감염'은 '장기간에 걸쳐 감염성 바이러스의 수가 점진적으로 증가'한다고 하였다.
② 3문단에서 따르면 바이러스가 '장기간 숙주 세포를 파괴하지 않으면서도 체내의 방어 체계를 회피하며 생존'하는것은 ㉡이다.

③ 3문단에서 ㉠은 바이러스가 '감염된 숙주 세포를 증식 과정에서 죽이고 바이러스가 또 다른 숙주 세포에서 증식하며 질병을 일으킨다.'라고 하였다.
⑤ 3문단에 따르면 ㉠과 ㉡은 감염이 일어나는 기간과 숙주 세포 파괴 여부에 따라 구분할 수 있다.

## 36 ② 정답률 34%

정답풀이

4문단에 따르면 〈보기〉의 'VZV'에 의한 감염은 '초기 감염으로 증상이 나타난 후 한동안 증상이 사라졌다가 특정 조건에서 바이러스가 재활성화되어 증상을 다시 동반'하는 '잠복감염'에 해당한다. 한편 'HCV'에 의한 감염은 '감염성 바이러스가 숙주로부터 계속 배출되어 항상 검출'되지만 '질병이 발현되거나 되지 않기도 하며 때로는 뒤늦게 발현될 수도 있'는 '만성감염'에 해당한다. 'VZV'를 가진 사람의 피부에 통증과 수포가 발생하는 것은 '신체의 면역력 저하'로 인해 바이러스가 재활성화되어 나타난 증상이지, 피부에 통증과 수포가 발생하는 것이 'VZV'의 재활성화 조건은 아니다.

오답풀이

① 4문단에서 '잠복감염은 질병이 재발하기까지 바이러스가 감염성을 띠지 않고 잠복하게 되는데 이러한 상태의 바이러스를 프로바이러스라고'한다고 했다. 'VZV'에 의한 감염은 '잠복감염'에 해당하므로 수두를 앓다가 나은 사람은 대상포진이 발병하지 않았을 때 'VZV' 프로바이러스를 갖고 있을 것이다.
③ 4문단에서 '만성감염은 감염성 바이러스가 숙주로부터 계속 배출되어 항상 검출되고 다른 사람에게 옮길 수 있는 감염 상태'라고 하였다. 따라서 'HCV'에 감염된 사람은 감염성 바이러스가 숙주로부터 계속 배출되어 항상 검출되고 다른 사람에게 옮길 수 있는 상태일 것이다.
④ 4문단에서 '만성감염'은 '질병이 발현되거나 되지 않기도 하며 때로는 뒤늦게 발현될 수도 있다'고 하였다. 따라서 'HCV'에 감염된 사람은 간염증이 나타날 수도 있고 전혀 나타나지 않을 수도 있다.
⑤ 4문단에 따르면 'VZV'에 의한 감염은 '잠복감염', 'HCV'에 의한 감염은 '만성감염'인데, 3문단에서 이는 모두 '상대적으로 오랜 기간 동안 바이러스가 체내에 잔류'하는 '지속감염'에 해당함을 알 수 있다. 4문단에서 '잠복감염'은 '질병이 재발하기까지 바이러스가 감염성을 띠지 않고 잠복'한다고 했지만, 이와 달리 'VZV'에 의한 질병이 발현된 상황이라면 체내의 바이러스가 주변 세포를 감염시키고 있을 것이다. 또한 '만성감염'은 '감염성 바이러스가 숙주로부터 계속 배출되어 항상 검출되고 다른 사람에게 옮길 수 있는 감염 상태'라고 한 것을 고려하면, 'HCV'에 의한 질병이 발현된 상황에서도 체내의 바이러스가 주변 세포를 감염시키고 있을 것이다.

**오답률 Best 1**

이 시험에서 오답률이 가장 높았던 문제였어. 4개의 오답 선지 모두 선택 비율이 높았는데, 특히 ⑤번을 선택한 학생들이 27%나 됐어. 일차적으로는 <보기>에 제시된 두 가지 사례가 각각 어떤 감염 유형에 해당하는지 파악하지 못했을 수 있고, 또 질병이 발현된 상황이라면 바이러스가 감염성을 띤다는 사실을 지문의 내용에서 도출하지 못했을 수 있어. 질병이 발현된 상황이라면 바이러스가 감염성을 띤다는 내용이 지문의 특정 문장에 명시적으로 드러난 것이 아니다 보니 ⑤번이 적절하다는 것을 판단하기가 어려웠을 거야. 하지만 이는 3~4문단에 나열된 정보들을 도합하여 확인할 수 있었어. 프로바이러스의 상태일 경우를 제외하면 바이러스가 감염성을 띠게 되므로, 질병이 발현된 상태라면 모두 체내의 바이러스가 주변 세포를 감염시킬 수 있다는 거겠지. 이 문제처럼 <보기>에 구체적인 사례가 제시된 경우 그것이 지문의 어떤 정보와 연결되는지 파악하는 것이 우선이야. 그리고 선지를 판단할 때 지문의 여러 정보들을 도합하여 근거를 도출해낼 수 있어야 해.

[37~41] **인문**

## 37 ⑤ 정답률 70%

정답풀이

4문단에서 마르크스는 '노동을 통한 주객 통일의 한계가 사회적 구조의 한계에서 비롯된다고' 했으나, 윗글에 마르크스가 생각하는 사회적 구조의 한계가 무엇인지에 대한 구체적 설명은 나타나지 않는다.

오답풀이

① 2문단의 '로크는 신이 인류의 생존을 위해 인간에게 자연을 공유물로 주면서, 동시에 인간이 신의 목적대로 자연을 이용할 수 있도록 이성도 주었다고 주장한다.'를 통해 알 수 있다.
② 3문단에서 헤겔은 인간이 '동물과 달리 자연을 그대로 받아들이지 않고 노동을 통해 자신에게 맞게 바꾸'는 목적을 '필요한 물품과 적절한 생활환경을 마련하며 생명을 보전'하는 것으로 보았음을 알 수 있다.
③ 3문단에서 헤겔은 노동을 '주체와 객체가 통일되는 과정'으로 보았으며, 그 과정을 통해 '주체는 그 속에 실현된 자기 대상화의 정도만큼 자기의식을 확보한다'고 하였다.
④ 4문단에 따르면 마르크스는 인간이 노동을 통해 '객체에 인간적 형식을 부여'함으로써 '가공된 대상에는 주체의 형식이 부여되고, 주체의 욕구나 목적 등은 물질화되어 구체적 노동 산물이 된다.'라고 보았다. 또한 그 결과 인간은 '자신의 능력을 확인하고 자기의식과 정체성을 확보하'며 '자신의 능력을 더욱 개발하여 자연의 구속으로부터 벗어나 자유를 획득하면서 자아를 실현하게 되는 것'으로 보았다.

## 38 ② 정답률 48%

정답풀이

2문단에서 로크는 '노동을 소유(㉠)의 권리와 관련하여 설명'하면서 '모든 개인은 노동을 통해 소유권의 주체가 될 수 있다.'라고 하였다. 또한 3문단에서 헤겔은 '노동 산물이 주체의 소유(㉡)'라고 하였으므로, ㉠과 ㉡은 모두 주체의 노동을 기반으로 성립된다고 볼 수 있다.

오답풀이

① 2문단에 따르면 로크는 '신이 인류의 생존을 위해 인간에게 자연을 공유물로 주면서, 동시에 인간이 신의 목적대로 자연을 이용할 수 있도록 이성도 주었다고' 했고, '인간이 공유상태인 어떤 사물에 노동을 부여하는 것은 공유물에 배타적 소유권을 첨가하는 것이'라고 하였다. 따라서 ㉠은 인간을 신으로부터 자유롭게 한다고 볼 수는 없다. 한편 ㉡과 관련해서 인간을 신으로부터 자유롭게 한다는 내용은 언급되지 않았다.
③ 2문단에 따르면 로크는 '인간이 공유상태인 어떤 사물에 노동을 부여하는 것은 공유물에 배타적 소유권을 첨가하는 것이'라고 하였으므로, ㉠의 목적을 이타심의 실현이라고 보기는 어렵다. 한편 3문단에서 '헤겔은 노동을 사적 소유권의 근거를 넘어 주체와 객체가 통일되는 과정이며, 인간이 자기의식과 자기 정체성을 확보하는 계기라고' 했을 뿐, ㉡이 이기심의 실현을 목적으로 한다고 보기는 어렵다.
④ 2문단에 따르면 로크는 '인간이 공유상태인 어떤 사물에 노동을 부여하는 것은 공유물(자연)에 배타적 소유권을 첨가하는 것이'라고 하였을 뿐, ㉠이 인간과 자연의 합일을 강조한다는 내용은 찾을 수 없다. 한편 3문단에서 ㉡은 '주체와 객체가 통일되는 과정'인 노동을 통해 성립된다고 하였으므로, ㉡이 인간과 자연의 분리를 강화한다고 볼 수 없다.
⑤ 2문단에 따르면 로크는 '공유물을 인류의 삶에 손해가 되도록 만든 경우, 그것은 노동에 해당하지 않기 때문에 소유권을 인정받을 수 없다고 주장했'으므로, 공유물의 존재만으로 ㉠이 보장된다고 할 수 없다. 한편 3문단에서 '헤겔은 노동 산물이 주체의 소유지만, 여전히 주체와 분리되어 있고, 주체를 완전히 표현하지도 못하기에 노동을 통한 주객 통일에 한계가 있다고' 하였다. 따라서 ㉡이 주객 통일의 완성에 의해 보장되는 것은 아니다.

## 39 ⑤ 정답률 59%

정답풀이

4문단에 따르면 마르크스의 관점에서 A씨가 예술학교에서 공부한 기간은 '객체에 인간적 형식을 부여하기 위해 자연적 소재의 형식을 부정함으로써 주체의 주관적 욕구나 목적을 대상으로 객관화'한 시기에 해당한다고 볼 수 있다.

오답풀이

① 4문단에 따르면 마르크스는 '가공된 대상에는 주체의 형식이 부여되고, 주체의 욕구나 목적 등은 물질화되어 구체적 노동 산물이 된다.'라고 하였다. 이러한 관점에서 볼 때 A씨는 노동을 통해 자신의 욕구를 객체 속에 실현하려고 노력해 온 것으로 볼 수 있다.

② 4문단에 따르면 마르크스는 '가공된 대상에는 주체의 형식이 부여되고, 주체의 욕구나 목적 등은 물질화되어 구체적 노동 산물이 된다.'라고 하였다. 이러한 관점에서 볼 때 A씨는 노동을 통해 자신의 형식을 부여한 노동 산물을 만드는 데에 관심이 있다고 볼 수 있다.

③ 4문단에 따르면 마르크스는 '인간은 노동을 통해 만들어 낸 노동 산물에서 자신의 능력을 확인하고 자기의식과 정체성을 확보하게 된다.'라고 하였다. 이러한 관점에서 볼 때 A씨가 B사에서 '유명한 몇몇 캐릭터만 반복적으로 그려야 하는 현실에 염증을 느'낀 것은 자기의식 확보에 대한 갈증 때문으로 볼 수 있다.

④ 4문단에 따르면 마르크스는 인간이 '자신의 능력을 더욱 개발하여 자연의 구속으로부터 벗어나 자유를 획득하면서 자아를 실현'하게 된다고 본다. 이러한 관점에서 볼 때 A씨가 C사로 직장을 옮긴 것은 B사에서의 노동이 자신의 재능을 개발하고 자유를 획득하면서 자아를 실현하게 하지 못한다고 여겼기 때문이다.

## 40  정답률 52%

정답풀이

2문단에서 로크는 '각자의 신체에 대해서는 본인만이 배타적 권리를 가'지며 '모든 개인은 노동을 통해 소유권의 주체가 될 수 있다'라고 하였다. 또한 3문단에서 헤겔은 노동이 '주체와 객체가 통일되는 과정이며, 인간이 자기의식과 자기 정체성을 확보하는 계기라고 주장했다.'라고 하였다. 그리고 4문단에서 마르크스는 '인간은 노동을 통해 만들어 낸 노동 산물에서 자신의 능력을 확인하고 자기의식과 정체성을 확보'하며 더 나아가 '자아를 실현'할 수 있다고 하였다. 마지막으로 〈보기〉의 제레미 리프킨은 노동을 통해 개인이 '삶의 이유를 찾고, 사회 구성원으로서 자신의 가치를 입증할 기회를 제공' 받을 수 있다고 보았다. 따라서 윗글과 〈보기〉 모두 인간이 자신을 긍정적으로 인식하게 하는 데 노동이 기여한다는 것을 인정한다고 볼 수 있다.

오답풀이

① 윗글과 〈보기〉에서 노동이 인간의 정신보다 신체에 더 큰 영향을 끼친다는 주장은 확인할 수 없다.

③ 3문단에서 '노동을 통한 주객 통일에 한계가 있다'는 내용이 제시되었으나, 이것이 〈보기〉의 노동의 종말로 인해 나타난 결과라고 볼 수는 없다.

④ 윗글에서는 노동이 인간을 '소유권의 주체'가 될 수 있게 하고, '주체와 객체가 통일되는 과정이며, 인간이 자기의식과 자기 정체성을 확보하는 계기'라고 했다. 또한 노동을 통해 '자유를 획득하면서 자아를 실현'할 수 있다고 하였다. 〈보기〉에서는 노동이 인간에게 '삶의 이유를 찾고, 사회 구성원으로서의 자신의 가치를 입증할 기회를 제공'하는 기능을 한다고 보았다. 따라서 윗글과 〈보기〉에서 노동의 기능이 서로 대립하고 있다고 볼 수는 없다.

⑤ 〈보기〉에서는 '첨단 과학 기술이 생산 수단에 접목되는 상황으로 인한 노동의 종말'에 대해 설명하고 있으므로, 사회 변화가 노동에 미칠 수 있는 영향에 대해 언급한 것은 윗글이 아니라 〈보기〉이다.

## 41  정답률 55%

정답풀이

ⓐ(노동에 해당하지 않기 때문에)는 인간이 만든 공유물이 '인류의 삶에 손해'가 되는 경우에 대한 설명이다. 따라서 이를 '공유물에 첨가한 노동이 아니므로'로 바꿔 쓰는 것은 적절하지 않으며, 문맥상 '삶과 편의에 최대한 도움이 되도록 자연을 이용한 것이 아니'기 때문으로 바꿔 쓸 수 있다.

오답풀이

② ⓑ(이때)의 앞 부분에서 '인간은 동물과 달리 자연을 그대로 받아들이지 않고 노동을 통해 자신에게 맞게 바꾸어 필요한 물품과 적절한 생활환경을 마련하며 생명을 보전한다고 보았다.'라고 했으므로, ⓑ는 '자연을 인간에게 알맞게 바꿀 때'로 바꿔 쓸 수 있다.

③ ⓒ(객체에 내재된 질서나 법칙을 일정 정도 받아들이면서)의 앞 부분에서 '객체의 자립성은 인간의 노동에 의해 일정하게 제거되고 약화되어 주체에 알맞게 변화된다.'라고 했다. 따라서 '객체에 내재된 질서나 법칙'은 '객체가 지닌 자립성'으로 바꿔 쓸 수 있다.

④ ⓓ(헤겔의 노동관을 수용하면서도)에서 '헤겔의 노동관'은 4문단의 '헤겔은 노동을 사적 소유권의 근거를 넘어 주체와 객체가 통일되는 과정이며, 인간이 자기의식과 자기 정체성을 확보하는 계기라고 주장했다.'를 통해 알 수 있다. 따라서 '헤겔의 노동관'을 '노동을 자기의식과 자기 정체성 확보의 계기'로 바꿔 쓸 수 있다.

⑤ ⓔ(자신의 능력을)의 앞 부분에서 '노동은 객체에 인간적 형식을 부여하기 위해 자연적 소재의 형식을 부정함으로써 주체의 주관적 욕구나 목적을 대상으로 객관화하는 것이'라고 했으므로, '자신의 능력'을 '주체의 주관적 욕구나 목적을 객관화하는 능력'으로 바꿔 쓸 수 있다.

## [42~45] 고전시가

## 42  정답률 77%

정답풀이

(가)는 농인이 와서 '봄 왔네 밭에 가세'하고 이르고, '여름날 더운 적'에 땅이 불과 같이 뜨겁고, '가을에 곡식 보니' 만족스러우며, 겨울이 되어 '초가집 잡아매고 농기 좀 손 보'는 등과 같이 계절적 배경을 소재로 하여 시적 분위기를 조성하고 있다. (나)는 '봄바람이 봄볕을 부쳐내'는 봄의 풍경과, '초목이 무성'한 여름의 풍경과, '기러기 는 울어 예'고 '단풍 숲'이 아름다운 가을과, '백설'이 내리는 겨울의 경치를 계절적 배경을 소재로 하여 보여 주고 있다.

오답풀이

② (가)의 화자는 농사일에 힘쓰며 바삐 생활하는 삶에 만족감을 느끼며, (나)의 화자는 자연의 풍경을 누리며 한가히 지내는 삶에 만족감을 느끼고 있다. (가), (나) 모두 초월적 공간을 동경하며 부정적 현실을 극복하려는 모습은 나타나지 않는다.

③ (가)의 화자는 자연을 농사일에 힘쓰는 노동의 공간으로 여기고 있으며, (나)의 화자는 자연을 벗삼아 속세와 거리를 두고 지낼 뿐, (가), (나) 모두 인간과 자연을 대비하지는 않았다.

④ (가)의 화자는 과거를 회상하거나 현실의 덧없음을 노래하지 않았다. 또한 (나)의 화자는 '옛일을 떠올리니 어제인 듯하다마는'이라고 하여 과거를 회상하고 있으나, 이를 통해 현실의 덧없음을 노래하지는 않았다.

⑤ (가)는 계절별로 농사일이 이루어지는 공간이 변화한다고 볼 수 있으나 이에 따라 내적 갈등이 고조되지는 않았다. 또한 (나)의 화자는 계곡 주변의 이곳저곳을 다니며 경치를 즐기고 있으나 내적 갈등이 고조되지는 않는다.

## 43  정답률 73%

정답풀이

〈제1곡〉에서 화자는 스스로를 '세상의 버린 몸'이라고 표현하며 속세를 떠나 '시골에서 늙어' 간다고 하였으며, 나라를 걱정하는 사대부의 '우국성심'을 '풍년을 원하'는 마음으로 드러내고 있다. 그러나 정치 현실에 대한 화자의 미련은 나타나지 않는다.

오답풀이

② 〈제2곡〉에서 화자는 다른 '농인'과 함께 밭에 가서 '두어라 내 집부터 하랴 남하니 더욱 좋다'라고 하여 서로 도우며 일하는 모습을 보여 주며 공동체적 삶의 태도를 드러내고 있다.

③ 〈제3곡〉에서 화자는 '땅이 불'같은 여름에 '밭고랑'을 매며 '땀'을 흘리는 모습을 제시하여 농사일의 고단함을 드러내고 있다.

④ 〈제4곡〉에서 화자는 '내 힘으로 이룬 것이 먹어도 맛이로다'라고 하여 자신이 땀 흘려 농사지은 곡식을 수확하는 기쁨과 만족감을 드러내고 있으며, 이를 통해 노동의 가치를 보여 준다고 할 수 있다.

⑤ 〈제5곡〉에서 화자는 겨울이 되어 내년의 농사를 위해 '농기 좀 손 보'는 등 자연의 순환적 질서에 따라 '봄'을 준비하는 농촌의 생활상을 보여 주고 있다.

## 44 ⑤ 정답률 63%

정답풀이

㉤(아이야 사립문 닫아라 세상 알까 하노라)에서 화자는 자신이 거느린 '계곡 경치'를 세상에 알리고 싶지 않으니 '사립문 닫아라'라고 아이에게 말을 건네고 있다. 따라서 명령형 어미를 사용하여 속세와 단절하려는 화자의 의지를 드러냈다고 볼 수 있다.

오답풀이

① ㉠(바깥 일 내 모르고 하는 일 무엇인고)의 '무엇인고'에서 의문형 어미를 사용하였으나 이를 통해 과거의 삶을 자책하는 마음을 드러내는 것이 아니라, 바깥 세상의 일을 모르고 시골에서 자신이 하는 일이 무엇인지 스스로 물을 뿐이다.
② ㉡(이 밖에 천사만종을 부러 무엇하리오)의 '부러 무엇하리오'에서 설의적 표현을 사용하여 '천사만종'이 부럽지 않다고 함으로써 전원생활의 만족감을 드러내고 있다.
③ ㉢(골 안의 맑은 향기 지팡이에 묻었구나)에서 '향기'가 지팡이에 '묻었'다고 하여 후각을 시각화하였으며, 이를 통해 골짜기 안에 가득한 꽃향기를 감각적으로 표현하고 있을 뿐, 성현의 삶을 지향하는 화자의 심리를 드러내고 있지는 않다.
④ ㉣(일대의 강 그림자 푸른 유리 되었구나)에서 단풍 숲이 비치는 맑은 강을 '푸른 유리'에 비유하였지만, 이를 통해 자연의 역동적인 모습을 강조하고 있지는 않다.

## 45 ⑤ 정답률 36%

정답풀이

〈보기〉에서 '자연은 안빈낙도의 공간'이자 '안식처'가 될 수 있다고 하였다. 이에 따르면 (나)의 화자는 자연 속에서 한가롭게 안빈낙도하며 유유자적한 삶을 살아가며 '단사표음이 내 분이니 세월도 한가하'다고 느끼고 있다. 화자가 삶의 단조로움을 느껴서 자연 속에서 안빈낙도하려는 것인지는 (나)에서 확인할 수 없다.

오답풀이

① 〈보기〉에서 '자연은 정신적 풍요로움을 주는 대상이었기 때문에 현실 소외에 대한 보상 공간'이 될 수 있다고 하였다. (나)에서 화자는 '이 작은 즐거움은 세상모를 일'이라고 하여 속세 사람들이 추구하는 즐거움이 아닌 자연 속에서 느끼는 소박한 즐거움에 대한 만족감을 드러낸다. 이는 자연이 화자에게 현실 소외에 대한 보상 공간으로서 의미가 있음을 보여 준다고 할 수 있다.
② 〈보기〉에서 '자연은 정신적 풍요로움을 주는 대상'이 될 수 있다고 하였다. (나)의 화자는 '끝없는 설경'에서 흥취를 느끼고 이를 '시'를 통해 표출한다. 이는 자연이 화자에게 정신적 풍요로움의 대상임을 보여 준다고 할 수 있다.
③ 〈보기〉에서 '정치 · 경제적으로 몰락한 향반계층에게 자연은 안빈낙도의 공간, 곧 자신의 신념을 실현할 수 있는 안식처였다.'라고 하였다. (나)의 화자는 자신을 '산새와 산꽃'을 '벗으로 삼'고 '생긴 대로 노는 몸'이라 하여 정치 · 경제적으로 몰락한 자신이 자연을 안식처로 여김을 드러내고 있다.
④ 〈보기〉에서 '정치 · 경제적으로 몰락한 향반계층에게 자연은 안빈낙도의 공간, 곧 자신의 신념을 실현할 수 있는 안식처였다.'라고 하였다. (나)의 화자는 '공명을 생각하'지 않고 '빈천을 설워'하지 않겠다고 하여 정치 현실과 거리를 두고 자연 속에서 신념을 지키며 살아가려는 태도를 드러내고 있다.

**오답률 Best 2**

고전시가 중에서는 속세를 등지고 자연에 은거하여 소박하게 살아가는 삶을 노래한 작품들을 자주 볼 수 있는데, (나)도 이러한 작품 중 하나로 볼 수 있어. <보기>에서는 정치 · 경제적으로 몰락한 자들에게 자연이 어떠한 의미를 가지는지 설명하고 있어. ⑤번은 작품의 일부 구절과 <보기>에서 사용된 어휘들을 조합하여 구성되었기 때문에 다친 적절하다고 판단하는 실수를 범할 수 있었어. 하지만 작품과 <보기>에 쓰인 말들이 그대로 조합되었다고 해서 반드시 적절하다고 볼 수는 없어. (나)의 화자가 '단사표음'을 자신의 분수에 맞다 여기고 '한가'로움을 느낀 것은 맞지만, 자신의 삶이 단조로워서 안빈낙도하려는 것은 아니고, 단지 안빈낙도의 삶을 한가로이 즐기고 있을 뿐이지. 이러한 방식으로 만들어진 선지의 정오 판단을 위해서는 선지에 쓰인 특정 단어에 주목하기보다는 문장 전체의 내용을 이해할 수 있어야 해.

6회

# 7회

2020학년도 6월 학평

| 1. ⑤ | 2. ③ | 3. ⑤ | 4. ④ | 5. ⑤ | 6. ② | 7. ③ | 8. ④ | 9. ③ | 10. ① |
|---|---|---|---|---|---|---|---|---|---|
| 11. ① | 12. ⑤ | 13. ① | 14. ② | 15. ⑤ | 16. ④ | 17. ① | 18. ⑤ | 19. ⑤ | 20. ② |
| 21. ② | 22. ③ | 23. ③ | 24. ① | 25. ④ | 26. ② | 27. ④ | 28. ① | 29. ⑤ | 30. ① |
| 31. ④ | 32. ① | 33. ② | 34. ② | 35. ③ | 36. ② | 37. ④ | 38. ② | 39. ③ | 40. ① |
| 41. ③ | 42. ④ | 43. ① | 44. ④ | 45. ⑤ | | | | | |

오답률 Best 5

[1~3] **화법**

**1** ⑤ 정답률 **83%**

정답풀이

발표 마무리 부분에서 발표 내용에 대한 청중의 이해를 확인하고 있지는 않다.

오답풀이

① 발표 앞부분에서 '왜 이런 차이가 생겼을까요? 무슨 방부제라도 바른 걸까요?'라는 질문을 통해 청중의 호기심을 환기하고 있다.

② '우리나라 옻칠의 역사를 연구한 논문들'을 활용하여 '청동기 시대'부터 '옻칠을 사용'하였다는 발표 내용의 신뢰성을 확보하고 있다.

③ '저는 오늘 옻칠에 대해 개념, 종류, 역사, 현대적 계승 방향 등의 순서로 발표를 해 보겠습니다.'에서 발표 순서를 안내하여 청중이 내용을 예측하여 듣도록 하고 있다.

④ '옻칠'에 '옻나무에서 채취하는 수액'이라는 의미와 '제품에 옻나무 수액을 바르는 일을 이르는 말'이라는 의미가 있음을 설명하며 청중의 이해를 돕고 있다.

**2** ③ 정답률 **43%**

정답풀이

㉢(영상)은 '생칠을 용도에 맞게 가공하여 그 기능을 보강'함으로써 정제칠이 되는 과정을 보여 주는 영상이므로, 생칠에는 없는 정제칠의 가공 과정을 보여 줌으로써 옻칠의 두 종류인 '생칠'과 '정제칠'의 차이를 알려 준다고 볼 수 있다.

오답풀이

① ㉠(화면)은 옻칠을 하지 않은 제품과 옻칠한 제품의 차이를 보여 주는 화면으로, 옻칠을 하지 않은 제품에 옻칠을 한 후 생기는 변화를 보여 주고 있지는 않다.

② ㉡(영상)은 '물건에 칠하는 원료나 약재로 쓰기 위해 옻나무에서 채취하는 수액'이라는 옻칠의 첫 번째 개념에 대한 이해를 돕기 위한 영상으로, 옻나무를 심고 가꾸는 농부의 모습을 보여 주고 있지는 않다.

④ ㉣(사진)은 '표면에 옻칠을 한 청동기 시대 유물'의 사진으로, 옻칠의 역사를 설명하기 위해 특정 시대의 유물을 보여 주고 있을 뿐, 옻칠 사용이 확인된 시대별 유물을 함께 보여 주고 있지는 않다.

⑤ ㉤(사진)은 옻칠의 역할을 대신하면서 옻칠의 '역할을 많이 잃'게 만든 현대의 '합성 방부제, 인공 도료 등'을 보여 주는 사진이므로, 옻칠 계승의 모범 사례를 제시하기 위해 활용되었다고 보기 어렵다.

**오답률 Best ❷**

화법과 작문 영역에서 선지의 적절성을 판단할 때에는, 선지를 꼼꼼하게 읽고 지문과의 일치 여부를 엄격하게 따져야 해. 2번 문제의 오답률이 높았던 이유는 많은 학생들이 ④번을 정답 선지로 골랐기 때문이야. '표면에 옻칠을 한 청동기 시대 유물' 사진인 ㉣은 '옻칠의 역사'를 설명하기 위한 자료로 볼 수 있고, 여러 '시대'의 '유물'을 제시하고 있다는 점에서 다른 ④번이 적절해 보일 수 있어. 하지만 선지에서 언급한 것처럼 ㉣이 옻칠의 역사를 '통시적으로 설명'하기 위해 '시대별 유물'을 보여 주는 과정에 활용되었는지를 정확히 판단해야 해. 시대별 유물을 활용하여 옻칠의 역사를 통시적으로 설명하기 위해서는 적어도 ㉣에 둘 이상의 시대에서 출현한 유물이 제시되었어야 해. 하지만 ㉣은 '청동기 시대'의 유물만 보여 주고 있지. 이어지는 설명에서 '신라 시대', '고려 시대', '조선 시대'의 옻칠에 대해 언급하고 있지만, 해당 설명에서 ㉣을 활용하였다는 언급은 없어. 따라서 ④번은 적절하지 않은 선지가 되는 거지.

**3** ⑤ 정답률 **86%**

정답풀이

'청중 2'는 '발표를 듣고 나전칠기의 칠기가 무슨 뜻인지 알게 되었어.'라고 하였으므로, 기존 지식에 새로운 지식을 추가하게 되었다고 볼 수 있다. 하지만 '청중 3'의 반응에서 발표를 통해 알게 된 정보를 활용하여 기존 지식을 수정하는 부분은 찾아볼 수 없다.

오답풀이

① '청중 1'은 '발표자가 이야기한 것처럼 옻칠을 적용한 디자인에 대한 연구가 확대되어야 한다고 생각해.'에서 '핸드폰 장식에 옻칠을 활용하여 주목을 받은 사례와 같이 옻칠을 적용한 디자인에 대한 연구를 확대'해야 한다는 발표자의 생각에 공감하고 있다.

② '청중 2'는 '할머니 댁에서 오래된 나전칠기를 본' 개인적인 경험과 결부지어, '나전칠기와 같은 옻칠 공예 작품에서 옻칠을 어떻게 하는지도 보여 주었다면 더 좋았을 것 같아.'라고 발표 내용에서 아쉬웠던 점을 밝히고 있다.

③ '청중 3'은 '옻칠이 가진 뛰어난 전자파 흡수력이 어떤 제품에서 활용되고 있는지'에 대한 의문점을 '집에 가서 인터넷으로 자료를 찾아'보는 방식으로 해결해야겠다고 생각하고 있다.

④ '청중 1'은 '공예품에 활용된 옻칠을 패션 디자인 등에 응용'하는 방식으로, '청중 3'은 '옻칠을 접해 볼 수 있는 기회를 확대하는 등 대중성을 확보'하는 방식으로 발표에서 소개한 '옻칠'이 발전할 수 있을 것이라는 생각을 밝히고 있다.

[4~7] **화법과 작문**

**4** ④ 정답률 **66%**

정답풀이

'반대 1'은 '반장이나 부반장이 학생회장을 겸임하지 못하는 상황에서, 1학기 때 학생회장의 자질이 있는 학생들이 대부분 반장이나 부반장으로 선출되면 마땅한 학생회장 후보자를 추천하기 어려울 수 있'으므로 '학생회장 후보자의 범위가 축소될 우려가 있'다고 하였을 뿐, 이로 인해 학생회의 권한이 축소될 수 있다는 우려를 표출하지는 않았다.

오답풀이

① '찬성 1'은 '2학기부터 2학년인 학생회장이 활동을 시작하면 3학년의 졸업으로 인한 학생회의 단절 문제를 극복하여 학생회의 연속성이 강화되는 효과도 있을 것입니다.'라고 주장하고 있다.

② '찬성 1'은 '1학기 말에 학생회장 후보자 간 공개 토론을 진행하여 학생들에게 큰 호응을 얻었'다는 '실제 인근 학교'의 사례를 제시하여 선거 시기의 변경을 통해 '새로운 선거 문화를 만들 수 있'음을 부각하고 있다.
③ '반대 1'은 '1학기 말에 2학년 중에서 학생회장을 선출하여 2학기부터 활동을 하면 전임 3학년 학생회장과 알력이 생길 소지가 다분합니다.'라고 주장하고 있다.
⑤ '반대 1'은 '대학 입시가 3학년 학생회장의 적극적인 활동을 방해할 수도 있겠지만, 그것은 학생회장의 의지와 체계적인 활동 계획으로 충분히 극복할 수 있을 것입니다.'라고 주장하고 있다.

**5** ⑤ 정답률 77%

정답풀이

[A]는 상대측이 '2학기부터 2학년 학생회장의 임기가 시작되면 학생회의 연속성이 강화될 수 있'다고 보는 구체적인 '이유'를 묻고 있고, [B]는 상대측이 '체계적인 활동 계획으로 대학 입시의 부담을 극복'할 수 있다고 주장한 내용에 대해 '구체적인 방안'을 묻고 있다. 이는 결과적으로 상대측이 자신의 주장을 구체적으로 설명하고 보충할 수 있는 추가 발언 기회를 제공하게 되었으므로, [A]와 [B] 모두 상대측 주장의 오류를 지적하여 검증해내지 못하고 상대측이 유리해질 수 있는 질문을 던지고 있다는 비판을 받을 수 있다.

오답풀이

① [A]에서 인신공격성 발언이 제시된 부분은 찾아볼 수 없다.
② [B]에서 상대방이 제시한 근거의 타당성을 인정하는 부분은 찾아볼 수 없다.
③ [A]와 [B] 모두 상대방이 언급한 쟁점에 대해 구체적인 설명을 요구하고 있을 뿐, 새로운 쟁점을 제시하고 있지 않다.
④ [A]와 [B] 모두 상대방에게 두 가지의 질문을 동시에 하고 있지 않다.

**6** ② 정답률 63%

정답풀이

4문단에서 '2학년이 2학기부터 학생회장을 맡게 되면 아직 졸업하지 않은 전임 3학년 학생회장과의 알력으로 학생회 운영이 어려울 것'이라는 반대 측의 우려를 언급하고 있으나, 이는 '지나친 걱정'이며 오히려 학생회 활동에 도움이 된다는 점을 역설하고 있을 뿐, 문제점을 해결할 구체적인 방안을 제시하고 있지는 않다.

오답풀이

① 3문단에서 변경된 선거 시기는 '상대적으로 여유가 있으므로 형식적인 공약 발표만이 아니라 후보자 간의 공개 토론 실시 등 색다른 선거 문화도 경험할 수 있을 것'임을 언급하고 있다.
③ 4문단에서 '2학년이 2학기부터 학생회장을 맡게 되면 아직 졸업하지 않은 전임 3학년 학생회장과의 알력으로 학생회 운영이 어려울 것'이라는 반대 측의 우려에 대해 '갈등을 조율해 가는 과정 자체도 학생회의 자율성을 기르는 데 좋은 경험이 될 것'이라며 인식의 전환을 유도하고 있다.
④ 1문단과 2문단에서 '지금까지의 학생회'가 '소극적인 모습을 보'인 것은 '학생회장을 비롯한 3학년 임원들이 대학 입시 준비로 적극적으로 활동하지 못했기 때문'이라는 점을 근거로 들며, 이를 개선하기 위해 '2학년 1학기 말에 차기 학생회장 선거를 실시'해야 한다는 논제에 찬성하는 입장을 드러내고 있다.
⑤ 1문단의 '최근에는 사회적으로 여러 지방 자치단체에서 학생회 활동을 조례로 제정할 만큼 그 역할이 강조되고 있습니다.'를 통해 확인할 수 있다.

**7** ③ 정답률 87%

정답풀이

'쇠뿔도 단김에 빼'라는 속담을 활용하였으며, '이번 기회에 학생회장 선거 시기를 반드시 바꾸어야 합니다.'에서 '2학년 1학기 말에 차기 학생회장 선거를 실시해야' 한다는 (나)의 주장을 강조하며 마무리하고 있다.

오답풀이

① '손바닥 뒤집듯'이라는 속담을 활용하였으나, '학생회장 선거의 시기 변경은 또 다른 문제를 야기'한다는 것은 (나)의 주장과 상반된다.
② '보다 나은 학생회를 만들기 위해서 학생회장 선거 시기를 지금 당장 바꾸어야 한다.'에서 자신의 주장을 강조하며 마무리하고 있다고 볼 수 있으나, 속담이나 비유가 활용되지 않았다.
④ '백지장도 맞들면 낫'다는 속담을 활용하였으나, 자신의 주장을 강조하는 것이 아니라 '학생회 임원 구성의 문제를 해결할 방안'의 필요성과 관련된 새로운 주장을 하며 마무리하고 있다.
⑤ 속담이나 비유를 활용하지 않았으며, '학생회장 선거 시기 변경보다는 학생회의 자율성과 적극성을 높이기 위한 새로운 방안을 모색'해야 한다는 것은 (나)의 주장과 상반된다.

## [8~10] 작문

**8** ④ 정답률 87%

정답풀이

(나)에서 전문가의 인터뷰를 소개하고 있지는 않다.

오답풀이

① 3문단에서 '3일 간' 진행되는 '캠프의 주요 내용'을 날짜별, 일정별로 제시하고 있다.
② 4문단의 '창업에 관심이 있는 학생들은 방문해 보기 바란다.'에서 확인할 수 있다.
③ 1문단에서 '요즘 창업에 관심이 있는 청소년들이 많'은데, 그럼에도 '이런 청소년들을 위해 정부가 지원해 주는 사업'의 '참여율이 매우 낮'아, 그와 관련된 '정보를 제공하기 위해 학교 신문에 비즈쿨 캠프를 소개하게 되었'다며 글을 쓰게 된 동기를 밝히고 있다.
⑤ 4문단에서 '중소벤처기업부에서 운영하는 누리집인 K-스타트업을 방문하면 비즈쿨 캠프에 관한 더 자세한 정보를 얻을 수 있'다고 하였다.

**9** ③ 정답률 70%

정답풀이

〈보기〉는 학생들이 '비즈쿨 사업에 참가하지 않는 이유'를 다루고 있는데, 이를 통해 (나)의 1문단에 제시된 정부가 지원해 주는 '청소년 비즈쿨 사업'에 '학생들의 참여율'이 '매우 낮은 편'인 이유를 확인할 수 있다. 따라서 〈보기〉의 설문 조사 결과를 정부 지원의 창업 관련 사업인 '비즈쿨 사업'에 학생들이 참여하지 않는 이유를 구체적으로 밝히는 데 활용하는 것은 적절하다.

오답풀이

① 〈보기〉는 학생들이 학교가 아닌, 정부가 지원해 주는 창업 관련 프로그램에 참가하지 않는 이유를 다루고 있으며, (나)에는 학교가 창업 관련 프로그램을 운영하기 현실적으로 어렵다는 내용이 제시되어 있지 않다.
② 〈보기〉의 설문 조사 결과에 학생들이 비즈쿨 사업에 참가하지 않는 이유가 '비즈쿨 캠프에 참여하는 절차가 복잡'하기 때문이라는 언급은 없다.
④ 〈보기〉는 학생들이 비즈쿨 사업에 참가하지 않는 이유를 다루고 있을 뿐이며, (나)는 비즈쿨 사업의 참여가 실제 창업 능력의 신장으로 이어지지 않았다고 주장하고 있지 않다.
⑤ 〈보기〉의 설문 조사 결과에 따르면 학생들이 비즈쿨 사업에 참가하지 않는 이유 중 일부는 '어떤 프로그램이 있는지 잘 몰라서'이지, '비즈쿨 캠프의 프로그램이 부실'하기 때문이 아니다.

**10** ① 정답률 90%

정답풀이

고친 글에서는 [A]의 '비즈쿨(Bizcool)은 '학교에서 경영을 배운다.'는 의미를 담고 있는 말이다.'에 '비즈쿨(Bizcool)은 일(Business)과 학교(School)의 합성어'라는 설명을 덧붙이고 있다. 따라서 고친 글에는 개념에 대한 설명에 부연 설명이 추가(㉠)되었다고 볼 수 있다. 또한 고친 글에서는 [A]에서 비즈쿨이 '기업가 정신을 갖춘 융합형 창의 인재를 길러서 양성하는 것을 목표로 삼고 있'다에서 '기르다'와 '양성하다'가 동일한 의미를 가지고 있다는 점을 고려하여, 의미가 중복되는 표현 중 '길러서'라는 부분을 삭제(㉡)하여 제시하고 있다.

[11～15] **문법(언어)**

**11** ① 정답률 **58%**

정답풀이

2문단에 따르면 '이/가'는 '문장 안에서 체언이나 체언 구실을 하는 말 뒤에 붙어 주어의 자격을 가지게 하는 주격 조사'로 쓰이기도 하지만, "되다', '아니다'와 함께 쓰여 보어가 되게 하는 보격 조사'로 쓰이기도 한다. 이를 고려하면, 〈보기〉의 ㉠(그는 보통 인물이 아니다.)은 '이'가 '아니다'와 함께 쓰인 경우로, 이때 조사 '이'는 체언 '인물'에 붙어 보어가 되게 하는 보격 조사로 기능하고 있다. 따라서 ㉠의 '이'는 체언 '인물'에 붙어 주어의 자격을 갖게 하는 주격 조사의 역할을 한다고 볼 수 없다.

오답풀이

② 2문단에서 '이다'는 '체언에 붙어 서술어의 자격을 가지게' 하는 조사라고 하였다. 〈보기〉에서 ㉡(철수야, 내일이 무슨 날이니?)의 '이니'는 체언인 '날' 뒤에 붙어 서술어의 자격을 가지게 하고 있다.

③ 3문단에서 '도'는 '체언, 부사, 활용 어미 따위에 붙어서 어떤 특별한 의미를 더해 주는 구실'을 하는 보조사라고 하였다. 〈보기〉에서 ㉢(이번에 성적이 많이도 올랐구나!)의 '도'는 부사 '많이'에 붙어 놀라움이나 감탄의 감정을 강조하는 특별한 의미를 더해 주고 있다.

④ 2문단에서 '의'는 앞에 오는 체언이 '관형어가 되게 하는 관형격 조사'라고 하였다. 〈보기〉에서 ㉣(언니가 동생의 간식을 만들고 있다.)의 '의'는 체언 '동생'에 붙어 관형어의 자격을 갖게 하고 있다.

⑤ 4문단에서 '(이)랑'은 '둘 이상의 단어나 구 따위를 같은 자격으로 이어주는 구실'을 하는 접속 조사라고 하였다. 〈보기〉에서 ㉤(백화점에 가서 구두랑 모자랑 샀어요.)의 '랑'은 '구두'와 '모자'를 같은 자격으로 이어 주는 역할을 하고 있다.

**12** ⑤ 정답률 **60%**

정답풀이

ⓐ(동일한 형태의 조사가 문장에서 서로 다른 기능을 하기도 한다.)와 관련하여 5문단에서 조사 "에서'는 앞말이 부사어임을 나타내는 격 조사로 쓰일 때도 있고, 단체를 나타내는 명사 뒤에 붙어 앞말이 주어임을 나타내는 격 조사로 쓰일 때도 있다.'라고 하였다. 이를 참고할 때, '너는 부산에서 몇 시에 출발할 예정이냐?'의 조사 '에서'는 체언 '부산' 뒤에 붙어 '앞말이 부사어임을 나타내는 격 조사'로, '우리 학교에서 올해도 우승을 차지했다.'의 조사 '에서'는 단체인 '학교'에 붙어 '앞말이 주어임을 나타내는 격 조사'로 쓰였으므로 ⓐ의 사례로 적절하다.

오답풀이

① 5문단을 참고할 때, 두 문장의 조사 '가'는 모두 '앞말을 강조하는 뜻을 나타내는 보조사'로 쓰였다.

② 5문단을 참고할 때, 두 문장의 조사 '를'은 모두 '앞말이 목적어임을 나타내는 격 조사'로 쓰였다.

③ 5문단을 참고할 때, 두 문장의 조사 '에'는 모두 '앞말이 부사어임을 나타내는 격 조사'로 쓰였다.

④ 5문단을 참고할 때, 두 문장의 조사 '과'는 모두 '앞말이 부사어임을 나타내는 격 조사'로 쓰였다.

**13** ① 정답률 **51%**

정답풀이

'놓는'은 '놓는→[놑는](음절의 끝소리규칙)→[논는](비음화)'의 과정을 거치므로 교체가 2번 이루어지고, '칼날'은 '칼날→[칼랄](유음화)'의 과정을 거치므로 교체가 1번 이루어진다. 즉 '놓는'과 '칼날'은 교체만 발생하였으므로, 음운 변동 전후 음운의 수가 동일하게 나타난다. 한편 '닳아'는 '닳아→[달아](탈락)→[다라](연음)'의 과정을 거쳐 음운이 1개 탈락하고, '막일'은 '막일→[막닐](ㄴ첨가)→[망닐](비음화)'의 과정을 거쳐 음운이 1개 추가되고, 교체가 1번 이루어진다. 즉 '닳아'에는 탈락이, '막일'에는 첨가가 일어나면서 음운 변동 전후 음운의 수가 다르게 나타나므로, ㉠에 들어갈 내용으로 적절한 것은 '음운 변동 전후 음운의 수가 동일한가?'이다.

오답풀이

② '놓는[논는]', '닳아[다라]', '막일[망닐]', '칼날[칼랄]' 모두 자음의 변동만 발생하고 있다.

③ '놓는[논는]', '닳아[다라]', '막일[망닐]', '칼날[칼랄]' 모두 표기와 최종 발음이 다르므로, 음운 변동의 결과가 표기에 반영되었다고 볼 수 없다.

④ '놓는[논는]'과 '닳아[다라]'에서는 앞 음절에서만 음운 변동이 발생하였고, '칼날[칼랄]'은 뒤 음절에서만 음운 변동이 발생하였으며, '막일[망닐]'은 앞 음절과 뒤 음절 모두에서 음운 변동이 발생했다.

⑤ 조음 방법이 같아지는 비음화와 유음화는 '놓는[논는]', '막일[망닐]', '칼날[칼랄]'에서만 일어났다.

**오답률 Best 3**

13번 문제에서 가장 선택 비율이 높았던 오답은 ⑤번이야. 아마 많은 학생들이 '조음 방법이 같아지는 음운 변동'의 의미를 명확하게 파악하지 못해서 그런 것 같아. <보기>의 단어들은 자음에서만 음운 변동이 일어나고 있는데, 자음은 조음 방법에 따라 '파열음, 파찰음, 마찰음, 비음, 유음'으로 분류돼. 이때 특정 조음 방법에 속하는 자음에 의해 해당 자음에 인접한 다른 조음 방법을 가진 자음의 조음 방식이 바뀌게 된다면, ⑤번에서 언급한 것과 같이 '조음 방법이 같아지는' 음운 변동이 나타났다고 볼 수 있어. 조음 방법이 같아지는 음운 변동의 유형으로는 파열음 'ㄱ,ㄷ,ㅂ'이 비음 'ㄴ,ㅁ' 앞에서 비음 'ㅇ,ㄴ,ㅁ'으로 바뀌는 비음화나 비음 'ㄴ'이 앞이나 뒤에 오는 유음 'ㄹ'의 영향으로 유음 'ㄹ'로 바뀌는 유음화 등을 들 수 있는데, <보기>의 경우 '놓는[논는]'과 '막일[망닐]'에서는 비음화가, '칼날[칼랄]'에서는 유음화가 나타나. 문법 지식과 관련해 모든 예시와 법칙을 외울 필요까지는 없지만, 문법 지식의 큰 뼈대가 되는 부분, 특 조음 방법의 분류나 음운 변동의 유형과 성격 정도를 공부해 두면 정답을 보다 빠르고 정확하게 골라낼 수 있을 거야.

**14**  ② 정답률 **73%**

정답풀이

〈보기 2〉에서는 주격 조사 '께서'와 주체 높임의 선어말어미 '-시-'를 통해 주어인 '아버지'를 높이는 주체 높임이 실현되었다. 또한 특수 어휘 '모시다'를 활용하여 목적어가 나타내는 대상인 '할머니'를 높이는 객체 높임이 실현되었다. 끝으로 말을 거는 대상, 즉 청자인 '영희'에게는 비격식체 중 '해체'의 평서형 종결 어미 '-어'를 활용하여 상대를 낮추었다.

**15**  ⑤ 정답률 **71%**

정답풀이

중세 국어의 '얼굴'은 '형체(물건의 생김새나 그 바탕이 되는 몸체)'라는 의미를 가지고 있으나 현대 국어의 '얼굴'은 주로 '눈, 코, 입이 있는 머리의 앞면'이라는 의미를 가진다는 점을 고려할 때, '얼굴'의 의미는 현대 국어로 오면서 축소되었다고 볼 수 있다.

오답풀이

① '기 · 픈'은 '깊은'의 어간 받침 'ㅍ'을 어미의 첫소리로 옮겨 소리 나는 대로 표기한 것으로 볼 수 있다.

② 현대 국어를 참고하면 ':뮐 · 쎄'의 의미는 '움직이므로'로 해당 단어는 현대 국어에서는 사용되지 않고 있음을 알 수 있다.

③ ' · 를'은 현대 국어의 '를'과 기능이 동일하지만, 모음 'ㅡ' 대신 ' · '가 활용되어 형태가 다르게 나타난다.

④ '쁧 · 디 · 면'에서는 현대 국어의 '쓸 것이면'과 달리 초성에서 서로 다른 두 개의 자음으로 구성된 어두자음군 'ㅄ'이 사용되고 있다.

[16～20] **인문**

**16** ④ 정답률 **76%**

정답풀이

윗글은 '개개인의 실존'을 문제 삼은 '사르트르'의 실존주의가 지닌 특성과 의의를 다루고 있다. 이때 1문단에서 사르트르가 주장한 실존주의 사상의 핵심을 압축적으로 제시한 뒤, 2문단~3문단에서는 사르트르가 정의한 '사물'과 '인간'의 특성을 비교하여 다루고, 4문단~5문단에서는 사르트르가 생각한 존재 규정과 관련된 '나'와 '타자'의 특성과 관계를 다루며, 6문단에서는 사르트르의 실존주의가 가진 한계와 의의를 언급하고 있다.

오답풀이

① 2문단~3문단에서 사르트르의 실존주의에 기반한 인간과 사물의 차이점을 다루고, 6문단에서 사르트르의 실존주의의 한계와 의의를 다루고 있지만 이를 윗글의 주된 내용으로 보기는 어렵다.

② 1문단에서 실존주의가 '현대 과학 기술 문명과 전쟁 속에서 비인간화되어 가는 현실을 고발하는 과정에서 등장한 철학 사조'임을 언급하고 있지만, 이를 주된 주제로 다루고 있는 것은 아니다.

③ 윗글에서 사르트르의 실존주의가 시간에 따라 변화되는 과정은 찾아볼 수 없다.
⑤ 3문단에서 사르트르가 '사물'과 '인간'의 차이를 다루며 선택의 '자유'를 지닌 인간에게는 그에 따른 '책임'도 따른다는 점을 언급하고 있지만, 이를 중심으로 글이 전개되고 있지는 않다.

## 17 ① 정답률 61%

정답풀이

2문단에 따르면 사르트르는 처음부터 '쓴다'는 목적으로 만들어진 '연필(사물)의 존재는 그 본질(무엇인가를 쓴다)로부터 나'오며, 그러므로 '사물은 본질이 그 존재에 선행하는 것'이라고 보았다. 즉 사르트르의 관점에서 사물은 그 존재가 본질에서 나오는 것이기 때문에, 사물의 본질이 존재에서 나온다고 보지 않을 것이다.

오답풀이

② 3문단에 따르면 사르트르는 '인간이 매 순간 자유로운 선택을 통해 자신을 만들어'간다는 것은 '그 선택에 따른 책임도 자기 스스로 져야'하므로 '진실한 인간이라면 책임감이라는 부담 때문에 번민하고, 그 번민의 원인이 되는 자유로부터 도피하고 싶은 욕망이 생길 수 있다고' 보았다.
③ 3문단의 '사르트르는 이 세계의 모든 존재를 '의식'의 유무를 기준으로 의식이 없는 '사물 존재'와 의식이 있는 '인간 존재'로 구분하였다.'를 통해 알 수 있다.
④ 3문단~4문단에 따르면 사르트르는 인간을 의식이 있는 '인간 존재'인 '대자존재'이자, 타인의 시선으로 규정될 수 있는 '대타존재'라고 보았다.
⑤ 5문단의 '사르트르는 나와 타자가 맺는 관계는 공존이 아니라 갈등과 투쟁으로 여겨서, '타자는 지옥이다.'라는 극단적인 표현까지 동원하기도 하였다.'를 통해 알 수 있다.

## 18 ⑤ 정답률 73%

정답풀이

㉠의 앞 문장에서 말하는 '이런 시선'은 4문단에서 '나를 즉자존재처럼 객체화하여 파악'한 다른 사람이 나를 향해 보내온 시선을 뜻한다. 이러한 시선을 타자가 나에게만 보내는 것이 아니라 나도 타자에게 보낼 수 있는 것은, 나도 타자를 '즉자존재처럼 객체화하여 파악'할 수 있기 때문이라고 볼 수 있다. 따라서 ㉠에 들어가기에 가장 적절한 말은 '서로가 서로를 대상으로 삼아 객체화하려고 하기 때문이다.'이다.

오답풀이

① 4문단에 따르면 사르트르는 '인간의 자유로운 선택이 타자와 연관'된다고 보았지만, 자유로운 선택에 대해 서로 인정한다는 언급은 없다. 5문단에 따르면 사르트르는 오히려 '나와 타자가 맺는 관계는 공존이 아니라 갈등과 투쟁'으로 여기고 있다.
② 3문단을 참고할 때, 나와 타자가 각자의 방식으로 자신을 돌아보는 것, 즉 '자기 자신을 대상화하여 스스로를 바라'보는 것은 '대자존재'인 인간 존재의 특성으로 볼 수 있다. 이는 '대타존재'에 관련된 내용을 다루는 ㉠과 관련이 없다.
③ 4문단에서 따르면 사르트르는 '내가 아무리 주체성을 지닌 존재라 하더라도 나를 바라보는 다른 사람은 나를 즉자존재처럼 객체화하여 파악할 수 있'다고 보았으며, 5문단에 따르면 '이런 시선은 타자만 나에게 보내는 것이 아니라 나도 타자에게 보낼 수 있'다고 하였으므로, 나와 타자가 서로를 '주체성을 지닌 존재'로 파악한다는 것이 ㉠에 들어가기는 어렵다.
④ ㉠에는 타자뿐 아니라 나 역시 타자를 '대타존재'로 규정하는 시선을 보낼 수 있는 이유가 들어가야 하므로, 나와 타자가 서로의 시선에서 벗어나기 원한다는 내용은 ㉠에 들어가기에 적절하지 않다.

## 19 ⑤ 정답률 66%

정답풀이

〈보기〉에 따르면 키르케고르는 참된 자아실현의 과정 중 '윤리적 실존'의 단계에서 '윤리 규범을 준수하며 살아가'는 과정을 거친다고 하였으므로, 윤리 규범과 같은 사회적 관습을 지키는 것이 중요하다고 여겼다고 볼 수 있다. 그러나 6문단에서 사르트르가 주장한 실존주의는 '개인이 사회적 관습에 의해 제약을 받는다는 사실을 간과하였다는 점' 등에서 비판을 받았다고 했으므로, 사르트르가 사회적 관습을 지키는 것이 중요하다고 여겼다고 보기는 어렵다.

오답풀이

① 〈보기〉에 따르면 키르케고르는 '신의 명령에 따라 살아가는 '종교적 실존''을 통해 '참된 자아'를 찾을 수 있다고 보았으므로 신에 의존하는 태도를 보인다고 볼 수 있다. 한편 2문단에 따르면 사르트르는 '무신론자'였으며 '인간이 신의 뜻에 따라 만들어진 존재라는 기존의 통념을 거부'했으므로 신에 의존하지 않는 삶을 추구했다고 볼 수 있다.
② 사르트르는 자아실현의 과정을 단계화하여 제시하지 않았으나, 〈보기〉에 따르면 키르케고르는 '참된 자아실현의 과정'을 '미적 실존', '윤리적 실존', '종교적 실존'의 3단계로 나누어 제시했다.
③ 1문단에 따르면 실존주의는 '개인으로서의 인간의 주체적 존재성을 강조'하였으며, 실존주의자인 사르트르는 '실존'을 '자기의 존재를 자각하면서 존재하는 주체적인 상태'로 보았다. 〈보기〉에 따르면 실존주의인 키르케고르 또한 인간이 '스스로의 결단을 통해 자신의 삶을 결정할 수 있'는 존재로 보았다.
④ 5문단에 따르면 사르트르는 '인간은 참된 자아를 찾기 위해 타자의 시선을 두려워하거나 피할 것이 아니라 이를 극복'해야 한다고 보았고, 〈보기〉에 따르면 키르케고르는 '미적 실존'과 '윤리적 실존' 단계에서 느끼는 '절망'을 극복해야 참된 자아를 찾을 수 있다고 보았다.

## 20 ② 정답률 28%

정답풀이

4문단에 따르면 '대타존재'는 '타인의 시선으로 규정되는 인간의 모습'으로, 타인이 그 인간을 의식이 없는 '즉자존재처럼 객체화하여 파악'한 것이다. 따라서 부모님에 의해 '의사가 될 것'이라고 규정된 존재는 대타존재라고 볼 수 있다. 하지만 3문단을 참고하였을 때 그러한 부모님의 기대를 주체적으로 의식하고 있는 '학생'은 '대타존재'가 아니라 자기의 식을 가진 '대자존재'라고 볼 수 있다.

오답풀이

① 3문단을 참고할 때, '학생'은 '의사'가 되겠다는 장래 희망과 관련하여 자신이 '정말 의사가 되고 싶'어하는지에 대해 의문을 가지고 있으므로, 자신을 '대상화'하여 바라보고 있다고 볼 수 있다.
③ '선생님'은 '처음부터 해야 할 일이 정해진 사람은 없어.'라고 말하고 있으므로, 2문단에 제시된 '연필(사물)'과 달리 인간에게 선천적으로 주어진 본질이란 없다고 봄을 알 수 있다.
④ 3문단을 참고할 때, '부모님'은 '학생'이 의사가 되기를 바라는 의식을 가진 존재이므로 '대자존재'에 해당한다고 볼 수 있다.
⑤ 4문단을 참고할 때, '학생'은 '의사'가 되겠다는 장래 희망과 관련된 선택에서 '너는 의사가 될 거야.'라는 타자(부모님)의 시선을 고려하고 있다.

**오답률 Best 1**

추상적인 개념과 이론을 다루는 철학 지문에서, 핵심적인 개념을 다루는 문제를 해결하기 위해서는 해당 개념을 정확하게 이해해야 해. 많은 학생들이 20번 문제에서 ④번을 정답으로 골랐는데, 이는 윗글에 제시된 '대자존재'와 '대타존재'의 차이점을 명확하게 이해하지 못했기 때문일 거야. 사르트르의 이론에서 '대자존재'와 '대타존재'는 모두 '인간' 존재를 가리키지만, 그 성격은 분명하게 달라. '대자존재'는 인간과 사물의 차이를 구분하는 맥락에서 '의식'을 가진 인간 존재를 가리키고, '대타존재'는 타자와 나의 관계를 고려하는 맥락에서 타자에 의해 의식이 없는 사물(즉자존재)처럼 객체화하여 파악한 인간 존재를 가리키거든. 즉 선지에서 '의식'을 지닌 인간은 '대자존재'가 되며, 타자에 의해서만 일방적으로 규정된 존재는 '대타존재'가 돼. ④번의 '부모님'은 타자의 시선으로 '학생'을 바라보며 '의사가 될 학생'이라는 대타존재로 규정했다고 볼 수 있지만, '학생'에 대해 '의사가 되기를 바라는' 의식을 지니고 있으므로 '부모님' 자체는 '대자존재'에 해당한다고 볼 수 있어. 같은 맥락에서 ②번의 '학생' 역시 부모님의 기대를 '의식'하는 존재로 나타나고 있으므로, '대자존재'에 해당한다고 볼 수 있지.

7회

## [21~25] 고전시가+고전수필

**21 ②** 정답률 72%

정답풀이

(가)는 자연과 속세를 대조적으로 제시하여 자연 속에 묻혀 살아가는 삶을 추구하는 화자의 모습을 보여 주고 있다. (나)는 주어진 현실에 만족하지 못한 '나'와 더 열악한 환경 속에서도 만족하며 살아가는 '여관집의 노비'를 대조적으로 제시하여 주어진 삶에 순응하며 살아가는 삶에 대한 추구를 드러내고 있다.

오답풀이

① (가)와 (나)에서 반어적 표현이 사용된 부분은 찾아볼 수 없다.
③ (가)와 (나)에서 고사가 활용된 부분은 찾아볼 수 없다.
④ (나)에서는 '한여름'과 같은 계절감이 나타나는 어휘가 활용되고 있지만, (가)에서 계절감이 나타나는 어휘는 찾아볼 수 없다.
⑤ (가)와 (나)에서 역설적 표현이 사용된 부분은 찾아볼 수 없다.

**22 ③** 정답률 75%

정답풀이

〈제4수〉에서 세간에 더 많은 것을 '두고' 싶어 '그지없'는 '저 욕심'을 가진 것은, 자연 속에 묻혀 '낚싯대 하나'만 '세간'에 두고도 욕심을 느끼지 않는 화자와 대비되는 대상이므로, 이때의 '욕심'이 자연과의 합일을 지속하고 싶은 마음을 가리킨 것이라고 볼 수는 없다.

오답풀이

① 〈보기〉에서 (가)의 화자는 '자연을 예찬하며 자연과의 합일을 도모'한다고 하였다. 〈제1수〉에서 '청풍(바람)'을 좋아하여 '창'을 닫지 않거나, '명월(달)'을 좋아하여 '잠'을 자지 않는 것은 자연 친화적인 삶의 모습을 보여 주는 것으로 볼 수 있다.
② 〈보기〉에서 (가)의 화자는 '벼슬길의 위험함을 인식하며 세속적 삶을 멀리하려는 뜻을 드러'낸다고 하였다. 〈제2수〉에서 '작녹'을 마음에 두지 않고 늦도록 '문'을 닫아 두는 것은 '작녹'이 나타내는 세속적인 삶을 멀리하려는 태도를 보여 준 것으로 볼 수 있다.
④ 〈보기〉에서 (가)의 화자는 '자연을 예찬하며 자연과의 합일을 도모'한다고 하였다. 〈제5수〉의 '산아'와 '물아'는 화자가 자연인 '산'과 '물'을 청자로 설정한 것으로 볼 수 있다. 이때 화자가 '산'은 '한결같이 높'고 '물'은 '날날이 흐'른다고 한 것에서 자연물의 변함없는 모습을 예찬하고 있다고 볼 수 있다.
⑤ 〈보기〉에서 (가)의 화자는 '벼슬길의 위험함을 인식하며 세속적 삶을 멀리하려는 뜻을 드러'낸다고 하였다. 〈제6수〉에서 '오두미'를 위해 '홍진'에 나서지 않겠다고 하며 '칼 톱'이 무섭다고 한 것은, 벼슬길에서 '칼 톱'과 마주하는 것과 다를 바 없는 위험성을 인식했기 때문이라고 볼 수 있다.

**23 ③** 정답률 77%

정답풀이

(가)의 ⓐ(내 집)는 '나'가 자연 속에 묻혀 살아가고 있는 삶의 공간으로, 세간에 '낚싯대 하나 외에 거칠 것이 전혀 없'어 비록 풍족하지 않지만 만족스러움을 느끼고 있는 공간이다. 한편 (나)의 ⓑ(내가 사는 집)는 글쓴이가 생활하고 있는 공간으로, 불편을 느낄 정도로 협소하고 뱀이나 해충이 많아 환경의 열악함을 느끼는 공간이다.

오답풀이

①, ② ⓐ는 화자가 자신이 추구하는 자연 속에서의 이상적인 삶을 살아갈 수 있는 공간이라고 볼 수 있지만, 이 공간에서 화자의 소망이 좌절되고 있지는 않다. ⓑ는 글쓴이가 살고 있는 공간이자 생활의 불편을 겪고 있는 공간이므로, 소망이 성취되는 공간이나 이상적인 공간이라고 보기 어렵다.
④ ⓑ는 글쓴이가 나그네의 말을 듣고 열악하게만 여겼던 인식을 바꾸어 주어진 삶에 순응하며 살아가고자 하는 공간이므로, 갈등이 해소되는 공간이라고 볼 여지가 있다. 그러나 ⓐ는 자연 속에 묻혀 소박하게 살아가는 삶에 만족감을 느끼는 공간이므로, 갈등이 심화되고 있다고 볼 수 없다.
⑤ ⓑ의 경우 찾아온 손님인 나그네의 이야기를 듣는 과정에서 타인인 '나그네'의 회상이 이루어지고 있다고 볼 수 있지만, ⓐ는 자신의 삶에 대한 회상의 공간이라고 보기 어렵다.

**24 ①** 정답률 80%

정답풀이

'그대는 도를 지키고 운명에 순종하며, 소박하고 솔직한 태도로 행하는 분입니다. 그런데 여관 중의 여관에서 지내면서도 여관을 여관으로 생각하지 않으십니다.'와 '그대가 배우기를 바라는 것은 옛날 성현의 말씀인데도, 오히려 여관집의 노비가 하는 것처럼도 하지 못하는구려.'를 통해, [A]에서 나그네는 옛 성현의 말을 따르며 운명에 순종하고 소박하게 살아가는 삶을 지향하면서도, 실제로는 생활에 불만을 품고 '여관 중의 여관에서 지내면서도 여관을 여관으로 생각하지 않'는 '나'의 행동을 비판하고 있음을 알 수 있다.

오답풀이

② [A]에서 자신이 처한 어려움을 구체적으로 드러내어 상대방의 감정에 호소하고 있지는 않다.
③ [A]에서 상대방이 표출한 불만에 대해 비판적인 태도는 확인할 수 있으나, 자신의 지식을 과시하는 부분은 찾아볼 수 없다.
④ [A]의 '그대는 도를 지키고 운명에 순종하며, 소박하고 솔직한 태도로 행하는 분입니다.'에서 상대방을 긍정적으로 평가하고 있음을 알 수 있으나, 상대방이 이루어낸 성과를 치하하는 부분은 찾아볼 수 없다.
⑤ [A]에서 상대방의 말에 거짓으로 동조하는 부분은 찾아볼 수 없다.

**25 ④** 정답률 80%

정답풀이

〈보기〉에서 (나)는 '나그네가 들려주는 이야기를 통해 작가가 깨달은 바를 드러낸 글'이라고 하였다. 이때 (나)의 나그네는 '그대'가 살아가는 세상은 '여관같은 곳'이며, 머무르고 있는 공간은 '여관 중의 여관'이라고 하였다. 이를 참고하면 나그네가 ⓡ(지금 그대는~숨기고 있습니다.)에서 작가가 '이러한 여관(세상)에 몸을 기탁해 사는' 중이며, 다시 또 멀리 떠나와 '궁벽한 골짜기(여관 중의 여관)에 몸을 숨기고 있'다고 하는 것은, 잠시 머무르다 갈 현실이니 주어진 삶에 만족하라는 의도를 전달한 것으로 볼 수 있다. 따라서 여기에 작가의 처지가 조금씩 개선되리라는 것을 일깨우려는 의도가 담겨 있다고 볼 수는 없다.

오답풀이

① 〈보기〉에 따르면 (나)는 작가가 '유배되었을 때 창작된 작품'이다. 이에 따르면 ㉠(소갈증이 심해지고 가슴도 막힌 듯 답답했다.)은 작가가 자신이 얻은 병의 구체적인 증상을 언급하면서 유배 생활의 어려움을 드러낸 것으로 볼 수 있다.
② 〈보기〉에 따르면 (나)의 나그네는 '자신의 직접 경험'을 바탕으로 작가에게 이야기를 들려준다. 이는 ㉡(그곳만은~묵고 지내는 곳이랍니다.)에서 나그네가 주체를 '우리네 같은 사람들'이라 하며, 장사를 하며 떠돌아다니던 과거의 경험을 바탕으로 이야기하는 것에서 확인할 수 있다.
③ 〈보기〉에서 (나)의 나그네는 '여관집 노비를 관찰한 모습 등을 바탕으로 작가에게 교훈을 전해준다.'라고 하였다. 이에 따르면 ㉢(지금의 삶을 본래 정해진 운명이라고 여깁니다.)은 '지금의 삶을 본래 정해진 운명'으로 여기고 이에 순응하는 여관집 노비의 태도라고 할 수 있다.
⑤ 〈보기〉에서 (나)는 '나그네가 들려주는 이야기를 통해 작가가 깨달은 바를 드러낸 글'이라고 하였다. 이에 따르면 ㉤(이에 그 말을~'포화옥기'라 하였다.)에서 나그네의 말을 서술하여 벽에 적는 행위는, 작가가 나그네의 이야기를 통해 얻은 교훈을 오래 간직하기 위해 한 것이라 볼 수 있다.

## [26~30] 과학

**26** ② 정답률 74%

정답풀이

윗글은 2문단에서 '면역계 과민 반응이 나타나는 이유는 무엇일까?'라는 질문을 던진 뒤, 3문단에서 위생가설에 따라 '바이러스에 접할 기회가 줄어든 깨끗한 환경'이 그 원인이 됨을 밝히고 있다. 이후 4문단~7문단에서 '장에 존재하는 미생물'의 작용을 통해 '인체가 외부 물질과의 공존 속에서 면역 반응의 균형을 찾는다'는 위생가설의 시사점에 대해 설명하며, '면역계와 공존하는 외부 물질에 대한 인식의 전환'이 일어나게 되었음, 즉 통념에 변화가 생겼음을 언급하고 있다.

오답풀이

① 5문단에서 '면역계를 구성하는 면역세포'인 '수지상세포와 T세포'가 면역 반응을 일으키는 과정을 제시하고 있다. 그러나 이를 분석하여 특정 가설의 수정이 필요함을 제안하고 있지는 않다.

③ 면역 반응과 관련하여 1문단에서 면역 반응이 '외부 물질의 침입에 저항하고 방어하는 작용'임을, 2문단에서 면역 반응이 과도해지면서 '오히려 인체에 해를 끼치'는 경우를 설명하고 있지만, 이것이 면역 반응에 대한 특정한 관점을 나타낸다고 보기는 어렵다. 또한 3문단에서 면역계 과민 반응의 이유를 위생가설에서 찾은 과학자들의 관점을 설명하고 있지만, 이와 상반되는 관점이나 관점이 지닌 한계가 제시되지도 않았다.

④ 7문단에서 장내미생물로 인해 형성된 '조절T세포가 면역계 과민 반응으로 인한 질병을 치료하는 역할을 담당'하게 된다고 한 것은 면역계 과민 반응의 해결 방안을 제시했다고 볼 수 있지만, 예상되는 반론을 반박하면서 주장을 강화하고 있지는 않다.

⑤ 5문단에서 면역 반응에 '중추적 역할을 하는 면역세포'인 '수지상세포와 T세포'를 언급하고 있지만, 수지상세포가 '소장과 대장 주변에 분포한 림프절에서 미성숙T세포를 조력T세포와 세포독성T세포로 분화'시킨다는 역할에 대해 설명했을 뿐, 각 세포를 생성 위치에 따라 분류하지는 않았다.

**27** ④ 정답률 74%

정답풀이

3문단에서는 '위생가설에 따르면 바이러스에 접할 기회가 줄어든 깨끗한 환경이 오히려 질병의 원인이 된다.'라고 했을 뿐이며, 윗글에서 위생가설이 깨끗한 환경이 인체에 어떤 긍정적인 변화를 미친다고 보는지에 대해서는 언급하지 않았다.

오답풀이

① 4문단의 '우리 장 안에는~장내 미생물이 살고 있는데, 이는 면역계가 그들의 존재를 인정하고 받아들였기 때문이다.'와 6문단의 '조절T세포는 조력T세포나 세포독성T세포와는 달리 면역 반응을 억제하는 역할을 한다. 그 결과 장내미생물은 외부 물질이면서도 면역계와 공존할 수 있게 된 것이다.'를 통해 확인할 수 있다.

② 3문단의 '현대 의학의 발달과 환경 개선으로 바이러스 등이 줄어들게 되자 면역 반응이 지나치게 된 것이다.'를 통해 확인할 수 있다.

③ 2문단의 '최근 급증하는 알레르기나 천식, 자가면역질환은 불필요한 면역 반응으로 인해 발생한다.'를 통해 확인할 수 있다.

⑤ 4문단의 '위생가설은 인체가 외부 물질과의 공존 속에서 면역 반응의 균형을 찾는다는 시사점을 주었다.'를 통해 확인할 수 있다.

**28** ① 정답률 52%

정답풀이

2문단에서 '면역 반응이 과도해지면 오히려 인체에 해를 끼치'는 '불필요한 면역 반응'이 일어난다고 했는데, 4문단에서 인체는 '외부 물질과의 공존 속에서 면역 반응의 균형'을 찾는다고 하였다. 즉 과도한 면역 반응을 조절하기 위해서는 장내미생물과 같은 외부 물질과의 공존이 있어야 하므로, 인체의 면역계가 외부 물질의 도움 없이 스스로 면역 반응을 조절하는 능력을 가지고 있다고 보기 어렵다.

오답풀이

② 1문단~2문단에서 '건강하다는 것은 면역 반응이 활발하여 외부 물질들을 완벽하게 제거하는 상태를 의미하는 것으로 이해하기 쉽'지만 '면역 반응이 과도해지면 오히려 인체에 해를 끼치기도' 한다고 하였다. 4문단~7문단에 제시된 장내미생물과 같은 외부 물질과의 공존을 통해 인체의 면역계가 '면역 반응의 강약을 조절'하게 된 사례를 참고할 때, 인체가 건강하다는 것은 외부 물질과의 이상적인 공존이 이루어져 면역 반응의 강약이 조절되는 상태를 나타낸다고 볼 수 있다.

③ 1문단에 따르면 '세균과 바이러스, 기생충과 같은 외부 물질'은 '감염이나 질병의 원인'이 된다. 그런데 4문단에서 '장에 존재하는 미생물'은 면역계가 '존재를 인정하고 받아들'인 외부 물질이라고 하였으며, 6문단~7문단에 따르면 이는 장내미생물이 '면역계 과민 반응으로 인한 질병을 치료'하는 '조절T세포'의 형성에 중요한 역할을 하기 때문이다. 따라서 외부 물질은 인체에 유해한 경우와 유해하지 않은 경우가 모두 존재한다고 볼 수 있다.

④ 3문단의 '현대 의학의 발달과 환경 개선으로 바이러스 등이 줄어들게 되자 면역 반응이 지나치게 된 것이다.'를 통해 확인할 수 있다.

⑤ 6문단에 따르면 '장내미생물은 조력T세포나 세포독성T세포의 공격을 피하기 위해' 면역세포인 '수지상세포에 영향을 미쳐' '면역 반응을 일으키지 못하게' 만든다. 그리고 이로 인해 '장내미생물은 외부 물질이면서도 면역계와 공존할 수 있게' 된다.

**오답률 Best ④**

독서 지문에서는 때로 지문에 명시적으로 제시되지 않은 정보를 추론하라고 요구하는 경우가 있어. 28번에서 정답 선지 다음으로 선택 비율이 높았던 오답인 ②번이 그러한 유형에 해당해. 하지만 추론적인 사고도 결국에는 지문에서 추론의 단서를 찾을 수 있어. 1문단에서 인체가 '건강하다는 것'은 '외부 물질을 완벽하게 제거하는 상태를 의미하는 것으로 이해하기 쉽'다고 했어. ②번을 선택한 학생들은 여기서 인체가 '건강하다는 것'에 대해 설명한 부분만을 지엽적으로 참고하였을 가능성이 높아. 하지만 1문단의 설명은 사실 외부 물질을 완벽하게 제거한다고 인체가 건강해지는 것이 아니라는 말을 꺼내기 위한 거야. '인체가 건강하다는 것'은 '외부 물질을 완벽하게 제거'하면서 과도한 면역 반응을 일으키는 상태가 아니라, 4문단부터 이어지는 내용에서 설명하는 '외부 물질과의 공존'을 통해 '면역 반응의 균형'을 찾은 상태를 의미하기 때문이지. 이때 면역 반응의 균형을 찾은 상태는, 7문단에 제시된 것처럼 외부 물질의 도움에 의해 '면역 반응의 강약을 조절'할 수 있게 된 상태라고 볼 수 있어. 결국 ②번은 1문단, 4문단, 7문단을 중심으로 지문 전반에서 설명하고 있는 내용을 추론적 사고로 연결 지어서 판단할 수 있었던거야.

**29** ⑤ 정답률 61%

정답풀이

5문단~7문단을 참고할 때, <보기>의 (가)는 수지상세포의 작용으로 '인체에 유입된 외부 물질을 인지하고 이를 제거하는 면역 반응'이 일어나는 과정을, (나)는 외부 물질인 '장내미생물'에 의해 '면역 반응을 일으키지 못하'도록 성격이 변한 조절수지상세포의 작용으로 면역계가 '면역 반응의 강약을 조절'하는 과정을 나타낸다고 볼 수 있다. 즉 (가)는 외부 물질의 유입을 막기 위한 것이 맞지만, (나)는 인체 내에 있는 외부 물질의 생존을 목표로 면역 반응을 억제하기 위한 것이므로 적절하지 않다.

오답풀이

①, ② 5문단에서 '수지상세포는 인체에 침입한 외부 물질을 인지'하여 '몸 안에 침입한 이물질을 없애는' T세포들로 분화시킨다고 하였고, 6문단에서 '조절수지상세포'는 '면역 반응을 억제'하는 T세포로 성숙시킨다고 하였다. 따라서 (가)의 수지상세포는 (나)의 조절수지상세포와 달리 외부 물질을 제거해야 할 대상으로 인지하며 (가)의 T세포는 (나)의 T세포와 달리 몸 안에 침입한 이물질을 없애는 역할을 한다고 볼 수 있다.

③ 5문단에서 수지상세포는 '미성숙T세포를 조력T세포와 세포독성T세포로 분화'시킨다고 하였고, 6문단에서 조절수지상세포는 '미성숙T세포를 조절T세포로 성숙'시킨다고 하였다. 따라서 (나)의 미성숙T세포는 (가)의 미성숙T세포와 달리 두 종류의 면역세포로 분화되지 않는다.

④ 5문단에 따르면 수지상세포로 인해 분화된 조력 T세포와 세포독성T세포는 '몸 안에 침입한 이물질을 없애는' 면역 반응을 일으키고, 7문단에 따르면 조절수지상세포로 인해 성숙된 조절T세포는 '면역계 과민 반응으로 인한 질병을 치료'한다. 즉 (나)의 T세포는 (가)의 T세포와 달리 과민 면역 반응으로 발생한 염증을 억제하는 역할을 한다.

 ① 정답률 74%

정답풀이

〈보기〉에서 외부 물질인 기생충을 활용하여 치료할 수 있는 질병이 '면역계 과민 반응'과 연관이 있다고 한 점을 고려할 때, 〈보기〉는 4문단~7문단의 '장내미생물'과 같이 외부 물질이 면역계와 공존함으로써 '면역 반응의 강약을 조절'하여 균형을 이루게 해 준 사례로 활용될 수 있다.

오답풀이

② 〈보기〉의 기생충이 '면역계 과민 반응'과 연관된 질병 치료에 효과가 있었다는 것은, 외부 물질인 기생충이 과도해진 면역 반응을 억제하는 효과를 내었다는 것을 의미한다.
③ 3문단에서 인체는 '무균 지대나 청정 지대가 아니라 세균과 바이러스, 기생충 등과 함께 진화'해 왔기에, 바이러스와 같은 외부 물질과 '접할 기회가 줄어든 깨끗한 환경이 오히려 질병의 원인'이 된다고 하였다. 〈보기〉의 사례는 이러한 문제로 인해 발생한 질병에 외부 물질과의 공존이 해결책이 될 수 있는 상황을 제시한 것이다.
④ 면역계가 적응과 변화를 통해 발전해 가는 환경에 자체적으로 대응할 수 있었다면, 〈보기〉의 사례에 제시된 것처럼 기생충 등의 외부 물질의 도움을 받지 않아도 무방할 것이다.
⑤ 1문단에 따르면 '외부 물질의 침입에 저항하고 방어'하는 것이 '면역 반응'인데, 2문단에서 이러한 '면역 반응이 과도해지면 오히려 인체에 해를 끼치'게 된다고 하였다. 〈보기〉에서 기생충이 치료할 수 있는 '면역계 과민 반응' 관련 질병은 과도한 면역 반응으로 인해 발생한 것이므로, 〈보기〉의 사례가 외부 물질들을 제거하는 면역계의 중요성을 설명하고 있다고 보기는 어렵다.

## [31~34] 고전소설

 ④ 정답률 60%

정답풀이

윗글은 남북에 적병이 다시 일어나자 근심하는 황제에게 신하들이 간언하는 장면, 대봉과 애황이 황성으로 찾아오는 장면, 대봉과 애황이 남과 북으로 출전하는 장면, 애황이 전장에서 선우를 물리치는 장면, 다섯 나라의 왕들이 목숨을 구걸하는 장면, 애봉이 아이를 낳고 회군하는 장면 등을 제시하며 잦은 장면 전환을 통해 사건을 속도감 있게 전개하고 있다.

오답풀이

① 윗글에서 배경을 묘사한 부분은 찾아볼 수 없다.
② 윗글에서 초월적 공간이 제시된 부분은 찾아볼 수 없다.
③ 윗글에서 서술자의 개입이 나타난 부분은 찾아볼 수 없다.
⑤ 윗글에서 해학적인 분위기가 형성된 부분은 찾아볼 수 없다.

32 ① 정답률 63%

정답풀이

[A]의 '전장에서 죽은들 어찌 마다하겠습니까?'에서 애황은 황제에게 전장에서 죽더라도 적을 평정하겠다는 결의를 드러내고 있다. 이후 애황이 적과의 전투에서 승리하고 '만일 반역의 마음을 둔다면 너희 다섯 나라의 인종을 모두 없앨 것'이라고 경고하는 [B]에서, [A]에 드러난 애황의 결의가 실행되었음을 확인할 수 있다.

오답풀이

② [A]에서 애황은 자신의 권위를 드러내고 있지 않으며, 폐하(황제)의 권위는 애황이 적을 평정하면서 지켜졌으므로 [B]에서 황제의 권위가 추락하였다고 볼 수도 없다.
③ [A]에서 애황은 '전장에서 죽'더라도 적을 물리칠 것이라는 의지를 드러내고 있을 뿐, 전장에서 죽을 것이라는 미래의 사건을 예고하고 있지는 않다.
④ [A]에서 애황은 내적으로 갈등하고 있지 않다.
⑤ [A]에서는 황제에 대한 애황의 충성심이 드러날 뿐이며, 이로 인해 인물들 간의 오해가 심화되고 있지도 않다.

 ② 정답률 73%

정답풀이

〈보기〉에서 윗글은 '군주가 자신의 잘못을 인정하는 모습을 보인 점 등이 특징적'이라고 하였다. 그러나 황제가 여러 신하들의 간언을 듣고 이대봉을 패초하는 것은 '남북의 적병이 다시 일어'난 사태를 해결하기 위한 것일 뿐, 자신의 잘못을 인정하는 것이 아니다.

오답풀이

① 〈보기〉에서 윗글은 '군주에게 충성을 다하는 남녀 주인공을 통해 유교적 이념을 드러'낸다고 하였다. 이대봉이 황제의 전교를 보고 '즉시 태상왕에게 국사를 맡기고' 나가서 '그날 바로 황성에 도착'하는 것을 통해, 황제의 부름에 지체 없이 응하며 군주에게 충성하는 유교적 가치관을 확인할 수 있다.
③ 〈보기〉에서 윗글은 '사회적 제약을 뛰어넘는 여성 영웅의 활약상을 부각'하고 있다고 하였다. '깊은 규중에 들어갔'던 장애황이 '대원수 대사마 대장군 겸 병마도총독 상장군'에 봉해진 후 '선봉장 골룡'과 '선우'의 목을 베고, 반역을 일으킨 '다섯 나라의 왕들'에게 '항복의 문서'를 받아내며 활약하는 모습을 통해 사회적 제약을 뛰어넘는 여성 영웅의 면모를 확인할 수 있다.
④ 〈보기〉에서 윗글은 '개인적 가치보다 집단적 가치를 우선'하는 '남녀 주인공'이 등장한다고 하였다. 장애황이 '잉태한 지 일곱 달'임에도 '황상의 근심을 덜'기 위해 전장으로 선뜻 나서는 모습을 통해, 개인적 가치보다 집단적 가치를 우선하는 주인공의 모습을 확인할 수 있다.
⑤ 〈보기〉에서 윗글은 '남녀 주인공이 역할을 분담하여 협력하는 모습'을 그리고 있다고 하였다. 남북의 적병을 치러갈 때 '대봉은 북방의 흉노를 치러 가고 애황은 남방의 선우를 치러 떠'나는 것에서 두 남녀 주인공인 장애황과 이대봉이 역할을 분담하여 협력하는 모습을 확인할 수 있다.

34 ② 정답률 82%

정답풀이

㉠(부디~천만 바라노라.)은 잉태한 지 일곱 달인 아내가 전장에 나서는 것을 걱정한 이대봉이 장애황에게 몸을 조심할 것과 무사히 돌아올 것을 간절히 바라는 마음을 드러낸 부분이다. 이러한 상황을 고려할 때, 〈보기〉의 빈칸에 들어갈 말로 가장 적절한 것은 '거듭하여 간곡히 하는 당부.'의 의미를 지닌 '신신당부'이다.

오답풀이

① '경거망동'은 '경솔하여 생각 없이 망령되게 행동함.'을 의미한다.
③ '애걸복걸'은 '소원 따위를 들어 달라고 애처롭게 사정하며 간절히 빎.'을 의미한다.
④ '이실직고'는 '사실 그대로 고함.'을 의미한다.
⑤ '횡설수설'은 '조리가 없이 말을 이러쿵저러쿵 지껄임.'을 의미한다.

## [35~37] 현대소설

 ③ 정답률 77%

정답풀이

(중략) 이전에는 상욱과 조 원장의 대화를 통해 '동상'이라는 화제와 관련하여 '눈에 보이지 않는 두 사람의 대결'이 실감 나게 제시되고 있고, (중략) 이후에는 조 원장이 섬사람들과 마을 장로들을 대상으로 이야기하는 장면에서 조 원장의 말과 섬사람들의 냉랭한 반응을 통해 '간척 사업'과 관련된 갈등이 실감 나게 나타나고 있다.

오답풀이

① 윗글은 전지적 서술자의 서술과 인물들의 대화로 구성되어 있으며, 인물들의 내적 독백이 나열된 부분은 찾아볼 수 없다.

② 윗글에서 시대적인 상황을 상징적으로 제시한 부분은 찾아볼 수 없다.

④ 상욱은 조 원장과의 대화 중에 '주정수'가 섬을 '나환자의 복지로 꾸밀 것을 약속'했던 30년 전의 사건에 대해 이야기하고 있지만, 이는 과거 회상 장면이 삽입된 것이라 볼 수 없다. 따라서 이를 통해 갈등이 해소될 수 있음을 암시하고 있다고 볼 수 없다.

⑤ 윗글에서 서로 다른 공간에서 동시에 진행되는 사건이 병치된 부분은 찾아볼 수 없다.

## 36  정답률 54%

정답풀이

조 원장은 미소를 지으며 여유롭게 상욱의 말이 이어지는 것을 듣다가, '동상'이라는 단어에 대해 '당신 아무래도 좀 이상한 노이로제 증세가 있'는 것 같다며 '당황'스러움을 드러내고 있다. 따라서 ㉡(원장의 얼굴에서 비로소 웃음기가 사라졌다.)은 자신의 예상과 다르게 상황이 전개됨을 인지한 조 원장이 여유를 잃고 당황스러워하는 모습을 보여 주는 것으로 볼 수 있다.

오답풀이

① 조 원장은 '열이 오르기 시작한 상욱'의 말을 방해하지 않고 여유로운 태도를 보이고 있을 뿐, 상욱의 말을 비웃고 있지는 않다. 또한 ㉠(상욱은 그런 원장의 표정이나 말은 아예 상관을 않으려는 태도였다.)에는 그런 조 원장의 태도를 상관하지 않으려는 상욱의 모습이 제시되고 있을 뿐, 조 원장을 조롱하려는 심리는 드러나 있지 않다.

③ 조 원장은 '상욱의 말을 중단시키려고 하지는 않았'으므로, ㉢(상욱의 어조에선 아직도 열기가 숙을 줄을 몰랐다.)이 자신의 말을 막으려는 조 원장의 의도를 파악하지 못한 상욱의 모습을 보여 주는 것이라고 볼 수는 없다.

④ 섬사람들은 '불신감'을 가지고 있었으며, '원장의 새 사업 계획이 드러나자 다시 또 냉랭하게 굳어져 버'렸으므로, ㉣(섬사람들의 반응은 아직도 그의 기대에는 훨씬 미치지 못했다.)에 드러난 섬사람들의 반응은 조 원장의 기대보다 훨씬 차가운 것이었음을 알 수 있다. 즉 ㉣에서 섬사람들이 적극적으로 호응하였다고 보기 어렵다.

⑤ 조 원장은 ㉤(원장은 맥이 풀렸다.)에서 '지난 1년 동안 그가 섬에서 이룩해 놓은 것들이 일시에 다시 허사가 되어버'린 듯한 허탈감을 드러내고 있다. 그러나 '하지만 그는 이제 물러설 수가 없었다.'를 참고할 때, 조 원장이 간척 사업을 포기할 수밖에 없게 되었다고 보기는 어렵다.

**오답률 Best 5**

이 문제에서 정답 선지 다음으로 선택 비율이 높았던 오답은 ⑤번이야. 이는 맥락상 조 원장이 ㉤에서 '섬사람들과의 신뢰'와 관련하여 '좌절감'을 느끼고 있다는 내용은 적절하다고 볼 수 있기 때문일 거야. 확실히 ㉤에서 조 원장은 자신이 1년 동안 나름대로 쌓아온 신뢰가 '일시에 다시 허사'가 되어버린 것에 대해 좌절감을 느끼고 있다고 볼 수 있어. 이때 조 원장은 마치 섬에 처음 부임해 왔을 때와 같은 기분을 느끼지만, 동시에 '이제 물러설 수가 없'다고 해. 즉 조 원장은 당장에 섬사람들과의 신뢰가 허사가 된 기분에 좌절감을 느끼는 동시에 간척 사업을 포기할 수도 없는 위치에 놓여 있는 것이지. 따라서 '간척 사업을 포기할 수밖에 없는 조 원장'의 상황이 제시되고 있다는 설명이 적절하다고 볼 수는 없어. 이처럼 문학 지문, 특히 산문 지문에서 인물의 심리를 파악하기 위해서는 해당 표현이 제시된 앞뒤 맥락을 보다 꼼꼼히 살피어 선지와 대조할 수 있어야 해.

## 37  정답률 76%

정답풀이

〈보기〉에서 윗글의 주인공은 나환자들의 '천국을 만들기 위해 대규모의 오마도 간척 사업을 추진'한다고 하였다. 윗글의 '마을 장로 일곱 명'은 조 원장이 털어 놓은 사업 계획을 듣자 얼굴이 '차갑게 굳어지기 시작'하면서 반응을 보이지 않는데, 맥락상 이는 그들이 '더 큰 사업이 필요'하다고 느꼈기 때문이 아니라, 과거 몇 차례나 원장들에게 배신감을 느껴 왔기에 조 원장의 말도 신뢰하지 못하기 때문이라고 볼 수 있다.

오답풀이

① 〈보기〉에서 윗글의 작가는 '주인공이 권력과 명예욕의 화신으로 돌변할지도 모를 타락 가능성을 의심하는 시선'을 유지한다고 하였다. 상욱이 조 원장에게 섬사람들은 새로운 원장이 올 때마다 '또 하나의 주정수의 동상을 보곤 했'다고 한 것을 참고할 때, '동상'은 조 원장 이전의 원장들이 보여 주었던 명예욕과 타락을 상징적으로 보여 주는 대상이라고 볼 수 있다.

② 〈보기〉에서 작가는 윗글의 주인공의 '타락 가능성을 의심하는 시선을 끝까지 놓지 않'는다고 하였다. 상욱은 조 원장에게 타락을 상징하는 '주원장의 동상을 새로 세우고 싶어 했'던 이전 원장들의 이야기와 '원장이 섬을 떠나고 나면 섬에 남는 것은 배반뿐'이었다는 이야기를 꺼내며, 조 원장 또한 이전 원장과 마찬가지로 타락하지 않을까 하며 진의를 의심하고 있다는 점에서 작가의 시선을 대변한다고 볼 수 있다.

③ 〈보기〉에서 윗글의 주인공은 '나환자들을 패배감에게 벗어나게' 한다고 하였다. 조 원장이 '축구 경기를 보급시키고 시합의 승리를 맛보게 함으로써 섬사람들에게 어느 정도 자신감을 갖게' 한 것을 참고할 때, 축구 경기의 보급은 섬사람들을 패배감에서 벗어나게 하려는 의도와 관련이 있다고 할 수 있다.

⑤ 〈보기〉에서 윗글의 주인공은 '지배와 피지배 사이의 역학 관계 속'에 있다고 하였다. 이러한 역학 관계를 고려할 때, 윗글에서 실질적으로 사업을 추진할 수 있는 권력자인 조 원장은 지배자라고 볼 수 있으며, 섬사람들은 피지배자라고 볼 수 있다.

## [38~42] 사회

## 38 ② 정답률 83%

정답풀이

1문단에서 '국민참여재판' 제도의 전반적인 특징에 대해 설명한 뒤, 2문단~6문단에서 재판에 참여할 배심원을 선정하는 과정과 배심원이 피고인의 유·무죄 여부와 유죄일 경우 적정한 형이 무엇인지를 판단하는 과정, 재판장의 판결을 순차적으로 제시하여 '국민참여재판'의 진행 절차와 그 특징을 제시하고 있다.

오답풀이

① 윗글에서 '국민참여재판' 제도의 형성 배경과 발달 과정을 서술한 부분은 찾아볼 수 없다.

③ 윗글에서 '국민참여재판'의 변화 과정을 언급하거나 전망을 예측한 부분은 찾아볼 수 없다.

④ 윗글에서 '국민참여재판'의 장점과 단점을 설명한 부분은 찾아볼 수 없다.

⑤ 윗글에서 '국민참여재판'의 문제점과 원인을 분석한 부분은 찾아볼 수 없다.

7 회

## 39  정답률 64%

정답풀이

3문단에 따르면 '배심원후보자는 법률에 규정되어 있는, 배심원이 될 수 없는 사유에 해당되지 않는 한 배심원선정기일에 출석'해야 하는데, 4문단에서 배심원과 예비배심원은 '선정기일에 '출석한 배심원후보자'들 중'에서 추첨한다고 하였다. 즉 배심원후보자가 배심원으로 선정되는 추첨 대상이 되기 위해서는 배심원선정기일에 출석하는 것이 필수적이다.

오답풀이

① 2문단에서 '예비배심원'은 배심원과 달리 '평의와 평결'에는 참여할 수 없다고 하였다.

② 1문단에서 '국민참여재판'은 '「국민의 형사재판 참여에 관한 법률」에 규정된 범죄 중 피고인이 신청하는 경우에 한해 진행'된다고 하였다.

④ 1문단에서 '국민참여재판'은 '형사재판에 배심원으로 참여'한 일반 국민이 '적정한 형을 제시하면 재판부가 이를 참고하여 판결을 선고하는 제도'라고 하였으며, 6문단에서는 '재판장'이 배심원의 평결과 양형 의견을 고려하여 '판결을 선고'한다고 하였다. 즉 국민참여재판에서 직접 판결을 선고하는 것은 배심원이 아닌 재판장이다.

⑤ 6문단에서 재판장이 '배심원의 평결 결과와 다른 판결을 선고할 때에는 피고인에게 반드시 그 이유를 설명하고 판결서에도 그 이유를 기재해야 한다.'라고 하였다.

## 40 ① 정답률 78%

정답풀이

㉠의 '내리다'와 '해답을 내렸다.'의 '내리다'는 모두 '판단, 결정을 하거나 결말을 짓다.'라는 의미로 사용되었다.

오답풀이

② '훈장을 내렸다.'의 '내리다'는 '윗사람으로부터 아랫사람에게 상이나 벌 따위가 주어지다.'라는 의미이다.
③ '가격을 내렸다.'의 '내리다'는 '값이나 수치, 온도, 성적 따위가 이전보다 떨어지거나 낮아지다.'라는 의미이다.
④ '유리문을 내렸다.'의 '내리다'는 '위에 있는 것을 낮은 곳 또는 아래로 끌어당기거나 늘어뜨리다.'라는 의미이다.
⑤ '폭풍 주의보를 내렸다.'의 '내리다'는 '명령이나 지시 따위를 선포하거나 알려 주다.'라는 의미이다.

## 41 ③ 정답률 56%

정답풀이

4문단에서 '이유부기피신청'은 검사와 변호인이 배심원에 대해 '기피 이유를 제시하고 기피 여부를 재판부가 판단'하는 것이라고 했다. 〈보기〉에 따르면 1차와 2차에서 '이유부기피신청이 받아들여'진 경우, 즉 추첨된 배심원후보자에게 제시된 기피 이유가 재판부에 의해 정당하다고 인정된 후보자의 수는 9명이 아니라 총 5명(= 3명 + 2명)이다.

오답풀이

① 4문단에서 '추첨된 배심원후보자'는 '필요한 배심원과 예비배심원을 합한 수'만큼 선정된다고 하였다. 〈보기〉에서는 1차로 추첨된 배심원후보자의 수가 14명이므로, 필요한 배심원과 예비배심원의 합은 14명임을 알 수 있다. 그리고 1차~3차를 걸쳐 확정된 배심원의 수의 합 역시 14명(= 8명 + 3명 + 3명)이므로, 3차에 걸쳐 필요한 수만큼의 배심원과 예비배심원이 모두 확정되었음을 알 수 있다.

②, ⑤ 4문단에서 '무이유부기피신청'은 '검사와 변호인 모두에게 인원 제한이 있는데, 배심원이 9인인 경우에는 각 5인, 배심원이 7인인 경우에는 각 4인, 배심원이 5인인 경우에는 각 3인까지 가능'하다고 하였다. 〈보기〉에서는 1차로 총 14명의 배심원후보자가 추첨되었는데, 2문단에 따르면 예비배심원은 '5인 이내'까지 둘 수 있으며, 배심원의 수는 상황에 따라 5인, 7인, 9인이 참여할 수 있는데, 〈보기〉는 9인의 배심원과 5인의 예비배심원을 둔 사례로 볼 수 있다. 이때 검사와 변호인은 각 5인까지 '재판부에서 무조건 기피 신청을 받아들여야 하는' 무이유부기피신청을 할 수 있는데, 〈보기〉에서는 무이유부기피신청이 받아들여진 후보자의 총 인원이 4명(= 3명 + 1명)밖에 되지 않는다. 따라서 검사와 변호인 모두 자신들이 신청할 수 있는 최대 인원만큼 무이유부기피신청을 하지 않았음을 알 수 있다.
④ 4문단에서 '선정기일에 '출석한 배심원후보자'들 중에서 필요한 배심원과 예비배심원을 합한 수만큼을 추첨'한 뒤 검사와 변호인의 '기피신청이 받아들여지면, 추첨되지 않은 배심원후보자를 대상으로 그 인원만큼 다시 추첨하여 배심원후보자를 뽑고 질문과 기피신청을 반복'하게 된다고 했다. 〈보기〉에서 선정기일에 출석한 배심원후보자는 총 40명이며, 1차~3차에 걸쳐 추첨된 배심원 후보자의 수는 총 23명(= 14명 + 6명 + 3명)이므로, 추첨되지 못한 17명(= 40명 – 23명)은 배심원 선정과 관련된 질문을 받지 못했을 것이다.

## 42 ④ 정답률 66%

정답풀이

5문단에서 평의 과정에서 피고인의 유 · 무죄에 관한 배심원 사이의 '의견이 일치되지 않으면 반드시 재판부의 의견을 듣고 다시 평의를 진행한 후 다수결로 평결서를 작성'한다고 했다. 〈보기〉에서는 배심원 사이에 '유 · 무죄에 대한 의견이 만장일치가 되지 않았'으므로, 재판부의 의견을 듣고 평의를 다시 진행하는 과정이 이루어졌을 것이다.

오답풀이

① 3문단에서 '배심원 선정을 위해 해당 지방법원은 사전에 작성한 배심원후보예정자명부 중에서 필요한 수의 '배심원후보자'를 무작위로 추출하여 그들에게 배심원선정기일을 통지'한다고 했으므로, 〈보기〉의 김한국 씨가 등기우편을 통해 배심원 참석 요청을 통지받은 것은 사전에 작성된 배심원후보예정자명부에 포함되어 있었기 때문이라고 볼 수 있다.
② 2문단에서 예비배심원은 배심원과 달리 '평의와 평결'에 참여할 수 없다고 하였는데, 〈보기〉의 김한국 씨는 '배심원'으로 선정되어 '배심원 교체 없이 진행된 평의'와 '평결서 작성' 과정에도 참여하였다.
③ 2문단에서 '법정형이 사형, 무기징역 등에 해당하는 사건의 경우에는 9인의 배심원이, 그 외의 경우에는 7인의 배심원이 재판에 참여'한다고 했다. 〈보기〉에서 유죄와 무죄에 대한 의견이 '2:5'였다고 한 것으로 보아, 해당 사건에는 7인의 배심원이 재판이 참여했으므로 해당 사건은 법정형으로 사형이나 무기징역을 선고할 수 있는 사건은 아니었을 것이다.
⑤ 5문단에서 '평결이 유죄인 경우에는 재판부와 함께 피고인에게 부과할 적정한 형에 대해 토의한 후 양형에 대한 최종 의견을 재판부에 알려준다.'라고 하였다. 즉 양형에 대한 논의는 평결이 유죄인 경우에 이루어지는데, 〈보기〉에서는 다수결에 따른 평결과 판결이 모두 무죄로 나타나고 있으므로, 양형에 대한 논의는 이루어지지 않았을 것이다.

### [43~45] 현대시

## 43 ① 정답률 68%

정답풀이

(나)에서 설의법이 사용된 부분은 찾아볼 수 없다. 이와 달리 (가)의 '네가 살아온 나날을 누가 / 어둠뿐이었다고 말하는가'와 '누가 말하는가'에서는 설의법을 통해 수유나무가 살아온 나날이 어둠뿐은 아니었음과, 수유나무의 노래를 듣는 것은 하늘과 별뿐이 아님을 전달하려는 화자의 의도를 강조하여 나타내고 있다.

오답풀이

② (나)에서 색채어를 활용한 부분은 찾아볼 수 없다. 오히려 (가)의 '노랗게', '노란 꽃잎' 등에서 색채어를 확인할 수 있다.
③ (가)와 (나) 모두 음성 상징어가 사용된 부분은 찾아볼 수 없다.
④ (나)의 '뼈다귀처럼', '모래 더미처럼', '깍두기처럼' 등에서 직유법이 활용되었으나, (가)에서는 직유법이 활용된 부분을 찾아볼 수 없다.
⑤ (가)의 화자는 수유나무를 '너'로 지칭하여 말을 건네는 방식으로 친밀감을 드러내며 시상을 전개하고 있다고 볼 수 있으나, (나)에서는 말을 건네는 방식이 사용되지 않았다.

## 44 ④ 정답률 72%

정답풀이

수유나무의 '꽃향기'는 '산을 넘고 바다를 건너지는 못'해도 '노란 꽃잎 풀 속'에 떨어져 '조저녁 풀벌레의 노랫소리'가 된다고 한 것을 고려하면, '산'과 '바다'는 꽃향기가 궁극적으로 도달하려는 목적지라기보다는 꽃향기가 퍼져나가는 범위의 한계를 보여주는 것이라고 볼 수 있다.

오답풀이

① 수유나무의 '군데군데 썩'은 몸통과 '흉한 상처', '여기저기 잘리고 문드러'진 팔다리와 '일그러지고 뒤틀'린 온몸은 수유나무가 고난을 겪으며 살아왔음을 암시한다고 볼 수 있다.

② 수유나무가 '바람과 노을을 동무'하여 '자잘한 꽃들 노랗게 피어'났다고 했으므로, 수유나무가 노란 꽃들을 피우는 과정에 바람과 노을이 함께 있었다고 볼 수 있다.
③ '온몸이 일그러지고 뒤틀'린 모습은 수유나무가 보내 온 고통의 시간을 나타내고, 그런 수유나무의 '어깨와 등과 손끝에 / 자잘한 꽃들 노랗게 피어'난 것은 인고 끝에 맺은 가치 있는 결실을 나타낸다고 볼 수 있다. 따라서 온몸이 뒤틀렸던 모습과 꽃이 핀 모습은 서로 대조적 의미를 갖는다고 볼 수 있다.
⑤ 수유나무의 '꽃향기'가 '노란 꽃잎 풀 속에 떨어지면 / 옛얘기보다 더 애달픈 / 초저녁 풀벌레의 노랫소리'가 되며, 이 노랫소리는 '하늘과 별뿐' 아니라 더 많은 존재들이 듣게 된다고 하였다. 이를 통해 풀 속에 떨어진 수유나무의 꽃잎은 '풀벌레의 노랫소리'가 되어 널리 퍼져 나가게 된다고 볼 수 있다.

**45** ⑤ 정답률 **79%**

정답풀이

〈보기〉에서 (나)의 화자는 '식탁에 오른 멸치 볶음을 관찰'하여 최종적으로는 멸치가 잃어버린 '생명력 회복의 소망'을 다룬다고 하였다. 따라서 ⓜ(파도를 만들고 해일을 부르고)에서 멸치 몸통의 무늬가 '파도를 만들고 해일을' 불렀다는 것은, 멸치가 생명력을 회복하기 위해 극복해야 하는 대상을 제시한 것이 아니라, 멸치가 본래 가지고 있던 생명력을 회복했으면 하는 화자의 소망을 드러낸 것으로 볼 수 있다.

오답풀이

① 〈보기〉를 참고할 때 ㉠(유유히 흘러다니던 무수한 갈래의 길이었다)은 멸치가 본래 지니고 있던 '생명의 본래 모습'을 나타낸 것으로, 살아서 물결을 따라 자유롭게 헤엄치던 멸치의 생명력 있는 모습을 나타낸 것으로 볼 수 있다.
② 〈보기〉를 참고할 때 ㉡(그물이 물결 속에서 멸치들을 떼어냈던 것이다)은 '그물'로 표현되는 외부적인 힘에 의해 발생한 멸치의 '생명력의 상실 과정'을 표현한 것으로 볼 수 있다.
③ 〈보기〉를 참고할 때 ㉢(모래 더미처럼 길거리에 쌓이고)은 생명력을 상실한 멸치가 '식탁에 오'르기까지의 과정에서 '모래 더미처럼 길거리에 쌓'인 상황을 겪었을 것이라는 화자의 상상이 반영된 표현으로 볼 수 있다.
④ 〈보기〉를 참고할 때 ㉣(지느러미가 있고 지느러미를 흔드는 물결이 있다)은 '식탁에 오른 멸치 볶음을 관찰'하는 화자가 '젓가락 끝에 깍두기처럼 딱딱하게 잡히는 이 멸치'에 아직 담긴 '바다'와 '지느러미'와 '물결', 즉 살아서 바다의 물결을 헤엄치던 멸치가 본래 지닌 생명력을 떠올린 것으로 볼 수 있다.

7회

# 8회

2020학년도 3월 학평

| | | | | | | | | | |
|---|---|---|---|---|---|---|---|---|---|
| 1. ⑤ | 2. ⑤ | 3. ① | 4. ② | 5. ① | 6. ⑤ | 7. ③ | 8. ④ | 9. ① | 10. ① |
| 11. ⑤ | 12. ③ | 13. ④ | 14. ④ | 15. ② | 16. ② | 17. ③ | 18. ② | 19. ③ | 20. ③ |
| 21. ⑤ | 22. ④ | 23. ① | 24. ④ | 25. ④ | 26. ④ | 27. ③ | 28. ② | 29. ① | 30. ⑤ |
| 31. ③ | 32. ② | 33. ⑤ | 34. ③ | 35. ⑤ | 36. ② | 37. ④ | 38. ① | 39. ② | 40. ② |
| 41. ① | 42. ④ | 43. ① | 44. ④ | 45. ③ | | | | | |

오답률 Best 5

[1~3] **화법**

**1** ⑤ 정답률 **83%**

정답풀이

발표자는 청중들에게 '조리개와 셔터 속도를 다양하게 조절하면서 동일한 피사체를 여러 장 찍어 보'라고 권유하며 발표를 마무리하고 있을 뿐, 발표 내용을 요약한 후 다음 시간 내용을 예고하지는 않았다.

오답풀이

① 발표자는 발표 주제인 '스마트폰 카메라에서 수동 설정으로 빛의 양을 조절하는 방법'을 언급하며 발표를 시작하고 있다.
② 발표자는 '(고개를 끄덕이며)', '(뛰는 듯한 동작을 하고)' 등과 같은 비언어적 표현을 활용하고 있다.
③ 발표자는 '(나)처럼 구경이 큰 조리개를 쓰면 빛의 양이 어떻게 된다고 했죠? (고개를 끄덕이며) 맞습니다.'와 같이 질문을 하고 반응을 확인하며 청중과 상호작용하고 있다.
④ 발표자는 '여러분, 친구들이랑 여행 가면 단체로 뛰는 사진,~이른바 '점프 샷' 많이 찍으시죠? 오늘은 멋진 점프 샷을 찍기 위해 꼭 알아야 할 셔터 속도 조절에 대해 설명하겠습니다.'와 같이 청중이 경험했을 만한 상황과 연결 지어 화제를 제시하고 있다.

**2** ⑤ 정답률 **80%**

정답풀이

발표자는 '셔터 속도를 빠르게' 할 경우 '렌즈를 통해 들어오는 빛의 양이 줄어'들어 '움직이는 피사체의 순간적인 이미지를 포착할 수 있'음을 설명하면서 〈자료 2〉를 활용하였다. 그러나 〈자료 3〉은 '셔터 속도에 따라 조리개의 구경을 조절하면 전체 빛의 노출량을 비슷하게 유지할 수 있'음을 설명하기 위해 활용한 것일 뿐, 피사체의 포착에 대한 설명과는 관련이 없다.

오답풀이

① 발표자는 '먼저 지난 시간에 설명한 조리개의 원리부터 복습합시다.'라고 하며 '조리개의 구경이 다른 (가)와 (나)'의 그림이 있는 〈자료 1〉을 활용하였다.
② 발표자는 '셔터 속도를 빠르게 하면' '움직이는 피사체의 순간적인 이미지를 포착할 수 있'음을 설명하면서 그 사례로 〈자료 2〉를 활용하였다.
③ 발표자는 '셔터 속도가 너무 느리면 빛의 노출이 과도할 수 있'는데, 그럴 경우 '조리개의 구경을 조절하여 적당한 노출량을 찾아야' 함을 설명하기 위해 〈자료 3〉을 활용하였다.
④ 발표자는 '구경이 큰 조리개를 쓰면' '렌즈를 통해 들어오는 빛의 양이 늘어'난다는 점을 설명하기 위해 〈자료 1〉을 활용하였다. 그리고 '셔터 속도를 빠르게 하면' '렌즈를 통해 들어오는 빛의 양이 줄어'들어 '움직이는 피사체의 순간적인 이미지를 포착할 수 있'음을 설명하기 위해 〈자료 2〉를 활용하였다.

**3** ① 정답률 **87%**

정답풀이

학생은 '상황에 따라 셔터 속도를 어느 정도로 설정해야 할지 잘 모르겠'으며 '실제로 사진을 찍을 때 상황별로 적정한 셔터 속도가 얼마인지도 알려 주었더라면 좋았겠어.'라고 말하며 발표에서 구체적으로 알려 주지 않아 아쉬웠던 부분을 떠올려 비판적으로 평가하고 있다.

오답풀이

② 학생이 발표 자료의 신뢰성을 판단하는 부분은 찾을 수 없다.
③ 학생은 발표를 통해 '수동 설정에서 셔터 속도를 조절'하는 것에 따른 효과와 원리를 새롭게 알게 되었다고 볼 수 있지만, 알게 된 내용을 필요에 따라 구분하고 있지는 않다.
④ 학생이 자신이 이해한 내용 중 잘못된 정보는 없는지 점검하는 부분은 찾을 수 없다.
⑤ 학생은 '잘 몰랐던 원리를 설명해 준 것은 좋았'다고 하였으나, 이를 발표의 내용 구성 방식 중 잘된 부분을 찾아 정리한 것이라고 보기는 어렵다.

[4~5] **화법과 작문**

**4** ② 정답률 **85%**

정답풀이

학생이 자기 경험을 언급하며 인터뷰의 중요성을 부각하는 내용은 찾을 수 없다.

오답풀이

① 학생은 '사전에 말씀드린 것처럼 △△△ 님의 음악 활동을 교지 특집호에 실으려고 합니다.'에서 자신이 찾아온 목적을 밝히며 인터뷰를 시작하고 있다.
③ 학생은 '저희 반 ○○○ 선생님께서 선배님 2학년 때 담임 선생님이셨다던데, 참 좋은 분이시죠?'에서 상대방과 공유하는 요소를 언급하며 친밀감을 형성하고 있다.
④ 학생은 '길거리 공연을 통해 초심으로 돌아갈 수 있었다는 말씀이시죠?'에서 '초심으로 돌아가고 싶어서 『와!』를 시작하게 되었'다는 상대방의 답변 일부를 재진술하며 자신이 이해한 내용이 맞는지 확인하고 있다.
⑤ 학생은 '특별히 기억에 남는 공연이 있나요?'에서 상대방의 말과 관련된 구체적인 사례가 있는지 물어보며 답변을 요청하고 있다.

**5** ① 정답률 **76%**

정답풀이

학생이 쓴 글의 도입부에서 가수 △△△가 프로젝트 『와!』를 시작하게 된 계기를 언급하지 않았으므로, 프로젝트의 계기를 언급하여 그의 현재 음악 활동에 대한 정보를 제공했다고 볼 수 없다.

오답풀이

② 학생이 쓴 글의 도입부에서 '즉흥과 소통의 세계로 『와!』'라는 부제는 인터뷰에서 가수가 한 말인 '『와!』는 즉흥과 소통을 테마로 하는 길거리 공연이에요.'를 활용한 것으로 볼 수 있다.
③ 학생이 쓴 글의 도입부 내용 중 '지난 2월 그의 작업실에서 진행된 인터뷰는 시종일관 화기애애했다.'에서 인터뷰 시기와 장소를 언급하며 인터뷰 현장의 분위기를 전달하고 있다.

④ 학생이 쓴 글의 도입부 내용 중 "음원 대장", '콘서트 3초 매진', '가요대상 5관왕" 등과 같이 인물에 대한 정보를 추가하여 인터뷰 대상인 가수 △△△에 대한 이해를 돕고 있다.
⑤ 인터뷰에서 가수 △△△이 '이번 달에는 □□고 후배들을 만나게 될지도 모르겠어요.'라고 하였는데, 학생이 쓴 글의 도입부 내용 중 '우리 학교 학생들을 위한 깜짝 놀랄 만한 선물도 있다.'에서 그 내용을 암시하며 독자의 궁금증을 유발하고 있다.

[6~7] **작문**

**6** ⑤ 정답률 81%

정답풀이

(가)의 글쓴이는 '체력을 기르기 위해 달리기를 시작'한 경험을 통해 어떤 일이든 자신에게 맞는 속도로 꾸준히 해야 한다는 것을 깨닫고, 이를 공부 및 다른 상황에 적용하여 서술하였다. 또한 (나)의 글쓴이는 '마라톤 대회'에 참가하기 전부터 직후까지는 '어떤 일이든 혼자 힘으로 해내야 한다'고 생각했는데, 다른 사람들과 함께 달리는 경험을 한 이후에는 함께 하는 것이 더 큰 성취감을 준다고 생각하게 되었다며 경험 전후의 생각을 대비하여 서술하였다.

오답풀이

① (가)는 '무엇이 그렇게 급했던 것일까? 생각해 보면 나는~금방 지쳐서 포기하는 경우가 많았다.'에서 묻고 답하는 방식이 사용되었다고 볼 수 있으나, (나)에서는 묻고 답하는 방식이 활용된 부분을 찾을 수 없다.
② (가)는 '체력을 기르기 위해 달리기를 시작'하면서 깨달은 점에 대해, (나)는 '마라톤 대회'에 참가하면서 깨달은 점에 대해 서술하고 있을 뿐, 다양한 경험을 나열하고 있지는 않다.
③ (가)에 공간의 이동은 나타나지 않는다. (나)는 마라톤 대회에 참가한 경험을 서술한 부분에서 시간의 흐름이 나타났다고 볼 수 있지만, 글쓴이의 인식 변화를 중심으로 글이 전개되고 있다고 보는 것이 적절하다.
④ (가)와 (나) 모두 경험을 통해 깨달은 점을 글의 마지막 부분에서 정리하였다.

**7** ③ 정답률 79%

정답풀이

ⓒ에서는 '학생 2'의 글에서 '경험을 더 구체적으로 썼어야 하지 않을까?'라며 아쉬운 점을 지적하였으나, 글의 내용 일부를 인용하고 있지는 않다.

오답풀이

① ㉠에서는 '학생 1'의 글에 나타난 '자신에게 맞는 속도를 찾아야 한다'는 생각에 대해 '때로는 자신의 한계를 넘을 필요도 있지 않을까?'라고 하며 자신의 의견을 드러내고 있다.
② ⓛ에서는 '나는 종종 내가 할 수 있는 것과 없는 것을 정리해 보곤' 한다는 자신의 경험에 비추어 "학생 1'의 생각에도 일리가 있'다고 하며 공감을 드러내고 있다.
④ ㉣에서는 '학생 2'가 쓴 글에 '아쉬운 느낌이 있'다는 B의 의견을 듣고 '내 생각은 조금 달라.'라고 말한 이유를 구체적으로 언급하고 있다.
⑤ ㉤에서는 '같은 글을 읽은 너와 나도 다르게 생각하고 있는 것이 흥미'롭다고 하며 글을 읽고 서로의 생각을 나눈 것에 대해 긍정적인 시각을 드러내고 있다.

[8~10] **작문**

**8** ④ 정답률 84%

정답풀이

4문단에서 '구청에서 주민들을 위한 여러 좋은 교육 사업을 진행'하고 있음을 언급하였을 뿐, 이에 대한 문제점을 밝히지는 않았다.

오답풀이

① 1문단의 '안녕하세요? 저는 △△고등학교 학생 □□□입니다.'에서 인사말과 건의 주체를 확인할 수 있다.
② 2문단의 '최근 키오스크를 이용하여 주문을 하고 스마트폰으로 은행 업무를 보거나 표를 예매하는 일이 많아지면서'에서 주변에서 접할 수 있는 사례를 들고 있다.
③ 2문단의 '잘 아시겠지만 인근 지역과 달리 우리 지역에는 고령층 어르신들께서 많이 사십니다.'에서 우리 지역의 특성을 언급하고 있다.
⑤ 5문단에서 '앞으로 우리 사회는 초고령 사회로 접어들 것이며~디지털 기기 활용이 더욱 늘어날 것'이라는 사회 변화에 대한 전망을 제시하고 있다.

**9** ① 정답률 88%

정답풀이

'정보통신기술을 이용하지 못하면 삶의 질이 저하될 수 있음을 강조'한 (가)를 활용하여 윗글에 제시된 '고령층 어르신들'이 '키오스크 사용에 어려움'을 겪고 있다는 문제 해결의 필요성을 강조할 수 있다. 또한 고령층에게는 '소그룹 혹은 일대일 교육', '현장에 나가 직접 체험하게 하는 교육'이 효과적임을 언급한 (나)를 활용하여 해결 방안을 구체화할 수 있다.

오답풀이

② (가)는 정보통신기술을 이용하지 못하면 삶의 질이 저하될 수 있다는 내용일 뿐 해결 방안을 밝힌 것은 아니므로, 이를 활용하여 해결 방안의 기대 효과를 밝힐 수는 없다. 또한 (나)는 고령층에게 맞는 교육이 필요하다는 내용이므로, 이를 활용하여 문제의 유형을 분류할 수는 없다.
③ (가)는 정보통신기술을 이용하지 못하면 삶의 질이 저하될 수 있다는 내용이므로, 이를 활용하여 해결 방안이 지닌 한계를 보완할 수는 없다. 또한 (나)는 고령층에게 맞는 교육이 필요하다는 내용이므로, 이를 활용하여 문제의 실태를 보여 줄 수는 없다.
④ (가)는 정보통신기술을 이용하지 못하면 삶의 질이 저하될 수 있다는 내용일 뿐 해결 방안을 밝힌 것은 아니므로, 이를 활용하여 해결 방안들 간의 우선순위를 밝힐 수는 없다. 또한 (나)는 고령층에게 맞는 교육이 필요하다는 내용이므로, 이를 활용하여 문제의 심각성을 부각할 수 없다.
⑤ (가)는 정보통신기술을 이용하지 못하면 삶의 질이 저하될 수 있다는 내용이므로, 이를 활용하여 문제의 원인을 다각적으로 분석할 수는 없다. 또한 (나)는 고령층에게 맞는 교육이 필요하다는 내용이므로, 이를 활용하여 해결 방안의 실현 가능성을 강조할 수는 없다.

**10** ① 정답률 85%

정답풀이

'있다'는 동사와 형용사로 쓰일 수 있다. '있다'가 '머물다'라는 의미인 동사로 사용될 때는 높임말로 '계시다'가 쓰이지만, '존재하는 상태이다'라는 의미인 형용사로 사용될 때는 높임말로 '있으시다'가 쓰인다. '키오스크 사용에 어려움이 있었다고 합니다.'에서 '있다'는 형용사로 쓰인 것이므로, ㉠(있었다고)은 '계셨다고'가 아니라 '있으셨다고'로 고치는 것이 적절하다.

오답풀이

② ⓛ(사용자에)은 의미상 뒤에 나오는 '편의'를 수식하는 역할을 하므로 부사격 조사 '에'가 아닌 관형격 조사 '의'를 사용하여 '사용자의'로 고치는 것이 적절하다.
③ 3문단은 키오스크 같은 디지털 기기는 사용자의 편의를 위해 도입되었으므로, 누군가가 그 편리함을 누리지 못하고 있는 상황이라면 개선이 필요함을 주장하는 내용이다. ⓒ(저는 키오스크를 ~파악합니다)은 이러한 글의 흐름과 어울리지 않는 내용이므로 삭제하는 것이 적절하다.
④ ㉣(해결될수록)의 '-ㄹ수록'은 '앞 절 일의 어떤 정도가 그렇게 더하여 가는 것이, 뒤 절 일의 어떤 정도가 더하거나 덜하게 되는 조건이 됨을 나타내는 연결 어미'이다. 그런데 해당 문장에서는 어르신들이 일상에서 겪는 어려움을 해결하기 위해 실질적인 교육이 이루어져야 한다는 점을 말하고 있으므로, '앞의 내용이 뒤에서 가리키는 사태의 목적이나 결과, 방식, 정도 따위가 됨을 나타내는 연결 어미'인 '-도록'을 사용하여 '해결되도록'으로 고치는 것이 적절하다.
⑤ 해당 문장에서는 글쓴이의 건의가 받아들여질 경우, 어르신들에게 미칠 긍정적인 영향에 대해 말하고 있다. 따라서 ㉤(윤택합니다)은 '윤택해질 것입니다'로 고치는 것이 적절하다.

8 회

## [11~15] 문법(언어)

### 11 ⑤ 정답률 59%

**정답풀이**

2문단에서 '현대 국어에서 표준 발음으로 인정되는 구개음화'에는 '음절 끝소리가 'ㄷ, ㅌ'인 형태소가 단모음 'ㅣ'로 시작하는 조사나 접사 같은 형식 형태소와 결합하여 'ㅈ, ㅊ'으로 변하는 경우'가 있다고 하였다. 이를 참고하면 '끝인사'를 [끄친사]로 발음하지 않는 이유는 '끝' 뒤에 결합하는 '인사'가 형식 형태소가 아니라 실질 형태소이기 때문임을 알 수 있다.

**오답풀이**

① '같이'를 [가치]로 발음하는 것은 '현대 국어에서 표준 발음으로 인정되는' 'ㄷ-구개음화'가 일어난 경우에 해당하기 때문이다. 이때 피동화음은 'ㅌ'이고 동화음은 'ㅣ'이다.
② '많지만'을 [만치만]으로 발음하는 것은 받침 'ㅎ'이 'ㅈ'과 결합하여 'ㅊ'이 되는 자음 축약이 일어났기 때문이다. 이는 '현대 국어에서 표준 발음으로 인정되는 구개음화의 사례'와 관련이 없다.
③ '맏이'를 [마디]로 발음하지 않는 것은 '현대 국어에서 표준 발음으로 인정되는' 'ㄷ-구개음화'가 일어난 경우에 해당하여 [마지]가 되기 때문이다.
④ '겉으로'를 [거츠로]로 발음하지 않는 것은 '겉'의 받침 'ㅌ'을 뒤에 결합하는 형식 형태소의 첫음절로 연음하여 발음한 [거트로]가 표준 발음으로 인정되기 때문이다. 이는 '현대 국어에서 표준 발음으로 인정되는 구개음화의 사례'와 관련이 없다.

### 12 ③ 정답률 51%

**정답풀이**

[A]에서 "'김치'의 과거 형태는 '딤채'였는데 구개음화가 일어난 이후 '짐채'로 나타'났다고 하였다. 즉 '김치'의 '치'는 과거 형태에서도 초성의 자음이 구개음인 'ㅊ'이었기 때문에 구개음화가 일어나지 않은 것이다. 따라서 '치'의 본래 모음이 'ㅓ'였기 때문에 구개음화가 일어나지 않았다고 보는 것은 적절하지 않다.

**오답풀이**

①, ② '딤채'의 '딤'이 '짐채'의 '짐'으로 변한 것이므로 피동화음은 'ㄷ', 동화음은 'ㅣ'임을 알 수 있다. 즉 '딤채'가 '짐채'로 변하는 과정에서는 'ㄷ-구개음화'가 형태소 내부에서 일어난 것으로 볼 수 있다.
④ [A]에서 언중은 구개음화가 일어난 이후 형태인 '짐채'를 '원래 형태로 교정하고자 하는 과정에서 원래 형태를 잘못 생각하여 '김치'의 형태로 교정'했다고 하였다. 즉 '김치'에서 '짐채'로 형태가 변화했다고 잘못 생각한 것이므로, 이 경우 피동화음은 'ㄱ'이다. 따라서 언중은 '짐채'가 'ㄱ-구개음화'가 일어난 형태라고 생각했음을 알 수 있다.
⑤ 4문단에서 '마디', '견디다'와 같이 "'ㄷ' 뒤에 오는 모음이 원래 'ㅣ'가 아닌 다른 모음'이었던 단어들은 과거에 구개음화가 일어나지 않았다고 하였다. 그러므로 '김치'의 본래 형태가 '딤채'였고 형태소 내부에서의 'ㄷ-구개음화'가 사라진 후에 'ㅢ'가 'ㅣ'로 변화했다면 구개음화는 일어나지 않았을 것이다.

### 13 ④ 정답률 43%

**정답풀이**

'-음[1]'의 용례를 보면, '믿었음' 뒤에 주격 조사 '이'가 결합하였고, '옳음' 뒤에 목적격 조사 '을'이 결합한 것을 확인할 수 있다. 그러나 '-음[2]'의 용례에서도 '믿음'과 '묶음' 뒤에 목적격 조사 '을'이 결합한 것을 확인할 수 있다. 따라서 '-음[2]'와 달리 '-음[1]'의 뒤에만 격조사가 올 수 있다는 설명은 적절하지 않다.

**오답풀이**

① 〈보기〉에서 '-음[1]'은 '어미 '-었-', '-겠-' 뒤에 붙'을 수 있다고 하였다. '그는 그 말을 믿었음이 분명하다.'에서도 선어말 어미 '-었-' 뒤에 '-음[1]'이 결합하여 '믿었음'으로 쓰인 것을 확인할 수 있다.
② 〈보기〉에서 용언의 어간 뒤에 붙어 '명사를 만드는 접미사'인 '-음[2]'와 달리, '-음[1]'은 용언의 어간이나 어미 뒤에 붙어 '그 말이 명사 구실을 하게' 만든다고 하였다. 따라서 '-음[1]'이 붙은 말은 본래의 품사를 유지함을 알 수 있다.
③ 〈보기〉에서 '-음[2]'의 용례로 제시된 '그는 서랍에서 종이 한 묶음을 꺼냈다.'를 보면, '-음[2]'가 붙은 말인 명사 '묶음'이 관형어 '한'의 수식을 받는 것을 확인할 수 있다.
⑤ 〈보기〉에서 '-음[1]'은 용언이 명사 구실을 하게 하는 명사형 어미이고, '-음[2]'는 용언을 명사로 만드는 접미사임을 알 수 있다. '-음[1]'의 용례에서 '믿었음'과 '옳음'이 각각 '그는 그 말을 믿었음이', '그의 판단이 옳음을'과 같은 명사절을 형성한 것과는 달리, '-음[2]'는 명사절을 만들지 못하는 것을 확인할 수 있다.

**오답률 Best 5**

<보기>에 제시된 '-음[1]'과 '-음[2]'의 사전적인 정의와 용례를 토대로 선지의 내용이 적절한지를 판단하는 문제였어. 정답인 ④번을 제외하면 ②번을 택한 학생들의 비율이 가장 높았는데, 이는 '어미'와 '접사'의 개념을 정확히 숙지하지 못하고 있었기 때문인 것으로 보여. '어미'는 용언이 활용할 때 변하는 부분을 말하고, '접사'는 단어가 형성될 때 어근에 붙어 그 뜻을 제한하거나 어근의 품사를 바꿔주는 부분을 말해. 즉 용언의 어간에 결합하는 어미는 품사를 바꾸지 못하지만, 어근에 결합하는 접사는 단어의 품사를 바꿀 수 있는 거지. <보기>에서 '-음[1]'은 용언의 어간이나 어미 뒤에 붙어 그 말이 명사 구실을 하게 하는 어미라고 했어. 그렇다면 용례의 '믿었음'과 '옳음'에서 '-음[1]'은 어미 '-었-'과 어간 '옳-' 뒤에 붙어 이 말이 명사 같은 역할을 하게 한다는 것을 알 수 있지. 이와 달리 '-음[2]'는 어간 뒤에 붙어 명사를 만드는 접미사라고 했어. 그렇다면 용례의 '믿음'과 '묶음'에서 '-음[2]'는 어간 '믿-'과 '묶-' 뒤에 붙어 이 말이 명사가 되도록 만든다는 것을 알 수 있지. 이렇게 '어미'와 '접사'처럼 문제에 자주 등장하는 기본적인 문법 개념들은 정확히 숙지해 두도록 하자.

### 14 ④ 정답률 62%

**정답풀이**

ⓑ(깜짝출연)는 부사 '깜짝'과 명사 '출연'이 결합한 말로, 〈보기〉에서 제시한 ㉠(비통사적 합성어)의 유형 중 '부사+체언'인 경우에 해당한다. 또한 ⓓ(덮지붕)은 '덮다'의 어간 '덮-'에 명사 '지붕'이 결합한 말로, ㉠의 유형 중 '용언의 어간+체언'인 경우에 해당한다.

**오답풀이**

ⓐ
'뜨는곳'은 '뜨다'의 어간 '뜨-'에 관형사형 어미 '-는'이 결합한 '뜨는'에 명사 '곳'이 결합한 말로, 통사적 합성어 중 '용언의 관형사형+체언'인 경우에 해당한다.
ⓒ
'생각그물'은 명사 '생각'에 명사 '그물'이 결합한 말로, 통사적 합성어 중 '체언+체언'인 경우에 해당한다.

## 15 ② 정답률 47%

정답풀이

[탐구 과정]의 A는 주동문을 사동문으로 바꿀 수 없는 경우이다. 〈보기〉에서 '사동문은 주어가 다른 대상을 동작하게 하거나 특정한 상태에 이르도록 하는 문장'이라고 하였는데, ㉡(그는 한여름에 더위를 먹었다.)의 경우 의미상 '(주어가) 그에게 더위를 먹게 하였다.'와 같은 사동문을 만들 수 없다.

[탐구 과정]의 B는 주동문을 파생적 사동문으로 바꿀 수 있는 경우이다. 〈보기〉에서 '파생적 사동문은 주동문의 서술어로 쓰인 용언의 어간을 어근으로 삼아 사동 접미사가 붙어 이루어진 문장'이라고 하였다. ㉠(물통에 물이 가득 찼다.)은 서술어인 '차- + -았- + -다'의 어간 '차-'에 사동 접미사 '-이우-'를 결합하여 '(주어가) 물통에 물을 가득 채웠다.'처럼 파생적 사동문으로 바꿀 수 있다.

[탐구 과정]의 C는 주동문을 사동문으로 바꿀 수 있지만 파생적 사동문으로는 바꿀 수 없는 경우, 즉 통사적 사동문으로 바꿀 수 있는 경우이다. 이때 '통사적 사동문은 주동문의 서술어로 쓰인 용언의 어간에 '-게 하다'가 붙어서 이루어진 문장'이라고 했다. ㉢(아이가 방바닥에 흩어진 구슬을 모았다.)은 서술어인 '모으- + -았- + -다'의 어간 '모으-'에 '-게 하다'를 결합하여 '(주어가) 아이에게 방바닥에 흩어진 구슬을 모으게 했다.'처럼 통사적 사동문으로 바꿀 수 있다.

### [16~20] 인문

## 16 ② 정답률 82%

정답풀이

윗글은 1문단에서 '도덕적 갈등 문제를 바라보는 다양한 관점'이 있다는 화제를 제시한 뒤, 이와 관련하여 2문단~3문단에서는 '도덕적 원칙주의자'의 관점을, 4문단~5문단에서는 '도덕적 자유주의자'의 관점을, 6문단~8문단에서는 '도덕적 다원주의자'의 관점을 제시하며 각각의 의의와 한계를 밝히고 있다.

오답풀이

① 도덕적 갈등 문제에 대한 상반된 관점으로 '도덕적 원칙주의자'와 '도덕적 자유주의자'의 입장이 제시되고 있지만, 이에 대한 절충 방안을 모색하는 부분은 찾을 수 없다.
③ 도덕적 갈등 문제에 대한 세 관점을 제시했으므로 유형별로 나누었다고 볼 수 있으나, 분류 기준의 문제점을 설명한 부분은 찾을 수 없다.
④ 도덕적 갈등 문제에 대한 관점이 시대에 따라 달라졌음을 언급하거나 새로운 관점이 나타날 것임을 전망하는 부분은 찾을 수 없다.
⑤ 도덕적 갈등 문제에 대한 다양한 관점을 제시하고 있지만, 관점들이 변하게 된 배경이나 관점들이 혼재할 경우 나타날 문제점을 서술한 부분은 찾을 수 없다.

## 17 ③ 정답률 76%

정답풀이

2문단에 따르면 ㉠(도덕적 원칙주의자)은 '합리적인 이성을 통해 찾을 수 있는 선험적인 도덕 법칙이 존재한다고' 보는 입장이다. 한편 4문단에 따르면 ㉡(도덕적 자유주의자)은 '개인들이 합의를 통해 만든 상위 원리를 바탕으로 갈등을 해결해야 한다고' 보는 입장이다. 즉 ㉠은 '선험적인 도덕 법칙'에 따라, ㉡은 '객관적이고 공평한 지점에서' 만든 '상위 원리'에 따라 도덕적 갈등을 해결할 수 있다고 보고 있으므로, 모두 도덕적 가치의 우선순위를 판단할 수 있다고 볼 것이다.

오답풀이

① 2문단에 따르면 ㉠은 '합리적인 이성을 통해 찾을 수 있는 선험적인 도덕 법칙'을 모든 인간이 '반드시 따라야 한다고 주장'하므로, 어느 사회에나 보편적으로 적용되는 도덕 법칙이 있다고 보았음을 알 수 있다.
② 4문단에 따르면 ㉡은 '개인들이 합의를 통해 만든 상위 원리'를 통해 '법과 같은 현실적인 규범이나 지침을 만들면~도덕적 갈등이 해결된다'고 보았음을 알 수 있다.
④ 4문단에서 ㉡은 '도덕적 원칙주의자(㉠)와 달리 선험적인 도덕 법칙이 존재하지 않는다고 본다.'라고 하였다.
⑤ 2문단과 4문단에 따르면 ㉠은 '선험적인 도덕 법칙'을 통해, ㉡은 '개인들이 합의를 통해 만든 상위 원리'를 통해 도덕적 갈등 상황을 해결할 수 있다고 보았음을 알 수 있다.

## 18 ② 정답률 66%

정답풀이

[가]에서 '도덕적 다원주의자'는 '어떤 조건에서는 우선시되는 가치가 다른 조건에서는 그렇지 않은 경우도 있'기 때문에 '도덕적 가치의 우선순위를 판단하는 통일된 지표를 마련하는 것'은 어렵다고 보았다. 이러한 관점에서 본다면, 〈보기〉의 ㉮(판사 C는~A가 B에게 돈을 갚으라고 판결하였다.)와 ㉯(C는 소송을 제기할 것을 고민했으나~소송을 단념했다.)에서 판사 C가 유사한 상황에 대해 서로 다른 판단을 내린 것은 조건에 따라 가치의 우선순위가 다르게 작용했기 때문인 것으로 이해할 수 있다.

오답풀이

① [가]에 따르면 '도덕적 다원주의자'는 '도덕적 가치의 우선순위를 판단하는 통일된 지표를 마련하는 것'은 어렵다고 주장한다.
③ 판사 C가 우선시한 가치는 ㉮에서는 법을 지키는 것이고, ㉯에서는 '친구의 어려움을 배려하는 것'으로 서로 다름을 알 수 있다.
④ ㉮와 ㉯에서 판사 C는 통일된 지표에 따르지 않고 주어진 조건에 따라 가치의 우선순위를 달리 적용했기 때문에 서로 다른 판단을 내리게 된 것이다.
⑤ ㉮와 ㉯에서는 모두 법을 따르는 것과 상대의 어려운 처지를 배려하는 것이 지니는 내재적 속성이 상충되고 있다.

## 19 ③ 정답률 73%

정답풀이

4문단에 따르면 도덕적 자유주의자는 도덕적 갈등 상황에 대해 '상위 원리를 통해 법과 같은 현실적인 규범이나 지침'을 만들고, 사람들이 이를 따름으로써 도덕적 갈등을 해결할 수 있다고 주장한다. 그러나 그 과정에서 상대방의 입장을 고려하여 양보해야 한다고 주장한 것은 아니다. 따라서 도덕적 자유주의자가 〈보기〉에 제시된 갈등 상황에서 을의 입장을 고려하여 갑이 양보해야 한다고 생각하지 않을 것이다.

오답풀이

① 2문단에서 '도덕적 원칙주의자는 갈등 상황이 생겼을 때 주관적 욕구나 개인이 처한 상황을 고려하지 말고 도덕 법칙에 따라 행동하라고 말한'다고 하였다. 이를 고려할 때, 도덕적 원칙주의자는 〈보기〉에 제시된 CCTV 설치 확대를 둘러싼 갈등을 해결하는 과정에서 갑이 범죄를 당한 적이 있다는 사실과 같은 개인적인 상황은 고려해서는 안 된다고 볼 것이다.
② 4문단에서 '도덕적 자유주의자'는 '상위 원리를 통해 법과 같은 현실적인 규범이나 지침을 만들면 사람들이 이를 준수함으로써 도덕적 갈등이 해결'됨을 주장한다고 하였다. 이를 고려할 때, 도덕적 자유주의자는 〈보기〉와 같은 갈등 상황에서 공정한 절차에 따른 합의에 의해 CCTV 설치 확대가 결정된다면 을은 그 결정을 따라야 한다고 생각할 것이다.
④ 7문단에서 '도덕적 다원주의자'는 도덕적 갈등 상황에서 '중재를 통해 타협점을 모색하는 방식을 제안한다.'라고 하였다. 이를 고려할 때, 도덕적 다원주의자는 〈보기〉에 제시된 갈등 상황에 대해 갑과 을이 서로 타협할 수 있는 지점을 찾아야 한다고 생각할 것이다.
⑤ 7문단에서 '도덕적 다원주의자'는 도덕적 갈등 상황에서 '갈등 당사자 간의 인간관계가 훼손되지 않는 것을 중시한다.'라고 하였다. 이를 참고할 때, 도덕적 다원주의자는 〈보기〉에 제시된 갈등 상황을 해결하는 과정에서 갑과 을 사이의 관계가 나빠지지 않도록 하는 것이 중요하다고 생각할 것이다.

## 20 ③ 정답률 81%

정답풀이

ⓒ(보장)는 '어떤 일이 어려움 없이 이루어지도록 조건을 마련하여 보증하거나 보호함.'을 뜻한다. '잘 보호하여 기름.'이라는 사전적 의미를 지닌 단어는 '보양'이다.

8 회

## [21~24] 현대소설

**21** ⑤ 정답률 79%

정답풀이

장군이가 파놓은 함정에 순사부장이 빠진 일로 경찰서에 들어가 스무 날을 지낸 사건, 장군이가 방앗간을 차리려고 여름 내내 고생했지만 장풍언네에 들여온 새 기계로 인해 세월만 허비한 일이 되어버린 사건 등의 추이를 요약적으로 서술하여 장군이라는 인물에 대한 독자의 이해를 돕고 있다.

오답풀이

① 윗글에서 인물의 과장된 반응을 통해 비극적 분위기를 반전시킨 부분은 찾을 수 없다.
② 윗글에서 인물이 떠올린 상상 속 장면은 찾을 수 없다.
③ 윗글에는 장군이가 멧돼지나 노루를 잡기 위해 함정을 판 것이나 방앗간을 차리려 시도한 것, 물이 고인 곳을 바라보다가 송사리 떼를 향해 돌을 던진 것 등의 행위가 드러나 있으나 이를 인물의 개성적 성격을 강조하기 위한 습관적 행위로 보기는 어렵다.
④ 장군이가 경찰서에 잡혀간 사건, 방앗간을 차리려다 실패한 사건 등이 드러나 있으나 이에 대한 인물의 의문점이 제시되는 부분은 찾을 수 없다.

**22** ④ 정답률 79%

정답풀이

안악굴 주민들은 산지기와 경찰 같은 관청의 통제로 멧돼지 함정이나 여우 덫을 놓을 수 없게 되었지만, 통제에 따라 멧돼지나 노루와 같이 초식만 하며 살아갈 수는 없기에 관청을 눈을 피해 몰래 함정을 팠다. 즉 주민들이 함정을 판 것은 경찰에 저항하기 위해서가 아니라 생계를 유지하기 위해서임을 알 수 있다.

오답풀이

① 장군이는 '살림이라야 가진 논밭이 없'으며 '안악굴 꼭대기에서 그중에서도 제일 외따로 떨어져 있는 오막살이'에서 살고 있지만 '그래도 자기 아버지 대에까지는 굶지는 않'았다고 했다.
② '둘레가 백 리도 더 될 큰 산을 삼정회사에서' 산 이후 안악굴 사람들은 '꿩 창애나 옥누 같은 것도 허가 없이는 못 놓'게 된 생활의 변화를 겪었다.
③ '요즘 와서 안악굴 동네는 산지기와 관청에서 이르는 대로만 지키자면' '겨울에는 곤충류와 같이 땅 속에 들어가 동면이나 할 수 있으면 상책이게 되었다.'라고 했으므로 '안악굴'에는 '산지기'나 '관청'의 통제가 영향을 끼치고 있음을 알 수 있다.
⑤ 경찰에서 '멧돼지 함정이나 여우 덫'을 놓는 등의 행위를 금지한 탓에 '안악굴 사람들은~늘 범죄의 생활자들이었다.'라고 한 것을 통해 생계 유지를 위한 기존의 방식이 '안악굴'에서는 '범죄'가 될 수 있음을 보여 준다.

**23** ① 정답률 72%

정답풀이

장군이가 '순사부장의 뒤를 따라 그의 묵직한 총을 메고' 가는 것은 그가 파놓은 함정에 순사부장이 빠진 일 때문에 경찰서로 가게 된 모습을 나타낸 것일 뿐, 근대화된 방식에 따르려는 욕구와는 관련이 없다.

오답풀이

② 〈보기〉에서 윗글에는 '과도기적 사회에서 제 나름의 방식으로 더 나은 삶을 위해 노력'하는 인물의 모습이 드러난다고 하였다. 이를 참고할 때, 장군이가 '빚을 마흔 냥 가까이 내어'서 '방앗간'을 짓고자 한 것은 화전을 일구거나 산짐승을 잡아먹으며 살아가던 방식에서 벗어나 더 나은 삶을 살기 위해 나름대로 노력한 모습으로 볼 수 있다.
③ 〈보기〉에서 윗글에는 '근대화 시기의 과도기적 삶의 모습이 드러'난다고 하였다. 이를 참고할 때, 장풍언네가 '하루 쌀을 몇 백 말도 찧'을 수 있는 발동기와 풍채를 서울에서 사 온 뒤, 이를 사람들에게 광고한 것은 근대화 시기에 적응해 가는 모습으로 볼 수 있다.
④ 〈보기〉에서 윗글에는 '시대적 흐름을 충분히 이해하지 못한 까닭에 실패하게 되는 인물의 처지'가 드러난다고 하였다. 이를 참고할 때, 발동기와 풍채를 사 들여 근대적 방식으로 방앗간을 운영한 장풍언네와 달리, 장군이가 '까부름 새를 모두 곡식 임자가 가서 거들어 줘야' 하는 전통적인 방식의 '방앗간'을 차리려고 한 것은 시대적 흐름을 충분히 이해하지 못했기 때문으로 볼 수 있다.
⑤ 〈보기〉에서 윗글에는 '근대화된 방식의 삶'을 '따라가지 못하고 좌절하는 사람'의 모습이 나타난다고 하였다. 이를 참고할 때, 장군이가 방앗간을 짓기 위해 여름 내내 고생했지만 '세월만 허비'한 상황이 되자 결국 '중도에 손을 떼고 내어던지'게 된 것은 근대화된 삶의 방식을 따라가지 못하고 '촌뜨기'로 머물게 된 상황을 보여 주는 것이라 할 수 있다.

**24** ④ 정답률 65%

정답풀이

[A]에서 장군이는 '봇도랑 낸 데 물이 고인 것'을 바라보다 마치 '자기를 비웃는 듯도 한' 송사리 떼를 향해 돌을 던진다. 하지만 송사리 떼는 잡지 못하고 '그의 돌땅에 맞고 입이 광주리만큼씩 찢어지며 올려다보는' 자신의 얼굴 그림자만 마주하게 된다. 〈보기〉에서 '문학 작품에서 '물'을 바라보는 행위는 물에 비친 상을 통한 자기 인식과 관련된다.'라고 한 것을 고려하면, 장군이 마주한 '제 얼굴의 그림자'는 살림을 지키려고 한 결심과 노력이 실패한 자신에 대한 부정적 인식을 드러내는 것과 관련된다고 볼 수 있다.

오답풀이

① 〈보기〉에서 '물에 비친 상'을 통해 자기 인식을 할 수 있으며, '사태의 본질'을 깨달을 수 있다고 했다. [중간 부분의 내용]을 참고하면, [A]는 '경찰서에서 나와 집으로 돌아오던 장군이'가 방앗간을 지으려다가 포기하고 만 자신의 처지를 돌아보며 답답함을 느끼고 있는 상황이다. 따라서 '거울같이 맑고 고요'한 '수면'을 보는 것은 사태의 본질을 깨닫는 계기가 될 뿐 사태의 본질을 깨달은 이후의 평온함을 보여 주는 것이라고 할 수는 없다.
② 〈보기〉를 참고했을 때 장군이가 '꿈꾸듯 물만 내려다보고' 서 있는 것은 물에 비친 자신의 얼굴을 바라보며 자기 인식에 빠진 모습을 나타낸 것이다. 따라서 이를 자기 인식이 중단된 순간의 상실감을 드러낸 것이라고 보기는 어렵다.
③ '철버덩!' 하는 소리와 함께 장군이가 '몽우리돌'을 던진 것은 '자기를 비웃는 듯도 한' 송사리 떼를 잡기 위한 시도 혹은 답답한 심정을 표출하기 위한 행동으로 해석할 수 있다. 이를 자기 인식 기능이 작동하지 않는 데 대한 분노를 드러낸 것으로 볼 만한 근거는 찾을 수 없다.
⑤ '한 마리도 뜨지 않'은 '송사리 떼'는 장군이가 '송사리 떼'를 잡기 위해 혹은 답답한 심정을 표출하기 위해 돌을 던진 행위의 결과를 보여 주는 것일 뿐, 내면에 대한 깨달음을 스스로의 힘으로 얻는 것이 불가능함을 보여 주는 것과는 관련이 없다.

## [25~28] 고전소설

**25** ④ 정답률 65%

정답풀이

'제장 군졸의 머리 추풍낙엽일네라 뉘 능히 당하리요?', '명제는 함정에 든 범이라 어찌 망극지 아니하리요?' 등에서 서술자가 개입하여 인물이 처한 상황에 대해 논평하는 것을 확인할 수 있다.

오답풀이

① '그날 밤 삼경에 명진에 다다르니 일진이 고요하여', '함성소리 천지진동하거늘 놀라 장 밖에 나와 보니 화광이 충천한 가운데' 등에서 배경에 대한 언급이 일부 나타나고 있으나, 이를 통해 해학적인 분위기를 조성하고 있지는 않다.
② '이때에 원수가 적진을 대하여', '이때에 호장 체탐이 호왕께 고하되' 등에서 장면 전환이 드러나지만 이를 통해 인물의 성격 변화를 드러내고 있지는 않다.
③ 윗글에서 상징적 소재를 활용하여 비극적 결말을 암시하는 부분은 찾을 수 없다.
⑤ 윗글에서 과거 사건과 현재 사건을 대비하여 갈등의 원인을 부각하는 부분은 찾을 수 없다.

## 26 ④ 정답률 69%

정답풀이

'원수 장안으로 가 호왕을 찾으니 호왕은 없고 겸한이 삼군을 거느려 왔거늘'에서 대성은 장안에 도착한 후에야 자신이 호왕에게 속았다는 사실을 알게 되었음이 드러난다.

오답풀이

① 윗글에서 호왕은 겸한에게 '철기 일만을 거느리고 중국 도성에 들어가 성중을 엄살'하라고 명령했고 이에 따라 '겸한이 군을 거느려 장안으로' 갔다고 했다.
② 윗글에서 '무수한 오랑캐 장안을 범하여 사직이 조모에 있다'는 기별을 들은 천자가 대성을 불러 '경이 가서 사직을 받들고 동군을 구완하여 잔명을 보존케 하라.'라고 했다.
③ 윗글에서 '대성이 장안에 갔다'는 소식을 들은 호왕은 '크게 기뻐하여 철기 삼천을 거느려 그날 밤 삼경에 명진'을 공격했다고 했다.
⑤ 윗글에서 대성과 함께 본진으로 돌아온 천자는 하늘을 쳐다보며 몹시 울며 '나로 말미암아 아까운 장졸이 원혼이 되었으니 어찌 슬프지 아니하리요?'라고 했다.

## 27 ③ 정답률 72%

정답풀이

소대성은 천자가 죽을 위기에 처해 있음을 알리며 '대진으로 가지 말고 황강으로 가라.'라고 '공중에서 외쳐 말하'는 소리를 듣고 황강으로 향하는데, '앞에 큰 강이 가렸으니 건넬 길이 없는' 상황에 처해 분기충천하고 있다. 즉 공중에서 들리는 소리 때문에 분한 마음이 치밀어 올랐다고 보기는 어려우며, 〈보기〉에서 소대성은 '천상계의 조력을 받아 위기를 해결'한다고 했을 뿐, 천상계의 질서를 극복하고자 한다는 내용은 나타나 있지 않으므로 적절하지 않다.

오답풀이

① 〈보기〉에서 윗글에는 '호국의 침략으로 위기에 처한 명나라'의 상황이 나타난다고 하였다. '명진이 불의에 난을 만나매 제장 군졸의 머리 추풍낙엽일네라', '강촌 백성들이 난을 피할 길이 없는지라.' 등에서 호국의 침략으로 인한 명나라 장졸들의 죽음과 난리를 겪게 된 백성들의 모습 등 위기에 처한 명나라의 모습을 확인할 수 있다.
② 〈보기〉에서 윗글에 나타나는 '소대성의 영웅적 능력은 지배 계층의 무능과 대비를 이룬다.'라고 하였다. 호왕의 급습을 받은 천자가 '하늘을 우러러 통곡하여' 탄식하는 장면 등에서 국가적인 위기 상황에 적절히 대응하지 못하는 지배층의 무능함이 드러남을 확인할 수 있다.
④ 〈보기〉에서 윗글에 나타나는 '소대성의 영웅적 능력은 지배 계층의 무능과 대비를 이룬다.'라고 하였다. 항서를 쓰라는 호왕의 요구에 '차마 아파 못할네라.'라고 말하며 통곡하는 천자의 모습과 '칠성검'으로 호왕을 단칼에 죽이고 천자를 구하는 소대성의 모습이 서로 대비되면서 소대성의 영웅적 면모가 부각되는 것을 확인할 수 있다.
⑤ 〈보기〉에서 윗글의 '소대성은 호국의 침략으로 위기에 처한 명나라를 지켜내는 인물로 제시된다.'라고 하였다. '청총마가 호왕의 탄 말을 물고 대성의 칠성검은 호왕의 머리를 베어 말 아래에 떨어지느라.'에서 명을 위협하는 호왕을 제압함으로써 국가적 위기를 해결하는 소대성의 탁월한 능력을 확인할 수 있다.

## 28 ② 정답률 63%

정답풀이

'호왕이 소장의 살아남을 꺼려 접전치 아니하니 대군을 합세하여 짓밟고자 하나이다.'라는 소대성의 말을 들은 천자는 ㉠(호왕이 무슨 비계 있는가 싶으니 잠깐 기다리라.)에서 호왕이 '비계(남모르게 꾸며 낸 꾀)'를 가지고 있을지도 모른다는 자신의 추측에 근거하여 소대성에게 '잠깐 기다리라.'라고 한다. 또한 천자가 소대성에게 '천하를 반분하리라' 라고 하자 소대성은 ㉡(천하를 평정함이~후세에 역명을 면케 하옵소서.)의 '일천지하에 두 천자 없사오니'에서 군신 간의 도리를 근거로 들며 이를 수용하지 않으려 하고 있다.

오답풀이

① ㉠에서 실행으로 인한 결과를 언급하지 않았다. 한편 ㉡에서 소대성이 천자의 제안을 거부하는 것은 맞지만 실행을 위한 방안을 요구하고 있지는 않다.
③ ㉠에서 천자가 자신의 공을 내세우는 모습은 나타나지 않으며, ㉡의 '천하를 평정함이 폐하의 넓으신 덕이요 신의 공이 아니오매'에서 소대성이 천자에게 공을 돌리고 있는 것은 맞지만 천자의 제안에 동의하고 있지는 않다.
④ ㉠에서 단점에 대한 언급은 나타나지 않으며, ㉡의 '폐하의 넓으신 덕'에서 소대성이 천자의 장점을 언급했다고 볼 여지는 있지만 이를 통해 천자의 제안을 구체화하고 있지는 않다.
⑤ ㉠에서 천자는 '잠깐 기다리라.'라고 하며 소대성의 제안에 대해 유보적 태도를 드러내며 이를 수용하지 않는다. 또한 ㉡에서 소대성은 '소신으로 하여금 후세에 역명을 면케 하옵소서.'라고 하며 천자의 제안을 적극적인 태도로 거절하고 있다.

[29~32] **고전시가+현대수필**

## 29 ① 정답률 62%

정답풀이

(가)는 '그윽한 경치는 견줄 데 전혀 없네.', '한가로운 가운데 깨우친 것을 혼자서 즐기도다.', '퇴계 이황 자필이 참인 줄 알겠노라.', '변함없는 경치가 그 더욱 반갑구나.' 등에서 영탄적 어조를 사용하여 독락당과 주변의 자연 경관에 대한 예찬적 태도를 드러내고 있다.

오답풀이

② (가)에서 독락당 주변의 자연 경관에 대해 '변함없는 경치가 그 더욱 반갑구나.'라고 하여 자연의 불변성을 언급하였으나 인간사의 한계를 부각한 부분은 찾을 수 없다.
③ (가)에서 현실의 모순을 언급한 부분은 찾을 수 없다.
④ (가)에는 독락당, 양진암, 관어대를 둘러보며 느낀 생각과 감상이 드러나 있을 뿐, 치밀한 관찰에 근거하여 다양한 삶의 모습을 제시한 부분은 찾을 수 없다.
⑤ (가)에는 '안회 증삼', '자유 자하', '사마온공', '엄자릉'과 같은 역사적 인물들이 언급되고 있으나, 이를 통해 상황을 극복하려는 의지를 드러낸 부분은 찾을 수 없다.

## 30 ⑤ 정답률 60%

정답풀이

(나)의 글쓴이는 '불행하게도 한 장의 현판을 걸었던들 방우산장은 이미 나의 집이 아니게 되었을 것'이라고 하였는데, ㉤(두려운 일은 곧 뒷날 내 죽은 뒤~방우산장이란 묘석을 내 무덤에다 세워 줄까 저어함이다.)에서는 '내 죽은 뒤'에 다른 사람들이 그러한 자신의 생각을 오해하고 '방우산장이란 묘석을 내 무덤에다 세워 줄'지도 모르는 상황에 대한 우려를 드러내고 있다.

오답풀이

① ㉠(수많은 긴 대나무 시내 따라 둘러 있고 / 만권의 서책은 네 벽에 쌓였으니)에서는 독락당 외부의 자연 경관과 서책이 쌓여 있는 독락당 내부의 모습을 나란히 제시하여 화자가 독락당을 보고 받은 인상을 간추려 표현하고 있다.
② ㉡(상쾌하고 맑은 기운 난초 향기에 든 듯하네.)에서는 '난초 향기에 든 듯'과 같이 후각적 심상과 비유를 결합하여 관어대에서 보는 주변 경관을 감각적이고 비유적으로 표현하고 있다.
③ ㉢(묻노라, 갈매기들아, 옛일을 아느냐.)에서는 자연물인 '갈매기들'에 인격을 부여하여 말을 건네고 '옛일을 아느냐.'와 같이 질문을 던지고 있다. 이때 '옛일'은 이후에 제시된 '엄자릉'과 관련된 고사를 가리키는 것임을 알 수 있다.
④ ㉣(집이란 물건은 고루거각이든 용슬소옥이든지~떠메고 돌아다닐 수 없는 것이매)에서는 높고 큰 집인 '고루거각'과 좁고 작은 집인 '용슬소옥'을 대조하여 '집'은 일정한 자리에 있는 것이라는 일반적인 생각을 드러내고 있다.

8회

**31** ③ 정답률 74%

정답풀이

〈보기〉에서 (가)는 '이언적이 명명한 것으로 전해지는' 공간을 둘러보면서 자신의 소회를 드러낸다고 했다. (가)의 화자가 관어대에서 '옛 자취'를 보며 '연비어약을 말없는 벗으로 삼아 / 독서에 골몰하여 성현의 일 도모하시'던 이언적의 모습을 떠올리는 것은 '학문 수양의 공간'으로서 관어대에서 이언적이 도모하던 '성현의 길'을 생각하는 것일 뿐, 자신이 '성현의 일'을 이루지 못한 것을 반성한다고 볼 수는 없다.

오답풀이

① 〈보기〉에서 (가의 화자는 공간의 '명칭의 의미와 관련지어 자신의 소회를 드러낸다.'라고 했다. '깨우친 것을 혼자서 즐기도다'라는 구절은 독락당의 이름에서 '독락'이 지닌 의미와 연결되면서 독락당이 학문 수양 중심의 공간임을 부각한다고 볼 수 있다.

② 〈보기〉에서 (가)의 공간은 학문 수양의 공간을 아우른다고 했다. (가)의 화자가 양진암을 바라보며 '내 뜻도 뚜렷하다.'라고 한 것은 이언적이 양진암을 통해 드러낸 '후학 양성의 뜻'에 대한 공감을 표현한 것으로 볼 수 있다.

④ (나)의 글쓴이는 '방우산장'에서 '산장'이라는 이름의 근거와 관련하여 자신이 '본디 산에서 나고 또 장차 산으로 돌아갈 자이기 때문'이라고 밝히며, '산'으로 표상되는 자연으로 돌아가고자 하는 뜻을 드러내고 있다.

⑤ (나)의 글쓴이는 궁극적으로 '내 영혼이 깃들인 곳집'이야말로 '방우산장의 이름에 값할 집'이라는 점을 강조하고 있다. 따라서 '방우산장의 이름에 값할 집'은 (나)의 글쓴이의 '영혼이 깃들인 곳집'과 연결되며, 방우산장이라는 공간의 명칭은 영혼, 즉 정신적 지향의 상징을 암시한다고 볼 수 있다.

**32** ② 정답률 67%

정답풀이

(나)의 글쓴이는 '나의 방우산장은 원래 특정한 장소, 일정한 건물 하나에만 명명한 것이 아니'라고 하면서 '따뜻한 친구의 집', '차운 여관의 일실', '야숙의 담요 한 장', '무변한 창공' 등이 모두 '나의 산장'이 될 수 있음을 드러내고 있다. 따라서 (나)에는 '방우산장'이라는 명칭이 지시하는 공간이 하나의 물리적 실체에만 국한되는 것이 아니라는 인식이 드러났다고 볼 수 있다.

오답풀이

① (가)에서는 화자가 둘러보는 공간으로 독락당, 양진암, 관어대가 순서대로 제시되고 있을 뿐, 시간의 흐름에 따른 공간의 명칭 변화 과정은 나타나지 않는다.

③ 〈보기〉에 따르면 (가)의 공간은 이언적이, (나)의 공간은 글쓴이가 명명한 것이다. (가), (나)에 각각의 공간이 명명 과정에서 다수의 인정을 받았다는 내용은 나타나지 않는다.

④ (가)에서는 독락당과 그 주변 공간이 이름의 의미에 부합하는 특성을 지닌 것으로 제시되고 있다. 그러나 (나)에서 '나의 방우산장은 원래 특정한 장소, 일정한 건물 하나에만 명명한 것이 아니고 보니'라고 했으므로 공간의 외양과 명명의 근거가 긴밀히 연결되어 있다고 보기 어렵다.

⑤ (나)에서 공간에 대한 명명은 작가의 경험에 기반한 것으로 볼 수 있지만, (가)의 공간은 화자가 아니라 '회재 이언적이 명명'했다고 했으므로 작가의 경험이 명칭 지정의 기준으로 작용했다고 볼 수 없다.

## [33~37] 과학

**33** ⑤ 정답률 72%

정답풀이

2문단에서 박테리아는 '대사 과정에서 엽산이라는 물질을 필요로 하는데' '인간과 달리 박테리아는 엽산을 스스로 만들어야만 한다는 점을 이용'한 약의 예로 '설파제'를 제시하였다. 이에 따르면 '박테리아에 감염된 환자가 설파제를 복용하면 설파제는 체내에서 화학적 변화를 거'치면서 결과적으로 박테리아가 '엽산을 만들지 못하'게 만든다고 하였다. 즉 설파제는 대사 작용에 관여하는 물질인 엽산을 제거하는 것이 아니라, 박테리아가 엽산을 만드는 것을 방해함으로써 박테리아 즉 병원체가 죽게 하는 것이므로 ⑤번은 적절하지 않다.

오답풀이

① 5문단에서 '대부분의 약들은 약효가 여러 가지인 경우가 많기 때문에 두 가지 약을 함께 복용하면' '약들이 서로 도와 약효를 높이는' 상승효과가 나타날 수 있다고 하였다.

②, ④ 1문단에서 '약은 생체의 리간드와 유사한 화학적 분자 구조를 가진 성분을 포함'하고 있어 '생체 내에서 리간드로 기능'하는데, 이때 '리간드란 수용체와 결합하여 신경 자극이나 화학 반응과 같은 생물학적 반응을 촉발할 수 있는 물질'이라고 하였다.

③ 1문단에서 '약은 생체에서 수용체와 결합하여 유익 작용 및 유해 작용을 나타내는 방식을 취하기도 한다.'라고 하였다.

**34** ③ 정답률 61%

정답풀이

[A]의 '약은 특정 수용체와 결합할 수 있는 리간드를 인위적으로 생체에 증가시킴으로써 리간드와 결합한 수용체의 수가 일정 시간 동안 일정 수준 이상이 되게 하여 효과를 낸다고 할 수 있다.'에서 확인할 수 있다.

오답풀이

① [A]에서는 리간드에 의해 수용체의 구조에 변화가 일어나는 것이 아니라 '수용체에 의해 리간드의 구조 변화가 일어'난다고 하였다.

② [A]에서 '리간드란 수용체와 결합하여~생물학적 반응을 촉발할 수 있는 물질'로, 수용체와 리간드가 동일한 화학적 분자 구조로 변하는 것이 아니라 '수용체에 의해 리간드의 구조 변화가 일어'날 수 있다고 하였다.

④ [A]에서 '약은 생체 내에서 리간드로 기능'하는데, 이때 리간드는 '수용체와 결합하여~생물학적 반응을 촉발할 수 있는 물질'이라고 하였다. 이를 참고하면, 약의 효과를 높이기 위해서는 약이 생체 내의 수용체와 잘 결합할 수 있도록 생체의 수용체와 친화성이 높은 리간드를 많이 포함하고 있어야 함을 알 수 있다.

⑤ [A]를 고려하면, 수용체와 동일한 화학적 분자 구조를 가진 물질이 아니라 '수용체와 친화성이 높은 리간드'를 포함한 약이 생체에서 생물학적 효과를 더 크게 낼 것임을 알 수 있다.

**35** ⑤ 정답률 52%

정답풀이

2문단에서 인간과 박테리아는 '모두 대사 과정에서 엽산이라는 물질을 필요로 하는데' ㉠(설파제)은 엽산을 사용하는 것이 아니라 박테리아가 '엽산을 만들지 못하'도록 방해하는 방식으로 박테리아를 억제한다고 하였다. 한편 3문단에서 ㉡(뉴클레오사이드 유도체를 포함한 항바이러스제)은 병원체와 생체가 공통으로 필요로 하는 물질이 아니라 바이러스가 DNA를 복제하는 과정에서 필요로 하는 '뉴클레오타이드'와 유사한 구조의 '뉴클레오사이드 유도체'를 활용하여 '바이러스에 감염된 세포의 증식을 막'아 확산을 억제한다고 하였다.

오답풀이

① 2문단에서 ㉠은 '체내에서 화학적 변화를 거쳐~설파닐아마이드가 되어 PABA가 결합할 수용체와 먼저 결합'함으로써 약효를 발휘한다고 하였다.

② 2문단에서 ㉠은 박테리아가 대사 과정에서 필요로 하는 물질인 엽산의 생성을 방해하여 병원체인 박테리아가 죽게 만든다고 하였다.

③ 3문단에서 ㉡은 '뉴클레오사이드 유도체가 세포의 DNA나 RNA의 수용체와 결합하면 결과적으로 DNA 복제 과정이 이루어지지 않는'다는 점을 이용하여 바이러스 확산을 억제한다고 하였다.

④ 2문단과 3문단에 따르면, ㉠은 엽산의 생성과 관련한 인간과 박테리아 간의 차이를, ㉡은 자가 증식이 가능한지의 여부와 관련한 생체 세포와 바이러스 간의 차이를 활용하여 생물학적 효과를 내는 것임을 알 수 있다.

**36** ② 정답률 **39%**

정답풀이

4문단에서 'SNRI 항우울제는 신경전달물질의 재흡수를 억제하거나 후연접 뉴런의 수용체와 결합하는 방식으로, 연접 틈새에서 신경전달물질의 농도가 높아진 것과 같은 효과를 낸다.'라고 하였다. 따라서 SNRI 항우울제가 ㉯(후연접 뉴런)에 지속적으로 흡수된다는 설명은 적절하지 않다.

오답풀이

① 4문단에서 '세로토닌이나 노르에피네프린은, 보통 후연접 뉴런(㉯) 수용체에서 기능을 다하고 전연접 뉴런(㉮)에 재흡수되는 과정을 거'친다고 하였다.

③ 4문단에서 '뉴런 간 연접 틈새(㉰)에서 세로토닌이나 노르에피네프린의 농도가 낮아지면 우울증이 나타'나는데, '항우울제는 연접 틈새에서 이들 신경전달물질의 부족을 해소하는 방식으로 약효를 낸다.'라고 했으므로 우울증 치료를 위해 농도가 높아지도록 하는 방식을 활용할 것이다.

④ ㉰(연접 틈새)에서 신경전달물질의 농도가 높은 상태로 장기간 유지된다는 것은 항우울제를 장기간 복용하였음을 의미한다고 볼 수 있다. 이와 관련하여 5문단에서는 '약을 장기간 남용하게 되면 수용체의 민감도가 떨어'질 수 있다고 하였다.

⑤ 4문단에서 'TCA 항우울제'는 '전연접 뉴런(㉮)의 수용체와 결합하여 신경전달물질의 재흡수가 일어나지 않도록 하는 방식으로, SNRI 항우울제는 신경전달물질의 재흡수를 억제하거나 후연접 뉴런(㉯)의 수용체와 결합하는 방식으로' 약효를 낸다고 하였다.

**오답률 Best ②**

윈글의 4문단에서 설명한 내용을 <보기>의 그림에 적용하여 이해할 수 있는지를 묻는 문제였어. 정답인 ②번 외에 나머지 선지를 선택한 비율이 전반적으로 비슷했는데, 윈글에서 설명한 과학 개념과 정보들이 다소 낯설고 어렵게 느껴지는 내용들이다 보니 이를 <보기>에 적용하는 데 어려움이 있었던 것으로 보여. 하지만 <보기>의 그림에서 ㉮, ㉯, ㉰가 가리키는 것이 무엇인지 정확히 확인하면서, 선지의 진술과 지문의 내용을 일대일 대응시켜 가며 꼼꼼히 비교하였다면 정답은 쉽게 찾아낼 수 있었어. 4문단에서 'SNRI 항우울제'에 대해 언급한 부분을 보면, 이는 '신경전달물질의 재흡수를 억제하거나 후연접 뉴런의 수용체와 결합하는 방식'으로 약효를 낸다고 하였어. 즉 'SNRI 항우울제'는 ㉯(후연접 뉴런)에 지속적으로 흡수되는 것이 아니라 ㉯와 결합하는 방식으로 효과를 내는 것이므로, 내용 일치 차원에서 ②번은 적절하지 않음을 파악할 수 있어야 해.

**37** ④ 정답률 **68%**

정답풀이

〈보기〉에서 '항히스타민약으로 개발된 메피라민은 알레르기와 염증에는 효과가 있지만 위산 분비 조절에는 거의 효과가 없었'는데, 이에 '위산 분비를 조절하는 새 항히스타민약을 개발'했다고 하였다. 그러므로 메피라민은 알레르기와 염증 조절에 일차적인 효과를, 새 항히스타민약은 위산 분비 조절에 일차적인 약효를 가질 것이다.

오답풀이

① 〈보기〉에서 '생체의 리간드인 히스타민은 알레르기와 염증의 발생, 위산 분비 등에 모두 관여하는 것으로 알려져 있다.'라고 하였다. 또한 '연구자들은 히스타민과 친화성을 갖는 두 종류 이상의 수용체가 있을 것으로 가정'하고 새 항히스타민약을 개발했다고 했으므로, 이들은 히스타민이 알레르기와 염증 발생, 위산 분비에 관여하는 수용체 모두와 친화성을 갖는다고 생각했을 것이라 볼 수 있다.

② 〈보기〉에서 '항히스타민약으로 개발된 메피라민은 알레르기와 염증에는 효과가 있지만 위산 분비 조절에는 거의 효과가 없었다.'라고 하였다. 따라서 메피라민은 위산 분비에 관여하는 수용체보다는 알레르기와 염증 발생에 관여하는 수용체와 친화성이 높을 것이다.

③ 〈보기〉에서 메피라민과 새 항히스타민약은 히스타민이 관여하는 증상을 조절하는 데에 효과가 있다고 하였다. 따라서 두 약은 모두 히스타민과 유사한 화학적 분자 구조를 가진 성분을 포함할 것이다.

⑤ 〈보기〉에서 새 항히스타민약은 메피라민과는 달리 '위산 분비를 조절'할 수 있다고 했으므로, 이는 메피라민보다 위산 분비에 관여하는 수용체와 더 높은 친화성을 가질 것이다.

## [38~42] 사회

**38**  정답률 **40%**

정답풀이

2문단에서 '고전학파는 호황이나 불황이 나타나는 경기 변동 현상은 발생하지 않는다고 보았'으며, 5문단에서 새고전학파는 '경기 변동을 균형 자체가 변화하는 현상으로 분석'하면서 '총수요 변동이 아닌 기술 변화가 지속적인 경기 변동을 유발한다고 주장했다.'라고 하였다. 즉 고전학파와 새고전학파는 경기 변동의 존재 여부에 대해 서로 다른 입장을 보였음을 알 수 있다.

오답풀이

② 5문단에서 새고전학파는 '경제 주체의 합리적 선택에 대한 미시적 분석을 바탕으로 거시 경제 현상을 분석해야 한다고 주장'하였다. 그러나 이때 시장에 나타난 가격 경직성을 미시적 분석을 통해 해소할 수 있다고 주장한 것은 아니다.

③ 3문단에서 케인즈는 '노동 시장에서의 가격인 임금이 경직적인 경우' '대규모 실업을 불러일으킨다고 주장했다.'라고 하였다. 즉 노동 시장에 나타나는 임금 경직성이 오히려 극심한 고용량의 변화를 야기한다고 보았음을 알 수 있다.

④ 3문단에서 케인즈는 '장기에는 가격이 신축적이지만 단기에는 경직적이라고 생각'했는데, '가격 경직성이 심할수록 소비나 투자 등 총수요가 변동할 때 극심한 경기 변동 현상이 유발된다고 보았다.'라고 하였다. 따라서 케인즈는 만약 단기에 가격이 신축적으로 변화한다면 수요와 공급의 불일치를 해소할 수 있다고 볼 것이다.

⑤ 6문단에서 새케인즈학파는 '가격 경직성의 근거로 '메뉴 비용 이론''을 제시했다고 하였다. 즉 메뉴 비용의 존재로 인해 오히려 제품 시장에서 가격이 조정되는 속도가 느리다고 보았음을 알 수 있다.

**오답률 Best ③**

윈글을 바탕으로 출제된 5개의 문제 중 3개나 오답률 Best에 포함되었어. 1문단에서 '시장 불균형이 발생한 이후 다시 균형을 회복하는 데 걸리는 시간에 대해 서로 다른 입장들이 존재'한다고 하며 화제를 제시하고, 이후 고전학파, 케인즈와 케인즈 학파, 새고전학파, 새케인즈학파 등 여러 관점을 소개하며 한꺼번에 많은 정보들을 쏟아내고 있기 때문에 내용을 정확히 이해하고 정리하는 데에 어려움을 겪었을 거야. 하지만 각 문단이 어떤 관점에 대한 설명이고 핵심 주장은 무엇인지를 차분하게 파악하고 정리하였다면 38번의 정오 판단 자체는 어렵지 않게 해낼 수 있었을 거야. 이때 중요한 건 눈에 익은 몇몇 단어를 중심으로 판단하는 것이 아니라, 반드시 선지의 내용을 정확히 이해하고 지문에서 근거를 찾아 비교하여 판단해야 한다는 거야. 정답인 ①번 외에 선택 비율이 가장 높았던 ②번의 경우, '새고전학파', '미시적 분석'과 같은 단편적인 단어에 집중했다면 다른 적절한 내용이라고 착각하기 쉬웠지. 윈글의 5문단에 해당 단어들이 언급되고는 있지만, 새고전학파가 미시적 분석을 통해 가격 경직성을 해결할 수 있다고 주장하지는 않았으므로 무관한 내용이었어. 이렇듯 함정에 빠져 실수하지 않도록, 내용 일치 문제는 선지와 지문의 진술을 꼼꼼하게 대응시키며 판단해야 한다는 것을 기억하자!

**39**  정답률 **28%**

정답풀이

2문단을 통해 ㉠(고전학파)은 '시장은 가격의 신축적인 조정에 의해 항상 균형을 달성한다고 보았'음을 알 수 있다. 따라서 ㉠은 〈보기〉의 모형에 대해 AD 곡선이 이동할 때 물가가 $P_1$에서 $P_2$까지 신축적으로 변화하여 국민 총소득이 Y*인 장기 균형이 항상 성립한다고 판단할 것이다.

오답풀이

① 2문단을 통해 ㉠은 '호황이나 불황이 나타나는 경기 변동 현상은 발생하지 않는다고 보았'음을 알 수 있다. 따라서 ㉠은 AD 곡선이 이동하더라도 국민 총소득이 Y*로 일정하다고 판단할 것이다.

8 회

③ 3문단과 4문단을 통해 ㉡(케인즈학파)은 '장기에는 가격이 신축적이지만 단기에는 경직적'이며, 이러한 '가격 경직성이 심할수록 소비나 투자 등 총수요가 변동할 때 극심한 경기 변동 현상이 유발된다고' 본 케인즈의 주장을 이어받아 발전시켰음을 알 수 있다. 따라서 ㉡은 AD 곡선이 이동할 때 물가가 $P_1$에서 $P_2$ 사이의 폭보다 작은 폭으로 변화하여 국민 총소득이 장기 균형인 Y*를 이탈한다고 판단할 것이다.

④ 3문단과 4문단을 통해 ㉡은 '장기에는 가격이 신축적이지만 단기에는 경직적'이며, 이러한 '가격 경직성이 심할수록 소비나 투자 등 총수요가 변동할 때 극심한 경기 변동 현상이 유발된다고' 본 케인즈의 주장을 이어받아 발전시켰음을 알 수 있다. 따라서 ㉡은 물가가 완전히 경직적이라면 AD 곡선이 이동할 때 물가가 $P_0$에 고정되어 변하지 않고 이로 인해 국민 총소득의 변동성은 $Y_1$에서 $Y_2$까지 나타난다고 판단할 것이다.

⑤ 4문단에서 ㉡은 '가격 경직성의 존재에도 불구하고 정부의 '보이는 손'을 통해 시장의 균형이 회복될 수 있다고' 보았음을 알 수 있다. 따라서 ㉡은 정부의 경기 안정화 정책이 유효하다면 물가가 $P_0$에 고정되더라도 국민 총소득이 장기 균형인 Y*로 일정할 수 있다고 판단할 것이다.

**오답률 Best 1**

윗글에 제시된 ㉠(고전학파)과 ㉡(케인즈학파)의 입장을 <보기>의 그래프에 적용하여 이해할 수 있는지를 묻는 고난도 문항이었어. 그래서인지 2020년 3월 학력평가 문제 중 가장 오답률이 높았지. 이 문제의 정오 판단을 위해서는 1) 선지의 앞부분에 제시된 진술이 지문에서 설명한 ㉠, ㉡의 입장과 부합하는지, 2) 선지의 뒷부분 진술을 <보기>의 그래프에 대입했을 때 그 내용이 서로 일치하는지를 모두 확인해야 했어. 이때 2)의 과정이 다소 까다롭고 어렵게 느껴졌을 수 있어. 하지만 <보기>에서 예로 든 내용을 그래프를 통해 직접 확인하며 정확히 이해하는 과정을 거쳤다면, 선지의 진술도 같은 방식으로 정오 판단을 할 수 있었어. 이런 <보기> 적용 문제는 다른 문제에 비해 시간이 좀 더 걸리는 것이 당연할 수밖에 없어. 그러므로 빠르게 풀어내는 데 초점을 맞추기보다는 차분하게 <보기>의 내용을 이해하고, 이를 토대로 선지 진술의 적절성을 단계별로 정확하게 확인한다는 측면에서 접근했다면 어렵지 않게 풀 수 있었을 거야!

## 40 ② 정답률 41%

정답풀이

5문단에서 ㉢(새고전학파)은 '새로운 정보가 전해지면 경제 주체들은 기존에 보유하고 있던 정보에 추가된 정보를 반영하여 합리적으로 기대를 형성하고 이에 따라 반응을 바'꾼다는 점을 근거로 '케인즈학파의 거시 계량 모형에 오류가 있음을 지적했다.'라고 하였다. 이를 고려할 때, ㉢은 〈보기〉에 제시된 '경제학자 갑'의 정책 제안에 대해 K국 정부가 확장적 통화 정책을 발표한 후, 경제 주체인 K국 국민들이 가진 통화량에 대한 예상이 달라질 수 있음을 정책 효과 분석에서 고려하지 않았다고 비판할 수 있다.

오답풀이

① 〈보기〉에서 '현재는 2020년 3월 12일이며, K국은 매년 12월 31일에 해당 시점의 통화량을 발표한다.'라고 했으므로, K국의 확장적 통화 정책이 2019년의 통화량에 대한 K국 국민들의 합리적 기대 형성에 영향을 미친다고 볼 수는 없다.

③ 5문단에서 ㉢은 '새로운 정보가 전해지면 경제 주체들은 기존에 보유하고 있던 정보에 추가된 정보를 반영하여 합리적으로 기대를 형성하고 이에 따라 반응을 바'꾼다고 보았음을 알 수 있다. 따라서 ㉢은 확장적 통화 정책으로 인해 K국의 통화량이 변화할 경우, 기존의 정보인 2020년 이전의 자료도 고려해야 한다고 볼 것이다.

④ 5문단에서 ㉢은 '새로운 정보가 전해지면 경제 주체들은 기존에 보유하고 있던 정보에 추가된 정보를 반영하여 합리적으로 기대를 형성하고 이에 따라 반응을 바'꾼다고 보았음을 알 수 있다. 또한 〈보기〉에서 경제학자 갑도 모형을 분석한 결과로 '통화량이 증가한 경우 다음 달의 소비가 증가한다는 결론을 도출'했다고 했으므로, ㉢이 경제학자 갑의 제안에 대해 확장적 통화 정책을 시행한 이후 2020년 12월 30일까지 K국 국민들의 소비가 변화하지 않을 것이라는 점을 고려하지 않았다고 비판하지는 않을 것이다.

⑤ 5문단에서 ㉢은 '총수요 변동이 아닌 기술 변화가 지속적인 경기 변동을 유발한다고 주장했다.'라고 하였다. 따라서 K국 정부의 인위적인 통화량 조절로 유발된 총수요 변동이 불황을 일으킬 수 있다는 점을 고려하지 않았다고 비판하지는 않을 것이다.

**오답률 Best 4**

이 문제는 윗글에 제시된 ㉢(새고전학파)의 입장과 <보기>에서 설명한 경제학자 갑의 정책 내용을 서로 연관지어 이해할 수 있는지를 묻고 있어. 정답인 ②번 외에는 ①번과 ③번을 선택한 학생들의 비율이 높았는데, 이때 ①번은 <보기>의 상황을, ③번은 윗글의 ㉢의 주장을 정확히 확인했어야 해. 먼저 ①번의 경우, <보기>에서 '단, 현재는 2020년 3월 12일이며'라고 한 것과 확장적 통화 정책을 시행하겠다고 한 일자가 '2020년 4월 1일'이라고 한 것을 확인했다면 오답임을 쉽게 파악할 수 있었어. 시기상 K국의 확장적 통화 정책이 이미 지난 시기의 일인 '2019년의 통화량에 대한 K국 국민들의 합리적 기대 형성'에 영향을 미친다는 것은 상식적으로 불가능한 일이기 때문이지. 다음으로 ③번은 5문단의 '새로운 정보가 전해지면 경제 주체들은 기존에 보유하고 있던 정보에 추가된 정보를 반영하여~'라는 내용만 기억하고 있었다면 오답임을 판단할 수 있었지. ㉢은 경제 주체가 이전 정보 즉, 과거의 정보를 배제한다고 본 것이 아니므로 2020년 이전의 자료는 배제한 채 소비의 변화를 예측했어야 한다고 비판한다는 것은 ㉢의 입장과는 맞지 않는 내용이니까 말이야.

## 41 ①  정답률 53%

정답풀이

[A]에서 새케인즈학파는 '가격 경직성의 근거로 '메뉴 비용 이론'과 '효율 임금 이론'을 제시한다고 했다. '메뉴 비용 이론'에 따르면, '기업은 제품 가격을 변화시킴으로써 얻을 수 있는 이득과 메뉴 비용을 비교하여 가격을 변화시키며, 이에 따라 제품 시장의 가격 경직성이 발생할 수 있다.'라고 했다. 따라서 이윤 추구를 위해 제품 가격을 변화시키면 가격 경직성이 발생할 수 있다. 또한 '효율 임금 이론'에 따르면 '임금이 높을수록 노동자의 생산성이 높아'지므로 기업이 높은 임금을 결정한 결과 가격 경직성이 발생할 수 있다.

오답풀이

② [A]에서 새케인즈학파는 '경제 주체들이 합리적으로 기대를 형성하더라도 가격 경직성으로 인해 경기 변동이 발생할 수 있'음을 주장하면서 '총수요 관리 정책이 여전히 효과를 갖는다고 주장'했다고 하였다.

③ [A]에서 제시한 '메뉴 비용 이론'과 '효율 임금 이론'에서 알 수 있듯 제품 시장과 노동 시장에 참여하는 기업은 공통적으로 동일하게 이윤을 추구하는 행동을 할 것임을 알 수 있다. 따라서 기업의 행동 차이로 인해 시장의 가격 경직성이 제거될 수 있다고 보기는 어렵다.

④ [A]에서 '메뉴 비용 이론에 따르면 기업은 제품 가격을 변화시킴으로써 얻을 수 있는 이득과 메뉴 비용을 비교하여 가격을 변화시키며, 이에 따라 제품 시장의 가격 경직성이 발생할 수 있다.'라고 하였다. 이때 메뉴 비용의 크기가 클수록 제품 가격의 변동성 역시 커진다는 것을 밝힌다면, 이는 오히려 가격 신축성의 근거가 될 것이라고 볼 수 있다.

⑤ [A]에서 '효율 임금 이론'은 '임금이 높을수록 노동자의 생산성이 높아진다고 주장'하며 '기업이 노동자에게 높은 임금을 지급함으로써 노동자의 이직과 태만을 방지할 수 있'다고 보았음을 알 수 있다. 따라서 이 경우 노동의 초과 수요가 발생하더라도 기업은 노동자에게 더 높은 임금을 지급함으로써 이직과 태만을 방지하려 할 것이라고 볼 수 있다.

## 42 ④ 정답률 73%

정답풀이

2문단에 따르면 시장이 '균형을 회복'하는 것은 '호황이나 불황이 나타나는 경기 변동 현상이 발생하지 않는 것이므로'라고 한 것을 고려할 때, ⓓ(경기 변동을 제거할 수)는 '호황이나 불황의 발생을 없앨 수'로 바꾸는 것이 적절하다.

오답풀이

① 1문단에서 '시장은 수요와 공급이 일치하지 않는 불균형이 발생할 경우 가격 변화에 의해 균형을 회복한다.'라고 한 것을 고려할 때, ⓐ(균형을 달성한다고)는 '수요와 공급이 일치한다고'로 바꿔 쓸 수 있다.

② 1문단에서 '단기는 가격 조정이 원활이 이루어지지 않아'라고 한 것을 고려할 때, ⓑ(경직적이라고)는 '즉시 바뀌지 않는다고'로 바꿔 쓸 수 있다.
③ 4문단에서 '케인즈학파는 경기 변동을~불균형 상태와 균형 상태가 반복되는 현상으로 보고, 총수요 변동이 유발한 불균형 상태'라고 한 것을 고려할 때, 총수요를 ⓒ(관리함으로써)는 총수요를 '적절한 수준으로 변화시킴으로써'로 바꿔 쓸 수 있다.
⑤ 5문단에서 '새로운 정보가 전해지면 경제 주체들은 기존에 보유하고 있던 정보에 추가된 정보를 반영하여 합리적으로 기대를 형성하고 이에 따라 반응을 바꾸므로'라고 한 것을 고려할 때, ⓔ(기대를 형성하고)는 '미래를 예상하고'로 바꿔 쓸 수 있다.

[43~45] **현대시**

**43** ① 정답률 **78%**

정답풀이

(가)는 '-ㅂ니다'라는 동일한 종결 어미를 반복하여 운율감을 드러내고 있다.

오답풀이

② (가)와 (나) 모두 설의적 표현이 활용된 부분은 찾을 수 없다. (가)의 '나의 얼굴이 그믄달이 된 줄을 당신이 아십니까'는 의문형 표현으로 상대에게 말을 건네는 방식을 사용했다고 볼 수 있다.
③ (가)에서 공감각적 심상이 활용된 부분은 찾을 수 없다. (나)의 '생선 한 토막의 비린내를 구웠으나'에서 후각인 '비린내'를 시각화한 공감각적 심상을 활용하고 있다고 볼 수 있으나 이를 통해 자연을 묘사하고 있지는 않다.
④ (가)는 '나의 얼굴은 그믐달이 된 줄을 당신이 아십니까'에서 '당신'에게 말을 건네는 방식을 사용하고 있으나, (나)에서는 말을 건네는 방식이 사용된 부분을 찾을 수 없다.
⑤ (나)는 '검던 머리 더욱 희끗거리고 / 희끗거리며 날리는 눈발을 봐도'에서 연쇄적 표현이 사용되었다고 볼 수 있으나, (가)에서는 연쇄적 표현이 사용된 부분을 찾을 수 없다.

**44** ④ 정답률 **73%**

정답풀이

(나)에서 '이따금'은 '묻기도 했다'와, '아직도'는 '낯선'과 의미상 짝을 이룬다. 즉 '이따금'은 화자가 대상이 '부재'하는 이유를 상기하도록 하는 역할을, '아직도'는 화자가 이사 온 '남쪽 악양'에서 느끼는 낯섦을 강조하는 역할을 한다고 보는 것이 적절하다.

오답풀이

① (가)의 화자는 '당신이 하도' 그리워서 '뜰'로 나온 뒤, 그곳에서 '한참'이나 '달'을 바라본다. 이를 통해 화자가 느끼는 그리움의 크기와 달을 바라보는 행동의 지속 시간이 서로 대응함을 알 수 있다.
② (가)의 화자는 '달'이 '차차차 당신의 얼굴'처럼 보이더니 '역력히' '넓은 이마 둥근 코 아름다운 수염'처럼 보인다고 하였다. 이를 통해 화자가 외부 사물인 '달'을 그리운 '당신의 얼굴'로 인식함을 알 수 있다.
③ (나)에서 '어쩌다'는 '생선 한 토막'을 굽는 일과, '늘'은 '비어 있던 자리'와 관련된다. 간혹 생활에 있는 소소한 변화를 표현하는 '어쩌다'와 대비되는 '늘'은 근본적인 변화는 일어나지 않아 '내 뼈를 발라 살점 얹어줄 사람'이 없는 상황이 여전하다는 점을 강조하고 있다.
⑤ (나)에서 '나뉠 수 없는 우주의 경계로 인해 / 밤마다 한 몸이 되'는 자연물을 부러워하던 화자는 '해가 바'뀌어 '검던 머리'가 '희끗거'려도 '점점 무심해'진다고 하였다. 이를 통해 시간의 흐름에 따라 부러움에서 무심함으로 화자의 감정 변화를 확인할 수 있다.

**45** ③ 정답률 **77%**

정답풀이

(가)에서 '간 해에는 당신의 얼굴이 달로 보이더니 오늘 밤에는 달이 당신의 얼굴이 됩니다'는 화자가 과거에는 당신과 함께였지만 현재는 그렇지 않은 상황임을 드러낸 표현으로 볼 수 있다. 또한 (나)에서 '아랫마을 밤 개'가 '컹컹거리며' 화자에게 그 사람의 '부재의 이유'를 묻고, '겨울바람'이 화자가 사는 곳 '처마 끝을 풀썩 뒤흔들다' 가는 것은 대상의 부재로 인해 홀로 지내는 화자의 외로운 처지를 드러낸 표현이므로 재회에 대한 확신을 드러낸다고는 볼 수 없다.

오답풀이

① 〈보기〉에서 '(가)와 (나)는 모두 대상의 부재에 관한 화자의 태도를 드러내고 있다.'라고 하였다. (가)의 화자는 '뜰'에 나와 '달'을 바라보며 부재하는 '당신'을 떠올리고, (나)의 화자는 '어쩌다 생선 한 토막'을 구웠으나 이를 함께 나눌 존재가 '밥상머리 맞은편'에 존재하지 않음을 인식하며 대상의 부재를 느끼고 있다.
② (가)에서 화자는 '달은 차차차 당신의 얼굴이 되더니 넓은 이마 둥근 코 아름다운 수염이 역력히 보'인다고 하며, (나)에서는 '어쩌다 생선 한 토막'을 구웠지만 '밥상머리 맞은편'에 '내 뼈를 발라 살점 얹어줄 사람'이 없다고 하며 부재하는 대상에 대해 표현하고 있다.
④ 〈보기〉에서 (가)의 화자는 '자연물을 매개로 대상과의 합일을 바란다.'라고 하였다. (가)의 3연에서 화자는 '당신의 얼굴이 달이기에 나의 얼굴도 달이 되었습니다'라고 하며 자연물인 '달'을 매개로 하여 당신과 합일하고 싶은 소망을 드러낸 것으로 볼 수 있다.
⑤ 〈보기〉에서 (나)의 화자는 '자연물 간의 합일을 부러워하는 모습을 보이기도 한다.'라고 하였다. (나)에서 화자가 '별들과 산마을의 불빛들'이 '밤마다 한 몸이 되'는 모습을 보고 '부럽기도 했다'라고 한 것은, '늘 비어 있던 자리'가 '달라지지 않'은 자신의 처지와는 달리 합일을 이루는 자연물에 대한 부러움을 드러낸 것으로 볼 수 있다.

8 회

## 9회 2019학년도 11월 학평

| 1. ② | 2. ⑤ | 3. ⑤ | 4. ⑤ | 5. ② | 6. ④ | 7. ① | 8. ④ | 9. ④ | 10. ④ |
|---|---|---|---|---|---|---|---|---|---|
| 11. ⑤ | 12. ⑤ | 13. ② | 14. ① | 15. ③ | 16. ④ | 17. ⑤ | 18. ④ | 19. ③ | 20. ③ |
| 21. ① | 22. ③ | 23. ④ | 24. ③ | 25. ④ | 26. ② | 27. ③ | 28. ③ | 29. ③ | 30. ⑤ |
| 31. ① | 32. ① | 33. ⑤ | 34. ② | 35. ① | 36. ② | 37. ④ | 38. ⑤ | 39. ① | 40. ⑤ |
| 41. ③ | 42. ⑤ | 43. ② | 44. ② | 45. ③ | | | | | |

오답률 Best 5

[1~3] **화법**

**1** ② 정답률 **87%**

정답풀이

강연자는 함께 섭취하면 유용한 식재료 조합에 대해 설명하고 있으나, 영양소의 개념을 정의하고 있지는 않다.

오답풀이

① 강연자는 '골감소증을 겪는 어르신께는 우유와 딸기를 함께 드실 것을 권해 보세요.', '동맥 경화와 같은 혈관 질환으로~부추와 같이 드실 것을 권합니다.'에서 식이 요법이 필요한 질환을 언급하며 식재료 조합을 권유하고 있다.

③ 강연자는 '육류에 풍부한 비타민 $B_1$의 흡수를 마늘의 알리신 성분이 도와줍니다.' 등에서 식재료의 성분을 언급하며 유용한 식재료 조합의 근거를 제시하고 있다.

④ 강연자는 강연 마지막 부분에서 청중의 질문을 듣고 '함께 먹으면 좋지 않은 식재료 조합'을 소개하고 있다.

⑤ 강연자는 '(자료 1을 손으로 가리키며)~된장의 나트륨이 체내에 쌓이지 않도록 해 줍니다.', '(자료 2의 상단을 가리키며)~부추와 함께 드실 것을 권합니다.'에서 자료를 손으로 가리키는 비언어적 표현과 함께 식재료 조합의 구체적 사례를 안내하고 있다.

**2** ⑤ 정답률 **82%**

정답풀이

강연자는 '자료 1'을 통해 '함께 섭취하면 좋은 식재료 조합'을 제시한 후 '자료 2'의 상단을 통해 '영양소 흡수에 도움을 주는 식재료 조합'을, '자료 2'의 하단을 통해 '특정 성분이 체내에 쌓이지 않도록 도움을 주는 식재료 조합'을 제시했다. 따라서 '자료 2'는 식재료를 함께 섭취하여 얻을 수 있는 효과가 '영양소 흡수에 도움'이 되는 것인지, '특정 성분이 체내에 쌓이지 않도록' 하는 것인지를 기준으로 분류하여 제시하기 위한 것으로 볼 수 있다.

**3** ⑤ 정답률 **92%**

정답풀이

강연을 들은 학생이 '우유와 함께 먹으면 좋은 다른 식재료를 더 찾아봐야겠어.'라고 한 것은 강연에서 설명한 '우유와 딸기를 함께' 섭취하는 방법 외에 다른 식재료 조합에 대해 추가 학습을 계획한 것이다. 따라서 ⓔ를 강연과 관련된 추가 학습으로 알게 된 점으로 볼 수는 없다.

오답풀이

① ⓐ는 강연을 듣기 전 학생이 '찰떡궁합 식재료'라는 강연 제목을 보고, 강연에서 '궁합이 좋은 식재료 조합을 소개'할 것이라고 예측하는 것으로 볼 수 있다.

② ⓑ는 강연을 듣기 전 학생이 '찰떡궁합 식재료'라는 강연 제목을 보고, 이와 관련하여 '식재료 조합에 대한 책을 읽'었던 자신의 경험을 떠올리는 것으로 볼 수 있다.

③ 강연을 들은 후 학생은 '건강에 도움이 되는 식재료 조합들을 알게 되어 유익'했다고 메모했으므로, ⓒ에서 학생은 강연 내용에 대한 긍정적 평가를 드러내고 있다고 볼 수 있다.

④ 강연을 들은 후 학생은 강연자가 언급한 '표고버섯'이 아닌 '팽이버섯'을 먹는 경우에 같은 효과를 낼 수 있을지 메모하였으므로, ⓓ에서 학생은 강연에서 언급되지 않은 내용에 대해 궁금해 하고 있다고 볼 수 있다.

[4~7] **화법과 작문**

**4** ⑤ 정답률 **89%**

정답풀이

(가)의 4문단에서 '공개 토론 이후 전교생이 투표를 하여 이 결과를 바탕으로 최종 결정을 할 예정'이라고 했다. 즉 공개 토론 이후 전교생을 대상으로 투표하여 학교 신문을 인터넷 신문으로 전환할지 결정한다고 했으므로 투표 결과에 따라 공개 토론을 한다는 정보를 제시해야겠다는 것은 적절하지 않다.

오답풀이

① (가)의 4문단에서 신문 동아리 학생들은 '인터넷 신문으로의 전환 여부'를 결정하기 위해 학생들에게 다양한 의견을 제공하는 공개 토론이 필요하다고 판단했으므로, 공개 토론을 진행하려는 목적이 언급되었다고 볼 수 있다.

② (가)의 4문단에서 '공개 토론회는 11월 5일 17시에 강당에서 개최된다.'라고 공개 토론이 진행될 일시와 장소를 밝히고 있다.

③ (가)의 2문단에서 '이 토론은 우리 학교에 인터넷 신문 발간을 위한 플랫폼을 후원해 주겠다는 우리 지역 신문사의 제안에서 비롯'되었다며, 동아리 내에서 토론을 하게 된 배경을 설명하고 있다.

④ (가)의 3문단에서 인터넷 신문 발간과 관련된 3가지 쟁점에 대한 찬성 측과 반대 측의 주장을 요약하고 있다.

**5** ② 정답률 **72%**

정답풀이

기사문은 육하원칙에 따라 정보를 제시해야 하지만 〈보기〉에는 '언제'에 대한 정보가 '얼마 전'으로만 제시되어 있고, '누가', '어디서' 등의 정보가 생략되어 있다. 그런데 [A]에는 '얼마 전'이 '지난 10월 24일'로 구체적으로 제시되었고, '학생회 회의실에서', '신문 동아리 학생들은', '찬성 측과 반대 측으로 나뉘어' 등으로 '어디서', '누가', '어떻게'에 해당하는 내용이 추가되었다. 즉 〈보기〉를 [A]처럼 수정한 이유는 기사문의 작성 원칙을 고려하여 필요한 정보를 제시하기 위함이었다고 볼 수 있다.

오답풀이

① [A]에서 독자의 경험은 추가되지 않았다.

③ [A]에서 독자의 관심을 끌 구체적인 사례는 언급되지 않았다.

④ [A]에서 특정 개념의 의미가 설명되지는 않았다.

⑤ 〈보기〉는 2개의 문장으로 구성되어 있으며, [A] 또한 2개의 문장으로 구성되어 있다. 또한 문장의 길이는 [A]에서 더 길어졌으므로, 기사문이 잘 읽히도록 긴 문장을 나누어 표현했다고 볼 수는 없다.

**6** ④ 정답률 82%

정답풀이

(나)에서 '찬성 1'은 학생들을 인터뷰한 결과 '신속한 정보 전달에 대한 우리 학교 학생들의 요구가 상당히 높다는 것을 알 수 있었습니다.'라고 말하며 인터넷 신문으로의 전환에 대한 찬성 측 입장을 옹호하고 있다. 하지만 이는 첫 번째 쟁점인 ㉠(인터넷 신문이 기사의 신속한 전달이라는~쟁점)에 대한 찬성 측 입장을 옹호하는 것이지 ㉢(인터넷 신문을 통해 언론 보도의 책임감을 배울 수 있다는 쟁점)에 대한 입장을 옹호하는 것은 아니다.

오답풀이

① (나)에서 '반대 1'은 설문 조사 결과를 인용하여 '인터넷 신문을 반대하는 비율'이 높으며, 그 이유 중 '무분별한 기사 게재가 우려된다'는 점이 큰 비중을 차지함을 언급함으로써, ㉠에 대해 '신속한 정보 전달에 대한' 학생들의 요구가 높다는 찬성 측의 입장을 반박하고 있다.
② (나)에서 '찬성 2'는 '매체 이론 전문가'인 '마셜 맥루언'의 주장을 인용하여 매체의 영향력을 강조함으로써, ㉡(인터넷의~기사 내용 전달에 도움이 될 수 있다는 쟁점)에 대해 '다양한 시청각 요소로 정보를 효과적으로 전달할 수 있다'는 찬성 측 입장을 옹호하고 있다.
③ (나)에서 '반대 2'는 '최근의 신문 기사'에서 '주로 인터넷 환경에서 문자 언어를 구사'하는 청소년들의 '문자 언어 활용 능력이 심각하게 저하되었다'고 한 것을 언급하여 ㉡에 대해 '다양한 시청각 요소를 활용해 정보를 전달할 수 있다'는 찬성 측 입장을 반박하고 있다.
⑤ (나)에서 '반대 1'은 '기사 게재 전 이루어지는 숙고의 과정'인 '게이트 키핑'이라는 언론 관련 전문 용어를 통해 '언론 보도의 책임감은 종이 신문을 통해 효과적으로 배울 수' 있다는 ㉢에 대한 반대 측 입장을 옹호하고 있다.

**7** ① 정답률 90%

정답풀이

ⓐ(소수의~대변한다고 생각하지는 않습니다)에서 '반대 1'은 '소수의 의견이 전체의 의견을 대변'할 수 없다고 했는데, 이는 '찬성 1'이 제시한 특정 반 학생들을 대상으로 한 인터뷰 결과가 전교생의 의견을 대변할 수 없다는 것이다. 즉 '반대 1'은 ⓐ에서 '찬성 1'이 제시한 자료 해석 내용의 한계를 지적하고 있다. 또한 ⓑ(설문 조사의~비약입니다.)에서 '찬성 2'는 '반대 1'이 자신들이 진행한 '설문 조사의 결과'에 이미 '인터넷 신문 기사'에 대한 학생들의 경험이 반영되었다고 주장한 것이 지나친 비약이라며, 자료 해석 내용의 한계를 지적하고 있다. 따라서 ⓐ와 ⓑ 모두 상대방이 제시한 자료 해석 내용에 한계가 있음을 지적하고 있다고 볼 수 있다.

## [8~10] 작문

**8** ④ 정답률 84%

정답풀이

(가)에서 '학생들의 체력 저하에 대해 관심이 생겨 관련된 책을 찾아서 읽어 보'았다고 했으나 이때 찾아본 책은 (나)를 쓰기 위해 수집한 자료가 아니다. 또한 수집한 목록도 (가)에서 확인할 수 없다.

오답풀이

① (가)의 '우리가 먼저 학교 운동 문화 조성에 앞장서야 한다는 데 마음이 모아졌다.'에서 (나)를 쓰게 된 계기가 드러나 있다.
② (가)의 '그 실천의 첫걸음으로~건의하는 글을 쓰기로 했다.'에서 (나)를 쓰는 목적이 교장 선생님께 건의하기 위함임을 알 수 있다.
③ (가)에서 학생은 (나)의 예상 독자인 '교장 선생님'이 '학교생활에 도움을 주시는 분'이라는 점을 고려해 감사하다는 말로 글을 시작하고자 한다.
⑤ (가)의 '내일 친구들을~의논해 봐야겠다.'에서 (나)를 쓰기 위해 글의 내용이 되는 재료를 친구들과의 의논으로 구체화하려 함을 알 수 있다.

**9** ④ 정답률 90%

정답풀이

㉰에는 '단시간에 고강도 운동'을 하면 '젖산 과다 분비로 근육통이 발생하거나 부상을 입을 위험'이 크다는 내용이 언급되어 있다. 따라서 ㉯와 ㉰를 활용하여 강도 높은 운동을 배워야 한다는 것으로 ㉣(방송을 통해~바랍니다.)을 수정 · 보완할 수는 없다.

오답풀이

① ㉠(예전과 달리~되었습니다.)에는 '예전과 달리 우리 □□시 청소년의 체력 저하가 심각하다'는 내용이 언급되어 있다. ㉮-1의 '□□시 청소년 체력 등급 연도별 비율'을 통해 해마다 1, 2등급 비율이 감소하고 4, 5등급 비율이 증가하고 있음을 보여 줄 수 있으므로, 이 자료를 활용하여 청소년 체력 저하 문제의 심각성을 드러낼 수 있다.
② ㉡(우리 학교 학생들도~생각합니다.)에는 우리 학교 학생들도 청소년 체력 저하가 심각한 일반적인 추세에서 예외적이지 않다는 내용이 언급되어 있다. ㉮-2는 우리 학교 학생 체력 등급 중 근력 및 유연성 1, 2등급 비율이 줄어들고 있음을 보여 주는 자료로, 이를 활용하여 청소년 체력 저하와 관련된 문제를 세부적으로 제시할 수 있다.
③ ㉢(체력 단련실은~어렵다는 것입니다.)에는 체력 단련실이 본관에서 멀리 있기 때문에 이용이 어려움을 언급하고 있다. ㉯는 우리 학교 학생들을 대상으로 '학교 체력 단련실을 이용하지 않는 이유'에 대해 설문 조사한 결과이며 '본관에서 거리가 멀어서'가 52%로 가장 높은 비율을 차지함을 보여 준다. 따라서 이를 활용하여 문제의 원인 분석에 대한 신뢰성을 강화할 수 있다.
⑤ ㉤(학생들이~바랍니다.)에는 '학생들이 자기 자리에서 운동을 할 때 효과를 높일 수 있도록 간단한 운동 보조 기구를 구입하여 비치해' 달라는 요청이 언급되어 있다. ㉮-2는 우리 학교 학생 체력 등급 중 근력 및 유연성 1, 2등급 비율이 줄어들고 있음을 보여 주며, ㉱는 운동 보조 기구인 '탄력 밴드는 근력 강화에, 밸런스 매트는 유연성 증진에 탁월한 효과'가 있다는 내용을 포함하고 있다. 따라서 이를 활용해 건의 내용을 구체적으로 제시할 수 있다.

**10** ④ 정답률 93%

정답풀이

'제 건의가 받아들여져~체력이 증진될 것입니다.'에는 건의가 받아들여질 경우 생기는 기대 효과가 제시되어 있다. 그리고 '시들어 가는 꽃처럼~있도록 도와주세요.'에서 체력이 저하된 학생들을 꽃에 비유하고 있다.

오답풀이

① 건의가 받아들여질 경우 생기는 기대 효과와 전달 효과를 높이기 위한 비유법 모두 확인할 수 없다.
② '학교 운동 문화가 조성되어~즐겁게 학교생활을 할 수 있을 것입니다.'에는 건의가 받아들여질 경우 생기는 기대 효과가 제시되어 있지만, 비유법은 확인할 수 없다.
③ '학교는~숲과 같은 공간입니다.'에서 학교를 숲에 비유했으나, 건의가 받아들여질 경우 생기는 기대 효과는 확인할 수 없다.
⑤ '학교에 운동하는 문화가 조성될 것입니다.'에는 건의가 받아들여질 경우 생기는 기대 효과가 제시되어 있다고 볼 수 있지만, 비유법은 확인할 수 없다.

## [11~15] 문법(언어)

**11** ⑤ 정답률 73%

정답풀이

ⓒ의 '꽃이슬'이 [꼰니슬]로, ⓓ의 '솜이불'이 [솜니불]로 발음될 때, 'ㄴ'이라는 새로운 음운이 생기는 '첨가'가 공통적으로 일어났다. 참고로 'ㄴ' 첨가는 합성어에서 앞말이 자음으로 끝나고 뒷말이 모음 'ㅣ'로 시작할 때 'ㄴ'이 새로 생기는 음운 현상을 말한다.

오답풀이

① ⓐ의 '굳히다'는 받침 'ㄷ' 뒤에 접미사 '-히-'가 결합되어 '티'로 축약된 후 구개음화를 겪어 [구치다]로 발음된다. ⓑ의 '홅이다'는 받침이 'ㄷ'인 형태소가 모음 'ㅣ'로 시작되는 형식 형태소와 만나 'ㅊ'으로 교체되는 구개음화를 겪어 [훌치다]로 발음된다. 따라서 ㉠은 ⓐ에서 교체가 일어난 것은 맞지만, ⓑ에서 탈락이 일어난 것은 아니다.

9 회

② ⓒ의 '꽃이슬'이 [꼰니슬]로, ⓓ의 '솜이불'이 [솜니불]로 발음될 때에는 'ㄴ' 첨가가 일어난 것이지, ⓓ에서 두 음운이 하나의 음운으로 합쳐지는 축약이 일어난 것은 아니다.
③ ⓐ의 '굳히다'가 [구치다]로 발음될 때에는 'ㄷ'과 'ㅎ'이 만나 'ㅌ'이 되는 축약이 일어난다. 하지만 ⓑ의 '훑이다'가 [훌치다]로 발음될 때 구개음화 즉 교체는 일어나지만, 두 음운이 하나의 음운으로 합쳐지는 축약이 일어난 것은 아니다.
④ ⓒ의 '꽃이슬'은 'ㄴ' 첨가가 일어나고, 받침 'ㅊ'이 'ㄷ'으로 교체되는 음절의 끝소리 규칙의 적용을 받아 [꼳니슬]이 된 후, 파열음 'ㄷ'이 비음 'ㄴ' 앞에서 비음으로 바뀌는 교체가 일어나 [꼰니슬]로 발음된다. 그러나 ⓓ의 '솜이불'이 [솜니불]로 발음될 때 교체는 일어나지 않는다.

## 12 ⑤ 정답률 64%

**정답풀이**

2문단에서 '보조 용언 '않다'는 앞에 오는 본용언의 품사가 동사이면 보조 동사, 형용사이면 보조 형용사로 쓰인다.'라고 했다. 따라서 ⓐ(않겠다)는 형용사 '쉽다' 뒤에서 쓰인 보조 형용사, ⓒ(않았다)는 동사 '가다' 뒤에 쓰인 보조 동사이다. 한편 2문단에서 '보조 용언 '보다'가 어떤 일을 경험한다는 의미를 나타내는 경우에는 보조 동사이고, 앞말이 뜻하는 행동이나 상태에 대한 걱정이라는 의미를 나타내는 경우에는 보조 형용사이다.'라고 했다. 따라서 ⓑ(봐)는 걱정의 의미를 나타내는 보조 형용사, ⓔ(보지)는 어떤 일을 경험한다는 의미의 보조 동사이다. 그리고 2문단에서 '보조 용언 '하다'가 앞말의 행동이나 상태에 대한 바람이라는 의미를 나타내는 경우에는 보조 동사'라고 했으므로 성실하기를 바란다는 맥락에서 쓰인 ⓓ(한다)는 보조 동사이다. 그러므로 ⓒ, ⓓ, ⓔ는 보조 동사, ⓐ, ⓑ는 보조 형용사이다.

## 13 ② 정답률 63%

**정답풀이**

Ⓑ의 '먹어 치우고 일어났다'에서 '먹어'와 '일어났다'는 홀로 쓰이는 본용언이고, '치우고'는 홀로 쓰이지 않는 보조 용언이다. 즉 '먹어 치우고 일어났다'는 본용언 '먹어', 보조 용언 '치우고', 본용언 '일어났다'의 순서로 연결된 경우이므로 ㉠(본용언, 본용언, 보조 용언의 순서로 연결된 경우)이 아니라 ㉡(본용언, 보조 용언, 본용언의 순서로 연결된 경우)에 해당한다.

**오답풀이**

① Ⓐ의 '던져서 베어 버렸다'에서 '던져서'와 '베어'는 홀로 쓰이는 본용언, '버렸다'는 홀로 쓰이지 않는 보조 용언이다. 즉 '던져서 베어 버렸다'는 본용언 '던져서', 본용언 '베어', 보조 용언 '버렸다'의 순서로 연결되었으므로 ㉠에 해당한다. 이때 본용언 '베어'의 어간 '베-'에 결합된 어미 '-어'는 보조적 연결어미이다.
③ Ⓒ의 '깨어 있어 행복했다'에서 '깨어'와 '행복했다'는 홀로 쓰이는 본용언, '있어'는 홀로 쓰이지 않는 보조 용언이다. 즉 '깨어 있어 행복했다'는 본용언 '깨어', 보조 용언 '있어', 본용언 '행복했다'의 순서로 연결되었으므로 ㉡에 해당한다. 이때 본용언 '깨어'의 어간 '깨-'에 결합된 어미 '-어'는 보조적 연결어미이다.
④ Ⓓ의 '앉아 있게 생겼다'에서 '앉아'는 홀로 쓰이는 본용언, '있게'와 '생겼다'는 홀로 쓰이지 않는 보조 용언이다. 즉 '앉아 있게 생겼다'는 본용언 '앉아', 보조 용언 '있게', 보조 용언 '생겼다'의 순서로 연결되었으므로 ㉢(본용언, 보조 용언, 보조 용언의 순서로 연결된 경우)에 해당한다. 이때 본용언 '앉아'의 어간 '앉-'에 결합된 어미 '-아'는 보조적 연결어미이다.
⑤ Ⓔ의 '먹고 싶게 되었다'에서 '먹고'는 홀로 쓰이는 본용언, '싶게'와 '되었다'는 홀로 쓰이지 않는 보조 용언이다. 즉 '먹고 싶게 되었다'는 본용언 '먹고', 보조 용언 '싶게', 보조 용언 '되었다'의 순서로 연결되었으므로 ㉢에 해당한다. 이때 본용언 '먹고'의 어간 '먹-'에 결합된 어미 '-고'는 보조적 연결어미이다.

## 14 ① 정답률 84%

**정답풀이**

'더욱이'는 부사 '더욱'의 어근에 접사 '-이'가 결합된 파생어로, 어근에 접사가 결합하여 형성되었으나 품사는 '더욱'과 동일한 부사이다.

**오답풀이**

② '드넓다'는 형용사 '넓다'의 어근에 접사 '드-'가 결합된 파생어로, 품사는 '넓다'와 동일한 형용사이다.
③ '넓이'는 형용사 '넓다'의 어근 '넓-'에 접사 '-이'가 결합된 파생어로, 품사는 명사이다.
④ '뒤덮다'는 동사 '덮다'의 어근에 접사 '뒤-'가 결합된 파생어로, 품사는 '덮다'와 동일한 동사이다.
⑤ '덮개'는 동사 '덮다'의 어근 '덮-'에 접사 '-개'가 결합된 파생어로, 품사는 명사이다.

## 15 ③ 정답률 63%

**정답풀이**

〈보기〉에서 '-오-'는 '어말 어미 앞에서 문법적인 기능을 하는 어미'로 '과거 시제를 나타내는 '-더-'와 결합하면 '-다-''로 나타난다고 했다. 즉 ⓒ(롱담ᄒᆞ다라)에서 '-다-'는 '-더-'가 '-오-'와 결합하여 나타난 형태로, 어말 어미인 '-라' 앞에서 사용되었다. 따라서 ⓒ의 '-다-'는 '-더-'와 어말 어미가 결합한 형태라고 볼 수 없다.

**오답풀이**

① 〈보기〉에서 '-오-'는 '음성 모음 뒤에서는 '-우-'로 나타'난다고 했다. 따라서 ㉠(ᄲᅮ우니)에서 '-우-'는 어간 'ᄲᅮ-'의 음성 모음 'ㅜ' 때문에 나타난 것으로 볼 수 있다.
② 〈보기〉에서 '-오-'는 '현재 시제를 나타내는 '-ᄂᆞ-'와 결합하면 '-노-'로 나타'난다고 했다. 따라서 ㉡(믱ᄀᆞ노니)에서 '-노-'는 '-오-'가 '-ᄂᆞ-'와 결합하여 나타난 것으로 볼 수 있다.
④ ㉡에서 '-노-'는 현재 시제를 나타내는 '-ᄂᆞ-'와 '-오-'가 결합하여 나타난 것이고, ⓒ에서 '-다-'는 과거 시제를 나타내는 '-더-'가 '-오-'와 결합하여 나타난 것이다. 따라서 ㉡과 ⓒ에는 각각 현재 시제와 과거 시제를 나타내는 어미가 사용되었다고 볼 수 있다.
⑤ 〈보기〉에서 '-오-'는 '문장의 주어가 화자임을 표현하기 위해 쓰였'다고 했다. ㉠, ㉡, ⓒ이 포함된 예문 모두 문장의 주어가 화자인 '나'이므로 ㉠, ㉡, ⓒ의 '-오-'는 문장의 주어가 화자임을 표현하기 위해 쓰인 것으로 볼 수 있다.

[16~20] **기술**

## 16 ④ 정답률 82%

**정답풀이**

3문단에서 타임 슬롯은 '동일한 크기로 분할된 시간의 단위'라고 했고, '차량 한 대가 지나가는 경우 데이터에 할당된 타임 슬롯들에 의해 하나의 집합체가 구성되는데 이를 프레임'이라고 했다. 따라서 동일한 크기로 분할된 시간의 단위들에 의해 구성된 집합체는 타임 슬롯이 아니라 프레임이다.

**오답풀이**

① 1문단에서 "전자요금징수시스템'을 이용하면 차량이 달리는 중에 자동으로 요금 납부가 가능하기 때문에 편리하다.'라고 했으므로 적절하다.
② 3문단에서 '차량 단말기와 기지국 간에는 무선으로 데이터 전송이 이루어진다.'라고 했으므로 적절하다.
③ 3문단에서 '타임 슬롯은 차량이 진입하지 않아도 항상 만들어'진다고 했으므로 적절하다.
⑤ 5문단에서 비동기식 시분할 방식은 '전송되는 모든 데이터마다 그 데이터의 종류를 확인할 수 있는 주소 필드를 포함시켜 프레임이 구성된다.'라고 했으므로 적절하다.

## 17 ⑤ 정답률 80%

**정답풀이**

[A]에 따르면 ㉮(차량 단말기)가 '요금 징수 관련 데이터'를 전송하면, ㉯(제1기지국)가 이를 전송받아 '임시 저장소에 보관'하고 ㉰(지역요금소 ETC 서버)로 전송한다. ㉰는 데이터를 분석한 후, ㉱(도로공사 요금정산센터의 서버)로 전송하고, ㉱가 '징수할 요금에 관한 데이터'를 찾으면 이는 ㉰를 거쳐 ㉲(제2기지국)를 경유하여 ㉮로 전송된다. 따라서 ㉱의 서버에서 찾은 '징수할 요금에 관한 데이터'가 ㉲로 전송되는 것은 맞다. 하지만 ㉮에 전송되는 데이터는 '요금 징수 관련 데이터'가 아니라, ㉱의 서버가 찾은 '징수할 요금에 관한 데이터'이다.

오답풀이

① [A]에서 ㉮가 '요금 징수 관련 데이터'를 전송하면, ㉯가 이를 전송받는다고 했으므로 적절하다.
② [A]에서 '제1기지국(㉯)은 차량 단말기로부터 전송받은 요금 징수 관련 데이터를 잃어버리지 않도록 임시 저장소에 보관하면서 거의 동시에 지역요금소 ETC 서버(㉰)로 전송한다.'라고 했으므로 적절하다.
③ [A]에서 '징수할 요금에 관한 데이터'를 찾으면 '다시 지역요금소 ETC 서버를 거쳐 두 번째 게이트에 설치된 제2기지국(㉲)을 경유하여 차량 단말기(㉮)로 전송된다.'고 했으므로 적절하다.
④ [A]에서 '지역요금소 ETC 서버(㉰)는 이 데이터를 분석한 후, 도로공사 요금정산센터의 서버(㉱)로 전송'해서 ㉱가 '징수할 요금에 관한 데이터를 찾도록 요청'하고, '이렇게 찾아진 데이터는 다시 지역요금소 ETC 서버(㉰)를 거쳐 두 번째 게이트에 설치된 제2기지국(㉲)을 경유하여 차량 단말기로 전송된다.'라고 했으므로 적절하다.

## 18 ④ 정답률 74%

정답풀이

㉠(결국 동기식 시분할 방식은~낭비된다.)과 ㉡(결국 비동기식 시분할 방식은~높다.)에서 '데이터를 처리하는 과정에서 오류가 발생할 가능성'은 동기식이 낮고, 비동기식이 높다고 했다. 즉 '데이터 처리 과정의 정확성(Ⓐ)'은 동기식이 상대적으로 높고, 비동기식이 상대적으로 낮다는 것을 알 수 있다. 또한 ㉠과 ㉡에서 '데이터에 할당되지 않은 타임 슬롯이 존재'하여 타임 슬롯이 낭비될 때에는 '데이터 처리 과정의 효율성'이 낮고 타임 슬롯이 낭비되지 않을 때에는 '데이터 처리 과정의 효율성'이 높음을 고려할 때, 데이터 처리 과정의 효율성은 동기식이 상대적으로 낮고(Ⓑ), 비동기식이 상대적으로 높다(Ⓒ)는 것을 알 수 있다.

## 19 ③ 정답률 51%

정답풀이

1번 차량은 Ⅰ-4에 해당하는 '요금 감면 대상임'이라는 데이터가 전송되었으므로('유') $TS_4$에 요금 감면 대상이라는 데이터가 담겨 있는 것이 맞다. 한편 2번 차량은 Ⅰ-4에 해당하는 '요금 감면 대상임'이라는 데이터가 전송되지 않았다('무'). $TS_8$에는 요금 감면 대상이라는 데이터가 담겨 있지 않은 것일 뿐, 요금 감면 대상이 아니라는 데이터가 담겨 있는 것이 아니다.

오답풀이

① 〈보기〉에 따르면 1번 차량은 동기식 시분할 방식에 해당하는 차량이고, Ⅰ-2에 해당하는 '후불 카드를 사용함'이라는 데이터가 존재하지 않는다('무'). 4문단에서 동기식 시분할 방식에서는 '데이터가 전송되지 않으면 타임 슬롯은 빈 채로 남아 있게 된다.'라고 했으므로 $TS_2$에 데이터가 담기지 않고 비워진다는 설명은 적절하다.
② 1번 차량과 2번 차량은 모두 Ⅰ-3에 해당하는 '차량 소유주와 카드 소지자가 일치함'이라는 데이터가 전송되었으므로('유') 1번 차량의 일치 여부를 $TS_3$에서, 2번 차량의 일치 여부를 $TS_7$에서 확인할 수 있을 것이다.
④ 1번 차량은 Ⅰ-1에 해당하는 '차량이 정상적으로 진입함'이라는 데이터가 전송되었으므로('유') $TS_1$을 통해 1번 차량이 정상적으로 진입했는지를 파악할 수 있을 것이다. 2번 차량은 Ⅰ-3에 해당하는 '차량 소유주와 카드 소지자가 일치함'이라는 데이터가 전송되었으므로('유') $TS_7$을 통해 2번 차량의 차량 소유주와 카드 소지자가 일치하는지를 파악할 수 있을 것이다.
⑤ 2번 차량은 Ⅰ-1에 해당하는 '차량이 정상적으로 진입함'이라는 데이터가 전송되었으므로('유') $TS_5$에는 차량이 정상적으로 진입한 것에 대한 데이터가 담겨 있을 것이다. 또한 2번 차량은 Ⅰ-2에 해당하는 '후불 카드를 사용함'이라는 데이터가 전송되었으므로('유') $TS_6$에는 후불 카드를 사용한다는 것에 대한 데이터가 담겨 있다는 것을 확인할 수 있을 것이다.

**오답률 Best 5**

이 문제는 <보기>에 제시된 '전자요금징수시스템'으로 운영되는 데이터 처리와 관련된 구체적 사례를 윗글과 관련지어 이해할 수 있는지 묻는 문제야. <보기>에서 '[데이터의 전송 유무]'와 '[타임 슬롯의 흐름]' 등 제시하는 내용이 많기 때문에 자료를 이해하지 못한 학생들은 문제 풀이에 어려움을 느꼈을 거야. 학생들이 왜 오답인 ①, ②번을 많이 골랐는지, 정답인 ③번을 고르지 못했는지 자세히 살펴볼까?

<보기>에서 '1번 차량과 2번 차량이 시간의 간격을 두지 않고 순서대로 지나갔다'는 것과 [타임 슬롯의 흐름]을 연결 짓지 못한 학생들은 $TS_1$~$TS_4$이 1번 차량, $TS_5$~$TS_8$이 2번 차량의 타임 슬롯이라는 점을 알아채지 못했을 거야. 그래서 $TS_2$가 2번 차량이 아니라 1번 차량의 타임 슬롯이고, Ⅰ-2에 해당하는 데이터가 전송되어 비워지는 타임 슬롯이라는 점, 그리고 $TS_3$, $TS_7$이 '차량 소유주와 카드 소지자가 일치함'에 대해 데이터 '유'를 전송한다는 점에서 적절함을 이해하지 못해서 ①번, ②번을 골랐을 가능성이 높아.

한편 정답인 ③번을 고르기 위해서는 요금 감면 대상이라는 '데이터가 담겨 있다'('유')는 것과 '데이터가 담겨 있지 않다'('무')는 것의 의미를 정확히 알았어야 했어. Ⅰ-4에 해당하는 '요금 감면 대상임'이라는 데이터가 전송되었다면('유') 데이터가 담겨 있는 것이 맞고, '요금 감면 대상임'이라는 데이터가 전송되지 않았다면('무') 요금 감면 대상이라는 데이터가 담겨 있지 않은 것이지. 하지만 '요금 감면 대상이라는 데이터가 담겨 있지 않다'는 것과 '요금 감면 대상이 아니라는 데이터가 담겨 있다'는 것은 같은 말이 아니야. 이 두 표현의 차이를 간파하지 못한 학생들이 '아니라'는 데이터를 담고 있다고 잘못 판단해 정답을 고르지 못했을 거야.

## 20 ③ 정답률 90%

정답풀이

'동기식과 비동기식으로 나누어(ⓐ) 볼 수 있다.'의 '나누다'는 '여러 가지가 섞인 것을 구분하여 분류하다.'를 의미하므로 '학생들을 청군과 백군으로 나누었다.'의 '나누었다'와 문맥적 의미가 가장 유사하다.

오답풀이

① '하나를 둘 이상으로 가르다.'라는 의미로 사용되었다.
② '같은 핏줄을 타고나다.'라는 의미로 사용되었다.
④ '말이나 이야기, 인사 따위를 주고받다.'라는 의미로 사용되었다.
⑤ '즐거움이나 고통, 고생 따위를 함께하다.'라는 의미로 사용되었다.

# [21~26] 사회

## 21 ① 정답률 87%

정답풀이

파생상품이 앞으로 어떻게 될 것인가라는 전망은 윗글에서 확인할 수 없다.

오답풀이

② 2문단의 '19세기 중반 이전까지는 선도라는 파생상품이 이러한 계약으로서 기능하였다.'와 3문단의 '경제 활동의 규모가 커지게 된 19세기 중반부터는 선물이라는 파생상품이 나타났다.'에서 선도와 선물이라는 파생상품의 종류를 확인할 수 있다.
③ 1문단의 '파생상품이란 기초자산의 가치 변동에 따라 가격이 결정되는 금융상품이다.'에서 파생상품의 정의를 확인할 수 있다.
④ 2문단에서 파생상품은 '미래의 특정 시점에서 발생할 수 있는 손실의 위험에 대비하기 위해 만들어졌다.'라고 하며 파생상품의 기능을 제시하고 있다.
⑤ 2문단의 '파생상품이 만들어지기 이전에는, 이러한 불확실성으로 인해~두려움이 클 수밖에 없었다.'에서 파생상품의 등장 배경을 확인할 수 있다.

## 22 ③ 정답률 80%

정답풀이

3문단에서 '선물(㉡)은 기초자산을 계약 체결 시점에 정해 놓은 가격과 수량으로 계약 만기 시점에 거래한다는 점에서는 선도(㉠)와 동일하다.'라고 했으므로, 계약 체결 시점에 정해 놓은 가격과 수량으로 미래의 특정 시점에 기초자산을 거래하는 계약이라는 점은 ㉠과 ㉡의 공통점이다.

9회

### 오답풀이

① 1문단에서 '파생상품이란 기초자산의 가치 변동에 따라 가격이 결정되는 금융상품이다.'라고 했으므로, 파생상품인 ㉠, ㉡ 모두 기초자산의 가치 변동에 따라 거래 당사자의 손익이 결정된다고 볼 수 있다.

② 2문단에서 ㉠은 '계약을 체결했더라도 만기 이전에 그 계약을 임의로 파기할 위험이 높다는 불안정성이 늘 존재했다.'라고 했고, 3문단에서 이런 문제점을 해결하기 위해 ㉡이라는 파생상품이 나타나 '거래 안정성이 확보'되었다고 했다. 따라서 ㉠은 ㉡과 달리 계약을 체결하더라도 만기 전에 계약을 임의로 파기할 위험이 높았다고 볼 수 있다.

④ 2문단과 3문단에서 ㉠의 '불안정성'을 해결하기 위해 ㉡은 '거래와 관련된 다양한 제도적 장치를 마련'했다고 하였다. 그리고 4문단에서 '제도적 장치로는 반대 거래, 증거금, 일일정산 등이 있다.'라고 했으므로 이 같은 제도적 장치는 ㉠과 달리 ㉡이 가지는 특징으로 볼 수 있다.

⑤ 3문단에 따르면 ㉡은 '공인된 거래소에서 거래가 이루어진다는 점'에서 ㉠과 차이가 있는데, 거래소는 '이해관계가 일치하는 거래 당사자들이 쉽게 만날 수 있는 장을 마련'하였으며 '거래의 매개적 역할'을 한다. 따라서 ㉠과 달리 ㉡은 이해관계가 일치하는 거래 당사자들의 매개적 역할을 하는 공인된 거래소에서 거래가 이루어진다고 볼 수 있다.

## 23 ④ 정답률 50%

### 정답풀이

4문단에서 '일일정산의 결과 특정 거래자의 증거금 계좌 잔고가 유지증거금 이하로 떨어졌을 경우' '증거금 계좌 잔고가 개시증거금 이상이 되도록 증거금의 추가 납부를 요구하는데 이를 마진콜이라고 한다.'라고 하였다. 이를 통해 마진콜은 증거금 계좌 잔고가 개시증거금 이상이 되도록 증거금의 추가 납부를 요구하는 것임을 알 수 있다. 즉 $T_2$에서는 계좌 잔고가 유지증거금이 아니라 개시증거금 이상이 되도록 추가로 입금하라는 마진콜이 발생할 것이다.

### 오답풀이

① 4문단에서 '개시증거금은 계약 당사자가 선물 거래를 시작하기 위해 맡겨야 하는 증거금'이라고 했다. $T_0$에서는 $S_0$이 개시증거금에 해당하는 금액이므로 선물 거래 시작이 가능할 것이다.

② 4문단에서 '일일정산은 선물 거래가 유지되는 동안 날마다 당일의 거래 마감 시점의 가격으로 선물 거래 당사자의 손익을 계산하여 이를 증거금에서 차감 또는 가산하는 장치'라고 했으므로, 거래 마감 시점에 선물 거래 손익을 계산하여 증거금에서 차감 또는 가산함을 알 수 있다. 이에 따르면 계약 체결 시점인 $T_0$에서 거래 마감 시점인 $T_1$이 될 때 일일정산에 따라 증거금이 $S_0$에서 $S_1$로 하락한 것은 일일정산에 의해 손해 금액만큼 증거금이 차감되었기 때문이라 볼 수 있다.

③ 4문단의 '유지증거금은 선물 거래가 유지되기 위한 최소한의 증거금을 의미한다.'에서 유지증거금에 해당하는 금액 이상이 있어야 선물 거래 유지가 가능함을 알 수 있다. $T_1$에서는 $S_1$이 유지증거금에 해당하는 금액보다 크기 때문에 선물 거래의 유지가 가능할 것이다.

⑤ 4문단에서 '증거금 계좌 잔고가 개시증거금 이상이 되도록 증거금의 추가 납부를 요구'하는 것이 '마진콜'이며, 마진콜을 충족하기 전까지 마진콜을 받은 당사자의 일일정산은 불가능하다.' 라고 했으므로 마진콜 충족 이후에는 일일정산이 가능할 것이다. $T_2$의 $S_2$보다 높아진 금액인 $S_3$은 개시증거금에 해당하는 금액이므로 $T_3$에서는 일일정산이 가능할 것이다.

#### 오답률 Best 4

경제 지문에서 그래프나 표가 나오면 많은 학생들이 겁을 먹곤 해. 하지만 그래프 또한 윗글의 내용을 보여 주는 것이기 때문에 겁먹지 않아도 돼. 이 문제는 윗글의 4문단에 제시된 '개시증거금, 유지증거금, 일일정산'에 대해 제대로 이해했는지를 증거금 계좌 잔고의 변화를 활용해 묻고 있어. 정답 외에 ②번, ⑤번의 선택률이 높았으니 좀 더 살펴보자.

4문단에서 '개시증거금'은 계약 당사자가 선물 거래를 시작하기 위해 맡겨야 하는 금액이라고 했고, '유지증거금'은 선물 거래가 유지되기 위한 최소한의 증거금이라고 했으며, '일일정산'은 선물 거래 당사자의 손익을 증거금에서 빼거나 더하는 것이라고 했어. 따라서 계약 체결 시점인 $T_0$에서 거래 마감 시점인 $T_1$이 될 때 $S_0$에서 $S_1$이 되는 것은 일일 정산에 의해 손해를 본 만큼 증거금이 차감된 것으로 볼 수 있으므로 ②번은 적절했어.

⑤번을 고른 학생들은 지문에서 '일일정산'은 '당일의 거래 마감 시점의 가격'으로 손익을 계산한다고 했는데, $T_3$은 거래 마감 시점이 아니라 '거래 시작 시점'이므로 적절하지 않다고 보았어. 하지만 선지의 표현을 보면 이때 '일일정산이 이루어진다'고 한 것이 아니라 가능한지 물어보았으므로 가능성의 측면에서 접근하면 $S_2$에서는 증거금 부족으로 일일 정산이 불가능했지만, $S_3$에서는 증거금 계좌 잔고가 개시증거금 이상이 되어 일일정산이 가능할 것이라고 이해할 수 있었어.

## 24 ③ 정답률 48%

### 정답풀이

4문단에서 개시증거금은 '계약 체결 시점에 정해진 기초자산의 가격에 수량을 곱한 액수의 일부이므로 상대적으로 적은 금액이다.'라고 하였다. 그리고 〈보기〉에서는 '레버리지 효과란 개시증거금만으로도 거래를 시작할 수 있어 선물 가격 변동의 몇 배에 해당하는 큰 수익을 얻게 되는 것'이라고 했다. 따라서 개시증거금은 계약 체결 시점에 정해진 기초자산의 가격과 수량을 곱한 액수의 일부이기 때문에 레버리지 효과가 발생한다고 반응할 수 있다.

### 오답풀이

① 3문단에 따르면 선물 거래는 '기초자산을 계약 체결 시점에 정해 놓은 가격과 수량으로 계약 만기 시점에 거래'하는 것이므로 계약 이전에 물품을 인수 · 인도함으로써 레버리지 효과가 발생한다고 볼 수 없다.

② 〈보기〉에서 선물 거래의 레버리지 효과로 인해 '몇 배에 해당하는 큰 수익'을 얻을 수도, '반대로 큰 손실을 입게 될 가능성도 크다.'라고 했다. 따라서 레버리지 효과의 발생으로 거래의 안정성이 확보된다고 보기 어렵다.

④ 〈보기〉에서 '레버리지 효과란 개시증거금만으로도 거래를 시작할 수 있어 선물 가격 변동의 몇 배에 해당하는 큰 수익을 얻게 되는 것'이라고 했다. 하지만 레버리지 효과가 발생한다고 해서 개시증거금이 줄어들어 수익을 얻게 된다고 볼 수는 없다.

⑤ 윗글과 〈보기〉를 통해 개시증거금으로 인해 레버리지 효과가 생김을 알 수 있지만 이로 인해 거래 당사자의 손익이 정반대가 되는 것은 아니다.

#### 오답률 Best 3

24번 문제는 23번 문제와 마찬가지로 '선물 거래의 안정성을 확보하기 위한 제도적 장치'인 '증거금' 중 '개시증거금'과 그로 인한 '레버리지 효과'의 관련성을 파악할 수 있는지 묻는 문제야. 윗글에서 제시한 '증거금' 개념과 <보기>에서 새롭게 제시한 '레버리지 효과'가 어떤 관계인지 파악하는 것이 핵심이지.

'개시증거금'은 '계약 당사자가 선물 거래를 시작하기 위해 맡겨야 하는 증거금'으로 계약 체결 시점에 '기초자산의 가격×수량'을 계약할 때 이 액수의 일부를 맡겨 두는 것이었어. 아주 간단하게 예를 들자면, 최종 계약에는 100만 원이 필요한데 개시증거금이 10만 원이라면, 지금은 100만 원이 없어도 10만 원만 있으면 거래를 시작할 수 있다는 것이고 만약 추후 이것이 200만 원의 이득을 주는 자산으로 상승한다면 10만 원으로 100만 원의 수익을 얻게 되는 거지. 즉 개시증거금으로 레버리지 효과를 얻는다는 것은 이처럼 일부 액수로 선물 가격 변동의 몇 배에 해당하는 큰 수익을 얻는 것을 말하는 것이기에 정답은 ③번이었어.

## 25 ④ 정답률 47%

### 정답풀이

5문단에서 매수자인 A가 매도자인 B에게 미래에 정해진 가격으로 주식을 사겠다는 계약을 체결했고, 계약 만기 시점 이전에 A가 C에게 선물을 거래하는 '반대거래가 발생하면 그 시점에서 A는, 선물 계약에 따른 만기 시점의 주식 거래와 관련된 B에 대한 의무를 C에게 넘기게 된다.'라고 했다. 또한 계약 만기 시점 이전에 반대거래가 이루어지면 'A와 B 사이의 선물 거래 관계가 청산'된다고 했다. 즉 〈보기〉에서 선물 거래의 매수자인 갑과 매도자인 을 사이의 주식 거래 관계는 갑과 병 사이에 반대거래가 이루어진 5월 30일에 이미 청산된다.

오답풀이

① 5문단에서 '현재 시점에서 A가 B에게 특정 기업의 주식을 미래의 특정 시점에, 정해진 수량만큼 정해진 가격으로 사겠다는 계약을 B와 체결한다. 이는 곧 A가 B에게 그 계약, 즉 선물을 산 것을 의미한다.'라고 했다. 따라서 〈보기〉에서 5월 10일에 갑과 을의 선물 거래가 이루어질 때 갑은 을에 대해서 선물의 매수자, 을은 갑에 대해서 선물의 매도자가 된다.
② 5문단에서 '계약 만기 시점 이전에 A가 C에게 자신이 보유한 선물을 파는 반대거래가 이루어'지면 A와 B 사이의 선물 거래 관계가 청산'된다고 했다. 따라서 〈보기〉에서 5월 30일에 갑과 병의 반대거래가 이루어질 때 갑과 을 사이의 선물 거래 관계는 청산된다.
③ 1문단의 '거래대상을 팔려는 매도자', '거래대상을 사려는 매수자'라는 내용과 5문단을 참고했을 때, 〈보기〉의 5월 10일에 이루어진 갑과 을의 선물 거래에서 갑은 선물의 매수자, 을은 선물의 매도자이며, 5월 30일에 갑과 병 사이에서 이루어진 반대거래에서 갑은 병에 대한 선물의 매도자, 병은 갑에 대한 선물의 매수자가 된다.
⑤ 5문단에 따르면 반대거래가 발생하면 갑은 '선물 계약에 따른 만기 시점의 주식 거래'와 관련된 을에 대한 의무를 병에게 넘기며, 병은 선물 계약 만기 시점에 을에게서 '계약에서 정한 대로 특정 기업의 주식을 정해진 가격과 수량'으로 사게 된다. 따라서 〈보기〉에서 6월 8일에 선물 계약에 따른 주식의 거래가 이루어질 때 을은 병에 대해서 주식의 매도자, 병은 을에 대해서 주식의 매수자가 된다.

**오답률 Best 2**

21, 22번을 제외하고 23~26번 문제의 정답률은 50% 내외로 매우 저조했어. 이는 윗글에 대한 학생들의 이해가 떨어짐을 보여 주는 동시에, 경제 지문에서 <보기>로 사례를 제시하면 학생들이 얼마나 어렵게 느끼는지를 보여 준다고 볼 수 있지. <보기>의 [상황]과 [주식 가격과 선물 가격의 변화]를 윗글과 연결지어 설명해 줄 테니 잘 따라와.

<보기>에서 5월 10일에 갑과 을은 각각 선물 거래에 있어 매수자와 매도자였어(①), 5월 30일에 갑은 자신이 보유한 선물을 '반대거래'를 통해 병에게 팔았지. 갑은 선물을 팔았으니 처음에 갑과 을이 계약했던 것처럼 '주식'을 사겠다는 갑-을 사이의 선물 거래 계약은 이때 청산되었어(②, ④). 주식을 사기로 했던 6월 8일이 되면 을은 자신에게 주식을 사기로 선물 거래를 했던 갑의 거래를 이어받은 병에게 이전 선물 거래에 따라 주식을 넘겨주므로, 이때 을은 주식 매도자, 병은 주식 매수자가 되는 것이지(⑤). 즉 5문단에 제시된 반대매매의 내용과 <보기> 내용을 연관지으면 정답은 생각보다 쉽게 찾을 수 있었어. 거듭 말하지만 경제 지문이라고 해서 겁먹을 필요 없어. 경제 지문들을 풀어보며 문제를 푸는 데 필요한 태도를 갖춰 보자.

## 26  ②  정답률 51%

정답풀이

5문단에서 선물 거래의 만기 시점에서의 손익 계산 방법은 '(계약 만기 시점의 주식 가격−계약 체결 시점의 선물 가격)×거래승수×계약 수'임을 알 수 있다. 즉 선물을 만기까지 유지하면 갑의 손익은, 계약 만기 시점의 주식 가격인 '7'에서 계약 체결 시점의 선물 가격인 '15'를 뺀 −8만 원에, 거래승수 10과 계약 수 5를 곱한 −400만 원(ⓑ)이다. 한편 5문단에 따르면 반대거래가 이루어졌을 때의 손익 계산 방법은 '계약 만기 시점의 주식 가격을 반대거래가 이루어진 시점의 선물 가격으로 바꾸기'만 하면 되므로 '(반대거래가 이루어진 시점의 선물 가격−계약 체결 시점의 선물 가격)×거래승수×계약 수'임을 알 수 있다. 즉 반대거래가 이루어진 시점의 갑의 손익은, 반대거래가 이루어진 시점의 선물 가격인 '12'에서 계약 체결 시점의 선물 가격인 '15'를 뺀 −3만 원에, 거래승수 10과 계약 수 5를 곱한 −150만 원(ⓐ)이다. 따라서 ⓐ는 −150, ⓑ는 −400이다.

[27~30] **인문**

## 27 ③  정답률 82%

정답풀이

윗글은 '인간의 최대 이익과 행복이라는 '최선의 결과'를 가져오는 행위를 옳은 행위'로 보는 공리주의에서, 무엇을 '최선의 결과'로 볼지에 대해 서로 다른 관점을 지닌 쾌락주의적 공리주의, 선호 공리주의, 이상 공리주의를 제시하고 각각의 주장과 한계를 설명하고 있다.

오답풀이

① 윗글에서 '최선의 결과'에 대한 역사적 사건은 확인할 수 없다.
② 윗글에서 쾌락주의적 공리주의와 선호 공리주의, 이상 공리주의를 설명할 때 각각을 뒷받침하는 예시를 활용하지는 않았다.
④ 윗글에서는 쾌락주의적 공리주의와 선호 공리주의, 이상 공리주의가 제기한 문제점을 제시하지 않았고 그것이 해결된 사회적 상황도 확인할 수 없다.
⑤ 윗글에서 쾌락주의적 공리주의, 선호 공리주의, 이상 공리주의는 '최선의 결과'에 대한 서로 다른 관점을 가지고 있을 뿐, '최선의 결과'에 대해 문제점을 제기한다고 볼 수는 없으며, 이를 보완하는 새로운 이론 또한 확인할 수 없다.

## 28 ③  정답률 85%

정답풀이

1문단에서 '공리주의'는 '행위의 옳고 그름'이 공리, 즉 '인간의 이익과 행복을 늘리는 데 결과적으로 얼마나 기여하는가에 따라 결정된다고 보는 이론'이라고 했다. 따라서 공리주의는 행위의 옳고 그름이 인간의 이익과 행복의 증진과 무관하게 정해진다고 보지 않을 것이다.

오답풀이

① 4문단에서 '쾌락주의적 공리주의와 선호 공리주의에 대한 대안으로 등장한 것이 이상 공리주의'라고 했으므로 적절하다.
② 3문단에서 '선호 공리주의는 쾌락뿐만 아니라 쾌락이 아닌 다른 것을 추구하기도 하는 인간의 행위가 개인의 선호를 반영'한다고 했으므로 적절하다.
④ 2문단에서 '쾌락주의적 공리주의는 인간이 어떤 행위를 선택할 때 쾌락만을 추구하는 것이 아니라 다른 것을 추구하기도 한다는 것을 설명하기 어렵다는 한계를 지닌다.'라고 했으므로 적절하다.
⑤ 1문단에서 '공리주의는 인간이 자신과 더불어 다른 존재들의 이익과 행복을 공평하게 고려해야 한다는 것을 전제로 한다.'라고 했으므로 적절하다.

9회

## 29 ③  정답률 52%

정답풀이

1문단에서 공리주의는 '다른 어떤 것을 위한 수단으로서의 가치인 도구적 가치와는 상대되는 개념'으로 '최선의 결과'를 '본래적 가치'로 여긴다고 했다. 한편 4문단에서 이상 공리주의는 '진실, 아름다움, 정의, 평등, 자유, 생명, 배려 등의 이상들도 본래적 가치'에 해당되며 이런 이상들은 '인간의 선호와 무관하게 실현되어야 할 본래적 가치라고 주장'했다. 〈보기〉에서 '학생 2'는 '사회적 차원에서의 인간 행복이라는 가치를 상위의 목적'으로 두고 이를 실현시키기 위해서 '생명이라는 가치를 실현하는 것이 최선의 결과라고 생각'했다. 이는 '생명'이라는 가치를 '인간 행복'을 위한 수단으로 보는 도구적 가치로 여긴 것이므로 이상 공리주의 관점에서는 '학생 2'의 의견에 대해 '생명이라는 가치'를 '도구적 가치'로 여긴다는 점에서 부적절하다고 볼 것이다.

오답풀이

① 〈보기〉에서 '학생 2'는 '인간 행복'이라는 본래적 가치를 위해 '자유'가 아닌 '생명'을 도구적 가치로 여기고 있으므로 자유를 본래적 가치로 여긴다는 설명은 적절하지 않다.
② 〈보기〉에서 '학생 2'는 '인간 행복'이라는 본래적 가치를 위해 '자유'가 아닌 '생명'을 도구적 가치로 여기고 있으므로 '생명'을 본래적 가치, '인간 행복'을 도구적 가치로 여긴다는 설명은 적절하지 않다.

④ 〈보기〉에서 '학생 2'는 '인간 행복'이라는 본래적 가치를 위해 '자유'가 아닌 '생명'을 도구적 가치로 여기고 있으므로 자유를 도구적 가치로 여긴다는 설명은 적절하지 않다.

⑤ 〈보기〉에서 '학생 2'는 '인간 행복'이라는 본래적 가치를 위해 '자유'가 아닌 '생명'을 도구적 가치로 여기고 있으므로 '자유'를 본래적 가치, '인간 행복'을 도구적 가치로 여긴다는 설명은 적절하지 않다.

## 30 ⑤ 정답률 68%

**정답풀이**

〈보기〉에서 '인문학 서적을 읽고 A와 동아리 친구들은 모두 큰 즐거움을 느꼈고, 동아리 내에서 서로에 대한 배려를 실현하였다.'라고 했다. 4문단에 따르면 ㉢(이상 공리주의)은 '배려 등의 이상들도 본래적 가치에 해당한다'고 보며, 이상이 '인간들의 서로 다른 관심과는 무관하게 실현되어야' 한다고 보았다. 따라서 ㉢이 배려를 관심에 따라 실현되어야 하는 이상이라고 본다는 설명은 적절하지 않다.

**오답풀이**

① 〈보기〉에서 A는 '인문학 서적을 읽는 것'을 좋아하는 친구들과 동아리를 만들었다고 했다. 또한 2문단에서 ㉠(쾌락주의적 공리주의)은 '인간의 심리적 경험인 쾌락을 본래적 가치'로 여긴다고 했다. 즉 ㉠의 관점에서 A가 친구들과 동아리를 만든 것은 쾌락이라는 심리적 경험을 증진하기 위한 것이라 볼 수 있다.

② 2문단에서 ㉠은 '도덕적으로 옳은 행위는 자신뿐 아니라, 그 행위가 영향을 미치는 모든 인간들의 쾌락을 가장 많이 증진하는 행위'로 여긴다고 했다. 즉 ㉠의 관점에서 A가 친구들과 동아리를 만들어 배려와 관련된 인문학 서적을 읽은 것은 동아리 내 사람의 쾌락을 증진했다는 점에서 도덕적으로 옳은 행위라 볼 것이다.

③ 1문단에서 공리주의는 '인간의 최대 이익과 행복이라는 '최선의 결과'를 가져오는 행위를 옳은 행위로 본다.'라고 했으며, 3문단에서 ㉡(선호 공리주의)은 '모든 사람들 각자가 지닌 선호를 가장 많이 실현시키는 행위'를 도덕적으로 옳다고 본다고 했다. 〈보기〉에서 '인문학 서적을 읽는 것을 가장 좋아하는 A는~친구들과 함께 읽었다.'라고 했으므로 ㉡의 관점에서는 A가 자신과 친구들의 선호 실현이라는 최대 이익과 행복을 가져왔다는 점에서 도덕적으로 옳은 행위라고 볼 것이다.

④ 3문단에서 ㉡은 '모든 사람들 각자가 지닌 선호를 가장 많이 실현시키는 행위'가 도덕적으로 옳다고 보았다. 따라서 ㉡의 관점에서 A는 자신과 친구들의 선호를 실현시켰다는 점에서 도덕적으로 옳은 행위라고 볼 것이다.

# [31~35] 고전시가+고전수필

## 31 ① 정답률 39%

**정답풀이**

(가)는 '하나 한 백관도 수 치올 뿐이랏다'와 '충혼 의백을 어듸 가 부르려는가'에서, 숫자만 채우는 무책임한 벼슬아치들과 충성심과 의로움으로 희생하는 백성들을 대조하고 있다. 또한 (나)는 '목민관이 백성을 위해 있는 것인가? 백성이 목민관을 위해 사는 것인가?'와 '한결같이 백성들은 목민관을 위해 사는 것처럼 된 것이다.' 등에서 목민관과 백성을 대조하면서 목민관이 백성을 위해 있어야 함에도 그렇지 않은 채 자신의 이익을 위해 살아가는 목민관이 있는 현실을 비판했다.

**오답풀이**

② (가), (나)에 살아 있지 않은 것을 살아 있는 것처럼 표현하는 활유를 사용하여 관념적 대상을 묘사하는 부분은 없다.

③ (가), (나)는 풍자적 표현으로 주제의 양면성을 드러내고 있지 않다.

④ (가)에 연쇄의 방식은 사용되지 않았다. (나)의 '여러 당이 모두 감복하여 주장이라 이름하였다. 그러더니 여러 주의 주장이~황왕이라 이름하였다.'에서 연쇄의 방식이 사용되었다고 볼 수도 있으나, 이를 통해 상황의 심각성을 표현하고 있지는 않다.

⑤ (가), (나)에 역설적 표현은 사용되지 않았다.

**오답률 Best 1**

③번을 고른 학생이 14%, ④번을 고른 학생이 30%나 되었어. (가)에 고어 표기가 많아 학생들 입장에서 해석이 어려워서 대조, 활유, 풍자, 연쇄, 역설적 표현이 있는지 판단하지 못해 오답률이 높았던 것으로 보여.

이처럼 (가)는 해석이 어렵고 (나)는 비교적 해석이 쉬운 경우에 (가), (나)를 완벽하게 해석하고 정답 선지를 고르는 것보다, ①번~⑤번 중 (나)에 부합하는 선지들만 남겨 두고 남은 선지들 중에 (가)에서도 적절한 것을 찾는 방식으로 답을 고르는 것이 쉬울 수 있어. (나)에서 목민관과 백성을 대조하여 목민관이 백성을 편안하게 해야 한다는 주제의식을 드러내고 있는 것은 적절하지. 또한 (나)에서 연쇄의 방식은 사용되었다고 볼 수 있으나 이를 통해 목민관이 백성을 위하지 않는 상황의 심각성을 표현했다고 보기는 어려워.

③번과 ④번을 고른 학생의 비율이 높았던 것은 (가)의 해석이 어려워서 그랬을 가능성이 크지만, 이외에 '연쇄'와 '풍자'가 무엇인지 정확하게 알지 못했기 때문일 가능성도 있어. 개념어는 문제를 풀 때마다 정확한 의미를 공부하고 넘어가면 좋겠지?

## 32 ① 정답률 65%

**정답풀이**

'하나 한 백관도 수 치올 뿐이랏다'에서 수많은 관리들이 숫자만 채울 뿐 임진왜란이라는 전쟁의 참상에 제대로 대처하지 못하는 모습을 비판한다고 볼 수 있다. 이는 〈보기〉의 '백성들은 자신들을 외면한 지배층에 분노하며'와 관련된 것으로, 일본에 대한 의병들의 분노를 짐작하게 한다고 볼 수는 없다.

**오답풀이**

② 〈보기〉에서 (가)에는 '백성들의 강인함이 형상화되었다.'라고 했다. 이를 고려할 때, '질풍이 아니 블면 경초를 뉘 아더냐'에서 '질풍'은 임진왜란, '경초'는 백성들을 빗댄 것으로, 임진왜란 같은 전란이 아니면 백성들의 강인함을 누가 알겠냐는 의미로 해석할 수 있다.

③ 〈보기〉에서 (가)에는 '의병들의 충성스러운 희생이 부각'된다고 했다. 이를 고려할 때, '충혼 의백을 어듸 가 부르려는가'는 의병들의 충성스러운 희생과 의로운 넋을 추모하고 있다는 의미로 해석할 수 있다.

④ 〈보기〉에서 (가)는 '일본이 조선을 침략'했던 임진왜란을 배경으로 한 전쟁의 참상을 그렸다고 했다. 이를 고려할 때, '조종 구강애 도적이 님재 도여'는 조상의 영토에 도적이 임자가 되었다는 의미로, 일본이 조선을 침략한 상황을 표현한 것으로 볼 수 있다.

⑤ 〈보기〉에서 (가)에는 '의병으로 참전'한 백성들의 '충성스러운 희생이 부각'된다고 했다. 이를 고려할 때, '원혈이 흘러나려 평육이 성강ᄒᆞ니'는 원통한 피가 흘러내려 평지가 강이 되었다는 의미로, 전쟁의 참상을 표현한 것으로 볼 수 있다.

## 33 ⑤ 정답률 73%

**정답풀이**

(가)의 '죽ᄂᆞ니 만커니와 이 죽엄 한티 마라'는 전쟁 중에 죽는 사람들이 많은데 이 죽음을 한탄하지 말라는 의미일 뿐, 관리들이 초래한 백성의 빈곤함을 표현했다고는 볼 수 없다. 또한 (나)에서 목민관이 '형벌과 위엄'으로 백성을 '두렵게' 하는 것은 백성을 가혹하게 대하는 관리의 모습을 보여 줄 뿐, 여기서 관리들의 무능력함을 엿볼 수는 없다.

**오답풀이**

① 〈보기〉에서 '관리들은 백성을 수탈하며 탐욕스러움을 드러내거나 백성을 가혹하게' 대한다고 했다. (가)의 '니 됴흔 수령들 너흐ᄂᆞ니 백성이요'는 수령들이 이로 백성을 물어뜯고 있다는 의미이고, (나)에서 목민관이 백성을 '매질하고 곤장을 쳐서 피가 흐르는 것'은 백성을 가혹하게 처벌한다는 의미이므로, 이를 통해 백성에 대한 관리들의 가혹함을 볼 수 있다.

② 〈보기〉에서 '관리들은 백성을 수탈하며 탐욕스러움을 드러'낸다고 했다. (가)의 '재화로 성을 쌓니 만장을 뉘 너모며'는 재물로 쌓은 성이 매우 높다는 의미이고, (나)에서 '돈과 베를 거둬들여 전택을 마련'한다고 한 것은 백성으로부터 재물을 빼앗아 땅과 집을 마련한다는 의미이므로, 이를 통해 백성을 수탈하는 관리들을 탐욕스러움을 확인할 수 있다.

③ 〈보기〉에서 조선 후기 관리들이 '공적 책무를 망각'하고 '백성에 대한 관리로서의 본분을 다하지 않는 무책임함'을 지녀 국가의 혼란이 초래됐다고 했다. (가)의 '인모 불장ᄒᆞ니 하ᄂᆞᆯ히라 엇디ᄒᆞ료'는 관리들이 지배층의 도리를 다하지 않았다는 의미이고, (나)에서 목민관이 '한 사람이 굶어 죽'은 것에 대해 '제 스스로 죽은 것일 뿐'이라고 말한 것은 공적 책무를 다하지 못한 관리들의 무책임한 모습을 보여 주는 것이므로, 이를 통해 백성에 대한 관리들의 무책임함을 엿볼 수 있다.

④ 〈보기〉에서 관리들이 '방탕하게 향락'에 빠져 백성에 대한 본분을 다하지 않는 경우도 있다고 했다. (가)의 '히도 길것마ᄂᆞᆫ 병촉유 긔 엇덜고'는 관리들이 향락에 빠져 낮밤으로 노는 모습을 표현한 것이고, (나)에서 '자신이 목민관이라는 사실을 잊'었다는 것은 백성을 위해 일해야 하는 관리로서의 본분을 망각했다는 의미이므로, 이를 통해 본분을 망각한 관리들의 모습을 확인할 수 있다.

## 34 ②

정답률 70%

정답풀이

㉣(이때)에는 '백성들의 바람에 따라 법을 제정하여' 그 법으로 '백성들을 편하게' 하려 했다. 즉 ㉣에는 '백성들의 바람'이라는 사회적으로 바람직한 가치를 추구하는 행위가 드러났다고 볼 수 있다. 그러나 ㉠(일석)에는 '분찬ᄒᆞ니 이 시름 뉘 맛들고'를 참고했을 때 전쟁으로부터 달아나 숨은 행위에 대한 시름이 드러나 있음을 알 수 있다. 따라서 ㉠과 달리 ㉣에는 사회적으로 바람직한 가치를 추구하는 행위가 드러난다고 볼 수 있다.

오답풀이

① ㉠은 전쟁의 혼란으로 관리들이 달아나 숨은 때이지만, ㉢(태초)은 '백성만 있었'던 '아득한 옛날'로 혼란스러운 상황을 피하고자 하는 행위는 드러나지 않는다.

③ ㉤(지금)은 목민관이 '거만하게 스스로 높이고 태연하게 스스로 즐겨 자신이 목민관이라는 사실을 잊고 있'는 때지만, ㉠은 관리들이 자신의 안위를 위해 달아나 숨은 때이다. 따라서 ㉠과 ㉤ 모두 관리들의 이기적인 행위가 드러난다.

④ ㉡(일석)은 우리나라 최남단을 지키던 장사들이 '어디 간' 때이며, ㉢은 '백성만 있었'던 '아득한 옛날'이므로 ㉡과 ㉢ 모두 피지배자가 지배자의 자리에 오르기 위해 투쟁하는 행위는 확인할 수 없다.

⑤ ㉡은 우리나라 최남단을 지키던 장사들이 '어디 간' 때이며, ㉤은 목민관이 '거만하게 스스로 높'여 '자신이 목민관'임을 잊은 상황일 뿐, ㉡과 ㉤모두 피지배자가 원하는 바를 충족시키는 행위는 확인할 수 없다.

## 35 ①

정답률 81%

정답풀이

(나)에 따르면 ⓐ(그 법)는 이정이 '백성들의 바람에 따라 법을 제정'하여, 당정, 주장, 국군을 거쳐 황왕에게 올린 것으로, '백성들을 편하게 하는 것'이라고 하였다. 따라서 ⓐ는 백성의 바람이 반영된 편안한 삶이라는 결과를 낳았다고 볼 수 있다. 한편 ⓑ(그 법)는 황제가 '자기 욕심대로 법을 제정'해 제후, 주장, 당정, 이정에게 내린 것으로, '임금을 높이고 백성을 낮추며, 아랫사람의 재물을 깎아 내어 윗사람에게 보태 주는것'이라고 하였다. 따라서 ⓑ는 백성들이 '목민관을 위해 사는 것'처럼 되는 결과를 초래했다고 볼 수 있다.

오답풀이

② ⓐ는 '백성들의 바람에 따라' 제정되었으므로 백성의 결핍이 충족되는 삶이라는 결과를 낳았을 수 있다. 하지만 ⓑ는 '백성들은 목민관을 위해 사는 것처럼 된' 결과를 초래했으므로 목민관이 백성의 염원을 지지하는 삶이라는 결과를 낳지 않았을 것이다.

③ ⓐ는 '백성들의 바람에 따라' 제정되었으므로 백성의 번민이 거듭되는 삶이라는 결과를 낳지는 않았을 것이다. ⓑ는 '백성들은 목민관을 위해 사는 것처럼 된' 결과를 초래했으므로 목민관의 무리한 요구가 백성의 삶에 나쁜 영향을 미치는 결과를 낳았을 수 있다.

④ ⓐ는 '백성들의 바람에 따라' 제정된 것으로 백성에게 의무가 강요되었는지는 알 수 없다. ⓑ는 '백성들은 목민관을 위해 사는 것처럼 된' 결과를 초래했으므로 목민관에 의해 백성의 권리가 보장되는 결과를 낳지 않았을 것이다.

⑤ ⓐ는 '백성들의 바람에 따라' 제정되었으므로 백성의 욕망이 좌절되는 삶이라는 결과를 낳지 않았을 것이다. ⓑ는 '백성들은 목민관을 위해 사는 것처럼 된' 결과를 초래했으므로 목민관에 의해 백성의 소망이 이루어지는 결과를 낳지 않았을 것이다.

## [36~38] 현대시

## 36 ②

정답률 69%

정답풀이

(가)의 '나는 총명했던가요'에서 의문형 어미를 활용하여 스스로에게 물음으로써 자신을 성찰하고 있음을 표현했다. 또한 (나)의 '다시 그 강에 회귀하는 것은 다 그 때문이 아니겠는가'에서 의문형 어미를 활용하여 연어가 물길을 거슬러 회귀하는 모습에서 발견한 연어의 생에 대한 인식을 표현했다. 따라서 (가), (나)는 의문형 어미를 활용하여 시적 의미를 드러낸다고 볼 수 있다.

오답풀이

① (가)에 '흰 그림자', (나)에 '연어', '나이테' 같은 시어가 반복되고 있으나 동일한 시행의 반복은 확인할 수 없다.

③ (가)의 '흰'에서 색채어를 활용하고 있으나, (나)에서 색채어를 확인할 수 없다.

④ (가), (나)에는 명령형 어조가 나타나 있지 않다. (나)의 '뜻이리라', '쌓였으리라'는 추측을 나타내는 어미일 뿐이다.

⑤ (가), (나)에서 음성 상징어를 확인할 수 없다.

## 37 ④

정답률 81%

정답풀이

〈보기〉에서 '흰 그림자'는 암담한 현실에 대한 고뇌로 지친 화자의 '분열된 자아'이며, '내면에 갈등을 유발하는 대상'으로 화자는 '분열된 자아를 떠나보냄으로써' '묵묵히 자신의 삶을 지탱해' 나간다고 했다. 즉 (가)의 화자가 '흰 그림자들', '내 모든 것을 돌려보낸 뒤' '내 방'으로 돌아온 것은 분열된 자아를 떠나보낸 것을 의미하므로, 내면의 갈등을 유발하는 대상과 공존할 수밖에 없는 상황에 처했다고 볼 수는 없다.

오답풀이

① 〈보기〉에서 (가)의 화자는 '암담한 시대 현실에서 고뇌'로 지쳤다고 했으므로, (가)에서 '시들은 귀'와 '오래' '괴로워하던'은 암담한 현실에서 고뇌로 지친 화자의 모습을 표현한 것으로 볼 수 있다.

② 〈보기〉에서 (가)의 화자는 '분열된 자아를 떠나보'낸다고 했으므로, 마음 깊은 곳에서 '괴로워하던 수많은 나'를 '제고장으로 돌려보내'는 것은 분열된 자아를 떠나보내는 화자의 모습을 표현한 것으로 볼 수 있다.

③ 〈보기〉에서 (가)의 '흰 그림자'는 '화자의 분신'이며 '공존과 애정의 대상'이라고 했으므로, (가)의 화자가 '흰 그림자들'을 '연연히 사랑'했다고 말한 것에는 자신의 분신에 대한 화자의 애정이 표현되었다고 볼 수 있다.

⑤ 〈보기〉에서 (가)의 화자는 '갈등을 극복'하고 '번민에서 벗어나 묵묵히 자신의 삶을 지탱해 나가고자' 한다고 했으므로, (가)의 화자가 '내 모든 것을 돌려보낸 뒤' 내 방으로 돌아와 '시름없이', '신념이 깊은 의젓한' 모습을 취하고자 하는 것은 자신의 삶을 지탱해 나가려는 것으로 볼 수 있다.

9회

## 38 ⑤ 정답률 77%

정답풀이

'연어의 살결에 / 나무처럼 단단한 한 시절이 있었다'에서 '한 시절'은 연어에게도 나무처럼 시련을 이겨 내며 단단하게 생을 살아가는 시절이 있었다는 것을 의미한다. '죽은 어미연어의 나이테를 먹은 새끼연어가' '몇 만 년을 두고 / 다시 그 강에 회귀하는 것'에서 '몇 만 년'은 연어가 강으로 회귀하는 것이 '어미연어'에서 '새끼연어'로 세대를 넘어 이어진다는 것을 의미한다. 따라서 ⓔ(몇 만 년)과 '한 시절'은 연어에게도 시련을 이겨 내며 단단하게 생을 살아가는 시절이 있으며 이것이 세대를 넘어 이어진다는 점에서 연결된 것이지, 강으로 회귀하는 연어가 나무처럼 생을 마감하는 존재라는 것을 드러냈다고 볼 수는 없다.

오답풀이

① '연어의 살 속엔 / 나이테 무늬가 있다'와 '제 근육에 새겨넣은 굴렁쇠같이 단단한 것이 / 나무의 나이테이듯이'에서 형태의 유사성에 주목해 나무의 나이테와 마찬가지로 연어의 무늬에 단단함이 있음을 드러낸다고 볼 수 있다.
② '중력을 거부하고 하늘로 솟구치던 나무를'과 '한 사코 아래로만 흐르려는 물길을 거슬러 / 폭포수를 뛰어넘는 연어'에서 나무와 연어가 자신들에게 가해지는 아래로 향하는 힘을 거부하고 반대 방향으로 나아가려는 강인함을 지녔음을 드러내고 있다.
③ '하늘로 솟구치던 나무를 / 눈바람이 주저앉히려 할 때마다'와 '연어를 / 사나운 물살이 저 바닥으로 내동댕이칠 때마다'에서 연어와 나무가 자신들에게 가해지는 반복되는 시련을 겪어 내는 존재임을 드러내고 있다.
④ '원목의 나이테가 / 제가 맞은 눈바람을 순한 향기로 뿜어내놓듯이'와 '연어의 살결에선 강물 냄새가 나는 것이다'에서 눈바람과 사나운 물살 같은 시련을 이겨낸 나무와 연어가 시련을 승화시켜 간직하고 있음을 드러내고 있다.

### [39~42] 고전소설

## 39 ① 정답률 80%

정답풀이

'오늘 낭자를 만나 죽어도 같이 죽고 살아도 같이 살자~간다는 말이 웬 말이오?'와 '낭군님은 지나치게 슬퍼하지 마시고 때를 기다리옵소서. 천명을 어이 거역하오리까?'에서 권익중과 이 낭자의 대화를 통해 이별을 슬퍼하는 권익중과 이를 위로하는 낭자의 감정이 드러나고 있다.

오답풀이

② 옥황상제가 보낸 허수아비인 우인과 익중 사이에 누가 진짜 익중인지를 둘러싸고 인물 간의 대립이 있다고 볼 수는 있으나, 이를 통해 주인공의 업적을 드러낸다고 볼 수는 없다.
③ 윗글에서 구체적인 시대 상황을 확인할 수 없다.
④ 윗글은 시간의 흐름에 따라 우인과 익중 중 누가 진짜인지 가리는 사건과 우인과 이 낭자가 재회하는 사건을 제시했을 뿐 동시에 일어난 두 사건을 교차하지 않았다.
⑤ 윗글에서 공간적 배경에 대한 묘사를 확인할 수 없다.

## 40 ⑤ 정답률 64%

정답풀이

위 낭자는 우인을 '익중인 줄 여겨 반겨하고 서촉 안부를 물으니, 우인이 대강 대답'했다고 하므로 위 낭자는 안부를 묻는 말에 대한 우인의 대답 때문에 우인을 반겼다고 볼 수 없다.

오답풀이

① '승상은 부인을 붙들고 기가 막혀~어느 것이 참 익중이며 어느 것이 거짓 익중인지 알기 어려웠다.'에서 승상은 익중과 우인을 구별하지 못하고 있음을 알 수 있다.
② '먼저 온 것이 참 익중이 분명하고 나중 온 것이 귀신이 분명하다.', '어젯밤에 여차여차한 꿈을 꾸었더니 과연 그대로이구나.'에서 승상 부인은 꿈을 근거로 우인을 익중으로 믿음을 알 수 있다.
③ '권생이 며칠을 돌아다니다가 집으로 돌아와~화를 내는 것이었다. 익중이 이를 보고'에서 집으로 돌아온 익중이 화를 내는 우인을 보고 있음을 알 수 있다.
④ '가짜로 들어온 귀신에게 두들겨 맞은 꼴로 변명도 쓸 때 없겠거니와~명월 악양루를 구경하고 동정호에 빠져 죽으리라.'에서 알 수 있다.

## 41 ③ 정답률 83%

정답풀이

[A]에서 익중은 '귀신이 꿈에 현몽'하여 했던 말을 근거로 '저 놈'이 꿈에 보았던 '헛개비라는 귀신'이라고 여기고 있다. 즉 [A]에서 익중은 우인이 자신인 척 가족들을 속이고 있는 부정적 상황에서 상대를 '저 놈이 그놈'이라고 여기며 추측한다고 볼 수 있다. [B]에서 익중은 사랑하던 이 낭자와 혼인한 기쁨을 드러내며, 이 낭자와 '하해가 육지가 되도록 살'고 싶다고 말하고 있다. 즉 [B]에서 익중은 이 낭자와 함께하는 긍정적 상황에 대한 만족감을 드러내고 있다고 볼 수 있다.

오답풀이

① [B]에서 익중은 이 낭자에 대한 애정을 드러내지만, [A]에서 현실적 인물에 대한 연민은 확인할 수 없다.
② [A]에서 익중이 우인의 위세를 두려워하는 모습은 확인할 수 없고, [B]에서 익중은 이 낭자와의 혼인을 기뻐하고 있다.
④ [A]에서 실현 가능한 사건에 대한 익중의 믿음이 드러난다고 보더라도, [B]에서 실현 불가능한 사건에 대한 익중의 실망은 확인할 수 없다.
⑤ [A]에서 익중이 꿈에서 본 사건이 예상대로 일어났지만 익중은 이에 대해 안도하고 있지 않다. 또한 [B]는 이 낭자가 이별의 말을 하기 전이므로 예상치 못했던 사건에 익중이 불안해한다고 볼 수 없다.

## 42 ⑤ 정답률 71%

정답풀이

〈보기〉에서 윗글의 '진가쟁주는 선녀가 된 이 낭자와 권익중이 만날 수 있는 계기를 제공해 주어 그 둘은 재회'한다고 했다. 하지만 윗글에서 이 낭자는 가짜 익중을 사라지게 만드는 방법을 알려주며 오 년 후 아이를 데려가라고 할 뿐 가짜 익중과의 만남을 예상하고 있지는 않다.

오답풀이

① 〈보기〉에서 윗글의 '진가쟁주'는 '천상계의 개입으로 발생'한다고 했고, 윗글에서 옥황상제가 이 낭자에게 자태와 얼굴이 '익중과 같'은 '허수아비를 만들어 주'었음을 확인할 수 있으므로 적절하다.
② 〈보기〉에서 윗글의 '진가쟁주'는 '권익중이 고난을 겪게 한다'고 했고, 윗글에서 익중의 집안 하인이 부인의 명으로 진짜 익중을 '당장의 곤욕과 매를 견디지 못할 정도로' 때렸음을 확인할 수 있다.
③ 〈보기〉에서 윗글의 '진가쟁주'는 '선녀가 된 이 낭자와 권익중이 만날 수 있는 계기를 제공해 주어 그 둘은 재회'한다고 했고, 윗글에서 익중이 집에서 '하는 수 없어 뛰쳐나'온 후 이 낭자와 재회하여 '육례를 치르'게 되므로 진가쟁주가 두 사람을 재회하게 함을 확인할 수 있다.
④ 〈보기〉에서 윗글의 '진가쟁주'는 '권익중과 가족 간의 갈등을 유발'한다고 했고, 윗글에서 부인은 가짜 익중을 진짜로 믿어 하인에게 진짜 익중을 내쫓으라고 명령했으므로 진가쟁주가 가족 간의 갈등을 유발했다고 볼 수 있다.

### [43~45] 현대소설

## 43 ② 정답률 84%

정답풀이

[A]의 '청산댁 기시요?', '누구다요?', '마침 기셨구만이라.' 등에서 반장과 청산댁의 대화 상황을 사투리를 활용해 사실감 있게 표현하고 있다.

오답풀이

① [A]에서 청산댁이 '며칠 남지 않은 손자 돌 채비에 일손이 바빴'던 상황을 구체적으로 서술하고 있으므로 요약적 서술로 과거 상황을 제시했다고 볼 수 없다.
③ [A]에서 청산댁과 반장의 대화를 확인할 수 있으나, 인물의 성격 변화는 확인할 수 없다.
④ [A]에서 갈등 해소의 실마리는 확인할 수 없다.
⑤ [A]에서 인물의 반복적 행위를 통해 긴박한 분위기를 조성하고 있지는 않다.

**44** ② 정답률 **79%**

정답풀이

㉡(동네 사람들은~다행이라고 했다.)은 동네 사람들이 피란을 가지 않아도 되는 자신들의 상황을 다행이라 여기는 상황이다. 또한 '싸움이 한창'인 때 찬바람이 일기 시작하자 피란민은 청산댁이 사는 동네로 몰려들었다. 따라서 전쟁이 끝나자 피란민이 몰려들었다고 볼 수 없으며, ㉡에 피란민에 대한 동네 사람들의 반감이 드러났다고 볼 수도 없다.

오답풀이

① ㉠(남편은~소리 지르고 있었다.)은 청산댁의 남편이 갑자기 전쟁터로 끌려가는 상황으로, 이러한 상황에서도 남편이 스스로에 대한 걱정보다 '소 잘 간수허고, 만득이 병 안 들게' 하라고 말하는 것에서 집안과 가족에 대한 걱정을 확인할 수 있다.
③ ㉢(사내는~주저하고 있었다.)은 낯선 사내가 청산댁에게 찾아온 이유를 쉽게 말하지 못하고 주저하는 상황으로, 그는 천만득의 '전사 통지서'를 전하러 왔기 때문에 망설인다고 볼 수 있다.
④ ㉣(청산댁은~그대로 나가넘어졌다.)은 청산댁이 낯선 사내에게 '전사 통지서'라는 말을 듣고 쓰러지는 장면으로, 이를 듣기 전에 아들인 만득이의 전사 소식을 예상하지 못했던 청산댁이 받은 충격을 보여 준다고 볼 수 있다.
⑤ ㉤(청산댁의 목소리는 착 가라앉아 있었다.)은 청산댁이 자신을 보고 '울음을 터뜨'리는 며느리에게 '착 가라앉'은 목소리로 조언하는 상황이므로 청산댁의 차분한 태도를 엿볼 수 있다.

**45** ③ 정답률 **78%**

정답풀이

〈보기〉에서 윗글은 '자식에 대한 사랑과 자손을 지키려는 의지'로 '시대의 아픔에 대한 치유와 극복의 가능성을 보여 준다'고 했다. 하지만 아들의 전사 소식을 듣고 정신을 잃었던 청산댁이 '다시 정신을 차린' 후 '손에는 낫'을 들고 읍내로 뻗은 길을 '맨발인 채 뛰'는 것은 아들의 죽음에 대한 충격과 울분을 드러내는 행동일 뿐이다. 이것이 사회를 치유하려는 개인의 의지를 보여 준다고 볼 수는 없다.

오답풀이

① 〈보기〉에서 윗글에는 '역사적 질곡이 빚어낸 민족의 희생이 드러'난다고 했다. '징용'과 '전쟁터' 같은 시련은 우리 민족이 겪은 고통을 보여 주므로, 청산댁의 남편이 '징용을 끌려갈 때처럼' '전쟁터로 끌려 나갔다'는 것은 전쟁으로 인한 민족의 희생을 보여 준다고 볼 수 있다.
② 〈보기〉에서 윗글은 '반복되는 수난을 겪는 여성 개인의 한'을 그렸다고 했다. 전쟁으로 남편을 잃은 청산댁은 월남으로 간 아들 만득이마저 죽었다는 '전사 통지서'를 받고 '남편의 얼굴'과 '만득이 얼굴이 뒤범벅이 되'는 느낌을 받는데, 이는 전쟁으로 남편과 아들을 잃는 청산댁의 반복되는 수난을 드러낸 것이라고 할 수 있다.
④ 〈보기〉에서 윗글의 '자식에 대한 사랑과 자손을 지키려는 의지로 발현된 개인의 강인한 모성은 시대의 아픔에 대한 치유와 극복의 가능성을 보여 준다'고 했다. 울음을 터뜨리는 며느리를 본 청산댁이 '울지 말'라고 말하며 '자석 땀새 이빨 앙물고 살어'야 한다고 이야기하는 것은 자손을 지키려는 의지로 살아온 청산댁의 강인한 모성을 드러낸다고 볼 수 있다.
⑤ 〈보기〉에서 윗글의 '자식에 대한 사랑과 자손을 지키려는 의지로 발현된 개인의 강인한 모성은 시대의 아픔에 대한 치유와 극복의 가능성을 보여 준다'고 했다. 청산댁이 죽은 아들이 생전에 좋아했던 송편을 '온 정성을 다해 빚'는 것은 자식에 대한 청산댁의 사랑을 드러낸다고 볼 수 있다.

9 회

# 10회

2019학년도 9월 학평

| | | | | | | | | | |
|---|---|---|---|---|---|---|---|---|---|
| 1. ③ | 2. ③ | 3. ③ | 4. ⑤ | 5. ⑤ | 6. ⑤ | 7. ① | 8. ④ | 9. ④ | 10. ③ |
| 11. ③ | 12. ③ | 13. ⑤ | 14. ④ | 15. ③ | 16. ④ | 17. ④ | 18. ② | 19. ⑤ | 20. ③ |
| 21. ⑤ | 22. ② | 23. ④ | 24. ③ | 25. ④ | 26. ④ | 27. ① | 28. ② | 29. ② | 30. ② |
| 31. ④ | 32. ⑤ | 33. ⑤ | 34. ① | 35. ④ | 36. ① | 37. ④ | 38. ② | 39. ② | 40. ② |
| 41. ⑤ | 42. ① | 43. ① | 44. ⑤ | 45. ① | | | | | |

오답률 Best 5

## [1~3] 화법

### 1 ③ 정답률 67%

정답풀이

발표자는 '박석은 화강암을 10~15센티미터 정도의 두께로 잘라 낸 얇고 넓적한 돌입니다'에서 박석에 대해 설명하며 청중의 이해를 돕고 있다.

오답풀이

① 발표자는 '여러분은 박석에 대해 잘 알고 계신가요? 생소하실 것 같은데요.'에서 청중의 배경지식을 묻고 있으나, 이에 따라 발표 내용을 조절하고 있지는 않다.
② 발표 마무리 단계에서는 '아는 만큼 보인다.'라는 인용구를 활용하여 박석을 새롭게 인식하기를 바란다는 의도를 전달하고 있다. 발표 대상을 친숙한 소재에 빗대어 표현하는 부분은 나타나지 않는다.
④ 청중의 질문이 제시된 부분은 찾을 수 없다.
⑤ 발표자는 발표 내용의 순서를 안내하고 있지 않다.

### 2 ③ 정답률 80%

정답풀이

발표자는 '(사진을 보여주며)' 수막현상이 일어나는 것을 약화시키는 박석의 효용성을 제시하고 있으나, 박석의 한계를 제시하지는 않았다.

오답풀이

① 발표자는 '(사진을 손가락으로 가리키며)'에서 비언어적 표현인 손짓을 활용하여 박석 사진에 청중의 시선을 집중시키고 있다.
② 발표자는 '(난반사와 정반사의 그림을 보여주며)' 박석이 빛을 난반사시키는 모습을 이해하기 쉽게 설명하고 있다.
④ 발표자는 '(동영상을 보여주며)' 박석이 소리를 되받아 울려주는 과정을 실감 나게 제시하고 있다.
⑤ 발표자는 '아는 만큼 보인다.'라는 인용구를 활용하여 박석에 관심을 가져 줄 것을 부탁하고 있다.

### 3 ③ 정답률 84%

정답풀이

'청자 3'은 '박석이 깔린 길을 걸었는데 그 길이 임금님이 다녔던 길이구나.'에서 발표에서 '박석은 주로 임금이 다니던 길인 경복궁 근정전의 앞마당과 왕릉 진입로인 참도 등에 깔려 있습니다.'라고 직접적으로 언급한 내용을 이야기하고 있다.

오답풀이

① '청자 1'은 '비가 오면 수막현상'이 생긴다는 발표 내용을 언급하며 수막현상이 생기는 이유에 대한 궁금증을 드러내고 있다.
② '청자 2'는 '창덕궁의 박석을 잔디로 바꿔 놓았'다는 배경지식을 활용하여 자신이 알고 있는 역사적 사실도 발표에 추가되면 더 좋았을 것 같다고 반응하고 있다.
④ '청자 1'은 '비 오는 날 미끄러워서 걷기 힘들었'던 경험을, '청자 3'은 '지난주에 경복궁에서 박석이 깔린 길을 걸었'던 경험을 각각 떠올리며 발표 내용을 이해하고 있다.
⑤ '청자 2'는 '박석의 다양한 기능에 대해 알게' 된 것에 대해, '청자 3'은 '박석에 담긴 우리 조상들의 지혜를 알게 되어서 유익했'다는 것에 대해 긍정적으로 반응하고 있다.

## [4~7] 화법과 작문

### 4 ⑤ 정답률 86%

정답풀이

ⓜ(며칠 전에~참고하면 어떨까?)에는 마지막 문단을 마무리하는 방법에 대해 생각해 보자는 '학생 1'의 제안에 대한 '학생 2'의 의견이 드러나 있을 뿐 궁금한 점을 질문하고 있지는 않다.

오답풀이

① ㉠(그러면 강연자를 우리 동아리 부원들만 친근하게 느낄 것 같아.)에는 동아리 선배를 강연자로 초청하자는 '학생 2'의 제안이 실현되었을 때 우려되는 부분이 언급되어 있다.
② ㉡(그래서 말인데~감상평이 달렸던 것 생각나지?)에는 지난번 축제에서 ○○○ 작가 시에 가장 많은 감상평이 달렸던 사실을 환기하며 작가 ○○○을 초청하자는 의견이 제시되어 있다.
③ ㉢(이 시가 '◇◇'보다 학생들에게 친숙한 시라고 생각하거든.)에는 문학 평론집에 실린 시를 낭송하자는 '학생 2'의 의견보다 문학 교과서에 실려 친숙한 시를 낭송하는 것이 더 좋다고 생각하는 이유가 제시되어 있다.
④ ㉣(강요하듯 부탁 드리면 안 된다는 말이지?)에서는 부담되는 표현을 사용하지 말자는 '학생 2'의 의도를 자신이 제대로 이해하였는지 확인하고 있다.

### 5 ⑤ 정답률 66%

정답풀이

'학생 2'가 글에 들어갈 내용으로 행사 목적과 작가 이력을 넣자고 하자 '학생 3'은 행사 목적은 포함하는 것에는 일부 동의하면서, 작가 이력은 글이 아닌 강연 안내 자료에 싣는 게 더 낫겠다는 의견을 전달하고 있다.

오답풀이

① '학생 1'은 '그분의 시에 대한 학생들의 반응을 언급하'자고 말하며 '학생 2'의 생각을 보완할 수 있는 의견을 제시하고 있다.
② '학생 1'은 행사 목적은 글에 포함하되 작가 이력은 강연 안내 자료에 싣자고 한 '학생 3'의 의견을 수용하고 있으나 이에 대한 근거를 덧붙여 구체화하고 있지는 않다.
③ '학생 2'는 '학생 1'의 의견에 동조하며 '왜 그분을 초청하고 싶은지 꼭 쓰자며 자신의 바람을 덧붙이고 있다.
④ '학생 3'은 '학생 1'의 질문에 답변하며 설문 조사를 같이 써 주자는 추가 의견을 제시하고 있다.

## 6 ⑤ 정답률 80%

정답풀이

4문단에 '강연 뒤에는 질의응답 시간도 마련되어 있습니다.'라는 언급이 있지만, 질의응답 시간에 대한 학생들의 기대감은 제시되어 있지 않다.

오답풀이

① 1문단에서 '명사 초청의 날' 행사를 여는 목적과 글을 쓰게 된 이유에 대해 제시하고 있다.
② 2문단에서 지난 축제 때 전시한 시에 대한 학생들의 반응을 소개하며 '○○○ 작가'를 강연자로 초청하고 싶은 이유를 밝히고 있다.
③ 3문단에서 일시, 장소, 대상, 주제와 같은 행사 계획을 소개하고 있다.
④ 4문단에서 강연 전에 시를 낭송하려는 취지와 낭송할 시를 각각 제시하고 있다.

## 7 ① 정답률 56%

정답풀이

(가)에서 '상대의 부담을 최소화하는 방식으로 강연을 부탁드리'자는 '학생 2'의 의견을 반영하여 '많이 바쁘실 텐데 강연을 부탁드려도 될까요?'에서 상대방의 의사를 묻는 질문의 방식을 활용하고 있다. 또한 (가)에서 ○○○ 작가를 맞이하는 마음을 소리로 표현하자는 '학생 2'의 의견에 따라 '신청한 곡이 나오는 라디오의 노랫소리처럼~작가님을 기다리며'에서 라디오의 노랫소리에 작가를 기다리는 마음을 빗대어 표현하고 있다.

오답풀이

②, ③ 질문의 방식을 사용하여 상대방의 부담을 최소화하고 있지만, 작가를 맞이하는 마음을 소리로 표현하고 있지 않다.
④ 풀벌레 소리는 작가를 맞이하는 마음을 표현한 소리로 볼 수 없다. 또한 상대의 부담을 최소화하는 표현을 사용했다고 보기도 어렵다.
⑤ '종소리'를 활용하여 작가를 맞이하는 마음을 표현하고 있지만, '꼭 와주실 것' 같은 상대에게 부담을 주는 표현을 사용하며 글을 마무리하고 있으므로 적절하지 않다.

### [8~10] 작문

## 8 ④ 정답률 82%

정답풀이

5문단에서 '고궁 무료 관람 혜택 대상에서 퓨전 한복을 제외한다면 사람들이 전통 한복에 더 많은 관심을 갖도록 유도할 수 있으며, 전통 한복이 살아나는 계기를 만들 수' 있다고 하며 자신의 주장이 실현되었을 때의 긍정적 전망을 제시하여 설득력을 높이고 있다.

오답풀이

① 윗글에서 예상되는 반론을 제시한 부분은 찾을 수 없다.
② 고궁 무료 관람 혜택 대상에서 퓨전 한복을 제외하자는 주장의 타당성을 높이기 위해 여러가지 대안을 제시하고 있지는 않다.
③ 2문단~4문단에서 퓨전 한복으로 인한 문제점과 그 해결의 필요성을 언급하고 있지만 권위자의 견해를 인용하고 있는 부분은 찾을 수 없다.
⑤ 전통 한복에서 멀어진 형태의 퓨전 한복이 늘어나 발생하는 여러 가지 문제점을 제시하고 있을 뿐, 쟁점에 대한 다양한 관점을 비교하고 있지 않다.

## 9 ④ 정답률 87%

정답풀이

ㄱ-1은 모든 연령에서 전통 한복보다 퓨전 한복에 대한 선호도가 높음을 보여주는 자료이고, ㄷ은 품질이 떨어지는 퓨전 한복으로 인한 문제점에 대한 기사이다. ㄱ-1과 ㄷ을 활용하여 전통 한복의 선호도를 높이기 위해 전통 한복의 가격을 낮추는 방안을 추가하는 것은 적절하지 않다.

오답풀이

① ㄱ-1은 연령대가 낮아질수록 퓨전 한복의 선호도가 높음을 보여주는 자료로, 1문단의 '퓨전 한복을 선호하는 경향은 연령대가 낮을수록 뚜렷하게 나타난다'를 뒷받침하는 근거로 적절하다.
② ㄴ은 외국인 관람객들이 고궁에서 체험한 퓨전 한복을 전통 한복으로 잘못 소개하는 문제점에 대해 설명한 전문가 인터뷰로, 3문단을 뒷받침하는 사례로 제시하기에 적절하다.
③ ㄷ은 품질이 떨어지는 퓨전 한복의 불편함 때문에 전통 한복도 불편할 것이라고 오인할 수 있다는 내용을 담은 신문 기사로, 퓨전 한복으로 인해 발생할 수 있는 문제점으로 추가하기에 적절하다.
⑤ ㄱ-2는 전통 한복을 체험한 외국인 관람객의 대다수가 만족했음을 보여주는 통계 자료이고, ㄴ은 전통 한복을 체험하거나 직접 본 외국인 대다수가 한국적인 아름다움을 느꼈다는 내용을 담은 전문가 인터뷰이다. ㄱ-2와 ㄴ을 활용하여 전통 한복을 입도록 장려하는 것이 외국인들에게 한국적인 아름다움을 알리는 것에 도움이 된다는 내용을 추가하는 것은 적절하다.

## 10 ③ 정답률 83%

정답풀이

〈보기〉는 조선 전기부터 18세기, 19세기를 거치면서 당대 여성들의 욕구에 따라 저고리 길이 등 복식에 변화가 뚜렷하게 나타났음을 보여준다. 이를 활용하여 전통 한복에서 멀어진 형태의 퓨전 한복으로 인해 전통 한복의 훼손이 심각하다는 [A]에 대해 반박하고자 한다면, 시대의 변화에 따라 나타나는 복식의 변화를 존중하자는 내용의 글을 쓸 수 있다.

오답풀이

① [A]는 전통 한복에서 멀어진 형태의 퓨전 한복으로 인해 전통 한복의 훼손이 심각하다는 내용이다. '한 시대의 유행과 이에 대한 정당한 비판이 균형을 이'루어야 한다는 것은 〈보기〉를 활용하여 [A]를 반박하는 내용이라고 보기 어렵다.
② [A]는 전통 한복에서 멀어진 형태의 퓨전 한복으로 인해 전통 한복의 훼손이 심각하다는 내용이고, 〈보기〉는 아름다움을 추구하는 당대 여성들의 욕구에 따라 복식에 변화가 뚜렷하게 나타났다는 내용이다. '실용성을 추구하며 변화한 퓨전 한복의 가치를 인정해야 한다'는 것은 〈보기〉를 활용하여 [A]를 반박한 내용이라고 보기 어렵다.
④ [A]는 전통 한복에서 멀어진 형태의 퓨전 한복으로 인해 전통 한복의 훼손이 심각하다는 내용이고, 〈보기〉는 아름다움을 추구하는 당대 여성들의 욕구에 따라 복식에 변화가 뚜렷하게 나타났다는 내용이다. '전통 한복의 기본 요소를 바탕으로 허용 가능한 퓨전 한복의 변형 정도를 규정'하자는 것은 〈보기〉를 활용하여 [A]를 반박한 내용이라고 보기 어렵다.
⑤ [A]는 전통 한복에서 멀어진 형태의 퓨전 한복으로 인해 전통 한복의 훼손이 심각하다는 내용이고, 〈보기〉는 아름다움을 추구하는 당대 여성들의 욕구에 따라 복식에 변화가 뚜렷하게 나타났다는 내용이다. '전통 한복의 훼손을 막기 위해 전통의 긍정적 변용으로 인식되는 역사적 사례를 찾아 현대의 퓨전 한복에 적용해야 한다'는 것은 〈보기〉를 활용하여 [A]를 반박한 내용이라고 보기 어렵다.

### [11~15] 문법(언어)

## 11 ③ 정답률 37%

정답풀이

'뜯어먹다'는 '뜯어서 먹다'와 같이 중간에 다른 말이 끼어들어 갈 수 있으므로 ㉡이 아니라 ㉠(중간에 다른 말이 끼어들어 갈 수 있는 경우)에 해당하며, 사전에 표제어로 실리지 않는다.

오답풀이

① '헌가방'은 '헌 동생의 가방'과 같이 중간에 다른 말이 끼어들어 갈 수 있으므로 ㉠에 해당하며, 사전에 표제어로 실리지 않는다.
② '놓고가다'는 '놓고서 가다'와 같이 중간에 다른 말이 끼어들어 갈 수 있으므로 ㉠에 해당하며, 사전에 표제어로 실리지 않는다.
④ '뜬소문'은 중간에 다른 말이 끼어들어가면 그 의미가 변하므로 ㉡(그렇지 않은 경우)에 해당하며, 사전에 표제어로 오른다. 이에 '뜬소문'은 '이 사람 저 사람 입에 오르내리며 근거 없이 떠도는 소문'을 뜻한다.
⑤ '알아듣다'는 '남의 말을 듣고 그 뜻을 알다'라는 뜻으로 구성 요소인 '알아'와 '듣다'가 시간의 흐름에 따라 순차적으로 배열된 것이 아니므로 ㉢(그렇지 않은 경우)에 해당하며 사전에 표제어로 실린다.

10회

**오답률 Best ❷**

11번은 구와 합성어를 구분하여 띄어쓰기를 판단해야 하는 문제였어. <보기>에 밑줄 친 부분이 각각 구인지 합성어인지를 구별할 줄 알아야했지. 많은 학생들이 정답인 ③번 다음으로 ①번을 선택했어. '헌가방'이 구인지 합성어인지 구별하기 위해서 구성 요소 사이에 다른 말을 넣어 보면 되는데, '헌'과 '가방' 사이에 '내', '동생의', '아버지의' 등과 같은 말이 끼어들어 갈 수 있으므로 '헌가방'은 '구'에 해당한다고 볼 수 있어.

## 12 ③ 정답률 33%

**정답풀이**

'읽는데'에서 '데'는 '일'이나 '것'의 뜻을 나타내는 의존 명사로, 관형어 '읽는'의 수식을 받고 있다. 윗글에서 의존 명사는 '자립 명사와 같은 명사 기능을 하므로 단어로 취급하여 앞말과 띄어 쓴다.'라고 했으므로 의존 명사 '데'는 '읽는 데'와 같이 앞말과 띄어 써야 한다.

**오답풀이**

① '무명만큼'에서 '만큼'은 앞말과 비슷한 정도나 한도임을 나타내는 격조사로, '무명'에 붙여 써야 한다.
② '가는데'에서 '-는데'는 뒤 절에서 어떤 일을 설명하기 위하여 그 대상과 상관되는 상황을 미리 말할 때에 쓰는 연결 어미로, 비가 오기 시작한 상황을 설명하기 위하여 그와 상관되는 학교에 가는 상황을 미리 말한 것이다. 윗글에서 어미는 '단어로 보지 않으며 앞말에 붙여 쓴다.'라고 했으므로 어간 '가-'와 어미 '-는데'는 붙여 써야 한다.
④ '나는 데'에서 '데'는 '곳'이나 '장소'의 뜻을 나타내는 의존 명사이므로, '나는'과 띄어 써야 한다.
⑤ '들릴 만큼'에서 '만큼'은 앞의 내용에 상당한 수량이나 정도임을 나타내는 의존 명사이므로, '들릴'과 띄어 써야 한다.

**오답률 Best ❶**

12번은 의존 명사와 조사, 어미를 구분하여 띄어쓰기를 판단하는 문제였어. 윗글에서 의존 명사는 앞에 수식하는 말 즉 관형어를 반드시 필요로 한다고 했기 때문에 앞말에 관형어가 있어야 해. ①번의 '무명만큼'에서 '무명'은 체언이기 때문에 '만큼'을 수식할 수 없고, 이때 '만큼'은 체언 뒤에 위치한 조사였음을 알 수 있는 거야. 또한 ②번의 '가는데'에는 '가는 도중에'라는 의미의 어미가 쓰였음을 파악할 수 있어. 형태가 비슷한 의존 명사와 조사, 어미 등을 구별하기 위해서는 우선 앞말에 어떤 말이 오는지 확인하고, 문장 안에서 어떤 의미로 쓰였는지 살펴야 해.

## 13 ⑤ 정답률 49%

**정답풀이**

ㄷ의 '올여름'은 'ㄴ' 첨가로 인해 '올녀름'이 된 후, 유음화가 일어나 [올려름]으로 발음되므로 두 번의 음운 변동이 나타났다. ㄹ의 '해돋이'는 구개음화가 일어나 [해도지]로 발음되므로 한 번의 음운 변동만 일어난다.

**오답풀이**

① ㄱ의 '신라[실라]'는 앞의 음운인 'ㄴ'이 뒤의 음운인 'ㄹ'의 성질을 닮아 유음화가 일어난 것이고, ㄴ의 '국물[궁물]'은 앞의 음운인 'ㄱ'이 뒤의 음운인 'ㅁ'의 성질을 닮아 비음화가 일어난 것이다.
② ㄱ의 '신라[실라]'는 앞의 음운 'ㄴ'이 유음 'ㄹ'로 교체되었고, ㄷ의 '올여름'은 'ㄴ' 첨가가 일어나 '올녀름'이 된 뒤에 'ㄴ'이 앞의 음운 'ㄹ'의 성질을 닮아 유음화가 일어나 [올려름]이 된 것이다. 따라서 ㄷ의 '올여름'도 하나의 음운 'ㄴ'이 유음 'ㄹ'로 교체된 현상이 나타난다.
③ ㄱ의 '신라[실라]'는 음운의 변동이 일어나기 전과 후의 음운 개수가 5개로 변화가 없고, ㄹ의 '해돋이[해도지]'는 음운의 변동이 일어나기 전과 후의 음운 개수가 6개로 변화가 없다.
④ ㄴ의 '국물[궁물]'은 두 형태소 '국'과 '물'이 결합할 때 음운 변동이 일어나고, ㄷ의 '올여름[올려름]'은 두 형태소 '올'과 '여름'이 결합할 때 음운 변동이 일어난다.

## 14 ④ 정답률 67%

**정답풀이**

ㄱ은 보조사 '는'을 사용하여 '친구가 모두 오지는 않았다'와 같이 친구들 중 일부는 왔다는 의미를 나타내도록 중의성을 해소할 수 있다. 그러나 ㄴ은 보조사 '는'을 사용하여 중의성을 해소하기 어렵다.

**오답풀이**

① ㄱ은 수량을 나타내는 '모두'와 부정을 나타내는 '-지 않았다'가 함께 사용되어 중의성이 생긴 것이다.
② ㄴ은 '울면서'의 주체가 '그'나 '그녀'로 해석되어 행위 주체가 불분명하므로 중의성이 생긴 것이다.
③ ㄷ은 '사랑스러운'의 수식을 받는 대상이 '그녀'인지 '그녀의 강아지'인지 불분명하므로 중의성이 생긴 것이다.
⑤ ㄴ은 '그가 떠나는 그녀를 울면서 안아 주었다'와 같이 어순을 바꾸어 중의성을 해소할 수 있고, ㄷ은 '나는 그녀의 사랑스러운 강아지를 보았다'와 같이 어순을 바꾸어 중의성을 해소할 수 있다.

## 15 ③ 정답률 54%

**정답풀이**

'거부븨 터리 곧고'에서 '거부븨'의 '의'는 유정 명사 '거붑' 뒤에 쓰인 관형격 조사로, '거붑'의 둘째 음절의 모음이 음성 모음 'ㅜ'이므로 모음조화에 따라 '의'로 실현된 것이다. 따라서 '거부븨'의 '의'는 ㉠(관형격 조사)에 해당하다. 한편 '바미 비취니'에서 '바미'의 '이'는 시간을 나타내는 체언 '밤' 뒤에 쓰인 부사격 조사로, '밤'의 모음이 양성 모음 'ㅏ'이므로 모음조화에 따라 '이'로 실현된 것이다. 따라서 '바미'의 '이'는 ㉡(부사격 조사)에 해당한다.

**오답풀이**

① '겨틔 서서'에서 '겨틔'의 '의'는 장소를 나타내는 체언 '곁' 뒤에 쓰인 부사격 조사로 '곁'의 'ㅕ'가 음성 모음이므로 '의'로 실현된 것이다. 따라서 '겨틔'의 '의'는 ㉠이 아닌 ㉡에 해당한다. 한편 '거부븨 터리 곧고'에서 '거부븨'의 '의'는 유정 명사 '거붑' 뒤에 쓰인 관형격 조사로, '거붑'의 둘째 음절의 모음이 음성 모음 'ㅜ'이므로 모음조화에 따라 '의'로 실현된 것이다. 따라서 '거부븨'의 '의'는 ㉡이 아닌 ㉠에 해당한다.
② '거부비 터리 곧고'에서는 유정 명사 '거붑'의 둘째 음절의 모음이 음성 모음 'ㅜ'이므로 관형격 조사는 모음조화에 따라 '이'가 아닌 '의'로 실현되어야 한다. 따라서 '거부비'의 '이'는 ㉠의 형태가 잘못 쓰인 예이다. 한편 '겨틔 서서'에서 '겨틔'의 '의'는 장소를 나타내는 체언 '곁' 뒤에 쓰인 부사격 조사로 '곁'의 'ㅕ'가 음성 모음이므로 '의'로 실현된 것이다. 따라서 '겨틔'의 '의'는 ㉡에 해당한다.
④ '바믜 비취니'에서는 시간을 나타내는 체언 '밤'의 모음이 양성 모음 'ㅏ'이므로 모음조화에 따라 부사격 조사는 '의'가 아닌 '이'로 실현되어야 한다. 따라서 '바믜'의 '의'는 ㉠에 해당하지 않으며, 부사격 조사의 형태도 잘못 쓰였다. 한편 '사ᄅᆞ미 쁘들'에서 '사ᄅᆞ미'의 '이'는 높임을 나타내지 않는 유정 명사 '사ᄅᆞᆷ' 뒤에 쓰인 관형격 조사로 '사ᄅᆞᆷ'의 둘째 음절의 모음이 양성 모음인 'ㆍ'이므로, 관형격 조사가 모음조화에 따라 '이'로 나타난 것이다. 따라서 '사ᄅᆞ미'의 '이'는 관형격 조사의 형태는 바르게 실현되었지만 ㉡이 아닌 ㉠에 해당한다.
⑤ '사ᄅᆞ미 쁘들'에서 '이'는 높임을 나타내지 않는 유정 명사 '사ᄅᆞᆷ' 뒤에 쓰인 관형격 조사로, '사ᄅᆞᆷ'의 둘째 음절의 모음이 양성 모음인 'ㆍ'이므로 관형격 조사는 모음조화에 따라 '이'로 실현된 것이다. 따라서 '사ᄅᆞ미'의 '이'는 ㉠에 해당한다. 그러나 '겨티 서서'에서는 장소를 나타내는 체언 '곁'의 'ㅕ'가 음성 모음이므로 모음조화에 따라 부사격 조사는 '이'가 아닌 '의'로 실현되어야 한다. 따라서 '겨티'의 '이'는 ㉡의 형태가 잘못 쓰인 예이다.

## [16~21] 과학+인문

### 16 ④ 정답률 69%

**정답풀이**

5문단에 따르면 라부아지에는 플로지스톤 패러다임에 의문을 가지고 실험을 통해 이를 부정하였으나 3문단에 제시된 '금속을 산에 녹일 때 발생하는 기체'가 가연성을 띤다는 캐번디시의 실험 결과를 반박하지는 않았다.

**오답풀이**

① 5문단에서 라부아지에는 연소 현상에서 '질량 변화가 있을 것'이라고 예측하고 '정밀하게 질량을 측정할 수 있는 기구를 동원하여 실험을 시행'하였음을 확인할 수 있다.
② 2문단에서 '베허와 슈탈은 종이, 숯, 황처럼 잘 타는 물질에 플로지스톤이 많이 포함'되어 있다고 보았음을 알 수 있다.
③ 2문단에서 '음식이 소화되는 생화학 작용 등 다양한 현상이 플로지스톤 이론을 통해 이해'될 수 있었음을 확인할 수 있다.
⑤ 8문단에서 쿤의 과학혁명 가설은 '고정된 틀 속에서 문제를 해결하려 한 정상 과학을 반성적으로 바라볼 수 있게 하'는 의의를 지녔다고 했다.

### 17 ④ 정답률 58%

**정답풀이**

2문단에 따르면 플로지스톤은 잘 타는 물질에 많이 포함되어 있으며, '연소 현상뿐만 아니라 금속이 녹스는 현상'을 이해할 수 있게 하였다. 3문단에서 캐번디시는 '금속을 산에 녹일 때 발생하는 기체가 매우 잘 타는 성질을 띠고 있음을 발견'하였고, 이 기체는 녹슨 금속을 녹일 때는 발생하지 않은 것을 근거로 '자신이 순수한 플로지스톤을 추출하는 데 성공했다고 믿었다'고 했다. 즉 캐번디시가 ㉠(이 기체는 금속에 있던 플로지스톤이 빠져 나온 것)이라고 생각한 이유는 이 기체가 잘 타는 성질을 갖고 있고, 녹슬지 않은 금속에서만 나온 것이기 때문이라고 볼 수 있다.

### 18 ② 정답률 63%

**정답풀이**

플로지스톤 이론은 금속이 녹스는 현상을 플로지스톤이 방출되는 것으로 설명한다. 이에 따르면 금속이 녹슬 때 플로지스톤이 빠져 나가므로 금속의 질량은 줄어들어야 한다. 5문단에서 '라부아지에는 금속이 녹슬 때 질량이 변화한다는 사실에 주목하며 플로지스톤 이론에 의문을 가졌다'고 했으므로, 플로지스톤 이론과는 다르게 금속이 녹슬 때 질량이 줄어들지 않고 증가한 것에 의문을 가졌다고 볼 수 있다. 즉 라부아지에는 '금속이 플로지스톤을 잃어 녹슨 것이라면 녹슬기 전보다 질량이 줄어 들어야 하지 않을까?'라고 의문을 제기했을 것이다. 즉 '금속이 녹슬 때 질량이 변화한다는 사실'과 '플로지스프 이론'과의 차이에서 기인한 '의문'을 갖게 된 것이다.

**오답풀이**

①, ③ 라부아지에는 금속이 플로지스톤을 잃어 녹슨 것이라면 녹슬기 전보다 질량이 줄어들어야 한다는 의문을 가졌다.
④, ⑤ 플로지스톤 이론에서는 금속이 녹스는 것을 플로지스톤을 잃었기 때문이라고 보았으므로, 라부아지에가 금속이 플로지스톤을 얻어 녹슬었을 때 질량이 어떻게 변하는지에 대해 의문을 가지지는 않았을 것이다.

### 19 ⑤ 정답률 38%

**정답풀이**

6문단에 따르면 라부아지에는 '프리스틀리의 기존 실험은 물 위에서 시행되었기 때문에 새롭게 형성된 물을 관찰하기 어려웠'을 것이라고 본 것이지 새로운 물이 형성되지 않았다고 생각한 것은 아니다.

**오답풀이**

① 4문단에 따르면 프리스틀리는 금속회가 가연성 공기의 플로지스톤은 흡수하여 금속이 되었다고 보았으므로, 가열 전의 금속회는 프로지스톤이 결핍된 상태라고 보았을 것이다.
② 4문단에 따르면 프리스틀리는 금속회가 금속이 되는 과정에서 '유리그릇 안쪽의 수위가 높아지는 현상'을 유리그릇 안에 채운 가연성 공기가 소모된 증거로 이해하였다.
③ 4문단에 따르면 '프리스틀리는 캐번디시가 발견한 가연성 공기를 활용하여 금속회를 금속으로 환원하는 실험을 시행'하였으므로, 가연성 공기를 통해 금속회를 금속으로 변화시킬 수 있다고 생각했을 것이다.
④ 6문단에 따르면 라부아지에는 '프리스틀리의 실험을 자신의 이론으로 재해석'하였는데, 금속회가 금속으로 변화한 것은 '플로지스톤과 금속회가 결합한 것이 아니라 금속회에 있던 산소가 유리그릇으로 방출'된 것으로 보았다.

**오답률 Best ③**

<보기>는 윗글에서 설명했던 프리스틀리의 금속회 환원 실험을 그림으로 제시한 거야. 과학 지문의 경우 내용 자체를 이해하기 쉽지 않고, 지문의 내용을 그림이나 도표로 나타낸 <보기>를 파악하는 것도 학생들이 어려워하는 문제 유형 중 하나지. 문제를 풀 때 해당하는 지문의 문단으로 돌아가서 다시 내용을 꼼꼼하게 읽어 보며 <보기>를 이해하는 것이 필요해. 지문에 따르면 프리스틀리의 실험은 플로지스톤 패러다임에 해당하는 실험이고, 라부아지에의 실험은 이를 반박하는 내용을 담고 있지. 따라서 프리스틀리는 연소 현상이나 금속이 녹스는 현상 등을 플로지스톤의 방출과 흡수 개념으로 이해하려는 입장이며, 이에 비해 라부아지에는 프리스틀리의 실험을 재해석하여 연소를 산소와 결합하는 현상으로 이해하려는 입장임을 이해해야 하지. 이렇게 지문에서 설명하는 내용들을 정확하게 다시 찾아가며 차분하게 선지를 판단한다면 어려워 보이는 <보기> 문제도 해결할 수 있어.

### 20 ③ 정답률 57%

**정답풀이**

1문단과 8문단에 따르면 토머스 쿤은 새로운 패러다임과 기존의 패러다임 중 어느 것이 더 우월한 것인지 평가할 논리적 기준은 있을 수 없다고 주장하고 있다. 한편 〈보기〉에서는 과학이 진보하고 있다고 말하기 위해서는 '새로운 패러다임'이 '기존의 패러다임'보다 더 나아졌다 즉 우월하다고 믿어야 한다는 입장을 취하고 있다. 이러한 관점으로 본다면 기존의 패러다임인 플로지스톤 이론에서 미해결 상태로 남았던 변칙 사례를 새로운 패러다임인 라부아지에의 이론이 해명했다는 점에서 더 우월한 것이라고 보아 패러다임 사이에 우월성을 평가할 수 있다며 토머스 쿤의 주장을 비판할 수 있다.

### 21 ⑤ 정답률 72%

**정답풀이**

ⓔ(받아들인다는)의 '받아들이다'는 '어떠한 것을 받아들이다.'라는 의미를 지닌 '수용한다는'과 바꿔 쓰기에 적절하다.

**오답풀이**

① ⓐ(보았다)의 '보다'는 '대상을 평가하다.'라는 의미이고, '조망하다'는 '먼 곳을 바라보다.'라는 의미이다.
② ⓑ(띠고)의 '띠다'는 '어떤 성질을 가지다.'라는 의미이고, '소유하다.'는 '가지고 있다.'라는 의미이다.
③ ⓒ(사라지고)의 '사라지다'는 '현상이나 물체의 자취 따위가 없어지다.'라는 의미이고, '생략하다'는 '전체에서 일부를 줄이거나 빼다.'라는 의미이다.
④ ⓓ(바뀌었다)의 '바뀌다'는 '원래의 내용이나 상태가 다르게 고쳐지다.'라는 의미이고, '전도되다'는 '차례, 위치, 이치, 가치관 따위가 뒤바뀌어 원래와 달리 거꾸로 되다.'라는 의미이다.

## [22~26] 현대시+고전시가

**22** ② 정답률 **74%**

정답풀이

(가)는 '살아 있는 것', '잎'이 흔들려서 '튼튼한 줄기를 얻고' '살아 있는 몸인 것을 증명한다.'는 자연의 속성을 활용하여 주제 의식을 강화하고 있다. 또한 (다)는 대상을 비추는 '낙월'의 속성을 활용하여 임에 대한 그리움이라는 주제를 강화하고 있다.

오답풀이

① (가)의 화자는 '빈 들에 가서' '우리가 늘 흔들리고 있'다는 현실 자각을, (나)의 화자는 자신의 생애가 '모든 지름길을 돌아서 / 네게로 난 단 하나의 에움길이었다'는 현실 자각을 보인다고 볼 수 있으나 미래에 대한 기대를 담고 있지는 않다.

③ (다)의 화자는 임과 떨어진 상황에서 '꿈의 님을 보'았으나 하고 싶은 말을 아뢰지 못한 채 '계셩'으로 인해 잠에서 깬 부정적 상황에 처해 있다. 그러나 이를 긍정적인 시선으로 받아들이는 태도는 찾아보기 어렵다. 한편 (나)의 화자는 '까마득한 밤길을 혼자 걸어'가는 것 또한 '단 하나의 에움길'을 통해 '네게로 향한 것'이라고 말하므로 부정적 상황을 긍정적으로 받아들였다고 볼 수 있다.

④ (나)와 (다)에는 부재하는 대상이 나타나지만 (가)에는 부재하는 대상이 나타나지 않는다.

⑤ (가)~(다) 모두 대립적 상황에 대한 포용과 조화를 강조하고 있지는 않다.

**23** ④ 정답률 **75%**

정답풀이

(가)는 시련을 통해 살아 있음을 증명할 수 있다는 내용일 뿐이므로, 나와 주변이 함께 세상으로 나아갈 수 있다는 내용은 (가)를 통해 알기 어렵다.

오답풀이

① 1연에 '살아 있는 것은 흔들리면서~살아 있는 몸인 것을 증명한다.'를 통해 살아 있는 모든 생명체는 시련과 고통을 마주하게 됨을 확인할 수 있다.

② 2연에 '수만의 잎은 제각기' '다른 곳에서 바람에 쓸리며'를 통해 각자 상황에 따라 차이가 있겠으나 누구나 바람에 흔들리는 것을 피해 갈 수 없음을 확인할 수 있다.

③ 1연에 '잎은 흔들려서 스스로 / 살아 있는 몸인 것을 증명한다'를 통해 흔들린다는 것은 살아 있음을 증명하는 건강한 자극임을 확인할 수 있다.

⑤ 3연에 '빈 들에 가서 깨닫는 그것 / 우리가 늘 흔들리고 있음을.'을 통해 살아 있는 우리는 늘 흔들리는 존재임을 확인할 수 있다.

**24** ③ 정답률 **75%**

정답풀이

ⓐ(바람)는 '살아 있는 것'을 '흔들리'게 하는 것으로, 이를 통해 '스스로 / 살아 있는 몸인 것을 증명'할 수 있다. 3연에서 (가)의 화자는 ⓐ를 '피하지 마라'라고 하였으므로 ⓐ는 화자가 받아들여야 하는 상황으로 볼 수 있다. (나)에서 임의 소식을 알고 싶어 물가로 간 화자가 ⓑ(ᄇᆞ람) 때문에 '샤공'도 없이 '빈 ᄇᆡ만 걸'려 있는 상황에 처해 있으므로 ⓑ는 화자가 벗어나고 싶어하는 상황으로 볼 수 있다.

오답풀이

① ⓐ는 '살아 있는 것'을 '흔들리'게 하므로 인간의 강인함을 인식하게 한다고 볼 수 없다. 또한 ⓑ는 임의 소식을 알고 싶어 하는 (나)의 화자의 소망을 방해하므로 인간의 강인함을 인식하게 한다고 볼 수 없다.

② ⓐ와 ⓑ는 공경하면서 두려워하는 감정인 경외심과 관련이 없다.

④ (가)의 화자는 ⓐ를 통해 시련을 견뎌내는 이미지를 표현하고 있을 뿐, 화합의 이미지는 확인할 수 없다. (나)의 화자는 ⓑ 때문에 물가에 빈 배만 걸려 있는 것을 보고 있을 뿐, ⓑ가 고독의 이미지를 드러낸다고 볼 수는 없다.

⑤ ⓐ는 '살아 있는 것'을 '흔들리'게 하는 시련을 의미하므로, 상황에 대한 만족감과는 관련 없다. (나)의 화자는 ⓑ 때문에 임의 소식을 알고 싶어 하는 소망의 좌절을 겪으므로 상황에 대한 안타까움을 준다고 볼 수 있다.

**25** ④ 정답률 **78%**

정답풀이

ⓔ(어엿븐 그림재 날 조출 뿐이로다)은 꿈에서나마 임을 만났지만 '계셩' 때문에 잠에서 깨어 보지 못하게 된 상황을 한탄하는 것으로, 소중한 인연을 지켜내기 위해 어려움을 참고 견디겠다는 의지를 표현하고 있다고 보기 어렵다.

오답풀이

① 〈보기〉에서 '(나)의 화자는 다가온 인연 때문에 한때는 갈등하며 방황하기도' 했다고 하였다. 이를 참고하면 ㉠(너에게로~그 무수한 길도)에서 화자는 운명적인 인연을 애써 거부하며 방황하는 모습을 보이고 있다.

② 〈보기〉에서 '(나)의 화자는 다가온 인연 때문에 한때는 갈등하며 방황하기도' 했다고 하였다. 이를 참고하면 ㉡(사랑에서~사랑으로)에서 '사랑'과 '치욕'의 감정을 오가는 화자의 내적 갈등을 확인할 수 있다.

③ 〈보기〉에서 (나)의 화자는 '결국 거부할 수 없는 운명을 받아들이고 있'다고 하였다. 이를 참고하면 ㉢(네게로 난 단 하나의 에움길이었다)에서 화자는 자신의 생애가 '모든 지름길을 돌아서 / 네게로 난 단 하나의 에움길이었다'고 하며 '너'를 거부할 수 없는 운명임을 깨닫고 인정하는 모습을 보이고 있다.

⑤ 〈보기〉에서 (다)의 화자는 '소중한 인연을 영원히 지켜내기 위해 죽음도 마다하지 않으며 운명적인 만남을 이어 가려' 한다고 하였다. 이를 참고하면 ⓜ(출하리~비최리라)에서 화자는 차라리 죽어서 낙월이 되어서라도 님 계신 창을 비추고 싶다고 하며 운명적인 만남을 이어가고 싶은 소망을 드러내고 있다.

**26** ④ 정답률 **64%**

정답풀이

[D]에서 화자는 님의 소식을 듣지 못한 채 집으로 돌아와 '반벽쳥등'을 바라보며 누구를 위하여 불을 밝히는지 묻고 있다. '반벽쳥등'은 화자의 외로운 처지를 부각하므로 화자의 처지와 대비되는 소재라고 보기 어려우며, 이를 통해 화자의 인식 변화를 부각하고 있다고도 볼 수 없다.

오답풀이

① [A]에서는 '들판의~하나'라는 유사한 시구를 활용하여 '슬픔', '고독', '고통'이라는 화자의 정서를 표현하고 있다.

② [B]에는 '꽃들'이 '네게로 몸을 기울'인다고 하는 비유를 활용하여 화자의 마음이 너만을 지향했음을 보여 주고 있다.

③ [C]에서 임의 소식을 듣고 싶어 찾아간 물가에 걸려 있는 '빈 ᄇᆡ'는 화자의 쓸쓸하고 외로운 처지를 강조하는 객관적 상관물로 볼 수 있다.

⑤ [E]에서 '계셩'은 닭이 우는 소리로, 청각적 이미지를 활용하여 화자가 꿈에서 깨어나게 되었음을 보여 주고 있다.

## [27~29] 고전소설

**27** ① 정답률 **55%**

정답풀이

잔치에 초대된 손님들이 들어올 때, '주인은 동쪽 계단에 읍하고 객은 서쪽 계단에 올라 상좌를 다투'게 된 상황에서 토끼는 '연치를 차려 좌를 정하'자고 제안하였다. 따라서 토끼의 제안으로 주인이 동쪽에 있는 계단에 오른 것은 아니며 나이를 따져 손님들의 자리를 정하기로 한 것이다.

오답풀이

② 여우는 '남의 잔치에 참례하여' 슬피 눈물을 흘리는 두꺼비를 향해 '흉간한 놈'이라 하며 꾸짖고 있다.

③ 노루는 '나이 많아서 나룻이 세었'다는 여우에게 '호패를 올리'라고 요청하고 있다.

④ 장 선생은 장 선생 맏손자를 향해 '네 아비(장 선생 맏손자의 아버지)'가 백호산군에 의해 죽을 뻔한 적이 있다고 이야기하고 있다.

⑤ 노루는 '나이 많아 허리가 굽었'다고 말하며 자신이 상좌에 앉아야 함을 주장하고 있다.

## 28 ② 정답률 62%

**정답풀이**

[A]에서 토끼는 잔치에 초대된 자들이 '조용히 좌를 정하'지 않고 '요란만 하고 무례하'다고 지적하고 있다. [B]에서 여우는 나이 많음을 증명할 증거로 '호패를 올리라'는 노루의 요청에 '호패를 떼여 이때까지 찾지 못하였'다는 변명을 하여 위기를 모면하려 하고 있다.

**오답풀이**

① [A]에서 고사를 인용하고 있지 않다. [B]에서 여우는 '호패를 올리라'는 노루의 요청을 거절하고 있을 뿐, 주장을 반박하고 있지는 않다.
③ [A]에서는 예법에 따라 자리를 정하지 않고 '요란만 하고 무례'하다고 말하며 의도를 직접적으로 드러내고 있다. [B]에서 여우는 '천지개벽한 후~내 나이 많지 아니 하리오.'에서 자신이 나이가 많음을 직접적으로 드러내고 있다.
④ [A]에서는 예법에 맞게 자리를 정할 것을 주장하고 있다. [B]에서 여우는 호패를 보이라는 노루의 요청에 변명하며, 자신의 나이가 많음을 주장하고 있을 뿐 노루의 주장의 부당함을 언급하고 있지는 않다.
⑤ [A]에서 여우는 자신의 권위를 내세우지 않았다. [B]에서 여우는 노루의 권위를 깎아내리지 않았다.

## 29 ② 정답률 53%

**정답풀이**

노루는 기존의 신분 질서가 아니라 '연치를 차려 좌를 정하'자는 토끼의 말에 동조하고 있으므로, 노루를 기존의 신분 질서를 옹호하는 인물로 보기 어렵다.

**오답풀이**

① 〈보기〉에서 윗글은 '기존의 신분 제도에 따른 지배 질서가 약화되면서 새로운 질서가 대두되는 시기'를 나타내는 소설이라고 했다. 이를 참고하면 장 선생 맏손자가 '산중의 왕 백호산군을' 잔치에 초대하지 않으면 화가 있을 듯하다고 말하나, 장 선생이 백호산군을 '청치 아니함이 마땅하도다'라고 하는 것은 기존의 신분 질서가 약화된 사회의 모습을 나타내는 것으로 볼 수 있다.
③ 〈보기〉에서 윗글의 인물들은 '상대에게 우위를 점하기 위해' '속임수를 쓰는 등의 비윤리적인 모습'으로 풍자의 대상이 된다고 하였다. 이를 참고하면 '허리 굽은 것으로 나이 많은 체하고 상좌에 앉으'려는 노루를 보고 '난들 어찌 무슨 간계로 나이 많은 체 못하리오'라고 생각하는 여우의 모습은 간사한 꾀를 부려 비윤리적 행위로 목적을 이루고자 하는 부정적인 행태라고 볼 수 있다.
④ 〈보기〉에서 윗글의 인물들은 '상대에게 우위를 점하기 위해' '한문구를 이용하여 유식한 체하는 모습'으로 풍자의 대상이 된다고 하였다. 이를 참고하면 두꺼비가 '부채로 서안을 치며 크게 읊'으며 한시를 말하는 것은 유식한 체하는 인물을 풍자하고 있는 것이라고 볼 수 있다.
⑤ 〈보기〉에서 윗글의 인물들은 '상대에게 우위를 점하기 위해' '외양을 우스꽝스럽게 표현'하여 풍자의 대상이 된다고 하였다. 이를 참고하면 여우가 두꺼비의 껍질, 눈, 목정을 우스꽝스럽게 표현하는 모습은 풍자의 대상이 된다.

# [30~33] 예술

## 30 ② 정답률 79%

**정답풀이**

윗글은 1문단~3문단에서 브레송의 '결정적 순간'의 의미를 설명한 후 4문단에서 브레송의 '결정적 순간'에 영향을 받은 마크 코헨의 미학을 설명하고 있다.

**오답풀이**

① 윗글에서 브레송의 '결정적 순간'의 미학이 등장한 시대적 배경은 찾을 수 없다.
③ 윗글에서 브레송의 '결정적 순간'에 대한 상반된 견해는 찾을 수 없다.
④ 윗글에서 브레송의 '결정적 순간'의 사례는 찾을 수 없다.
⑤ 윗글에서 '결정적 순간'을 규정하는 조건이 달라진다는 내용은 찾을 수 없다.

## 31 ④ 정답률 48%

**정답풀이**

4문단에서 마크 코헨이 '광각 렌즈를 부착한 카메라를 들고' 결정적 순간을 포착하였다고 이미 설명했으므로, '마크 코헨이 결정적 순간을 포착하기 위해 주로 사용한 렌즈'는 더 알고 싶은 내용이라고 볼 수 없다.

**오답풀이**

① 2문단에는 브레송이 회화에 기초한 구도인 '안정된 구도'를 통해 사진에서 안정감을 느낄 수 있도록 촬영하였다고 설명하므로 '브레송의 사진에 회화가 미친 영향'은 알게 된 점이라고 볼 수 있다.
② 2문단에서 브레송이 사용한 회화의 구도인 '황금분할 구도, 기하학적 구도, 주요 요소들을 대비시킨 구도'에 대해 설명했으므로 '브레송의 사진에서 주로 사용된 구도'는 알게 된 점이라고 볼 수 있다.
③ 5문단에서 브레송의 '결정적 순간'이 '예술 지평을 넓혔다'는 예술사적 의의를 지녔음을 설명했으므로 '브레송의 '결정적 순간'이 갖는 예술사적 의의'는 알게 된 점이라고 볼 수 있다.
⑤ '마크 코헨의 결정적 순간이 잘 드러난 대표 작품'은 윗글에서 설명하고 있지 않으므로 더 알고 싶은 내용이라고 볼 수 있다.

**오답률 Best 5**

31번 문제는 윗글을 통해 '알게 된 점'과 윗글에 제시되지 않아 '더 알고 싶은 내용'을 구분하여 풀어야 하는 것이었어. 윗글을 읽은 후 정리한 독서 노트의 내용이기 때문에 '알게 된 점'은 윗글에 나와 있는 내용에 해당하고, '더 알고 싶은 내용'은 윗글에서 설명하지 않은 내용에 해당한다고 볼 수 있겠지? ④번 '마크 코헨이 결정적 순간을 포착하기 위해 주로 사용한 렌즈'는 윗글의 4문단에 이미 나와 있기 때문에 '알게 된 점'에 해당하는 거야. 이런 경우에는 선지의 정오를 하나씩 판단하기 전에 '알게 된 점'과 '더 알고 싶은 내용'에 해당하는 내용은 어떤 차이가 있어야 하는지 생각해 두면 좋겠지!

## 32 ⑤ 정답률 73%

**정답풀이**

2문단에서 ㉠(브레송)은 '유동성을 기반으로 하여 움직임 가운데 균형을 잡아낸' 결정적 순간을 촬영하였고, 4문단에서 ㉡(마크코헨)은 '돌발성을 기반으로 한 근접 촬영 방식을 택'하였다고 설명했다.

**오답풀이**

① 3문단에서 ㉠은 '내용과 구성이 조화를 이룬 '결정적 순간'을 발견하고 타이밍에 맞추어 촬영하였'다고 설명했다.
② 2문단에서 ㉠은 '카메라를 눈의 연장으로 생각'하여 '화각이 인간의 시야와 가장 비슷한 표준 렌즈를 주로 사용'하였다고 설명했다.
③ 4문단에서 ㉡은 '돌발성을 기반으로 한 근접 촬영 방식을 택해 독특하면서도 기발한 결정적 순간을 포착했다'라고 설명했다.
④ 4문단에서 ㉡은 '플래시를 사용해 그림자의 모양을 자신의 의도대로 변화시키기도 하였다.'라고 설명했으므로 인공의 빛을 이용했다고 볼 수 있다.

## 33 ⑤ 정답률 76%

**정답풀이**

2문단에서 브레송은 '주요 요소들 간의 대비'로 '좌우 대각선 대비'를 사용하였고, 이러한 '안정된 구도의 기반이 되는 공간을 미리 계획하였다'고 설명한다. 따라서 〈보기〉의 ⓐ와 ⓓ를 좌우 대각선에 배치한 것은 미리 계획한 구도에 변화를 준 것으로 보기 어렵다.

**오답풀이**

① 2문단에서 브레송은 '주요 요소들 간의 대비'로 '동과 정의 대비'를 사용하였다고 하였으므로, 〈보기〉에서 ⓓ의 남자의 움직임과 고요한 물은 동과 정의 대비를 보여 준다고 볼 수있다.

10회

② 2문단에서 브레송은 '주요 요소들 간의 대비'로 '상하 대비'를 사용하였다고 하였으므로, 〈보기〉의 ⓐ와 ⓓ는 각각 그림자와 상하 대비를 보이는 안정된 구도라고 볼 수 있다.
③ 2문단에서 브레송은 '여러 종류의 도형이 채워져 있는' '기하학적 구도'를 사용하였다고 하였으므로, 〈보기〉의 ⓑ의 삼각형과 오각형, ⓒ에서 원, 사다리에서 사각형의 도형을 사용하여 기하학적 구도를 이루고 있다고 볼 수 있다.
④ 2문단에서 브레송은 '3:2의 비율로 화면을 분할한' '황금분할 구도'를 사용하였다고 하였으므로, 〈보기〉의 오른쪽 그림에서 ⓓ와 그림자가 3:2의 비율로 분할된 곳에 위치한 것에서 황금분할에 기초한 구도를 확인할 수 있다.

[34~38] **사회**

**34** ① 정답률 **50%**

정답풀이

윗글에 정부의 재정 적자를 해소하는 방법은 소개되어 있지 않다.

오답풀이

② 1문단에서 확장적 정책은 '경기가 좋지 않을 때' 활용되고 긴축적 정책은 '경기 과열이 우려될 때' 사용된다고 하였다.
③ 3문단에서 '투기적 화폐 수요가 늘어나'면 '투자 수요가 거의 증가하지 않는다고' 설명하였다.
④ 2문단~3문단에서 '정부 지출을 증가시키는 재정정책을 펼치면 국민 소득이 증가'한다고 설명하였다.
⑤ 1문단에서 '경기가 불안정할 때'에 '정부는 정부 지출과 조세 등을 조절하는 재정정책을, 중앙은행은 통화량과 이자율을 조정하는 통화정책을 활용한다'라고 설명하였다.

**35** ④ 정답률 **61%**

정답풀이

4문단에서 ㉠(승수 효과)은 '정부의 재정 지출이 그것의 몇 배나 되는 국민 소득의 증가로 이어지면서 소비와 투자가 촉진되는 것을 의미한다'라고 하였으므로, ㉠이 정부가 재정 지출을 늘릴 경우 투자 수요가 줄어들 것이라는 주장의 근거가 된다는 설명은 적절하지 않다.

오답풀이

① 4문단에서 ㉠은 '정부의 재정 지출이 그것의 몇 배나 되는 국민 소득의 증가로 이어지면서 소비와 투자가 촉진되는 것을 의미한다.'라고 하였으므로 ㉠은 정부의 재정 지출에 비해 더 큰 소득의 증가가 나타나는 현상이라고 볼 수 있다.
② 4문단에서 ㉡(구축 효과)은 '가계나 기업들의 소비나 투자 수요가 감소되는 상황'에서 정부가 '재정정책을 펼치기 위해 국채를 활용하는 과정에서 이자율이 올라가고 이로 인해 민간의 소비나 투자를 줄어들게 하는' 효과라고 했으므로, ㉡은 시중의 돈이 줄어드는 상황에서 나타나는 것임을 알 수 있다.
③ 4문단에서 '통화주의에서는 구축 효과(㉡)에 의해 승수 효과(㉠)가 감쇄되어 확장적 재정정책의 효과가 기대보다 줄어들 것이라고 본'다고 했다. 즉 ㉡은 정부의 지출이 의도만큼 효과를 거두지 못할 것이라는 주장의 근거가 될 수 있다.
⑤ 4문단에서 '정부의 재정 지출'이 늘어나면 ㉠에서는 소비와 투자가 촉진된다고 보았고, ㉡에서는 민간의 소비나 투자가 줄어든다고 했다.

**36** ① 정답률 **45%**

정답풀이

1문단의 '경기 과열이 우려될 때에는~통화량을 줄이고 이자율을 올리는 긴축적 통화정책이 활용된다.'를 참고했을 때, 정부가 긴축적 재정정책을 사용할 때는 경기 과열(A)이 우려되는 상황이라 볼 수 있으며, 이때 정부가 지출을 줄여 시중의 통화량은 감소(B)할 것임을 알 수 있다. 이후 대외 경제 상황을 고려하여 중앙은행이 통화량을 줄이는 긴축적 통화정책을 활용하였다면 이때는 경기 과열(C)이 우려되는 상황이라고 추론할 수 있으며, 이자율을 올려(D) 경기 안정을 도모할 것이라고 볼 수 있다.

**오답률 Best 4**

경제 지문의 경우 어려운 경제 용어나 개념 때문에 지문을 이해하기 어려워 문제를 풀 때 집중하지 못하는 경우가 많아. 정답 선지 이외에 ③번의 선택 비율이 가장 높았는데, 아마도 C에 들어갈 말을 찾지 못했기 때문일 거야. A와 B는 정부의 재정정책에 해당하는 말이었다면 C와 D는 중앙은행의 통화정책에 해당하는 말이었어. 중앙은행이 통화량을 줄이는 것은 경기 과열이 우려될 때에 해당하므로 C에는 '과열'이 들어가야 하지. 그런데 <보기> 앞부분에서 경기가 과열되었을 때 정부가 긴축적 재정정책을 사용하였고, 이러한 정책을 통해 경기가 안정되었다고 했기 때문에 C에 '과열'이 들어가는 것이 적절하지 않다고 착각했을 수 있어. 그러나 경기가 안정되었어도 대외 경제 상황에 의해 다시 경기가 과열될 수 있기 때문에 C 뒤에 나오는 중앙은행이 통화량을 줄였다는 힌트'를 놓치지 말고 윗글의 내용과 연관지어 빈칸에 들어갈 말을 추론해 보자.

**37** ④ 정답률 **51%**

정답풀이

〈보기〉에서 '총생산의 증가는 소득이 증가한 것이라 가정한다.'라고 하였으므로, 국민 소득의 변화는 그래프의 가로축에 해당하는 총생산 값의 변화에 해당한다. 이에 따른 화폐 수요의 기울기는 (가)보다 (나)가 완만하므로 확장적 재정정책을 활용하였을 때 소득의 증가가 화폐 수요에 미치는 영향이 비교적 작다고 볼 수 있다. 윗글의 3문단에서 '케인스주의는 확장적 재정정책을 시행하여 정부 지출이 증가하면 국민 소득은 증가하지만, 소득의 변화가 화폐 수요에 미치는 영향이 작기 때문에 화폐 수요도 작게 증가할 것이라 보았'으므로, (나)는 케인스주의의 주장을 나타낸 그래프라고 볼 수 있다.

오답풀이

①~③ 〈보기〉에서 (가)는 (나)보다 총생산 증가에 따른 화폐 수요가 더 크게 변화하고 이자율의 변화가 더 크다고 볼 수 있다. 또한 (가)가 (나)보다 이자율의 변화에 따른 투자 수요의 기울기가 더 크기 때문에 투자 수요의 변화가 큼을 알 수 있다. 2문단에서 통화주의는 확장적 재정정책을 활용하였을 때 '국민 소득이 증가함에 따라 화폐 수요가 크게 증가하고' 그 영향으로 이자율 역시 '매우 높게 상승한다'고 보았다. 3문단에서 케인스주의는 통화주의보다 화폐 수요가 '작게 증가'하고 그에 따른 '이자율도 낮게 상승'하여 투자 수요가 '작게 감소할 것이라'고 보므로 (가)는 통화주의의 그래프임을 알 수 있다.
⑤ 〈보기〉의 그래프에서 'G는 이자율의 변화를 고려하지 않고 정부 지출을 통해 총생산이 증가될 것으로 예상된 지점을 가정한 것'이라고 했다. 〈보기〉에서 'ⓑ와 ⓒ는 확장적 재정정책 활용 이후의 결과'라고 했는데, (나)의 ⓒ는 (가)의 ⓑ보다 총생산 값이 G에서 적게 줄어들었음을 알 수 있다. 따라서 (나)는 확장적 재정정책의 효과가 (가)보다 크므로 케인스주의의 그래프임을 알 수 있다.

**38** ② 정답률 **75%**

정답풀이

㉮(올라가고)의 '올라가다'는 '값이나 통계 수치, 온도, 물가가 높아지거나 커지다.'라는 의미로, '압력이 지나치게 올라가면'의 '올라가다'가 ㉮와 동일한 의미로 사용되었다.

오답풀이

① '지방에서 중앙으로 가다.'라는 의미이다.
③ '낮은 곳에서 높은 곳으로 또는 아래에서 위로 가다.'라는 의미이다.
④ '물의 흐름을 거슬러 위쪽으로 향하여 가다.'라는 의미이다.
⑤ '기세나 기운, 열정 따위가 점차 고조되다.'라는 의미이다.

## [39~42] 현대소설

### 39 ② 정답률 67%

정답풀이

'나'는 '횟가루 묻은 옷가지'를 발견하고는 '아버지마저 삼돌이삼촌이나 우출이아저씨나 저 배도수씨처럼' '장터마당에서 사라'질까봐 걱정하고 있다. 그러나 '나'가 비밀을 지키지 못해 삼돌이삼촌과 배도수씨가 가족과 헤어져 살게 되었다는 내용은 확인할 수 없다.

오답풀이

① '나'는 고향을 방문하여 노을을 바라보며 '아버지와 헤어져 봉화산에서 내려온 저녁'을 떠올리며 미송이가 '종이비행기'를 날리던 모습을 회상한다. '나'는 미송이의 '눈에 비친 하늘은 어둠을 맞는 핏빛 노을이 아니라 내일 아침을 기다리는 오색찬란한 무지갯빛일 터'임을 깨닫게 된다.

③ '아버지 바지는 온통 흰 횟가루가 누덕누덕 묻어 있었'는데 콩뜰이는 '나'가 펼쳐 든 바지를 보고 '나'의 '글씨보다 삐뚤삐뚤하더라고' 말하고, '나'는 주봉에 묻은 가루가 '아버지 글씬가 하는 생각'을 하게 된다.

④ '나'는 '고향을 버렸'으나 '고향을 떠나 산 스물아홉 해 동안' '고향을 잊어본 적 없다'고 한다. 치모의 말을 떠올리며 '나'는 '고향을 잊으려 노력해 온 만큼' 고향은 '더욱 잊지 못하게 하는 어떤 힘을 지니고 있었다'고 생각한다.

⑤ '나'는 선달바우산의 개울에서 횟가루가 묻은 아버지의 주봉을 발견하면서 아버지의 행적을 알게 되고 '아부지가 어젯밤에 미창에 갔'다는 갑득이의 생각을 부정하지 못한다.

### 40 ② 정답률 76%

정답풀이

Ⓛ(그러나 아버지는 글씨를 쓸 줄 모른다.)은 콩뜰이의 말을 듣고 아버지의 행적에 대해 추측하는 '나'의 심리가 나타났을 뿐 사회적으로 천대받는 아버지에 대한 수치심이 드러난다고 보기 어렵다.

오답풀이

① ㉠(나는 대답 않고~걸었다.)에는 아버지의 행적을 빨리 확인하고 싶은 '나'의 조바심이 드러나 있다.

③ ㉢(모든 게 물속처럼 흐릿하게 흘러간 뿐이었다.)에는 아버지의 바지를 발견한 뒤 짐작했던 아버지의 행적을 실제로 확인하게 된 '나'의 막막함이 드러나 있다.

④ ㉣(어떤 막강한 힘이~쥐어짰다.)에는 아버지가 부재하게 되면 '이제 누구를 의지하고 살아야 할는지' 두려워하는 '나'의 심리가 나타나 있다.

⑤ ㉤(나마저 울고 있을 수 없다는 생각이~뻗쳤다.)에는 '울먹이는 목소리로 애원'하는 동생을 보며 형으로서 동생을 챙겨야 한다는 '나'의 책임감이 드러나 있다.

### 41 ⑤ 정답률 66%

정답풀이

고향으로 돌아오기 전 '나'는 '노을을 보고 핏빛을 연상'한다. '나'는 고향을 방문한 후 노을빛이 '핏빛만이 아닌, 진노란색, 옅은 푸른색, 회색도' 섞여 있음을 보게 된다. 이후 '종이비행기를 날리'던 미송이를 떠올리며 노을빛이 '어둠을 맞는 핏빛 노을이 아니라 내일 아침을 기다리는 오색찬란한 무지갯빛'이 될 수 있다고 생각한다. 따라서 노을빛에는 시간의 흐름에 따라 '나'가 새롭게 자각한 인식이 투영되어 있다고 볼 수 있다.

### 42 ① 정답률 53%

정답풀이

〈보기〉에서 윗글은 유년의 '나'를 통해 '이데올로기에 휩쓸린 아버지의 행위가, 자신을 포함한 주변 인물들에게 가져다준 고통을 드러내고 있다.'라고 하였다. 이를 바탕으로 윗글을 감상했을 때, 아버지가 '어젯밤에 미창에 갔'다는 '비밀을 누구에게도 말해서는 안 된다'고 '나'가 생각하는 것은 아버지에 대한 연민이 아니라 아버지의 행적이 밝혀지면 '나'와 갑득이가 의지하고 살 사람이 없어질 것에 대한 두려움과 슬픔 때문이다.

오답풀이

② 〈보기〉에서 윗글은 유년의 '나'를 통해 '이데올로기에 휩쓸린 아버지의 행위가, 자신을 포함한 주변 인물들에게 가져다준 고통을 드러내고 있다.' 라고 하였다. 이를 바탕으로 윗글을 감상했을 때, 유년의 '나'가 '배가 고픈 따위의 서러움조차 우습게 여겨질 정도'로 '슬픔'을 느끼는 것은 아버지의 주변 인물로서 '나'가 느끼는 고통을 드러내는 것으로 볼 수 있다.

③ 〈보기〉에서 현재의 '나'는 '과거의 상처와 마주'한다고 하였다. 이를 바탕으로 윗글을 감상했을 때, 현재의 '나'가 스물아홉 해 만에 고향에 방문하여 '고향은 오늘의 나를 있게 한 모태'라고 인정하는 것은 과거의 상처를 마주하고 있는 것이라고 볼 수 있다.

④ 〈보기〉에서 현재의 '나'는 '과거의 상처와 마주하면서 정체성을 확인하'는 모습을 보여 준다고 하였다. 이를 바탕으로 윗글을 감상했을 때, 현재의 '나'가 자신의 '뿌리만은 언제나 고향에 내리고 살아왔다'고 생각하는 것은 고향을 통해 자신의 정체성을 확인하려는 의식을 드러내는 것으로 볼 수 있다.

⑤ 〈보기〉에서 현재의 '나'는 '과거의 상처와 마주하면서' '상처가 치유되어 가는 모습'을 보여 준다고 하였다. 이를 바탕으로 윗글을 감상했을 때, 현재의 '나'가 아들 '현구'의 '눈에 비친 아버지 고향'을 '내일 아침을 예비하는' 고향일 수 있다고 생각하는 것은 과거의 상처와 마주하면서 상처가 치유되어 가는 모습을 보여 주는 것으로 볼 수 있다.

## [43~45] 시나리오

### 43 ① 정답률 78%

정답풀이

S#83에서 상우는 할머니를 위해 '반짇고리의 모든 바늘에 실을 꿰어 놓'고, S#87에서는 글을 쓰지 못하는 할머니를 위해 '아프다', '보고십다'를 써둔 '로봇 그림엽서'를 할머니에게 건넨다.

오답풀이

② S#83에서 상우는 글자를 쓰지 못하는 할머니에게 '많이 아프면 그냥 아무 것도~금방 달려올게.'라고 이야기하고 있으므로 서울로 돌아가며 다시 오지 않을 것이라 다짐한다고 보기 어렵다.

③ S#63에서 상우는 '버스가 온 방향에서 할머니가 걸어오고 있는' 것을 보며 '왜 버스를 안 타고 걸어올까?'라며 의아해하고 있으므로 할머니가 동네 정류장까지 걸어온 것을 알아채지 못했다고 보기 어렵다.

④ 윗글에서 할머니가 상우와 함께 서울로 올라가려는 모습은 확인할 수 없다.

⑤ 윗글에서 할머니와 상우가 수화로 인해 갈등을 겪는 모습은 확인할 수 없다.

### 44 ⑤ 정답률 75%

정답풀이

㉢(S#87.)은 할머니와 상우가 헤어지는 장면으로 물리적 거리는 멀어지지만, 서로를 향한 심리적 거리는 가깝다고 볼 수 있다.

오답풀이

① ㉠(S#7.)은 할머니와 상우가 떨어져서 걷는 모습을 통해 인물 간에 심리적 거리감을 물리적으로 보여 주는 장면이라고 볼 수 있다.

② ㉠에서 '동네 정류장'은 할머니와 상우가 집으로 가는 동행의 출발점이다. 이때 할머니와 상우는 '앞뒤로 떨어져 걷'고 있으므로 인물 간의 심리적 거리는 가깝지 않음을 확인할 수 있다.

③ Ⓛ(S#63.)에서 상우가 할머니를 마중하러 정류장에 간 모습은 인물 간의 달라진 심리적 거리감을 물리적 거리로 보여주는 것으로 볼 수 있다.

④ Ⓛ에서 상우는 할머니 몰래 보따리에 초코파이를 넣어주는데, 이는 인물 간의 가까워진 심리를 드러낸다고 볼 수 있다.

### 45 ① 정답률 70%

정답풀이

슬프고 화가 나는 상우의 표정을 강조하기 위해서는 인물의 얼굴을 멀리서가 아니라 가까이에서 촬영하는 것이 적절하다.

오답풀이

② 할머니의 넉넉하지 않은 경제적 상황을 드러내기 위해 의상을 허름한 것으로 준비하는 것은 적절하다.

10회

③ 겉으로는 글자를 못 쓰는 할머니를 보며 '화를 내지만 예전의 상우랑은 다르다'고 한 것처럼, 속으로는 안타까워하는 상우의 복합적인 심정을 배우의 연기를 통해 드러내는 것은 적절하다.
④ 상우와 할머니의 감정에 공감할 수 있도록 슬픈 배경음악을 사용하는 것은 적절하다.
⑤ 마지막 장면을 서서히 어두워지게 편집하여 관객에게 여운을 남기고자 하는 촬영 기법을 사용하는 것은 적절하다.

## 11회

2019학년도 6월 학평

| | | | | | | | | | |
|---|---|---|---|---|---|---|---|---|---|
| 1. ② | 2. ③ | 3. ④ | 4. ① | 5. ① | 6. ② | 7. ③ | 8. ④ | 9. ⑤ | 10. ⑤ |
| 11. ③ | 12. ⑤ | 13. ① | 14. ⑤ | 15. ④ | 16. ③ | 17. ③ | 18. ② | 19. ④ | 20. ① |
| 21. ⑤ | 22. ② | 23. ② | 24. ① | 25. ⑤ | 26. ⑤ | 27. ④ | 28. ① | 29. ⑤ | 30. ③ |
| 31. ③ | 32. ② | 33. ④ | 34. ① | 35. ① | 36. ② | 37. ③ | 38. ④ | 39. ② | 40. ④ |
| 41. ④ | 42. ⑤ | 43. ② | 44. ④ | 45. ⑤ | | | | | |

오답률 Best 5

### [1~3] 화법

**1** ② 정답률 82%

**정답풀이**

발표에서 통계 자료를 활용한 부분은 확인할 수 없다.

**오답풀이**

① 윗글의 '우쿨렐레를 모르시는 분 있나요?', '우쿨렐레'라는 명칭은 어떤 뜻을 담고 있을까요?', '이런 우쿨렐레가 특히 교육용 악기로 널리 쓰이는 이유는 무엇일까요?' 등과 같이 질문을 통해 청중의 주의를 환기하고 있다.
③ '요즘 취미 활동으로 악기 연주를 하는 사람들이 늘고 있'다는 최근의 상황을 언급하고, '이런 흐름에 주목하여 여러분이 배워 볼 만한 악기'로 '우쿨렐레'를 소개하고자 한다며 화제 선정의 이유를 제시하고 있다.
④ 발표의 마지막 부분에서 '여러분, 배우기 쉬운 우쿨렐레로 공부에 지친 심신을 달래보는 건 어떨까요?'라며 발표 내용과 관련된 제안을 하고 있다.
⑤ 발표의 시작 부분에서 '오늘은 우쿨렐레의 어원, 유래, 종류, 장점 등의 차례로 설명을 해 보겠습니다.'라며 발표의 순서를 안내하고 있다.

**2** ③ 정답률 80%

**정답풀이**

ⓒ(사진)은 '포르투갈 악기인 마체테'를 보여 주는 것으로, 우쿨렐레는 이를 '받아들여 새롭게 디자인한 것'이라고 설명하였으므로 ⓒ은 우쿨렐레의 유래에 대한 이해를 돕기 위해 보여 준 것이라 할 수 있다.

**오답풀이**

① ㉠(사진)은 '작은 기타처럼 생긴 이 현악기'인 우쿨렐레의 모습을 보여 주기 위해 제시한 것일 뿐, 우쿨렐레의 각 부분을 설명하기 위한 것은 아니다.
② ㉡(영상)은 '여러 연주자들이 손가락으로 줄을 튕기며 연주하는 모습이 벼룩이 튀어 오르는 것처럼 보'이는 우쿨렐레의 독특한 연주법을 보여 주기 위한 것일 뿐, 우쿨렐레와 다른 현악기의 연주 장면을 함께 제시한 것은 아니다.
④ ㉣(사진)은 '몸통의 모양에 따라 파인애플처럼 둥그스름한 파인애플 형, 기타와 같은 모양인 오리지널 형, 종 모양을 닮은 벨 형 등으로 분류'되는 우쿨렐레의 종류를 보여 주기 위한 것일 뿐, 우쿨렐레와 기타의 특징을 비교하기 위해 두 악기의 사진을 함께 제시한 것은 아니다.
⑤ ㉤(영상)은 '연주자가 우쿨렐레를 연주하면서 직접 노래하는' 것을 보여 줄 뿐, 독주와 합주가 이루어지는 모습을 차례로 제시한 것은 아니다.

**3** ④ 정답률 77%

**정답풀이**

'청중1'은 '음역에 따른 몇 가지 우쿨렐레를 실제로 본' 경험을 언급했고, '몸통 모양이 다르면 연주할 때 차이가 있는지 궁금'하다고 했다. 그러나 '청중3'은 자신의 경험을 언급하지 않았고, 발표 내용과 관련한 의문도 제시하지 않았다.

**오답풀이**

① '청중1'은 '발표를 통해 몸통 모양에 따라서도 다양한 우쿨렐레가 있다는 것을 알게 되'었다며 발표 내용을 듣고 자신이 새롭게 알게 된 점을 밝히고 있다.
② '청중2'는 '우쿨렐레'가 자신처럼 '박자에 약한 사람에게는 다루기 힘든 악기'였다며 자신의 개인적인 특성과 관련지어 발표 내용에 반응하고 있다.
③ '청중3'은 '우쿨렐레의 몸통 모양에 따른 종류 중에서 오리지널 형이 가장 많이 쓰'인다는 배경지식을 활용하여 이를 고려해 발표자가 발표에 활용한 '연주 장면에서는 오리지널 형만 보여준 것 같'다며 발표자의 의도를 짐작하고 있다.
⑤ '청중2'는 자신처럼 박자에 약한 '사람에게 필요한 내용은 없을까 기대했는데 거기까지 다루기엔 시간이 짧았던 것 같'다고 했고, '청중3'은 '멋진 연주를 보여 주었으면 하고 바랐는데 짧고 소박한 연주 장면만 보여 주고 끝나버린 점은 조금 아쉬'웠다고 했다.

### [4~7] 화법과 작문

**4** ① 정답률 74%

**정답풀이**

(가)에서 '찬성 1'은 '차량 부제의 의무화는 현행 대기환경보전법 제8조 2항에 의거하여 충분히 시행 가능'하다고 했고, '반대 1'은 '헌법 제23조 1항에 따르면 모든 국민의 재산권은 보장되어야' 하기 때문에 '어떤 형태이든지 자가용 승용차의 차량 부제를 의무화하는 것에 반대'한다고 했다. 즉 양측 모두 구체적인 법적 근거를 사용하여 주장을 뒷받침하고 있다.

**오답풀이**

② (가)에서 '찬성 1'은 '국토교통부 보도 자료'를, '반대 1'은 '환경부의 발표'를 활용하고 있다.
③ (가)에서 '찬성 1'은 '자동차가 내뿜는 다양한 유해 가스가 대기 오염을 일으키는 주범이'라며 대기 오염 문제 현상의 원인을 '자동차 배기가스'에 초점을 맞추어 제시하고 있다. 반면 '반대 1'은 대기오염의 원인으로 '자동차 배기가스'뿐만 아니라, '국내로 유입되는 중국발 미세먼지', '공장의 매연, 쓰레기 소각이나 산불로 인한 연기 등'을 다양하게 제시하고 있다.
④ (가)에서 '찬성 1'과 '반대 1'은 모두 대기 오염이라는 문제 현상을 시간의 흐름에 따라 살피고 있지 않다.
⑤ (가)에서 '반대 1'은 '자가용 승용차의 차량 부제를 의무화해야 한다.'라는 토론 주제가 실현되지 않아야 한다는 입장을 취하고 있을 뿐 토론 주제가 실현 불가능함을 강조하고 있는 것은 아니다.

## 5 ① 정답률 76%

정답풀이

〈보기〉는 '친환경 자동차로 분류되는 전기, 수소, 하이브리드 자동차는 전체에서 차지하는 비중이 점점 높아지고 있다.'라는 내용의 통계 자료이다. (가)의 반대 측은 '자가용 승용차의 차량 부제를 의무화하는 것에 반대'하는 입장이므로, 친환경 자동차의 증가 추세를 고려하여 자가용 승용차에 차량 부제를 강제하는 것은 부당하다는 내용의 교차질의를 할 수 있다.

오답풀이

② 전기나 수소를 사용하는 자가용 승용차와 대기 오염의 연관성을 따지는 것은 토론의 주제에서 벗어난다.
③ (가)의 반대 측은 '자가용 승용차의 차량 부제를 의무화하는 것에 반대'하는 입장이므로, 차량 부제 의무화를 일시적으로 운영한다는 단서를 달더라도 차량 부제 의무화에 동의하지 않을 것이다.
④ (가)의 반대 측은 '자가용 승용차의 차량 부제를 의무화하는 것에 반대'하는 입장이므로, 친환경 자동차를 차량 부제 의무화 대상에서 제외하여 얻는 이익을 따진다고 하더라도 차량 부제 의무화에 동의하지 않을 것이다.
⑤ 자가용 승용차 중 친환경 자동차의 비중이 높아지는 원인을 따지는 것은 토론의 주제에서 벗어난다.

## 6 ② 정답률 76%

정답풀이

(나)에서 차량 부제 시행을 촉구하는 여론이 높다는 내용과 관련된 설문 조사 결과를 반영한 부분은 찾을 수 없다.

오답풀이

① (나)의 3문단에서 헌법 제23조 '2항'을 추가로 제시하였다.
③ (나)의 2문단에서 '자가용 승용차의 배기가스가 대기 오염을 유발하는 원인이라는 점은 인정'한 반대 측의 입장을 반영하였다.
④ (나)의 2문단에서 찬성 측이 입론에서 사용한 '등록된 자가용 승용차 대수'를 반박의 근거로 다시 활용하였다.
⑤ (나)의 2문단에서는 반대 측에서 '디젤 기관보다 유해성이 낮은 가솔린 기관'이라고 언급한 것과 관련하여 '가솔린 기관이 디젤 기관보다 유해성이 낮다는 명확한 근거도 부족하다'는 전문가의 견해를 언급하였다.

## 7 ③ 정답률 70%

정답풀이

ⓒ(이것은 자가용 승용차가~고려하지 못한 것이다.)에서 '이것은'은 앞 문장인 '그들(반대 측)은 자가용 승용차의 대다수가~사용한다는 점을 강조한다.'를 가리키며, ⓒ은 이를 반박하는 내용이다. 따라서 앞 문장과 ⓒ의 순서는 글의 흐름을 고려할 때 자연스러운 전개에 해당한다.

오답풀이

① '미세먼지, 초미세먼지'로 인한 대기 오염의 문제 상황은 ㉠(제거하기)보다는 상태를 좋게 해야 하는 것이므로, ㉠은 '개선하기'로 바꾸는 것이 자연스럽다.
② ㉡(그리고)의 앞뒤 문장은 역접 관계이므로 ㉡은 '하지만'으로 바꿔야 한다.
④ ㉣(전문가들에)이 '견해'를 수식하는 관형어로 쓰이려면 조사 '에'를 '의'로 고쳐 '전문가들의'로 써야 한다.
⑤ ㉤(물론 생업이나~고려해야 한다.)은 3문단에서 강조하고 있는 '자가용 승용차의 차량 부제 의무화에 적극 동참'하자는 주장을 약화하는 내용이므로, 글의 통일성을 고려할 때 삭제해야 한다.

### [8~10] 작문

## 8 ④ 정답률 72%

정답풀이

ⓒ(디카시의 창작 과정을 궁금해하는 학생들이 있다.)을 고려하여 4문단에서 '디카시는 착상에서 초고까지 한 번에 압축적으로 이루어진 후 퇴고를 하는 것이 특징'이라고 한 디카시 시인들의 말을 인용하고 있다고 볼 수 있다. 하지만 인용 내용은 디카시 창작 과정의 순차성이 아닌 압축성을 강조하고 있다.

오답풀이

① ㉠(교내에서 열리는 디카시를 소개하는 글을 써 주세요.)을 고려하여 1문단에서 '디카시 쓰기 대회'가 처음으로 개최되고 '디카시에 대해 잘 모르는 학생들이 많아서' 학교 신문에서 디카시를 다루게 되었음을 언급하고 있다.
② ㉡(디카시의 개념과 특성을 모르는 학생들이 있다.)을 고려하여 2문단에서 '디카시는 '디지털 카메라'와 '시'의 합성어'임을 밝히면서, '자연이나 사물에서 포착한~문자로 표현한 시'라는 디카시의 개념을 정의하고 있다.
③ ㉡을 고려하여 3문단~4문단에서 '공광규'의 '「수련잎 초등학생」'이라는 디카시의 사례를 통해 '사진 이미지와 언어 표현을 절묘하게 연결'하는 디카시의 특성을 설명하고 있다.
⑤ ⓒ을 고려하여 5문단에서 '문자시'는 "착상, 성장(착상의 발전), 초고, 퇴고'의 과정을 거치면서' 쓰지만, '디카시는 착상에서 초고까지 한 번에 압축적으로 이루어진 후 퇴고를 하는 것이 특징'이라고 하며 기존의 문자시 창작 과정과 디카시 창작 과정의 특성을 비교하고 있다.

## 9 ⑤ 정답률 59%

정답풀이

〈자료〉의 (다)는 '뉴 미디어 시대'라는 새로운 환경에서 디카시가 '문학 갈래로 자리매김할 것'이라는 내용으로, 디카시 창작으로 새로운 문학 갈래를 만들 수 있음을 강조할 수 있다. 하지만 (나)는 기존의 문자시 공부에 어려움을 겪는 사람에게 디카시 공부를 권유하는 인터뷰 내용이므로, 디카시의 창작으로 새로운 문학 갈래를 만들 수 있다는 내용과는 관련이 없다.

오답풀이

① 〈자료〉의 (가)는 기존의 문자시와 디카시의 이해도를 비교한 설문 조사로, 이를 활용해 기존의 문자시에 비해 디카시의 내용 이해가 더 쉽다는 사실을 구체적인 수치로 보여줄 수 있다.
② 〈자료〉의 (나)를 통해 '기존의 문자시는 여러 문학적 장치부터 작가의 생애까지 다양한 요소를 고려해야 작품을 이해할 수 있다는 어려움이 있'다는 기존의 문자시를 공부할 때 어려움을 겪는 이유를 제시할 수 있다.
③ 〈자료〉의 (다)를 통해 '뉴 미디어 시대의 도래로 매체 환경이 변'한 상황을 언급하며 디카시가 등장하게 된 계기를 설명할 수 있다.
④ 〈자료〉의 (가)를 통해 기존의 문자시보다 디카시의 내용 이해도가 더 높다는 것을 알 수 있고, (나)를 통해 '디카시는 배경지식이 없더라도 시를 좀 더 쉽게 이해할 수 있'다는 점을 알 수 있다. 따라서 (가)와 (나)를 활용하여 디카시가 시 감상에 어려움을 겪는 학생들에게 도움을 줄 수 있음을 부각할 수 있다.

## 10 ⑤ 정답률 78%

정답풀이

[A]의 앞 부분에서 '디카시를 쓸 때는 순간적인 감흥을 찾는 과정이 중요'하다고 했으므로, 이어지는 내용에서 '여러분도 디지털 카메라와 순간적인 감흥이 있으면 누구나 디카시를 창작할 수 있습니다.'라고 한 것은 글의 흐름상 자연스럽다. 또한 '우리 주변에 숨어 있는 보물'은 비유적 표현에 해당하고, '교실 밖으로 나가 볼까요?'라는 의문문의 형식을 활용하여 디카시 창작을 권유하고 있다.

오답풀이

① '우리 함께 디카시 창작에 도전해 보지 않겠습니까?'에서 의문문의 형식을 활용하여 디카시 창작을 권유하고 있으나, 비유적 표현은 활용하지 않았다.
② '지금부터 디카시의 주인공은 바로 당신입니다.'에서 디카시 창작을 권유하고 있다고 볼 수 있지만, 비유적 표현과 의문문의 형식을 활용하지 않았다.
③ '디카시 창작이 어렵습니까?'에서 의문문의 형식을 사용했고, '시 창작의 지름길'을 비유적 표현이라고 볼 수도 있다. 그러나 글의 흐름을 고려하지 않았고, 디카시 창작을 권유하지 않았다.

④ '디카시로~얻지 않으시렵니까?'에서 의문문의 형식을 확인할 수 있다. 그러나 글의 흐름을 고려하지 않았고, 비유적 표현을 활용하지 않았으며, 디카시 창작을 권유하지도 않았다.

## [11~15] 문법(언어)

### 11 ③ 정답률 58%

정답풀이

3문단을 통해 "수식 관계'에 따라 중의성이 생기는 경우'는 둘 이상의 수식어가 하나의 피수식어를 수식할 때가 아니라 하나의 수식어가 둘 이상의 피수식어를 수식할 수 있는 상황에서 발생함을 알 수 있다.

오답풀이

① 5문단에서 '중의적 표현은 광고나 유머 등에서 표현 효과를 위해 의도적으로 사용하는 경우가 있'다고 했다.
② 2문단에서 '차'는 '엔진이 달린 탈것[車]'이라는 의미로도 해석되고, 녹차나 홍차와 같이 '마시는 음료[茶]'로도 해석된다'고 했으므로, 동음이의어에 따른 중의성은 한자어 표기를 병행하여 해결할 수 있다.
④ 4문단에서 "작용역의 중의성'은 하나의 문장에서 나타나는 작용역이 다르게 해석됨에 따라 발생하는 것'이라고 했고, 하나의 예로 '수량 표현'에 따라 중의성이 생기는 경우를 들고 있다.
⑤ 3문단에서 "비교 구문'에 따라 중의성이 생기는 경우'에는 행위의 주체를 비교했다는 의미로 볼 수도 있고, 행위의 대상을 비교했다는 의미로 볼 수 있기 때문에 중의성이 생긴다고 했다.

### 12 ⑤ 정답률 58%

정답풀이

'학생들이 컴퓨터 한 대를 사용한다.'는 '한 대의 컴퓨터를 학생들이 함께 사용한다.'는 의미도 될 수 있고, '학생들이 각각 컴퓨터 한 대씩을 사용한다.'는 의미도 될 수 있기 때문에 '수량 표현'에 따라 중의성이 생긴다. 그런데 '모든'을 '학생들이' 앞에 추가한다고 해도 중의성은 해소되지 않으므로, '모든 학생들이 컴퓨터 한 대를 사용한다.'는 고친 문장으로 적절하지 않다.

오답풀이

① '길'은 둘 이상의 의미로 해석될 수 있는 다의어이므로, 중의성이 발생할 수 있다. 따라서 '길'을 '도로'로 바꾸면 중의성을 해소할 수 있다.
② '착한 주희의 동생을 만났다.'에서 '착한'은 '주희'와 '동생'을 모두 수식할 수 있어 '수식 관계'에 따라 중의성이 생긴다. 이때 '착한'과 '주희의'의 어순을 바꾸면, '착한'이 '동생'만 수식하기 때문에 중의성을 해소할 수 있다.
③ '나는 영호와 민주를 보았다.'는 '나와 영호'가 함께 '민주'를 보았다는 의미로 해석될 수 있지만, '나'가 '영호와 민주'를 보았다는 의미로도 해석될 수 있기 때문에 중의성이 생긴다. 이때 '나는' 뒤에 쉼표를 추가하면 '나'가 '영호와 민주'를 보았다는 의미로만 해석되어 중의성을 해소할 수 있다.
④ '회원들이 다 오지 않았다.'는 '회원들이 한 명도 오지 않았다.'는 의미로 해석될 수도 있지만, '회원들 중 일부만 왔다.'는 의미로도 해석될 수 있기 때문에 중의성이 생긴다. 이때 '회원들이 다는 오지 않았다.'처럼 '다' 뒤에 보조사 '는'을 추가하면 '회원들 중 일부만 왔다.'는 의미로만 해석되어 중의성을 해소할 수 있다.

### 13 ① 정답률 50%

정답풀이

'읽느라'는 어간의 겹받침 'ㄺ' 중 'ㄹ'이 탈락하는 자음군 단순화가 일어난 후, 'ㄱ'이 뒤에 오는 'ㄴ'의 영향으로 'ㅇ'으로 교체되는 비음화가 일어나 [잉느라]로 발음된다. 따라서 '읽느라[잉느라]'는 ㉠(교체)과 ㉡(탈락)이 일어난다.

오답풀이

② '훑고서'는 'ㄱ'이 'ㄲ'으로 교체되는 된소리되기가 일어나고 어간의 겹받침 'ㄾ' 중 'ㅌ'이 탈락하는 자음군 단순화가 일어나 [훌꼬서]로 발음된다. 따라서 '훑고서[훌꼬서]'는 ㉠과 ㉡이 일어난다.
③ '예삿일'은 셋째 음절의 초성에서 'ㄴ' 첨가가 일어나고 음절의 끝소리 규칙에 의해 둘째 음절의 받침인 'ㅅ'이 'ㄷ'으로 교체된 후, 첨가된 'ㄴ'의 영향으로 'ㄷ'이 'ㄴ'으로 교체되는 비음화가 일어나 [예산닐]로 발음된다. 따라서 '예삿일[예산닐]'은 ㉠과 ㉢(첨가)이 일어난다.
④ '알약을'은 둘째 음절의 초성에서 'ㄴ' 첨가가 일어나고, 첨가된 'ㄴ'이 첫째 음절의 받침인 'ㄹ'의 영향으로 'ㄹ'로 교체되는 유음화가 일어난 후 연음되어 [알랴글]로 발음된다. 따라서 '알약을[알랴글]'은 ㉠과 ㉢이 일어난다.
⑤ '잃었다'는 어간의 겹받침 'ㅀ' 중 'ㅎ'이 탈락하는 자음군 단순화가 일어나고 둘째 음절의 받침인 'ㅆ'이 'ㄷ'으로 교체되는 음절의 끝소리 규칙이 일어난 후, 교체된 'ㄷ'의 영향으로, 셋째 음절의 초성 'ㄷ'이 'ㄸ'으로 교체되는 된소리되기가 일어나 [이럳따]로 발음된다. 따라서 '잃었다[이럳따]'는 ㉠과 ㉡이 일어난다.

### 14 ⑤ 정답률 60%

정답풀이

'수퀑, 숫양'에 쓰인 접두사는 '수-/숫-'으로 ㉣(주위 환경에 따라 형태가 다른 접두사가 붙어 만들어진 단어도 있다.)에 해당한다. 그런데 접두사가 결합한 단어는 '퀑'과 '양'으로 모두 명사이므로 ㉢(특정한 접두사는 둘 이상의 품사에 결합하여 새로운 단어를 만들어 내기도 한다.)에 해당하지는 않는다.

오답풀이

① '군기침'과 '군살'의 접두사 '군-'은 각각 명사 '기침'과 '살'에 결합했으므로, ㉠(접두사가 명사에 결합하여 생성된 단어도 있고)에 해당한다.
② '빗나가다'와 '빗맞다'의 접두사 '빗-'은 각각 용언 '나가다'와 '맞다'에 결합했으므로, ㉡(접두사가 용언에 결합하여 생성된 단어도 있다.)에 해당한다.
③ '헛디디다'와 '헛수고'의 접두사 '헛-'은 각각 용언 '디디다'와 명사 '수고'에 결합했으므로, ㉢에 해당한다.
④ '새빨갛다'와 '샛노랗다'에 쓰인 접두사는 '새-/샛-'으로 ㉣에 해당하고, 접두사는 각각 용언 '빨갛다'와 '노랗다'에 결합했으므로 ㉡에 해당한다.

### 15 ④ 정답률 69%

정답풀이

㉡(네 아ᄃᆞ리 各各(각각) 어마님내 뫼ᅀᆞᆸ고)을 살펴보면 현대어 풀이 '모시고'에 대응하는 '뫼ᅀᆞᆸ고'에서 사용된 특수 어휘는 '뫼-'임을 추측할 수 있는데, 이때 특수 어휘가 높이고 있는 대상은 '어마님'이므로, 주체인 '아ᄃᆞᆯ'을 높이고 있다고 할 수 없다.

오답풀이

① ㉠의 [A](世尊(세존)ㅅ 安否(안부) 묻ᄌᆞᆸ고 니르샤ᄃᆡ)에서 '니르샤ᄃᆡ'의 선어말 어미 '-샤-'를 통해 주체 높임법이 실현된 것을 확인할 수 있는데, 이때 높임의 대상인 주체는 생략되어 있다.
② ㉠의 [A]에서 '묻ᄌᆞᆸ고'의 선어말 어미 '-ᄌᆞᆸ-'을 통해 객체 높임법이 실현된 것을 확인할 수 있다.
③ ㉠의 [B](므스므라 오시니잇고)에서 '오시니잇고'의 선어말 어미 '-시-'를 통해 주체 높임법이 실현된 것을 확인할 수 있다.
⑤ ㉡에서 '뫼ᅀᆞᆸ고'의 선어말 어미 '-ᅀᆞᆸ-'을 통해 객체인 '어마님'을 높이고 있음을 확인할 수 있다.

## [16~19] 인문

### 16 ③ 정답률 75%

정답풀이

윗글에서는 교류 분석 이론을 이해하기 위한 주요 개념으로 '자아상태'와 '스트로크'에 대해 설명한 후, 이 개념들을 바탕으로 정립한 교류 분석 이론의 의의를 제시하고 있다.

오답풀이

① 윗글에서 '교류 분석 이론'이 정립된 과정과 각 단계의 차이점을 설명한 부분은 나타나지 않는다.
② 윗글에는 '교류 분석 이론'이 가지는 한계점이 제시되지 않았으며, 이를 보완하는 다른 이론도 등장하지 않는다.
④ 윗글에서 '교류 분석 이론'이 나타나게 된 배경이 제시되지 않았고, 이론의 타당성을 사례를 들어 검증하고 있지도 않다.

⑤ 윗글에는 '교류 분석 이론'을 이해하기 위한 주요 개념이 제시될 뿐, 이 이론을 구성하는 요소들을 나열하여 각 요소 간의 공통점과 차이점을 분석하고 있다고 볼 수 없다.

**17** ③ 정답률 85%

정답풀이

6문단에서 일반적으로 사람들은 '긍정적 스트로크가 충분하지 않다고 여기면 부정적 스트로크라도 얻으려고 한다.'라고 했고, '어떤 스트로크든 스트로크를 받지 못하는 것보다는 낫다는 원리가 작용'한다고 했다. 따라서 인간은 부정적 스트로크보다는 무관심과 무반응을 기대하는 경향이 있다고 볼 수 없다.

오답풀이

① 2문단에서 '자아상태란 특정 순간에 보이는 일련의 행동, 사고, 감정의 총체를 일컫는 것이므로 특정 순간마다 자아상태는 달라질 수 있다.'라고 했다.
② 5문단을 통해 '스트로크'는 '남들이 자기를 알아봐 줬으면 좋겠다는 인정의 욕구로 인해 서로 상대방을 인지한다는 신호를 보'내는 행위임을 알 수 있다.
④ 2문단에서 '자아상태 모델은 인간의 성격을 A(어른), P(어버이), C(어린이)의 세 가지 자아상태로 설명하며, 건강하고 균형 잡힌 성격이 되려면 세 가지 자아상태를 모두 필요로 한다'고 했다.
⑤ 5문단에서 '의사소통 과정에서 자신이 기대하는 반응이 올 수도 있고, 기대하지 않는 반응이 올 수도 있다.'라고 했다.

**18** ② 정답률 79%

정답풀이

5문단에서 스트로크는 언어적 스트로크와 비언어적 스트로크, 긍정적 스트로크와 부정적 스트로크, 조건적 스트로크와 무조건적 스트로크로 나눌 수 있다고 했다. ㉠((차가운 말투로) 너 할머니께 아까 보인 태도가 뭐냐?)은 언어로 신호를 보낸 것이며, 상대방을 꾸짖는 내용으로 상대방을 고통스럽게 한다고 볼 수 있고, 상대방의 행위에 대해 반응한 것이라 할 수 있다. 따라서 ㉠은 언어적, 부정적, 조건적 스트로크에 해당한다.

**19** ④ 정답률 76%

정답풀이

4문단에서 C(어린이) 자아상태는 '어릴 때 했던 것처럼 행동하거나 사고하거나 감정을 느끼는 자아상태'로, '부모의 요구에 순응하며 살았던 행동 양식들을 재연할 경우를 'AC(순응하는 어린이)' 상태, 부모의 요구나 압력과 상관없이 독립적으로 행동했던 어린 시절의 방식대로 행동할 경우를 'FC(자유로운 어린이)' 상태라고 한다.'라고 했다. 〈상황 3〉에서 상담사의 두 번째 질문인 '어릴 때 당신은 아버지의 말씀을 잘 받아들이는 아이였겠죠?'는 철호가 부모의 요구에 순응하는 아이였는지를 묻는 내용이므로, 철호의 AC 상태를 확인하기 위한 것이라 볼 수 있다.

오답풀이

① 3문단에서 P(어버이) 자아상태는 '자신 혹은 타인을 가르치려 들거나 보살피려 하는 자세를 취하는 자아상태로서, 어린 시절 부모가 자신에게 했던 행동이나 태도, 사고를 내면화한 것'이라고 했고, '어릴 때 무엇을 해야 하는지 가르치고 통제했던 부모의 역할을 따라하고 있다면 'CP(통제적 어버이)' 상태'라고 했다. 어린 시절 아버지에게 혼나는 장면인 〈상황 1〉과 관련지어 볼 때, 〈상황 2〉에서 철호는 후배를 가르치고 통제하려 하고 있으므로 CP 상태에서 말을 한 것이라 볼 수 있다.
② 3문단에서 'CP(통제적 어버이)' 상태는 '어릴 때 무엇을 해야 하는지 가르치고 통제했던 부모의 역할을 따라'하는 것이라고 했다. 〈상황 2〉에서 철호는 후배의 잘못을 지적하며 가르치고 있고, 후배는 이를 받아들이고 있다. 이때 철호의 자아상태는 CP 상태이지만, 후배의 자아상태는 CP 상태라고 보기 어려우므로 철호의 자아상태와 후배의 자아상태는 서로 일치하지 않는다.
③ 2문단에서 A(어른) 자아상태는 '지금 여기에서 가장 현실적인 대책을 찾는, 객관적이며 합리적인 자아상태'라고 했다. 〈상황 3〉에서 현재의 문제 상황에 대한 해결책을 합리적인 태도로 찾으려는 상담사는 A 자아상태라고 할 수 있다.
⑤ 6문단에서 '어떤 행위를 통해 자신이 원하는 스트로크를 받게 되면, 그 스트로크를 계속 받기 위해 같은 행동을 반복하며 강화한다'고 했다. 〈상황 3〉에서 '어른들께 예의바르게 인사를 할 때'마다 아버지의 '얼굴이 환해지셨'기 때문에 '인사를 잘하기 위해 애를 썼'다는 철호의 말을 통해 아버지로부터 인정을 받기 위해 인사하는 행동을 강화했음을 알 수 있다.

[20~24] **현대소설+시나리오**

**20** ① 정답률 80%

정답풀이

(가)에서는 제복 제정과 관련된 인물들 간의 갈등이, (나)에서는 비밀 운동에 동참할 것을 권유하는 민영과 이를 거절하는 현 사이의 갈등이 대화를 통해 드러나며 긴장감을 조성하고 있다.

오답풀이

② (가)에서 권 씨라는 인물이 새롭게 등장한다고 볼 수 있지만, 이 인물의 등장이 갈등 해소의 계기가 된다고 할 수 없다. (나)에는 새로운 인물이 등장한다고 보기 어렵다.
③ (나)에서 S# 29는 현의 어린 시절 이야기로, 이러한 과거 장면을 통해 현이 소극적인 삶의 태도를 갖게 된 원인이 드러난다고 볼 수 있지만, (가)에서는 과거 장면을 통해 인물의 성격이 변화한 원인을 찾아 볼 수 없다.
④ (가)와 (나)에서 공간적 배경을 사실적으로 묘사하여 시대 상황을 드러낸 부분은 찾을 수 없다.
⑤ (가)와 (나)에서 동시에 일어난 사건을 나란히 배치한 부분은 찾을 수 없다.

**21** ⑤ 정답률 76%

정답풀이

(나)에서 현이 '우리들 힘이나 잡혀간 M 선생님의 힘으로 뭐가 거대한 것이 달라질까'라고 말한 것과 비밀 운동을 조직하자는 친구들에게 '미안해…….'라고 하며 거절한 것은 ⓐ(세계의 횡포에 좌절하거나 순응하는 자아)의 양상에 해당한다고 볼 수 있을 뿐, ⓐ에서 ⓑ(쉽사리 세계에 굴복당하지 않으려는 자아)로 전환되는 양상으로 볼 수는 없다.

오답풀이

① (가)에서 민도식의 아내가 유니폼을 입고 출근하도록 재촉한 것은 회사의 방침에 순응하는 모습이므로, ⓐ의 양상으로 볼 수 있다. (나)에서 현모가 화가 난 고 영감에게 잘못했다고 하면서도 '현이 아버지 죽음을 못난 죽음이라고는 말'라고 한 것은 ⓑ의 양상으로 볼 수 있다.
② (가)에서 장상태가 사장실로 들어간 과장의 행동에 민감하게 반응하며 민도식에게 회사로 '즉각 들어오'라며 전화를 한 것과, (나)에서 고 영감이 '남이야 뭐라던 그저 죽어지내는 게 절 보존하는' 것이라고 생각하는 것은 모두 ⓐ의 양상으로 볼 수 있다.
③ (가)에서 우기환이 '나갈 때는 제 맘대로 나갈 수 있'다며 사측의 제복 제정에 반대하는 뜻을 굽히지 않는 것과, (나)에서 민영이 '언제까지나 수동적'인 태도로 있을 수 없다며 비밀 운동을 조직하겠다는 의지를 드러낸 것은 모두 ⓑ의 양상으로 볼 수 있다.
④ (가)에서 민도식이 '세상엔 아직도 유니폼 안 입는 회사가 수두룩하'다고 대거리하는 것은 제복 도입을 강행하는 회사에 맞서는 모습이라 할 수 있지만, 그러면서도 결국 체육대회 장소로 출근하는 모습은 회사에 순응적인 모습이라고 할 수 있다. 따라서 이러한 민도식의 행동은 ⓐ와 ⓑ가 공존하는 양상으로 볼 수 있다.

## 22 ② 정답률 43%

정답풀이

〈보기〉의 M 선생이 우상이 되어가는 과정은 (나)에 제시되지 않는다.

오답풀이

① 〈보기〉에는 연행되는 M 선생과 현이 마주치는 장면이 나타나지 않지만, (나)에서는 '태연히 냉소마저 머금고 지나치는 M 선생. 현과도 시선이 마주친다.'라고 제시되고 있다.
③ 〈보기〉에는 'M 선생이 주최하여 몇 명의 학생이 불온한 독서회를 열었고, 모종 과격한 행동까지 꾀했'기 때문이라는 M 선생이 연행된 이유가 제시되어 있다. 반면 (나)에서는 이를 학생들이 수군거리는 목소리의 효과음으로 처리하여 '모종의 독서회를 열었고, 학생들에게 독립 사상을 주입시킨 혐의래.'와 같이 나타내고 있다.
④ 〈보기〉에는 M 선생이 '옥중에서 쪽지를 보내 학생들을 격려했다는 소문'이 있었다고 했으나, (나)에는 이러한 내용이 없다.
⑤ 〈보기〉에는 권유를 받은 현이 당황해하는 모습이 제시되지 않지만, (나)에는 '(당황)'과 같이 지시문으로 드러나 있다.

**오답률 Best 5**

이 문제는 윗글과 <보기>의 내용을 비교하여 윗글에 드러나지 않는 내용을 고르는 문제였는데, 정답인 ②번을 선택한 학생들의 비율이 가장 높았지만, 오답인 ③번과 ④번을 선택한 비율도 꽤 높았어. ③번을 선택한 학생들은 효과음을 나타내는 'E'를 제대로 보지 못하고 인물의 대화로 착각했을 수 있고, ④번을 선택한 학생들은 M 선생이 옥중에서 보낸 쪽지와 관련된 내용이 <보기>에 드러나지 않았다고 착각했을 수 있어. 특 오답을 선택한 학생들은 선지의 내용을 판단할 때 윗글과 <보기>의 내용을 꼼꼼하게 확인하지 않고 대충 읽었을 가능성이 있지. 문학 문제를 풀 때에도 사실 관계를 확인하는 것부터 확실하게 훈련하자!

## 23 ② 정답률 28%

정답풀이

민도식은 '옷에는 보호 기능과 표현 기능이 있'다고 하면서, 제복이 조성한 일체감이나 단결력보다는 '제복에 눌려서 개성이 위축되고', '자유로운 창의력이 퇴보되는 데서 오는 손실이 더' 크다고 여기고 있다. 즉 민도식은 제복이 옷의 표현 기능을 저해한다고 본 것이다. 이를 참고하여 제목의 의미를 이해해 보면, 옷이 개성 표출과 같은 표현 기능을 할 때는 '날개'이지만, 창의력 퇴보와 같이 표현 기능을 저해할 때는 '수갑'이라고 볼 수 있을 것이다.

오답풀이

① 민도식은 '옷에는 보호 기능과 표현 기능이 있'다고 하면서, 제복이 조성한 일체감이나 단결력보다는 '제복에 눌려서 개성이 위축되고', '자유로운 창의력이 퇴보되는 데서 오는 손실이 더' 크다고 여기고 있다. 따라서 옷이 조직원을 단결시키는 경우를 '날개'라고 보기 어렵다.
③ 옷의 새로운 기능에 대해서는 민도식의 말에 제시되지 않으므로, 제목인 '날개' 또는 '수갑'의 의미와 관련 지을 수 없다.
④ 민도식은 제복이 조성한 일체감이나 단결력이 회사를 발전시키는 것과 연관된다고 보지만, 그보다는 '제복에 눌려서 개성이 위축되고', '자유로운 창의력이 퇴보되는 데서 오는 손실이 더' 크다고 여기고 있다. 따라서 옷이 조직을 발전시키는 경우를 '날개'라고 보기 어렵다.
⑤ 민도식은 '옷에는 보호 기능과 표현 기능이 있'다고 했을 뿐, 옷이 보호 기능을 할 경우에 대해 구체적으로 언급하지 않았으므로, 보호 수단일 때를 '수갑'이라고 볼 수 없다.

**오답률 Best 2**

이 문제는 제목의 의미를 이해할 수 있는지 묻는 문제로 정답인 ②번을 선택한 학생들의 비율보다 오답인 ①번을 선택한 학생들의 비율이 더욱 높았어. <학습 활동>에서 윗글의 제목은 '옷'이 가지는 상반된 의미를 통해 주제 의식을 상징적으로 드러내고 있다고 했는데, '민도식'이 한 말을 살펴보면 제복(옷)은 회사의 입장에서 일체감과 단결력을 조성하여 회사를 더욱 발전시킬 수 있으나, 이는 개성을 위축시키고 자유로운 창의력을 퇴보시킨다고 하고 있어. 즉 민도식은 개성의 표출과 창의력의 발달을 긍정적으로, 개성의 위축과 창의력의 퇴보를 부정적으로 인식하고 있는 거지. 한편 '날개와 수갑'이라는 제목에서 '날개'는 긍정적, '수갑'은 부정적 표현이라고 볼 수 있지. 이를 고려하면 ②번을 정답으로 선택할 수 있었을 거야. 아마도 ①번을 선택한 학생들은 '옷이 조직원을 단결시킬 때' 회사를 더욱 더 발전시킬 수 있다는 내용만 보고 긍정적 의미인 '날개'와 연결시켜 이해했을 가능성이 있어. 그러나 이는 회사의 입장에서만 긍정적일 뿐, 개인의 입장에서는 이러한 단결력이 개성을 위축시키고 자유로운 창의력을 퇴보시키는 원인에 불과하기 때문에 단결력을 긍정적 의미인 '날개'로 보기는 어려워.

## 24 ① 정답률 57%

정답풀이

㉠(입고 안 입는 건 그 후의 일인데 뭘 그래.)에서 장상태는 민도식에게 제복의 착용 여부는 이후의 문제이므로 일단 복귀하라고 회유하고 있을 뿐, 착용 여부를 선택할 수 있도록 도와 줄 것을 약속하고 있지는 않다.

오답풀이

② ㉡(이런 일엔 누군가 한 사람쯤 희생이 따른다는 사실을 각오해야 돼.)에서 사장은 제복 제정에 반대하는 사람에게 불이익이 있을 것이라며 우기환을 압박하고 있다.
③ ㉢(죄송해요, 사장님. 한사코 안 된다는데두 부득부득 우기면서 이 사람이…….)에서 여비서는 사장실에 '잽싸게 뛰어들'어간 권 씨를 제지하기에는 역부족이었다며 해명하고 있다.
④ ㉣(너의 아버진 우리의 우상이야.)에서 민영은 현에게 뜻을 같이해 달라는 설득을 하기 위해 현의 아버지에 대한 자신의 생각을 드러내고 있다.
⑤ ㉤(현이는 홀어머니 때문에 가볍게 움직일 수 없어.)에서 연호는 친구들의 제안을 거절하는 현에 대해 그의 가족 상황을 고려하여 입장을 대변하고 있다.

[25~30] **과학**

## 25 ⑤ 정답률 68%

정답풀이

윗글은 '이타적 행동이 자연선택 되는 과정'을 규명하기 위한 해밀턴의 '포괄 적합도 이론'을 설명하고 있다.

오답풀이

① 해밀턴이 제시한 '포괄 적합도 이론'은 다윈 이론의 틀 안에서 '이타적 행동이 자연선택 되는 과정을 규명'한 것일 뿐, 윗글에서 적합도에 관한 논쟁은 나타나지 않는다.
② 윗글에서는 해밀턴 규칙이 이득, 손실, 유전적 근연도의 세 변수를 활용하여 이타적 행위가 자연선택되는 조건을 보여 줄 뿐, 유전자, 개체, 집단의 위계성을 제시하지는 않는다.
③ 유전적 근연도는 '개체와 상대방이 유전자를 공유할 확률'로 '해밀턴 규칙'을 도출하는 데 필요한 변수일 뿐, 윗글에서 자연선택을 통한 생물학적 적응에 대하여 유전적 근연도 값을 중심으로 전개하고 있지는 않다.
④ 9문단에서 '포괄 적합도 이론'의 의의만 제시하고 있을 뿐, 한계를 설명하지는 않았다.

11 회

## 26 ⑤ 정답률 61%

정답풀이

9문단에서 해밀턴의 '포괄 적합도 이론'은 '진화생물학자들이 이타적 행동에 대해 통찰력을 가질 수 있는 계기를 제공'했다고 했을 뿐, 진화생물학자들이 이타성이 진화하는 다양한 이유를 제시하여 해밀턴의 이론을 뒷받침했다는 내용은 나오지 않는다.

오답풀이

① 1문단에서 '개체의 번식에 도움이 되는 유전적 변이만을 여러 세대에 걸쳐 우직하게 골라내는 자연선택의 과정이 결국 환경에 딱 맞는 개체를 만들어낸다'고 했으므로, 개체가 주어진 환경에 적응한 것은 자연선택의 결과라고 볼 수 있다.
② 6문단에서 '유전적 근연도'는 '개체와 상대방이 유전자를 공유할 확률'이라고 했다.

③ 1문단에서 '자연선택'은 '개체의 번식에 도움이 되는 유전적 변이만을 여러 세대에 걸쳐 우직하게 골라내는' 과정이라고 했고, 4문단에서 '개체의 자연선택은 두 적합도를 합한 '포괄 적합도'를 높이는 방향으로 일어난다고' 했으므로, 개체의 포괄 적합도를 높이는 데 기여하지 못하는 유전적 변이는 자연선택에서 도태된다고 볼 수 있다.

④ 3문단을 통해 해밀턴이 '다윈 시대에는 없던 '유전자' 개념을 진화 이론에 도입'하여 이타적 행동의 진화를 설명했음을 알 수 있다.

## 27 ④ 정답률 79%

정답풀이

5문단과 6문단을 통해 이타적 행동은 두 개체 사이의 '유전적 근연도의 값이 클수록', 손실 대비 '이득이 더 클'수록 선택되기 쉽다는 것을 알 수 있다. 따라서 ㉮는 '높을수록', ㉯는 '클수록', ㉰는 '쉽다'가 들어가야 한다.

## 28 ① 정답률 49%

정답풀이

6문단에서 '유전적으로 100% 같은 경우는 유전적 근연도가 1'이라고 했다. 그런데 〈보기〉에서 일벌은 두 짝의 염색체 중 하나는 '수벌에게서 받는 한 짝의 염색체를 공유'하지만 '나머지 한 짝은 여왕벌이 가지고 있는 두 짝의 염색체 중에서 하나를 물려받'으므로 유전적으로 100% 같다고 할 수는 없다. 따라서 유전적 근연도는 1보다 작게 된다.

오답풀이

② 4문단에 따르면 직접 적합도는 '자기 자신의 번식 성공도'이므로 '번식을 포기'한 일벌의 직접 적합도는 0이다.

③, ⑤ '일벌은 번식을 포기하고 평생 친동생을 키우며' 집단을 위해 헌신하는 이타적 행동을 보이는데, 3문단에 따르면 이는 '여러 세대를 거치면서 결국은 개체 자신에게 이득이 되는 방향으로 자연선택'된 행동이다.

④ 4문단에서 '개체의 자연선택은 두 적합도('직접 적합도'와 '간접 적합도')를 합한 '포괄 적합도'를 높이는 방향으로 일어난다'고 하였으므로, 직접 적합도가 0인 일벌은 간접 적합도를 높이는 방향으로 자연선택이 일어난다.

## 29 ⑤ 정답률 59%

정답풀이

4문단을 통해 자연선택의 과정은 '다음 세대에 자신의 유전자 복제본을 더 많이 남기는 과정'이며, ㉠('간접 적합도'를 높이는 것)은 개체가 간접적으로 자신의 유전자 복제본을 남기기 위해 '자신과 유전자를 공유할 확률이 있는 상대의 번식 성공도를 높이는 데 도움'을 주는 행위임을 알 수 있다. 따라서 ㉠의 이유는 다음 세대에 남기는 자신의 유전자 복제본 개수에 영향을 줄 수 있기 때문이라고 할 수 있다.

오답풀이

① ㉠은 개체가 간접적으로 자신의 유전자 복제본을 남기기 위한 것일 뿐, 개체 수준의 자연선택을 결정하는 요소와는 관련이 없다.

② ㉠은 개체가 간접적으로 자신의 유전자 복제본을 남기기 위해 '자신과 유전자를 공유할 확률이 있는 상대의 번식 성공도를 높이는 데 도움'을 주는 행위이므로, 행위 당사자와 상대방의 유전자가 동일한 것은 ㉠의 조건일 뿐, 이유로 볼 수는 없다.

③ ㉠은 개체가 '자신과 유전자를 공유할 확률이 있는 상대의 번식 성공도를 높이는 데 도움을 줌으로써' '자신의 유전자 복제본을 다음 세대에 남길 수' 있도록 하기 위한 것이다.

④ 자연선택의 과정은 '각 개체가 다음 세대에 자신의 유전자 복제본을 더 많이 남기는 과정'이므로, 행위 당사자의 번식 성공도와 상대방의 번식 성공도를 고려하여 ㉠을 선택할 것이다.

## 30 ③ 정답률 81%

정답풀이

윗글에서 ⓐ(일어난다)는 '자연이나 인간 따위에서 어떤 현상이 발생하다.'의 의미로 사용되었으므로, '한류 열풍이 새로운 형태로 일어나고 있다.'의 '일어나다'와 문맥적 의미가 유사하다.

오답풀이

① '잠에서 깨어나다.'라는 의미로 사용되었다.

② '위로 솟거나 부풀어 오르다.'라는 의미로 사용되었다.

④ '소리가 나다.'라는 의미로 사용되었다.

⑤ '앉았다가 서다.'라는 의미로 사용되었다.

[31~34] **고전소설**

## 31 ③ 정답률 51%

정답풀이

윗글에서 조은하가 '주문을 외워 백학선을 사면으로 부치니 천지가 아득하고 뇌성벽력이 진동하며 무수한 신장이 내려와 도'왔다는 부분을 통해 비현실적 요소의 개입(ㄱ)을 확인할 수 있으며, '위수', '아미산', '서울'로 이동하는 과정에서 조은하의 행적이 요약적으로 제시(ㄹ)되어 있다.

오답풀이

ㄴ. 윗글에서 꿈과 현실이 교차되는 장면은 찾을 수 없다.

ㄷ. 윗글에서 외양 묘사가 나타난 부분은 찾을 수 없다.

## 32 ② 정답률 70%

정답풀이

[A]에서 조은하는 자신이 죽었다고 거짓말을 하며 '어찌 애석하지 않으리오?'라며 유백로의 속마음을 확인하고자 하고, [B]에서 유백로는 조은하가 자신을 구했음을 알고 '가히 규중 호걸'이라며 칭송하고 있다. 즉 [A]는 상대의 속마음을 떠보고 있으며, [B]는 상대를 칭송하고 있다고 볼 수 있다.

## 33 ④ 정답률 72%

정답풀이

〈보기〉에서 윗글은 '여자 주인공을 예외적인 존재로 그려 여성에 대한 사회적 인식을 변화시키지 못했다는 한계'가 있다고 했다. 이를 고려하면 윗글에서 조은하가 공적을 세운 후 황상에게 '죄를 기다리겠'다고 한 것을 남성 중심의 사회적 규범을 극복한 것으로 볼 수는 없다.

오답풀이

① 〈보기〉에서 윗글은 '남성 중심의 사회적 규범을 극복한 여자 주인공이 영웅적 면모를 보이는 여성영웅소설의 성격도 지닌다.'라고 했다. 이를 고려하면 조은하가 '오랑캐를 소멸'한 것은 영웅으로서의 모습이라고 할 수 있다.

② 〈보기〉에서 윗글은 '여자 주인공을 예외적인 존재로 그'렸다고 했다. 황상이 조은하에 대해 '고금에 희한한 일이로다.'라고 말한 것을 통해 여자 주인공인 조은하를 예외적 존재로 여기고 있다고 할 수 있다.

③ 〈보기〉에서 윗글은 '결혼을 약속한 남녀 주인공이 고난을 이겨내고 재회하는 애정소설의 성격을 지닌다.'라고 했다. 이를 고려하면 조은하와 유백로가 백년 기약을 맺고 헤어졌다가 전장에서 재회한 것은 애정소설의 성격을 지닌다고 할 수 있다.

⑤ 〈보기〉에서 윗글은 '백학선이라는 소재에 다양한 서사적 기능을 부여'했다고 하였다. 조은하가 백학선을 사용하여 전쟁에서 승리하고 유백로가 백학선을 통해 조은하를 알아본다는 점에서, 백학선이 다양한 기능을 지녔음을 알 수 있다.

**34** ① 정답률 57%

정답풀이

문맥을 살펴보면 ㉮는 목숨을 잃을 위기에서 자신을 구해 준 사람에게 하는 말이다. 따라서 '죽어서 백골이 되어도 은혜를 잊을 수 없다.'라는 의미의 '백골난망'이 ㉮에 들어갈 말로 적절하다.

오답풀이

② '사면초가'는 '아무에게도 도움을 받지 못하는 외롭고 곤란한 지경에 빠진 형편을 이르는 말.'이다.
③ '어부지리'는 '두 사람이 이해관계로 서로 싸우는 사이에 엉뚱한 사람이 애쓰지 않고 가로챈 이익을 이르는 말.'이다.
④ '이심전심'은 '마음과 마음으로 서로 뜻이 통하는 상태를 이르는 말.'이다.
⑤ '적반하장'은 '잘못한 사람이 아무 잘못도 없는 사람을 나무람을 이르는 말.'이다.

[35~37] **현대시**

**35** ① 정답률 47%

정답풀이

(가)에서는 '소리치는 바람'과 '풀꽃들'이 '나를 쳐다보는 수줍음으로' 온다는 표현을 통해 자연물에 인격을 부여하여 대상과의 교감을 드러내고 있음을 확인할 수 있다. 반면 (나)에서는 자연물에 인격을 부여한 부분을 찾을 수 없다.

오답풀이

② (가)에서는 '–다', (나)에서는 '–ㅂ니다'라는 종결어미를 반복하여 운율감을 높이고 있다.
③ (나)에서는 '푸릅니다'에서 색채어를 사용하여 '하늘'에 대한 인식을 드러내고 있지만, (가)에서는 색채어가 나타나지 않는다.
④ (가)와 (나)는 모두 공감각적 심상이 나타나지 않는다.
⑤ (나)에서는 화자가 '길'에 나아가 걷고 있다는 점에서 공간의 이동이 드러난다고 볼 수 있지만 (가)에서는 계절의 변화가 드러나지 않는다.

**36** ② 정답률 66%

정답풀이

[B]에서 화자는 산길을 걸으면서 '내 가슴 벅차게 하는 까닭'을 안다고 했을 뿐, 삶의 고달픔이 어디에서 비롯되었는지 깨닫고 있지는 않다.

오답풀이

① [A]에서 화자는 '이 길을 만든 이들'이 '누구인지를 나는 안다'라고 했다.
③ [C]에서 화자는 '집'을 떠나는 일에 '신명'을 느낀다고 했다.
④ [D]에서 화자는 사람들이 '무엇 하나씩 저마다 다져놓고 사라진다는 것'을 배웠다고 했으므로, 사람은 누구나 삶의 자취를 남긴다는 사실을 알게 되었다고 볼 수 있다.
⑤ [E]에서 화자는 길을 '오르는 일'이 '힘들고 어려워도' '주저앉아서는 안' 된다고 다짐하고 있다.

**37** ③ 정답률 74%

정답풀이

〈보기〉에서 (나)의 '화자는 부정적 상황 속에서 자기 탐색과 성찰을 통해, '잃어버린 나'를 회복하려고 끊임없이 노력하는 모습을 보인다.'라고 했다. (나)의 5연에서 화자는 '눈물짓'다가 하늘을 쳐다보며 부끄러움을 느끼고 있는데, 〈보기〉를 고려하면 이는 '잃어버린 나'를 찾지 못하는 부정적 상황 속에서 자기 탐색과 성찰을 하는 행위일 뿐, 절망적 상황을 극복하려는 것이라고 볼 수는 없다.

오답풀이

① 〈보기〉에서 (나)의 '화자는 부정적 상황 속에서 자기 탐색과 성찰을' 하고 있다고 했다. 이에 따르면 (나)의 3연에서 굳게 닫힌 '쇠문'은 '잃어버린 나'와 화자의 만남을 가로막고 있으므로, 화자가 처한 부정적 상황을 드러낸다고 볼 수 있다.
② 〈보기〉에서 (나)의 화자는 "잃어버린 나'를 회복하려고 끊임없이 노력하는 모습을 보인다.'라고 했다. 이에 따르면 (나)의 4연에서 길은 '아침에서 저녁으로 / 저녁에서 아침으로 통'하는 것은 자기 탐색의 과정이 끊임없이 이어짐을 의미한다고 볼 수 있다.
④ 〈보기〉에서 (나)의 '화자는 부정적 상황 속에서 자기 탐색과 성찰'을 하고 있다고 했다. 이에 따르면 (나)의 5연에서 화자가 '하늘'을 보며 부끄러움을 느끼는 것을 자기 성찰을 하는 것으로 볼 수 있다.
⑤ 〈보기〉에서 (나)의 화자는 "잃어버린 나'를 회복하려고 끊임없이 노력하는 모습을 보인다.'라고 했다. 이에 따르면 (나)의 6연에서 화자는 '담 저쪽'의 '잃어버린 나'를 회복하기 위해 길을 걷고 있다고 볼 수 있다.

[38~42] **사회**

**38** ④ 정답률 75%

정답풀이

1문단에서 '물가 변동을 알기 쉽게 지수화한 경제지표'인 물가지수의 개념이 제시되고 있다. 그러나 윗글에 물가지수의 개념이 어떻게 변화해 왔는지에 대한 설명은 제시되지 않았다.

오답풀이

① 1문단에서 '물가란 시장에서 거래되는 개별 상품의 가격을 종합하여 평균한 것'이라고 했고, '물가지수'는 '물가 변동을 알기 쉽게 지수화한 경제지표'라고 했다.
② 2문단에서 '선정된 품목들의 개별 가격지수의 합을 평균하는 방법으로 물가 수준의 변화를 파악하는 것을 단순물가지수', '품목별 가중치를 가격지수에 곱한 후 합하여 얻어지는 값을 가중물가지수'라고 함을 알 수 있다.
③ 3문단~4문단을 통해 물가지수가 '화폐의 구매력을 측정할 수 있는 수단', '경기판단지표로서의 역할', '명목 가치를 실질 가치로 바꾸는 역할'을 함을 알 수 있다.
⑤ 3문단에서 '물가지수는 경기판단지표로서의 역할을' 하는데, '일반적으로 물가는 경기가 호황일 때 수요 증가에 의하여 상승하고 경기가 불황일 때 수요 감소로 하락'한다고 했다.

**39** ② 정답률 25%

정답풀이

3문단에서 '일반적으로 물가는 경기가 호황일 때 수요 증가에 의하여 상승하고 경기가 불황일 때 수요 감소로 하락한다.'라고 했으므로, 물가지수가 시장의 수요 변화에 영향을 미치는 것이 아니라, 시장의 수요 변화가 물가지수에 영향을 미친다고 볼 수 있다.

오답풀이

① 3문단에서 '만일 시장에서 물가가 지속적으로 상승하는 경우 구입할 수 있는 상품의 양은 물가가 오르기 전보다 감소하게 되므로 화폐의 구매력은 떨어지게 된다.'라고 했으므로, 화폐의 구매력이 물가의 움직임에 따라 변화한다고 볼 수 있다.
③ 4문단과 5문단을 통해 '가격 변동 효과를 제거'하기 위해 '현재 금액'을 '물가지수 등락률'로 나누면 'T년도 금액', 즉 환산된 금액을 산출할 수 있음을 알 수 있다. 이때 '현재 금액'은 '명목 가치', 'T년도 금액'은 '실질 가치'에 해당하므로, 명목 가치에 해당하는 현재 금액을 물가지수 등락률로 나누는 것은 가격 변동 효과를 제거하여 실질 가치를 구하기 위한 것으로 볼 수 있다.
④ 3문단에서 '만일 시장에서 물가가 지속적으로 상승하는 경우 구입할 수 있는 상품의 양은 물가가 오르기 전보다 감소하게 되므로 화폐의 구매력은 떨어지게 된다.'라고 했고, '물가는 경기가 호황일 때 수요 증가에 의하여 상승'한다고 했다. 따라서 시장의 수요가 증가하면 물가가 상승하고, 같은 소득으로 시장에서 구매할 수 있는 상품의 양은 줄어든다.
⑤ 4문단과 5문단을 통해 '가격 변동 효과'를 제거하기 위해 '현재 금액'을 '물가지수 등락률'로 나누면 'T년도 금액'으로 환산된 금액을 산출할 수 있음을 알 수 있다. 이때 '물가지수 등락률'은 '현재물가지수'를 과거 'T년도 물가지수'로 나눈 값이므로 물가지수 등락률이 높을수록, 즉 현재의 물가지수가 과거의 물가지수보다 높을수록 환산된 금액은 적어진다.

**오답률 Best ①**

이 시험에서 오답률이 가장 높은 문제였어. 정답인 ②번을 고른 학생이 25%인데, 오답인 ④번과 ⑤번을 고른 학생도 각각 20%가 넘었어. ④번을 선택한 경우에는 시장의 수요 증가와 시장에서 구입할 수 있는 상품의 양이 감소한다는 것을 물가와 연결하지 못했을 가능성이 있어. 그러나 3문단의 내용을 종합해 보면 시장의 수요 증가로 인해 물가가 상승하고, 물가가 상승하면 시장에서 구입할 수 있는 상품의 양이 감소함을 알 수 있다. 한편 ⑤번은

'T년도 금액 = 현재 금액 ÷ $\frac{\text{현대 물가지수}}{\text{T년도 물가지수}}$'라는 공식을 보고 '$\frac{\text{현대 물가지수}}{\text{T년도 물가지수}}$'이 클수록 T년도 금액이 작아질 것이라는 것은 쉽게 판단할 수 있었겠지만, 선지에서는 이 공식에 사용된 용어를 그대로 사용하지 않고 다른 용어를 사용하여 진술했기 때문에 어렵게 느껴졌을 가능성이 있어. 만약 지문에서 동일한 의미를 지닌 개념을 다양하게 표현했다면 반드시 파악하고 넘어 가자! 마지막으로 정답인 ②번은 'A가 B에 영향을 미친다.'라는 진술을 'B가 A에 영향을 미친다.'라고 바꿈으로써 적절하지 않은 선지로 만든 거야. 이러한 선지 구성은 출제자들이 자주 활용하는 방식이므로, 원인-결과나 순서 등을 고려하여 판단해야 할 경우 다시 한번 지문에서 꼼꼼하게 사실 관계를 확인하고 판단하도록 하자!

## 40 ④ 정답률 33%

정답풀이

6문단에서 '물가지수는 이용 목적에 따라 여러 가지 형태로 작성되는데, 그것을 보여주는 사례가 소비자물가지수와 생산자물가지수'라고 했고, '어떤 품목의 가격 변동이 중요한가는 생산자와 소비자의 입장에 따라 다르다.'라고 했다. 따라서 ㉠(생산자의 입장에서 유용한 물가지수와 소비자의 입장에서 유용한 물가지수는 다르게 작성된다.)은 소비자와 생산자가 물가지수를 이용하는 목적이 다르기 때문에 각각의 조사 대상 품목군은 일치하지 않는다는 의미로 이해할 수 있다.

오답풀이

① 6문단에서 '물가지수는 이용 목적에 따라 여러 가지 형태로 작성되는데, 그것을 보여주는 사례가 소비자물가지수와 생산자물가지수'라고 했으므로, 소비자와 생산자가 물가지수를 이용하는 목적이 동일하다고 볼 수 없다.
② 윗글에서 소비자와 생산자의 입장에 따라 실질 가치를 산출하는 계산식이 다르다는 내용은 찾을 수 없다.
③ 윗글에서 소비자와 생산자로 대상을 분류하면 보다 쉽게 물가지수를 측정할 수 있다는 내용은 찾을 수 없다.
⑤ 6문단에서 '물가지수는 이용 목적에 따라 여러 가지 형태로 작성되는데, 그것을 보여주는 사례가 소비자물가지수와 생산자물가지수'라고 했을 뿐, 소비자물가지수와 생산자물가지수 중 하나만 가지고는 전반적인 가격 변화를 판단할 수 없다는 내용은 윗글에서 찾을 수 없다.

**오답률 Best ③**

이 문제는 ㉠이 의미하는 바를 묻는 문제로, 정답인 ④번을 선택한 학생이 33%였는데, 오답인 ②번을 선택한 학생도 28%로 비슷했어. 4문단과 5문단에서 '현재의 금액을 두 기간 사이의 물가지수 비율로 나누어 과거 시점의 금액으로 환산할 수 있'다고 했고, 이때 '현재 금액'은 명목 가치에, 환산하여 얻어지는 통계치인 'T년도 금액'은 실질 가치에 해당한다고 했어. 그리고 6문단에서 이용 목적에 따라 다른 형태로 작성된 소비자물가지수와 생산자물가지수를 설명했는데, 이때 '어떤 품목의 가격 변동이 중요한가는 생산자와 소비자의 입장에 따라 다르다'고 했지. 그런데 ②번을 선택한 학생들은 아마도 소비자와 생산자의 입장에 따라 중요하게 여기는 품목이 다르다는 것을 보고 실질 가치 산출하는 계산식이 다르다고 착각했을 수 있어. 그러나 지문에서 실질 가치를 산출하는 계산식 자체는 동일함을 알 수 있어. 그러니 선지의 진술이 그럴 듯해 보이더라도 항상 한 번 더 확인한 후 정오를 판단하도록 하자.

## 41 ④ 정답률 49%

정답풀이

2문단에서 '선정된 품목들의 개별 가격지수의 합을 평균하는 방법으로 물가 수준의 변화를 파악하는 것을 단순물가지수', '품목별 가중치를 가격지수에 곱한 후 합하여 얻어지는 값을 가중물가지수'라고 한다고 했다. 〈보기〉에서 단순물가지수는 108 (=104 + 110 + 110 / 3)이고, 가중물가지수는 106.4 (=[104 × 0.6] + [110 × 0.3] + [110 × 0.1] / 3)이다. 즉 단순물가지수를 사용했을 때 물가 상승률은 8%이고, 가중물가지수를 사용했을 때 물가 상승률은 6.4%로, 단순물가지수를 사용할 때 물가 상승률이 더 높다.

오답풀이

① 7문단에서 '소비자물가지수의 품목별 가중치는 도시가계 소비 지출액 기준이므로 소비 지출액이 큰 품목의 가중치가 더 크게 나타'난다고 했으므로, 품목별 소비 지출액은 가중치가 큰 A > B > C의 순으로 나타난다.
② 2문단에서 '선정된 품목들의 개별 가격지수의 합을 평균하는 방법으로 물가 수준의 변화를 파악하는 것을 단순물가지수'라고 했다. 따라서 단순물가지수를 사용하면 소비자물가지수는 '108 (=104 + 10 + 110 / 3)'이다.
③ 2문단에서 단순물가지수는 '모든 품목이 전체 물가에 동일한 영향을 주는 것으로 전제'한다고 했다.
⑤ 2문단에서 '가중물가지수는 거래 비중이 큰 품목의 가격 변동이 물가지수에 더 많이 영향을 미치도록 계산한 것'이라고 했다. 따라서 가중물가지수를 사용하면 거래 비중이 큰 A가 물가지수에 더 많이 영향을 미친다는 것을 알 수 있다.

## 42 ⑤ 정답률 47%

정답풀이

1문단에서 '물가란 시장에서 거래되는 개별 상품의 가격을 종합하여 평균한 것으로, 물가 변동은 전반적인 상품의 가격 변동을 나타낸다. 물가지수는 이러한 물가 변동을 알기 쉽게 지수화한 경제지표를 일컫는다.'라고 했다. 즉 물가지수는 상품의 가격 자체를 의미하지 않는다.

오답풀이

① 8문단에서 '생산자물가지수는 소비자물가지수에 앞서 움직이는 양상을 보이기도' 한다고 했다. 따라서 원유의 가격 상승이 결과적으로 소비자물가지수 상승으로 이어질 수 있다.
② 6문단에 따르면 '농산물'은 '소비자가 일상생활에서 구입하는 상품'에 해당하므로, 농산물의 가격 상승은 소비자물가지수 상승으로 이어질 수 있다.
③ 8문단에서 '원재료, 중간재 등을 포괄하는 생산자물가지수에는 시장 변화의 영향이 곧바로 파급'된다고 했다. 따라서 원유 가격 상승이 생산자물가지수에 곧바로 파급될 수 있다.
④ 7문단에서 '조사하는 품목이 다르고, 같은 품목이라고 하더라도 두 지수에서 적용되는 가중치가 다르다 보니 소비자물가지수와 생산자물가지수가 서로 다른 방향의 변동을 나타내거나, 같은 방향으로 움직이더라도 변동 수준에 차이를 보'일 수 있다고 했다. 즉 생산자물가지수와 소비자물가지수에서 농산물의 가중치는 다르기 때문에, 각 지수의 변동 수준에 차이가 생길 수 있다.

### [43~45] 고전시가

## 43 ② 정답률 41%

정답풀이

(가)에서는 대화 형식을 활용하여 '황새'와 '뱀'에 의해 '제비'가 괴롭힘을 당하는 현실에 대한 비판적인 인식을 드러낸다. (나)에서는 대화 형식을 활용하여 고달픈 시집살이에 대한 비판적 인식을 표현한다.

오답풀이

① (가), (나)에서 모두 반어적인 표현을 찾을 수 없다.
③ (가), (나)에서 모두 시간의 흐름과 깨달음에 이르는 과정을 찾을 수 없다.
④ (가), (나)에서 모두 감각적 이미지를 활용하여 자연의 아름다움을 표현한 부분을 찾을 수 없다.
⑤ (가), (나)에서 모두 자연물에 감정을 이입하여 안타까움을 강조한 부분을 찾을 수 없다.

**오답률 Best ❹**

이 문제는 (가)와 (나)의 공통적인 서술상의 특징을 묻는 문제였어. 정답인 ②번을 선택한 학생이 41%였는데, 오답인 ⑤번을 선택한 학생도 38%나 되었어. 감정 이입은 화자가 대상도 자신과 같은 감정을 가지고 있는 것처럼 표현하는 것을 의미해. 예를 들어 자연물인 '새'는 그냥 울고 있는데, 서러운 감정을 느끼고 있는 화자가 이를 보고 '새가 서러워 하며 운다.'라고 표현한 것을 감정 이입이라 할 수 있어. 그런데 (가)에서 화자는 제비가 지지배배 소리를 그치지 않는다고 하며, 서러움을 호소하는 듯하다고 했을 뿐, 화자가 어떠한 처지에 있는지 드러나지 않으므로 제비가 화자와 같은 감정을 가지고 있는 것처럼 표현했다고 보기는 어려워. 또한 (나)에서는 다양한 자연물이 등장하기는 하지만 자연물을 빗대어 특정 인물의 성격이나 상황을 강조하고 있을 뿐 감정 이입은 나타나지 않아. 이처럼 서술상의 특징을 묻는 문제에서 헷갈리는 문학 개념어가 나온다면, 반드시 예시와 함께 개념을 이해해 두자.

## 44 ④ 정답률 78%

**정답풀이**

(가)에서 화자는 제비가 '집 없는 서러움을 호소'하며 '느릅나무 구멍은 황새가 쪼고 / 홰나무 구멍은 뱀이 와서 뒤진다'고 말하는 것 같다고 했다. 이를 '조선 후기 지배층의 횡포와 피지배층의 고난'과 관련지어 보면, "'황새'와 '뱀'은 백성들을 괴롭히는 지배 세력을 상징(ⓐ)'하고, "'제비'는 지배 세력으로부터 착취당하는 백성들을 상징(ⓑ)'한다고 할 수 있다. 또한 제비가 '집 없는 서러움을 호소'하는 것처럼 "피지배층의 고난은 삶의 터전마저 빼앗기는 절박한 상황으로 그려지고(ⓒ)' 있다고 볼 수 있으며, 이를 통해 '작가는 당대의 부정적 현실을 우회적으로 고발(ⓔ)'하고 있다고 이해할 수 있다. 그러나 (가)에서 백성들의 '현실에 굴하지 않는 꿋꿋한 모습(ⓓ)'은 드러나지 않는다.

## 45 ⑤ 정답률 74%

**정답풀이**

(나)의 화자가 현실에 대응하지 못하고 체념하는 태도를 보이기도 하지만, ⓜ(그것도 소이라고 거위 한 쌍 오리 한 쌍 / 쌍쌍이 때 들어오네)에서 화자 자신을 '거위'와 '오리'에 빗대어 표현한 것은 아니다.

**오답풀이**

① ㉠(고추 당추 맵다 해도 시집살이 더 맵더라)에서 '고추', '당추'와 비교하여 시집살이의 고통을 드러내고 있다.
② ㉡(오 리 물을 길어다가 십 리 방아 찧어다가)에서 '오 리'와 '십 리'를 통해 가사 노동의 과중함을 표현하고 있다.
③ ㉢(시아버니 호랑새요 시어머니 꾸중새요)에서 대하기 힘든 존재인 시아버지와 시어머니를 '호랑새'와 '꾸중새'에 빗대어 표현하고 있다.
④ ㉣(배꽃 같던 요내 얼굴 호박꽃이 다 되었네)에서 '배꽃'은 화자의 과거 모습, '호박꽃'은 현재 자신의 모습이라 할 수 있으며, 화자는 '배꽃'과 '호박꽃'의 대비를 통해 초라해진 자신의 모습을 한탄하고 있다.

## 12 회

2019학년도 3월 학평

| 1. ④ | 2. ③ | 3. ③ | 4. ② | 5. ⑤ | 6. ② | 7. ③ | 8. ① | 9. ① | 10. ④ |
|---|---|---|---|---|---|---|---|---|---|
| 11. ⑤ | 12. ② | 13. ⑤ | 14. ① | 15. ③ | 16. ① | 17. ② | 18. ② | 19. ④ | 20. ③ |
| 21. ④ | 22. ⑤ | 23. ② | 24. ② | 25. ⑤ | 26. ① | 27. ⑤ | 28. ④ | 29. ① | 30. ⑤ |
| 31. ② | 32. ④ | 33. ④ | 34. ④ | 35. ④ | 36. ⑤ | 37. ④ | 38. ④ | 39. ① | 40. ③ |
| 41. ③ | 42. ③ | 43. ④ | 44. ② | 45. ⑤ | | | | | |

오답률 Best 5

### [1~3] 화법

**1** ④ 정답률 77%

정답풀이

발표자는 '정지된 영상'을 보여주면서 샛별호에 들어갈 '액체 엔진의 성능'을 설명하고 있을 뿐, 전문가의 말을 인용하고 있지 않다.

오답풀이

① 발표자는 발표를 시작하면서 '로켓 개발자를 꿈꾸고 있어서 샛별호에 대해 관심이 많은데, 다른 사람들도 샛별호를 알게 되고 관심을 가지면 좋겠다고 생각해서 샛별호에 대해 발표하려고' 한다며, 샛별호를 주제로 정한 이유를 밝히고 있다.
② 발표자는 '먼저 샛별호의 제원을 소개하고 이번 시험 발사의 의미를 설명한 후, 로켓을 완성하기까지 남은 과제'를 다룰 것이라는 발표 순서를 안내하여 청중이 내용을 예측하며 들을 수 있도록 하고 있다.
③ 발표자는 샛별호의 제원을 설명하는 부분에서 '한국우주연구소에서 작성한 보고서'가 정보의 출처임을 언급하고 있다.
⑤ 발표자는 '샛별호가 성공적으로 발사되기 위해서는~많은 응원 부탁드립니다.'에서 샛별호의 개발에 대해 지속적으로 관심을 가져 줄 것을 부탁하며 발표를 마무리하고 있다.

**2** ③ 정답률 84%

정답풀이

㉡(그림)은 '샛별호의 예상 구조도'로, 발표자는 이를 활용하여 샛별호의 제원에 대한 청중의 이해를 돕고 있다.

오답풀이

① ㉠(영상)은 "샛별호' 시험 발사체의 발사 장면'을 보여주는데, 발표자는 이를 활용해 자신이 '샛별호에 대해 관심이 많'다는 점을 언급할 뿐 청중과의 공통적인 관심사를 확인하고 있지는 않다.
② 발표자는 '액체 엔진의 성능'을 설명하는 데 다시 ㉠을 '정지'된 형태로 활용할 뿐, 이를 통해 발표 내용을 요약하거나 정리하고 있지 않다.
④, ⑤ 발표자는 ㉡을 통해 발표 내용에 대한 청중의 이해를 돕고 있을 뿐, 이를 활용하여 청중의 배경지식을 확인하거나 발표 내용에 대한 청중의 질문에 답하고 있지 않다.

**3** ③ 정답률 85%

정답풀이

학생 2가 발표에서 직접적으로 언급하지 않은 내용에 대해 추론하고 있는 부분은 찾아볼 수 없다.

오답풀이

① 학생 1은 발표를 듣고 '샛별호의 엔진으로 고체 엔진이 아니라 액체 엔진을 사용하는 이유'에 대한 의문을 '관련 내용을 검색'하는 방식으로 스스로 해결하려고 하고 있다.
② 학생 2는 발표자가 "클러스터링', '페어링' 등의 전문 용어들을 설명하지 않아서 발표 내용을 충분히 이해하기는 어려웠'다며 발표에서 부족했던 점에 대한 아쉬움을 드러내고 있다.
④ 학생 3은 발표자가 '주변에서 접할 수 있는 것들을 활용해서 설명'한 것을 긍정적으로 평가하고 있다.
⑤ 학생 3은 발표를 듣고 자신도 '곧 발표를 해야 하는데 효과적인 발표 방법을 생각해 봐야겠'으며 '발표자처럼 진로와 연관된 주제를 선택하는 것도 좋을 것 같'다는 반응을 보이고 있다.

### [4~7] 화법과 작문

**4** ② 정답률 87%

정답풀이

(가)에서 학생 회장이 참여자들의 발언 순서를 조정하고 있지는 않다.

오답풀이

① 학생 회장은 참여자들이 밝힌 의견을 바탕으로 '먼저 내가 구청에 문의해 볼게.', '교장 선생님의 허락을 받기 위해 건의문을 써 볼게.'와 같이 자신이 할 일을 제시하고 있다.
③ 학생 회장은 '학교 담장에 공공 벽화를 그리자는 학생의 제안'을 언급한 학생 1에게 '어떤 제안이었는지 자세히 설명해 줄래?'라고 보충 설명을 요구하고 있다.
④ 학생 회장은 '어떤 내용을 담아야 잘 설득할 수 있을까?', '다른 효과적인 방법은 없을까?'와 같은 질문을 통해 참여자들의 다양한 의견을 이끌어내고 있다.
⑤ 학생 회장은 '건의 사항 중에 학생회의 1학기 중점 활동으로 삼을 만한 것이 있을까?', '이 제안을 중점 활동으로 삼아도 될지 논의해 볼까?'와 같이 논의할 내용을 분명하게 제시하며 토론을 시작하고 있다.

**5** ⑤ 정답률 80%

정답풀이

[A]에서 학생 2가 어떠한 해결 방안을 제시하지는 않았다. 따라서 [A]에서 학생 3이 학생 2가 제시한 해결 방안에 대해 부정적으로 평가하고 있다고 볼 수는 없다.

오답풀이

① [A]에서 학생 1은 '학생회가 쓸 수 있는 예산만으로는 부족'함을 언급하며 '학교에 예산 지원을 요청하는 것'을 제안하고 있다.
② [A]에서 학생 1은 '주변 학교의 성공 사례'를 언급하며 '우리도 해낼 수 있을' 것이라고 문제 해결의 가능성을 판단하고 있다.
③ [A]에서 학생 2는 '디자인 공모전을 열면 미술 실력이 뛰어난 학생들의 도움을 받을 수 있을' 것이라는 학생 1의 의견에 동의하며, 디자인 공모전이 '미술에 소질 있는 친구들에게는 재능을 나눌 수 있는 기회'가 될 것이라고 그 의의를 말하고 있다.
④ [A]에서 학생 3은 '학교 담장에 공공 벽화를 그리자는 학생의 제안'을 받아들였을 때, '예술성이나 전문성도 필요할 것 같고, 실제 작업에 들어가면 시간도 오래 걸리고 비용도 많이 들까 걱정'이라며 발생할 수 있는 문제들을 언급하고 있다.

## 6 ② 정답률 74%

정답풀이

(가)에서 학생 1은 '담장 벽화가 멋지게 완성되면 학교를 홍보하는 데에 도움이 된다는 점'을 언급하면 좋겠다고 하였다. 하지만 학생 회장은 (나)의 3문단에서 '최근 도서관 벽화 그리기 사업을 성공적으로 끝낸 □□학교 학생회에 관련 자료를 보내 달라고 요청'하였음을 밝혔을 뿐, 다른 학교의 성공 사례를 강조하여 담장 벽화가 학교 홍보에 도움이 된다는 점을 말하고 있지 않다.

오답풀이

① (가)에서 학생 1은 '이 활동의 장점을 다양한 측면에서 강조하는 것도 좋을 것 같'다는 의견을 제시하였고, 학생 회장은 이를 받아들여 (나)의 4문단에서 '학생들', '학교', '주민들'의 측면에서 그 장점을 열거하고 있다.

③ (가)에서 학생 2는 '현재 학교 담장의 미관에 문제가 있다는 점을 언급'하면 좋겠다고 하였고, 학생 회장은 이를 받아들여 (나)의 2문단에서 '담장에 페인트를 칠한 지 오래되어 색이 많이 바랬고, 페인트가 벗겨진 부분도 많'다며 우리 학교 담장의 상태를 구체적으로 설명하고 있다.

④ (가)에서 학생 1은 '담장 벽화가 지역 공동체에 기여할 수도 있다는 점도 언급하면 좋겠'다고 하였고, 학생 회장은 이를 받아들여 (나)의 4문단에서 '주민들이 벽화를 보고 즐거워한다면 지역 공동체의 행복을 증진할 수도 있'다는 점을 이야기하고 있다.

⑤ (가)에서 학생 3은 교장 선생님께서 평소 많이 하시는 '자율적으로 행동하고 책임감을 가지라는 말씀'을 활용해 보라고 하였고, 학생 회장은 이를 받아들여 (나)의 5문단에서 '이 사업을 준비하고 추진하는 과정을 통해 교장 선생님께서 항상 강조하셨던 자율성과 책임감을 배울 수 있을 것'이라는 점을 드러내고 있다.

## 7 ③ 정답률 62%

정답풀이

〈보기〉에서 학생 1은 '3문단의 위치'를 바꿀 것과 '예산 지원을 못 받게 되었을 경우도 대비했으면 좋겠'다는 의견을 제시하였다. 우선 3문단은 학생회가 구체적으로 노력한 점을 다루고 있으므로, '저희가 노력하고 있다는 것을 알아주셨으면' 한다는 내용인 5문단 뒤로 옮기는 것이 적절하다. 그리고 학교의 예산 지원이 필요할 수 있다는 내용을 구청에서 예산 지원을 못 받게 되었을 경우에 대비하여 추가할 수 있다.

오답풀이

① 4문단은 공공 벽화 그리기 사업의 '장점'을 열거한 문단이므로, 학생회의 노력을 다룬 3문단을 4문단 뒤에 넣는 것은 적절하지 않다.

② 4문단은 공공 벽화 그리기 사업의 '장점'을 열거한 문단이므로, 학생회의 노력을 다룬 3문단을 4문단 뒤에 넣는 것은 적절하지 않다. 또한 구청에 예산 지원을 문의했다는 내용을 삭제하는 것은 구청에서 예산 지원을 못 받게 되었을 경우를 대비한 것으로 적절하지 않다.

④ 3문단은 학생회의 노력을 다루고 있으므로, 이를 5문단 뒤로 옮기는 것을 통해 지역 공동체를 위한 활동임을 부각할 수는 없다.

⑤ 구청에 예산 지원을 문의했다는 내용을 삭제하는 것은 구청에서 예산 지원을 못 받게 되었을 경우를 대비한 것으로 적절하지 않다.

### [8~10] 작문

## 8 ① 정답률 83%

정답풀이

학생은 '자전거'를 타러 나간 경험을 통해 '작년 교지 편집부 활동'을 떠올리고, 이를 통해 '비슷한 실수'를 반복한 자기 자신을 성찰하고 있다.

오답풀이

② 1문단에서 형의 '말을 듣는 둥 마는 둥 하며 집을 휙' 나선 모습이 나타나지만 이를 가족 간의 갈등이라고 보기는 어려우며, 갈등을 통해 가치관의 차이를 드러내고 있다고 볼 수도 없다.

③ 학생의 초고에서는 '비슷한 실수'를 반복하는 문제 상황이 나타날 뿐, 문제를 해결하는 과정이 나타나 있지는 않다.

④ 1문단에서 '『자전거 풍경』을 읽'은 경험이 나타나지만 학생의 초고에서 이를 통해 새롭게 알게 된 사실은 제시되고 있지 않다.

⑤ '자전거'를 타러 나가는 개인적 체험은 나타나지만, 여기에서 유추한 사회문화적 현상에 대한 자신의 입장을 표출하고 있지는 않다.

## 9 ① 정답률 81%

정답풀이

〈보기〉에 따르면 학생은 '대조를 사용하여 앞으로의 다짐을 명확하게 서술'하는 문장으로 글을 끝맺고자 한다. '지금까지는 상대방의 말을 귀담아 듣지 않았지만'은 '앞으로는 상대방의 충고나 조언에 귀를 기울이'겠다는 내용과 대조를 이루고, 이를 통해 '상대방의 충고나 조언에 귀를 기울이는 태도를 갖춰야겠다.'라는 명확한 다짐이 드러나고 있다.

오답풀이

② '이제까지'와 '지금부터'의 대조가 나타나지만, '상대방에게 쓴소리도 할 수 있는 사람이 되어야겠다.'라는 다짐은 초고의 내용과 관련이 없다.

③, ④, ⑤ 대조가 나타나지 않는다.

## 10 ④ 정답률 48%

정답풀이

'두 편을 견주어 볼 때 서로 어울릴 만큼 비슷하다.'라는 의미를 가진 '걸맞다'의 활용형은 '걸맞은'이므로, ㉣(걸맞은)을 '걸맞는'으로 고쳐 쓰는 것은 적절하지 않다.

오답풀이

① '옮기다'는 목적어를 요구하는 서술어이므로, ㉠에 생략되어 있는 문장 성분인 목적어 '자전거를'을 추가해야 한다.

② 체언 '말'을 꾸미는 것은 부사격 조사 '에'가 붙은 부사어 ㉡(형에)이 아닌, 관형격 조사 '의'가 붙은 관형어 '형의'가 되어야 한다.

③ 자전거를 타면 '환경을 보호하는 데 동참'할 수 있다는 ㉢의 내용은 다른 사람의 말을 귀담아 듣지 않는 자신의 태도를 성찰하는 글의 흐름과 어긋나는 문장이므로 삭제해야 한다.

⑤ ㉤(마무리시키지)은 접미사 '-시키다'가 붙어 사동의 의미를 지니는데, 문맥상 '설문 조사'는 '나'가 마무리하는 것이므로 불필요한 사동 표현을 뺀 '마무리하지'로 고치는 것이 적절하다.

### [11~15] 문법(언어)

## 11 ⑤ 정답률 48%

정답풀이

3문단에서 '15세기 국어에서 체언 '바'에 뒤에 주격 조사 '이'가 붙을 때 '배'로 표기된 사례도 반모음화로 설명할 수 있다.'라고 하였고, 'ㅐ'는 'ĭ'가 뒤에 결합한 이중 모음이다. 따라서 '바 + 이 → 배'에서는 주격 조사 '이'의 단모음인 'ㅣ'가 반모음 'ĭ'로 교체된 것이지, 체언 '바'의 단모음인 'ㅏ'가 반모음 'ĭ'로 교체된 것은 아니다.

오답풀이

① 2문단에 따르면 현대 국어에서 '피어'를 [펴:]로 발음하는 '반모음화가 일어난 경우도 규범상 표준 발음으로 인정'된다.

② 2문단에 따르면 현대 국어의 '피 + 어 → [펴:]'에서는 어간의 '단모음인 'ㅣ'가 소리가 유사한 반모음 'ĭ'로 교체'된다.

③ 1문단에 따르면 현대 국어의 '피어'에 반모음 첨가가 일어나 [피여]로 '발음되는 경우는 표준 발음으로 인정되지만 표기할 때는 음운 변동이 일어나지 않은 형태'인 '피어'로 적어야 한다.

④ 3문단에서 '15세기에는 'ㅟ' 표기가 'ㅜ'와 'ĭ'가 결합한 이중 모음을 나타냈을 것으로 추정'되는데 'ㅚ' 표기 또한 이와 같은 이중 모음이라고 하였다. 따라서 'ㅚ' 표기는 단모음 'ㅗ'와 반모음 'ĭ'가 결합한 이중 모음을 나타냈을 것으로 추정된다.

## 12 ②

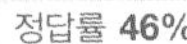

정답률 46%

**정답풀이**

3문단에 따르면 ㉠('ㅓ, ㅐ, ㅔ, ㅚ, ㅟ, ㅓ'가~반모음 첨가)은 '쉬여'에서처럼 이중 모음에 쓰인 '반모음 'ǐ' 뒤에서 일어난 반모음 첨가'를 가리킨다. ⓒ(긔여)의 어간 '긔–'에서 'ㅢ'는 'ㅡ'와 'ǐ'가 결합한 이중 모음으로, '긔 + 어 → 긔여'는 반모음 'ǐ' 뒤에서 반모음 'ǐ'가 첨가된 것이므로 ㉠에 해당한다. 한편 2문단에 따르면 현대 국어의 [펴:]는 '단모음 'ㅣ'가 소리가 유사한 반모음 'ǐ'로 교체'된 반모음화의 예인데, 3문단에서 ㉡(어간이~반모음화)은 '현대 국어의 [펴:]처럼 어간이 'ㅣ'로 끝나는 용언에서 일어난 반모음화의 사례'라고 하였다. 이에 따르면 ⓑ(니겨)는 어간 '니기–'와 어미 '–어'가 결합할 때, 어간의 'ㅣ'가 반모음 'ǐ'로 교체되는 반모음화가 일어나 '니겨'가 된 것이므로 ㉡에 해당한다.

**오답풀이**

ⓐ 3문단에 따르면 '나 + 이 → 내'에서 ⓐ(내)는 '체언 '바' 뒤에 주격 조사 '이'가 붙을 때 '배'로 표기된' 것과 동일한 반모음화의 사례이다.

ⓓ 1문단에 따르면 '디 + 어 → 디여'에서 ⓓ(디여)는 현대 국어에서 "피어"가 [피여]로 소리 나는 경우' 처럼 '어미 '–어'에 'ǐ'가 첨가'된 반모음 첨가의 사례이다.

## 13 ⑤

정답률 50%

**정답풀이**

㉢(딸꾹질)은 부사 '딸꾹'에 접미사 '–질'이 결합하여 명사가 된 것이므로 [A](품사가 바뀌는 경우)에 해당한다. 한편 ㉣(일찍이)은 부사 '일찍'에 접미사 '–이'가 결합하여 부사가 된 것이므로, [B](품사가 바뀌지 않는 경우)에 해당한다.

**오답풀이**

㉠ 형용사 '높다'의 어근 '높–'에 접미사 '–이–'가 결합하여 동사가 된 ㉠(높이다)은 [B]가 아니라 [A]에 해당한다.

㉡ ㉡(깊이)은 [A]에 해당하지만, 형용사 '깊다'의 어근 '깊–'에 접미사 '–이'가 결합하여 명사가 아니라 부사가 된 것이다.

## 14 ①

정답률 39%

**정답풀이**

관형절 '그가 여행을 간'과 이 관형절이 안긴 문장인 '그녀는 사실을 몰랐다.'에는 중복된 단어가 없다. 따라서 생략된 성분도 없어 ㉠(한 문장이 다른 문장 속에 관형절로 안길 때~문장 성분이 생략)의 예에 해당하지 않는다.

**오답풀이**

② 관형절 '내가 사는'에서 부사어 '마을에'가 관형절이 수식하는 명사 '마을'과 중복되어 생략되었다.

③ 관형절 '책장에 있던'에서 주어 '소설책이'가 관형절이 수식하는 명사 '소설책'과 중복되어 생략되었다.

④ 관형절 '동생이 먹을'에서 목적어 '딸기를'이 관형절이 수식하는 명사 '딸기'와 중복되어 생략되었다.

⑤ 관형절 '골짜기에 흐르는'에서 주어 '물이'가 관형절이 수식하는 명사 '물'과 중복되어 생략되었다.

## 15 ③

정답률 56%

**정답풀이**

'차가 경적을 울리며 멈추다.'에서 '멈추다'는 '사물의 움직임이나 동작을 그치게 하다.'가 아닌, '사물의 움직임이나 동작이 그치다.'라는 자동사의 의미로 쓰였으므로 '멈추다 [1] 「1」'의 용례로 추가할 수 있다.

**오답풀이**

① '그치다 「1」'의 문형 정보 【(…을)】을 통해 '그치다 「1」'은 목적어를 필요로 하는 타동사로 쓰임을 알 수 있다. 또한 용례를 통해 '비가 그치다.'처럼 자동사로 쓰일 수도 있고, '울음을 그치다.'처럼 타동사로 쓰일 수도 있음을 알 수 있다.

② '그치다 「2」'의 문형 정보 '【…에】【…으로】'에서 '그치다 「2」'가 부사어를 반드시 필요로 함을 알 수 있다. 또한 용례에서도 '절반 정도에', '예감으로'와 같은 부사어가 사용된 것을 확인할 수 있다.

④ '그치다'와 '멈추다'는 모두 「1」, 「2」로 나뉜 두 가지 이상의 의미를 지니고 있으므로 다의어에 해당한다.

⑤ '그치다 「1」'과 '멈추다'의 뜻풀이를 통해 두 단어가 유의 관계임을 알 수 있다. 이는 '그치다 「1」'의 용례로 '비가 그치다.', '울음을 그치다.', '멈추다'의 용례로 '울음소리가 멈추다.', '멈추었던 비가 다시 내리기 시작했다.'가 제시된 것을 통해서도 알 수 있다.

[16~20] **인문**

## 16 ①

정답률 65%

**정답풀이**

윗글은 '허구적 인물과 사건에 대해 감정 반응을 보이는 현상'에 대한 '래드포드'의 이론, '환영론', '월턴'의 이론, '캐럴'의 '사고 이론', '감각믿음 이론'의 설명을 제시한 후, 감각믿음 이론이 '공포 영화'를 제작하는 데 주는 시사점을 도출하고 있다.

**오답풀이**

② 3문단에는 환영론이, 4문단과 5문단에서는 환영론이 '타당한 이론이 될 수 없다'고 보는 '월턴과 캐럴'의 이론이 제시되었지만 이론들 간의 절충 방안을 모색하고 있지는 않다.

③ 윗글에서는 제시된 이론들의 분류 기준을 검토하고 있지 않다.

④ 윗글에서는 제시된 각 이론들의 의의와 한계를 평가하여 하나의 이론 아래 통합하고 있지 않다.

⑤ 윗글은 특정 이론이 분화되는 과정을 단계적으로 서술하고 있지 않으며, '허구적 인물과 사건에 대해 감정 반응을 보이는 현상'의 의의를 제시하고 있지도 않다.

## 17 ②

정답률 63%

**정답풀이**

3문단에 따르면 환영론에서는 공포 영화를 볼 때 관객들이 '그 사건이나 인물이 실제로 존재한다는 환영에 빠져 감정 반응을 하게 된다'고 보므로, '우리는 허구적 사건이나 인물은 존재하지 않는다고 믿는다.'라는 '전제 2'를 부정하고 '우리는 존재한다고 믿는 것에 대해 감정적으로 반응한다.'라는 '전제 1'과 '우리는 허구적 사건이나 인물에 대해 감정적으로 반응한다.'라는 '전제 3'은 받아들인다고 볼 수 있다.

## 18 ②

정답률 45%

**정답풀이**

3문단에 따르면 환영론에서는 공포 영화를 볼 때 관객들이 '허구적 사건이나 인물이 존재하지 않는다는 사실을 잊어버리고, 그 사건이나 인물이 실제로 존재한다는 환영에 빠'진다고 본다. 이에 대해 '월턴과 캐럴'은 환영론의 주장대로 '관객이 영화 속 괴물이 실제로 존재한다고 믿는다면 공포로 인해 영화관에서 도망을 가거나 도움을 요청하는 등의 행동을 보여야 하는데 그렇게 하지 않는다'는 점에서 환영론이 '타당한 이론이 될 수 없다'고 주장한다. 따라서 ㉡(이런 점에서 월턴과 캐럴은~타당한 이론이 될 수 없다고 주장하였다.)의 이유는 대상이 존재한다는 믿음에서 유발된 감정은 해당 감정과 관련된 행동을 촉발하기 때문이라고 볼 수 있다.

**오답풀이**

① 월턴과 캐럴은 실제로 존재하지 않는 대상에 대해 감정을 느끼는 것이 모순이라는 점 때문이 아니라, 대상이 존재한다는 믿음이 유발한 공포는 행동을 유발할 것이라는 점에서 환영론을 타당하지 않은 이론으로 본 것이다.

③ 4문단에 따르면 '허구적 대상에서 비롯된 감정'이 '대상이 실제 세계에 존재한다는 믿음에서 비롯된' 감정과 다르다고 보는 것은 월턴의 '유사 감정'과 관련된 내용이다.

④ 7문단에 따르면 감정을 '인지적 경험과 감각적 경험의 통합에서 비롯'된 것으로 보는 것은 '감각믿음 이론'이다.

⑤ 4문단의 월턴의 '믿는 체하기' 놀이와 관련된 내용이다.

## 19 ④ 정답률 75%

정답풀이

6문단에서 '중심믿음은 추론적 사고와 기억 등에 의해 만들어지는 믿음을, 감각믿음은 오로지 감각 경험에 의해 자동적으로 떠오르는 믿음을 말한다.' 라고 하였다. 이에 따르면 〈보기〉의 ㉮(〈그림〉을 보여 주기 전~길이는 동일하다고 말해 주었다.) 단계에서 연구자가 말한 것을 통해 실험 참가자들은 '선분 a와 선분 b의 길이는 동일하다'는 중심믿음을 가지게 된다. 하지만 '모든 실험 참가자들은 연구자가 앞서 한 말을 기억하고 있었음'에도 ㉯(〈그림〉을 본~선분 b가 길어 보인다고 응답하였다.) 단계에서 실제로 〈그림〉을 보고 '선분 a보다 선분 b가 길어 보인다'는 감각믿음을 가지게 되었다. 이를 통해 중심믿음이 감각믿음의 형성에 영향을 미치지 못하였음을 알 수 있다.

오답풀이

① 6문단에서 '감각믿음은 오로지 감각 경험에 의해 자동적으로 떠오르는 믿음'이라고 하였으므로 시각 경험에 의해 감각믿음을 가질 수 있지만, ㉮ 단계는 '〈그림〉을 보여 주기 전'이므로 연구자가 실험 참가자들이 이 단계에서 시각 경험에 의한 감각믿음을 가질 것으로 기대하였다고 볼 수 없다.

② 6문단에서 '중심믿음은 추론적 사고와 기억 등에 의해 만들어지는 믿음을, 감각믿음은 오로지 감각 경험에 의해 자동적으로 떠오르는 믿음을 말한다.'라고 하였다. 따라서 실험 참가자들은 ㉮ 단계에서 추론적 사고에 의한 중심믿음을 형성하였다고 볼 수 있다.

③ 실험 참가자들은 ㉮ 단계에서 '선분 a와 선분 b의 길이는 동일하다'는 중심믿음을 가지게 되었으나, ㉯ 단계에서 감각 경험에 의해 '선분 a보다 선분 b가 길어 보인다'는 감각믿음을 가지게 되었다.

⑤ ㉯ 단계에서 연구자는 실험 참가자들의 중심믿음은 '선분 a와 선분 b의 길이는 동일하다'이고, 감각믿음은 '선분 a보다 선분 b가 길어 보인다'로 서로 일치하지 않는다고 판단하였을 것이다.

## 20 ③ 정답률 70%

정답풀이

4문단에 따르면 월턴은 '허구적 대상에서 비롯된 감정'은 '대상이 실제 세계에 존재한다는 믿음에서 비롯된 것은 아니'므로, '허구를 감상할 때 유발되는 감정을 '유사 감정''이라고 하였다. 따라서 월턴은 〈보기〉의 윤수가 느낀 공포가 실제로 괴물이 존재한다는 믿음에서 비롯된 것이라고 주장하지 않을 것이다.

오답풀이

① 2문단에 따르면 래드포드는 '감정을 유발하는 대상이 존재한다는 믿음 없이 허구에 의해서도 감정이 발생할 수 있다고 보'므로, 〈보기〉의 윤수가 느낀 공포는 괴물이 존재한다는 믿음 없이 생겨난 것으로 볼 것이다.

② 3문단에 따르면 환영론에서는 '허구적 사건이나 인물이 존재하지 않는다는 사실을 잊어버리고, 그 사건이나 인물이 실제로 존재한다는 환영에 빠져 감정 반응을 하게 된다고 보'므로, 〈보기〉의 윤수가 비명을 지른 것을 환영에 빠져 영화 속 내용을 사실이라 믿은 것으로 판단할 것이다.

④ 5문단에 따르면 캐럴은 '생각을 품는 것만으로도 감정이 유발될 수 있'어 '괴물이 실제로 존재한다는 믿음 없이 괴물에 대해 생각하는 것만으로도 공포를 느낄 수 있다'고 보므로, 〈보기〉의 윤수가 영화가 끝난 후에도 공포를 느낀 것은 괴물에 대한 생각 때문이라고 주장할 것이다.

⑤ 6문단에 따르면 감각믿음 이론에서는 '공포 영화를 보는 관객'은 '감각 경험에 의해 괴물의 존재를 경험하고 공포를 느'낀다고 보므로, 〈보기〉의 윤수도 영화를 보는 동안 감각 경험으로 인해 공포를 느낀다고 주장할 것이다.

# [21~25] 사회

## 21 ④ 정답률 67%

정답풀이

6문단에서 '이자율 상승 시 예산선은 초기 부존점을 기준으로 시계 방향으로 회전한다.'라고 한 것을 통해 이자율이 하락하면 초기 부존점을 기준으로 예산선이 시계 반대 방향으로 회전할 것임을 알 수 있다.

오답풀이

① 1문단의 '소비는 여러 기간에 걸친 자금의 흐름을 고려하여 이루어진다.'를 통해 알 수 있다.

② 3문단에서 예산선은 '총소득을 전부 지출할 때 소비할 수 있는 소비 계획들을 연결한 선'이라고 하였다.

③ 5문단을 통해 '예산선과 무차별곡선이 접하는 지점'에서 최적 소비 계획이 결정됨을 알 수 있다.

⑤ 11문단을 통해 '소비자가 소비를 결정'할 때는 '현재의 소득', '미래에 자신이 벌 것으로 예상하는 소득', '이자율'을 모두 고려함을 알 수 있다.

## 22 ⑤ 정답률 36%

정답풀이

7문단에 따르면 ㉯(〈그림 2〉에 제시된 K의 최적 소비 계획)는 ㉮(〈그림 1〉에 제시된 K의 최적 소비 계획)에 비해 '이자율이 상승'하여 '1기 소비 지출액과 대출액을 줄이는 방향'으로 변화한 것이다. 이때 ㉮와 ㉯에서 K의 대출액의 차이는 (C1−M1) − (C1′−M1) = (C1−C1′)이고, ㉮와 ㉯에서의 1기 소비 지출액의 차이 또한 (C1−C1′)이므로 같다.

오답풀이

① 5문단에 따르면 'K는 예산선과 무차별곡선이 접하는 지점'에서 최적 소비 계획을 결정하는데, 이는 '예산선상의 다른 소비 계획들과 예산선 아래쪽의 소비 계획들'은 '효용이 작'고, '예산선 위쪽의 소비 계획들은 K의 총소득 범위를 넘어가므로 더 효용이 높지만 선택할 수 없'기 때문이다. 따라서 ㉮는 〈그림 1〉의 예산선에서 K의 효용을 가장 크게 하는 소비 계획이라고 할 수 있다.

② 2문단에서 K는 '각 시기의 소비 지출액이 균등한 것을 선호'한다고 하였다. 이때 3문단에서 〈그림 1〉의 초기 부존점은 '(M1, M2)'로 불균형한 것을 알 수 있고, 5문단에서 ㉮는 '(C1, C2)'로 보다 균등한 소비 계획이라 판단할 수 있다.

③ 4문단에서 '좌측 아래의 무차별곡선보다 우측 위의 무차별곡선일수록 더 높은 효용을 나타'낸다고 하였다. 그리고 5문단에서 'K는 예산선과 무차별곡선이 접하는 지점인 (C1, C2)에서 최적 소비 계획(㉮)을 결정'하는데, '(C1, C2)를 제외한 예산선상의 다른 소비 계획들'은 '(C1, C2)보다 효용이 작'다고 하였다. 따라서 ㉮를 지나는 무차별곡선은, ㉮를 제외한 〈그림 1〉의 예산선상의 다른 소비 계획을 지나는 무차별곡선들보다 더 높은 효용을 나타내므로 우측 위에 존재한다.

④ ㉮에서 2기 소비 지출액은 'C2'이고, ㉯에서 2기 소비 지출액은 'C2′'로 ㉮에 비해 ㉯의 2기 소비 지출액이 크다. 10문단에 따르면 이는 '대체효과가 소득효과보다 커서 2기 소비 지출액이 증가한 경우를 가정'했기 때문임을 알 수 있다.

**오답률 Best 5**

경제 지문에서는 그래프 자료를 제시하는 경우가 많은데, 그래프가 나오면 우선 x축과 y축이 무엇인지 정확히 확인해야 해. 그리고 이때 그래프상의 직선이나 곡선이 교차하는 점이 있고 해당 교차점에 A, B 등 기호 표시가 되어 있다면 교차점의 의미가 무엇인지, 또 교차점의 변화가 드러나 있다면 이는 무엇을 의미하는지를 물어볼 가능성이 높지. 물론 직선이나 곡선이 무엇을 가리키는지, 교차점의 의미가 무엇인지 등은 모두 지문에서 설명해 줄 거야. 그런데 그래프 보는 법을 잘 모른다면 지문에서 설명한 내용을 그래프에 적용하여 이해하는 것이 쉽지 않을 거야. 만약 지금 바로 내 얘기를 하고 있다는 생각이 든다면, 기출 문제 중 그래프가 나온 지문들을 뽑아서 먼저 그래프를 해석하는 훈련을 해 보기를 추천할게!

## 23 ② 정답률 21%

정답풀이

〈보기〉에 따르면 '현재 가치란 어떤 금액이 현재 지니는 가치'로, '미래의 특정 금액의 가치는 이자율을 매개로 현재 가치로 환산'할 수 있다. 이때 '이자율이 r'이면 '다음 시기의 '(1 + r) X 100만 원'은 '현 시기 100만 원'이다. 따라서 이자율(r)이 상승하면 1기 소비 지출액과 동일한 2기 소비 지출액의 현재 가치는 하락한다.

오답풀이

① 이자율이 상승하면 1기 소비 지출액과 동일한 2기 소비 지출액의 현재 가치는 하락한다.

③ 7문단에 따르면 '이자율이 상승'하면 K는 '대출액을 줄이는 방향으로 최적 소비 계획을 변화'시킨다. 9문단에서 이는 '소득효과'에 따른 것임을 알 수 있지만 ㉠(이자율이 상승함에 따라 2기 소비에 대한 1기 소비의 상대적 가치가 하락)의 원인이라고 볼 수는 없다.

④, ⑤ 〈보기〉에 따르면 '현재 가치란 어떤 금액이 현재 지니는 가치'로, '미래의 특정 금액의 가치는 이자율을 매개로 현재 가치로 환산'할 수 있지만 현 시기(1기) 소비 지출액의 현재 가치는 이자율 상승에 따라 하락하거나 상승하지 않는다.

**오답률 Best ❶**

오답률 Best 1위를 차지한 문제로, 지문도 어려운데 <보기>에 또 새롭고 어려운 내용이 제시되어 당황했을 거야. 정답이 도출되는 과정을 차근히 살펴볼까? <보기>에 따르면 '미래의 특정 금액의 가치는 이자율을 매개로 현재 가치로 환산'할 수 있는데, 이자율이 r일 때 현 시기(1기)의 '100만 원'과 다음 시기(2기)의 '(1 + r) X 100만 원'의 가치가 같아. 다시 말해 '2기의 100만 원 = 1기의 100만 원 ÷ (1 + r)'이야. 따라서 이자율인 r이 커지면 2기의 100만 원의 현대 가치는 하락하는 거지. 이해가 어렵다면 숫자를 넣어볼까? 만약 이자율이 10%라면 2기의 100만 원의 현대 가치는 100만 원을 (1 + 0.1)로 나눈 약 91만 원이지만, 이자율이 30%라면 2기의 100만 원의 현대 가치는 100만 원을 (1 + 0.3)로 나눈 약 77만 원이 되는 것을 확인할 수 있지.

## 24 ②  정답률 23%

정답풀이

1문단에서 '소비는 여러 기간에 걸친 자금의 흐름을 고려하여 이루어진다.'라고 하였다. 또한 9문단에서 '총소득 감소에 따라 K는 1기 소비 지출액과 2기 소비 지출액을 모두 줄이는 방향으로 최적 소비 계획을 변경'한다고 한 것을 고려하면, 〈보기〉의 갑국 정부는 '내년부터 모든 소비자에게 보조금을 지급하는 정책'을 발표함으로써 총소득이 증가되는 효과가 나타나 올해와 내년의 소비가 모두 증가하는 '소득효과'의 발생을 예상할 것이다. 하지만 '정책 시행 이전과 이후 이자율은 변하지 않는다고 판단'하므로, 8문단에서 설명한 '대체효과'는 나타나지 않을 것으로 예상할 것이다.

오답풀이

① 1문단에서 '소비는 여러 기간에 걸친 자금의 흐름을 고려하여 이루어진다.'라고 하였다. 또한 9문단에서 '총소득 감소에 따라 K는 1기 소비 지출액과 2기 소비 지출액을 모두 줄이는 방향으로 최적 소비 계획을 변경'한다고 한 것을 고려하면,〈보기〉의 갑국 정부는 '내년부터 모든 소비자에게 보조금을 지급하는 정책'을 발표함으로써 총소득이 증가되는 효과가 나타나 올해와 내년의 소비가 모두 증가하는 '소득효과'의 발생을 예상할 것이다.

③ 9문단에서 '총소득 감소에 따라 K는 1기 소비 지출액과 2기 소비 지출액을 모두 줄이는 방향으로 최적 소비 계획을 변경'한다고 한 것을 고려하면, 〈보기〉의 소비자들은 내년에 지급받을 보조금만큼의 금액을 올해와 내년에 나누어 소비할 것으로 갑국 정부는 예상할 것이다.

④ 3문단에서 '초기 부존점 왼쪽의 예산선은 저축할 때, 오른쪽의 예산선은 돈을 빌릴 때 선택 가능한 소비 계획들'임을 알 수 있다. 하지만 보조금이 지급되면 소비자의 저축액이나 대출액과 상관없이 총소득이 증가하므로, 갑국 정부는 소비가 진작될 것으로 예상할 것이다.

⑤ 갑국 정부는 대체효과는 발생하지 않고 소득효과만 발생하여 소비가 증가할 것으로 예상할 것이다.

**오답률 Best ❷**

이 문제는 정답률이 23%로 문제를 틀린 학생이 훨씬 많았어. 그런데 이 문제를 맞힌 학생들은 과연 지문을 완벽하게 이해하고, 모든 선지의 근거를 명확하게 판단했을까? 아마 아닐 거야. 최근 독서 지문은 길이가 길고 무엇보다 정보량이 많은 것이 특징이야. 특히 법, 경제 지문이나 과학 · 기술 지문에서는 익숙하지 않은 개념들과 전문적 지식을 다루어서 더 어렵게 느껴질 거야. 그러니 실전에서 지문과 문제를 100% 이해하는 것은 사실상 불가능해. 물론 제한 시간 내에 완벽한 이해가 불가능하니 그냥 포기하라는 뜻은 아냐. 모든 정보를 기억하거나 이해하려고 하기보다는 처리할 수 있는 수준에서 글을 읽고 핵심 정보 위주로 읽어 내려가라는 거지. 지문을 읽다가 어떤 문장의 의미를 정확하게 파악하지 못했더라도 읽다 보면 앞에서 다루었던 내용에 대한 이해가 분명해질 수도 있고, 지문에 대한 이해가 약간 미흡하더라도 발문이나 다른 선지가 힌트가 되어 정답을 찾을 수 있거든. 그러니 중요한 건 포기하지 않고, 최대한 이해하려고 노력하면서 끝까지 읽고 푸는 거야. 다만, 실전에서 이렇게 하기 위해서 기출 분석을 할 때에는 지문과 선지, 그리고 <보기>를 연결하여 정확한 근거를 찾아 사고하는 훈련을 철저하게 해 두어야 해.

## 25 ⑤  정답률 63%

정답풀이

ⓔ(제외한)는 '따로 떼어 내어 한데 헤아리지 아니하다.'라는 뜻이므로 '어떤 일이나 현상, 증상 따위를 사라지게 하다.'라는 뜻의 '없애다'로 바꿔 쓸 수 없다. 문맥상 ⓔ와 바꿔 쓸 수 있는 단어는 '전체에서 일부를 제외하거나 덜어 내다.'라는 뜻의 '빼다'이다.

오답풀이

① ⓐ(상환하기도)는 '갚거나 돌려주다.'라는 뜻이므로 '갚다'로 바꿔 쓸 수 있다.

② ⓑ(선호한다)는 '여럿 가운데서 특별히 가려서 좋아하다.'라는 뜻이므로 '좋아한다'로 바꿔 쓸 수 있다.

③ ⓒ(연결한)는 '사물과 사물을 서로 잇거나 현상과 현상이 관계를 맺게 하다.'라는 뜻이므로 '잇다'로 바꿔 쓸 수 있다.

④ ⓓ(균등하기)는 '고르고 가지런하여 차별이 없다.'라는 뜻이므로 '고르다'로 바꿔 쓸 수 있다.

# [26~30] 과학

## 26 ①  정답률 55%

정답풀이

윗글은 1문단과 2문단에서 '상'과 '상변화'의 개념을 제시하였고, 이어 '상평형 그림'을 활용하여 물질의 상변화를 설명하고 있다.

오답풀이

② 1문단에서 물질의 상이 '일반적으로 고체, 액체, 기체로 구분'된다고 언급하였다. 하지만 2문단에서 물질이 '압력과 온도 조건의 변화에 따라 다른상'으로 변하는 상변화에서 '화학적 조성의 변화는 수반되지 않'는다고 하였으므로, 윗글에서 압력 변화에 따라 물질을 구성하는 원자나 분자가 달라지는 원인을 분석하고 있다고 볼 수는 없다.

③ 1문단에서 '화학적 조성은 물론 물리적 상태가 전체적으로 균질한 물질의 형태'인 '상'을 '고체, 액체, 기체로 구분'하여 그 특성을 설명하였으나, 다양한 물질의 예를 들지는 않았다.

④ 2문단에서 '물질은 압력과 온도 조건의 변화에 따라 다른 상으로 변할 수 있'지만, 상변화는 '화학적 조성의 변화는 수반되지 않'는다고 언급하였으므로, 압력과 온도 변화에 따른 물질의 화학적 조성 변화 원인을 분석하고 있다고 볼 수 없다.

⑤ 2문단에서 '물질은 압력과 온도 조건의 변화에 따라 다른 상으로 변할 수 있다'고 하였지만, 상변화 과정에서 나타나는 압력과 온도 사이의 상관성을 분석하고 있지 않다. 또한 물질의 화학적 변화 이유를 제시하고 있지도 않다.

## 27 ⑤  정답률 43%

정답풀이

3문단과 4문단에서 '기체상과 액체상이 평형을 이루는 조건'인 '증기 압력 곡선'에서는 액체에서 기체로의 상변화와 기체에서 액체로의 상변화가 나타남을 알 수 있다. 이를 참고하면 〈보기〉의 〈이산화 탄소의 상평형 그림〉에서는 '기체상과 고체상이 평형을 이루는 조건'인 '승화 곡선'이 나타나므로, 승화 곡선에서의 압력과 온도 조건에서는 고체에서 기체로의 상변화가 일어날 수 있다.

오답풀이

① 윗글의 〈그림〉에서 물은 압력이 '217.7atm', 온도가 '374.4℃'일 때 임계점이 형성되고, 〈보기〉의 〈이산화 탄소의 상평형 그림〉에서 이산화 탄소는 압력이 '73atm', 온도가 '31.1℃'일 때 임계점이 형성됨을 알 수 있다. 따라서 이산화 탄소는 물에 비해 임계점이 상대적으로 더 낮은 압력과 온도 조건에 있다.

② 〈보기〉에서 '일반적인 대기 압력 수준'은 '1atm'이라고 하였다. 〈보기〉의 〈이산화 탄소의 상평형 그림〉에서 이산화 탄소는 '1atm'일 때 어떤 온도에서도 액체로 존재하지 않으나, 윗글의 〈그림〉에서 물은 '1atm'일 때 '0℃~100℃'에서 액체로 존재함을 알 수 있다.

③ 2문단에서 '압력은 동일하지만 온도가 더 높은 조건에서 존재하는 상일 때의 물질을 높은 상 물질'이라고 하였다. 이에 따르면 윗글의 〈그림〉에서 물은 압력이 '1atm'일 때, '0℃~100℃'에서는 액체이고 그 이하에서는 고체, 그 이상에서는 기체로 동일한 압력 조건에서 기체가 높은 상 물질이다. 또한 〈보기〉의 〈이산화 탄소의 상평형 그림〉에서 이산화 탄소도 고체, 액체, 기체 중 기체가 높은 상 물질임을 알 수 있다.

④ 3문단에서 '고체상과 액체상이 평형을 이루는 조건을 융해 곡선'이라고 하였다. 윗글의 〈그림〉에서 융해 곡선을 살펴보면, 물은 온도가 '0℃'일 때에는 압력이 '1atm'이면 평형을 이루는데, 온도가 '0.0098℃'일 때에는 압력이 '$6.0 \times 10^{-3}$'이면 평형을 이루어 온도가 높아질수록 고체와 액체 간 평형을 이루는 압력이 낮아짐을 알 수 있다. 반면 〈보기〉의 〈이산화 탄소의 상평형 그림〉에서 융해 곡선을 통해 이산화 탄소는 온도가 높아질수록 고체와 액체 간 평형을 이루는 압력이 높아짐을 알 수 있다.

## 28 ④ 정답률 50%

정답풀이

〈보기〉의 c에서 e까지의 과정은 '상평형 상태'에서 '기체 상태'가 되는 것인데, [A]에 따르면 이때 '높은 에너지를 갖는' 액체 분자들은 '분자 간 인력을 극복하고 증발하여 기체 상태로 변'하는 것이다. 또한 1문단에서 액체는 '물질을 구성하는 분자 간 인력이 분자 위치를 고정할 만큼 강하지 못하'다고 하였고 기체는 '분자 간 인력이 매우 작은 편'이라고 한 것을 고려하면, c에서 e까지의 과정에서는 액체 및 기체의 분자 간 인력이 작아진다고 할 수 있다.

오답풀이

① 〈보기〉에서 a에서 e까지의 과정은 '액체에서 기체로의 전환'을 보여 준다고 하였는데, [A]에 따르면 이러한 과정에서 '높은 에너지를 갖는' 액체 분자가 증발하여 '기체 상태'가 되므로 액체의 분자 수는 감소하고 기체의 분자 수는 증가할 것이다.

② 〈보기〉에서 a에서 e까지의 과정은 '액체에서 기체로의 전환'을 보여 준다고 하였는데, [A]에 따르면 b는 '액체의 표면을 떠나는 분자의 수가 돌아오는 수보다 훨씬 많'다.

③ 〈보기〉에서 c는 '상평형 상태'라고 하였는데, [A]에 따르면 이때 '액체의 증발 속도와 기체의 응결 속도는 같아지게 되어 거시적으로 평형을 유지'하게 된다.

⑤ 〈보기〉의 a는 '액체 상태', e는 '기체 상태'인데, 1문단에 따르면 '기체의 분자 간 평균적인 거리는 고체나 액체일 경우에 비해 매우 먼 상태'라고 하였으므로, e는 a에 비해 분자 간 평균적인 거리가 먼 상태이다.

## 29 ① 정답률 50%

정답풀이

4문단에 따르면 '기체상과 액체상이 평형을 이루는 상태'에서는 '분자들의 증발 또는 응결은 지속적으로 이루어지고 있으나, 특정한 압력과 온도 조건에서 액체의 증발 속도와 기체의 응결 속도는 같아지게 되어 거시적으로 평형을 유지'하는 것이다. 이를 고려할 때 5문단의 ㉠(삼중점)은 '세 개의 상이 평형을 이루며 공존하는 상태'이므로, 물질이 분자 수준에서는 상변화가 일어나고 있으나 거시적으로는 세 가지 상이 평형을 유지한다고 볼 수 있다.

오답풀이

② 1문단에 따르면 '일정한 부피와 모양'을 가진 것은 세 가지 상 중 '고체'에 해당하는 특성이다.

③ 4문단에 따르면 '기체상과 액체상이 평형을 이루는 상태'에서는 '액체가 기체로 상이 전환되는 것'과 기체가 액체로 상이 전환되는 것이 평형을 이룬다. 이를 고려할 때 5문단의 ㉠은 '세 개의 상이 평형을 이루며 공존하는 상태'이므로, 압력과 온도의 변화에 따라 상변화가 일어난다.

④ 1문단에서 '물질을 구성하는 분자 간 인력'은 고체 > 액체 > 기체 순으로 큼을 알 수 있다. 그런데 5문단에 따르면 ㉠은 '세 개의 상이 평형을 이루며 공존하는 상태'이므로, 물질을 구성하는 분자 간의 인력이 강해진다고 볼 수는 없다.

⑤ 4문단과 5문단에 따르면 ㉠은 '특정한 압력과 온도 조건'에서 '세 개의 상이 평형을 이루며 공존하는 상태'이므로, 물질의 내부 에너지가 증가하며 지속적으로 압력과 온도가 상승하는 상태라고 할 수 없다.

## 30 ⑤ 정답률 71%

정답풀이

ⓔ(형성)의 사전적 의미는 '어떤 형상을 이룸.'이다. '어떤 물건의 형상을 본뜸.'은 '상형'의 사전적 의미이다.

## [31~33] 현대시

## 31 ② 정답률 57%

정답풀이

(가)는 '집도 많은', '이따금씩 쳐다보는 하늘이사 아마 하늘이기 혼자만 곱구나', '배추꼬리를 씹으며' 등의 시구를, (나)는 '등 너머로 훔쳐 듣는 남의 집 대숲바람 소리 속에는', '다시 눈 트고 있다' 등의 시구를 반복하여 시적 의미를 강조하고 있다.

오답풀이

① (가)는 '남대문턱', '만주'라는 구체적인 지명을 활용하여 '거북네'가 고향을 떠나 '만주'에서 살다가 다시 돌아온 상황임을 보여주지만, (나)는 구체적인 지명을 활용하고 있지 않다.

③ (가)와 (나) 모두 청자가 표면에 드러나지 않는다.

④ (가)와 (나) 모두 반어적 표현은 사용하지 않았다.

⑤ (가)와 (나) 모두 시선의 이동에 따라 시상이 전개된다고 할 수 없다.

## 32 ④ 정답률 77%

정답풀이

4연에서는 '배추꼬리를 씹'고 '아배의 얼굴을 바라보'고 '무엇을 생각하'는 거북이의 행동만 제시될 뿐, 아배의 행동은 제시되지 않는다. 즉 아배는 거북이가 바라보는 대상일 뿐이므로 거북이와 아배의 행동이 번갈아 제시된다고 할 수 없다.

오답풀이

① '움 속에서 두 손 오구려 혹혹 입김 불며' 사는 거북네의 상황은 '혼자만 곱'기도 한 '하늘'과 대비되는데, 이로 인해 거북네의 비참한 삶의 모습이 부각된다.

② '세월'이 '두터운 얼음장과 거센 바람 속'을 '흘러' 왔다는 것을 통해 만주에서 거북네가 겪은 고통과 시련을 짐작할 수 있다.

③ '조선으로 돌아가면 빼앗겼던 땅에서 농사지으며 가 갸 거 겨 배운다더니'에서 거북네가 고향에 돌아오면 땅도 되찾고 공부도 할 수 있을 것이라고 기대했음을 알 수 있다. 하지만 '조선으로 돌아와도 집도 고향도 없'다는 것을 통해 기대와는 다른 현실 상황을 짐작할 수 있다.

⑤ 1연에서는 고운 '하늘'과 '움 속'의 상황이 대비되며 거북네의 비극적 삶이 드러난다. 그리고 5연에서는 1연과 유사한 시구를 활용하되 '첫눈'이 내리고 '새해가 온다는' 내용을 더하여 거북네가 처한 상황의 비극성을 부각하고 있다.

## 33 ④ 정답률 61%

정답풀이

〈보기〉에 따르면 '(나)의 화자'는 '슬픔과 외로움을 느끼면서도 이를 견뎌내는 어린 시절 자신의 모습을 발견하고 과거의 상처를 포용'하는데, '2연을 기점으로 하여 1연과 3연에' '기억 속 화자의 서로 다른 모습'이 나타나 있다고 하였다. 이를 바탕으로 감상할 때, 1연에는 유년 시절의 슬픔과 외로움을 느끼던 화자의 모습이, 3연에는 이와 다른 화자의 모습이 나타나 있다고 볼 수 있다. 따라서 3연에서 '햇살의 그 반쪽'이 '기다리며 / 저 혼자 심심해 반짝이고 있'는 '여름냇가'를 2연의 '심봉사가 혼자 앉아 / 날무처럼 끄들끄들 졸고 있는 툇마루 끝'과 동일시할 수는 없다. 또한 '여름냇가'를 꿈과 희망의 좌절을 경험했던 공간을 구체적으로 형상화한 것으로 보기도 어렵다.

오답풀이

① 〈보기〉에서 '(나)의 화자는 특정한 소리로 인해 떠올리게 된 장면에서, 슬픔과 외로움을 느'낀다고 하였다. 이에 따르면 1연에서 '대숲바람 소리'는 '초록별들의 / 퍼렇게 멍든 날개쭉지'와 연결되면서 '어린날 뒤울안에서 / 매 맞고 혼자 숨어 울던' 화자의 서러운 기억을 떠올리게 한다고 볼 수 있다.

12 회

②, ③ 2연의 '햇살이 / 다시 눈 트고 있다'가 '참대밭의 우레 소리도 / 다시 무너져서 내게로 달려오고 있다'와 대응되는 것을 통해 '햇살'과 '참대밭의 우레 소리'는 유사한 기능을 하고 있음을 알 수 있다. 이때 〈보기〉에서 '(나)의 화자'는 '어린 시절 자신의 모습을 발견하고 과거의 상처를 포용하게 된다.'라고 한 것을 고려하면, '햇살이 / 다시 눈 트고 있다'와 '참대밭의 우레 소리도 / 다시 무너져서 내게로 달려오고 있다'는 화자가 어린 시절의 서러운 기억을 포용할 수 있는 가능성을 암시한다고 볼 수 있다.

⑤ 〈보기〉에서 '2연을 기점으로 하여 1연과 3연에' '기억 속 화자의 서로 다른 모습'이 나타나 있다고 하였다. 이에 따르면 3연의 '대숲바람 소리 속'에 '햇살의 그 반쪽'이 '기다리며' '반짝이고 있다'는 것에서는 화자가 1연에서 떠올린 '매 맞고 혼자 숨어 울던' 것과는 다른 자신의 모습을 발견하게 되었음을 알 수 있다.

## [34~38] **현대소설**

### 34 ④ 정답률 72%

**정답풀이**

(나)의 '아내와 젖먹이 딸린 자식 넷이 읍내에 남아 있는지 피난길에 나섰는지 알 수 없었다.'를 통해 할아버지가 처자식이 피난길을 떠나는 것을 보고서 국군 트럭에 오른 것이 아님을 알 수 있다. 또한 '우리 양주는 여기 남을래. 광수가 살아서 집 찾아 돌아올 날까지 대장간을 지켜야지.'가 할아버지의 '어머니의 마지막 말'이었다는 것을 고려하면, 할아버지는 부모님이 피난길을 떠나는 것을 본 것이 아니다.

**오답풀이**

① (나)에서 할아버지는 '전쟁이 나도 나는 인민군에 소집되지 않았고' '개천광산 석탄 채굴 노동자'로 일했다고 하였다.

② (나)의 '탄광이 폐쇄되어 읍내 집으로 돌아오자 아니나 다를까, 뒤이어 국군과 연합군이 읍내를 점령했다.'를 통해 알 수 있다.

③ (나)의 '중공군 참전 소식이 들리고 마침 개천읍에 주둔해 있던 국군 부대 병기창이 철수를 서두르며 노무자를 징발하기에 나는 거기에 자원했다.'를 통해 알 수 있다.

⑤ (나)에서는 '폐지는 다 타버리더라도 광수부터 살'리기 위해 '정신없이 불길 속으로 뛰어'드는 할아버지의 모습이 나타나고 있다. 또한 (다)에서는 일꾼이 흘린 말로 '작은아버지가 병원에 입원한 사실이 들통'나면서 '아버지두 고문을 혹독히 당'했다는 내용이 나타난다. 이를 통해 할아버지는 폐지 집하장을 운영하다가 작은할아버지를 숨겨 준 일로 고초를 겪었음을 알 수 있다.

### 35 ④ 정답률 41%

**정답풀이**

〈보기〉에 따르면 ㉯는 '(나)의 서술자인 할아버지'이고, ㉰는 '(다)에 기록된 증언의 제공자인 아버지'이다. (다)에서 ㉰는 '아버지 생각으론 작은아버지를 우선 살려 놓구 봐야겠다는 마음부터 앞섰겠지.', '아버지두 고문을 혹독히 당하셨나 봐.'와 같은 추측을 통해 사건을 전달하고 있지만, 이러한 진술이 (나)에 제시된 ㉯(할아버지)의 기억과 상충되는 부분은 없다.

**오답풀이**

① 〈보기〉에서 이 작품은 '서술자 혹은 인물의 질문과 탐색, 침묵과 진술을 통해' '가족의 과거사가 드러난다.'라고 하였다. 〈앞부분의 내용〉에 따르면 '작은할아버지의 생애를 석사 논문의 주제로 삼은 손자는 할아버지에게 과거사를 묻'고 '할아버지의 반응을 이끌어내려 노력'하는데, (나)에서 ㉯가 '늙고 할 일 없으니 자나깨나 그 시절 생각'인데, '손자 녀석까지 남의 심사를 박박 긁으니 초조함과 불안이 온몸을 옥죄어 온다.'라고 반응한 것을 통해 ㉮(손자)의 탐색이 쉽지 않을 것임을 짐작할 수 있다.

② 〈보기〉에서 이 작품은 '서술자'의 '진술을 통해 과거에 대한 정보'가 '작품 외부의 독자에게 전달되고 축적되는 과정에서 가족의 과거사가 드러난다.'라고 하였다. 이에 따르면 (나)에서 ㉯가 자신의 내면을 서술하는 것을 통해 독자들은 가족의 과거와 관련된 정보를 알 수 있다.

③ 〈보기〉에서 이 작품은 '서술자 혹은 인물의 질문과 탐색, 침묵과 진술을 통해' '가족의 과거사가 드러난다.'라고 하였다. 이에 따르면 과거사를 묻는 손자가 자신의 '심사를 박박 긁'어 ㉯가 '초조함과 불안'을 느낀다고 하는 것은, (다)에서 ㉰(아버지)가 진술한 내용을 고려할 때 '연기에 질식해 까무러친' 작은할아버지를 살리고 끝까지 '신분이 밝혀'지지 않도록 숨겨 주지 못했던 사건과 관련이 있음을 짐작할 수 있다.

⑤ 〈보기〉에서 이 작품은 '서술자 혹은 인물의 질문과 탐색, 침묵과 진술을 통해' '가족의 과거사가 드러난다.'라고 하였다. 〈앞부분의 내용〉에 따르면 ㉮는 '작은할아버지의 생애를 석사 논문의 주제'로 삼아 '할아버지의 반응을 이끌어내려 노력하는 한편, 다른 가족에게서도 작은할아버지의 행적에 관한 증언을 듣고 기록'하는데, (다)에 나타난 ㉰의 증언으로 과거사의 일면이 드러나고 있다.

### 36  정답률 63%

**정답풀이**

큰아버지는 '우리 집안 쪽에서라도 작은할아버지 기일을 찾아' 주자는 아들 '준식 형'에게 '그 양반 제사를 우리가 왜 지내? 그 양반이 집안을 쑥대밭으로 만들었는데.', '무슨 낯짝 있다구 우리집 제삿밥 얻어먹어?' 등과 같이 말하며 '삿대질'을 하므로, 큰아버지가 작은할아버지를 세대 간 갈등의 희생양으로 간주한다고 보기는 어렵다. 또한 이러한 갈등의 재발을 막고자 하는 의지를 표현했다고도 볼 수 없다.

**오답풀이**

① 작은할아버지가 '유령의 가면'을 쓰고 '지하'에 있었다고 표현한 것은, '그분에 대한 일화'를 '쉬쉬'했던 어른들의 모습과 관련지을 수 있다.

② '북한에 대해 거리낌 없이 말해도 좋을 만큼 시대가 달라'지면서 '작은할아버지는 유령의 가면을 벗고 지하에서 지상의 가족 앞에 그 모습을 드러냈'다고 한 것을 보면, 시대의 변화로 인해 가족들이 작은할아버지에 대해 언급하게 되었음을 알 수 있다.

③ '작년 할머니 기일 때' 모인 식구들이 '쉬쉬'하던 '작은할아버지에 관한 일화'를 '입에 자연스럽게 오르내리게' 된 것을 통해, 작은할아버지가 가족의 일원임을 드러내는 것이 가능해진 상황을 알 수 있다.

④ 큰아버지는 '우리 집안 쪽에서라도 작은할아버지 기일을 찾아' 주자는 아들 '준식 형'에게 '아직도 삐딱한 생각을 청산 못했'다고 말하며, 그 제안을 거부한다. 이를 통해 작은할아버지에 대한 큰아버지의 반감을 짐작할 수 있다.

### 37  정답률 42%

**정답풀이**

Ⓐ(과거 1)는 '1950년 12월 초순'이며, Ⓓ(과거 2)는 (다)를 고려할 때 '박 정권이 들어선 초기'임을 알 수 있다. 따라서 Ⓐ가 Ⓓ보다 시간적으로 앞서 있다.

**오답풀이**

①, ② 〈보기〉에 따르면 '1950년 12월 초순' '폭탄이 떨어지는' 것을 보며 '고향 땅에 남겨 둔 부모님과 처자식 걱정'을 하는 '나'의 모습은 Ⓐ에 해당한다. 그리고 '전쟁이 나도 나는 인민군에 소집되지 않았고'부터는 Ⓐ 이전의 과거인 전쟁 발발 직후부터를 다루고 있으므로 Ⓑ(과거 1 이전의 과거)에 해당한다. 그리고 다시 '어머니의 마지막 말'을 기점으로 서술자의 생각은 '개털모자를 눌러'쓰고 '트럭'을 타고 고향을 떠나고 있는 Ⓐ로 돌아오고 있다.

③ '늙고 할 일 없으니 자나깨나 그 시절 생각이다'라는 언급은 노인이 되었음에도 '생각만 해도 끔찍한 시절'을 자주 떠올리는 Ⓒ(현재)와 Ⓒ'(현재)에서 서술자의 상황을 표현한 것이다.

⑤ Ⓐ와 Ⓓ는 '1950년 12월 초순이었다.', '나는 깜짝 놀라 뒷봉창을 보았다.' 등에서 알 수 있듯이 과거 시제로 서술되었지만, ©와 ©'는 '손자 녀석까지 남의 심사를 박박 긁으니 초조함과 불안이 온몸을 옥죄어 온다.', '테두리에 인조털 달린 겨울용 검정 고무신을 신는다.' 등에서처럼 현재 시제로 서술되어 사건이 일어난 시점과 이를 서술하는 시점이 구분되고 있다.

**38** ④ 정답률 **56%**

정답풀이

현재의 '나는 의자 등받이에 몸을 붙이고 일렁이는 불꽃'을 보다가 '여보, 봉창 밖이 왜 저렇게 환해요? 불이 난 게 아니에요?'라는 '죽은 아내 목소리'를 듣게 된다. 이는 '폐지더미에서 불길이 일'어 광수(작은할아버지)를 살리기 위해 '정신없이 불길 속으로 뛰어들었'던 Ⓓ에 대한 회상으로 이어지므로, '불꽃'은 Ⓓ에 대한 회상을 시작하게 하는 매개체로 볼 수 있다.

## [39~41] 고전소설

**39** ① 정답률 **64%**

정답풀이

윗글은 손님이 '옹께서도 두려운 것을 보셨겠지요?'라고 묻자 민옹이 답한 일화, 민옹이 '황충'으로 양반을 풍자한 일화, 민옹을 보고 '나'가 '춘첩자에 방제로다.'라고 말하자 민옹이 이를 풀어낸 일화를 나열함으로써 민옹이라는 인물의 특성을 드러내고 있다.

오답풀이

② 윗글에 내적 독백은 활용되지 않았다.
③ '두려운 것'에 대해 묻는 일화에서 민옹의 특성을 요약적으로 설명하는 부분은 있으나, 성격 변화는 나타나지 않는다.
④ 윗글에 전기적 요소는 나타나지 않으며, 공간의 비현실성도 드러나지 않는다.
⑤ 일화가 끝날 때마다 장면이 바뀐다고 볼 수는 있으나, 이를 통해 외적 갈등이 내적 갈등으로 전이되고 있지는 않다.

**40** ③ 정답률 **71%**

정답풀이

민옹은 ©("춘첩자에 방제로다.")과 같이 자신을 '모욕'하는 말을 자신을 '칭송'하는 말로 풀어내고 있다. 이를 통해 '달변가'인 민옹의 능력을 확인할 수는 있지만, 이로 인해 민옹이 자신의 능력을 자각하지는 않는다.

오답풀이

① '손님이 물을 말이 다하여 더 이상 따질 수 없게 되자 마침내 분이 올라' 민옹에게 ㉠("옹께서도 두려운 것을 보셨겠지요?")이라고 하였으므로, ㉠은 손님이 감정이 고조된 상태에서 한 질문이다.
② 민옹은 ㉠에 대해 '두려워할 것은 나 자신만 한 것이 없다'고 답하면서 '내 오른쪽 눈은 용이 되고 왼쪽 눈은 범이 되며', '생각이 조금만 어긋나도 짐승 같은 야만인이 되고 만다네.' 등과 같은 비유를 활용하고 있다.
④ 민옹은 '춘첩자란 입춘날 문(門)에 붙이는 글씨[文]니, 바로 내 성 민(閔)을 가리키는 것이렸다.' 등처럼 한자에 대한 지식을 바탕으로 ©에 대해 답변하고 있다.
⑤ '그대는 나에게 모욕을 가하지 못하고, 도리어 나를 칭송한 셈이 되고 말았구먼.'에서 민옹은 자신에 대한 '모욕'인 ©을 자신에 대한 칭찬으로 풀어내고 있음을 알 수 있다.

**41** ③ 정답률 **56%**

정답풀이

[B]에서는 '길이는 모두 일곱 자가 넘고' '꾸부정한 모습으로 줄줄이 몰려다니'면서 '곡식이란 곡식은 죄다 해치우는' 등의 특징을 가진 '황충'에 대해 설명하고 있고, [A]에서 '그 사람'은 황해도에 들끓는 '황충'에 대한 정보를 전달하고 있다. [B]에서 설명된 '황충'의 특징을 근거로 [A]의 '그 사람'이 '황충'에 대해 보여 주는 태도를 비판하고 있다고 할 수 없다.

오답풀이

① 〈보기〉에 따르면 윗글은 '작가의 생각을 구체적 대상에 빗대어 간접적으로 제시하는 표현 방식'인 '우의'를 사용하였는데, 이를 고려할 때 [A]의 '황충'은 작가의 생각을 빗댄 구체적 대상으로 볼 수 있다.
②, ④ [A]의 '황충'은 '벼농사에 피해'를 준다고 하였고 [B]의 '황충'도 '곡식이란 곡식은 죄다 해치'운다고 하였으므로 둘은 모두 인간에게 피해를 주는 존재로 볼 수 있다. 그리고 이때 〈보기〉에서 윗글은 '우의의 사용'을 통해 '사회 문제에 대한 비판 의식을 보여' 준다고 한 것을 고려하면, [B]의 '황충'은 백성들을 수탈하는 존재를 빗댄 것으로 이해할 수 있다.
⑤ 〈보기〉에서 윗글은 '우의의 사용'을 통해 '사회 문제에 대한 비판 의식을 보여' 준다고 하였다. 이를 고려할 때 [B]에서 민옹이 '황충'을 '잡으려고 했지만, 그렇게 큰 바가지가 없어 아쉽게도 잡지를 못했다'고 한 것은 당대 사회의 백성을 수탈하는 존재들에 대한 비판 의식이 반영된 표현으로 이해할 수 있다.

## [42~45] 고전시가+현대수필

**42** ③ 정답률 **34%**

정답풀이

(가)의 '황매 시절 떠난 이별 만학단풍 늦었으니'에서는 봄에 이별을 하였는데 가을이 되었다는 시간의 흐름이 나타나 있다. 또한 '삼하삼추 지나가고 낙목한천 또 되었네'에서도 이별의 상황이 시간이 흘러도 지속되고 있음을 확인할 수 있다. 그리고 (나)의 '새벽에 추자도를 지내 놓고 한숨 실컷 자고 나서도 날이 새인 후에야' 한라산의 모습이 '크게 나타나는 것'이라 하여 추자도를 지나 제주도에 가까워지기까지의 시간의 흐름을 드러내고 있다.

오답풀이

① (가)의 '조물이 시기런지'를 운명론적 태도로 볼 수는 있지만, (나)에서는 운명을 수용하는 순응적 자세를 확인할 수 없다.
② (가), (나) 모두 현재의 삶에 대한 반성적 태도는 나타나지 않는다.
④ (가), (나) 모두 인간과 자연의 대비를 통해 주제 의식을 표출하고 있지는 않다.
⑤ (가)에는 임과의 '이별'이라는 상실의 경험은 나타나지만 이를 극복하려는 의지적 자세는 나타나지 않는다. 또한 (나)에는 상실의 경험이 나타나지 않는다.

**오답률 Best 4**

정답인 ③번을 선택한 학생과 오답인 ④번을 선택한 학생의 비율이 비슷했어. 많은 학생들이 (가)와 (나)에 '인간과 자연의 대비'가 나타났다고 본 거지. 일단 (가)의 첫줄을 통해 '이별의 상황임은 어렵지 않게 파악할 수 있었을 텐데, 읽다 보니 '방춘화류 좋은 시절'과 같은 구절이 나오니 이를 이별의 상황과 대조되는 아름다운 자연의 모습이라고 잘못 판단한 것 같아. 그런데 선지나 지문의 의미를 파악할 때에는 일부 키워드만 놓고 볼 것이 아니라, 해당 단어가 포함된 맥락을 총체적으로 살펴봐야 해. 그렇다면 '방춘화류 좋은 시절'은 이별의 상황과 대비되는 자연의 모습이 아닌, 과거 임과 함께 즐겁게 지냈던 아름다운 봄을 가리키는 것임을 파악할 수 있지. 또한 (나)에서는 '한라산'을 보고 그 '아름다움'에 '감탄하고 있을 뿐, 이러한 자연의 모습과 대비되는 인간의 모습은 나타나지 않아.

**43** ④ 정답률 **60%**

정답풀이

㉣(산이 얼마나 장엄하고도~아름다운 것이 아니오리까)에서는 대상인 한라산이 '장엄하고도 너그럽고 초연하고도 다정'하며 '준열하고도 지극히 아름'답다는 글쓴이의 생각이 드러날 뿐, 대상에 동적인 속성을 부여하고 있지는 않다.

오답풀이

① ㉠(내 가슴 태우는 불은 물로도 어이 못 끄는고)에서 임을 그리워하는 애절한 마음을 '내 가슴 태우는 불'에 빗대어 형상화하고 있다.

12 회

② ㉡(세우사창 저문 날과 소소상풍 송안성)에서는 '세우'(가는 비)가 내리는 '저문' 때에 들리는 '송안성'(기러기 울음소리)을 통해 애상적 분위기를 자아내고 있다.
③ ㉢(해면 우에~아닙니까!)에서는 '아닙니까!'라는 영탄적 표현을 통해 '해면 우에 덩그렇게 선연히 허우대도 끔직이도 크게 나타'난 '한라산'을 접한 감동을 드러내고 있다.
⑤ ㉣(한라산 이마는~보이지 않습니까)에서는 '자줏빛', '엷은 보랏빛'과 같은 색채어를 사용하여 대상인 '한라산'의 '거룩해 보이'는 인상을 시각적으로 형상화하고 있다.

## 44 ② 정답률 33%

정답풀이

[A]의 '저도 나를 그리려니'는 임도 자신을 그리워할 것이라는 화자의 생각을 드러내고, [B]의 '자네 사정 내가 알고 내 사정 자네 아니'는 두 화자가 서로의 '사정'을 알고 있음을 드러낼 뿐, 이를 통해 두 화자가 서로를 그리워하고 있음은 알 수 없다.

오답풀이

① [A]의 '이별', [B]의 '별리'에서 두 화자가 이별한 상황임을 알 수 있다.
③ [A]의 '굳은 언약 깊은 정'과 [B]의 '차생백년 서로 맹세'에서는 임과의 사랑이 영원할 것이라는 두 화자의 기대감이 드러난다.
④ [A]의 '소식인들 쉬울손가'에서는 '소식'이 전달되기 어려운 상황에 대한 화자의 안타까움이 드러난다. 또한 [B]의 '오는 글발 가는 사연 자자획획 다정터니'에서는 다정했던 '오는 글발'이 끊긴 상황에 대한 안타까움이 드러난다.
⑤ [A]의 '흉중의 불이 나니 구회간장 다 타 간다'와 [B]의 '못 보아도 병이 되'었다는 상사로 인해 두 화자가 괴로워하고 있음을 보여 준다.

**오답률 Best 3**

[A]의 '저도 나를 그리려니'에서는 화자가 누군가를 그리워함은 알 수 있지만 그것이 [B]의 화자임을 알 수는 없어. 또한 [B]의 '자네 사정 내가 알고 내 사정 자네 아니'에서도 [A]의 화자와 [B]의 화자가 서로의 '사정'을 알고 동병상련을 느끼고 있음을 알 수 있을 뿐, 이를 통해 두 화자가 서로를 그리워하고 있음을 알 수는 없으므로 ②번은 적절하지 않아. 그런데 많은 학생들이 ④번을 적절하지 않은 것으로 판단했네. 일단 [A]의 '운산이 멀었으니 소식인들 쉬울손가'에서는 '운산'이라는 장애물로 인해 '소식'이 전달되기 쉽지 않은 상황임이 나타나 있어. 그리고 [B]의 '오는 글발 가는 사연 자자획획 다정터니'를 다정한 '글발'과 '사연'이 오고 가는 상황으로 잘못 해석한 학생들이 있었는데, 앞에서 설명한 것처럼 전체 맥락을 고려하면 '오는 글발 가는 사연'이 '다정'했었지만 현재는 이별하고 그리는 정이 간절한 상황임을 알 수 있지.

## 45 ⑤ 정답률 72%

정답풀이

(나)에서 글쓴이는 '갑자기 소나기 한줄금을 맞'았다고 했지만, '소나기 한줄금은 금시에 개이고 멀리도 밤을 새워 와서 맞은 햇살이 해협 일면에 부챗살 펴듯 하였'다고 했다. 따라서 변덕스러운 날씨가 나타났다고 볼 수는 있으나, 이로 인해 제주도의 아름다움을 제대로 감상하지 못한 아쉬움은 나타나지 않는다.

오답풀이

① 글쓴이는 '나의 심정의 표피가 호두 껍질같이 오롯이 굳어지고 말았는가 하고 남저지 청춘을 아주 단념'하였는데, 한라산을 보고는 청춘의 감성이 '다시 살아나는 것'을 느꼈다고 하였다.
② 글쓴이는 '동행인 영랑과 현구'가 '갑판 위로 뛰어 돌아다니며 소년처럼 희살대는 것이요, 빽빽거리는 것'이었다고 하였다.
③ 글쓴이는 한라산이 '허리에 밤 잔 구름을 두르고도 그리고도 그 우에 다시 헌출히 솟아'올랐다고 하였다.
④ 글쓴이는 제주도가 '흙은 검고 돌은 얽었는데 돌이 흙보다 더 많은 곳'이라고 하였고, '사람의 자색은 희고도 아름답'다고 하였다.

# 13회

2018학년도 11월 학평

| 1. ④ | 2. ⑤ | 3. ③ | 4. ⑤ | 5. ④ | 6. ④ | 7. ④ | 8. ② | 9. ④ | 10. ③ |
|---|---|---|---|---|---|---|---|---|---|
| 11. ③ | 12. ② | 13. ④ | 14. ③ | 15. ⑤ | 16. ④ | 17. ③ | 18. ② | 19. ④ | 20. ① |
| 21. ⑤ | 22. ④ | 23. ③ | 24. ⑤ | 25. ③ | 26. ③ | 27. ③ | 28. ① | 29. ⑤ | 30. ③ |
| 31. ① | 32. ② | 33. ② | 34. ⑤ | 35. ④ | 36. ④ | 37. ⑤ | 38. ③ | 39. ④ | 40. ① |
| 41. ⑤ | 42. ⑤ | 43. ④ | 44. ① | 45. ⑤ | | | | | |

오답률 Best 5

## [1~3] 화법

### 1 ④ 정답률 90%

**정답풀이**

발표자가 발표 순서를 안내하여 청중이 내용을 예측하도록 한 부분은 찾을 수 없다.

**오답풀이**

① 발표자는 '행동디자인은 환경이나 조건을 디자인해 사람들의 행동 변화를 이끌어 내는 것'이라고 중심 화제인 '행동디자인'의 개념을 설명함으로써 청중들의 이해를 돕고 있다.
② 발표자는 '(화면을 가리키며)'에서 비언어적 표현을 활용하여 청중의 주의를 집중시키고 있다.
③ 발표자는 '횡단보도에서 1m 정도 떨어진 곳에 노란 발자국'을 그려 '사고를 예방'하도록 한 영상을 보여 주며 발표 내용을 청중에게 생생하게 전달하고 있다.
⑤ 발표자는 '이제부터는 무심코 지나쳤던 행동디자인의 사례를 찾아보면서 그 의미를 생각해보면 어떨까요?'라고 청중에게 행동을 유도하는 질문을 하며 발표를 마무리하고 있다.

### 2 ⑤ 정답률 83%

**정답풀이**

발표자는 '아무리 멋진 물리적 트리거라도 사람들이 인식하지 못하거나, 인식 후에 심리적 트리거로 이어지지 않는다면 사람들의 행동에 영향을 줄 수 없'다고 하여 물리적 트리거를 만들 때 사람들의 마음을 이해하는 것이 중요함을 말하고 있다. 하지만 발표에서 물리적 트리거가 심리적 트리거로 자연스럽게 연결되지 않은 예는 제시하지 않았으므로 발표를 들은 학생은 이에 대해 추가 질문을 할 수 있다.

**오답풀이**

① 발표자는 '물리적 트리거를 만들 때 무엇보다 사람들의 마음을 이해하는 것이 중요'하다고 하여 행동디자인에서 물리적 트리거를 만들 때 고려할 점을 언급하였다.
② 발표자는 '행동디자인은 어떻게 사람들의 행동을 유발하는 것일까요? 그것은 트리거 때문입니다.'라고 하여 행동디자인에서 행동 유발 요소로 '물리적 트리거'와 '심리적 트리거'를 제시하고 있다.
③ 발표자는 '행동디자인은 환경이나 조건을 디자인해 사람들의 행동 변화를 이끌어 내는 것'이라고 하여 행동디자인에서는 '환경'과 '조건'을 디자인한다고 언급하였다.
④ 발표자는 '아무리 멋진 물리적 트리거라도 사람들이 인식하지 못하거나, 인식 후에 심리적 트리거로 이어지지 않는다면 사람들의 행동에 영향을 줄 수 없'다고 하여 물리적 트리거를 사람들이 인식하지 못하는 경우의 결과에 대해 언급하였다.

### 3 ③ 정답률 83%

**정답풀이**

발표자는 '감각을 통해 우리가 인지할 수 있는 요소를 물리적 트리거라고 하고, 그것에 대한 호기심, 즉 물리적 트리거 때문에 생기는 마음을 심리적 트리거라고 합니다.'라고 하여 물리적 트리거가 심리적 트리거를 유발한다고 하였다. 따라서 〈보기〉에서 교실 바닥에 쓰레기가 줄어든 것은 농구 골대라는 물리적 트리거가 심리적 트리거를 유발한 결과이다. 또한 심리적 트리거가 유발된 사람은 영수가 아닌 학생들이다.

**오답풀이**

① 발표자는 '물리적 트리거를 만들 때에는 공통점이 있는 두 물건을 결합'하는 방식을 활용할 수 있다고 하였다. 이에 따르면 〈보기〉의 사례는 농구 골대에 공을 넣는다는 점과 쓰레기통에 쓰레기를 넣는다는 공통점을 결합하여 새로운 쓰레기통을 만든 것으로 볼 수 있다.
② 발표자는 '물리적 트리거를 만들 때 무엇보다 사람들의 마음을 이해하는 것이 중요'하다고 하였는데, 이에 따르면 〈보기〉의 사례에서 영수는 '농구를 좋아'하는 학생들의 심리를 파악하여 쓰레기통을 만든 것으로 볼 수 있다.
④ 발표자는 '때로는 사람들이 물리적 트리거에 익숙해져 행동 변화가 일어나지 않는 경우도 있'다고 하였는데, 이에 따르면 〈보기〉의 사례에서 '시간이 지나자 교실 바닥에 다시 쓰레기가 버려'진 것은 학생들이 물리적 트리거에 익숙해진 결과라고 볼 수 있다.
⑤ 발표자는 '물리적 트리거에 경쟁이나 게임 같은 요소를 더하여 행동디자인의 효과를 강화'할 수 있다고 하였는데, 이에 따르면 〈보기〉의 사례에서 영수는 똑같은 쓰레기통을 하나 더 설치하여 경쟁심을 유발함으로써 행동디자인의 효과를 높일 수 있다.

## [4~7] 화법과 작문

### 4 ⑤ 정답률 84%

**정답풀이**

(가)의 토의에서 참여자들의 의견이 충돌하는 모습은 나타나지 않으므로, '지혜'가 이를 조정하고 있다고 할 수는 없다.

**오답풀이**

① '지혜'는 '『어린 왕자』를 통해 우리의 삶을 돌아보는 시간을 가져보려 해.'라고 하며 토의 참여자들이 논의할 토의 주제를 안내하고 있다.
② '지혜'는 '슬기가 먼저 이야기해 보자.'라고 하며 발언할 토의 참여자를 지정하고 있다.
③ '지혜'는 '가로등 켜는 사람이 인상적이었다'는 토의 참여자들의 공통적 의견에 대해 '어떤 면에서 그렇게 생각했는지 구체적으로 말해 볼까?'라고 그 이유를 묻고 있다.
④ '지혜'는 '슬기는 가로등 켜는 사람의 성실한 면에, 준호는 수동적인 면에 더 주목했구나.'라고 하며 토론 참여자들의 입장 차이를 구분하여 정리하고 있다.

## 5 ④ 정답률 92%

**정답풀이**

[B]에서 '준호'는 '나도 그 사람이 성실하다는 것은 인정해.'라고 하며 슬기의 의견에 일부 동의하면서도 '그건 다른 사람의 명령 때문에 한 일'이고 '난 그 사람이 행복해 보이지 않았'다고 자신의 의견을 덧붙여 제시하고 있다.

**오답풀이**

① [A]에서 '준호'는 '나도 그런데.'라고 하며 '슬기'가 한 발언에 동의하였으나, 자신의 견해를 수정하지는 않았다.
② [A]에서 '슬기'는 '준호'의 의견을 듣고 '나랑 비슷하네.'라고 하며 자신의 의견도 상대와 유사하다고 하였을 뿐, 상대방에게 자신의 의견에 동의를 구하지는 않았다.
③ [B]에서 '슬기'는 '아, 그렇게 생각할 수도 있구나.'라며 상대방의 입장에 공감하고 있으나, 상대방의 의견을 재진술하지는 않았다.
⑤ [C]에서 '슬기'가 상대방 의견의 문제점을 언급하거나 그 내용을 보완하지는 않았다.

## 6 ④ 정답률 87%

**정답풀이**

(나)의 4문단에 자신의 문제를 사회적 문제로 확장해서 생각한 내용은 나타나 있지 않다.

**오답풀이**

① (나)의 1문단에서 '독서 토의 후 이런 나의 삶에 대해 다시 돌아보게 되었다.'라고 하여 독서 토의가 최근 자신의 삶에 미친 영향에 대해 언급하고 있다.
② (나)의 2문단에서 '어릴 때 『어린 왕자』는 동화책 같은 느낌이었고 여우의 이야기는 오래도록 기억에 남았'는데, '이번에는 '가로등 켜는 사람'이 내 마음속에 깊이 새겨졌다.'라고 하여 예전에 책을 읽었을 때와 다시 읽었을 때의 차이점을 드러내고 있다.
③ (나)의 3문단에서 '올해 학급 임원으로 활동했는데' '돌이켜 보니 스스로 학급 일에 관심을 가지고 필요한 부분을 적극적으로 찾으려고 하지 않았'다고 하여 학급 임원으로 활동한 경험에 대해 성찰한 내용을 언급하고 있다.
⑤ (나)의 4문단에서 '어린 왕자에게 여우는 친구가 되기 위해서는 시간을 들여 다가가야 한다고 말한다.'라며 어린 왕자의 말을 간접적으로 인용하여 친구 관계에 대해 깨달은 바를 드러내고 있다.

## 7 ④ 정답률 72%

**정답풀이**

(나)는 '주체적이고 능동적인 삶의 중요성'을 언급하고 있다. 이와 관련하여 '스스로 자기 삶의 주인이 되라'는 (나)에 제시된 핵심적인 성찰의 내용으로 볼 수 있다. 그리고 '『어린 왕자』가 나에게 말했다'에는 의인법이, '선장같이'에는 직유법이 사용되어 비유적 표현이 쓰였으므로, 모든 〈조건〉을 만족하는 제목으로 볼 수 있다.

**오답풀이**

① '나의 미래를 밝혀주는 등불 『어린 왕자』'에서 비유적인 표현이 사용되었으나, (나)에 제시된 핵심적인 성찰의 내용이 포함되지 않았다.
② '주체적인 삶의 소중함을 깨닫게 되다'에 (나)에 제시된 핵심적인 성찰의 내용이 제시되었으나, 비유적인 표현이 사용되지 않았다.
③ '선물처럼'에서 비유적인 표현이 사용되었으나, (나)에 제시된 핵심적인 성찰의 내용이 포함되지 않았다.
⑤ (나)에 제시된 핵심적인 성찰의 내용이 나타나지 않으며, 비유적인 표현도 사용되지 않았다.

### [8~10] 작문

## 8 ② 정답률 92%

**정답풀이**

ㄱ.
3문단에서 '이러한 문제점이 발생하게 된 원인은 무엇일까?'라고 질문을 던진 후, 이에 대해 '작품의 유지와 보수, 처분에 대한 법적 근거와 각종 제도가 부실하기 때문', '설치와 비용이 많이 들지 않는 특정 분야의 작품들만 설치되고 있기 때문', '공공미술 작품에 대한 홍보와 안내가 제대로 이루어지지 않기 때문'이라고 답하는 방식으로 내용이 서술되어 있다.
ㄷ.
1문단에서 '시민들이 쉽게 접근할 수 있는 공간에, 시민들이 예술 작품을 감상할 기회를 늘리기 위해 설치한 미술 작품들을 '공공미술'이라고 한다.'라고 하여 공공미술에 대한 개념을 정의하며 글의 화제를 소개하고 있다.

**오답풀이**

ㄴ.
'설문 조사 등을 통해 주민들의 의사를 적극적으로 반영해야 한다.'라고 하였을 뿐, 설문 조사 결과를 글에 제시하여 문제의 심각성을 드러내지는 않았다.
ㄹ.
'전문가의 참여를 확대하여 공공미술 작품의 취지에 걸맞은 예술성을 확보'해야 한다고 하였을 뿐, 전문가의 의견을 인용하며 문제의 해결책을 제시하지는 않았다.

## 9 ④ 정답률 77%

**정답풀이**

(가)-2는 '분야별 공공미술 작품 설치 현황'을 제시한 통계 자료로 공공미술 작품이 '조각' 분야에 치우쳐 있음을 보여 준다. 그리고 (다)는 '주민들의 의사가 반영된 다양한 분야의 작품들이 설치'된 '□□시 대표 인터뷰'이다. 따라서 이를 통해 '특정 분야에만 편중'된 공공미술 작품을 '주민들의 의사'를 반영하여 '다양한 분야의 작품들이 설치'되도록 해야 한다는 점을 제시할 수 있으나, (가)-2와 (다)를 활용하여 관리 주체를 통합해야 한다는 해결책을 도출할 수는 없다.

**오답풀이**

① (가)-2는 공공미술 작품이 '조각'에만 치우쳐 있음을 보여주는 통계 자료이므로, 공공미술 작품이 특정 분야에 편중되어 있다는 사실에 대한 구체적 근거로 제시할 수 있다.
② (나)는 공공미술 작품 중 '긴급 보수가 필요한 작품'과 '철거가 시급한 작품'의 비율이 제시된 신문 기사이다. 따라서 이를 활용하여 훼손된 채로 방치된 작품들이 많다는 사실에 대한 구체적 근거를 제시할 수 있다.
③ (가)-1은 '공공미술 안내판 실태'를 보여 주는 통계 자료이며, (나)는 '작품 안내판의 내용이 난해하여 시민들이 작품 감상에 불편을 겪는'다는 내용의 신문 기사이다. 이를 통해 시민들이 작품 안내판이 없거나 난해하여 작품 감상에 어려움이 있음을 알 수 있으므로, (가)-1과 (나)를 활용하여 시민들이 공공미술 작품의 의미를 이해하기 어려워하는 원인을 구체화할 수 있다.
⑤ (나)는 '공공미술위원회'를 통해 '전문적이고 체계적인 작품 관리'가 가능하다는 내용의 신문 기사이며, (다)는 '30년 일몰제와 같은 제도'를 통해 '작품의 효율적 관리'가 가능하다는 내용을 언급한 인터뷰이다. 따라서 이를 활용하여 사후 관리가 부실한 공공미술 작품의 문제를 해결할 수 있는 제도적 방안으로 제시할 수 있다.

## 10 ③ 정답률 92%

**정답풀이**

㉢(더욱이)은 '그러한 데다가 더'라는 뜻의 부사로 맞춤법에 맞는 단어이다. 따라서 '더우기'로 고치는 것은 적절하지 않다.

**오답풀이**

① ㉠(설치되어져)은 '-되다'와 '-어지다'라는 피동 표현이 중복되었으므로 '설치되어'로 고치는 것이 적절하다.
② ㉡(그래서)은 앞의 내용이 뒤의 내용의 원인이나 조건 따위가 될 때 쓰는 접속 부사이다. 그런데 ㉡ 앞의 내용인 '사후 관리가 부실하여 훼손된 채로 방치되는 작품들이 많다.'와 ㉡ 뒤의 내용인 '공공미술 작품이 특정 분야에만 편중되어 있어 다양한 작품 감상의 기회를 제공하지 못하고 있는 실정이다.'는 모두 '공공미술과 관련된 문제점'이므로, ㉡은 앞뒤 내용을 병렬적으로 연결할 때 쓰는 접속 부사인 '그리고'로 고치는 것이 적절하다.

④ ㉣(설치와 비용이 많이 들지 않는)에서는 '설치가'라는 주어에 호응하는 서술어가 누락되었으므로 '설치가 쉽고 비용이 많이 들지 않는'으로 고치는 것이 적절하다.
⑤ '일원화'는 '하나로 됨. 또는 하나로 만듦'을 뜻하므로 ㉤(하나로 일원화)은 의미가 중복된 표현이다. 따라서 '하나로'를 삭제하는 것이 적절하다.

## [11~15] 문법(언어)

### 11 ③ 정답률 70%

**정답풀이**

2문단에 따르면 ㉠(피땀)은 명사 '피'와 명사 '땀'이 결합한 합성 명사이고, ㉣(송이송이)은 명사 '송이'가 두 번 결합한 합성 부사이다. 따라서 ㉠과 ㉣이 모두 명사와 명사가 결합한 합성어인 것은 맞지만, ㉠과 ㉣의 품사는 서로 다르다.

**오답풀이**

① 3문단에서 '융합 합성어는 어근들이 결합하면서 각 어근이 본래 갖고 있던 의미에서 벗어나 새로운 의미를 갖는 합성어'라고 하였다. 이에 따르면 ㉠은 '피'와 '땀'이 결합하여 '노력과 수고'라는 새로운 의미를 가지게 되었으므로 융합 합성어로 볼 수 있다.
② 3문단에서 '종속 합성어는 선행 어근이 후행 어근을 수식하는 구조로, 선행 어근이 후행 어근에 의미상 종속되어 있는 합성어'라고 하였다. 이에 따르면 ㉢(봄비)은 선행 어근인 '봄'이 후행 어근인 '비'를 수식하는 종속 합성어로 볼 수 있다.
④ 2문단과 3문단에서 합성어는 '품사를 기준으로 분류'할 수도 있고, '결합하는 어근들의 의미 관계를 기준으로 분류'할 수도 있다고 하였다. 이에 따르면 ㉡(논밭)은 명사 '논'과 명사 '밭'이 결합한 합성 명사이고, '결합하는 어근들의 의미가 대응한 관계를 이루는' 대등 합성어이다. 한편 ㉢은 명사 '봄'과 명사 '비'가 결합한 합성 명사이고, '선행 어근이 후행 어근에 의미상 종속되어 있는' 종속 합성어이다. 따라서 ㉡과 ㉢은 결합하는 어근들의 의미 관계를 기준으로 분류할 때 각각 대등 합성어, 종속 합성어로 서로 다르지만, 두 합성어의 품사는 명사로 동일하다.
⑤ 2문단과 3문단에서 합성어는 '품사를 기준으로 분류'할 수도 있고, '결합하는 어근들의 의미 관계를 기준으로 분류'할 수도 있다고 하였다. 이에 따르면 ㉡(논밭)은 명사 '논'과 명사 '밭'이 결합한 합성 명사이고, '결합하는 어근들의 의미가 대등한 관계를 이루는' 대등 합성어이다. 한편 ㉣은 명사 '송이'가 두 번 결합한 합성 부사이고, '결합하는 어근들의 의미가 대등한 관계를 이루는' 대등 합성어이다. 따라서 ㉡과 ㉣은 모두 대등 합성어이지만, 두 합성어의 품사는 각각 명사와 부사로 서로 다르다.

### 12 ② 정답률 69%

**정답풀이**

'또다시'는 부사 '또'와 부사 '다시'가 결합하여 만들어진 통사적 합성어이다. 반면 '하루빨리'는 명사 '하루'와 부사 '빨리'가 결합한 비통사적 합성어이므로 ㉡에 들어갈 내용으로 적절하지 않다.

**오답풀이**

① '또다시'는 부사 '또'와 부사 '다시'가 결합하여 만들어진 통사적 합성어이므로, ㉠에는 '부사와 부사의 결합'이 들어가는 것이 적절하다.
③ '첫사랑'은 관형사 '첫'과 명사 '사랑'이 결합한 것이므로, ㉢에는 '통사적 합성어'가 들어가는 것이 적절하다.
④ '붙잡다'는 용언 '붙다'와 '잡다'의 어간이 연결어미 없이 직접 결합한 것이므로, ㉣에는 '비통사적 합성어'가 들어가는 것이 적절하다.
⑤ '굳세다'는 용언 '굳다'와 '세다'의 어간이 연결어미 없이 직접 결합한 비통사적 합성어이므로, ㉤에는 '굳세다'를 넣을 수 있다.

### 13 ④ 정답률 71%

**정답풀이**

<보기>의 ㉠은 첨가, ㉡은 교체, ㉢은 탈락, ㉣은 축약에 대한 설명이다. '구급약[구금냑]'의 음운 변동 과정은 '구급약 → 구급냑('ㄴ' 첨가) → [구:금냑](비음화)'으로, ㉠과 ㉡이 일어난 예에 해당한다. 그리고 '물엿[물렫]'의 음운 변동 과정은 '물엿 → 물녇('ㄴ' 첨가, 음절의 끝소리 규칙) → [물렫](유음화)'으로, ㉠과 ㉡이 일어난 예에 해당한다.

**오답풀이**

① '한여름[한녀름]'에서는 'ㄴ' 첨가(㉠) 현상이 나타나지만, '설날[설:랄]'은 'ㄹ' 뒤에 있는 'ㄴ'이 'ㄹ'로 교체되는 유음화(㉡)만 일어나므로 적절하지 않다.
② '놓아[노아]'에서는 용언의 어간 받침 'ㅎ'이 모음으로 시작하는 어미 앞에서 탈락(㉢)하는 현상이 나타난다. 그러나 '없을[업:쓸]'은 받침 'ㅄ' 중 'ㅅ'이 뒤 음절의 첫 소리로 연음되면서 된소리로 교체(㉡)된 것이므로 적절하지 않다.
③ '앉히다[안치다]'에서는 받침 'ㄵ'에서 'ㅈ'이 뒤 음절 첫소리 'ㅎ'과 결합하며 [ㅊ]으로 발음되는 축약(㉣) 현상이 일어난다. 그러나 '끓이다[끄리다]'에서는 'ㅎ' 탈락(㉢)만 일어나므로 적절하지 않다.
⑤ '읊조리다[읍쪼리다]'에서는 자음군 단순화(㉢)와 음절의 끝소리 규칙(㉡)에 따라 '읊'의 받침이 'ㅂ'으로 바뀐다. 그리고 받침 'ㅂ' 뒤에 연결되는 'ㅈ'을 된소리로 발음하는 된소리되기(㉡) 현상이 일어나 최종적으로 [읍쪼리다]로 발음된다. 그런데 '꿋꿋하다[꿋꾸타다]'는 음절의 끝소리 규칙(㉡)에 따라 'ㅅ'이 'ㄷ'으로 바뀌고 둘째 음절에서 바뀐 'ㄷ'과 뒤 음절 첫소리 'ㅎ'이 결합하여 [ㅌ]으로 발음되는 축약(㉣)이 일어나므로 적절하지 않다.

### 14 ③ 정답률 58%

**정답풀이**

㉠의 주동문을 사동문으로 바꿀 때, 주동문의 주어인 '철수가'는 사동문에서 '철수를'이라는 목적어로 바뀌었다. 그러나 ㉡의 주동문을 사동문으로 바꿀 때, 주동문의 주어인 '동생이'는 사동문에서 '동생에게'라는 부사어로 바뀌었다.

**오답풀이**

① ㉡의 사동문은 '-이-'라는 사동 접미사를 활용한 사동사 '먹이다'가 나타나지만, ㉠의 주동문은 사동 접미사 '-이-', '-히-', '-리-', '-기-', '-우-', '-구-', '-추-'를 활용한 사동사를 만들 수 없다.
② ㉢의 사동문에서 사동 접미사 '-기-' 대신 '-게 하다'를 활용할 경우 '*인부들이 이삿짐을 방으로 옮게 하다.'와 같이 어색한 문장이 된다.
④ ㉠과 ㉡은 주동문이 사동문이 되면서 '내가'와 '누나가'라는 새로운 주어가 생겼다.
⑤ ㉠, ㉡과 달리 ㉢은 사동문에 대응하는 주동문이 비문이므로 사동문에 대응하는 주동문이 없는 경우로 볼 수 있다.

### 15 ⑤ 정답률 54%

**정답풀이**

㉤(어늘)은 현대 국어 '어느 것을'로 풀이된 것으로 보아, '어느'에 목적격 조사가 결합한 형태로 볼 수 있다. '어느' 뒤에 바로 목적격 조사가 결합하고 있으므로, 이때 '어느'는 <보기 2>에서 대명사인 '어느 02'에 해당한다.

**오답풀이**

① ㉠(어느)은 체언 '나라'를 수식하고 있으므로 관형사이다. 따라서 <보기 2>의 '어느 01'과 품사가 같다.
② ㉡(어늬)는 현대 국어 '어느 것이'로 풀이된 것으로 보아, '어느'에 주격 조사 'ㅣ'가 결합한 형태로 볼 수 있다. 이때 '어느'는 '어느 것'이라는 의미임을 알 수 있다. 따라서 ㉡은 <보기 2>의 '어느 02'에 주어의 자격을 부여하는 조사가 결합한 것이라고 할 수 있다.
③ ㉢(어느)은 현대 국어 '어찌'로 풀이되었으므로 <보기 2>의 '어느 03'으로 쓰였다고 볼 수 있고, 용언인 '듣ᄌᆞᄫᅳ리잇고'를 수식하고 있다.
④ ㉣(어느)은 현대 국어 '어찌'로 풀이되었으므로, <보기 2>의 '어느 03'으로 쓰였다고 볼 수 있고, 용언인 '플리'를 수식하고 있다. 따라서 ㉣은 관형사인 '어느 01'과 품사가 서로 다르다.

## [16~20] 인문

**16** ④ 정답률 **78%**

**정답풀이**

윗글은 '아도르노가 강조하는 비동일성 철학'을 중심 제재로 하여, 대비되는 개념인 '동일성'과 '비동일성'을 통해 비동일성 철학이 추구하는 '동일성 사고에 대한 끊임없는 반성의 사유'에 대해 밝히고 있다.

**오답풀이**

① 윗글에서 계몽주의를 비판하기는 했지만, 계몽주의의 의의를 밝히고 있지는 않다.
② 윗글에서는 '신화는 이미 계몽이었다.', '계몽은 다시 신화로 돌아간다.' 등과 같은 인용문을 활용하기는 했지만 계몽주의가 분화된 원인을 탐색하고 있지는 않다.
③ 윗글에서는 비동일성 철학의 변화 요인을 분석하지 않았다.
⑤ 윗글에서는 비동일성 철학에 대한 문제점을 제기하지 않았다.

**17** ③ 정답률 **87%**

**정답풀이**

3문단에 따르면 '아도르노는 인간이 자연을 지배하는 과정에 주목'하여 ⓒ(계몽은 다시 신화로 돌아간다.)이라고 했으며, '인간이 자연과 분리되고 근대 과학이 발달하면서 인간의 이성이 자연을 지배하는 도구가 되었다고 비판'하였다. 따라서 ⓒ은 자연이 인간의 이성을 억압하고 있음을 의미한다고 볼 수 없다.

**오답풀이**

① 2문단에서 아도르노는 '운명적 필연성으로부터 탈출하려는 인간의 노력'을 '계몽주의자들이 말하는 이성으로 보았기 때문에 인간의 이성이 신화에도 작용한 것으로 보았다.'라고 하였다. 따라서 ㉠(신화는 이미 계몽이었다.)은 인간의 이성이 신화에도 작용했음을 의미한다고 볼 수 있다.
② 2문단에서 아도르노는 '인간에게 천둥, 번개와 같은 자연은 미지의 대상이자 공포의 대상'이었으며, '이러한 공포에서 벗어나기 위해 신화를 만들어 냈'다고 하였다. 또한 '운명적 필연성으로부터 탈출하려는 인간의 노력'을 '계몽주의자들이 말하는 이성으로 보았'으므로 ㉠은 자연의 공포로부터 탈출하려는 인간의 노력을 계몽주의에서 말하는 이성으로 보았음을 의미한다고 볼 수 있다.
④ 3문단에서 아도르노는 '인간의 이성에 의해 발달한 과학적 지식과 수학이 보편적이고 당위적인 것'이 되면서 '이성의 힘이 당위적인 질서를 만들어 인간을 억압한다'고 하였다. 따라서 ⓒ은 과학적 지식과 수학이 당위적 질서가 되어 인간을 억압하게 되었음을 의미한다고 볼 수 있다.
⑤ 3문단에서 아도르노는 '근대 과학이 발달하면서 인간의 이성이 자연을 지배하는 도구가 되었'으며 '이로 인해 사회 · 정치, 심리 · 문화 등 다양한 맥락에서 폭력과 고통의 관계가 형성됐다'고 하였다. 따라서 ⓒ은 근대 과학이 발달하면서 인간의 이성이 폭력과 고통의 관계를 만드는 데에 영향을 끼쳤음을 의미한다고 볼 수 있다.

**18** ② 정답률 **79%**

**정답풀이**

4문단에서 아도르노는 '동일성 사고(ⓐ)에 지배받는 사회는 필연적으로 전체주의적 사회 질서를 강화하는 방향으로 나아간다고 보았다.'라고 하였다. 따라서 ⓐ가 전체주의적 사회 질서를 부정한다고 볼 수는 없다.

**오답풀이**

① 4문단에 따르면 아도르노는 '동일성 사고(ⓐ)에 의해, 알려진 것과 아직 알려지지 않은 모든 대상'은 '숫자로 환원된다고' 하였다.
③ 4문단에 따르면 '아도르노는 이러한 동일성 사고(ⓐ)가 내재된 이성이, 자연은 물론 인간과 인간의 본성까지 계량화'하게 만든다고 보았다.
④ 4문단에 따르면 ⓐ로 인해 '서로 질적으로 다른 것들이 쉽게 교환 가능해 진다'고 하였다.
⑤ 4문단에서 '아도르노는 이러한 동일성 사고(ⓐ)가 내재된 이성이, 자연은 물론 인간과 인간의 본성까지 계량화하여 지배하는 도구로 사용되었다고 주장한다.'라고 하였다. 따라서 ⓐ는 자연을 지배하려는 인간의 이성에 내재된 것으로 볼 수 있다.

**19** ④ 정답률 **75%**

**정답풀이**

5문단에서 아도르노는 '동일성 사고에 의해 대상을 끌어들이는 주체를 '동일성'으로, 끌어들임을 당하는 대상을 '비동일성'으로 보았다'고 하였다. 따라서 아도르노의 관점에서 〈보기〉의 K 씨를 비동일성으로 본다면, K 씨는 '끌어들임을 당하는 대상'이지 '대상을 끌어들이는 주체'가 아니다.

**오답풀이**

① 5문단에서 '헤겔의 동일성 철학에서 특수자는 보편자의 개념적 틀에서 벗어나 있는 대상을 의미'한다고 하였다. 따라서 헤겔의 관점에서 〈보기〉의 A 국가를 보편자로 본다면, K 씨는 특수자로 볼 수 있다.
② 5문단에서 '헤겔의 동일성 철학에서 특수자는 보편자의 개념적 틀에서 벗어나 있는 대상을 의미하는데, 헤겔은 보편자가 자신의 개념으로 특수자를 동일화시켜 파악'한다고 하였다. 따라서 헤겔의 관점에서 〈보기〉의 A 국가를 보편자로 본다면, P 씨는 '보편자의 개념적 틀에서 벗어나 있는 대상'이며, A 국가가 만든 평가 척도는 P 씨에게 개념적 틀로 작용했다고 볼 수 있다.
③ 6문단에서 '아도르노는 이와 같은 헤겔의 동일성 철학으로 인해 특수자의 고유성과 독자성이 파괴된다고 보았다.'라고 하였다. 〈보기〉의 P 씨는 '평소 가족의 건강이 행복한 삶의 기준이라고 생각하고 자신의 삶에 만족했지만 이 척도를 접한 후 자신이 불행하다고 생각하게 되었'으므로, 아도르노의 관점에서 〈보기〉의 A 국가를 동일성으로 본다면, P 씨는 자신의 고유성이 파괴된 것이라고 볼 수 있다.
⑤ 4문단에서 '아도르노는 이러한 동일성 사고가 내재된 이성이, 자연은 물론 인간과 인간의 본성까지 계량화하여 지배하는 도구로 사용되었다고 주장한다.'라고 하였다. 따라서 아도르노의 관점에서 〈보기〉의 P 씨를 비동일성으로 본다면, '척도를 접한 후' P 씨가 '자신이 불행하다고 생각하게' 된 것은 인간과 인간의 본성을 계량화하는 동일성 사고의 지배를 받았기 때문으로 볼 수 있다.

**20** ① 정답률 **68%**

**정답풀이**

6문단에서 '아도르노는 진정한 예술의 모습은, 동일성 사고로 인해 고정된 질서와 이러한 질서에 대한 친숙함에서 벗어나려는 것이어야 한다'고 말했으며, 이러한 '예술을 접한 사람들로 하여금 동일성 사고가 지닌 억압을 자각할 수 있게' 한다고 하였다. 〈보기〉의 쇤베르크의 12음 기법 음악에 대해 '당시 조성 음악에 익숙했던 사람들은 그의 음악을 처음 듣게 되면 어떤 음이 이어질지 전혀 예측할 수 없어 곤혹스러워 했다'는 것으로 보아, 아도르노는 이를 비동일성 철학의 논리를 담아 동일성 사고가 지닌 억압을 자각하게 하는 진정한 예술의 모습으로 보았을 것이다. 그러나 쇤베르크는 '조성 중심의 작곡법에서 탈피하고자 12음 기법 음악을 탄생'시킨 것이므로, 이는 조성 중심의 작곡법을 사용한 것이 아니다.

**오답풀이**

② 6문단에서 '아도르노는 진정한 예술의 모습은, 동일성 사고로 인해 고정된 질서와 이러한 질서에 대한 친숙함에서 벗어나려는 것이어야 한다'고 하였다. 이에 따르면 아도르노는 〈보기〉의 쇤베르크의 12음 기법 음악이 '그 어떤 음도 조성에 얽매이지 않도록' 한 것은 비동일성 철학의 논리를 담고 있다고 볼 것이다.
③ 6문단에서 '아도르노는 진정한 예술의 모습은, 동일성 사고로 인해 고정된 질서와 이러한 질서에 대한 친숙함에서 벗어나려는 것이어야 한다'고 하였다. 이에 따르면 아도르노는 〈보기〉의 쇤베르크의 12음 기법 음악은 '어떤 음이 이어질지 전혀 예측할 수 없'다는 점에서 동일성 사고로 인한 친숙함에서 벗어났다고 볼 것이다.
④ 6문단에 따르면 '아도르노에게 진정한 예술은 동일성 사고의 논리에 지배받고 있는 자신을 반성하도록 하는 예술'이라고 하였다. 이에 따르면 아도르노는 〈보기〉의 쇤베르크의 12음 기법 음악이 '당시 조성 음악에 익숙했던' 감상자들로 하여금 조성 중심 작곡법에 익숙한 자신의 모습에 대한 반성을 이끌어 낼 수 있다고 볼 것이다.

⑤ 6문단에서 '아도르노는 진정한 예술의 모습은, 동일성 사고로 인해 고정된 질서와 이러한 질서에 대한 친숙함에서 벗어나려는 것이어야 한다'고 하였다. 따라서 아도르노는 〈보기〉의 쇤베르크의 12음 기법 음악은 '12개의 서로 다른 음이 모두 한 번씩 사용될 때까지 같은 음이 되풀이되지 않도록 작곡'한다는 점에서 고정된 질서에서 벗어나려 한 것으로 볼 것이다.

## [21~23] 현대소설

### 21 ⑤ 정답률 81%

**정답풀이**

윗글은 전지적 작가 시점으로 서술자는 이야기 밖에 위치하여 인물들의 내면을 서술하고 있는데, '송노인은 상출의 얼굴에 침이라도 뱉어 주려다 그대로 돌아섰다.~송노인은 생각했다.'와 같이 서술자가 주로 송노인의 입장에서 사건을 전개하고 있다.

**오답풀이**

① 외부 이야기에 내부 이야기가 삽입된 액자식 구성은 나타나지 않는다.
② 다양한 인물들의 경험이 아닌, 주로 송노인에게 일어난 일과 그에 대한 송노인의 심리를 서술하고 있다. 또한 삽화 형식이 나타난다고 볼 수도 없다.
③ 과거와 현재가 반복하여 교차되는 구성은 나타나지 않는다.
④ 송노인을 비롯한 마을 사람들이 부당한 환지를 받고 그에 대한 송노인의 항의가 묵살되는 사건과, 마을 농토가 자본가들에게 넘어가는 상황을 두고 송노인과 마을 젊은이들이 갈등하는 사건이 같은 시간에 벌어진 장면이라고 볼 수는 없다.

### 22 ④ 정답률 91%

**정답풀이**

송노인은 ㉣("아나, 이놈아~빨갱이라고—.")에서 자신을 빨갱이라고 하는 상출이의 말에 화를 내고 있을 뿐, 자신의 실수에 대해 인정하고 있지는 않다.

**오답풀이**

① ㉠("죽일 놈들!")에서 송노인은 '부당한 환지'를 받아 재산상의 피해를 입은 일로 인한 분노를 표출하고 있다.
② 고속도로가 생기면 '가게를 내'려고 '은근히 희망을 걸어보던' 송노인은 '차들이 내뿜는 매연과 소음과 먼지 때문에 도리어 역정만 늘어'난 상황에서 ㉡("망했다. 망했어!")과 같이 실망의 감정을 표출하고 있다.
③ 송노인이 과거에 '농민조합에 가담한' 것에 대해 젊은이들은 '농민조합은 빨갱이 단체'라고 왜곡하고 있으며, 이에 ㉢(바로 느그가~한번 더 해봐라!)에서 송노인은 노여움을 드러내고 있다.
⑤ '아무런 주견도 패기도 없으면서 그래도 마을의 무슨 대표인 체하고 우쭐거리는 젊은 치 전체'에 대해 송노인은 분노하고 있으며, ㉤('철딱서니 없는 놈들…….')에서 이러한 불편한 마음을 드러내고 있다.

### 23 ③ 정답률 86%

**정답풀이**

마을 사람들은 '고속도로는 함부로 건너갈 수도 없'기 때문에 '먼 굴다리 쪽을 일부러 돌아'가야 하는데, 이는 국가 발전이라는 명목으로 인해 농민들이 불편을 겪는 모습을 보여 줄 뿐, 이를 세대 간의 갈등을 일으키는 농민들의 모습으로 볼 수는 없다.

**오답풀이**

① 〈보기〉에서 윗글은 '국가 발전이라는 명목으로 권력자들에게 토지를 침탈당하는 농민들의 현실을 보여준다.'라고 하였다. 이에 따르면 '정부에서 한 일이니까 어쩔 도리가 없다고 생각'하며 '부당한 환지를 받은' 것은 권력자들에 의해 토지를 침탈당한 농민들의 현실을 보여 준 것이라 할 수 있다.
② 〈보기〉에서 윗글에는 '권력자들에게 토지를 침탈당하는 농민들의 현실'이 드러나며, 그 과정에서 '가해자 편에 서 있는 중간자가 개입'한다고 하였다. 이에 따르면 '고속도로가 통하면 사람 왕래도 많아져서 송노인의 집에서는 가게도 차릴 수 있을 것'이라고 하는 이성복 동장은 가해자인 권력자의 편에 서서 개발에 동조하고 있는 중간자라고 할 수 있다.
④ 〈보기〉에 따르면 '권력이 휘두르는 폭력 앞'에서 농민들은 '무기력한 태도로 방관'하는 모습을 보이기도 하는데, '환지문제 기타로 인해 송노인과 같은 생각'을 가졌음에도 '세상이 그런 걸 머!'라고 체념할 뿐 '드러내 놓고 말을 잘 안' 하는 노인들의 모습에서 이를 확인할 수 있다.
⑤ 〈보기〉에서 윗글의 등장인물들은 '권력이 휘두르는 폭력 앞에서 '세대 간의 갈등을 일으키며 분열되는 등 파편화된 모습을 보인다.'라고 했다. 이는 마을 사람들 사이에 '눈에 보이지 않는 어떤 틈이 생기고 있는' 것을 통해 확인할 수 있다.

## [24~27] 현대시+고전수필

### 24 ⑤ 정답률 71%

**정답풀이**

(가)의 [A]에서 화자는 '처음 내 마음'이 '아지랑이', '애기 구름' 같았다고 하여 '그'를 만나기 전의 마음에 대해 말하였으며, [D]에서는 '그'와 이별한 뒤 '내 마음의 빛갈'이 '도라지꽃 같'다고 하여 자신의 내면을 드러내고 있다. 따라서 [A]의 '애기 구름'은 아직 '그'를 만나기 전 화자의 정서를 비유적으로 드러내고 있는 것으로 '화자의 사랑'을 드러내는 것은 아니며 [D]의 '도라지꽃 같은' '내마음의 빛갈'도 화려한 사랑의 결실을 표현한 것으로 보기 어렵다.

**오답풀이**

① (가)의 화자는 [A]에서 '그'를 만나기 전 '처음 내 마음'이 '노고지리 우는 날의 아지랑이' 같았다고 하였고, [B]에서 '그의 모습으로 어느 날 당신'이 왔을 때 '미친 회오리바람'이 되었다고 하여 평화로웠던 내면이 격동적으로 변화했음을 드러내고 있다.
② (가)의 화자는 [B]에서 '그의 모습으로 어느 날 당신'이 왔고, [C]에서 '바닷물이 적은 여울을 마시듯이 / 당신은 다시 그를 데려'갔다고 하여 '그'와의 만남과 이별이 숙명과 같음을 표현하고 있다.
③ (가)의 화자는 [C]에서 '당신'이 '다시 그를 데려가'며 '훠—ㄴ한 내 마음에 / 마지막 타는 저녁 노을을 두셨'다고 하여 이별로 인한 자신의 내면을 시각적 이미지를 활용하여 드러내고 있다.
④ (가)의 화자는 [C]에서 이별을 맞이하고, 이별 뒤의 상황을 [D]에서 나타냈다. 이때 [D]에서 화자는 '또 한번 내 위에 밝는 날'이라고 하여 희망적인 상황이 올 것이라는 기대감을 드러내고 있다.

### 25 ③ 정답률 83%

**정답풀이**

(나)의 화자는 '푸른 바닷가에서 온 완행'을 타려고 '차표를 끊고' 싶은 마음을 드러내지만, 이는 '그리운 이'에 대한 그리움을 드러낼 뿐, 이를 통해 계절의 순환을 깨닫기 위한 화자의 의지를 나타내고 있지는 않다.

**오답풀이**

① 〈보기〉에서 (나)는 '이별과 만남이 공존하는 공간을 배경'으로 한다고 하였다. 이에 따르면 (나)의 기차역은 사람들이 '역구를 빠져 나가고 또 / 들어오'며 '이별과 만남의 격정으로 눈물짓는' 이중적 의미를 지닌 공간이다.
② 〈보기〉에서 (나)의 '기차역의 풍경을 보며 화자가 느낀 그리움의 정서는 계절적 배경과 어우러져 더욱 심화된다.'라고 하였다. 이에 따르면 (나)의 '기차역'에서 사람들은 '격정으로 눈물짓'고 있으며, 이는 '축제처럼 역두에 뿌'려지는 '동백꽃잎'과 어우러져 화자의 그리움을 심화하고 있다.
④ 〈보기〉에서 (나)의 화자는 '과거로의 회귀를 소망'한다고 하였다. 이에 따르면 (나)에서 '어제의 어제를 달려서 / 잃어버린 사랑을 만날 수 있을'지를 생각하며 '문득' '완행열차'를 타는 화자의 모습에서는 과거로의 회귀에 대한 소망을 확인할 수 있다.
⑤ 〈보기〉에서 (나)의 화자는 '과거로의 회귀를 소망하지만 결국 그것이 불가능함을 인식하게 된다.'라고 하였다. 이에 따르면 (나)에서 화자가 '어제의 어제를 달려서 / 잃어버린 사랑을 만날 수 있을'지를 생각하며 '문득' '완행열차'를 탔지만, '그 차창'에 '봄날의 / 우수.'가 어렸다는 것은 과거의 상황으로 돌아가는 것이 불가능함을 인식한 화자의 내면을 드러내는 것으로 볼 수 있다.

13 회

## 26 ③ 정답률 72%

**정답풀이**

(가)의 ㉠(기인 밤)은 '당신'이 '다시 그를 데려'간 뒤 화자가 견뎌야 할 시간으로, 사랑하는 대상이 결핍된 시간을 의미한다. 또 (나)의 ㉡(봄날)은 '그리운 이 그리워 마음 둘 곳 없는' 시간으로, 화자가 그리워하는 이를 만날 수 없는 결핍의 시간을 의미한다. 마지막으로 (다)의 ㉢(과거)은 '내 집의 책을 통해서' 갈 수 있는 곳으로, 글쓴이의 인식이 확장된 시간을 의미한다고 볼 수 있다.

## 27 ③ 정답률 54%

**정답풀이**

ⓒ(이제 내가~어찌 알겠는가?)에서 글쓴이는 '내가 사는 달팽이집', 즉 좁은 방안에 있으면서도 멀리 떨어진 '바다'에 있는 것과 같다는 인식을 드러내고 있으므로, 공간에 대한 사고를 전환하여 한계를 벗어나고 있다고 볼 수 있다.

**오답풀이**

① ⓐ(만경창파~소리를 낸다.)는 글쓴이가 과거에 '영남을 유람할 때' 보았던 바다의 모습일 뿐, 이는 주변 상황으로 인한 내면의 동요를 인지하는 것과 관련이 없다.

② ⓑ(돌아와~휴식을 취하였다.)는 몰운대에서 돌아와 휴식을 취한 것일 뿐, 지난날을 돌아보며 자신의 삶을 성찰하고 있는 것은 아니다.

④ ⓓ(저 동래의 바다는~넘지 않는다.)는 '동래의 바다'가 글쓴이의 시야에서 '거리가 매우 멀기는 하지만 천 리를 넘지 않는다'고 하여 인식을 넓혀가는 과정을 드러내고 있을 뿐, 글쓴이가 자신의 관점이 편협하다고 느끼는 것은 아니다.

⑤ ⓔ(저 바람을~한 가지다.)는 '큰 붕새'나 '자그마한 메추라기' 모두 '소요를 즐'긴다고 한 것일 뿐, 글쓴이가 역경'을 극복하기 위한 방법을 깨닫고 있지는 않다.

### [28~32] 기술

## 28 ① 정답률 85%

**정답풀이**

윗글은 '관성 항법 장치'의 구성 요소인 '가속도 센서'와 '자이로스코프'를 제시한 뒤, '가속도 센서는 비행기의 직선 운동에 의한 방향, 속도, 이동 거리의 변화를 감지하는 장치'이며 '자이로스코프'는 '비행기가 외부의 힘에 의해 갑자기 기울어지는 것과 같은 각의 변화'를 측정할 수 있는 장치라고 하였다. 따라서 윗글은 대상의 구성 요소를 기능에 따라 구분하여 설명한다고 볼 수 있다.

## 29 ⑤ 정답률 53%

**정답풀이**

3문단에서 '비행기가 좌우로 선회를 하는 경우는 동체의 윗부분에서 수직으로 아랫부분까지를 회전축으로 한 회전 운동이다.'라고 하였으며, 이러한 회전 운동을 측정하기 위해서는 자이로스코프가 필요하다고 하였다. 이를 참고하면 〈보기〉에서 비행기가 왼쪽으로 선회하는 경우 회전축이 z축이 되며, 이때 작동하는 것은 z축을 기준으로 한 비행기의 회전 운동을 감지하는 자이로스코프이다.

**오답풀이**

① 3문단에서 '비행기의 머리 부분이 위로 들리거나 아래로 기우는 것은 비행기의 한 쪽 날개 끝에서 반대쪽 날개 끝을 회전축으로 한 회전 운동이다.'라고 하였으므로, 〈보기〉의 비행기의 앞머리가 들리는 경우 회전축이 y축이 됨을 알 수 있다. 따라서 이때 작동하는 것은 y축을 기준으로 한 비행기의 회전 운동을 감지하는 자이로스코프이다.

② 3문단에서 '비행기가 좌우로 기울어지는 것은 맨 앞부분에서 꼬리까지를 회전축으로 한 회전 운동'이라고 하였으므로, 〈보기〉의 비행기가 좌우로 기울어지는 경우 회전축이 x축이 됨을 알 수 있다. 따라서 이때 작동하는 것은 x축을 기준으로 한 비행기의 회전 운동을 감지하는 자이로스코프이다.

③ 3문단에서 '비행기가 좌우로 선회를 하는 경우는 동체의 윗부분에서 수직으로 아랫부분까지를 회전축으로 한 회전 운동이다.'라고 하였으므로, 〈보기〉의 비행기가 오른쪽으로 선회하는 경우 회전축이 z축이 됨을 알 수 있다. 따라서 이때 작동하는 것은 z축을 기준으로 한 비행기의 회전 운동을 감지하는 자이로스코프이다.

④ 2문단에 따르면 비행기는 '세 개'의 가속도 센서가 필요한데, '가속도 센서는 비행기의 직선 운동에 의한 방향, 속도, 이동 거리의 변화를 감지'한다고 하였다. 이때 '비행기가 수평 방향으로만 가속하면서 직진'하면 '수평축에서의 직선 운동을 측정하는 가속도 센서가 작동하여 이동 거리와 속도 등을 측정'한다고 한 것을 고려하면, 〈보기〉의 비행기가 x축 방향으로 수평을 유지한 채 수직으로 하강하는 경우, 수직축인 z축을 기준으로 한 직선 운동을 감지하는 가속도 센서가 작동하여 이동 거리와 속도를 측정할 것이다.

## 30 ③ 정답률 64%

**정답풀이**

4문단과 5문단에서 자이로스코프의 '회전자는 회전축을 중심으로 모터에 의해 고속으로 회전 운동'을 하며 '회전자가 고속으로 회전 운동을 하기 때문에, 외부로부터 힘이 작용하지 않는 한 회전 관성에 의해 회전축의 방향이 변하지 않는다'고 하였다. 따라서 ㉮(회전자의 회전)는 외부의 힘이 아닌 모터에 의한 운동이므로, ㉯(외부의 힘 작용)의 작용이 일어나지 않아도 ㉮의 회전은 계속될 것이라고 볼 수 있다.

**오답풀이**

① 5문단의 '회전자가 고속으로 회전 운동을 하기 때문에, 외부로부터 힘이 작용하지 않는 한 회전 관성에 의해 회전축의 방향이 변하지 않는다는 특성이 있다.'를 통해 알 수 있다.

② 4문단에서 '짐벌 A는 회전축의 양 끝을 잡아주며, 짐벌 B와 90도로 연결되어 있다.'라고 하였고, 5문단에서 '회전자가 고속으로 회전 운동을 하기 때문에, 외부로부터 힘이 작용하지 않는 한 회전 관성에 의해 회전축의 방향이 변하지 않'아서 '회전자의 회전축과 연결된 짐벌 A 역시 어느 방향으로도 기울어지지 않고 균형을 유지하게 된다.'라고 한 것을 통해 알 수 있다.

④ 6문단에서 '자이로스코프의 축에 외부로부터 힘이 가해지면 힘이 가해진 축이 아닌, 그 축과 90도를 이루는 방향으로 힘이 전달되어 나타난다는 특성이 있다.'라고 하였으며, '〈그림〉의 화살표 방향으로 외부의 힘이 가해질 경우 회전축과 90도를 이루는 짐벌 B로 그 힘이 전달되어 짐벌 B가 움직이게 된다.'라고 한 것을 통해 알 수 있다.

⑤ 6문단에서 '〈그림〉의 화살표 방향으로 외부의 힘이 가해질 경우' '짐벌 A는 회전 관성으로 인해 균형을 유지하기 때문에 움직이지 않고, 짐벌 B는 외부의 힘에 의해 기울어지게 되므로 짐벌 A를 기준으로 짐벌 B가 이루는 각의 변화가 발생하게 된다.'라고 한 것을 통해 알 수 있다.

## 31 ① 정답률 62%

**정답풀이**

2문단에서 '지구상의 모든 물체에는 중력이 작용하므로 수직 방향의 가속도 값은 기본적으로 중력 값을 바탕으로 측정된다.'라고 하였으므로, 〈보기〉의 가속도 센서도 수직 방향에 작용하는 중력 값(㉠)을 고려해야 한다. 그리고 4문단에서 '회전자는 회전축을 중심으로' 회전 운동을 한다고 하였으므로, 바퀴가 돌아갈 때 바퀴의 중심은 회전축(㉡)임을 알 수 있다. 마지막으로 5문단에서 '회전자가 고속으로 회전 운동을 하기 때문에, 외부로부터 힘이 작용하지 않는 한 회전 관성에 의해 회전축의 방향이 변하지 않는다'고 하였으므로, 일정 속도 이상이 되면 바퀴의 회전 관성(㉢)으로 인해 페달을 밟지 않아도 자전거가 계속 앞으로 나아갈 수 있음을 알 수 있다.

## 32 ② 정답률 71%

**정답풀이**

'궤도로 돌아오는(ⓐ) 데'의 '돌아오다'는 '원래 있던 곳으로 다시 오거나 다시 그 상태가 되다.'라는 의미인데, '고향으로 돌아왔다.'의 '돌아오다'도 이와 같은 의미로 사용되었다.

**오답풀이**

①, ⑤ '일정한 간격으로 되풀이되는 것이 다시 닥치다.'라는 의미로 사용되었다.

③ '무엇을 할 차례나 순서가 닥치다.'라는 의미로 사용되었다.
④ '몫, 비난, 칭찬 따위를 받다.'라는 의미로 사용되었다.

### [33~37] 사회

**33** ② 정답률 76%

**정답풀이**

3문단에서 '규모의 경제란 생산량이 증가함에 따라 평균생산비용이 하락하는 것'이라고 개념을 설명하였으나, 규모의 경제가 적용되지 않는 산업의 예는 제시되지 않았다.

**오답풀이**

① 3문단의 '상품을 생산하는 데에는 기본적으로 투자해야하는 초기 투자비용이 높기 때문에 기업은 생산량이 늘어날수록 평균생산비용을 낮출 수 있다.'에서 생산량과 평균생산비용의 관계에 대해 언급하였다.
③ 5문단에서 '산업 내 무역'이 이루어지면서 '소비자 입장'에서는 '상품 가격이 하락하게 되'고 '상품 선택의 다양성이 증가하게 된다.'라고 언급하였다.
④ 2문단의 '완전히 동일한 상품은 아니지만 서로 유사한 기능을 하면서도 질적으로 차별화된 상품을 생산한다.'에서 독점적 경쟁시장에서 생산되는 상품의 특성에 대해 언급하였다.
⑤ 1문단에서 '고전적 무역 이론 중 비교우위론'은 '산업 내 무역은 나타나지 않는다고 보았으므로 오늘날의 무역 양상을 설명하는 데에는 한계'가 있다고 언급하였다.

**34** ⑤ 정답률 62%

**정답풀이**

1문단과 2문단에 따르면 (가)는 '특화된 자원이나 상품은 수출만 이루어지고, 자국이 보유하지 못한 자원이나 수입하는 것이 더 이득인 상품은 수입만 이루어진다'고 본 비교우위론에서의 무역 양상을, (나)는 '두 국가 간에는 산업 내 무역이 이루어질 수 있다'고 본 신무역이론의 무역 양상을 나타내고 있다. 이때 '완전히 동일한 상품은 아니지만 서로 유사한 기능을 하면서도 질적으로 차별화된 상품'을 수출하는 경우는 (가)가 아닌 (나)에 해당한다.

**오답풀이**

①, ② 1문단에 따르면 (가)는 비교우위론의 무역 양상으로 '특화된 자원이나 상품은 수출만 이루어지고, 자국이 보유하지 못한 자원이나 수입하는 것이 더 이득인 상품은 수입만 이루어진다'고 본 반면, (나)는 신무역이론의 무역 양상으로 '동일한 산업에 속한 상품들이 서로 교환되는 산업 내 무역'이 가능하다고 보며 특화된 상품이 아니더라도 수출이 가능할 것이다.
③ 1문단에 따르면 (가)는 비교우위론의 무역 양상으로, 이 이론은 '개별 국가들이 가지고 있는 노동 생산성 또는 보유 자원의 차이가 무역을 발생시킨다'고 보았다. 따라서 (가)에서는 국가 간의 노동 생산성과 보유 자원의 차이가 없다면 무역이 발생하지 않는다고 볼 것이다.
④ 1문단에 따르면 (가)는 비교우위론의 무역 양상으로, 이 이론은 '자국이 보유하지 못한 자원이나 수입하는 것이 더 이득인 상품은 수입만 이루어진다'고 보았다. 따라서 (가)에서는 해당 국가가 보유하지 못하거나 상대적으로 덜 가진 상품은 무역을 통해 간접 생산한다고 볼 것이다.

**35** ④ 정답률 69%

**정답풀이**

4문단에서 ㉠(독점적 경쟁시장)에서는 '기업의 수'가 '증가하면 그 영향으로 일부 기업의 생산량은 감소'하며 '생산량 감소에 따라 기업들의 평균생산비용'은 증가하고, '기존 기업들의 독점력은 약화'되어, 상품 가격은 '하락하게 될 것'이라고 하였다. 따라서 ㉠에서는 상품 가격이 기업의 수에 영향을 받는다는 것을 알 수 있다. 그런데 〈보기〉의 [B]에서 '독점 시장에서 공급자는 이윤이 극대화되도록 생산량과 가격을 조절할 수 있다.'라고 하였으므로 소비자의 선택에 따라 상품 가격이 결정된다고 볼 수 없다.

**오답풀이**

① 2문단에서 ㉠은 '시장 내에 다수의 기업이 존재'하며, 이들은 '완전히 동일한 상품은 아니지만 서로 유사한 기능을 하면서도 질적으로 차별화된 상품을 생산'한다고 하였다. [A]의 완전 경쟁시장은 '상품의 공급자와 수요자가 다수'라는 점은 ㉠과 유사하나 '완전히 동일한 상품이 거래'된다는 점은 ㉠과 다르다.
② 2문단에 따르면 ㉠에는 '서로 유사한 기능을 하면서도 질적으로 차별화된 상품'들이, [A]의 완전 경쟁시장에서는 '완전히 동일한 상품이 거래'되므로 적절하다.
③ 2문단에서 ㉠은 기업이 '어느 정도 독점적인 지위'를 가지지만 '기업의 시장 지배력은 불완전하다'고 하였다. [B]의 독점 시장은 '하나의 공급자가 한 종류의 상품을 판매'하므로 기업이 상품에 대해 독점력을 가진다는 점에서 ㉠과 유사하다. 하지만 기업이 '가격을 조절'할 수 있고 '다른 기업의 진입이 매우 어렵다.'라는 점에서 기업의 시장 지배력은 ㉠과 달리 크다고 할 수 있다.
⑤ 2문단에서 ㉠은 '다수의 경쟁 기업이 존재하므로 다른 기업의 상품들은 해당 기업의 상품에 대해 어느 정도의 대체성도 가지고 있다.'라고 하였고, [B]는 '다른 기업의 진입이 매우 어렵다.'라고 하였다.

**36** ④ 정답률 55%

**정답풀이**

4문단에 따르면 '새로운 경쟁 기업의 진입으로 인해 기존 기업들의 독점력'이 약화되면 '상품 가격은 $P_1$에서 $P_2$로 자연스럽게 하락'하며 '이로 인해 소비자가 선택할 수 있는 상품의 다양성은 줄어들게' 된다고 하였다. 이를 참고할 때 〈보기〉의 그래프에서 상품의 가격이 $P_1$에서 무역 후 $P_2$로 바뀐 것은, 기업의 독점력이 약화된 결과로 볼 수 있다. 하지만 상품의 다양성이 줄어든 것이 상품 가격 하락의 원인은 아니다.

**오답풀이**

① 4문단과 5문단에서 '기업의 수'가 '증가'하면 상품 가격은 '하락'하여 '소비자의 후생이 증가'함을 알 수 있다. 이에 따르면 〈보기〉의 그래프에서 무역 후 기업의 수가 $n_1$에서 $n_2$로 바뀌게 되면 가격이 $P_1$에서 $P_2$로 하락하기 때문에 소비자의 후생이 증가한다고 볼 수 있다.
② 3문단에 따르면 '상품을 생산하는 데에는 기본적으로 투자해야 하는 초기 투자비용'이 있는데, 〈보기〉의 그래프에서 $CC_1$과 $CC_2$가 모두 $AC_0$에서 시작하는 것은 이와 같은 초기 투자비용이 반영된 것으로 볼 수 있다.
③ 〈보기〉의 그래프에서 균형점이 $E_1$에서 $E_2$로 바뀌게 되면 기업의 수는 $n_1$에서 $n_2$로 증가하게 되므로 시장이 확대되어 무역 전보다 더 많은 기업이 시장에 진입한 것으로 볼 수 있다.
⑤ 4문단에서 '균형점이 형성'된 상태에서 '시장의 크기가 정해져 있'고 기업의 수가 '증가'하면, 기업들의 평균생산비용은 '증가'하며 '결국 일부 기업들은 시장에서 퇴출'된다고 하였다. 이에 따르면 〈보기〉의 그래프에서 균형점이 $E_2$인 상태에서 시장의 크기 변화 없이 기업의 수가 $n_2$보다 늘어났다면 평균생산비용이 $AC_2$보다 높아져 기업 중 일부는 퇴출될 수 있다.

**37** ⑤ 정답률 46%

**정답풀이**

5문단에서는 '시장의 크기가 제한'된 상황에서 '무역이 이루어지면서 시장의 크기가 확대(㉡)되어 생산량 증가에 따른 평균생산비용 감소 효과를 얻게 되는' 상황에 대해 언급하였다. 단기간에 한 국가의 인구가 급격하게 증가하는 경우도 수요량이 증가하게 되므로 ㉡과 유사한 결과를 가져올 수 있다.

**오답풀이**

① 5문단에 따르면 ㉡은 상품 가격의 '하락'을 초래할 뿐, 상품의 가격이 큰 폭으로 상승하는 것은 ㉡과 유사한 효과가 나타난다고 볼 수 없다.
② 국가가 보유한 자원이 단기간에 감소하면 생산량이 감소하고 평균생산비용이 증가할 것이므로, ㉡과 상반되는 효과가 나타날 것이다.
③ 기업의 초기 투자비용이 갑자기 상승하면 상품의 평균생산비용 역시 증가할 것이므로, ㉡과 상반되는 효과가 나타날 것이다.

13 회

④ 5문단에 따르면 ⓒ은 '평균생산비용의 감소 효과'를 가져올 뿐, 평균생산비용이 기하급수적으로 상승하는 것이 ⓒ과 유사한 효과를 나타낸다고 볼 수는 없다.

**오답률 Best 2**

이 시험에서 오답률이 두 번째로 높았던 문제야. 특히 정답 선지를 제외하면 오답인 ③번을 선택한 비율이 가장 높게 나타났어. 지문의 내용을 이해한 것을 바탕으로 추론을 요구하는 문제였는데, 경제의 가장 기초적인 원리인 수요와 공급의 법칙을 알고 있었다면 생각보다 수월하게 풀 수 있는 문제이기도 했어. 그러나 배경지식이 없더라도 5문단에 제시된 ⓒ에 따른 효과를, '무역을 통한 시장의 크기 확대 → 생산량 증가, 평균생산비용 감소 → 경쟁 기업 증가 → 상품 가격 하락'으로 정리하며 읽었다면 정답을 고를 수 있었을 거야. 시장의 크기가 확대된다는 것은 상품에 대한 수요가 증가한다는 것이므로 이러한 효과를 나타낼 수 있는 상황은 ⑤번밖에 없어. 나머지 오답 선지들은 모두 생산 비용이 증가되는 상황에 해당하므로, ⓒ과 유사한 효과를 가져온다고 볼 수 없지.

[38~41] **고전시가**

**38** ③ 정답률 **67%**

**정답풀이**

[A]의 '하놀히라 원망ᄒᆞ며 사룸이라 허믈ᄒᆞ랴'와 [B]의 〈6수〉 '기럭이 아니 ᄂᆞ니 편지롤 뉘 전ᄒᆞ리 / 시름이 ᄀᆞ독ᄒᆞ니 쑴인들 이룰손가'에서 설의적 표현을 사용하여 화자의 정서를 강조하고 있다.

**오답풀이**

① [A]의 '내 몸의 지은 죄 뫼ᄀᆞ티 빠혀시니'와 [B]의 〈1수〉 '나도 이 봄 오고 이 플 프르기 ᄀᆞ티'에서 직유법이 사용되었다.
② [A]의 '하놀히라 원망ᄒᆞ며 사룸이라 허믈ᄒᆞ랴'와 [B]의 〈2수〉 '친년은 칠십오ㅣ오 영로ᄂᆞᆫ 수천리오'에서 대구법이 사용되었다.
④ [A]와 [B] 모두 의성어를 활용하지 않았다.
⑤ [B]의 〈6수〉 '기럭이 아니 ᄂᆞ니 편지롤 뉘 전ᄒᆞ리'에서 자연물인 기러기를 편지를 전해 줄 대상으로 보고 있다는 점에서 의인법이 쓰였다고 볼 수 있다. 그러나 [A]에서는 의인법이 나타나지 않았다.

**39** ④ 정답률 **64%**

**정답풀이**

(가)의 '셜워 플텨 혜니 조믈의 타시로다.'에서는 임과 이별한 상황을 조물주의 탓, 즉 자신의 정해진 운명으로 돌리는 화자의 모습이 나타나 있다. 따라서 이를 임금에 대한 서운함을 나타낸 것으로 볼 수는 없다.

**오답풀이**

① 〈보기〉에서는 낙향이나 유배를 계기로 창작된 작품은 '임금에 대한 연모와 감사'를 표출하는 과정에서 '우의적 형상화가 나타나기도 한다.'라고 하였다. (가)에서는 임금을 떠난 작가의 처지를 임을 잃은 여인으로 설정하고 있는데, 이는 군신 관계를 우의적으로 형상화하여 드러낸 것으로 볼 수 있다.
② 〈보기〉에서 낙향이나 유배를 계기로 창작된 작품은 '이별의 슬픔'과 '가족에 대한 염려' 등을 표출하기도 한다고 하였다. (나)의 〈2수〉 '영로ᄂᆞᆫ 수천리오'는 어머니가 계신 곳의 거리감을 나타낸 것으로, 이는 작가가 유배지에서 느끼는 가족과의 이별의 슬픔을 드러낸 것으로 볼 수 있다.
③ 〈보기〉에서 낙향이나 유배를 계기로 창작된 작품은 '죄를 지은 자신에 대한 자책'을 드러내기도 한다고 하였다. (가)의 '내 몸의 지은 죄 뫼ᄀᆞ티 빠혀시니'에는 자신의 잘못을 탓하는 모습이 나타나 있고, (나)의 〈10수〉 '내 죄롤 아옵거니 유찬이 박벌이라'에는 유배가 오히려 가벼운 처벌이라며 자신이 지은 죄를 인정하는 모습이 나타나 있다.
⑤ 〈보기〉에서 낙향이나 유배를 계기로 창작된 작품은 '임금에 대한 연모와 감사'를 드러내기도 한다고 하였다. (가)에서 화자는 죽어 '낙월'이 되어서라도 임 곁에 있고 싶어하는 연모를 드러내고 있으며, (나)의 〈10수〉 '성은을 어이 ᄒᆞ야 갑ᄉᆞ올고'에서 화자는 '성은'을 생각하며 임금에 대한 감사를 드러내고 있다.

**40** ① 정답률 **52%**

**정답풀이**

〈1수〉의 '봄은 오고 또 오'는 것은 계절의 순환을 나타내며, 화자는 그와 달리 고향에 돌아가지 못하는 자신의 처지를 대비하여 안타까움을 드러내고 있다. 또한 〈2수〉에서도 '도라갈 기약'이 갈수록 아득하다고 하였으므로, 봄이 오는 것에서 기약이 실현될 것이라는 화자의 확신이 드러난다고 볼 수는 없다.

**오답풀이**

② 〈2수〉의 '좀 업슨 중야'에 흘리는 '눈믈'은 한밤중에도 노모에 대한 그리움과 시름으로 인해 잠들지 못하는 모습을 나타낸 것으로 볼 수 있다.
③ 〈2수〉의 '친년은 칠십오'는 어머니의 연세를 떠올리는 것이고, 〈7수〉의 '갈ᄉᆞ록 애일촌심'은 부모님을 모실 시간이 흐르는 것을 안타까워하는 마음을 나타낸 것이므로, 이를 통해 효를 다하지 못할까 근심하는 화자의 심정을 알 수 있다.
④ 〈6수〉의 '매일의 노친 얼굴이 눈의 삼삼'한 것과 〈7수〉의 '동산을 올라' '고국'을 바라보는 것에서는 어머니와 어머니가 계신 곳을 그리워하는 화자의 간절함이 드러나고 있다.
⑤ 〈11수〉에서 화자는 '일월이 갓가오샤 하토의 비최시니' '우리 모자지정을 ᄉᆞᆯ피실 제 업ᄉᆞ오랴'라고 하여, 임금의 은혜가 낮은 곳까지 비출 수 있기에 우리 모자지정을 살피실 때가 있을 것이라는 기대감을 표현하고 있다.

**오답률 Best 5**

이 문제는 무려 26%의 학생들이 오답인 ⑤번을 선택했어. (나)에 고어가 다수 포함되어 출제되었기 때문에 해석이 어려웠을 수 있어. 특히 〈11수〉의 해석이 어려웠을 것 같은데, 이 부분을 한번 살펴보자. 화자는 '하늘'이 높지만 낮은 곳에도 이른다고 하고, '일월'도 가까워서 낮은 땅에 비춘다고 해서 임금의 선정이 낮은 곳, 즉 작은 백성에게까지 이를 수 있음을 말하고 있어. 그리고 종장에서 '우리 모자지정'을 살피실 때 없겠냐고 해서, 임금의 선정이 모자지정을 살펴주실 거라는 기대감을 드러내고 있어. 고전시가에서 '하늘'이나 '일월(해와 달)'은 임금을 상징할 때가 많아. 이처럼 고전시가 작품을 잘 해석하기 위해서는 고어를 읽을 수 있어야 함은 물론이고, 자주 등장하는 상징적 시어의 의미도 알고 있어야 하기 때문에 고전 문학 작품을 많이 읽고 해석해 보는 것이 도움이 될 거야.

**41** ⑤ 정답률 **48%**

**정답풀이**

ⓐ(계셩)는 꿈에서나마 임을 만난 화자의 잠을 깨워 임이 부재하는 현실 상황을 깨닫게 하는 존재로 볼 수 있고, ⓑ(기럭이)는 멀리 떨어져 있는 어머니에게 소식을 전할 수 없는 화자의 현실을 깨닫게 하는 존재로 볼 수 있다.

**오답풀이**

① ⓑ는 화자의 편지를 어머니에게 전해 줄 수 있는 존재이므로 화자의 소망을 실현시켜 줄 수도 있는 소재이지만, ⓐ는 꿈에서 임을 만난 화자의 잠을 깨우고 있으므로 화자의 소망을 실현시켜 주는 소재로 볼 수 없다.
② ⓐ와 ⓑ 모두 화자의 감정을 대신 표출하고 있지 않으므로, 화자의 감정이 이입된 소재로 볼 수 없다.
③ ⓐ와 ⓑ 모두 화자가 추구하는 이상향을 드러낸다고 볼 수 없다.
④ ⓐ는 화자의 잠을 깨운 원망의 대상이며 ⓑ는 화자의 편지를 전해 줄 수 있는 대상이므로, 둘 모두 자연에 대한 화자의 경외감을 보여 준다고 할 수 없다.

**오답률 Best 4**

이 문제는 작품 속 주요 소재에 내포된 의미를 묻고 있어. 작품의 내용에 대한 이해를 바탕으로 해당 소재를 화자가 어떻게 인식하고 있는지 파악해야 했지. 따라서 작품 내용 자체를 해석하지 못했다면 어렵게 느껴졌을 거야. (가)의 '계셩'은 닭의 울음소리를 말해. 화자는 꿈에서 겨우 임을 만났지만 '계셩'으로 인해 잠에서 깨버리는 바람에 임에게 말도 건네지 못했어. 따라서 '계셩'은 원망의 대상이자 임과 이별한 현실을 다시금 깨닫게 하는 존재인 거야. 한편 (나)의 '기럭이'는 어머니에게 쓴 화자의 편지를 전해줄 수 있는 존재이지만, 현재 화자 곁에 없어서 편지조차 전할 수 없는 현실을 깨닫게 만드는 존재이지. 즉 화자의 소망을 실현시켜 줄 수 있지만, 화자가 처한 현실도 깨닫게 만드는 소재인 거야. 이렇게 작품 속 소재에 내포된 의미를 파악하기 위해서는 그 소재에 대한 화자의 인식도 파악할 수 있어야 해.

## [42~45] 고전소설

### 42 ⑤ 정답률 47%

**정답풀이**

'모든 일을 어찌 급하게 처리할 수 있으리오.'에서 서술자의 개입이 나타나며, 서술자는 이를 통해 자신이 운남도 도적의 아들로 알려졌고, 장수백이 자신을 속였음을 알게 된 어사의 상황에 대한 자신의 생각을 드러낸 것으로 볼 수 있다.

**오답풀이**

① 윗글에서 과장된 상황 설정을 통해 해학성을 유발하는 내용은 찾아볼 수 없다.
② 윗글에서 전기적 요소를 활용하여 사건의 환상성을 강화하는 내용은 찾아볼 수 없다.
③ 윗글에서 낭만적 분위기는 나타나지 않는다.
④ 윗글에 초월적 인물은 등장하지 않는다.

**오답률 Best ❸**

고전소설의 서술상 특징을 묻는 문제에서 자주 등장하는 문학 개념이지만 학생들이 유독 어려워하는 '서술자의 개입'이 정답 선지로 출제되었어. '서술자의 개입'은 그 범위가 명확히 정해진 것이 아니라서 설명하기 까다롭고 학생들마다 이 개념의 범위를 조금씩 다르게 알고 있기도 해. 이 때문에 수능에서는 누구나 인정할 수 있는 명백한 경우에만 서술자의 개입이라는 용어를 사용하여 묻는 경향이 있어. '서술자의 개입'에서는 서술자가 인물이나 사건에 대해 평가하거나 감정적 대응을 하는 경우를 들 수 있어. 윗글의 서술자가 '모든 일을 어찌 급하게 처리할 수 있으리오.'라고 한 부분이 바로 이 경우에 해당하지. 그리고 '각설', '차설', '다음 회를 보시라.'와 같이 사건 전개에 관해 독자들에게 안내하는 말을 하는 경우도 서술자의 개입으로 볼 수 있으니 꼭 기억하자!

### 43 ④ 정답률 73%

**정답풀이**

어사는 ⓒ(해주)에서 ⓔ(운남도)에 들어가 '첩첩이 포위하여 도적을 소탕'한 후 도적들을 형문하고 있다. 따라서 어사가 ⓒ에서 ⓔ로 간 것이 어떤 인물과의 타협점을 찾기 위함은 아니다.

**오답풀이**

① 어사는 ⓐ(해주)에서 '여러 읍의 일을 차례차례 남모르게 염탐'하며 자신의 신분을 밝히지 않고 사람들에게 '천연덕스럽게 물'어보고 있다.
② 어사는 ⓐ에서 아전으로부터 자신이 '운남도 도적의 아들'이라는 정보를 듣고 이를 확인하기 위해 ⓑ(운남도)로 들어갔다.
③ ⓑ에서 어사는 도적들의 말을 듣고 '분한 마음이 하늘을 찌를 듯하고 간과 심장이 떨리면서 견디지 못할 듯하였'는데 ⓔ에서 '도적들을 소탕'하면서 그러한 감정을 표출하고 있다.
⑤ 어사는 ⓑ에서 자신이 '역국의 수양자'라는 도적들의 이야기를 엿듣게 되고, '서역국에게 자초지종을 물어 보'기 위해 ⓓ(백학산)로 간 것이다.

### 44 ① 정답률 33%

**정답풀이**

옥퉁소는 여천추가 '황해도 감사의 짐을 빼앗았을 때에 얻은' 것으로, 여천추는 그것을 '기이한 보배'로 여겨 '사위'인 어사에게 준 것이다. 따라서 어사가 여천추에게 옥퉁소를 받은 것은 맞지만, 옥퉁소가 혈육임을 증명하기 위한 신표로 사용되었다고 볼 수는 없다.

**오답풀이**

② 〈보기〉에서 윗글의 '주인공의 '친부모 찾기'는 개인 존재의 근원을 찾음으로써 상실했던 자아 정체성을 회복하는 계기'가 된다고 하였다. 어사가 여천추에게 자신이 '이 감사의 아들'임을 밝히는 것에서, 주인공이 상실했던 자아 정체성을 회복했음을 알 수 있다.
③ 〈보기〉에서 윗글의 '주인공의 '친부모 찾기'는 개인 존재의 근원을 찾음으로써 상실했던 자아 정체성을 회복하는 계기'가 된다고 하였다. 어사는 자신이 '역국의 수양자'라는 말을 듣고 '백학산을 찾아 가서 서역국에게 자초지종을 물어 보리라' 다짐하는데, 이는 자기 존재의 근원을 찾기 위한 노력으로 볼 수 있다.
④ 〈보기〉에서 윗글의 '주인공은 혈육과의 이별로 인해 기구한 운명에 처'한다고 하였다. 어사가 친부모를 잃고 '서역국'과 '장수백'의 수양자가 되는 것은 혈육과의 이별로 인해 기구한 운명에 처한 것으로 볼 수 있다.
⑤ 〈보기〉에서 윗글의 주인공은 '재회의 과정을 통해 열등한 상황에서 벗어나 원래 신분을 회복하게 된다.'라고 하였다. 어사가 '전말을 알게 되었고 모친도 찾'은 것은 '도적놈의 아들'이라는 열등한 상황에서 벗어나는 계기가 된다고 볼 수 있다.

**오답률 Best ❶**

<보기>를 바탕으로 감상의 적절성을 묻는 문제에서 적절하지 않은 선지의 유형은 크게 세 가지로 나누어 볼 수 있어. 첫 번째는 지문의 내용에 부합하지 않는 내용인 경우, 두 번째는 <보기>의 내용에 부합하지 않는 내용인 경우, 세 번째는 지문과 <보기>에 모두 등장하는 내용이지만 선지의 앞 부분과 뒤 부분의 내용이 적절하게 연결되지 않는 경우야. 세 번째 유형은 지문과 <보기>에 사용된 어휘들로 구성되기 때문에 적절하지 않음을 판단하기가 비교적 어려워. 바로 ①번이 이 유형에 해당하지. 어사가 여천추에게 '옥퉁소'를 받은 것도 맞고, 옥퉁소가 혈육임을 증명하는 신표로 사용된 것도 맞지만, 어사가 여천추에게 옥퉁소를 받은 것이 옥퉁소가 혈육임을 증명하는 신표로 사용한 것은 아니므로 이 선지는 적절하지 않아. 이처럼 <보기>를 바탕으로 감상의 적절성을 묻는 문제에서는 선지의 앞 부분과 뒤 부분의 내용이 적절하게 연결되었는지 꼼꼼하게 확인해야 해!

### 45 ⑤ 정답률 75%

**정답풀이**

'아전인수'는 '자기 논에 물 대기라는 뜻으로, 자기에게만 이롭게 되도록 생각하거나 행동함을 이르는 말.'이다. [A]에서 장수백은 자신에게 불리한 상황을 모면하기 위해 자신이 저지른 죄에 대해 변호하며 '서역국도 남의 자식을 수양자로 삼았고 나도 자식이 없어 남의 자식을 수양자로 삼았으니 저와 내가 마찬가지'이고, '서역국의 아들이 되는 것이나 나의 아들이 되는 것이나 남의 자식이 되는 것은 마찬가지'라고 말한다. 이는 잘못된 행위를 저질렀음에도 자기에게만 유리하게 말하는 것이므로, '아전인수'의 논리로 자신의 행위를 정당화하고 있다고 할 수 있다.

**오답풀이**

① '호가호위'는 '남의 권세를 빌려 위세를 부림.'을 이르는 말이다.
② '함구무언'은 '입을 다물고 아무 말도 하지 아니함.'을 이르는 말이다.
③ '동병상련'은 '어려운 처지에 있는 사람끼리 서로 가엾게 여김.'을 이르는 말이다.
④ '일벌백계'는 '한 사람을 벌주어 백 사람을 경계함.'을 이르는 말이다.

## 14회

2018학년도 9월 학평

| 1. ② | 2. ③ | 3. ⑤ | 4. ② | 5. ② | 6. ⑤ | 7. ⑤ | 8. ① | 9. ⑤ | 10. ③ |
|---|---|---|---|---|---|---|---|---|---|
| 11. ④ | 12. ④ | 13. ④ | 14. ③ | 15. ③ | 16. ④ | 17. ⑤ | 18. ③ | 19. ④ | 20. ⑤ |
| 21. ④ | 22. ⑤ | 23. ② | 24. ④ | 25. ④ | 26. ④ | 27. ② | 28. ⑤ | 29. ② | 30. ⑤ |
| 31. ① | 32. ③ | 33. ① | 34. ① | 35. ⑤ | 36. ③ | 37. ③ | 38. ⑤ | 39. ① | 40. ③ |
| 41. ⑤ | 42. ① | 43. ④ | 44. ④ | 45. ⑤ | | | | | |

오답률 Best 5

### [1~3] 화법

**1** ② 정답률 89%

정답풀이

발표자는 '공공디자인은 공공 공간이나 시설의 심미적, 기능적 가치를 높이는 행위인데요.'에서 공공디자인의 개념을, '공공디자인의 중요한 기능은 디자인이라는 행위를 통해 아름다움을 추구하고 사회 구성원들의 편의와 안전을 도모하는 데에 있습니다. 또 지역의 정체성을 표현하는 데에도 있는데요.'에서 공공디자인의 기능을 설명하고 있다. 또한 '이러한 공공디자인은 사회의 미적 수준을 보여 주며~사회 구성원들을 두루 위하는 디자인이라는 점에서 중요합니다.'에서 공공디자인이 가지고 있는 의의를 제시하고 있다.

오답풀이

① 발표에서 공공디자인은 '아름다움을 추구하고 사회 구성원들의 편의와 안전을 도모'하며 '지역의 정체성을 표현'하는 등의 기능 및 목적을 가지고 있음을 언급했지만, 공공디자인 실현 방안의 장단점을 비교하지는 않았다.
③ 발표에서 공공디자인의 발전 가능성을 제시하거나 이론적 연구가 뒷받침되어야 함을 강조한 부분은 찾아볼 수 없다.
④ 발표에서 공공디자인에 대한 오해를 언급한 부분은 찾아볼 수 없다.
⑤ 발표에서 공공디자인이 주목을 받는 이유를 분석하며 이에 대한 지원을 주장하는 부분은 찾아볼 수 없다.

**2** ③ 정답률 87%

정답풀이

'제 꿈은 디자인 분야에서 일하는 것인데'에서 진로 분야에 대한 관심을 드러냈으나 공공디자인에 대한 전문가의 의견을 소개하고 있지는 않다.

오답풀이

① '마침 다음 주 토요일에 '우리 지역에서 찾아볼 수 있는 공공디자인'이라는 주제로 학교 옆 도서관에서 강연이 열린다고 하니 가서 보시면 많은 도움이 될 겁니다.'에서 확인할 수 있다.
② '지난주에 우리 반은 학급별 체험학습으로 △△시 '문화의 거리'에 다녀왔는데요,~그래서 저는 오늘 공공디자인에 대해 말씀드리고자 합니다.'에서 확인할 수 있다.
④ '지난번 발표에 대한 상호 평가에서 매체를 활용하고 사례를 들어 주면 더 좋겠다는 의견이 있었는데요, 그래서 준비해 보았습니다. (사진을 제시하며) 이것은 □□시의 정류장 모습입니다.'에서 확인할 수 있다.
⑤ 발표자는 '지난번 발표에 대한 상호 평가'에서 '사례를 들어주면 더 좋겠다는 의견'을 고려하여 '튼튼한 구조물을 사용'하고 '주변 경관과의 조화까지 고려'한 '□□시의 정류장', '틀에 박힌 모습에서 벗어난 노선 안내판', '마을의 역사를 벽화로 표현한 ○○시의 골목길' 등을 공공디자인을 활용한 예시로 제시하고 있다.

**3** ⑤ 정답률 87%

정답풀이

발표를 들은 학생은 공공디자인 사업을 통해 '지역의 특색'을 살렸다고 알려진 '골목길'을 가 봤지만 '다른 지역의 잘된 사례를 무분별하게 따르'다 보니 서로 '비슷비슷해서 좀 실망'스럽다고 느낀 경험을 떠올리고 있다. 이는 발표자가 공공디자인의 기능이 '지역의 정체성을 표현하는 데에도 있'으며, '대부분의 도시들이 공공디자인을 통해 지역의 특색을 성공적으로 살리고 있'다고 설명한 것에 반박할 수 있는 사례이므로, 이를 바탕으로 발표자에게 '공공디자인을 통해 지역의 정체성을 확보하지 못하는 경우'에 대해 질문할 수 있다.

### [4~7] 화법과 작문

**4** ② 정답률 89%

정답풀이

㉠
'보연'은 처음 발언 시에 "우리 학교의 역사와 문화'라는 주제에 적합한 제재부터 이야기해 보겠습니다.'라고 하며 토의 주제를 제시했다.

㉡
'보연'은 '우리 학교 본관에 대한 소식이라면 무엇을 말하는 것이죠? 조금 더 설명을 부탁합니다.'에서 토의 참여자인 준원의 의견을 구체적으로 확인하기 위해 추가 설명을 요구하고 있다.

㉣
'보연'은 마지막 발언에서 '우리 학교 연혁관에 대한 의견과 학교 본관에 대한 의견들이 있었는데요, 최종적으로 본관의 등록문화재 지정과 관련한 내용으로 학생 소식지를 작성하도록 하겠습니다.'라고 하며 토의의 내용을 정리하여 제시하면서 토의를 마무리하고 있다.

오답풀이

㉢, ㉤
'보연'이 참여자 간 존중을 유지하기 위한 언어 예절의 중요성을 언급하거나, 사전에 토의 참여자의 발언 순서를 지정한 부분은 찾아볼 수 없다.

**5** ② 정답률 76%

정답풀이

[A]에서 '준원'은 '윤서'의 의견에 대해 '물론 연혁관은 학생들의 관심이 필요한 곳이라는 점에서 좋은 제재라고 생각'한다는 의견을 제시하고 있지만, '윤서'의 발언의 실현 가능성을 판단하며 그에 대해 평가하고 있지는 않다.

오답풀이

① [A]에서 '윤서'는 '지난번 학생 설문 결과'에서 '연혁관을 방문한 학생이 매우 적'게 나타났다는 구체적인 근거를 제시하며 의견의 타당성을 높이고 있다.
③ [A]에서 '준원'은 '학교 연혁관을 소개'하자는 '윤서'의 의견에 대해 이미 '연혁관을 소개한 적이 있'어 '제재가 중복되어 식상'할 수 있다는 문제점을 지적하며 '우리 학교 본관에 대한 소식을 알렸으면 좋겠'다는 새로운 의견을 제시하고 있다.
④ [B]에서 '준원'은 '학교 앞 사거리 현수막에서 우리 학교 본관이 등록문화재로 지정되었다는 소식을 보았'다는 개인적 경험을 언급하며 등록문화재와 관련된 '내용을 자세히 알렸'으면 한다는 자신의 의견을 드러내고 있다.

⑤ [B]에서 '윤서'는 '우리 학교 건물이 문화적, 역사적인 가치를 인정받아 등록문화재로 지정되었다는 소식을 전하고 싶다는 것이군요?'에서 '준원'의 발언을 재진술하며 의견을 확인하고 있다.

## 6 ⑤ 정답률 76%

**정답풀이**

(가)에서 윤서는 '글을 쓸 때 공신력 있고 출처가 분명한 자료를 활용하면 글에 대한 신뢰성이 높아질 것 같아요.'라고 하였는데, (나)의 2문단에서는 이를 반영하여 등록문화재와 관련된 공공기관인 '문화재청'의 자료를 활용하여 글의 신뢰성을 높이고 있다.

**오답풀이**

① (가)에서 윤서가 '등록문화재'와 같은 제재의 의미를 알리자고 제안한 부분은 찾아볼 수 없다.
② (가)에서 '관심을 끌 수 있는 제목'을 붙이자고 제안한 것은 윤서가 아니라 준원이다.
③ (가)에서 '지난번 소식지의 표현이 단조로웠다는 학생들의 평가'를 반영하자고 제안한 것은 윤서가 아니라 준원이다.
④ (가)에서 윤서가 '학교 본관과 학생들의 경험을 연결지어 글을 쓴다면 학생들이 친숙하게 다가갈 수 있는 글이 될 것 같'다고 한 의견에 따라 (나)의 1문단에서 학교 본관이 '졸업식과 체육대회 등 학교 행사 사진에 추억으로 등장하는 건물, 매점이 있어 하루에도 몇 번씩 찾게 되어 우리들의 사랑을 받는 장소'라고 언급하고 있다. 그러나 (나)에서 등록문화재에 대한 학생의 설문조사 결과를 제시한 부분은 찾아볼 수 없다.

## 7 ⑤ 정답률 56%

**정답풀이**

(나)의 '특별함'은 '근대 역사의 흔적을 간직하고 지금도 우리와 함께 역사가 살아 숨 쉬고 있음을 깨닫게 해 주는' 본관의 특성을 의미한다. 즉 '특별함'은 과거에 지어진 건물을 보존하여 역사적인 흔적을 유지하면서, 지속적인 활용을 통해 역사가 살아서 함께 숨 쉬고 있음을 깨닫게 해 주는 특성을 다룬 내용으로 구체화될 수 있다. 따라서 〈보기〉에서 ⓐ(근대의 건축물을 현재에는 문화 공간으로 이용)를 활용하여 '근대의 건축물'이 지닌 과거의 모습을 그대로 유지해 가며 이용 가능하다는 점을 제시하고, ⓒ(용도를 변경하여 앞으로 다양하게 활용)를 활용하여 미래에도 '용도를 변경'해 가며 지속적으로 '다양하게 활용'할 수 있다는 점을 언급하여 (나)의 '특별함'을 구체화할 수 있다.

**오답풀이**

① (나)의 '우리 학교 본관'이 ⓐ의 사례와 같이 근대의 건축물의 용도를 바꾸어 문화 공간으로 이용되고 있다고 보기는 어려우므로 ⓐ를 활용 근거로 삼아 (나)의 '특별함'을 구체화하는 것은 적절하지 않다.
② (나)의 3문단에서 '우리 학교 본관'이 '지역적, 역사적, 문화적 가치를 인정받았다'고 하였으나, ⓑ(등록문화재의 지정을 늘리기 위해)는 등록문화재의 지정을 늘리기 위한 문화재청의 제도적 지원과 관련된 내용이므로 ⓑ를 활용 근거로 삼아 (나)의 '특별함'을 구체화하는 것은 적절하지 않다.
③ 본관이 수리가 필요한 특별한 대상이라는 내용은 '우리 학교 본관'의 역사적 가치를 나타내는 (나)의 '특별함'을 구체화하는 내용으로 적절하지 않으며, (나)에서 '우리 학교 본관'의 수리가 필요하다고 언급한 부분도 찾아볼 수 없다.
④ ⓑ는 등록문화재의 지정을 늘리기 위한 제도적 지원의 내용을 다루고 있을 뿐이며, (나)에서 '우리 학교 본관'의 '특별함'을 언급하며 국가 지원이 부족함을 언급하고 있지는 않으므로, ⓑ를 근거로 국가 지원을 확대해야 한다는 주장을 하는 것은 적절하지 않다.

# [8~10] 작문

## 8 ① 정답률 78%

**정답풀이**

2문단에서 '독도 336'의 내용 영역이 "독도의 역사'와 '독도의 가치'로 그 내용이 나누어져 있'어 '독도의 지리적 · 생태적 특성과 같은 자연 환경에 대해서는 알 수가 없'다는 실태를, 3문단에서 '스마트폰과 같은 모바일 기기로 '독도 336'에 접속해 보면 PC에서 보았던 웹 사이트의 형태가 모바일 기기의 작은 화면에 그대로 담겨 있어서 자료의 열람이 불편'하다는 실태를 구체적으로 제시하며 웹 사이트의 문제 상황을 드러내고 있다.

**오답풀이**

② 2문단에서 '독도가 천연기념물 제336호라는 점에 착안'한 '작명 취지'를 살리기 위해 '독도의 자연 환경과 관련된 내용'을 추가할 것을 건의하고 있기는 하지만, 논의의 필요성을 드러내기 위해 자연 환경적 가치의 중요성이 부각되는 상황을 제시하고 있지는 않다.
③ 학생의 초고에서 모바일 웹 사이트의 구축 절차를 제시한 부분은 찾아볼 수 없다.
④ 학생의 초고에서 유사한 성격의 타 웹 사이트를 비교 사례로 제시한 부분은 찾아볼 수 없다.
⑤ 1문단에서 학생이 '독도 탐구 동아리 부장'으로서 '동아리를 대표하여' 글을 쓰고 있음을 제시하고 있지만, 학생의 초고에서 동아리에서 수행한 독도 관련 연구 결과를 근거로 제시한 부분은 찾아볼 수 없다.

## 9 ⑤ 정답률 83%

**정답풀이**

(나)는 '모바일 인터넷 사용량'이 'PC를 앞지'르고 있다는 내용을 다룬 신문 기사로, 이를 활용하여 모바일 기기 이용자를 확보하기 위해 '모바일 친화적인 웹 사이트를 구축'해야 한다는 내용을 주장할 수 있다. 하지만 (다)는 독도 환경 조사 결과를 제시한 연구 보고서로, 이를 통해 모바일 기기 이용자의 확보와 새로운 학술 자료의 필요성을 강조하기는 어렵다.

**오답풀이**

① 3문단에서 '모바일 기기로 '독도 336'에 접속해 보면 PC에서 보았던 웹 사이트의 형태가 모바일 기기의 작은 화면에 그대로 담겨 있어서 자료의 열람이 불편'하다고 하였는데, (가)의 학생 역시 '독도 336'에 들어가 봤을 때 '스마트폰으로는 글자가 너무 작게 보여 긴 글을 읽기 어려웠'다며 불편을 호소하고 있으므로, 이를 모바일 기기에서 '독도 336'을 이용할 때 불편함을 겪은 사례로 소개하는 것은 적절하다.
② 3문단에서 '모바일 기기를 통해 인터넷을 이용하는 경우가 많아지고 있'다고 하였는데, (나)에서 '모바일 인터넷 사용량'이 'PC를 앞지'르고 있는 실태를 제시했으므로, 이를 모바일 기기를 통한 인터넷 이용이 많아지고 있다는 내용의 근거로 삼는 것은 적절하다.
③ 2문단에서 '독도의 지리적 · 생태적 특성과 같은 자연 환경'에 대해 알 수 있는 '독도의 자연 환경' 내용 영역을 신설하자고 건의하였는데, (다)의 독도 환경 조사 중 발견된 '신종 선형동물'이나 '신종 미생물 박테리아'는 독도의 생태적 특성을 나타내는 사례이므로, 이를 '독도의 자연 환경' 영역에 포함될 수 있는 사례로 제시하는 것은 적절하다.
④ 3문단에서 모바일 기기 이용자를 고려한 '모바일 웹 사이트를 구축'하지 않으면 "독도 336'의 이용자가 크게 감소'할 수 있다는 우려를 언급하였다. (가)의 학생이 '스마트폰으로는 글자가 너무 작게 보'이는 문제가 '개선된다면 더욱 자주 이용할 것 같'다고 한 의견과 (나)의 A사 관계자가 '모바일 친화적인 웹 사이트를 구축해야만 이용자를 지킬 수 있을 것'이라고 한 의견을 활용하여, 모바일 웹 사이트의 구축이 이용자 감소를 예방하는 데 도움이 될 것임을 강조하는 것은 적절하다.

## 10 ③ 정답률 81%

**정답풀이**

고쳐 쓴 글에서는 4문단에서 '독도 336'에 '전면적인 개선이 이루어져야' 한다는 내용과 모바일 편의성 개선을 위해 '웹 사이트 운영자의 인식 전환과 철저한 준비가 필요'하다는 내용이 삭제되고, '그동안 여러 사람들에게 독도를 널리 알리는 데 기여한 바가 크'다는 '독도 336'의 의의와, 건의에 따라 모바일 편의성을 개선하면 '더욱 많은 사람들에게 독도의 다양한 특성과 가치를 알릴 수 있을 것'이라는 기대 효과가 제시되었다.

14 회

## [11~15] 문법(언어)

### 11 ④ 정답률 45%

**정답풀이**

4문단을 참고할 때, '깊이'는 형용사 '깊다'의 어근 '깊-'에 접미사 '-이'가 붙어 만들어진 새로운 단어이다. 이때 '깊이'의 품사는 부사이며 접미사 '-이'는 어근의 품사를 부사로 바꾸었으므로 ㉡(어미)이 아니라 ㉠(파생 접사)에 해당한다.

**오답풀이**

① 2문단에서 ㉠은 '단어 파생에 기여'하며 '어근의 앞에 위치하는 접두사는 굴절 접사가 없어 모두 파생 접사'라고 하였다. 따라서 '드높은'에서 어근 '높-' 앞에 위치하는 접두사인 '드-'는 단어 파생에 기여하는 ㉠이다.
② 3문단에서 ㉠은 '새로운 단어를 만들어' 낸다고 하였으며, 단어 '구경'과 '구경꾼'은 '별개의 단어로 사전에 표제어로 등재'된다는 것을 예로 들었다. 따라서 어근 '말썽' 뒤에 붙어 새로운 단어를 만들어 낸 접미사인 '-꾸러기'는 ㉠에 해당하며, '말썽꾸러기'는 '말썽'과 별개의 단어로 사전에 등재되었을 것이다.
③ 2문단에서 '굴절 접사'라고도 하는 ㉡은 '활용할 때 어간에 결합하여 문법적인 기능을 표시'한다고 하였다. '되었다'의 '-었-'은 '되다'를 기본형으로 가진 단어의 어간 '되-' 뒤에 붙어 사건이나 행위가 이미 일어났음을 나타내는 문법적인 기능을 표시하는 ㉡에 해당한다.
⑤ 3문단에서 '굴절 접사'라고도 하는 ㉡은 '새로운 단어를 만들어' 낼 수 없다고 하였으며, 그 예로 '어간 '먹-'에 어미가 결합한 '먹지, 먹자, 먹어서' 등은 사전에 표제어로 등재되지 않고, 기본형인 '먹다'만 사전에 표제어로 등재'되는 경우를 제시하고 있다. '흐르고'는 '흐르다'의 활용형으로, '-고'는 어간 '흐르-'에 붙어 문법적인 기능을 표시하는 ㉡에 해당한다. 따라서 기본형인 '흐르다'만이 사전에 표제어로 등재되었을 것이다.

**오답률 Best ④**

지문에서 전반적으로 파생 접사와 굴절 접사라는 '접사'에 대해 설명하고 있는 건 같은데, 이 문제에서는 '어미(㉡)'를 다루는 선지가 많아 혼란을 느낀 학생이 많았나 봐. 이 문제는 정답 다음으로 ③번의 선택 비율이 높았어. ③번의 '되었다'는 어간 '되-'에 선어말 어미 '-었-', 어말 어미 '-다'가 결합한 거야. 이때 '-었-'은 과거 시제 선어말 어미, 즉 '어미'의 일종으로, '부모님의 드높은 사랑을 깊이 깨닫게 된' 사건이 이미 일어났음을 알려 주는 문법적 기능을 한다는 점에서 ㉡에 해당해. 이때 3문단을 바탕으로 '되었다'의 구성을 생각해서, '되다'에 '-었-'이 붙음으로써 새로운 문법적 기능이 추가된 점과, '되다'에 '-었-'이 붙는다고 '되었다'라는 단어가 새로운 단어로서 사전에 등재되지는 않으므로 '-었-'이 파생 접사가 아니라 굴절 접사임을 파악할 수 있었다면 좋았겠지? 물론 미리 '-았/었-'이 과거 시제의 선어말 어미임을 알고 있었다면 문제를 더 빠르게 해결할 수 있었을 거야.

지문은 문제를 풀기 위해 필요한 설명을 해 주지만, 학생들이 필수적으로 알아두어야 하는 기본적인 개념에 대한 설명은 간단하게 넘어가고, 관련 예시나 사례를 문제에서 다루기도 해. 그러니 문법(언어) 영역을 대비하려면 어느 정도의 문법 지식은 확립해 두는 것이 좋아. 이 지문의 경우, '어근과 접사', '어간과 어미'에 대해 어느 정도 공부해 둔 학생들은 지문을 파악하는 시간을 단축하고, 문제가 요구하는 바를 정확하게 파악하는 것이 한층 수월했을 거야.

### 12 ④ 정답률 43%

**정답풀이**

4문단에 따르면 ㉮(파생 접사는 어근과 결합하여~어근의 품사를 바꾸기도 하고)의 예로 적절한 것으로는 어근과 결합하여 어근의 품사를 바꾸는 '지배적 접사'가 사용된 경우를 찾아야 한다. 그러나 '아름다운 가을 하늘이 높다랗다.'의 '높다랗다'는 형용사 어근 '높-'에 접미사 '-다랗-'이 결합하여 만들어진 형용사로, 이때 '-다랗-'은 지배적 접사가 아니라 어근의 품사를 바꾸지 않는 한정적 접사이므로 적절하지 않다.

**오답풀이**

① '행복하다'는 명사 어근 '행복'에 파생 접사 '-하다'가 결합하여 만들어진 형용사로, 이때의 '-하다'는 지배적 접사에 해당하므로 ㉮의 예로 적절하다.
② '찰랑거리다'는 부사 어근 '찰랑'에 파생 접사 '-거리다'가 결합하여 만들어진 동사로, 이때의 '-거리다'는 지배적 접사에 해당하므로 ㉮의 예로 적절하다.
③ '좁히다'는 형용사 '좁다'의 어근 '좁-'에 파생 접사 '-히-'가 결합하여 만들어진 동사로, 이때의 '-히-'는 지배적 접사에 해당하므로 ㉮의 예로 적절하다.
⑤ '자랑스럽다'는 명사 어근 '자랑'에 파생 접사 '-스럽다'가 결합하여 만들어진 형용사로, 이때의 '-스럽다'는 지배적 접사에 해당하므로 ㉮의 예로 적절하다.

**오답률 Best ②**

이 문제는 예시가 지배적 접사가 사용되어 어근의 품사가 바뀌는 경우인지, 아니면 한정적 접사가 사용되어 어근의 품사가 바뀌지 않는 경우인지를 판단하도록 하고 있어. 정답 다음으로 선택 비율이 높은 오답은 ③번이었는데, ③번을 고른 학생들은 '좁다'와 '좁히다'의 품사가 다르다는 것을 알지 못한 듯해. '좁다'는 형용사에 해당하고, '좁히다'는 동사에 해당해. 형용사는 주로 사물의 성질이나 상태를 나타내고, 동사는 주로 사물의 동작이나 작용을 나타내지. 이런 설명만으로는 헷갈린다면 단어에 현재 시제 선어말어미 '-는(ㄴ)-'이나 관형사형 전성 어미 '-는(ㄴ)', 연결 어미 '-(으)려/러', 명령형 어미 '-(아/어)라', 청유형 어미 '-자'를 붙여 보는 식으로 구분해도 돼. 동사에는 위 어미들이 붙을 수 있고, 형용사는 대체로 붙을 수 없거든. '좁힌, 좁히는, 좁히려, 좁혀라, 좁히자'라는 표현은 자연스럽지만, '*좁는, *좁으려, *좁아라, *좁자'라는 표현은 어색한 것처럼 말이야. 따라서 '좁다'의 어근 '좁-'에 결합하여 품사를 형용사에서 동사로 바꾼 '-히-'는 ㉮의 사례에 부합하는 지배적 접사라고 볼 수 있는 거야.

이 문제에서는 정답과 ③번 외의 선지들을 선택한 학생들도 적지 않았어. 어쩌면 애초에 어떻게 문제에 접근해야 하는지를 파악하지 못했기 때문일지도 몰라. 하지만 지문에서 '어근'에 '접사'가 결합하여 단어를 형성한다는 내용을 다루고 있는 이상, 학생들은 지문의 내용을 바탕으로 '행복하다', '찰랑거리다', '좁히다', '높다랗다', '자랑스럽다'라는 단어가 어떻게 형성되었는지, 즉 각 단어에서의 '어근(의미상 중심이 되는 부분)'과 '접사(특정한 의미나 기능을 부여하는 부분)'가 무엇인지를 파악하며 선지를 판단했어야 해. 문제의 해결 방향을 파악하기 어려울 경우에는, 지문과 연결 지어 이해할 수 있도록 하자.

### 13  정답률 66%

**정답풀이**

'나는 꽃이 활짝 핀 봄이 오기를 기다린다.'에서 '꽃이 활짝 핀'은 '꽃이 활짝 피다'에 관형사형 어미 '-ㄴ'이 결합하여 '봄'을 수식하는 관형절로 쓰이고 있다. 또한 '봄이 오기'는 '봄이 오다'에 명사형 어미 '-기'가 결합하여 명사절로 쓰이고 있으므로 조건을 충족해 ㉠에 들어갈 내용으로 적절하다.

**오답풀이**

① '봄이 오면 꽃이 활짝 핀다.'는 '봄이 오다.'와 '꽃이 활짝 핀다.'가 종속적으로 이어진문장에 해당한다.
② '꽃이 활짝 피는 봄이 온다.'에서는 '꽃이 활짝 피는'이 '봄이 오다.'의 '봄'을 수식하는 관형절로 쓰였으나 명사절은 쓰이지 않았다.
③ '나는 봄이 오고 꽃이 활짝 피기를 바란다.'에서는 '꽃이 활짝 피기'가 명사절로 쓰였으나 관형절은 쓰이지 않았다.
⑤ '나는 봄이 와서 꽃이 활짝 피기를 소망한다.'에서는 '꽃이 활짝 피기'가 명사절로 쓰였으나 관형절은 쓰이지 않았다.

## 14 ③ 정답률 52%

**정답풀이**

구개음화는 받침이 'ㄷ, ㅌ'인 형태소가 모음 'ㅣ'나 반모음 'ㅣ'로 시작하는 형식 형태소와 만나 'ㄷ, ㅌ'이 'ㅈ, ㅊ'으로 바뀌는 현상이다. ⓒ의 '굳히다'는 '굳히다 → [구티다](거센소리되기) → [구치다](구개음화)'의 과정을 거쳐, '닫히다'는 '닫히다 → [다티다](거센소리되기) → [다치다](구개음화)'의 과정을 거쳐 우선 음절 끝소리인 'ㄷ'이 이어지는 음운인 'ㅎ'과 만나 거센소리 'ㅌ'로 발음되는 '축약' 현상이 일어난 뒤, 구개음화가 일어난 경우에 해당하므로, ⓒ을 통해 'ㄷ' 뒤에서 'ㅎ'이 '탈락'하는 현상을 확인할 수 없다.

**오답풀이**

① ㉠의 '맏이[마지]'와 '같이[가치]'의 경우, 받침 'ㄷ, ㅌ'이 이어지는 모음 'ㅣ'와 만나면서 'ㅈ, ㅊ'으로 발음되고 있으므로, 끝소리가 'ㄷ'이나 'ㅌ'일 때 구개음화가 일어남을 알 수 있다.
② ㉡의 '밭이[바치]'의 경우 받침 'ㅌ'이 모음 'ㅣ'와 만나 'ㅊ'으로 발음되는 구개음화가 일어나고 있지만, '밭을[바틀]'의 경우에는 받침 'ㅌ'이 모음 'ㅡ'와 만날 때 구개음화가 일어나지 않고 연음되고 있으므로, 'ㅌ'은 'ㅣ'라는 특정 모음과 만날 때 구개음화가 일어남을 알 수 있다.
④ ㉣의 '밑이[미치]'의 경우 '밑'에 형식 형태소인 조사 '이'가 붙어 구개음화가 일어나고 있지만, '끝인사[끄딘사]'의 경우에는 '끝'에 실질 형태소인 '인사'가 결합하여 구개음화가 일어나지 않고 있으므로, 'ㅌ'은 뒤에 실질 형태소가 올 때는 구개음화가 일어나지 않음을 알 수 있다.
⑤ ㉤의 '해돋이[해도지]'의 경우 '해돋-'과 '-이'라는 두 개의 형태소가 결합하면서 구개음화가 일어나고 있지만, '견디다[견디다]'의 경우에는 하나의 형태소인 '견디-' 내부에서 구개음화가 일어나지 않음을 알 수 있다.

## 15 ③ 정답률 39%

**정답풀이**

〈보기〉에서 중세 국어의 주격 조사는 앞에 결합하는 체언의 끝소리가 자음일 때 '이'가 나타났다고 했는데, ㉠의 경우 '뱀'의 옛말인 'ᄇᆞ얌'의 끝소리가 자음이므로, 주격 조사 '이'가 결합된 형태인 'ᄇᆞ야미'로 나타난다. 한편 앞에 결합하는 체언의 끝소리가 모음 'ㅣ'이거나 반모음 'ㅣ'일 때는 아무런 형태가 나타나지 않는다고 했는데, ㉡의 경우 '뿌리'의 옛말인 '불휘'는 끝소리가 반모음 'ㅣ'이므로 주격 조사가 아무런 형태도 갖지 않는 '불휘'로 나타난다. 마지막으로 앞에 결합하는 체언의 끝소리가 모음 'ㅣ'도, 반모음 'ㅣ'도 아닌 모음일 경우에는 'ㅣ'가 나타난다고 했는데, ㉢의 경우 '대장부'는 끝소리가 모음 'ㅣ'도 반모음 'ㅣ'도 아닌 모음 'ㅜ'이므로, 주격 조사 'ㅣ'가 결합한 '대장뷔'로 나타난다.

**오답률 Best 1**

이 문제에서 가장 매력적이었던 오답은 선택 비율이 37%로 거의 정답 선택 비율에 근접한 ④번이야. ⓒ에서 '대장부가'라는 표현이 중세 국어에서 '대장뷔ㅣ'라고 표현될 것이라고 생각한 학생들이 많았던 거지. 이건 아마도 많은 학생들이 '뿌리'가 중세 국어에서 '불휘'라는 단어였듯 '대장부'도 중세 국어에서 '대장뷔'라는 단어였을 것이라고 오해했거나, '대장부'에 주격 조사 'ㅣ'가 결합한 형태가 '대장뷔'로 나타날 것이라고는 예상하지 못했기 때문일 거야. 그렇다면 중세 국어에서 현대어를 어떻게 표현했는지 외워야 하냐고 생각할 수도 있겠지만, 그럴 필요는 없어. 사실상 단서는 모두 <보기>에 주어져 있거든. 만일 선지를 보고 '대장부'라는 단어가 중세 국어에서 '대장뷔'일 것이라 생각했더라도, <보기>에 따르면 반모음 'ㅣ'가 체언의 끝소리일 경우에는 '아무런 형태가 나타나지 않'는다고 하였으므로, '대장뷔' 뒤에 주격 조사가 'ㅣ'의 형태로 나타날 수는 없어. 그에 따라 ②번과 ④번은 적절하지 않은 선지라고 판단하고 넘어갈 수가 있지. 이후에는 '대장부'라는 단어에 주격 조사가 'ㅣ'로 나타나게 되면서, 두 모음이 결합하여 '대장뷔'라는 형태로 표기되었으리라고 논리적으로 생각할 수 있어. 중세 국어의 표기 방식과 기본적인 문법을 미리 어느 정도 외워 두는 것은 이런 문제를 빠르고 정확하게 해결하는 데 확실하게 도움이 되지만, 기본적으로 문제를 해결할 수 있는 단서는 발문이나 선지, <보기> 등으로 충분히 주어진다는 점을 염두에 두자!

# [16~21] 인문+예술

## 16 ④ 정답률 78%

**정답풀이**

윗글은 2문단에서 근대 철학의 이성론과 관련된 데카르트의 견해를 제시한 후, 3문단~5문단에서 '이러한 근대 철학의 흐름에 반발'한 현대 철학자 베르그송의 입장을 밝히고, 6문단~7문단에서 '베르그송의 철학과 유사성을 가진' 미술 분야의 사조인 '인상주의'를 소개하고 있다.

**오답풀이**

① 2문단~3문단에서 근대 철학의 이성론과 '직관'에 대한 데카르트와 베르그송의 상반된 주장이 제시되고 있다고 볼 수 있으나, 이에 대한 절충점을 모색하고 있지는 않다.
② 3문단에서 베르그송이 근대 철학의 이성론과 관련하여 '이성이 세계를 분절시키며, 질적인 시간마저 양적으로 쪼개는 일을 한다'고 비판하는 내용이 제시되고 있으나, 이에 대한 재반론이 제시되지는 않았다.
③ 3문단에서 현대 철학자인 베르그송이 근대 철학자인 데카르트의 견해에서 비롯된 철학의 흐름에 반발하며 취한 비판적인 태도를 언급하고 있지만 이것이 데카르트의 견해가 지닌 부당함을 지적한 것이라고 보기는 어려우며, 이에 대한 다양한 분야의 의견이 시대 순으로 비교되고 있지도 않다.
⑤ 1문단과 2문단에서 케플러의 견해가 '근대 철학의 이성론에 많은 영향을 주었'고 데카르트의 견해가 '이후 근대 철학의 흐름에 지대한 영향을 주었'다고 언급하고 있을 뿐이며, 윗글에서 자문자답의 방식을 통해 특정 이론의 장단점을 나열하는 부분은 찾아볼 수 없다.

## 17 ⑤ 정답률 59%

**정답풀이**

2문단에서 근대 철학자 데카르트는 '의심할 수 없는 것을 찾기 위해 대상을 직관으로 분절하여 더 나눌 수 없는 단순 본성을 찾고, 이 단순 본성들을 복합한 개념을 통해 세계에 대한 이해를 확장하려 했'다고 하였다. 즉 의심할 수 없는 것을 찾기 위해 직관으로 분절한 것은 '대상'이며, 그러한 분절의 결과로 찾아낸 '단순 본성'은 더 나눌 수 없는 존재이다. 따라서 근대 철학에서 지속적으로 단순 본성을 분절하였다고 볼 수는 없다.

**오답풀이**

①, ② 1문단에서 '근대 철학은 근대 과학의 양적인 크기를 중시하는 사고를 수용하며 발달' 했으며, 근대 과학자인 케플러가 '우주가 기하학적인 원리에 의해 만들어졌다는 믿음'에 따라 자연에 대해 '기하학과 같은 수학적 관점의 선험적 태도'를 취하며 '근대 철학의 이성론에 많은 영향을 주었'다고 하였다.
③ 1문단에서 '고대 과학이 사물 변화의 질적인 부분에 주목했던 것과 달리 근대 과학은' '양적으로 수치화할 수 있는, 즉 양화할 수 있는 것을 과학으로 간주하였'다고 했다.
④ 6문단에서 '고전주의에서는 풍경이 인간과 인간 행위의 배경에 불과'하다고 한 것을 고려할 때, 고전주의 회화에서는 인간이 중요한 대상으로서 풍경과 차별성을 지닌 존재로 그려졌을 것임을 알 수 있다.

## 18 ③ 정답률 83%

**정답풀이**

2문단에 따르면 데카르트의 ㉠(직관)은 '순수한 정신의 의심할 여지없는 파악이며, 이것은 오직 이성의 빛에서 유래하는 것'이다. 그러나 3문단에 따르면 베르그송은 이성을 통해서는 '세계에 대한 통찰에 실패할 수밖에 없다'라고 주장했고, 4문단에서 이성 대신 ㉡(직관)을 제시하며 이것이 '공감적 경험이자 통합적 경험을 의미'한다고 보았다고 하였다. 따라서 순수한 이성을 통해 얻을 수 있는 것은 베르그송의 ㉡이 아닌 데카르트의 ㉠이다.

**오답풀이**

① 2문단에 따르면 데카르트는 ㉠을 '선험(경험에 앞서 선천적으로 가능한 인식 능력)적으로 가지고 있다고 믿'었다.

14회

② 4문단에 따르면 베르그송의 ㉡은 '공감적 경험이자 통합적 경험을 의미'한다.
④ 2문단에 따르면 데카르트의 ㉠은 대상을 분절하여 '더 나눌 수 없는 단순 본성을 찾'는 데 활용된다.
⑤ 2문단과 4문단에 따르면 데카르트의 ㉠은 '세계에 대한 이해를 확장'하기 위해 활용되며, 베르그송의 ㉡은 '세계를 통찰하기 위한 방법'으로 활용된다.

## 19 ④ 정답률 71%

정답풀이

4문단~5문단에 따르면, 베르그송은 세계를 통찰하기 위해 '사물의 내부로 들어가~하나가 다른 하나로 스며가면서 전체를 향해 통합되는' 과정이 '지속적인 시간', 즉 '개인 체험이 반영된 질적인 시간'에서 이루어진다고 본다. 이를 참고할 때, 〈보기〉에서 얼음이 녹기를 기다리는 시간이 '수치화된 시간이 아니라 나의 체험이 반영된 질적인 시간'이라고 보는 '나'의 깨달음과 인식은 베르그송의 관점과 부합한다고 볼 수 있다. 이때 베르그송은 〈보기〉의 사례가 얼음이 녹는 현상과 자신의 기다림을 통합하는 '공감과 통합'의 시간을 통해 지속되는 질적인 시간의 의미를 드러낸다고 볼 것이다.

오답풀이

①, ② 2문단에 따르면 근대 철학자 데카르트는 '특히 수학에 심취'해 이성적 직관을 통해 세계에 접근하려 하였다고 볼 수 있다. 5문단에서 이러한 '근대 철학의 이성론은 시간을 분절하여 공간 안에 정지된 상태로' 본다고 하였다. 즉 이성론을 따른 근대 철학자인 데카르트는 〈보기〉처럼 '내가 기다리는 시간은 물질계에 적용되는 수학적인 시간이 아니라는 교훈'과 얼음이 녹는 현상을 연결 지어 정지된 시간 속의 경험을 설명하지 않을 것이며, 얼음이 녹는 시간이 '수치화된 시간이 아니라 나의 체험이 반영된 질적인 시간'이라는 인식에 동의하지도 않을 것이다. 또한 3문단을 참고할 때, '세계의 사물들이 서로 경계가 모호한 채로 연속적인 전체를 이루고' 있다고 본 것은 데카르트가 아닌 베르그송이다.
③ 5문단에 따르면 베르그송은 '공간적인 것이 시간적인 것에서 영향을 받아 생긴다는 주장'을 했으므로, 〈보기〉의 사례처럼 얼음이 녹는 시간이 공간의 영향을 받아 생긴 시간의 유의미성에 동의한 것이라 보지는 않을 것이다.
⑤ 〈보기〉에서는 '내가 (얼음이 녹기를) 기다리는 시간은 물질계에 적용되는 수학적인 시간이 아니라' '나의 체험이 반영된 질적인 시간'이라고 보고 있으므로, 베르그송의 관점에 부합한다고 볼 수 있다. 그러나 베르그송이 얼음이 녹기를 기다리는 시간을 '수로 개념화된' 체험을 나타낸다고 보지는 않을 것이다.

## 20 ⑤ 정답률 60%

정답풀이

〈보기〉는 인상주의 사조의 작품이다. 6문단에서 인상주의자들은 '한 가지 색이 다른 하나의 색으로 감상자의 눈에 의해 분절됨이 없이 지속적으로 섞여 들어가도록 표현'했다고 했으므로 〈보기〉가 '색들이 감상자의 눈에서 섞이지 않고 이질적으로 독립되도록' 하였다고 볼 수는 없다.

오답풀이

① 6문단에서 인상주의 회화에서는 '대상에게 받은 인상에 집중시키기 위해 배경이 존재하지 않는 경우도 있었'다고 한 것을 통해 알 수 있다.
② 6문단에서 인상주의자들은 '평면의 그림판에 그려진 그림이 3차원적 입체감을 갖도록 개발한 원근법과 같은 기법을 자제'하였다고 한 것을 참고할 때, 〈보기〉가 '그림자를 표현하지 않'음으로써 '평면감'이 나타나도록 표현한 것은 입체감을 위한 기법에 구애받지 않은 결과로 볼 수 있다.
③ 7문단에서 '인상주의자들은 색들을 합쳐 만든 중간색은 편견이므로 이를 해체해 고유의 색으로 되돌'렸다고 한 것을 고려할 때, 〈보기〉가 색들을 합친 중간색을 사용하지 않고 원색을 이용한 것은 각각의 색들이 갖는 특성을 그대로 표현하기 위한 것으로 볼 수 있다.
④ 7문단에서 인상주의자들은 '빛이 연출하는 색채의 아름다운 변화들을 연속적으로 느끼게' 함으로써 '대상에 어떤 의미나 교훈을 담는 것이 아니라 받은 인상을 그대로 전달하려고 노력'하였다고 한 것을 고려할 때, 〈보기〉가 각각의 색을 살린 것은 색채의 미적 효과를 중심으로 표현하며 인물에 특정한 의미나 교훈을 담기 위한 흐름에서 벗어나기 위한 것으로 볼 수 있다.

## 21 ④ 정답률 87%

정답풀이

ⓓ(포착된)의 '포착되다'는 '어떤 기회나 정세가 알아차려지다.'라는 의미이므로, '한데 합친 상태가 된다.'라는 의미의 '모아진'으로 바꿔 쓰는 것은 적절하지 않다.

오답풀이

① ⓐ(수용하며)의 '수용하다'는 '어떠한 것을 받아들이다.'라는 의미이므로 '받아들이며'와 바꿔 쓸 수 있다.
② ⓑ(확장하려)의 '확장하다'는 '범위, 규모, 세력 따위를 늘려서 넓히다.'라는 의미이므로 '넓히려'와 바꿔 쓸 수 있다.
③ ⓒ(혼합하는)의 '혼합하다'는 '뒤섞어서 한데 합하다.'라는 의미이므로 '섞는'과 바꿔 쓸 수 있다.
⑤ ⓔ(유사한)의 '유사하다'는 '서로 비슷하다.'라는 의미이므로 '비슷한'과 바꿔 쓸 수 있다.

# [22~25] 현대시

## 22 ⑤ 정답률 46%

정답풀이

(가)에는 '거미'를 쓸어버렸던 경험을 통해 가족 공동체의 회복에 대한 화자의 지향이 드러나 있고, (나)에는 '서울 조카아이들'이 '까치밥 따는' 광경을 목격한 경험과 '할아버지', '아버지'와 관련된 경험을 통해 공동체를 배려하며 조화를 이루고 살아가고자 하는 삶에 대한 화자의 지향이 드러나 있다.

오답풀이

① (나)에서는 서울 조카아이들이 '까치밥'을 따서 '남도의 빈 겨울 하늘만 남으면' '허전'할 것이라고 생각하는 화자의 마음이 드러나고 있으나, 화자가 대상과의 이별을 안타까워하고 있다고 보기는 어렵다. 한편 (가)의 화자는 거미를 보며 '서러워'하며 '이것의 엄마와 누나나 형'을 만났으면 하고 바랄 뿐, 대상과의 이별에 대해 안타까워 하고 있다고 보기는 어렵다.
② (나)의 화자는 무덤 속을 걸어가신 '할아버지'나 두만강 국경을 넘던 '아버지'에 대한 기억을 떠올리고 있다고 볼 수 있으나, (가)에는 과거 회상이 나타나지 않는다.
③ (나)에는 '겨울'이라는 계절적 배경이 제시되고 있으나, (가)에는 계절적 배경이 드러나지 않는다.
④ (가)의 화자가 '거미'를 바라보고 '아모 생각 없'다가 '서러'움과 '가슴이 메이는 듯'한 슬픔을 느끼게 된다는 점에서 태도 변화가 나타나고 있다고 볼 수 있으나, (나)에는 화자의 태도 변화가 드러나지 않는다.

**오답률 Best 5**

이 문제에서 정답 다음으로 선택 비율이 높았던 오답은 ①번이야. 많은 학생들이 (가)에서 거미를 쓸어버리는 화자의 행동으로 인해 거미 가족이 뿔뿔이 흩어진 상황을 '이별'로 보고, 그러한 거미 가족의 상황에서 화자가 '안타까움'을 느끼고 있다는 점을 참고하여 '이별'과 '안타까움'이 있으니 맞다고 성급하게 판단한 듯해. 하지만 ①번에서는 작품에 '대상의 이별'에 대한 '화자의 안타까움'이 드러나는지가 아니라 '대상과의 이별'에 대한 화자의 안타까움이 드러나는지를 물어봤으니, 이에 대해 판단해야 해. 즉 화자가 대상과 이별하고 안타까워하는지를 봐야지. (가)에서 화자가 안타까움을 느끼는 것은 '거미 가족'의 상황이 안타깝기 때문이지, 화자가 '거미'와 이별했기 때문이 아니야. 그래서 ①번은 적절하지 않은 선지가 되는 거지. 지문에 선지의 부분적인 요소(대상, 이별, 안타까움)가 모두 들어있다고 하더라도, 선지의 적절성을 판단할 때에는 선지가 그러한 요소들을 '어떻게' 연결하고 있는지를 잘 확인해야 해.

## 23 ② 정답률 72%

**정답풀이**

㉠(보드라운 종이)는 화자의 행동으로 인해 '엄마와 누나나 형'을 잃은 '무척 작은 새끼 거미'에 대한 안타까움에서 비롯된 배려의 마음이 담긴 대상이며, ㉡(까치밥 몇 개)는 '공중을 오가는 날짐승'이 겨울철에 먹을 것이 없어 '배 주릴 때' 먹을 수 있도록 일부러 남겨두는 배려의 마음이 담긴 대상이다.

**오답풀이**

① ㉠과 ㉡ 모두 수고에 대한 보상을 나타낸다고 보기는 어렵다.
③ ㉡에서 미물인 까치에 대한 사랑이 나타난다고 볼 수 있으나, ㉠이 미물에 대한 용서를 나타낸다고 보기는 어렵다.
④ ㉠이 이상에 대한 동경을 나타낸다거나 ㉡이 현실에 대한 비판을 나타낸다고 보기는 어렵다.
⑤ ㉠이 인간과 자연의 합일을 나타낸다거나 ㉡이 인간과 자연의 조화를 나타낸다고 보기는 어렵다.

## 24 ④ 정답률 65%

**정답풀이**

화자는 '거미'에 대해 처음에는 '아모 생각 없'는 무심함을 드러내지만, 차츰 자신의 행동으로 인해 찬 밖으로 내몰린 거미에 대해 '서러워'하고 '슬퍼'하는 감정을 드러내면서 태도의 변화를 보이고 있다. 그러나 이렇게 화자의 태도가 달라진 것으로 인해 '문 밖'으로 하나씩 버려지는 거미들의 상황이 악화되고 있다고 보기는 어렵다. (가)에서 문 밖은 거미들이 다시 만날 수 있는 가능성이 있는 공간으로도 제시되고 있으며, 화자의 달라진 태도는 그러한 재회의 가능성을 높이기 위한 행동, 즉 가족을 만나길 바라며 새끼 거미를 문 밖으로 버리는 행동으로 이어지고 있기 때문이다.

**오답풀이**

① '이것의 엄마와 누나나 형이 가까이 이것의 걱정을 하며 있다가 쉬이 만나기나 했으면 좋으련만 하고 슬퍼한다'에서 거미 가족을 의인화하여 표현하며 화자의 연민을 드러낸다.
② '차디찬 밤이다', '찬 밖이라도 새끼 있는 데로 가라고 하며 서러워한다'에서 촉각적 심상을 통해 추운 바깥으로 내몰려 가족을 찾아가야 하는 거미의 비극적인 상황을 부각하고 있다.
③ '쓸어버린다', '아물거린다' 등에서 현재형 어미를 사용하여 시적 상황을 생생하게 보여 주고 있다.
⑤ 1연은 2행, 2연은 4행, 3연은 6행으로 구성되면서 1연→2연→3연에 따라 행의 수가 늘어나고 있다. 이때 연마다 행이 늘어날수록 상황에 대한 화자의 이해와 정서를 구체적으로 설명하여 화자의 안타까움의 정서가 심화되고 있다.

## 25 ④ 정답률 50%

**정답풀이**

(다)의 3문단에서 '시적 공간은 시인이 살아온 삶과 가치관의 영향을 받'는다고 하였다. 하지만 (나)의 '까치밥'은 '날짐승에게 길을 내어주는' '따뜻한 등불'로 비유되며 하늘을 나는 날짐승들을 향한 배려의 손길을 의미하므로, 이때의 '길'을 시인의 고된 삶이 반영된 것으로 이해하기는 어렵다.

**오답풀이**

①, ② (다)의 2문단에서 시인은 '동일한 공간도 한 편의 시에서 다른 의미를 담은 공간으로 설정'한다고 하였다. 이를 고려하면 (가)의 1연에서 '문 밖'은 일상적 경험을 바탕으로 지각하는 공간이 아니라 거미 같은 미물을 내보내어 배제함으로써 가족 공동체가 해체되는 장소라는 의미를, 3연의 '문 밖'은 거미 가족의 재회를 통한 가족 공동체의 회복을 소망하는 장소라는 의미를 가진 공간으로 설정되었다고 볼 수 있다.
③ (다)의 2문단에서 시인은 시적 공간을 '사람들이 일반적으로 생각하는 공간과는 다른 의미의 공간으로 설정'하기도 한다고 하였다. 이를 고려하면 (나)의 '남도의 빈 겨울 하늘'은 화자가 지키려는 배려의 가치관을 상징하는 '까치밥'이 사라졌을 때를 가정한 상실의 공간으로 설정되었다고 볼 수 있다.
⑤ (다)의 3문단에서 시적 공간을 바탕으로 주제를 이해할 때 '독자가 주체적으로 체득한 공간에 대한 인식도 중요'하다고 했다. 이를 고려하면 (나)의 '가야 할 머나먼 길'에 대해 독자는 주체적으로 체득한 '길'로 이해할 수 있다.

### [26~28] 고전소설

## 26 ④ 정답률 73%

**정답풀이**

[C]에 등장하는 '부인들'과 '여자'는 모두 죽은 사람의 혼령이므로 이들이 산 사람처럼 소통하고 있다는 점에서 전기적 요소가 나타난다고 볼 수 있으나, 이를 통해 '인물'의 영웅적 면모를 드러내고 있지는 않다.

**오답풀이**

① [A]의 '그런데 국운은 나날이 쇠퇴하였고, 호적이 침입하여 팔도강산을 짓밟았다. 상감은 난을 피하여 고성에 갇혔고, 불쌍한 백성들은 태반이 적의 칼에 원혼이 되었다.'에서 병자호란이 발생했던 역사적 사건과 관련된 내용을 요약적으로 전달하고 있다.
② [A]의 '그는 천성이 어질었고 마음 또한 착했다.'에서 '청허'라는 인물의 선한 성격을 직접적으로 서술하고, '추운 사람을 만나면 입었던 옷을 벗어 주었다. 배고픈 사람을 보면 먹던 밥도 몽땅 주어 버렸다.'에서 구체적인 행동을 묘사하여 '청허'가 선한 성품을 지닌 인물임을 부연하고 있다.
③ [B]의 '달이 휘영청 밝았다.' '맑은 하늘은 물빛같이 푸르렀고' 등의 시각적 심상, '이따금 찬바람이 엄습했고, 처량한 밤기운이 감돌아' 등의 촉각적 심상, '바람에 소리가 들려오는데, 노랫소리 같기도 하고, 울음소리 같기도 했다.' 등의 청각적 심상을 통해 한밤중이라는 시간적 배경을 드러내고 있다.
⑤ [C]의 '직녀가 은하에서 내려왔나, 월궁에서 항아가 내려왔나~도무지 이 여자는 복사꽃 아롱진 뺨에 근심 어린 빛이 전혀 없으니 알지 못할 일이로다. 이 또한 괴이한 일이구나.'에서 고사 속 인물인 직녀, 항아와 여자를 비교하여 궁금증을 드러내고 있다.

## 27 ② 정답률 71%

**정답풀이**

㉠(한 여자)은 '태보의 높은 지위며 체부의 중책을 진' 남편이 '공론을 무시'하고 '사사로운 정에 이끌려 편벽되게도 강도의 중책을 제 자식에게 맡'기고, 자식은 '중책을 잊고 밤낮 술과 계집 속에 파묻혀 마음껏 향락에 빠'진 과거의 사건을 근거로, ㉡(그 여자)은 '강도가 함락되고 남한성이 위태로워 상감마마의 욕되심과 국치가 임박하였지만 충신절사는 만에 하나도 없었'던 과거의 사건을 근거로 강도(강화도)가 함락된 현재의 상황이 발생하였음을 이야기하고 있다.

**오답풀이**

① ㉠이 '장차 닥쳐올 외적의 침입을 까맣게 잊어버렸으니 어찌 군무에 힘쓸 일을 생각이나 하겠습니까?'라고 한 것과 ㉡이 '그런데 왜 그리 서러워하십니까?'라고 한 것은 의문의 형식을 사용해 자신의 의견을 강조하려고 한 것이지, 상대에 대한 의구심을 해소하기 위해 질문한 것은 아니다.
③ ㉠은 '자식 놈이 살아 나라를 구하지 못했고 죽어 또한 큰 죄를 지'어 '하늘에 더러워진 이름'을 씻어 버릴 수 없는 처지가 된 것에 대한 원한을 표출하고 있을 뿐이며, ㉡은 '정절'의 중요성을 깨닫고 얼마 안 돼 '꽃 같은 청춘이 그만 지고'만 처지를 제시하고 있으나, 이를 강조하여 상대방에 대한 서운한 감정을 표출하고 있지는 않다.
④ ㉠에는 남편과 자식에 대한 분노가 내재되어 있다고 볼 수 있으나, ㉡에서 인물에 대한 시기가 내재된 부분은 찾아볼 수 없다.
⑤ ㉠과 ㉡ 모두 자신의 결정을 상대방이 따르도록 유도하고 있지 않다.

## 28 ⑤ 정답률 68%

**정답풀이**

〈보기〉에서 윗글은 '강화도가 함락될 때 죽어간 혼령들의 규탄과 통곡을 통해 병자호란의 참상을 전달'하며, 특히 '여인의 입을 통해 역사적 사건과 인물들에 대한 기억을 재구성함으로써 사건의 감추어진 진상을 밝힌다'고 하였다. 따라서 '여러 부인들'은 병자호란이라는 역사적 기억을 재구성하는 주체로 볼 수 있으나, 윗글에서 전란의 참상을 극복할 수 있는 현실적인 방안을 제시하고 있지는 않다.

**오답풀이**

① 〈보기〉에서 윗글은 '꿈속의 사건이라는 문학적 장치'를 사용하며, '몽유자'는 '혼령들의 규탄과 통곡을 통해 병자호란의 참상을 전달'한다고 하였다. 윗글에서 몽유자인 '청허'는 꿈을 꾸기 전에는 전개되는 사건의 주체로, 꿈을 꾼 시점부터는 혼령들의 규탄과 통곡을 보고 들으며 자신이 경험한 꿈속 사건을 전달하는 역할을 하고 있다.

② 〈보기〉에서 윗글은 '강화도가 함락될 때 죽어간 혼령들의 규탄과 통곡을 통해 병자호란의 참상을 전달'한다고 하였다. 윗글의 '어떤 사람은 두어 발이 넘는 노끈으로 머리를 묶기도 했고~날카로운 붓으로도 낱낱이 기록할 수 없는 생지옥이었다.'에서 '청허'의 꿈 속에서 본 죽은 혼령들의 모습을 구체적으로 제시하면서 병자호란의 참상을 알리고 있음을 확인할 수 있다.

③ 〈보기〉에서 윗글은 '강화도가 함락될 때 죽어간 혼령들', 특히 '여인의 입을 통해 역사적 사건과 인물들에 대한 기억을 재구성'하여 '병자호란의 참상을 전달'한다고 했다. '한 여자'가 '태보의 높은 지위며 체부의 중책'을 졌으면서도 '공론을 무시'하고 '사사로운 정에 이끌려 편벽되게도 강도의 중책을 제 자식에게 맡'긴 남편과, '중책을 잊고 밤낮 술과 계집 속에 파묻혀 마음껏 향락에 빠'진 자식의 잘못을 지적하며 이로 인해 '대사를 그르'쳐 강화도가 쉽게 함락되었다고 보는 것에서 이를 확인할 수 있다.

④ 〈보기〉에서 윗글은 '전란의 책임이 무능한 위정자들에게 있다는 작가의 비판적 현실 인식'을 드러낸다고 하였다. 이를 고려하면 '기생'이 '강도가 함락되고 남한성이 위태로워~충신절사는 만에 하나도 없었'다고 한 것은 작가의 비판적 인식에 따라 위정자들의 무능을 비판한 것으로 볼 수 있다.

### [29~32] 과학

## 29 ② 정답률 77%

**정답풀이**

윗글은 1문단에 생체 화학 반응의 '속도를 변화시키는 물질'인 '촉매'에 대해 설명한 후, 2문단에서 생체 내에 존재하는 촉매인 '효소'가 '반응물과 결합하여 화학 반응이 일어나게' 함을 설명하고 있다. 이후 3문단에서 '효소와 결합하여 효소의 작용을 방해'하는 물질인 '저해제'의 기능을 설명하고 있다. 따라서 윗글은 전반적으로 생체 내에서 발생하는 촉매 반응에 대해 효소의 반응과 저해제의 기능을 중심으로 다루고 있다고 볼 수 있다.

**오답풀이**

① 1문단에서 촉매의 개념과 종류를 설명하고 있지만, 윗글은 활성화 에너지의 반응의 방향성을 중심으로 전개되고 있지 않다.

③ 1문단에서 촉매가 '화학 반응의 속도를 변화시키는 물질'이라고 했고, 2문단에서 효소가 그러한 촉매에 해당됨을 설명하였을 뿐, 촉매와 효소의 화학적 정의를 설명하고 있다고 보기 어렵다. 또한 윗글은 화학 반응 전후의 상태 및 기질 특이성을 중심으로 전개되고 있지 않다.

④ 윗글은 효소가 관여하는 화학 반응의 속도를 주된 화제로 삼고 있지 않으며, 주변 온도가 화학 반응의 속도에 어떤 영향을 미치는지에 대해 언급하고 있지도 않다.

⑤ 2문단에서 대부분의 효소가 '생체 내에서 화학 반응을 빠르고 쉽게 일어나게 한다.'라고 했지만, 윗글에서 효소가 우리 몸속에서 하는 여러 가지 역할에 대해 설명하고 있지는 않다.

## 30 ⑤ 정답률 70%

**정답풀이**

2문단에서 효소는 '한 종류의 효소가 한 종류의 기질에만 작용하는' '기질 특이성'을 가지고 있으며, 촉매 과정이 끝난 후 '효소 · 기질 복합체로부터 분리된 효소는 처음과 동일한 화학적 상태로 복귀하여 다음 반응을 준비한다.'라고 했으므로, 효소 · 기질 복합체에서 분리된 효소가 다른 종류의 기질에 맞는 입체 구조로 변형된다고 볼 수 없다.

**오답풀이**

① 1문단에서 촉매는 '활성화 에너지'를 낮추거나 높여서 화학 '반응 속도'를 빨라지거나 느려지게 한다고 했으므로, 촉매인 '효소'가 '생체 내에서 화학 반응을 빠르고 쉽게 일어나게' 하는 것은 화학 반응에서 활성화 에너지를 조절하는 역할을 수행하고 있기 때문이라고 볼 수 있다.

② 1문단에서 '몸에 필요한 물질을 합성하는 과정은 모두 화학 반응에 의해 이루어'지는데, '이 화학 반응의 속도를 변화시키는 물질이 촉매'라고 하였다.

③ 2문단에서 '효소는 촉매로 작용하는 과정에서 반응물과 일시적으로 결합'하는데, '효소에서 반응물과 결합하여 화학 반응이 일어나게 하는 특정 부분'이 활성 부위이며, '효소의 활성 부위와 기질의 3차원적 입체 구조가 맞으면 효소 · 기질 복합체가 일시적으로 형성'된다고 했다. 즉 효소의 촉매 반응이 일어나기 위해서는 기질과 효소가 결합하여 복합체를 형성해야 하므로, 기질의 구조와 효소의 활성 부위가 일치하지 않으면 효소 촉매 반응은 일어나지 않을 것이다.

④ 2문단에서 '각 효소는 고유의 입체 구조를 갖는다. 효소는 촉매로 작용하는 과정에서 반응물과 일시적으로 결합한다.'라고 하였다.

## 31 ① 정답률 75%

**정답풀이**

3문단에서 ㉠(경쟁적 저해제)이 '기질이 결합할 효소의 활성 부위에 기질 대신에' 결합하여 '효소 · 기질 복합체 형성을 저해'함으로써 효소 반응을 방해하는 것과 달리, ㉡(비경쟁적 저해제)은 '효소의 입체 구조를 변형시킴으로써 효소의 활성 부위에 기질이 결합하지 못하게' 함으로써 효소 반응을 방해한다고 하였다.

**오답풀이**

② 3문단에 따르면 ㉠은 '기질이 결합할 효소의 활성 부위에 기질 대신에' 결합하여 '효소 · 기질 복합체의 형성을 저해'하고, ㉡ 역시 '효소의 활성 부위에 기질이 결합하지 못하게' 함으로써 효소 · 기질 복합체의 형성을 방해한다.

③ 3문단에 따르면 '기질과 유사한 3차원적 입체 구조를 지니고 있'는 것은 ㉠뿐이다.

④ 3문단에 따르면 ㉡은 기질이 결합하는 '효소의 활성 부위가 아닌 효소의 다른 부위에 결합'하는데, 이와 달리 ㉠은 '기질이 결합할 효소의 활성 부위에 기질 대신에' 결합한다.

⑤ 3문단에 따르면 ㉠은 '기질의 농도가 증가하면 저해 효과는 감소'하지만, ㉡은 '기질의 농도가 증가해도 저해 효과는 감소하지 않'는다.

## 32 ③ 정답률 67%

**정답풀이**

1문단에서 '활성화 에너지가 낮아지면 반응 속도가 빨라지고, 활성화 에너지가 높아지면 반응 속도가 느려지게 된다.'라고 했다. 〈보기〉에서는 ⓑ보다 ⓒ의 활성화 에너지가 낮게 나타나고 있으므로, 생성물을 만들어내는 화학 반응의 속도는 ⓒ가 ⓑ보다 빠를 것이다.

**오답풀이**

① 1문단에서 '활성화 에너지를 낮추는 것이 정촉매'라고 했는데, 〈보기〉에서는 ⓐ보다 ⓑ의 활성화 에너지가 더 낮으므로 ⓐ를 촉매가 없는 그래프라고 가정할 때 ⓑ는 반응물에 정촉매를 넣은 그래프일 것이라고 추론할 수 있다.

② 1문단에서 '활성화 에너지를 높이는 것이 부촉매'라고 했는데, 〈보기〉에서는 ⓒ보다 ⓐ의 활성화 에너지가 더 높으므로, ⓒ를 촉매가 없는 그래프라고 가정할 때 ⓐ는 반응물에 부촉매를 넣은 그래프일 것이라고 추론할 수 있다.

④ 〈보기〉에서는 ⓐ, ⓑ, ⓒ 순서대로 '화학 반응을 일으키기 위해 필요한 최소한의 에너지'인 활성화 에너지의 수치가 점차 낮아지면서 나타나고 있다.

⑤ 1문단에 따르면 '활성화 에너지'가 낮을 수록 '반응 속도'가 빨라진다. 〈보기〉에서 ⓐ, ⓑ, ⓒ의 활성화 에너지가 다르게 나타나고 있으므로, 생성물을 만들기 위한 반응 속도도 다를 것이다. 또한 동일한 양의 생성물을 만든다고 가정했을 때, 생성물이 모두 만들어지기 위해 필요한 시간은 ⓐ, ⓑ, ⓒ 순으로 줄어들 것이다.

## [33~36] 현대소설

**33** ① 정답률 66%

**정답풀이**

윗글의 서술자 '나'는 '너우네 아저씨는 한술 더 떠서 이렇게 될 줄 미리 알고 장조카를 구했노라고 으스댔다.' 등에서 '너우네 아저씨'의 행동과 심리에 초점을 맞추며 이야기를 전개해 가고 있다.

**오답풀이**

② 윗글에서 공간적 배경을 사실적으로 묘사하고 있는 부분은 찾아볼 수 없다.
③ 윗글의 서술자 '나'는 '너우네 아저씨'의 말과 행동을 주관적으로 관찰하며 그에 대한 자신의 생각을 서술하고 있다.
④ 윗글에서 장면의 빈번한 교차를 통해 긴박한 분위기를 조성하고 있는 부분은 찾아볼 수 없다.
⑤ 윗글은 일관되게 서술자 '나'의 입장에서 서술되고 있으므로, 공간의 이동에 따라 서술자를 달리하고 있다고 볼 수 없다.

**34** ① 정답률 76%

**정답풀이**

'나'는 '너우네 아저씨'가 '제 자식을 모질게 뿌리치고 장조카를 데리고 나와 성공시키기 위해 온갖 고생 다 했다'는 말로 자신의 내력을 빛나게 닦고 있으며, 그가 '자물쇠 행상일 적'에 매일 밤 닦던 '자물쇠'를 지금까지 훈장처럼 달고 다니는 것 같다고 생각한다. 그러나 목숨이 위독해지자 자식의 이름을 입에 올리는 '너우네 아저씨'를 본 '나'는 '자물쇠가 훈장으로 보이는 엉뚱한 착각'을 멈추고, 그를 '외롭고 초라한 자물쇠 장수에 지나지 않'는다고 인식하게 된다. 따라서 '자물쇠'는 '너우네 아저씨'에 대한 '나'의 내적인 인식을 드러내는 소재라고 볼 수 있다.

**35** ⑤ 정답률 55%

**정답풀이**

'나'는 너우네 아저씨가 말한 ⓑ(입이 말하는 소리), 즉 '은표 소리'를 듣고 그것이 그가 사력을 다해 낸 ⓒ(억장이 무너지는 소리)라고 인식하면서 너우네 아저씨를 이해하고 '외롭고 초라한 자물쇠 장수에 지나지 않았'던 너우네 아저씨의 모습을 온전히 떠올리며 마침내 '그를 직시할 수 있'게 된다. 따라서 ⓑ를 ⓒ로 인식하면서 너우네 아저씨에 대한 심리적 거리가 가까워지게 되었다고 볼 수 있다.

**오답풀이**

① '나'는 은표 어머니의 ⓐ(억장이 무너지는 소리)를 잊지 못하고 너우네 아저씨의 거짓된 위대성이 드러나는 것을 보고야 말겠다는 생각을 하지만, ⓑ를 들은 뒤에는 '쾌감보다는 허망감'을 느끼며 그에 대한 심리적 거리를 좁히고 있다. 따라서 ⓐ로 인한 인물 간의 오해가 ⓑ로 인해 심화되었다고 볼 수는 없다.
② '나'는 ⓐ를 떠올리며 너우네 아저씨가 거짓된 위대함을 가진 인물이라고 판단했다가, ⓒ를 듣게 되면서 그가 '외롭고 초라한 자물쇠 장수에 지나지 않'음을 깨닫게 되므로, ⓒ로 인해 인물에 대한 판단을 보류했다고 볼 수 없다.
③ ⓐ는 '나'로 하여금 너우네 아저씨가 위대성을 가짜로 가지고 있다고 생각하게 하므로, '나'가 ⓐ를 통해 ⓒ에 공감하게 되었다고 볼 수는 없다. 또한 윗글에서 '나'는 일방적으로 너우네 아저씨에 대해 부정적 판단을 내리고 있었을 뿐이므로, 윗글에서 '나'와 너우네 아저씨 간의 갈등과 화해가 이루어지고 있다고 보기는 어렵다.
④ ⓑ를 들은 '나'가 ⓒ를 떠올리면서 30여 년 전 은표 어머니의 ⓐ를 떠올리고 있기는 하지만, 이를 통해 사건의 전모가 밝혀지고 있지는 않다.

**36** ③ 정답률 68%

**정답풀이**

〈보기〉에 따르면 윗글에서 '가부장적 세계관과 사회적 평가에 사로잡혀 속박된 삶을 산 인물'의 행적은 '시대 흐름에 따라 세대가 교체되면서 사회적 평가가 달라지는 양상'이 드러난다. 그러나 '나'는 '너우네 아저씨'가 '눈에 띄게 풀이 죽어' 간 것이 '자신의 내력이 더 이상 자신을 빛내 줄 수 없다는 걸 알'게 되었기 때문이라고 짐작하고 있다. 즉 '나'는 '너우네 아저씨'가 시대에 따라 달라진 사회적 평가를 지각하지 못한 것으로 보고 있는 것은 아니다.

**오답풀이**

① 〈보기〉에서 윗글의 작가는 '한국 전쟁으로 인한 분단의 문제까지 조명하고 있'다고 하였다. 윗글에서 '형'과 '나'가 '우리 고향 쪽에서 남으로 쳐진 휴전선' 때문에 '고향을 아주 잃은 비감'을 느끼는 것에서 한국 전쟁으로 인한 분단의 슬픔을 엿볼 수 있다.
② 〈보기〉에 따르면 윗글에서 '가부장적 세계관과 사회적 평가에 사로잡혀 속박된 삶을 산 인물'의 행적은 '시대 흐름에 따라 세대가 교체되면서 사회적 평가가 달라지는 양상'이 드러난다. 윗글에서 '세대교체 현상이 나타'나면서 '너우네 아저씨의 자랑을 들어 주고 칭송할 사람도 그만큼 줄'어들고, '너우네 아저씨'가 '한낱 웃음거리'로 전락한 것에서 기존 세대에서 인정받던 믿음이 달라지고 있음을 확인할 수 있다.
④ 〈보기〉에서 윗글에는 '가부장적 세계관과 사회적 평가에 사로잡혀 속박된 삶을 산 인물'은 '자신이 따라야 한다고 생각한 믿음을 실천'하는 양상이 등장한다고 했다. 이를 고려하면 윗글에서 '노인들'이 '너우네 아저씨'의 '자랑을 끝까지 들어 주고 아낌없이 그를 칭송하고 존경'한 것은 '너우네 아저씨'가 상징하는 가부장적 세계관을 따르고자 하는 사람들의 단면을 보여 준다고 볼 수 있다.
⑤ 〈보기〉에 따르면 윗글에서 '가부장적 세계관과 사회적 평가에 사로잡혀 속박된 삶을 산 인물'은 '자신이 속한 공동체에 인정을 받고자' 한다고 했다. 윗글에서 '나'는 '너우네 아저씨'가 '제 자식을 모질게 뿌리치고 장조카를 데리고 나'온 것으로 '자신을 빛내려' 드는 것을 '자신의 내력을 번쩍번쩍 빛나게 닦'는 것으로 여기며 공동체 안에서 인정받고자 하는 모습으로 인식하고 있다.

## [37~41] 사회

**37** ③ 정답률 69%

**정답풀이**

3문단에서 '특정한 패권 국가가 출현하면 그 힘을 견제하기 위한 국가들 간의 동맹이 형성되기도 하고, 그 힘에 편승하는 동맹이 형성되기도 한다.'라고 하였다. 즉 패권 국가가 출현하면서 그 힘에 편승하는 동맹이 형성되는 것이지, 패권 국가가 출현하기 위해 그 힘에 편승한 세력들의 동맹이 필요한 것은 아니다.

**오답풀이**

① 1문단에서 국가 간 '동맹결성의 핵심적인 이유는 동맹을 통해서 확보되는 이익'이라고 하였다.
② 2문단에서 '협상은 서명국들 중 한 국가가 제3국으로부터 침략을 당했을 경우, 서명국들 간에 공조체제를 유지할 것인지에 대해 차후에 협의할 것을 약속하는 것'이라고 하였다.
④ 1문단에 따르면 동맹은 '자국의 힘이 외부의 군사적 위협을 견제하기에 충분치 않다고 판단할 때나, 역사와 전통 등의 가치가 위협받는다고 느낄 때' 이에 대처하기 위해 다른 나라와 맺는 국가 간의 약속이다.
⑤ 2문단에서 '중립조약은 서명국들 중 한 국가가 제3국으로부터 침략을 받더라도, 서명국들 간에 전쟁을 선포하지 않고 중립을 지킬 것을 약속하는 것이다.'라고 하였다.

14 회

**38** ⑤ 정답률 78%

**정답풀이**

2문단에서 '방위조약의 경우는 동맹국의 전쟁에 개입해야 한다는 강제성이 있기에 동맹국 간의 정치·외교적 관계의 정도가 매우 가'까우며, 이로 인해 '전쟁 발발 시 동맹관계 속에서 국가가 펼칠 수 있는 정치·외교적 자율성은 매우 낮'다고 하였다. 이를 통해 동맹국 간의 자율성이 낮아질수록 국가 간의 동맹관계는 가까워짐을 알 수 있다. 이때 '방위조약이 동맹국 간의 자율성이 가장 낮고, 다음으로 중립조약, 협상 순으로 자율성이 높아'지는데, 동맹의 평균 '수명은 방위조약이 115개월, 중립조약이 94개월, 협상은 68개월 정도'라고 하였으므로, 동맹국 간의 자율성이 낮을수록 동맹의 수명은 연장되고 있음을 알 수 있다. 이를 종합하면 ㉮에 들어갈 내용으로는 동맹은 국가 간의 '동맹관계가 가깝고 자율성이 낮을수록 그 수명이 연장되었을 것임을 알 수 있다'가 가장 적절함을 추론할 수 있다.

## 39 ① 정답률 72%

**정답풀이**

3문단에 따르면 ㉠(현실주의자들)은 국제 사회의 동맹 관계는 '힘의 균형점이 이동함에 따라 세력의 균형을 끊임없이 찾는 과정에서' 변화하는 것이라고 보고, 4문단에 따르면 ㉡(구성주의자들)은 '관계'에 주목하며 국제 사회 환경이 '국제 사회의 구성원들이 상호 작용을 하여 상호 간 역할과 가치를 형성'하면서 변화하는 것이라고 본다. 따라서 국제 사회의 문제에 대해 ㉠은 힘의 균형 관계에, ㉡은 국가 간 상호 인식 관계에 주목하여 설명하고 있다고 볼 수 있다.

**오답풀이**

② 3문단에 따르면 ㉠은 '일종의 무정부 상태'로 존재하는 국제 사회 내의 국가가 '이기적 존재'라고 보았을 뿐, 국가적 이기심이 국제 사회의 혼란의 원인이라고 하지는 않았다. 또한 4문단에 따르면 ㉡은 '무정부적 국제 사회를 힘의 분배와 균형 등의 요소로 분석할 수 없다고 비판'했으므로 세력의 불균형이 국제 사회 혼란의 원인이라고 분석하지는 않을 것이다.

③ 3문단에 따르면 ㉠은 '특정한 패권 국가가 출현하면 그 힘을 견제하기 위한 국가들 간의 동맹이 형성되기도' 한다고 보므로 상호 협력보다는 상호 견제 중심의 견해를 보인다고 볼 수 있다. 한편 4문단에 따르면 ㉡은 국제 사회 구성원들 간의 '상호 작용'과 관계 형성에 주목하므로, 상호 협력을 상대적으로 중시하는 견해를 보인다고 볼 수 있다.

④ 3문단~4문단에 따르면 ㉠은 '힘의 균형점이 이동함에 따라 세력의 균형을 끊임없이 찾는 과정'에서, ㉡은 '타국이나 국제 사회에 대한 인식이 긍정적이고 국제 사회에서의 구성원들의 역할이 가치가 있다고 판단'되는지의 여부에 따라 동맹이 변화한다고 본다.

⑤ 3문단~4문단에서는 ㉠과 ㉡ 모두 국제 사회를 '무정부' 상태로 보고 있으며, 국제 사회에서 동맹관계가 변화하는 이유를 다루고 있을 뿐, 국제 사회의 질서 유지를 위해 필요한 요소에 대해 논하지 않았다. 이때 ㉠은 국제 사회를 '중앙정부와 같은 존재가 부재하는 일종의 무정부 상태'로 보았다고 했지만, 중앙정부가 있으면 국제 사회가 질서 있는 공동체가 될 것이라고 보았는지는 알 수 없다. 또한 ㉡은 구성원 간의 역할과 가치 형성으로 국제 사회의 환경이 변화한다고 본다고 했을 뿐이므로, 구성원 간의 고른 역할 분배를 통해 국제 사회의 질서가 유지될 것이라고 보았을 것이라 판단할 수는 없다.

## 40  정답률 74%

**정답풀이**

3문단에 따르면 현실주의자들은 '힘의 균형점이 이동함에 따라 세력의 균형을 끊임없이 찾는 과정'에서 국가 간 동맹관계가 변화한다고 볼 뿐, 구성원들의 신뢰에 따라 동맹관계가 변화한다고 보지는 않는다. 따라서 현실주의자들은 〈보기〉에서 A국과 B국의 동맹이 파기된 이유는 신뢰가 약화되었기 때문에 아니라 힘의 논리에 따라 A국이 B국의 힘을 견제하거나 C국의 힘에 편승하려 하는 등의 원인에서 비롯된 것이라고 설명할 것이다.

**오답풀이**

① 2문단에서 '방위조약은 조약에 서명한 국가들 중 어느 한 국가가 침략을 당했을 경우, 다른 모든 서명국들이 공동방어를 위해서 참전하기를 약속하는 것'이라고 했으므로, 〈보기〉에서 A국과 B국이 방위조약을 맺고 있던 시점에서는 A국에게 B국의 전쟁에 참전해야 할 의무가 있었을 것이다.

② 2문단에서 '중립조약은 서명국들 중 한 국가가 제3국으로부터 침략을 받더라도, 서명국들 간에 전쟁을 선포하지 않고 중립을 지킬 것을 약속하는 것'이라고 했으므로, 〈보기〉에서 A국과 C국이 중립조약을 맺은 시점에서는 C국이 제3국이 된 B국과 전쟁을 하게 되더라도 A국은 참전하지 않고 중립을 지켜야 할 것이다.

④, ⑤ 4문단에 따르면 구성주의자들은 '타국이나 국제 사회에 대한 인식이 긍정적'일 때, '긍정적인 동맹관계를 맺고 평화로울 수 있지만, 그렇지 않으면 동맹은 파기될 수 있다고' 본다. 따라서 구성주의자들은 〈보기〉에서 A국 구성원들이 C국에 대해 부정적인 인식을 가지게 된다면 C국과의 동맹관계가 유지되기 힘들다고 볼 것이며, A국에서 변화에 반대하고 B국과의 동맹을 유지하려는 방향으로 여론이 형성된 이유는 A국 구성원들이 C국보다 B국에 대해 긍정적인 인식을 가지고 있기 때문이라고 설명할 것이다.

## 41  정답률 44%

**정답풀이**

ⓔ(맺고)의 '맺다'와 '나는 그와 오래전부터 친분을 맺고 있다.'의 '맺다'는 모두 '관계나 인연 따위를 이루거나 만들다.'의 의미로 사용되었다.

**오답풀이**

① ⓐ(나눌)의 '나누다'는 '여러 가지가 섞인 것을 분류하여 구분하다.'의 의미로, '이 글은 세 개의 문단으로 나눌 수 있다.'의 '나누다'는 '하나를 둘 이상으로 가르다.'의 의미로 사용되었다.

② ⓑ(낮고)의 '낮다'는 '품위, 능력, 품질 따위가 바라는 기준보다 못하거나 보통 정도에 미치지 못하는 상태에 있다.'의 의미로, '그녀의 목소리는 매우 낮고 단호했다.'의 '낮다'는 '소리가 음계에서 아래쪽이거나 진동수가 작은 상태에 있다.'의 의미로 사용되었다.

③ ⓒ(이루어)의 '이루다'는 '어떤 대상이 일정한 상태나 결과를 생기게 하거나 일으키거나 만들다.'의 의미로, '그는 친구들과 동아리를 이루어 발표 대회에 나갔다.'의 '이루다'는 '몇 가지 부분이나 요소들을 모아 일정한 성질이나 모양을 가진 존재가 되게 하다.'의 의미로 사용되었다.

④ ⓓ(찾는)의 '찾다'는 '원상태를 회복하다.'의 의미로, '감기로 병원을 찾는 환자가 부쩍 늘었다.'의 '찾다'는 '어떤 사람이나 기관 따위에 도움을 요청하다.'의 의미로 사용되었다.

**오답률 Best ❸**

이 문제에서 정답 다음으로 선택 비율이 높았던 선지는 ①번이야. '동맹의 종류는 그 형태에 따라 방위조약, 중립조약, 협상으로 나눌 수 있다.'의 '나누다'와 '이 글은 세 개의 문단으로 나눌 수 있다.'의 '나누다'가 동일한 의미를 갖는다고 생각한 거지. 아마 ①번 선지만 보고 다른 선지들은 확인하지 않고 정답을 고른 학생들도 있었을 듯해. 하지만 지문의 '나누다'는 하나의 글을 3등분한다는 의미처럼 하나의 동맹을 가르는 게 아니라 '형태'라는 기준에 맞추어 세 가지의 '종류'로 구분하는 행위를 나타내는 거야. 이는 단순히 '이 글'이라는 한 덩어리의 글을 세 덩어리로 갈라서 나누는 선지의 '나누다'와는 의미상에 차이가 있으니, ①번은 답이 될 수 없는 거야. 이처럼 독서 지문의 어휘 문제에서는, 기본적으로 해당 단어가 사용된 문장과 선지의 예시 문장의 맥락을 잘 살펴서 의미를 파악할 수 있어야 해. 그리고 여러 가지 의미를 가진 단어(다의어)의 각 의미들을 구분하라고 하는 경우에는, 그 미묘한 뜻의 변화를 파악 할 수 있어야 겠지. 이러한 '감'은 여러 독서 지문들을 접하며, 지문을 구성하는 문장들이 전달하고자 하는 바를 이해하려 하는 과정에서 자연스럽게 기를 수 있을 거야.

### [42~45] 고전시가+현대수필

## 42  정답률 73%

**정답풀이**

(가)에서는 '적막한 방'에서 '임'을 그리워하는 화자가 '청춘에 나눈 거울'과 '신혼에 즐거웠'던 기억을 떠올리면서 자신의 삶을 돌아보고 있다. (나)에서는 '고향'을 그리워하는 글쓴이가 '금융조합 집'에 살던 옛 기억을 떠올리며 자신의 삶을 되돌아보고 있다.

**오답풀이**

② (가)의 화자는 '임'이 부재한 방 안에서 외로움에 슬퍼하며 '한'과 '근심'을 품고 있지만, 현실에 대한 비판적 태도가 나타난다고 보기는 어렵다. (나)의 화자는 고향을 회상하며 그리워하고 있으므로 해결하기 어려운 내면적 고통과 현실에 대한 비판적 태도를 드러냈다고 보기 어렵다.

③ (가)의 화자는 임의 부재로 인한 슬픔을 주변 자연물을 통해 표현하고 있을 뿐이며, (나)의 글쓴이는 과거 고향의 모습을 떠올리고 있을 뿐이므로, 주변의 모습에서 깨달음을 얻는다고 볼 수는 없다.

④ (가)와 (나)에서 어지러운 세속을 부정하려는 태도가 드러나는 부분은 찾아볼 수 없다.

⑤ (가)의 화자는 '신혼에 즐거웠'던 것과 달리 외롭게 지내는 현재의 상황에 대해 탄식하고 있을 뿐이며, (나)의 글쓴이는 고향에 살던 어린 시절을 떠올리며 그리워하고 있을 뿐이므로, 현실에 대해 좌절하는 모습을 보인다고 볼 수는 없다.

## 43 ④ 정답률 80%

**정답풀이**

㉠(빗소리)은 '구곡간장을 끊는 듯 째는 듯 새도록 꿇'이며 임의 부재로 괴로워하는 화자가 현재 느끼고 있는 슬픔의 정서를 심화시키는 소재이고, ㉡(몽금포 타령)은 작가가 과거에 살던 '고향을 그 가락에 매어 끌어다' 줌으로써 과거에 고향에 대해 가지고 있던 따뜻한 정서를 떠올리게 하는 소재이다.

**오답풀이**

① ㉠과 ㉡은 화자와 작가가 현실에서 접하고 있거나 접했던 소재이다.
② ㉠은 화자의 슬픔을 심화하는 소재이므로 화자가 이와 함께 하고 싶어 한다고 볼 수 없다. 또한 ㉡을 멀리 하고 싶어 하는 작가의 태도는 확인할 수 없다.
③ ㉠은 외로움으로 괴로워하는 화자의 정서를 심화하는 소재이므로 화자의 처지가 긍정적임을 알게 한다고 볼 수 없다. 또한 ㉡은 작가가 그리워하는 과거의 기억을 불러일으키고 있을 뿐, 작가의 처지가 부정적임을 알게 하고 있지 않다.
⑤ ㉠은 화자의 내면의 괴로움을 심화하는 소재이므로 화자의 내적 갈등이 고조됨을 알게 한다고 볼 여지가 있다. 그러나 (나)에서 작가가 외적 갈등을 겪고 있다는 정황은 제시되지 않았으므로, ㉡이 작가의 외적 갈등이 해소됨을 알게 한다고 볼 수는 없다.

## 44 ④ 정답률 72%

**정답풀이**

〈보기〉에서 (가)의 화자는 임과 '이별'한 '부정적 상황'에 있다고 하였다. 그러나 (가)에서 '초생에 이지러진 달도 보름에 둥글'다고 한 것은 임과 만날 수 없는 현재의 부정적 상황이, 초승달이 시간의 흐름에 따라 자연히 둥글어지듯 점차 나아질 것이라는 생각을 표현한 것이므로, '초생'의 '달'과 '보름'의 대비가 임과의 재회가 어려운 화자의 부정적 상황을 강조하기 위한 표현이라고 보기는 어렵다.

**오답풀이**

① 〈보기〉에서 (가)는 '이별한 임에 대한 연정의 마음을 잘 표현한 시가'로, '화자를 둘러싼 배경'을 활용하여 '임에 대한 간절함'을 표현한다고 하였다. 이를 고려하면 (가)에서 쓸쓸한 정서를 불러일으키는 소재인 '가을밤'과 '적막한 방'은 임과 이별한 상황에 있는 화자의 외로운 심정과 조응되는 시·공간적 배경으로 볼 수 있다.
② 〈보기〉에서 (가)는 '자연물을 활용하여 임에 대한 간절함을 잘 드러'낸다고 하였다. 이를 고려하면 (가)에서 혼자 외롭게 앉아 있는 화자가 '동창'에 비친 자연물인 '달'을 보고 '임의 얼굴'을 떠올리는 것은, 그만큼 화자가 임을 간절하게 그리워하고 있음을 드러낸다고 볼 수 있다.
③ 〈보기〉에서 (가)에는 '이별의 상황을 신의로 극복하려는' 화자의 모습이 나타난다고 하였다. 이를 고려하면 (가)에서 '운수에 정해진 만남과 이별'은 마음대로 할 수 없다며 '언약을 굳게 믿고 기다려는 보자구나'라고 말하는 화자의 모습에는 임에 대한 신의로 이별의 상황을 극복하려는 태도가 반영되어 있다고 볼 수 있다.
⑤ 〈보기〉에서 (가)의 화자는 '안분지족(편안한 마음으로 제 분수를 지키며 만족할 줄을 앎.)의 일념으로 자신의 부정적 상황을 견디려는 선비로서의 자세를 드러낸다'고 하였다. 이를 고려하면 (가)에서 시골에서 작은 '초막'을 짓고 밥이 없다면 '죽'을 먹으며 소박하게 살아가겠다고 하는 화자의 모습에서, 임과의 이별로 괴로워하는 자신의 현실을 안분지족의 정신으로 견디려는 태도가 드러나고 있다고 볼 수 있다.

## 45 ⑤ 정답률 72%

**정답풀이**

ⓔ(수수깡 뽑아~나의 고향을 이룬다.)에서는 '수수깡'을 씹거나 안경을 만들어 쓰고 우편소로 들어가던 어린 시절에 대한 생각들이 모여 '고향'을 이루고 있음을 언급하고 있을 뿐, '나의 고향'을 이루는 생각들을 점층적으로 확대하고 있다고 보기 어려우며, '나'가 순수성을 회복하기 위해 노력하는 모습이 드러난다고 보기도 어렵다.

**오답풀이**

① ⓐ(도라지꽃, 하늘 색깔~다닌 것이었다.)에서는 고향의 '그 구월산 줄기 남쪽'에 다니던 기억을 떠올리며 '도라지꽃', '하늘 색깔'과 같은 시각적 이미지로 고향의 이미지를 형상화하고 있다.
② ⓑ(뽕잎에 기름진 여름~느끼게 된다.)에서는 '여름'을 '기름'지고 '줄줄 녹아 흐르'는 시각적 이미지로 표현하고, '감'은 '떫은' 맛이 난다고 미각적으로 표현하면서 여름에서 가을로 넘어가는 시기의 계절감을 생동감 있게 드러내고 있다.
③ ⓒ(어린 시절이 나의 눈앞에서 희죽희죽 웃는다.)에서는 '희죽희죽'이라는 음성상징어를 활용하여, 순수했던 '어린 시절'의 추억을 정감 있게 표현하고 있다.
④ ⓓ(두 산이 기역 자처럼~따라다니던 생각…….)에서는 말줄임표(……)를 사용하여, '두 산이 기역 자처럼 붙어 버린 산그늘'을 보고 '아낙들을 부끄러운 줄 모르고 따라다니'던 추억에 여운을 주고 있다.

14 회

# 15회

2018학년도 6월 학평

| | | | | | | | | | |
|---|---|---|---|---|---|---|---|---|---|
| 1. ④ | 2. ② | 3. ③ | 4. ③ | 5. ② | 6. ③ | 7. ⑤ | 8. ⑤ | 9. ④ | 10. ② |
| 11. ④ | 12. ① | 13. ④ | 14. ④ | 15. ④ | 16. ① | 17. ① | 18. ③ | 19. ① | 20. ③ |
| 21. ④ | 22. ⑤ | 23. ① | 24. ⑤ | 25. ① | 26. ⑤ | 27. ③ | 28. ② | 29. ① | 30. ③ |
| 31. ② | 32. ② | 33. ⑤ | 34. ③ | 35. ② | 36. ② | 37. ④ | 38. ③ | 39. ③ | 40. ⑤ |
| 41. ① | 42. ① | 43. ⑤ | 44. ④ | 45. ④ | | | | | |

오답률 Best 5

[1~3] **화법**

**1** ④ 정답률 77%

정답풀이

학생의 발표에서 제시한 정보의 출처를 구체적으로 밝히는 부분은 찾을 수 없다.

오답풀이

① 발표자는 '맛있는 빵집이 생기면 이웃의 편의점도 수익이 높아지는 긍정적 외부 효과가 발생합니다. 반면 제조업 공장이 많아지면~부정적 외부 효과가 발생합니다.'에서 낯선 용어인 '외부 효과'에 대해 예를 들어 설명하며 청중의 이해를 돕고 있다.
② 발표자는 '우리가 저런 곳에서 살고 있다는 것이 믿어지십니까? (청중의 반응을 살피며) 저도 여러분과 같은 생각입니다.', '이제 엉망진창인 교실과 외부 효과가 어떤 연관성이 있는지 대충 짐작하시겠지요? (청중의 반응을 보며) 저 역시 같은 생각입니다.' 등에서 청중에게 질문을 통해 공감대를 형성하며 긍정적 호응을 이끌어 내고 있다.
③ 발표자는 '먼저 한 장의 사진을 보여드리겠습니다.~우리가 집보다 더 많은 시간을 보내는 교실입니다. 마치 폭풍이 한바탕 휩쓸고 지나간 듯합니다.'에서 시각 자료인 사진을 활용하여 문제 현상을 효과적으로 전달하고 있다.
⑤ 발표자는 '이제부터라도 우리 교실에 부정적 외부 효과는 발생하지 않도록 차단하고 긍정적 외부 효과는 가득할 수 있도록 해야 합니다.'에서 문제 현상을 해결할 수 있는 방향을 제시하며 청중인 같은 반 학생들의 태도 변화를 유도하고 있다.

**2** ② 정답률 84%

정답풀이

'책상에는 온갖 책과 옷이 널려 있고~교실 뒤에는 주인을 알 수 없는 물건들이 흩어져 있'는 등 교실 환경이 좋지 않다는 점과 관련하여 ⓒ(여러분도 이런~있지는 않습니까?)과 같이 질문을 던지며 청중의 경험을 환기하고 있다.

오답풀이

① ㉠(우리가 저런 곳에서~믿어지십니까?)은 학생들이 '집보다 더 많은 시간을 보내는 교실'의 환경이 좋지 않다는 상황을 강조하기 위한 질문일 뿐, 발표 내용이 청중의 평소 관심사임을 부각하는 것과는 관련이 없다.
③ ⓒ(이제 엉망진창인 교실과~대충 짐작하시겠지요?)은 앞서 설명한 외부 효과라는 개념을 현재의 교실 환경과 연관 지어 생각해 보도록 유도하기 위한 질문일 뿐, 청중의 반응이 상황에 맞지 않음을 강조하는 것과는 관련이 없다.
④ ㉣(어디 그뿐입니까?)은 '지금까지 우리는 너나 없이 부정적 외부 효과를 일으키며 생활해 왔던 것입니다.'와 관련해 추가적인 사례를 언급하기 위한 발언일 뿐, 발표 내용에 대한 청중의 이해가 부족함을 지적하는 것과는 관련이 없다.
⑤ ㉤(그렇다면 지금의~어떻게 하는 것이 좋을까요?)은 교실 환경을 개선하기 위한 방안을 생각해 보도록 유도하기 위한 질문일 뿐, 발표 내용과 관련된 청중의 배경 지식을 확인하는 것과는 관련이 없다.

**3** ③ 정답률 85%

정답풀이

'학생 3'은 '학생들이 깨끗한 환경을 유지하려고 노력'하게끔 만들기 위해 '매달 환경 미화 심사를 하여 우수 학급에 시상하는 방안을 학교에 제안'하자고 하였다. 이는 학생의 발표 중 정부가 '긍정적 외부 효과를 유발하는 경제 주체에게는 적절한 지원과 보상을 제공'함으로써 이를 확대하고자 한다는 내용과 관련된다고 볼 수 있다. 따라서 '학생 3'이 개인이 문제 상황의 심각성을 인식하는 것이 무엇보다 중요하다고 보았다고 분석하는 것은 적절하지 않다.

오답풀이

① '학생 1'은 '교실을 어지럽히는 사람에게 그에 상응하는 벌점을 부과'해야 함을 언급하였다. 이는 부정적 외부 효과를 발생시키는 사람에게 그에 합당한 책임을 묻는 방식으로 문제를 해결하고자 하는 것으로 볼 수 있다.
② '학생 2'는 교실 환경 개선을 위해 '벌점을 주기보다'는 '교실을 깨끗하게 만드는 데에 기여한 사람'에게 '혜택을 주는 것이 필요'하다고 하였다. 이는 긍정적 외부 효과를 발생시키는 사람에게 적절한 보상을 제공해야 한다는 의견으로 볼 수 있다.
④ '학생 2'와 '학생 3'은 모두 긍정적 외부 효과를 발생시킨 사람에게 보상을 주는 방안에 대해 언급하고 있다는 점에서 부정적 외부 효과를 발생시킨 개인의 행동에 책임을 묻기보다는 보상이라는 동기 부여를 통해 그들로부터 바람직한 행동을 이끌어 내는 것이 더 중요하다고 보았음을 알 수 있다.
⑤ '학생 1', '학생 2', '학생 3'은 모두 교실 환경을 개선하기 위한 방안을 제시하고 있는 것이므로, 교실의 환경 문제를 해결해야 한다는 점에는 동의하고 있음을 알 수 있다.

[4~7] **화법과 작문**

**4** ③ 정답률 81%

정답풀이

[B]에서 동물 실험 중단에 반대하는 입장은 '최근 미국 하버드 대학'에서 실시한 연구 결과를 제시하며 '동물 실험은 질병 치료제나~장기 이식 문제 해결에도 도움을 주기 때문에 계속 되어야 한다'고 동물 실험의 정당성을 강조하고 있다.

오답풀이

① [A]에서 '동물 실험에서는 별다른 이상이 없었던 약이 사람에게는 치명적인 결과를 초래했던 사건이 많'았음을 언급하며 동물 실험의 위험성을 지적했다고 볼 수 있지만, 전문가의 견해를 인용한 부분은 찾을 수 없다.
② [A]에서 '동물은 인간과 생체 구조가 다르기 때문에 동물 실험으로 개발된 의약품이라 해도 안전을 보장받을 수 없'다고 하였으나, 자신의 직접적인 경험을 근거로 든 부분은 찾을 수 없다.

④ [B]에서 '만약 우리가 먹는 약이나 여러 생활용품의 안정성을 동물 실험을 통해 검증하지 않는다면 어떻게 이런 제품을 안심하고 사용할 수 있을까요?'라고 하며 동물 실험 중단에 찬성하는 입장을 반박하고 있으나, 설문 조사 결과를 언급한 부분은 찾을 수 없다.
⑤ [B]에서 '동물 실험은 질병 치료제나~장기 이식 문제 해결에도 도움을 주기 때문에 계속되어야 한다고 생각합니다.'에서 동물 실험의 필요성을 강조하였으나, 상대측에서 제시한 자료의 신뢰성에 의문을 제기한 부분은 찾을 수 없다.

**5** ② 정답률 81%

정답풀이

〈보기〉의 자료는 '인간과 동물이 공유하는 질병'이 '약 1.16%'에 불과하고, 동물 실험의 결과가 인간을 대상으로 하는 실험의 결과와 동일하게 나타날 확률도 '8%'로 매우 낮음을 보여 준다. 따라서 이는 찬성 측이 '동물은 인간과 생체 구조가 다르기 때문에 동물 실험으로 개발된 의약품이라 해도 안전을 보장받을 수 없'다고 한 주장을 뒷받침하는 근거로 활용할 수 있다.

오답풀이

① 〈보기〉의 자료는 동물 실험이 비윤리적으로 진행되고 있음을 입증하는 것과는 관련이 없다.
③ 〈보기〉의 자료는 인공 세포 배양에 따른 비용과는 관련이 없으므로, 이를 반대 측의 주장을 반박하는 자료로 활용할 수는 없다.
④ 〈보기〉의 자료는 동물 실험을 통해 편리한 생활용품을 개발할 수 있다는 주장과는 관련이 없다.
⑤ 〈보기〉의 자료는 동물 실험 대상의 안락사 문제와는 관련이 없으므로, 반대 측에서 그 이유를 설명하는 자료로 활용할 수는 없다.

**6** ③ 정답률 82%

정답풀이

(나)의 2문단에서는 '마취도 하지 않고 실험 대상이 되는' 동물이 많다고 했을 뿐, 실험용 동물들이 겪는 고통은 동물마다 차이가 있음을 언급한 부분은 찾을 수 없다.

오답풀이

① (나)의 1문단에서 '이번 토론은 평소 동물 실험에 대해 무관심했던 나에게 반성의 기회를 제공해 주었다.'를 통해 확인할 수 있다.
② (나)의 2문단에서 글쓴이는 '△△대학교 수의과대학의 실험실을 방문'했다고 하였는데, 그곳에서 삼촌이 '동물 실험의 실상을 잘 모르는 나에게 매년 우리나라에서 얼마나 많은 동물들이 희생되는지를 설명해 주셨다.'라고 한 것에서 확인할 수 있다.
④ (나)의 3문단에서 '나는 우리 지역에 있는 동물 보호 단체의 회원으로 가입하였고,~동물 실험에 반대하는 캠페인에도 참가하기로 하였다.'를 통해 확인할 수 있다.
⑤ (나)의 3문단에서 '이러한 활동이 동물들의 소중한 생명을 지키고 나아가 동물과 인간이 평화롭게 공존하는 세상을 만드는 데 도움이 되었으면 좋겠다.'를 통해 확인할 수 있다.

**7** ⑤ 정답률 74%

정답풀이

'동물 실험의 효용성을 무시할 수는 없다고 생각합니다.'에서 동물 실험을 옹호하는 입장을 일부 인정하며 반론을 시작하고 있다. 또한 '인간이 동물들과 공존할 때 얻을 수 있는 혜택이 더 크다'에서 동물 실험을 반대하는 이유를 밝혔으며, '살려 달라고 하소연하는 동물들의 절규'에서 비유적 표현을 활용하였다.

오답풀이

①, ④ 동물 실험을 옹호하는 입장을 일부 인정하면서 반론을 시작하지 않았다.
②, ③ 비유적 표현을 활용하지 않았다.

## [8~10] 작문

**8** ⑤ 정답률 81%

정답풀이

ㄷ
(나)의 2문단에서 예상 독자인 시청 도로교통 담당자의 관심을 끌기 위해 '통학로가 차도와 인도로 구분되어 있지 않아 위험하고, 그 길마저 불법 주정차된 자동차들로 막혀 있어서 학생들의 보행권 침해가 심각'하다는 통학로의 실태를 제시하였다.
ㄹ
'안전한 통학로를 확보해 달라고 건의하기'라는 글의 목적 달성을 위해 2문단에서 '지난주에 학교 앞에서 발생한 교통사고'를 언급하였다.

오답풀이

ㄱ
(나)에서 '안전한 통학로를 확보하기 위한 방안 제시'라는 글의 주제를 강조하기 위해 비유적 표현을 활용한 부분은 찾을 수 없다.
ㄴ
(나)에서 자료의 객관성을 높이기 위해 통계 자료를 제시한 부분은 찾을 수 없다.

**9** ④ 정답률 78%

정답풀이

[A]의 학부모 인터뷰나 [B]의 신문 기사에는 통학로 안전에 대한 불만이 내포되어 있다고 볼 수 있으나, 그러한 불만이 학교에 대한 불신으로 이어지고 있음을 강조하는 것과는 관련이 없다.

오답풀이

① 아이를 학교에 보낼 때 '승합차를 태우려니 경제적인 부담이 생기고, 아이를 직접 학교에 태워다 주려니 출근 시간이 빠듯'해졌다고 한 [A]의 내용을 활용하여 안전하지 못한 통학로 때문에 학부모의 부담이 늘었음을 구체적으로 제시할 수 있다.
② '최근 통학로에서 중 · 고등학생들의 교통사고가 잇따라 발생하자, 도로교통 담당 부서에 스쿨존을 확대해 달라는 민원이 제기되고 있'다는 [B]의 내용을 활용하여 스쿨존의 적용 범위를 고등학교까지 확대해 달라는 내용을 해결 방안에 추가할 수 있다.
③ 통학로에 '교통안전시설'을 설치한 곳은 교통사고 발생 건수가 1건이었으나, 미설치한 곳은 40건이었다는 [C]의 내용을 활용하여 교통안전시설 설치가 문제 해결의 방안이 될 수 있다는 근거 자료로 삼을 수 있다.
⑤ '도로교통 담당 부서에 스쿨존을 확대해 달라는 민원이 제기되고 있다.'라는 [B]의 내용과, '도로교통 담당 부서에서는 교통안전시설을 마련하여 통학로 교통사고가 발생하지 않도록 대비해야 한다.'라는 [C]의 내용을 활용하여 안전한 통학로를 조성하기 위해서는 예상 독자인 '시청 도로교통 담당자'의 역할이 중요함을 강조할 수 있다.

**10** ② 정답률 77%

정답풀이

해당 문장의 주어는 '문제는'으로, 서술어인 '있다는 것입니다.'를 '있습니다.'로 수정하면 오히려 주어와 서술어의 호응이 어색해진다. 따라서 ②번은 ㉡(있다는 것입니다.)에 대한 점검 결과와 수정 방안으로 적절하지 않다.

오답풀이

① ㉠(되풀이해서)은 이어지는 단어인 '반복되다'와 의미가 중복되므로, ㉠을 삭제하는 것은 수정 방안으로 적절하다.
③ '민원을 제기'하는 곳이 '시청'이라는 의미를 전달해야 하므로, ㉢(시청의)을 '시청에'로 고치는 것은 수정 방안으로 적절하다.
④ 문맥상 ㉣(그리고)의 앞뒤 문장이 인과관계를 이루고 있으므로, ㉣을 '그러면'으로 바꾸는 것은 수정 방안으로 적절하다.
⑤ '안전에 대한 걱정 없이 통학'하는 주체가 누구인지 나타나 있지 않으므로, ㉤에 '학생들이'를 첨가하는 것은 수정 방안으로 적절하다.

15회

## [11~15] 문법(언어)

### 11 ④ 정답률 75%

**정답풀이**

2문단에서 중세 국어의 주격 조사 형태에 대해 '앞말이 자음으로 끝나면 '이'를 썼지만, 'ㅣ'를 제외한 모음으로 끝나면 'ㅣ'를 붙여 썼고, 'ㅣ'로 끝나면 주격 조사를 표기하지 않았다.'라고 하였다. 즉 중세 국어에서는 앞말이 'ㅣ' 모음으로 끝나면 주격 조사를 표기하지 않았으므로, 앞말이 모음으로 끝났을 때 예외 없이 주격 조사 'ㅣ'가 사용되었다는 설명은 적절하지 않다.

**오답풀이**

① 1문단과 2문단에서 '현대 국어에서는 주격 조사로 '이/가''를 사용하는데, 중세 국어에서는 주격 조사로 ''이'만 사용'하였음을 설명했다. 따라서 현대 국어의 주격 조사 중에는 중세 국어에서 사용하지 않았던 '가'가 있음을 알 수 있다.
② 2문단에서 중세 국어의 주격 조사 형태에 대해 '앞말이~'ㅣ'로 끝나면 주격 조사를 표기하지 않았다.'라고 하였다. 따라서 중세 국어에서는 앞말이 'ㅣ' 모음으로 끝나는 음운 환경에서는 주격 조사를 표기하지 않았음을 알 수 있다.
③ 1문단과 3문단에서 현대 국어에서는 '목적격 조사로 '을/를''을 사용하는 데 비해, 중세 국어에서는 목격적 조사로 ''ᄋᆞᆯ/을/ᄅᆞᆯ/를'을 사용'함을 알 수 있다. 따라서 현대 국어보다 중세 국어에서 사용된 목적격 조사의 형태가 더 다양함을 알 수 있다.
⑤ 3문단에서 중세 국어의 목적격 조사에 대해 '앞말이 자음으로 끝날 경우 'ᄋᆞᆯ/을', '앞말의 모음이 양성 모음이면 'ᄋᆞᆯ/ᄅᆞᆯ''을 사용한다고 설명했다. 따라서 앞말의 모음이 양성 모음이고 자음으로 끝나면 목적격 조사는 'ᄋᆞᆯ'이 사용됨을 알 수 있다.

### 12 ① 정답률 61%

**정답풀이**

[A]에서 중세 국어의 관형격 조사의 형태로는 'ᄋᆡ/의', 'ㅅ'이 있으며, '앞에 오는 명사가 사람이나 동물'인 경우에는 'ᄋᆡ/의'를 사용하는데 '앞말의 모음이 양성 모음'이면 'ᄋᆡ'를, '음성 모음'이면 '의'를 사용한다고 하였다. 또한 앞에 오는 명사가 '사람이면서 높임의 대상이거나, 사람도 아니고 동물도 아닐 때'에는 'ㅅ'을 사용한다고 하였다. 이에 따르면 '거붑'(거북)은 동물이면서 음성 모음인 'ㅜ'로 끝나므로 '의'가 결합할 것이고, '하ᄂᆞᆯ'(하늘)은 사람도 아니고 동물도 아니므로 'ㅅ'이 결합할 것임을 알 수 있다.

### 13 ④ 정답률 65%

**정답풀이**

〈보기〉에 제시된 표준 발음법 제14항에서 '겹받침이 모음으로 시작된 조사'와 결합하는 경우 '뒤엣것만을 뒤 음절 첫소리로 옮겨 발음'하는데, 이때 ''ㅅ'은 된소리로 발음'한다고 하였다. 따라서 '값이'는 [갑시]가 아닌 [갑씨]로 발음해야 한다.

**오답풀이**

① 표준 발음법 제10항에 따라 겹받침 'ㄼ'은 자음 앞에서 [ㄹ]로 발음하므로, '넓지'는 [널찌]로 발음한다.
② 표준 발음법 제11항에 따라 겹받침 'ㄻ'은 자음 앞에서 [ㅁ]으로 발음하므로, '옮겨'는 [옴겨]로 발음한다.
③ 표준 발음법 제11항에 따라 '용언의 어간 말음 'ㄺ'은 'ㄱ' 앞에서 [ㄹ]로 발음'하므로, '읽고'는 [일꼬]로 발음한다.
⑤ 표준 발음법 제14항에 따라 겹받침이 모음으로 시작된 어미와 결합하는 경우 '뒤엣것만을 뒤 음절의 첫소리로 옮겨 발음'하므로, '훑어'는 [훌터]로 발음한다.

### 14 ④ 정답률 40%

**정답풀이**

(나)에는 관형사절인 ⓒ(눈이 내린)이 관형어로 전체 문장에 안겨 있으며, (다)에는 명사절인 ⓜ(그가 왔음)이 목적어로 전체 문장에 안겨 있다. 따라서 (나)와 달리 (다)만 절이 전체 문장의 한 성분으로 안겨 있다는 설명은 적절하지 않다.

**오답풀이**

① ㉠(봄이 오면)은 ㉡(꽃이 핀다)이라는 결과에 대해 조건의 의미를 갖는 절로 볼 수 있다. 따라서 이 두 절의 위치를 바꾸면 (가)의 의미가 달라지게 된다.
② ⓒ은 ⓓ(마을은 고요했다.)의 주어인 '마을은'을 꾸며 주는 역할을 하는 관형사절이다.
③ ⓜ은 전체 문장에서 목적어 역할을 하는 명사절로, 이를 생략하면 (다)에는 주어와 서술어만 남아 그 의미가 불완전해진다.
⑤ (가)는 '봄이(주어) 오면(서술어) 꽃이(주어) 핀다.(서술어)', (나)는 '눈이(주어) 내린(서술어) 마을은(주어) 고요했다.(서술어)', (다)는 '나는(주어) 그가(주어) 왔음을(서술어) 몰랐다.(서술어)'와 같은 구조로, 모두 주어+서술어의 관계가 두 번 나타난다.

**오답률 Best 2**

(가)~(다)의 문장 구조를 정확히 분석하고 이해할 수 있는지를 확인하는 문제였어. 주어진 문장을 보면, (가)는 ㉠과 ㉡이 종속적으로 이어진문장, (나)는 ⓒ이 관형절로 안긴문장, (다)는 ⓜ이 명사절로 안긴문장으로 각각 유형이 다름을 알 수 있어. 이때 정답인 ④번 외에 학생들이 택한 비율이 가장 높은 선지는 ①번이었는데, 이는 종속적으로 이어진문장의 개념을 정확히 알지 못했기 때문일 가능성이 높아. (가)는 '봄이 오다'라는 문장과 '꽃이 핀다'라는 문장이 '-(으)면'이라는 연결 어미를 통해 이어진 문장이야. 이로 인해 앞 문장은 뒤 문장에 대해 조건의 의미를 가지고, 뒤 문장은 앞 문장에 따른 결과를 의미하는 관계가 되지. 이렇듯 두 문장의 의미가 독립적이지 못하고 종속적인 관계를 맺는 구조에서는, 앞 문장과 뒤 문장의 위치를 바꾸면 그 의미가 달라지게 돼. 즉 ①번의 진술은 적절한 내용인 거지. 14번 문제를 푸는 데 어려움이 있었다면, 안긴문장과 이어진문장의 개념과 특징을 다시금 공부하고 정확히 정리해 두도록 하자.

### 15 ④ 정답률 80%

**정답풀이**

'그가 우산을 받쳐 들고 거리를 거닐고 있다.'에서 '받치다'는 '비나 햇빛과 같은 것이 통하지 못하도록 우산이나 양산을 펴 들다.'라는 의미이다.

## [16~20] 기술

### 16 ① 정답률 83%

**정답풀이**

윗글은 2문단~4문단에서 유형거가 공학적으로 높은 평가를 받는 이유로 '짐을 쉽게 운반할 수 있을 뿐만 아니라 짐을 싣는 작업도 지렛대의 원리를 반영하여 쉽게 할 수 있도록 설계되었'다는 점, '소에서 얻는 주동력 외에 보조 동력을 더할 수 있었'다는 점, '손잡이의 조작으로 수레에 가해지는 충격을 완화시킬 수 있었'다는 점을 설명하고 있다. 즉 유형거에 대한 구조적 특징 분석을 중심으로 '유형거가 공학적으로 높은 평가를 받는 까닭'에 대해 설명한 것이므로, ①번이 표제와 부제로 가장 적절하다.

**오답풀이**

② 3문단에서 유형거의 '보조 동력'과 관련된 장치로 '복토'를 언급하였으나, 윗글에서 유형거의 미학적 특성에 대해 설명하고 있지는 않으므로 표제와 부제로 적절하지 않다.
③ 1문단에서 유형거를 사용한 덕분에 '10년을 잡았던 수원 화성의 공사를 2년 7개월 만에 끝낼 수 있었'다고 하며 유형거가 효과적인 운반 수단임을 언급하였으나, 윗글에서 실제 이를 운용한 사람의 경험을 서술한 부분은 찾을 수 없다.
④ 윗글에서 수레 발달의 역사를 설명하는 부분은 찾을 수 없다.
⑤ 윗글에서 유형거의 변화 과정에 대해 설명한 부분은 찾을 수 없다.

## 17 ① 정답률 53%

정답풀이

3문단에서 '한표'는 돌이 '수레의 진행 방향 반대쪽으로 미끄러지'는 것을 멈추게 만드는 장치라고 하였다. 이는 〈보기〉에서 설명한 지렛대의 원리와는 관련이 없으므로, 유형거에서 수레 손잡이 쪽에 한표를 두어 힘점에 가해지는 힘을 늘리려 했다고 볼 수는 없다.

오답풀이

② 〈보기〉에서 지렛대는 '힘점과 받침점 사이가 멀수록~작용점에 작용하는 힘은 커진다.'라고 하였다. 1문단 아래에 제시된 그림을 참고하면, 유형거의 손잡이 부분은 '힘점', 바퀴는 '받침점'에 대응되는 것으로 볼 수 있다. 따라서 손잡이의 길이를 길게 하면 그만큼 힘점과 받침점 사이의 거리가 멀어져 작용점에 더 큰 힘이 작용할 것임을 알 수 있다.

③ 〈보기〉에서 지렛대는 '작용점과 받침점 사이가 가까울수록 힘점에 가하는 힘이 작아도 작용점에 작용하는 힘은 커진다.'라고 하였다. 1문단 아래에 제시된 그림을 참고하면, 유형거의 여두는 '작용점', 바퀴는 '받침점'에 대응되는 것으로 볼 수 있다. 따라서 여두와 바퀴 축의 거리를 가깝게 하면 그만큼 작용점과 받침점 사이의 거리가 가까워져 작은 힘으로도 무거운 돌을 싣는 것이 가능할 것이다.

④ 2문단에서 '여두는 소 혀와 같은 모양으로 만들어 돌을 쉽게 올려놓을 수 있도록', 즉 작용점에 작용하는 힘이 더 효과적으로 전달될 수 있도록 했다고 하였다.

⑤ 2문단과 〈보기〉를 참고하면, 유형거에서 돌을 들어올리는 부분인 여두는 '작용점', 바퀴는 '받침점', 수레 손잡이는 '힘점'에 해당함을 알 수 있다.

### 오답률 Best ④

2문단에서 유형거는 '짐을 싣는 작업도 지렛대의 원리를 반영하여 쉽게 할 수 있도록 설계되었다.'라고 한 것과 관련하여, 17번은 <보기>에서 제시한 지렛대의 원리와 지문의 내용을 연결지어 이해할 수 있는지를 묻는 문제였어. 이때 1문단 아래에 제시된 그림과 <보기>의 그림을 비교하면, 유형거의 여두는 지렛대의 '작용점'에, 바퀴는 '받침점'에, 사람이 잡고 있는 손잡이 부분은 '힘점'에 해당함을 알 수 있었어. 이러한 대응 관계만 정확히 파악했다면 <보기>의 설명에 따라 선지의 정오도 어렵지 않게 판단할 수 있었지. 다만 매력적인 오답인 ④번은 2문단에서 '돌부리에 찔러 넣어 돌을 들어 올리는 여두는 소 혀와 같은 모양으로 만들어 돌을 쉽게 올려놓을 수 있도록 하였고'라고 한 부분을 놓쳤다면 정확한 정오 판단을 하기 어려웠을 거야. 특히 여두는 '소 혀와 같은' 특수한 형태로 만들어 '돌을 쉽게 올려놓을 수 있도록' 했다는 것이 곧 작용점에 힘이 더 효과적으로 전달될 수 있도록 했다는 것과 같은 의미임을 파악하는 것이 관건이었던 거지.

## 18 ③ 정답률 74%

정답풀이

3문단에서 유형거는 '수레가 흔들림에 따라 싣고 있는 돌이 차상 위에서 앞뒤로 움직이는 것을 이용'하여 보조 동력을 얻으며, '수레가 흔들리는 만큼 무게 중심도 계속 변화'한다고 하였다. 따라서 [가]와 [나] 과정을 거치는 동안 수레의 무게 중심은 차상에서 앞뒤로 움직이는 돌의 위치 변화에 따라 달라질 것임을 알 수 있다.

오답풀이

① 3문단에서 '유형거가 움직일 때 수레 손잡이를 들어 올리면 돌은~수레의 진행 방향으로 여두 부근까지 미끄러지는데, 이때 생긴 에너지는 수레에 추진력을 더한다.'라고 하였다.

② 3문단에서 '수레 손잡이를 내리면 이번에는 돌이 다시 수레의 진행 방향 반대쪽으로 미끄러지다가~멈추게 되는데, 이때 발생하는 에너지는 수레가 나아가는 것을 방해한다.'라고 하였다.

④ 3문단에 따르면, [가]와 [나] 과정에서 돌이 수레의 진행 방향 혹은 수레의 진행 방향 반대쪽으로 미끄러지는 것은 모두 정지 마찰력을 극복하였기 때문임을 알 수 있다.

⑤ 3문단에 따르면, [가]와 [나]를 반복하는 과정에서 '추진력에 비해 나아가는 것을 방해하는 힘은 작'다는 점 때문에 '수레를 운전하는 입장에서는 그만큼 보조 동력을 얻'게 된다고 하였다.

## 19 ① 정답률 73%

정답풀이

4문단에서 유형거의 손잡이 조작과 관련하여, '언덕을 오를 때는 손잡이를 올'린다고 하였으므로 ㉠에 들어갈 말은 '올린 후'가 된다. 또한 '왼쪽으로 돌 때에는 왼쪽이 올라가므로 왼쪽 손잡이를 누른'다고 한 것을 고려할 때, '갈림길에서 오른쪽으로' 도는 경우에는 오른쪽 손잡이를 눌러야 함을 알 수 있다. 따라서 ㉡과 ㉢에 들어갈 말은 각각 '오른쪽'과 '눌러야'임을 알 수 있다.

## 20 ③ 정답률 36%

정답풀이

ⓒ와 ③번의 '운용'은 모두 '무엇을 움직이게 하거나 부리어 씀.'이라는 의미로 쓰였다.

오답풀이

① ⓐ의 '공사'는 '토목이나 건축 따위의 일.'을 뜻하고, ①번의 '공사'는 '국가를 대표하여 파견되는 외교 사절.'을 뜻한다.

② ⓑ의 '기능'은 '하는 구실이나 작용을 함. 또는 그런 것.'을 뜻하고 ②번의 '기능'은 '육체적, 정신적 작업을 정확하고 손쉽게 해 주는 기술상의 재능.'을 뜻한다.

④ ⓓ의 '입장'은 당면하고 있는 상황.'을 뜻하고, ④번의 '입장'은 장내로 들어가는 것.'을 뜻한다.

⑤ ⓔ의 '조작'은 '기계 따위를 일정한 방식에 따라 다루어 움직임.'을 뜻하고, ⑤번의 '조작'은 어떤 일을 사실인 듯이 꾸며 만듦.'을 뜻한다.

### 오답률 Best ①

20번은 간단해 보이는 어휘 문제이지만 2018학년도 6월 학력평가에서 오답률이 가장 높은 문항이었어. 특히 ②번과 정답인 ③번 중에서 고민한 학생들이 많았던 것으로 보여. 다른 선지들은 지문에서 ⓐ~ⓔ가 쓰인 문맥과 선지의 문맥을 비교하면, 이들이 소리만 같을 뿐 뜻이 서로 다른 단어임을 쉽게 파악할 수 있었을 거야. 그런데 매력적인 오답인 ②번은 지문과 선지에 쓰인 '기능'이 언뜻 보기에는 서로 같은 의미인 것처럼 보여서 그 문맥을 자세하게 살펴 비교해 보지 않았다면 정답이라고 착각하기 쉬웠어. ②번에서 '기능'은 무언가를 할 수 있는 '기술', '재주'와 같은 의미로 쓰였는데, 지문의 ⓑ(기능)에 그러한 단어들을 대입해 보면 상대적으로 문맥이 자연스럽지 않음을 알 수 있었지. 이러한 어휘 문제는 평소 공부하면서 뜻을 모르거나 어려운 단어가 나올 때마다 사전에서 그 뜻을 찾아보고 용례를 확인하는 방식으로 대비해 두면 많은 도움이 될 거야. 또한 평가원이나 학력평가 기출 어휘 문제를 모두 모아 풀어 보고 어휘의 뜻과 쓰임, 그리고 반의어, 유의어 등으로 범위를 확장해 가면서 공부해 둔다면 더욱 좋지. 이때 영어 단어 공부를 하듯 뜻을 외운다기보다는 용례를 중심으로 해당 단어가 주로 어떤 맥락에서 사용되는지를 익혀 둔다는 측면에서 접근하는 것이 중요하다는 점 참고해 두도록 하자!

[21~24] **고전소설**

## 21 ④ 정답률 75%

정답풀이

㉢(조선)은 용골대의 침략으로 위기에 처한 임금이 호국에 항복할 것을 결정하는 모습이 나타나는 공간이다. 이때 신하들은 호국에 항복하는 일을 두고 의견 대립을 보이고 있을 뿐, 호국의 침략을 받게 된 것에 대해 임경업에게 책임을 묻고자 하는 모습은 나타나지 않는다.

오답풀이

① ㉠(조선)에서 임경업이 '달아난 호국 장수들이 다시 돌아와 염탐'한 것을 알고 크게 분노하여 '남은 호병들을 잡아'와 꾸짖는 모습을 통해 확인할 수 있다.

② ㉠에서 '경업은 머지않아 호국이 다시 침범하지 않을까 근심했는데, 조정의 신하들은 전혀 그런 염려를 하지 않았다.'라고 한 것을 통해 확인할 수 있다.

③ ㉡(호국)에서 호왕이 '용골대 장군을 선봉장으로 삼'은 뒤 '가만히 황해를 건너 조선을 치면~의주에서도 알지 못할 것이니, 그 사이에 한양을 급습하면 항복받기가 손바닥 뒤집는 것보다 쉬울 것이다.'라고 지시하는 것을 통해 확인할 수 있다.

⑤ ㉢에서 임금이 '길이 막혀 사람을 보낼 수 없으니 경업이 어찌 이 사정을 알겠는가?~아무리 생각해도 항복하는 수밖에 다른 묘책이 없으니'라고 한 것을 통해 확인할 수 있다.

15 회

## 22 ⑤ 정답률 75%

**정답풀이**

[A]는 임경업이 조선을 염탐하는 호국 병사들을 붙잡은 뒤 꾸짖는 부분이다. 임경업은 '은덕을 잊지 않겠다며 만세불망비'를 세웠던 호국이 '그걸 벌써 잊고 도리어 천조를 배반하고 우리나라를 침범코자'하는 것을 비난하고, '다시 분수에 넘치는 짓은 생각도 하지 말라.'라고 하며 상대방의 행동 변화를 유도하고 있다. [B]는 조선을 침략한 용골대가 남한산성으로 피신한 임금과 신하들을 포위한 뒤 항복할 것을 재촉하는 부분으로, '너희는 무엇을 먹고 살려 하느냐? 어서 빨리 나와 항복하여라.'라고 하며 상대방의 행동 변화를 유도하는 것을 확인할 수 있다.

**오답풀이**

① [A]에서 임경업은 조선을 염탐한 호국 병사에게 경고의 뜻을 드러내고 있을 뿐, 상대방의 불리한 상황을 지적하며 회유하는 모습은 나타나지 않는다.

② [B]에서 용골대는 조선의 임금과 신하들에게 항복하라는 뜻을 직접적으로 드러내고 있으므로, 자신의 속마음을 감춘 채 질문을 통해 사실을 확인한다고 볼 수 없다.

③ [A]는 임경업이 '만일 다시 두 마음을 먹으면 그 때는 한 놈도 남기지 않고 다 죽여 없앨 것이다.'라고 한 것에서 자신의 능력을 과시하는 모습이 나타났다고 볼 수 있지만, [B]에서 용골대는 상대방의 행동을 과대평가하고 있지 않다.

④ [A]와 [B] 모두 상대방을 시험하고자 하는 모습은 나타나지 않는다.

## 23 ① 정답률 73%

**정답풀이**

㉮에는 호국 군대에게 포위당했는데 이에 맞설 장수가 없고, 양식마저 다 떨어져 더 이상 적에게 대항하기 어려운 처지에 있는 조선의 상황이 나타나 있다. 따라서 '아무에게도 도움을 받지 못하는, 외롭고 곤란한 지경에 빠진 형편을 이르는 말.'이라는 의미인 '사면초가'는 이러한 ㉮의 상황을 드러내는 말로 가장 적절하다.

**오답풀이**

② '수구초심'은 '여우가 죽을 때에 머리를 자기가 살던 굴 쪽으로 둔다는 뜻으로, 고향을 그리워하는 마음을 이르는 말.'이다.

③ '오월동주'는 '서로 적의를 품은 사람들이 한자리에 있게 된 경우나 서로 협력하여야 하는 상황을 비유적으로 이르는 말.'이다.

④ '이심전심'은 '마음과 마음으로 서로 뜻이 통함.'을 의미한다.

⑤ '호가호위'는 '남의 권세를 빌려 위세를 부림.'을 의미한다.

## 24 ⑤ 정답률 59%

**정답풀이**

윗글에서 호국은 조선을 침략할 때 임경업과의 직접적인 대결을 피하여 '한양을 급습하'는 계교를 꾸미고 있으며, 조선은 호국 군대에게 포위당한 위기 상황에서 이를 구원해 줄 존재는 임경업뿐이라고 여기고 있다. 이를 통해 조선과 호국 모두 임경업의 능력을 인정하고 있음이 드러나므로, 그의 능력에 대해 상반된 평가를 내렸다고 볼 수는 없다.

**오답풀이**

① 〈보기〉에서 윗글은 '인조 때 중국에까지 이름이 알려진 장수로서 의주에 주둔하며 청의 주요한 공격로를 수비'한 '임경업의 생애를 바탕'으로 한 작품이라고 하였다. 이를 참고할 때, 윗글에서 '의주 부윤'으로서 호국의 '정예 병사 7천 명'을 홀로 상대하여 승리를 이끌어 낸 임경업의 활약은 실존 인물의 명성을 바탕으로 한 것임을 알 수 있다.

② 〈보기〉에서 윗글은 '청나라에 대한 우리 민족의 자부심 등을 드러낸 작품'이라고 하였다. 이를 참고할 때, 조선을 침략한 호국 군대에 맞서 '홀로 출전하여 적진을 쑥대밭으로 만든 뒤 돌아와 승전고를 울'린 임경업의 모습에는 민족적 자부심을 고취시키고자 한 의도가 반영되어 있음을 확인할 수 있다.

③ 〈보기〉에서 윗글은 '임경업의 생애를 바탕으로, 좌절된 영웅에 대한 안타까움'을 드러낸 작품이라고 하였다. 이를 참고할 때, 호국 군대를 단숨에 제압할 정도로 뛰어난 능력을 지닌 임경업이 용골대가 한양을 급습한 상황에서는 능력을 발휘할 기회조차 갖지 못한 것에 대해 민중들은 안타까움을 느꼈을 것으로 짐작할 수 있다.

④ 〈보기〉에서 윗글은 '병자호란 당시 청나라 군대에 무력하게 패배'한 것과 관련하여 '지배 계층에 대한 분노'를 드러낸 작품이라고 하였다. 이를 참고할 때, 호국 군대가 남한산성을 포위한 상황에서 '도원수 김자점은 달리 방법도 없이 성문 밖에 진을 치고 방어만 하'는 등 무기력하게 대응하는 인물로 형상화되는 것은 당대 민중들이 지배 계층을 보며 느꼈던 분노를 드러낸 것으로 볼 수 있다.

# [25~28] 현대시

## 25 ① 정답률 73%

**정답풀이**

(가)는 시 속에 나타나는 '전형적 인물'의 두 가지 유형에 대해 설명하며, '화자 자신이 전형적 인물이 되기도 하고,~화자가 관찰한 대상이 전형적 인물이 되기도 한'다고 하였다. (나)의 화자는 흐르는 강물과 자신을 동일시하면서 '삽자루에 맡긴 한 생애가 / 이렇게 저물고, 저물어'가는 반복되는 일상과 '먹을 것 없는 사람들의 마을로 / 다시 어두워 돌아가야' 하는 답답한 현실의 상황에 대해 이야기하고 있다. 또한 (다)의 화자는 '못 위에 앉아' 잠든 아비 제비를 통해 과거에 보았던 아버지의 모습을 연상하며 실업으로 인해 가족의 생계를 책임지지 못하였던 아버지의 처지와 심정에 대해 이야기하고 있다. 따라서 (나)의 화자는 자신이 가난한 노동자라는 전형적 인물이 되어, (다)의 화자는 실업한 처지의 전형적 인물을 관찰하여 현실을 드러내고 있다.

**오답풀이**

②, ③ (나)의 전형적 인물은 화자 자신으로, (나)의 화자는 자신이 체험한 현실을 직접적으로 이야기하고 있으며, (다)의 전형적 인물은 화자가 떠올린 과거의 아버지로, 화자는 그 당시 아버지가 처해 있던 현실을 중심으로 시상을 전개하고 있다.

④ (나)에서는 화자가 전형적 인물이 되어 '강변에 나가 삽을 씻으며 / 거기 슬픔도 퍼다 버린다'에서와 같이 정서를 직접 드러내고 있다. 하지만 (다)에서는 화자가 떠올린 과거의 아버지가 전형적 인물이므로 화자가 전형적 인물이 되어 직접 정서를 표출한다고 보기 어렵다.

⑤ (가)에서 '전형적 인물이 처해 있는 상황'을 통해 '일제 강점기' 혹은 '산업화와 도시화로 피폐해진 농촌의 상황'을 보여줄 수 있다고 하였다. 그러나 (나)와 (다)에 전형적 인물이 처해 있는 구체적인 시대 상황이 제시되어 있지는 않다.

## 26 ⑤ 정답률 76%

**정답풀이**

(가)에서 '독자는 전형적 인물이 어떤 상황에 놓여 있으며, 그 상황을 어떻게 인식하고 그에 어떻게 대응하는지를 면밀히 살펴야 한'다고 하였다. 그런데 (나)의 '다시 어두워 돌아가야 한다'는 하루하루 고된 노동을 반복하지만 궁핍한 처지가 나아지지 않는 현실에 대한 화자의 답답한 심정을 보여 주는 구절일 뿐, 반복되는 일상을 극복하려는 의지를 드러낸다고 보기는 어렵다.

**오답풀이**

① (나)의 화자가 '강변에 나가 삽을 씻으며 / 거기 슬픔도 퍼다 버'리는 것은 반복되는 노동자의 삶 속에서 느끼는 고뇌를 덜어내고자 하는 모습으로 볼 수 있다.

② (나)의 화자가 하루 일이 끝난 뒤 강을 바라보며 '쭈그려 앉아 담배나 피우고' '먹을 것 없는 사람들의 마을'로 다시 '돌아가야 한다'라고 한 것에서 현실에 대한 소극적인 대응 태도가 드러난다고 할 수 있다.
③ (나)에서 '삽자루에 맡긴 한 생애가 / 이렇게 저물고, 저물어서 / 샛강 바닥 썩은 물에 / 달이 뜨'는 것은 화자가 처한 부정적 현실이 매일같이 반복되고 있음을 나타낸 것으로 볼 수 있다.
④ (나)의 화자는 흐르는 강물과 '우리'를 동일시하고 있는데, '흐르는 물에 삽을 씻고 / 먹을 것 없는 사람들의 마을로 / 다시 어두워 돌아가'는 주체가 '우리'로 나타나고 있다는 점에서, 화자와 유사한 상황에 놓인 이들이 적지 않음을 짐작할 수 있다.

## 27 ③ 정답률 73%

**정답풀이**

(나)의 화자가 흐르는 '물'과 '샛강 바닥 썩은 물에 / 달이 뜨'는 것을 보고 '우리가 저와 같'다고 표현하며 삶의 비애를 드러낸 데에서 유사한 속성의 자연물에 빗대어 화자 자신의 처지를 부각했다고 볼 수 있다. 또한 (다)의 화자는 '사내'(아버지)를 '못 위에 앉아 밤새 꾸벅거리는 제비'에 빗대어 고단한 인물의 처지를 강조하고 있다.

**오답풀이**

① (나)와 (다) 모두 시상 전환은 나타나지 않는다.
② (나)와 (다) 모두 반어적 표현을 사용하지 않았다.
④ (나)에는 대조적인 장면이 나타나지 않는다. (다)에는 아비 '제비'가 꾸벅거리는 장면과 '사내'(아버지)가 아이들과 함께 아내를 마중 갔다가 집으로 돌아가는 장면이 제시되지만, 두 장면은 대조되는 것이 아니라 유사하다고 할 수 있다.
⑤ (다)에서는 '종암동 버스 정류장'에서 '골목'으로 공간의 이동이 나타났다고 볼 여지가 있지만, (나)는 공간의 이동에 따라 시상이 전개되고 있지 않다. 또한 (나)와 (다) 모두 인물의 상황 변화는 나타나지 않는다.

## 28 ② 정답률 64%

**정답풀이**

'제자리에 선 채 달빛(㉡)을 좀 더 바라보던 / 사내의, 그 마음'은 가족에 대한 미안함으로 해석할 수 있다. 따라서 ㉡을 아버지가 자신과 동일시하는 대상이라고 보기는 어렵다.

**오답풀이**

① '엄마'(아내)를 마중하러 '버스 정류장'에 나간 '아이 셋'과 '한 사내'에게 부는 ㉠(흙바람)은 이들을 힘들게 하는 대상으로 볼 수 있으므로, 이들에게 닥친 고난과 시련으로 볼 수 있다.
③ '실업의 호주머니', 즉 아버지의 호주머니에 있던 ㉢(호두알)이 '때 묻'고 '쉽게 깨어지지 않'았다는 것에서 아버지의 실업 상태가 꽤 오랫동안 지속된 것임을 짐작할 수 있다.
④ 달빛은 '식구들의 손잡은 그림자를 만들어 주기도 했지만 / 그러기엔 골목(㉣)이 너무 좁았'다고 한 것에서 ㉣은 다 같이 손을 잡기도 어려운 가족의 가난하고 힘든 상황을 형상화한 것으로 볼 수 있다.
⑤ 오랫동안 '실업' 상태인 아버지는 좁은 골목에서 가족들을 '늘 한 걸음 늦게 따라'간다. 이때 ㉤(그림자)은 이러한 아버지의 모습이 담긴 것으로, 가족을 생각하는 가장의 마음이 반영된 것이라 할 수 있다.

# [29~33] 인문

## 29 ① 정답률 77%

**정답풀이**

윗글에서 감정조절이 불가능한 상황에 대해 언급한 부분은 찾을 수 없다.

**오답풀이**

② 1문단의 '감정노동은 업무상 요구되는 특정한 감정 상태를~일체의 감정관리 활동을 일컫는다.'에서 감정노동의 개념을 언급하였으며, 3문단에서 감정노동의 대표적인 양상으로 '표면 행위'와 '내면 행위'를 설명하였다.
③ 4문단의 '우선 자신이 경험한 부정적 감정에 대하여 스스로 평가를 한다. 그 후 이에 어떻게 대처할 것인가를 결정하여 적절한 감정조절 전략을 구사한다.'에서 감정조절 전략이 구사되는 과정을 설명하였다.
④ 3문단의 '감정 부조화가 지속되면~심할 경우 우울증과 같은 정신병리 증세를 겪을 수도 있다.'에서 감정 부조화의 지속이 초래하는 결과를 설명하였다.
⑤ 4문단~6문단에서 부정적인 감정을 해소하기 위한 감정조절 전략으로 '능동 전략', '회피·분산 전략', '지지 추구 전략'을 설명하였다.

## 30 ③ 정답률 78%

**정답풀이**

[A]에서는 '감정노동 종사자의 감정에 영향을 미치는 요인'을 '개인 특성, 직무 특성, 조직 특성'으로 분류한 뒤, 각 항목을 대표하는 요인과 그 특성에 대해 설명하였다.

**오답풀이**

① [A]에서 대상의 의의나 그 이유를 언급한 부분은 찾을 수 없다.
② [A]에서 대상의 변화 과정이나 전망은 언급한 부분은 찾을 수 없다.
④ [A]에서 '감정노동 종사자의 감정에 영향을 미치는 요인'을 나열했다고 볼 수 있지만, 그 장단점에 대해 분석한 부분은 찾을 수 없다.
⑤ [A]에서 대상 간의 공통점과 차이점을 부각하는 부분은 찾을 수 없다.

## 31 ② 정답률 72%

**정답풀이**

5문단과 6문단에서 '부정적인 감정 상태에 있을 때 의도적으로 다른 생각을 떠올려 현재의 부정적인 상황을 피하거나 주의를 분산시키는 전략'인 '회피·분산 전략'은 '일시적인 감정조절에는 유용'하지만 '근본적인 문제를 해결할 수 없다는 한계'를 지니므로, '궁극적인 감정조절을 위해서는 능동 전략을 활용하는 것이 바람직하다.'라고 하였다.

**오답풀이**

① 6문단에서 '세 가지 감정조절 전략 중 회피·분산 전략과 지지 추구 전략은 일시적인 감정 조절에는 유용한 전략'이라고 하였다.
③ 2문단에서 '공감적 배려가 강한 사람은 타인의 감정에 대응하기 위하여 실제 감정과는 다른 감정을 표현하기도 한다.'라고 하였다.
④ 5문단과 6문단에서 '부정적인 감정 상태에 있을 때 의도적으로 다른 생각들을 떠올려 현재의 부정적인 상황을 피하'는 '회피·분산 전략'이나 '자신을 지지하는 사람들과의 교류를 통하여~부정적인 감정을 해소'하는 '지지 추구 전략'으로 감정조절을 할 수 있다고 하였다.
⑤ 2문단에서 '상급자, 동료 등 조직 내에서 대인관계를 맺는 사람들에게서 얻는 인정이나 조언, 물질적 지원 등의 긍정적인 뒷받침을 의미'하는 '사회적 지원'은 '조직 특성을 대표하는 요인'이라고 하였다.

## 32 ② 정답률 73%

**정답풀이**

3문단에서 ㉠(표면 행위)은 '실제로 느끼지 않는 감정을 조직의 감정 표현 규칙에 맞추어 표현하는 것'이라고 하였다. 〈보기〉를 참고할 때, 이는 '솔직한 내면의 감정'과는 별개로 '조직이 요구하는 감정'에 따라 표현하는 것이므로, ㉠은 내면의 감정과 조직이 요구하는 감정이 다름을 알 수 있다.

**오답풀이**

① 3문단과 〈보기〉를 참고할 때, ㉠에서는 조직이 요구하는 감정만이 드러날 뿐, 내면의 감정이 무엇인지는 분명히 드러나지 않는다.
③ 3문단과 〈보기〉를 참고할 때, 조직이 요구하는 감정에 따라 내면의 감정을 위장하는 것은 ㉡(내면 행위)이 아니라 ㉠이다.
④ 3문단에서 ㉡은 '조직의 감정 표현 규칙을 내면화하여 실제 감정으로 느끼면서 표현하는 것'이라고 하였다. 〈보기〉를 참고하면, 이 경우에는 '조직이 요구하는 감정'과 '외적으로 표현된 감정', '솔직한 내면의 감정'이 모두 일치할 것이다.
⑤ 3문단과 〈보기〉를 참고할 때, ㉡은 외적으로 표현된 감정을 조직이 요구하는 감정으로 바꾸는 것과는 관련이 없다.

15 회

## 33 ⑤ 정답률 54%

**정답풀이**

ⓔ에서는 부정적인 감정이 느껴질 때 "오늘 친구랑 무슨 영화를 보러 갈까?'와 같이 좋은 일들을 떠올'린다고 하였는데, 이는 '부정적인 감정 상태에 있을 때 의도적으로 다른 생각들을 떠올려 현재의 부정적인 상황을 피하거나 주의를 분산시키는' 것으로, '회피 · 분산 전략'에 해당한다. 타인과의 상호 작용을 바탕으로 자존감을 회복하려는 전략은 6문단에서 설명한 '지지 추구 전략'이다.

**오답풀이**

① 2문단에서 '서비스 업무에서는 고객의 유형이 다양하면 직무 다양성이 높아진다.'라고 하였다. 이를 참고할 때, ⓐ에서 '손님들의 나이나 성향이 다양'한 것은 직무 다양성이 높아서 힘든 감정노동을 수행해야 하는 상황과 관련됨을 알 수 있다.
② 2문단에서 '상급자, 동료 등 조직 내에서 대인관계를 맺는 사람들에게서 얻는 인정이나 조언, 물질적 지원' 등을 의미하는 '사회적 지원이 풍부한 조직에서 일하는 사람은 감정노동에 대한 스트레스는 낮고 업무 만족도는 높다.'라고 하였다. 이를 참고할 때, ⓑ에서 '지배인부터 동료 직원들까지 자신을 존중하고 지원해 주는 분위기'는 업무 만족도를 높이는 풍부한 사회적 지원과 관련됨을 알 수 있다.
③ 4문단에서 '능동 전략'은 '부정적인 감정을 있는 그대로 받아들이고, 자신이 왜 이러한 기분을 느끼게 되었는지 이해하고자 노력'함으로써 감정을 조절하는 전략이라고 하였다. 이를 참고할 때, ⓒ에서 감정노동 중 부정적인 감정이 느껴지는 순간마다 '자신에게 문제가 있는 것인지 손님에게 문제가 있는 것인지를 생각하면서 문제를 극복'하려고 하는 것은 능동 전략을 사용해 부정적 감정에 적극적으로 대처하려는 모습으로 볼 수 있다.
④ 5문단에서 '회피 · 분산 전략'에는 '부정적 상황을 외면'하는 경우가 해당한다고 하였다. 이를 참고하면, ⓓ에서 감정노동 중 부정적인 감정이 느껴질 때 '아무 생각도 하지 않으려 애를' 쓰는 것은 현재의 상황을 외면하는 '회피 · 분산 전략'을 사용해 감정 부조화에 따른 부정적인 감정을 해소하려는 모습으로 볼 수 있다.

**오답률 Best 5**

지문에서 설명한 내용을 <보기>에 제시된 구체적인 사례에 적용하여 이해할 수 있는지 묻는 문제였어. 정답인 ⑤번 외에는 ③번과 ④번을 택한 학생들이 많았지. 우선 ⓒ는 '기분 나쁜 반응을 보이는 손님도 웃으며 맞아야 하는 것에 짜증'이라는 부정적 감정을 느끼는 상황에서, 문제의 원인이 자신에게 있는지 아니면 손님에게 있는지 생각한다고 하였어. 이는 4문단에서 말한 '자신이 왜 이러한 기분을 느끼게 되었는지 이해하고자 노력'하는 모습이라고 볼 수 있어. ⓓ에서 '우울함이 느껴'질 때, '아무 생각도 하지 않으려 애를' 쓰는 것은 5문단에서 말한 '부정적 상황을 외면'하는 모습에 해당한다고 볼 수 있지. 한편 정답인 ⓔ에서는 기분이 나아지지 않을 때 '오늘 친구랑 무슨 영화를 보러 갈까?'와 같이 좋은 일들을 떠올린다고 했는데, 이를 6문단에서 설명한 '지지 추구 전략'으로 착각했다면 ⑤번을 적절한 내용이라고 판단했을 수 있어. 하지만 ⓔ는 실제로 친구와 만나 영화를 보는 것이 아니라, 그러한 상황에 대해 떠올리는 행위를 통해 부정적인 감정을 조절한 경우에 해당해. 즉 '지지 추구 전략'이 아니라 '회피 · 분산 전략'의 사례이므로, ⑤번은 적절하지 않은 진술임을 판단할 수 있었어.

### [34~37] 현대소설

## 34 ③ 정답률 64%

**정답풀이**

윗글은 '억구'와 '큰 키의 사내'가 주고받는 대화와 '큰 키의 사내'가 보여 주는 내적 독백을 중심으로 전개되고 있다. 이를 통해 '큰 키의 사내'가 억구를 불러 세운 뒤, 새끼 토끼를 구하지 못했던 자신의 어린 시절 경험을 떠올리며 억구를 체포해야 할지 고민하는 심리적 갈등을 드러내고 있다.

**오답풀이**

① 윗글에서 현재 시제를 활용하여 현장감을 부각한 부분은 찾을 수 없다.
② 윗글은 큰 키의 사내와 억구가 동행하는 장면을 이어서 서술할 뿐 빈번한 장면 전환은 나타나지 않는다.
④ 윗글의 전지적 작가 시점으로 서술되고 있으며 서술의 시점이 달라지는 부분은 찾을 수 없다.
⑤ 윗글에서 동시에 일어난 두 사건을 대비하는 부분은 찾을 수 없다.

## 35  정답률 54%

**정답풀이**

〈보기〉를 통해 [A]는 '큰 키의 사내'가 학창 시절에 겪었던 일로, 그는 죽음을 앞두고 있던 새끼 토끼를 구하고자 했지만 끝내 그러지 못했음을 알 수 있다. 윗글에서 앞서 '억구'는 아버지의 산소를 찾아 술을 한잔 올린 뒤, '가친 옆에 누'울 것이라고 말하며 자신의 죽음을 암시하였는데, '큰 키의 사내'가 그런 '억구'를 불러 세운 뒤 '새끼 토끼'에 얽힌 과거 경험을 떠올리는 것은 아버지를 잃고 죽음을 앞둔 '억구'의 모습을 '새끼 토끼'와 동일시했기 때문인 것으로 볼 수 있다.

**오답풀이**

① 〈보기〉와 [A]를 통해 '큰 키의 사내'는 자신이 구하고자 했던 '새끼 토끼'와 '억구'를 동일시함을 알 수 있으므로, '억구'를 자신에게 위협적인 존재로 인식한다고 볼 수 없다.
③ [A]에서 '큰 키의 사내'는 '생물 선생네 담'을 넘는 행위에 두려움을 느껴 '새끼 토끼'를 구하지 못한 과거의 경험을 떠올리고 있을 뿐, 과거의 경험을 부정하는 모습은 나타나지 않는다.
④ 〈보기〉와 [A]를 통해 아버지를 잃고 죽음을 앞둔 억구의 처지는 '어미 토끼'보다는 '새끼 토끼'와 유사함을 알 수 있다.
⑤ [A]에서 '큰 키의 사내'가 '어미 토끼'에 대한 기억을 지우지 못해 후회하는 모습은 나타나지 않는다.

## 36 ② 정답률 69%

**정답풀이**

[앞부분의 줄거리]에서 '억구'는 '자신의 아버지를 죽인 득칠을 우연히 만나 술자리 끝에 그를 살해'했다고 하였다. '억구'는 당시 술집에서 ㉡과 같이 말하며 득칠을 향해 '이죽거댔'다(빈정거렸다)고 했으므로, 이를 아버지의 산소 벌초를 매년 한 것에 대해 '억구'가 '득칠'에게 진심으로 고마워하고 있음을 드러내는 것이라고 볼 수는 없다.

**오답풀이**

① '억구'가 '선생은 아주 추악한, 사람을 몇씩이나 죽인 무서운 놈과 함께 서 있는 거유.'라고 하면서 '한 걸음 큰 키의 사내 앞으로 다가'서자 그는 ㉠과 같이 '후딱 몇 걸음 물러서며' 주머니에 손을 넣어 무언가를 꺼내려는 행동을 취한다. 따라서 ㉠은 '큰 키의 사내'가 범행을 털어놓은 '억구'를 경계하고 있음을 보여 준다고 할 수 있다.
③ '이젠 가친을 혼자 버려두고 달아나진 않을 겁니다.'라는 '억구'의 말에서 과거와 달리 어버지의 곁을 떠나지 않겠다고 다짐하는 '억구'의 마음을 짐작할 수 있다.
④ '억구'는 아버지의 산소를 찾아가 술을 한잔 올린 뒤 그 옆에 누울 것이라고 하였는데, ㉣에서 '그의 깡똥한 양복 윗주머니에 삐죽하니 2홉들이 소주병 노란 덮개가 드러나 보였다.'라고 한 것을 통해 그러한 '억구'의 말이 사실임을 짐작할 수 있다.

⑤ '큰 키의 사내'는 아버지의 산소를 찾아가는 '억구'를 불러 세운 뒤, 학창 시절 '새끼 토끼'에 얽힌 자신의 과거 경험을 떠올리다 '억구'에게 담배를 건넨다. 총 '열여덟 개비'의 담배를 '하루에 꼭 한 개씩만 피'워야 한다고 말하는 '큰 키의 사내 얼굴에 엷은 미소가 번지'는 것을 통해 그가 억구를 놓아주기로 한 자신의 결정에 만족해하고 있음을 알 수 있다.

## 37 ④ 정답률 63%

**정답풀이**

〈보기〉에서 윗글은 '동일한 여정 속의 두 인물에 관한 이야기'를 통해 '전쟁이 남긴 아픔을 치유하는 인간애'를 보여 준다고 하였다. 이를 참고할 때, '부친의 산소 곁에서 죽을 심산으로 고향으로 가는 길'이었던 '억구'에게 '큰 키의 사내'가 '열여덟 개비'의 담배를 건네고, '하루에 꼭 한 개씩만 피우셔야' 한다고 당부하는 모습에서는 '억구'의 죽음을 만류하고자 하는 따뜻한 인간애를 엿볼 수 있다.

**오답풀이**

① 〈보기〉에서 윗글은 '동일한 여정 속의 두 인물에 관한 이야기'로, '전쟁이 남긴 상흔을 안고 살아가는 인물과 우연히 그를 만나 눈길을 동행하게 되는 인물'이 나타난다고 하였다. 이때 '억구'는 6 · 25 때 아버지를 잃은 아픔을 안고 살아가는 인물로 고향으로 돌아가는 여정 중임을 알 수 있지만, '큰 키의 사내'는 전쟁의 상흔으로 고향을 떠났다가 돌아오는 길이라고 볼 근거를 찾을 수 없다.
② '억구'가 '큰 키의 사내'에게 구장네 집을 알려 주면서 몸을 녹이라고 말하는 것은 '큰 키의 사내'를 향한 배려를 보여 주는 것일 뿐, 쫓기는 자의 다급함과는 관련이 없다.
③ '억구'가 '큰 키의 사내'에게 자신의 범행을 털어놓은 것은 맞지만, 그에게 인간적인 연민을 느꼈기 때문이라고 볼 수는 없다.
⑤ '억구'는 '부친의 산소 곁에서 죽을 심산으로 고향'을 향해 가고 있으므로, '큰 키의 사내'를 뒤로하고 떠나가는 '억구'의 '을씨년스럽고 초라한 뒷모습'에서 전쟁의 상처를 극복하려는 의지가 드러난다고 볼 수는 없다.

### [38~42] 사회

## 38 ③ 정답률 80%

**정답풀이**

2문단에서 '1주간의 정해진 근로 시간이 15시간 미만일 경우에는 퇴직금, 유급 주휴일, 연차 휴가 규정이 적용되지 않는다.'라고 하였다.

**오답풀이**

① 1문단에서 '단시간 근로자 즉 아르바이트'도 근로자에 포함되는데, '단시간 근로자의 경우 법적으로는 엄연한 근로자이면서도 여러 가지 이유에서 법적인 보호에서 벗어나 있는 경우가 많다.'라고 하였다.
② 2문단에서 '근로 계약이란 근로자가 근로 조건에 대해서 사업주와 약속하는 것을 말한다.'라고 하였다.
④ 5문단에서 '아르바이트로 일하는 경우에도 근로기준법에서 정한 해고 관련 내용이 동일하게 적용된다.'라고 하였다.
⑤ 6문단에서 '근로기준법 제7조, 제8조에 따르면 사업주 또는 관리자가 근로자에게 기분이 나쁠 정도의 폭언이나 지나친 성적 농담을 하는 경우'는 '위법'이라고 하였다.

## 39 ③ 정답률 64%

**정답풀이**

6문단에서 '사업주 또는 관리자가 근로자에게~신체적인 체벌을 하는 경우'에는 '고용노동부나 경찰서 등 관련 기관에 신고할 수 있다.'라고 했으므로, 윗글을 읽고 추가할 수 있는 질문으로 적절하지 않다.

**오답풀이**

① 2문단에서 '근로 계약서' 작성에 대해 설명하였으나, 사업주가 근로 계약서 작성을 거부하는 경우 어디에 신고할 수 있는지는 언급하지 않았으므로 윗글을 읽고 추가할 수 있는 질문으로 적절하다.
② 5문단에서 '사업주는 근로 계약 기간이 끝나기 전에 정당한 이유 없이 근로자를 해고할 수 없다.'라고 하였는데, 이때 '정당한 이유'에는 무엇이 있는지 언급하지 않았으므로 윗글을 읽고 추가할 수 있는 질문으로 적절하다.
④ 3문단에서 '단순노무직 근로자'인 경우에는 '수습 기간에도 100% 임금을 지급받아야 한다.'라고 하였는데, 이때 그러한 단순노무직의 유형에 대해 언급하지는 않았으므로 윗글을 읽고 추가할 수 있는 질문으로 적절하다.
⑤ 4문단에서 '만약 임금을 받지 못하면 독촉장을 발송하거나 고용노동부에 진정서를 제출하여 문제를 해결할 수 있다.'라고 하였는데, 그 외에 다른 방법이 있는지에 대해서는 언급하지 않았으므로 윗글을 읽고 추가할 수 있는 질문으로 적절하다.

## 40 ⑤ 정답률 76%

**정답풀이**

2문단에서 '근로 계약서는 사업주와 근로자 본인이 작성해야 하며, 다른 사람이 대신할 수는 없다.'라고 하였다.

**오답풀이**

① 2문단에서 '1일 근로 시간이 4시간인 경우에는 30분 이상, 8시간인 경우에는 1시간 이상의 쉬는 시간이 주어져야' 한다고 했다. 〈보기〉의 근로 계약서 상의 1일 근로 시간은 총 5시간이므로, ㉮에는 30분 이상의 쉬는 시간을 명시해야 한다.
② 2문단에서 '1주간의 정해진 근로 일수대로 일한 근로자에게는 1주에 1일의 유급 주휴일이 보장되어야 한다.'라고 하였다. 따라서 〈보기〉의 근로 계약서에서 ㉯에 명시한 근로 일수대로 1주일을 근무했다면 1일의 유급 주휴일을 보장받을 수 있다.
③ 3문단에서 '모든 근로자는 최저임금법에서 정한 최저임금 이상의 임금을 받을 권리가 있'으며, '보호자의 동의를 얻어 일을 하는 만 18세 미만의 연소 근로자도 동일한 적용을 받는다.'라고 하였다. 따라서 〈보기〉의 근로 계약서에서 ㉰에는 최저임금법에서 규정한 최저임금 이상을 명시해야 한다.
④ 3문단에서 '만 18세 미만의 연소 근로자'는 〈보기〉의 ㉱에서처럼 '보호자의 동의를 얻어 일을' 하게 된다고 하였다.

## 41 ① 정답률 57%

**정답풀이**

2문단에서 '4인 이하의 사업장을 제외하고는 휴일에 근무할 경우 임금의 50%를 가산하여 받을 수 있'다고 하였다. 박○○ 군이 근무하게 된 ◇◇ 식당은 직원이 10여 명이라고 하였고, 〈보기〉의 근로 계약서에 '매주 토, 일요일'은 '휴일'이라고 명시되어 있다. 따라서 박○○ 군은 휴일인 토요일에 근무한 것에 대해 가산된 임금을 적용받을 수 있다.

**오답풀이**

② 5문단에서 '2개월 이내의 기간을 정하여 근무하는 경우'에는 '해고 수당을 청구할 수 없다.'라고 하였다. 〈보기〉의 근로 계약서에서 근로 계약 기간은 '2018년 5월 1일부터 2018년 6월 20일까지'이므로, 2개월 이내의 기간을 정해 근무한 경우임을 알 수 있다. 따라서 박○○ 군은 근로 기간 중 해고 당한 근로자이지만 해고 수당을 받을 수 없다.
③, ⑤ 6문단에서 '일하다가 다쳤을 경우 사업주가 보험에 가입하지 않았거나 근로자 본인의 과실을 이유로 치료비 지급을 거부하더라도 치료비를 본인이 부담할 필요는 없다.'라고 하였다.
④ 4문단에서 '일을 하기 위해 출근하였으나 갑자기 일이 없어 집으로 되돌아가야 하는 경우, 그 이유가 사업주에게 있다면 4인 이하의 사업장을 제외하고는 평균 임금의 70%에 해당하는 휴업 수당을 받아야 한다.'라고 하였다.

## 42 ① 정답률 73%

**정답풀이**

㉠(명시)은 '분명하게 드러내 보임.'이라는 의미이다. '물체를 환히 꿰뚫어 봄'이라는 사전적 의미를 지닌 단어는 '투시'이다.

## [43~45] 고전시가+현대수필

**43** ⑤ 정답률 **43%**

정답풀이

(가)는 '이화우'가 흩뿌리는 봄에 임과 헤어지고, 가을이 되어 '추풍낙엽'을 보며 임을 그리워하고 있는 화자의 상황과 외로움을 드러내고 있다. 또한 (나)는 '동풍'이 부는 봄에 임에게 매화를 보내고 싶은 마음과 '녹음'이 깔린 여름에 임에게 옷을 보내고 싶은 마음을 드러내고 있다. (다)는 '3년 전' 난초를 선물 받았을 때부터 '지난해 여름'까지 글쓴이가 난초를 길렀던 경험을 이야기하며 무언가에 집착하는 일의 괴로움에 대해 깨달았음을 드러내고 있다.

오답풀이

① (가)~(다) 모두 공감각적 표현은 나타나지 않는다.
② (가)~(다) 모두 감정 이입은 나타나지 않는다.
③ (가)~(다) 모두 미래에 대한 전망은 제시되어 있지 않다.
④ (가)와 (다)에는 설의적 표현이 나타나지 않는다. (나)는 '먼 길을 누가 찾아갈까' 등에 설의적 표현이 사용되었지만, 이를 통해 현실 비판적 태도를 나타내고 있지는 않다.

**오답률 Best 3**

(가)~(다)에 공통적으로 나타난 표현상의 특징에 대해 묻는 문제로, 정답인 ⑤번 외에 학생들이 가장 많이 택한 선지는 ②번이었어. 선지에서 언급한 감정 이입은 화자가 대상도 자신과 같은 감정을 가지고 있는 것처럼 표현하는 방식으로, 이때 그 대상은 원래 감정이 없는 사물이거나 혹은 화자가 느끼는 감정과는 전혀 상관없는 사람이어야 해. 이를 탐고하여 (가)를 보면, '울며 잡고 이별한 임', '외로운 꿈'에서 화자의 심리가 드러나고 있지만, '임'이나 '꿈'과 같은 대상에 화자의 감정이 이입된 것은 아님을 알 수 있어. '임'과 '꿈'은 앞서 설명한 감정 이입의 정의와 조건에 맞지 않기 때문이지. (나)와 (다) 역시 작품 전반에 걸쳐 화자가 느끼는 외로움과 날날함, 깨달음 등을 직접적으로 언급하고 있을 뿐, 특정 대상에 그러한 감정을 이입한 부분은 나타나지 않으므로 ②번은 적절하지 않은 진술임을 판단할 수 있었어.

**44** ④ 정답률 **64%**

정답풀이

(가)의 '이화우'는 배꽃이 흩날리는 모습을 비가 오는 것처럼 표현한 것이다. 즉 '이화우'는 하강의 이미지를 통해 이별의 정서를 효과적으로 보여 주는 소재일 뿐, 임에 대한 변함없는 사랑을 반영한 것이라고 볼 수는 없다. 또한 (나)에서 화자는 옷을 지어 '임에게 보내려고 임 계신 곳'을 바라보는데 '산인가 구름인가 험하기도 험하'다고 하였다. 즉 '산'과 '구름'은 화자와 임 사이를 가로막는 장애물을 의미하는 것이지, 임에 대한 화자의 사랑을 의미하지는 않는다.

오답풀이

① 〈보기〉에서 (가)는 여성 작자가 '실제 겪었던 이별의 상황과 아픔'을 노래한 것이라고 했으므로 (가)의 임은 실제 경험 속 연인으로 해석할 수 있다. 또한 (나)는 '남성인 사대부가 임금의 곁에서 멀어져 있는 자신의 처지를 이별한 여인의 모습에 빗대어 표현'한 것이라고 했으므로 (나)의 임은 당시의 임금으로 해석할 수 있다.
② 〈보기〉에서 (가)는 '여성 작자가 자신이 실제 겪었던 이별의 상황'을 여성 화자의 목소리로 노래한 것인데 반해, (나)는 '남성인 사대부가 임금의 곁에서 멀어져 있는 자신의 처지를 이별한 여인의 모습에 빗대어 표현'한 것이라고 하였다.
③ (가)와 (나) 모두 '천 리'라는 시어를 통해 임과 떨어져 있는 상황에서 그 거리감을 효과적으로 표현하고 있다.
⑤ (가)의 '저도 나를 생각하는가'는 화자가 '저'(임)를 생각하고 있다는 의미를 담고 있으므로 이를 통해 임을 향한 화자의 그리움을 알 수 있다. 또한 (나)의 '나를 본 듯 반기실까'에는 옷을 보내면 임이 자신을 본 것처럼 반가워해 줄까 궁금해하는 화자의 심정이 드러나므로 여전히 임을 그리워하는 화자의 모습이 드러난다고 할 수 있다.

**45** ④ 정답률 **72%**

정답풀이

(다)의 글쓴이는 ㉣(지난해 여름~운허 노사를 뵈러 간 일이 있었다.)에서 '운허 노사를 뵈러' 갔다가 '난초를 뜰에 내놓은 채 온 것'을 깨닫고 '허둥지둥 그 길로 돌아왔'던 일에 대해 회상하고 있다. 이를 통해 글쓴이는 자신이 난초에 너무 집착하고 있었음을 깨닫고, 그러한 '집착에서 벗어나야겠다고 결심'한다. 이때 '운허 노사'의 가르침이 글쓴이의 가치관 변화를 불러온 것은 아니다.

오답풀이

① (나)의 화자는 임이 부재한 상황에서 그리움을 드러내고 있는데, ㉠(비단 휘장 안은~장막은 텅 비어 있다)에서 '쓸쓸'한 '휘장'과 '텅 비어 있'는 장막은 화자가 느끼는 외로운 심정을 부각한다고 볼 수 있다.
② (나)의 화자는 그리운 임에게 옷을 지어 보내고자 하는데, ㉡(원앙이 그려진 비단을~임의 옷 지어 내니)에서 '비단'과 '오색실', '금으로 만든 자' 등으로 옷을 짓는 과정은 화자의 지극한 정성을 보여 준다고 할 수 있다.
③ (다)의 글쓴이는 '지난해 여름까지 난초 두 분을 정성스레' 기른 경험에 대해 말하고 있는데, ㉢(혼자 사는 거처라~그 애들 뿐이었다.)에서 '난초 두 분'을 '그 애들'이라고 의인화한 것은 난초에 대한 글쓴이의 친근감을 보여 준다고 할 수 있다.
⑤ (다)의 글쓴이는 '운허 노사를 뵈러' 갔다가 난초에 대한 걱정으로 '허둥지둥' 돌아왔던 경험을 통해 ㉤(집착이 괴로움인 것을.)과 같이 '집착이 괴로움'이라는 점을 깨달았음을 알 수 있다.

# 16회

2018학년도 3월 학평

| | | | | | | | | | |
|---|---|---|---|---|---|---|---|---|---|
| 1. ④ | 2. ① | 3. ⑤ | 4. ① | 5. ④ | 6. ③ | 7. ⑤ | 8. ③ | 9. ② | 10. ① |
| 11. ③ | 12. ② | 13. ③ | 14. ③ | 15. ② | 16. ⑤ | 17. ② | 18. ⑤ | 19. ⑤ | 20. ③ |
| 21. ② | 22. ④ | 23. ④ | 24. ② | 25. ⑤ | 26. ④ | 27. ④ | 28. ⑤ | 29. ① | 30. ④ |
| 31. ② | 32. ① | 33. ① | 34. ① | 35. ⑤ | 36. ③ | 37. ③ | 38. ③ | 39. ② | 40. ① |
| 41. ⑤ | 42. ④ | 43. ③ | 44. ④ | 45. ② | | | | | |

오답률 Best 5

## [1~3] 화법

### 1 ④ 정답률 86%

정답풀이

발표를 위해 작성한 학생의 메모에서 끝부분에 '전체 발표 내용 요약'한다고 되어 있으나, 실제 발표의 끝부분에서는 그래프를 통해 양치 캠페인 참여율이 저조해졌으며, 우리 반의 참여율이 낮음을 보여 주며 캠페인 참여를 독려할 뿐 전체 내용을 요약하고 있는 것은 아니다.

오답풀이

① 발표자는 '아시다시피 이번 달 보건 교육 행사로 양치 캠페인이 진행되고 있습니다.'에서 청중이 알고 있는 상황을 언급하며 그 상황과 관련해 '양치질의 중요성에 대해 이야기하'겠다는 화제를 제시하고 있다.

② 발표자는 '양치질을 소홀히 하여~구강 질환이 발생합니다.'에서 양치질과 구강 질환 발생 사이의 인과 관계를 설명하고 있다.

③ 발표자는 구강 질환이 신체의 다른 부분에 질병을 일으킬 수 있음을 '한국대 치의학대학원 최○○ 교수 연구팀의 보고서'라는 신뢰할 만한 연구 결과를 바탕으로 설명하고 있다.

⑤ 발표자는 '아직 한 번도 참여하지 않은 친구들은 남은 기간에 모두 캠페인에 참여하면 좋겠습니다.'에서 청중의 참여를 독려하고 있다.

### 2 ① 정답률 85%

정답풀이

㉠(이 그래프)은 지난주 양치 캠페인 참여율이 전체적으로 감소했고, 우리 반 참여율이 가장 크게 감소했다는 정보를 담고 있으므로, 우리 반의 캠페인 참여율이 저조한 문제 상황을 보여 준다고 볼 수 있다. 이는 '평소 양치질을 소홀히 했던 우리 반 친구들의 생활 습관이 반영된 것'으로 발표자는 ㉠을 통해 양치질을 소홀히 하는 우리 반 생활 습관의 문제를 보여 주며 청중들에게 남은 기간에 캠페인에 참여하도록 행동 변화를 유도한다고 볼 수 있다.

오답풀이

② 발표자는 평소 양치질에 소홀한 우리 반 친구들이 이 양치질 캠페인에도 잘 참여하지 않는 것을 문제 상황으로 보고 있다. 발표자가 ㉠으로 문제 해결 방안을 통해 예상되는 효과를 부각한다면, ㉠은 캠페인 참여율이 높아지고 친구들이 바른 구강 관리 습관을 형성함으로써 예상되는 효과를 제시하고 있어야 한다.

③ ㉠은 양치 캠페인의 참여율을 보여 주는 시각자료로 현상의 원리를 보여 주는 것과는 관련이 없다.

④ ㉠은 양치 캠페인의 참여율을 보여 주는 시각자료로 이를 통해 자료를 작성하는 방법이나 그 자료의 출처는 확인할 수 없다.

⑤ ㉠은 양치 캠페인의 참여율을 보여 주는 시각자료로 청중에게 발표 내용의 이해 정도를 묻고 있지는 않다.

### 3 ⑤ 정답률 88%

정답풀이

'청자 3'은 발표를 들은 후 '발표자의 성량', '시선 처리'와 같은 비언어적, 반언어적 전달 효과에 대해 긍정적으로 평가하면서 발표 내용과 관련해 언급되지 않은 내용이 있어 아쉽다는 평가를 제시하고 있다. 〈보기〉에서 발표에 대해 자신이 정확하게 이해했는지 점검하는 내용은 확인할 수 없다.

오답풀이

① '청자 1'은 발표를 듣고 기존에 '양치질을 대수롭지 않게 여겼던 것'을 반성하고 있다.

② '청자 2'는 발표를 듣고 '입안 미생물'에 관해 '학교 도서관에 가서 관련 분야의 자료를 찾아봐야겠'다고 말하며 추후 활동을 계획하고 실천하려 하고 있다.

③ '청자 2'는 발표를 듣고 '입안 미생물'에 관해 알게 되어 좋았다며 긍정적으로 생각하고 있다.

④ '청자 3'은 배경지식을 바탕으로 양치질 외 구강 관리 방법인 '치실이나 치간 칫솔', '스케일링' 같은 방법이 있다는 내용이 발표에 빠져 있는 것에 아쉬워하고 있다.

## [4~7] 화법과 작문

### 4 ① 정답률 86%

정답풀이

(가)에서 사회자가 대담 참여자인 김 교수와 박 교수 간의 의견 차이에서 타협점을 찾아 합의하도록 조정하는 역할을 하고 있지는 않다. 참고로 대담에서 사회자는 참여자 사이에 의견이 달라 조정이 필요할 때 의견을 중재하고 조정하는 역할을 할 수는 있다.

오답풀이

② 사회자의 첫 번째 발언 '오늘의 화제는 '도로 소음, 문제와 대책''에서 대담의 화제를, '환경공학과 박□□ 교수님과 도시정책학과 김△△ 교수님을 모셨습니다.'에서 발언자를 소개하고 있음을 확인할 수 있다.

③ 사회자는 '김 교수님, 이와 관련된 법적 규제는 없는지요?', '먼저 박 교수님께서 말씀해 주시기 바랍니다.', '이어서 김 교수님께서 정책적인 측면에서 말씀해 주시기 바랍니다.' 등에서 발언자를 지정하고 있다. 따라서 대담 내용의 흐름에 맞게 법적 규제, 소음 저감 기술, 소음 저감의 정책적인 측면 등에 대해 발언자를 지정하여 묻고 있다고 볼 수 있다.

④ 사회자는 '상시적인 도로 소음이 피해를 주기 때문에 문제라는 말씀이군요.'에서 박 교수가 도로 소음 문제 원인으로 언급한 내용을 정리하고 있고, '법적 규제는 없는지요?'라고 질문을 던지며 대담을 이어가고 있다.

⑤ 사회자는 박 교수에게 '그런 단점을 보완할 수 있는 새로운 기술은 없는지요?'라고 물으며 방음벽, 방음 터널 외의 새로운 기술적 방안이 있는지 추가 정보를 요청하고 있다.

## 5 ④ 정답률 89%

**정답풀이**

김 교수는 소음 피해와 관련해 법적 규제와 정책적인 지원에 대해 설명하고 있을 뿐, 기존 소음 저감 기술의 한계를 언급하고 있지는 않다. 기존 소음 저감 기술의 한계는 방음벽, 방음 터널의 장점과 단점을 설명한 박 교수의 말에서 확인할 수 있다.

**오답풀이**

① 박 교수는 '소음은~축적되지 않고 발생과 동시에 소멸하는 특성이 있'다고 하여 소음의 특성을 밝히고 있고, '최근 들어 차량이 증가하고 도로가 늘어나면서~문제가 되고 있습니다.'에서 최근에 도로 소음이 문제가 되고 있는 원인을 설명했다.

② 박 교수는 '현재 주로 사용되고 있는~소음이 크게 발생한다는 단점이 있습니다.'에서 도로 소음 저감 기술 중 방음벽과 방음 터널의 장단점을 설명하고 있다.

③ 박 교수는 새로운 도로 소음 저감 기술인 '저소음 포장 공법'과 '방음 창호'를 통해 '최대 9㏈', '최대 35㏈'의 소음을 줄일 수 있다는 소음 저감 정도를 구체적인 수치로 제시하고 있다.

⑤ 김 교수는 '앞서 박 교수님께서 언급하신 저소음 포장 공법을 활용하여 도로를 포장할 경우 정책적인 지원을 하고 있습니다.'에서 새로운 기술에 대해 정책적인 지원이 이루어지고 있음을 언급하고 있다.

## 6 ③ 정답률 90%

**정답풀이**

㉠ (나)의 글쓴이는 1문단에서 '도로 소음 문제와 관련한 라디오 대담을 듣고 대책 마련을 요구하고자' 글을 쓰게 되었다는 작문 목적을 밝혔다. 또한 3문단~4문단에서 '대담에서 들은 전문가의 말에 따르면 소음 집중 관리 지역으로 지정된 곳'을 위하여 대책이 마련되어 있으나, 우리 '동네 주민들이 체감하는 도로 소음 피해가 심각'하며 '실질적인 대책은 부족'함을 언급하고 있다. 따라서 학생은 대담 내용을 활용해 도로 소음 문제와 관련한 실질적인 대책이 필요함을 지적했다고 볼 수 있다.

㉣ (나)의 글쓴이는 2문단의 '저를 비롯한 많은 주민들은~소음으로 인해 일상생활에 심각한 지장을 받고 있습니다.'에서 많은 주민이 도로 소음 문제를 심각하게 느끼고 있음을 언급하며 문제의 심각성을 부각하고 있다.

**오답풀이**

㉡ (나)의 글쓴이는 5문단에서 '소음 피해를 줄일 수 있는 방안을 시급히 마련해 주실 것을 건의합니다.'에서 건의 내용을 강조하고 있을 뿐 대책이 실현될 경우의 기대 효과는 언급하지 않았다.

㉢ (나)의 글쓴이는 2문단에서 도로 소음의 원인이 '고속화 도로를 이용하는 차량들'이라고 분석하고 있다. 그러나 원인을 여러 방면에서 분석한 것은 아니며 원인별로 해결 방안을 제시하고 있지도 않다.

## 7 ⑤ 정답률 84%

**정답풀이**

㉰를 통해 우리 동네가 '소음 집중 관리 지역으로 지정되어 있'다는 사실을 제시할 수 있다. 하지만 차량들이 제한 속도를 지키지 않는 이유는 글의 흐름상 불필요한 내용이며, ㉰를 통해 확인할 수 있는 것도 아니므로 (나)를 보완하는 방안으로 적절하지 않다.

**오답풀이**

① ㉮-1은 소음이 건강에 미치는 악영향을 제시하는 연구 자료이고, ㉰는 '○○동을 지나는 고속화 도로 인근 아파트 고층에서 측정한 소음이 최대 80㏈'임을 밝히는 신문 기사이다. 이를 통해 고속화 도로 주변의 소음이 ○○동 주민들의 건강에 악영향을 미칠 수 있음을 전달할 수 있으므로 이를 통해 (나)의 초고를 보완할 수 있다.

② ㉮-2는 고층 소음 피해에 방음 효과가 적은 기존 방음벽(수직 일자 방음벽)의 한계를 보완할 수 있는 꺾임형 방음벽 기술을 제시한 연구 자료이다. ㉯는 '우리 동의 문제 중에 가장 시급한 문제가 무엇인가?'라는 설문에 '고속화 도로 주변 소음 문제'라는 대답을 한 주민 중 다수가 아파트 고층에 살고 있음을 보여 주는 자료이다. 이를 통해 현재 방음벽이 고층 아파트의 소음 저감에 한계가 있었음을 지적한 (나)의 초고를 보완할 수 있다.

③ ㉯의 설문에서 '고속화 도로 주변 소음 문제'를 시급하게 생각하는 주민이 '75% 이상'이라는 구체적 수치를 통해 도로 소음 문제에 대해 많은 주민들이 심각하게 생각하고 있음을 확인할 수 있으므로 이를 통해 (나)의 초고를 뒷받침할 수 있다.

④ ㉰의 '소음 집중 관리 지역으로 지정되어 있고'에서 해당 동네가 소음 집중 관리 지역으로 지정되었다는 사실과 '차량들이 제한 속도를 초과하여 달리는 것이 소음 발생의 주된 원인'임을 확인할 수 있다. 따라서 이를 활용해 고속화 도로를 지나는 차들이 속도 제한을 잘 지킬 수 있도록 단속을 강화해 달라고 요구하는 내용을 (나)에 추가할 수 있다.

### [8~10] 작문

## 8 ③ 정답률 87%

**정답풀이**

(가)의 ⓒ에서는 동아리의 '모집 분야를 안내하고, 분야별로 요구되는 역량을 설명'하기로 했다. 이에 따라 (나)의 3문단에서 모집 분야를 '대본, 연출 및 편집, 연기, 소품, 촬영 담당'으로 구분해 안내하고 있으나, 분야별로 어떤 역량이 필요한지에 대해서는 설명하고 있지 않다.

**오답풀이**

① (나)의 1문단의 '우리 동아리는 직접 영화를 제작해 봄으로써 영화에 대한 소양과 영화 제작 능력을 기르고자 합니다.'에서 동아리의 목적을, '올해로 6년 차', '총 15명' 등에서 동아리의 현재 상태를 밝히고 있다.

② (나)의 2문단의 '작년에는 '기억의 저편'이라는 영화를~관객들의 평가도 좋았습니다.'에서 작년 성과를 구체적 사례를 들어 언급하고 있다.

④ (나)의 4문단의 '3월부터 12월까지 매주 1회 2시간씩~7월과 10월에는 주 3회 3시간씩 활동합니다.'에서 동아리 활동 시기와 활동 시간을 밝히고 있다.

⑤ (나)의 5문단의 '별관 4층 동아리실로 3월 15일까지 제출하시면 됩니다.'에서 가입 신청서 제출 기한과 제출 장소를 안내하고 있다.

## 9 ② 정답률 74%

**정답풀이**

'대본부터 편집까지~한 줄기의 감동을 드립니다.'에서 영화를 제작한다는 동아리의 특성을 드러냈고, "하늘별'은 기다립니다. 여러분의 선택을!'에서 신입생들에게 동아리 가입을 권유하고 있다. 이때 '대본부터~만듭니다.'와 '웃음부터~드립니다.'에서 비슷한 어구를 짝지은 대구법을 사용하고 있으므로 조건에 따라 작성된 홍보 문구로 가장 적절하다.

**오답풀이**

① '깊이 남을 명대사~'하늘별'이 만들어 냅니다.'에서 영화를 제작한다는 동아리의 특성을 드러냈고, '깊이 남을 명대사, 잊지 못할 명장면!'에서 대구법을 확인할 수 있지만, 가입을 권유하는 내용은 확인할 수 없다.

③ '한 장면~우리 손으로 만들어 냅니다.'에서 영화를 제작한다는 동아리의 특성을 드러냈고, '한 땀 한 땀~우리 손으로 만들어 냅니다.'에서 대구법을 확인할 수 있지만, 가입을 권유하는 내용은 확인할 수 없다.

④ '한 편의 영화를 꽃 피우기 위해'에서 영화 동아리 특성을 드러냈다고 볼 수 있고, '함께할 여러분을 기다립니다.'에서 가입을 권유하고 있지만, 대구법은 사용되지 않았다.

⑤ '하늘별로 오세요.'에서 가입을 권유하고 있지만, 영화 동아리 특성을 드러내는 내용이나 대구법은 사용되지 않았다.

## 10 ① 정답률 89%

**정답풀이**

(나)의 2문단에서는 영화 동아리 '하늘별'의 성과를 제시하고 있지만, ⓐ(다만 영화를 관람할 때는~중요합니다.)는 하늘별의 성과와 관련이 없으며 글 전체의 주제에서 벗어나 통일성을 해치는 문장이므로 위치를 옮길 것이 아니라 삭제하는 것이 적절하다.

**오답풀이**

② ⓑ(구분되고)는 잘못된 피동 표현이므로 '하늘별에서는 모집 분야를~촬영 담당으로 구분하고'처럼 목적어와 서술어가 호응하도록 고치는 것이 적절하다.

③ ⓒ(그런데)에는 앞 문장과 뒤 문장을 접속해주는 접속 표현이 잘못 들어갔으므로, 소통이 활발해야 하는 이유를 밝히고 그에 따른 공동 활동의 원칙을 설명하는 흐름에 맞게 '그래서'로 고치는 것이 적절하다.
④ ⓓ(공동으로)의 '공동'은 '둘 이상의 사람이나 단체가 함께 일을 하거나, 같은 자격으로 관계를 가짐'을 뜻하므로 바로 뒤의 '함께하는'과 '함께'라는 의미가 중복되어 삭제하는 것이 적절하다.
⑤ ⓔ(벌여)의 '벌이다'는 '일을 계획하여 시작하거나 펼쳐 놓다.'를 의미하는데, 신입생을 환영한다는 의미에서 '두 팔'을 목적어로 '둘 사이를 멀게 하다.'라는 의미일 때에는 '벌리다'라는 표현을 사용하는 것이 적절하다.

[11~15] **문법(언어)**

## 11 ③ 정답률 64%

**정답풀이**

〈보기〉에서 보조사는 '앞말에 특별한 뜻을 더해'준다고 했다. '나는 개와 고양이를 좋아한다.'에서 '와'는 '개'와 '고양이'를 같은 목적어 자격으로 이어서 명사구를 형성하는 접속 조사로 사용되었다. 따라서 '와'는 ㉠의 예로 적절하지 않다.

**오답풀이**

① '오직 새소리만 들렸다.'에서 '만'은 다른 것으로부터 제한하여 어느 것을 한정함을 나타내는 보조사이다.
② '시험까지 한 달도 안 남았다.'에서 '도'는 이미 어떤 것이 포함되고 그 위에 더함을 나타내는 보조사이다.
④ '할아버지께서는 신문을 보셨다.'에서 '는'은 강조의 뜻을 나타내는 보조사이다.
⑤ '그는 평생 가족밖에 모르고 살았다.'에서 '밖에'는 '그것 말고는', '그것 이외에는'의 뜻을 나타내는 보조사이다.

## 12 ② 정답률 32%

**정답풀이**

'옷깃'은 명사 '옷'과 명사 '깃'이 결합하여 만들어진 합성 명사로, [ㄱ, ㄷ, ㅂ]으로 발음되는 받침 'ㄱ(ㄲ, ㅋ, ㄳ, ㄺ), ㄷ(ㅅ, ㅆ, ㅈ, ㅊ, ㅌ), ㅂ(ㅍ, ㄼ, ㄿ, ㅄ)' 뒤에서 'ㄱ, ㄷ, ㅂ, ㅅ, ㅈ'은 된소리인 [ㄲ, ㄸ, ㅃ, ㅆ, ㅉ]으로 각각 발음되는 된소리되기 현상에 의해서 [옫낃]으로 발음된다. 〈보기〉에서 ㉮는 '앞 어근의 끝소리가 울림소리이고 뒤 어근의 첫소리가 안울림 예사소리'일 때 '뒤의 예사소리가 된소리로 바뀌는 현상과 관련'되었다고 했으므로, 앞 어근의 끝소리가 비음, 유음 같은 울림소리가 아니라 안울림 예사소리인 '옷깃'은 ㉮의 예로 볼 수 없다.

**오답풀이**

① '빨랫돌'은 명사 '빨래'와 명사 '돌'이 결합하여 만들어진 합성 명사이다. 앞 어근의 끝소리가 모음 즉 울림소리이고 뒤 어근의 첫소리 'ㄷ'은 안울림 예사소리인데 두 단어 사이에 사이시옷이 오며, [빨래똘/빨랟똘]처럼 발음되는 것으로 보아 '빨랫돌'은 ㉮의 예로 볼 수 있다.
③ '홑이불'은 접사 '홑-'과 명사 '이불'이 결합하여 만들어진 파생 명사로, 발음은 [혼니불]이다. 〈보기〉의 ㉯는 어근과 어근이 결합해 합성 명사를 이룰 때 두 어근 사이에 'ㄴ'이 첨가되는 경우이므로 합성 명사가 아닌 '홑이불'은 ㉯의 예로 볼 수 없다.
④ '뱃머리'는 '배'와 '머리'가 결합하여 만들어진 합성 명사로 발음은 [밴머리]이다. 앞 어근 '배'가 모음으로 끝나고, 뒤 어근 '머리'가 'ㅁ'으로 시작하며 두 단어 사이에 사이시옷이 오고 'ㄴ' 소리가 첨가되므로 ㉯에 해당하는 예로 볼 수 있다.
⑤ '깻잎'은 '깨'와 '잎'이 결합하여 만들어진 합성 명사로 발음은 [깬닙]이다. 두 단어 사이에 사이시옷이 온다. 앞 어근 '깨'가 모음으로 끝나고 뒤 어근 '잎'이 모음 'ㅣ'로 시작되는데 앞 어근의 끝소리와 뒤 어근의 첫소리에 모두 'ㄴ'이 첨가되므로 ㉯에 해당하는 예로 볼 수 있다.

**오답률 Best 2**

<보기>에서 선생님은 '어근과 어근이 결합하여 합성 명사를 이룰 때, 뒤 어근의 예사소리가 된소리로 바뀌거나 두 어근 사이에 'ㄴ'이 첨가'되는 음운 현상에 대해 설명하고 있어. 학생들은 사잇소리 현상에 대해 미리 알고 있지 않았더라도, 정리되어 있는 '표준발음법' 규정의 ㉮, ㉯와 선생님의 설명을 바탕으로 주어진 단어들을 ㉮ 혹은 ㉯의 예시로 볼 수 있는지 판단할 수 있었어.

합성 명사 '빨랫돌'은 '빨래+돌'로 분석할 수 있는데 'ㄷ'으로 시작하는 단어 '돌' 앞에 사이시옷이 와서 '돌'이 [똘]로 발음되고 사이시옷을 [ㄷ]으로 발음하는 것도 허용되므로 '빨랫돌[빨래똘/빨랟똘]'은 ㉮의 예로 볼 수 있었지. 합성 명사 '뱃머리'와 '깻잎'은 '배+머리', '깨+잎'으로 분석할 수 있는데, '배+머리'는 사이시옷 뒤에 'ㅁ'이 결합해 [ㄴ]으로 발음되어 '뱃머리[밴머리]'가 되고, '깨+잎'은 '앞 어근의 끝소리와 뒤 어근의 첫소리에 각각 'ㄴ'이 첨가'되어 '깻잎[깬닙]'으로 발음되므로 ㉯의 예로 볼 수 있었지. 이처럼 <보기>에서 음운 변동을 설명할 때 제시한 설명을 적용해서 예시 단어를 설명할 수 있는지 꼼꼼히 확인하면 어렵지 않을 거야.

하지만 '옷+깃'으로 분석할 수 있는 합성 명사 '옷깃'은 선생님이 설명에서 '㉮는 앞 어근의 끝소리가 울림소리'일 때와 관련된 규정이라고 했는데 앞 어근인 '옷'의 끝소리 'ㅅ[ㄷ]'은 울림소리가 아니라 안울림 예사소리이므로 ㉮의 예시로 볼 수 없음을 파악했어야 했어. <보기>에서 어떤 음운 변동을 설명할 때 '울림소리', '안울림소리' 같은 조건을 제시한다면 그냥 넘기지 말고 정확하게 확인해야만 해.

## 13 ③ 정답률 50%

**정답풀이**

'돕다'는 파생 접사 '-이-, -히-, -리-, -기-'가 붙어 피동사로 파생되지 않는다. 능동문 '동생이 부모님께 칭찬을 들었다.'의 서술어 '듣다'는 피동사 '들리다'가 파생될 수 있지만, 이를 활용해 '*칭찬이 부모님에 의해 동생에게 들리었다.'처럼 바꿀 경우 어색한 문장이 되므로 파생적 피동문으로 바꿀 수 없는 문장에 해당한다.

**오답풀이**

① '주다'는 파생 접사 '-이-, -히-, -리-, -기-'가 붙어 피동사로 파생되지 않는다. 능동문 '고양이가 쥐를 잡았다.'에서 서술어 '잡다'는 피동사 '잡히다'가 파생될 수 있고, '쥐가 고양이에게 잡혔다(잡- + -히- + -었- + -다).'처럼 파생적 피동문으로 바꿀 수 있다.
② '먹다'는 피동사 '먹히다'로 파생된다. 능동문 '사람들이 열심히 풀을 뽑았다.'의 서술어 '뽑다'는 피동사 '뽑히다'가 파생될 수 있지만, 이를 활용해 '*풀이 열심히 사람들에게 뽑혔다.'처럼 바꿀 경우 어색한 문장이 되므로 파생적 피동문으로 바꿀 수 없는 문장에 해당한다.
④ '만나다'는 파생 접사 '-이-, -히-, -리-, -기-'가 붙어 피동사로 파생되지 않는다. 능동문 '학생들이 벽화를 멋지게 그렸다.'의 서술어 '그리다'는 '-어지다'가 결합해 '그려지다'가 되어 '벽화가 학생들에 의해 멋지게 그려졌다.'라는 통사적 피동문으로 바꿀 수 있다. 파생적 피동사가 사용된 파생적 피동문으로는 바꿀 수 없다.
⑤ '나누다'는 피동사 '나뉘다(나누- + -이- + -다)'로 파생된다. 능동문 '누나가 일부러 문을 세게 닫았다.'에서 서술어 '닫다'는 피동사 '닫히다'로 파생될 수 있지만, 이를 활용해 '*문이 일부러 누나에게 세게 닫혔다.'처럼 바꿀 경우 어색한 문장이 되므로 파생적 피동문으로 바꿀 수 없는 문장에 해당한다.

## 14 ③ 정답률 62%

**정답풀이**

㉠에서 '비가 오기'는 용언의 어간 '오-'에 명사형 어미 '-기'가 붙어 만들어진 명사절로, 목적격 조사 '를'과 결합하여 안은문장에서 목적어로 쓰였다. ㉡에서 '집에 가기'는 용언의 어간 '가-'에 명사형 어미 '-기'가 붙어 만들어진 명사절로, 부사격 조사 '에'와 결합하여 안은문장에서 부사어로 쓰였다. ㉢에서 '그는 1년 후에 돌아가기'는 용언의 어간 '돌아가-'에 명사형 어미 '-기'가 붙어 만들어진 명사절로, 부사격 조사 '로'와 결합하여 안은문장에서 부사어로 쓰였다. ㉣에서 '어린 아이들은 병원에 가기'는 명사형 어미 '-기'가 붙어 만들어진 명사절로, 안은문장에서 목적어로 쓰였는데 이때 목적격 조사는 생략되었다. 따라서 안은문장에서 ㉠과 ㉣은 명사절이 목적어로 쓰였고, ㉡과 ㉢은 명사절이 부사어로 쓰였다.

16회

## 15 ② 정답률 55%

정답풀이

윗글에서 중세 국어에서는 명사형 어미 '-옴/-움', '-기', '-디'가 붙어 명사절이 만들어졌다고 했다. 또한 '-옴/-움'은 모음 조화에 따라 양성 모음 뒤에서는 '-옴'이, 음성 모음 뒤에서는 '-움'이 쓰였다고 했다. ⓐ의 '뿌메'는 '쓰- + -움 + -에'로 분석되며 이는 음성 모음 'ㅡ' 뒤에 명사형 어미 '-움'이 사용된 명사절이므로 ⓐ에는 명사절이 포함되어 있다. ⓒ의 '부모롤 현뎌케 홈'에서 '홈'은 '후- + -옴'으로 분석되며 이는 양성 모음 'ㆍ' 뒤에 명사형 어미 '-옴'이 사용된 명사절이므로 ⓒ에는 명사절이 포함되어 있다. ⓓ의 '본향애 도라옴'에서 '도라옴'은 '도라오- + -옴'으로 분석되며 이는 양성 모음 'ㅗ' 뒤에 명사형 어미 '-옴'이 사용된 명사절이므로 ⓓ에는 명사절이 포함되어 있다. ⓔ의 '가져 가디'에서 '가디'는 '가- + -디'로 분석되며 이는 명사형 어미 '-디'가 붙어 만들어진 명사절로 ⓔ에는 명사절이 포함되어 있다. 그러나 ⓑ는 '축추기'의 현대어 풀이가 '축축하게'인 것으로 보아 ⓑ에는 명사절이 사용되지 않았다.

[16~20] **예술**

## 16 ⑤ 정답률 84%

정답풀이

윗글은 '조각'과 '장소'의 관계를 중심 화제로, 근대 이전에는 조각이 '장소의 일부로서 존재'했지만 근대 이후에는 장소로부터 분리되어 '독립적인 작품으로 감상'하는 대상이 되었고, 19세기 이후에는 '작품 자체에서 의미의 완결을 추구'하게 되었으며, 미니멀리즘, 대지 미술에서는 어떻게 인식되었는지를 설명하고 있다. 즉 조각에 대한 해석이 시간의 흐름에 따라 어떻게 변모되었는지 설명하고 있다고 볼 수 있다.

오답풀이

① 윗글에서 조각에 대한 논쟁은 확인할 수 없고, 논쟁이 벌어진 배경에 대한 분석 또한 확인할 수 없다.
② 윗글에서 조각에 대해 일반 사회에 널리 통하는 개념을 비판하는 내용은 확인할 수 없다.
③ 윗글의 1문단에서 조각과 장소의 긴밀한 관련성을, 2문단에서는 조각과 장소의 관련성이 줄어드는 변화를 제시했으므로 '조각과 장소의 관련성이 긴밀했는지'를 대립적 요소로 볼 여지는 있다. 하지만 윗글에서 이를 절충하는 관점은 확인할 수 없다.
④ 윗글에서 역사적 사건과 그에 영향을 미친 요소를 나열한 부분은 확인할 수 없다.

## 17 ② 정답률 82%

정답풀이

3문단에서 화이트 큐브는 '출입구 이외에는 사방이 막힌 실내 공간'으로, 작품이 '실제적인 장소나 현실로부터 분리된 느낌'을 준다고 했다. 따라서 화이트 큐브가 현실로부터 작품이 분리된 느낌을 완화해 준다고 볼 수 없다.

오답풀이

① 5문단에서 대지 미술은 '대지의 표면에 형상을 디자인하고 자연 경관 속에 작품을 만들어 넘으로써 지역이나 환경 자체를 작품화'했다고 했으므로 자연을 창작 장소이자 대상으로 삼았다고 볼 수 있다.
③ 2문단에서 '왕권이 약화되면서 관련 장소가 지녔던 권위'가 퇴색되고, '그 장소에 놓인 조각'에 부여되었던 정치적 의미도 약해졌다 했으므로, 왕권이 약해지며 조각에 부여된 상징적 의미가 변화했다고 볼 수 있다.
④ 3문단에서 19세기 이후 '작품 외적 맥락에 구속되기보다' 작품 자체의 의미의 완결을 중시하며 '감상자의 시선을 작품에만 집중시키는 단순하고 추상화된 작품들'이 많이 등장했다고 했으므로 적절하다.
⑤ 4문단에서 미니멀리즘 작가들은 '가공하지 않은 있는 그대로의 산업 재료들을 사용하는 등의 방법으로 무의도성과 단순성을 구현'했다고 했으므로 적절하다.

## 18 ⑤ 정답률 75%

정답풀이

〈보기〉에서 근대 사람들은 '종교적 신비감이 시들해진 상태에서 순수한 미적 체험을 추구'했다고 했고, [가]에서 근대 이전에 '조각에 부여되었던 종교적, 정치적 의미'는 근대에 들어서면서 조각이 '장소에서 물리적으로 분리되어 기존의 맥락을 상실하는 경우도 생'겼다고 했다. 따라서 중세의 종교 건축물의 일부였던 조각상이 원래 장소에서 분리되면 원래의 종교적 신비감이 퇴색된다고 이해할 수 있다.

오답풀이

① [가]에서 '원래의 장소에서 물리적으로 분리'된 조각이 '박물관이나 미술관에 놓이면서' 독립적인 작품으로서 감상 대상이 되었다고 했을 뿐, 원래의 장소로 되돌아 왔을 때에 대한 설명은 확인할 수 없다. 〈보기〉에서도 확인할 수 없는 내용이다.
② 〈보기〉에서 '중세 시대에 건축, 조각, 회화'는 '수공업의 영역으로 인식되었으'나 '근대'에 이르러서는 '미술의 개념이 확립되'었고 박물관의 건립은 이와 관련된 근대적 현상이라고 했으므로, 근대적 장소인 박물관이 작품의 수공업적 가치를 강화했다고 볼 수 없다. [가]에서 박물관의 출현은 조각을 독립적인 예술 작품으로 인식하게 된 변화와 관련 있으므로 작품의 수공업적 가치를 강화하는 것과는 거리가 멀다.
③ [가]에서 '조각에 부여되었던 종교적, 정치적 의미'가 약해지면서 조각이 '독립적인 작품으로 감상'의 대상이 되었다고 했고, 〈보기〉에서 '중세 시대에 건축, 조각, 회화'는 정치, 사회적 기능에 의존하였으나 '근대'에 미술의 개념 확립으로 사람들이 순수한 미적 체험을 추구하기 시작했다고 했다. 따라서 조각상을 감상의 대상인 '작품'으로 여기는 것은 그것에 정치, 사회적 기능을 부여하는 것이 아니라 이로부터 분리하여 미적 체험을 추구하는 대상으로 인식하는 것이다.
④ [가]에 따르면 사원에서 박물관으로 옮겨지면 종교적인 인물상이 지녔던 본래의 의미는 약화되고 예술 작품으로서의 순수한 미적 의미가 부각될 뿐 미의 개념이 기술 분야로 확대되는 것은 아니다.

## 19 ⑤ 정답률 83%

정답풀이

〈보기〉에서 A는 '보는 위치에 따라 조형물들의 형태와 구도가 다르게 보'이는 ㉠을 감상했으며, C는 '실제로 방파제 위를 걸어 보'며 ㉡을 감상했다. 4문단에서 미니멀리즘은 '가공하지 않은 있는 그대로의 산업 재료들을 사용하는 등의 방법으로 무의도성과 장소, 단순성을 구현'한다고 했고, 5문단에서 대지 미술은 '도시나 자연'을 장소, 대상으로 삼아 '장소와의 관련성을 다양한 방식으로 실현'하며 '작품과 장소, 감상자 간의 상호 작용을 통해 의미가 형성된다는 특징'을 드러낸다고 했다. 따라서 감상자 A와 감상자 C는 위치에 따라 저마다 다른 의미를 형성할 것이므로 작품을 조망할 수 있는 특정한 위치에서 ㉠, ㉡ 작품에 대한 작가의 의도가 드러난다고 보기 어렵다.

오답풀이

① 〈보기〉에서 ㉠은 '미술관 안'이라는 제한된 공간에, ㉡은 '그레이트 솔트 호수'에 설치되어 있다고 했다.
② 4문단에서 미니멀리즘 조각은 '동선에 따라 개별적이고 다양한 경험과 의미 형성이 가능하'다고 했고, 〈보기〉에서 A는 '서로 다른 동선으로 ㉠을 감상한 B와 그 느낌을 비교'한다고 했으므로 서로 다른 동선으로 작품을 감상한 A와 B는 각자의 의미를 형성했을 것이다.
③ 〈보기〉의 ㉡은 호수에 돌과 흙으로 나선형의 방파제를 만든 것으로, 5문단의 '대지의 표면에 형상을 디자인하고 자연 경관 속에 작품을 만들어' 낸 대지 미술과 관련 있다고 볼 수 있다.
④ 5문단에서 대지 미술은 '작품과 장소, 감상자 간의 상호 작용을 통해 의미가 형성'된다고 했다. 〈보기〉에서 '감상자'인 C는 실제로 ㉡의 위를 걸으면서 방파제를 감상할 때 방파제가 놓인 '장소'인 호수, 또 호수의 물로 인해 생기는 변화까지 함께 감상했으므로 작품의 의미가 작품, 감상자 및 장소 간의 상호 작용으로 형성되었다고 볼 수 있다.

## 20 ③ 정답률 78%

**정답풀이**

ⓒ(출현하는)의 '출현하다'는 '나타나거나 또는 나타나서 보이다.'를 뜻하므로 '나타나다'로 바꾸어 쓸 수 있다. 한편 '드러나다'는 '가려 있거나 보이지 않던 것이 보이게 되다.', '알려지지 않은 사실이 널리 밝혀지다'라는 뜻이므로 ⓒ와 바꾸어 쓸 수 없다.

**오답풀이**

① ⓐ(퇴색하여)의 '퇴색하다'는 '빛이나 색이 바래다.'를 뜻한다. 따라서 '분명하지 못하고 어렴풋해지다'를 뜻하는 '희미해지다'로 바꾸어 쓸 수 있다.

② ⓑ(상실하는)의 '상실하다'는 '어떤 것을 아주 잃거나 사라지게 하다.'를 뜻한다. 따라서 '어떤 대상이 본디 지녔던 모습이나 상태를 아주 유지하지 못하게 되다.'를 뜻하는 '잃어버리다'로 바꾸어 쓸 수 있다.

④ ⓓ(구속되기보다는)의 '구속되다'는 '행동이나 의사의 자유가 제한되거나 속박되다.'를 뜻한다. 따라서 '마음대로 행동할 수 없도록 몹시 구속되다.'를 뜻하는 '얽매이다'로 바꾸어 쓸 수 있다.

⑤ ⓔ(간파한)의 '간파하다'는 '속내를 꿰뚫어 알아차리다'를 뜻한다. 따라서 '알고 정신을 차려 깨닫다'를 뜻하는 '알아차리다'로 바꾸어 쓸 수 있다.

### [21~23] 현대시

## 21 ② 정답률 68%

**정답풀이**

(가)는 구체적 사물인 '지도'에 표시된 바다와 국경으로 구분된 육지를 보면서 과거에 지구가 '한 덩이', 즉 하나였던 모습을 상상하고 있다. (나)는 구체적 사물인 '목련'을 보고 어머니, 아버지, 할아버지의 봄나들이를 상상하고 있다.

**오답풀이**

① (가)는 '얼룩덜룩', '울긋불긋', (나)는 '쩌릿쩌릿'과 같은 음성 상징어를 사용해 이미지를 형상화하고 있지만, 움직임을 불러 일으키는 동적 이미지를 부여하고 있다고 볼 수는 없다.

③ (가)는 '왔단다', '아니란다'에서 청자에게 말을 건네는 방식을 통해 주의를 환기한다고 볼 수 있다. 그러나 (나)에는 말을 건네는 방식이 사용되지 않았다.

④ (가)와 (나)에서 동일한 시행의 반복을 확인할 수 없다.

⑤ (가)의 화자는 지도를 보며 '지구가 유성처럼 화려히 떨어져 갈 날'을 생각하며 '외로움'을 느끼고 있을 뿐, 공간을 이동하지 않는다. 또한 (나)의 화자도 '전차기지터 앞'에서 공간을 이동하지 않는다.

## 22 ④ 정답률 63%

**정답풀이**

〈보기〉에서 '(가)는 '지도', '지구'와 같은 지리적 표상'과 '구체적 장소'를 '1930년대 제국주의 치하의 현실과 연결'해 '식민 지배에 대한 저항 의식'을 드러냈다고 했다. 이를 고려하면 (가)의 '똥그란 지구가 유성처럼 화려히 떨어져 갈 날을 / 생각하는 '외로움'이 있다.'에서 화자의 '외로움'은 '지도'의 '울긋불긋한' '색채'를 즐기지 못하는 체념에서 비롯된 것이 아니라 식민 지배를 받는 '조선과 인도' 같은 나라가 많아져 '똥그란 지구'가 떨어져 갈 날을 생각하기 때문이라고 보는 것이 적절하다.

**오답풀이**

① (가)의 2연에서 화자는 푸른 바다와 하늘의 유사성을 바탕으로 '바다'가 '이제까지 국경이 있어 본 일이 없다는 / 저 하늘을 닮'았다고 했다.

② 〈보기〉에서 지도는 육지와 바다의 비교를 가능하게 했으며 '(가)는 '지도', '지구'와 같은 지리적 표상을 다루고 구체적 장소를 제시'하며 '1930년대 제국주의 치하의 현실과 연결'한다고 했다. (가)의 화자가 1연~3연에서 '바다'와 '육지'를 비교하며, 바다의 푸르름과 육지의 '울긋불긋'함을 대조시킨 것은 제국주의 치하의 현실에 대한 안타까움을 드러낸 것으로 볼 수 있다.

③ 〈보기〉에서 윗글은 '세계 공동체의 차원에서 제국주의에 대한 비판적 인식'을 드러냈다고 했다. 화자는 '조선과 인도' 같은 구체적 지명을 제시함으로써 제국주의 치하의 식민지 현실에 대한 비판적 인식을 드러내고 있다.

⑤ 〈보기〉에서 윗글은 '인류 평화에 대한 소망을 드러낸다.'라고 했다. (가)의 6연에서 화자가 본래 '지구'가 '한 덩이 푸른 석류'였다고 말한 것은 영토와 국경의 구분이 존재하지 않고, 제국주의적 침략이 존재하지 않는 인류 평화에 대한 소망을 반영하고 있다고 볼 수 있다.

## 23 ④ 정답률 67%

**정답풀이**

[C]에서 화자는 '전차바퀴 기념물 하나만 달랑 남은 전차기지터'에 '레일은 사라졌어도, 사라지지 않는 / 생명의 레일을 따라 / 바퀴를 굴리는 힘을 만날 수 있을'지 모른다고 생각했고, [D]에서 화자는 '한 량 두 량' 떠나가는 '목련'을 따라가면 '어머니 아버지 / 신혼 첫밤을 보내신 동래온천이 나온다'라고 했다. 따라서 [C]에서 '생명의 레일을 따라' 이어지는 생명력이 [D]에서 '목련'으로 이어진다고 볼 수 있을 뿐, 현대 기계 문명으로 인해 사라지는 자연물에 대한 안타까움은 확인할 수 없다.

**오답풀이**

① [A]의 '목련이 도착했다'는 목련의 개화를, [D]의 '목련이 떠나간다'는 목련의 낙화를 나타낸다. 이는 해마다 반복되는 자연 현상으로, 이를 통해 화자는 시간에 따른 자연의 흐름을 떠올렸다고 볼 수 있다.

② [A]의 '전차기지터'는 서로 다른 세대인 '나'와 '어머니 아버지', 그리고 '할아버지'를 '나들이'라는 공통적 경험으로 이어주는 매개의 역할을 한다고 볼 수 있다.

③ [C]의 '저 햇살을 따라가면 / 나무 어딘가에 숨은 전동기가 보일는지'에서 화자는 '햇살'이 나뭇가지를 통해 나무 속 '전동기'로 연결된다고 상상하면서, 목련을 피워내는 자연의 생명력을 떠올리고 있다.

⑤ [D]의 '저 꽃전차를 따라가면, 어머니 아버지 / 신혼 첫밤을 보내신 동래온천이 나온다'에서 화자는 '생명의 레일'을 따라 움직이는 상상 속 '꽃전차'의 종착지는 부모님의 신혼 여행지이자 새로운 가족의 출발점인 '동래온천'을 향한다고 보았다.

### [24~28] 과학+기술

## 24 ② 정답률 45%

**정답풀이**

2문단에서 시각 피질의 복잡 세포는 '단순 세포들로부터 전기 신호를 전달받아 활성화'된다고 했다. 그러나 9문단에서 '합성곱 연산과 통합 연산을 통해' 출력된 특징 지도를 '인공 지능 네트워크인 '전체 연결층'에 입력'하면 이미지 인식 결과를 출력할 수 있다고 했을 뿐 시각 피질의 복합 세포가 전기 신호를 전체 연결층에 전달한다는 내용은 확인할 수 없다.

**오답풀이**

① 7문단에서 통합 연산은 '합성곱층의 일정 범위 안에 있는 유닛 값들을 정해진 규칙에 따라' 하나의 값으로 통합하는 연산임을 알 수 있다.

③ 2문단에서 시각 피질의 단순 세포와 복잡 세포는 '모두 각각의 수용장에 비친 특정한 각도를 가진 선분 모양의 빛에 활성화'됨을 알 수 있다.

④ 4문단에서 합성곱 연산에서 '필터는 이미지 데이터'에 존재하는 '기하학적 패턴'을 검출한다고 했다. 그리고 9문단에서 '합성곱 연산과 통합 연산을 통해 위치 정보는 축약되고 패턴 정보는 강조된 특징 지도가 출력'되며, 이를 '인공 지능 네트워크인 '전체 연결층'에 입력'하면 이미지 인식 결과를 출력할 수 있다고 했다. 따라서 합성곱 신경망으로 이미지를 인식하려면 특정 패턴에 대한 정보가 특징 지도에 담겨 있어야 함을 알 수 있다.

⑤ 4문단에서 합성곱 신경망은 '합성곱 연산과 통합 연산에 의해 출력된다.'라고 했고, 9문단에서 '합성곱 연산과 통합 연산을 통해 위치 정보는 축약되고 패턴 정보는 강조된 특징 지도가 출력된다.'라고 했으므로 적절하다.

## 25 ⑤ 정답률 46%

**정답풀이**

〈보기〉에서 세포 A는 '자극 1'과 '자극 2'에 대해 빛의 위치 ㉮, ㉯에서 모두 활성화되었고, 세포 B는 빛의 위치 ㉮에서만 활성화되었다. 윗글의 2문단에서 단순 세포는 '수용장 내 특정 위치의 빛에만 활성화되'고 복잡 세포는 '수용장이 단순 세포보다 넓고, 수용장에 비춰진 빛의 위치 변화에 관계없이 활성화된다.'고 했다. 따라서 세포 A는 복잡 세포, 세포 B는 단순 세포라고 볼 수 있으며, 〈그림 1〉의 (a)를 보면 계층 2에서 1개의 유닛, 계층 3에서 1개의 유닛이 활성화되었음을 확인할 수 있다. 한편 〈보기〉에서는 세포 A와 B 모두 '자극 3'과 '자극 4'에 대해 활성화되지 않았다. 〈그림 1〉의 (b)를 보면 계층 2에서 2개의 단순 세포, 계층 3에서 1개의 복잡 세포가 활성화되었으므로 '자극 3'과 자극 4'의 실험 결과는 (b)에 해당하지 않는다.

**오답풀이**

① 2문단에서 '단순 세포와 복잡 세포 모두 각각의 수용장에 비친 특정한 각도를 가진 선분 모양의 빛에 활성화된다.'고 했고, 〈보기〉의 '자극 1'에서 세포 A와 세포 B는 빛의 각도 Ⓐ, 빛의 위치 ㉮에 공통적으로 활성화되었으므로 세포 A와 세포 B가 반응하는 빛의 각도는 같다고 볼 수 있다.
② 2문단에서 단순 세포는 '특정 위치의 빛'에만 활성화되는데, 복잡 세포는 수용장에 비춰진 '빛의 위치 변화에 관계없이' 활성화된다고 했고, 〈보기〉의 '자극 1', '자극 2'에서 동일한 Ⓐ 각도의 빛에 대해 세포 A와 B는 모두 활성화되지만, 세포 A는 빛의 위치 ㉮, ㉯에 모두 반응하고 세포 B는 빛의 위치 ㉮에만 반응했다. 따라서 세포 A는 복잡 세포, 세포 B는 단순 세포라고 볼 수 있기 때문에 세포 A의 수용장이 B보다 넓다.
③ 〈보기〉의 실험 결과에서 세포 A는 빛의 각도 Ⓐ에는 활성화되고, Ⓑ의 빛에는 활성화되지 않으므로 적절하다.
④ 3문단에서 〈그림 1〉의 계층 2는 단순 세포, 계층 3은 복잡 세포를 모형화한 것이라고 했고, 〈보기〉의 실험 결과에서 세포 A는 복잡 세포, 세포 B는 단순 세포에 해당하므로, 계층 2는 세포 B에, 계층 3은 세포 A에 대응된다고 볼 수 있다.

## 26 ④ 정답률 63%

**정답풀이**

9문단에서 '합성곱 신경망이 스스로 필터의 수치를 갱신'한다고 했으나, '합성곱 연산 및 통합 연산의 횟수, 필터의 크기 및 이동 간격, 통합 연산 규칙 등은 초기 설정 값이 계속 유지'된다고 했다. 따라서 필터의 크기와 이동 간격의 비율은 합성곱 신경망에 의해 변화되지 않는다.

**오답풀이**

① 6문단에서 '이렇게 필터를 이용해 이미지 데이터에 합성곱 연산을 수행하면 필터의 특성에 맞게 강조된 특징 지도를 얻을 수 있다.'라고 했으므로 적절하다.
② 4문단에서 합성곱 연산에서 '필터는 이미지 데이터의 국부 영역에 존재하는 특정한 기하학적 패턴을 검출하는 역할을 한다.'고 했으므로 적절하다.
③ 8문단에서 '합성곱 연산을 통해 이미지의 어떤 영역에 어떤 패턴이 있는지를 추출'하는 과정을 필터를 통해 '반복하면 이미지 속 사물을 인식할 수 있다.'라고 했으므로 적절하다.
⑤ 4문단에서 '합성곱층'은 '합성곱 연산'에 의해 출력된다고 했고, 합성곱 연산에서 필터는 '이미지 데이터의 국부 영역에 존재하는 특정한 기하학적 패턴을 검출하는 역할을 한다.'라고 했다. 따라서 필터를 통해 검출된 패턴은 합성곱층에 반영된다고 볼 수 있다.

## 27 ④ 정답률 71%

**정답풀이**

[가]에 따르면 합성곱층에는 이미지 인식에 '불필요한' '위치 정보'가 포함되어 있는데, 이는 '합성곱 연산'을 반복하는 과정에서 유지된 '거의 비슷한 패턴 정보'가 담겨 있기 때문이다. 그래서 통합 연산 수행을 통해 위치 정보를 줄일 수 있다. 따라서 통합 연산을 수행하는 이유는 합성곱 연산을 수행한 결과 이미지 인식에 불필요한 위치 정보가 포함되어 있기 때문으로 볼 수 있다.

**오답풀이**

① 통합 연산은 '거의 비슷한 패턴 정보를 담고 있'어 불필요한 '위치 정보를 줄여 주는 역할'을 할 뿐, 통합 연산의 수행 이전과 이후 이미지 인식 결과가 달라지게 하기 위해 수행하는 것은 아니다.
② 통합 연산 수행은 '합성곱 연산을 통해 출력된 특징 지도 내에서 서로 인접한 유닛'의 위치 정보를 줄일 뿐이므로, 통합층의 각 유닛에 담긴 정보와 합성곱층의 각 유닛에 담긴 정보가 관련이 없다고 볼 수는 없다.
③ 통합 연산은 '거의 비슷한 패턴 정보를 담고 있'어 불필요한 '위치 정보를 줄여 주는 역할'을 하므로, 이미지 속 위치 정보를 추가로 표시하는 것은 아니다.
⑤ 4문단~6문단에서 이미지 속 사물의 패턴 정보를 추출하는 것은 합성곱 연산임을 알 수 있으므로 통합 연산이 패턴 정보를 추출하는 역할을 한다고 볼 수 없다.

## 28 ⑤ 정답률 24%

**정답풀이**

4문단~6문단을 통해 '필터'는 '합성곱 연산'에 사용되며, 통합 연산에는 사용되지 않음을 알 수 있다. 8문단에 따르면 통합 연산은 패턴을 추출하기 위해서가 아니라 패턴 정보에 담긴 불필요한 위치 정보를 줄이기 위해 수행되므로, ⓑ에서 ⓒ를 출력하기 위한 통합 연산에서 '♡' 모양의 특징을 검출하는 필터가 적용된다고 볼 수 없다.

**오답풀이**

① ⓐ는 64(8×8) 유닛으로 구성되어 있으며 ⓑ는 16(4×4) 유닛으로 구성되어 있다. 유닛 한 단위의 데이터 크기는 동일하므로 ⓑ의 데이터 크기는 ⓐ에 비해 작다.
② 5문단에서처럼 필터의 이동 간격을 1 유닛 단위로 설정하면 합성곱 연산을 통해 ⓑ에서 4×4 크기의 특징 지도가 추출되기 위해서는 한 번에 5×5 크기의 영역을 처리했어야 한다. 따라서 ⓑ를 출력하기 위한 필터의 크기는 5×5였을 것이다.
③ ⓑ는 16(4×4) 유닛으로 구성되어 있고, ⓒ는 4(2×2) 유닛으로 구성되어 있다. 유닛 한 단위의 데이터 크기는 동일하므로 평균값 통합(통합 연산)을 통해 ⓒ를 출력하면 ⓒ의 데이터 크기는 ⓑ의 25%이다.
④ 7문단에 따르면 최댓값 통합 규칙은 '합성곱층의 일정 범위 안에 있는 유닛 값들' 중 최댓값을 도출하여 통합층의 하나의 유닛 값으로 출력하는 통합 연산의 규칙일 것이다. 따라서 ⓑ에서 2×2 범위로 최댓값 통합을 한 경우, ⓑ의 4개의 유닛 값들 중 최댓값이 ⓒ의 하나의 유닛 값으로 도출될 것이다.

## 오답률 Best 1

정답을 고른 학생들이 24%이고, ②번을 고른 학생들이 28%, ③번을 고른 학생이 26%로 많은 학생들이 오답을 골랐어. 어떤 학생들은 ⓑ와 ⓒ를 '필터'라고 착각하기도 했는데, ⓑ와 ⓒ는 필터가 아니라 각각 '합성곱 연산'을 통해 출력된 '특징 지도', '통합 연산'을 통해 출력된 '특징 지도'야. <보기>는 ⓐ(입력 이미지)에 일정한 크기의 필터가 한 칸씩 이동해 가며 '합성곱 연산'을 하고, 그렇게 해서 나온 ⓑ(특징 지도)를 '통합 연산 규칙'에 따라 통합 연산의 범위를 이동하도록 설정해 새로운 ⓒ(특징 지도)를 출력하는 과정을 그림으로 표현하고 있어. 를 '통합 연산 규칙'에 따라 통합 연산의 범위를 이동하도록 설정해 새로운 ⓒ(특징 지도)를 출력하는 과정을 그림으로 표현하고 있어.

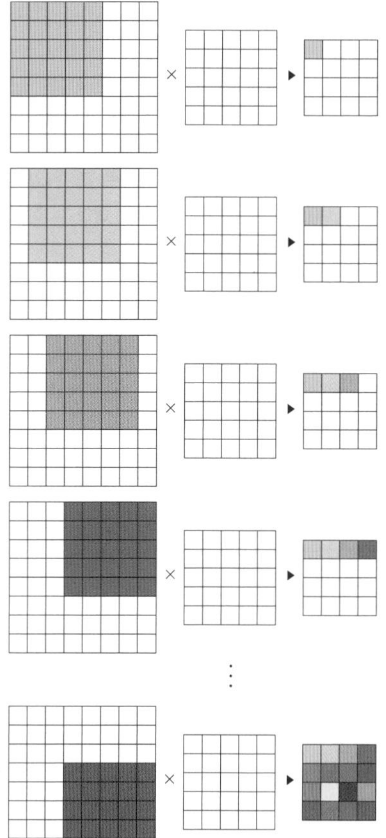

윗글의 5문단에서 6×6크기의 이미지 데이터를 3×3 크기의 필터를 사용해 연산할 때 4×4 크기의 특징 지도가 출력된다고 했으므로, 이와 위 그림을 참고하면 8×8 크기의 이미지를 인식할 때, 필터의 이동 간격을 1 유닛 단위로 설정해 4×4 크기의 특징 지도가 나오도록 하려면 필터 크기가 5×5여야 이미지의 왼쪽 상단에서 오른쪽 하단까지 이동하여 특징 지도를 출력할 수 있으므로 ②번은 적절했어.

한편 ③번을 적절하지 않다고 본 학생들은 윗글의 7문단에서 '<그림 3>은 <그림 2>의 $FM_1$을 2×2 범위로~1 유닛 단위로 이동하도록 설정하면 3×3 크기의 새로운 특징 지도 $FM_2$가 출력된다.'고 한 것을 근거로 2×2 범위로 ⓒ를 출력하면 특징 지도의 크기는 3×3(9)가 되므로 ⓑ의 데이터 크기와 비교하면 9/16(%)만큼 감소했다고 볼 것이라고 생각했지. 그러나 <보기>에서 이미 ⓒ의 데이터 크기는 2×2라고 했으므로 7문단의 내용을 근거로 ⓒ가 3×3 크기의 특징 지도라고 볼 수 없었어.

## [29~32] 고전소설

### 29 ①  정답률 75%

**정답풀이**

윗글에서 이랑과 숙향이 만나기 이전에 노옹(화덕진군), 마고할미(마고선녀) 등이 조력자 역할을 한다. 노옹은 수를 놓고 있던 숙향을 보고 표를 남기기 위해 '불떵이를 내리쳐' 수놓은 '봉의 날개 끝을 태우고 왔'으며, '마고선녀는 범인이 아니라'고 이랑에게 말해준다. 이를 통해 이랑과 숙향의 만남 과정에 노옹과 마고할미 같은 비현실적 인물이 조력자로 개입하고 있음을 확인할 수 있다.

**오답풀이**

② 윗글에서 인물의 내적 독백은 확인할 수 없다. 인물의 심리는 '이랑이 탄식하며 말했다.', '할미가 거짓으로 놀라는 척하며' 등 서술자의 서술과 '황당합니다', '맹세코 세상에 머물지 아니하리라.' 등 대화로 제시되고 있다.

③ 윗글에서 사건은 인물의 대화와 행동으로 진행되며 인물들의 구체적인 외양 묘사는 확인할 수 없다.

④ 이랑이 '제가 처음에 가 찾으니 여차여차 이르기로~이렇게 속일 수가 있습니까?'에서 숙향을 찾으러 다녔음을 요약적으로 서술하고 있다. 그러나 시대적 배경을 구체적으로 제시한 내용은 확인할 수 없다.

⑤ 윗글에서 언어유희를 사용한 표현을 확인할 수 없다.

### 30 ④  정답률 52%

**정답풀이**

Ⓒ(할미와 이랑의 3차 만남)에서 할미는 '숙향이란 이름이 세 곳에 있'다고 말하고, 진주를 건네주며 '이 진주를 갔다가 보이라'고 한 이랑의 말에 '응락하고 돌아'갔을 뿐 이랑과 숙향의 만남을 주선하기로 약속하지는 않았으며 이랑에게 자신과 숙향의 관계를 숨기고 있다고 볼 수 있다.

**오답풀이**

① Ⓐ(할미와 이랑의 1차 만남)에서 이랑은 할미에게 '처음에 가' 숙향을 찾았지만, 할미는 숙향을 '낙양 동촌에 데리고 있으면서' 이랑을 속였기에 '표진강가에까지 갔다가 이리' 돌아오게 되었다. 즉 Ⓐ에서 할미는 자신이 숙향을 데리고 있는 것을 숨겨 두 사람의 만남을 지연시켰다.

② 이랑이 노옹을 만난 것은 Ⓐ와 Ⓑ(할미와 이랑의 2차 만남) 사이로, 이때 이랑은 노옹으로부터 마고할미가 숙향과 '낙양 동촌에 산다'는 이야기를 전해 들었다. 즉 Ⓐ와 Ⓑ 사이에서 이랑은 화덕진군에게 할미가 자신을 속였다는 말을 들었다.

③ Ⓑ에서 할미는 '숙향을 찾으러' 온 이랑에게 '구태여 그런 병든 걸인을 괴로이 찾'느냐 말한다. 이때 할미는 이랑의 진심을 확인하려는 의도를 가지고 시험하는 것이라 볼 수 있다.

⑤ Ⓐ에서 Ⓒ로 진행될수록 이랑은 숙향을 만나기를 강하게 소망하며 '밤낮으로 고대'한다. Ⓒ에서 이랑은 진주를 보여 주면 만남이 가능하다는 말을 들으므로 Ⓐ에서 Ⓒ로 진행될수록 숙향과의 만남에 대한 이랑의 기대감은 높아진다고 볼 수 있다.

### 31 ②  정답률 74%

**정답풀이**

〈보기〉에서 남녀 주인공은 '징표에 근거하여 서로가 인연임을 확인'한다고 했다. 숙향이 수를 놓던 중 '문득 난데없는 불똥'을 보고 놀란 것은 '화덕진군(노옹)'이 조화를 부렸기 때문으로, 노옹(화덕진군)은 이랑에게 할미를 찾아가 '숙향의 종적을 묻되 그 수의 불탄 데를 이르라'며 조언해준다. 따라서 숙향이 이랑과 자신에게 닥칠 시련을 예상했기 때문에 놀란 것이라고 볼 수 없다.

**오답풀이**

① 〈보기〉에서 숙향전의 남녀 주인공의 인연이 실현되는 '과정이 순탄치는 않'다고 했다. 이랑이 할미의 말을 듣고 숙향을 찾기 위해 '표진강가에까지 갔다가 이리 왔'다는 것은 두 사람의 결연 과정이 순조롭지 않음을 드러낸다.

③ 〈보기〉에서 숙향전의 남녀 주인공의 인연은 '이미 천상계에서 정해'졌다고 했다. '구태여 그런 병든 걸인을 괴로이 찾'느냐는 할미의 물음에 '이미 전생 일을 알고서야 어찌 숙향을 생각지 않겠느냐'고 대답하는 이랑에게서 이들의 인연이 천상계에서 정해진 것임을 알 수 있다.

④ 〈보기〉에서 숙향전의 남녀 주인공은 '의지적인 태도로 고난에 대처해' 간다고 했다. 이랑이 숙향을 찾지 못하면 '맹세코 세상에 머물지 아니하'겠다고 말하는 것에서 이랑의 의지를 확인할 수 있다.

⑤ 〈보기〉에서 남녀 주인공은 '징표에 근거하여 서로가 인연임을 확인'한다고 했다. 숙향이 '내 배필은 진주 가져간 사람이니 진주를 보아야 허락하'겠다고 말한 것은 징표에 근거하여 인연을 확인하려는 태도로 볼 수 있다.

### 32 ①  정답률 80%

**정답풀이**

이랑은 고난을 겪으면서도 숙향과의 만남을 포기하지 않고, 숙향을 찾지 못하면 '세상에 머물지 아니하'겠다며 죽음을 각오하는 의지를 보였다. 따라서 이랑이 숙향을 만난다면 감개무량할 것이다. '감개무량'은 '마음속에서 느끼는 감동이나 느낌이 끝이 없음. 또는 그런 감동이나 느낌.'을 뜻한다.

16회

오답풀이

② 면종복배는 겉으로는 복종하는 체하면서 내심으로 배반함을 뜻한다.
③ 의기소침은 기운이 없어지고 풀이 죽음을 뜻한다.
④ 전전긍긍은 몹시 두려워서 벌벌 떨며 조심함을 뜻한다.
⑤ 절치부심은 몹시 분하여 이를 갈며 속을 썩임을 뜻한다.

## [33~37] 사회

### 33 ① 정답률 66%

정답풀이

윗글은 지대를 잉여로 보는 고전경제학파의 관점과 지대를 생산에 기여한 대가로 보는 신고전경제학파의 관점에 대해 설명한 후, 고전경제학파의 리카도와 신고전경제학파의 클라크의 논의가 마셜의 이론으로 이어지는 흐름을 설명하면서 마셜의 이론이 지닌 의의를 서술하고 있다.

오답풀이

② 2문단의 리카도의 차액지대론에서 지대가 발생하는 이유를 설명하고 있으므로 원리를 소개한다고 볼 수는 있다. 그러나 실제 현실에서 지대가 결정되는 사례에 이론을 적용하고 있지는 않다.
③ 윗글에서 지대가 유발하는 사회적 문제에 대해 깊이 생각하고 연구하는 내용은 확인할 수 없다.
④ 윗글에서 지대의 개념과 관련해 고전경제학파의 리카도로부터 신고전경제학파의 클라크, 마셜에 이르는 지대론의 역사적 변천 과정을 제시했다고 볼 수는 있다. 그러나 그 변화에 영향을 준 시대적 배경에 대한 분석은 확인할 수 없다.
⑤ 3문단에서 고전경제학파의 리카도는 지대를 '불로소득에 불과하다'고 여겼다는 점에서 지대의 가치를 부정적으로 바라보았다고 할 수 있다. 하지만 신고전경제학파가 지대의 가치를 부정적으로 보았다는 내용은 확인할 수 없고 타당성을 평가한다고 볼 수도 없다.

### 34 ① 정답률 41%

정답풀이

〈보기〉에서 을은 '갑국의 지대가 비싸서 곡물의 가격이 높으므로 곡물 수입을 재개하면' '갑국의 농업은 타격을 입을 것'이라고 했다. 한편 2문단에서 리카도는 곡물 가격 상승의 결과로 '땅을 빌리기 위'한 경쟁에 의해 '더 높은 지대를 제시하게' 됨으로써 지대가 상승한다는 차액지대론을 주장했다. 따라서 리카도는, 갑국의 지대가 오른 이유는 곡물의 가격이 상승했기 때문이며 갑국이 곡물 수입을 재개하여 곡물의 가격이 원래 수준으로 떨어지면 지대 역시 떨어질 것이므로 곡물 수입을 재개했을 때의 손해는 지주들에게만 미칠 것이라고 판단할 것이다. 따라서 [A]의 근거로 가장 적절한 것은 ①번이다.

오답풀이

② 〈보기〉에서 곡물 공급 부족은 수입이 끊겼기 때문에 발생했다고 했으며, 2문단에서 리카도는 곡물 가격 상승의 결과로 '땅을 빌리기 위'한 경쟁에 의해 '더 높은 지대를 제시하게' 됨으로써 지대가 상승한다는 차액지대론을 주장했다. 따라서 지대 상승의 결과 공급 부족이 일어났다는 것은 적절하지 않다.
③, ④ 〈보기〉에서 곡물 가격 상승으로 기존 경작지의 지대가 크게 올랐다고 했고, 2문단에서 리카도는 '쌀의 가격은 생산비와 일치하'며 '더 열악한 땅이 한계지가 될수록 쌀 가격은 오르고 그에 따라 지대도 오르게 된다.'라고 했다. 따라서 리카도는 열악한 땅이 한계지로 확장되면 곡물 생산비가 상승하고 곡물 가격도 상승한다고 볼 것이므로 곡물 가격 상승이 곡물 생산비 상승의 결과라고 볼 것이다.
⑤ 2문단에서 리카도는 '더 열악한 땅이 한계지가 될수록 쌀 가격은 오르고 그에 따라 지대도 오르게 된다.'라고 하였으므로 한계지가 확장되면 곡물 생산비가 상승하고 이로 인해 곡물 가격이 상승한다고 보았다. 따라서 리카도는 곡물 생산비 상승을 지대 상승의 결과가 아니라 원인으로 본다.

**오답률 Best 4**

<보기> 상황을 정리해 보자. 곡물을 수입해오던 '갑국'은 분쟁으로 수입이 완전 끊겨, 척박한 땅까지 경작하게 되었어. 이는 윗글의 2문단에 제시된 '더 열악한 땅이 한계지'가 된 상황에 해당하는데 이 경우 '쌀 가격은 오르고 그에 따라 지대도 오르게'되지. 이후 곡물 수입이 재개될 상황에 '을'은 '곡물 수입을 막아야 한다'고 주장하는데, 갑국의 지대가 비싸서 곡물 가격이 높아졌으므로 수입으로 곡물 가격이 떨어지면 갑국 농업이 타격을 입을 수 있다고 본 거야.

<보기>에서 이에 대해 리카도는 '갑국의 농업은 타격을 입지 않을 것'이라고 보는데, 그 이유는 곡물 수입으로 인해 생기는 '그 손해는 지주들에게만 귀속될 것'이기 때문이라고 해. 문제는 왜 손해가 '지주들에게만 귀속'되는지 그 근거를 찾는 것이었어. 2문단에서 리카도는 '쌀의 가격은 한계지에서의 쌀 생산비가 되고', '더 열악한 땅이 한계지가 될수록 쌀 가격은 오르고 그에 따라 지대도 오르게 된다'고 했어. 그렇다면 <보기>에서 갑국의 쌀 가격이 오른 것은 열악한 땅이 한계지가 되어 쌀 가격이 오르고 지대가 올랐기 때문이므로 수입이 재개되면, 지대 상승의 원인이었던 쌀 가격이 원래 수준으로 떨어지면 지대도 떨어질 것이라고 볼 수 있지. 즉 지대가 떨어지면 곡물 수입 재개로 인한 손해는 높은 지대를 받던 지주들에게 귀속되는 거지. 많은 학생들이 원인과 결과를 혼동해서 ⑤번을 답으로 골랐는데, 2문단에서 리카도는 '쌀의 가격은 생산비와 일치'한다고 했으므로 '곡물 생산비 상승'과 '지대 상승' 사이에 인과 관계는 '곡물 생산비 상승'이 원인, '지대 상승'이 결과이므로 인과 관계가 잘못된 ⑤번은 적절하지 않은 선지였어.

### 35 ⑤ 정답률 53%

정답풀이

2문단에서 리카르도의 차액지대론에 따르면 '지대는 그 토지에서의 쌀 생산비와 한계지에서의 쌀 생산비의 차액'이라고 했다. 따라서 C 지역 토지가 한계지가 되면 ㉠(A 지역 토지의 지대는 더 오르고, B 지역 토지에도 지대가 형성)의 결과 A 지역 토지의 지대는 한계지인 'C 지역 토지의 쌀 생산비'인 8만원에서 'A 지역 토지의 쌀 생산비'인 5만원을 뺀 3만원이 되며, B 지역 토지의 지대는 2만원이 된다.

### 36 ③ 정답률 43%

정답풀이

4문단에서 ⓑ(클라크)는 '토지를 노동이나 자본과 같은 생산 요소의 하나'로 본다고 했고, 5문단에서 ⓒ(마셜)는 '토지는 단기적으로는 고정 생산 요소이지만 장기적으로는 가변 생산 요소로 볼 수 있다'고 했다. 따라서 ⓑ와 ⓒ 모두 토지를 생산 요소의 하나로 봤다고 볼 수 있다.

오답풀이

① 3문단에 따르면 ⓐ(리카도)는 지대를 '불로소득에 불과하다'고 보았으며 '이런 고전경제학파의 지대론에 입각해 헨리 조지'는 지대 조세론을 주장했다. 따라서 ⓐ는 헨리 조지의 지대 조세론에 영향을 끼쳤다고 볼 수 있다.
② 2문단에서 ⓐ는 지대를 쌀의 가격, 즉 토지 생산물의 가격과 관련지었고, 4문단에서 ⓑ는 지대를 '토지로부터 얻게 되는 생산물의 생산량 증가분만큼의 가치를 반영한 것'이라고 보았다. 따라서 ⓐ와 ⓑ는 지대를 토지 생산물과 관련짓는다고 볼 수 있다.
④ 5문단에서 ⓒ는 '초기 신고전경제학파의 한계생산이론을 발전시키고 이를 바탕으로 고전경제학파의 지대론을 재해석함으로써, 자신의 이론을 전개했다.'라고 했다. 따라서 ⓒ는 한계생산이론에 입각해 지대를 해석했다고 볼 수 있다.
⑤ 6문단에서 ⓒ는 '인위적 요소가 개입될 수 있는 토지의 비옥도를 지대 발생의 원인'으로 본 ⓐ의 '차액지대론'을 비판하며 '지대를 순전히 자연의 혜택으로 인한 것으로 한정'했다고 하였다.

### 37 ③ 정답률 59%

정답풀이

5문단에서 마셜은 '생산량을 늘리거나 줄이기 위해 즉각적으로 투입량을 조절할 수 있는 노동이나 자본은 가변 생산 요소'이고, '토지'는 '단기적'으로는 투입량을 즉각적으로 조절하기 어려운 '고정 생산 요소'이지만 '장기적으로는 가변 생산 요소'라고 했다. 마셜의 관점에 따르면 (가)에서 Ⓐ가 추가로 빌린 '공장 부지'는 토지처럼 장기적으로 보면 가변 생산 요소이지만 단기적으로는 고정 생산 요소라고 볼 수 있다.

오답풀이

① 마셜은 자본이나 노동을 '생산량이 변함에 따라 투입량을 변화시킬 수 있는 가변 생산 요소'로 보았으므로, (가)에서 빵 생산량을 늘리기 위해 즉시 늘린 '밀가루'와 '노동자 수'를 가변 생산 요소로 볼 것이다.
② 마셜은 '토지'는 '단기적'으로는 투입량을 즉각적으로 조절하기 어려운 '고정 생산 요소'이지만, '장기적으로는 가변 생산 요소'라고 했다. 따라서 (가)에서 Ⓐ가 빵 생산량을 늘리기 위해 추가로 빌린 공장 부지에 대한 지대는 장기적으로는 가변 비용이라고 볼 수 있다.
④ 6문단에서 마셜은 '공장, 기계 등 고가의 자본 설비의 경우'에도 그것을 이용하는 대가가 지대와 유사한 성격을 가지고 있어 '준지대'라고 하였다. 따라서 (나)에서 Ⓑ가 지불하는 비행기 임대료는 준지대로 볼 수 있다.
⑤ 5문단에서 마셜은 '생산자의 행위는 이윤을 극대화하기 위한 것이라고 전제'했다. 따라서 마셜의 관점에 따라 (나)를 이해할 때 생산자 Ⓑ가 비행기를 빌려 임대료를 지불하는 것은 장기적으로 이윤을 극대화하기 위한 비용으로 볼 수 있다.

## [38~41] 현대소설

### 38 ③ 정답률 76%

정답풀이

'나'는 작자의 생활 태도가 '광증'에 가깝다고 보며, 고향에 있는 어머니에게 '별 애착을 갖고 있는 것 같지도 않'다고 생각한다. 또한 '나'는 어머니의 편지를 '북북 찢어서 팽개쳐 버리'고 '그처럼 착한 어머니께 '미친'이라는 차마 입에 담을 수 없는 욕을 하는' 작자야말로 '미친 바보, 멍텅구리, 촌놈, 얼치기, 치한.'이라고 생각하며 작자를 부정적으로 바라보고 있다. 작자에 대한 '나'의 부정적 평가로 보아, '나'가 작자의 이러한 행동을 '어머니의 헌신적인 태도에 대한 감동을 감추기 위한 것으로 이해'한다는 것은 적절하지 않다.

오답풀이

① (가)에서 '나'는 작자의 생활 태도를 '광증'에 가깝다고 보고, 그를 '촌놈'이라 여기며 그가 '무턱대고 우쭐대고 싶은 저 촌뜨기 의식에 가득 차' 있다고 생각한다. 이를 통해 작자에 대한 '나'의 부정적 태도를 확인할 수 있다.
② (가)에서 '나'가 작자를 '미친 바보, 멍텅구리, 촌놈, 얼치기, 치한.'이라고 생각하는 것과 달리 작자의 어머니는 '다정하고 착하'며 '성모 마리아의 하얀 석상을 볼 때 받는 느낌'을 주는 분이기에 '작자에게는 분에 넘치기 짝이 없이 훌륭한 어머니'라고 생각한다. 이를 통해 '나'가 작자와 작자의 어머니를 바라보는 대조적인 시선을 확인할 수 있다.
④ (나)에서 '나'는 '울음을 터뜨'리는 누이의 모습을 '희생자들이 작은 조각에 몸을 기대고 자기들의 괴로움을 울며 부유하는 것'과 연결짓고 있다.
⑤ (나)에서 '나'는 '누이로 하여금 도시의 모든 기억을 토해 버리게 할 생각'으로 누이를 '이 짠 냄새만을 싣고 오는 해풍으로 목욕시키고 싶'다고 했는데, 이는 누이가 도시로 떠나기 전의 모습으로 돌아오기를 바라는 마음을 드러낸 것으로 볼 수 있다.

### 39 ② 정답률 67%

정답풀이

[선생님의 설명]에서 (가)와 (나)는 '고향을 떠나 도시 공간을 경험'하는 인물을 다룸으로써 관련을 맺어, '통합된 의미를 구현'한다고 했다. (가)의 '나'는 도시에서 '광증에 가까운 생활 태도'로 사는 '작자'의 생활을 평가한다. 따라서 (가)와 (나)가 도시를 경험하는 인물을 통해 통합된 의미를 구현한다는 점에 근거하여, (가)의 '작자'를 통해 (나)의 '누이'가 도시에서 겪었을 경험의 성격을 짐작할 수 있다.

오답풀이

① (나)의 '나'는 누이가 지니고 온 '작은 보따리'에서 '헌 옷 몇 벌과 두어 가지의 화장 도구'를 발견할 수 있었다. 그러나 (가)에서 '나'의 시각으로 서술되는 '작자'의 부정적인 모습을 통해 누이가 가져온 '작은 보따리'의 의미를 짐작하기는 어렵다.
③ (나)에서 누이가 도시로 간 구체적 계기는 확인할 수 없으며, 누이가 고향을 떠나고 싶어 했는지도 알 수 없다. 따라서 (가)의 '나'가 서술하는 '작자'의 모습을 통해서 누이가 고향을 떠난 계기를 짐작하기는 어렵다.
④ (나)에서 '나'는 도시에서 돌아와 침묵하는 누이를 보며 '적어도 우리가 보낼 때에는, 훈련을 받기 위해서 그곳에 간 것'이 아닌데 누이가 '침묵의 훈련만을 받고 돌아'왔다고 했다. 이는 '나'가 침묵하는 누이의 모습을 보고 도시에서 '침묵의 훈련'을 받고 온 것인지 생각하는 모습일 뿐이므로, (가)에서 '나'가 서술하는 '작자'의 모습을 통해서 '나'와 '어머니'가 누이를 도시로 보낸 까닭을 짐작하기는 어렵다.
⑤ (나)에서 어머니가 누이의 고독을 견디지 못한다는 내용을 확인할 수 없다. 따라서 (가)에서 '나'가 서술하는 '작자'의 모습을 통해서 어머니가 누이의 고독을 견디지 못하는 이유를 짐작하기는 어렵다.

### 40 ① 정답률 77%

정답풀이

[A]에서 '나'는 이 년 동안 도시에 있던 누이가 고향에 돌아온 후 침묵에 빠진 상황에 대해 생각해 보고 있다. 즉 '우리를 향한 항거였을까, 도시를 향한 항거였을까.', '높은 목소리로~결국 도시에서 배워 왔단 말인가', '그렇다면 누이의 저 향수와 고독을 발산하는 눈빛,~무엇으로써 설명해야 할 것인가?' 등의 독백적 질문은 누이의 침묵과 그 이유에 대한 '나'의 내적인 탐색의 과정을 보여 준다고 할 수 있다.

오답풀이

② [A]에서 공간적 배경의 아름다움을 감각적인 언어로 묘사하고 있는 부분은 확인할 수 없다.
③ [A]에서 계절적 이미지를 묘사하고 있지 않으므로 이를 통해 사건 전개를 암시하고 있다고 볼 수도 없다.
④ [A]의 '나'는 담담한 태도로 사건을 객관적으로 묘사하는 것이 아니라 사건에 대한 자신의 생각을 서술하고 있다.
⑤ [A]에서 인물 간의 대화를 확인할 수 없다.

### 41 ⑤ 정답률 42%

정답풀이

(나)의 '나'는 도시에서 돌아와 침묵하는 누이를 보며, '저 도시가 침범해 오지 않는 한' 고향을 지키며 사는 데서 '충분한 만족'을 얻을 수 있음을 말해주고 싶어 한다. 즉 '나'는 ⓔ(영원의 토대를 만든다는 것,~침묵을 배운다는 것)에서 고향의 속성이 아니라 도시의 속성을 열거하며 '그것만이 인간인 것'인지, '인간의 허영'은 아닌지 문제를 제기하고 있다. 따라서 '나'는 도시의 속성을 열거하며 '도시'에 대한 동경은 '인간의 허영'일 수 있음을 말하고 누이가 도시에서의 상처를 잊고 고향을 지키며 '만족'하는 삶을 살기를 바란다고 볼 수 있다.

오답풀이

① '나'는 '향수와 고독을 발산하는 눈빛', '두고 온 것들에게 보내는 마음의 등불 같은 저 눈빛(ⓐ)'을 근거로 '누이'가 도시에 대해 그리움이나 동경 같은 미련을 가지고 있다고 생각한다고 볼 수 있다.
② '나'는 침묵하는 누이의 모습으로부터 도시가 '미소를 침묵으로 바꾸어 놓는, 요컨대 우리가 만족해 있던 것을 그 반대로 치환시켜 버리는 세계(ⓑ)'라고 인식한다. 즉 '나'는 '도시'로 인해 '고향'에 만족하지 못하게 된다고 보므로, 두 공간을 이질적인 곳으로 인식함을 드러냈다고 볼 수 있다.
③ 어머니는 우리에게 마음을 쓰고 있다는 표시로 밀국수를 끓이고 '가장 부드러운 말씨와 정성어린 손짓(ⓒ)'으로 도시에서 어떤 일이 있었는지 털어 놓도록 유도했다고 볼 수 있다.
④ 누이는 도시에서의 경험을 질문하는 어머니에게 '왜 저를 태어나게 했어요.(ⓓ)'라고 말한다. 이에 어머니와 누이는 울고 '나'는 누이가 울음을 통해 '미안해요, 어머니'라고 말하고 싶었던 것이라 이해하는 것에서 누이의 '울음'에 미안함이 담겨 있다고 생각함을 알 수 있다.

**오답률 Best 5**

작품의 특정 부분에 밑줄을 긋고, 인물에 대해 적절하게 이해했는지 묻는다면 우선 밑줄에 주목해야 하지만, ⓐ~ⓔ뿐만 아니라 그 앞뒤 내용을 함께 보며 선지의 적절성을 판단할 수도 있어야 해. 많은 학생들이 오답인 ①번을 정답으로 골랐어.

⑤번부터 보면, 나는 도시에서의 기억으로 괴로워하는 누이를 고향의 '해풍으로 목욕'시켜 도시에서의 '이 년 동안을 씻어 버리'게 하고 싶어 하면서, '도시가 침범해 오지 않는 한, 우리는 한 고장을 지키기에 충분한 만족을 가지고 있'다며 도시를 잊고 고향의 삶에 만족하는 기쁨을 누이에게 알려주고 싶어 하지. ⓔ에서 나열한 것들 뒤에 '그것만이 인간인 것이냐?'라는 물음을 참고한다면 ⓔ에서 나열한 것들은 '나'의 입장에서 고향이 아니라 도시를 의미하는 것들이야.

많은 학생들이 '나'가 누이의 침묵은 '도시를 향한 항거'라고 생각하며 '틀림없이 이것인 모양'이라고 말했기 때문에 도시에 '두고 온 것들에게 보내는 마음의 등불 같은 저 눈빛'(ⓐ)은 그리움에서 비롯된 미련이 아니라 반감이라고 해석했어. 그러나 ⓐ 앞에서 '그렇다면 누이의 저 향수와 고독을 발산하는 눈빛, 사람들이 두고 온 것들에게 보내는 마음의 등불 같은 저 눈빛을'이라고 한 것을 보면 ⓐ는 '누이의 저 향수와 고독을 발산하는 눈빛'과 동일하게 그리움을 담고 있는 거야. 따라서 누이는 '침묵'으로 도시를 향해 항거하면서도, 도시에 미련을 갖고 있는 거라고 볼 수 있지.

[42~45] **고전수필+고전시가**

**42** ④ 정답률 **66%**

**정답풀이**

(가)에서 '장생'은 '바르지 못한 자가 많고 정직한 자가 적은 것이야 조금도 괴이한 것이 아니로구나.'라고 말하며 정직하지 못한 사람이 많고 정직한 사람이 적은 현실에 대한 비판적 인식을 드러내고 있다. 또한 (가)에서 '나'는 '조정을 한번 보게나.~고관지위에 올라 조정에서 거드름을 피우는 자들 치고 바른 도를 지닌 사람을 보지 못할 것이네.'에서 정직한 자보다 정직하지 못한 자들이 높이 등용되는 현실을 비판하고 있다. (나)와 (다)에서는 '고공(머슴)', '종'이 자신들의 의무를 게을리하여 세간이 무너진 현실을 비판하고 있다. 이에 대해 (나)는 '머슴들'이 '새 마음을 먹'어야 한다고 생각하고, (다)는 '마노라' 즉 주인의 태도 변화가 필요하다는 것을 강조하고 있다.

**오답풀이**

① (나)의 '처음의 할아버지 살림살이하려 할 때~농사지어 가멸게 살던 것을'에서 '우리 집'이 여러 대를 이어서 내려온 과거를 제시하고 있으나 이를 통해 현재 세간이 어렵게 된 것을 비판할 뿐 과거 지향적 태도를 드러낸다고 볼 수 없다. 또한 (가)와 (다)에서는 인물의 회상을 확인할 수 없다.

② (가)는 '장생'과 '나'의 대화로 전개되고 있고, (나)는 '고공'에게 말을 건네며 꾸짖는 방식으로 전개되고 있으며, (다)는 '고공'이 '마노라'에게 태도 변화가 필요함을 말하는 방식으로 전개되고 있을 뿐, (가)~(다)에서 공간의 이동에 따른 흐름은 확인할 수 없다.

③ (가)의 '자네도 큰 집을 한번 보게나.~이번에 또한 조정을 한번 보게나.'에서 '큰 집'과 '조정'을 사례로 들어 굽은 나무가 집짓기의 재목으로 쓰이지 않는 것과는 달리 바르지 못한 인재가 조정에 등용되는 현실을 구체적으로 표현하고 있다. 그러나 이를 통해 가치관의 대립을 강조한 것은 아니다. (나)와 (다)에서도 가상의 사례를 통해 가치관의 대립을 강조한 부분은 확인할 수 없다.

⑤ (나)는 과거에서 현재로 시간의 흐름에 따라 가세가 기울게 된 과정을 제시하고 있으나 자연의 변화상을 묘사하지는 않았다. (가), (다)에서 자연과 인간의 변화상을 묘사해 세월의 흐름을 드러낸 부분은 확인할 수 없다.

**43** ③ 정답률 **37%**

**정답풀이**

(가)의 '나'는 《서경》의 〈홍범〉편을 인용하여 '나무는 그 속성이 구부러지거나 바르다'고 하여 나무의 속성에는 곧음과 구부러짐이 모두 포함된다고 보았다. 한편 '나'는 공자의 말을 인용하여 자연물과 달리 '사람은 태어날 때부터 정직한 것'이며 '정직하지 않게 사는 자가 죽음을 모면하고 사는 것'은 요행이라고 말하며 자신의 생각을 강조하고 있다. 즉 '나'는 나무의 속성이 곧음과 구부러짐을 포함하는 것과 달리 인간의 천성은 오직 정직한 데 있다고 보고 있으므로 인간의 천성에는 올바름과 바르지 않음이 모두 포함된다고 정리하는 것은 적절하지 않다.

**오답풀이**

① '장생'은 나무를 여러 번 보고도 '쓸모없는 재목'임을 알지 못한 것처럼, 사람을 여러 번 보고도 본심을 알지 못하다는 공통점을 제시하고 있다.

② '장생'은 '쭉쭉 뻗어 곱게 자라야 함이 마땅'한 나무가 본래의 곧음에서 벗어나 곧게 자라지 못하는 경우가 있는 것처럼, '참된 성품'을 타고난 사람도 물욕과 이해관계로 인해 '본래의 모습을 벗어'나는 경우가 있다는 공통점을 제시하고 있다.

④ '나'는 '자네도 큰 집을 한번 보게나.~굽은 재목을 보지 못할 것이네.'에서 '곧은 나무'는 큰 집을 이루는 재목으로 사용되지만, '활줄처럼 곧으면 길가에서 죽'는다는 옛말을 인용해 곧은 사람은 세상에서 쓰이기 어렵다는 생각을 제시하고 있다.

⑤ '나'는 '곧은 나무'와 달리 '굽은 것'은 보잘것없는 목수에게도 선택되기 어렵지만, '사람 가운데 곧지 못한 자'는 치세일지라도 '내버리고 쓰지 않은 적이 없'으며 '정직하지 못한 사람'이 고관 지위에 올라 '굽은 나무보다 대우를 많이 받는다'는 생각을 제시하고 있다.

**오답률 Best 3**

고전수필에서 글쓴이는 자연물이나 어떤 현상을 보고, 이를 인간사와 연관지어 얻은 깨달음을 제시하는 경우가 많아. (가) 「곡목설」 또한 '장생'이 굽은 나무를 보고 탄식하며 이를 인간사와 연관지어 한 말에 '나' 또한 자기 생각을 얘기하는 내용으로 전개되고 있지. 장생이 '나무'의 속성에 '곧음과 구부러짐'이 모두 포함된 것처럼 사람 중에 '참된 성품'으로 정직하게 사는 사람과 '타고난 성품을 굽히고' 바르지 못하게 사는 자가 있음을 말하자, 이를 들은 '나'는 나무에 대한 장생의 말은 맞지만, '인간'의 천성은 정직하다고 해. 그러면서 정직하지 않게 살아가는 사람이 대우 받는 현실을 지적하지. 이 문제는 '나무'와 '인간사'에 대한 장생과 '나'의 생각을 정확히 파악했어야 풀 수 있는 문제였는데, 두 사람의 생각이 어느 지점에서 달랐는지 알아채지 못한 학생들이 장생의 생각을 '나'의 생각으로 착각해서 틀렸어. 고전수필에서 2명 이상의 사람이 나오면 각각의 생각 · 인식을 정확하게 이해해야 함을 놓치지 말자.

**44** ④ 정답률 **46%**

**정답풀이**

〈보기〉에서 '인물들 간에 주고받는 발화로 구성된 대화'가 '텍스트 단위로 이루어지면서 '텍스트 간의 대화'가 나타'난다고 했다. (나)의 화자 '나'가 가세가 기운 원인을 청자인 '고공(머슴)'의 탓으로 돌리자, (다)의 화자는 (나)의 화자의 '이 집 이리 되기'에는 머슴들뿐 아니라 '마노라 탓'도 있으니 '어른 종을 믿'고 '종들을 휘어잡'아 가세를 일으키자고 말하고 있다. 따라서 (다)의 화자는 자신의 발화를 (나)의 청자가 아닌, 화자에게 전달하고자 하는 의도를 지녔다고 보는 것이 적절하다.

**오답풀이**

① 〈보기〉에서 '인물들 간에 주고받는 발화로 구성된 대화가 작품 내에서 나타'난다고 했다. (가)에서 '장생'이 굽은 나무를 보고 말한 내용을 '나'가 듣고 대답하는 대화로 내용이 전개되고 있으므로 장생의 탄식이 대화의 실마리가 된다고 볼 수 있다.

② (가)에서 '나'는 장생의 말을 듣고 '그대의 세상에 대한 관찰력이 뛰어나네그려!'라며 긍정적으로 평가한 후 나무와 인간사의 관계에 대한 자신의 생각을 제시하고 있다.

③ 〈보기〉에서 '화자의 역할을 맡은 인물이 청자를 상정하지만 독백에 가까운 형태로 발화가 이루어지기도' 한다고 했다. (나)에서 화자는 '고공아' 등에서 청자로 상정한 '고공'에게 말을 건네지만, 이에 대한 '고공'의 반응은 확인할 수 없으므로 화자의 발화가 독백에 가까운 형태로 전달된다고 볼 수 있다.

⑤ 〈보기〉에서 '인물들 간에 주고받는 발화로 구성된 대화'가 '텍스트 단위로 이루어지면서 '텍스트 간의 대화'가 나타'난다고 했다. (나)의 화자가 '새끼 꼬며 이르리라'라고 한 것은 (다)의 화자가 '새끼 꼬기 멈추시고'라고 한 것과 대응되며, (나)의 '요사이 머슴들은 철이 어찌 아주 없어'는 (다)의 '철없는 종의 일은 묻지도 아니하려니와'와 대응된다. 또한 (나)의 제목이 「고공가」, (다)의 제목이 「고공답주인가」인 것도 (다)가 (나)에 대한 응답, 반응임을 보여 준다. 따라서 (다)가 (나)에 대한 화답임을 알 수 있게 하는 표현과, 제목을 통해 텍스트 간의 대화가 이루어지고 있음을 보여 준다고 볼 수 있다.

## 45 ② 정답률 51%

**정답풀이**

[B]는 머슴들이 '밥사발'이나 '옷' 같은 자신의 이익만 따지고 서로 미워하며 갈등하고 있음을 표현했다. '밥사발 큰지 작은지 옷이 좋은지 궂은지', '마음을 다투는 듯 호수를 시기하는 듯'에서 유사한 통사 구조를 반복하고 있으나, 비유적 표현은 확인할 수 없다. '마음을 다투는 듯 호수를 시기하는 듯'에서 '–듯'은 비유적 표현이 아니라 짐작이나 추측의 뜻을 나타내는 말로 사용되었다.

**오답풀이**

① [A]에서 조상인 '할아버지'께서 터를 닦아 이 집을 지어내 살림을 일으키고, '자손에게 물려줘 대대로 내려오'기까지 재산을 축적하게 된 과정을 시간의 흐름에 따라 제시하고 있다.

③ [C]의 '비가 새어~누가 고쳐 이며'와 '옷 벗어~누가 고쳐 쌓을까'에서 유사한 통사 구조를 반복하고 있다. 이를 통해 '비가 새어 썩은 집'과 '옷 벗어 무너진 담'을 고쳐야 하는 문제 상황이 드러난다고 볼 수 있다.

④ [D]의 '옥 같은 얼굴 편하실 적 몇 날이리'에서 화자는 설의적 표현을 사용해 '마노라'에 대한 걱정을 표현하고 있다. 이를 통해 '크게 기운 집'을 걱정하는 '마노라'의 시름 등의 심리적 부담감을 부각했다고 볼 수 있다.

⑤ [E]에서 앞 구절의 마지막을 이어지는 구절에서 반복하여 받는 연쇄적 표현을 사용하고 있으며, 이를 통해 청자가 해야 할 일의 우선순위가 '어른 종을 믿'는 것, '상벌을 밝히'는 것, '종들을 휘어잡'는 것임을 밝혔다고 볼 수 있다.

# 17회

2017학년도 11월 학평

| 1. ③ | 2. ④ | 3. ② | 4. ② | 5. ④ | 6. ⑤ | 7. ⑤ | 8. ① | 9. ③ | 10. ⑤ |
|---|---|---|---|---|---|---|---|---|---|
| 11. ③ | 12. ③ | 13. ④ | 14. ⑤ | 15. ⑤ | 16. ⑤ | 17. ⑤ | 18. ③ | 19. ⑤ | 20. ④ |
| 21. ① | 22. ② | 23. ① | 24. ⑤ | 25. ③ | 26. ⑤ | 27. ⑤ | 28. ② | 29. ② | 30. ④ |
| 31. ④ | 32. ① | 33. ⑤ | 34. ⑤ | 35. ③ | 36. ③ | 37. ③ | 38. ① | 39. ① | 40. ④ |
| 41. ② | 42. ④ | 43. ① | 44. ⑤ | 45. ③ | | | | | |

오답률 Best 5

[1~3] **화법**

**1** ③ 정답률 **90%**

정답풀이

'반대 1'은 '찬성 1'의 반대 신문에 대해 SNS상에서의 소통은 '질문과 답변이 연속적으로 오가기도 하고 실시간으로 댓글을 달아야 하는 경우가 많기 때문에 부담이 될 수 있다'고 답변하고 있을 뿐, 기존 선거 운동 방식의 긍정적 측면을 강조하고 있지 않다.

오답풀이

① '찬성 1'은 작년에 선거 운동에 참여하여 '학생들의 호응을 이끌어 내기가 무척 어려웠'던 자신의 과거 경험을 주장의 근거로 활용하고 있다.
② '찬성 1'은 '반대 2'의 반대 신문에 대해 '우리 학교의 SNS 사용에 대한 실태 조사 결과 86% 이상의 학생이 SNS를 사용하는 것으로 나타났'다는 구체적인 수치를 활용하여 답변하고 있다.
④ '찬성 2'는 '후보자가 학생들의 의견을 지속적으로 확인하기 어려웠'다는 기존 선거 운동 방식의 문제점을 들어 SNS를 활용하면 '후보자와 학생들 간의 소통이 더욱 활발'해질 수 있다는 효과를 강조하고 있다.
⑤ '반대 2'는 SNS를 선거 운동에 활용하면 '자유롭고 활발한 의사소통을 할 수 있게 된다는' 찬성 측의 의견을 일부 인정한 뒤 자신의 주장을 제시하고 있다.

**2** ④ 정답률 **85%**

정답풀이

'반대 2'는 두 번째 입론에서 SNS를 활용한 선거 운동은 '비방과 거짓 정보가 확산되는 등 역기능이 나타날 수 있'다고 주장하였다. 이에 대해 상대 후보에 대한 비방과 거짓 정보의 확산이 SNS만의 문제라고 할 수 있는지 질문하며 상대 입론의 허점을 지적하는 것은 '찬성 2'가 발언할 반대 신문의 내용으로 적절하다.

오답풀이

① '반대 2'는 두 번째 입론에서 선거 운동에 SNS를 활용하면 '비방과 거짓 정보가 확산되는' 역기능이 나타날 수 있음을 언급하였고, '이에 대한 학교 차원에서의 규제가 현실적으로 쉽지 않'다는 점을 제시했으므로, 이는 '찬성 2'가 발언할 반대 신문의 내용으로 적절하지 않다.
② '반대 2'는 두 번째 입론에서 '후보 간의 과열 경쟁'과 '비방과 거짓 정보'에 대한 '학교 차원에서의 규제가 현실적으로 쉽지 않'다고 했으므로, 이는 '찬성 2'가 발언할 반대 신문의 내용으로 적절하지 않다.
③ 기존 선거 운동 방식보다 SNS에서 거짓 정보의 파급력이 더 크다는 주장은 찬성 측의 입장에 맞지 않다.
⑤ '반대 2'는 두 번째 입론에서 비방과 거짓 정보에 의한 의식 개선의 필요성을 언급하지 않았으므로, 이와 관련하여 반대 신문을 하는 것은 적절하지 않다.

**3** ② 정답률 **85%**

정답풀이

〈보기〉의 '동원이론'에서는 인터넷의 '상호 작용적 특성으로 인해' 인터넷 이용의 증가가 '시민들의 정치 참여를 높이는 역할을 한다.'라고 하였다. '찬성 2'는 두 번째 입론에서 '학생회장 선거에 SNS를 활용한다면 후보자와 학생들 간의 소통이 더욱 활발해질 수 있'다고 하였으므로 여기에 〈보기〉의 자료를 근거로 활용할 수 있다.

오답풀이

① SNS를 통해 공약의 실현 가능성을 판단할 수 있다는 주장은 '찬성 1'이 아닌 '찬성 2'의 입론 내용이다.
③ '반대 1'의 반대 신문에 대한 '찬성 2'의 답변에서 SNS를 통해 '다양한 의견과 정보를 확인할 수 있어 소통의 질을 높일 수 있'다고 하였다. 이는 인터넷이 '전자적 피드백 장치의 역할'을 한다는 〈보기〉의 내용과 부합하므로 〈보기〉를 찬성 2에 대한 반박 근거로 활용할 수 없다.
④ 〈보기〉의 '동원이론'에서 인터넷이 정보 습득을 용이하게 한다는 내용은 'SNS를 활용한 선거 운동을 도입할 경우' '시간과 노력이 더 많이' 든다는 '반대 1'의 주장과 상반된다.
⑤ SNS를 활용한 선거 운동에 모든 학생들이 관심을 가져야 한다는 내용은 '반대 2'의 주장이 아니다.

[4~6] **작문**

**4** ② 정답률 **87%**

정답풀이

3문단에서 '이러한 문제가 발생하는 원인은 무엇일까?'라고 묻고 '먼저 창업에 뛰어들어~하나의 원인이다.'라고 답하는 방식을 활용하여 청년 창업이 활성화되지 못하는 문제의 원인을 효과적으로 전달하고 있다.

오답풀이

① 인용을 통해 청년 창업이 활성화되지 못하는 상황의 심각성을 제시하고 있지 않다.
③ 청년 창업을 활성화하는 해결 방안의 장단점을 비교하고 있지 않다.
④ 청년 창업 활성화와 관련된 이론을 제시하고 있지 않다.
⑤ 정의의 방식을 활용하여 논의의 범위를 한정하고 있지 않다.

**5** ④ 정답률 **60%**

정답풀이

Ⅰ-2에서 청년들이 창업을 주저하는 이유로 자금 부담이 가장 크다는 것을 알 수 있고, Ⅲ에서는 해외의 경우 '좋은 창업 계획만 있다면 정부가 심사를 통해 금융권 대출을 용이하게' 해 준다는 내용이 제시되어 있다. 그러나 이를 활용하여 금융권이 창업 자금 지원 제도의 홍보에 적극적으로 나서야 한다는 내용을 추가하기는 어렵다.

오답풀이

① Ⅰ-1은 청년들의 창업에 대한 관심도가 2015년 32%에서 2017년 66%로 두 배 이상 증가하였음을 보여 주는 통계 자료로, 1문단에서 '창업에 대한 청년들의 관심이 높아지고 있다'는 내용의 근거 자료로 활용할 수 있다.
② Ⅰ-2는 청년들이 창업을 주저하는 이유를 조사한 통계 자료로, 그중 재기 부담이 61%로 응답되었다. 이는 3문단에서 청년들이 창업에 '성공하지 못했을 경우 재기에 대한 부담이 크'다는 내용의 근거 자료로 활용할 수 있다.
③ Ⅱ는 청년 창업 실태 조사에 대한 신문 기사로, 청년 창업에서 '숙박업, 요식업과 같은 단순 서비스업'의 비중이 64%로 높게 나타났음을 보여 준다. 이는 2문단에서 청년 창업이 '단순 서비스업에 편중되어' 있다는 실태를 뒷받침하는 근거 자료로 활용할 수 있다.
⑤ Ⅱ에서는 '창업을 희망하는 청년과 선배 창업 전문가의 인적 교류'를 통해 '협업과 공동 창업'을 유도하는 □□시의 정책이 호응을 얻고 있음을 제시하고, Ⅲ에서는 '예비 청년 창업자들 간의 정보 공유나 창업 전문 컨설턴트나 투자자와의 인적 교류'를 통해 창업이 성공으로 이어지는 해외 사례를 언급하고 있다. 이를 활용하여 4문단에 창의적 아이디어를 창업으로 실현할 수 있는 구체적 방법을 추가할 수 있다.

## 6 ⑤ 정답률 77%

정답풀이

선생님의 조언에 따라 청년 창업이 활성화되었을 때 '청년 실업은 줄어들고 청년 일자리는 늘어'날 것이라는 기대 효과를 드러내고 있으며, '노력이 열매를 맺어'와 '경제 발전의 토대'에는 비유법이, '청년 실업은 줄어들고 청년 일자리는 늘어나서'에는 대구법이 나타난다.

오답풀이

① '자금 마련에 대한 부담은 덜어주고 기술 습득에 대한 기회는 늘려 준다면'에서 대구법을 사용하였으나, 청년 창업이 활성화되었을 때의 기대 효과와 비유법은 찾아볼 수 없다.
② '청년들의 뜨거운 열정과 노력이 결실을 맺을 수 있는 토양'에서 비유법을 사용하였으나, 청년 창업이 활성화되었을 때의 기대 효과와 대구법은 찾아볼 수 없다.
③ '더욱 역동적이고 혁신적인 사회를 만들 수 있을 것이다.'에 청년 창업이 활성화되었을 때의 기대 효과가 제시되었고, '청년들의 꿈과 창의적 아이디어가 꽃핀다면'에서 비유법이 사용되었으나, 대구법은 찾아볼 수 없다.
④ '취업 걱정은 사라질 것이다.'에 청년 창업이 활성화되었을 때의 기대 효과가 제시되었고, '창업 역량을 높이고 자금 부담을 낮춘다면'에서 대구법이 사용되었으나, 비유법은 찾아볼 수 없다.

# [7~10] 화법과 작문

## 7 ⑤ 정답률 77%

정답풀이

(가)의 발표자는 마지막 부분에서 발표한 내용을 요약하여 나열하고 있지 않다.

오답풀이

① (가)의 발표자는 '해외에 있는 실패작 박물관의 모습을 담은 동영상'과 '박물관을 찾은 관람객과의 인터뷰' 영상을 보여주며 청중의 이해를 돕고 있다.
② (가)의 발표자는 '어떤 전시품이 가장 인상적이었나요? (청중의 대답을 듣고)'에서 질문을 던지고 청중의 반응을 확인하며 청중과의 상호작용을 강화하고 있다.
③ (가)의 발표자는 '(목소리에 힘을 주어)'와 같은 반언어적 표현을 사용하여 발표 내용을 효과적으로 강조하고 있다.
④ (가)의 발표자는 도입부에 "실패작 박물관'과, 실패를 대하는 자세를 담은 책의 내용을 바탕으로 실패 극복 방법을 소개하고자' 한다고 하며 청중이 발표 내용을 예측하며 듣도록 하고 있다.

## 8 ① 정답률 86%

정답풀이

(가)에서 발표자는 '해외에 있는 실패작 박물관'을 소개하고 있다. 따라서 청중은 해외뿐 아니라 우리나라에도 실패작 박물관이 있는지에 대해 추가 질문을 할 수 있다.

오답풀이

② (가)에서 발표자는 실패작 박물관의 '원래 명칭은 신제품 작업소였'다고 밝히고 있다.
③ (가)에서 발표자는 '시장에서 성공하지 못한 수많은 제품들을~전시하여 실패에서 배움을 얻을 수 있게 합니다.'라고 하며 실패작 박물관의 의의를 밝히고 있다.
④ (가)에서 발표자는 실패작 박물관에 '현재는 10만여 점의 제품이 전시되어 있'다고 밝히고 있다.
⑤ (가)에서 발표자는 실패작 박물관의 전시품은 '이제 더 이상 시중에서 볼 수 없는 것들'이라고 하였다.

## 9 ③ 정답률 78%

정답풀이

(가)에서 발표자는 실패를 '정면으로 바라보는 것이 실패 극복의 중요한 방법'이라고 하였으나, (나)에 실패를 숨기려고 했던 인식이 전환된 내용은 언급되어 있지 않다.

오답풀이

① (가)에서 발표자는 '실패의 원인을 찾는 노력이 필요'하다고 하였고, (나)의 4문단은 자율 동아리에서 '친구들의 관심을 고려'하여 읽을 책의 목록을 선정하지 못했던 것과 '바뀐 모임 장소와 시간을 제때에' 알리지 못했던 것을 실패의 원인으로 분석하고 있다.
② (가)에서 발표자는 '실패의 상황을 구체적으로 적어' 보라고 하였고, (나)의 2문단은 친구들이 점점 계획대로 책을 읽지 못하고, 토론 모임의 횟수도 줄어 결국 활동 보고서를 제출하지 못했던 실패의 경험을 자세하게 언급하고 있다.
④ (가)에서 발표자는 '실패의 상황을 긍정적으로 재해석해야' 하고 '여기에는 자기 인정이 필요'하다고 하였다. (나)의 3문단은 '모임 장소를 구하'고, '토론 모임에 자주 빠진 친구들을 찾아가' 설득하는 등 동아리 부장으로서 자신이 한 일을 긍정적으로 재해석하고 있다.
⑤ (가)에서 발표자는 '실패 속에 숨어 있는 긍정적인 의미를 발견하는 것이 실패를 성공의 어머니로 만드는 열쇠'라고 하였고, (나)의 5문단은 실패의 경험을 통해 '내년에는 자율 동아리를 잘 운영할 수 있을 것'이라는 기대를 드러내고 있다.

## 10 ⑤ 정답률 89%

정답풀이

'내년에는 자율 동아리를 잘 운영할 수 있을 것이란 생각이 든다.'의 생략된 주어는 '내가'이다. 이때 '내가'와 호응하는 서술어는 ⓜ(운영할)으로 들어가는 것이 적절하므로 피동의 의미를 나타내는 '운영될'로 고쳐 쓰는 것은 적절하지 않다.

오답풀이

① '읽고'는 목적어를 필수적으로 요구하는 서술어이므로, ㉠에 '책을'이라는 목적어를 추가하는 것은 고쳐 쓰기 방안으로 적절하다.
② ㉡(하지만)의 앞에는 읽을 책의 목록을 정한 후 각자 책을 읽고 토론하기로 했다는 내용이, 뒤에는 활동 일지를 바탕으로 학기말에 최종 활동보고서를 제출하기로 했다는 내용이 제시되어 있다. 따라서 서로 상반되는 내용을 연결하는 ㉡을 앞뒤 내용을 병렬적으로 연결할 때 쓰는 접속어 '그리고'로 바꾸는 것은 고쳐 쓰기 방안으로 적절하다.
③ ㉢(토론은 사고력 향상에 도움을 준다.)은 한 학기 동안 동아리 부장으로서 한 일을 돌아보는 3문단의 내용적 맥락과 어긋나는 불필요한 문장이다. 따라서 통일성을 위해 ㉢을 삭제하는 것은 고쳐 쓰기 방안으로 적절하다.
④ ㉣(알려서 공지해)의 '공지하다'는 '사람들에게 널리 알리다.'라는 의미로, '알려서'와 의미가 중복되므로, '알려서'를 삭제하는 것은 고쳐 쓰기 방안으로 적절하다.

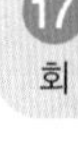

## [11~15] 문법(언어)

### 11 ③ 정답률 76%

정답풀이

'맛없다[마덥따]'는 '맛'의 받침 'ㅅ'이 'ㄷ'으로 교체되는 음절의 끝소리 규칙과 '없'의 받침 'ㅄ'에서 'ㅅ'이 탈락하고 'ㅂ'이 남는 자음군 단순화, 'ㅂ'의 영향으로 '다'의 초성 'ㄷ'이 'ㄸ'으로 교체되는 된소리되기가 일어나므로, 교체(음절의 끝소리 규칙, 된소리되기)와 탈락(자음군 단순화) 현상이 일어나는 ⓐ에 해당한다. '영업용[영엄뇽]'은 '용'에 'ㄴ'이 첨가되는 'ㄴ' 첨가와 '업'의 받침 'ㅂ'이 비음 'ㄴ'의 영향으로 'ㅁ'으로 교체되는 비음화가 일어나므로 첨가와 교체 현상이 일어나는 ⓒ에 해당한다. '깨끗하다[깨끄타다]'는 '끗'의 받침 'ㅅ'이 음절의 끝소리 규칙에 의해 'ㄷ'으로 교체되고, 이 'ㄷ'과 '하다'의 'ㅎ'이 만나 'ㅌ'으로 축약되는 거센소리되기가 일어나므로 교체와 축약이 일어나는 ⓑ에 해당한다. 마지막으로 '급행열차[그팽녈차]'는 '급'의 받침 'ㅂ'과 '행'의 첫소리 'ㅎ'이 만나 'ㅍ'으로 축약되는 거센소리되기와 '열차'의 '열'에 'ㄴ'이 첨가되는 'ㄴ' 첨가가 일어나므로 축약과 첨가가 일어나는 ⓓ에 해당한다.

### 12 ③ 정답률 90%

정답풀이

'버스가 고장이 나 승객들이 차표를 도로 물리는 소동이 있었다.'에서 '물리다'는 물리다[3][1] 「1」의 용례에 해당한다.

오답풀이

① 물리다[1], 물리다[2], 물리다[3]은 사전에 각각 별개의 표제어로 등재되어 있으므로 동음이의 관계로 볼 수 있다.
② 물리다[2]와 물리다[3]은 [1], [2]와 같이 하나의 단어가 두 가지 이상의 뜻을 가지고 있으므로 다의어로 볼 수 있다.
④ 물리다[2][1]은 【…에/에게 …을】, 물리다[1]은 【…에/에게】와 같은 문형 정보가 제공된 점을 참고할 때 물리다[2][1]의 서술어가 요구하는 필수적 문장 성분이 더 많다고 볼 수 있다.
⑤ '약속 날짜를 이틀 뒤로 물리다.'라는 용례를 볼 때 ㉠에 '정해진 시기를 뒤로 늦추다.'가 들어갈 수 있다.

### 13 ④ 정답률 73%

정답풀이

ㄹ에서 '아주'는 뒤에 오는 관형사 '새'를 수식하고 있다.

오답풀이

① ㄱ에서 '매우'는 뒤에 오는 부사 '빨리'를 수식하고 있다.
② ㄴ에서 '설마'는 '나에게 맞는 옷이 없을까?'라는 문장을 수식하는 문장 부사로 볼 수 있다.
③ ㄷ에서 '바로'는 뒤에 오는 명사 '옆'을 수식하고 있다.
⑤ ㅁ에서 '과연'은 '그 아이는 재능이 정말 뛰어나군.'이라는 문장을 수식하고 있는 문장 부사라고 볼 수 있으나, '정말'은 뒤에 오는 형용사 '뛰어나군'을 수식하고 있다.

### 14 ⑤ 정답률 77%

정답풀이

2문단에 따르면 일반적으로 발화시보다 사건시가 선행할 때 과거 시제 선어말 어미 '-았-/-었-'을 사용한다. 그러나 '이제 나무 아래에서 낮잠은 다 잤다.'는 '(나무가 잘려) 앞으로는 나무 아래에서 낮잠을 잘 수 없다.'는 의미를 나타내므로 '-았-/-었-'이 사건시가 발화시 이후인 미래의 일을 표시하는 데에 쓰인 경우라고 볼 수 있다.

오답풀이

① 3문단에 따르면 사건시와 발화시가 일치하는 시간 표현은 현재 시제이다. '나는 묘목을 심는다.'는 선어말 어미 '-는-'을 사용한 현재형 표현이므로 적절하다.
② 4문단에 따르면 사건시가 발화시 이후인 시간 표현은 미래 시제이다. '묘목이 자라면 나무 아래에서 잘 수 있겠지.'는 선어말 어미 '-겠-'을 사용한 미래형 표현이므로 적절하다.
③ 2문단에 따르면 현재에서 먼 과거는 '-았었-/-었었-'을 통해 표현된다. '나는 묘목을 심었었지.'는 선어말 어미 '-었었-'을 사용하여 시간적으로 거리가 먼 과거를 나타낸 표현이므로 적절하다.
④ 2문단에서 발화자가 과거에 경험한 일을 회상할 때 쓰이는 과거 시제 선어말 어미 '-더-'는 주어가 1인칭인 경우 쓰임에 제약이 따르기도 한다고 했다. '나는 나무 아래에서 자더라.'는 주어가 1인칭인 경우에 '-더-'의 쓰임에 제약이 있어 표현이 어색한 경우로 볼 수 있으므로 적절하다.

### 15 ⑤ 정답률 70%

정답풀이

(마)의 '닐오리라'에서 미래의 의미를 나타내는 선어말 어미 '-리-'는 현대 국어에서도 미래의 의미를 나타내므로 적절하지 않다.

오답풀이

① (가)의 '명종호라'는 시제를 나타내는 선어말 어미 없이 '죽었다'라는 과거의 의미를 나타내고 있다.
② (나)의 '롱담ᄒᆞ다라'에서 선어말 어미 '-다-'는 1인칭 주어 '내'와 함께 쓰여 '농담하였다'라는 과거의 의미를 나타내고 있다.
③ (다)의 '묻ᄂᆞ다'는 선어말 어미 '-ᄂᆞ-'가 쓰여 '묻는다'라는 현재의 의미를 나타내고 있다.
④ (라)의 'ᄒᆞᄂᆞ니라'는 현재형 선어말 어미 '-ᄂᆞ-'를 사용하여 '하늘이며 사람 사는 땅을 다 모아서 세계라 한다'는 보편적 사실을 나타내고 있다.

## [16~20] 인문

### 16 ⑤ 정답률 88%

정답풀이

2문단에서 파르메니데스는 '세계는 존재하는 것들이 하나로 뭉쳐 있고 빈 공간이 없기 때문에 변화가 가능하지 않다고 보았'으므로 세계를 구성하는 요소에 존재하지 않는 것들이 포함된다고 인식한 것은 아니다.

오답풀이

① 2문단에서 파르메니데스는 '우리가 일상에서 감각을 통해 흔히 경험하는, 변화라고 믿는 현상이 사실은 착각 또는 환상에 불과하다고 간주'했음을 알 수 있다.
② 2문단에서 헤라클레이토스는 '강물'이나 '불'과 같은 자연 현상을 통해 변화의 실재를 설명하였음을 알 수 있다.
③ 3문단에서 플라톤은 '모든 것이 항상 변화한다는 헤라클레이토스의 견해를 현실 세계에, 아무것도 변화하지 않는다는 파르메니데스의 견해를 이상 세계에 적용하여 이원론적 세계관을 확립했'음을 알 수 있다.
④ 1문단에서 아리스토텔레스는 변화에 대한 '학문적 성과를 이룰 수 있었'음을 알 수 있고, 6문단에서 이러한 아리스토텔레스의 학문적 성과가 '근대 자연 과학의 발전에 밑바탕이 되었'음을 알 수 있다.

### 17 ⑤ 정답률 81%

정답풀이

3문단에서 '아리스토텔레스는 플라톤이 주장하는 이상 세계를 거부했'으며, '변화의 실재에 대한 헤라클레이토스와 파르메니데스의 상반된 견해를 어떤 방식으로든 현실 세계에 적용하려고 노력했다.'라고 하였으므로 아리스토텔레스가 파르메니데스와 헤라클레이토스의 견해를 이상 세계에 적용하였다는 진술은 적절하지 않다.

오답풀이

①, ② 3문단의 '플라톤은 모든 것이 항상 변화한다는 헤라클레이토스의 견해를 현실 세계에, 아무것도 변화하지 않는다는 파르메니데스의 견해를 이상 세계에 적용하여 이원론적 세계관을 확립했다.'를 통해 알 수 있다.
③, ④ 3문단에서 아리스토텔레스는 '변화의 실재에 대한 헤라클레이토스와 파르메니데스의 상반된 견해를 어떤 방식으로든 현실 세계에 적용하려고 노력했다.'라고 한 것을 통해 알 수 있다.

## 18 ③ 정답률 78%

정답풀이

[A]의 '실체적 변화란 실체의 변화 정도가 커서 기체가 무엇인지 분명하지 않은 변화를 가리킨다.'와 '애벌레가 나비가 되는 것을 그 예로 들 수 있는데'를 통해 ㄴ에서 올챙이가 개구리가 된 것은 실체의 변화 정도가 커서 기체가 분명하게 식별되지 않는 실체적 변화에 해당한다고 볼 수 있다.

오답풀이

① [A]에서 '비실체적 변화'에는 '이곳에서 저곳으로 장소를 이동하는 장소 변화'가 있다고 하였으므로, ㄱ에서 변화 전의 개구리가 다른 장소에서 이동해 온 것은 비실체적 변화에 해당한다고 볼 수 있다.

② [A]에서 '비실체적 변화에는 얼굴이 빨개지는 등의 질적 변화'가 있다고 하였으므로, ㄱ에서 변화 전의 개구리의 피부색이 변화 후와 같이 바뀐 것은 색깔이라는 형상이 대체된 질적 변화에 해당한다고 볼 수 있다.

④ [A]에서 '비실체적 변화'에는 '작은 풍선이 커지거나 살이 찌거나 빠지는 등의 양적 변화'가 있다고 하였으므로, ㄷ은 변화 전과 변화 후의 개구리라는 실체의 크기가 양적으로 증가한 비실체적 변화에 해당한다고 볼 수 있다.

⑤ [A]의 '모든 변화에서 기체가 유지된다는 것을 전제하기 때문이다.'를 통해 아리스토텔레스의 입장에서 ㄱ, ㄴ, ㄷ은 모두 변화 과정에서 기체가 실체의 기저에 깔려 있다는 공통점을 갖고 있다고 볼 수 있다.

## 19 ⑤ 정답률 77%

정답풀이

〈보기〉에서 탈레스는 '아르케'를 주장한 그리스 철학자에 해당하므로, '절대적인 무에서의 생성과 절대적인 무로의 소멸을 인정하지 않았'음을 알 수 있다. 이때 5문단에서 아리스토텔레스 역시 '무에서의 생성과 무로의 소멸을 인정하지 않는'다고 하였으므로 적절하다.

오답풀이

① 2문단에서 '헤라클레이토스는 모든 것이 항상 변화하고 있다고 믿었'고 그 믿음을 '강물'과 '불'을 통해 설명하였다. 그러나 〈보기〉에서 탈레스는 '불'이 아닌 '물'을 통해 변화를 설명하고 있다.

② 〈보기〉에서 탈레스가 '현실에서 경험적으로 나타나는 변화를 인정'한 것은 맞지만, 4문단에서 아리스토텔레스도 '변화란 현실 세계에서 실체의 기저에 깔린 머리카락이라는 기체 위에서 검은색의 형상이 흰색의 형상으로 대체되는 현상과 같은 것이라고 보았다.'라고 했으므로, 아리스토텔레스 역시 현실에서 경험적으로 나타나는 변화를 인정함을 알 수 있다.

③ 2문단에서 파르메니데스는 '변화라는 현상 그 자체를 부정했'고, 〈보기〉에서 탈레스는 변화를 인정하면서 근원적인 요소 자체는 변하지 않는다고 보았다. 따라서 파르메니데스가 탈레스와 달리 만물의 근원적 요소 그 자체는 변할 수 없다고 여겼다고 할 수 없다.

④ 〈보기〉에서 탈레스는 '물'이 '여러 가지로 변형되면서 다양한 형태의 사물들을 구성'한다고 보면서 경험적인 변화를 인정했지만, 2문단에서 파르메니데스는 '변화라는 현상 그 자체를 부정'하면서 '감각을 통해 경험하는, 변화라고 믿는 현상이 사실은 착각 또는 환상에 불과하다고 간주했'으므로, '물'이 다양한 형태의 사물들을 구성한다고 인식한 것은 탈레스뿐이다.

## 20 ④ 정답률 84%

정답풀이

㉠(펼쳤다)은 '생각 따위를 전개하거나 발전시키다.'라는 의미로, ④번의 '펼쳤다'와 그 문맥적 의미가 유사하다.

오답풀이

① '접히거나 개킨 것 따위를 널찍하게 펴다.'의 의미이다.

② '펴서 드러내다.'의 의미이다.

③ '보고 듣거나 감상할 수 있도록 사람들 앞에 주의를 끌 만한 상태로 나타내다.'의 의미이다.

⑤ '꿈, 계획 따위를 이루기 위해 행동하다.'의 의미이다.

# [21~24] 현대시+현대수필

## 21 ① 정답률 51%

정답풀이

(가)는 '제비 같은 이야기', '수평선이 층계처럼', '바다의 가슴에 화살처럼 박히고', '곰팡이처럼 얼룩진 수염' 등에서, (나)는 '칠흑 같은 어둠'에서, (다)는 '침묵의 시간으로 돌아간 듯', '한 그루 나무처럼'에서 직유법을 활용하여 대상을 구체화하고 있다.

오답풀이

② (나)에서는 '어려서', '조금 자라서', '소년 시절' 등 화자가 성장하면서 '대처로 나'오고 '바다를 건너 먼 세상으로 날아도 가'게 되는 과정을 제시하며 점층적인 방식으로 시상을 전개하고 있다고 볼 수 있으나, (가)와 (다)에는 점층적인 방식이 나타나지 않는다.

③ (가)는 '소년일 수 없고나'에서, (다)는 '마음이 흔들렸던가', '보냈던가' 등에서 영탄적 표현을 사용하였다고 볼 수 있으나, (나)에서는 영탄적 표현을 통해 고조된 감정을 나타내고 있지 않다.

④ (가)~(다) 모두 명령형 어미를 반복하고 있지 않다.

⑤ (나)의 '하지만 멀리 다닐수록, 많이 보고 들을수록 / 이상하게도 내 시야는 차츰 좁아져'에서 역설적 표현이 사용되었으나, (가)와 (다)에서는 역설적 표현이 사용되지 않았다.

**오답률 Best 5**

이 문제는 표현상의 특징을 묻는 문제야. 오답 선지 중에서 ②번의 선택 비율이 30%로 가장 높은데, 점층적인 방식에 대해 묻고 있어. 점층법은 문장의 뜻을 점점 강하게 하거나, 크게 하거나, 높게 하여 마침내 절정에 이르도록 하는 수사법이야. (가)와 (다)에서는 이러한 점층적 기법이 나타나지 않기 때문에 적절하다고 볼 수 없는 거지.

## 22 ② 정답률 84%

정답풀이

〈보기〉에서 (가)의 '화자는 과거와 대비되는 현재의 모습을 통해 단절감을 드러'낸다고 했으므로, (가)의 화자는 '또다시 가슴이 둥근 소년일 수 없'다고 말하며 소년 시절로 돌아갈 수 없다는 단절감을 드러내고 있다고 볼 수 있다. 그러나 (나)의 '다시 이것이 / 세상의 전부가 되었다'는 넓은 세상에 대한 화자의 동경이 아니라, '성장하면서 넓은 세상에서 경험이 확장되었던 화자가' 다시 '젊은 어머니'와 '주름진 할머니'라는 모성의 이미지로 회귀하려는 모습을 드러내는 것으로 볼 수 있다.

오답풀이

① 〈보기〉에서 '(가)와 (나)에는 시간의 흐름'이 나타난다고 하였다. 이를 바탕으로 (가)는 '그날'과 '오늘'에서, (나)는 '어려서'와 '조금 자라서', '소년 시절'에서 시간의 흐름이 나타난다고 볼 수 있다.

③ 〈보기〉에서 (가)에는 '과거와 대비되는 현재의 모습'이 나타난다고 하였다. 이를 바탕으로 (가)의 '제비 같은 이야기는 바다 건너로만 날'렸던 '그날'의 모습과 달리 '봉해진 입술에는 바다 건너 이야기가 없'는 '오늘'의 모습에서 꿈이 있었던 소년 시절과 대비되는 현재 모습이 드러난다고 볼 수 있다.

④ 〈보기〉에서 (나)의 화자는 '성장하면서 넓은 세상에서 경험이 확장되었'다고 하였다. 이를 바탕으로 (나)의 화자는 성장하면서 '칸델라불 밑', '전등불 밑', '대처'에서 다양한 경험을 하고 있다고 볼 수 있다.

⑤ 〈보기〉에서 (나)의 화자는 '모성의 이미지로 대표되는 유년 시절의 가치로 회귀하고자 하는 모습'을 나타낸다고 하였다. 이를 바탕으로 (나)의 '젊은 어머니'와 '주름진 할머니의 / 실루엣'은 화자가 경험한 유년 시절의 모성의 이미지로, 화자가 회귀하고자 하는 가치라고 볼 수 있다.

## 23 ① 정답률 81%

정답풀이

(나)에서 화자는 '먼 세상으로 날아'가서 '많은 것을 보고 많은 것을 들었'다고 하였으므로, ㉠(먼 세상)은 '나'가 견문을 넓히는 공간이라고 볼 수 있다.

17회

오답풀이

② ⓒ(산)은 '나'가 약수터의 참나무를 보며 '한 그루 나무'로 살고 싶다는 소망을 드러내는 공간이다. 따라서 '나'가 이 공간에서 방황하며 슬픔을 느끼고 있다고 볼 수 없다.
③ ㉠은 '많은 것을 보고 많은 것을 들'은 공간이므로 부끄러움을 환기하는 것과는 관련이 없다.
④ ⓒ을 통해 어떠한 대상의 부재를 인식하는 모습은 확인할 수 없다.
⑤ ㉠과 ⓒ에서 '나'가 시련을 겪거나 극복하는 모습은 확인할 수 없다.

## 24 ⑤ 정답률 86%

정답풀이

[E]에서 글쓴이는 '겉모습은 어쩔 수 없이 변하더라도 속마음은 변하지 않는 사람이 되고 싶다.'라고 하였으므로, 나무를 본받아 겉과 속이 일치하는 사람이 될 것을 다짐한다고 보기 어렵다.

오답풀이

① [A]에서 글쓴이는 '나무에 박혀 있는 녹슨 대못'을 발견하고, '두고두고 그 대못이 가슴에 남았다.'라고 하며 연민을 느끼고 있다.
② [B]에서 글쓴이는 '장도리를 챙겨 넣고 약수터로 올라'가 나무의 '녹슨 못을 빼내고 나니 마음이 그렇게 후련할 수가 없었다.'라고 하였다.
③ [C]에서 글쓴이는 '나무는 언제나 그 자리에 서 있었고 내게 시원한 그늘을 내 주며 때로는 미소를 짓거나 무어라 말을 건네 오는 것 같았다.'라고 하며 나무에 대한 친밀감을 드러낸다.
④ [D]에서 글쓴이는 '헐벗은 나무'를 보며 '그동안 나'가 어떠했는지를 되돌아보고 과거 자신의 모습을 성찰하고 있다.

[25~29] **과학+기술**

## 25 ③ 정답률 83%

정답풀이

윗글은 탄성력에 의한 '퍼텐셜 에너지'의 전환과 진동의 '감쇠 현상'을 설명한 뒤 이를 응용한 현가장치의 스프링과 쇼크업소버의 작동 원리에 대해 설명하고 있다.

오답풀이

① 윗글에서 현가장치 스프링과 쇼크업소버의 역사에 대한 내용은 언급하지 않았다.
② 윗글에서 평형점의 이동 원리는 언급하지 않았다.
④ 윗글에서 쇼크업소버의 단점은 언급하지 않았다.
⑤ 윗글에서 열에너지의 감소 과정은 언급하지 않았다.

## 26 ⑤ 정답률 84%

정답풀이

1문단에서 '당겼던 추를 놓으면 탄성력에 의해 추는 상하로 진동하다가 추를 당기기 전과 동일한 지점에서 멈추게 된다.'라고 하였다.

오답풀이

① 1문단에서 '탄성력이란 고무줄이나 스프링같이 탄성을 가진 물체가 원래의 모양으로 되돌아가려는 힘'이라고 하였으므로 고무줄을 사용해도 유사한 현상이 발생할 것이다.
② 1문단에서 탄성력은 '탄성을 가진 물체'의 '길이를 늘이거나 압축하는 방향의 반대 방향으로 작용한다.'라고 하였다.
③ 1문단에서 '추를 당기는 힘으로 인해 스프링은 늘어나는데 아래로 잡아당길수록 더 큰 힘이 필요'한데, 이는 '추를 당기는 힘에 대항하는 스프링의 탄성력 때문'이라고 했으므로, 스프링을 늘이려면 그 탄성력보다 큰 힘이 필요할 것이다.
④ 2문단에서 '공기와 스프링의 마찰 등에 의해~ 진동은 점차적으로 줄기 마련이다. 이를 '감쇠 현상'이라고 한다.'라고 하였다.

## 27 ⑤ 정답률 49%

정답풀이

d는 차체가 진동의 최고점에서 평형점으로 수직 하향하고 있는 지점이므로 차체의 높이가 낮아지면서 스프링이 줄어들고 있는 지점으로 볼 수 있다.

오답풀이

① 1문단에서 '추를 당기기 전과 동일한 지점'을 '평형점'이라 하였고, 2문단에서 '추는 평형점을 지날 때에 속력이 가장 빠르'다고 하였다. 따라서 〈보기〉의 차체 진동에서 평상시의 차체 높이인 a는 평형점이라고 볼 수 있으며, a에서 속력이 가장 빠르다고 볼 수 있다.
② 3문단에서 최고점에서 '운동 에너지가 퍼텐셜 에너지로 완전히 전환'된다고 했으므로 〈보기〉에서 차체 높이가 최고점인 b는 차체의 운동 에너지보다 스프링에 저장된 퍼텐셜 에너지가 큰 지점이라고 볼 수 있다.
③ 2문단에서 추의 '속도가 0인' 지점은 최고점이라고 하였고, 최고점에 도달한 '이후 스프링에 저장된 퍼텐셜 에너지는 상향으로 운동할 때와 방향이 반대일 뿐, 같은 과정을 거쳐 운동 에너지로 전환되어 추를 수직 하향하게 한다'라고 하였다. 따라서 최고점인 b와 최저점인 c는 수직 방향으로 움직이는 속도가 0인 지점이라고 볼 수 있다.
④ 3문단에 따르면 최고점뿐 아니라 최저점도 '운동 에너지가 퍼텐셜 에너지로 완전히 전환'되는 지점이라고 볼 수 있으므로, 최저점인 c에서 차체의 운동 에너지는 0이 될 것이라고 볼 수 있다.

**오답률 Best 4**

<보기>는 평지를 달리던 자동차가 과속 방지턱을 지난 후 높이 변화가 없는 평지를 달리는 상황에서 차체의 진동을 나타내는 그래프야. 1문단을 참고하면 평상시의 차체 높이에 해당하는 a는 '추를 당기기 전과 동일한 지점'인 '평형점'에 해당한다고 볼 수 있지. b는 과속 방지턱에서 받은 충격으로 스프링이 눌렸다가 스프링 상단의 차체를 밀어 올려 차체가 수직으로 상향, 가속되다가 운동 에너지가 퍼텐셜 에너지로 완전히 전환되는 최고점에 해당해. c는 차체가 하향, 가속되다가 평형점을 지나 도달하는 최저점에 해당하지. 이 과정에서 운동 에너지는 최고점과 최저점에서 각각 퍼텐셜 에너지로 완전히 전환됨을 알 수 있어. 차체의 진동에서 운동 에너지와 퍼텐셜 에너지가 어떻게 전환되는지 윗글을 통해 정리해 두어야 해.

## 28 ② 정답률 59%

정답풀이

4문단에서 '차체가 수직으로 하향할 때 피스톤도 실린더의 하단으로 이동하'고 액체는 '피스톤 위로 이동하게' 된다고 하였으므로, 이와 반대로 차체가 a에서 b로 상승할 때 ⓒ(쇼크업소버)의 피스톤은 실린더의 상단으로 이동하고 피스톤 아래의 액체는 피스톤 아래로 이동하게 됨을 알 수 있다.

오답풀이

① 4문단에 따르면 차체가 수직 상향할 때, 피스톤은 실린더의 상단으로 이동한다. a는 차체가 최저점에서 최고점으로 수직 상향하는 과정이므로 ⓒ의 피스톤은 실린더의 윗부분으로 이동하고 있을 것임을 알 수 있다.
③ 4문단에서 ⓒ은 '차체 진동의 진폭을 줄'인다고 하였으므로 b에서 c까지의 수직 거리는 시간이 흐를수록 감소하게 될 것임을 알 수 있다.
④ 4문단에서 '자동차가 과속 방지턱을 지나 차체와 스프링이 진동할 때, 피스톤도 실린더의 상단이나 하단으로 이동하게 된다.'라고 하였다. 따라서 하향하던 차체가 c를 지나면서 다시 상향하게 되면 ⓒ의 피스톤도 하향하다가 c를 지나면서 다시 방향이 전환되어 상향할 것임을 알 수 있다.
⑤ 4문단에서 '차체가 수직으로 하향할 때 피스톤도 실린더의 하단으로 이동하게' 되고, 이때 '피스톤 아래에 있던 액체'가 '작은 구멍을 통해 피스톤 위로 이동'하며 '마찰에 의해 열이 발생'한다고 하였다.

## 29 ② 정답률 77%

정답풀이

3문단에서 '스프링은 진동을 활용하여 지면에서 받는 충격이 차체로 전달되는 것을 줄여주는 역할을 한다.'라고 하였고, 4문단에서 '쇼크업소버는 차체 진동의 진폭을 줄이게 된다.'라고 하였다.

오답풀이

① 윗글에서 스프링이 열을 탄성력으로 바꾼다는 내용은 찾아볼 수 없다.
③ 4문단에서 '쇼크업소버는 차체 진동의 진폭을 줄이게 된다.'라고 하였으므로 차체 진동의 속도를 높이는 역할을 한다고 보기 어렵다.
④ 4문단에서는 쇼크업소버의 피스톤 아래 액체가 피스톤 구멍과 마찰을 일으키면서 '열이 발생'한다고 하였고, 이를 '운동 에너지가 열에너지로 흩어지게 되는 것'이라고 설명하였다. 따라서 쇼크업소버에서 열에너지가 운동 에너지로 전환된다고 보기 어렵다.
⑤ 4문단에서 쇼크업소버의 실린더 안 액체와 피스톤의 구멍 사이에서 마찰이 발생하여 '운동 에너지가 열에너지로 흩어지'고 '차체 진동의 진폭을 줄이게' 된다고 했으므로, 쇼크업소버에서 액체와 피스톤의 마찰을 억제해서 열이 발생한다고 보기 어렵다.

[30~33] **고전시가**

**30** ④ 정답률 **85%**

정답풀이

1문단에서 '시조를 길이가 짧다는 의미에서 '단가'라고 부르던 것과 구별하여 가사는 '장가''라고 불렀음을 알 수 있다.

오답풀이

①, ② 1문단에서 '가사는 복잡한 체험을 두루 표현할 수 있을 만큼 길어질 수 있었다.'라고 하였다.
③ 3문단에서 '임진왜란을 경계로 하는 17세기 무렵부터' '후기 가사'로 봄을 알 수 있다.
⑤ 3문단에서 '가사의 작자층이 확대되자 다양한 관심사'와 '대상을 바라보는 시각'의 변화가 나타나며 표현 방식이 다양해졌음을 알 수 있다.

**31** ④ 정답률 **65%**

정답풀이

(나)의 '공명'은 자연과 대비되는 속세에 해당하는 것으로, 화자는 '청풍명월'과 같은 자연 이외에는 벗이 없다고 하며 속세에 대한 부정적 태도를 드러낸다. (다)의 화자는 조상 덕에 '좌수별감'과 같은 자리에 있었으나 '원수인의 모해로서' 군사 계급으로 강등되었는데, 사대부들의 경건한 삶의 자세에 대한 화자의 풍자적 태도가 드러나지는 않는다.

오답풀이

① (나)의 화자는 '새봄이 도라오'자 자연 속에서 '도화행화'를 감상하고 있으나 (다)의 화자는 경제적 어려움에 처한 가운데 생존을 위해 '인숨싹'을 찾고 있다.
② (나)의 화자는 '새봄'이 찾아오고 '녹양방초'가 '세우 중에 프르'다고 하였으므로 '세우'는 봄을 맞은 화자의 흥취를 돋우는 역할을 한다고 볼 수 있다. (다)의 '눈'은 '식량 다하고 옷 엷'은 화자의 고통을 심화하는 역할을 한다.
③ (나)의 화자는 '봉두'에 올라 '연하일휘는 금수를 재폇는 듯 / 엊그제 검은 들이 봄빗도 유여ᄒᆞᆯ샤'라고 하며 자연의 아름다움을 형상화하고 있으나, (다)의 화자는 '입산'하여 '돈피 사냥'을 하려 한 자신의 체험을 구체적으로 형상화하고 있다.
⑤ (나)의 화자는 '단표누항'에 허튼 생각을 하지 않고 '백년행락이 이만ᄒᆞᆫᄃᆞᆯ 엇지ᄒᆞ리'라고 말하며 자연에서의 만족감을 보여 주고 있으나, (다)의 화자는 ''빈손'으로 도라서'는 경제적 어려움과 고난을 통해 현실의 문제를 보여 준다.

**32** ① 정답률 **67%**

정답풀이

(나)의 '물아일체어니 흥이야 다ᄅᆞᆯ소냐'와 (다)의 '해마다 맞춰 무니 석숭인들 당ᄒᆞᆯ소냐'에서 설의적 표현을 활용하여 화자의 정서를 강조하고 있다.

오답풀이

② (나)와 (다)에는 각각 봄과 겨울이라는 계절적 배경이 드러나지만, (나)에는 애상적 분위기가 나타나지 않는다.
③ (나)와 (다) 모두 대화의 형식이 활용되지 않았다.
④ (나)에서 '새는 춘기를 못내 계워 / 소릐마다 교태로다'와 (다)에서 '오갈피잎 날 속인다'에서 의인화된 대상이 나타나지만, (다)는 대상의 긍정적 속성을 부각한 것은 아니다.
⑤ (나)와 (다) 모두 의성어가 사용되지 않았다.

**33** ⑤ 정답률 **58%**

정답풀이

[E]는 갑민이 '돈피 사냥'에 실패한 뒤 추위 속에서 고통받는 시련의 상황일 뿐, 유배를 가는 길에서 겪은 시련이라고 보기 어렵다.

오답풀이

① 〈보기〉에서 '이 작품이 창작된 시기에는 신분의 이동이 많이 발생'했다고 한 점을 참고하면 [A]에서 '원수인의 모해' 때문에 갑민의 처지가 바뀌게 되었음을 알 수 있다.
② 〈보기〉에서 '세금을 내지 못하는 사람이 있으면 그 친족에게 세금을 대신 물리는 족징'이 작품에 잘 반영되어 있다고 한 점을 참고하면, [B]에는 친척들이 '충군'이 된 후 '자취업시 도망'가 버려 열두 사람의 신역을 혼자서 감당하게 된 족징의 폐해가 드러나 있음을 알 수 있다.
③ 〈보기〉에서 '특정 지역을 배경으로 하는' 윗글은 '독자에게 사실감을 부여'한다고 한 점을 참고하면, [C]의 '허항영'은 실제 지명으로 작품의 사실성을 높이고 있다고 볼 수 있다.
④ 〈보기〉에서 윗글은 특정 '지역에서 행하는 민속을 드러'낸다고 한 점을 참고하면, [D]에서 갑민이 '싸리 껏거 누디 치고~손신님게 발원ᄒᆞ'는 것을 통해 갑산 지역에서 돈피 사냥에 앞서 행하던 민속을 짐작해 볼 수 있다.

[34~36] **현대소설**

**34** ⑤ 정답률 **48%**

정답풀이

'방태흥씨도 속으로 계산을 해보았는데~이 지겹고 고통스러운 이웃간의 다툼은 끝날 거였다.', '깨알만 한 고름 구멍을 보노라니까 자기는 그 아픔과 상처보다도 훨씬 미세한 존재인 것만 같았다.' 등을 통해 작품 외부에 위치한 서술자가 방 씨의 입장에서 사건을 서술하고 있다고 볼 수 있다.

오답풀이

① 인물 간의 대화는 나타나지만 이를 통해 인물의 분열된 의식이 드러나지는 않는다.
② 과거를 회상하는 장면은 나타나지 않는다.
③ 외부 이야기 속에 내부 이야기가 삽입되어 사건을 전개하고 있지 않다.
④ 현학적 표현이 드러나 있지 않다.

**오답률 Best ❸**

현대소설의 서술상 특징을 묻는 문제야. 대화를 통해 인물의 분열된 의식을 나타내고 있다는 ①번의 선택 비율이 높았어. 윗글은 방 씨와 이 전무의 대화를 중심으로 사건을 전개하고 있는데, 이들의 대화를 통해 손해 배상금을 십만 원이나 달라는 요구 사항을 둘러싼 갈등 상황을 제시하고 있을 뿐, 인물의 분열된 의식을 보여 주고 있지는 않아. 즉 대화를 통해 서술자는 공동체 의식이 무너진 현대 사회에서 물질적인 이해관계에 의한 갈등을 중점적으로 다루고 있어.

**35** ③ 정답률 **69%**

정답풀이

방 씨는 십만 원을 손해 배상금으로 지불하라는 이 전무의 조건에 '십만원이란 부당합니다.'라고 대답한다. 따라서 ⓒ(저로서는 최대의 성의입니다)에는 이 전무의 요구를 전적으로 수용할 수는 없다는 방 씨의 태도가 드러나 있다고 볼 수 있다.

오답풀이

① ㉠(자기가 무슨 높은 양반이라구 오라 가라 야단이람)은 방 씨에게 자기 집으로 오라고 한 이 전무에 대한 식모아이의 불만을 드러낸 것이다.
② ㉡(국민학교두 못 나온 일자무식이라지 뭐예요)은 '순 무식한 벼락부자 집안'이라는 이 전무에 대한 부정적 인식을 드러내는 것이지 이 전무의 행동에 정당성을 부여하는 것은 아니다.
④ 방 씨는 ㉣(그쯤에서 생각해보겠습니다)이라고 대답하면서도 '아득한 근심이 앞'섰다고 하였으므로 안도감을 느꼈다고 보기 어렵다.
⑤ 이 전무는 '댁과는 타협이 여엉 안되는구만. 우리네도 좋을 대루 하겠소.'라고 했으므로 ㉤(이 전무가 손바닥으로 무릎을 찰싹 소리가 나도록 두드렸다)은 자신의 요구가 과도했음을 인정하는 것이라 보기 어렵다.

17 회

## 36 ③ 정답률 77%

정답풀이

'약속어음은 빚이나 마찬가'지라는 방씨에게 '그야 기분문제루 쓰자는 거 아니겠소? 이웃 사촌이라잖소.'라는 이전무의 말을 듣고, 경제적 이익을 더 중시하며 서로 타협점을 찾지 못하는 갈등 상황 속에서 방씨는 '이웃 사촌'이라는 말을 되뇌는 것으로 볼 수 있다. 이는 이전무와의 갈등 상황 속에서 '이웃 사촌'의 의미를 떠올려 보는 것이지, 공동체 의식이 약화된 시대적 변화에 적응하지 못하는 모습이라고 보기 어렵다.

오답풀이

① 〈보기〉에서 윗글에는 '개인의 양심이나 도덕성보다 물질적 가치가 우선시되'는 시대상이 나타난다고 하였다. 이를 참고하면 이전무가 '가짜 구리무'를 '외제 빈 갑'에 담아 돈을 번 이야기를 통해 그가 자신의 양심이나 도덕성을 중요하게 여기지 않았다는 것을 짐작할 수 있다.
② 〈보기〉에서 윗글에는 '사소한 갈등조차도 공동체의 관습이나 인정보다는 법을 내세워 해결하려는' 시대상이 나타난다고 하였다. 이를 참고하면 이웃인 방 씨와의 갈등에서 손해 배상금을 지불하지 않으면 고소장을 제출하겠다는 이전무의 모습을 통해 법을 내세워 갈등을 해결하려는 세태를 엿볼 수 있다.
④ 〈보기〉에서 윗글은 '공동체 의식이 약화되고 물질적 이해관계가 중시되'던 세태를 반영하고 있다고 하였다. 이를 참고하면 방 씨와 이전무가 타협에 이르지 못하고 '완전히 결렬'된 것은 공동체 의식보다는 물질적 이해관계를 우선시하는 세태가 반영된 것으로 볼 수 있다.
⑤ 〈보기〉에서 윗글의 인물은 '갈등 속에서 얻게 된 상처를 통해 자신의 소시민적 모습을 인식하게 된다.'라고 하였다. 이를 참고하면 방 씨가 이전무와 타협하지 못하고 돌아온 후 발견하게 된 '깨알만한 고름 구멍'을 통해 자신을 '미세한 존재'로 느끼는 것은, 상처를 통해 자신의 소시민적 모습을 인식했기 때문이라고 볼 수 있다.

[37~41] **사회**

## 37 ③ 정답률 82%

정답풀이

윗글은 '환경오염을 줄이기 위한 주요 환경 정책' 중 '간접 규제 방식'에 해당하는 '부과금, 보조금, 예치금 등을 이용한 제도'들을 소개하고 그 특징을 설명하고 있다.

오답풀이

① 윗글은 환경오염 규제 절차의 문제점을 밝히고 있지는 않다.
② 윗글은 환경오염을 유발하는 다양한 원인을 분석하고 있지 않다.
④ 윗글은 환경오염을 해결하기 위한 상반된 입장을 제시하고 있지 않다.
⑤ 윗글은 환경오염을 규제하기 위한 정책을 소개하고 있으나, 이러한 정책의 시대적 변천 과정을 제시하고 있지는 않다.

## 38 ① 정답률 72%

정답풀이

2문단에서 '부과금 제도'는 '오염 물질의 배출량을 줄이려는' 목표로 시행하는 제도이다. 8문단에서 '재활용률을 높이는 것을 목표로' 하는 제도는 부과금 제도가 아닌 '예치금 제도'라고 하였다.

오답풀이

② 5문단에서 '배출부과금 제도는 정책 수단인 부과금과 규제 대상인 오염 물질 간의 연계성이 높기 때문에 오염을 줄이는 효과는 뛰어나다.'라고 하였다.
③ 5문단에서 '제품부과금'은 배출부과금에 비해 '정보 획득을 위한 비용은 상대적으로 적게 든다'고 하였다.
④ 1문단에서 '경제적 유인을 통해 환경오염을 줄이려는 간접 규제 방식'에는 '부과금, 보조금, 예치금 등을 이용한 제도가 있다.'라고 하였다.
⑤ 8문단에서 '소비자 예치금'은 '재활용할 수 있는 제품'을 반환하면서 '예치했던 금액을 환불해 주는 제도'인데, '예치금 요율이 너무 낮을 경우 경제적 유인이 부족할 수 있다.'라고 하였다.

## 39 ① 정답률 45%

정답풀이

1문단에서 '정부의 지시나 통제를 통해 환경 기준을 준수하도록 강제하는 방식'인 '직접 규제'는 '많은 예산이 필요하다.'라고 하였다. 〈보기〉의 A국은 '○○ 음료수'의 '빈 병은 소비자가 알아서 처리하도록' 하므로 정부가 유리병 반납 여부를 직접 단속한다고 보기 어렵다. 따라서 이를 단속하기 위해 정부의 예산이 많이 소모된다는 진술은 적절하지 않다.

오답풀이

② 2문단에서 '종량 수거료 제도'는 '수거료 요율을 무조건 높이면, 금전적 부담으로 인해 불법적인 무단 투기가 성행할 수도 있다.'라고 하였다. 따라서 B국이 현재보다 쓰레기 수거료 요율을 올린다면 금전적 부담이 더욱 커지므로 쓰레기 불법 배출이 더 늘어날 수 있다.
③ 〈보기〉에서 A국의 ○○ 음료수 판매 가격은 500원이고, B국은 550원에 판매하고 있다. B국에서는 '소비자가 빈 병을 반납하면 50원을 돌려주고' 있으므로 이는 소비자 예치금 제도를 시행한 것이라고 볼 수 있다. 따라서 B국이 소비자 예치금 50원을 음료수 가격에서 제외한다면, A국의 음료수 가격과 동일해질 것이다.
④ 2문단에서 '종량 수거료 제도'는 수거료 요율을 높일수록 금전적 부담이 발생한다고 하였다. 〈보기〉에서 C국은 '올해부터 쓰레기 수거료를 1kg마다 1,000원에서 500원으로 인하하였'으므로, C국 국민들이 느끼는 쓰레기 배출에 대한 경제적 부담감이 작년에 비해 줄어들 것이다.
⑤ 6문단에서 '저감시설 보조금제는 오염 물질 발생량을 줄이는 데 필요한 시설의 설치 비용 일부를 정부가 보조해 주는 것'이라고 하였다. 〈보기〉에서 C국은 '공장에 매연 저감 장치를 설치할 경우 보조금을 지급하고 있'으므로 저감시설 보조금제를 활용하고 있다고 볼 수 있다. 따라서 C국은 생산자가 환경오염 감소를 위한 투자를 하도록 경제적 유인을 제공하고 있다고 볼 수 있다.

**오답률 Best 2**

〈보기〉는 윗글에서 제시한 다양한 환경 정책을 A, B, C 각국이 각각 어떻게 활용하고 있는지 보여 주고 있어. A국은 환경을 심각하게 파괴하는 물질을 사용하지 못하도록 정부가 법으로 규제하는 직접 규제 방식을 채택하고 있는 반면 B국은 쓰레기 수거료로 1kg마다 1,000원을 부과하는 '종량 수거료' 제도를 도입하고 있는데, 수거료 요율이 높아 불법적인 무단 투기가 나타나고 있지. 또한 음료수에 50원의 예치금을 내도록 하여, 빈 병을 반납할 시 예치했던 금액을 환불해주는 '소비자 예치금' 제도를 활용하고 있어. 마지막으로 C국은 '저감시설 보조금제'를 활용하여 공장에 매연 저감 장치를 설치할 경우 보조금을 지급해 주고 있고, B국과 동일하게 '종량 수거료' 제도를 도입하고 있으나, 수거료 요율을 낮추었지.

이 문제는 이렇게 A, B, C 각국이 채택하고 있는 환경 정책이 무엇인지 윗글의 내용을 근거로 정확하게 파악해야 했어.

## 40 ④ 정답률 62%

정답풀이

7문단에서 정부는 ''한계피해비용곡선(MDC)'과 '한계저감비용곡선(MAC)'이 교차하는 지점에서 오염 배출량이 사회적 최적 수준'이라고 보고, '이 지점에서의 금액을 보조금으로 결정하고 오염 배출량이 최적 수준이 되도록 유도한다.'라고 하였다. 따라서 〈보기〉의 a는 정부가 오염 배출량을 사회적 최적 수준으로 유도하기 위한 금액으로 볼 수 있다.

오답풀이

① 4문단과 6문단에 따르면 a는 오염 물질을 배출하는 제품이 아닌, 오염 물질의 배출량에 자체에 따라 부과되는 금액인 '배출부과금'이나 '저감보조금'에 해당한다고 볼 수 있다. 5문단에 따르면 '오염을 유발하는 제품에 대해 정부가 제품 단위당 특정 금액을 부과'하는 것은 '제품부과금'이다.
② a는 사회적 피해비용과 한계저감비용이 동일하게 나타나는 지점이므로, 두 가지를 합산한 금액을 나타낸다고 보기 어렵다.
③ a는 오염 물질의 단위와 무관하게 특정 금액만을 나타내는 특정 지점이다. 4문단에 따르면 오염 물질 1단위당 부과금에 총 배출량을 곱한 금액은 a와 같은 특정 지점이 아닌, 그래프상의 면적으로 나타난다.
⑤ 1문단에 따르면 '정부의 지시나 통제를 통해 환경 기준을 준수하도록 강제하는 방식'은 '직접 규제'에 해당하며, 이는 〈보기〉에서 a가 나타내는 바와 관계가 없다.

## 41 ② 정답률 41%

정답풀이

3문단에 따르면 한계저감비용은 한계저감비용곡선에서 '생산자가 현재 수준에서 오염 물질 배출량을 1단위 더 줄이는 데 필요한 추가적 비용'에 해당한다고 볼 수 있다. 〈보기〉에서 배출량이 b와 c일 때 한계저감비용곡선에 해당하는 금액을 비교해 보면 c보다 b가 더 높음을 알 수 있다.

오답풀이

① 7문단에서 정부는 '한계피해비용곡선(MDC)과 한계저감비용곡선(MAC)이 교차하는 지점에서 오염 배출량이 사회적 최적 수준'이라고 보고, '이 지점에서의 금액을 보조금으로 결정하고 오염 배출량이 최적 수준이 되도록 유도한다.'라고 하였다. 〈보기〉에서 정부는 한계피해비용곡선과 한계저감비용곡선이 교차하는 지점의 금액인 a에서 보조금을 지급하거나 부과금을 부과하게 되는데, 이때 유도 목표가 되는 오염 물질 배출량은 b가 최적 수준이라고 볼 것이다.

③ 4문단에서 '생산자가 $ep_2$만큼 오염 물질을 배출하면 배출량 $ep_2$에 부과금 t를 곱한 면적인 ⓐ+ⓑ+ⓒ+ⓓ+Ⓐ만큼의 배출부과금을 지불해야' 한다고 하였다. 〈보기〉에서 정부가 부과금을 a로 정하고, 생산자의 오염 물질 배출량을 c로 봤을 때, 생산자는 a와 c를 곱한 면적인 ㉮+㉯+㉰+㉱만큼의 배출부과금을 지불해야 한다.

④ 4문단에서 한계저감비용곡선의 '아랫부분의 면적은 그래프 각 지점에서의 한계저감비용을 더한 것이므로 오염 물질 배출량을 줄이는 데 들어가는 비용인 저감비용을 나타낸다.'라고 하였다. 〈보기〉에서 생산자가 오염 물질 배출량을 c에서 b로 줄이는 데 필요한 저감비용은 c–b 구간에 해당하는 한계저감비용곡선의 아랫부분 면적인 ㉲이다.

⑤ 6문단에서 '저감보조금제는 정부가 지정한 배출 상한 기준보다 적은 양의 오염 물질을 배출할 경우 배출 상한 기준과 실제 배출량의 차이에 대해 1단위당 특정 금액을 보조해 주는 것'이라고 하였다. 따라서 〈보기〉에서 정부가 지정한 배출 상한 기준이 c이고 지급하는 보조금이 a라면 c에서 b로 오염 물질 배출량을 줄일 때 받는 보조금은 c에서 b만큼의 배출량에 보조금을 곱한 금액인 ㉰+㉱이다.

**오답률 Best ①**

〈보기〉의 그래프는 본문에 나온 한계저감비용곡선(MAC)에 한계피해비용곡선(MDC)을 추가한 거야. 다소 복잡한 그래프가 제시되어 있기 때문에, 자료를 해석하기 힘들었을 거야. 오답 중에서 선택 비율이 가장 높은 ④번은 오염 물질 배출량을 줄이기 위해 필요한 비용인 저감비용을 나타내는 면적이 어디인지를 찾아내는 선지였어. 4문단에 $e_0$에서 $ep_2$로 배출량을 줄이기 위해 필요한 저감비용은 ⓔ라고 하였으므로, 이를 참고하면 배출량이 c에서 b로 줄었을 때 발생하는 저감비용은 ㉲에 해당함을 알 수 있지. 사회 지문에서 그래프 문제는 대부분의 학생들이 어려워하는 유형이지만, 시간이 조금 걸리더라도 그래프를 분석하고 있는 지문의 내용에 집중해서 지문과 그래프의 정보를 잘 연결해 간다면 정답을 찾을 수 있을 거야.

### [42~45] 고전소설

## 42 ④ 정답률 59%

정답풀이

'장발이 비록 재주 있으나 어찌 알리오.', '제 비록 천하 명장이요 만고 영웅인들, 당시 창업 주씨를 어찌 대적하며 유문성을 당하리오.' 등에서 편집자적 논평을 활용하여 서술자의 생각을 드러내고 있다.

오답풀이

① 윗글에 꿈과 관련된 장면은 나타나지 않는다.

② 윗글에서 '유기는 필시 천인이요 인간 사람은 아니'라고 한 것과 도술을 사용한다는 점으로 보아 유기를 초월적 존재로 볼 수 있으나, 유기가 갈등을 중재하는 역할을 하고 있지는 않다.

③ 윗글에 인물의 외모를 과장되게 표현하여 인물을 희화화한 부분은 나타나지 않는다.

⑤ 윗글에 공간적 배경을 구체적으로 묘사하여 인물의 과거를 암시한 부분은 나타나지 않는다.

## 43 ① 정답률 59%

정답풀이

주원수는 달황에 대해 '임의로 처치하옵소서.'라고 하며 유원수에게 처분을 맡겼을 뿐 관용을 베풀지는 않았다.

오답풀이

② 유기는 장발과의 전투에서 위태로워지자 '기문법'을 활용한 도술을 통해 위기에서 벗어나게 된다.

③ 달황이 붙잡힌 후 '그제야 이장이 여자인 줄 알'게 되었다는 부분에서 이장이 여자라는 사실이 밝혀짐을 확인할 수 있다.

④ 장발이 은하검에 의해 죽은 뒤 '이때 달황이 할 수 없어 수백기를 거느리고 북문을 향하여 도망'했다는 부분에서 달황이 도망친 사실을 알 수 있다.

⑤ 이장이 '유원수에게 안겨 한 말에 실렸'음을 확인한 뒤 유원수가 '한편 팔을 쓰지 못하면 반드시 기력이 쇠진하여 극히 곤색할까' 두려워하며 '만일 나를 놓지 아니하시면 필연 둘이 다 위태할 것이니 바삐 놓으소서.'라고 말하는 부분을 통해 이장이 유원수의 안위를 걱정하며 자신을 희생하려 했음을 알 수 있다.

## 44 ⑤ 정답률 63%

정답풀이

〈보기〉에서 '주인공의 승리가 이루어지면 독자는 그동안 지속되었던 긴장을 이완'한다고 하였다. ⓔ에서 유원수가 달목을 질책하는 것은 유원수가 장발과의 대결에서 승리한 후 우두머리인 달목을 처벌하려는 장면에 해당하므로 ⓔ에서 독자가 긴장감을 느낄 것이라는 진술은 적절하지 않다.

오답풀이

①, ② 〈보기〉에서 '보조 인물의 대결은 주인공의 등장을 지연시키고 주인공의 능력이 우월함을 부각하여 독자의 기대감을 상승시킨다.'라고 하였다. 윗글의 유기는 보조 인물로, ⓐ에서 장발에 대항하여 자신의 능력을 보여 준다. 그러나 결국 장발을 피해 ⓑ가 발생하는 본진으로 돌아오면서 장발을 대적할 수 있는 인물로 유원수를 지목하므로, 독자는 유원수에 대한 기대감을 갖게 될 것이다. 또한 ⓑ에서 전장에 나가려는 유원수를 만류한 이장이 ⓒ에서 출전하여 위기에 처함으로써 유원수의 등장이 더욱 지연되며 독자에게 더 큰 기대감을 줄 수 있다.

③ 〈보기〉에서 창작 군담소설은 '주인공의 대결도 쉽게 끝나지 않도록 하여 긴장감을 더욱 고조시킨다.'라고 하였다. ⓓ에서 유원수는 장발과 대결하나 쉽게 승부가 나지 않으므로 독자는 주인공의 대결 장면에서 흥미와 긴장감을 가지고 대결의 결과를 기대하게 될 것이다.

④ 〈보기〉에서 '주인공의 승리가 이루어지면 독자는 그동안 지속되었던 긴장을 이완'한다고 하였다. ⓓ의 대결에서 유원수가 장발을 물리치고 승리하는 순간 독자의 긴장은 이완될 것이다.

## 45 ③ 정답률 72%

정답풀이

㉠(이장이 정신없어 장발에게 잡혀가는가 하였더니, 이윽고 진정하여 가만히 본즉, 유원수에게 안겨 한 말에 실렸는지라)은 이장이 장발의 공격에 의해 죽을 뻔한 상황에서 유원수에 의해 구출된 상황으로, 빈칸에 들어갈 말은 '거의 죽을 뻔하다가 다시 살아남.'의 의미를 지닌 '기사회생'이 적절하다.

오답풀이

① '개과천선'은 '지난날의 잘못이나 허물을 고쳐 올바르고 착하게 됨.'을 의미한다.

② '결자해지'는 '자기가 저지른 일은 자기가 해결하여야 함.'을 의미한다.

④ '무위도식'은 '하는 일 없이 놀고먹음.'을 의미한다.

⑤ '일망타진'은 '어떤 무리를 한꺼번에 모조리 다 잡음.'을 의미한다.

# 18회

2017학년도 9월 학평

| | | | | | | | | | |
|---|---|---|---|---|---|---|---|---|---|
| 1. ② | 2. ② | 3. ③ | 4. ① | 5. ④ | 6. ② | 7. ④ | 8. ⑤ | 9. ① | 10. ① |
| 11. ⑤ | 12. ① | 13. ③ | 14. ④ | 15. ⑤ | 16. ③ | 17. ① | 18. ③ | 19. ④ | 20. ② |
| 21. ⑤ | 22. ① | 23. ① | 24. ⑤ | 25. ② | 26. ③ | 27. ⑤ | 28. ④ | 29. ④ | 30. ② |
| 31. ③ | 32. ④ | 33. ⑤ | 34. ⑤ | 35. ④ | 36. ⑤ | 37. ④ | 38. ③ | 39. ③ | 40. ④ |
| 41. ② | 42. ① | 43. ③ | 44. ② | 45. ⑤ | | | | | |

오답률 Best 5

## [1~2] 화법

### 1 ② 정답률 90%

정답풀이

강연자는 화제를 소개하기에 앞서 강연을 하게 된 이유를 설명하고 있을 뿐, 강연의 진행 순서를 제시하고 있지는 않다.

오답풀이

① 강연자는 '꽃담은 순우리말로, 아름다운 무늬나 그림을 넣어 장식한 담'이라고 하며 꽃담의 개념을 설명하여 청중의 이해를 돕고 있다.
③ 강연자는 꽃담의 사진들을 시각 자료로 활용하여 정보 전달의 효과를 높이고 있다.
④ 강연자는 '자경전 꽃담 무늬는 더 많이 있지만 시간을 고려하여 여기까지만 살펴보'겠다고 하며 강연 시간을 고려하여 전달할 정보의 양을 조절하고 있다.
⑤ 강연자는 '여러분, 이게 뭐라고 생각하세요?'라고 질문하여 화제에 대한 청중의 반응을 이끌어 내고 있다.

### 2 ② 정답률 73%

정답풀이

강연에서 '내벽에는 사악함을 물리친다는 벽사를 상징하는 육각형 속에, 작은 꽃무늬를 정교하게 상감하였'다고 했으나, 제시된 사진에서는 이를 확인할 수 없다.

오답풀이

① 사진을 통해 맨 아래에는 3층으로 쌓은 사괴석이, 중간에는 무늬가 들어간 벽돌이, 맨 위에는 기와가 있는 것을 확인할 수 있다.
③ 강연에서 ⓐ에 새겨진 것과 같은 '매화는 고결한 인품을' 상징한다고 했다.
④ 강연에서 '매화나 국화 옆에 그 무늬의 의미와 관련하여 이를 부각하기 위해 문자를 기하학적으로 변형해 네모 모양으로 넣었'다고 했다.
⑤ 강연에서 '벽의 테두리에 끝없이 이어지는 무늬를 만들고 그 사이에 문자, 꽃 등의 무늬를 넣었'다고 했다.

## [3~5] 화법

### 3 ③ 정답률 85%

정답풀이

[B]에서 '학생 2'가 '공동 연구 보고서는 개인의 책임이 분산되니 역할 분담이 어렵'다는 문제점을 제기하자, [C]에서 '학생 3'은 이를 해결하기 위하여 '공동 연구 보고서를 쓰되 역할 분담이 되도록 개인의 기여도를 확인하는 방법을 적용'하자고 제안하고 있다.

오답풀이

① [A]에서 '학생 1'은 개인 연구와 공동 연구 중 공동 연구 보고서를 써 보자고 제안하고 있을 뿐, 예상되는 두 가지 의견을 절충하자고 하지 않았다.
② [B]에서 '학생 2'는 '링겔만 효과'라는 이론적 근거를 제시하여, [A]에 제시된 '학생 1'의 의견에 반대하고 있다.
④ [D]에서 '학생 1'은 '그렇게 되면 모두가 좋은 결과를 내기 위해 더 노력하게 되지 않을까?'라고 하며 [C]에 제시된 '학생 3'의 의견에 동의하고 있다.
⑤ [E]에서 '학생 2'는 '학생 3'이 제시한 방안에 대한 긍정적 결과를 제시하고 있을 뿐, 그것의 한계를 언급하며 보완 방법이 필요함을 강조하고 있지는 않다.

### 4 ① 정답률 83%

정답풀이

'학생 1'은 개인의 기여를 확인하는 방법을 적용하여 공동 연구 보고서를 작성하면 '보고서 작성에 대한 책임이 고르게 나눠지겠'다고 했고, '학생 2'는 '공동 연구 보고서는 개인의 책임이 분산'된다고 했다. '학생 3'은 '개인 연구 보고서는 부담이 되'므로, '공동 연구 보고서를 쓰되 역할 분담이 되도록 개인의 기여도를 확인하는 방법을 적용하'면 '보고서 작성에 대한 부담도 줄'일 수 있다고 했다. 또한 '동아리 회장'이 '보고서 작성의 책임을 나누고 부담을 줄이는 공동 연구 보고서로 의견이' 모아진다고 했으므로, 토의 참여자들은 모두 공동 연구 보고서가 개인 연구 보고서에 비해 개인의 책임이 분산된다는 점에 동의하고 있다고 볼 수 있다.

오답풀이

② 공동 연구 보고서가 개인 연구 보고서에 비해 주제의 선정이 용이하다는 내용은 언급되지 않았다.
③ 개인 연구 보고서가 공동 연구 보고서에 비해 내용의 전문성이 높다는 내용은 언급되지 않았다.
④ 개인 연구 보고서가 공동 연구 보고서에 비해 작성 시간이 오래 걸린다는 내용은 언급되지 않았다.
⑤ 개인 연구 보고서가 공동 연구 보고서에 비해 아이디어 생성에 효과적이라는 내용은 언급되지 않았다.

### 5 ④ 정답률 83%

정답풀이

〈보기〉에서 '집단의 다른 구성원에 비해 상대적으로 능력이 떨어지는 사람들이 집단의 수행에 맞추기 위해 혼자 수행할 때보다 더욱 노력하여 결과적으로 집단의 생산성을 증가시키는 현상'을 '쾰러 효과'라고 하며, '그에 의하면 집단 수행은 개인의 성장도 함께 기대할 수 있다'고 했으므로, ㉠에 들어갈 말로는 ④번이 적절하다.

오답풀이

① 〈보기〉에서 '쾰러 효과'는 '지나치게 어려운 과제에는 적용되기 어'렵다고 했다.
② 〈보기〉에서 "쾰러'는 집단의 다른 구성원에 비해 상대적으로 능력이 떨어지는 사람들이 집단의 수행에 맞추기 위해 혼자 수행할 때보다 더욱 노력하여 결과적으로 집단의 생산성을 증가시' 킨다고 했으므로, 이를 바탕으로 개인의 능력이 더 부각되어야 한다고 할 수는 없다.
③ 공동 연구 보고서에서 개인의 부담을 줄이기 위해 보고서 작성 시간을 줄일 필요가 있다는 내용은 〈보기〉의 '쾰러 효과'와 관련이 없다.
⑤ 〈보기〉에서 '쾰러 효과'는 '주로 오랜 시간 지속해야 하는 끈기가 필요한 과제에 적합'하다고 했다.

## [6~8] 작문

**6** ② 정답률 80%

정답풀이

'초고'의 1문단에 ㉠(사물 인터넷의 개념)이 제시되고, 2문단에는 ㉢(사물 인터넷의 경제적 가치)이 제시되고 있으며, 3문단에는 ㉣(국내 사물 인터넷 산업의 현황)이, 4문단에는 ㉤(국내 사물 인터넷 산업의 활성화 방안)이 제시되고 있다. '초고'에 ㉡(사물 인터넷의 사례)은 제시되지 않았다.

**7** ④ 정답률 79%

정답풀이

〈보기〉의 Ⅰ-2는 우리나라와 선진국 간의 사물 인터넷 시장의 전체 규모를 비교하는 자료이고, Ⅲ은 '스페인의 바르셀로나 시'에서 사물 인터넷이 공공 부문에 활용된 자료이다. 따라서 Ⅰ-2와 Ⅲ을 활용하여 사물 인터넷과 관련된 선진국들의 투자가 공공 부문보다 민간 부문에 집중되었다는 것을 뒷받침하는 사례로 제시하는 것은 적절하지 않다.

오답풀이

① 〈보기〉의 Ⅰ-1은 국내 사물 인터넷 상품 가입 수가 증가하고 있는 것을 보여 주는 자료이므로, 이를 활용하여 사물 인터넷에 대해 사람들의 관심이 늘고 있다는 1문단의 내용을 뒷받침하는 근거로 제시할 수 있다.
② 〈보기〉의 Ⅰ-2는 우리나라와 선진국 간의 사물 인터넷 시장의 전체 규모를 비교하는 자료이므로, 이를 활용하여 국내 사물 인터넷 산업이 다른 선진국에 비해 활성화되지 않았다는 3문단의 내용을 뒷받침하는 근거로 제시할 수 있다.
③ 〈보기〉의 Ⅱ에는 '사물 인터넷과 관련된 기술 규격이 표준화되지 않'는 문제점이 제시되어 있으므로, 이를 3문단에 국내 사물 인터넷 시장이 확대되지 못한 이유로 추가할 수 있다.
⑤ 〈보기〉의 Ⅱ에는 사물 인터넷 사업이 '국내 시장 규모만 따져도 22조 원대를 웃돌 것으로 예상'된다는 내용이 제시되어 있고, Ⅲ에는 스페인의 바르셀로나 시에서 사물 인터넷이 공공 부문에 활용되어 경제적 이익을 얻은 내용이 제시되어 있다. 따라서 Ⅱ와 Ⅲ을 활용하여 사물 인터넷 산업이 높은 경제적 가치를 지니고 있다는 2문단의 내용을 뒷받침하는 근거로 제시할 수 있다.

**8** ⑤ 정답률 83%

정답풀이

'작문 계획'의 '끝' 부분에는 '사물 인터넷의 의의와 기대효과'가 제시되어 있는데, '사물 인터넷은 세상을 연결하여 소통하게' 한다는 것과 '우리에게 편리한 삶을 약속'한다는 부분에서 사물 인터넷의 의의를 확인할 수 있고, '경제적 가치를 창출할 미래 산업으로 자리매김할 것이'라는 부분에서 사물 인터넷의 기대효과를 확인할 수 있다. 그리고 '사물 인터넷은 세상을 연결하여 소통하게 하는 끈'이라는 부분에서 비유적 표현을 확인할 수 있다.

오답풀이

① '좁은 우물'에서 비유적 표현을 사용하였다고 볼 수 있으나, '사물 인터넷의 의의와 기대효과'가 제시되어 있지 않다.
② '사물 인터넷 산업은 국가 경쟁력을 확보할 수 있는 미래 산업이'라는 부분에서 사물 인터넷의 의의가 제시되어 있지만, 사물 인터넷의 기대효과와 비유적 표현이 나타나지 않았다.
③ '양날의 검처럼'에서 비유적 표현을 사용하였으나, '사물 인터넷의 의의와 기대효과'가 제시되어 있지 않다.
④ 사물 인터넷을 활용하면 '사람들은 자신들에게 최적화된 서비스를 제공 받을 수 있을 것'이라는 사물 인터넷의 기대효과는 제시되어 있지만, 사물 인터넷의 의의와 비유적 표현이 나타나지 않았다.

## [9~10] 작문

**9** ① 정답률 83%

정답풀이

글쓴이는 '사랑의 김장 나누기 활동'과 '지역 아동 센터 도우미 활동'이라는 '누리 밝힘이 봉사단' 제3기의 활동 내용을 설명하며 봉사단에 가입할 것을 권유하고 있다.

오답풀이

② 글쓴이는 봉사단이 발전해 온 역사를 소개하고 있지 않다.
③ 글쓴이는 봉사 활동의 개념을 정의하고 있지 않다.
④ 글쓴이는 다른 봉사 활동 단체와의 차이점을 언급하고 있지 않다.
⑤ 글쓴이는 4문단에서 경험자의 말을 인용하고 있으나, 이는 봉사단 활동의 의의를 밝힌 것이지 학생들이 봉사 활동에 적극적이지 못했던 이유를 제시한 것은 아니다.

**10** ① 정답률 82%

정답풀이

㉠(그러나)의 앞 부분은 학생들이 봉사 활동에 무관심하거나 그 의미를 알지 못한 채 봉사 활동에 참여하고 있다는 내용이고, ㉠의 다음 내용은 봉사단에서 '제3기 봉사단원을 모집하여 참가 학생들에게 봉사 활동의 가치와 그 의미를 깨닫는 기회를 제공'한다는 내용이므로, 접속어의 사용이 부적절함을 알 수 있다. 따라서 문장 간 연결 관계를 고려하여 ㉠은 '또한'이 아니라 '그래서'로 고치는 것이 적절하다.

오답풀이

② ㉡(홀로 사시는 독거노인)에서 '홀로 사시는'과 '독거'는 의미가 중복되므로 '홀로 사시는 노인'으로 고치는 것이 적절하다.
③ ㉢(지역 아동 센터는 아동복지법에 의해 설립된 사회복지시설로, 돌봄 서비스를 희망하는 사람들은 주민 자치 센터에 신청하면 됩니다.)은 봉사단의 활동을 설명하며 봉사단 가입을 권유하는 글의 흐름과 어긋나는 문장이므로 삭제하는 것이 적절하다.
④ '으로서'는 지위나 신분 또는 자격을 나타내는 격 조사이고, '으로써'는 수단이나 방법을 나타내는 격 조사이므로, 의미를 고려하여 ㉣(참여함으로서)을 '참여함으로써'로 고치는 것이 적절하다.
⑤ ㉤(비치는)은 '빛이 나서 환하게 되는'을 의미하여 문맥상 부적절하므로, '빛을 보내어 밝게 하는'을 의미하는 '비추는'으로 고치는 것이 적절하다.

## [11~15] 문법(언어)

**11** ⑤ 정답률 66%

정답풀이

1문단에서 ㉠(세 자리 서술어)은 '주어, 목적어, 부사어 세 가지 성분을 모두 요구'한다고 하였다. '그는 자신의 직업을 천직으로 여겼다.'에서 서술어 '여겼다'는 주어(그는), 목적어(직업을), 부사어(천직으로)를 필수적으로 요구하므로 ㉠에 해당하는 예로 적절하다.

오답풀이

① '계절이 어느덧 가을이 되었다.'에서 서술어 '되었다'는 주어(계절이), 보어(가을이)를 필수적으로 요구하는 두 자리 서술어이다.
② '오빠는 아빠와 정말 많이 닮았다.'에서 서술어 '닮았다'는 주어(오빠는), 부사어(아빠와)를 필수적으로 요구하는 두 자리 서술어이다.
③ '장미꽃이 우리 집 뜰에도 피었다.'에서 서술어 '피었다'는 주어(장미꽃이)만을 필수적으로 요구하는 한 자리 서술어이다.
④ '아버지께서 헌 집을 정성껏 고치셨다.'에서 서술어 '고치셨다'는 주어(아버지께서), 목적어(집을)를 필수적으로 요구하는 두 자리 서술어이다.

**12** ① 정답률 65%

정답풀이

4문단에서 '문장 속에 안겨 하나의 문장 성분처럼 기능하는 절을 '안긴문장'이라고 하며 이러한 절을 포함한 문장을 '안은문장'이라고 한다.'라고 하였다. ㄱ(누나는 마음이 넓다.)의 안긴문장은 서술절인 '마음이 넓다'이므로 안긴문장의 주어는 '마음이'이다. 하지만 안은문장의 주어는 '누나는'이므로, 안은문장의 주어와 안긴문장의 주어는 동일하지 않다.

오답풀이

② 2문단에서 '홑문장은 '주어-서술어'의 관계가 한 번'만 나타나는 문장이라고 하였다. 이에 따르면 ㄴ(그 배는 섬으로 갔다.)은 주어(배는)-서술어(갔다) 관계가 한 번만 나타나므로 홑문장이다.
③ 4문단에서 '안은문장에서는 안긴문장의 어떤 성분이 그것을 안고 있는 안은문장의 한 성분과 동일하게 되면 그 안긴문장의 성분이 생략될 수 있다.'라고 하였다. ㄷ(나는 형이 준 책을 읽었다.)에서 안긴문장은 '형이 준'이라는 관형절이다. 이는 '형이 책을 준'에서 안은문장과 중복되는 성분인 목적어 '책을'이 생략된 것이다.

18회

④ 4문단에서 '안긴문장은 문장 속에서 주어, 목적어 등의 기능을 하는 '명사절', 관형어의 기능을 하는 '관형절'' 등이 있다고 하였다. ㄷ에서 안긴문장인 '형이 준'은 체언 '책'을 수식하는 기능을 하는 관형절이고, ㄹ(우리는 그가 학생임을 알았다.)에서 안긴문장인 '그가 학생임'은 목적격 조사 '을'과 결합하여 목적어의 기능을 하는 명사절이다.

⑤ 3문단에서 '대등하게 이어진 문장은 앞 절과 뒤 절의 의미가 대등하게 이어진 문장으로, 앞 절과 뒤 절은 '나열', '대조', '선택' 등의 대등한 의미 관계를 갖는다.'라고 하였다. 이에 따르면 ㅁ(바람도 잠잠하고, 하늘도 푸르다.)은 앞 절과 뒤 절이 '나열'의 의미로 대등하게 이어진 문장이라고 볼 수 있다.

## 13 ③ 정답률 73%

**정답풀이**

'불여우'는 접두사 '불-'과 명사 '여우'가 합쳐진 파생어로, 앞말이 자음으로 끝나고 뒷말이 반모음 'ǀ'로 시작하므로 'ㄴ' 첨가 현상이 일어나 [불녀우]가 된 이후, 'ㄹ' 뒤에서 'ㄴ'이 'ㄹ'로 교체되는 유음화가 일어나 [불려우]로 발음된다. 따라서 ㉠에는 ⓑ(첨가), ㉡에는 ⓐ(교체)가 들어가야 한다.

## 14 ④ 정답률 63%

**정답풀이**

'익다①'은 '열매나 씨가 여물다.'를 의미하고, '김치가 잘 숙성되었다.'의 '숙성되다'는 '효소나 미생물의 작용에 의하여 발효된 것이 잘 익다.'의 의미이므로, '익다①'의 유의어로 '숙성되다'는 적절하지 않다.

**오답풀이**

① '익다'와 '익히다'는 모두 의미가 ①, ②로 되어 있으므로, 다의어에 해당한다.

② '익다'와 달리 '익히다'는 문형 정보로 '【…을】'이 제시되어 있으므로 목적어를 필요로 함을 알 수 있다.

③ '익히다①'의 의미는 ''익다①'의 사동사'이고, '익히다②'의 의미는 ''익다②'의 사동사'라고 했으므로, '익히다'는 '익다'의 어근에 사동 접미사 '-히-'가 결합한 단어임을 알 수 있다.

⑤ '익히다②'의 의미는 '고기나 채소, 곡식 따위의 날것이 뜨거운 열을 받아 그 성질과 맛이 달라지다.'를 의미하는 ''익다②'의 사동사'라고 했으므로, '익히다②'의 용례로 '감자를 푹 익혀 먹으면 맛이 좋다.'를 들 수 있다.

## 15 ⑤ 정답률 48%

**정답풀이**

㉤(묻즙고)은 객체높임 선어말 어미 '-즙-'을 활용하였을 뿐, 현대국어와 마찬가지로 청자를 높이는 특수어휘 '여쭙다'를 사용하지는 않았다. 참고로 '여쭙다'는 객체를 높이는 특수어휘에 해당한다.

**오답풀이**

① 현대국어의 '효도함'과 대응되는 ㉠(효도홈)은 '효도ᄒᆞ- + -옴'으로 분석되는데, 이때 중세국어의 명사형 어미 '-옴'은 현대국어의 명사형 어미 '-(으)ㅁ'과 형태가 다르다.

② 현대국어의 '뜻이'와 대응되는 ㉡(ᄠᅳ디)에는 현대국어에서는 사용되지 않는 어두자음군 'ㅳ'이 사용되었다.

③ 현대국어의 '성손을'에 대응되는 ㉢(聖孫(성손)ᄋᆞᆯ)은 '聖孫(성손) + ᄋᆞᆯ'로 분석되는데, 이때 중세국어의 목적격 조사 'ᄋᆞᆯ'은 현대국어의 목적격 조사 '을'과 형태가 다르다.

④ 현대국어의 '내셨습니다'에 대응되는 ㉣(내시니이다)은 현대국어와 마찬가지로 문장의 주체인 '하늘'을 높이기 위해 주체높임 선어말 어미 '-시-'를 사용하고 있다.

**오답률 Best 2**

현대국어와 중세국어의 특징을 비교하는 문제였어. 정답인 ⑤번을 고른 학생이 48%였는데, 그 외의 오답도 골고루 선택을 했어. 이를 통해 학생들이 중세국어 문법 문제를 어렵게 느끼고 있음을 짐작할 수 있는데, 중세국어 문법 문제를 풀 때 현대어 풀이가 제시되면 반드시 먼저 중세국어를 현대어와 대응시켜 보는 것이 중요해! 그렇게 하면 현대국어 문법을 기준으로 중세국어를 판단할 수 있는 경우가 많거든. 예를 들어 현대국어에는 객체높임의 선어말 어미는 없고, '여쭙다'가 객체높임의 특수어휘라는 것을 알았다면, ㉤(묻즙고)는 특수어휘가 사용되지 않았음을 판단할 수 있었을 거야. 중세국어를 공부할 때에는 현대국어와 비교하며 현대국어에는 없지만 중세국어에는 존재했던 객체높임 선어말 어미와 같은 문법 요소 등을 공부해 두는 것도 필요하다는 것을 기억하다!

[16~20] **예술+기술**

## 16 ③ 정답률 78%

**정답풀이**

윗글에서는 미술품 복원 작업을 '예방 보존 작업과 긴급 보존 처리 작업, 보존 복원 처리 작업으로' 구분하고 각 작업의 특징과 과정을 설명하면서, 'X선 투과사진법'과 '형광X선분석법'과 같은 과학적 분석 방법이 활용되는 원리에 대해 설명하고 있다.

**오답풀이**

① 윗글에서 미술품의 복원 과정을 서술하고는 있으나, 미술품이 지닌 경제적 가치에 대해서는 언급하고 있지 않다.

② 윗글에서는 미술품 복원 작업의 종류를 구분하고 있을 뿐, 예술의 형식을 분류하고 있지는 않다.

④ 윗글에서 미술품 복원 작업에 활용되는 과학적 분석 방법의 원리와 장점에 대해서는 설명하고 있으나, 그것의 한계를 평가하고 있지는 않다. 또한 미술품 복원 작업이 등장하게 된 배경도 제시되어 있지 않다.

⑤ 윗글에서 미술품 복원에 대한 평가가 작업 방식에 따라 달라진다는 내용을 언급하고 있지 않으며, 과학적 분석 방법과의 관계를 설명하고 있지도 않다.

## 17 ① 정답률 70%

**정답풀이**

[A]에서 'X선의 투과력이 감소할수록 투과율 또한 감소하여 물체의 영상은 필름에 하얗게 나타난다.'라고 했다. 따라서 〈보기〉의 ⓐ~ⓓ 중에서 X선의 투과율이 가장 낮은 곳은 ⓑ가 아니라 가장 하얗게 나타난 ⓐ임을 알 수 있다.

**오답풀이**

② [A]에서 '파장이 짧을수록 투과력이 증가'한다고 했고, '투과력이 감소할수록 투과율 또한 감소하여 물체의 영상은 필름에 하얗게 나타난'다고 했으므로, 반대로 파장이 짧아지면서 투과력이 높아진 X선을 사용하면 〈보기〉의 ⓒ는 더 검게 나타날 것이다.

③ [A]에서 'X선투과사진법'을 이용하여 '흑백의 명암 차를 분석하면~육안으로 식별할 수 없는 미술품의 손상 부위도 찾아낼 수 있'다고 했는데, 〈보기〉의 ⓑ는 촬영 전 목판에서는 손상을 확인할 수 없었던 부위로, 가장 어둡게 나타났음을 확인할 수 있다. 따라서 ⓑ를 통해 목판에는 육안으로 식별할 수 없는 손상 부위가 있다는 것을 알 수 있다.

④ [A]에서 X선은 '물체의 밀도가 크고 두께가 두꺼울수록 투과력은 감소한다.'라고 했고, 'X선의 투과력이 감소할수록 투과율 또한 감소하여 물체의 영상은 필름에 하얗게 나타난다.'라고 했다. 〈보기〉에서 ⓐ는 ⓒ보다 하얗게 나타났으므로, ⓐ에 대한 X선의 투과율이 ⓒ보다 낮다고 볼 수 있다. 이때 목판의 밀도는 모두 같다고 했으므로 ⓐ가 나타난 곳의 목판 두께가 ⓒ가 나타난 곳보다 두껍다는 것을 알 수 있다.

⑤ [A]에서 X선은 '물체의 밀도가 크고 두께가 두꺼울수록 투과력은 감소한다.'라고 했고, 'X선의 투과력이 감소할수록 투과율 또한 감소하여 물체의 영상은 필름에 하얗게 나타난다.'라고 했다. 〈보기〉의 ⓓ는 목판이 손상되었기 때문에 ⓐ보다 목판의 두께가 얇아졌으며, 이로 인해 X선의 투과율이 증가하여 ⓐ보다 검게 나타났음을 알 수 있다.

## 18 ③ 정답률 67%

정답풀이

4문단에서 '형광X선분석법'은 '벽화나 단청처럼 측정 대상을 이동시키기 어려운 경우의 성분 분석에 널리 사용'된다고 하였으므로, 허물어져 가는 벽화의 성분 분석을 할 때에는 '형광X선분석법'을 사용하는 것이 효과적일 것이다.

오답풀이

① 2문단에서 '작품의 손상을 사전에 방지하는 작업으로, 작품 보존에 적합한 온도 및 습도를 제공하'는 것은 '예방 보존 작업'이라고 했다.

② 1문단에서 '미술 작품은 사용된 재료의 자연적 노화 현상이나 예기치 않은 사고, 재해 등으로 작품의 일부가 손상되기도 하는데, 손상된 작품을 작가의 의도를 살려 원래의 모습으로 되돌려 놓는 것을 미술품 복원 작업이라고' 한다고 했으므로, 작품에 사용된 재료의 자연적 노화로 인해 발생한 작품의 손상 역시 복원 작업의 대상이 됨을 알 수 있다.

④ 4문단에서 '분석하고자 하는 대상에 X선을 쪼이면, 안쪽 궤도의 전자는 X선과 충돌한 후 밖으로 튀어나오게' 되고, '그 자리를 바깥쪽에 위치한 전자가 이동하면서 원소에 따라 고유의 형광X선이 발생'한다고 했다. 따라서 원소의 안쪽 궤도에 위치한 전자가 바깥쪽 궤도로 이동할 때 형광X선이 발생한다고 볼 수는 없다.

⑤ 1문단에서 '복원 작업을 할 때에는 미관적인 면보다는 작가가 표현하고자 하는 의도에 초점을 맞추어 인위적인 처리를 가급적 최소화'해야 한다고 했고, 2문단에서 보존 복원 처리 작업을 할 때에는 '작품이 만들어진 목적과 작가의 의도를 살려야' 한다고 했다.

오답풀이

① 4문단에서 '작품에 손상을 가할 위험성이 매우 큰 작업'인 '클리닝 작업을 실시하기 전에는 작품에 사용된 재료의 화학 성분을 분석해야 하는데, 이때 사용하는 방법이 '형광X선분석법'(㉮)' 이라고 했다. 한편 〈보기〉에서 ㉯를 사용하면 '작품의 손상이 일어나지 않는다.'라고 했으므로, ㉮와 ㉯ 모두 복원하고자 하는 작품을 손상시키지 않기 위해 사용하는 방법임을 알 수 있다.

② 4문단에서 '클리닝 작업을 실시하기 전에는 작품에 사용된 재료의 화학 성분을 분석해야 하는데, 이때 사용하는 방법이 '형광X선분석법'(㉮)' 이라고 했고, 〈보기〉에서 ㉯는 '작품 표면에 생긴 이물질인 그을음을 제거'할 때 사용하는 방법이라고 했으므로, 클리닝 작업을 실시할 때 시행하는 방법임을 알 수 있다.

③ 4문단에서 ㉮는 '분석하고자 하는 대상에 X선을 쪼'여 발생한 '형광X선의 파장을 분석하면 실험 재료 속에 포함되어 있는 원소의 종류를 알 수 있다.'라고 했으므로, ㉮는 특정 성분을 분석하는 것이 목적임을 알 수 있다. 한편 〈보기〉에서 ㉯는 '그을음에 산소(O)를 쏘'아 탄소를 증발시키고 수소를 수증기가 되게 하여 작품에 생긴 그을음을 사라지게 한다고 했으므로, 특정 성분을 제거하는 것이 목적임을 알 수 있다.

⑤ 4문단에서 ㉮를 활용하여 '형광X선의 파장을 분석하면 실험 재료 속에 포함되어 있는 원소의 종류를 알 수 있'고 '원소가 많이 포함되어 있을수록 형광X선의 방출량이 증가하므로, X선의 세기를 측정하면 원소의 양 또한 알 수 있'다고 했으므로, ㉮의 결과는 작품을 구성하고 있는 원소에 의해 결정됨을 알 수 있다. 반면 〈보기〉에서 ㉯의 결과는 작품을 구성하는 원소의 특성에 영향을 받지 않는다.

## 19 ④ 정답률 62%

정답풀이

〈보기〉에서 ㉯('산소원자복원법')를 활용하면 '탄소는 산소와 반응하여 이산화탄소($CO_2$)나 일산화탄소(CO)가 되어 증발'하고 '수소는 산소와 반응하여 수증기($H_2O$)가' 된다고 했으므로, ㉯는 산소 원자에 의해 원소끼리 결합하는 원리를 활용한다고 볼 수 있다. 한편 윗글에서 ㉮('형광X선분석법')는 '분석하고자 하는 대상에 X선을 쪼이면, 안쪽 궤도의 전자는 X선과 충돌한 후 밖으로 튀어나오게' 되고, '그 자리를 바깥쪽에 위치한 전자가 이동하면서 원소에 따라 고유의 형광X선이 발생하는데, 이 형광X선의 파장을 분석하여 실험 재료 속에 포함되어 있는 원소의 종류를' 파악할 수 있게 된다고 했다. 따라서 ㉮는 X선에 의해 원소의 양이 증가하는 원리를 활용하는 것이라고 볼 수 없다.

## 20  정답률 81%

정답풀이

㉠(나눌)의 '나누다'는 '여러 가지가 섞인 것을 구분하여 분류하다.'라는 의미이므로, '나는 물건들을 색깔별로 나누는 작업을 한다.'의 '나누다'와 문맥적 의미가 유사하다.

오답풀이

① '이 사과를 세 조각으로 나누자.'의 '나누다'는 '하나를 둘 이상으로 가르다.'의 의미로 사용되었다.

③ '형제란 한 부모의 피를 나눈 사람들을 말한다.'의 '나누다'는 '같은 핏줄을 타고나다.'의 의미로 사용되었다.

④ '우리 차라도 한잔 나누면서 이야기를 해 봅시다.'의 '나누다'는 '음식 따위를 함께 먹거나 갈라 먹다.'의 의미로 사용되었다.

⑤ '상금을 모두에게 공정하게 나누어야 불만이 생기지 않는다.'의 '나누다'는 '몫을 분배하다.'의 의미로 사용되었다.

[21~23] **현대시**

## 21 ⑤ 정답률 67%

정답풀이

(가)의 화자는 우연히 '드넓은 자작나무 분지로 접어들'어 '자작나무숲의 벗은 몸들'을 보며 정직함과 포용력, 경건성 등을 느끼고, 과거와는 다른 새로운 삶을 살아야겠다고 다짐한다. 또한 (나)의 화자는 '평상이 있는 국숫집'에 가서 '평상에 마주 앉'아 서로의 아픔과 슬픔에 공감하는 사람들의 모습에 주목하는데, 이를 통해 화자가 공동체적 삶의 가치를 지향하고 있다고 볼 수 있다.

오답풀이

① (가)와 (나)에는 모두 가상적 공간이 등장하지 않는다.

② (가)와 (나)에는 모두 미래를 가정한 화자의 낙관적 전망이 드러나지 않는다.

③ (가)와 (나)에는 모두 이상과 현실의 괴리로 인한 화자의 갈등이 드러나지 않는다.

④ (가)와 (나)에는 모두 화자의 대결 의식이 드러나지 않는다.

## 22 ① 정답률 61%

정답풀이

(가)의 1연에서 '그만 나는 영문 모를 드넓은 자작나무 분지로 접어들었다 / 누군가가 가라고 내 등을 떠밀었는지 나는 뒤돌아보았다 / 아무도 없다'를 통해, 화자는 우연히 ⓐ(광혜원 이월마을)에서 ⓑ(자작나무숲)에 가게 되었음을 알 수 있다. 따라서 화자가 '이 세상을 정직하게' 하여 '타락'에서 구하고 싶다는 의지 때문에 자작나무숲을 찾아간 것이라고 보기는 어렵다.

오답풀이

② ⓑ에서 화자는 '찾아든 나까지 하나가' 되게 하며, '오지 못한 사람 하나하나와도 함께인' 것처럼 하는 자작나무의 속성을 '아름답다'고 인식하고 있다.

③ ⓑ에서 화자는 자작나무를 보며 '순하고 싶었'으나 '너무나 교조적인 삶'을 살았다며 자신의 지나온 삶을 반성하고 있다.

④ ⓑ에서 화자는 자작나무를 보며 '나는 또 태어나야 한다'고 다짐하고 있다.

⑤ 화자는 ⓑ에서 자신이 '모든 낱낱 중의 하나임을 깨달'아 새로운 삶을 살아야겠다고 다짐하며 ⓐ로 향하는 길을 '등지고' ⓒ(칠현산)를 '서슴없이 지향'하고 있다.

## 23 ① 정답률 74%

정답풀이

㉠(아무도 없다 다만 눈발에 익숙한 먼 산에 대해서)에는 색채 대비가 사용되지 않았다.

오답풀이

② ㉡(강렬한 이 경건성!)에서는 자작나무숲에서 느낀 화자의 정서를 '경건성!'이라는 영탄적 표현으로 표출하고 있다.
③ ㉢(붐비는 국숫집은 삼거리 슈퍼 같다)에서는 '붐비는 국숫집'을 '삼거리 슈퍼'에 빗대어 국숫집에 사람들이 모여든 상황을 제시하고 있다.
④ ㉣(손이 손을 잡는 말 / 눈이 눈을 쓸어주는 말)에서 '~이 ~을 ~는 말'이라는 유사한 통사 구조를 반복하여 주제를 부각하고 있다.
⑤ ㉤(쯧쯧쯧쯧 쯧쯧쯧쯧)에서는 '쯧쯧쯧쯧'을 반복하여 평상에 모여 마주 앉은 사람들이 공유하는 공감과 위로의 의미를 강조하고 있다고 볼 수 있다.

## [24~27] 사회

### 24  정답률 76%

정답풀이

4문단을 통해 '기본소득제의 도입을 모색하고 있는 국가나 지방자치단체'가 있음을 알 수 있으나, 윗글에서 기본소득제를 도입한 구체적인 사례를 언급하지는 않았다.

오답풀이

① 2문단에서 '최저소득보장제는 경제적 취약 계층에게 일정 생계비를 보장해 주는 제도'라고 했고, 3문단에서 '기본소득제'는 '기존의 복지 재원을 하나로 모아 국가 또는 지방자치 단체에서 모든 구성원 개개인에게 아무 조건 없이 정기적으로 현금을 지급'하는 제도라고 하였다.
② 1문단에서 최저소득보장제는 '저소득층을 보호하는 역할을 담당'한다고 했다.
③ 3문단에서 '기본소득제는 자격 심사 과정이 없어 관리 비용이 절약될' 수 있다고 했고, 4문단에서 '생산과 소비가 촉진되'는 기본소득제로 인해 '전체 경제가 활성화'된다고 했다.
④ 2문단에서 일부 실업자나 저소득층이 '일을 하지 않고 최저생계비를 보장 받는 것이 더 유리하다고 판단'하고, 지원 대상을 선정하는 과정에서 '관리 비용이 추가로 지출'되며, '최저생계비를 보장 받을 자격이 있지만 서류를 갖추지 못해 지원 대상에서 제외되는 가구'가 발생할 수 있는 최저소득보장제의 문제를 언급했다. 그리고 3문단에서 이를 해결할 수 있는 대안으로 '최저생계비를 보장 받기 위해 사람들이 일부러 일자리를 구하지 않을 가능성이 낮'고 '관리 비용이 절약될 뿐만 아니라 제도에서 소외된 빈곤 인구도 줄일 수 있'는 기본소득제를 제시하였다.

### 25  정답률 66%

정답풀이

[A]에서 '세금이 부과되는 기준 소득'이 '면세점'이라고 했고, '총소득이 면세점을 넘는 경우 총소득 전체에 대해 세금이 부과'된다고 했다. 또한 '순소득'은 세금이 부과되거나 정부 지원이 이루어진 이후의 '실제 소득'을 의미하므로, 세금 부과의 기준이 되는 소득이 아님을 알 수 있다. 따라서 〈보기〉에서 최저생계비보다 총소득이 낮은 ㉯ 가구의 경우, 정부로부터 20만 원을 지원 받아 순소득이 100만 원이 된 것이므로 세금이 부과되지 않을 것이다.

오답풀이

① [A]에서 '최저소득보장제는 경제적 취약 계층에게 일정 생계비를 보장해 주는 제도로~동일한 최저생계비를 보장해 준다.'라고 하였다. 〈보기〉에서 최저생계비를 '면세점인 100만 원까지 보장'한다고 하였으므로, 총소득이 40만 원인 ㉮ 가구는 국가로부터 60만 원을 추가로 지원 받아 순소득이 100만원이 되었음을 알 수 있다.
③ [A]에서 '최저생계비를 보장 받을 자격이 있지만 서류를 갖추지 못해 지원 대상에서 제외되는 가구가 생기기도 한다.'라고 했다. 〈보기〉의 ㉰ 가구는 총소득이 최저생계비인 100만 원에 미치지 못하지만, 총소득과 순소득이 50만 원으로 서로 같다. 이를 통해 ㉰ 가구는 '최저생계비를 보장 받을 자격'이 있음에도 '지원 대상에서 제외'된 가구임을 알 수 있다.
④ [A]에서 '국가에서 최저생계비를 보장할 경우 면세점 이하나 그 부근의 소득에 속하는 일부 실업자, 저소득층은 일을 하여 소득을 올리는 것보다 일을 하지 않고 최저생계비를 보장 받는 것이 더 유리하다고 판단할 수 있다.'라고 했다. 〈보기〉에서 ㉱ 가구의 총소득은 110만 원으로 면세점인 100만 원을 넘어, 총소득의 20%인 22만 원을 세금으로 부과 받아 순소득은 88만 원이 된다. 이로 인해 순소득이 최저생계비인 100만 원에 미치지 못하게 되므로, ㉱ 가구는 '일을 하지 않고 최저생계비를 보장 받는 것이 더 유리하다고 판단'하여 일부러 일을 하지 않을 수도 있을 것이다.
⑤ [A]에서 '총소득이 면세점을 넘는 경우 총소득 전체에 대해 세금이 부과되어 순소득이 총소득보다 줄어들게 된다.'라고 했다. 〈보기〉에서 ㉲ 가구의 총소득은 면세점인 100만 원을 넘은 200만 원이므로, 총소득의 20%에 해당하는 40만 원이 세금으로 부과되어 순소득은 160만 원이 되었음을 알 수 있다.

### 26  정답률 62%

정답풀이

3문단에서 ㉠('기본소득제')은 '모든 국민에게 일정액이 지급되'기 때문에 '기본 소득 이상의 혜택을 받아야 하는 취약 계층에 더 많은 경제적 지원을 할 수 없는 문제'가 있다고 했다. 따라서 기본소득제는 경제적 취약 계층에 대한 차등 지원이 어렵다는 점을 ㉠을 시행할 경우 나타날 수 있는 문제점으로 제시할 수 있다.

오답풀이

① 3문단에서 ㉠은 '모든 국민에게 일정액이 지급되'기 때문에 '복지 예산이 상대적으로 부족한 국가에서는 시행하기 어렵'다는 문제점이 있다고 했다. 따라서 ㉠을 시행할 경우 과도한 생산으로 자원이 낭비되어 국가 경제가 침체될 것이라는 내용은 적절하지 않다.
② 3문단에서 ㉠은 기본 소득에 '만족하는 사람들이 늘어나면 최저소득보장제를 실시할 때보다 오히려 일자리를 찾는 사람이 줄어들 것이'라는 문제점이 있다고 했다. 따라서 ㉠을 시행할 경우 일자리가 전체적으로 줄어들 것이라는 내용은 적절하지 않다.
④ 3문단에서 ㉠은 '모든 국민에게 일정액이 지급'된다고 했고, '자격 심사 과정이 없어 관리 비용이 절약될 뿐만 아니라 제도에서 소외된 빈곤 인구도 줄일 수 있다.'라고 했다. 따라서 ㉠을 시행할 경우 국가 지원에서 제외되는 빈곤 인구가 늘어날 것이라는 내용은 적절하지 않다.
⑤ 3문단에서 ㉠은 '모든 국민에게 일정액이 지급'된다고 했으므로, ㉠을 시행할 경우 일부 실업자는 국가의 지원을 받을 수 없을 것이라는 내용은 적절하지 않다.

### 27  정답률 36%

정답풀이

〈보기〉에서 'ⓐ(넘어선)는 용언의 어간과 어간이 연결어미로 연결되어 형성된 통사적 합성어'라고 했다. 그런데 '오르내리다'는 어간 '오르-'와 '내리다'가 연결어미 없이 바로 결합된 비통사적 합성어에 해당하므로, ⓐ와 단어의 결합 방식이 다르다.

오답풀이

① '주고받다'는 어간 '주-'와 '받다'가 '-고'라는 연결어미로 연결된 통사적 합성어에 해당하므로, ⓐ와 단어의 결합 방식이 같다.
② '타고나다'는 어간 '타-'와 '나다'가 '-고'라는 연결어미로 연결된 통사적 합성어에 해당하므로, ⓐ와 단어의 결합 방식이 같다.
③ '알아듣다'는 어간 '알-'과 '듣다'가 '-아'라는 연결어미로 연결된 통사적 합성어에 해당하므로, ⓐ와 단어의 결합 방식이 같다.
④ '갈아입다'는 어간 '갈-'과 '입다'가 '-아'라는 연결어미로 연결된 통사적 합성어에 해당하므로, ⓐ와 단어의 결합 방식이 같다.

**오답률 Best ❶**

이 시험에서 오답률이 가장 높은 문제였어. 정답인 ⑤번을 고른 학생이 36%였는데, 오답인 ②번을 고른 학생도 이와 비슷한 35%나 됐어. 아마도 독서 지문에 등장하는 문법 문제가 생소하게 느껴져 당황했을 수 있고, '타고나다'를 어간과 어간이 결합한 합성어로 생각하지 못했을 가능성도 있어 보여. 이처럼 단어가 합성어인지 파생어인지 혹은 단일어인지 헷갈릴 경우, 일단 넘어가고 확실한 정답이 보이면 그것을 우선으로 선택하면 돼. ⑤번의 '오르내리다'는 '오르-'와 '내리다'가 연결어미 없이 그대로 결합된 것을 확인할 수 있지? '타고나다'의 단어 구성이 헷갈렸더라도, ⓐ와 단어의 결합 방식이 다른 것으로 '오르내리다'를 정답으로 고르면 돼.

## [28~32] 고전시가+희곡

### 28 ④ 정답률 80%

**정답풀이**

(가)의 2문단에서 사대부들의 시가 작품은 '임금을 이별한 임으로 설정하여 임금에 대한 절절한 그리움을 표현'한다고 했으므로, 사대부들의 시가 작품들이 지배층의 부조리를 비판하기 위해 임금을 이별한 임으로 그린 것이라는 진술은 적절하지 않다.

**오답풀이**

① (가)의 1문단에서 '한국 문학 작품들 사이에 면면히 흐르는 공통적인 특질을 '한국 문학의 전통'이라고' 하며, '한국 문학에는 정과 한의 정서를 담아낸 작품들이 많다.'라고 했으므로, 한은 한국 문학 작품들에 나타나는 공통적인 특질 중 하나로 볼 수 있다.

② (가)의 1문단에서 '한은 인간의 감정이 억눌려 응어리가 매듭처럼 맺힌 것을' 의미한다고 했고, '이러한 한은 수난이 잦은 역사의 비운이나 사회적 억눌림 그리고 어긋난 인간관계 등으로 인해 발생한다.'라고 했다.

③ (가)의 1문단에서 '한국 문학은 '한의 문학'이자 '풀이의 문학'이라고' 했고, 3문단에서 탈춤은 '서민들이 겪었던 갈등과 고통을 웃음으로 해소한다.'라고 했다. 따라서 탈춤은 현실의 억눌림을 웃음을 통해 해소하려고 했다는 점에서 풀이의 문학으로 볼 수 있다.

⑤ (가)의 1문단에서 '한국 문학은 '한의 문학'이자 '풀이의 문학'이라고' 했고, 2문단에서 '유배 가사를 비롯한 사대부들의 시가 작품 중에는 임금과의 관계가 어긋나게 되었을 때의 슬픔과 억울함 등을 담아낸 작품들이 있'다고 했다. 따라서 유배 가사는 임금과의 어긋난 관계로 인한 슬픔과 억울함을 담아낸다는 점에서 한의 문학이라고 할 수 있다.

### 29 ④ 정답률 49%

**정답풀이**

〈보기〉에서 「사미인곡」의 특징으로 ㉣(계절에 따라 임에 대한 그리움을 읊음.)을 제시했고, [A]에서 '김춘택의 「별사미인곡」은 평생 벼슬을 하지 못했던 그가 당쟁에 휘말려 유배를 갔을 때 지은 가사'라고 했다. 이를 고려하면 (나)의 화자는 임을 모신 적이 없으므로 '목란', '한여름 청음'이 ㉣과 같이 계절적 소재를 통해 임과의 추억을 회상하고 있음을 보여주는 것이라고 볼 수는 없다.

**오답풀이**

① 〈보기〉에서 「사미인곡」과 「속미인곡」의 공통점으로 ㉠(임금을 천상계에 계신 임으로 그림.)을 제시했고, [A]에서 「별사미인곡」은 '「사미인곡」과 「속미인곡」의 영향을 받아 지어진 작품'이라고 했다. 이를 고려하면 (나)의 '광한전 백옥경'을 통해 ㉠과 같이 임이 계신 곳을 천상계로 설정했음을 알 수 있다.

② 〈보기〉에서 「사미인곡」과 「속미인곡」의 공통점으로 ㉡(임금을 모셨던 작가 자신을 임과 이별한 여인으로 그림.)을 제시했고, [A]에서 '김춘택의 「별사미인곡」은 평생 벼슬을 하지 못했던 그가 당쟁에 휘말려 유배를 갔을 때 지은 가사'라고 했다. 이를 고려하면 (나)의 '뫼셔본 적 전혀 없네'는 ㉡과 달리 벼슬을 하지 못했던 작가가 자신의 처지를 표현한 것이라 할 수 있다.

③ 〈보기〉에서 「사미인곡」과 「속미인곡」의 공통점으로 ㉢(죽어서도 임을 따르고자 하는 의지를 드러냄.)을 제시했고, [A]에서 「별사미인곡」은 '「사미인곡」과 「속미인곡」의 영향을 받아 지어진 작품'이라고 했다. 이를 고려하면 (나)의 '구름', '바람'은 ㉢과 같이 죽어서라도 임의 곁에 가고자 하는 화자의 마음을 드러내는 것이라 할 수 있다.

⑤ 〈보기〉에서 「속미인곡」의 특징으로 ㉤(두 여인이 이야기하는 형식을 통해 임에 대한 마음을 표현함.)을 제시했고, [A]에서 「별사미인곡」은 '「사미인곡」과 「속미인곡」의 영향을 받아 지어진 작품'이라고 했다. 이를 고려하면 (나)의 '이보소 저 각시님'은 ㉤과 같이 이야기하는 형식을 취한 것이라 할 수 있다.

**오답률 Best ❸**

일반적으로 <보기>에는 지문에 제시된 작품을 설명하는 경우가 많은데, 이 문제는 (나)가 영향을 받은 작품인 「사미인곡」과 「속미인곡」에 대한 설명을 제시했어. 아마도 문제의 형식이 복잡해서 문제를 푸는 데 더욱 어려움을 겪었을 거야. 정답을 선택한 비율을 살펴보면, 정답인 ④번을 고른 학생이 49%였는데, 오답인 ②번을 고른 학생도 26%나 됐어. 먼저 ④번을 <보기>의 ㉣과 관련지어 보면, '목란'과 '한여름 청음'이라는 시어가 계절과 관련이 있을 것으로 보이고, '임과의 추억을 회상'하는 것은 '그리움'과 관련이 있어 보이므로, 적절하다고 판단했을 가능성이 있어. 그러나 문학에서도 선지를 판단할 때에는 가장 먼저 사실 관계를 파악하는 것이 중요해! 그럴듯해 보이더라도 선지 내용을 자세히 보면 (가)의 [A]에서 김춘택은 '평생 벼슬을 하지 못했'다고 했으므로 '임과의 추억을 회상'한다는 부분은 적절하지 않은 내용임을 알 수 있어. 또한 <보기>의 ㉡을 통해 「사미인곡」의 작가는 임금을 모셨다는 것을 알 수 있고, (가)의 [A]에서 윗글의 작가는 임금을 모시지 못했다는 것을 알 수 있으므로, ②번은 적절한 내용이야.

### 30 ② 정답률 73%

**정답풀이**

(나)의 '인연인들 한가지며 이별인들 같을손가', '님 향한 이 마음이 변할손가' 등에서 설의적 표현을 사용하여 화자의 정서를 강조하고 있음을 확인할 수 있다.

**오답풀이**

① (나)에서 음성상징어가 사용된 부분은 찾아볼 수 없다.

③ (나)에서 연쇄법이 사용된 부분은 찾아볼 수 없다.

④ (나)에서 시간의 흐름에 따라 시적 대상의 변화 과정을 묘사하고 있는 부분은 찾아볼 수 없다.

⑤ (나)에서 근경에서 원경으로 시선을 이동하며 시적 배경을 제시하고 있는 부분은 찾아볼 수 없다.

### 31 ③ 정답률 77%

**정답풀이**

(가)의 [B]에서 「봉산탈춤」은 '익살스러운 말과 행동을 통해 대상을 조롱하고 희화화'한다고 했다. 그런데 (다)의 ⓒ(그놈이 심(힘)이 무량대각이요, 날램이 비호 같은데)는 '취발이'가 힘이 세고 날래다는 것을 각각 '무량대각'과 '비호'에 비유한 것일 뿐, '취발이'를 익살스럽게 묘사하고 있지 않으며, 이를 통해 서민들 사이의 갈등을 해소하고 있지도 않다.

**오답풀이**

① (가)의 [B]에서 「봉산탈춤」은 '익살스러운 말과 행동을 통해 대상을 조롱하고 희화화'한다고 했다. 이를 고려하면 (다)의 ⓐ(노새 원님을 끌어다가)에서 '노새 원님'은 '노 생원님'과 발음이 유사하다는 것을 이용하여 양반을 희화화한 것이라고 볼 수 있다.

18회

② (가)의 [B]에서 「봉산탈춤」은 '양반을 비하하는 욕설, 행동 등을 거침없이 표현'한다고 했다. 이를 고려하면 (다)의 ⓑ(샌님 비뚝한 놈도 없습디다.)는 양반을 얕잡아 보는 말을 사용하여 양반을 비하한 것이라고 볼 수 있다.
④ (가)의 [B]에서 「봉산탈춤」은 '익살스러운 말과 행동을 통해 대상을 조롱하고 희화화하여 서민들이 겪었던 갈등과 고통을 웃음으로 해소한다.'라고 했다. 이를 고려하면 (다)의 ⓓ(취발이 엉덩이를 양반 코앞에 내밀게 하며)는 양반을 무시하고 조롱하는 행동을 함으로써 웃음을 유발한 것이라고 볼 수 있다.
⑤ (가)의 [B]에서 「봉산탈춤」은 '서민들을 억압하는 사회를 풍자'한다고 했다 이를 고려하면 (다)의 ⓔ(돈이나 몇백 냥 내라고 하야 우리끼리 노나 쓰도록 하면, 샌님도 좋고 나도 돈냥이나 벌어 쓰지 않겠소.)는 돈을 받고 죄를 눈감아 주던 당시의 모습을 드러내어 부패한 사회를 풍자한 것이라고 볼 수 있다.

## 32 ④ 정답률 60%

정답풀이

(나)의 ㉮(부용화 옷)는 화자가 임을 생각하며 만든 것으로 임에 대한 그리움과 사랑과 같은 애정을 드러내는 소재라 할 수 있고, (다)의 ㉯(전령)는 양반의 권위를 상징하며 '말뚝이'가 '취발이'를 제압할 수 있게 하는 소재라 할 수 있다.

오답풀이

① ㉮는 화자가 임을 그리워하며 만든 것으로, 과거를 떠올리게 하는 소재라고 볼 수 없고, ㉯는 양반의 권위를 상징하는 소재일 뿐, '말뚝이'가 미래를 예측하게 하는 소재라고 보기 어렵다.
② ㉮는 화자가 임을 그리워하며 만든 것으로, 화자의 절망적 현실을 나타내는 소재라고 볼 수 없고, ㉯는 양반의 권위를 상징하는 것으로 '생원'이 '말뚝이'에게 가지고 가라고 한 것이므로, '말뚝이'의 부정적 현실을 나타내는 소재라고 볼 수 없다.
③ ㉮는 화자가 임을 그리워하며 만든 것으로 '하늘께 맹세하여 님 섬기라 원이려니'라고 했으므로, 화자의 간절한 바람을 나타내는 소재라고 볼 수 있으나, ㉯는 양반의 권위를 상징하는 것으로 '생원'이 '말뚝이'에게 가지고 가라고 한 것일 뿐, '말뚝이'가 반성적 성찰을 하게 하는 소재라고 볼 수 없다.
⑤ ㉮는 화자가 임을 그리워하며 만든 것일 뿐, 화자와 임의 약속을 상징하는 소재라고 볼 수 없다. 한편 ㉯는 '말뚝이'가 '생원'에게 위임 받은 양반의 권위를 상징하는 소재라고 볼 수 있다.

## [33~35] 과학

## 33 ⑤ 정답률 77%

정답풀이

윗글은 동물들의 눈동자의 모양이 생존 방식에 따라 달라진다는 것을 매복형 육식동물과 초식동물의 눈동자 모양의 차이를 중심으로 설명하고 있다.

오답풀이

① 윗글은 생존 방식에 따라 동물들의 눈동자 모양이 다름을 설명하고 있을 뿐, 포식자와 피식자의 관계를 중심으로 동물의 생태학적 위치를 설명하고 있지 않다.
② 윗글은 생존 방식에 따라 동물들의 눈동자 모양이 다름을 설명하고 있을 뿐, 원형인 눈동자의 장점을 중심으로 육상동물의 눈동자 모양을 설명하고 있지 않다.
③ 윗글은 동물들의 눈동자 모양이 생존 방식에 따라 다름을 설명하고 있으나, 이를 눈동자의 색과 구조를 중심으로 설명하고 있지는 않다.
④ 윗글에서 동물들의 눈동자 모양과 관련하여 양안시와 단안시의 차이점은 설명하고 있으나, 효과적인 심도 조절 방법은 설명하고 있지 않다.

## 34 ⑤ 정답률 53%

정답풀이

3문단에서 '매복형 육식동물은 양쪽 눈으로 초점을 맞춰 대상을 보는 양안시로, 각 눈으로부터 얻는 영상의 차이인 양안시차를 하나의 입체 영상으로 재구성'한다고 한 것은 맞지만, 5문단에서 초식동물도 '두 시야가 겹쳐 입체 영상을 볼 수 있'다고 했다.

오답풀이

① 3문단에서 '심도란 초점이 맞는 공간의 범위를 말하며, 심도는 눈동자의 크기에 따라 결정된다.'라고 했다.
② 3문단에서 '매복형 육식동물은 양쪽 눈으로 초점을 맞춰 대상을 보는 양안시로, 각 눈으로부터 얻는 영상의 차이인 양안시차를 하나의 입체 영상으로 재구성하면서 물체와의 거리를 파악한다.'라고 했다.
③ 1문단에서 '동물들은 홍채에 있는 근육의 수축과 이완을 통해 눈동자를 크게 혹은 작게 만들어 눈으로 들어오는 빛의 양을 조절'한다고 했다.
④ 5문단에서 '초식동물은 한쪽 눈으로 초점을 맞추는 단안시여서 눈의 위치가 좌우로 많이 벌어질수록 유리'한데, 그 이유는 '두 시야가 겹쳐 입체 영상을 볼 수 있는 영역은 정면뿐이지만 바로 뒤를 빼고 거의 전 영역을 볼 수 있기 때문이다.'라고 했다.

**오답률 Best ⑤**

이 문제는 내용 일치 여부를 확인하는 문제였는데, 정답인 ⑤번을 고른 학생이 53%밖에 되지 않았어. 아마도 '매복형 육식동물'은 양안시이므로 두 눈을 통해 입체 영상을 얻는다는 것은 쉽게 파악할 수 있었겠지만, '초식동물'은 단안시라고 했으므로, 두 눈을 통해 입체 영상을 얻지 못한다고 판단했을 가능성이 있어 보여. 그러나 5문단을 잘 읽어보면 '두 시야가 겹쳐 입체 영상을 볼 수 있는 영역은 정면뿐'이라고 했으므로 초식동물도 두 시야가 겹쳐 입체 영상을 볼 수 있다고 판단할 수 있어. 지문과 선지의 내용 일치 여부를 확인하는 문제에서는 선지의 내용과 관련된 지문의 부분으로 다시 돌아가 정확하게 읽고 확인하는 습관을 들이는 것이 필요해!

## 35 ④ 정답률 77%

정답풀이

1문단에서 '고양이와 늑대와 같은 육식동물은 세로로' 눈동자 모양이 길쭉하다고 했고, 4문단에서 '매복형 육식동물은 세로로는 커지고, 가로로는 작아진 눈동자를 통해 세로로는 심도가 얕고, 가로로는 심도가 깊은 영상을 보게 된다. 세로로 심도가 얕다는 것은 영상에서 초점이 맞는 범위를 벗어난, 아래와 위의 물체들 즉 실제 세계에서는 초점을 맞춘 대상의 앞과 뒤에 있는 물체들이 흐릿하게 보인다는 것'이라고 했다. 따라서 매복형 육식동물인 늑대의 눈동자는 가로로 심도가 깊고, 세로로 심도가 얕은 영상을 보게 되며(㉠), 두 눈의 초점을 양에게 맞추고 있으므로 양보다 바위와 나무가 더 흐릿해 보일 것이다(㉡).

오답풀이

①, ② 1문단에서 '양이나 염소와 같은 초식동물은 가로로 눈동자 모양이 길쭉'하다고 했고, 5문단에서 '초식동물은 가로로 길쭉한 눈동자를 통해 세로로는 심도가 깊고 가로로는 심도가 얕은 영상을 얻게 되는데, 이로 인해 초점이 맞는 범위의 모든 물체가 뚜렷하게 보여 거리감보다는 천적의 존재 자체를 확인하는 데 더욱 효과적'이라고 했다. 따라서 초식동물인 양은 가로로 심도가 얕고, 세로로 심도가 깊은 영상을 보게 되고(㉠), 늑대와 나무, 바위가 모두 뚜렷해 보일 것이다(㉡).

## [36~38] 인문

## 36 ⑤ 정답률 57%

정답풀이

윗글은 고대 피론주의의 진리에 대한 관점에 대해 소개하고 있으며, 5문단에서 '피론주의로 인해 인간 스스로에 의해 마음의 평정을 얻을 수 있는 방법을 알게 되었고, 이는 신 중심의 세계관에서 탈피하여 인간이 주체적으로 사고하는 계기가 되었다.'라고 했다.

오답풀이

① 6문단에서 '데카르트와 같은 철학자들은 고대 피론주의의 진리의 존재 여부를 파악할 수 없다는 태도를 극복하기 위해 깊이 있게 인간의 인식에 대해 고찰하'면서 '근대 철학의 시대가 열리게' 되었다고 했을 뿐, 고대 피론주의의 관점에서 근대적 인식론의 한계를 비판하고 있지는 않다.
② 윗글은 고대 피론주의의 형성 배경과 관점을 제시하고 있을 뿐, 그 발전이나 쇠퇴 과정을 제시하고 있지는 않다.
③ 1문단에서 '고대 회의주의 철학인 피론주의가 새롭게 관심을 받게 되'었다고 했을 뿐, 고대 피론주의와 중세에 부각된 피론주의의 차이점을 분석하지는 않았다.
④ 1문단에서 '명증한 진리는 없어 보인다며 진리에 대해 회의적 태도를 보이는, 고대 회의주의 철학인 피론주의가 새롭게 관심을 받게 되면서 신 중심의 세계관이 흔들리게' 되었다고 했으므로, 고대 피론주의를 신 중심의 중세 철학이 계승했다고 볼 수 없다.

37 ④ 정답률 69%

정답풀이

ㄱ.
4문단을 통해 피론주의자들은 '다양한 명제들을 상충 또는 대립시켜 명증성을 확인하려고' 했음을 알 수 있다.
ㄴ.
4문단을 통해 피론주의자들은 '여러 명제들은 대립되고 모순되기 때문에 어느 쪽도 다른 명제에 비해 우월하거나 열등하지 않'다고 보았음을 알 수 있다.
ㄹ.
4문단을 통해 피론주의자들은 '어떤 명제가 참인 진리가 되기 위해서는 의심할 바 없이 뚜렷하게 증명되는 명증성을 지녀야 한다고 전제'했음을 알 수 있다.

오답풀이

ㄷ.
4문단에서 피론주의자들은 '진리는 없어 보인다는 결론'을 내렸으며, 5문단에서 피론주의자들은 '진리에 대해 판단을 중지하면, 진리를 얻기 위한 고뇌에서 벗어나 마음의 평정 상태인 아타락시아가 오게 된다고 생각했'다고 했다. 따라서 이들이 고뇌에서 벗어나 마음의 평정 상태에 이르면 진리를 파악할 수 있다고 생각했다고 볼 수는 없다.

38 ③ 정답률 64%

정답풀이

4문단을 통해 ⓐ(피론주의자)는 명제가 지닌 '명증성을 확인하려고 하였고, 지속적으로 진리를 의심하는 방법으로 진리를 찾으려고 하였'음을 알 수 있고, 6문단과 〈보기〉를 통해 ⓑ(데카르트)는 '고대 피론주의의 진리의 존재 여부를 파악할 수 없다는 태도를 극복하기 위해 깊이 있게 인간의 인식에 대해 고찰'하는 과정에서 '회의적 사고'를 하였음을 알 수 있다. 즉, ⓐ와 ⓑ 모두 공통적으로 사유의 과정에서 의심의 방법을 사용하였다고 볼 수 있다.

오답풀이

① 3문단에서 '배중률을 고려하면 p와 ~p 중 하나는 참이라는 점에서 진리는 존재하기 때문에' '진리의 존재 여부를 파악할 수 없다는 피론주의자들의 주장'이 거짓이 된다고 했을 뿐, ⓐ와 ⓑ 모두 배중률을 통해 진리를 증명하지는 않았다.
② 1문단에서 서양의 중세 시대에는 '진리를 찾으려는 학문의 목적 역시 신의 질서를 파악하는 것'이었다고 했고, ⓐ는 이에 대해 회의적 태도를 보였다고 했다. 기초적 믿음이 신의 질서라고 여긴 것은 ⓐ, ⓑ가 아니라 중세 시대 서양의 신 중심 세계관에 해당된다.
④ 4문단에서 ⓐ는 '진리를 찾을 수 없다는 회의적 상태에 이르게 되'었다고 했고, 6문단에서 ⓑ는 '피론주의의 진리의 존재 여부를 파악할 수 없다는 태도를 극복하기 위해 깊이 있게 인간의 인식에 대해 고찰하였다.'라고 했다. 따라서 ⓐ는 진리가 존재한다고 여기지 않을 것이며 ⓑ는 진리는 존재하며 그것을 파악할 수 있다고 여겼을 것이다.
⑤ 6문단에서 ⓑ는 '피론주의의 진리의 존재 여부를 파악할 수 없다는 태도를 극복하기 위해 깊이 있게 인간의 인식에 대해 고찰하였'고 이로 인해 '근대 철학의 시대가 열리게' 되었다고 했으므로, ⓑ는 진리의 존재를 확신하며 근대 철학의 토대를 마련했다고 볼 수 있지만, ⓐ는 진리의 존재를 확신하지 않았다.

[39~42] **현대소설**

39 ③ 정답률 66%

정답풀이

윗글은 작중 인물인 '나'가 '기범'이라는 인물의 행동과 말을 중심으로 서술하고 있다.

오답풀이

① 윗글은 1인칭 관찰자 시점으로, 서술자가 교체되지 않는다.
② 윗글에서 공간 묘사를 통해 인물의 성격 변화 과정을 드러낸 부분은 찾을 수 없다.
④ 윗글에서 독백과 대화의 반복적 교차를 통해 인물의 내적 갈등을 드러낸 부분은 찾을 수 없다.
⑤ 윗글은 시간순에 따라 사건이 전개될 뿐, 동시에 일어난 두 개의 사건을 병치하여 갈등 해결의 실마리를 제시하고 있지 않다.

40 ④ 정답률 71%

정답풀이

'식장에 참석한 모든 사람들'은 '기범'이 ⓒ(조선 만세를 외침.)를 한 이후 뒤따라 ⓓ(일본 만세를 외침.)를 한 것에 대해 '묘한 의문에 사로잡'힌다. 따라서 헌병들 역시 기범이 ⓓ를 행한 이유를 알지 못했다고 볼 수 있다.

오답풀이

① '나는 사건이 끝난 한참 후에야 기범이 어째서 거사의 중임을 자청했는가를 깨달았다.'라고 했으므로, '나'는 '기범'이 ⓐ(거사를 계획함.)에 참여한 이유를 ⓔ(대동아 만세를 외침.)가 끝난 한참 후에 깨달았다고 볼 수 있다.
② '나'는 거사가 실패하자 지금까지 자신을 '짓눌러 온 온갖 불안'이 사라지고 '불과 몇십 초 사이에 깨끗하게 해방된 것' 같은 느낌을 받았다고 했으므로, '나'는 ⓑ(거사가 실패함.)에 대해 오히려 안도감을 느꼈다고 볼 수 있다.
③ '기범'이 ⓒ를 한 후, '모든 시선이 기범에게 집중되었다.'라고 했다.
⑤ '기범'이 ⓔ를 한 후, '식장을 지배해 온 숨 막히던 긴장'이 '깨끗이 해소'되었다고 했다.

41 ② 정답률 69%

정답풀이

[A]에서 '기범'은 '일규'를 '무사'에, 자신을 '악사'에 빗대어 '서로를 경멸하면서도 사이좋게 살아가는' 두 인물 사이의 관계를 드러내고 있다.

오답풀이

① [A]에서 인정에 호소하여 상대방의 동정을 유도하고 있는 부분은 찾을 수 없다.
③ [A]에서 과거의 행적을 언급하며 자신의 내면을 성찰하고 있는 부분은 찾을 수 없다.
④ [A]에서 상황을 반전시키며 앞으로 일어날 일을 예상하고 있는 부분은 찾을 수 없다.
⑤ [A]에서 상대방에게 반문하며 상황의 불가피성을 강조하는 부분은 찾을 수 없다.

42 ① 정답률 61%

정답풀이

〈보기〉에서 윗글에는 '정의의 목소리를 내야 할 때는 침묵하다가 뒤늦게 자신의 책무를 다하는 것처럼 행동하'는 지식인들이 등장한다고 했고, '작가는 역사적 상황에서 현실 참여에 적극적이지 못한 이들의 무책임한 태도를 비판'한다고 했다. 이를 고려하면 ㉠(나는 세상이 가장 혼탁할 때는 일규가 어디 있는지 본 일이 없다. 그놈이 칼을 뽑았을 때는 누군가가 위기를 제거해서 세상이 더없이 편안해진 후다.)에서 '일규'는 정의의 목소리를 내야 할 때는 침묵하다가 뒤늦게 자신의 책무를 다하는 것처럼 행동하는 인물이라고 볼 수 있다.

오답풀이

② 〈보기〉에서 윗글에는 '이념을 따르기보다는 생활에서 생계를 유지하는 지식인들이 등장하고 있'으며 '작가는 역사적 상황에서 현실 참여에 적극적이지 못한 이들의 무책임한 태도를 비판'한다고 했다. ㉡(즐거움이라고? 우리에겐 아프지 않고 배고프지 않은 것이 즐거움이다.)은 거창한 이념을 내세우는 '무사'의 삶이 아닌 '악사'의 삶과 관련된 내용일 뿐, 현실 참여에 적극적인 모습과는 관련이 없다.

③ 〈보기〉에서 윗글에는 '이념을 따르기보다는 생활에서 생계를 유지하는 지식인들이 등장하고 있'으며 '작가는 역사적 상황에서 현실 참여에 적극적이지 못한 이들의 무책임한 태도를 비판'한다고 했다. ㉢(뭘 했냐 너는? 이때 너는 어디 있었냐? 네가 한 일이 대체 뭐냐? 우린 모두가 살아남은 게 고작이었다.)은 역사적 상황에서 현실 참여에 적극적이지 못한 태도를 지적한 것일 뿐, 생계유지에 무책임한 모습과는 관련이 없다.

④ 〈보기〉에서 윗글의 '작가는 역사적 상황에서 현실 참여에 적극적이지 못한 이들의 무책임한 태도를 비판'한다고 했다. ㉣(무수한 양심이란 것들이 그것들의 진행을 목격했지만 그것들이 진행될 동안은 누구 하나 끽소리 없었다.)은 역사적 상황에서 현실 참여에 적극적이지 못한 이들을 비판한 것일 뿐, 침묵으로 정의의 목소리를 대신한 모습과는 관련이 없다.

⑤ 〈보기〉에서 윗글에는 '정의의 목소리를 내야 할 때는 침묵하다가 뒤늦게 자신의 책무를 다하는 것처럼 행동하'는 지식인들이 등장한다고 했고, '작가는 역사적 상황에서 현실 참여에 적극적이지 못한 이들의 무책임한 태도를 비판'한다고 했다. ㉤(무사님들이 작업을 하실 때 우리는 뒷전에서 잘한다, 옳소 하고 소리나 쳐주면 되는 거다.)의 '무사님들'은 뒤늦게 자신의 책무를 다하는 것처럼 행동하는 이들이라고 볼 수 있고, 이들에게 '잘한다, 옳소 하고 소리나 쳐주면' 된다는 것은 작가의 비판적 의식을 우회적으로 드러낸 것이라고 할 수 있다. 따라서 ㉤은 이념에 따라 행동하는 모습과는 관련이 없다.

## [43~45] 고전소설

**43** ③ 정답률 **50%**

정답풀이

'아무리 알고자 한들~보배라 어찌 알겠는가.', '그 소리의 맑고 아름다움이 해선보다 더 하더라.' 등에서 서술자가 직접 개입하여 작중 상황에 대한 주관적인 판단을 제시하고 있다.

오답풀이

① 윗글에서 외양 묘사를 통해 인물의 성격을 드러낸 부분은 찾을 수 없다.

② 윗글에서 요약적 서술을 통해 시대적 배경을 제시한 부분은 찾을 수 없다.

④ 윗글에는 '제일봉', '황성', '해평' 등 공간적 배경의 변화에 따른 장면 전환은 드러나지만, 이로 인해 긴박한 분위기가 조성되고 있지는 않다.

⑤ 윗글에서 꿈과 현실을 교차하여 사건을 입체적으로 구성한 부분은 찾을 수 없다.

**오답률 Best 4**

이 문제는 서술상의 특징을 묻는 문제였어. 정답인 ③번을 고른 학생이 50%였는데, 아마도 고전소설에서 서술자가 직접 개입하는 부분이 정확히 어디인지 파악하지 못했을 가능성이 커 보여. 서술자의 개입은 서술자가 인물이나 사건에 대해 평가나 감정적 대응을 하는 경우와 서술자가 사건 전개에 대해 독자들에게 안내하는 말을 하는 경우를 모두 포함해. ③번은 전자의 경우에 해당하겠지?

학력평가를 풀 때, 서술상의 특징 문제는 각 선지에 해당하는 근거를 찾고 각 선지에 제시된 문학 개념을 노트에 따로 정리해 두는 것도 좋은 공부 방법이 될 수 있어!

**44** ② 정답률 **57%**

정답풀이

윗글에서는 '부인이 옥저와 거문고를 내주시니 해선이 받아 가지고 한번 불어 보았다. 부인이 그 부는 소리를 들으니 주봉과 같이 부는지라. 부인이 더욱 슬퍼'했다고 했을 뿐이므로, 부인이 이를 통해 주봉과 해선의 인연을 확신하고 있다고 볼 수는 없다.

오답풀이

① 유정한이 '국가에 큰 환란을 일으킬까 하오니 폐하께서는 깊이 생각하옵소서.'라고 하자, '천자가 크게 근심하'였다고 했다.

③ 부인이 아들 주봉이 '일찍이 십사 세에 과거 급제하여 해평 도사로 간 지 십사 년이나 되었으나 소식이 완전히 끊어'져 '답답하고 슬픈' 심정이라고 하자, 해선은 '불쌍한 생각'이 들었다고 했다.

④ 주봉은 우연히 '옥저와 거문고 연주하는 소리'를 듣고 찾아가니 '한 소년이 연주를 하고 있는데 옥저도 낯이 익었고 거문고도 낯이 익었'으므로 '분명히 나의 옥저와 거문고'라고 여기며 '마음에 기이한 생각이 들'었다고 했다.

⑤ 조정 백관들은 '주봉이 조정 권세를 자기 혼자 차지하였'다며 '주봉을 원망하'고 있다.

**45** ⑤ 정답률 **70%**

정답풀이

〈보기〉에서 「주봉전」은 '신물 획득과 가족 찾기, 위기 극복 과정 등에서 우연이 반복되고 전기성이 두드러'진다고 하였다. 고전소설에서 '전기성'이란 기이하고 비현실적인 요소가 드러나는 특성을 의미하는데, 해선이 부인의 이야기를 듣고 '과거 볼 생각도 없어'진 것에서는 '전기성'을 확인할 수 없다.

오답풀이

① 〈보기〉에서 「주봉전」은 주여득, 주봉, 주해선의 3대를 중심으로 한 '이산–시련–상봉'의 서사 구조를 가진 작품이'라고 했다. 이를 고려하면 주봉이 걸인이 되어 해평을 떠도는 것은 인물이 겪는 '시련'으로 볼 수 있다.

② 〈보기〉에서 「주봉전」은 '위기 극복 과정 등에서 우연이 반복되고 전기성이 두드러지는 등 작품 전반에 걸쳐 비현실적 요소를 삽입'했다고 했다. 이를 고려하면 물에 빠져 죽을 위기에 처한 주봉을 옥황상제가 살려준 것은 '비현실적 요소'로 볼 수 있다.

③ 〈보기〉에서 「주봉전」은 '신물 획득과 가족 찾기'가 나타난다고 했다. 이를 고려하면 옥저와 거문고를 통해 주봉과 해선이 만나게 되는 것은 옥저와 거문고가 '상봉'의 매개물이기 때문이라 할 수 있다.

④ 〈보기〉에서 「주봉전」은 '신물 획득과 가족 찾기, 위기 극복 과정 등에서 우연이 반복'된다고 했다. 이를 고려하면 해선이 주봉의 어머니 집에 머물고, 연이어 주봉을 만나는 장면에서 '우연'이 반복되고 있다고 할 수 있다.

# 19회

2017학년도 6월 학평

| 1. ④ | 2. ② | 3. ① | 4. ① | 5. ⑤ | 6. ① | 7. ② | 8. ④ | 9. ④ | 10. ⑤ |
|---|---|---|---|---|---|---|---|---|---|
| 11. ⑤ | 12. ⑤ | 13. ④ | 14. ② | 15. ① | 16. ④ | 17. ⑤ | 18. ② | 19. ③ | 20. ④ |
| 21. ① | 22. ⑤ | 23. ⑤ | 24. ③ | 25. ③ | 26. ① | 27. ④ | 28. ⑤ | 29. ③ | 30. ⑤ |
| 31. ① | 32. ② | 33. ① | 34. ⑤ | 35. ④ | 36. ② | 37. ③ | 38. ① | 39. ④ | 40. ② |
| 41. ④ | 42. ② | 43. ② | 44. ③ | 45. ③ | | | | | |

오답률 Best 5

[1~2] **화법**

**1** ④ 정답률 **83%**

정답풀이

발표자는 모네의 작품 세계를 소개하는 데 있어 핵심 정보를 다른 상황에 빗대어 설명하고 있지 않다.

오답풀이

① 발표자는 '〈인상, 해돋이〉', '〈수련〉'과 같은 모네의 작품을 화면으로 보여 주며 청중의 관심을 유도하고 있다.
② '색채 분할법이란, 물감을 팔레트에서 직접 혼합하여 칠하지 않고 화폭 위에 나란히 칠해 착시 현상을 주는 표현 기법입니다.'에서 '색채 분할법'이라는 생소한 용어의 개념을 설명함으로써 청중의 이해를 돕고 있다.
③ 발표자는 발표의 시작에서 '인상파 화가 중에 생각나는 사람이 있나요?'라고 질문을 던지며 청중의 배경 지식을 확인하고 있다.
⑤ 발표자는 '이번 주말에 우리 학교에서 창의적 체험활동의 일환으로 관람할 예정인 『모네 특별전』에서 '모네의 그림을 감상할 때 도움이 되도록 그의 작품 세계를 소개'하겠다며 발표의 목적을 분명히 밝힘으로써 청중이 발표 내용에 주목할 수 있도록 유도하고 있다.

**2** ② 정답률 **77%**

정답풀이

발표자는 모네가 빛으로 인해 변화되는 '순간을 포착할 수 있었던 것은 사진의 발명 덕분'이라고 언급하였을 뿐, 이전의 화가들이 활용한 사진 기술을 바탕으로 자연의 빛깔을 연구하였다고 하지 않았다.

오답풀이

① 발표자가 '모네는 빛에 따라 시시각각으로 변해 가는 사물의 인상을 표현'했다고 설명한 것을 통해 알 수 있다.
③ 발표자는 모네의 〈인상, 해돋이〉는 '외관상 마무리가 덜 된 것처럼 보여서 당시 평론가들로부터 미완성의 작품이라고 비웃음을 샀'다고 하였다.
④ 발표자는 '19세기 이전의 사실주의 화가들과 달리' 모네는 '사물에는 고유색이 없'다고 보았다고 하였다.
⑤ 발표자는 모네가 '빛에 따라 시시각각으로 변해 가는 사물의 인상을 표현'하기 위해 '착시 현상을 주는 표현 기법'인 '색채 분할법'을 도입하였다고 하였다.

[3~5] **화법**

**3** ① 정답률 **79%**

정답풀이

입론에서 '찬성 1'이 '경험이 많은 선생님들께서 면접을 통해~다양한 분야에 재능을 지닌 학생들을 효과적으로 선발할 수 있습니다.'라고 한 것을 통해, 새로운 방식인 심층 면접 방식의 긍정적 측면을 근거로 삼아 자신의 주장을 펼치고 있음을 확인할 수 있다.

오답풀이

② '찬성 1'은 입론에서 논제와 관련되는 구체적인 사례를 제시하지 않았다.
③ '반대 1'은 입론에서 논제와 관련된 전문가의 견해를 인용하지 않았다.
④ '반대 1'은 입론의 '심층 면접 방식은 심사를 맡은 면접관과~공정하지 못합니다.'에서 새로운 방식의 문제점을 제기한 후, '서류 심사 방식은 ~공정하다고 생각합니다.'에서 기존 방식의 장점을 제시하고 있다.
⑤ '반대 1'은 입론의 '심층 면접 방식은 심사를 맡은 면접관과~공정하지 못합니다.'에서 새로운 방식의 문제점을 지적하고 있을 뿐, 상대측 견해의 일부를 수용하고 있지 않다.

**4** ① 정답률 **84%**

정답풀이

[A]에서 '반대 2'는 심층 면접 방식이 '참가자의 재능이나 역량 등을 직접 검증할 수 있을 뿐만 아니라 객관적으로 확인할 수 있'다는 '찬성 1'의 발언의 일부를 언급하면서, 오히려 '면접관의 주관이 개입'되어 '평가의 신뢰성이 떨어져 학생들의 불만이 높아질 수도 있지 않'냐고 묻고 있다.

오답풀이

② [A]에서 '반대 2'가 상대측 발언 내용 중 모호한 표현을 지적하고 있지는 않다.
③ [B]에서 '찬성 2'가 자신이 이해한 내용이 맞는지 확인하고 있지는 않다.
④ [B]에서 '찬성 2'는 설문 조사 결과를 근거로 활용하여 기존 방식에서 '서류 심사의 평가 기준이 타당하다고 보기 어렵'다는 문제점을 지적했을 뿐, 이를 통해 새로운 방식의 장점을 강조하고 있지는 않다.
⑤ 찬성 측과 반대 측이 입론에서 자료를 제시하지는 않았으므로, 반대 측의 반대 신문인 [A]나 찬성 측의 반대 신문인 [B]에서 상대측 자료 내용의 정확성에 문제를 제기하며 자료의 출처를 밝혀 달라고 요구하고 있다고 볼 수 없다.

**5** ⑤ 정답률 **82%**

정답풀이

'찬성 1'은 입론에서 '다양한 분야에 재능을 지닌 학생들을 효과적으로 선발할 수 있'다는 점에서 새로운 방식인 ㉡(심층 면접 방식)을 옹호하고 있지만, 위 토론에서 반대 측은 기존 방식인 ㉠(서류 심사 방식)이 다양한 분야의 재능을 지닌 학생을 효과적으로 선발할 수 있다고 하지 않았다.

오답풀이

① '찬성 1'은 입론에서 새로운 방식인 ㉡은 '참가자의 재능이나 역량 등을 직접 검증할 수 있'다며 옹호하고 있다.
② '찬성 1'은 입론에서 기존의 방식인 ㉠은 '서류 내용의 사실 여부를 심사자가 정확히 확인하기 어려'운 점을 근거로 이를 반대하고 있다.

19회

③ '반대 1'은 입론에서 기존의 방식인 ㉠은 '담당 부서에서 마련한 타당한 평가 기준으로 학생을 선발하는 방식이기 때문에 공정'하다고 주장하고 있다.
④ '반대 1'은 입론에서 새로운 방식인 ㉡은 '면접 경험이 부족한 저학년 학생들은 고학년 학생들보다 면접에 약하기 때문에 공정하지 못'하다고 주장하고 있다.

## [6~8] 작문

### 6 ① 정답률 82%

정답풀이

(가)에서는 '평소 시를 멀리하는 친구들'을 예상 독자로 삼아 '안도현 시인의 「스며드는 것」이라는 시'를 읽고 깨달은 바를 전하고자 글을 쓰는 작문 상황이 제시되어 있다. 그리고 (다)에서는 그 구체적인 내용으로 「스며드는 것」을 읽고 깨달은 시의 의미가 제시되어 있다. 따라서 (가)와 (다)를 통해 작문은 예상 독자를 고려하여 표현하는 활동이며,(ㄱ) 일상의 경험과 관련지어 의미를 발견하는 활동임을 알 수 있다.(ㄴ)

오답풀이

ㄷ. (가)와 (다)를 통해 작문이 사회적 갈등을 해소하려는 활동임을 알 수는 없다.
ㄹ. (가)와 (다)를 통해 작문이 다양한 매체를 사용하는 활동임을 알 수는 없다.

### 7 ② 정답률 76%

정답풀이

'스며 있는 것이 아닐까.'라는 설의적 표현으로 마무리하였으며, '꿈틀', '버둥', '스며'와 같은 (나)의 시어를 활용하였다. 또한 시가 우리의 삶에 스며있다는 내용은 '시는 우리의 삶과 동떨어진 다른 세상의 이야기가 아'니라는 (다)의 내용에 부합한다.

오답풀이

① 설의적 표현으로 마무리하고 있지 않다.
③ '시는 우리의 삶과 동떨어진 다른 세상의 이야기가 아'니라는 글의 흐름을 고려할 때, [A]에 시가 '시인이 동경하는 미지의 세계를 내면화'한 것이라는 내용이 들어가는 것은 적절하지 않다.
④ (나)의 시어나 시구가 활용되지 않았다.
⑤ 설의적 표현으로 마무리하고 있지 않다.

### 8 ④ 정답률 80%

정답풀이

㉣(주었다)과 호응하는 주어는 '이 시는'으로, 이를 '받았다'로 고치면 시가 감동을 받았다는 의미가 되어 적절하지 않다.

오답풀이

① ㉠(그리고) 이전에는 단순한 먹을거리로서의 '간장게장'에 대한 글쓴이의 생각이 나타나지만, ㉠부터는 「스며드는 것」을 읽'은 후의 새로운 인식이 드러나므로 ㉠은 화제를 앞의 내용과 관련시키면서 다른 방향으로 이끌어 나가는 접속사인 '그런데'로 고치는 것이 적절하다.
② 주어인 '나'가 스스로 '생각'한 것이므로 피동 표현인 ㉡(생각되었지만)은 능동 표현인 '생각했지만'으로 고치는 것이 적절하다.
③ ㉢(막역하고)은 '허물이 없이 아주 친하다'라는 뜻이므로 이는 문맥상 부적절하다. 따라서 이는 '갈피를 잡을 수 없게 아득하다'라는 뜻의 '막연하고'로 고치는 것이 적절하다.
⑤ '참신성'은 '새롭고 산뜻한 특성'을 의미하므로, ㉤(새로운 참신성)은 의미가 중복된 표현이다. 따라서 '새로운'을 삭제하는 것은 적절하다.

## [9~10] 작문

### 9 ④ 정답률 82%

정답풀이

(가)에서 '한낮의 소식통'에 소개되는 이야기를 선정하는 구체적 기준은 언급되어 있지 않다.

오답풀이

① (가)에서 '한낮의 소식통'이 방송되는 시간은 '점심시간'이라고 하였다.
② (가)에서 '학교에 대한 건의 사항이나 친구와 나눈 우정 등 여러분이 하고 싶은 이야기는 무엇이든' '한낮의 소식통'에 보낼 수 있는 내용들임을 언급하였다.
③ (가)의 '우리 모두가 즐거운 학교생활을 하는 데 '한낮의 소식통'이 큰 힘이 될 것이라 생각합니다.' 등에서 '한낮의 소식통' 운영을 통해 얻을 수 있는 효과가 제시되어 있다.
⑤ (가)에서 '한낮의 소식통'에서 소개된 이야기들은 방송 후 '학교 홈페이지에 게시'함을 알 수 있다.

### 10 ⑤ 정답률 77%

정답풀이

(나)의 ㉥(구성원의 협의가 바탕이 된 규칙을 정할 필요가 있다고 생각합니다.) 뒤에는 '반마다 환기를 담당하는 학생을 정해서' 환기를 하자는 내용이 이어지고 있으므로, 문맥을 고려할 때 ㉥을 '개인의 자발적'인 실내 환기가 필요하다는 내용으로 수정하는 것은 적절하지 않다.

오답풀이

① [자료1]에서는 설문 조사를 '우리 학교 교지 편집부'에서 한 것임을 알 수 있으므로, 이를 고려하여 ㉠(설문 조사를 하였습니다.)은 설문 조사의 주체를 밝혀 수정해야 한다.
② ㉡(대부분이)과 ㉢(일부는)은 정확성이 떨어지는 표현이므로, [자료1]을 활용하여 정확한 수치로 수정해야 한다.
③ [자료1]에 따르면 '내가 하기는 귀찮아서'라고 대답한 학생 중의 90%는 '환기를 해야 한다'고 생각하므로, 이와 일치하지 않는 내용인 ㉣(환기의 필요성을 느끼지 못했습니다.)은 수정해야 한다.
④ [자료2]를 활용하여 전문가의 견해임을 밝힘으로써 ㉤(실외 공기가 더 더럽다는 생각은 잘못된 판단인 경우가 많습니다.)에 해당하는 내용의 신뢰성을 높일 수 있다.

## [11~15] 문법(언어)

### 11 ⑤ 정답률 61%

정답풀이

4문단과 5문단에서 '먹-'은 실질 형태소이고, 의존 형태소임을 알 수 있다. 따라서 실질적인 뜻을 지닌 형태소가 모두 자립적인 성격을 지니는 것은 아니다.

오답풀이

① 1문단에서 형태소는 '뜻을 가진 가장 작은 말의 단위'라고 하였으며, 2문단에서 하나의 형태소인 '사과'를 '사'와 '과'로 쪼개면 '각각은 뜻이 없다.'라고 하였다. 이를 통해 형태소를 더 작게 쪼개면 뜻이 사라짐을 알 수 있다.
② 2문단에 따르면 '사과를 먹었다.'는 "사과, 를, 먹었다'의 세 단어로 이루어져 있'는데, 5문단에서 '먹었다'를 이루는 형태소인 '먹-', '-었-', '-다'는 모두 의존 형태소임을 알 수 있다. 따라서 의존 형태소만으로도 단어를 형성할 수 있다.
③ 2문단에 따르면 '사과를 먹었다.'는 "사과, 를, 먹었다'의 세 단어로 이루어져 있'으며, 이때 '사과'는 '하나의 형태소'라고 하였다. 이를 통해 형태소 하나가 단어 하나를 형성하는 경우도 있음을 알 수 있다.
④ 4문단에서 '-었-'이나 '-다'처럼 '문법적인 기능을 하는 형태소'를 형식 형태소라고 함을 알 수 있다.

### 12 ⑤ 정답률 47%

정답풀이

〈보기〉의 문장을 형태소 단위로 분석하면 '그, 가, 풀, 밭, 을, 맨-, 발, 로, 뛰-, -ㄴ-, -다'가 된다. 4문단에 따르면 실질적인 뜻은 없고 문법적인 기능을 하는 '형식 형태소'는 '어미', '조사', '접사'로, 앞의 문장에서는 '가(조사)', '을(조사)', '맨-(접사)', '로(조사)', '-ㄴ-(어미)', '-다(어미)'의 6개가 이에 해당한다.

오답풀이

① 3문단에서 어떤 자리에 다른 말을 넣어서 '단어의 뜻이 달라'지면, 그 자리에 있는 단어는 '뜻'을 가지는 하나의 '형태소'임을 알 수 있다. '풀밭'은 '풀'이나 '밭' 대신 다른 말을 넣으면 단어의 뜻이 달라지므로 '풀'과 '밭'으로 나눌 수 있다.

② 4문단에서 '어근의 앞뒤에 붙어 뜻을 더하거나 단어의 성질을 바꾸는 접사'는 형식 형태소임을 알 수 있다. '맨발'의 '맨–'은 어근 '발'에 붙어 뜻을 더하는 기능을 하는 접사이므로 형식 형태소이다.
③ 3문단에서 설명한 '먹었다'의 경우 "–었–' 자리에 '–는–'을 넣으면 먹는 행위가 이루어진 때가 '현재'로 달라지므로' '–었–'을 하나의 형태소로 보는 것처럼, '뛴다'의 '–ㄴ–' 대신에 '–었–'을 넣으면 동작 시간이 현재에서 과거로 바뀌므로 '–ㄴ–'도 하나의 형태소로 볼 수 있다.
④ 5문단에 따르면 다른 말에 기대지 않고 홀로 쓰일 수 있는 형태소는 '자립 형태소'로, 〈보기〉에서는 '그', '풀', '밭', '발'의 4개가 이에 해당한다.

**오답률 Best ❷**

학생들이 정답을 제외한 나머지 선지를 골고루 선택했어. 많은 학생들이 사실상 정답을 찍은 거지. 그런데 수능 시험에서 '언어와 매체' 영역을 선택하고자 한다면, 사실 11-12번 문제와 함께 제시된 지문 없이도 12번 문제를 충분히 풀 수 있을 정도의 대비는 해두어야 해. '실질 형태소, 형식 형태소, 자립 형태소, 의존 형태소'는 문법 영역에서 기본적이고 필수적인 개념인 만큼, 이 문제를 틀렸다면 개념 학습에 부족함이 없는지 점검해 보자!

**13** ④ 정답률 70%

정답풀이

㉠(국민→[궁민])에서는 첫음절 끝의 'ㄱ'이 'ㅇ'으로 변하였는데, 이때 'ㄱ'은 파열음이고 'ㅇ'은 비음이므로 조음 방법이 변한 것이다. 또한 ㉡(물난리→[물랄리])에서는 'ㄴ'이 앞뒤에 위치한 'ㄹ'의 영향을 받아 'ㄹ'로 변하였는데, 이때 'ㄴ'은 비음이고 'ㄹ'은 유음이므로 마찬가지로 조음 방법이 변한 것이다.

오답풀이

① ㉠에서는 첫음절 끝의 파열음 'ㄱ'이 뒤의 자음 'ㅁ'의 영향을 받아 비음 'ㅇ'으로 바뀐 것이지, 첫음절 끝의 파열음이 뒤의 자음과 결합하여 유음으로 바뀐 것이 아니다.
② ㉡에서는 비음 'ㄴ'이 유음 'ㄹ'의 영향을 받아 유음 'ㄹ'로 바뀐 것이지, 유음이 비음의 영향으로 비음으로 바뀐 것이 아니다.
③ ㉢(굳이→[구지])에서는 잇몸소리 'ㄷ'이 센입천장소리 'ㅈ'으로 바뀐 것이지, 여린입천장소리가 센입천장소리로 바뀐 것이 아니다.
⑤ ㉢에서는 'ㄷ'이 'ㅈ'으로 변하였는데, 'ㄷ'은 잇몸소리이고 'ㅈ'은 센입천장소리이므로 조음 위치가 변한 것이 맞다. 그러나 ㉡에서는 'ㄴ'이 'ㄹ'로 변하였는데, 'ㄴ'과 'ㄹ'은 모두 잇몸소리이므로 조음 위치가 변하지 않았다. 즉 ㉢에서 변동된 음운만 조음 위치가 변한 것이다.

**14**  정답률 74%

정답풀이

〈보기〉에 따르면 '문장을 구성할 때 반드시 있어야 하는' 주성분에는 '주어, 서술어, 목적어, 보어'가 있는데, ㄴ의 '올해'는 부사어이므로 '되었다'가 꼭 필요로 하는 성분이 아니다.

오답풀이

① 〈보기〉에서 '서술어는 주어의 동작, 상태, 성질 따위를 풀이하는 기능을 하는 성분'이라고 하였는데, ㄱ의 '찍었다'는 주어인 '동생'의 동작을 풀이하고 있으므로 서술어이다.
③ 〈보기〉에서 '서술어의 동작 대상이 되는 문장 성분을 목적어'라고 하였는데, ㄱ에서는 서술어 '찍었다'의 동작 대상이 되는 문장 성분으로 목적어 '사진을'이 나타나지만, ㄴ에서는 목적어가 나타나지 않는다.
④ 〈보기〉에서 '주어는 문장에서 동작 또는 상태나 성질의 주체를 나타내는 것'이라고 하였는데, ㄱ에서는 '동생이', ㄴ에서는 '언니가'라는 주어가 나타난다.
⑤ 〈보기〉에 따르면 '주성분에는 주어, 서술어, 목적어, 보어'가 있는데, ㄱ의 주성분은 주어(동생이), 목적어(사진을), 서술어(찍었다)이고, ㄴ의 주성분은 주어(언니는), 보어(대학생이), 서술어(되었다)이므로 ㄱ과 ㄴ에는 주성분의 종류가 각각 세 가지씩 있다.

**15** ① 정답률 36%

정답풀이

㉠과 호응하는 주어는 '부톄(부처가)'이므로 3인칭이고, ㉠이 속한 문장에는 물음말이 없다. 따라서 ㉠에는 '–ㄴ가', '–ㄹ가'와 같은 '아'형 어미가 사용되어야 한다. 한편 ㉡과 호응하는 주어는 '네(너는)'라는 2인칭이므로 ㉡에는 물음말의 유무와는 상관없이 '–ㄴ다'가 사용되어야 한다. 따라서 ㉠에는 '나샤미신가', ㉡에는 '뷔혼다'가 들어가야 한다.

**오답률 Best ❶**

정답인 ①번보다도 오답인 ③번을 고른 학생들이 훨씬 많았어. ㉡에 대해서는 제대로 판단했지만, ㉠을 '오'형 어미가 사용되어야 하는 '물음말이 있는' 경우로 잘못 판단한 학생들이 많았던 거지. 아마 '물음말'이 무엇인지를 〈보기〉에서 설명해주지 않아서 판단하기가 어려웠던 것 같아. '물음말'은 의문의 초점이 되는 것을 가리키는 말로, '언제', '어디서', '왜', '어떻게' 등이 있으니 기억해 둬! 하나만 더, 이처럼 물음말이 있어 구체적인 설명을 요구하는 의문문을 설명 의문문, 물음말 없이 옳고 그름이나 긍정·부정의 대답을 요구하는 의문문을 판정 의문문이라고 해.

[16~21] **기술**

**16** ④ 정답률 83%

정답풀이

윗글에서는 체지방을 측정하는 방법인 '피부두겹법', '수중체중법', '생체 전기저항 분석법'을 설명하고 그 특성을 밝히고 있다.

오답풀이

① 1문단에서 체지방이 '섭취한 영양분 중 쓰고 남은 영양분을 지방의 형태로 몸 안에 축적해 놓은 것'임을 정의하였을 뿐, 체지방을 정의하는 상반된 관점을 대비하고 있지는 않다.
② 1문단의 '체지방은 내장 보호와 체온 조절 기능을 할 뿐 아니라 필요시 분해되어 에너지를 만들기도 한다.'에는 체지방이 수행하는 역할이 제시되어 있지만, 이를 단계별로 설명하고 있지는 않다.
③ 2문단에서 '체지방이 과잉 축적된 상태인 비만은 여러 가지 질병을 유발할 수 있으므로 건강을 유지하기 위해서는 체지방을 조절해야 한다.'라고 하였을 뿐, 체지방을 조절하는 방법이나 그 장단점을 소개하고 있지는 않다.
⑤ 윗글에 체지방에 대한 잘못된 통념이나 그에 대한 비판은 제시되어 있지 않다.

**17** ⑤ 정답률 83%

정답풀이

5문단에서 '체중은 체지방과 제지방의 합'이라고 하였을 뿐, 체중이 체지방과 제지방의 전기저항 차이를 통해 산출된다고 하지는 않았다.

오답풀이

① 1문단의 '탄수화물과 단백질은 1g당 4㎉의 열량을 내는 데 비해 지방은 9㎉의 열량을 낸다.'를 통해 알 수 있다.
② 2문단의 '체지방률은 남성의 경우 15~20%, 여성의 경우 20~25%를 표준으로 삼고, 남성은 25% 이상, 여성은 30% 이상을 비만으로 판정한다.'를 통해 알 수 있다.
③ 1문단에서 체지방은 '피부 밑에 위치하는 피하지방과 내장 기관 주위에 위치하는 내장지방으로 나뉜다.'라고 하였다.
④ 2문단에서 비만은 '체지방이 과잉 축적된 상태'라고 하였다.

**18** ② 정답률 74%

정답풀이

1문단에서 체지방은 '피하지방'과 '내장지방'으로 구성됨을 알 수 있다. 그런데 4문단에서 ㉮('피부두겹법')는 '내장지방을 측정할 수 없다는 한계가 있다.'라고 하였고, 5문단에서 ㉯('수중체중법')도 '신체 부위별 체지방의 구성이나 비율은 정확하게 측정할 수 없다.'라고 하였으므로, ㉮와 ㉯ 모두 내장지방을 별도로 측정할 수는 없다.

19회

오답풀이

① 7문단에 따르면 '매일 정해진 시간에 일정한 조건에서 측정'해야 하는 것은 '생체 전기저항 분석법'이다.
③ 4문단에서 ㉮는 '측정 부위나 측정자의 숙련도에 따라 측정 오차가 발생할 수 있'다고 하였지만, 5문단에서 ㉯는 '체지방량을 구하는 표준 방법으로 쓰일 정도로 이론적으로는 정확성이 높다.'라고 하였다. 즉 측정의 정확성이 높아 표준 측정 방법이 될 수 있는 것은 ㉯이다.
④ 5문단에서 ㉯는 '연구 목적 외에는 잘 사용되지 않는다.'라고 하였다.
⑤ 4문단에서 ㉮는 '측정 부위나 측정자의 숙련도에 따라 측정 오차가 발생할 수 있'다고 하였다.

**19** ③ 정답률 57%

정답풀이

5문단에서 '체지방량이 많을수록 수중 체중이 줄어'든다고 하였다. 〈보기〉의 A와 B는 체중이 같고 체지방량은 A가 더 많으므로, A의 수중 체중이 더 많이 줄어든다. 따라서 수중 체중이 더 나가는 사람은 B이다.

오답풀이

① 3문단에서 'BMI는 체중을 신장의 제곱으로 나누어 구'한다고 하였다. 〈보기〉의 A와 B는 체중이 같으므로, 신장이 작은 사람이 BMI가 더 높다. 따라서 BMI가 높은 A의 신장이 더 작다.
② 5문단에 따르면 '체중은 체지방과 제지방의 합'이라고 하였다. 〈보기〉의 A와 B는 체중이 같으므로, 체지방량이 적은 사람이 제지방량이 더 많다. 따라서 체지방량이 적은 B의 제지방량이 더 많다.
④ 3문단에서 따르면 BMI가 '18.5~22.9이면 정상 체중'이므로, BMI만 볼 때 〈보기〉에서 정상 체중인 사람은 B이다.
⑤ 2문단에서 체지방률은 '체중에서 체지방이 차지하는 비율'인데, '남성의 경우 15~20%'가 표준이고 '25% 이상'이면 비만이라고 하였다. 이에 따르면 〈보기〉에서 A의 체지방률은 27%(=(16.2/60) × 100), B의 체지방률은 22%(=(13.2/60) × 100)이다. 따라서 체지방률로만 볼 때 비만인 사람은 A이다.

**20** ④ 정답률 57%

정답풀이

6문단에서 '근육세포'는 '전기저항이 비교적 작게 나타'나지만 '지방세포'는 '전기저항이 크게 나타난다.'라고 하였다. 또한 7문단에서 '세포 외 공간은 수분이 대부분이어서 전기저항이 매우 작다.'라고 하였으므로, '인체에 투입되는 특정 주파수의 전류'인 a가 흐를 때 '세포 내 저항'이 '세포 외 저항'보다 크게 나타날 것이다.

오답풀이

① 7문단에서 '10㎑ 이하의 저주파 전류'는 '세포 외 공간에서만 흐를 수 있'지만, '50㎑ 이상의 고주파 전류는 세포 외 공간과 세포 내 공간을 구별하지 않고 흐'를 수 있다고 하였다. a는 '지방과 근육세포 내외를 모두 통과'하므로 50㎑ 이상의 고주파 전류일 것이다.
② 6문단에 따르면 '근육세포'는 '전기저항이 비교적 작게 나타'나지만 '지방세포'는 '전기저항이 크게 나타'나므로, 지방보다 근육에서 '세포 내 저항'이 작게 나타날 것이다.
③ 7문단에 따르면 '단일 주파수의 전류로는 세포와 관련된 정보를 정확히 확인할 수 없어서 다주파수 측정 방식을 사용'하므로, 고주파 전류인 a만으로는 세포 내외의 수분을 정확히 측정할 수 없을 것이다.
⑤ 6문단과 7문단에서 '수분'이 많으면 전기저항이 '작게' 나타남을 알 수 있다. 땀을 많이 흘리면 인체 내의 수분이 줄어들기 때문에 전기저항이 커져, 'a가 지방과 근육세포 내외를 모두 통과한 후의 전류'인 b의 값은 그 전보다 감소할 것이다.

**21** ① 정답률 87%

정답풀이

'이루다'는 '몇 가지 부분이나 요소들을 모아 일정한 성질이나 모양을 가진 존재가 되게 하다.'라는 뜻이다. 따라서 '몇 가지 부분이나 요소들을 모아서 일정한 전체를 짜 이루다.'라는 뜻의 '구성하다'와 바꾸어 쓸 수 있다.

오답풀이

② '달성하다'는 '목적한 것을 이루다.'라는 뜻이다.
③ '양성하다'는 '가르쳐서 유능한 사람을 길러 내다.'라는 뜻이다.
④ '완성하다'는 '완전히 다 이루다.'라는 뜻이다.
⑤ '합성하다'는 '둘 이상의 것을 합쳐서 하나를 이루다.'라는 뜻이다.

## [22~25] 현대소설

**22** ⑤ 정답률 79%

정답풀이

'우중신 노인'이 '면사무소 직원', '파출소 순경'과 대화를 하는 장면, 인간단지를 찾아온 '부락민들'이 '경기까투리'를 발로 차고, '우 노인의 정수리를 내리'치는 장면 등을 통해 문제 상황이 실감나게 제시되고 있다.

오답풀이

① 윗글의 공간적 배경은 '산속'의 '인간단지'임을 확인할 수 있지만, 공간적 배경을 묘사하여 시대적 분위기를 드러내고 있지는 않다.
② 윗글은 전지적 작가 시점으로 서술되었으므로, 작품 속에 서술자 '나'가 등장하여 자신의 체험을 서술하고 있다고 볼 수 없다.
③ 윗글은 시간의 흐름에 따라 전개되고 있으며, 과거와 현재의 교차는 나타나지 않는다.
④ 윗글에서 장면이 빈번하게 전환된다고 보기는 어려우며, 이를 통해 사건 전개에 입체감을 부여하고 있지도 않다.

**23** ⑤ 정답률 78%

정답풀이

'그까짓 거러지들의 불평이나 위협 따위에 왼눈도 깜짝할 필요가 없다.'라고 한 것에서 자신부터 죽이라며 '옷을 확 찢으며 뼈만 남은 가슴을 쑥 내'미는 우 노인의 위협에도 조금도 놀라지 않고 태연한 '메기아가리'의 모습을 확인할 수 있다.

오답풀이

① '수십 명의 음성 나환자들'은 새로 정착한 삶의 터전에서 '밭을 일구'며 애를 쓰고 있다.
② '빤한 것'이라는 표현에서 '면사무소 직원 두 사람과 파출소 순경 한 사람'이 방문한 목적이 충분히 짐작 가능한 것임이 드러나고 있다.
③ '누구의 허가를 받아야' 하냐고 묻는 우 노인의 말에 '세 사람의 방문객'은 대응을 하지 못하고 '서로 얼굴만 잠깐 쳐다 보'고 머뭇거리고 있다.
④ 음성 나환자들을 쫓아내려고 '인간단지'에 온 '부락민들'을 '인간 백정'이라고 표현한 것에서 그들의 인상을 부정적으로 평가하고 있음을 알 수 있다.

**24** ③ 정답률 76%

정답풀이

[A]에서 우 노인이 '헌법에 규정댄 '거주의 자유''를 언급하며 '허가를 꼭 맡아야만 대는 건지' 묻고 '필요하다면 신고만 하면 대지 않을까 싶'다고 말하는 것은, '관청의 허가'를 맡으라는 방문객들의 요구가 타당하지 않음을 환기하고 있다.

오답풀이

① 우 노인은 방문객들이 '박 원장과 꼭 같은 부류의 사람들이란 생각'을 하므로, 방문객들과 우호적인 관계를 유지하려는 것이 [A]의 발화 의도가 될 수는 없다.
② 윗글에서 방문객들이 어떠한 절차를 궁금해 하고 있지는 않다.
④, ⑤ [A]에서 우 노인은 방문객들의 요구가 타당하지 않음을 말하고 있을 뿐, 그들과 맞서서 싸울 의향이 없음을 전하거나 그들이 자신들에게 적극 동조하도록 유도하고 있지는 않다.

**25** ③ 정답률 74%

정답풀이

앞부분의 줄거리에 따르면 우 노인이 산속에 '인간단지'를 건설한 것은 '자신들만의 삶의 터전을 만들고자' 한 것이지, 부당한 권력의 행태를 세상에 알리려고 한 것은 아니다.

오답풀이

① 〈보기〉에 따르면 윗글에는 '부당한 권력과 사회적 편견에 바탕을 둔' '현실의 폭력성'이 드러난다. 박 원장이 자신의 '비리를 폭로하고 처벌을 호소'한 '자유원' 원생들에게 '부랑아들을 동원해 집단 폭행을 하는 등 앙갚음'을 하는 것 등에서는 부조리한 현실의 폭력성이 드러난다.

② 〈보기〉에 따르면 윗글에서 '사회적 약자들은 기본적인 생활권과 삶의 의지를 짓밟히게 되고, 그 결과 사회적 약자들은 삶의 터전마저 잃게 된다.'라고 하였다. 이를 참고할 때 우 노인 일행의 저항은 기본적인 생활권을 보장받기 위한 것이다. 하지만 '면사무소 직원 두 사람과 파출소 순경 한 사람'이 '허가'를 받으라고 찾아오고 다음엔 '2백여 명'의 '부락민들'이 몰려와 '한 부락민의 괭이가 느닷없이 우 노인의 정수리를 내리'치고 결국 우 노인이 쓰러지는 것으로 보아 삶의 터전을 보장받지 못한다고 볼 수 있다.

④ 〈보기〉에서 윗글은 '부당한 권력과 사회적 편견에 희생되는 사회적 약자들의 고통을 보여준다.'라고 하였다. 이를 참고할 때 부락민들 때문에 생존의 위협을 느끼며 살아야 하는 나환자들의 고통은 이들에 대한 사회적 편견에서 비롯된 것으로 볼 수 있다.

⑤ 〈보기〉에 따르면 윗글에는 '부당한 권력과 사회적 편견에 바탕을 둔' '현실의 폭력성'이 드러나는데, 이러한 폭력성은 사회적 약자들의 '삶의 의지를 짓밟'는다. 이를 참고할 때 면사무소 직원이 '빨리 본래 있던 자유원으로 되돌아가'라고 하는 것은 사회적 약자의 삶의 의지를 꺾으려는 것으로 볼 수 있다.

## [26~29] 고전시가

**26** ① 정답률 82%

정답풀이

2문단에서 '사대부들은 강호가류를 통해 자연과 인간의 이상적 조화를 추구'하였음을 알 수 있다.

오답풀이

② 1문단과 2문단에서 '시조 문학은 크게 강호가류와 오륜가류의 두 가지 경향으로 발전'하였는데, '시조 가운데 작품 수가 가장 많'은 것은 '강호가류'라고 하였다. 따라서 사대부들이 강호가류보다 오륜가류의 창작에 더욱 힘쓰는 모습을 보였다고 할 수는 없다.

③ (가)에서 사대부들이 치인보다 수기를 더 중요한 덕목으로 여기며 시조를 창작했는지는 알 수 없다.

④ 4문단에 따르면 사대부들의 시조에서 '심성 수양(강호가류)과 백성의 교화(오륜가류)라는 두 가지 주제'가 나타나는 것은 '문학을 도를 싣는 수단으로 보는 효용론적 문학관에 바탕을 두었기 때문'임을 알 수 있다. 따라서 오륜가류와 강호가류의 창작 모두 효용론적 문학관에 바탕을 두고 있다고 볼 수 있다.

⑤ 2문단에 따르면 '사화와 당쟁'으로 어지러워진 '정치 현실을 떠나 자연으로 회귀'한 사대부들이 강호가류를 창작했으며, 3문단에서 오류가류는 '백성들에게 유교적 덕목인 오륜을 실생활 속에서 실천할 것을 권장하려는 목적으로 창작'되었음을 알 수 있다.

**27** ④ 정답률 71%

정답풀이

'임천한흥을 비길 곳이 없어라'는 자연을 즐기는 한가로운 흥취를 비길 데가 없다는 뜻이므로 이는 자연 속에서 지내는 삶에 대한 만족감이 드러난 표현일 뿐, 여기에 당시의 정치 현실이 혼탁하다는 인식이 반영되어 있지는 않다.

오답풀이

① 〈보기〉에서 '금쇄동은 윤선도가 오랜 유배 생활을 끝내고 돌아와 은거했던 공간'이라고 한 것을 참고할 때, '띠집'은 유배에서 돌아와 은거하며 지냈던 삶의 공간으로 볼 수 있다.

② 〈보기〉에서 윤선도는 '혼탁한 정치 현실을 떠나 그곳(금쇄동)에서 십여 년간 자연을 즐기며 생활하였다.'라고 하였다. 이를 참고할 때, '보리밥 풋나물'은 자연 속에서의 검소하고도 청빈한 삶을 상징하는 소재로 볼 수 있다.

③ 〈보기〉에서 윤선도는 '혼탁한 정치 현실을 떠나 그곳(금쇄동)에서 십여 년간 자연을 즐기며 생활하였다.'라고 하였다. 이를 참고할 때, '그 남은 여남은 일이야 부럴 줄이 있으랴'에서는 '그 남은 여남은 일'을 부러워하지 않고 자연 속에서의 삶에 만족하는 태도가 드러나 있다.

⑤ 〈보기〉에 따르면 윤선도는 '혼탁한 정치 현실을 떠나' '자연을 즐기며 생활'하면서도 '군신의 도리를 잊지 않았'는데, '임금 은혜를 이제 더욱 아노이다'에서 이를 알 수 있다.

**28** ⑤ 정답률 68%

정답풀이

ⓔ(한적곳 때 시른 후면 고텨 씻기 어려우리)은 한 번이라도 때가 묻은 후면 고쳐 씻기 어렵다는 뜻이므로, 이상적 상황이 제시되지는 않았다.

오답풀이

① '님금과 백성 사이'가 '하늘과 땅'이라는 것에서는 임금과 백성의 신분 차이가 드러나고 있으며, 이어 백성의 도리가 언급되고 있다.

② '평생에 고텨 못할 일이 이뿐'이라는 표현을 통해 '어버이 사라신 제 셤길 일란 다'할 것, 즉 효의 실천을 권장하고 있음을 알 수 있다.

③ '나'의 잘못된 일을 다 말해주는 '벗'의 행위는 인륜을 실천하는 모습으로 볼 수 있다.

④ 못 입어도 '남의 옷'을 빼앗지 말라는 것에서는 일상생활에서 도둑질을 하지 말아야 함을 강조하고 있다.

**29** ③ 정답률 66%

정답풀이

'우린들 살진 미나리를 혼자 엇디 머그리'는 백성들이 살찐 미나리를 어찌 혼자 먹겠냐는 뜻이므로 교화의 의도를 담고 있다고 볼 수 있다. 하지만 '엇디 머그리'에는 설의적 표현이 사용되었을 뿐, 명령의 어조는 나타나지 않는다.

오답풀이

① '남들'은 '산수간 바위 아래 띠집을 짓'는 화자를 비웃는 사람들을 가리키고, '하암'은 화자를 의미하므로 (나)의 〈제1수〉에서는 '남들'과 '하암'을 대조하여 화자가 지향하는 바를 드러낸다고 볼 수 있다.

② (나)의 〈제4수〉에서는 '소부 허유'의 고사를 활용하여 화자가 자연에 묻혀 사는 삶을 추구함을 드러내고 있다.

④ (다)의 〈제4수〉 '디나간 후면'에서는 '어버이'가 돌아가신 후의 상황을 가정하여 효를 실천할 것을 강조하고 있다.

⑤ (다)의 〈제14수〉 초장과 중장에서는 '비록~마라'를 반복하여 남의 것을 빼앗거나 빌지 말라는 뜻을 효과적으로 표현하고 있다.

## [30~33] 인문

**30** ⑤ 정답률 77%

정답풀이

윗글은 1문단에서 철학적 용어인 '이'와 '기'를 설명하고, 2문단~4문단에서는 '이'와 '기'의 관계에 대한 '서경덕', '이황', '이이'의 관점을 차례로 나열하고 있다.

오답풀이

① 윗글에서 '이'와 '기'의 현대적 의미를 재조명하고 있지는 않다.

② 윗글에서 '이'와 '기'에 대한 사회적 통념을 비판하고 있지는 않다.

③ '이'와 '기'의 개념을 설명하였지만, 이때 문답의 형식은 사용하지 않았다.

④ 1문단의 "'이'와 '기'를 어떻게 보는가에 따라 성리학자들이 현실을 해석하고 인식하는 자세가 달라진다.'를 고려할 때, '이'와 '기'를 현실을 해석하는 철학적 용어라고 볼 수는 있지만 윗글에서 그것이 등장한 배경을 소개하고 있지는 않다.

## 31 ① 정답률 80%

정답풀이

2문단에 따르면 서경덕은 "'이'와 '기'는 하나'라고 하였으며(ㄱ), 3문단에서 이황은 "'이'와 '기'가 하나일 수는 없으며, 둘은 철저히 구분되어야 한다'고 보았음을 알 수 있다.(ㄴ)

오답풀이

② 2문단에 따르면 서경덕은 "'이'는 '기' 속에 있으면서 '기'가 작용하는 원리로 존재할 뿐 독립적으로 드러나거나 작용하지 않는다.'라고 하였으므로, ㄱ에 '이'는 '기'와 별도로 작용한다는 내용이 들어갈 수 없다. 또한 3문단에 따르면 이황은 "'이'가 발동하면 그에 따라 '기'도 작용하여 인간이나 사회는 도덕적인 모습이 되지만, '이'가 발동하지 않고 '기'만 작용하면 인간이나 사회는 비도덕적 모습이 될 수 있다.'라고 하였으므로, '이'는 '기'와 동시에 작용한다는 내용도 ㄴ에 들어갈 수 없다.

③ 2문단에 따르면 서경덕은 '세계에 드러나는 것은 '기'뿐'이라고 하였으므로, ㄱ에 현실로 나타나는 것은 '이'라는 내용이 들어갈 수는 없다.

④ 2문단에 따르면 서경덕은 "'이'는 '기' 속에 있'다고 하였으므로, ㄱ에 '기'는 '이' 속에 포함되어 있다는 내용이 들어갈 수는 없다.

⑤ 3문단에 따르면 이황은 '생체적 욕구, 욕망 등'은 '기'라고 하였으므로, ㄴ에 생체적 욕구와 욕망을 '이'라고 본다는 내용이 들어갈 수는 없다.

## 32 ② 정답률 62%

정답풀이

4문단에 따르면 이이는 '현실의 모습이 문제를 드러내고 있다면, 이는 '이'가 잘못된 것이 아니라 '기'가 잘못된 것'이므로 "'기'로 나타난 현실의 모습 자체를 바꾸기 위해 싸워야 한다'고 보았다. 따라서 〈보기〉에 대해서는 편법으로 쉽게 양반이 될 수 있는 현실의 모습을 우선적으로 개선해야 한다고 주장할 것이다.

오답풀이

① 3문단에 따르면 "'이'를 깨우치고 실행하면 하늘이 부여한 본성을 회복하고, 인간 사회는 천도에 맞는 이상적이고 도덕적인 질서를 확립'하며, '현실의 문제 상황은 학문과 수양을 통해 '이'를 회복함으로써 해결될 수 있다'고 본 것은 이황이다.

③ 4문단에 따르면 '이이는 '이'를 모든 사물의 근원적 원리로, '기'를 그 원리를 담는 그릇'으로 보았으므로, 현실에 내재하는 원리는 '이'를 가리킨다. 그런데 이이는 '현실의 모습이 문제를 드러내고 있다면, 이는 '이'가 잘못된 것이 아니라 '기'가 잘못된 것'으로 보았으므로, 현실의 문제 해결을 위해 내재하는 원리를 바꾸어야 한다고 하지는 않을 것이다.

④ 4문단에 따르면 이이는 '현실의 모습이 문제를 드러내고 있다면, 이는 '이'가 잘못된 것이 아니라 '기'가 잘못된 것'이므로 "'기'로 나타난 현실의 모습 자체를 바꾸기 위해 싸워야 한다'고 보았으므로 인위적인 노력보다 음양의 작용을 통해 해결되기를 기다려야 한다고 보지 않을 것이다.

⑤ 3문단에 따르면 '천도에 맞는 이상적이고 도덕적인 질서를 확립'하는 것에 대해 언급한 것은 이황이다.

## 33 ① 정답률 74%

정답풀이

'내재'의 사전적 의미는 '어떤 사물이나 범위의 안에 들어 있음.'이다.

[34~37] **고전소설**

## 34 ⑤ 정답률 48%

정답풀이

비연은 황상에게 '소저가 태자궁에 갔삽더니, 정비께서 용포를 지으니, 솜씨가 절묘하더이다.'라고 말하고, 이에 황상이 '정녕히 보았'냐고 묻자 '황룡단에 구룡을 수놓으니 용포가 아니면 무엇'이겠냐고 한다. 하지만 이는 비연이 실제로 본 것이 아니라 양귀비가 '계교를 가르치니, 비연이 순순히 응낙'하고 그에 따라 말한 것이다.

오답풀이

① 양경은 정공이 아닌 '정공의 딸이 죽은 줄 알'고 있었다.

② 윗글을 통해 태자가 평소 황상의 행동에 반감을 갖고 있었는지는 알 수 없다.

③ 정비는 '아버지 정공과 죽마고우인 이 시랑을 만나 그의 집에 숨어 지'내는데, '비복'으로부터 '황성 소식'을 듣고 말에 오른다. 이에 이 시랑이 '노신이 낭랑을 모셔 가 황상과 태자 전하를 뵙고자' 한다고 하는 것으로 보아, 이 시랑은 정비가 태자비라는 사실을 안다고 볼 수 있다.

④ 이 시랑의 집에서 지내던 정비는 '비복'으로부터 '육주의 자사가 다 반란을 일으켜 경성을 범하오되, 천자와 태자가 적진에 싸이어 양식이 끊어진 지 칠 일이나 되었다'는 '황성 소식'을 들은 것일 뿐, 황상의 위기를 예견하고 있지 않다.

**오답률 Best 3**

고전소설에서는 이처럼 꼼꼼한 사실관계를 묻는 문제가 자주 출제되는데, 이 경우 대체로 오답률이 높아. 그러니 기출 분석을 통해 고전소설의 세부적인 사실관계를 묻는 문제에서 자잔한 함정을 파는 유형들을 정리해보면 좋을 거야. 자주 쓰는 방식으로는 ① 주요 인물이 아닌 '지나가는 사람 1'에 불과한 주변 인물의 말이나 행동에 대해 묻기, ② A라는 인물이 한 대화나 행동을 B라는 인물이 한 것처럼 선지 구성하기, ③ 사건의 선후관계나 인과관계 뒤바꾸기, ④ 지문에서 사용된 키워드를 사용하여 단어로 함정을 파는 건 등이 있어.

## 35 ④ 정답률 71%

정답풀이

정비는 황성 가까이에 이르러 '수만의 철갑을 입은 군사들이 천자와 태자를 에워'싼 것을 보고 이들이 '천자를 범'한 것에 '크게 노하여' 호통을 치고 있을 뿐, 상대의 능력에 대한 놀라움을 숨기고자 호통을 치고 있는 것은 아니다.

오답풀이

① 양귀비는 비연을 '짐짓 꾸짖'고 이에 황상은 비연에게 '짐에게 자세히 말하라.'라고 하는데, 이는 양귀비가 '비연 공주를 불러' 가르친 '계교'에 따른 것이다. 따라서 ㉠(너 같은 어린 애가~잡담을 하나뇨?)은 황상의 궁금증을 유발하려고 거짓으로 비연을 꾸짖는 체하는 것이다.

② 양귀비는 '폐하께서 정비를 보시고 좋지 않은 기색을 보이'니 '그 기미를 짐작하고 짐짓 용포를 지어 첩에게 보내며 황상께 드리라' 한 것이라며 정비의 의도를 왜곡하여 전달하고, 이에 황상은 '크게 노하사 즉시 용포를 불태워 버리'고 있다.

③ 정비는 '함께 감이 어떠하'냐는 이 시랑에게 자신이 탄 말은 '천리마'인데 '공의 노력으로 어찌 나의 뒤를 좇'겠냐며 그 제안을 거절하고 있다.

⑤ '서주 자사 양의태'는 자신의 대장인 '양춘'을 죽인 정비에게 분노하면서 정비를 '구상유취한 놈'이라고 부르며 자신이 충분히 대적할 수 있다는 자신감을 드러내고 있다.

## 36  정답률 57%

정답풀이

'갈등 양상1'에서 ⓒ(황상)는 '태자에게 용포가 당치 않거늘 용포를 지어 무엇에 쓰려 하는고? 반드시 수상한 뜻이 있음이로다.'라고 용포를 짓는 ⓐ(정비)의 행동을 의심하고 태자를 부르려 하지만, '앞으로 서서히 보아 처치'하라는 양귀비의 말을 듣고 그 진위를 직접 확인하지 않는다.

오답풀이

① '갈등 양상1'에서 양경은 죽은 줄 알았던 ⓐ가 태자비가 된 것을 보고, '태자비라는 위세로 당당히 우리 가문을 해할 것'을 염려하며 '양귀비(ⓑ) 궁에 들어가 남매가 비밀스럽게 상의하여 계교를 꾸미'게 된다.
③ '갈등 양상2'에서는 ⓓ(양춘)를 포함한 '양씨 가문'이 '역당을 모아들여 임금(ⓒ)을 해코자' 하는 상황이 나타나 있다.
④ '갈등 양상2'에서 ⓓ는 ⓐ에게 '우리가 천명을 받아 의병을 이'룬 것인데 '너는 어찌 하늘의 때를 모르고 덤비느냐?'라고 하며 대립하고 있다.
⑤ '갈등 양상2'에서 ⓐ는 '군신지의는 삼강의 으뜸이라. 너희가 오륜을 모르니, 일러 무엇하리오.'라며 유교적 명분에 입각하여 ⓓ에게 죄가 있음을 질타하고 있다.

**37** ③ 정답률 67%

정답풀이

[A]에서 '천자와 태자'는 '적진에 싸이어 양식이 끊어진 지 칠 일이나 되었'다고 했으므로, '아무에게도 도움을 받지 못하는, 외롭고 곤란한 지경에 빠진 형편을 이르는 말'인 '사면초가'의 상황에 놓여 있다고 할 수 있다.

오답풀이

① '결초보은'은 죽은 뒤에라도 은혜를 잊지 않고 갚음을 이르는 말이다.
② '동상이몽'은 겉으로는 같이 행동하면서도 속으로는 각각 딴생각을 하고 있음을 이르는 말이다.
④ '전화위복'은 재앙과 근심, 걱정이 바뀌어 오히려 복이 됨을 뜻한다.
⑤ '호가호위'는 남의 권세를 빌려 위세를 부림을 뜻한다.

## [38~42] 사회

**38** ① 정답률 68%

정답풀이

3문단에 '감가상각'에 대한 언급이 나타나지만, 윗글에 감가상각을 산출하는 방법은 제시되어 있지 않다.

오답풀이

② 5문단의 '한 나라의 경제가 얼마나 생산적인지를 알고 싶다면 국내총생산이나 국민총생산을 1인당 생산량으로 환산하여 살펴보는 것이 더 정확할 것이다.'를 통해 알 수 있다.
③ 2문단의 '국내총생산의 '생산'이란 생산량의 '부가 가치'의 총합을 말한다.'를 통해 알 수 있다.
④ 6문단에서 국민총생산과 국내총생산은 '시장에서 거래되지 않거나 돈으로 계산하기 어려운 재화나 용역은 제외될 수밖에 없다'는 한계가 있음을 알 수 있다.
⑤ 4문단에서 국내총생산은 '한 나라의 국경 안에서 나오는 생산량'과 관련된 지표이며, 국민총생산은 '한 나라의 국민과 그 나라의 기업이 생산한 생산량'과 관련된 지표임을 알 수 있다.

**39** ④ 정답률 56%

정답풀이

2문단에서 국내총생산은 '생산량의 '부가 가치'의 총합'이고, '부가 가치란 각 생산자의 최종 생산량에서 중간에 쓰인 투입량을 뺀 가치'라고 하였다. 〈보기〉에서 농부는 '중간 투입물 없이 밀을 생산'하여 7억 원의 매출을 거두었으므로 7억 원의 부가 가치를 창출하였다. 한편 방앗간 주인이 창출한 부가 가치는 12억 원에서 7억 원을 뺀 5억 원이고, 제과점 주인이 창출한 부가 가치는 20억 원에서 12억 원을 뺀 8억 원이다. 따라서 부가 가치를 가장 많이 창출한 생산자는 제과점 주인이며, 국내총생산은 20억 원(= 7억 원 + 5억 원 + 8억 원)이다.

오답률 Best 5

글의 전개 방식은 출제 방향과 맞닿아 있어. 무슨 말이냐고? 어떤 두 개념의 비교와 대조를 중심으로 전개되는 글이라면 두 개념의 공통점과 차이점을 문제에서 묻게 되어 있어. 원인과 결과를 중심으로 서술되는 글에서는 어떤 결과의 원인이 무엇인지, 원인이 야기하는 결과가 무엇인지 등을 묻는 문제가 출제될 테니 인과 관계에 집중해서 글을 읽어야 할 테고! 그러니까 우리는 '글을 이런 방식으로 썼네. 그럼 중요한 내용이 이런 거겠네.'와 같은 사고의 흐름을 가질 수 있도록 훈련해야 해. 이러한 맥락에서 [A]를 보면, 국내총생산에서 '생산'의 개념을 예를 들어 자세하게 설명하고 있지? 이는 문제에서 개념 자체에 대한 정확한 이해 여부를 확인하겠다는 뜻이니까, 사실상 39번 문제는 지문에서부터 출제가 예상되어 있었던 거지. 이런 생각을 했는데도 이 문제를 틀렸다고? 그렇다면 [A]를 읽을 때 개념과 예시를 정확히 대응해 가며 읽었는지 다시 점검해보도록 해!

**40** ② 정답률 59%

정답풀이

6문단에서 '시장에 내다팔지 않'거나 '시장 밖에서 생산될 뿐만 아니라 돈으로 계산하기도 어'려운 재화나 용역은 국내총생산이나 국민총생산에 포함되지 않음을 알 수 있다. 즉 ㉠(시장에서~제외될 수밖에 없다)의 이유는 생산량의 가치는 시장 가격으로만 계산하기 때문이라고 할 수 있다.

**41** ④ 정답률 62%

정답풀이

5문단에서 '한 나라의 경제가 갖는 장기적 저력을 측정하기에는 국민총생산이 더 효과적'이라고 하였다. 이에 따르면 A국의 국민총생산은 210조 원이고, B국의 국민총생산은 180조 원이므로, 국가의 저력이 더 높게 평가되는 국가는 A국이다.

오답풀이

① 3문단에서 '국내총생산에서 자본재의 감가상각을 뺀 것을 '국내순생산'이라고 부른다.'라고 하였다. 즉 '감가상각 = 국내총생산 − 국내순생산'이므로, A국의 감가상각은 10조 원(180조 원 − 170조 원)이고 B국의 감가상각은 30조 원(210조 원 − 180조 원)으로 자본재의 감가상각은 B국이 더 크다.
② 〈보기〉에 따르면 A국과 B국의 인구는 '동일'하고, 국민총생산은 A국이 더 크므로 국민총생산의 1인당 생산량은 A국이 더 많다.
③ 4문단에 따르면 '한 나라의 국경 안'에서 나온 부가 가치의 총합은 '국내총생산'을 가리키므로, 이는 B국이 더 크다.
⑤ 4문단에서 '한 나라의 국경 안에서 나오는 생산량이 아니라, 한 나라의 국민과 그 나라의 기업이 생산한 생산량 전체는 '국민총생산'이라고 한다.'라고 하였다. 그리고 〈보기〉에 따르면 A국과 B국의 '국경 내 자국민과 자국 기업의 생산량은 모두 동일'하므로, 국민총생산이 더 큰 A국에서 외국에 사는 자국민과 외국에 있는 자국 기업의 생산량이 더 많다.

**42** ② 정답률 82%

정답풀이

'경제적 가치가 떨어진다(ⓐ)'와 '주가가 떨어져서'의 '떨어지다'는 모두 '값, 기온, 수준, 형세 따위가 낮아지거나 내려가다.'라는 의미로 사용되었다.

오답풀이

① '어떤 상태나 처지에 빠지다.'라는 의미로 사용되었다.
③ '병이나 습관 따위가 없어지다.'라는 의미로 사용되었다.
④ '일정한 거리를 두고 있다.'라는 의미로 사용되었다.
⑤ '명령이나 허락 따위가 내려지다.'라는 의미로 사용되었다.

## [43~45] 현대시+고전수필

**43** ② 정답률 67%

정답풀이

(나)에서는 '김 군'의 행적을 제시하며 '김 군의 기예는 천고의 누구와 비교해도 훌륭하다.' 등과 같이 그를 예찬하고 있다.

오답풀이

① (가)에서 어조의 변화는 나타나지 않는다.
③ (가)에 현실을 초월하려는 의지는 나타나지 않는다.
④ (나)에 인격이 부여된 사물은 나타나지 않는다.
⑤ (가)의 '하얀 억새꽃 하얀 손짓'에서는 색채어를 사용하여 추상적인 관념을 구체화했다고 볼 수 있으나, (나)에는 색채어가 사용되지 않았다.

## 44  정답률 49%

정답풀이

'초생달'은 '그대 얼굴같이 걸'려 있으므로, '초생달'을 화자와 동일시되는 대상으로 볼 수는 없다.

오답풀이

① 〈보기〉에서 (가)의 '화자는 임과 이별한 자신의 처지를 늦가을의 아름다운 풍경과 대비하여 강조한다.'라고 하였다. 이에 따르면 (가)에서 고운 '단풍'과 '물빛'은 임과 이별한 화자의 외로운 처지와 대비되며 화자의 처지를 부각한다.
② 〈보기〉에서 (가)는 '특정 자연물과 자신을 동일시하거나 다양한 이미지를 활용하여 화자 자신의 정서나 처지를 구체적으로 형상화한다.'라고 하였다. 이에 따르면 (가)의 '하얀 손짓'은 '당신'을 향한 화자의 마음을 자연물의 움직임으로 형상화한 것으로 볼 수 있다.
④ 〈보기〉에서 (가)는 '그리운 임에 대한 애틋함과 이별의 상황에 대한 막막함을 함께 노래한 작품이다.'라고 하였다. 이에 따르면 (가)의 '마른 지푸라기 같은 내 마음', 내 마음에 낀 '허연 서리'는 화자의 막막한 심정을 형상화한 것이고, '막막한 어둠'은 이를 심화하는 것으로 볼 수 있다.
⑤ 〈보기〉에서 (가)는 '특정 자연물과 자신을 동일시하거나 다양한 이미지를 활용하여 화자 자신의 정서나 처지를 구체적으로 형상화한다.'라고 하였다. 이에 따르면 (가)의 '서리밭에 하얀 들국'은 이별이라는 부정적 상황에서도 임을 기다리는 화자의 처지를 드러낸다고 볼 수 있다.

**오답률 Best 4**

정답 외에 ⑤번을 고른 학생들이 많았어. 많은 학생들이 '서리밭에 하얀 들국'을 화자의 처지가 아닌, 임(당신)의 처지를 드러낸 것으로 잘못 생각한 듯해. 하지만 '초생달만 그대 얼굴같이 걸리면 뭐헌다요'에서 알 수 있듯 임을 빗댄 소재는 '초생달'이고, 이 달이 지면 '막막한 어둠 천지'일 텐데도 '병신같이, 바보 천치같이 / 이 가을 다 가도록' 피어 있는 것이 '서리밭에 하얀 들국'임을 고려하면 '들국'은 하염없이 임을 기다리는 화자의 처지를 드러내는 것으로 이해할 수 있지. 특정 시어와 관련한 감상을 요구한다고 해도, 해당 시어를 포함한 시구를 전체적으로 확인해서 선지를 판단하는 건 잊지 마!

## 45  정답률 64%

정답풀이

(나)의 글쓴이는 '벽이 편벽된 병을 뜻하지만 고독하게 새로운 것을 개척하고 전문 기예를 익히는 것은 오직 벽을 가진 사람만이 가능하다.'라고 한다. 김 군은 '꽃(㉠)을 주시한 채 하루 종일 눈 한번 꿈쩍하지 않'고 '손님이 와도 말 한마디 건네지 않'을 정도로 ㉠에 대한 벽이 있어 ㉡(『백화보』)을 그린 것이므로, ㉠에 대한 편벽된 병은 ㉡과 같은 벽의 공훈을 이루어내는 원동력이 되었다고 할 수 있다.

오답풀이

① 벽의 공훈은 ㉠이 아니라 ㉡이다.
② 김 군은 ㉠에 대한 편벽된 병을 가진 것이지, ㉠을 가꿈으로써 ㉡에 대한 편벽된 병을 극복한 것이 아니다.
④ 김 군은 ㉠에 대한 편벽된 병을 가졌다.
⑤ 김 군이 ㉠을 탐구하는 행위에 대해 사람들이 '손가락질하고 비웃'은 것은 맞지만, 이것이 ㉡과 같은 벽의 공훈을 이루도록 이끌었다고 하지는 않았다.

# 20회 2017학년도 3월 학평

| | | | | | | | | | |
|---|---|---|---|---|---|---|---|---|---|
| 1. ⑤ | 2. ④ | 3. ③ | 4. ① | 5. ④ | 6. ③ | 7. ① | 8. ③ | 9. ④ | 10. ⑤ |
| 11. ① | 12. ② | 13. ② | 14. ② | 15. ⑤ | 16. ③ | 17. ③ | 18. ⑤ | 19. ④ | 20. ④ |
| 21. ② | 22. ⑤ | 23. ③ | 24. ① | 25. ① | 26. ⑤ | 27. ① | 28. ④ | 29. ① | 30. ③ |
| 31. ④ | 32. ④ | 33. ④ | 34. ⑤ | 35. ⑤ | 36. ③ | 37. ⑤ | 38. ② | 39. ② | 40. ① |
| 41. ② | 42. ① | 43. ② | 44. ③ | 45. ⑤ | | | | | |

오답률 Best 5

## [1~3] 화법

### 1 ⑤ 정답률 84%

정답풀이

진행자는 '좀 더 구체적으로 설명해 주시겠습니까?', '최 교수님께서는 동전 없는 사회에 대해 어떻게 생각하는지요?' 등에서 김 과장과 최 교수에게 질문하며 대담을 진행하고 있음을 확인할 수 있으나, 자신이 대담 내용을 정확하게 이해하였는지 질문하며 확인하고 있는 것은 아니다.

오답풀이

① 진행자는 '최근 동전 없는 사회를 만들자는 논의가 있는데' '그 이유가 무엇인지, 우려되는 점은 없는지' 이야기를 나눠 보겠다고 하여 대담에서 다룰 내용을 소개하며 대담을 시작하고 있다.
② 진행자는 '먼저 김 과장님', '그럼, 최 교수님께서는', '그러면 김 과장님', '이번에는 최 교수님께서 먼저'와 같은 말을 활용하여 대담자를 지정하여 발언 기회를 부여하고 있다.
③ 김 과장이 '동전을 제조하고 유통하는 데 비용이 여전히 많이' 든다고 하자, 진행자는 '동전 제조나 유통에 비용이 많이 든다고 하셨는데, 좀 더 구체적으로 설명해 주시겠습니까?'라고 하여 구체적인 설명을 요청하고 있다.
④ 진행자는 '동전의 제조와 유통 등과 관련된 비용을 줄일 수 있다는 점에는 두 분 다 같은 의견이시군요.'라고 하여 김 과장과 최 교수의 공통된 의견에 대해 언급하고 있다.

### 2 ④ 정답률 74%

정답풀이

최 교수는 '동전 없는 사회에 대해 어떻게 생각하'는지 묻는 진행자의 질문에 찬성할 수 없다는 취지로 답하거나, '동전을 없애면 불편을 겪을 사람들도 있을 것 같'다는 문제점에 대해 언급하는 진행자의 말에 자신이 알고 있는 정보를 바탕으로 답하고 있다. 그러나 최 교수가 진행자가 언급한 내용이 새로운 문제를 야기할 수 있음을 지적하고 있지는 않다.

오답풀이

① 김 과장은 '한 설문 조사에서는 응답자의 46.9%가 동전을 사용하지 않는다고 답했'다고 하여 설문 조사 결과를 바탕으로 동전 없는 사회를 만들어야 하는 이유를 설명하고 있다.
② 최 교수는 동전을 없애면 예상되는 문제점으로 '물가 상승의 우려'를 언급하며, 동전 없는 사회를 긍정적으로 바라보는 김 과장과 다른 견해를 표명하고 있다.
③ 김 과장은 '판매점 간 가격 경쟁이 심화되고 있기 때문에 영업 전략상 가격을 올리기는 어려'우며 '동전을 교환해 주고 관리하는 데 들어가는 비용을 줄일 수 있'다는 경제적 요인을 근거로 삼아, '물가 상승의 우려'가 있다는 최 교수의 의견에 반박하고 있다.
⑤ 최 교수가 '카드에 거스름돈을 충전하는 방법'을 도입하더라도 '카드를 사용하지 않는 분들은 여전히 불편할 것'임을 지적하자, 김 과장은 '통계 자료에 의하면 □□도는 94%, △△시는 85% 이상이 교통 카드를 사용하고 있'다고 하여 교통 카드 사용률에 대한 통계 자료를 바탕으로 반박하고 있다.

### 3 ③ 정답률 76%

정답풀이

〈공지 사항〉에서 '출연자가 언급한 내용에 대해 추가 질문을 올려 주세요.'라고 하였으므로, '이미 동전 없는 사회를 실현한 나라들도 있'다는 김 과장의 발언에 대해 어떤 나라들이 있는지 추가적으로 질문하는 것은 적절하다.

오답풀이

① 김 과장은 대담에서 '새 동전을 제조'하고 '유통'하는 데에 '1,000억 원 이상 소요'된다고 하였으며, ①번은 대담 내용을 재확인하는 질문이므로 추가 질문으로는 적절하지 않다.
② 최 교수가 대담에서 동전을 없앨 경우 '카드에 거스름돈을 충전하는 방법'에 대해 이미 언급했으므로, 거스름돈을 어떻게 받는지 추가적으로 질문하는 것은 적절하지 않다.
④, ⑤ 〈공지 사항〉에서 '대담에서 언급된 내용과 관련이 없는 질문은 선정되지 않'는다고 하였다. 대담에서는 '동전 없는 사회'에 대해 논의하고 있으므로, 현재 지폐로 사용하고 있는 1,000원짜리를 동전으로 만드는 것이 어떤지 묻거나 500원짜리 동전이 예전에는 지폐였는지 질문하는 것은 적절하지 않다.

## [4~5] 화법

### 4 ① 정답률 76%

정답풀이

학생의 발표에서는 발표자와 청중이 함께했던 추억이 아닌 청중의 경험을 환기하며 발표를 시작하고 있으므로, ㄱ은 실제 발표에 반영된 계획으로 볼 수 없다.

오답풀이

② 발표자는 '2004년 일본의 한 회사가 내놓은 200억 상당의 미술품을 경매하는 업체가 가위바위보로 결정된 적도 있'다고 하여 구체적인 사례를 제시하고 있다.
③ 발표자는 '큰 목소리로', '더 큰 목소리로'에서 목소리의 세기를 크게 하는 반언어적 표현을 활용하여 청중들의 참여를 유도하고 있다.
④ 발표자는 '2016년 2월 ○○저널에 실린 연구 결과에 의하면'이라고 하며 연구 결과를 인용하여 발표 내용의 신뢰성을 확보하고 있다.
⑤ 발표자는 '여러분은 일상에서 순서를 정하거나 어떤 일을 결정해야 할 때 어떻게 하나요?'라고 질문한 뒤 '(청중들의 대답을 듣고) 그렇습니다. 흔히들 가위바위보를 많이 하시죠?'라고 하며 화제를 제시하거나, '혹시 세계 가위바위보 협회에 대해 들어보셨나요?'라고 물은 뒤 '(청중의 반응을 살핀 후) 아마 처음 듣는 분이 많으실 겁니다.'라고 하며 발표를 이어가는 등 질문을 던지고 청중의 반응을 살피며 상호 작용하고 있다.

## 5 ④ 정답률 77%

정답풀이

발표 내용에 따르면 '승유패변의 법칙'은 '가위바위보에서 이긴 사람은 다음 판에서도 같은 것을 낼 확률이, 비기거나 진 사람은 다음 판에서 다른 것을 낼 확률이 높다는 것'인데, 그림 속 'A와 B는 승유패변의 법칙에 따라 가위바위보를 하고 있'다고 하였다. 이때 A는 둘째 판에서는 보를 내서 졌기 때문에 셋째 판에서 가위나 주먹을 낼 확률이 높다. 따라서 만약 B가 셋째 판에서도 가위를 낸다면, A에게 비기거나 질 확률이 높을 것이다.

오답풀이

① 발표자는 연구 결과 '사람들은 가위바위보를 할 때 처음에 바위를 낼 확률이 높'다고 하였으며, 그림의 A와 B가 첫째 판에서 모두 바위를 낸 것에서 이를 확인할 수 있다.

② '승유패변의 법칙'에 따르면 '비기거나 진 사람은 다음 판에서 다른 것을 낼 확률이 높다'고 볼 수 있다. 그림의 A와 B가 첫째 판에서 바위를 내서 비긴 후, A가 둘째 판에서 보를 낸 것에서 이를 확인할 수 있다.

③ '승유패변의 법칙'에 따르면 '이긴 사람은 다음 판에서도 같은 것을 낼 확률'이 높다. 그림의 B는 둘째 판에서 가위를 내서 A에게 이겼으므로 셋째 판에서도 다시 가위를 낼 확률이 높다고 볼 수 있다.

⑤ 발표자는 가위바위보 전략 중 '자기가 낼 것을 미리 말한 뒤 똑같은 것을 내는 방법'이 있으며 '일반적으로 사람들은 상대방이 내겠다고 말한 것을 그대로 믿지 않는 경향이 있'다고 하였다. 만약 그림의 A가 둘째 판을 시작할 때 보를 낼 것이라고 미리 말했다면, B는 이를 믿지 않아 보를 이기기 위한 가위가 아니라 바위나 보를 냈을 확률이 높다고 볼 수 있다.

### [6~8] 작문

## 6 ③ 정답률 81%

정답풀이

학생의 초고에서 문화 유적으로서 기행지인 청령포의 보존 상황에 대해 언급한 내용은 찾아볼 수 없다.

오답풀이

① 초고의 1문단에서 '단종이 수양대군에게 왕위를 빼앗기고, 유배를' 간 곳인 '청령포'에 다녀왔다고 하였고, '이문구의 소설 「매월당 김시습」'이나 '단종을 영월까지 호송하고 한양으로 돌아오는 길에 왕방연이 지었다는 시조'에 대해 언급하여, 기행지와 관련된 인물과 문학 작품에 대한 내용을 제시하고 있다.

② 초고의 2문단에서 '청령포는 서강이 삼면을 휘돌아 흐르고, 한쪽이 절벽으로 가로막혀 있어 배를 타지 않고는 드나들 수 없는 곳'이라며 기행지인 청령포의 지리적 특성을 묘사하여 독자의 이해를 돕고 있다.

④ 초고의 1문단에서 '동아리에서 이문구의 소설 「매월당 김시습」을 읽고 작품에 대해 토의를 하다가, 당시 단종의 슬픔을 좀 더 가까이에서 느껴 보고자' 청령포를 찾아가게 되었다는 기행 동기를 구체적으로 밝히고 있다.

⑤ 초고의 3문단~5문단에서 '모래톱', '산책 길', '단종 어가', '노산대', '망향탑' 등 장소의 이동에 따라 글쓴이의 견문과 감상을 드러내고 있다.

## 7 ① 정답률 57%

정답풀이

㉠(마치게 되었다)은 주어인 '청령포는'과 호응이 되지 않는데, 이를 '마쳤다'로 수정하더라도 주어와 호응이 되지 않는다. 주어와 서술어의 호응을 고려하면 ㉠은 '마친 곳이다'로 고치는 것이 적절하다.

오답풀이

② ㉡(설레인다)은 어법에 맞지 않은 표현이므로 기본형이 '설레다'인 것을 고려하여 '설렌다'로 고쳐 쓰는 것이 적절하다.

③ ㉢(그러나)은 앞의 내용과 뒤의 내용이 상반될 때 쓰는 접속 부사이다. 앞 문장과의 의미 관계를 고려했을 때, 화제를 앞의 내용과 관련시키면서 다른 방향으로 이끌어 나갈 때 쓰는 접속 부사인 '그런데'로 고쳐 쓰는 것이 적절하다.

④ ㉣(같다라고)에서 '라고'는 직접 인용을 할 때 사용하는 조사이다. 부원이 한 혼잣말을 간접 인용한 경우에는 '같다고'로 고쳐 쓰는 것이 적절하다.

⑤ ㉤(붉은 노을을 보면서~눈에 선했다.)은 단종이 붉은 노을을 보면서 정순왕후와 이별했다는 것인지, 아니면 붉은 노을을 보면서 정순왕후를 그리워했다는 것인지 그 의미가 중의적이다. 이때 '보면서' 뒤에 쉼표를 추가하면 단종이 노산대에 올라 붉은 노을을 보면서 정순왕후를 그리워했다는 의미로만 해석되므로 중의성을 해소할 수 있다.

## 8 ③ 정답률 76%

정답풀이

'소설 속 단종의 슬픔을 좀 더 가까이에서 느낄 수 있었던 청령포 기행.'에서 문학 기행이 갖는 의미가 드러나며, '그날의 강물은 여전히 슬피 울며 흐르고 있었다.'에서 자연물인 '강물'을 통한 감정이입이 활용되어 있으므로 ③번은 〈조건〉을 모두 만족하는 내용으로 볼 수 있다.

오답풀이

① '소쩍, 소쩍, 소쩍새가 슬피 우는 곳.'에서 자연물을 통한 감정이입이 드러나지만, 문학 기행이 갖는 의미를 드러내지 않았다.

② '청령포에 가면 비극적 역사의 한쪽을 가슴에 담아 볼 수 있다.'에서 문학 기행의 의미를 드러냈으나, 자연물을 통한 감정이입은 나타나지 않았다.

④ '자연의 아름다움과 역사의 숨결을 느낄 수 있는 그곳에 가서 문학의 짙은 향기를 맡아보길 바란다.'에서 문학 기행의 의미를 드러냈으나, 자연물을 통한 감정이입은 나타나지 않았다.

⑤ '그곳에 가면 솔향기 속 단종의 애달픈 이야기를 떠올리며 생생한 역사의 현장을 확인할 수 있는 시간을 갖게 될 것이다.'에서 문학 기행의 의미를 드러냈으나, 자연물을 통한 감정이입은 나타나지 않았다.

### [9~10] 작문

## 9 ④ 정답률 77%

정답풀이

본문의 1문단에서 오투오 서비스의 대표적인 사례로 '스마트폰에 설치된 앱으로 택시를 부르거나 배달 음식을 주문하는 것 등'을 소개하고 있다.

오답풀이

① 표제인 '오투오 서비스의 개념과 등장 배경'은 본문의 1문단에만 해당되는 내용이다. 본문의 2문단~5문단에서 오투오 서비스의 순기능, 역기능과 문제 해결 방안, 미래 전망 등을 제시하고 있으므로, '표제'는 전체 내용을 포괄하지 못했다고 볼 수 있다.

② 본문의 3문단~4문단에서 오투오 서비스의 문제점과 해결 방안을 제시하였으나, 이와 관련한 내용이 전문에 요약되어 있지 않다.

③ 본문의 1문단에서 "오투오 서비스'는 모바일 기기를 통해 소비자와 사업자를 유기적으로 이어 주는 서비스를 말한다.'라고 하여 오투오 서비스의 개념을 제시하였다.

⑤ 본문의 5문단에서 '앞으로 오투오 서비스 시장 규모는 더 커질 것으로 예상된다.'라고 하여 오투오 서비스에 대한 전망을 제시하고 있다.

## 10 ⑤ 정답률 56%

정답풀이

(나)의 인터뷰에서는 '수수료와 관련된 법규가 제대로 마련되어 있지 않으므로 '정부의 적극적 노력이 필요하다'고 하여 관련 법규 제정의 필요성에 대해서 언급하였고, (다)의 보고서에서는 '현재의 법률 중 일부가 오프라인 산업을 기준으로 만들어져 온라인 중심의 오투오 서비스 산업에는 맞지 않아 영업에 제약을 받'는다는 문제점을 제시하고 있다. 즉 (나)와 (다)는 오투오 서비스에 맞는 법규 혹은 제도가 필요하다는 주장의 근거로 사용될 수 있으므로, 이를 규제의 완화가 오투오 서비스의 시장 규모를 확대하는 전제 조건이라는 내용을 강조하는 자료로 활용하는 것은 적절하지 않다.

오답풀이

① (가)-1은 오투오 서비스 이용자 수가 증가하고 있는 추이를 나타낸 그래프이므로, 이를 활용하여 본문의 1문단에서 오투오 서비스 이용자가 증가하고 있는 현황을 뒷받침하는 자료로 제시할 수 있다.

② (나)는 오투오 서비스에 가입한 사업자와 오투오 서비스 운영 업체 간에 수수료 문제로 인한 마찰이 일어난다는 내용의 인터뷰이다. 따라서 오투오 서비스의 문제점을 다룬 본문의 3문단에서 이를 활용하여 사업자가 오투오 서비스 운영 업체와 수수료 문제로 마찰을 겪고 있는 사례를 구체화하는 것은 적절하다.

③ (다)는 오투오 서비스 시장이 성장하면서 '오투오 서비스 운영 업체 간의 과도한 경쟁'으로 인해 적자가 발생한다는 문제점을 제시한 보고서이다. 따라서 오투오 서비스의 문제점을 다룬 본문의 3문단에서 이를 활용하여 오투오 서비스 운영 업체가 직면할 수 있는 문제점을 추가하는 것은 적절하다.

④ (가)–2에서 오투오 서비스에 대한 소비자의 불만 중 '서비스의 질적 저하'의 문제가 있음을 확인할 수 있고, (나)에서는 수수료 마찰로 인해 사업자가 '소비자에게 질 좋은 서비스를 제공하기 어려운 실정'에 대해 제시하고 있다. 따라서 오투오 서비스의 문제점을 해결할 방안을 다룬 본문의 4문단에서 이를 활용하여 서비스의 질적 저하에 의한 소비자의 불만을 낮추기 위해 그 원인인 수수료와 관련된 법규를 마련하고자 정부에서 노력할 필요가 있다는 내용을 추가하는 것은 적절하다.

## [11~15] 문법(언어)

### 11 ① 정답률 66%

정답풀이

'맨입'은 앞말의 종성 'ㄴ'과 모음으로 시작하는 뒷말의 'ㅣ'가 만나 ㄴ이 새로 생기는 'ㄴ' 첨가가 일어나 [맨닙]으로 발음된다. '국민'에서는 종성 'ㄱ'이 비음 'ㅁ' 앞에서 비음 'ㅇ'으로 바뀌는 비음화가 일어나 [궁민]으로 발음된다. 'ㄴ' 첨가와 비음화가 모두 일어나는 단어는 '막일'이다. '막일'은 앞말이 자음으로 끝나는 '막'과 뒷말이 모음 'ㅣ'로 시작되는 '일' 사이에서 ㄴ이 새로 생기는 'ㄴ' 첨가가 일어나 [막닐]이 되며 종성 'ㄱ'이 비음 'ㄴ' 앞에서 비음 'ㅇ'으로 바뀌는 비음화가 일어나 [망닐]로 발음된다.

오답풀이

② '담요'는 'ㄴ' 첨가만 일어나 [담:뇨]로 발음된다.

③ '낙엽'은 연음만 일어나 [나겹]으로 발음될 뿐, 음운 변동 현상은 일어나지 않는다.

④ '곡물'은 종성 'ㄱ'이 비음 'ㅁ' 앞에서 비음 'ㅇ'으로 바뀌는 비음화만 일어나 [공물]로 발음된다.

⑤ '강약'은 음운 변동 현상이 일어나지 않아 [강약]으로 발음될 수 있고, 'ㄴ' 첨가를 겪어 [강냑]으로 발음될 수도 있다.

### 12 ② 정답률 54%

정답풀이

[A]와 관련한 '탐구 관련 지식'에서는 문장 성분 중 관형어와 부사어를 비교하고 있으므로, [A]에서는 체언을 한정하는 관형어와 용언을 한정하는 부사어를 분류해야 한다. ㉠(새로운)과 ㉡(새)은 체언인 명사 '글'을 한정하고 있으므로 관형어이며, ㉢(빠르게)과 ㉣(빨리)은 용언인 동사 '달린다'를 한정하고 있으므로 부사어로 구분할 수 있다. 한편 [B]와 관련한 '탐구 관련 지식'에서는 품사 중 형용사와 관형사, 부사를 비교하고 있으므로, [B]에서는 활용이 가능한 형용사와 명사를 수식하는 관형사, 동사를 수식하는 부사를 분류해야 한다. ㉠, ㉢은 활용할 수 있으므로 형용사이고, ㉡은 명사 '글'을 수식하고 있으므로 관형사이며, ㉣은 동사 '달린다'를 수식하고 있으므로 부사로 구분할 수 있다.

### 13 ② 정답률 82%

정답풀이

'깨달은'은 '깨닫다'의 어간 '깨닫–'에 관형사형 어미 '–은'이 결합한 것이므로 어간의 끝소리가 'ㄹ'인 경우에 해당하지 않는다. '깨닫다'처럼 어간의 끝소리 'ㄷ'이 모음으로 시작하는 어미 앞에서 'ㄹ'로 바뀐 것은 'ㄷ' 불규칙 활용에 의한 것으로, '깨달은'은 올바른 표기에 해당하므로 〈보기〉의 밑줄 친 부분에 해당하는 예로 적절하지 않다.

오답풀이

① '시들은'의 어간은 '시들–'로, 어간의 'ㄹ'을 탈락시키고 '–ㄴ'을 붙인 '시든'이 올바른 표기에 해당한다.

③ '낯설은'의 어간은 '낯설–'로, 어간의 'ㄹ'을 탈락시키고 '–ㄴ'을 붙인 '낯선'이 올바른 표기에 해당한다.

④ '내밀은'의 어간은 '내밀–'로, 어간의 'ㄹ'을 탈락시키고 '–ㄴ'을 붙인 '내민'이 올바른 표기에 해당한다.

⑤ '물들은'의 어간은 '물들–'로, 어간의 'ㄹ'을 탈락시키고 '–ㄴ'을 붙인 '물든'이 올바른 표기에 해당한다.

### 14 ② 정답률 80%

정답풀이

〈보기〉에서 '점이 없으면 낮은 소리, 점이 한 개면 높은 소리, 점이 두 개면 처음은 낮고 나중이 높은 소리'라고 하였다. '아 · 니:뭘 · 씨(ⓐ)'에서 '아'는 점이 없으므로 낮은 소리, '니'와 '씨'는 점이 한 개이므로 높은 소리, '뭘'은 점이 두 개이므로 처음은 낮고 나중이 높은 소리에 해당한다. 따라서 ⓐ는 소리의 높낮이를 ②번과 같이 표시할 수 있다.

### 15 ⑤ 정답률 74%

정답풀이

(가)의 '뿐[01]'은 의존 명사이며, '뿐[02]'는 조사이므로 모두 자립하여 쓰일 수 없는 말에 해당한다. 또한 (나)의 '뿐'은 불완전명사로 '체언아래'나 '용언아래'에 쓰이며 자립하여 쓰일 수 없는 말로 보고 있다. 따라서 (가)와 (나)의 '뿐'은 모두 자립하여 쓰일 수 없는 말에 해당한다.

오답풀이

① 예문을 통해 (가)의 '뿐[01]'은 앞에 오는 말과 띄어 쓰지만, (나)의 '뿐'은 앞에 오는 말과 붙여 쓰는 것은 확인할 수 있다.

② (가)의 '뿐[01]'과 (나)의 '뿐'은 모두 두 가지 뜻을 가지고 있음을 확인할 수 있다.

③ '내가 가진 것은 이것뿐이다.'에서 '뿐'은 '그것만이고 더는 없'다는 의미를 드러내므로, (가)의 '뿐[02]'와 (나)의 '뿐' (1)의 뜻에 해당한다고 볼 수 있다.

④ (가)에서 용언 뒤의 '뿐'은 의존 명사, 체언 뒤의 '뿐'은 조사이기 때문에 '뿐[01]', '뿐[02]' 같이 서로 다른 표제어로 등재되어 나타나고 있다. 이와 달리 (나)에서는 체언과 용언 뒤의 '뿐'이 모두 불완전명사이므로 하나의 표제어 '뿐'으로 등재하였다.

## [16~18] 현대소설

### 16 ③ 정답률 77%

정답풀이

윗글은 '나'가 서술자로 등장하는 1인칭 주인공 시점으로 어머니의 죽음과 관련된 체험을 진술하면서, '무엇보다도 나는 그러한 자신의 무력감에 대해서 절망하고 있었다.', '나는 굶어 죽을 결심이었다.' 등에서 자신의 내면 심리를 드러내고 있다.

오답풀이

① 윗글은 1인칭 주인공 시점으로 서술되었으므로 서술자가 관찰자의 입장에서 인물을 묘사했다고 볼 수 없다.

② 윗글의 서술자는 '나'로 고정되어 있으며, 서술자가 교체되는 부분은 나타나지 않는다.

④ 현재의 시점에서 '여섯 살 무렵이던' 과거의 사건을 회상하는 내용을 확인할 수 있으므로 순행적 구성으로 볼 수 없다.

⑤ '나'가 감옥에서 단식을 하며 어머니의 죽음에 대해 생각하는 장면과 감옥에서 나온 뒤 '월문리'를 찾아 어머니의 산소와 폐가를 정리하는 장면은 동시에 벌어지는 사건으로 볼 수 없다.

20 회

## 17 ③ 정답률 67%

정답풀이

〈보기〉에서 '어머니의 죽음을 수용하지 못하고 내적 갈등을 느끼던 '나'가 다시 월문리로 돌아와 어머니의 산소와 폐가를 정리하는 행동은, 어머니의 기구한 삶과 한을 받아들이며 '나'의 한을 풀어 가는 모습'이라고 하였다. 즉 '나'가 독방에서 어머니의 죽음으로 인해 무력감을 느끼며 단식하는 것은 어머니의 죽음을 받아들이지 못하고 내적 갈등을 느끼는 모습으로 볼 수 있으므로, 이를 '나'가 어머니의 한을 받아들이며 '나'의 한을 풀어내려는 의지로 이해하는 것은 적절하지 않다.

오답풀이

① 〈보기〉에서 윗글에는 '어머니의 기구한 삶과 한'이 나타난다고 하였다. '뼈가 다른 남매'란 아버지가 서로 다른 자식들이라는 의미이며, 자식들을 '또 다른 의붓아비 그늘에서' 키울 수밖에 없었던 어머니의 인생을 통해 어머니가 살았던 기구한 삶을 엿볼 수 있다.

② 〈보기〉에서 윗글에는 '자식에 대한 어머니의 한'이 나타난다고 하였다. '나'가 독방에 있을 때 어머니는 '법적인 친자 관계가 아니라는 이유로 면회마저 금지되어 자식의 얼굴조차 보지 못했'다고 했는데, 이후 어머니가 '화병으로 쓰러'져 결국 돌아가셨다는 것을 통해 자식에 대한 어머니의 한을 엿볼 수 있다.

④ 〈보기〉에서 "'나'가 다시 월문리로 돌아와 어머니의 산소와 폐가를 정리하는 행동은, 어머니의 기구한 삶과 한을 받아들이'는 행동으로 볼 수 있다고 하였다. 어머니의 산소와 폐가를 정리하고 어머니의 잠자리 옆에 누운 '나'가 마치 어머니와 '한 몸'이 되는 듯한 느낌을 받는 것은 '나'가 어머니의 삶을 수용하고 있음을 의미한다고 볼 수 있다.

⑤ 〈보기〉에서 "'나'는 잊고 있었던 젊은 시절의 어머니의 모습을 떠올리며 어머니와 화해를 이루게 된'다고 하였다. '나'는 어머니의 잠자리 옆에 누워 어머니의 삶을 수용하였으며, 잠든 '나'의 꿈에 나타난 '젊은 여자'를 '나의 새로운 어머니'라고 생각하는 것은 '나'가 젊은 시절 어머니의 모습을 떠올리며 마음속에서 어머니와 화해를 이룬 것으로 볼 수 있다.

## 18 ⑤ 정답률 78%

정답풀이

'나'는 폐가를 정리하고 어머니의 잠자리 옆에 누워 밤을 맞이하는데 비가 내리기 시작하자 ⓜ(낙숫물 소리)을 듣게 되고 이로 인해 어머니에 대한 '망망한 그리움'을 느낀다. 따라서 ⓜ은 어머니에 대한 '나'의 그리움을 심화시키는 역할을 할 뿐, 어머니로 인해 겪었던 '나'의 고달픈 경험을 연상하게 하는 소재라고 볼 수는 없다.

오답풀이

① '나'는 ㉠(독방)에서 '어머니의 부음을 듣고 나서부터' 어머니의 기구한 인생과 한을 떠올리며 지난 삶을 되돌아보고 있다.

② '나'는 어린 시절 아픈 자신을 눕히고 '육자배기의 느린 가락'을 부르던 어머니의 모습을 떠올리며 자식에 대한 어머니의 사랑을 깨닫게 된다. 따라서 ㉡(어머니의 노랫소리)은 '나'에게 어머니의 애달픈 심정을 환기하게 하는 소재로 볼 수 있다.

③ 답답한 마음과 슬픔을 안고 다시 월문리를 찾은 '나'는 어머니 산소 주위에 있는 아카시아 숲을 보며 답답함을 느끼고 이를 쳐내면서 뿌듯함을 느끼고 있다. 따라서 ㉢(아카시아 숲)은 '나'의 답답한 심정과 연결되는 소재로 볼 수 있다.

④ '나'는 어머니의 잠자리였던 ㉣(아랫목)의 옆에 누우면서 '어머니와 내가 한 몸이 되어 있는 것을 깨'닫고 있으므로, ㉣은 어머니의 자취를 느끼며 교감할 수 있는 공간으로 볼 수 있다.

### [19~21] 고전시가+현대수필

## 19 ④ 정답률 61%

정답풀이

(가)에서는 '삐걱삐걱', '싹둑싹둑'과 같은 음성 상징어를 활용하여 '춥고 굶주'린 상황에서 '누군가를 위해 길옷을 만들고 있'는 화자의 처지를 효과적으로 드러내고 있다. 또한 (나)에서는 '찰락찰락', '재깔재깔', '끼득깨득' 등의 음성 상징어를 활용하여 '새악시 처녀들'의 생동감 있는 움직임을 효과적으로 드러내고 있다.

오답풀이

① (나)에서 글쓴이는 '수선화 한 폭을 들여다'보며 '노란 슬픔의 이야기'를 하고, '알록달록한 각시'를 만들며 '시골 육보름 밤의 이야기'를 하고 있으므로 시선의 이동에 따라 이야기를 풀어냈다고 볼 수 있다. 그러나 (가)에서 시선의 이동에 따라 대상의 특징을 묘사하는 부분은 찾아볼 수 없다.

② (가), (나) 모두 주체와 객체를 전도시켜 삶의 덧없음을 부각하고 있지는 않다.

③ (가), (나) 모두 역설적 표현을 사용하지 않았고, 이상에 대한 열망이 드러난다고 볼 수 없다.

⑤ (가)에서 연쇄적 표현은 활용되지 않았다. (나)의 '들여다봅니다. 들여다보노라니'에서 연쇄적 표현이 활용되었다고 볼 수 있으나, 이를 통해 정서의 변화 과정을 드러내지는 않았다.

## 20 ④ 정답률 81%

정답풀이

[C]의 '베틀에 짜여 가는 이 한 필 비단'은 화자가 '밤이 깊어도' '손 멈추지 않고' 만들고 있는 것이며, 이는 '시집가는 누군가를 위'한 옷이다. 따라서 이것은 가난한 집안 사정 때문에 혼인하지 못하는 화자의 처량함을 강조할 뿐, '옷감을 마르는' 힘겨운 화자의 일상에 위안을 준다고 볼 수 없다.

오답풀이

① 화자는 [A]에서 '가난한 집안에 태어나 자'랐다고 하였으며, [B]에서 이로 인해 '하루 종일 창가에서 베만 짠다'고 하였다.

② 화자는 [A]에서 '가난한 집안에 태어나 자란 까닭에 / 좋은 중매 자리'가 들어오지 않는다고 하였고, [D]에서 이로 인해 시집도 가지 못하고 '해마다 홀로 잔다'고 하였다.

③ 화자는 [B]에서 '하루 종일 창가에서 베만' 짜야 하는 자신의 마음을 '그 어떤 이웃'도 알아주지 않는다고 하였으며, [C]에서 그러한 마음을 '처량하게 우'는 '베틀 소리'로 표현하고 있다.

⑤ 화자는 [D]에서 '시집가는 누군가를 위해 길옷을 만들'어야 하는 자신의 처지를 언급하고, [C]에서 그 옷이 '어느 색시의' 것이 된다고 하여 자신과 '어느 색시'의 처지를 대비하며 서글픔을 심화시키고 있다.

## 21 ② 정답률 64%

정답풀이

〈보기〉에서 ㉮(노란 슬픔의 이야기)는 '사랑하는 여인에 대한 추억'을 담고 있다고 하였으며, ㉯(시골 육보름 밤의 이야기)는 '정월 대보름 고향 마을의 풍속에 대한 기억'을 담고 있다고 하였다. 이에 따라 ㉮는 애상적인 분위기를, ㉯는 즐겁고 생동감 넘치는 분위기를 자아낸다. 따라서 글의 화제가 ㉮의 '그'에서 ㉯의 '새악시 처녀들'로 확대되었다고 볼 수는 있으나, 애상적인 분위기가 심화되었다고 볼 수는 없다.

오답풀이

① 글쓴이는 '수선화 한 폭을 들여다'보며 '노란 슬픔'을 떠올리고 '노란 슬픔의 이야기'를 하였으므로, '수선화 한 폭'은 글쓴이의 내면을 ㉮의 추억으로 이어주는 매개적 기능을 한다고 볼 수 있다. 또한 '알록달록 한 각시'를 만들면서 '시골 육보름 밤의 이야기'를 시작하고 있으므로, '알록달록한 각시'는 ㉯의 기억으로 이어주는 매개적 기능을 한다고 볼 수 있다.

③ 글쓴이는 '수선화 한 폭을 들여다'보며 '노란 슬픔의 이야기'를 하였는데, '병든 내 사람'은 노란 슬픔의 이야기에서 언급한 자신이 사랑하는 여인을 가리킨다고 볼 수 있다. 따라서 '수선'은 '노란 슬픔'에서 환기되는 애틋한 슬픔의 이미지와 연계된다고 볼 수 있다.

④ 〈보기〉에서 ㉯는 '풍속에 대한 기억'을 불러내어 '민족 정서를 복원하고' '어울림의 공동체를 지향'하고 있다고 하였다. 따라서 '육보름으로 넘어서는 밤'의 여러 풍속에 대한 기억을 열거하며 민족 공동체의 정서를 환기한다고 볼 수 있다.

⑤ 〈보기〉에서 '㉯는 마을의 풍요와 안녕을 기원하는 풍속에 대한 기억을 현재형 진술을 통해 촘촘히 불러'내어 "지금', '여기'에서 재현될 수 있는 어울림의 공동체를 지향'한다고 하였다. 따라서 과거의 이야기를 '~밤입니다.'와 같은 현재형 진술로 표현한 것은 그러한 풍속과 정서가 현재에 복원, 재현되기를 바란다는 희망을 표현한 것으로 볼 수 있다.

[22~25] **기술**

## 22 ⑤ 정답률 44%

정답풀이

3문단에서 '보이스 코일은 보빈에 감겨 있는 도선으로, 이 코일에 전류가 흐르면 영구 자석이 형성하는 자기장과 상호 작용을 하여 생성되는 힘이 보이스 코일을 위아래로 움직이게 한다.'라고 하였다. 따라서 전류와 자기장의 상호 작용으로 보이스 코일에 작용하는 힘이 생성되는 것이지, 보이스 코일이 받은 힘이 그 상호 작용을 유도하는 것은 아님을 알 수 있다.

오답풀이

① 3문단에서 '폴피스는 전류가 흐르면서 보이스 코일에서 발생하는 열을 영구 자석과 탑 플레이트로 분산시켜 식혀 주는 역할을 한다.'라고 하였다. 이를 통해 전류가 보이스 코일에서 열을 발생시킨다는 것을 알 수 있다.
② 3문단에서 '보이스 코일은 보빈에 감겨 있는 도선'이며 보빈은 '보이스 코일에 고정되어 있'다고 하였다. 이를 통해 보이스 코일이 움직이는 방향과 보빈이 움직이는 방향은 동일할 것임을 알 수 있다.
③ 4문단에 따르면 다이내믹 스피커는 '진동판을 진동'시켜 '소리를 재생'하는데, 이때 진동판의 진동은 '전류의 방향이 계속해서 바뀌는 교류 전류를 보이스 코일에 흘려줌'으로써 이루어진다. 따라서 전류의 방향이 변하지 않으면 다이내믹 스피커는 소리를 재생하지 못할 것이다.
④ 3문단에서 '보이스 코일은 보빈에 감겨 있는 도선으로, 이 코일에 전류가 흐르면 영구 자석이 형성하는 자기장과 상호 작용을 하여 생성되는 힘이 보이스 코일을 위아래로 움직이게 한다.'라고 하였다. 이를 통해 보이스 코일에 전류를 흘려주면 보이스 코일이 힘을 받는다는 것을 알 수 있다.

**오답률 Best 3**

중심 소재와 관련한 세부 정보를 묻는 문제로, 지문에서 근거를 찾아 선지의 정오를 판단하면 돼. 이러한 유형의 문제에서 오답률이 높게 나왔다면 지문에 근거가 직접적으로 명시되지 않았거나 혹은 지문의 여러 곳에 흩어져 있는 정보들을 유기적으로 조합해서 근거를 찾아야 선지의 정오를 판단할 수 있는 경우가 많아. 22번에서는 오답 선지 중 특히 ①번과 ②번에 선택 비율이 집중되었는데, 선지 판단의 근거를 꼼꼼하게 찾아보면서 이러한 선지의 정오를 판단하는 연습도 해보자. 먼저 ①번과 관련해서, 지문에서는 폴피스가 보이스 코일에 발생한 열을 분산시키는 역할을 한다고 했는데, 당연히 보이스 코일에 열이 발생했으니까 그 열이 분산될 수도 있었겠지? 이처럼 어떤 문장을 이해할 때는 그 문장의 내용이 기본적으로 전제하고 있는 것이 무엇인지도 파악할 수 있어야 해. 다음으로 ②번은 약간의 추론이 필요한 선지였어. 보이스 코일과 보빈이 움직이는 방향이 같다고 지문에 명시되어 있지는 않지만, 보이스 코일이 보빈에 감겨 고정되어 있다는 것으로 보아 둘은 같은 방향으로 움직일 것이라고 추론할 수 있는 거지.

## 23 ③ 정답률 68%

정답풀이

4문단에서 '영구 자석에서 나오는 자기장의 방향은 동일하지만 보이스 코일에 흐르는 교류 전류의 방향이 전환됨에 따라 보이스 코일이 받는 힘이 이전과 반대 방향으로 작용하게 된다.'라고 하였다. 따라서 영구 자석에 의한 자기장의 방향은 항상 동일하며, 보이스 코일에 흐르는 전류의 방향이 바뀜에 따라 달라지는 것은 자기장의 방향이 아니라 보이스 코일에 작용하는 힘의 방향이다.

오답풀이

① 3문단에서 '댐퍼는 스피커의 외형을 이루는 단단한 프레임에 보빈을 지지시켜 보빈에 감겨 있는 보이스 코일이 위아래로 원활하게 움직일 수 있도록 보이스 코일의 중심을 잡아 준다.'라고 하였다.
② 3문단에서 '영구 자석은 자기장을 형성하고, 탑 플레이트는 이 자기장을 보이스 코일 방향으로 제어하는 역할을 한다.'라고 하였다.
④ 3문단에서 '보이스 코일에 고정되어 있는 보빈은 보이스 코일이 받는 힘을 진동판에 그대로 전달하여 소리를 재생하게 한다.'라고 하였다.
⑤ 4문단에서 '진동판의 반복 운동은 전류의 방향이 계속해서 바뀌는 교류 전류를 보이스 코일에 흘려줌으로써 이루어'지며 '보이스 코일에 흐르는 교류 전류의 방향이 전환됨에 따라 보이스 코일이 받는 힘이 이전과 반대 방향으로 작용'한다고 하였다. 따라서 보이스 코일에 작용하는 힘의 방향이 전환되면, 이 힘에 의한 운동이 보빈에 전달되어 보빈을 위아래로 움직이게 할 것이다.

## 24  정답률 41%

정답풀이

윗글의 5문단에서 '스피커에서 재생되는 소리의 크기는 보이스 코일에 흐르는 전류의 변화에 따라 달라'지며 '전류의 세기가 커짐에 따라' '진동판을 진동시키는 힘'도 커진다고 하였다. 한편 〈보기〉를 통해 '이퀄라이저는 특정 주파수 대역의 음을 세게 하거나 약하게' 하기 위해 전류를 조정하는 장치임을 알 수 있다. 따라서 저음 대역의 소리를 크게 강화하려면 저음 대역에 해당하는 전류의 세기를 크게 해야 한다.

**오답률 Best 2**

지문에 제시된 정보들을 <보기>의 구체적 상황에 적용해 볼 것을 요구하는 문제야. 그런데 오답 선지인 ⑤번을 선택한 비율이 무려 33%로 정답 선지만큼이나 높게 나타났어. ⑤번이 아주 매력적인 오답이었던 거지. ⑤번을 고른 학생들은 1문단에서 '진동수가 크면 높은 음이, 작으면 낮은 음이 난다'고 하였으니 진동수를 작게 하면 저음이 강화될 거라고 생각했던 거야. 하지만 진동수가 작아지면 음의 대역 자체가 더 낮아지기 때문에 원래의 음이 재생될 수 없어. <보기>에서 '저음을 강화'한다고 한 것은 저음의 크기를 키워 저음 대역을 더 큰 소리로 재생되게 하겠다는 것이지, 음의 대역 자체를 더 낮게 재생되게 하겠다는 건 아니거든. 그리고 진폭이 작아지면 약한 소리가 나기 때문에 이 또한 저음을 강화하는 방법이 될 수 없지. 진동수가 작으면 낮은 음이 난다는 단편적 근거만으로 문제를 해결하려 하지 말고, 원리를 이해함으로써 정확히 답을 찾을 수 있도록 하자!

## 25  정답률 83%

정답풀이

ⓐ(재생)는 '녹음 · 녹화한 테이프나 필름 따위로 본래의 소리나 모습을 다시 들려주거나 보여 줌.'을 뜻한다. '사물이 어떤 근원으로부터 갈려 나와 생김.'은 '파생'의 사전적 의미이다.

[26~28] **사회**

## 26 ⑤ 정답률 78%

정답풀이

윗글은 '투자의 기대 효용'에 대한 태도 차이를 기준으로 소비자의 투자 성향을 판단하는 것과 그러한 성향에 따라 소비자의 선택이 어떤 식으로 차이 나는지를 서술하고 있다. 윗글에서 투자 상품의 다양화 방안에 대해서는 언급하지 않았다.

오답풀이

① 1문단에서 '금융 상품에는 주식, 예금, 채권 등 다양한 유형의 투자 상품이 있다.'라고 하였다.
② 2문단에서 '투자의 기대 효용이란 투자를 통해 얻을 수 있는 수익의 기댓값으로, 투자 수익에 그것이 발생할 확률을 곱한 값과 투자 손실에 그것이 발생할 확률을 곱한 값의 총합을 의미한다.'라고 하였다.
③ 2문단에서 '금융 회사는 투자의 기대 효용에 대한 고객들의 태도 차이를 기준으로 고객들을 위험 추구형, 위험 회피형 등으로 분류한다.'라고 하였다.
④ 5문단에서 '금융 회사는 이러한 고객들의 투자 성향을 분류하여 위험 회피형인 고객에게는 예금과 같이 안전성이 높은 상품을 추천하고, 위험 추구형인 고객에게는 손실의 위험이 있더라도 큰 수익을 얻을 수 있는 투자 상품을 추천'하며, 이를 통해 '더 많은 고객들과 더 많은 투자 자금을 유치'한다고 하였다.

## 27 ① 정답률 78%

**정답풀이**

㉠(투자 실패로 인한 불만족보다 투자 성공으로 인한 만족을 더 크게 여기는 경우)은 위험 추구형 성향으로, 윗글에 제시된 그래프와 달리 화폐량이 a에서 a+1로 증가할 때의 한계효용이 a에서 a−1로 줄었을 때의 한계효용보다 더 크게 나타날 것이다. ①번의 그래프를 보면, 화폐가 a에서 a−1로 감소할 때의 한계효용은 3(=5−2)이고, a에서 a+1로 증가할 때의 한계효용은 10(=15−5)이다. 따라서 투자 실패로 인한 불만족(3)보다 투자 성공으로 인한 만족(10)이 더 큰 경우의 그래프로 볼 수 있다.

**오답풀이**

②, ③ 화폐량이 증가함에 따라 효용이 감소하고 있으므로, ㉠에 해당하는 그래프 형태로 볼 수 없다.
④ 화폐량이 변화함에도 효용은 6으로 변하지 않고 있으므로, ㉠에 해당하는 그래프 형태로 볼 수 없다.
⑤ 화폐량이 a에서 a+1로 증가할 때의 효용이 5(=15−10)이고 a에서 a−1로 감소할 때의 효용이 5(=10−5)로 동일하므로, ㉠에 해당하는 그래프 형태로 볼 수 없다.

## 28  정답률 65%

**정답풀이**

〈보기〉에서 A 상품과 B 상품이 수익을 얻을 확률이 각각 20%와 40%라고 하였으므로, 투자 실패의 확률은 각각 80%, 60%라고 볼 수 있다. 따라서 A 상품의 투자 실패 확률이 B 상품의 투자 실패 확률보다 더 크며, 이는 정해진 값이므로 두 상품의 투자 실패 확률에 대한 평가는 '갑'과 '병'이 동일해야 한다. 따라서 '갑'과 '병' 둘 다 A 상품이 B 상품보다 투자 실패 확률이 더 크다고 볼 것이다.

**오답풀이**

① '갑'은 B 상품을 선택하였으므로 '투자를 통한 기대 효용을 선호하'는 위험 추구형 투자자이고, '병'은 현금 보유를 선택하였으므로 '투자보다 화폐 보유를 선호하는' 위험 회피형 투자자이다. 따라서 '갑'은 '병'에 비해 손실 위험이 있더라도 수익을 얻을 수 있는 투자 상품을 선호한다고 볼 수 있다.
② A 상품을 선택한 '을'과 B 상품을 선택한 '갑'은 모두 위험 추구형 투자자이다. 따라서 '갑'과 '을'은 모두 화폐를 보유하기보다 투자를 통해 얻을 수 있는 수익에 대한 기대 효용을 선택한 것으로 볼 수 있다.
③ '을'은 수익을 얻을 확률이 20%로 낮지만 450만 원의 큰 수익을 얻는 A 상품을 선택하였고, '갑'은 수익을 얻을 확률이 40%로 더 높지만, 얻을 수 있는 수익이 200만 원인 B 상품을 선택하였다. 따라서 '을'이 '갑'보다 투자할 때 위험을 더 추구하는 성향이라고 볼 수 있다.
⑤ '병'은 위험 회피형 투자자이고, '을'은 위험 추구형 투자자이다. 4문단에서 위험 회피형 성향은 '투자에서 성공했을 때 오는 만족보다 투자에서 실패했을 때 오는 불만족을 더 크게 인식'한다고 하였다. 따라서 '병'은 '을'에 비해 투자 성공의 만족보다 투자 실패의 불만족을 더 크게 인식할 것이다.

# [29~34] 인문

## 29 ① 정답률 63%

**정답풀이**

윗글은 '논리학을 학문으로 체계화'한 '기원전 3세기의 철학자 아리스토텔레스'의 전통 논리학과 '20세기 독일의 논리학자 프레게'가 제안한 명제 논리학에 대해 설명한 뒤, 11문단에서 '이후 명제 논리학은 술어 논리학으로 발전'되었다고 하여 논리학이 발전되는 과정을 개괄적으로 소개하고 있다.

**오답풀이**

② 11문단에서 명제 논리학과 술어 논리학의 의의를 언급하였으나, 이를 다양한 관점에서 고찰하고 있지는 않다.
③ 윗글에서 논리학의 특징을 인접 학문과 비교하여 분석한 내용은 나타나 있지 않다.
④ 윗글에서 논리학이 발전되는 과정을 개괄적으로 소개하면서 논증 방식 또한 어떻게 달라졌는지 언급하고 있으나, 논증 방식이 단순화된 배경을 설명하고 있지는 않다.
⑤ 윗글에서 논리학의 변화에 영향을 준 학문들에 대해 언급하지는 않았다.

## 30 ③ 정답률 66%

**정답풀이**

2문단에서 '정언 문장이란 참과 거짓을 판별할 수 있는 문장 중에서 '주어-술어'로 이루어진' 문장으로, 여기에는 '모든 A는 B이다.', '모든 A는 B가 아니다.', '어떤 A는 B이다.', '어떤 A는 B가 아니다.'와 같은 네 가지 형식이 있다고 하였다. 따라서 주어와 술어로 구성된 모든 문장이 정언 문장이라고 할 수는 없다.

**오답풀이**

① 2문단에서 '연역 논증은 결론이 이미 전제에 포함되어 있기 때문에 전제가 참이면 결론이 반드시 참이 되는 형식의 논증을 말한다.'라고 하였다.
② 8문단에서 '전통 논리학에서는 정언 문장을 명사 단위로 나누어서 분석'했다고 하였다.
④ 8문단에서 '명제 논리학에서는 명제 자체를 논증의 기본 단위로 삼았다.'라고 하였다.
⑤ 11문단에서 '술어 논리학은 술어 기호를 사용하여 명제 논리학에서 다루지 못한 명제 내의 논리 구조를 분석함으로써 논리학의 범위를 한층 더 확대시켰다.'라고 하였다.

## 31 ④ 정답률 38%

**정답풀이**

8문단~9문단을 통해 '더 이상 분해할 수 없는 명제'인 단순 명제는 "p, q, r' 등의 기호로 표시하고, 단순 명제에 논리적 연결사'를 사용하여 복합 명제를 만든다는 점을 알 수 있다. 이를 참고하면, ⓑ(명제 논리학)의 관점에서 ㄴ의 〈전제1〉인 '민수는 일하거나 논다'는 'p∨q', 〈전제2〉인 '민수는 일하지 않는다.'는 '∼p'로 기호화하여 나타낼 수 있다. 즉 〈전제1〉과 〈전제2〉 모두 단순 명제에 논리적 연결사를 사용하여 만들어졌으므로 복합 명제에 해당한다.

**오답풀이**

① 4문단에서 '만약 술어가 '걷는다'와 같이 동사인 경우에는 '걷는 존재'와 같은 명사로 나타낼 수 있다.'라고 하였다. 이를 참고하면 ⓐ(전통 논리학)의 입장에서 ㄱ의 '죽는다'와 같은 동사는 '죽는 존재'와 같은 명사로 나타낼 수 있다.
② 4문단에서 '전제에만 있으면서 전제들을 엮을 수 있도록 하는 개념을 중명사(M)라'고 하며 '결론의 주어가 되는 개념'을 '소명사(S)'라고 한다고 하였다. 이를 참고하면 ⓐ의 입장에서 ㄱ의 '생명체'는 전제에만 나타나므로 중명사(M)이고, 결론의 주어가 되는 '사람'은 소명사(S)이다.
③ 8문단에서 단순 명제에 논리적 연결사인 '→(만약 …면 …이다)'를 사용하여 복합 명제를 만들 수 있다고 하였다. 이를 참고하면, ⓑ의 입장에서 '만약 생명체라면 죽는 존재이다.'는 '생명체이다.'를 p로, '죽는 존재이다.'를 q로 표시한 뒤, 이 둘을 논리적 연결사 '→'로 연결하여 'p → q'의 구조로 나타낼 수 있다.
⑤ 8문단에서 '단순 명제에 논리적 연결사인 '∨(또는)''을 사용하여 복합 명제를 만들 수 있다고 하였다. 이를 참고하면, ⓑ의 입장에서 ㄴ의 '민수는 일하거나 논다.'를 기호화하기 위해서는 '∨'에 해당하는 논리적 연결사가 필요하다.

**오답률 Best 1**

정답률이 38%밖에 되지 않는 난이도 높은 문제였고 오답률 1위를 차지했어. 그리고 오답 선지들의 선택 비율이 어느 한 선지에 쏠리지 않고 네 개의 선지 모두 높은 편이었다는 점을 고려하면, 지문에서 설명하고 있는 논증 방식 자체를 어렵게 느꼈던 학생이 많았던 것 같아. 그런데 수능 국어에서 논리학을 제재로 하는 지문이 종종 출제되기도 하고, 또 논리학에 대한 기본 지식은 수능 국어 지문을 논리적으로 이해하는 데에 도움이 될 수 있으니 이 기회에 한번쯤 확실히 정리하고 넘어가는 게 좋아. <보기>의 ㄱ은 전통 논리학의 정언 삼단 논증으로 설명할 수 있고, ㄴ은 명제 논리학에서 명제들의 진릿값과 논리적 연결사를 활용하여 설명할 수 있지. 선지별 근거는 정 · 오답풀이를 통해 충분히 설명했으니, 더 풀어볼 만한 고3 기출 지문을 소개해 볼게. 2020학년도 수능에 출제된 「베이즈주의의 조건화 원리」, 2016학년도 수능 A형에 출제된 「귀납에 내재된 논리적 한계」, 2016학년도 9월 모의평가 B형에 출제된 「과학철학의 설명 이론」은 논리학을 소재로 하는 지문들이니 참고하도록 해!

## 32 ④ 정답률 58%

정답풀이

5문단에서 '정언 삼단 논증에서 중명사(M)는 전제들 사이에서 소명사(S)와 대명사(P)를 연결시키는 역할을 맡는다. 만약 전제에 중명사가 없으면 소명사와 대명사를 연결시킬 수 없으므로 논증을 구성할 수 없다.'라고 하였다. 따라서 〈전제1〉과 〈전제2〉에 모두 중명사(M)가 나타나야 하는데, ④번의 경우 〈전제2〉에 중명사(M)가 없으므로 ㉠(정언 삼단 논증의 네 가지 유형)에 해당한다고 볼 수 없다.

## 33 ④ 정답률 72%

정답풀이

10문단에서 ㉡(전건 긍정)이란 '〈전제2〉가 〈전제1〉의 선행 조건인 p를 긍정함으로써 〈결론〉인 q가 성립된다고 주장하는 논증'이라고 하였다. 즉 〈전제1〉이 'p → q'일 때, 〈전제2〉에서 〈전제1〉의 선행 조건인 p를 긍정함으로써 〈결론〉에서 q가 성립된다고 주장하는 논증이다. ④번에서 〈전제2〉인 '교실 청소가 끝났다.'는 〈전제1〉의 '교실 청소가 끝나면 집에 갈 수 있다.'의 선행 조건을 긍정하고 있고, 이를 통해 〈결론〉인 '그러므로 집에 갈 수 있다.'를 도출하고 있으므로 이는 ㉡의 사례에 해당한다고 볼 수 있다.

오답풀이

① 〈전제2〉인 '차가 달린다.'는 〈전제1〉의 선행 조건 '차가 달리지 않는다.'를 부정하고 있다.
② 〈전제2〉인 '그것이 죽는다.'는 〈전제1〉의 후행 조건 '죽는다.'를 긍정하고 있다.
③ 〈전제2〉인 '아직 가뭄이 끝나지 않았다.'는 〈전제1〉의 후행 조건 '가뭄이 끝난다.'를 부정하고 있다.
⑤ 〈전제2〉인 '철수는 공부를 하지 않았다.'는 〈전제1〉의 선행 조건 '공부를 한다.'를 부정하고 있다.

## 34 ⑤ 정답률 56%

정답풀이

〈보기〉에서 'AND 게이트'는 "A', 'B'의 입력값이 모두 '1'일 때만 출력값이 '1'이 되는' 것이라고 하였다. 이는 명제 논리학에서 명제 p와 q가 모두 참일 때만 참이 되는 'p∧q'에 해당한다고 볼 수 있다. 따라서 'AND 게이트'에서 'Y'가 '1'인 것은 명제 논리학에서 두 명제 p와 q의 진릿값이 모두 참인 경우에 해당한다.

오답풀이

① 논리 게이트의 입력 단자 'A'와 'B'는 각각 명제 논리학의 단순 명제에 대응되고, 'A + B'에 해당하는 'Y'는 단순 명제가 결합된 복합 명제에 대응된다고 할 수 있다.
② 〈보기〉에서 '논리 게이트는 '1'과 '0'의 이진법 정보로 운용되는 전자 회로'라고 하였는데, 이는 명제 논리학에서 '단순 명제의 진릿값과 논리적 연결사'에 의해서 복합 명제의 진릿값이 결정되는 것과 같은 원리로 볼 수 있다.
③ 〈보기〉에서 'OR 게이트'는 "A'와 'B' 중 하나 이상의 입력값이 '1'이면 출력값이 '1'이' 된다고 하였으므로, 'A + B'는 명제 논리학에서 사용하는 논리적 연결사 중에서 '∨(또는)'을 사용하여 기호화할 수 있다.
④ 〈보기〉에서 입력값 '1'은 명제의 진릿값이 참인 경우에, 입력값 '0'은 명제의 진릿값이 거짓인 경우에 대응되며, 'OR 게이트'는 "A'와 'B' 중 하나 이상의 입력값이 '1'이면 출력값이 '1'이' 된다고 하였다. 따라서 'OR 게이트'는 명제 논리학에서 두 명제 중 하나의 진릿값이 참일 때 결론의 진릿값이 참인 경우에 해당한다고 볼 수 있다.

### [35~36] 예술

## 35 ⑤ 정답률 71%

정답풀이

1문단에서 섬유 예술은 '섬유를 오브제로 사용하여 미적 효과를 구현하는 예술'이라고 하였는데, 3문단에서 이러한 섬유 예술에서는 '콜라주와 아상블라주'와 같은 기법을 활용하여 '순수 조형미를 드러'낸다고 하였다. 따라서 섬유 예술이 순수한 미의식을 배제한다고 볼 수는 없다.

오답풀이

① 1문단에서 '섬유 예술은 실, 직물, 가죽, 짐승의 털 등의 섬유를 오브제로 사용하여 미적 효과를 구현하는 예술을 일컫는다.'라고 하였다.
② 2문단에서 '섬유 예술이 새로운 조형 예술의 한 장르로 자리매김한 결정적 계기는 1969년 제5회 '로잔느 섬유 예술 비엔날레전'에서 올덴버그가 가죽을 사용하여 만든 「부드러운 타자기」라는 작품을 전시하여 주목을 받은 것이었다.'라고 하였다.
③ 1문단에서 '섬유 예술은 실용성에 초점을 둔 공예와 달리 섬유가 예술성을 지닌 오브제로서 기능할 수 있다는 자각에서 비롯되었다.'라고 하였다.
④ 3문단에서 '바스켓트리는 바구니 공예를 일컫는 말로 섬유의 특성을 활용하여 꼬기, 엮기, 짜기 등의 방식으로 예술적 조형성을 구현하는 기법이다.'라고 하였다.

## 36 ③ 정답률 62%

정답풀이

3문단에서 '콜라주는 이질적인 여러 소재들을 혼합하여 일상성에서 탈피한 미감을 주는 기법'이며 '평면적인 조형성'을 가진다고 하였다. 따라서 〈보기〉의 「모노그램」이 콜라주 기법이 주는 3차원적 입체성을 강조하고 있다고 볼 수 없다.

오답풀이

① 1문단에서 '섬유 예술은 실, 직물, 가죽, 짐승의 털 등의 섬유를 오브제로 사용하여 미적 효과를 구현하는 예술'이라고 했으므로, 〈보기〉의 「모노그램」에서 박제 염소의 털이 활용되었다는 점을 통해 섬유 예술의 특징을 확인할 수 있다.
② 1문단에서 '오브제란 일상 용품이나 자연물 또는 예술과 무관한 물건을 본래의 용도에서 분리하여 작품에 사용함으로써 새로운 상징적 의미를 불러일으키는 대상을 의미한다.'라고 하였다. 이를 참고하면, 〈보기〉의 「모노그램」에서 사용된 나무 조각이나 신발 굽, 박제 염소, 타이어 등은 작가의 예술적 미의식을 구현하는 데 활용된 오브제라고 할 수 있다.
④ 3문단에서 '아상블라주는 콜라주의 평면적인 조형성을 넘어 우리 주변에서 흔히 볼 수 있는 물건들과 폐품 등을 혼합하여 3차원적으로 표현하는 기법이다.'라고 하였다. 이를 참고하면, 〈보기〉의 「모노그램」에서 주제 의식을 드러내기 위해 판넬에 염소를 세워 놓음으로써 3차원적 입체감을 드러낸 것에서 아상블라주 기법이 사용되었음을 확인할 수 있다.
⑤ 3문단에서 섬유 예술은 '현대 사회의 복합성과 인류 문명의 한 단면을 상징화하는 수단으로 활용되기도' 했다고 하였다. 또한 〈보기〉에서는 '박제 염소를 놓고 그 염소의 허리에 현대 문명을 상징하는 타이어를 끼워 놓았다. 이 작품을 통해 생명체가 산업화로 인해 위협 받고 있는 모습을 떠올릴 수 있다.'라고 하였다.

### [37~42] 고전소설

## 37 ⑤ 정답률 65%

정답풀이

(가)에서는 '우화소설은 인간의 삶과 사회에 대한 문제의식을 드러내어 인간에게 필요한 윤리 의식과 도덕적 교훈을 제시한다는 점에서 바람직한 사회상을 모색하려는 문학적 시도'로 볼 수 있다고 하였을 뿐, 계층 간의 갈등과 해소를 전형적인 서사 구조로 취한다고 하지는 않았다.

오답풀이

① (가)의 1문단에서 우화소설은 '동물을 인격화'한 이야기이며, '주요 유형으로는 소송 사건을 다루는 송사형 소설과 시비를 가리는 쟁론형 소설 등이 있다.'라고 하였다.
② (가)의 2문단에서 우화소설은 '구어나 비속어 또는 기지나 재치 있는 언술을 활용하여 해학적 분위기를 조성한다.'라고 하였다.
③ (가)의 4문단에서 우화소설은 '인간의 부정적인 면모나 봉건 사회의 부조리한 모습을 풍자한다.'라고 하였다.
④ (가)의 1문단에서 쟁론형 우화소설은 '시비를 가리는' 사건을 다룬다고 하였으며, 2문단에서 '우화소설은 인물의 성격이나 가치관의 대립을 보여 주는 사건을 중심으로 전개된다.'라고 하였다.

## 38 ② 정답률 52%

**정답풀이**

(가)에서 「서대주전」에는 '서대주가 타남주가 모아 놓은 밤을 몰래 훔치자 타남주가 서대주를 관가에 고소하는 사건'이 나타난다고 하였다. 그런데 (나)에서 서대주는 밤을 훔치고도 편하게 옥에 있다가 풀려나며, 오히려 타남주가 귀양을 가게 된다. 이는 부정하고 무능한 '당대 관리들의 행태'를 보여주는 것일 뿐, 신의를 지켜야 한다는 '윤리 의식'을 강조한 것으로 볼 수는 없다.

**오답풀이**

① (나)에서는 서대주의 모습을 '뾰족한 입이 오물거리고 두 귀가 발쭉거리며 두 눈이 깜짝'거린다고 표현하고 있다. 이는 (가)에서 우화소설이 '동물의 외형이나 생태적 특성을 반영하여 인물을 형상화'한다고 한 것과 관련이 있다.

③ (나)에서 서대주의 자손들은 '도적질로 생활'을 하여 '세상의 아동, 적은 것들, 부녀 또는 가마메는 졸부 등이 만나기만 하면 죽여 버'린다고 하였다. 이는 (가)에서 우화소설이 인간에게 필요한 '도덕적 교훈을 제시'한다고 한 것과 관련이 있는 것으로, 나쁜 짓을 하면 벌을 받는다는 인식을 보여 주는 것이라 할 수 있다.

④ (다)에서는 토끼와 용왕의 대립 구도가 드러나는데, 이는 (가)에서 우화소설의 대립 구도는 '소설의 갈등을 부각하는 서사적 장치로 독자의 흥미를 유발'한다고 한 것과 관련이 있다.

⑤ (다)에서 토끼는 '하체에 구멍이 셋'이 있는데 그 중 '하나는 특별히 간을 출입하는 곳'이라고 말하며 용왕을 속이고 있다. 이는 (가)에서 우화소설이 '기지나 재치 있는 언술'을 활용한다고 한 것과 관련이 있다.

## 39 ② 정답률 45%

**정답풀이**

(가)에서 (나)는 '서대주가 타남주가 모아 놓은 밤을 몰래 훔치자 타남주가 서대주를 관가에 고소하는 사건을 통해 당대 관리들의 행태를 고발'한다고 하였으며, (나)에서 서대주는 도적질을 하고도 뇌물을 쓰고 원님을 속여 자신의 목적을 성취하는 인물이다. 즉 서대주가 풍자의 대상인 것은 맞지만, 타인의 권세를 빌려 위세를 부리는 간사한 인물이라고 할 수는 없다.

**오답풀이**

① (나)의 '수졸'은 서대주에게 뇌물을 받고 그를 '편히 쉬게 하고, 하인과 같이 돌봐 주'었으므로, 이를 통해 뇌물을 받는 부패한 관리를 풍자한 것으로 볼 수 있다.

③ (나)의 '원님'은 서대주의 말만 듣고 '사리에 꼭 들어맞'다 여기며 '특별히 놓아주'고 오히려 밤을 도둑맞은 타남주에게 '간악한 소송을 한 죄'를 묻고 귀양 보낸다. 이를 통해 시비를 제대로 가리지 못하고 잘못된 판결을 내린 무능한 판관을 풍자한 것으로 볼 수 있다.

④ (다)의 '토끼'는 '무단히 허욕을 내어 자라를 쫓아 왔다가 수국원혼이' 될 위기에 처했으므로, 이를 통해 부귀영화를 꿈꾸며 허황된 욕심을 부리는 인간을 풍자한 것으로 볼 수 있다.

⑤ (가)에서 (다)는 '용왕이 토끼의 간을 구하기 위해 자라를 시켜 토끼를 용궁으로 데려오는 사건을 통해' '지배층의 횡포를' 보여 준다고 하였다. (다)의 '용왕'은 자신의 목숨을 위해 토끼의 간을 빼앗으려 하므로, 이를 통해 민중의 목숨을 하찮게 여기는 권력자의 횡포를 풍자한 것으로 볼 수 있다.

**오답률 Best 4**

39번의 오답률은 55%로 이 시험에서 네 번째로 높게 나타났어. 오답 선지 중에서는 ④번을 택한 학생들이 27%로 가장 높게 나타났지. ④번을 고른 학생들은 (다)가 어릴 때부터 익히 들어왔던 이야기라서 자라에게 속아 간을 빼앗길 위기에 처한 불쌍한 '토끼'도 풍자의 대상이 될 수 있다고는 생각하지 못했던 건 같아. 그래서 '토끼'가 부귀영화를 꿈꾸는 허황된 욕심으로 인해 수궁에 오게 된 것임을 정확하게 파악하지 못한 거야. 그런데 (다)에서 서술자는 '토끼 무단히 허욕을 내어 자라를 쫓아왔다'고 하였고, '토끼'도 '내 부질없이 영화부귀를 탐내어 고향을 버리고' 왔다고 후회하고 있지. 결국 지문에 명확한 근거가 제시되었음에도, 작품에 대해 이전부터 가지고 있었던 배경지식이 오히려 선지 판단을 방해한 것으로 볼 수 있어. 문학 작품은 관점에 따라 다양하게 해석될 수 있고, 특히 고전소설은 이본이 다양하기 때문에 이전에 알고 있던 줄거리와 다른 내용이 지문으로 등장할 수도 있어. 그러므로 자신이 가지고 있던 작품에 대한 배경지식보다 지문과 <보기> 등 출제자가 제시한 정보를 더 우선해야 한다는 것, 꼭 기억하자!

## 40 ① 정답률 51%

**정답풀이**

(나)의 '서대주는 후에 수백의 여자를 취하고~이것은 즉 서대주가 사람을 해친 마음에 대한 앙갚음이 아닌가 생각한다.'에서 서술자의 주관적인 논평이 드러나며, (다)의 '누구를 원망하며 누구를 한하리오. 세상에 턱없이 명리를 탐하는 자는 가히 이것을 보아 징계할지로다.'에서도 서술자의 주관적인 논평이 드러난다.

**오답풀이**

② (다)의 '내 부질없이 영화부귀를 탐내어~벗어나지 못하리니 어찌하리오.', '옛말에 이르기를 죽을 때에~헤아리지 아니하리오.' 등에서 토끼의 내적 독백이 나타나지만 (나)와 (다) 모두 독백적 진술을 중심으로 전개되고 있지는 않다.

③ (나)와 (다) 모두 액자식 구성이 나타나지 않으므로, 액자식 구성을 통해 인물의 삶의 내력을 소개한다고 볼 수 없다.

④ (나)의 '사는 것이 죽는 것만 못하옵니다.', (다)의 '은혜는 하늘과 같이 크신지라.' 등을 과장으로 볼 수는 있지만, (나)와 (다) 모두 과장된 비유를 반복하여 상황의 급박함을 부각하고 있지는 않다.

⑤ (나)와 (다) 모두 현재와 과거 사건을 교차하고 있지 않으므로, 현재와 과거의 교차를 통해 장면을 빈번하게 전환하고 있다고 볼 수 없다.

## 41 ② 정답률 64%

**정답풀이**

[B]에서 토끼는 자신이 '심상한 짐승과 다르와 본디 방성정기를 타고 세상에 내려와 날마다 아침이면 옥같은 이슬을 받아 마시며 주야로 기화요초를 뜯어 먹'는다고 하여 다른 짐승들과 다른 면모가 있음을 역설하였으나, 자신의 선행을 나열하지는 않았다.

**오답풀이**

① [A]에서 서대주는 타남주가 '사리에 맞지 아니한 터무니없는 말로 저를 얽어매는, 도리에 어긋난 간악한 송사를 꾀했'다고 하며 '사정을 살피시어 원한을 풀어'달라고 호소하고 있다.

③ [A]에서 서대주는 타남주가 '보는 자가 차마 볼 수 없고 들을 수 없는 짓을 행하였'다고 하며 부당한 행동을 했다는 점을 강조하였고, [B]에서 토끼는 자신이 '심상한 짐승과 다르'고 자신의 간이 '진실로 영약'이 된다며 자신이 특별한 존재라는 점을 강조하고 있다.

④ [A]에서 서대주는 '밝게 살피시는 원님께 엎드려 바'란다고 하며 자신의 '사정을 살'펴 달라고 말하며 원님을 설득하려는 의도를 드러냈으며, [B]에서 토끼는 '비록 죽을지라도 한 말씀 아뢰'겠다고 말하며 용왕에게 자신의 말을 믿게 하려는 설득의 의도를 드러내고 있다.

⑤ [A]의 '저는 본시 대대로 부유하여~옳겠습니까?', '밝게 살피시는 원님께~풀어 주옵소서.' 등에서 서대주가 청자인 원님을 높이고 자신을 낮추는, [B]의 '소토 비록 죽을지라도 한 말씀 아뢰리다. 대왕은 천승의 임금이시오 소토는 산중의 조그마한 짐승이라' 등에서 토끼가 청자인 용왕을 높이고 자신을 낮추는 겸양의 표현을 사용한 것을 확인할 수 있다.

## 42 ① 정답률 80%

**정답풀이**

(다)에서 토끼는 간을 빼앗겨 '수국원혼'이 될 처지에 놓이는데, 육지에 간을 두고 왔다는 거짓말로 용왕을 속이는 '한 꾀를 생각'해내어 위기 상황을 벗어나고자 한다. 따라서 토끼는 '그때그때 처한 형편에 맞추어 그 자리에서 결정하거나 처리함.'을 뜻하는 임기응변의 자세를 보여 주었다고 평가할 수 있다.

**오답풀이**

② '고육지책'은 '자기 몸을 상해 가면서까지 꾸며 내는 계책이라는 뜻으로, 어려운 상태를 벗어나기 위해 어쩔 수 없이 꾸며 내는 계책을 이르는 말.'이다.

③ '와신상담'은 '불편한 섶에 몸을 눕히고 쓸개를 맛본다는 뜻으로, 원수를 갚거나 마음먹은 일을 이루기 위하여 온갖 어려움과 괴로움을 참고 견딤을 비유적으로 이르는 말.'이다.

④ '권토중래'는 '땅을 말아 일으킬 것 같은 기세로 다시 온다는 뜻으로, 한 번 실패하였으나 힘을 회복하여 다시 쳐들어옴을 이르는 말.'이다.

⑤ '토사구팽'은 '토끼가 죽으면 토끼를 잡던 사냥개도 필요 없게 되어 주인에게 삶아 먹히게 된다는 뜻으로, 필요할 때는 쓰고 필요 없을 때는 야박하게 버리는 경우를 이르는 말.'이다.

## [43~45] 현대시

### 43 ② 정답률 46%

정답풀이

(나)의 화자는 '속이 검게 타버린 고목'이 '올봄도 잎을 내었'으며 '자꾸만 잎사귀를 꺼낸다'고 하여 나무의 성스러운 생명력을 예찬하고 있다. 따라서 봄의 계절적 배경이 시의 분위기를 형성하는 데 기여한다고 볼 수 있다.

오답풀이

① (가)는 영탄적 표현을 활용하여 화자의 정서를 심화할 뿐, 설의적 표현은 사용되지 않았다.

③ (가)의 '어린거린다', '파다거린다', '밀려와 부딪히고', '날러갔구나'와 같은 시어에서 동적 심상이 나타나지만, (나)에서 정적 심상을 주로 활용했다고 볼 수는 없다. (나)의 '밀어올리며', '꺼낸다', '피워내다니', '내놓는다' 등의 시어는 동적 심상을 일으킨다고 볼 수 있다.

④ (나)는 '느티나무'를 '그'로 의인화하고 '제 살을 달여 내놓는다'고 하여 나무의 성스러운 생명력을 예찬하고 있다. 그러나 (가)에는 인간과 자연과의 대비가 나타나지 않는다.

⑤ (가)는 '아아, 너는 산ㅅ새처럼 날러갔구나!'에서 죽은 자식을 '너'라 지칭하며 말을 건네는 듯한 말투를 사용함으로써 자식을 잃은 상실감을 드러내고 있다. 그러나 (나)에서는 말을 건네는 어투가 사용되지 않았다.

**오답률 Best 5**

두 작품의 표현상 특징을 비교하는 문제야. 운문 문학에서 두 작품 이상이 제시될 때 거의 빠놓지 않고 출제되는 유형인데 이번 시험에서 유독 오답률이 높았네. 무려 54%의 학생들이 정답 선지를 택하지 못했어. 이러한 유형의 문제를 빠르고 정확히 해결하기 위해서는 무엇보다도 문학 개념어에 대한 이해가 필수적이야. '설의적 표현', '계절적 배경', '동적 심상', '정적 심상', '인간과 자연의 대비', '의인화', '말을 건네는 어투' 등 선지에 등장하는 개념어들을 모른다면 문제를 해결할 수 없겠지. 이때 문학 개념어에 대한 이해를 높이기 위해서는 단순히 개념어의 정의를 외우기보다 실제 작품을 통해 공부하는 게 훨씬 효과적이야. 그리고 당연히 기출을 통해 학습해야겠지! 표현상 특징을 묻는 기출 문제들을 꾸준히 풀어보면서 문학 개념어에 대한 판단 기준을 서서히 정립해 나가도록 하자.

### 44 ③ 정답률 64%

정답풀이

〈보기〉에서 (나)의 '아궁이'는 '스스로를 태우고 불을 피우며 온기를 품는'다는 점에서 '소멸과 생성의 이미지를 형성'한다고 하였다. 그런데 (나)에서 '발이 묶인 채 날아오르는 새'는 땅에 뿌리를 내린 채 가지와 잎을 자라게 하는 느티나무의 모습을 비유한 것이다. 따라서 이를 통해 ㉡(아궁이)이 지닌 소멸의 이미지를 나타냈다고 볼 수 없다.

오답풀이

① 〈보기〉에서 (가)의 '유리'는 '투명하지만 차단성을 지'니고 있다는 점에서 '단절과 소통'의 이미지를 드러낸다고 하였다. (가)의 화자는 '유리'를 통해 대상을 보고 있지만 '유리'로 인해 '너'를 만날 수 없다. 이는 ㉠(유리)이 지닌 차단성에 기인한 것이라고 볼 수 있다.

② 〈보기〉에서 (가)의 '유리'는 '투명하지만 차단성을 지'니고 있다는 점에서 '단절과 소통'의 이미지를 드러낸다고 하였다. (가)의 화자는 '밤에 홀로 유리를 닦'고 있는데, 이는 대상과의 소통을 시도하는 것으로 ㉠이 지닌 투명성으로 인해 가능한 일로 볼 수 있다.

④ 〈보기〉에서 '(나)는 죽은 줄 알았던 느티나무가 생명을 이어가고 생의 터전이 되어 주는 모습을, 스스로를 태우고 불을 피우며 온기를 품는 '아궁이'의 속성을 통해 표현'했다고 하였다. (나)의 '고목'은 '낮의 새와 밤의 새가 다녀가고 / 다람쥐 일가가 세들어 사는' 곳으로 표현되었으며, 이를 통해 ㉡이 지닌 생성의 이미지가 드러난다고 볼 수 있다.

⑤ 〈보기〉에서 (나)는 '스스로를 태우고 불을 피우며 온기를 품는 '아궁이'의 속성을 통해' '고목'의 의미를 형상화했다고 하였다. (나)의 '고목'은 '오래오래 제 살을 달여 내놓는다'고 하였는데, 이는 '속이 검게 타버린 고목이지만' 봄이 되자 다시 잎을 피워내는 생명력을 지니고 있음을 의미한다. 따라서 '고목'이 자신의 살을 달이는 모습에서는 ㉡이 가진 소멸의 이미지를, 이를 내놓는 모습에서는 ㉡이 가진 생성의 이미지를 엿볼 수 있다.

### 45 ⑤ 정답률 55%

정답풀이

'발이 묶인 채 날아오르는 새'는 땅에 뿌리를 내리고 하늘을 향해 가지를 뻗고 있는 나무를 비유한 것이므로 C에 해당한다고 볼 수 있다. 그러나 '날아오르는 새'처럼 '푸른 날개'를 뻗는 모습은 잎을 피워내는 나무의 생명력을 드러내는 것이므로, 죽음을 감내하는 수용적 태도를 상징한다고 볼 수는 없다.

오답풀이

① (가)의 화자는 '지우고 보고 지우고 보아도'에서 유리창을 닦고 바라보는 행위를 반복함으로써 유리에 어린 죽은 자식에 대한 그리움을 드러내고 있다.

② (나)의 화자는 '느티나무'가 '자꾸만 잎사귀를 꺼낸다'고 하여 나무가 잎을 피우는 행위를 반복하고 있음을 드러내며, 이를 통해 죽은 것처럼 보이는 나무도 잎을 피우는 자연의 생명력을 드러내고 있다.

③ (가)의 화자는 자식을 잃은 상황에서 깊은 고독과 슬픔을 느끼면서도, 유리에 어린 죽은 자식의 이미지를 마주함으로써 그리웠던 대상을 만난 황홀함을 느끼고 있다. 화자는 이를 '외로운 황홀한 심사'와 같은 역설적 표현으로 드러냄으로써 죽은 자식을 유리를 통해 보면서 느끼는 모순된 심리를 집약적으로 제시하고 있다.

④ (가)의 화자는 죽은 자식이 '산ㅅ새처럼 날러갔'다고 하여 자신의 품을 떠난 작고 연약한 자식을 '산ㅅ새'에 비유하여 대상을 잃은 상실감을 표현하고 있다.

20회

**2022** 홀수 **고2 국어** 학력평가 기출문제집

**1판 1쇄 발행** 2021년 12월 15일

**기획** 홀수 편집부
**편집 • 검토** 윤지숙 장혜진 이수현 김주현 박효비 정경아 서미리
**디자인** 유초아 이재욱

**발행인** 이신열
**발행처** 주식회사 도서출판 홀수
**출판사 신고번호** 제374-2014-0100051호
**ISBN** 979-11-89939-71-7

**홈페이지** www.holsoo.com


교재 및 기타 문의 사항은 이메일(help@holsoo.com)로 문의주시면 감사하겠습니다.